ALLGEMEINES LEXIKON
DER BILDENDEN KÜNSTLER

———

SECHZEHNTER BAND

ALLGEMEINES LEXIKON DER BILDENDEN KÜNSTLER

VON DER ANTIKE BIS ZUR GEGENWART

BEGRÜNDET VON ULRICH THIEME UND FELIX BECKER

UNTER MITWIRKUNG VON ETWA 400 FACHGELEHRTEN
BEARBEITET UND REDIGIERT VON
H. VOLLMER, B. C. KREPLIN, C. H. WEIGELT, J. MÜLLER, D. STERN.

HERAUSGEGEBEN VON

HANS VOLLMER

SECHZEHNTER BAND

Hansen — Heubach

LEIPZIG
VERLAG VON E. A. SEEMANN
1923

Druck von C. G. RÖDER G. m. b. H., Leipzig

Printed in Germany.

VORWORT.

Trotz der Ungunst der Zeiten, trotz des Fehlens jeglicher materieller Unterstützung aus öffentlichen oder privaten Mitteln, trotz der dadurch ganz auf die Schultern des Verlages gelegten Bürde: sind wir in der Lage, nach weniger als Jahresfrist einen neuen Band des Künstlerlexikons hiermit vorzulegen. Haben wir also diesmal unseren einleitenden Worten keine Liste von Spendern mehr beizufügen, so möchten wir dennoch an dieser Stelle unseren Dank denjenigen Herren aussprechen, die uns durch Stiftungen ausländischer Zeitschriften und wertvoller, für unsere Fortarbeit wichtiger inländischer und ausländischer Bücher für die Redaktionsbibliothek eine große Erleichterung unserer Arbeit gewährt haben. Unter diesen Stiftern möchten wir besonders der Herren Charles Brunner in Paris und Guido Battelli in Florenz gedenken, denen wir die Zuwendung der laufenden Jahrgänge französischer und italienischer Zeitschriften und anderer Fachpublikationen ihrer Länder verdanken. Nur durch solche Hilfe, die wir auch für die Zukunft von allen, die uns in dieser Hinsicht helfen können, erbitten, ist es uns möglich, die für die Fortführung des Werkes notwendige Ergänzung der Bibliothek, unseres wesentlichen Arbeitsinstrumentes, auf der Höhe zu halten.

Noch einer anderen überaus erfreulichen Unterstützung sei hier gedacht: gerade in den Tagen, da diese Zeilen geschrieben werden, teilt uns unser bewährter Freund und Mitarbeiter Herr Fiske A. Kimball in Charlottesville, Virginia, mit, daß es ihm gelungen ist, eine Reihe amerikanischer Institute für das Lexikon in besonderem Maße zu interessieren. Möge sein schönes Beispiel Nachfolge finden.

Die durch den Krieg jäh zerrissenen Verbindungsfäden mit den ausländischen Mitarbeitern des Lexikons konnten wir nach und nach wieder knüpfen und stärken, zur Förderung unseres Werkes und darüber hinaus zur Förderung der Idee eines ersprießlichen Zusammenarbeitens der Gelehrten aller Länder.

Ein schwerer, fast unersetzlicher Verlust hat das Redaktionskollegium betroffen durch das am 17. Sept. vorigen Jahres erfolgte Hinscheiden ihres ältesten Mitgliedes, Johannes Kurzwelly, der fast zwei Jahrzehnte hindurch seine reichen Fachkenntnisse und eine erstaunlich vielseitige und tiefe Sprachbildung in den Dienst des Lexikons gestellt hat. Der Tod dieses lieben Kollegen hat eine Lücke gerissen, die in uns allen das schmerzliche Gefühl lebendig erhält, daß ein vollwertiger Ersatz für ihn niemals gefunden werden kann. Um so höher waren die Anforderungen, die angesichts dieses unerwarteten Ausfalls die pünktliche Fertigstellung des vorliegenden Bandes an die Mitglieder der Redaktion stellte; der Verlag hielt es für eine Pflicht der Dankbarkeit, die stille hingebende Arbeit der Redaktionsmitglieder auch dadurch zu ehren, daß ihre Namen nunmehr auf dem Titelblatt genannt werden. An dem Ausbau der Exzerptarbeiten wirkte mit altbewährter Sorgfalt wieder Fräulein M. von Zahn.

Wie schon bei Erscheinen des 15. Bandes angekündigt, ist der Unterzeichnete als verantwortlicher Herausgeber an die Spitze der Redaktion getreten. Er hofft, daß die Freunde und Mitarbeiter des Lexikons im In- und Auslande ihm beistehen werden, das Werk zum Nutzen der Wissenschaft energisch weiterzuführen. Die Arbeiten für die Drucklegung des nächsten Bandes haben schon vor der Ausgabe dieses Bandes begonnen.

Leipzig, im Juni 1923.

Hans Vollmer.

H

(Fortsetzung.)

Hansen, A d o l f H e i n r i c h (Claus A. H.), Maler, geb. 29. 11. 1859 in Kopenhagen als Sohn des Architekturmalers Heinrich H., 1883/6 Schüler der dort. Akademie, an der er seit 1887 als Hilfslehrer wirkte; malte vorzugsweise Architekturinterieurs mit Genrestaffage, die er seit 1885 in Kopenhagen und gelegentlich auch in München (Glaspalast 1889) u. Berlin (Gr. Kstausst. 1893—96 usw.) ausstellte, daneben Sportbilder (besonders Rennpferde, Szenen vom Rennen), deren einige er auch lithographiert hat.

W e i l b a c h, Nyt Dansk Kunstnerlex. 1896 I 360 f.; cf. B e c k e t t, Frederiksborg II (1914) 242. — Kunstchronik 1897 p. 34; 1900 p. 363. — Hamburg. Correspondent v. 30. 6. 1909.   *

Hansen, A l e x i s, siehe *Hanzen,* Al.

Hansen, A l f r e d, Bildhauer, geb. 31. 5. 1875 zu Süderbrarup, † 17. 9. 1902 zu Flensburg, ausgebildet in der Flensburger Schnitzschule unter Heinr. Sauermann, studierte dann in Berlin bei B. F. E. Kruse. Von ihm Bildnisplaketten.

S a u e r m a n n, Schleswig-Holstein. Kstkalender, 1913, Bilderanhang p. III, XVIII.

Hansen, A n d e r s, dän. Kupferstecher, geb. 20. 6. 1810 in Hassing bei Thisted, † im Juni 1879 wohl in Kopenhagen; 1834/8 Schüler der dort. Akademie, stach 1837—40 zahlreiche Illustrationen für „Nyt Magazin for Natur-og Menneskekundskab" (darunter Bildnisse B. Thorvaldsen's, Ad. Oehlenschläger's, H. Chr. Andersen's usw.).

W e i l b a c h, Nyt Dansk Kunstnerlex. 1896 I 348 f. — S t r u n k, Portr. af Danske etc. 1865 p. 15, 44, 438, 637, 641; Portr. af det Danske Kongehuus, 1881 p. 244.   *

Hansen, A n e M a r i e, dän. Malerin, geb. 20. 1. 1852 in Knardrup, ausgebildet seit 1872 in Kopenhagen an den Kunstschulen V. Kyhn's u. P. S. Krøyers; beschickte die dort. Akad.-Ausst. seit 1885 mit Genrebildern u. Porträts (so 1893 mit dem ihrer Mutter).

W e i l b a c h, Nyt Dansk Kunstnerlex. 1896 I.   *

Hansen, A s o r (Henrik Asor), norweg. Maler, geb. 23. 8. 1862 in Mandal, lebt in Bergen; als Sohn eines Dänen seit 1867 in Kopenhagen aufgewachsen u. für die dän. Marinelaufbahn vorgebildet, 1882/83 jedoch Schüler der dort. Kunstakademie u. hiernach des Malers Chr. Zahrtmann. Seit 1886 in der Kopenhagener Akad.-Ausst. und seit 1889 in der Staatl. Kunstausst. zu Kristiania, wie auch in verschied. Separatausst. zu Bergen, Trondhjem u. Berlin mit Bildnis- u. Genregemälden vertreten, siedelte H. 1891 wieder nach Mandal u. von da 1898 nach Bergen über, wo er — abgesehen von steten Sommervillegiaturen in Ose im südnorweg. Saetesdal u. von Studienreisen nach Paris, Berlin, Holland, Belgien u. England — seitdem ansässig blieb, eine Malschule eröffnete und seit 1907 mehrfach als Kunstvereinsvorstand fungierte. Die Hauptmotive seiner stimmungsvollen Helldunkelmalerei entnimmt er dem weltabgeschiedenen Saetesdal, dessen eigenartig ernste Naturszenerien, Sennersiedelungen u. Volkssitten in ihrer primitiven Schönheit ihn immer von neuem fesseln (Zeichnungen H.s mit Wiedergaben alter Saetesdal-Siedelungen im Museum zu Bergen). Daneben malt er auch weiterhin Porträts, Genrebilder u. Interieurs, deren einige in die Meyer'sche Kunstsammlung zu Bergen gelangten.

W e i l b a c h, Nyt Dansk Kunstnerlex., 1896 II 597. — T h i i s, Norske Malere etc., 1907 II 381. — S a l m o n s e n ' s Konvers.-Lex. — Persönl. Mitteil. des Kstlers.   *B.W.Schnitler.*

Hansen, A k s e l Christian Henrik, dänischer Bildhauer, geb. 2. 9. 1853 in Odense, Schüler der Akad. zu Kopenhagen, die ihn 1879 als Modelleur diplomierte, 1888 durch Verleihung des Ancher-Legates auszeichnete u. 1914 zum Akad.-Mitglied ernannte. In deren Ausst. seit 1880 vertreten (seine „Hagar u. Ismael"-Gruppe von 1881 jetzt in der Emmauskirche zu Kopenhagen), schuf er im akadem. Stil der Bissen-Nachfolge neben mythologischen („Echo"-Statue von 1888 im Kopenhagener Rosenborg-Park, Gipsmodell in der Ny Carlsberg-Glyptothek Nr 368) u. religiösen Kompositionen (Bronzerelief „Verspottung Christi" von 1890 im Kopenhagener Kunstmuseum, für dessen Fassade er auch die vier Statuen über dem Hauptportal modellierte) u. neben zahlreichen Bildnisbüsten hervorragender Zeitgenossen (darunter die des Dichters E. Chr. Richardt von 1886 im Nat.-Mus. zu Frederiksborg, Kat. 1919 Nr 3782) auch eine Reihe öffentlicher Denkmäler, so für Aarhus das Standbild des jütländ. Handelsherren H. Broge (1910), für Odense die Reiterstatue König Christians IX. (1912) usw.

W e i l b a c h , Nyt Dansk Kunstnerlex. 1896 I. — T r a p , Kongeriget Danmark, Ausg. 1899 ff. I₃ Reg. p. 84. — D a h l - E n g e l s t o f t , Dansk Biograf. Haandleks. 1920 I.

Hansen, C a r e l L o d e w i j k , Landschafts- und Vedutenmaler und Radierer, geb. 1765 in Amsterdam, † 8. 7. 1840 in Vaassen, Vater des Lamb. J. Hansen. Schüler von P. Barbiers Pietersz., 6. 2. 1794 Mitglied der Lukasgilde zu Haarlem, 1806 in Amsterdam wohnhaft, erhielt 1813 die gold. Med. der Gesellschaft „Felix Meritis" zu Amsterdam, wo er auch Mitglied der Akad. wurde. Arbeitete 1816 mit an einem Panorama der Schlacht von Waterloo. Zahlreiche Bilder in holl. Privatbes., eine Ansicht der Rabenburg bei Leiden im Stadtmus. zu Leiden (Katal. 1908; früher im Pavillon Haarlem). Zeichnungen in der Albertina, Wien und Mus. Teyler, Haarlem (Katal. 1904). Es gibt von H. 3 rad. Landschaftsfolgen, jede zu 6 Blatt (seltene Probedrucke vor der Schrift). Das bei Kramm (und Wurzbach, Niederl. Kstler-Lex,) erwähnte, von F. C. Groeger gemalte und lith. Bildnis stellt nicht H., sondern den Architekten Chr. Fr. Hansen dar.

N a g l e r , Kstlerlex., V. — I m m e r z e e l , Levens en Werken, II (1843). — V. E i j n d e n en v. d. W i l l i g e n , Geschiedenis.., III (1820) ; Anhang (1840).— K r a m m , Levens en Werken, II (1858). — H i p p e r t & L i n n i g , Peintre-Graveur holland., 1879.— H e l l e r - A n d r e s e n , Handb. f. Kupferst.-Samml., I (1870). — W e i g e l s Kstkatal., 1838—66 Nr 5510, 9203, 13739. — Kunst- en Letterblad III (nicht benutzt). — Oud Holland, 1901. — Notiz von A. Bredius. — Kataloge: Akad.-Ausstell. Berlin 1834 p. 22 ; Histor. Ausstell. Amsterdam 1876.

Hansen, C a r l , Landschaftsmaler, geb. 24. 3. 1874 zu Hürup in Schleswig, tätig in Weimar, seit 1911 in Perleberg. Im Städt. Mus. zu Halle a. S. „Stürmischer Sommertag" (Führer 1913). — Ein g l e i c h n a m i g e r Maler, geb. 1873 in Gramm, Schleswig, Schüler der Kopenhagener Akad., von Weilbach, Dansk Kunstner-Lex., erwähnt.

S i n g e r , Kstlerlex., Nachtr. (1906). — Katal.: Ausst. Düsseldorf, 1907. — Verwaltungsber. d. Mus. f. Kst u. Kstgew. Halle a. S., 1910 p. 5 (Abb.). Gr. Kst-Ausst. Dresden, 1904; Deutschnat. Kst-

Hansen (Sundt-Hansen), C a r l F r e d e r i k , norweg. Maler, geb. 30. 1. 1841 in Stavanger, † 27. 8. 1907 ebenda; wurde als Sohn eines Dänen 1859/60 in Kopenhagen an der Akad. u. unter F. F. Helsted, seit 1861 in Düsseldorf ebenfalls an der Akademie u. unter B. Vautier,

1866/69 in Paris ausgebildet und lebte dann bis ca. 1872 in Kristiania, bis 1883 in Stockholm (abgesehen von alljährl. Studienreisen nach Norwegen), bis ca. 1900 in Kopenhagen und schließlich in Valle im südnorweg. Saetesdal unter jenen Bauersleuten, deren schlichtes Dasein er zeitlebens mit Vorliebe in seinen Gemälden geschildert hatte. Als Darsteller des norweg. Volkslebens der Erbe A. Tidemand's, ist er diesem Wortführer der Nationalromantik an charaktervoller Wirklichkeitstreue u. ernster Auffassungstiefe doch weit überlegen. Sein Streben nach Wahrhaftigkeit in der Verdolmetschung nationaler Eigenart führte ihn von jedem Auslandsaufenthalt immer wieder in das lebendige Milieu seiner Bildmotive zurück. H. ist eine Übergangserscheinung zwischen Romantik u. Naturalismus; seine Gemälde zeigen bei großem zeichnerischen Können eine außerordentlich minutiöse Maltechnik, womit sie an die ältere dänische und niederländ. Kunst erinnern. Im Gegensatze zum Lyrismus u. Pathos der Romantik betont er ausdrücklich die psychologische u. dramatische Seite. Charakteristische Beispiele seiner Kunst — mit der er seit 1864 im Kunstverein u. 1893—1903 auch in der Staatl. Kunstausst. zu Kristiania vertreten war, ferner 1872 und häufiger seit 1884 in der Akad.-Ausst. zu Kopenhagen, gelegentlich auch in Stockholm (1866 „mention honorable"), Paris (Weltausst. 1889), München (Glaspalast 1891) u. Berlin (Akad.-Ausst. 1890/92, Große Kstausst. 1893 u. 1896) — beherbergen die Museen zu Kristiania („Verhör im Dorfgefängnis" von 1875, Abb. bei Aubert p. 32), Bergen, Stockholm, Danzig („Bordbegräbnis" von 1891) u. München („Dorfvirtuos" von 1893, Abb. im Pinak.-Kat. von 1905, Nr. 827).

L. D i e t r i c h s o n , A. Tidemand (Kristiania 1879) II 102; d e r s., Svundne Tider, 1899 II 236, III 345; cf. Illustr. Nyhetsblad (Kristiania) 1864 p. 92. — J. L a n g e , Nutids-Kunst (Kopenhagen 1873) p. 500 ff.; d e r s., Udvalgte Skrifter, 1900 I 223 ff.; cf. Kunstbladet (Kopenhagen) 1888 p. 199. — W e i l b a c h , Nyt Dansk Kunstnerlex., 1896 I 384 f. — H. M e n d e l s o h n in Zeitschr. f. Bild. Kunst 1898 p. 43; cf. Kunstchronik 1892 p. 55. — T h i i s , Norske Malere etc., 1904 ff. I 247 ff., II 213. — A. A u b e r t , Norweg. Malerei (Leipzig 1910) p. 29 ff. — F. v. D a r d e l , Dagboksanteckningar (Stockholm 1916 ff.) I 42, 64; II 103, 219; III 43. — Nekrologe im Morgenbladet (Kristiania) v. 30. 8. 1907; Politiken (Kopenhagen) v. 4. 9. 1907; Stockholm's Dagblad vom 1. 9. 1907. — Briefe des Kstlers. *C.W.Schnitler.*

Hansen, C a r l M a r t i n , siehe *Martin-Hansen,* C.

Hansen, C a r l R u d o l f , siehe 2. Artikel *Hansen,* Christian (Olaf Peter Chr.).

Hansen, C h r i s t i a n (Hans Chr.), Architekt, geb. 20. 4. 1803 in Kopenhagen, † 2. 5. 1883 in Wien, älterer Bruder des Theophilus. Schüler der Kopenh. Bauakad. unter G. F. Hetsch, errang 1829 die gold. Med., ging 1831 nach Rom, 1833 nach Neapel und von dort

ch Sizilien und Griechenland, wo er mit Roß
d Schaubert die Ausgrabungen und den
ederaufbau des Nike - Apteros-Tempels in
nen leitete. 1839 gaben die drei den 1. Teil
es Werkes: Die Akropolis von Athen heraus,
° den Nike-Tempel behandelt. In Athen
ate H. die Universität (1837—42, irrtümlich
Theophilus zugewiesen), im griech. Stil mit
ascher Säulenhalle, und die Englische Kirche,
gotischem Stil; in Triest das Marinearsenal
54/57), in Kopenhagen, wo er seit 1857 als
hrer an der Akad. wirkte, das Gemeinde-
spital (1859—63), das Naturhist.· Museum
63—69), die Römische Badeanstalt und das
»servatorium der Universität, in Holbaek auf
land eine Kirche in romanischem Stil. —
Weilbach, Nyt dansk Kunstnerlex., I
96). — Trap, Beskrivelse af Danmark,
9/1906, I, Personalreg. p. 85. — Dahl og
agelstoft, Dansk biogr. Haandleks., I
920) 669. — Zeitschr. f. bild. Kst, VI (1871) 326.

Hansen, Christian (Olaf Peter Chr.),
ler, geb. 6. 2. 1865 in Kopenhagen als
an des Dekorationsmalers Carl Rudolf
(geb. 1840), in dessen Werkstatt er später
Teilhaber mitarbeitete; Schüler O. A. Her-
nsen's in Kopenhagen und 1883/7 an der
t. Akad. weitergebildet. Neben der De-
rationsmalerei betrieb er auch die Land-
afts- u. Stillebenmalerei und beschickte die
ad.-Ausst. 1885/6 mit mehreren großen
chenstücken mit totem Geflügel usw. —
Weilbach, Nyt Dansk Kunstnerlex. 1896
76.   *

Hansen, Christian Frederik, Archi-
t, geb. 29. 2. 1756 in Kopenhagen, †
7. 1845 in s. Villa „Rolighed" bei Kopen-
zen; Schüler C. F. Harsdorff's an der Kopen-
gener Akad., die ihn 1772/79 mehrfach prä-
erte und nach mehrjähr. Studienaufenthalt
Italien u. Deutschland 1785 zum Mitglied
vählte. Schon 1783 zum Landbaumeister
a Holstein ernannt und seit 1784 in Altona
ässig, entwarf er seitdem die Pläne zu
lreichen holsteinischen Staats- u. Privat-
aten (z. T. bereits wieder abgebrochen):
Öffentl. Gebäude: Kirchen zu Neumünster,
sum u. Krempe, Irren-Heilanstalt in Schles-
g, Waisenhaus in Altona, Rathäuser in Plön
Neustadt; 2. Patrizierhäuser der Familien
sse u. Baur (mehrere) an der Palmaille zu
ona u. des Generals Hogendorp am Gänse-
rkt zu Hamburg; 3. Landhäuser in Oth-
rschen (Fam. Thornton), Dockenhuden (Fam.
deffroy), Krummendieck, Perdöl u. Rastorf;
Villen u. Gartenhäuser in Ottensen (Fam.
auer), Nienstedten (Fam. Baur u. Böhl),
mburg u. Hamm. Außerdem sind im
de viele landwirtschaftl. Gebäude und in
mburg u. Lübeck Etagenhäuser von ihm
lant u. ausgeführt worden (z. Teil erst
h 1804 nach seinen Plänen von seinem
fen Mathias H. erbaut, s. d.). Mit diesen

Arbeiten führte H. den klassizist. Baustil im
gen. Teile Norddeutschlands ein und sicherte
sich damit einen ganz bestimmt nachweisbaren
Anteil an der künstlerischen Entwickelung des
Landes. Stilistisch brachte er eine besondere,
von ihm höchst mannigfach variierte Richtung
des Klassizismus zur Geltung unter strenger
Anlehnung an den Palladianischen Villenstil
und dessen zweiachsialen kompositionellen
Fassadenaufbau. — Seit 1791 Titularprofessor,
1804 nach Kopenhagen zurückberufen und seit
25. 4. 1808 Lehrer für Baukunst an der dort.
Akad., der er schließlich achtmal als Direktor
vorstand, schuf H. in Kopenhagen den Neu-
ausbau des 1794 abgebrannten Schlosses
Christiansborg (aus dem neuen Brande von 1884
nur H.s Schloßkirchenbau von 1826 gerettet),
das Rat- und „Dom"-Haus 1815 (seit Vollendung
des M. Nyrop'schen Rathaus-Neubaues [1903]
nur noch als Gerichtshaus weiterbestehend),
das Soldinsstift u. die Metropolitanschule (1815)
und 1811—29 die durch Thorvaldsen's Skulp-
turenschmuck· weltberühmte Frauenkirche,
außerdem Provinzialkirchen wie die zu Hørs-
holm (1823), Villenbauten u. a. Das aus Harsdorff's Schule hervorgegangene klassizistische
Kopenhagen hat unter Hansen seine architektonische, städtebaulich höchst wirksame
Konzentration erhalten. Eine „Sammlung von
verschied. öffentlichen und Privat-Gebäuden
gezeichnet und ausgeführt von C. F. Hansen"
veröffentlichte er selbst 1825—47 in Kopenhagen in 95 Großfolio-Kupfertafeln. H.s Bildnis ist von F. C. Groeger gemalt und lithogr.
1821.

C. M. Smidt, Archit. C. F. Hansen og hans
Bygninger, Kopenhagen 1911. — Weilbach,
Nyt Dansk Kunstnerlex. 1896 I 356/60; cf.
Dahl-Engelstoft, Dansk Biograf. Haand-
leks. 1920 I 659, dazu Trap, Kongeriget Dan-
mark, ed. 1899 ff. I—V (Kstler-Reg. p. 84). —
Nagler, Kstlerlex. V (1837). — [Gaede-
chens], Hamburg. Kstlerlex. 1854; cf. Mel-
hop, Alt-Hamburg. Bauweise, 1909. — Haupt-
Biernatzky, Bau- u. Kstdenkm. Schleswig-
Holsteins, 1887 ff. I 457 (mit Abb.), 539; II 150,
156, 497, 503; III Meister-Übers. p. 4. — W.
Jakstein in Kunstkalender Schleswig-Hol-
steins 1917; in Baurundschau 1915 u. 1918; in
„Architekten" (Kopenhagen) v. 22. 4. 1920.
W. Jakstein.

Hansen, Constantin (Carl Christian
Const.), dän. Maler u. Radierer, geb. 3. 11.
1804 in Rom (getauft in Wien), † 29. 3. 1880
in Kopenhagen; Sohn u. Schüler des Porträtisten Hans H. Zunächst als Architekt ausgebildet (seit 1817 an der Kopenhagener Akad.),
ging er 1825 zur Malkunst über unter der
Leitung Chr. V. Eckersberg's, von dem er —
entgegen seiner urspr. idealistischen Veranlagung — die auf gewissenhafteste Naturwiedergabe ausgehende koloristisch-realistische
Schulung erhielt, wie sie in seinen seit 1825
in der Kopenhagener Akad. ausgestellten lebensvollen u. farbenfrischen Bildnis- u. Genre-

malereien, wie auch in verschiedenen Kopenhagener Architekturveduten dieser Frühzeit sich widerspiegelt (im Kunstmuseum zu Kopenhagen z. B. das Gruppenbildnis dreier jungen Mädchen von 1827). Auch nachdem er 1835 als Staatsstipendiat nach Rom gegangen war und 1838/9 Neapel u. Pompeji besucht hatte, blieb er jener lebendig-realistischen Kunstauffassung zunächst noch treu, so in dem prächtigen Interieur - Gruppenbilde „Dänische Künstler in Rom" (1838 mit einer Ansicht des röm. Vestatempels in der Kopenhagener Akad. ausgest.) u. dem „Ariost-Vorleser auf dem Neapeler Molo" von 1840 (nebst den 2 vorgen. Gemälden jetzt im Kopenhagener Kunstmus.). Die wahre Bedeutung seines achtjährigen Italienaufenthaltes zeigte sich erst, als H. mit seinen Entwürfen zur Ausmalung der Kopenhagener Universitätsvorhalle hervortrat, die er dann nach seiner Heimkehr 1844—53 gemeinsam mit dem Ornamentklassizisten G. Chr. Hilker im Staatsauftrag in Freskotechnik ausführte (nach H.s Orig.-Kartons später von A. Jerndorff erneuert). In diesen Universitätsfresken schuf er „mit klarer und tiefer Einsicht in das Wesen der antiken Malerei und der griechischen Mythologie einen Kreis von Bildern, die in bezug auf Reinheit und Strenge des Stiles unter den entsprechenden Werken aus der neuesten Zeit kaum ihresgleichen haben" (E. Hannover). Unter den Zwittereindrücken des aus Rom und Pompeji mitgebrachten Hellenismus und des im dänischen Geistesleben damals vorherrschenden Skandinavismus malte er ferner 1855/7 sein berühmtes „Gastmahl Aegirs" (jetzt im Kunstmus. zu Kopenhagen). Unter den zahlreichen Bildnismalereien seiner Spätzeit — die gegenüber denen seiner Frühzeit an koloristischem Reiz einbüßen mußten, was ihnen an erhöhtem Stilempfinden des unter Rom-Eindrücken gereiften Meisters zugute kam, — sind neben dem 1852 prämiierten Bindesböll-Porträt des Thorvaldsen-Museums u. dem 1860/64 gem. vielfigurigen Kolossalbilde „Die grundgesetzgebende Reichsversammlung von 1848" im Nat.-Mus. zu Frederiksborg als am nächsten an die liebenswürdigen Porträtschöpfungen seiner Jugendjahre anknüpfend besonders hervorzuheben Familienbildnisse wie das seiner Gattin u. eines seiner Kinder in der Hirschsprung-Gal. zu Kopenhagen. Seit 1864 Mitglied der Kopenhagener Akad. und seit 1873 deren Vizedirektor, betätigte sich H. als Dekorationsmaler noch im dort. Königl. Theater, im Dom zu Roskilde (Freskodarst. Christi u. der 12 Apostel) usw., endlich als Radierer mit verschied. Landschafts- und Architekturveduten. — Von seinen Kindern widmete sich Elise H. (s. d.) gleichfalls der Malkunst, während Sigurd H. (geb. 19. 2. 1850), nachdem er 1868/78 die Kopenhagener Akad. besucht und

deren Ausst. 1877/8 mit einigen Porträts einer Kompositionszeichnung beschickt ha 1879 zur Theologie überging und 1883 Pfar wurde (cf. Weilbach p. 383). H.s Toch Kathrine unterstand Entwurf und Ausfü rung der Gobelins für den Rittersaal zu Sch Frederiksborg.

E. Hannover, Maleren Const. Hans Kopenhagen 1901; Dän. Kunst des 19. Jah. Leipzig 1907 p. 26 ff. — S. Müller, Ny Dansk Malerk., 1884 p. 127—137 (mit Abb cf. Reitzel, Fortegn. 1883 p. 215 ff. Weilbach, Nyt Dansk Kunstnerlex. 189 350 ff.; cf. Trap, Konger. Danmark, 1899 ff. I 3 (Reg.). — Madsen, Kunstens H i Danmark, 1901 ff., p. 221 ff., 286 ff. (mit Abb cf. Kunstmuseets Aarsskrift, Kopenhagen 1914 I u. IV—VI (Reg.). — O. Andrup in Da Engelstoft's Dansk Biogr. Haandleks. 1920 I. Kat. Statens Mus. Kopenhagen. Danske A 1921.

Hansen (Konstantin-Hansen), Elise, Ma rin u. Kunstgewerblerin, geb. 4. 5. 1858 Kopenhagen, Tochter des Constantin; Schüle ihres Vaters, Dalgaard's u. der Kopenhag Akad. Tätig als Lehrerin an der Hochsch in Kolding (Jütland). Beschickte seit 18 die Kopenhagener Akad.-Ausst. mit Kind Genreszenen u. Bildnissen u. malte dann s ca 1890 vorzugsweise Landschafts- u. Tierbild mit denen sie seit 1893 in der Kopenhagen Sezessionsausst. vertreten war. Mit N. K. Sko gaard bereiste sie als Akad.-Stipendiatin 1894 Griechenland und besuchte auch Italien u. Pa Mit ihren Tier- u. Pflanzendarstellungen — sie auch zu Entwürfen für die Kopenhager Porzellanmanufakt. verwertete —, Entwürf für Stickereien usw., beeinflußte sie die E wicklung des dän. Kunstgewerbes. Im M von Randers (Jütland) von ihr ein Tierstück (Ö

Weilbach, Nyt Dansk Kunstnerlex. 18 I 382 f. — Dahl-Engelstoft, Dan biogr. Haandleks., II (1921 f.) 374 (Konstantin Hansen). — E. Hannover in Zeitschr. Bild. Kst 1903 p. 302; cf. Kunstgew.-Blatt (1888) 199 (mit Abb.) u. Kat. der Gr. Kstaus zu Berlin 1900 p. 111.

Hansen, Frederik Carl Christia dän. Architekt, geb. 8. 2. 1858 in Thiste 1876—84 Akad.-Schüler in Kopenhagen, s 1886 Lehrer a. d. Akad. in Sorø (Seeland), wo u. a. 1888 das Technikum u. 1901/3 das ne Krankenhaus errichtete. Nach eigenen Plän baute er auch Rathäuser wie die zu Frederi sund u. Skelskør (1895/6), Schulen, Kasinos us

Weilbach, Nyt Dansk Kunstnerlex. 18 I. — Trap, Konger. Danmark, 1899 ff. I 2 576; II 543, 549, 610 f., 637.

Hansen, Frida (geborene Peterse norweg. Textilkünstlerin, geb. 8. 3. 1855 Stavanger; bereiste seit 1889 die Westkü Norwegens zum Studium der dort nach uralt Überlieferungen noch fortlebenden bäuerlich Textiltechnik, der häuslichen Anfertigung v Wollgarn u. Pflanzenfarben u. der dafür gebräuchl. Färbmethoden, zu denen sie neue hi zuerfand, um sie dann in ihrer Werkstatt in Stavanger praktisch zu verwerten. Schon 1890/91 errang sie in den Hausfleiß-Ausst. zu Kristiania u. zu Skien großen Beifall (in letzt. 1891 den 1. Preis) mit ihren altnorwegische dekorative Motive wiedergebenden Bildteppichen, worauf sie 1891 nach Kristiania übersiedelte, wo die Wesensverwandtschaft ihrer Kunst mit der Gerhard Munthe's bald zur fruchtbringenden Zusammenarbeit beider Künstler führen sollte. Nach längerem Studienaufenthalt in Paris u. Köln (1894/95) brachte Frau H. nach G. Munthe's, wie nach eigenen Kompositionen eine ganze Reihe von Bildteppichen zur Ausführung und 1897 in Stockholm zur Ausstellung (schon 1893 zu Chicago). Sie leitete dann die 1897 in Kristiania gegründ. Aktiengesellschaft „Norske Billedvaeveri" (aufgelöst 1902) und betätigte sich als Lehrerin für Teppichweberei und Vorlagenkomposition. Nach Munthe's Kartons webte sie die 2 großen „Reichsteppiche" im Königsschloß zu Kristiania: „König Sigurd Jordsalfar u. König Balduin vor Konstantinopel" und „König Sigurd's Einzug in Konstantinopel" (praem. 1900 in Paris, wo Frau H. damals zur „associée" der Soc. Nat. des B.-Arts ernannt wurde, in deren Salon sie 1906/09 Bildteppiche ausstellte). Mit Teppichgeweben eig. Entwurfes ist sie im Kunstgewerbemus. zu Kristiania u. in den Museen zu Hamburg und Budapest vertreten; sie wirken sehr vornehm in ihrer feinen Detailbehandlung und harmon. Farbenzusammenstellung, haben jedoch in ihrer naturalistischen und wenig nationalen Formensprache — gegenüber denen nach Munthe's Kartons — eine verhältnismäßig geringe Bedeutung als Typen norwegischer Textilkunst. Als Wiederentdeckerin der nationalen Webtechnik dagegen, wie als Lehrerin derselben hat Frau H. grundlegende Verdienste; auch hat sie mit ihrer sogen. „Transparentweberei" aus durchbrochenem Wollgarngeflecht jedenfalls eine ganz neue u. selbständige Technik ins Leben gerufen. Als Fachschriftstellerin veröffentlichte sie 1899 in Kristiania eine Abhandlung über „Husflid og Kunstindustri i Norge".

Nyt Tidsskrift (Kristiania) 1892/3 p. 615, 619. — Nylaende (Krist.) 1895 p. 81; 1900 p. 276. — Husmoderen (Krist.) 1896 p. 249; 1908 p. 195, 209. — Hver 8 Dag (Krist.) 1898/9 p. 609. — Urd (Krist.) 1900 p. 313. — L. Dietrichson in Deutsche Kunst u. Dekoration VI (Darmstadt 1900) 530 f. (Abb. 527 ff.); cf. Dekorat. Kunst IV (München 1901) 33 ff., VI (1903) 418, VIII (1905) 199. — P. Krohn in R. Graul's „Krisis im Kunstgewerbe" (Leipzig 1901) p. 66 f. — The Studio XXIII (1901) 241 ff. — V. Pica, L'Arte all' Esposiz. di Torino 1902 p. 88 ff. — Morgenbladet (Krist.) 1907 Nr. 449. — Kunst og Kultur (Bergen) 1911/12 p. 62—71; 1918/19 p. 159. — Konst (Stockholm) 1917 III 9. — Kat. der Norweg. Jubil.-Ausst. in Kristiania 1914 p. 216 Nr. 10 (Abb. p. 169). *C. W. Schnitler.*

Hansen, H a n s , dän. Maler, geb. 22. 2. 1769 in Skjelby (Seeland), † 11. 2. 1828 in Kopenhagen; seit 1786 Schüler Jens Juels an der dort. Akad. Nachdem er seit 1793 in Jütland u. auf Fünen gearbeitet hatte, unternahm er 1797 als Akad.-Stipendiat eine Ausland-Studienreise über Deutschland nach Wien (wo er nach mehrjähr. Aufenthalt 1803 heiratete) u. Rom (wo 1804 sein Sohn Constantin H. geboren wurde, s. d.). In Wien porträtierte er 1802 den schwed. Gesandten Fr. S. Silfverstolpe (Halbfig.-Ölb. im Stockholmer Akad.-Mus., cf. Looström Taf. 74) wie auch W. A. Mozart's Witwe Konstanze, geb. Weber, nebst deren 2 Söhnen Karl u. W. A. Mozart jr. (sämtl. im Salzburger Mozart-Mus., Abb. bei Tietze p. 127). Nach seiner Heimkehr (über Triest u. Wien) lebte er seit 1805 in Kopenhagen, wo er 1809 für sein Bildnis des Malers Chr. A. Lorentzen (Abb. bei Madsen p. 168) Akad.-Mitglied wurde, 1817—26 als Akad.-Lehrer für Perspektive u. Mathematik wirkte und 1827 „Betragtninger over de skønne Kunsters Vaerd" veröffentlichte. In den dort. Akad.-Ausst. 1818—27 mit Porträts in Öl- u. Miniaturmalerei, wie auch mit Miniaturkopien nach Gemälden anderer Künstler u. mit einigen Vedutenlandschaften vertreten, malte er u. a. eine Reihe von Bildnissen berühmter Dänen (meist Kopien, auch nach Kupferstichen) für die Porträtgalerie des königl. Schlosses zu Frederiksborg (jetzt Nat.-Mus., cf. Kat. 1919, Reg. p. 272). Wertvoller als seine in Juel's Manier gehaltenen, in der Regel steif u. kraftlos wirkenden Bildnismalereien sind seine zeitgeschichtlich interessanten autobiograph. Aufzeichnungen (unter dem Titel „Portraetmalerens Dagbog" 1907 in Kopenhagen publ.).

W e i l b a c h , Nyt Dansk Kunstnerlex. 1896 I; cf. R e i t z e l , Fortegn. 1883. — M a d s e n , Kunstens Hist. i Danmark, 1901 ff., p. 171 f. — Th. A. M ü l l e r , Holbergs Portraeter, 1918, (Reg., mit Abb.). — L o o s t r ö m , Kungl. Akad. Samlingar, Stockholm 1915 p. 153. — H. T i e t z e in Oesterreich. Kunsttopogr. XVI (1919) 128 f. — O. A n d r u p in Dahl-Engelstoft's „Dansk Biograf. Haandleks.", 1920 I. — Statens Mus. Kopenhagen. Fortegn. Danske Malerier og Skulpt.,1921. *

Hansen, H a n s , Bildhauer, geb. 1821 im südnorweg. Eisenwerk Naes bei Tvedestrand, † Ende 1858 in Kristiania; ausgebildet seit 1841 an der kgl. Zeichenschule zu Kristiania u. seit 1846 an der Akad. zu Kopenhagen, deren Ausst. er 1847—50 mit Bildnisbüsten etc. beschickte. Bis 1850 ebenda in H. V. Bissen's Werkstatt tätig (im Mus. zu Kopenhagen von ihm eine Büste Graf A. W. v. Moltke's), meißelte H. 1850/51 in Stockholm Marmorbüsten König Oskars I. u. Karls XV. (im dort. Schloß), Prinz Gustav's u. der Königin Josephine v. Schweden (im dort. Nat.-Mus.), lebte dann bis 1857 in Rom und wirkte schließlich in seinem letzten Lebensjahre als Lehrer an der kgl. Zeichenschule zu Kristiania, wo u. a. die bronz. Grabmalbüste H. Wergeland's von ihm modelliert wurde (im dort. Kunstmus. von ihm die Marmorgruppe „Kind zu Pferde" u. eine „Homer"-Statue in Gips). Stilistisch zeigen seine Bildwerke ein Gemisch von Klassizismus u. Romantik.

L. D i e t r i c h s o n , A. Tidemand (Kristiania 1878/9) I 34, II 183. — J. M o e , Fra det nation. gjennembruds tid (Krist. 1915) p. 59, 276. — W. M o e , Halfdan Kjerulf (Krist. 1917) p. 131, 208. — Edda IX (Krist. 1918) 98. — Samtiden (Krist.) 1919 p. 40. — W e i l b a c h , Nyt Dansk Kunstnerlex., 1896 II 597; cf. R e i t z e l , Fortegn . . . ., 1883.   *C. W. Schnitler.*

Hansen, H a n s , Maler dän. Abkunft, geb. 9. 4. 1870 zu Leith bei Edinburgh, studierte an der Edinburgh School of Art, lebt in London, wo er 1891 bis 1918 in der Roy. Acad. ausstellte (vgl. Katal.). Ein Aquarell „Spanische Tänzerin" in der Mod. Gal. in Wien (Katal. 1904).

G r a v e s , Roy. Acad., III (1905).

Hansen, H a n s C h r i s t i a n , dän. Maler, geb. 1. 4. 1861 in Kjettinge auf Laaland, 1881/6 Schüler der Kopenhagener Akad., deren Ausst. er seit 1884 beschickte; seit 1894 in Kopenhagen verheiratet, wo er als Porträtist u. Kopist tätig ist. — H. nennt sich jetzt *Vantore.*

W e i l b a c h , Nyt Dansk Kunstnerlex. 1896 I.

Hansen, H a n s C h r i s t i a n , siehe auch *Hansen,* Christian u. *Hansen,* Viggo.

Hansen, H a n s N i k o l a j , Maler u. Graphiker, geb. 15. 5. 1853 in Kopenhagen, † ebda 15. 3. 1923, 1872/6 Schüler der dort. Akad., in deren Ausst. er 1877/9 mit zeichn. Kompositionen aus der dän. Geschichte debütierte. Nachdem er 1879/80 in Paris unter L. Bonnat weiterstudiert hatte, beschickte er seit seiner Heimkehr die Kopenhagener Akad.-Ausst. mit Genregemälden wie „Friedhofszene" (1880, in der Ny Carlsberg-Glyptothek), „Frauen auf der Heide", „Troubadoure" usw. und 1883 mit dem großen Historienbild „Bauerngericht über Torben Oxe", betätigte sich dann als phantasiereicher u. exzentrisch-humorvoller Illustrator für Oehlenschläger's „St. Hansaftensspil" (Abb. daraus bei E. Hannover p. 95) u. „Aladdin" (1891), Shakespeare's „Sommernachtstraum" (1895) usw. und widmete sich zuletzt fast ausschließlich der Radierkunst, in der er heute mit einem umfangreichen Oeuvre von Einzelblättern (19 Bl. im Kat. der Pariser Weltausst. 1900, 10 Bl. im Kunstkat. der Balt. Ausst. zu Malmö 1914, mit Tafel 95) als einer der Hauptmeister Dänemarks gilt, als ein „lyrischer Exzentriker, dem nur Kr. Zahrtmann überlegen ist" (E. Hannover). Als solcher 1901 in Paris u. 1905 in München prämiiert, wurde er 1911 von der Kopenhagener Akad. zum Mitglied ernannt. Einige seiner Zeichnungen findet man in der Kopenhagener Hirschsprung-Gal. (Kat. 1911 Nr 718, cf. Nr 152) u. im Dän. Nat.-Mus. zu Frederiksborg (Kat. 1919 Nr 4050). — Abbildungen nach solchen in „The Studio" LV (1912) 146 u. in dessen „Winter-Number"

1900/1 p. 189 f. — 1921 malte er 3 große Bilder „Genforeningen" für Schloß Frederiksborg.

W e i l b a c h , Nyt Dansk Kunstnerlex. 1896 I; cf. R e i t z e l , Fortegn. 1883. — S. M ü l l e r , Nyere Dansk Malerk., 1884 p. 138—142 (mit Abb.). — M a d s e n , Kunstens Hist. i Danmark, 1901 ff., p. 401 f. — E. H a n n o v e r , Dän. Kunst des 19. Jahrh., 1907 p. 95 f. — H. B r ø c h n e r in „Bogvennen" VI 2 (Kopenhagen 1917) p. 293—300 (mit Abb.). — O. A n d r u p in Dahl-Engelstoft's „Dansk Biograf. Haandleks." 1920 I. — Statens Mus. Kopenhagen. Fortegn. Danske Malerier og Skulpt., 1921.   *

Hansen, H a n s P e t e r , Holzschneider, geb. 20. 12. 1829 in Kopenhagen, † 18. 11. 1899 ebenda, Schüler H. Chr. Henneberg's, A. Kittendorff's, J. P. Aagaard's u. der Kopenhagener Akad., seit 1854 in Dresden weitergebildet, wo er an der Holzschnittübertragung der Zeichnungen J. Schnorr v. Carolsfeld's (für dessen Bilderbibel) u. Adr. L. Richter's mitarbeitete. Später unter Ed. Kretzschmar, wie auch selbständig als gesuchter Porträtxylograph in Leipzig tätig, wo er 1859 eine Tochter des Kupferstechers G. G. Langer heiratete, kehrte H. 1864 bei Kriegsausbruch nach Kopenhagen heim und wirkte dort — 1875/82 in den Akad.-Ausst. vertreten — als vielbeschäftigter Illustrationsxylograph, besonders für Sigurd Müllers „Nyere Dansk Malerkunst" (1884), für Richardt's u. Rode's Kinderbücher, für Zeitschriften wie „Illustr. Tidende", „Ude og Hjemme" usw. Er galt als einer der tüchtigsten dän. Künstler seines Faches. — Von seinen Söhnen wurde H a n s P e t e r G u t t o r m H. (geb. 9. 7. 1855 in Kopenhagen, 1873/6 Schüler der dort. Akad., deren Ausst. er seit 1877 beschickte) ebenfalls Holzschneider, Olaf Viggo H.-Langer (s. Langer, Viggo) dagegen Maler.

W e i l b a c h , Nyt Dansk Kunstnerlex. 1896 I; cf. R e i t z e l , Fortegn. 1883. — H o f f , A. L. Richter, 1877 p. 452. — S t r u n k , Portr. af det Danske Kongehuus, 1881 p. 230, 241. — D a h l - E n g e l s t o f t , Dansk Biogr. Haandleks. 1920 I. *

Hansen, H e i n r i c h , dän. Maler u. Kunstgewerbler, geb. 23. 11. 1821 in Hadersleben (Schleswig), † 11. 7. 1890 in Kopenhagen; vorgebildet unter einem Dekorationsmaler in Flensburg, seit 1842 Akad. - Schüler in Kopenhagen, wo er damals an der Ausmalung des Thorvaldsen - Museums mitarbeitete. Nachdem er auch die reichen Umrahmungen der Wandfresken V. Marstrand's und H. Eddelien's in der Kapelle Christians IV. im Dom zu Roskilde gemalt und 1847 zu Studienzwecken Deutschland bereist hatte, wurde er 1848 Hilfslehrer an der Kopenhagener Akad., die ihn dann 1858 zum Mitglied u. 1864 zum Professor für Perspektive erwählte. In den Akad.-Ausst. seit 1844 mit kunstgewerbl. Entwürfen u. dänischen wie auch deutschen Architekturstudien vertreten, beschickte er sie nach einer 1850/52 unternomm. Studienreise durch England, Belgien, Frankreich, Italien u. Spanien mit mannigfaltigen von diesen wie von späteren Reisen heimgebrachten Architekturaufnahmen u. Interieurstudien in Öl- u. Aquarellmalerei, die ihm um ihrer minutiösen, perspektivisch vollendeten Detaildurchführung willen weitreichenden Ruf eintrugen, dem heutigen Kunstempfinden jedoch in ihrer Glätte nur noch wenig bedeuten; eine Anzahl seiner ca 1850—1880 dat. Gemälde dieser Art findet man im Kopenhagener Kunstmus. (Kat. 1921), in der Ny Carlsberg-Glyptothek u. im Nat.-Mus. zu Frederiksborg, wo er vor dem Schloßbrande von 1859 viel kopiert u. skizziert hatte, weshalb er auch bei der nachfolgenden Erneuerung dieses Schloßbaues eine bedeutsame Rolle spielen durfte. Der gleiche Umstand veranlaßte schließlich auch seine vielseitige, den nordischen Renaissancestil bevorzugende Dessinateurbetätigung für alle Zweige des dänischen Kunstgewerbes, u. a. auch für die keramische Produktion der Kopenhagener Bing u. Gröndahl-Manufaktur, als deren künstlerischer Leiter er längere Zeit tätig war; dazu bemalte er ganze dort hergestellte Tafelgerätfolgen seines Entwurfes mit Ansichten dänischer Königsschlösser (cf. Abb. bei Fischel p. 351), und in der Wiener Weltausst. von 1873 figurierte er mit einer von ihm mit einer Innenansicht von St. Peter zu Rom bemalten Riesenvase der gen. Manufaktur. Noch 1888 wurde er zum Ehrenmitglied der Akad. zu Stockholm ernannt für sein Ölbild mit Darst. des Lübecker Rathaussaales (im dort. Nat.-Mus., Kat. 1897 Nr 1408). Sein Sohn Adolf H. (s. d.) wurde gleichfalls Architekturmaler.

S. M ü l l e r, Nyere Dansk Malerk., 1884 p. 143 f.; cf. R e i t z e l, Fortegn. 1883. — F. v. B o e t t i c h e r, Malerwerke des 19. Jahrh., 1891 I; cf. Kunstchronik 1878 p. 827 f., 1890 p. 538 f. — W e i l b a c h, Nyt Dansk Kunstnerlex. 1896 I. — T r a p, Konger. Danmark, ed. 1899 ff. I ₂ p. 105 u. 472, II 215, 386, 578; cf. K o r n e r u p, Dom zu Roskilde, 1910 p. 7, u. B e c k e t t, Frederiksborg II (1914) Reg. p. 277. — H. F i s c h e l in Kunst u. Ksthandw. VI (Wien 1903) 358 f.; cf. Dekorat. Kunst VII (München 1904) 37 f. — O. A n d r u p in Dahl-Engelstoft's „Dansk Biograf. Haandleks." 1920 I. *

Hansen, H e n r i k A s o r, s. *Hansen,* Asor.

Hansen, J. L., Lithograph, um 1830 in Hamburg tätig. Von ihm: Parish Villa in Nienstedten a. d. Elbe, Bildnis des Prof. C. F. Dahlmann.

N a g l e r, Kstlerlex. V. — E. Z i m m e r m a n n, Gesch. d. Lithogr. in Hbg, 1896 p. 41. — W e i g e l s Kstkatalog, Leipzig 1838—66, I 1019 f. — Kat-Ausst. v. Gemälden aus Altonaer Privatbes., 1912 No 1288. D.

Hansen, J ö r g e n, dän. Maler, geb. 16. 9. 1862 in Svaninge bei Faaborg (Fünen), 1883/5 Schüler der Akad. zu Kopenhagen, deren Ausst. er 1886/9 mit Genrebildern u. Porträts beschickte. Später in Faaborg tätig, malte er u. a. die Altarbilder für die benachb. Pfarrkirchen von Brabrand (Christus auf den Wogen schreitend, 1895) u. von Naesbjerg (Christi Auferstehung, 1902).

W e i l b a c h, Nyt Dansk Kunstnerlex. 1896 I. — T r a p, Konger. Danmark, ed. 1899 ff. V 112 u. 748. *

Hansen, J o h a n n L u d w i g, siehe unter *Hansen,* Ludwig.

Hansen, J o s e f, Maler in Düsseldorf, geb. in Elberfeld 23. 5. 1871, besuchte die Akad. in Düsseldorf und München, pflegt die Figurenmalerei, besonders biblische Motive und das Bildnis. Von einer mehr akademischen Gestaltung rang er sich besonders im religiösen Bild mehr und mehr zu einer modernen Auffassung auch in der Behandlung der Farbe durch. In Düsseldorf gewann H. Einfluß durch die Begründung der Künstlervereinigung „Niederrhein", die alljährliche, vielbemerkte Ausstellungen veranstaltet und schon vor dem „Sonderbund" und dem „Jungen Rheinland" als Bahnbrecher einer freieren Auffassung sich Verdienste um das rheinische Kunstleben erwarb. Hauptwerke: „Der verlorene Sohn" (1900), „Weihnachten" (1904), „Madonna" (1909, bei Kommerzienrat Bayer, Elberfeld), „Der göttliche Kinderfreund" (Bochum). Von Bildnissen sind zu erwähnen die von Dr. Albrecht (1903) und Prof. Herold (1906), beide in Düsseldorf, und des Botschafters Frhrn v. Langwerth-Simmern (1907).

[W. S c h ä f e r] Bildh. u. Maler i. d. Ländern a. Rhein, 1913. — Die christl. Kunst, I (1904/5) 165 (Abb.); VIII (1911/12) 224 (Abb.). — Ausstell.-Kataloge: München, Glaspal. 1904,08; Berlin Gr. K.-A. 1906 ff.; Düsseldorf 1902 ff. C.

Hansen, J o s e f T h e o d o r, dän. Maler u. Illustrator, geb. 4. 1. 1848 bei Randers (Jütland), † 30. 10. 1912 ebenda; vorgebildet unter einem dort. Dekorationsmaler, studierte als Terrakottamaler in Ipsen's u. Wendrich's Manufakturen zu Kopenhagen 1869/76 an der dort. Akademie, deren Ausst. u. seit 1873 mit Architekturveduten u. Interiors aus dän. Königsschlössern beschickte und als deren Stipendiat er 1881/2 in Paris unter L. Bonnat weiterstudierte und 1882/3 Italien u. Griechenland bereiste. Von seinen trefflichen, Heinrich H.s Arbeiten gegenüber künstlerisch wesentlich freier behandelten, koloristisch höchst reiz- u. geschmackvoll wirkenden Architekturgemälden erwarb das Kopenhagener Kunstmuseum 1887 u. 1893 Ansichten des Palazzo Borghese in Rom u. von S. Marco in Venedig. Die Ny Carlsberg-Glyptothek besitzt von ihm eine 1907 dat. Aquarellansicht des Grabes A. J. Carstens' in Rom. Als Illustrator arbeitete er jahrelang für Trap's „Kongeriget Danmark" (Kopenhagen, Neuausg. 1899 ff.).

S. M ü l l e r, Nyere Dansk Malerk., 1884 p. 145; cf. R e i t z e l, Fortegn. 1883. — W e i l b a c h, Nyt Dansk Kunstnerlex. 1896 I. — D a h l - E n g e l s t o f t, Dansk Biograf. Haandleks. 1920 I. — Kat. Statens Mus. Danske, Afd., 1921. *

Hansen, J u s t M i c h a e l, dän. Maler u. Steinzeichner, geb. 25. 8. 1812 in Naestved (Seeland), † 13. 7. 1891 wohl in Slagelse; 1828/36 Schüler der Akad. zu Kopenhagen, deren Ausst. er 1834/5 u. 1847 hauptsächlich mit Porträts beschickte. Seit 1836 in Slagelse als Porträtist tätig, wirkte er 1837/87 an dort. Schulen als Zeichenlehrer. Er malte u. zeichnete Bildnisse wie die der Slagelser Geistlichen K. F. Viborg u. G. G. Salicath (letzt. von ihm selbst lithogr. 1847).
W e i l b a c h, Nyt Dansk Kunstnerlex. 1896 I; cf. R e i t z e l, Fortegn. 1883. — S t r u n k, Portr. af Danske etc., 1865 Nr 2512, 3247 b, 3352. ∗

Hansen, K n u t, Maler u. Illustrator, geb. 15. 1. 1876 in Kopenhagen, lebt in Berlin; seit 1892 Schüler der Akad. zu Kopenhagen, weitergebildet in Berlin, debütierte 1900 in der dort. Großen Kunstauss. (u. gleichzeitig im Münchener Glaspalast) mit elegant und leicht hingeworfenen Gouache- u. Schwarz-Weiß-Kompositionen aus dem Berliner Gesellschafts- u. Nachtleben, wie er sie seitdem für die Berliner „Lust. Blätter", für die Münchener „Jugend" usw. in großer Menge geschaffen hat, und deren einige auch für die Berliner Nat.-Gal. (Handzeichn.-Kat. 1902 p. 169) u. für die Münchener Pinakothek angekauft wurden. Als Plakatzeichner wurde er mehrfach prämiiert (cf. Abb. in Die Kunst VIII, München 1903 p. 313 f., im Archiv f. Buchgewerbe LII, 1915 p. 242).
D r e s s l e r 's Kunsthandb. 1921 II. — H i r t h, 3000 Jugend-Kunstbl., 1909 Nr 1041/44. — Danebrog (Kopenhagen) v. 7. 3. 1907; cf. Juleroser's Haandtegn.-Samling, Kopenh. 1906. ∗

Hansen, L a m b e r t u s J o h a n n e s, holl. Maler, geb. 12. 8. 1803 in Staphorst (Oberijssel), † 21. 4. 1859 in Amsterdam. Lernte bei seinem Vater Carel Lod., J. W. Pieneman, J. A. Daiwaille, C. H. Hodges, P. Barbiers, Jan Hulswit u. a., wurde 1833 Mitglied der Amsterd. Akad. und Lehrer an derselben. Er malte hauptsächlich Innenräume und Durchsichten mit Figuren in der Art des Pieter van Hoogh. Im Reichsmus. Amsterdam (Katal. 1920) „Gemüsehändlerin". Vielleicht von ihm die Hanse f. bezeichnete Ansicht eines Platzes mit alten Gebäuden im Stadtmus. zu Leiden (Katal. 1908).
I m m e r z e e l, Levens en Werken, II (1843). — K r a m m, Levens en Werken, Anhang (1864). — Oud Holland, IX (1891).

Hansen, L a r s, dän. Maler, geb. 25. 7. 1813 in Rønne auf Bornholm, † 10. 8. 1872 ebenda; seit 1828 in Kopenhagen Lehrling eines Dekorationsmalers u. Schüler der Akad., deren Ausst. er 1836/63 mit Bildnissen beschickte, und die ihn 1839 u. 1842 prämiierte. Nachdem er in Kopenhagen u. a. den Dichter Ad. Oehlenschlaeger porträtiert hatte (1841, sein Gemälde von ihm selbst lithogr.), wirkte

er 1843/63 in Stockholm, wo er als Porträtist (auch der schwed. Königsfamilie) viel beschäftigt war, unternahm dann von Kopenhagen aus große Auslandreisen (namentlich nach Italien) und verbrachte seine letzten Lebensjahre halb erblindet auf Bornholm.
W e i l b a c h, Nyt Dansk Kunstnerlex. 1892 I; cf. R e i t z e l, Fortegn. 1883. ∗

Hansen (Gebauer-Hansen), L a u r i t s, dän. Bildhauer, geb. 7. 6. 1851 in Holbaek (Seeland), † 1. 10. 1908 in Kopenhagen; zunächst Bildschnitzerlehrling, dann 1871/75 in Kopenhagen Akad.-Schüler, schließlich im Hauptberuf Musiker (Kontrabaßgeiger). Im Nebenberuf als Bildschnitzer tätig (meist nach fremden Modellen), war er 1882 u. 1903—8 in den Kopenh. Akad.-Ausst. mit Genreplastiken vertreten.
W e i l b a c h, Nyt Dansk Kunstnerlex., 1896; cf. R e i t z e l, Fortegn., 1883. *S. Sch.*

Hansen (Ravn-Hansen), L o u i s e C h r i s t i a n e, Malerin u. Radiererin, geb. 19. 7. 1849 in Kopenhagen, † 17. 1. 1909 ebenda; Schülerin Emma Mulvad's, V. Kyhn's u. J. Roed's, in den Kopenhagener Akad.-Ausst. seit 1878 mit Landschaftsgemälden (eines davon im dort. Kunstmus.) und seit 1882 auch mit landschaftl. Kupferätzungen vertreten, die ihr 1891 ein Reisestipendium für Italien eintrugen. Nach weiteren Reisen durch Holland u. Belgien beschickte sie 1899 u. a. auch den Münchener Glaspalast (Ölbild „Gewitterlandschaft").
W e i l b a c h, Nyt Dansk Kunstnerlex. 1896 I 384; cf. W. O l s e n, Fortegn. 1916, dazu R e i t z e l, Fortegn. 1883. ∗

Hansen, L u d w i g (Johann Ludwig Christian), Maler, geb. 30. 10. 1784 in Kiel, † 1849 ebenda; ursprünglich Dekorationsmaler, später autodidaktisch zum Porträtisten u. Landschaftsmaler ausgebildet. Unter seinen bei Strunk aufgez. Bildnissen seien hervorgehoben die des Kieler Theologen Cl. Harms (nach H.s Gemälde von 1821 gest. von F. W. Bollinger in Berlin) u. des dän. Dichters Ad. Oehlenschläger (1844, lithogr. von E. Baerentzen in Kopenhagen). Die Kieler Kunsthalle bewahrt von ihm eine Tiroler Landschaft. — Sein Sohn J o h a n n L u d w i g H. (geb. 20. 7. 1812 in Kiel, † im Sommer 1844 in Bozen, Tirol) studierte 1831/8 an der Akad. zu Kopenhagen, 1839 in Dresden, 1840/41 in München und beschickte die Kopenhagener Akad.-Ausst. 1837 mit einer holsteinischen Landschaft u. 1840 mit Südtiroler u. Salzburger Landschaft.
W e i l b a c h, Nyt Dansk Kunstnerlex. 1896 I u. II 627; cf. R e i t z e l, Fortegn. 1883. — S i n g e r, Kstlerlex., Nachtr. 1906; cf. S t r u n k, Portr. af Danske, Norske og Holstener, 1865 Nr 762 b, 971, 1025, 1481, 2070 ff., 2620 b. ∗

Hansen, M a t h i a s (Johan Mathias), Architekt, geb. 10. 4. 1781 in Kopenhagen, † 29. 8. 1850 in Altona; Schüler der Kopenh. Akad. Von seinem Onkel Christian Frederik H. nach Altona berufen, baute er dort meist nach dessen Plänen seit 1804 (um 1830 eine

Zeitlang als Stadtbaumeister) bis zu seinem Tode neben einigen Schulen zahlreiche Wohn- u. Landhäuser (cf. Abb. in „Hamburg u. seine Bauten" 1890 p. 562); auch besorgte er den Bau der Kirche zu Quickborn (1807—10) u. den Erneuerungsbau der Rantzau'schen Schloßkapelle in Breitenburg (Holstein, Abb. bei Haupt II 452).

Weilbach, Nyt Dansk Kunstnerlex. 1896 I 372 f. — [Gaedechens], Hamburg. Kstlerlex. 1854. — R. Haupt, Bau- u. Kstdenkm. Schleswig-Holsteins, 1887 ff. II 109, 450. — Mitteil. von W. Jakstein.

Hansen, Mathias Vilhelm, Porzellanmaler, geb. 20. 12. 1824 in Kopenhagen, als Lehrling der dort. Königl. Manufaktur seit 1838 Schüler der Akad., deren Ausst. er seit 1845 mit Blumenstücken auf Porzellan u. 1864 mit einem Landschaftsaquarell beschickte. An der Königl. Manufaktur 1845/94 Obermaler für Blumen- u. Landschaftsdekorierung von Porzellangefäßen, wurde er in der Wiener Weltausst. 1873 mit einer Medaille prämiiert.

Weilbach, Nyt Dansk Kunstnerlex. 1896 I; cf. Reitzel, Fortegn. 1883.   *

Hansen, Melchior Peter, Glockengießer in Cassel, goß Glocken in: Allendorf a. d. Werra (1732), Gr.-Königsdorf, Landkr. Köln, Pfarrkirche (1737), Kappel, Kr. Fritzlar (1742), Eisenach, Nikolaikirche (1745, mit reichen Akanthusblättern), Bernterode, Kr. Heiligenstadt (1747), Rinteln, Grafsch. Schaumburg (1748, mit Engelsköpfchen und Akanthusblättern), Vacha, Thür., Stadtkirche (1753), Uder, Kr. Heiligenstadt (1770).

Walter, Glockenkunde, 1913. — Bau- u. Kstdenkmäler: Thüringen, Großhztm Sachs.-Weimar III, 1 (1915) 215; IV 15; Prov. Sachsen 28 (1909); Reg. Bez. Cassel, II (1909) 148; III (1907) 17. — Kstdenkm. d. Rheinprov., IV (1897). — Rhein. Ver. f. Denkmalpflege, Mitteil. XII (1918) 66.

Hansen, Nickels, Schnitzer (auch „Bildenschnider") in Husum (Schlesw.-Holstein), fertigte 1623 mit Hans van Brunschwick eine Reihe von Kirchenstühlen für die Husumer Kirche und 1623/24 Schnitzarbeiten an der Kirchendecke; bei dieser Arbeit war auch sein hierfür aus Hamburg verschriebener Sohn Hans, Schnitzer, beteiligt. 1631 und 1632 lieferte H. Handwerksarbeit für den Herzog von Gottorff, u. a. einen großen Schrank, der in die Kirche kam.

H. Schmidt, Gottorffer Kstler, II (S. A. aus Bd 5 der Quellen u. Forschungen der Gesellsch. f. Schlesw. Holst. Gesch., 1917).

Hansen, Niels, dän. Maler, geb. 22. 6. 1880 auf der Insel Taasinge, vorgebildet als Malerlehrling im benachb. Svendborg (Fünen), 1899—1901 in Kopenhagen Schüler Kr. Zahrtmann's, weitergebildet auf Studienreisen (1909 in Paris). Er malt impressionistische Bildnisse u. Landschaften, mit denen er seit 1904 die Kopenhagener Akad.-Ausst. und seit 1909 auch die dort. Sezessionsausst. beschickte; deren

einige in den Kunstmuseen zu Kopenhagen (2 Bildnisse, Kat. 1921) u. zu Faaborg auf Fünen.

Dahl-Engelstoft, Dansk Biograf. Haandleks. 1920 I; cf. Kunstbladet (Kopenhagen) 1909/10 p. 42 f. (Abb. p. 41).   *

Hansen, Niels, s. auch *Hansen-Jacobsen,* Niels.

Hansen, Niels Christian, dän. Maler, geb. 16. 12. 1834 in Naestved (Seeland), seit 1851 Schüler der Akad. zu Kopenhagen, die ihn 1855/8 mehrfach prämiierte, und deren Ausst. er 1857/78 mit Bildnissen beschickte, so u. a. 1865 mit dem des Düppeler Schanzen-Verteidigers Oberleutnant J. Anker (im Nat.-Mus. zu Frederiksborg, Kat. 1919 Nr 3659). Neben Ölporträts malte er auch solche in Aquarellminiatur (darunter solche der dän. Königsfamilie) sowie Landschaften. Er lebte noch 1896.

Weilbach, Nyt Dansk Kunstnerlex. 1896 I; cf. Reitzel, Fortegn. 1883.   *

Hansen, Olaf Peter Christian, siehe *Hansen,* Christian.

Hansen, Olaf Viggo Peter. siehe *Langer,* Viggo.

Hansen (Hanssen), Peter, Bronzegießer in Flensburg, oft nur *Peter Klockengeter* genannt, † ebenda zwischen 1513 und 1521. Früheste Glocke von 1462, urkundlich Bürger und Hausbesitzer in Flensburg 1489, Kassenverwalter des Liebfrauenaltars der Nikolaikirche 1511. Seine Glocken (z. T. mit Reliefs geschmückt) werden als künstlerisch beachtenswert bezeichnet. Sein voller Name, Peter Hansen od. Hanssen, findet sich auf folgenden Werken in Schleswig-Holstein: Glocken zu Stedesand (1462), Tating (1483), Kating (1487), Taufen zu Hadersleben (1485), Halck (1491) und in der Nikolaikirche zu Flensburg (1497). Das letzte Werk ist ein besonders gelungener Guß, das Becken mit Reliefs und Inschrift am Mantel wird getragen von 4 weibl. Figuren. (Abb. Bau- u. Kstdenkm. d. Prov. Schlesw. Holst. I [1887] 274 Taf.) Die Glocke in Barkau (1482) und die Taufe in Norderbrarup (1486), beide in Schlesw.-Holst., gehören vermutlich dem H., sowie in Ostfriesland die Glocke zu Bedecapsel (1486) und die Taufe zu Wiegboldsbur (1496). In Dänemark sind ihm die Taufe im Dom zu Aarhus und mehrere Glocken zuzuschreiben.

Bau- u. Kstdenkm. d. Prov. Schlesw. Holst., I (1887) 208, 274, 321, 356, 361; II (1888) 123, 250, 684; III (1889) 35 f (Biogr.). — Trap, Danmark, 1899 ff. Reg. Bd I. — Uldall, Danmarks middelald. Kirkeklokker, 1906. — Upstalsboom-Blaetter, IX (1919/20) 15. — Mithoff, Mittelalt. Kstler... Niedersachsens etc., 1885 p. 246. — Jahrb. d. Brem. Samml., II (1909) 31 f.

Hansen, Peter Marius, dän. Maler u. Graphiker, geb. 13. 5. 1868 in Faaborg (Fünen), Sohn u. Schüler des Dekorationsmalers Peter Syrak H. (geb. 1833 in Svaninge auf Fünen, Schüler G. Chr. Hilker's in Kopenhagen, † 1904), weitergebildet 1884/90 in Kopenhagen unter

Kr. Zahrtmann; debütierte 1889 in der Kopenhagener Akad.-Ausst. mit einem Kinder-Gruppenbildnis (1893 in Chicago präm.) und beschickte dann vorzugsweise die dort. Sezessionsausst., aus der sein „Tanzfest in einer Provinzstadt" 1894 für das Mus. zu Göteborg angekauft wurde (Kat. 1909 Nr 36). Seitdem ist er auch im Auslande (Pariser Weltausst. 1900, Münchener Glaspalast 1901 u. 1909, Düsseldorfer Kunstausst. 1904 u. 1911, Berliner Große Kunstausst. 1907, Balt. Ausst. in Malmö 1914) rühmlich bekannt geworden als glänzender, stark persönlich gearteter Schilderer des heimatlichen, wie auch des italien. Volkslebens in freier Landschaftsnatur (letzteres von ihm 1899—1914 auf verschied. Italienreisen emsig studiert). Sein Bestes gab er in virtuos-impressionistischen und dabei intim stimmungstiefen Öllandschaften mit Darst. spielender u. schlittschuhlaufender Kinder in den Kunstmus. zu Kopenhagen (Kat. 1921) u. zu Faaborg, in denen er auch mit Zeichnungen u. graphischen Arbeiten gleicher Art vertreten ist. — Nicht mit ihm zu verwechseln ist ein fast gleichaltriger P e t e r H., der — geb. 7. 11. 1870 in Guldborg auf Laaland —, 1890/91 kurze Zeit an der Akad. zu Kopenhagen studierte (cf. Weilbach I 376 f.).

W e i l b a c h , Nyt Dansk Kunstnerlex. 1896 I 377. — Die Kunst XXIII (München 1910/11) p. 414 u. Abb. p. 421. — Zeitschr. f. Bild. Kst 1907 p. 246 u. Abb. p. 253. — Kunstbladet (Kopenhagen) 1909/10 p. 39 u. 62, Abb. p. 35. — Kunstmuseets Aarsskrift V (1918) 171. — D a h l - E n g e l s t o f t , Dansk Biograf. Haandleks. 1920 I (mit weit. dän. Lit.). *

Hansen, S i g u r d , s. unter *Hansen,* Constantin.

Hansen, S i g v a r d M a r i u s , Maler u. Radierer, geb. 23. 5. 1859 in Kopenhagen, lebt ebenda. Seit 1873 als Lehrling Ph. Schou's zum Porzellanmaler ausgebildet und als solcher bis 1882 in Kopenhagener Manufakturen tätig, ging er, nachdem er 1876/82 an der dort. Akad. studiert hatte, zur Landschaftsmalerei über, debütierte 1882 in der Akad.-Ausst. zu Kopenhagen mit 2 Ölbildern dieser Gattung und beschickte sie seitdem — gleich den Londoner Royal Academy- u. Brit. Art. Society-Ausst. von 1889/90, den Münchener Glaspalast-Ausst. von 1892/9 usw. — mit mannigfaltigen, z. T. von längeren Auslandreisen heimgebrachten Landschaftsmotiven, namentlich solchen aus dem nördl. Seeland u. aus der schwed. Provinz Skåne, unter denen seine Schneebilder besondere Beliebtheit erlangten, sowie neuerdings auch mit Interieurdarstellungen von der Insel Fanö. Einige seiner Gemälde u. Radierungen bewahren die Museen zu Aarhus u. Ribe (Jütland).

W e i l b a c h , Nyt Dansk Kunstnerlex. 1896 I. — D a h l - E n g e l s t o f t , Dansk Biograf. Haandleks. 1920 I. *

Hansen (Lexow-Hansen), S ö r e n , norweg. Bildhauer, geb. 28. 8. 1846 auf Eker, † 16. 1.

1919 in Kristiania; nach anfängl. Rechtsstudien um 1870/72 Schüler J. Middelthun's an der Kunstgew.-Schule zu Kristiania, dann nach kurzem Studienaufenthalt in Kopenhagen, Berlin u. Dresden (hier unter E. J. Hähnel) bis ca. 1878 in München Akad.-Schüler unter M. v. Widnmann. Hiernach 1878 in Ipsen's Terrakottafabrik zu Kopenhagen tätig, modellierte er dort den Entwurf zu seinem Hauptwerk, einer Statue der aus dem Grabe aufsteigenden „Vala als Verkünderin der Götterdämmerung" (schon früher von ihm als Sitzfigur entw.), der er dann — nachdem er 1879/83 in Kristiania geweilt hatte — 1883/86 in Paris unter dem Einflusse der naturalistischen Tendenzen in der damal. franz. Plastik ihre endgültige Durchbildung verlieh. Das in seiner inspirierten Phantastik höchst wirkungsvolle Bildwerk wurde aus dem Pariser Salon von 1886 in Bronzeabguß für das Nationalmuseum zu Kristiania angekauft. Durch überstarke Selbstkritik am weiteren künstlerischen Schaffen verhindert, wirkte H. später am letztgen. Museum als Konservator.

T h i i s , Norske Malere og Billedhuggere, 1904 ff. III 31; cf. Folkebladet (Kristiania) 1887 p. 65. *C.W.Schnitler.*

Hansen, S o p h u s (Ernst Friedr. S.), Maler u. Graphiker in Hamburg, geb. Glücksburg 2. 11. 1871. Besuchte die Akademie in Weimar, die Acad. Julian in Paris u. von 1890—96 die Karlsruher Kunstschule, hier zuletzt Meisterschüler L. von Kalckreuths. — H., eine stille, zurückgezogen wirkende Künstlernatur, malte mit Vorliebe verträumte Landschaften, deren romantische Stimmung sich in den Figuren, die dem Märchen oder der Ritterzeit entnommen sind, widerspiegelt. Daneben gibt es von ihm auch sehr frische Freilichtbilder und Porträts, z. B. das Familienporträt der Familie Nottebohm in Hamburg. In den letzten Jahren ist H. wenig hervorgetreten, seit 1918 meist in Dänemark tätig. 1905 zeigte H. eine Koll. - Ausst. bei Commeter, stellte ferner in Hamburg aus: Kunstverein 1906, 07, 10, bei Bock u. Sohn 1911 usw. Als Graphiker lieferte er eine Reihe von Lithogr., meist Bildnisse, ferner „Großstadt - Bilderbuch" (R. Voigtländers Verlag). — In der Kunsthalle Hamburg: Kirche in Nieblum a. Föhr, männl. Studienkopf (1911), Speisezimmer im Hause K. (1912). Viele Arbeiten in Hambg. Privatbesitz.

R u m p , Lex. d. bild. Kstler Hamburgs, 1912. — S c h i e f l e r , Verz. d. graph. Werks neuerer Hamb. Kstl. bis 1904 (1905). — Hamb. Nachr., 17. 11. 1919. — Schlesw. Holst. Kst-Kal., 1911 p. 55 (Abb.). — Ztschr. f. bild. Kst, N. F. XVIII (1907) 248; XIX, 79. — Kstchronik, N. F. XXVII (1916) 218. — Die Kunst XI (1904/05) 366. — Kataloge: *Dresden,* Intern. Kst.-Ausst., 1901; *Berlin,* Gr. Kst.-Ausst., 1897, 1907, 11, 12; *München,* Glaspal., 1904, 07, 11, 12; *Hamburg,* Kunsthalle, Neuere Meister, 1922. — Mitt. d. Kstlers. *Dirksen.*

Hansen, S y r a k , s. unter *Hansen,* Peter Marius.

Hansen, T h e o p h i l u s Edvard, Freiherr
v o n, Architekt, geb.13. (nicht18., wie häufig angegeben) 7. 1813 in Kopenhagen, † 17. 2. 1891
in Wien, Bruder des Archit. Christian. Begann
als Schüler der Kopenhagener Bauakad. unter
G. F. Hetsch (1824—37), ging 1838 mit Reisestipendium nach Deutschland (Berlin [Studium
Schinkels], Dresden, Prag, München) und Italien
(Verona, Venedig), von dort weiter nach Athen,
wo er 8 Jahre weilte, als Lehrer an der techn.
Lehranstalt wirkte und auch bereits eine praktische Bautätigkeit entfaltete. Außerdem beschäftigte ihn damals die Aufnahme und ein
idealer Restaurationsentwurf des Lysikrates-
Denkmals (von H. Bültemeyer gestoch.; vgl.
über diesen Entwurf d. Artikel von Lützow in
Zeitschr. f. bild. Kst, III 233 u. 264). Einer Einladung des Archit. Ludwig Förster, der ihm
eine Geschäftsverbindung antrug, folgend, kam
H. 1846 nach Wien, wo er seitdem ansässig
blieb und 1851 eine Tochter Försters heiratete.
Seine Erziehung an der Antike während der
langen in Griechenland verbrachten Jahre hatte
ihn für die großen Aufgaben reif gemacht, die
seiner in Wien während der großartigen Bau-
epoche der Stadterweiterung harrten. Zunächst
aber wurde sein Schaffen stärker als durch den
hellenischen durch den byzantinischen Bau-
geist bestimmt, den er ebenfalls in Griechenland hatte bewundern lernen, und dessen Einfluß auch in allen späteren Bauten H.s in der
Tendenz nach starker Farbigkeit seine lebendige
Nachwirkung übt. Zu den frühsten, mit Förster
ausgeführten Bauten gehören die Ev. Kirche
in der damal. Wiener Vorstadt Gumpendorf
(jetzt Gumpendorferstr.), 1846—49 erb. in by-
zantinisierenden Formen, die Villa des Barons
Pereira in Altenberg bei Greifenstein und das
Invalidenhaus in Lemberg. Durch Vermittlung
Försters wurde H. seit 1849 auch bei den Baulichkeiten des Arsenals mit herangezogen; beiden gemeinsam wurden die Bauten des Waffenmuseums, der Gewehrfabrik und der Artillerie-
werkstätten übertragen. Während der Abwesenheit Försters von Wien führte H. allein den
Bau des Waffenmuseums nach eigenen Plänen
in italienisch-byzantinisierenden Formen durch.
Die übrigen Hauptwerke dieser Frühzeit sind:
Umbau der griechischen Kirche am Fleisch-
markt, 1858 (farbiger Ziegelrohbau in byzantini-
sierenden Formen), Palais des Barons Sina am
Hohen Markt, 1859/60 (Ziegelrohbau), Kapelle
des ehem. protest. Friedhofes, 1858 (zierlicher
Backstein-Kuppelbau); Evang. Schule neben
dem Polytechnikum, 1860 (Ziegelrohbau in ital.
Renaiss.); Umbau des Schlosses Hörnstein
(N.-Österr.) für den Erzherzog Leopold in
französ.-spätgotischen Formen; Griech. Akad.
der Wissenschaften in Athen, 1861. Mit seinem
zu Beginn der 1860 er Jahre entstandenen Hein-
richshof gegenüber der Oper schuf H. einen
neuen monumentalen Wohnhaustypus, der von

vorbildlicher Bedeutung für Wien wurde. In
denselben Stilformen der ital. Hochrenaiss. unter Ersetzung des römischen Details durch die
feineren griechischen Zierformen u. Profilie-
rungen, baute H. 1867—69 das Musikvereinsgeb.
am Karlsplatz; echt wienerisch die Milderung
der Formensprache durch reichliche Verwendung
von Karyatiden als Gebälkträgerinnen, bunten
Terrakottaschmuck und Vergoldung. Gleichzeitig (1864—68) entstand das Palais des Hoch-
u. Deutschmeisters am Parkring, für Erzherzog
Wilhelm erbaut, einer der edelsten Wiener
Stadtpaläste, durch klare Fassadengliederung
und individuelle Formenbehandlung ausgezeichnet. Denselben Stil der „griechischen Renaissance", wie H. selbst diesen Stil bezeichnete,
weist der Bau der Akad. der Bild. Künste auf,
mit prächtiger Säulenhalle im Innern (1872
bis 76). In dem Wettbewerb um den Bau der
k. k. Hofmuseen (1866) unterlag H. gegen
Hasenauer-Semper; doch zeigt sein Entwurf,
der eine hoch über Straßenniveau gelegte, imposante einheitliche Platzanlage unter Verbindung der beiden Gebäude vorsieht, bereits jene
großartige, an den Alten erzogene Baugesinnung,
die besonders in seinen Athenischen Bauten,
Akad. der Wissenschaften (1861) u. Sternwarte,
zuerst glänzend zum Ausdruck kommt. Das
Fazit seiner Athenischen Studien zog H. in dem
Österr. Parlamentsgebäude, seinem 1873—83
entstandenen Hauptwerk, mit dem er einen
Bautypus festlegte, der geradezu kanonische
Geltung erlangte. Das Zweikammersystem
wird schon im Äußeren klar symbolisiert durch
die Doppelteilung der Fassadengliederung, die
durch einen mittleren Tempel, zu dem eine
mächtige Doppelrampe hinaufführt, und 2 kleinere Tempel an den Frontenden akzentuiert
wird. Das Prachtstück des Innern ist die mittlere Tempelhalle mit ihren 24 roten Säulen-
kolossen. Gleichzeitig entstanden in diesen
Jahren das Börsengebäude am Schottenring
(1874—77), mit dem sehr bemerkenswerten
Börsensaal (farbige Wandverkleidungen), und
einige Wiener Privatpaläste (Todesco [nur
Inneres, die Fassaden von Förster], Epstein),
deren reiche Innenausstattungen, die von H.
selbst bis in die kleinsten Details hinein durch-
gezeichnet, ja oft sogar modelliert wurden,
einer Erneuerung des Wiener Kunstgewerbes
die Bahn ebneten. 1882 beteiligte H. sich an
der Konkurrenz für das Berliner Reichstagsgebäude, 1884—86 an dem Ideenwettbewerb
für die Bebauung der Museumsinsel in Berlin.
Mehrere bedeutende Projekte (kgl. Schloß in
Athen, Rathäuser in Kopenhagen, Hamburg
u. a.) beschäftigten ihn noch bis in den Sommer
1890 hinein, als der fast 80 jährige zu kränkeln
anfing. — An der Erweckung des „Wiener
Stils" der 1860 er und 70 er Jahre, der befruch-
tend auch auf Deutschland, besonders Berlin
übergriff, gebührt H. neben Ferstel, Schmidt

und Hasenauer der Hauptanteil. Eklektiker
seiner künstler. Signatur nach, hat er doch die
alten Formen mit neuem Leben erfüllt, indem
er sie feinfühlig umschuf und sie dem Genius
des Ortes und modernen Bedürfnissen anpaßte.
G. N i e m a n n u. F. v. F e l d e g g, Theoph.
H. u. s. Werke, Wien 1893 (Hauptwerk, reich
illustriert). — C. v. W u r z b a c h, Biogr. Lex.
Österr., VII (1861). — C. v. V i n c e n t i,
Wiener Kunstrenaissance, 1876. — C. v.
L ü t z o w, Zur Charakteristik Theoph. Freih.
v. H., Lpzg 1885. — W e i l b a c h, Nyt dansk
Kunstnerlexikon, I (1896). — F r. P e c h t,
Deutsche Kstler d. 19. Jahrh., III (Nördl. 1881)
109—37. — C. G u r l i t t, Deutsche Kst d.
19. Jahrh., 1899. — H e v e s i, Österr. Kst d.
19. Jahrh., Lpzg 1903; Altkunst - Neukunst, Wien
1909. — Zeitschr. f. bild. Kst u. Kstchronik,
zahlr. wichtige Erwähn., vgl. Register, I—XXIV;
N. F., I—VI. — Österr. Kstchronik, I (1879)
50 ff. — Gaz. d. B.-Arts, 1884 II 134 ff., 481 ff.
(P. S é d i l l e). — O. v. L e i x n e r in Der
Baumeister, II (1904) 13 ff. — Deutsche Bauztg,
1891 (Nekrol.). — Centralbl. d. Bauverwaltg,
1891 (desgl.). — Allg. Deutsche Biogr., XLIX
762. — N. Freie Presse, vom 21. 9. 1903 und
16. 3. 1918 (F. v. F e l d e g g). — D a h l og
E n g e l s t o f t, Dansk biogr. Haandleks., 1920 ff.,
II p. 1. — G u g l i a, Führer durch Wien, 1908.
— P r o k o p, Markgrafsch. Mähren in kstgesch.
Bezieh., 1904, IV 1349, 1381, 1393, 1394, 1404,
1409. — Tafelwerke über den Bau des Waffen-
mus. (Wien 1866), der Neuen Börse (1879),
Umbau des Burgtores (1881), Villa Kratzer in
Unter-Döbling, Konkurrenzprojekte f. d. Rathaus
in Hamburg, Haus Ephrussi, Palais Erzherz.
Wilhelm.   *H. Vollmer.*

Hansen, V i g g o (Hans Christian Viggo),
Bildhauer u. Maler, geb. 31. 3. 1859 in Kopenhagen, wo er in seines Vaters Werkstatt zum
Gelbgießer ausgebildet war, 1882/3 an der
Akad. die Malkunst studierte u. 1885/6 einige
Strandmarinen ausstellte, hiernach jedoch der
Erlernung künstlerischer Metallarbeiten sich
widmete. Er lieferte dann eine ganze Reihe
von Bildwerken in getriebenem Kupfer, u. a.
für Valby bei Kopenhagen den Bekrönungs-
engel des Jesuskirchturmes u. die 2 Giganten-
figuren am Doppeltorweg der Ny Carlsberg-
Brauerei (1895 nach Stephan Sinding's Entw.
ausgef.). Ferner goß er nach dem Entwurf
V. Bissens das Erzbild des Bischofs Absalon
über dem Hauptportal des neuen Rathauses in
Kopenhagen (vergold. Bronze, enthüllt 1901).
— H. nennt sich jetzt *Viggo-Hansen.*
W e i l b a c h, Nyt Dansk Kunstnerlex. 1896 I
365 f.; cf. T r a p, Konger. Danmark, ed. 1899 ff.
II 251.   *

Hansen, V i g g o, s. auch *Langer,* Viggo.

Hansen-Aarslev, J e n s, dän. Maler, geb.
26. 1. 1848 in Aarslev bei Randers (Jütland),
Schüler E. L. H. Guldberg's in Aarhus, dann
1872/8 an der Akad. zu Kopenhagen ausgebildet, deren Ausst. er seitdem vorzugsweise
mit Bildnissen beschickte.
W e i l b a c h, Nyt Dansk Kunstnerlex.
1896 I.   *

Hansen-Balling, O l e P e t e r, Maler, geb.
23. 4. 1823 in Kristiania, lebte noch 1896

ebenda; 1836/41 Lehrling eines dort. Dekorationsmalers, nach mehrjähr. Gesellenwander-
schaft durch Deutschland um 1845 Schüler der
Akad. zu Berlin (durch Vermittelung des dänischen Naturforschers H. Steffens, den er 1845
in Berlin porträtierte, cf. Strunk) und 1846/8
der zu Kopenhagen, in deren Ausst. er —
nach mehrjähr. Kriegs- u. Offiziersdienstleistung
— 1852 mit einem Bildnis Oberst H. Helge-
sen's debütierte (gem. für König Frederik VII.,
A. Dorph's Kopie danach im Nat.-Mus. zu
Frederiksborg, Kat. 1919 Nr 3485). Ebenda
bis 1855 mit weiteren Bildnissen u. verschied.
Kriegs- u. Genrebildern vertreten, ging er
1856 nach Nordamerika, wo er auf seiten der
Nordstaaten am Bürgerkriege teilnahm, bis
1863 Offiziersdienste leistete, wiederum als
Bildnis- u. Schlachtenmaler sich betätigte und
in New York namentlich ein großes Gruppenbildnis General Grant's u. seiner Generäle zu
Pferde malte („The heroes of the republic", —
ein Grant-Bildnis H.s 1877 in der Kopenhagener Akad. ausgest.). Seit 1875 — abgesehen von einem neuen Amerika-Aufenthalte
von 1877/85 — wieder in Kristiania ansässig,
malte er dort neben 4 Bildnissen von Königen
des Hauses Bernadotte noch eine Folge von
30 Bildnissen norw. Marine-Offiziere (für die
Carl Johans-Werft zu Horten am Kristianiafjord).
W e i l b a c h, Nyt Dansk Kunstnerlex. 1896 I;
cf. R e i t z e l, Fortegn. 1883, u. S t r u n k,
Portr. af Danske, Norske etc., 1865 Nr 2768.   *

Hansen-Jacobsen, N i e l s, dän. Bildhauer
u. Keramiker, geb. 10. 9. 1861 in Vejen bei
Kolding (Jütland), lebt in Kopenhagen. Seit
1882 Schüler Rasmus M. Andersen's in Kopenhagen, studierte H. 1884/9 an der dort. Akademie, die ihm 1889 für seinen „Loke in Fesseln" (im Mus. zu Aarhus) eine Medaille verlieh u. 1891 ein Reisestipendium, mit dem er
Deutschland u. Italien bereiste u. 1892 nach
Paris ging. Hier bis 1902 ansässig, beschickte
er 1892 den Salon der Soc. des Art. Franç.
(mit einem „Kugelspieler", im Kunstmus. zu
Kopenhagen) und 1893—1903 den der Soc.
Nat., ferner nach seiner Heimkehr nach Kopenhagen bis 1904 die dort. Akad.-Ausst. und seit
1905 die Sezessionsausst. mit dekorativ stilisierten, meist phantastisch-spukhaften Bildwerken
literarisch-symbolistischen Vorwurfes u. mit
dekorativen Steinzeugkeramiken, deren einige
in die Kunstgew.-Museen zu Kopenhagen,
Hamburg, Frankfurt a. M., Nürnberg u. Leipzig
und in das Skulpt.-Mus. zu Dresden gelangten.
Als seine Hauptwerke gelten die Bronzegruppe
„Tod u. Mutter" (seit 1903 auf dem Hellig-
aands-Kirchplatz zu Kopenhagen aufgest., Modell
im dort. Kunstmus.) u. das Denkmal für
A. D. Jörgensen u. Edv. Lembcke im Skibelund-
Park bei Vejen (1903). Seit 1914 Mitglied der
Kopenhagener Akad.
D a h l - E n g e l s t o f t, Dansk Biograf.

Haandleks. 1920 f. II 4. — E. H a n n o v e r , Dän. Kunst des 19. Jahrh., 1907 p. 154 f. — M e i e r - G r ä f e , Entwicklungsgesch. der Mod. Kunst, 1904 p. 642; cf. Dekorative Kunst 1899 (München) III 234 f., Abb. p. 257—261. — W e i l - b a c h , Nyt Dansk Kunstnerlex., 1896 I 490. *

Hansen-Reistrup, K a r l (Frederik Karl Kristian), dän. Maler, Bildhauer u. Keramiker, geb. 22. 4. 1863 in Valby bei Kopenhagen, lebt ebenda. Zunächst als Porzellanmaler ausgebildet, 1881/2 Schüler der Kopenhagener Akad. und nach mehrjähr. Tätigkeit in der dort. königl. Porzellanmanufaktur seit 1885 in Paris als Schlachtenmaler u. unter H. Chapu an der Acad. Julian als Bildhauer weitergebildet, wirkte H. seit 1888 in Naestved als Mitarbeiter des Keramikers H. A. Kähler, für den er u. a. die dekorativen Fayencefriese im neuen Kopenhagener Rathaus entwarf (Naestved-Keramiken H.s auch im Stockholmer Nat.-Mus. u. im Keram. Mus. zu Sèvres). In der Kopenhagener Akad.-Ausst. debütierte er 1889 als Bildhauer mit einer Löwengruppe (aufgest. im dort. Zoolog. Garten) und beschickte sie dann bis 1911 auch mehrfach als Historien- u. Schlachtenmaler, so u. a. mit dem Kolossalbild „Niels Ebbesen u. Graf Gert". Als Dekorationsmaler betätigte er sich im Theaterneubau (1900) u. and. öffentl. Gebäuden zu Aarhus (Jütland). Endlich war er auch als Bücherillustrator vielbeschäftigt, bes. für wohlfeile Volksausgaben.
W e i l b a c h , Nyt Dansk Kunstnerlex. 1896 I. — H e n d r i k s e n , Kjøbenhavns Raadhus, 1908. — D a h l - E n g e l s t o f t , Dansk Biograf. Haandleks. 1920 f. II 5 f. *

Hanser, A d o l f , Architekt, geb. 2. 8. 1858 in Friedrichshafen, † 18. 10. 1901 in Karlsruhe, Schüler der Techn. Hochschule in Karlsruhe und v. Hofen's in Frankfurt, 1882 als Mitarbeiter von Wallot bei Ausarbeitung der Konkurrenzpläne für das Berliner Reichstagsgeb. beteiligt. Wirkte in Mannheim und Karlsruhe, zuletzt als Oberbaurat im Finanzministerium, schuf u. a. das Wespin-Waisenhaus und die Realschule in Ludwigshafen, die Versorgungsanstalt und mehrere staatliche Gebäude in Karlsruhe und Bankhäuser daselbst, in Neustadt und Straßburg.
W e e c h - K r i e g e r , Badische Biogr., V (1906). — Architekt. Rundschau, IV (1888) Taf. 46; VII (1891) Taf. 24.

Hansi, Pseudonym des *Waltz,* J. J.

Hansma, D o u w e , holl. Maler, geb. 22. 3. 1812 in Dockum, lebte 1848 in Sneek. Schüler von Gosling Posthumus und W. B. v. d. Kooi, dann von C. J. L. Portman d. Ä. an der Amsterdamer Akad. 1839 erhielt er einen Ehrenpreis der Akad. zu Groningen, wo er 1841 das Gemälde: Tröstung einer Kranken ausstellte. Malte bes. Innenräume und Porträts.
I m m e r z e e l , Levens en Werken, II (1843). — K r a m m , Levens en Werken, II (1858).

Hansman, Holzbildhauer in Chaumont (Haute-Marne), Schwager und Mitarbeiter des Bildh. J.-B. Bouchardon an den Altären der Hospitalkirche zu Chaumont 1731, der Kirche zu Fontette (Aube) 1738 und am Tabernakel für die Kirche zu Châteauvillain 1740. Nach dem Tode Bouchardon's (1742) arbeitete er für Rechnung von dessen Tochter, der Vergolderin Jacquette B., auch war er Mitarbeiter des Holzschnitzers Gilles Brocard. In der Sammlung Boilet zu Chaumont befindet sich eine Bleistiftzeichnung des Altars von Reclancourt, bezeichnet: Hansman, Brocard.
R o s e r o t , Deux collaborat. du sculpt. J.-B. Bouchardon: Jacq. Bouchardon, doreur, Hansman sculpt., Joinville 1895. — V i a l , M a r c e l , G i r o d i e , Art. décor. du bois, I (1912).

Hansmann, A n t o n , Maler in Paris, geb. in Köln, Schüler von Ingres und Aug. Couder. Reiste mit Berliner Paß vom 1. 2. 1850 nach Italien, von Rom 3. 4. 1852 nach Neapel. Im Pariser Palais de Justice ein Ölgemälde „Kruzifix" von 1853. Eine „heilige Familie" war 1860 auf der Akad.-Ausstell. in Berlin. Nach J. S. Duplessis kopierte er ein Bildnis des Komponisten Gluck.
Inv. gén. d. Oeuvres d'Art, Paris, Edif. divers, 1883. — Nouv. archives de l'art franç., 1886. — Notiz Noack aus Preuß. Paßregister Rom („Hausmann").

Hansmann, O t t o , Bildhauer in Köln, fertigte die 1859 aufgestellten Standbilder des Ludwig Wyse und Mathias Overstolz, am Traine'schen Haus, Ecke Blaubach und Perlengraben. Am Neubau der Fassade des Kölner Rathauses nach dem Altenmarkt arbeitete er um 1870 u. a. eine Anzahl der Medaillons mit Kaiserköpfen im Fries des oberen Stockwerks.
M e r l o , Köln. Kstler, Ausg. 1895. — Zeitschr. f. bild. Kst, VII (1872) 240.

Hansom, J o s e p h A l o y s i u s , engl. Architekt, geb. 1804, † 29. 6. 1882 in London; der Erfinder des Hansom-Cab (1834), der bis zur Verbreitung des Automobils dem Londoner Straßenbild sein besonderes Gepräge gab. 1833 war er bei dem Wettbewerb um den Neubau des Rathauses in Birmingham siegreich, geriet aber während des Baus in Konkurs. 1842 gründete H. die bekannte Fachzeitschrift „The Builder", setzte aber auch seine Bautätigkeit, besonders in römisch-katholischen Kirchen Englands, eifrig fort, in späteren Jahren unterstützt von seinem Sohn J o s e p h H. Solche Kirchen, zumeist im frühgotischen oder Übergangsstil, befinden sich in Ryde, Leeds, Preston, Ripon, Oxford, Cambridge, Marychurch, Manchester und Arundel.
G r a v e s , Roy. Acad., III. — Dict. Nat. Biogr. XXIV, 309. — Courrier de l'Art 1882, p. 324.

Hanson, A l b e r t J., austral. Landschaftsmaler, der 1892 zuerst in London (Suffolk Street) seine australischen Küsten- und Buschbilder ausstellte, die mit impressionistischer Deutlichkeit die Sonnenglut von Neu-Süd-Wales zum Ausdruck bringen; mehrere Werke im Museum zu Sydney.

Graves, Roy. Acad., III; ders., Dict. of Artists, 1895. — The Studio LXI p. 47, 50 (Abb.). — Versteig. Ch. Sedelmayer-Paris, IV (1907) 158.

Hanson, Christian Heinrich (Joh. Chr. H.), Maler, geb. Altona 11. 4. 1790, † ebenda 18. 4. 1863. Im Waisenhaus erzogen, lernte er zuerst die Weberei, dann das Malergewerbe, ging nach Stralsund u. machte sich hier durch Bildnisse bekannt. In Celle wird er Zeichenlehrer, dann Clown in einem Zirkus, kehrte aber wieder zur Malerei zurück, ging nach Wien u. von da mit dem dänischen Maler J. Bravo nach Rom, wo er sein Dasein damit fristete, daß er Bilder für englische Stipendiaten malte, die diese als ihre eignen nach Hause schickten. Während dieses Aufenthalts bildete H. sich im Verkehr mit Koch, Reinhart u. a. weiter. Eine Unterstützung des Etatsrats Donner ermöglichte es H., aus der Heimat von neuem nach Rom überzusiedeln (dort 1828—32 nachweisbar). Er besuchte Neapel u. wanderte über Mailand nach München, wo er von 1833—45 tätig war. 1845 ging H. nach Österreich u. malte im Kloster St. Paul im Lavanttale (Kärnten), auf der Empore der Kirche und im sog. Winterchore 4 große Gemälde, u. zwar Szenen aus dem Leben des Apostels Paulus und aus dem Gleichnis vom verlorenen Sohn; dann wieder in Italien. 1848 kehrt H. mit schwerer Augenkrankheit nach Altona zurück. Erblindet starb er in traurigen Verhältnissen. — Aus der Frühzeit H.s besitzt die Kunsthalle Hamburg eine mäßige Aquarellminiatur des Juristen Chr. Fr. Glück, bez. u. dat. 1822. Seine Hauptwirksamkeit entfaltete H. in München (Liste seiner religiösen Kompositionen, Genrebilder u. Porträts bei Nagler, v. Boetticher u. H. Holland). Sein Hauptwerk „Der Fischer" nach Goethe (1833), lithogr. von Hanfstängl u. H. Kohler, zeigt ihn als Vertreter des edlen klassizist. Stils. (Abb. bei Pecht). Vermutlich veranlaßte der große Erfolg dieses Werkes den damal. Kronprinzen Maximilian v. Bayern, in Hohenschwangau das „Agnes-Zimmer" mit den Szenen a. d. Leben d. Burgfrauen (nach d. Geschichte der Pfalzgräfin Agnes) von ihm ausmalen zu lassen (z. T. mit Neher und Glink). Ferner malte er mit Roeckel im Neuen Königsbau der Münchner Residenz nach Zeichn. v. Schwanthaler Bilder zu den Tragödien d. Sophokles. Mehrere große Kartons mit mythol. Stoffen blieben unausgeführt. Ein Damenbildnis bez. u. dat. 1848 in Budapester Privatbesitz (Mitt. Gabr. v. Térey). Die Kopie eines Christus in der Kirche des Reventlowstiftes in Altona. — Ein Bildnis des Künstlers, Zeichnung von Jos. Petzl, in der Graph. Slg München.

Allgem. Deutsche Biogr., X, 543 (H. Holland) Hauptquelle. — Bau- u. Kunstdenkm. Prov. Schlesw. Holst. III, Nachtr. p. 1; 2. Nachtr. p. 48. (für Geb. u. Todesdatum). — Nagler, Kstlerlex. V. — Hambg. Kstl.-Lex. 1854. —

Strunk, Portr. af Danske ...., Kopenhagen 1865 p. 173. — Reitzel, Fortegn. over Charlottenborg-Udstill., Kopenhagen, 1883. — Söltl, Bild. Kunst in München, 1842. — Kunst-Topographie d. Herzogt. Kärnten, 1888 p. 264. — Pecht, Gesch. d. Münchner Kunst, 1888. — F. v. Böttticher, Malerwerke d. 19. Jahrh., I 1 (1891). — Lemberger, Bildnisminiat. in Skandinavien 1912. — Weigels Kunstkatalog, Leipzig 1838 —66, Bd V Reg. — Duplessis, Cat. Portr. Bibl. Nat. Paris 1896 ff., I 1538.   *Dirksen.*

Hanson (Hansson), Gerhard, Maler in Köln, wo er 23. 5. 1690 als Meister in die Zunft aufgenommen wurde. Merlo sah von ihm das Bildnis eines Jünglings mit der Bezeichnung: „G. Hanson f. 1696" in der Art des Fr. Vriendt. Ein Muttergottesbild von H. befand sich im Zunfthause der Maler, ein Altarblatt („Gr Hansson faciebat 1693") in St. Johann u. Cordula.

Merlo, Köln. Kstler, Ausg. 1895.

Hanson, N., Maler in Lüttich; von ihm ein so bez. u. 1664 dat. großes Altargemälde, Kreuzabnahme mit knien[dem] Stifter, in der Kap. des Instituts Saint-Remacle zu Stavelot. — Ein Jean Joseph H. kommt 1766 als Maler der Kathedrale zu Lüttich vor.

Helbig, Peint. de Liège, 1903 p. 481 f.

Hansotte, Gustaaf, belg. Baumeister, geb. 25. 5. 1827 in Paris, † 22. 3. 1886 in Schaerbeek bei Brüssel, 1869 Provinzialbaumstr. von Brabant. Baute u. a. Kirchen in Schaerbeek, Etterbeek und Saint-Gilles in neugotischem und neuromanischem Stil.

Vlaamsche School, 1886 p. 76. — Nève, Bruxelles et ses environs (Coll. „Guides belges"), 1888 p. 165, 171/2.

Hanssche, Jan Christ., s. *Hansche,* J. Chr.

Hansse de Valenciennes, s. *Steclin,* Hans.

Hanssen, Pariser Menuisier, 1756 und 1790 urkundl. erwähnt. Ein von ihm bezeichneter Sekretär Louis XV in Paris Slg Tarrieux.

Vial, Marcel, Girodie, Artist. décor. du bois, I (1912).

Hanssen, Peter, s. *Hansen,* Peter.

Hansson, Anders Johan, schwed. Maler, geb. 16. 12. 1769 in Skåne, † 11. 2. 1833 in Stockholm; Schüler Lor. Pasch's an der dort. Akad., die ihn 1796 mit einer Medaille prämiierte und 1807 zum „agréé", 1813 zum Vollmitglied ernannte, wofür er 1814 als Aufnahmestück das in der Akad.-Sammlung noch vorhand. Brustbild des Malers P. Hilleström in Ölmalerei ausführte (Abb. bei Looström Taf. 78). Die Universitätssammlung zu Lund, wo er 1805—9 als akadem. Zeichenlehrer wirkte, bewahrt von ihm ein Brustbild des Chirurgen C. Trendelenburg (Kat. 1915 p. 11). Schon seit 1798 in den Stockholmer Akad.-Ausst. mit histor. Kompositionen im akad. Zeitstil vertreten, malte H. auch eine Reihe von Altarbildern für schwed. Provinzialkirchen. Sein Bestes leistete er jedoch als Porträtist (auch in Miniatur, Proben in der Stockholmer Sammlg

Wicander) in einem besonders von A. U. Wertmüller beeinflußten, lebenswahren Stil.

B o y e , Målare-Lex., 1833; cf. Nordisk Familjebok X (1909). — C a r l a n d e r , Miniatyrmål. i Sverige, 1897; cf. A s p l u n d in Konsthistor. Sällsk. Publikation, Stockholm 1916 p. 49 ff. — L o o s t r ö m , Kungl. Akad. etc. Samlingar. Stockholm 1915 p. 163. *K. Asplund.*

Hansson, G., engl. Porträtmaler 1. Hälfte 18. Jahrh., nach dem van Werdlen und G. Bockman die Porträts des Prince of Wales, Vaters Georgs III., und seiner Gemahlin Augusta von Sachsen-Gotha, sowie der Admirale Hawke und Vernon gestochen haben.

Cat. Engr. Brit. Portr. Brit. Mus. London 1908 ff. I, II, IV.

Hansson, H o l g e r , schwed. Maler, 1586 bis 1619 in Stockholm nachweisbar, u. zwar 1586 als Maler König Johans III. im dort. Schloß. Im Auftrage Gustavs II. Adolf schuf er 1615 die Vorzeichnung zu dessen Stichbildnissen im Gesetzbuch von 1617 u. in der Kirchenbibel von 1618.

N. S j ö b e r g in Romdahl-Roosval's „Svensk Konsthist." 1913 p. 264 ff.; cf. Nordisk Familjebok. *K. A.*

Hansteen, A s t a , Malerin, geb. 10. 12. 1824 in Kristiania, † April 1908 ebenda; Schülerin von J. Görbitz in Kristiania, dann der Akad. zu Kopenhagen, um 1850 Akad.-Schülerin in Düsseldorf, weitergebildet in Paris, von wo aus sie 1856 die Berliner Akad.-Ausst. mit einem „Gebet Mosis während der Schlacht" beschickte. Ihr Bestes gab sie mit Bildnissen wie dem ihres Vaters, des 1784 geb. Astronomen Christopher H., im Mus. zu Kristiania (dat. 1863, lithogr. von E. Baerentzen). Später nur noch schriftstellerisch tätig als Vorkämperin der norweg. Frauenemancipation.

D i e t r i c h s o n , A. Tidemand, 1878 f. II 44 f. — S t r u n k , Portr. af Danske, Norske etc., 1865 p. 216 Nr. 1019. *C. W. Schnitler.*

Hansteen, N i l s S e v e r i n L y n g e , Maler u. Radierer, geb. 27. 4. 1855 in Mo am nordnorweg. Ranenfjord, † 11. 10. 1912 in Kristiania; 1873/74 u. 1875/76 Schüler K. Bergslien's und Morten Müller's an deren Kunstschule in Kristiania und 1876/78 H. Gude's an der Akad. zu Karlsruhe, 1879/81 in München u. Italien weitergebildet. Seit 1881 in Kristiania, seit 1887 in Kopenhagen u. seit 1892 wiederum in Kristiania ansässig, beschickte H. 1884—1908 die dort. Staatl. Kunstausstell. und gelegentlich auch die zu München (Glaspalast 1879 u. 1891), Berlin· (Akad.-Ausstell. 1880 u. 1887, Große Kunstausst. 1896), Paris (Weltausst. 1900) etc. mit norweg. Landschafts- u. Marinebildern, in denen er unter Bevorzugung von Motiven aus dem Kristiniafjord der radikalen Richtung in der damaligen Freilichtmalerei huldigte, und deren eines in das Museum zu Kristiania gelangte. Er war ·ein fruchtbarer und beliebter Schilderer heimatl. Wald- u. Küstenszenerien, nur in den Gemälden seiner späteren Zeit nicht mehr gleichwertig. In Kopenhagen hat er auch als Kupferätzer sich betätigt (4 Seestückradierungen H.s aufgezählt im Kat. der Jubil.-Kunstausst. zu Kristiania 1914 p. 197, 57).

T h i i s , Norske Malere etc., 1907 II 142, 146, 324. — C h r. K r o h g , Kunstnere (Kristiania 1892) p. 45. — L. D i e t r i c h s o n , Af Hans Gudes Liv og Vaerker (Krist. 1899) p. XLIX u. 82. — F. v. B o e t t i c h e r , Malerwerke des 19. Jahrh., I 1891. — Chronique des Arts 1912 p. 283 (Nekrolog); cf. Gaz. des B.-Arts 1888 II 402. — S a l m o n s e n 's Konvers.-Lex. *C. W. Schnitler.*

Hanstein, H e r m a n n v o n , Maler, geb. 1809 zu Löwenberg i. d. Mark, † 17. 10. 1878 zu Berlin. Schüler Herbig's ebenda. Lebte in Berlin, einige Jahre in Düsseldorf, und zeigte Genrebilder, Landschaften, Porträts, auch Miniaturen auf den Berl. Akad.-Ausstell. 1828—77. Die Nationalgal. besitzt von ihm ein Aquarell, Porträt des Malers Jul. Schrader (Kat. der Handzeichn., 1902), das Mus. Revoltella in Triest das Gemälde „Die Harfe".

v. B o e t t i c h e r , Malerwerke 19. Jahrh., I 1 (1891). — W e i g e l 's Kstkatal., Leipzig 1838 —66, III 13986. — L e m b e r g e r , Bildnisminiatur in Deutschland, München o. J. — Ausstellungskatal.: Akad. Berlin 1828/77; Miniaturen, Berlin (Friedmann u. Weber), 1906.

Hansy, A n t o i n e d e , s. *Antoine* de Hansy.

Hanter (Hainler?), J ö r g , Goldschmied in Augsburg, nach Weiss † 1630 ebenda. Rosenberg vermutet als seine Meistermarke die Marke I H., die er mit dem Augsburger Beschauzeichen auf 2 vergoldeten Jungfrauenbechern (einer im Österr. Mus. f. Kst u. Industrie Wien) und auf einem Salzfaß fand. Nach Werner jedoch ist Hanter falsche Lesung für Hainler u. das Todesjahr nicht 1630, sondern 1624.

A. W e i s s , Handwerk d. Goldschmiede in Augsburg, 1897 p. 321. — M. R o s e n b e r g , Goldschmiede Merkzeichen, ² 1911. — A. W e r n e r , Augsburger Goldschmiede, 1913 p. IX u. 54. *Paul Markthaler.*

Hantl, A n t o n , Architekt in Baden bei Wien, geb. ebenda 1769, † ebenda 1850, baute in seiner Heimatstadt über 30 Palais und Zinshäuser, darunter das Schloß des Grafen Ossolinski, war aber im wesentlichen der ausführende Baumeister Kornhäusels. Nachzuweisen ist seine Arbeit am Ursprungsbad, am Theater, am Äskulaptempel (1798), am griechischen Tempel (1810) wie am Rathaus in Baden, durchaus als ausführendes Organ des unvergleichlich bedeutenderen Architekten Kornhäusel.

T a u s i g , Glanzzeit Badens, 1914 p. 63, 78, 81, 85, 87 (2✕) 95; d e r s., Jos. Kornhäusel, 1916 p. 14. *H. T.*

Hantsch, F r a n z A n t o n , Zinngießer aus Kraupen in Böhmen, 1710 Bürger in Iglau (Mähren). Die Marke FAJH auf 3 Tellern im Mus. zu Iglau wird auf ihn gedeutet, die Marke F. H. auf 2 Tellern ebenda auf F r a n z H., der 1737 Bürger in Iglau wird.

Mitt. Erzherzog Rainer Mus. Brünn, 1916/17 p. 77 f., 80.

Hantz, G e o r g e s (Jules Georges), Ziseleur, Emailleur, Stecher und Medailleur in Genf, geb. 4. 11. 1846 in La Chaux-de-Fonds (Kant. Neuchâtel), Sohn des in der Uhren-Fabrikation tätigen Emailleurs I s i d o r e H. (geb. 23. 4. 1816 in Florimont i. Els., † 10. 6. 1889 in La Chaux-de-Fonds), und Schüler der Genfer Kunstgewerbeschule, seit 1885 Direktor des Genfer Kunstgewerbemuseums, das auch einige seiner Werke besitzt. Arbeiten, besonders Uhrgehäuse, aus seinem 1878 gegründeten Atelier wurden vielfach auf Ausstellungen ausgezeichnet (Schweizer National-Ausst. in Zürich 1883 und in Genf 1896; Paris, Expos. univ. 1889 und 1900). Er arbeitete auch an der Wiederherstellung der in Mykenä gefundenen Goldschätze. Seit 1892 als Medailleur tätig, schuf H. etwa 150 Medaillen (u. a. Porträt L. Tolstoi, 1893; auf die „Maitres Tireurs", zus. mit R. Kissling; auf König Georg I. von Griechenland, 1899). Gestochen hat er kleine Schweizer Landschaftsblätter u. Exlibris; eine Folge von 25 Bl. „Ex-libris et petits cuivres gravés au burin, premiers essais" erschien 1907 bei Hiersemann in Leipzig. — Von H.s Tochter H é l è n e , Kunstgewerblerin und Zeichenlehrerin in Genf, geb. ebenda 3. 3. 1877, mehrere Arbeiten (Keramik, Bucheinbände usw.) im Genfer Kunstgewerbemuseum.

B r u n , Schweizer. Kstlerlex., IV (1917) 203 f. u.534. — F o r r e r , Dict. of Medall., II (1904). — G e r s t e r , Die schweizer. Bibliothekzeichen, 1898 p. 101, 174. — Schweiz, 1902 (m. Abb.); 1914 p. 181 (m. Abb.). — Revue internat. de l'Ex-libris, 1917 No 1 (Illustr. Aufsatz). — E. D e m o l e , Les ex-libris de G. H., Paris 1918.

Hantzsch, C h r i s t i a n , falsch für *Hantzsch,* J. G.

Hantzsch, J o h a n n Gottlieb, Genremaler, geb. 19. 3. 1794 in Neudorf b. Dresden, † 3. 4. 1848 in Dresden; seit 1811 Schüler der Dresdner Akad., 1815—22 von J. K. Rösler ebenda, lebte dann als Maler u. Zeichenlehrer in Dresden. Lieferte zunächst Militärbilder (Sächs. Reitervedette, 1828) und versuchte sich in romantischen Darstellungen („Der wilde Jäger", nach Bürgers Ballade, s. Ludw. Richter, p. 333 f.), bis er sein eigentliches Schaffensgebiet in dem kleinbürgerl.-häuslichen Genre fand. Er gewann damit einen gewissen Einfluß auf Ludwig Richter, mit dem er innig befreundet war, und der (1833—36) nach mehreren Genrebildern H.s gestochen hat. Die meisten seiner Bilder erwarb der Sächs. Kunstverein; jetzt größtenteils in Privatsammlung. Gemälde von H. befinden sich im Bes. des ehem. sächs. Königshauses, in der Nationalgal. Berlin, im Museum Leipzig und in Lützschena (Slg Speck v. Sternburg). Aquarelle und Zeichnungen in der Graph. Samml. des Leipz. Mus. und in der Samml. weil. König Friedr. August II. in Dresden (13 Bl.). H.s Jugendfreund Karl Peschel zeichnete 1838

dessen Bildnis (Brustbild, Kupferstichkab. Dresden). Zahlreiche von H.s koloristisch ziemlich trockenen, aber zu ihrer Zeit sehr beliebten Bildern wurden gestochen für die Bilderchronik des Sächs. Kunstver.: außer von Richter („Der blinde Dorfgeiger", „Der erste Zahn", „Dorfhochzeit") von Jul. Fleischmann. Hohneck, Küchler, A. Krüger und C. E. Stölzel.

Dresdner Akten (Kstakad., Hauptstaatsarch., Sächs. Kstver.). — N a g l e r , Kstlerlex. V 557 (hier fälschlich Christian H.!); Monogr., III. — P a r t h e y , Dtscher Bildersaal, I (1863). — L u d w. R i c h t e r , Lebenserinn. eines dtschen Malers (Volksausg. des Dürerbund.)[2] p. 324, 328, 333 f., 345, 347, 363. — Katal. der akad. Kstausst. Dresden 1812 ff. pass.; Tiedge-Ausst. Dresden 1842 p. 24; 2. Verz. der Gemäldesamml. des Freih. Speck v. Sternburg, Lützschena, 1837 p. 21. — E. S i g i s m u n d , Katal. Ausst. Dresdner Maler u. Zeichner 1800—1850 (Sächs. Kstver. Dresd. 1908) p. 30 f. u. Nachtr. p. 2. — von B o e t t i c h e r , Malerwerke des 19. Jahrh. I, 1 (1891). — Katal. Ausst. dtscher Kst des 19. Jahrh. aus Privatbes. (Kstver. Leipzig 1915) p. 19. — Katal. Bildniszeichn. Kupferstichkab. Dresden, 1911 p. 34. — Bilderchronik des Sächs. Kstver., 1829 ff. — Zeitschr. f. bild. Kst, N. F. XXVII (1916) 26. *Ernst Sigismund.*

Hanula, J ó z s e f , ungar. Maler, war 1888/9 an der Frescoausmalung der Domkirche zu Szepes (ehem. ungar. Comitat Zips) beteiligt, malte die Wandbilder der Kirche zu Bosácz (ehem. Com. Trentschin) und beschickte 1896 von München aus die Millenn.-Ausst. zu Budapest mit dem Ölbild „Erzbischof Tomori von Kalocsa in der Schlacht bei Mohács" (Kat. 1896 p. 147 u. 240).

Vasárnapi Ujság 1891 p. 739. — Művészet XII (1913) 65, 70, 77. *J. Szentiványi.*

Hanusch (Hanusz), unter Johann[es] eingeordnet.

Hanyn, P i e r r e , Jetonschneider in Paris, 1558—65, fertigte Jetons, u. a. 1559 für die Confrérie Notre-Dame-de-Bonne-Délivrance, 1561 für die Königin Maria Stuart, 1563 für den Kardinal Karl v. Lothringen.

M a z e r o l l e , Médaill. franç., 1902.

Hanzelet, s. *Appier,* Jean (2. Art.).

Hanzen, A l e x i s , russ. Maler u. Graphiker schwed. Abkunft, geb. 2. 2. 1876 in Odessa, wo er zunächst die Rechtswissensch. studierte; nach Kaukasus- u. Krimreisen in Feodossia Schüler J. K. Aiwasoffsky's (seines Großvaters mütterl. Seite) und weitergebildet in München, Berlin u. Dresden unter C. Salzmann, H. Mayer u. E. Bracht. Nachdem er 1903 in der Berliner Gr. Kunsausst. mit einem „Depeschenboot auf hoher See" debütiert und 1904/7 in St. Petersburg Seestücke in Ölmalerei u. eine Folge von Aquarellansichten aus Florenz u. Venedig ausgestellt, gleichzeitig auch die Illustrationen zu 1904/6 gedr. Reisewerken der „Nowoje Wremja" über die Krim, die Wolga, Konstantinopel, den Athos-Berg u. Mazedonien geliefert hatte, ging er 1907 nach Paris, veranstaltete in der dort. Gal. des Artistes Modernes eine Sonderausst. (Öl- u. Aquarellbilder, Zeichnungen, Radierungen) und beschickte den Salon der Soc. des Art. Français 1907/12 mit weiteren virtuos gemalten Seestücken u. Landschaften aus allen Gegenden Europas. Im St. Petersburger Akad.-Museum von ihm ein „Schloß des Mannes mit der eisernen Maske bei Sonnenuntergang" (Ölbild, Motiv nach Al. Dumas père), jetzt dem Stadtmus. in Jaroslawl überwiesen (Mus.-Kat. der Petersb. Kstakad., 1915 p. XXVI).

Archives Biogr. Contemp., Paris 1906 ff. II 317 f. — Chron. des Arts 1908 p. 107 f. — New York Herald (Paris) v. 3. 3. 1908 (mit Portr. H.s). — Jahrb. der Bilder- etc. Preise 1911 ff. V/VI. *

Happ, J a k o b , Maler in Frankfurt a. M., geb. ebenda 18. 8. 1861, Schüler des Städelschen Instituts 1879—82 unter Hasselhorst und der Karlsruher Akad. 1884—88 unter Schönleber. Zeigte Landschaften, Porträts und Kinderszenen impressionist. Richtung auf den Jahres-Ausstell. der Frankf. Künstler (Kat. 1909 mit Abb.), in München (Kat. Glaspalast 1888, 1900, 1911), Berlin (Kat. Gr. Kstausstell. 1900), Dresden (Kat. Internat. Kstausstell. 1901; Gr. Kstausstell. 1904) und Düsseldorf (Deutschnat. Kstausstell. 1902). Zu Frankfurt befinden sich im Städelschen Institut sein „Selbstporträt", in der Städt. Gemäldesamml. „Alte Mainbrücke Frankf. a. M.".

W e i z s ä c k e r - D e s s o f f , Kst u. Kstler in Frankf. a. M., II (1909). — Rheinlande, III (1902/03) 76 Abb.; V (1905) 80. — Die Kunst, IX (1904).

Happach, J a k o b , Goldschmied, † 20. 12. 1752 in Riga, wo er seit 1715 als Meister ansässig war und 1725/9 wie 1738/9 als Gildenvorsteher fungierte. Das dort. Dom-Museum bewahrt von ihm eine in Silber getrieb. Deckeldose u. 2 Adlerwappenschilder der Rigaer Bäckerinnung von 1721/3.

N e u m a n n , Verzeichnis Balt. Goldschm., Riga 1905 p. 174. *

Happe, C é l e s t i n J o s e p h , Architekt in Paris, 1783 urkundlich erwähnt, baute 1791 (mit Sobre) das Haus gen. Cour-Batave, rue Saint-Denis (zerstört), 1809—12 den zerstörten marché à la volaille et au gibier, gen. La Vallée und wirkte mit an den Bauten der Schlachthäuser (1810 abattoir Popincourt, 1811 abattoirs du Midi).

B a u c h a l , Dict. d. archit. franç., 1887 p. 666. — P i g e o r y , Monum. de Paris, 1847 p. 548 f. — Arch. de l'art franç., 1913 p. 413.

Happel, F r i e d r i c h , Tiermaler u. Radierer in Düsseldorf, geb. 23. 5. 1825 zu Arnsberg i. W., † 5. 7. 1854 zu Düsseldorf, Bruder des Peter Heinrich H. Besuchte 1838—51 die Düsseld. Akad., lebte dann längere Zeit auf dem Lande, um Naturstudien zu machen. Leben und Treiben aller Jagdtiere, besonders des Fuchses, beobachtete er als eifriger Jäger gründlich und stellte es frisch und charakteristisch dar. Als einer der Ersten auf diesem

Gebiet nimmt H. eine beachtenswerte Stellung in der Düsseldorfer Schule ein. Er malte auch totes Wild und Jagdgenrebilder. Die „Fuchsfamilie" war ein oft von ihm behandelter und vielfach variierter Gegenstand, den er mit Gemälden wie „Schreiender Hirsch", „Rassehunde", „Füchse auf der Hasenjagd", „Huhn von einem Iltis überrascht" auf vielen Ausstell. der 40 er u. 50 er Jahre zeigte. „Jagdhund" im Mus. zu Neuchâtel (Katal. 1910). H. radierte auch 2 Bl.: „Schlafender Jagdhund" (1843) und „Hund Vinet". Nach seinen Gemälden sind gestochen bzw. lithographiert: „Die glückliche Familie" (spielende Füchse) von A. Martinet, „Spielende Füchse" in: Aquarelle Düssed. Kstler, ausgef. im lithogr. Instit. Arnz, Düsseldorf 1852 und Blätter im „Düsseldorfer Kstleralbum" (red. v. W. Müller) 1851 ff.

Allgem. Deutsche Biogr., X 552. — F. v. B o e t - t i c h e r , Malerwerke d. 19. Jahrh., I 1 (1891). — M ü l l e r v. K ö n i g s w i n t e r , Düsseld. Kstler, Leipzig 1854. — S c h a a r s c h m i d t , Gesch. d. Düsseld. Kst, 1902. — H e l l e r - A n - d r e s e n , Handb. für Kupferstichsamml., I (1870). — A n d r e s e n , Deutsche Malerrad., 1878. — Kataloge: Bremer Ausstell. a. Privatbes. 1863; Ausstell. a. Privatbes. Ksthalle Hamburg 1879.

Happel, K a r l , Maler, geb. 1819 in Heidelberg, † 1914 in München, Schüler von Götzenberger in Mannheim, dann von Gleyre in Paris (1847—50) und der Akad. in München, wo er freundschaftl. Verkehr mit Spitzweg pflegte und von dessen Kunst stark beeinflußt wurde. Nach längerem Aufenthalt in Amerika (1860—67) ließ er sich in München nieder, war 1869/70 in Rom (Mitgl. d. dtsch. Kstler-Ver.). Die Städt. Sammlgn in Heidelberg erwarben 1913 sein Selbstporträt von 1844, das Gemälde „Picknick im Walde", das in reizvoller Weise die Pariser und Spitzweg'schen Anregungen verarbeitet, und zahlreiche Skizzen. Gelegentlich der Ausstell. aus Heidelb. Privatbes. von 1920, auf der H. durch einen „Bänkelsänger" und ein gutes Porträt vertreten war, wurde sein völlig vergessener Name häufig genannt. Eine Tuschzeichnung „Gretchen bei Martha" im Stadtmuseum München (vgl. Maillinger, Bilderchronik München, 1876).

v. B o e t t i c h e r , Malerwerke d. 19. Jahrh., I 1 (1891). — B e r i n g e r , Bad. Malerei i. 19. Jahrh., 1913. — Münchner Jahrb. IX, (1914/15) 186, Abb. 187. — Verzeichn. Meisterporträts a. Heidelberger Bes., 1914. — Zentr.-Bl. f. bild. Kst, 1914 p. 9. — Westermanns Monatshefte, Jg. 65 Bd. 129 I 1920 p. 144 (m. Abb.) — Kstwanderer, II (1920/1) 115 f. — Notiz v. F. Noack.   D. St.

Happel, P e t e r Heinrich, Landschaftsmaler, geb. 26. 3. 1813 zu Arnsberg i. W., † 23. 5. 1854 zu Düsseldorf, Bruder des Friedrich H., seit 1829 Schüler der Düsseldorf. Akad. unter Schirmer, beeinflußt auch von Lessing. Abgesehen von kurzem Aufenthalt in München und verschiedenen Studienreisen ständig in Düsseldorf, wo er sich auch um Gründung und Verwaltung des Vereins Düsseld. Kstler verdient

machte. Er gehört zu den Stimmungsland-
schaftern der Düsseld. Schule, malte anfangs
düstere, später anmutig-heitere Motive und
leistete sein Bestes in idyllischen Sommerland-
schaften. Seine Bilder zeigen Partien aus
dem Rheinland, Odenwald, Sauerland usw.
Von den Ausstell. seiner Zeit beschickte H.
besonders die der Berliner Akad. (vgl. Kataloge 1836—48). Im Provinzial-Mus. zu Hannover (Kat. 1905 p. 195) ein bez. u. 1838
dat. Bild.
    Müller v. Königswinter, Düsseld.
Kstler, Leipzig 1854. — Wiegmann, Königl.
Kst-Akad. zu Düsseld., 1856. — v. Boetticher,
Malerwerke d. 19. Jahrh., I 1 (1891). — Nagler,
Monogr., III.

Happersburger, Frank, Bildhauer, geb.
21. 10. 1859 in S. Francisco, deutscher Abkunft, Schüler der Münchener Akad. unter
Knab und Eberle, zeigte 1882 im Münchener
Kunstverein einen „Bogenschützen", ging aus
einer internat. Konkurrenz um das Denkmal
des Union-Präsidenten Garfield für S. Francisco
als Sieger hervor. Das Denkmal, im Golden
Gate Park von S. Francisco aufgestellt, zeigt
den Präsidenten stehend, zu seinen Füßen die
trauernde Amerika, am Sockel Reliefs. Es
wurde 1884 bei Lenz in Nürnberg gegossen.
Das riesige „Californian Monument" in S.
Francisco, an dem sich u. a. Szenen aus dem
kaliforn. Tierleben befinden, hat H. in S. Francisco ausgeführt.
    Taft, Hist. of Americ. Sculpt., 1903 p. 536.
— Kstchronik, XVII (1882) 211; XX (1885) 78.
— American Art Annual, 1907/8.

Haquette, Georges Jean Marie, Marinemaler, geb. 2. 5. 1854 in Paris, † 1906 in
Dieppe. Schüler von A. Millet und Cabanel,
stellte seit 1875 regelmäßig im Salon (Soc. d.
Art. Franç.) aus (vgl. Kataloge, meist m. Abb.),
zunächst Porträts und Figurenbilder. Seit
1878 widmete er sich ganz der Schilderung
des Meeres und des Schiffer- und Fischerlebens,
das er in Dieppe studierte, wo er in der Vorstadt Le Pollet sein Atelier hatte, oft im Boote
auf See malend. An Kraft und Einfachheit der
Auffassung sind seine besten Arbeiten denen
von Butin und A. Vollon verglichen worden.
Ein Hauptwerk, „Départ pour Terre-Neuve"
(1882), im Mus. zu Dieppe, ebenda „Débar-
quement du poisson au Pollet". „Salut au
Calvaire" im Mus. zu St-Louis. Weitere Bilder
in den Museen von Mülhausen, Pontoise, Rouen
und Sydney. Le Sueur stach nach H. „Femme
du matelot". — Von einer Aquarellmalerin
Jenny Haquette-Bouffé, die 1878—80
im Salon ausstellte, ist ein Blumenstück im
Mus. zu Bayeux.
    Bellier-Auvray, Dict. gén. I (1882.) —
Bénézit, Dict. des peintres etc., II (1913). —
Martin, Peintres et sculpt., I (1897). —
Montrosier, Artist. mod., IV (1884) 89 ff.
u. Abbn. — Graves, Dict. of Artists, 1895.
— Mireur, Dict. d. Ventes d'Art, 1901 ff. III.

— Rich. d'art, Prov. Mon. civ. II; VII. — Gaz.
d. B.-Arts, 1879 II 40; 1883 II 14. — Chron. des
arts, 1906 p. 244 (Nekrolog).

Haquin, Henriet, franz. Maler, führte
1320 für die comtesse Mahaut d'Artois Wandmalereien im Schlosse zu Conflans aus.
    Dehaisnes, Hist. de l'Art dans la Flandre
etc., 1886 p. 415; Docum. I 228.

Haquinet, Bildhauer aus Tournai, vollendet
1444/45 in der Kathedrale zu Troyes das von
Hennequin de Tournay begonnene Reliquien-
Tabernakel; wird daselbst noch 1447 erwähnt.
— Ein gleichnam. Bildhauer arbeitete 1483
„l'ymage de saint Jean" für ein Denkmal auf
dem „pont à pont" zu Tournai.
    Nouv. Arch. de l'art franç., 1887 p. 72. —
Marchal, Sculpture etc. . . . Belges, ² 1895.

Har, Johann, Bildhauer, laut Inschrift
Meister des marmornen Grabsteins des Oswald
von Seben († 1465) im Kreuzgang des Klosters
Neustift bei Brixen a. E. (Kniendes Abbild
des Ritters vor Gott Vater, kostümgeschicht-
lich wichtig und wegen der reichen dekorativen Architektur.)
    Semper, Zeitschr. des bayr. Kstgewerbe-
vereins, 1890 p. 109 f. — Riehl, Die Kunst an
d. Brennerstraße, ² 1908 p. 130.   H. H.

Harache (Harache), französ. Goldschmiede-
familie in England, deren Arbeiten am voll-
ständigsten bei Chaffers zusammengestellt sind.
Pierre sen., seit 1682 (Verleihung der Gilden-
freiheit) in London, † ebenda 1700. Seine
Marke (Abb. bei Rosenberg u. bei Chaffers)
erscheint in der Londoner Goldsmith's Hall
zwischen 1675 u. 1697. Von seinen sehr ge-
schätzten Arbeiten ist die früheste bekannte ein
Becher mit Doppelhenkel von 1691. Eine
Kanne mit dem Wappen Wilhelms III., die
dieser dem Herzog v. Devonshire schenkte, ist
1697 datiert. In Christ Church, Bruton
Parish, Amerika, eine zweihenklige Schale mit
Deckel. Toilettenbüchsen von 1695 zeigen
Gravierungen im chinesischen Stil. — Sein
Sohn Pierre jun., 1698 in der Gilde, führt
des Vaters Marke mit kleiner Veränderung fort,
seine Werke (engl. Privatbes.) sind zwischen
1700 und 1706 datiert, von 1700/01 die
Prachtstücke des „Marlbourough plate", aus
dem Besitz von Earl Spencer ausgestellt in der
Loan Exhibition South Kensington Mus. 1862
(Cat. Rev. Ed. 1863 p. 490 f. ohne Angabe
des Künstlernamens). — Jean erscheint 1726,
Francis, Silberschmied, 1738 in der Gilde.
Von Bedeutung ist erst wieder Thomas,
der die Marke T H mit Krone darüber führt,
und dessen Arbeiten (1758—72) hauptsächlich
i. Bes. des Königs v. England u. des Herzogs v. Westminster sind.
    Chaffers, Gilda Aurifabr., 1883. —
Cripps, Old Engl. Plate, 1894 p. 335, 384.
386/7. — M. Rosenberg, Goldschmiede Merk-
zeichen, 1911. — Britten, Old Clocks, 1904. —
Gaz. d. B.-Arts, 1911 I 70 ff. (Abb.) — Kstchronik,
N. F. XXXI (1919/20) 586 (Versteig. Samml. Lord
Methuen). — Buck, Old Plate, New York

1888 p. 122, 211, 227. — J a c k s o n . Engl. Goldsmiths, 1905 p. 86, 150, 225, 226, 236. — Mit Notizen von M. Rosenberg.

Harald-Gallén, A r t h u r , finn. Maler u. Radierer, geb. 2. (14.) 6. 1880 in Reval, Neffe A. Gallén-Kallela's, ausgebildet in Helsingfors u. um 1908/9 in Paris (hier auch unter Fr. Thaulow); brachte von seinen Weltreisen mannigfaltige gemalte u. radierte Landschaften aus Lappland, Frankreich, Italien, Marokko, Ägypten, Palästina, Indien, China u. Japan heim.

Ö h q u i s t , Suomen Taiteen Hist., 1912 p. 477; cf. Kat. des Mus. zu Helsingfors 1920 p. 37 f. — R. B o u g e r in Bulletin de l'Art anc. et mod. 1909 p. 39.   *L. W.*

Haraldus, schwed. Bildhauer um 1100, dessen Signatur „Haraldus magister" zu lesen ist auf einigen Grabsteinen der Provinz Västergötland, deren Ornamentierung mit charakteristischen Palmettenfriesen u. Seilstäben auch auf den gleichzeitigen romanischen Sandstein-Taufbecken der Kirchen zu Kållands-Åsaka u. Skalunda wiederkehrt. Den Taufstein der letzt. Kirche schmückt außerdem ein primitiver Figurenfries, darstellend den thronenden Erlöser zwischen Petrus u. Maria (?).

C u r m a n - R o o s v a l , Sveriges Kyrkor, Västergötland I (1913 f.) 171 ff., 233 f. (mit Abb.). *

Harbach, M e l c h i o r van, Steinmetz zu Breda, wo er das Frontportal (1615) und das Portal nach der Karrestraat an der ehemal. Fleischhalle baute; er war Baumeister des Prinzen Moritz v. Oranien; wird 1621/23 in den Baurechnungen des Rathauses zu Klundert genannt und ist wohl als Urheber des Entwurfs und Bauführer anzusehen. Vielleicht identisch mit dem in einer Quittung von 1614 im Gemeindearchiv zu Alkmaar gen. M e l c h i o r v a n H a r s b e e c k , der Baumodelle für die Stadt lieferte.

Oud Holland, 1908. — Nederl. Monum. I 1 (1912) Breda p. 163, m. Abb. (Herbach).

Harbaugh, L e o n a r d , amerikan. Architekt deutscher Abstammung, tätig 1784—99. 1784 baute er den Bogen unter dem Gerichtsgebäude in Baltimore und war dort 1788 Stadtkommissar. 1792 begann er nach eigenem Entwurf (Zeichn. im Staatsdept.) eine Steinbrücke zwischen Washington und Georgetown mit anschließenden Quais, mußte aber 1794 das Werk aus Mangel an Mitteln aufgeben. H. nahm auch 1792 an dem großen Wettbewerb für das Kapitol von Washington teil; 1798—99 führte er die Gebäude für das Schatzamt und Kriegsamt aus.

K i m b a l l u. B e n n e t t , Journal of the Amer. Inst. of Architects VII (1919) 206 ff. — J. T. S c h a r f , Chronicles of Baltimore p. 62 f.   *Fiske Kimball.*

Harboe, E d v a r d V a l d e m a r , Maler, geb. 30. 3. 1834 in Kopenhagen, † 30. 4. 1883 ebenda; Sohn u. Schüler des Dekorationsmalers J o h a n n e s Q u e d e u s H. (geb. 1800, † 1874), seit 1850 auch an der heimatl.

Akademie ausgebildet, deren Ausst. er 1854 bis 62 mit dän. Landschaftsansichten beschickte.

W e i l b a c h , Nyt Dansk Kunstnerlex. 1896 I; cf. R e i t z e l , Fortegn. 1883.   *

Harboe, R a s m u s G u n n e r s o n , dän. Bildhauer, geb. 25. 10. 1868 in Skelskör (Seeland), lebt in Kopenhagen; dort seit 1887 Schüler Stephan Sindings, weitergebildet in Paris (1892, Salon Soc. des Art. Français: Marmorstatue „Un Essai" [flötespielender Knabe], heute Kunstmuseum; ebenda auch eine Büste von Helge Rode und eine Statuette „Jakobs Kampf" [Kat. 1921]). In der Kopenhagener Akad.-Ausst. 1893 prämiiert für die obengenannte Statue eines flötespielenden Knaben, wurde er später namentlich bekannt als Porträtbildner (naturalistische Sinding-Statue in der Balt. Ausst. zu Malmö 1914, Kstkat. Abb. 76) u. als Fayencemodelleur für die Kopenhagener „Aluminia"-Manufaktur (cf. Abb. in der Münchener Zeitschr. „Kunst u. Handwerk" 1911 p. 261). Von H. der Springbrunnen auf „Vesterbros Torv" in Kopenhagen, ferner Arbeiten an der Esajas-Kirche, am Bispebjaerg Hospital u. der National-Bank ebenda. Seit 1919 Mitglied der Akad.

W e i l b a c h , Nyt Dansk Kunstnerlex. 1896 I.

Harboe, R o l f , Bildhauer, geb. 1860 in Nyborg (Fünen), 1881 Schüler der Akad. in Kopenhagen, wurde später Jurist. — Von ihm eine Athene-Statue aus verschiedenfarb. Marmor u. Bronze im 1901 vollend. Studenterhus zu Kopenhagen.

T r a p , Danmark, 1899—1906, I.

Harborch u. **Harbordt**, J. P., siehe *Haburg,* Joh. Peter.

Harbouillet, J e a n , siehe unter *Defrenne,* Jacques.

Harburger, E d m u n d , Maler und Illustrator, geb. 4. 4. 1846 in Eichstätt, † 5. 11. 1906 in München, wuchs in Mainz auf, wo er die ersten künstler. Anregungen durch den Tiermaler Prestel empfing und sich in Malereien an den Saalwänden des preuß. Kasinos versuchte. 1866 bezog er die Techn. Hochschule in München, studierte jedoch hauptsächl. bei Raupp und an der Akad. unter Lindenschmit. Schon früh beschäftigte ihn neben der Malerei die Illustration (für den Verlag J. Scholz in Mainz, Illustr. eines Büchleins des Mainzer Lokalpoeten Lennig, polit. Karikaturen für die „Gartenlaube"), um 1870 auch erste Zeichnungen für die „Fliegenden Blätter", denen er später als einer der berühmtesten Mitarbeiter dieses Blattes im ganzen etwa 1500 Zeichn. geliefert hat. Eingehendes Studium der alten niederländ. Maler (Teniers, Ostade) und ein längerer Aufenthalt 1871 in Tirol, wo er besonders Interieurstudien machte, führten H. zur Ausbildung seines Hauptgebietes, der Darstellung humorvoll aufgefaßter Volkstypen in Verbindung mit malerisch meisterhaft behandelten Innenräumen. Daneben malte er auch Genrebilder still-beschaulichen Charakters. Ein Aufenthalt in Venedig 1876/78 brachte vorübergehend neue Interessen durch Kopien nach alten Italienern, Landschaftsstudien und einen 7teil. Fries mit Darstell. der Künste und Gewerbe. H. wohnte seitdem in München in dem von ihm selbst erbauten Hause Nymphenburger Str. 55. Weitesten Kreisen vor allem als Illustrator der „Fliegenden Blätter" bekannt, war H. doch in erster Linie ein bedeutender Maler von glänzender kolorist. Begabung. Der Goldton seiner Bilder wird in der Spätzeit lichter, mehr silbergrau, der Auftrag dünnflüssiger; gern verwendet er kühles Grau, gebrochenes Weiß und gesättigtes Schwarz. In dieser malerischen Haltung berührt sich H. mit dem Münchner Kreise um W. Diez. Auch entfernter Einfluß Menzel's, der H. auf einer Reise kennenlernte, sich für ihn interessierte und ihm immer erneutes Modellstudium empfahl, mag im Spiel sein. Scharfer Blick für die Charakteristik der Erscheinung und geistvoll witziger, doch selten karikierender Vortrag machen ihn zu einem der berufensten Vertreter des deutschen, besonders oberbayrischen Volkshumors. Er gab Charakterfiguren des Münchner Lebens der Kleinbürger, Zechbrüder usw. In seinen Illustrationen erscheinen dann Typen verschiedenster Kreise. Doch sind wohl auch hier die Münchner Bierphilister am gelungensten. Als Zeichner geht H. ebenfalls von malerischer Anschauungsweise aus, sein Material ist weicher Bleistift oder Kohle, die Auffassung nie übertrieben, sondern im Bereich des Möglichen bleibend, scharf, doch mit der „Nachsicht des echten Humoristen" charakterisierend. Er malte auch Stilleben und Porträts (hervorzuheben etwa 12 Selbstbildnisse und die der Maler W. Diez und Oberländer). Seine Bilder waren seit 1871 auf den Ausstell. des Münchner Glaspal., der Berliner Akad. und Gr. Kst-A., 1882/84 auch im Pariser Salon. Von charakteristischen Gemälden H.s besitzt die Neue Pinak. in München 2 (Beaux restes, Weinhandel), das Mainzer Mus. 5 Nummern (u. a. Rübenschälerin, Wichtige Auseinandersetzung), das Darmstädter Mus. u. a. mehrere Interieurstudien. Andere Bilder in den Mus. zu Danzig, Leipzig, Münster i. W., Reichenberg i. B., Prag (Rudolfinum), Zürich, Göteborg. Zeichn. u. Lithographien (Parodien, Festprogramme u. dgl.) im Stadtmus. München (Maillinger, Bilderchronik, 1876).

Pecht, Gesch. d. Münch. Kst, 1888. — v. Boetticher, Malerwerke 19. Jahrh., I 1 (1891). — Allgem. Kstchronik, XVII (1893) 764 ff. (G. Fuchs). — Kst unserer Zeit, 1903 I (Heilmeyer); 1908 I 77 ff. — Westermanns Monatshefte, Okt. 1907 (G. Fraunberger). — Süddeutsche Monatshefte, 1907 p. 690 ff. (H. Raff). — Gartenlaube, 1907 Nr 15 (v. Ostini).

— Seemann's „Meister der Farbe", II (1905) No 76 (v. Ostini). — Architekt. Rundschau, XIV (1898) Taf. 50. — Kutschmann, Gesch. d. dtschen Illustr., 1899. — Die Kunst, XV (1907). — Jahrb. d. Bilder- u. Kstblätterpreise, Wien 1911 ff., II—VI.   *Dorothea Stern.*

Harchies, Amélie d', verehel. *Birat,* Stillleben- und Miniaturporträtmalerin in Paris, geb. 12. 7. 1812 zu Görz, öst. Küstenland, Schülerin von Redouté und Mme de Mirbel, stellte 1841—47 u. 1861—67 im Salon aus.

Bellier-Auvray, Dict. gén. I (1882) unter Birat.

Harck, Goldschmied in Malchin (Mecklenb.-Schwerin) um 1800. Von ihm in der Kirche zu Basedow (Amtsger.-Bez. Malchin) ein großer Kelch in klassizierendem Stil und eine Patene, in der Kirche zu Borgfeld (Amtsger.-Bez. Stavenhagen) eine kleine Weinkanne.

Kst- u. Gesch. Denkm. Mecklenb.-Schwerin V (1902) 130, 187.

Harckxz (Harcxz, Harcz), Allert, Zeichner (Dilettant?), 1636 als „Konstkooper" in der Lukasgilde zu Alkmaar. Von ihm ein vollständiges Skizzenbuch (88 Blatt, Figuren, Tiere, Embleme, Allegorien, mytholog. u. bibl. Darstell., Landschaften usw., meist Feder, mehrere Rötel, einzelne aquarelliert, voll bez. und 1629/31 datiert), das 17. 10. 1905 bei Heberle in Köln versteigert wurde (vgl. Katal.). Eine AHarcz fecit bez. Federzeichn. v. 1630, holländ. Flußlandschaft mit Fährboot, wurde 20. 12. 1905 in Amsterdam versteigert (H. F. Groen van Waarder u. a. Nr 1329).

Obreen's Archief, II (1879/80). — Oud Holland, 1909.

Harcourt, Clewin, Genre- und Landschaftsmaler, geb. in Victoria (Australien). Schüler von A. de Vriendt an der Akad. zu Antwerpen, tätig in England, stellte 1910—12 im Salon der Soc. d. Art. franç. Paris und 1910—11 in der Roy. Acad. London aus.

Studio, LXII p. 204 (m. Abb.), 316 f. — Salonkatal. u. Kat. der Roy. Acad.-Exhib.

Harcourt, Elizabeth, Lady, vermählt mit Sir William Lee, Dilettantin, geb. 1739, † 1811; eine Zeichnung von ihr „Nuneham church, Oxfordshire" im Brit. Museum London. Ihr von Reynolds gemaltes Porträt wurde mehrmals gestochen.

L. Binyon, Cat. of Drawings etc. in the Brit. Museum, II (1900).

Harcourt, George, Maler, geb. 1869 in Dumbarton (Schottland), lernte zuerst an der dortigen Kunstschule und beschäftigte sich mit Dekorationsarbeiten. Nach 1889 kam er nach Bushey (bei London) zu H. v. Herkomer, bei dem er arbeitete, bis er 1901 als Leiter der Kunstschule nach Hospitalfield bei Arbroath (Schottland) berufen wurde; seit 1910 wieder in Bushey. Seine Werke (Genre- und Historienszenen, Figurenbilder, gelegentlich Landschaften, vor allem aber Einzel- und Gruppenporträts von Angehörigen der vornehmen engl. Gesellschaft in etwas äußerlicher, effektvoller

Aufmachung) sind seit 1893 fast alljährlich auf der Roy. Acad., London, zu sehen; 1894—1902 und 1909 stellte er auch im Pariser Salon der Soc. d. Artistes franç. aus. — Seine Gemahlin M a r y L. stellte 1899, 1900, 1903, 1914, 1916 in der Roy. Acad. Kinderporträts aus.

J. L. C a w, Scottish Painting, 1908. — Studio, XXIV p. 66; XLVII p. 42; L p. 19; LXVIII p. 112; LXX p. 160 ff. — G r a v e s, Roy. Acad., III (1905); Ausstell.-Katal. d. Roy. Acad., 1905 und ab 1907; dazu Abb. in Roy. Acad. Pictures, 1893—96, 1898—1900, 1904, 1905, 1907, 1908, 1910—15.

Harcourt, G e o r g e S i m o n (manchmal fälschlich Carl), Earl of (zuvor Viscount N u n e - h a m oder N e w n h a m), Kunstdilettant, geb. 1736, † 20. 4. 1809. Von ihm aus der Zeit um 1760 Landschaftsradierungen nach P. Sandby, J. Silvestre, nach seinem Bruder William (s. unten) u. a. 1762 und 63 stellte er in der Soc. of Artists aus. 1763—64 erschien in London eine Serie von 4 Ansichten der Ruinen von Stanton Harcourt, von ihm gezeichnet u. radiert; 1798 eine Serie „Etchings"; 1808 (in Oxford) „An account of the Church and Remains of the Manor House of Stanton Harcourt". Er war ein Freund H. Walpoles. Sein Porträt stach V. Green nach D. Gardner. — Auch sein Bruder W i l l i a m, geb. 1743, † 1830, seit 1809 Earl, betätigte sich als Kunstdilettant. Von ihm ist eine Zeichnung, Ansicht von Havana, im Brit. Museum. 2 Radierungen, Ansichten aus der Umgebung von Havana, bez. „W. Harcourt del. 1762", führt Weigel als von J. Newnham radiert an, worunter wohl Williams Bruder George Simon zu verstehen ist.

N a g l e r, Kstlerlex., V; X (Newnham). — S. R e d g r a v e, Dict. of Artists, 1878 (Nuneham). — L e B l a n c, Manuel, II. — G r a v e s, Soc. of Artists, 1907 (Newnham). — Univ. Catal. of Books on Art, I (1870). — Catal. of Engr. Brit. Portraits, Brit. Mus., II (1910). — L. B i n y o n, Catal. of Drawings etc. in the Brit. Museum, II (1900). — Weigel's Kstcatal., Leipzig 1838 ff. III No 17686/7.

Harcxz (Harcz), A l l e r t, s. *Harckxz*, A.

Hard (Hardt, Harth, Hart), Stuckatorenfamilie in Würzburg. — F r a n z I, Stuckator, 1714 u. 16 als Hausbesitzer ebda genannt, † vor 1738 (wahrscheinlich viel früher). — F r a n z II, 1748 als Stuckator genannt, wohl Sohn des Franz I. — C h r i s t o p h, Stukkator, Bruder des Franz I, tätig seit 1700, † 1739 od. 40. — M a t t h e s, Stuckator, wohl der gleichen Familie angehörig, 1725 in Scharolds Würzb. Kstlerlisten genannt, 1724—28 tätig nachzuweisen. — Franz I war tätig bei der Ausstattung der spätesten Petrini- und einiger wichtiger Greisingbauten, meist zusammen mit seinem Bruder Christoph. Die H. sind zusammen mit Joh. Pet. Seidler die ersten deutschen Meister, die in Würzburg in den ersten Jahrzehnten des 18. Jhdts neben den italienischen Stuckatoren zur Geltung gelangen und

deren schwerere Barockformen (Domausstattung von Pietro Magno 1701 ff.) allmählich ins Leichtere wandeln. Genannt wird Franz I mit einem großen Wappen im Stiegenaufgang des (1700 begonnenen) Juliusspitalbaues, Franz I u. Christoph zusammen mit Seidler bei der Stuckierung von 15 Zimmern im Erdgeschoß des 1700—5 erbauten „Schlößchens am Rennweg", beide Male noch neben Pietro Magno. 1707 schafft Franz I die Stuckdecke der St. Gertraudkirche, die vollständig erhalten heute den besten Begriff von seiner Art vermittelt. Die umfänglichen Aufträge, die den Brüdern H. darauf in zwei wichtigen Greisingbauten zufallen, scheinen kaum mehr als handwerklicher Art gewesen zu sein: 1706 wird mit Franz u. Christoph die „Stuckator-, thüngers-, stickh- und Klebersarbeith" in der neuen Stiftskirche zu Großkomburg verakkordiert (wo aber die eigentlichen Deckenstuckaturen einem Joh. Bauer aus Würzburg zufallen); im Wzbger Jesuitenkolleg (jetzt Klerikalseminar), wo Franz 1717—18 für d. Stuckaturarbeiten bezahlt wird, findet sich fast nur einfachstes Rahmen- und Leistenwerk. 1715 und 17 endlich wird er mit Einzelarbeiten im Neubau des Zeughauses auf der Festung genannt. Sein zweifellos nicht ganz unbedeutender Anteil an der Stuckausstattung der gleichzeitigen Wzbger Bürgerbauten ist noch nicht ausgeschieden. Christoph allein erscheint mit unbedeutenden Arbeiten 1700 in der Kirche von Burkardroth (Ufr.), 1726 in der Kirche von Retzstadt (Ufr.). Zusammen mit Matthes ist er im Nordblock d. Würzb. Resid. mehr handwerklich als künstlerisch beschäftigt: Matth. 1724—28, Chr. 1725—30 i. d. Baurechngn, meist als „Tüncher" genannt, nur 1728 für Stuckaturarbeit bezahlt. Seit 1735 erscheint Chr. wieder allein bei der Ausstattung des Südblockes unter dem Hofstuckator Antonio Bossi, meist mit Tüncherarbeit; 1740 wird bereits „Wittib Dorothea Harttin" bezahlt.

Fr. X. M a y e r in Archiv f. christl. Kunst, XV (1897) p. 27; XIX (1901) p. 79. — H. M ü l l e r, Gesch. d. Ritterstifts Komburg, Württemb. Jahrbücher f. Statist. u. Landesk., 1901 I 31. — S c h a r o l d, Würzburg u. s. Umgebg, 1836, p. 177. — Kunst- u. Altert.-Denkm. Württembergs, Jagstkreis I (1907) 591, 607. — Kunstdenkm. Bayerns, III Heft 6 (1912) 151; Heft 10 (1914) 88; Heft 12 (1915) 197, 283, 413, 416, 417, 520 (hier die jeweiligen Aktenhinweise). — R. D i e h l, Balthasar Esterbauer, Diss. Frankfurt a. M. 1920. — R. S e d l m a i e r u. R. P f i s t e r, D. fürstbischöfl. Residenz zu Würzburg, München 1922. — (Mit Archivnotizen von G. H. Lockner und W. Boll in Würzburg.)

R. Sedlmaier.

Hardcastle, C h a r l o t t e, Malerin in London, stellte 1855—66 in der Roy. Acad., 1857 bis 65 in der Brit. Instit., häufig auch in der Soc. of Brit. Art., London, Stilleben aus.

G r a v e s, Dict. of Artists, 1895; Roy. Acad., III (1905) und Brit. Instit., 1908.

Hardegen, Johann Conrad, Lithograph (taubstumm), geb. 31. 12. 1819 in Bremen, † daselbst 3. 11. 1883, lieferte viele auf Bremen bezügliche Lithogr., von denen das Histor. Mus. ebenda eine kleine Sammlung besitzt.

Bremische Biogr. d. 19. Jahrh., 1912.

Hardegg, Friedrich, steir. Porträtmaler, geb. 19. 3. 1858 in Loipersdorf bei Fürstenfeld, Steiermark. Besuchte durch fünf Jahre die ständische Zeichenakad. in Graz unter H. A. Schwach. 1878 ging er nach Wien und beschäftigte sich mit Kopieren und Porträtmalen, von dort zu einer franz. Gesellschaft für Linophanie unweit New York, hierauf in die brasil. Hauptstadt Rio de Janeiro. Wegen des Klimas kehrte er 1882 nach Europa zurück und ließ sich in Paris nieder.

J. Wastler, Steir. Künstlerlex., 1883. — Die steir. Künstler (Aufzeichn. im Kunsthist. Institut der Grazer Universität). *B. Binder.*

Hardegger, August (Dr. phil.), Architekt und Kunstschriftsteller in St. Gallen, später in Disentis (Kanton Graubünden), geb. 1. 10. 1858 in St. Gallen; Schüler des Stuttgarter Polytechnikums, machte Studienreisen in Deutschland, Österreich, Frankreich, Italien, war 4 Jahre Konservator der Kunstslgen in St. Gallen. Von ihm etwa 60 kathol. Kirchen in der Schweiz mit Anlehnung an mittelalterl. Stile, z. B. Liebfrauenkirche in Zürich (1893/94), Marienkirche mit Bibliothek und Kapitelsaal im Stift Disentis, St. Joseph in Basel, St. Joseph in St. Gallen; ferner Klosterbauten (in Lochau bei Bregenz und in Tübach), Institute, Schulhäuser, Krankenhäuser und Villen. Renoviert hat H. u. a. die Kirchen in Appenzell, Fischingen und Beromünster. Veröffentlichte Aufsätze im „Anzeiger für schweiz. Altertumskunde" und in E. Götzingers „Reallexikon" und zahlreiche Arbeiten über Schweizer Kirchen und Kunstschätze.

Brun, Schweizer. Kstlerlex., II (1908) u. Suppl. (1917). — Schweiz. Baukst, 1917 p. 37 ff. (Illustr.) — Schweiz. Bauzeitg, 1917 Bd LXX 272. — Schweiz. Zeitgenossen-Lexikon, 1921. — Dresslers Ksthandbuch, 1921 II.

Harden, Edmund Harris, Maler in London, stellte 1851—59 in der Roy. Acad., 1851 bis 62 in der Brit. Instit., 1851—80 in der Soc. of Brit. Art. relig. u. Historienbilder, Genreszenen und Studienköpfe aus.

Graves, Dict. of Artists, 1895; Roy. Acad., III (1905) und Brit. Instit., 1908.

Harden, Jürgen, Maler, erhält 1587 Zahlung für einen „Salvator und das Jüngste Gericht" im Altstadt-Rathaus zu Braunschweig (nicht erhalten).

Mithoff, Mittelalterl. Kstler u. Werkmstr Niedersachsens . . . ., 1885.

Harden, Sylvester, falsch für *Harding,* S.

Hardenack, Paul von, Architekt, geb. 4. 3. 1819 in Riga, † 1879 ebenda; ausgebildet am Zivilingenieurinstitut zu St. Petersburg, seit 1858 livländ. Gouvern.-Architekt.

Nach einer 1863 unternomm. Studienreise durch Deutschland, Belgien, Frankreich usw. errichtete er 1868/71 in Riga den Renaissancebau der jüd. Hauptsynagoge.

Neumann, Lex. Balt. Kstler, 1908; cf. Mettig, Führer durch Riga, 1896 p. 73. *

Hardenberg, Kuno Ferdinand, Graf von, Maler und Innenarchitekt, geb. 13. 8. 1871 in Hardenberg (Hannover), lebt in Darmstadt. Bildete sich auf der Acad. Julian in Paris als Maler aus unter Benj. Constant und Eug. Carrière, war dann (seit 1901) in Dresden tätig. Malte hauptsächlich Landschaften. Seit 1906 arbeitete H. für die Ausgestaltung zahlreicher Landhäuser und Schlösser, gehörte auch der Kommission zum Ausbau des Schlosses Tarasp (Schweiz) an. Neuerdings trat H. noch als Kunstschriftsteller hervor („Leben und Wirken des Oberhof-Cabinettsmalers Joh. Chr. Fiedler", „Kranichstein und die Jagdmaler des hess. Hofes unter Ludwig VIII.", beide 1918). Eine plastische Arbeit H.s, einen Himmelsglobus, erwarb das Sächs. Kultusministerium.

Mitteil. des Kstlers. — Katal. Kstausst. Dresden (Große 1904 p. 21; Sächs. 1906 p. 12; III. Dtsche Kstgewerbeausst. Dresden 1906 p. X—XV pass.). *Ernst Sigismund.*

Hardenberg, Lambertus, Maler und Radierer von Stadtansichten, geb. 7. 11. 1822 im Haag, † 15. 1. 1900 daselbst, Schüler von B. J. van Hove, Mitbegründer des „Etsklub" (1848) und des Kunstvereins „Pulchri Studio" (1847) im Haag. Im Gemeente-Mus. daselbst das Gemälde „Schiffswerft" (Katal. 1913). — J. Hardenberg, von dem Hippert u. Linnig (Peintre-Graveur holl., 1879) 2 Landschaftsradierungen beschreiben, ist wohl derselbe.

Immerzeel, Levens en Werken, II (1843). — Kramm, Levens en Werken, III 1859. — Mireur, Dict. d. Ventes d'Art, III (1911). — Cat. Expos. d. B.-Arts Bruxelles 1851.

Hardenberg, Wilhelm van, siehe *Ehrenberg,* Wilh. v.

Hardenbergh, Cornelis van, holl. Zeichner, Radierer u. Maler von Landschaften und Stadtansichten, auch Porträts, getauft 6. 5. 1755 zu Rotterdam, † 1843 zu Haastrecht. War auch Kunsthändler, seit 1780 Lehrer der Zeichen- und Baukunde am Renswoud'schen Institut in Utrecht. 1783 Mitglied des „Schilders-College" von Utrecht, seit 1809 Korrespondent des Königl. Niederländ. Instituts. Von seinen zahlreichen Landschaftszeichnungen mit Motiven aus Gelderland u. der Umgebung von Utrecht wurden einige von W. H. Hoogkamer und F. S. Dietrich gestochen, von letzterem 1817 fünf große Ansichten der Utrechter Bollwerke. Andere sind für das Werk von Cornelis Zillesen „Beschrijving van den Watersnood in 1799" von Vinkeles und Brouwer gestochen. Kramm besaß mehrere Zeichnungen H.s, u. a. sein Selbstporträt. Außer Architekturaufnahmen sind auch Zeichnungen ausländischer Vögel u. dgl. von ihm bekannt. Eine Innenansicht der Kirche zu Rotterdam ist 1781 von N. Ransonnette gestochen. Eine Aquarellzeichn., Kircheninneres, und Turm der Marienkirche von Utrecht in der Handzeichn.-Sammlg des British Mus., ein „C. V. Hardenbergh" bez. Gemälde, „De tooren Klootenburg te Utrecht", im Mus. zu Utrecht (Katal. 1885). H. radierte 2 Bl. Ansichten der Ruinen des Schlosses Wijck bij Duurstede.

v. E i j n d e n en v. d. W i l l i g e n, Geschied. d.... Schilderkst, III (1820); Anhang (1840). — I m m e r z e e l, Levens en Werken, II (1843). — K r a m m, Levens en Werken, III (1859). — H e l l e r - A n d r e s e n, Handb. f. Kupferstichsamml., I (1870). — M u l l e r, Utrechtsche Archieven, I (1880). — F a g a n, Handbook... Prints and Drawings Brit. Mus. 1876. — Notiz v. O. Hirschmann.

Hardenbergh, H e r b e r t J a n e w a y, amerik. Architekt geb. 6. 2. 1847 in New Brunswick aus früh eingewanderter holländ. Familie, † 18. 3. 1918. 1865 ausgebildet durch den deutschen Architekten Detlef Leinau, begann H. 1870 mit eigenen Bauten (Schule u. Kapelle von Rutgers College, neugotisch); weiteren Kreisen wurde er zuerst 1884 bekannt durch das 8 stöckige Dakota Apartment House, New York City; nach einer Reihe von Geschäftsbauten spezialisierte er sich auf große Luxushotelbauten und stellte auf diesem Gebiet mit dem Waldorf-Astoria (1892), dem Astor (1896), dem Manhattan (1896), dem Plaza (1906), alles vielstöckige Eisengerüstbauten in Renaissanceformen mit hohen Dächern, einen neuen Typus modernen Komforts auf. Er baute auch das Gebäude für die von ihm mitbegründete American Fine Arts Soc. in New York.

Architectural Record VI (1897) 335 ff.; XIX (1906) 376 ff.   *Fiske Kimball.*

Hardenstein (urkundl. auch Hardesteyn, Hardensteyn), D i r k, niederländ. Maler, Sohn des sonst unbekannten Malers P e l g r i m H. (1608 in Rom als Pellegrino Sassoduro nachweisbar), geb. 4. 4. 1620 in Zwolle. 1674 Kaufmann u. Provisor des Krankenhauses in Zwolle. Im Rathaus zu Deventer ein Gemälde: Scipio und die Braut von Numantia, bez. D. Hardenstein inv. et pinxit 1653. Ein D. Hardenstein 1653 bez. Bild „Kimon u. Pero" laut Bredius im Bes. der Familie Thorbecke im Haag.

A. v. W u r z b a c h, Niederl. Kstlerlex., I (1906). — B e r t o l o t t i, Artisti Belgi ..., 1880. — Notiz v. A. Bredius.

Harder, H a n s, Maler u. Bildschnitzer aus Brixen in Tirol, † nach 1491, arbeitet 1476 für die Frauenkirche in Sterzing ein hl. Grab, 1479 einen Kruzifixus. Fischnaler schreibt ihm die Apostelbüsten des Sterzinger Hochaltares zu.

Jahrb. d. Ksthist. Samml. des allerh. Kaiserh. XXI (1900) T II. — F i s c h n a l e r in Zeitschr. d. Ferdinandeums 1884, p. 135; 3. F., H. 58 (1914) 85.

Harder (Smith-Harder), H a n s G e o r g, Maler, geb. 12. 8. 1792 in Kopenhagen, † 25. 11. 1873 in Sorø (Seeland); seit 1815 Schüler der Kopenhagener Akad., deren Ausst. er seit 1816 mit dän. Landschaftsansichten beschickte, und die ihn 1818/20 mehrfach prämiierte. Nachdem er 1825/8 Italien u. die Alpen bereist hatte, wurde er 1830 Mitglied der Kopenhagener Akad., wirkte jedoch vorzugsweise in Sorø, wo er schon seit 1822 (bis 1862) als Akad.-Lehrer angestellt war, und dessen Umgebung ihm die Hauptmotive für seine bis 1866 in der Kopenhagener Akad.-Ausst. gezeigten Landschaften bot, deren 4 in die dort. königl. Gemäldesammlung gelangten.

W e i l b a c h, Nyt Dansk Kunstnerlex. 1896 I; cf. R e i t z e l, Fortegn. 1883.

Harder, H a n s W i l h e l m, Zeichner und Aquarellist (Dilettant) in Schaffhausen, geb. 1. 2. 1810, † 5. 9. 1872. Von ihm zahlreiche Ansichten alter Schaffhauser Architekturen im Bes. des histor.-antiquar. Vereins in Schaffhausen.

B r u n, Schweiz. Kstlerlex., II (1908).

Harder, H e i n r i c h, Landschaftsmaler in Berlin, geb. 2. 6. 1858 zu Friedland i. M., studierte an der Kunstschule und Akad. in Berlin unter E. Bracht, Lehrer an der Berl. Hochschule f. bild. Kste. Er zeigte Landschaften mit Motiven aus der Mark, Lüneburger Heide, aus Mecklenburg, Harz, Schweden und der Schweiz auf der Berliner Gr. Kst-Ausstell. 1891—1914 (vgl. Kataloge u. Kat. d. Akad.-Ausstell. Berlin 1892 m. Abb. S. 54).

Kstchronik, N. F. III (1892) 522; XXXI (1919/20) 44.

Harder (Herder), M a t e r n (auch Mattern, Mathern von Straßburg), Gießer, Zeug- und Festungsbaumeister; seit 1512 in Nürnberg, † ebenda 1525 (20. 11. 1525 wird seine Witwe erwähnt); eingewandert von Straßburg, vom Rat unter großen Versprechungen in Nürnberg festgehalten. 1512 goß er Geschütze für Nürnberg, 1513 goß er das Geschütz des Rats zu Nürnberg zus. mit A. Pegnitzer um u. faßte es neu. Im gl. Jahre goß er Geschütze für die Stände v. Böhmen u. für den Markgr. Friedrich d. Ä. Als Festungsbausachverständiger wurde er 1515 zum Bischof v. Bamberg, 1516 zus. mit H. Behaim nach Ulm verschickt. 1516, 1520 u. 1521 fallen Urlaubsreisen nach Straßburg. 1516 ereignete sich beim Anschießen eines seiner Geschütze ein Unglücksfall (s. Lochner, Neudörfer-Ausg., Quellenschr. f. Kstgesch., X 49 f.), doch kam er durch Zufall mit heiler Haut davon. 1517 verbesserte er die Nürnberger Befestigung. 1518 Reise nach Augsburg, Besichtigung d. Befestigungen von Altdorf und Reise z. Grafen Hoyer VI. v. Mansfeld. 1519 Besichtigung der Werke von Windsheim und Abordnung zum Heer des schwäbischen Bundes. 1521 Fassung von Augsburger Geschütz, von Geschütz für Graf

Botho zu Stolberg u. den Grafen v. Mansfeld. 1523 ist er bündischer Zeugmeister im „Fränkischen Krieg" (Anz. f. Kunde d. deutschen Vorzeit, 1866 Sp. 3, „Herder"). Im gl. Jahre wird er vom Herzog Georg v. Sachsen und von Ludwig v. Hutten als Festungsbausachverständiger angefordert. Werke seiner Gießhütte bisher nicht nachgewiesen. — Er ist vielleicht verwandt mit Gabriel und den beiden Sebald Hirder.

B a a d e r , Beitr. z. Kstgesch. Nürnbergs, II (1862) 17 f. — v. Zahn's Jahrb. f. Kstwissensch., I (1868) 261. — E s s e n w e i n , Quellen z. Gesch. d. Feuerwaffen, 1877 p. 66. — Mitteil. a. d. Germ. Nat. Mus., 1890 p. 71. — Zeitschr. f. hist. Waffenkunde, V (1909/11) 22, 57, 124. *W. Fries.*

Harder, P h i l i p p G o t t f r i e d , Stecher zu Augsburg, geb. 1710, † 1749. Er war der Sohn eines angesehenen Augsburger evangelischen Geistlichen, arbeitete meist im Verlag seines Lehrmeisters A. Pfeffel, dessen Nachahmer er war. Außer Bildnissen stach er den ersten Teil des neuen Testaments des Kyburgischen Bibelwerkes, sowie für die Schentzersche Bibel.

P. v. S t e t t e n , Erläut. der gest. Vorst. der Reichsstadt Augsburg, 1765; d e r s . , Kunst-Gewerb- u. Handwerksgesch. Augsburgs, 1779. — H e i n e c k e n , Dict. des Artistes u. Suppl. (Ms. Kupferstichkab. Dresden), 1778 ff. — F ü ß l i , Kstlerlex., I. T. (1779); II. T. (1806 ff.). *Paul Markthaler.*

Hardeville, D., Maler; von ihm ein so und „Prag 1833" bez. Ölbildnis, Eduard Graf Clam-Gallas, i. Besitz von Fr. Graf Clam-Gallas, Friedland.

Katal. Erzhzg Carl-Ausstell., Wien 1909 p. 397.

Hardewel, J a n , Bildschnitzer in Middelburg, † ebenda zwischen Okt. 1659 und Dez. 1660, lieferte 1647 für die jetz. Kanzlei (früher Waisenkammer) im Rathaus zu Middelburg die Eichenholz-Vertäfelung, Kaminverkleidung und Schränke mit Bildhauerarbeit. — Sein Sohn G i l l i s , Bildschnitzer in Middelburg, lernt 1649 bei seinem Vater, wird 1689 noch erwähnt.

O b r e e n 's Archief, VI (1884/87). — Voorloop. Lijst d. nederl. Monum. etc., VI (1922).

Hardgrave, C h a r l e s , Glasmaler in London, stellte in der Roy. Acad. 1885—93 und wieder seit 1913 Entwürfe zu Glasmalereien für Kirchenfenster, zu kirchlichen Mosaiken und zu Opus sectile aus, wovon viele für Londoner und andere englische Kirchen ausgeführt wurden.

G r a v e s , Roy. Acad., III (1905). — Cat. Exhib. Roy. Acad. London, 1913—18.

Hardi, Medailleur-Familie, s. 1. Art. *Hardy.*

Hardi, J e a n , Mönch des Trinitätsklosters zu Douai, 1512 vom Kapitel der Kathedrale zu Cambrai beauftragt, 2 Psalter mit Initialen zu illuminieren.

Réun. d. Soc. d. B.-Arts, XVIII (1894) 123.

Hardi, O u d i n , Bronzegießer in Reims, wird vom Kanonikus Jean Blavier durch Vertrag vom 4. 7. 1555 beauftragt, ein Epitaph mit den „ymaiges" der Madonna, Johannis d. T. und eines betenden Mönches für den † Kanonikus Jean Tiercelet in der Kathedrale von Reims zu fertigen.

Réun. d. Soc. d. B.-Arts, XXVIII (1904) 520 f.

Hardie, C h a r l e s M a r t i n , schott. Maler, geb. 1858 in East Linton, Haddingtonshire, lebt in Edinburgh und North Queensferry. Schüler der School of Design (1875) und der Academy Life School (1877) in Edinburgh unter Charles Hodder und Mc Taggart, aber ersichtlich beeinflußt von seinem engeren Landsmann J. Pettie und von Orchardson, wurde H. 1886 Associate, 1895 Vollmitglied der Royal Scottish Academy und stellte 1885 bis 1916 nicht selten in der Londoner Royal Academy Porträts und historische Genreszenen aus; später wandte er sich mehr und mehr der schottischen Landschaft zu. In Schottland zählt er seit langer Zeit zu den beliebtesten Meistern, die Nat. Gallery of Scotland besitzt sein „Würfelspiel unter dem Kreuz", die Galerie zu Adelaide, Australien, das Bild „Burns liest seine Werke vor". Eine Kollektiv-Ausstellung seiner meist kleinen, aber fein beobachteten Landschaften war Januar 1913 in der Baillie Gall., London, zu sehen. Gelegentlich hat H. auch im Münchner Glaspalast (1904) und im Pariser Salon der Artistes Français (1890, 1899, 1902) ausgestellt.

C a w , Scott. Painting, 1908. — G r a v e s , Roy. Acad., III. — Fragebogen Clement.

Hardie, M a r t i n , engl. Radierer und Kunstschriftsteller, geb. 15. 12. 1875 in London, Neffe des vorigen, seit 1898 einer der Leiter der Bibliothek und der graph. Abteilung des Victoria and Albert Mus. Schüler von Frank Short, hat sich H. durch seine schlichten, oft staffagelosen Landschaftsausschnitte (ausgestellt in der Roy. Academy seit 1909) einen guten Namen gemacht; neben Radierungen und Aquatinta-Blättern (zu Lugar's „Architectural Sketches") kommen auch fein belichtete Aquarelle („Martigues") vor. H. ist Verfasser zahlreicher ausgezeichneter Publikationen über mod. Graphik und Herausgeber der „Artist's Sketch Book Series".

The Studio, Abb. in LII 290; LVIII 60; LXXXII 344. — H. W. S i n g e r , Mod. Graphik, 1914. — P r i d e a u x , Aquatint Engraving, 1909. — Who's Who, 1914.

Hardie, R., engl. Miniaturmaler, der 1810 bis 1826 in der Londoner Royal Academy Porträtminiaturen ausstellte.

G r a v e s , Roy. Acad., III.

Hardie, R o b e r t G o r d o n , amerik. Maler, geb. 29. 3. 1854 in Brattleboro, Vermont, † 10. 1. 1904 ebenda. Schüler der National Academy und Art Students League in New York, sowie von Gérôme und Cabanel an der Pariser Ecole des Beaux-Arts. Die National Gallery of Art in Washington besitzt drei seiner Bildnisse.

American Art Annual 1905/06, p. 121.

Hardimé, Pieter, Blumenmaler, geb. zu Antwerpen 1677, † im Haag 1758, Schüler seines Bruders Simon H. in Antwerpen, zog 1697 nach dem Haag, wo er am 6. 11. 1700 Meister der Malergilde wurde. Weyerman und Gool erzählen ausführlich von seinem Leben und von seiner Tätigkeit, die sich besonders auf Supraporten und Kaminbilder erstreckte. Er arbeitete häufig mit Mattheus Terwesten zusammen. Bilder von H. befinden sich in Amsterdam, Rijksmus., Haag, Gem. Mus. (Amoretten; fraglich) u. Ministerium des Äußeren, Quimper, Mus. (zusammen mit M. Terwesten).

J. C. Weyerman, De Levens-Beschryvingen, IV (1769) 371 ff. — J. v. Gool, De nieuwe Schouburgh, I (1750) 418 ff. — Kramm, De Levens en Werken, III (1859). — Obreen's Archief, V (1882—83) 140. — Oud Holland, XXIII (1905) 81. — Kat. der gen. Mus. — G. Hoet, Catalogus, II (1752) 304. — P. Terwesten, Catalogus.., 1770 p. 11, 159, 490, 530. — Versl. omtrent 's Rijks verzam. van Gesch. en Kunst, XLII (1920) 12. *Z. v. M.*

Hardimé, Simon, Blumenmaler, geb. zu Antwerpen 1672 (?), † zu London 1737, Bruder des Pieter H.; Schüler des Jan Baptist de Crepu seit 1685, Meister der Lukasgilde 1688/89, seit 1700 in London tätig. Weyerman und Gool berichten von H.s ungeregeltem Leben und von zahlreichen Gemälden, die er für den König von England, für englische Edelleute und für Brüsseler und Antwerpener Priester und Kaufleute ausführte. Im Museum von Bordeaux 2 bez. Blumenstücke.

J. C. Weyerman, De Levens-Beschryvingen, III (1729) 245 ff. — J. van Gool, De nieuwe Schouburgh, I (1750) 418 ff. — Rombouts-Lerius, Liggeren, II. — J. van den Branden, Gesch. d. Antwerpsche Schilderschool, 1883 p. 1149. — Oud Holland, XXII (1904) 109. — Cat. Mus. Bordeaux, 1894. *Z. v. M.*

Hardinck, Urban, Gießer in Coesfeld (Westfal.), goß 1678 eine Glocke für die Kirche in Seppenrade (Kr. Lüdinghausen), 1684 die von ihm bez. Glocke mit Madonnenrelief in der Kirche zu Schöppingen. Goß auch die 120 Bronzesäulen auf den Marmorbrüstungen (1677 von Joh. Maur. Gröninger gefertigt), welche im Dom zu Münster die 3 Galen'schen Kapellen gegen den Chorumgang abschließen.

Walter, Glockenkunde, 1913. — Bau- u. Kstdenkm. Westf., Kr. Ahaus, 1900 p. 66. — Koch, Die Gröninger (Beitr. z. westf. Kstgesch., Heft 1), Münster 1905.

Harding, Charles, falsch für *Harding*, Chester.

Harding, Chester (bei Nagler, Faber, Graves usw. fälschlich Charles H.), amerik. Maler, geb. 1. 9. 1792 in Conway, Mass., † 1. 4. 1866 in Boston. Erst Soldat u. Schankwirt, begann er 1817 in Pittsburgh völlig autodidaktisch Porträts zu malen und war mit wachsendem Erfolg in Philadelphia, St. Louis, Washington und schließlich in Boston neben dem damals allgemein bewunderten G. Stuart

tätig. 1823 zog es ihn nach London, wo seine riesige Erscheinung und seine seltsame Entwicklung ihm Zutritt zur großen Welt und die Gönnerschaft der Herzöge von Sussex und Hamilton verschafften; er blieb in England bis zum Herbst 1826, studierte die alten Meister u. stellte in der Royal Academy aus; nach einem kurzen Besuch in Paris kehrte er nach Boston zu seiner Familie zurück. In den 30er Jahren stellte er dort gemeinsam mit Th. Doughtz, Alvan Fisher und Francis Alexander aus. Seine frühen Porträts sind kraftvoll und von guter Charakteristik (John Randolph, Washington, Corcoran Gall.; Mrs. D. Webster, Boston, Privatbes., Abb. bei Isham), die späteren sind etwas glatt in der Technik und hart in der Farbe (Dan. Webster, Cincinnati Mus.)

Dunlap, Arts of Design 1834 II 289 ff.; 1914 III 65 ff. — Tuckerman, Book of the Artists, 1867 p. 63 f. — Harding, My Egotistography, 1866; erweitert von Margaret E. Harding, 1890. — S. Bowles, Ch. Harding, Atlantic Monthly XIX (1867). — R. Shackleton, Harper's Magazine CXXXIII (1916). — S. Isham, American Painting, 1905 p. 165 (Abb.) — C. H. Caffin, Story of American Painting, 1907 p. 90 (Abb.). — Catal. of Engr. Brit. Portr. Brit. Mus. London, I (1908) 93. — Nagler, Lex. — Faber, Conv. Lex. f. bild. Kst 1845 ff. — Heller's wöch. Kstnachr. 1825 p. 317. — Graves, Roy. Acad., III (Charles H.). *Fiske Kimball.*

Harding, Edward, siehe unter *Harding*, Sylvester.

Harding, Edward J., irischer Porträtmaler, geb. 1. 3. 1804 in Cork, † 19. 8. 1870 ebenda. Er arbeitete in Öl, Aquarell und Tusche und genoß einen lokalen Ruf als Miniaturmaler. 1852 war von ihm u. a. ein Miniaturbildnis der Lady Deane mit ihren Kindern auf der Ausstellung in Cork zu sehen. Er hat auch ein Porträt des Temperenzlers Th. Mathew gestochen (Cat. Engraved Brit. Port. Brit. Mus. London III [1912] 206).

Strickland, Dict. of Irish Artists, 1913.

Harding, Miss Emily J., engl. Miniaturmalerin und Illustratorin; 1877, sowie 1897 und 1898 stellte sie Porträtminiaturen in der Londoner Royal Academy aus; von ihren Buchillustrationen, die von W. Crane und H. Ford beeinflußt sind, sind hervorzuheben die „Fairy Tales of the Slav Peasants", 1896 und „The disagreeable Duke" von E. D. Adams, 1894.

Sketchley, Engl. Book-Illustr. of To-day, 1903.

Harding, Francis, engl. Landschaftsmaler, tätig 1740—66. Ursprünglich Wagenmaler, Nachahmer u. Kopist nach Pannini und Canaletto (1766 wird eine Anzahl solcher Arbeiten im Besitz von Sir Greg. Page in Wricklemarsh, Kent, erwähnt); in der Sakristei der Kirche St. John the Evang., Westminster, hängt von seiner Hand eine große Innenansicht dieser Kirche nach dem Brande von 1742. Einige Landschaften, die er dem Londoner Foundling Hosp. geschenkt haben soll, sind dort nicht mehr nachweisbar. Seine Witwe, Mrs. Mary H., erhielt 1767—71 eine Unterstützung von der Incorp. Soc. of Artists (Roy. Ac. Library).

Vertue Mss., Brit. Mus. Add, 23079, f. 35. — The Engl. Connoisseur, London II (1766) 95. — Country Life, 1. 5. 1920 p. 596. — Walpole Soc. IX p. 52. *H. F. F.*

Harding, F r e d e r i c k, s. unter *Harding, Sylvester.*

Harding, G e o r g e, amerik. Maler und Illustrator, geb. 2. 10. 1882 in Philadelphia, lebt daselbst. Gebildet an der dortigen Akademie, bei H. Pyle und auf Reisen. Nach einer im Auftrag von Harper's Magazine unternommenen Weltreise hat er eine Reihe Wandmalereien, meist exotische Hafenbilder („Sourabaya Harbor") für das Hotel Traymore in Atlantic City, für den Philadelphia Art Club, für die Smithsonian Institution, für die Bibliothek des Imperial War Museum in London, für mehrere Theater usw. ausgeführt. Tafelbilder ähnlichen Inhalts („Australian Desert") waren auf der Panama Pacific Exposition, San Francisco 1915, ausgestellt.

American Art Annual XVIII (1921) 442.

Harding, G e o r g e P e r f e c t, siehe unter *Harding,* Sylvester.

Harding, H. J., engl. Miniaturmaler, stellte 1823—25 in der Londoner Royal Academy eine Anzahl vorzüglicher Miniaturbildnisse aus.

G r a v e s, Roy. Acad., III.

Harding, J., s. u. *Harding,* James Duffield.

Harding, J. W., engl. Stecher Ende 18. Jahrh., der in Punktiermanier nach Ang. Kauffmann und anderen arbeitete, dem u. a. das Reisewerk „Sketches in North Wales", 6 plates coloured etc., London 1810, sowie die Stiche zur engl. Ausgabe von Bürger's „Lenore", 1796 nach den Zeichn. von Lady Diana Beauclerc, letztere schon von Füßli, zugeschrieben werden. G. Benthall macht uns noch auf ein Blatt „Tod und Arzt" aufmerksam, das ein J. H a r d i n g nach J. H. Mortimer (1740—79) gestochen hat, der aber mit dem obigen nicht identisch zu sein braucht. Endlich gibt es noch einen „J. Harding 1793" sign. Stich der Familie Ludwigs XVI. (Cat. Portr. Bibl. Nat. Paris, 1896 ff. VI 28 363/364).

F ü ß l i, Kstlerlex. II (1808). — R e d g r a v e, Dict. of Artists, 1878. — N a g l e r, Kstlerlex. V.

Harding, J a m e s D u f f i e l d, engl. Maler, Zeichner und Lithograph, geb. 1798 in Deptford, † 4. 12. 1863 in Barnes. Sohn des Zeichenlehrers J. H., der ein Schüler von Paul Sandby war und 1800—1808 in der Londoner Royal Academy Ansichten von der Themse und der Isle of Wight ausstellte; † 1846. H. lernte bei seinem Vater und bei S. Prout, sowie bei dem Stecher J. Pye, und stellte schon 1811—18 in der Londoner Royal Academy gezeichnete Ansichten aus Kent aus (später

erst wieder 1843—58, zumeist Ölbilder wie „Die Hochalpen bei Como", 1848; „Angers an der Loire", 1844; „Schaffhausen" [1855 in Paris Mention Hon.]) Von 1818 an war er Aussteller in der Old Water Colour Society, 1820 ihr Associate, 1821 Vollmitglied. 1846 trat er aus, um für die Royal Academy zu kandidieren; als dies erfolglos blieb, kehrte er 1857 zurück. Häufige Studienreisen an den Rhein, in die Schweiz und nach Frankreich und Italien (seit 1824) lieferten H. unerschöpfliches Material nicht nur für die Ausstellungen, sondern auch für die Tätigkeit, die ihm am nächsten lag, den Zeichenunterricht (richtiger die Ausbildung von Zeichenlehrern) und die Lithographie; hier liegt seine bleibende Bedeutung. Seine Farben sind nicht frei von Härte. 1822 erschienen seine ersten Lithographien (u. a. „Greenwich Hospital" und „Dover") in dem Sammelwerk „Britannia Delineata", zusammen mit seinem Lehrer Prout, Westall und Hullmandel, bei Rodwell & Martin. Es folgten: „Views of Pompeji" nach W. Light 1828; „Subjects from the Works of R. P. Bonington", in 4 Quartbänden 1829/30 für die Kunsthandlung J. Carpenter; „Gothic Ornaments", nach Pugin 1821; „Antiquities of Ireland", nach R. Newenham 1830; „Costumes of the French Pyrenees", nach Johnston 1830. Auf eigenen Skizzen beruhen eine Reihe Landschaftslithographien der 30 er Jahre (Liste bei Roget), gesammelt unter dem Titel: „Sketches at Home and abroad", 50 Lithographien, 1836; „Harding's Portfolio", 1837, und „Park and Forest", 1841. Reine Unterrichtsbücher sind: „The Use of the Lead Pencil", 1834 (1846, 1854); „Principles and Practice of Art", 1845; „Lessons on Art", 1849 (1854); „Lessons on Trees", 1852; „The Lithographic Drawing Book for 1832" und die folgenden Jahre bis zu seinem Tode (bei Ackermann & Co., Tilt, Bogue, Winson & Newton). 1834 erfand er das „Lithotint-Verfahren" oder die Anwendung der Aquatinta auf dem Stein. Eine Anzahl engl. Museen bewahren seine Aquarelle; Ruskin nennt (Modern Painters, 1898) H. nächst Turner den besten Meister des Baumschlages; für heutige Augen erscheinen seine mit unendlichem Fleiß zusammengetragenen Studien etwas ermüdend bei aller Vielseitigkeit.

R o g e t, Hist. of the Old Water Colour Soc. I u. II (1891). — G r a v e s, Dict. of Artists, 1895; d e r s., Roy. Acad., III; d e r s., Brit. Instit.; d e r s., Loan Exhibitions. — Dict. Nat. Biogr. XXIV 336. — R e d g r a v e, Dict. of Artists, 1878. — The Art Journal 1864 p. 39 ff. (Nekrolog). — Portfolio 1880 p. 29 ff. (W. Walker). — O t t l e y, Dict. of Paint., 1875. — Catal.: Tate Gall., Vict. and Albert Mus.; Wallace Coll.; Nat. Gall. of Scotland, Edinburgh; Glasgow; Leicester; Sunderland; Rochdale. — Ausst.Katal.: Expos. Centenaire de la Lithogr. Paris 1895; Intern. Ausst. f. Buchgew. Leipzig 1914; Coblenz 1914. — Universal Catal. Books on Art (South

Kensington Mus. London), Suppl. 1877. — M i - r e u r, Dict. d. Ventes d'Art III (1911). *Willis.*

Harding, Miss M a r y E., engl. Aquarellmalerin, die 1880—1916, erst in London, seit 1908 in Exeter wohnend, Blumen- und Früchtestilleben, aber auch einzelne Architekturstudien und Porträts in der Royal Academy ausstellte.

G r a v e s, Roy. Acad., III. — Catal. Exhib. Roy. Academy.

Harding, S a m u e l, siehe unter *Harding, Sylvester.*

Harding, S y l v e s t e r, engl. Miniaturmaler, Kupferstecher u. Verleger, geb. 25. 7. 1745 in Newcastle-under-Lyme, † 12. 8. 1809 in London. Nach einer abenteuerlich bewegten Jugend legte er sich 1775 in London auf die Miniaturmalerei; 1777—1802 stellte er in der Londoner Royal Academy aus; vereinzelt auch 1783 in der Soc. of Artists. Besseren Erfolg hatte er indessen mit Aquarellkopien alter Porträts (22 Blatt im Brit. Museum). 1793 stach er eine Anzahl histor. Porträts und Szenen für eine Shakespeare-Ausgabe; 1795 eröffnete er zusammen mit seinem Bruder Edward H. (später Bibliothekar der Königin in Frogmore) einen Verlag in Pall Mall und gab unter Mitarbeit seiner Söhne (s. u) den „Biographical Mirror" heraus, ein Werk mit unzähligen Porträtstichen (die meisten im Catal. Engr. Brit. Portr. Brit. Mus. London 1908 I—IV). Von seinen andern Verlagswerken zu nennen Hamilton's „Mémoires du comte de Grammont", London 1793. — Von H.s 3 Söhnen starb E d w a r d („E. Harding jun." sign. zur Unterscheidung von dem oben gen. Edward, dem Bruder des Sylvester) 11. 9. 1796 im Alter von 20 Jahren; er galt als begabter Stecher und war vornehmlich an dem „Biophical Mirror" seines Vaters beteiligt. 1792 und 1793 hat er in der Londoner Royal Academy zwei genrehafte Mädchenbilder ausgestellt. A. Hayden (Chats on old Prints, 1909 p. 196) bildet eine Gemmendarstellung H.'s „Cleopatra" in Stichelmanier von 1794 ab. — Der 2. Sohn Sylvesters, S a m u e l H., stach ebenfalls, mit der Signatur „S. Harding jun.", 1792 für die Shakespeare-Ausgabe und 1795—98 für den „Biographical Mirror" seines Vaters. — Der 3. Sohn, G e o r g e P e r f e c t H., war vorzugsweise Aquarell- und Miniaturmaler, † 23. 12. 1853 in Lambeth, London. 1797 dat. u. sign. ist ein Stich, den dän. Feldmarschall Joh. v. Rantzau darstellend; 1802—40 ist er mit Porträtminiaturen in der Londoner Royal Academy vertreten. Seine Hauptarbeit war aber das sorgfältige Kopieren in Aquarell nach berühmten Porträts in den englischen Museen, Universitäten, den berühmten Landsitzen des Adels usw. 24 dieser z. T. ausgezeichneten Aquarelle besitzt das Brit. Museum, dazu einige Bleistift- und Federzeichnungen. Eine Anzahl dieser Porträts sind von

H. selbst, andere von W. Greatbach und Jos. Brown gestochen und zuerst (1840) von der Granger Society, später von H. selbst auf Subskription veröffentlicht. Andere wurden als Illustrationen zu dem Werk „The Deans of Westminster" und zu Neale and Brayley's „History of Westminster Abbey" (1822/23) verwendet; 1825 gab er das Werk „Sepulchral Brasses in Westminster Abbey", 1828 eine illustr. Geschichte der „Princes of Wales" heraus. — Für den Herzog v. Bedford malte H. die Bildnisse aller Mitglieder der Familie Russell, als Beilage zu dem Prachtdruck der Geschichte dieses Hauses von Wiffen; einziges Exemplar in Woburn Abbey. — G. P.s Sohn, F r e d e r i c k H., stellte 1825—57 Miniaturbildnisse in der Royal Academy aus.

Dict. Nat. Biogr. XXIV 335 ff. — R e d - g r a v e, Dict. of Artists, 1878. — G r a v e s, Dict. of Artists, 1895; Roy. Acad., III; Soc. of Artists (unter Harden u. Harding); Loan Exhib. — Cat. Engr. Brit. Portraits Brit. Mus. 1908 I—IV passim. — Cat. Drawings Brit. Artists Brit. Mus. London II (1900). — W i l l i a m - s o n, Hist. Portr. Miniat. I (1904). — H o l m e - K e n n e d y, Portr. Miniatures, Studio Spec. Nr 1917 p. 23. — F a b e r, Convers. Lex. f. Bild. Kst V (1853). — O t t l e y, Dict. of Paint., 1875. — C o h e n, Livres à Gravures, XVIIIᵉ siècle ⁶ (1912). *Willis.*

Harding, T h o m a s (?), engl. Miniaturmaler um 1800; auf der Exhib. of Portrait Miniatures, London 1865 war (No 629) ein „T. H." sign. Elfenbeinporträt der Mrs. Siddons, auf der Versteig. A. Jaffé, Köln 1905, ein ebensolches (No 193) einer Mrs. Hawkins. Möglicherweise Lesefehler für J. Harding; vgl. unter J. W. Harding.

Harding, W., engl. Zeichner, tätig um 1790, von dem bereits Füßli illustrative Vorbilder (nach Shakespeare) zu Stichen der Bartolozzi, Delattre, Ogborne usw. nennt; das Brit. Museum besitzt 3 leicht aquarellierte Federzeichnungen (2 zu Sterne's „Sentimentaler Reise", 1 zu Hull's „Sir W. Harrington"), Rundformat, gest. v. Bartolozzi 1787, bzw. 1792.

F ü ß l i, Kstlerlex. II, 1808. — Catal. Drawings Brit. Artists Brit. Mus. London II (1900).

Hardinge, C h a r l e s S t e w a r t, Viscount, engl. dilett. Aquarellmaler, geb. 12. 9. 1822 in London, † 28. 7. 1894 in South Park bei Penshurst. Sohn des Feldmarschalls und 1. Viscount H., wurde er infolge eines künstlichen Beines nicht Soldat, sondern begleitete seinen Vater 1844 nach Absolvierung der Universität nach Indien. 1847 gaben seine Freunde einen Band „Recollections of India" mit 20 Lithographien nach seinen Landschaftszeichnungen heraus. 1851—76 stellte er in der Londoner Royal Academy, 1851—67 in der British Institution aquarellierte Ansichten aus England, Schottland, Italien, Frankreich, Indien und von den Kriegsschauplätzen in der Krim und in China aus.

Dict. Nat. Biogr. Suppl. II 389. — G r a v e s,

Dict. of Artists, 1895; d e r s., Roy. Acad., III; d e r s., Brit. Institution; d e r s., Loan Exhibitions.

Hardion, J e a n Marie Louis, Architekt in Tours, geb. 1858 zu Chambray, Schüler der Pariser Ecole d. B.-Arts, architecte en chef d. monum. histor., erbaute 1889 das Theater in Tours.

D e l a i r e, Arch. Elèves, 1907. — L'Architecte, 1913 p. 98.

Hardiot (Hardioz), M i c h e l i n, Werkmeister in Troyes, arbeitete 1362/83 an der Kathedrale, bis 1367 unter Thomas (Thimart), dann mit Michelin de Jonchery und Jean Thierry. Mit dem letzteren entwarf H. 1382 einen Lettner, der begonnen, aber noch in dems. Jahr durch den des Henri de Bruxelles verdrängt wurde.

B a u c h a l, Dict. des archit. franç., 1887. — A s s i e r, Arts et Art. de l'anc. cap. de la Champ. 1876 p. 62 f.

Hardiviller, C h a r l e s A c h i l l e d', Maler, Lithograph und Kupferstecher, geb. 1795 in Beauvais, datierte Arbeiten bis 1835 bekannt. Schüler von David, Zeichenlehrer des Duc de Bordeaux und für diesen und die Herzogin v. Berry bis zur Revolution 1830 tätig: Porträts des Herzogs (eins für die Herz. von Berry, eins für die Herz. v. Angoulême), Porträt der Mlle de Berry, 4 Gemälde mit Darstell. der von der Herzogin gegebenen Feste (von denen aber nur eins vollendet wurde). Andere Bilder H.s: Der Duc de Rivière eine Parade abnehmend, der Duc de Berry den verwundeten Duc de Maillé verbindend, Martyre de St-Etienne (Ministerium des Innern Paris), Jeanne Hachette (Rathaus in Beauvais). Das Ministerium des Innern bestellte bei ihm ein Gemälde für Nantes mit der Marter der Hlg. Donatian u. Rogatian. H.s lithograph. Werk, datiert von 1821 an, ist historisch interessant wegen der Beziehungen zum Duc de Bordeaux, dessen Leben es von Kindheit an behandelt. Hervorzuheben außer vielen Porträts die Folgen: Souvenirs d'Ecosse, jeunesse de Henri de France, dessins faits d'après nature (30 Bl.) 1832 u. 1848; Une journée du jeune Exilé, Paris, bei Fonrouge, u. Edinburgh, 1832. H. ist wahrscheinlich auch der Urheber zweier dem Herzog zugeschriebenen Lithogr. Auf einem Blatt, Leçon de perspective, Selbstporträt. Zahlreiche Porträts stach H. 1830/35, z. B. Lafayette, La Place, Sébast. Erard, M. A. de Bourbon (femme de Louis-Phil.), Walter Scott, Duc de Reichstadt (nach Tassaert). Auch wurden H.s Bilder lithographiert von J. Geoffroy u. a.

G a b e t, Dict. d. Artist., 1831. — B é r a l d i, Grav. du 19me siècle, VIII 1889 (auch unter Hardivillier). — D u p l e s s i s, Catal. Portr. Bibl. Nat., Paris, 1896 ff. I 2690/8; II 6003/16, 8994 passim, 9782; III 14640; V 24054; VI 25160/138 25776/8, VII 28809, 29724/76, 29749/26. — Cat. engraved Portraits Brit. Mus., London 1908 I 443. — Cat. Expos. Centenaire de la Lithogr., Paris 1795—1895.

Hardman, E m m a L., s. unter *Hardman, Thomas.*

Hardman, J o h n, engl. Glasmaler und Goldschmied, Mitte 19. Jahrh. in Birmingham, der (J. H. & Co.) zahlreiche Glasfenster für Kirchen und Universitätsgebäude in Oxford, Cambridge, Lichfield, Arundel, sowie Kirchengerät (Monstranzen, Kelche, Kannen, Leuchter usw.), auch nach Belgien, lieferte.

H u m p h r y, Guide to Cambridge, o. J., p. 43, 46, 156, 157, 172, 186, 195. — Guide to Oxford, 1897 p. 24, 88. — C l i f t o n, Cathedr. of Lichfield, 1908 p. 67. — G r a v e s, Roy. Acad., III. — L e h n e r t, Ill. Gesch. d. Kstgew. II 417 (Abb.). — J. W e a l e, Bruges et ses environs, 1864 p. 152; Ausg. 1884 p. 217.

Hardman, T h o m a s, engl. Maler in Potters Bar, Herts., stellte 1885—95 in der Londoner Royal Academy und in Suffolk Street mittelengl. Landschaften aus. Seine Gattin E m m a L. (Mrs. Thomas H.) war 1888—1903, dann 1906, 1916 und 1918 ebenfalls in der Roy. Academy mit Blumenstilleben und vereinzelten Porträts vertreten.

G r a v e s, Dict. of Artists, 1895; d e r s., Roy. Acad., III. — Catal. Exhib. Roy. Academy.

Hardmeyer, R o b e r t, Maler u. Illustrator in Zürich, geb. 15. 2. 1876 in Wallisellen, † 10. 4. 1919, Schüler der Zürcher Kstgewerbesch. 1891/94, dann Lehrer für Blumenzeichnen ebenda, seit 1897 Illustrator für die Zeitschrift „Schweiz" (zahlreiche Kopf- und Randleisten usw., z. B. 1903 p. 49 ff., 1908 p. 289 ff., 1912 p. 125 ff.), 1902/05 graphisch tätig für die „Mono"-Gesellschaft, die 16./28. 6. 1904 im Helmhause, Zürich, eine Sonder-Ausstell. von Zeichn. und Aquarellen H.s veranstaltete. Seit 1906 zeigte er meist Landschaftsaquarelle in den Ausstell. des Zürcher Kunsthauses. 1917 gab er heraus: „D'Jahreszyte. Ein Kinderbuch"; 1918: „Kleine Waldgeheimnisse" (beide mit Text u. Orig.-Lithogr.).

B r u n, Schweizer. Kstlerlex., II (1908). — Schweiz, 1919 p. 352. — N. Zürcher Ztg 1919 No 600.

Hardmuth, M a x i m i l i a n, Maler und Schriftsteller aus Wien, geb. um 1824, lebte lange in Rom, wo er 1851—1876 nachweisbar ist und 1860 ein Bildnis des Papstes Pius IX. ausstellte. Das Bild fiel im Pariser Salon 1861 durch seine kräftige Farbengebung auf. Ein Genrebild, „Die Zauberin", war auf der Wiener Märzausstell. 1860. 1872/76 schrieb H. Berichte für die Köln. Zeitung.

Notiz von F. Noack (Pfarrb. S. Vincenzo, S. Lorenzo in Lucina, S. Maria del Popolo in Rom; Almanacco Romano 1860 p. 298; Giornale di Roma 1860 Nr 97 u. 1865 Nr 43; Archiv der Köln. Ztg). — Dioskuren 1860 p. 111. — Gaz. d. B.-Arts, X (1861) 335 f.

Hardoin, G e o r g e s, s. unter dem Pseudonym *Lonlay,* Dick de.

Hardon, A l b e r t Louis, Maler in Paris, geb. ebenda 21. 9. 1819, Schüler von M. Palizzi; begann als Architekt (Eisenbahnbauten), widmete sich erst nach 1865 ganz der Malerei, stellte 1865/79 Landschaften im Salon aus.

B e l l i e r - A u v r a y, Dict. gén., I (1882). — Salonkataloge.

Hardorff, Hamburger Künstlerfamilie:

G e r d t d. Ä., Maler, Radierer u. Lithograph, geb. Steinkirchen im Altenlande 11. 5. 1769, † Hamburg 19. 5. 1864. Lernte bei Anton Tischbein in Hamburg und bildete sich seit 1788 bei G. B. Casanova in Dresden weiter, wo er in persönlichem Verkehr mit Goethe, Schiller u. Herder stand. Kehrte im Sommer 1794 nach Hamburg zurück und wurde 16. 1. 1797 Hamburger Bürger. 1802 auf Goethes Empfehlung zum Zeichenlehrer am Johanneum ernannt; trat 1849 wegen zunehmender Augenschwäche in den Ruhestand. — H.s Bedeutung für die Hamburg. Kunstgeschichte liegt in seiner Tätigkeit als Lehrer. Ihm und Bendixen ist die Ausbildung der Mehrzahl der Hamburger Künstler der ersten Hälfte des 19. Jahrh. zu danken. Sein bedeutendster Schüler war Ph. O. Runge. H. fing als Historienmaler an. Ein „Kain und Abel", den er im März 1794 in der Dresdner Akad.-Ausst. zeigte (jetzt im Besitz der Nachkommen) ist noch ein unselbständiges, akademisch verbildetes Werk. Zwei Altarbilder für die Hamb. Maria-Magdalenenkirche, Kreuzigung und Abendmahl (jetzt in der Jakobikirche) sind 1795 gemalt. (Abb. bei Faulwasser, Taf. 4). Auf den Verdienst angewiesen, wandte sich H. bald mit Erfolg dem Bildnis und der Lithographie zu. Im Johanneum in Hambg Bildnisse: von Bugenhagen, auch von Rektor Gurlitt, danach kleine Wiederholung früher in der Kunsth. (Lith. von Gerdt d. J.). Andre Bildnisse in Hamb. Privatbesitz u. bei den Nachkommen. Im Auftrage des franzöz. Gesandten in Hamburg de Rochelles malte H. seinen Freund Klopstock als Barden mit der Leier (nur im Stich von Pigeot und in Lithogr. von H. selbst nachweisbar; vermutlich in Versailles). — Unvollständige Liste der Lithographien bei Zimmermann. Sie zeigen seine Vorliebe für das klass. Ideal: eine heil. Familie eigner Kompos. erinnert stark an Raffael. Die Bildnisse sind durch lebensvolle Auffassung ausgezeichnet. In den Radierungen H.s überwiegt der holländ. Einfluß, es sind meist kleine, technisch sicher gearbeitete Blätter, auch Köpfe in der Art des Brouwer, Greise in Dietrichs Manier. 1815 gab H. eine erste Sammlung radierter Blätter heraus. Sein Hauptblatt ist eine Rad. nach Potter a. d. Stenglinschen Slg, jetzt in Schwerin, bemerkenswert ein Brutus seine Söhne verurteilend, nach einer Zeichnung von Füger. H. illustrierte auch 4 von Stolberg übers. Tragöd. d. Aeschylos (Hamburg 1802) mit 16 Kupfern nach Flaxman. Er war auch Sammler von Kupferst. u. alten Bildern, die 1864 u. 1867 in Hamburg

versteigert wurden. Sein Porträt von Fr. Heesche gemalt in der Kunsthalle. Ein Selbstbildnis (Sepiazeichng v. 1788) und zahlreiche Handzeichnungen ebenda.

M e u s e l, Neues Museum, III (1794) 264 f; Neue Miscell. Heft II (1796) 257; Teutsches Kstler-Lex., I (1808). — F ü ß l i, Kstler-Lex., II. Teil, 1806 ff. — N a g l e r, Kstler-Lex., V; Monogr. II u. III. — Kunstblatt, 1820. — Hamb. Kstler-Lex., 1854. — R u m p, Lex. d. bild. Kstler Hamburgs, 1912. — Hamb. Nachrichten v. 15. 6. 1864 (Nekrolog v. F. S t a m m a n n). — v. B ö t t i c h e r, Malerwerke d. 19. Jahrh. I 1 (1891). — L i c h t w a r k, Das Bildnis in Hamburg, 1898, II; d e r s., Herm. Kauffmann, 1893 p. 39. — F a u l w a s s e r, St. Jakobikirche, 1894 p. 91. — *Graphik:* Z i m m e r m a n n, Gesch. d. Lithogr. in Hamburg, 1896 p. 21. — H e l l e r - A n d r e s e n, Handb. f. Kupferstichsammler, I (1870). — P a s s e r i n i, Bibliogr. di Michelangelo, 1875 p. 193. — R o w i n s k y, Russ. Portr. Lex. (russ.), 1886 ff. IV 644 (Bildnis Kügelgen). — D u p l e s s i s, Cat. Portr. Bibl. Nat. Paris, 1896 ff. V 24397/24. — W e i g e l s Kst-Kat. 1838 —66 I 1928, V 25184. — *Kataloge:* Kunsthalle Hamburg, 1886; Ausst. v. ält. Bildern aus Hamb. Privatbesitz im Kst-Ver., 1913 p. 14 u. Tafelband mit Einleitg. v. Dr. Joh. Meyer.

G e r d t d. J. Maler u. Lithograph, geb. in Hamburg 5. 4. 1800, † ebenda 16. 5. 1834. Ältester Sohn und Schüler des vorigen, bildete sich auf d. Dresdner Akademie weiter. Trat 1820 mit Historienbildern u. Porträts hervor, war dann bei der Ausführung von Fresken im Casseler Schloß beschäftigt. Hier zog er sich eine Augenkrankheit zu, die zur Erblindung führte. H. war auch als Lehrer tätig. Seine Schüler waren u. a. H. W. Soltau, Erwin u. Otto Speckter. — Von seinen Bildern scheint nichts erhalten. Eine unbedeutende Zeichnung in der Kunsth. Seine Lithographien bei Zimmermann. Drei von ihnen gehen auf eigenhändige Bildnisgemälde zurück.

Lit. siehe unter Gerdt d. Ä.

R u d o l p h (Hermann R.), Marinemaler, geb. in Hamburg 8. 3. 1816, † ebenda 4. 10. 1907. Vorjüngster Sohn von Gerdt d. Ä. u. dessen Schüler, bildete sich auf Reisen nach England, Holland u. unter dem Einfluß von P. J. Schotel. Bereiste 1839 die Seestädte u. Küstengegenden d. Ostsee, hielt sich einige Zeit in Berlin auf. Er heiratete 1843 in Hamburg u. machte im selben Jahre eine Studienreise nach Schottland. — H. gehört zu den frühesten deutschen Marinemalern; seine Bilder, meist Seestürme, Sonnenauf- u. -untergänge darstellend, fanden wegen ihrer naturgetreuen Auffassung Anklang u. sind in Hamburger Privatslg. häufig anzutreffen, doch auch in Hannover, Leipzig, England. Ein Hauptbild ist eine Ansicht d. Hamb. Hafens (1854), jetzt bei Herrn Joh. Wesselhoeft. — H. v. Bartels war sein Schüler. — Bilder u. Zeichnungen von ihm in der Kunsthalle, ferner in Hannover, Braunschweig, Nürnberg (laut Notizen des Künstlers im Bes. d. Kunsthalle). *Ausstellungen:* 1895, Kunst-

verein Hambg; 1905, Koll.-Ausst. bei L. Bock
u. Sohn ebenda.

Lit. siehe unter Gerdt d. Ä., ferner: Dioskuren,
1861; 1862. — Mitt. d. Ver. f. Hamb. Gesch., 1891
p. 210. — Das geistige Deutschland, 1898. —
Ed. H e y c k, H. v. Bartels, 1903. — Kataloge:
Braunschweig, Führer Städt. Mus., 1908; *Lübeck,*
Kst-Ausst., 1852; *München,* Glaspal., 1871 u. 79;
Hamburg, Ausst. v. Gem. aus Hamb. Privatbes.
(Kunsthalle), 1879; Kunsthalle 1906; *Leipzig,*
Kst-Verein, 1839, 41, 43; *Hannover,* Prov.-Mus.
1905.

J u l i u s Theodor, Maler u. Architekt, geb.
Hambg 13. 11. 1818, † ebenda 16. 1. 1898.
Jüngster Sohn von Gerdt d. Ä. Lernte bei dem
Architekten Klees Wülbern. Beteiligte sich
am Wiederaufbau Hamburgs nach dem Brande.
Baute einige Häuser auf dem Pferdemarkt,
Graskeller und außerhalb des Dammtores.
Leitete den Bau des Israelit. Krankenhauses
mit seinem früheren Lehrer. Von ihm ferner
die Turnhalle der Hamburg. Turnerschaft von
1860, die Kapelle auf dem Israelit. Friedhof
u. a. War auch gelegentlich als Maler tätig,
von seinen Lithographien sind bekannt: Bildnis
Gerdt d. Ä., Oberrabbiner Dr. Francfurter,
mehrere Zeichenvorlagen. War 1848/50 Zeichenlehrer am Johanneum.

Hamb. Kstl.-Lex. 1854 (Exempl. der Kunsthalle). — Mitt. der Familie.

M a x Otto, Architekt, geb. in Hamburg
15. 10. 1847, † ebenda 10. 4. 1894. Sohn von
Rudolph H., Schüler des Polytechnikums in
Hannover. Erbaute einige Geschäfts- u. Etagenhäuser, vor allem das Freimaurer-Krankenhaus
in Hamburg.

Mitt. der Familie. *Dirksen.*

Hardouin, Kupferstecher 18. Jahrh., nur bekannt durch 2 Stiche nach einem sonst ebenfalls unbekannten Castelar, Porträts von comte
de Guichen, lieutenant-général des armées na-
vales françaises, 1712—1790 und comte de la
Motte-Picquet, chef d'escadre, 1720—1791.

D u p l e s s i s, Catal. Portr. Bibl. Nat. Paris,
1896 ff. IV 19 720; VI 25 532. — P o r t a l i s -
B é r a l d i, Graveurs du 18e siècle, III (1882)
Appendice.

Hardouin, A n t o i n e, Architekt, wahrscheinlich Sohn von Pierre H., fertigt 1654
die Pläne für das Hospital Saint-Louis-Saint-
Roch in Rouen, von dem J. Marot eine Ansicht gestochen hat.

B a u c h a l, Dict. d. Archit. franç., 1887.

Hardouin, G e r m a i n, s, unter *Hardouyn,*
Gilles.

Hardouin, J u l e s M i c h e l A l e x a n d r e,
Pariser Architekt, Sohn des Michel H. und
Neffe des Jules H. Mansart, geb. um 1680/85,
† 1737. Schüler der Acad. de France in Rom
1703/6, Mitglied der Pariser Acad. d'architecture 1720. Als contrôleur des bâtiments du
roi 1723 mit dem Wiederaufbau der durch
Feuersbrunst eingeäscherten Stadt Châteaudun
beauftragt.

J a l, Dict. crit., ²1872. — L a n c e, Dict. d.

archit. franç., I (1872). — B a u c h a l, Dict. d.
archit. franç., 1887. — M o n t a i g l o n, Acad.
de France, III (1889) 101—175 (passim).

Hardouin, M i c h e l, Architekt und Stecher
um 1647—1700, Sohn von Raphaël H., jüngerer
Bruder des Jules H. Mansart, Vater des Jules
Michel Alexandre H.; architecte du roi, contrôleur génér. des bâtiments, jardins, tapisseries
et manufactures. Heiratete 1667 die Tochter
des Stechers Robert Nanteuil, 1677 in 2. Ehe
die Schwester des Archit. P. Hinard. 1679/81
arbeitet er mit Jacques IV Gabriel am Schloß
zu Clagny (bei Versailles), 1680/86 an der Egl.
des Invalides mit Simon Pipault. Am 7. 8. 1673
erhebt er im Namen seines Bruders Jules Zahlung für eine Zeichnung (Fassade des Rathauses zu Arles), wobei seine Signatur die
Form H. Mansart zeigt. Als Stecher ist H.
durch Pläne des Schlosses Clagny nach Zeichnungen von Jules H. Mansart bekannt („Livres
de Plans, Profiles et Elévations de Chasteau
de Clagny prés de Versailles", bei M. Cossin,
Paris 1680).

J a l, Dict. crit., ²1872. — B a u c h a l, Dict.
d. archit. franç., 1887. — S t r u t t, Dict. of Engravers, 1785. — H e r l u i s o n, Actes d'artist.
franç., 1873 p. 319 ff. — G u i f f r e y, Comptes d.
Bâtim. du Roi, I (1881); II (1887). — Réunion
des Soc. d. B.-Arts, XXII (1898) 409 f. — Nouv.
Arch. de l'art franç., 1888; 1891.

Hardouin, P i e r r e, Holzbildhauer in Les
Andelys, arbeitet 1580 mit Pierre Pissot ein
Retabel für die Abtei Saint-Martin in Sées
(Orne), beginnt in ders. Kirche das von Gas-
pard Musnier vollendete Chorgestühl. Viel-
leicht identisch mit dem g l e i c h n a m. Bildh.
und Architekt in Rouen, der dort 1617 an den
Vorbereitungen für den Einzug Ludwigs XIII.
beteiligt ist und um 1630 an Notre-Dame in
Le Havre gearbeitet haben soll.

L a m i, Dict. d. sculpt., moyen âge (1898). —
B a u c h a l, Dict. d. archit. franç., 1887. —
L a n c e, Dict. d. archit. franç., I (1872).

Hardouin, R a p h a ë l, Maler in Paris, geb.
1612, stammt aus einer Malerfamilie (urkundlich als Maler bekannt der Vater B e r t i n in
Paris, der Großvater S c i p i o n in Beauvais,
die Brüder N i c o l a s u. C h a r l e s in Paris),
heiratet 1637 die Tochter des Archit. u. Bildh.
Germain Gauthier und Nichte des François
Mansart, Marie Gauthier. Seine Söhne sind
Jules H. Mansart und Michel H.

J a l, Dict. crit., ² 1872. — H e r l u i s o n,
Actes d'artist. franç., 1873 p. 173 f., 319. — Arch.
de l'art franç., docum., III (1853/55) 163; Nouv.
Archiv. etc., 1892.

Hardouin, S i m o n, Holzbildhauer in Beauvais, wo er für die Kathedrale 1540 die Balustrade der Leonhardskapelle, 1543 einen Baldachin über den Schreinen dreier Heiligen und
1556 drei Sitze, ähnlich dem Chorgestühl, für
die amtierenden Geistlichen fertigte.

L a m i, Dict. des sculpt. (moyen âge) 1898.

Hardouin, siehe *Arduini,* G i r o l., u. im
1. Artikel *Arduino.*

Hardouin-Mansart, J u l e s , siehe *Mansart,* Jules Hardouin.

Hardouin-Mansart, J e a n , siehe *Mansart de Jouy,* Jean Hardouin.

Hardouin-Mansart, J a c q u e s , siehe *Mansart de Levy,* Jacques Hardouin.

Hardouyn, G i l l e s , Buchdrucker u. Verleger in Paris, tätig 1497—1521, seit 1509 selbständig, vielleicht auch Formschneider, da in Titelvignetten von ihm herausgegebener Gebetbücher die Buchstaben G H vorkommen, die sich aber auch auf den seit 1505 mit ihm arbeitenden G e r m a i n H a r d o u i n beziehen könnten. Dieser, bis 1540 tätig, war vielleicht mit der (einheitlichen, handwerksmäßigen) Illuminierung der von ihm herausgegebenen Bücher beschäftigt, denn in der Schlußschrift eines Horariums von 1514 nennt er sich selbst: in arte litterarie peritissimus.

R e n o u v i e r , Des types. . . . d. maitres grav., I (1853) 112. — N a g l e r , Monogr., II. — Jahrb. d. Preuß. Kstsammlgn, V (1884) 143 (v. S e i d - l i t z).

Hardouyn, S i m o n , Tischler in Paris, urkundl. erwähnt 1598, fertigte laut Vertrag vom 20. 6. 1600 die Türen der seitlich vom Lettner in den Chor führenden Eingänge in Saint-Etienne-du-Mont. 1608 fungiert er als Sachverständiger am Rathausbau.

H e r l u i s o n , Actes d'état-civ. d'Art. Franç., 1873 p. 173. — V i a l , M a r c e l , G i r o d i e , Art. décor. du bois, I (1912). — Revue de l'Art anc. et mod., XLII (1922) 172.

Hardt, Stuckatorenfamilie, siehe *Hard.*

Hardt, A b r a h a m v a n d e r , s. *Hart,* A. v. d.

Hardt, A l o i s , Kupferstecher, 1. Hälfte 18. Jahrh. in Mähren, wahrscheinlich auch zu Hermannstadt in Ungarn tätig, stach Bildnisse für Samuelis Koelerseri Auraria Romano-Dacia. Cibenii (Hermannstadt) 1717.

N a g l e r , Monogr., I. — S c h r a m , Verzeichnis mähr. Kupferst., 1894.

Hardt, E r n s t , Landschaftsmaler in Düsseldorf, geb. in Köln 7. 12. 1869, † in Godesberg 18. 9. 1917. Studierte auf der Akad. in Düsseldorf 1892—96 als Schüler von E. Dücker. H. gehörte zu den Wiedererweckern der niederrhein., besonders der bergischen Landschaft, die er in anfänglich feintonig und delikat gemalten, später aber recht dekorativen und allzu großflächigen Bildern verherrlichte. Es ist mehr gutgemeinte, als gutgemalte Heimatkunst; der Erfolg blieb nicht aus, besonders da Wilh. Schäfer sich wiederholt für ihn einsetzte. Landschaften H.s in den Museen von Düsseldorf, Köln, Elberfeld und Mannheim.

Das geistige Deutschland, I (1898). — Die Kunst, VII; IX; XI; XIII; XVII. — Kunstchronik N. F. XXIX 11 (Nekrolog); Zeitschr. f. Bild. Kst, N. F. XV 266. — Deutsche Monatshefte, XII 109/12 (W. S c h ä f e r); cf. Die Rheinlande, I Bd II April-Heft p. 30; Juni-H. p. 49; II Okt.-H. p. 79; Dez.-H. p. 43; Jan.-H. p. 59 f.; Juni-H. p. 52; III 102, 125, 351, 354, 356; IV 217, 317, 322; V Beil. gegen p. 200; VII 1. Teil gegen p. 180

(Abb.). — Deutsche Kst u. Dekoration, XXVIII 184; XXXI 14; XXXVI 332 (Abb.). — M a h l - b e r g , Beitr. z. Kst d. 19. Jahrh. . ., 1913 p. 88 (Abb.). — *Katal.:* Gr. Berl. K.-A. 1896—1901; 1903—1916; Glaspal. München: 1900, 01, 07, 08, 11—14; Düsseldorf: 1902; 04; 07; 08; 1909; 1913; 17. — Köln. Zeitg v. 22. 9. u. 26. 10. 1917. *C.*

Hardt, J o h a n n B . , Maler in Laibach 1686—1740, restaurierte 1687 ein Kruzifixbild, wurde mit Gemälden Marias, des hl. Johannes u. Maria Magdalenas für den gemauerten Bildstock bei St. Peter beauftragt, beschäftigte sich später mit handwerkl. Arbeiten.

Mitteil. d. Musealverein für Krain, III (1890) 119.

Hardter, A n d r e a s , Maler u. Radierer, geb. in Wildon, † in Graz 22. 6. 1816. Lernte zuerst bei J. V. Kauperz an der landschaftl. Zeichenakad. in Graz, dann durch 6 Jahre an der Wiener Akad. Nach dem Weggang seines ehem. Lehrers übernahm H. 1814 die Stelle des Direktors an der landschaftl. Zeichenakad., die er bis zu seinem Tode bekleidete. Die bis jetzt nachweisbaren Gemälde H.s befinden sich in der Gemäldegal. in Graz, so 2 Porträts, die der Tradition nach beide J. V. Kauperz darstellen, ferner ,,Ein schlafender Jüngling" u. Kopien nach Rubens, Jordaens u. a. ,,Die Stärke H.s scheint im Porträt zu liegen, wogegen seine eigenen Kompositionen mehr in den klassizistischen Kompositionsschemen befangen bleiben. Seine Farbengebung ist klar und licht, die Malweise glatt, vertrieben" (W. Suida). Nach seinen Gemälden sind gestochen: Porträt des steir. Dichters J. Ritter v. Kalchberg und eine Kopie des Bildes vom Großmeister der Tempelritter Jakob v. Molai (Original in Venedig?). Beide Stiche sind in Kalchbergs Werken enthalten Das Kupferstichkab. des Grazer Joanneums bewahrt eine Mappe mit mehr als 40 Zeichnungen H.s (Landschaften, mytholog. Szenen, Blumen- und Früchtestücke). Wastler nennt noch als Gemälde von seiner Hand ,,Marcus Crassus" u. ,,Der Tod Abels". Von Radier. H.s sind bekannt: ,,Leichenzug des Fürstbischofs v. Seckau Josef Adam (Graf v. Arco) über den Grazer Hauptplatz am 3. Juni 1802" (in der ständigen Archivalienausst. des Grazer Landesarch.). Wastler führt noch an: ,,Ein Ochs mit umgehängter Glocke" u. Bildnis des Direktors der Grazer Hauptschule Begutter. Für die Stiche in dem topographischen Werk J. A. Kumar, Streifzüge i. d. Umgebung d. Stadt Graz (1816), zeichnete H. Grazer Stadtveduten.

J. A. K u m a r , Hist.-mahler. Streifzüge in den Umgebungen der Stadt Grätz, 1816. — J. R. v. K a l c h b e r g s sämmtl. Werke 1816, Wien, Carl Gerold (1. u. 6. Teil). — J. W a s t l e r , Steir. Künstlerlex., 1883. — Z a h n , Stiria illustrata, herausgeg. vom hist. Verein f. Steierm. (Unvollständig. Nur als Beilage in Form von Druckbogen ersch.) p. 169 (No 1093/2), p. 238 (1464/5) u. p. 301 (1808/8). — Graz. Tagespost No 331, vom 30. 11. 1907. — W. S u i d a , Kat. der Landes-Gem.-Gal. Graz (im Erschein.). *B. Binder.*

Hardtfeld, B e r n a r d , s. *Hartfeldt*, B.

Hardtmuth, J o s e p h , Architekt und Techniker, geb. 20. 2. 1752 in Aspern (Niederösterr.), † 23. 5. 1816 in Wien, kam 16 jährig zu seinem Oheim, dem Wiener Stadtbaumeister Meißl, in die Lehre; entwarf den Plan zur Fassade des vom Fürsten Alois Liechtenstein dem Meißl in Auftrag gegebenen, 1792 begonnenen (1917/18 niedergerissenen) Palais in der Herrengasse, führte nach M.s Tode den Bau fort und leitete die architektonische Einrichtung der Bibliothek, des Marstalls, der Reitschule, und die Ausschmückung der Gemächer. Er erhielt dann die Stelle eines fürstl. Architekten als Nachfolger seines Oheims und führte für Fürst Alois, nach dessen Tode für Fürst Johann (als dessen Baudirektor), zahlreiche bedeutende Bauten aus, nach Nagler und Wurzbach sämtliche Anlagen auf den fürstlich Liechtensteinschen Herrschaften in Adamsthal, Aussee, Eisgrub, Feldsberg, Lundenburg u. a. H.s Tätigkeit ist noch nicht im Zusammenhang untersucht. In Eisgrub waren außer ihm die Architekten Kornhäusel, Engel und Leistler tätig. Als gesicherte Werke zu nennen: 1794 der Sonnentempel im Mittelpunkt des Parks von Eisgrub; ebenda der nach einer Idee des Fürsten Alois 1797—1802 unter großen Schwierigkeiten (Fundierung in sumpfigem Boden) erbaute orientalische Turm (moscheeartiger Unterbau, Minarett); die Hansenburg bei Eisgrub (1807, Nachahmung einer mittelalterl. Burg mit ruinenhaftem Äußeren); Wiederherstellung (nach dem Brande von 1805) und Vergrößerung (Portikus) von Jagdschloß Neuschloß bei Littau, 1813 bis 1820; in der Vorderbrühl (Wiener Wald) 1811 Gedenktempel an die Schlacht bei Aspern (1812 eingestürzt, von Kornhäusel neuerbaut). Um 1812 baute Kornhäusel nach H.s Plänen in der Nähe von Feldsberg im Theimwalde den Dianatempel („Rendez-vous", Jagdsalon in Gestalt eines römischen Triumphbogens). Bekannt ist H. als Erfinder verschiedener technischer Verfahren („Wiener Steingut", österreich. Bleistiftfabrikation usw.).

N a g l e r , Kstlerlex., V. — C. v. W u r z b a c h , Biogr. Lex. Österr., VII (1861). — P r o k o p , Markgrafschaft Mähren, IV (1904). — H ö s s , Fürst Liechtenstein u. die bild. Kst, 1908. — T a u s i g , Glanzzeit Badens, 1914 p. 58, 60; d e r s., Jos. Kornhäusel, 1916 p. 13, 16, 18 (2×). — Kst u. Ksthandwerk, XVIII (1915) 3, 4, 5 (Abb.), 41 ff.

Hardviller, C h a r l e s A., falsch für *Hardiviller*, Ch. A.

Hardwick, A r t h u r J e s s o p , engl. Architekt, tätig seit 1902 in Kingston-on-Thames, Sohn des Malers J. Jessop H. (s. d.). Er nimmt heute unter den Baumeistern des ländlichen Eigenhauses in England neben C. E. Mallows und M. H. B. Scott eine führende Stellung ein. Seine Bauten sind in Stil und Material streng der Umgebung angepaßt; rote Ziegel herrschen vor, zuweilen weiß getüncht und durch Fachwerk unterbrochen. Als Bedachung dient neben roten Dachziegeln imprägniertes Stroh oder Rohr; im Innenbau bildet die Halle regelmäßig den Mittelpunkt der Anlage. Solche Bauten befinden sich in Kingston Hill, Thames Ditton, Gerrards Court und Bembridge (J. o.W.).

Der Architekt XIX (1913) 13 ff. (Abb.). — The Studio, XXXIV 51; Year Book of Decor. Art 1911 p. 36, 37; 1915 p. 76, 77 (Abb.). — Innendekoration XIV 117 f. (Abb.). — G r a v e s , Roy. Acad., III.

Hardwick, J o h n J e s s o p , engl. Aquarellmaler, geb. 22. 9. 1831 in Bow-by-Stepney, † 1917 in Thames Ditton. Schüler der Londoner Royal Academy, des Holzschneiders H. Vizetelly (1847) und der Kunstschule in Somerset House, 1858 Zeichner für die „Ill. London News". Seine feinbeobachteten Blumenaquarelle waren 1850—1915 auf zahlreichen Londoner Ausstellungen (seit 1861 in der Royal Academy, besonders häufig in der Old Water Colour Soc., deren Associate er war) zu sehen; seinen Freund John Ruskin unterstützte er bei dessen Arbeiterunterrichtskursen.

G r a v e s , Roy. Acad., III; d e r s., Brit. Institution; d e r s., Dict. of Artists, 1895. — The Studio LXX 88 (Nekrol.) — Catal. Exhib. Roy. Acad.; Autumn Exhib. Hull 1913; Corpor. Art Gall. Preston, 1907.

Hardwick, M e l b o u r n e H., amerik. Landschaftsmaler, geb. 29. 9. 1857 in Digby, Neuschottland, † 25. 10. 1916 in Belmont, Mass. Er studierte in Boston und in Europa und war Mitglied der führenden amerik. Künstlerklubs; seine Witwe schenkte 1917 sein Bild „Midsummer" dem Bostoner Mus. of Fine Arts.

Amer. Art Annual XIV (1917) 323. — Mus. Fine Arts Bull. Boston XV (1917) 24.

Hardwick (Hardwicke), P h i l i p , engl. Architekt, geb. 15. 6. 1792 in Marylebone, London, † 28. 12. 1870 in London, Sohn u. Schüler des Thomas H. (s. d.), weitergebildet an der Royal Academy (1808), deren Ausstellungen er 1807—44 beschickte; 1818/19 Studienreise in Frankreich und Italien, die seine ererbte Vorliebe für die klassischen Stile bestärkte. Seine Begabung wies ihn auf monumentale öffentliche Bauten verschiedenster Bestimmung, wie sie das sich zur Welthandelsmetropole auswachsende London brauchte. 1825 entwarf er die Anlagen der St. Katharine's Docks; 1829—32 baute er das Haus der Gesellschaft der Goldschmiede (in ital. Renaissance), sein bestes Werk); 1834—39 den (alten) Bahnhof Euston Station mit den dazu gehörigen Hotels, von seinem Sohn Philip Charles (s. d.) erweitert und später abgerissen, aber jedenfalls die älteste architektonisch belangreiche Bahnhofsanlage Londons, mit stattlicher Säulenvorhalle; 1836 folgte das Gebäude der Globe-Versicherungsgesellschaft in Pall Mall, 1837 der City Club in Broad Street, 1843 eine umfangreiche Anlage (mit Halle, Bibliothek und

Bureaus) in Lincoln's Inn (Tudorgotik in Back-stein), 1845 von der Königin eröffnet. Während dieses letzten Baus befiel ihn ein langwieriges Leiden, das ihn nicht wieder verließ und zwang, seinem obengen. Sohn die Ausführung zu über-lassen. Von kleineren Bauten H.s seien ge-nannt: die Schule in Stockport (1832 für die Londoner Ges. der Goldschmiede, Tudorgotik); Babraham House bei Cambridge (1832, in reichem Elisabethstil); 1851 Umbauten am St. Bartholomew's Hospital und 1851—54 Restau-rierung (mit J. Morris) der Kirche St. Anne's in Limehouse. 1839 wurde H. Associate, 1841 Vollmitglied, 1850—61 Schatzmeister der Royal Academy; neben vielen andern Ehrenämtern hatte er das des Vizepräsidenten des Institute of Brit. Architects.

Dict. Nat. Biogr. XXIV 348. — S a n d b y , Hist. of the Roy. Acad., II 202 ff. — C l e m e n t and H u t t o n , Artists of the 19. Cent., 1879. — The Art Journal 1871 p. 41 (Nekrolog). — R e d -g r a v e , Dict. of Artists, 1878. — G r a v e s , Roy. Acad., III. — N a g l e r , Kstlerlex. V.

Hardwick, P h i l i p C h a r l e s , engl. Archi-tekt, geb. 1822 in London, † 27. 1. 1882 eben-da; Schüler von E. Blore und seines Vaters Philip H. (s. d.), dessen Stütze er seit 1842 war, zuerst bei dem Neubau in Lincoln's Inn. Gleich seinem Vater und Großvater (Thomas) war H. ständiger Architekt des St. Bartholomew Hospital, des Greenwich Hospital, der Bank von England usw. Von seinen eigenen Bauten hat er die meisten Entwürfe in der Londoner Royal Academy 1848—69 ausgestellt; neben öffentlichen Gebäuden (Rathaus in Durham, 1850; Waisenhaus in Canterbury, 1854; Great Western Hotel, Paddington, 1851; Kirche in Aldershot, 1863) schuf er auch Villen.

G r a v e s , Roy. Acad., III. — Portfolio 1892, Art Chronicle p. VI (Nekrolog).

Hardwick, T h o m a s , engl. Architekt, geb. Juni 1752 in New Brentford, Middlesex, als Sohn eines g l e i c h n a m . Maurers u. Archi-tekten, der 1772—1800 in der Royal Academy Entwürfe ausstellte, † 16. 1. 1829 ebenda. Er arbeitete unter Sir Will. Chambers an Somerset House in London und war Schüler der Royal Academy, deren Ausstellungen er 1775—1800 mit Entwürfen beschickte. 1777—79 war er auf einer Studienreise, besonders in Rom; ein Skizzenbuch aus dieser Zeit wird im Institute of British Architects aufbewahrt. 1787—90 baute er die Kirche St. Mary in Wanstead, Essex, in klassizistischen Formen, 1813—17 die Pfarrkirche von Marylebone (Grund- und Auf-riß in „Der Kirchenbau des Protestantismus", Berlin 1893 p. 505); außerdem restaurierte er einige ältere Kirchen. 1808 wurde er ständiger Architekt des St. Bartholomew Hospital, 1810 solcher des königl. Palastes in Hampton Court. Er schrieb eine Abhandlung über das Kolos-seum in Rom (1777; Ms. im Soane Museum) und (in kleiner Auflage gedr. 1825) Erinne-

rungen an Sir Will. Chambers. Eine Zeitlang hat Turner bei H. Architekturstudien gemacht.

G r a v e s , Roy. Academy, III. — Dict. Nat. Biogr. XXIV 350. — R e d g r a v e , Dict. of Artists, 1878.

Hardwick, W i l l i a m N . , engl. Aquarell-maler, † 1865, der 1829—64, hauptsächlich in der New Water Colour Soc. (Royal Institute), deren Mitglied er 1834 wurde, aber auch in der Royal Academy (1830—58), der British Institution und in Suffolk Street engl. Land-schaften, meist kleinen Formats, ausstellte; im Brit. Museum eine kleine Ansicht von Chillon. Seit 1838 lebte er in Bath.

G r a v e s , Dict. of Artists, 1895; d e r s., Roy. Acad., III; d e r s., Brit. Institution. — Catal. Drawings Brit. Artists Brit. Mus. II (1900); Water Col. Paintings Vict. and Albert Mus. Lon-don II (1908).

Hardy (Hardi), Familie von Stempelschnei-dern u. Medailleuren, in Diensten der Herzöge von Lothringen in Nancy, aber auch in Paris u. Lille vorkommend. Lebensdaten der einzelnen Mitglieder u. Zuteilung von Werken unsicher. Von J e a n I, † 1669, soll eine kupferne Med. mit dem Bilde der unbefl. Empfängnis über dem Stadtbild von Nancy (1639) u. das große Siegel der Stadt von 1647 sein. Von ihm oder seinem Sohne (?) J e a n II, † 1684, stammen die Med. mit der Sign. J. Hardy F. 1658 (1668?; Portr. des Herzogs von Dampville), H. F. (Porträt d. Herzogs v. Lothr. u. Ansicht von Nancy, 1660), Hardi F. (auf den Frieden mit Spanien mit dem Bildnis Ludwigs XIV. von 1660 u. Med. mit Bildnis Gastons v. Orléans 1660). Von C l a u d e H., geb. 1647, † 1703, dürften die Münzen mit dem Bildnis der Herz. v. Lothr. u. Ansicht der Stadt Nancy von 1699 sein. Ein „Hardy" bez. Uhrgehäuse aus ver-goldeter Bronze mit Reliefdarst. Loths u. seiner Töchter (um 1660) war 1875 auf der Expos. rétrosp. Nancy ausgestellt.

R o n d o t , Médailleurs etc. en France, 1904. — F o r r e r , Dict. of Med., II (1904). — Réun. des Soc. d. B.-Arts, XXIX (1905) 498; XXXIII (1909) 268. — Kat. d. Münzen- u. Med.-Samml. Wien, IV (1906) 1387. — Gaz. d. B.-Arts, 1875 II 279.

Hardy (Hardye), Goldschmiedefamilie des 17. u. 18. Jahrh. in Angers. Zu erwähnen ist nur L o u i s , † 10. 2. 1696, liefert 1667 ein Prozessionskreuz für die Franziskaner, 1668 ein gleiches für das Domkapitel, 1683 bekommt er den fig. u. dekor. Goldschmuck zweier Reliquienschreine in Auftrag.

C. P o r t , Art. Angévins, 1881.

Hardy, B e r n h a r d , s. *Hardy,* Kaspar Bernh.

Hardy, C a r e l , Maler, aus Valenciennes stammend, heiratet 1649 im Haag, ist 1651 ebenda in der Gilde, 1656 nicht mehr nach-weisbar, also vielleicht † oder fortgezogen. 1651 war Jac. Biltius sein Schüler. Im Mus. zu Braunschweig (Verzeichn. der Gem.-Slg von Riegel, 1900) großes Küchenstück mit Ge-

flügel usw., bez. c. hardy. fé.; „ein feiner graulich-brauner Ton beherrscht das Bild; Arrangement geschmacklos; Wiedergabe der Tiere vortrefflich. Behandlung frei und geistreich; etwa 1650 entstanden." (W. Bode.) Im Haager Gemeente-Museum (Beknopte Catalogus 1913) ein bez. Stilleben (Ente). Aus der Galerie A. Schoenlank-Berlin wurde 1896 bei Heberle in Köln (Versteig. Kat. 28./29. April No 78) „Raucher und Trinker", bez. c. hardy. f., versteigert. Bredius nennt aus Haager Inventaren des 17. Jahrh. noch 5 Bilder (Stilleben, Geflügel).
O b r e e n's Archief, III (1880/81). — B r e d i u s in Oud-Holland, II (1884) 215 ff.

Hardy, C a s p a r B e r n h., siehe *Hardy,* Kaspar Bernh.

Hardy, C h a r l e s, s. unter *Hardy,* Thomas.

Hardy, D a v i d, engl. Maler, tätig in Bath u. Bristol, von wo aus er 1855/70 die Londoner Ausst. der Brit. Institution, der R. Academy u. der Soc. of Brit. Artists mit Genrebildern beschickte, von denen ein „Bauernhaus-Interieur" in das Londoner Vict. and Alb.-Mus. gelangte (Ölgem.-Kat. 1907 Nr 59).
G r a v e s, Dict. of Art. 1895; R. Acad. 1905 ff. III; Brit. Instit. 1908; Loan Exhib. IV (1914) p. 1952. *

Hardy, D o r o f i e l d, Maler, lebt in London; beschickte seit 1884 die Ausst. der R. Academy, der New Water Colour Soc. usw. mit Genrebildern u. Porträts in Miniatur- und Ölmalerei und war noch 1920 in der R. Acad.-Ausst. mit einem „Interieur" vertreten. Für die Stadt London porträtierte er 1895 den Deputierten J. Th. Bedford.
G r a v e s, Dict. of Art. 1895. — R. Acad.-Cat. 1884—1920. — Cat. of Works of Art bel. to the Corporation of London, 1910 Nr. 594 a. *

Hardy, D u d l e y, Maler u. Graphiker, geb. 15. 1. 1866 (1867?) in Sheffield (Yorkshire), † 11. 8. 1922; Sohn und Schüler des Marinemalers Thomas Bush H. Nach Vorstudien unter letzterem u. nach dreijähr. Studienzeit an der Akad. zu Düsseldorf seit 1884 (Debüt in der Londoner Royal Acad.-Ausst. mit Studie „Watching") in Antwerpen unter M. Ch. Verlat u. 1888/9 unter Raph. Collin u. Dagnan-Bouveret in Paris weitergebildet, malte H. dort neben dem bei Seemann reprod. Bildnis der Tragödin Sarah Bernhardt das bereits im November 1887 in London konzipierte große Sensationsbild „Obdachlose in der Morgendämmerung am Londoner Trafalgar-Square" (1889 im Pariser Salon ausgest., Abb. in „The Art Journal" 1890 vor p. 161, cf. 173 f.). Nachdem er schon seit 1886 als Illustrationszeichner gearbeitet hatte für Londoner illustr. Zeitschriften wie „The Pictorial World", „The Lady's Pictorial" usw., errang er 1890 in der Londoner Acad.-Ausst. einen neuen Haupterfolg mit einer zweiten sozialistisch gefärbten Gemäldedarst. aus dem Londoner Straßenleben, dem „Dock-Strike von 1889". Seitdem beschickte H.

die Londoner Ausst. der R. Acad. u. der Soc. of Brit. Artists (als deren Mitglied), wie auch gelegentlich den Münchener Glaspalast (1890/96) u. den Pariser Salon der Soc. des Art. Français (bis 1922) mit religiösen Kompositionen (1891 Flucht nach Ägypten, Abb. bei Lawrence p. 354), Orientszenen, Genre- u. Landschaftsbildern u. Seestücken in Öl- u. Aquarellmalerei. Die Gall. d'Arte Moderna zu Venedig bewahrt von ihm das Ölbild „The widow" von 1898, die Nat. Gall. zu Sydney seit 1900 das Aquarellbild „At the shrine". Als humorbegabter Illustrator betätigte er sich noch vielfach für Zeitschriften wie „The Sketch", „Pick-me-up" u. „Black and White", als allbeliebter Plakat-Lithograph mit Londoner Theaterreklamen wie „A Gaiety Girl", „Cinderella" u. „The Chieftain" u. mit Zeitschriftreklamen wie denen zu „St. Paul's" u. „To-Day" (Abb. bei Sponsel u. Marx).

A. E. J o h n s o n, D. Hardy, London 1910 (nicht benutzt). — A. H. L a w r e n c e in The Art Journal 1897 p. 353/7; cf. The Studio, vol. 30 (1904) p. 42 f., vol. 48 (1910) p. 236, vol. 58 (1913) p. 56, vol. 69 (1917) p. 98. — F. W. G i b s o n in E. A. Seemann's „Meister der Farbe" IV (1907) Nr 256. — S i n g e r, Kstlerlex., Nachtr. 1906; cf. Who's Who 1914 ff. — G r a v e s, Dict. of Art. 1895; R. Acad. Exhib. 1905 ff. III, cf. R. Acad.-Cat. 1905—1919. — S k e t c h l e y, Engl. Book-Illustr., 1903 p. 93. — S p o n s e l, Das Mod. Plakat, 1897 p. 153 ff. (u. Taf. nach p. 141); cf. M a r x, Les Maitres de l'Affiche, 1896—1900 (Abb.-Reg.). — F i n c h a m, Art. and Engr. of Brit. etc. Bookplates, 1897. *

Hardy, F. Le, Maler in London, stellte seit 1793 in der Royal Acad. Bildnisminiaturen aus; bei Graves identifiziert mit einem T. oder J. Le H., der bis 1807 ebenda unter wechselnden Adressen mit Miniaturporträts vertreten war.
G r a v e s, R. Acad. Exhib. 1905 ff. V 25; cf. W i l l i a m s o n, Hist. of Portr. Miniat., 1904 II 210 (der 1790 in der Soc. of Art. vertretene vermeintl. „F. Hardy" ist der Adresse nach Thomas H.). *

Hardy, F r e d e r i c k D a n i e l, Maler, geb. 13. 2. 1826 in Windsor, † 1. 4. 1911 in Cranbrook (Kent). Als Sohn eines Musikers zunächst Musikstudent in London, ging H. nach dem Vorbild seines ält. Bruders George H. (s. unten) um 1845 unter Th. Webster's Leitung zum Studium der Malkunst über und stellte dann seit 1851 in der Brit. Institution (bis 1856) u. in der Royal Acad. (bis 1898) neben vereinzelten Porträts u. Stilleben zahlreiche feinmalerisch detaillierte Interieurs mit in der Regel humoristisch angehauchten Genreszenen in Ölmalerei aus, u. zwar meist von Cranbrook aus, wo er mit Webster 1854—75 und seit 1893 dauernd ansässig war. Besondere Beliebtheit erlangten seine Kinderstubenbilder, deren einige in das Vict. and Alb.-Mus., in das Bethnal Green-Museum u. in die Guildhall-Art-Gall. zu London gelangten, andere in die Museen zu York,

Rochester, Leicester u. Leeds (hier ein Theater-logenbild H.s mit lebensgr. Figuren). Eine ganze Sammlung von Kabinettstücken H.s (gleichfalls meist Kinderszenen) kam durch Privatstiftung in das Mus. zu Wolverhampton. — Die gleiche Kunstgattung pflegte auch sein Bruder George H. (geb. 1822 in Windsor, † 1909 in Cranbrook), der 1846—92 in der Londoner R. Acad. und 1849—52 auch in der Brit. Instit. u. in der Soc. of Brit. Artists aus-stellte.

J. Dafforne in The Art Journal 1875 p. 73 ff. (mit Abb.); cf. Magaz. of Art 1889 u. Zeitschr. f. Bild. Kst, N. F. I (1890) p. 70 f. (mit Abb.). — Ottley, Dict. of Paint. etc. 1875; cf. Dict. of Nat. Biogr., 2ᵈ Suppl. II (1912). — Graves, Dict. of Art. 1895; R. Acad. Exhib. 1905 ff. III; Brit. Instit. 1908; A Cent. of Loan Exhib. 1913 f. II u. IV 1952 f. — Bénézit, Dict. des Peintres etc., 1911 ff. II (mit Aukt.-Preisen). — Cat. of the Works of Art bel. to the Corp. of London, 1910 Nr 674 f.; dazu Kat. der übr. obgen. Museen. *

Hardy, George, s. unter *Hardy*, Fred. D.

Hardy, Heywood, Maler u. Radierer aus Bristol, seit 1870 in London ansässig; be-schickte von Bristol aus 1861/7 die Londoner Ausst. der Brit. Institution, der Soc. of Brit. Artists u. der Soc. of Water Col.-Painters und seit 1864 auch die Royal Acad.-Ausst., letztere dann weiterhin bis 1919 mit Landschaften u. Tierstücken (namentlich Jagdszenen) in Öl- u. Aquarellmalerei, deren einige in die Londoner Guildhall-Art-Gall. u. in die Museen zu Bristol u. Rochester gelangten (in das Londoner Vict. and Alb.-Mus. auch 2 Bärenstudien in Kreide-zeichnung), und von denen das 1874 in der R. Acad. ausgest. Ölbild „Ulysses als Strand-pflüger" von Ch. Cousen in Kupfer gestochen wurde für das Londoner „Art Journal" von 1875 (p. 296). Er selbst radierte nach eig. Vorlagen u. a. mehrere Tierstudien für das Londoner „Portfolio" von 1881 (p. 57, Ele-phantenkopf) u. 1885 (p. 194 f., Hirschpark).

Champlin-Perkins, Cyclopedia of Paint. 1888 II. — Graves, Dict. of Art. 1895; R. Acad. Exhib. 1905 ff. III; Brit. Instit. 1908; A Cent. of Loan Exhib. 1913 ff. II u. IV 1953; cf. R. Acad.-Cat. 1907—1919 u. Cat. of the Loan Exhib. of Brit. Engr. etc. at the Vict. and Alb.-Mus. 1903 p. 115 Nr 817. — Bénézit, Dict. des Peintres etc. 1911 ff. II (mit Aukt.-Preisen). *

Hardy, James, Kupferstecher in London, nur bekannt durch die von ihm nach Gemäl-den Sir J. Reynolds' in Crayonmanier gestoch. Bildnisse des engl. Staatsmannes Edm. Burke (dat. 1780) u. des Londoner Akad.-Sekretärs Gius. Baretti (dat. 1794); vielleicht identisch mit jenem Londoner Maler J. Hardy, der laut Graves 1809/10 in der Royal Acad. ein Knaben- u. ein Selbstbildnis ausstellte.

Heller-Andresen, Handb. f. Kupferst.-Sammler, 1870 I (das Haydn-Bildnis von 1792 nicht von J. Hardy, sondern von Thomas H.); cf. Cat. of Engr. Brit. Portr. in the Brit. Mus. 1908 ff. I 119 u. 293. — Graves, R. Acad. Exhib. 1905 ff. III. *

Hardy, James, Maler in London, stellte 1832—57 in der Royal Acad. und 1842—67 in der Soc. of Brit. Artists Landschaften, Porträts u. Stilleben aus.

Graves, R. Acad. Exhib. 1905 ff. III 388 f.; cf. Dict. of Art.1895 („J. Hardy" u. „James H."). *

Hardy, James, Maler in Bristol, geb. 1832, † 1889; beschickte 1853—88 die Londoner Ausst. der Soc. of Brit. Artists, der Brit. Institut. (1862/6), der Royal Acad. (1862—86), der New Water Colour-Soc. (jetzt Royal Institute, seit 1877 dessen Mitglied) mit zahlreichen Jagdland-schaften u. Stilleben in Aquarellmalerei. Ein 1867 dat. Aqu.-Stilleben H.s gelangte in das Londoner Vict. and Alb.-Mus. (cf. Aqu.-Kat. 1908).

Cundall, Hist. of Brit. Wat. Col. Painting, 1908 p. 218. — Graves, Dict. of Art. 1895; R. Acad. Exhib. 1905 ff. III 389; Brit. Instit. 1908; A Cent. of Loan Exhib. 1913 f. IV 1953. *

Hardy, Jean, Bildhauer in Paris, geb. 1653 in Nancy, † 14. 1. 1737 in Versailles, am 26. 6. 1688 in die Acad. Roy. aufgenom-men mit dem Basrelief „La religion terrassant l'idolâtrie" (Louvre No 706). In Diensten des Großen Condé für Schloß Chantilly tätig: Figuren der Flüsse u. mythol. Gestalten (nach Entwürfen von Le Nôtre) an der großen Treppe am Eingang zum Park (1684), dekorat. Holz-skulpturen im Innern des Schlosses. Ferner war H. an der dekorativen Ausstattung der kgl. Bauten mit zahlreichen ornamentalen u. figürl. Skulpturen in Stein, Metall, Holz u. Stuck beteiligt. 1691 erhält er Bezahlung für 2 Modelle von Tritonen zu einer Fontaine. Mit Nic. Coustou, Cl. Poirier, J. B. Poultier arbeitete er an der Ausschmückung der Kapellen des Invalidendoms (1692 bis 99). Für die Ambrosiuskap. ebda fertigte er das Hochrelief „Engelskonzert". Von seinen Ar-beiten in Versailles sind zu nennen: Stuck-dekoration des Putten-Frieses im Salon d'Oeil-de-Bœuf, 1701 (zusammen mit Corn. van Clève, A. Flamen u. a.); Steinstatue des Monats März an der Mittelfassade des Schlosses; dekor. Arbeiten für die Schloßkapelle u. Trianon. Für den Park lieferte er verschiedene Zeichn. u. Modelle zu Anlagen von Treppen u. Wasser-künsten; Vasen (von Simon Thomassin ge-stochen); Bleiskulpturen für das Neptun-Bassin und die Kaskade von Trianon; Marmorskul-turen für das Bassin der Bains d'Apollon (mit Fr. Lespingola u. Poirier); Bleigruppe der Ile des enfants (1710); 24 Hirschköpfe (1723), ehe-mals Schmuck der Cour des Cerfs. Für Schloß Meudon lieferte er das Modell einer Kindergruppe (1698—99), Blei- u. Rocaille-arbeiten für die Kaskaden des Schloßparks, dekor. Skulpturen für das Innere des Schlosses u. die Kapelle (1699—1703), für den Park von Marly Vasen, 2 Gruppen Schäfer u. Schäferin-nen, Kinder, Sphinx (1704, mit Coustou u. Lespingola), 4 Najadenfiguren aus Blei (1706, mit Jean Thierry), eine Nymphe (1706 mit Poirier), Piedestal für eine Diana von Poultier (jetzt im Jardin publ. in Bolbec, Seine-Infér.). Überwachte auch die Konservierung u. Restaurierung der Marmorfig. von Versailles u. Marly.

J. G u i f f r e y , Comptes des bâtim. du roi Louis XIV., II (1887); III (1891); IV (1896); V (1901). — G. M a c o n , Les arts dans la maison de Condé, 1903 (m. Abb.). — M o n t a i g l o n , Procès-Verb. de l'Acad. Roy., Table 1909. — B r i è r e , Château de Versailles, Paris (o. J.) p. 20, Abb. T. 71—73. — F u r c y - R a y n a u d , Inv. des Sculpt. comm. par la Direction d. Bâtim. du Roi, 1909. — L a m i , Dict. des Sculpt. sous Louis XIV, 1906 (mit Oeuvre u. Bibliogr.). — Bull. de la Soc. de l'Hist. de l'Art Franç., 1921 p. 250. — E. C a z e s , Château de Versailles, 1910.   J. M.

Hardy, J o h . W i l h . , s. unter *Hardy,* Kaspar B.

Hardy, J o h n F o r b e s , Maler in London, stellte seit 1847 in der Royal Acad. (bis 1860), in der Brit. Institution (bis 1867) u. in der Soc. of Brit. Artists (bis 1874) Landschaften aus allen Gegenden Englands u. Frankreichs, wie auch vom Rhein aus.

G r a v e s , Dict. of Art. 1895; R. Acad. Exhib. 1905 ff. III; Brit. Instit. 1908.   *

Hardy, J o s e p h A . , engl. Maler u. Graphiker, veröffentlichte 1825 in London „A picturesque and descriptive Tour in the Mountains of the High Pyrenees" mit 24 farbig gedr., eigenhändig in subtilster Aquatinttechnik ausgef. Illustrationstafeln (Plattengr. $3^3/_8 \times 2^1/_2$ inches).

P r i d e a u x , Aquatint Engraving, 1909 p. 229; cf. Univers. Cat. of Books on Art (South Kens. Mus. 1870) I.   S. T. P.

Hardy, K a s p a r B e r n h a r d , Wachsbossierer, Bronzeplastiker, Maler, Emailleur, Verfertiger von physikal. Instrumenten, Domvikar in Cöln, geb. ebenda 26. 8. 1726, † ebenda 17. 3. 1819, Autodidakt; schon jung in allerlei Kunsttechniken geübt; fertigte vielbewunderte Kopien nach de Laar, Breughel u. a., in Emailmalerei eine Kopie nach dem Ecce Homo Carlo Dolcis; auch Muschelschnitzwerke in der Art antiker Kameen und Arbeiten in vergoldeter Bronze (2 Gruppen: Ars Artis Imago und Ars Imago Vitae, um 1770 voll., von Kurfürst Max Friedrich, der H. nach Bonn einlud, angekauft [verschollen]; Homer-Büste; Kruzifix, früher auf dem mittleren Chorpult des Cölner Doms, kam dann in den Domschatz). Hauptsächlich, in späteren Jahren ausschließlich, widmete sich H. jedoch der Wachsbildnerei, zu deren geschicktesten und berühmtesten Vertretern er gehört. Goethe erzählt (in Kunst und Altertum I 22/24) von seinem Besuch im Juli 1815 bei dem „merkwürdigen, fast 80jährigen, munteren Greis". Schon in früher Jugend habe H. „unendlich feine, perspektivisch-landschaftliche und architektonisch-historische kleine Arbeiten" verfertigt, später „halbe Figuren in Wachs, beinahe rund,

wozu er die Jahreszeiten und sonst charakteristisch-gefällige Gegenstände wählte, von der lebenslustigen Gärtnerin mit Frucht- und Gemüsekorbe bis zum alten, vor einem frugalen Tisch betenden Bauersmann, ja bis zum frommen Sterbenden. Diese Gegenstände, hinter Glas, in ungefähr fußhohen Kästchen, sind mit buntem Wachs, harmonisch, dem Charakter gemäß koloriert". Von derartigen Wachsarbeiten H.s ist noch eine große Anzahl erhalten, etwa 100 in Museumsbesitz, darunter auch die von Goethe genannten, in deren Darstellungskreis noch die 4 Künste (Musik u. Malerei weiblich, Architektur und Skulptur männlich), die 4 Lebensalter der Frau, die 5 Sinne, der Wucherer, der Alchimist usw. gehören. Außerdem kommen Jagdszenen, mytholog., geschichtl. u. bibl. Figuren (schlafende Diana, Cleopatra, sterbender Seneca, Judith, büßende Magdalena) vor und Porträts (Bischof Bruno v. Cöln, Newton, [sterbender] Voltaire, [sterbender] Lavater, Franklin, Wallraf, Selbstporträt). H.s Arbeiten besitzen in hohem Grade „lebenatmende Naturtreue" dank der sorgfältigen anatomischen Behandlung der Fleischteile und der Wiedergabe des Gesichtsausdrucks, zeugen aber auch von Stilgefühl durch die (an Greuze und ähnliche Vorbilder erinnernde) Darstellungsart und die geschmackvolle Färbung (das Wachs meist in der Masse gefärbt). Schon zu Lebzeiten H.s wurden sie eifrig gesammelt (untergebracht öfters im Aufsatz eines Zylinderbureaus; derartige Wachskabinette mehrfach in Cölner Familien; eins mit 46 Reliefbildern von H. war 1898 i. Bes. des aus Cöln stammenden Bildhauers Michael Lock in Berlin). Die umfangreichste Slg, aus dem Besitz von H.s Erben angekauft, befindet sich im Fürstl. Primatialen Mus. zu Gran in Ungarn: 50 Stück, darunter auch solche aus weißem Wachs (insbesondere 3 größere Gruppen) und das Bildnis von Wallraf; H.s eigenes Wachsbildnis ebenda rührt von seinem Schüler Ludw. Hagbolt her. Das Kunstgew. Mus. in Köln besitzt 12, das Frankfurter Goethe-Mus. 24, das Histor. Mus. in Mannheim 2, das Altertums-Mus. in Mainz und das Kstgew.-Mus. in Hamburg je 1, das Landesmus. Joanneum in Graz 4 Stück. 15 wurden mit der Slg Köhler in Wien bei Wawra 30. 1. 1917 versteigert (Aukt.-Kat. No 307, 312, 330, 332, 339, 350 f., 356 f., 365, 374, 418 f., 422; [Abb.] vgl. p. IV u. 20). Gut vertreten ist H. in den Wiener Privatsamml. Eisner, Harmer, Hellmann, Dr. Heymann, Keitler, Kestranek, Köhler, Schidlof, Strauß, Umlauf. H.s Bildnis, gemalt von C. B. Beckenkamp, im Wallraf-Richartz-Mus. zu Cöln (No 760; in Schabmanier gest. von P. J. Lützenkirchen). — H.s älterer Bruder J o h a n n W i l h e l m († 77 jährig 7. 5. 1799 in Cöln, in seiner Jugend Apotheker) war ihm bei vielen seiner Arbeiten, besonders bei Herstellung der Schmelzwerke und physikal. Instrumente behilflich.

Merlo, Köln. Kstler, Ausg. 1895. — Meusel, Miscell. art. Inhalts, Heft X (1782) 243. — Füßli, Kstlerlex., 2. Teil 1806 ff. — W. Füßli, Die wichtigsten Städte am Rhein u. s. w., 1843. — Fr. Faber, Convers. Lex. f. bild. Kst, VI (1853). — Parthey, Dtscher Bildersaal, I (1863). — Mitteil. d. Ver. f. d. Gesch. Berlins, XV (1898) 118. — Helbing's Monatsber. über Kstwissensch., I (1900/01) 109 f. — Connoisseur, VIII (1904) 135 f. (Abb.). — Festschr. des Landesmus. Joanneum Graz, 1911 p. 337 (Abb.). — Mainzer Zeitschr., VIII—IX (1913/14) 61 (Abb.). — Jahrbuch d. fr. dtsch. Hochstifts Frankfurt a. M., 1914/15 p. 243 ff. (Abb.). — Versteig. Kataloge: Slg Jaffé-Hamburg bei Heberle, Cöln, 1905 p. 84; Slg Leonhard-Mannheim bei Lepke, Berlin, April 1910 Nr 238—42 (Abb.); dieselbe Slg II. Teil bei Helbing, München, Nov. 1910 Nr 1625—27 (Abb.). — Notizen von L. Grünstein-Wien u. K. Schaefer-Cöln. *Dorothea Stern.*

Hardy, Lambert, Maler in Lüttich, erhielt — laut Siret — 1537 Auftrag auf ein Bild des hl. Hubertus. — 2 Brüder Frans und Gilles H., führte Becdelièvre, ohne Quellenangabe, als Schüler u. erste Nachahmer Lambert Lombards in die Liter. ein.

Becdelièvre, Biogr. Liégeoise, I (1836) 208. — Helbig, Peint. au Pays de Liège, 1903. — Siret, Dict. des Peintres, [3] I (1883).

Hardy, Léopold Amédée, Architekt in Paris, geb. 8. 3. 1829 ebda, † 4. 9. 1894 in Châtillon-sur-Loing (Loiret), Schüler von Joseph Nicolle u. der Ecole d. B.-Arts. 1853 bis 82 häufig mit Entwürfen im Salon der Soc. d. Art. franç. vertreten. Von seinen zahlreichen kirchlichen u. weltlichen Bauten sind zu nennen: Rosenkranzkirche mit den beiden Zufahrtsrampen in Lourdes (1885—89), Kirche in Cunault (Maine-et-Loire), Fassade der Kirche in Presles (Seine-et-Oise), Ausstell.-Geb. der Weltausst. auf dem Champ-de-Mars 1867 u. 1878.

Bellier-Auvray, Dict. gén., I (1882) u. Suppl. — Delaire, Arch. Elèves, 1907. — Revue Encycl., II (1894) 465. — Chron. d. Arts, 1894 p. 239. — Gaz. d. B.-Arts, 1878 II 263 ff.

Hardy, N., Bildhauer in Toulouse, Ende 17. — Anfang 18. Jahrh., Schüler von Marc Arcis, fertigte die Statuen der Evang. Johannes u. Lukas am Hochaltar der Kirche St-Étienne in Toulouse u. arbeitete unter Arcis am Grabmal der Bischöfe von Rieux (Haute-Garonne) mit. — Sein Sohn Philippe, Architekt in Toulouse, entwarf 1775 Pläne für Wiederherstellung der Égl. de la Daurade (1773—90).

Lami, Dict. d. Sculpt. (Louis XIV), 1906. — Bull. de la Soc. archéol. du Midi de la France, N. S. XLII (1913) 62 f.

Hardy, Nina (Miss), Malerin in London, stellte 1891—1919 in der Royal Acad., der New Gall. etc. Genrebilder u. Porträts in Öl- u. Miniaturmalerei aus.

Graves, Dict. of Art. 1895; R. Acad. Exhib. 1905 ff. III, cf. R. Acad.-Cat. 1905—1919.

Hardy, Peter, bei Nagler u. a., falsch für *Hardy,* Jean.

Hardy, Philippe, s. unter *Hardy,* N.

Hardy, Thomas, Maler u. Kupferstecher in London, stellte 1778/98 in der Royal Acad. (1790 auch in der Soc. of Artists) Bildnisgemälde aus, darunter 1787 das jetzt in der Londoner Guildhall befindl. Ölporträt des Alderman Brass Crosby (cf. Kunstkat. der Corporation of London 1910 Nr 523) u. 1792 die Musikerbildnisse Jos. Haydn (gest. von H. selbst) u. J. P. Salomon (gest. von einem der Gebr. Facius). Die Londoner Nat. Portr. Gall. (cf. L. Cust's illustr. Kat. 1901 f. I 305 Nr 13) bewahrt von ihm ein Ölbildnis des Politikers J. Horne Tooke (gest. von Anker Smith), dessen Parteigenosse Thomas Hardy (lebte 1752—1832) jedoch mit dem Maler dieses Bildes nicht identifizierbar ist (vgl. Beider Adressen bei Graves u. im Dict. of Nat. Biogr. XXIV 357 ff.). H.s Werk war ferner das in Redgrave's „Dict. of Art." von 1878 als nach „J. Hardy" gestochen aufgeführte Kinderbildnis einer Lady Cavendish. Als Stecher vervielfältigte er in Schabkunst, wie in Crayonmanier u. in Kupferätzung nicht nur eigene Gemälde u. auch solche anderer zeitgenöss. Künstler; so radierte er noch für den 1831 in London gedr. Bd. II von J. Knowles' „Life and Writings of H. Fuseli" das Bildnis G. Lairesse's nach J. H. Mortimer, dessen Gemälde „Banditti made prisoners" er 1805 gleichfalls in Radierung reproduzierte. Auch lieferte er zahlreiche kleine Crayonstich-Illustrationen für das Londoner „European Magazine". Die 1803 unter Thomas H.s Londoner Adresse herausgegebene Schabkunstwiedergabe von Sir J. Reynolds' „Boy with Cabbage-Nets" (1806 neuverl. von Edw. Orme) stach ein Charles Hardy, der wohl zu Thomas H.s Familie gehörte.

J. Dodd, Memoirs of Engl. Engravers, vol. VIII (Brit. Mus., Add. Mss. 33 401). — J. Chal. Smith, Brit. Mezzot. Portr. 1883 II 619; cf. E. Hamilton, Cat. of Engr. Works of Sir J. Reynolds, 1884 p. 143. — Bryan, Dict. of. Paint. 1903 III. — Graves, R. Acad. Exhib. 1905 ff. III; Soc. of Artists etc. 1907 (hier „F. Hardy"). — Slater, Engr. and their Value, 1900 (hier James Hardy's „Edm. Burke nach Reynolds 1780" unter Thomas H.); cf. Jahrb. der Bilder- etc. -Preise 1910 ff. II. — Cat. of Engr. Brit. Portr. in the Brit. Mus. 1908 ff. I 73, 130, 202, 445, 511; II 76, 358; III 75, 237, 246, 264, 310, 383, 479; IV 496, cf. 18 (Musiker Salomon gem. von Thomas H., nicht von J. Hardy). — Cat. des Portr. de la Bibl. Nat. Paris 1896 ff. II 9871 Nr 47, III 11 080 Nr 3 u. 4, IV 20 804 Nr 21, V 22 278 Nr 9. — Mitteil. von W. M. Hall u. G. Benthall. *

Hardy, Thomas Bush, Maler, geb. 3. 5. 1842 in Sheffield (Yorkshire); † 15. 12. 1897 in London (Maida Vale); nach Teilnahme am amerikan. Bürgerkrieg seit ca 1870 in London ansässig. Er malte zahllose frische Seestück-Aquarelle, die er 1870—97 in der Soc. of Brit. Artists (seit 1884 als deren Mitglied), in der Royal Acad. usw. ausstellte. Proben seiner Kunst bewahren das Brit. Mus. u. das Vict.

37

and Alb.-Mus. zu London u. die Museen zu Sheffield (5 Bl.), Leeds, Cardiff u. Sydney (letzt. 3 Bl.). Er war der Lehrer seines Sohnes Dudley H. (s. d.).

B r y a n , Dict. of Paint. etc., ed. 1903 f. III; cf. Aqu.-Kat. des Lond. Vict. and Alb.-Mus. 1908 u. des Brit. Mus. 1898 ff. II. — G r a v e s , Dict. of Art. 1895; R. Acad. Exhib. 1905 ff. III. — M i r e u r , Dict. des Ventes d'Art, 1901 ff. III. — Brit. Marine Painting, The Studio spec.-nbr 1919 p. 30 u. 77 (m. Abb.).   *

Hardy, W., Maler in London, stellte 1785 bis 1803 in d. R. Acad. Porträts u. Genrebilder aus; nach seinem Gemälde von 1787 stach Th. Cook das Bildnis des Antiquars J. Thorpe in Nichols' „Illustr. of Literary History" von 1822.

G r a v e s , R. Acad. Exhib. 1905 ff. III; cf. Cat. of Engr. Brit. Portr. in the Brit. Mus. 1908 ff. IV 278.   *

Hardy, W. J., Maler in London, war 1854/6 in den dort. Ausst. der Soc. of Brit. Artists mit einigen Landschaften vertreten; das Brit. Mus. bewahrt von ihm eine 1845 dat. Aquarellansicht von Southampton. — Ein W. H. H a r d y beschickte die Ausst. der Soc. of Brit. Artists 1868—92 ebenfalls mit Landschaften.

G r a v e s , Dict. of Art. 1895; cf. B i n y o n , Cat. of Drawings in the Brit. Mus. 1898 ff. II. *

Hardy, W. W., Maler in London, stellte 1818—56 in der Royal Acad. u. in der Soc. of Brit. Artists Früchte- u. Blumenstücke, wie auch einige Landschaften aus.

G r a v e s , Dict. of Art. 1895; R. Acad. Exhib. 1905 ff. III.   *

Hardy - Dufour, A n n e O c t a v i e , siehe *L'Hardy-Dufour,* A. O.

Hardy de Famars, C h a r l e s A l e x a n d r e F r a n ç o i s J o s e p h l e , Kunstsammler, Maler u. Stecher, geb. 1733 in Valenciennes, † 20. 9. 1774. Stach nach eigenem Entwurf das Porträt des Nic. de Boutault de Russy, ein Blatt mit Emblemen, ein Blatt „berger et bergère". Nach Brouwer stach er „Le bon papa", nach Watteau „La vraie gaîté", 1770, nach Ch. Eisen „Bacchanale". P. P. Choffard stach nach ihm 1761 „Vue de la bourse de Dunkerque".

B e l l i e r - A u v r a y , Dict. gén., I (1882) 980. — Jahrb. d. preuß. Kstsamml., I (1883) 228, 231. — Chron. d. Arts, 1897 p. 119. — G o n c o u r t , L'Art du 18ᵐᵉ S., ³ (1882) II 167. — J. L e i s c h i n g , Schabkunst, Wien 1913.

Hare, A r n o u l d , falsch für *Hore,* A.

Hare, H e n r y T., Architekt in London, zeigte 1890—1921 in den Ausst. der dort. Royal Acad. Entwürfe zu öffentl. Bauten (Rathäuser, Bibliotheken, Schulen usw.), von denen die im engl. Renaiss.-Stil gehalt. Pläne zum Town Hall-Neubau in Oxford (Bauausf. 1893/7) u. zu Universitätsbauten in Bangor (North Wales, ausgef. 1909—1920) besonderen Beifall fanden.

G r a v e s , R. Acad. Exhib. 1905 ff. III; cf. R. Acad. Cat. 1905/21. — P a r k e r , The Visitors Guide to Oxford, 1897 p. 64; cf. M. S c h m i d (Aachen) in Kunst u. Kunsthandw. IV

(Wien 1901) 353 (u. Abb. p. 340). — L'Architecte IX (Paris 1914) 56 u. Taf. 37; cf. I (1906) 86, 88 u. Taf. 63 (United Kingdom Provident Institution in London).   *

Hare, St. G e o r g e , Maler, geb. 15. 7. 1857 in Limerick (Irland) als Sohn eines Engländers, tätig in London; 1875—82 ebenda Schüler der South Kensington Art School, seit 1880 in der Soc. of Brit. Artists, seit 1884 in der Royal Acad., in der New Gall. usw. (1892/4 auch im Pariser Salon der Soc. des Art. Français) Aussteller von Genrebildern, histor. u. mytholog. Kompositionen (namentlich Aktbilder) u. Porträts in akademisch routinierter Öl-, Aquarell- u. Pastellmalerei. Das Mus. zu Sheffield erwarb seine Kinderaktgruppe „Playmates", Pastellgemälde (Kat. 1908 Nr 275), die Nat. Gall. zu Melbourne (Australien, Kat. 1911 p. 154 Nr 56) sein Ölbild „The Victory of Faith" aus der R. Acad.-Ausst. von 1891, eine seiner mit Vorliebe behandelten sentimentalen Märtyrerszenen aus Arenakerkern. Noch 1917 war er in der R. Acad.-Ausst. mit einem Ölbild „The Omen" (Kain u. Abel als Kinder) vertreten. Wohl sein bestes gab er mit Kinderbildnissen wie denen der Söhne Lady Grace Barry's u. der Töchter Lady Evelyn Mason's.

A. L. B a l d r y in The Art Journal 1908 p. 345/9 (mit Abb.); cf. Who's Who 1914 u. Kunstchronik 1895 p. 42. — The Studio, vol. 22 (1901) p. 45; vol. 35 (1905) p. 68; vol. 38 (1906) p. 15; vol. 44 (1908) p. 53; vol. 68 (1916) p. 40. — G r a v e s Dict. of Art. 1895; R. Acad. Exhib. 1905 ff. III; A Cent. of Loan Exhib. 1913 f. II u. IV 1954. — R.Acad. Pictures 1902/4,—6,—8(Abb.); R. Acad. Cat. 1905/8, 1916/7.   *

Harefeldt, B e r n a r d , s. *Hartfeldt,* B.

Haregarius, s. *Aregarius.*

Harel, A m b r o i s e , Werkmeister an der Kirche Saint-Maclou in Rouen, wurde 1470 als Sachverständiger am Bau der Türme u. des Querschiffes von Saint-Vincent ebenda herbeigezogen u. soll der Urheber der Pläne für das Hauptportal dieser Kirche sein. 1480 wurde er am Bau von Saint Maclou durch Jacques Leroux ersetzt.

Bull. de la Soc. des amis des monum. rouennais, 1903 (C h . d e B e a u r e p a i r e) — B a u c h a l , Dict. des archit. franç., 1887. — C. E n l a r t , Rouen (Villes d'Art cél.), 1904 p. 70, 82.

Harel, A r m a n d P i e r r e , Bildhauer in Paris, geb. in Fougères (Ille-et-Vilaine), † 1885 in Paris, Schüler von J. J. Perraud, Carpeaux u. Aimé Millet, stellte 1872—84 im Salon der Soc. d. Art. franç. Porträt-Büsten u. eine relig. Gruppe aus. Von ihm Büste Carpeaux' (1877) im Ministère des B.-Arts.

L a m i , Dict. des Sculpt., 19ᵐᵉ S., III (1919). — Courrier de l'Art, 1885 p. 380 (Nekrol.).

Harel, E d m o n d , Bildhauer in Nantes, geb. 13. 5. 1854 ebenda, Schüler von A. Ménard, im Salon in Nantes u. Rennes in den 70er u. 80er Jahren mit Genrestatuetten vertreten. Von ihm Gutenbergstatue in der Druckerei des Populaire in Nantes.

A. M a i l l a r d , L'Art à Nantes au 19me S., o. J. p. 159 f.

Harel, R., Stecher, nur bekannt durch ein so bez. Blatt, Portalsentwurf bei Fr. Pommeraye, Hist. de l'Abbaye de Saint Ouen de Rouen, 1662.

B o n n a r d o t , Hist. de la Grav. en France, 1849.

Harembourg, G i r a r d , s. *Horenbout,* Gherard.

Haren, J u r y F a e s v a n , s. *Faes,* Jury Jacobsz.

Harent, C., Zeichner u. Stecher, von dem man 2 Porträtstiche von 1841 (F. A. Achard u. P. Levassor) kennt. Léon Noël lithogr. nach ihm das Porträt des Bischofs von Lausanne u. Genf, Marilley (1851).

D u p l e s s i s , Cat. Portraits, Bibl. Nat. Paris, 1896 ff., I 132; VI 27475; VII 29815.

Haresleb (Haresleben), Steinmetzenfamilie des 17. u. 18. Jahrh. in Kühnring (Niederösterreich), von denen A d a m (geb. um 1621, † 9. 9. 1683 in Kühnring) u. T h o m a s (1727) als Steinmetzmeister in Wien u. Baumeister an St. Stephan ebenda erscheinen. Von Adam stammen ein Marien-Bildstock bei Kühnring (1651), die Grabtafel seiner Eltern († 1664) u. seine eigene in der Kirche ebenda.

Quellen zur Gesch. d. Stadt Wien, 1. Abt., Regesten VI, No 7262, 7457. — Österr. Ksttopogr., V (1911) p. XLIII, 90, 92, 95 (m. Abb.). — F. T s c h i s c h k a , Kst u. Alterthum im Österr. Kaiserstaate, 1836.

Hareux, E r n e s t - V i c t o r , Maler, geb. 18. 2. 1847 in Paris, † 17. 2. 1909 in Grenoble, Schüler von Ch. Busson, J. B. Bin, L. G. Pelouse, tätig in Paris, seit 1886 in Grenoble, malte Genrebilder u. Landschaften, in seiner späteren Zeit vor allem Alpenlandschaften, u. wandte sich besonders der Wiedergabe nächtlicher Beleuchtungseffekte (Mondaufgänge) zu. 1868—1908 war er fast alljährlich im Salon der Soc. des Art. franç. vertreten. Werke seiner Hand im Luxembourg: Augustnacht; im Mus. Dünkirchen: Ufer der Romanche (Catal., 1905 p. 82); im Mus. Straßburg: Stilleben (Verzeichnis, 1909 p. 93); im Mus. in Epinal: Potager normand; im Mus. Arras: Stilleben (Catal., 1907 p. 72); im Musée Fabre Montpellier: Heimtrieb der Herde (Catal. 1910 p. 317).

B e l l i e r - A u v r a y , Dict. gén., I (1882) u. Suppl. — B é n é z i t , Dict. des Peintres etc., II 1913. — Chron. d. Arts, 1909 p. 63. — Bull. de l'Art anc. et mod., 1909 p. 67. — A. L e t a l l e , La Peint. à l'Expos. intern. de Liège 1905 p. 96. — E. A. Seemann's „Meister der Farbe", IV (1907). — L. B é n é d i t e , Das Luxembourg-Mus., 1913 p. 39. — Salon-Katal. (1883 Suppl. u. 1890 m. Abb.).

Hargitt, E d w a r d , schott. Landschaftsmaler, geb. 1835 in Edinburgh, † Okt. 1895. Lernte auf der Zeichenschule von Edinburgh und bei Hor. Mc Culloch und hielt sich einige Zeit in London auf, wo er Mitglied der New Water Colour Soc. (Royal Institute) wurde, in der er seine Aquarellansichten von allen Teilen der brit. Inseln, besonders aus den Highlands, ausstellte, zuweilen auch (1853—81) in der Royal Academy und der Brit. Institution. Einige gute Beispiele besitzt das Victoria and Albert Museum, andere die Museen von Manchester und Sydney.

G r a v e s , Dict. of Artists, 1895; d e r s., Roy. Acad., III; d e r s., Brit. Institution; d e r s., Loan Exhibitions. — O t t l e y , Dict. of Painters, 1875.

Hargrave, E d w a r d , engl. Reproduktionsstecher, stach zwischen 1837—41 eine Serie von Porträts (meist engl. Königinnen) für The Court and Lady's Magazine.

Cat. of Engr. Brit. Portr., Brit. Mus., 1908 ff. I 57, 363; II 95, 146; III 198. — D u p l e s s i s , Cat. Portr., Bibl. Nat. Paris, 1896 ff. I 1292/49; II 9194/18; III 14375, 14415; IV 16653/22. *H.M.H.*

Hargrave, J., engl. Porträtmaler, nach dem W. Edler das 1693 gemalte Porträt des Schreibmeisters Charles Snell, J. Simon das 1710 gemalte Porträt des Henry Compton, Bischofs von London, stachen.

Cat. of Engr. Brit. Portr... Brit. Mus., 1908 ff., IV 139. — C h a l o n e r - S m i t h , Brit. Mezzotinto Portr., 1883 III 1078. *H. M. H.*

Hargrave, J o h n , Bildhauer in London, Gehilfe des Nicholas Stone d. Ä. 1638 u. 39, führte, wie Stone selbst erwähnt, eine Statue des Sir Edward Coke u. die Statue des Lord Spencer für dessen Grabdenkmal aus.

Walpole Society, VII 191. — E. B. C h a n - c e l l o r , Lives of the Brit. Sculptors, 1911 p. 44. *H. M. H.*

Hargreaves, T h o m a s , Miniatur- und Porträtmaler, geb. 1775 in Liverpool, † 23. 12. 1846 ebenda, Sohn eines Wollwarenhändlers, kam 1793 nach London in das Atelier des Sir Th. Lawrence als Lehrling (2 Jahre), blieb aber auch hernach noch einige Jahre bei ihm, bis ihn Krankheit veranlaßte, nach Liverpool zurückzukehren, wo er bis zu seinem Tode als Miniaturmaler tätig war. Zwischen 1798 u. 1843 stellte er mehrmals in der Londoner Roy. Acad. aus. 1810 wurde er Gründungsmitglied der Liverpool Acad., 1824 desgleichen der Soc. of Brit. Artists in Suffolk Street und beschickte nun auch deren Ausstellungen. Neben lokalen Berühmtheiten und Angehörigen des Landadels um Liverpool stellen seine Miniatüren auch bekanntere Persönlichkeiten dar, wie Mrs. Gladstone, Gladstone selbst mit seiner Schwester als Kinder, Lord E. Fitzgerald, Th. Lawrence. Die Porträtminiatüre des Musikers James Bartleman, 1817, ist im Victoria and Albert-Mus. London. Viele seiner Porträts wurden gestochen. — 3 seiner Söhne waren ebenfalls Miniaturmaler. Bekannter geworden ist nur G e o r g e , geb. 1797, † 1870 (in Liverpool?). Stellte in der Liverpool-Acad. u. der Soc. of Brit. Art. in Suffolk Street, deren Mitglied er war, aus, 1818 u. 20 auch in der Londoner Roy. Acad. Nach ihm stachen

W. T. Frey das Porträt des Staatsmannes George Canning, T. Wageman des Komponisten Charles Nicholson. — Mit den 2 anderen Söhnen sind wohl identisch: J o h n H., dessen Name auf 2 Porträt-Miniatüren (Jahrb. der Bilder- u. Kstblätterpreise, IV 248; die eine „1823", die andere „Liverpool 1823" dat.) erscheint, und W. H a r g r e a v e s, der von Liverpool aus 1813 in der Londoner Roy. Acad. eine Porträtminiatüre der Schauspielerin Sarah Smith ausstellte (gestoch. von A. Cardon).

The Art-Union, 1847 p. 137 f. (Nekrol.). — Dict. of Nat. Biogr. XXIV. — W i l l i a m s o n, Hist. of Portrait Miniat. 1904 (m. Abb.). — H. C. M a r i l l i e r, Liverpool School of Painters, 1904 (m. Abb.). — G r a v e s, Dict. of Art., 1895; d e r s., Roy. Acad., III (1905); d e r s., Cent. of Loan Exhib., II (1913); IV (1914). — Catal. of Miniat. Victoria and Albert-Mus. — Katal. der 1909 bei Lepke, Berlin, verst. Samml. Chaplin, Hamburg, No 93 (m. Abb.). — Kataloge der Exhib. of Portrait Miniat. held at the South Kensington Museum 1865, at the Burlington Fine Arts Club 1889. — Cat. of Engr. Brit. Portr., Brit. Mus. London, I 104, 131, 190, 332, 543; II 46, 451; III 334, 611; IV 130, 248. *B. S. L.*

Harguinier, Maler, erhielt 1768 als Schüler der Pariser Acad. Roy. eine 1. Med. Nach ihm stach J. B. Michel ein Porträt Etienne's de la Fosse.

M o n t a i g l o n, Procès-Verb. de l'Acad. Roy., VII 384 f. — D u p l e s s i s, Cat. Portr., Bibl. Nat. Paris, 1896 ff., VI 25218.

Hari, J o h a n n e s I, Maler und Graphiker im Haag, geb. 24. 10. 1772 ebenda, † 7. 10. 1849 ebenda, Schüler von J. G. Teissier, malte Genrebilder u. zahlreiche Porträts (gegen 1200) in Öl, Aquarell, Pastell u. Miniatur. In den Ausstell. im Haag u. in Amsterdam häufig vertreten. Mit den Miniaturporträts der Prinzen Wilhelm, Alexander, Heinrich u. der Prinzessin Sophie von Holland erwarb er sich den Titel eines kgl. Hofmalers. H. stach den Kopf eines Mönchs nach Rubens u. lithogr. auch Porträts; andere wurden nach ihm gestochen, besonders von W. Nieuwhoff. Werke seiner Hand: im Reichsmus. Amsterdam: Biwak in Molodetschno u. Miniaturporträt der Prinzessin Wilhelmine von Preußen, Kopie nach Cels (Katal. 1920, No 1109 u. 2836a); Gemeente Mus. in 's Gravenhage: Porträt (Catal., 1913 p. 56); im Pavillon Welgelegen in Haarlem befanden sich 2 Genrebilder von ihm (Catal., 1848 p. 9). Viele bez. u. datierte Miniaturen in Privatbesitz. — Sein Sohn, J o h a n n e s II, geb. 1807 im Haag, malte Porträts u. Stadtansichten.

Van E y n d e n u. v. d. W i l l i g e n, Geschied. der vaderl. Schilderkunst, III (1820) 163 f.; Aanhangsel (1840) 207 ff. — I m m e r z e e l, Levens en Werken, II (1843). — A. v. W u r z b a c h, Niederl. Kstlerlex., I (1906). — L e m b e r g e r, Meisterminiat., 1911. — S o m e r e n, Catal. van Portretten, 1888 ff. — Catal. der Tentoonstelling van Portretminiat., Rotterdam, 1910 p. 28. — Cicerone, VII (1915) 397. — Oude Kunst, 1919 p. 227 (Abb.).

Haribans, ind. Miniaturmaler des 16. Jh. am Hofe des Moghulkaisers Akbar zu Delhi. Gesicherte Werke von ihm sind nicht bekannt.

Ain-i-Akbari, I 108. — H u a r t, Calligr. et miniat. de l'orient, 1908 p. 338. — H a v e l l, Ind. sculpt. and paint., 1908 p. 195. — M a r t i n, Miniat. painting of Persia etc. 1912, I 128. *E. K—l.*

Harigel, Glasmaler in Sulzbach a. d. Murr, laut Inschrift Maler der 1788 dat. Bauernscheibe in der Samml. vaterl. Altertümer, Stuttgart.

L. B a l e t, Schwäb. Glasmal., Katal. d. Altert.-Samml. Stuttgart, II, 1912 No 124.

Harinck, G e r r i t, Maler in Haarlem. 1566 wird seine Witwe dort erwähnt.

Notiz A. Bredius.

Haringer (Harringer), C a r l J o s e p h (signiert Carlo Haringer), Maler und Architekt aus Wien, seit 1716 jahrelang in Olmütz tätig, vorher in Rom. Besonders an den Carracci gebildet, vertritt er einen für seine Zeit etwas zurückgebliebenen Stil, seine Arbeiten sind technisch gewandt und von dekorativer Wirkung, der Qualität nach ungleichmäßig. Seine Schüler waren Th. Supper und Joh. Chr. Handke. 1716/17 malte er al fresco die Decke der Olmützer ehemaligen Jesuitenkirche (im Presbyterium „Gemeinschaft der Heiligen" und „Maria in Gloria", im Schiff „Geschichte von Maria-Schnee"); 1728 laut Rechnungen in Olmütz Blätter der Altäre d. Hl. Joseph, Stanislaus, Aloisius, Barbara; 1722/23 zahlreiche Bilder in der Kirche und den zugehörigen Nebengebäuden zu Dürnstein, so das Hochaltarbild (Mariä Himmelfahrt, bez. Carlo Haringer 1723), 3 Altarbilder (Kommunion des hl. Hieronymus, hl. Bischof vor Christus u. Maria kniend und Tod des hl. Joseph, sämtlich bez. C. Haringer 1722), 4 kartuschenförmige Bilder in den Emporen (Propheten und Kirchenväter, eins bez. C. H. 1723), 6 ovale Apostelbilder, an den Ansätzen der Gurtbögen im Kirchenschiff aufgehängt; 1726 das Altarblatt der Johann Nepomuk-Bruderschaft in der Pfarrkirche zu Stein a. d. Donau (Vision des hl. Nepomuk, in Österr. Kst-Topogr. I p. 408 noch dem Kremser Schmidt zugeschrieben); 1733 für Kloster Hradisch mehrere Altarblätter in der Stiftskirche und Fresken im Prälatentafelzimmer; 1746 Fresken im Auditorium der Jesuiten in Olmütz. Von ihm ferner ein Altarbild (hl. Laurentius) für die Kapelle des Olmützer Rathauses, jetzt in der Bilderslg der Gemeinde; im Stift zu Kiritein 4 große Bilder aus dem Leben des hl. Norbert. Von H.s Tätigkeit als Architekt ist nichts bekannt außer der Festdekoration anläßlich der feierlichen Krönung des Marienbildes der Heiligenbergkirche bei Olmütz. Das 1733 bei Fr. A. Hirnle in Olmütz erschienene Werk „Enthronistikon Parthenion" zeigt auf 4 von H. gezeichneten („Car. Jos. Haringer Pict. et Architect. inven. et fecit" usw. heißt eine Unterschrift), von Andr. und Jos. Schmutzer gestochenen Kupfertafeln Abbildungen der Kirche und der großartigen Festdekorationen und Triumphpforten, welche unter H.s Leitung bei der Freitreppe und am Fuße des Berges errichtet wurden. Vielleicht war H. auch an der Architektur der Kirche selbst beteiligt.

C. v. W u r z b a c h , Biogr. Lex. Österr., VII (1861). — P r o k o p , Markgrafschaft Mähren etc., IV (1904) 997, 1051, 1300. — Österreich. Kst-Topographie, I (1907); IV (1910). — Monatsblatt des Altertums-Vereins Wien, XXXV (1918) 146. *D. St.*

Haringh (urkundl. auch Haaring), D a n i e l , Porträtmaler im Haag, geb. um 1636 ebenda (nach Weyerman in Loosduinen), † zwischen 1711 und 1719 (nach van Gool 1706, doch wird er 1711 noch als Regent der Haager Zeichenakad. genannt). 1664 Schüler von Arn. van Ravesteyn, später von C. Netscher, dessen Manier er nachahmte, erscheint 1669 in der Gesellschaft Pictura im Haag, 1687 ist Abr. van Hoogstraaten sein Schüler. Im Reichsmus. Amsterdam (Kat. 1920) 3 Bildnisse: Unbek. Dame; Johan van Bochoven und Frau, Catharina Pothey, beide bez. D. Haringh F. Im Stadtmus. zu Haarlem (Kat. 1897) 7 Porträts, mit Ausnahme des letzten bez. D. Haringh: Bürgermstr Willem Fabricius und Frau, Barbara Schas (je 2 mal), und beider Söhne (als Kinder) Arent, Albert und Cornelis, Auf der Versteigerung der Slg Clavé-Bouhaben. Köln 1894 (Kat. No 243/4) waren ein männl. und ein weibl. Bildnis (bez., Gegenstücke). 3 andere in Haager Privatbes. (darunter Joh. Schull, 1684 dat.) bei Moes verzeichnet.

v a n   G o o l , Nieuwe Schouburg der Nederl. Kunstschild., I (1750). — W e y e r m a n , Levens-Beschr., IV (1769) unter Haering. — I m m e r z e e l , Levens en Werken, II (1843) unter Haring u. Harling. — K r a m m , Levens en Werken, III (1859) unter Haringhs und Harling. — O b r e e n ' s Archief, IV; V. — Nederl. Kunstbode, 1881 p. 308. — Oud Holland, 1886, 1887, 1892, 1899. — Repert. f. Kstw., XVII (1894) 330. — M o e s , Iconogr. Batava, I (1897) No 2342, 2343, 2471/1, 2475/1, 2478; II (1905) No 6054, 6859/2/3, 7057.

Harings, M a t h y s , Porträtmaler in Leeuwarden, laut Einzeichnung von 1611 in das Stammbuch des Wybrand d. Ä. de Geest 3 Jahre dessen Schüler; heiratet 1621. Im Mus. zu Leeuwarden 3 Bildnisse: G. Japiksz., gem. 1637 (gestochen von Jan Japiksz. 1687); dessen Frau, Syke Salves, gem. 1637; männl. Bildnis, gem. 1630. W. Delff stach nach H. 2 Porträts (gem. 1631 und 1644) des Ripertus Sixtus. H. bezeichnete M H ligiert.

H o u b r a k e n , Groote Schouburgh, III. — B r u l l i o t , Dict. d. Monogr. etc., I (1832). — K r a m m , Levens en Werken, III (1859) und Anhang (1864). — N a g l e r , Monogr., IV (Haaringhs). — D u p l e s s i s , Cat. Portr. Bibl. Nat. Paris, 1896 ff., V 22996. — M o e s , Iconogr. Batava, I (1897) No 4003; II (1905) No 6740, 7249/2. — Notizen von A. Bredius.

Hariot, J e h a n , Baumeister in Nevers, übernahm den Wiederaufbau der 1528 abgebrannten Kirche von Cercy-la-Tour (Nièvre).
Archives de l'Art franç., Docum. I 137.

Harke, Miss E v e l y n , englische Malerin, tätig in London, stellte 1899 u. 1907 in der Roy. Acad., 1908 im Salon d'Automne Paris, 1907—13 im Salon der Soc. Nat. Paris, 1911—14 im Salon des Art. Indépend. impressionistische Landschaften, Figuren- und Tierbilder aus.
Ausstell.-Katal.

Harlamoff, A l e x e j , siehe *Charlamoff, A.*

Harland, Miss M a r y , Malerin in Santa Monica, Californien, geb. in Yorkshire (England) 8. 10. 1863, bildete sich in London, Dresden u. Paris, stellte 1903 u. 1905 in der Roy. Acad. London, 1915 auf der Panama-Pacific Intern. Exp. San Francisco (Catal. de Luxe 1915 II 320) aus, auf welcher sie mit einem Bilde „Italienischer Fischer" eine silb. Med. erhielt.
American Art Annual, XVIII (1921). — Ausstell.-Katal.

Harland, T. W. (oder J. W.?), Porträtmaler und Stecher in Punktiermanier, auf der Roy. Acad. London 1832—54 mit Porträts vertreten (nach Graves: T. W.). Sicher von ihm der Porträtstich (Punktiermanier) Shakespeare's (nach einer N. Hilliard zugeschr. Miniature), zur 2. Ausgabe (1840) von Wivell's „Inquiry"; ferner 2 Porträtstiche der Königin Viktoria, nach eigenen Vorzeichnungen. Von ihm vermutlich aber auch der Porträtstich des William A. Beckett, nach eigener Vorzeichnung, bez. J. W. Harland, u. des Architekten Charles Barry (des Erbauers des Londoner Parlaments), angeblich von einem F. W. Harland. Ob H. identisch ist mit J o h n   W h i t f i e l d   H a r l a n d , dem Autor eines „Manual of Shading Instruction", London 1870 (mit Illustr.), ist nicht zu entscheiden.
G r a v e s , Roy. Acad., III (1905). — Cat. of Engr. Brit. Portr., Brit. Museum London, I (1908) 2; IV (1914) 70, 356. — Mitt. Popham.

Harlass (Herlos, Herlis, Heyerls), P e t e r , Baumeister, † Ende 1507; übernimmt 1505 die Bauleitung an der Marienkirche zu Zwickau, nachdem er vorher in Jena ansässig gewesen war. Er ist der Urheber der Erweiterung des Langhauses, durch den die Kirche in die Reihe der erzgebirg. Bauten tritt. Ausgeführt wurden während seiner kurzen Tätigkeit der Neubau der Sakristei, durch den die Anlage des Langhauses festgelegt wurde, und Teile der Nordwand, die sich durch ein für die erzgebirg. Baugruppe ungewöhnlich schmuckreiches Äußere auszeichnen.
K. W e i ß b a c h , Marienkirche zu Zwickau, 1922, mit ält. Lit. *H.*

Harlé, J e a n - B a p t i s t e   A u g u s t e , Maler, geb. 27. 5. 1809 in Saint-Quentin, Schüler von L. Hersent an der École d. B.-Arts Paris, stellte 1831—40 im Pariser Salon Porträts, Genreszenen, Historien- u. relig. Bilder aus.

Bellier-Auvray, Dict. gén. I (1882).

Harlees, Johannes, Fayencier in Delft, heiratete 1733, † 1765 ebenda, Inhaber der Fayencewerkstätte „Posteleyne Fles", zeichnete seine Stücke mit Marke aus J, H, L u. manchmal noch dem Zeichen „Flasche" (Jännicke M. V. No 2634, 2635). Von ihm Stangenvasen im Hamburg. Mus. für Kst u. Gew. — Seine Werkstätte übernahm vermutlich sein Bruder Jacob; 1795 ging sie auf dessen Sohn Dirck über. Dircks Meisterstücke von 1795 sind im Archiv von Delft. Seine Signatur besteht aus D, H, L u. „Flasche" (Jännicke M. V. No 2636).

Havard, Hist. des Fayences de Delft, 1909 I 93 f. (Abb.); II 269, 283, 290. — Jännicke, Grundriß der Keramik, 1879. — J. Brinckmann, Hamb. Mus. f. Kst u. Gew., 1894.

Harley, Charles Richard, amerik. Bildhauer, geb. 25. 3. 1864 in Philadelphia, Schüler des Spring Garden Instit. u. der Pennsylvania Acad. in Philadelphia u. der Acad. Julian in Paris, tätig in New York u. New Hope, stellte 1898 u. 99 im Salon der Soc. Nat. Paris, 1901 auf der Pan-Amer. Exp. Buffalo, wo er eine Bronzemed. erhielt, Statuen und Gruppen aus. 2 Gruppen „Triumph of the Field" und „Abundance" im Ausstell.-Palast der Panama-Pacific Exp. San Francisco.

American Art Annual, XVIII (1921). — L. Taft, Hist. of American Sculpture, 1903. — Art and Progress, VI (1915) No 10: Spec. Exp. Number. — Ausst.-Katal.

Harley, George, Landschaftsmaler u. Zeichenlehrer in England, geb. 1791, † 10. 1. 1871 in London, stellte 1817 in der Roy. Acad. London, zwischen 1817—65 in verschiedenen Londoner Ausst., bes. der Old Water-Colour Soc. Landschaften in Aquarell u. Aquatinta aus. Im Victoria and Albert Museum von ihm ein Aquarell (Fulham Church and Putney Old Bridge) von 1837, im British Museum 2 Aquarelle (Maxstoke Priory in Warwickshire und View on a River, 1828). Für die von Rowney und Forster 1820—22 in London herausgegebene Serie von Zeichenbüchern zeichnete er die „First Lessons of Landscape" und veröffentlichte selbst „A Guide to Landscape Drawing in Pencil and Chalk", London 1849.

Dict. of Nat. Biogr., XXIV 396. — Graves, Royal Acad., III (1905) u. Dict. of Artists, 1895. — Binyon, Cat. of Drawings etc., British Museum, II (1900). — Cat. Victoria and Albert Museum, Water Colour Paintings, II (1908). — Univ. Catal. of Books on Art, I (1870). — Studio, XLIX p. 128 (Abb.), 133.

Harley, Herbert E., Historienmaler in London, stellte 1884—1908 in verschiedenen Londoner Ausst. aus, besonders in der Roy. Acad. (1890—1901 u. 1907, 1908).

Graves, Dict. of Artists, 1895 und Roy. Acad., III (1905). — Cat. Exhib. Roy. Acad. 1907, 1908.

Harley, P., Leiter einer Fayencefabrik in Lane End (jetzt Longton), England, Ende 18. Jahrh. Bemaltes Geschirr, mit seinem Namen als Marke, findet sich häufig in englischen Sammlungen.

Jännicke, Grundriß der Keramik, 1879 p. 684. — Ch. de Grollier, Manuel de L'Amateur de Porcelaines, 1914 p. 223.

Harlfinger, Fanny, s. u. *Harlfinger,* Rich.

Harlfinger, Richard, Maler in Wien, geb. 17. 7. 1873 anläßlich eines Aufenthaltes seiner Eltern in Mailand, 1892/94 Schüler von H. Strehblow in Wien, dann von N. Gysis und K. Marr in München, Mitarbeiter an der Ausmalung des Wiener Rathauskellers, seit 1899 in Mödling, dann in Wien ansässig. Malte zunächst Figurenbilder („Walpurgismorgen", „Seiltänzer"), wurde 1906 Mitglied der Wiener Sezession (1918 und 1919 Präsident), wandte sich dann mehr der Landschaft zu, bevorzugt Motive aus Alpengegenden, die er in interessantem Aufbau, oft von erhöhtem Standpunkt aus (auch Vogelperspektive) darstellt. „Hallstätter See" (1908), von der Hörmann-Stiftung angekauft, war eine Zeitlang in der Wiener Mod. Gal. ausgestellt. Um 1909 entwarf er Kartons für Glasfenster (hl. 3 Könige, Abendmahl, Ölberg, Verspottung, Kreuzigung, Auferstehung) in der Pfarrkirche zu Bielitz. Der 1910 gem. „Hochlantsch" wurde vom niederösterr. Landtag erworben. 2 lebensgroße Akte, Bogenschütze und Jägerin, malte H. für die Jagdausstell. 1910; 1913 teilte er sich mit H. Grom-Rottmayer in die dekorative Ausgestaltung eines Raumes der 44. Sezessionsausstell. 1916 entstand eine Folge von Aquarellen, Ansichten der Stadt Steyr, für die dortige Waffenfabrik. Ein Altarbild befindet sich im Kinderspital des 16. Bez. Wien. Während des Krieges porträtierte H. viel, war 1918 als Kriegsmaler in Lublin, zeigte 3 Bildnisse von Wiener Professoren in der Porträtausstell. der Sezession 1918. — H.s Gattin Fanny geb. *Zakucka,* Kunstgewerblerin, Malerin und Graphikerin, Schülerin der Wiener Kunstgewerbe-Schule, zeigte u. a. Entwürfe für Innendekoration und Holzschnitte in einer Wiener Sonderausst. 1905 und in Ausstellgn der „Vereinigung bild. Künstlerinnen Österreichs", auch im Pariser Salon (Soc. Nat.) 1906 (Katal. p. LV).

Almanach für bild. Kst u. Kstgew., 1903. — Die Kst, XV (1906/07); XXI; XXIII; XXV; XXVII; XXIX (z. T. m. Abb.). — Kst u. Ksthandwerk, XVII (1914) 158; XXII (1919) 277 f. — Jahrbuch der Bilder- u. Kstblätterpreise, III (1912). — Studio, LVI (1912) 40 (Abb.). — Die bild. Kste, III (1920/1) 77 f. m. Abb. (H.[ans] T.[ietze]. — Ausstell. Kataloge: Gr. K.-A. Dresden 1912; Int. Tentoonst. Stedel. Mus. Amsterdam 1912; Gr. K.-A. Berlin 1913; Gr. K.-A. Düsseldorf 1913; A. der Gem. aus d. Privatgal. d. Prinzreg. Luitpold v. Bayern, München 1913; Gr. Aquarell-A. Dresden 1913; Exhib. Carnegie Instit. Pittsburgh, 1913. — Kataloge der Vereinig. bild. Kstler Österr. (Sezession), Wien. — Mitteil.

des Künstlers. — Liter. für Frau H.: Die Graph. Kste, XXVIII (1905) Mitteil. p. 59; XXXI (1908) 77. — Studio, LIV (1912) 67 f. (Abb.). — Cicerone, IX (1917) 112. — Illustr. Wiener Extrablatt, vom 5. 1. 1917. *A. W.*

Harlinde, siehe unter *Relinde.*

Harling, W. O w e n , Maler in Chester (England), stellte 1849—77 auf der Roy. Acad., 1861 u. 65 auf der Brit. Instit. Historienbilder, Landschaften, vor allem aber Porträts aus. Sein Porträt des A. Buzacott stach J. Cochran.

G r a v e s , Roy. Acad., III (1905) u. British Instit., 1908. — Art Journal, 1876 p. 287. — D u - p l e s s i s , Catal. Portr., Bibl. Nat. Paris, 1896 ff. II 7601.

Harlingen, P i e t e r v a n , s. *Feddes,* Petrus.

Harlingue, G u s t a v e d', Lithogr. in Paris, geb. 1839 ebenda, † 1902 ebenda, Schüler von Ach. L. J. Sirouy, stellte im Salon d. Soc. des Art. franç. seit 1861 Lithogr. nach zeitgen. Meistern, wie Fr. Feyen-Perrin, J. P. Laurens, P. A. Protais, Ch. Moreau, Ed. Frère, Rosa Bonheur aus u. lithogr. zahlreiche Porträts.

B e l l i e r - A u v r a y , Dict. gén., 1882 ff., I, II, Suppl. (unter Dharlingue u. Harlingue). — B é n é z i t , Dict. des Peintres, II (1913) 100. — B é r a l d i , Grav. du 19 me S., VII (1888). — D u p l e s s i s , Cat. Portraits, Bibl. Nat. Paris, 1896 ff. I 1971; II 5773, 6100, 8327; III 12387, 12543, 13496, 13608, 13816, 13900, 15734; IV 16312, 18702, 19739, 20678; V 23119; VI 26770, 27280, 27286; VII 29742.

Harlow, G e o r g e H e n r y , Porträt- u. Historienmaler, geb. 10. 6. 1787 in London, † 4. 2. 1819. Zu seiner Ausbildung kam er zu dem Landschafter H. de Cort, dann zu S. Drummond u. schließlich zu Th. Lawrence, mit dem er sich aber bald überwarf. Nachdem er dessen Atelier verlassen, bildete er sich selbständig weiter. Noch sehr jung, debütierte er 1804 mit einem Porträt in der Roy. Acad. u. stellte bis 1818 dort, 1808—18 in der Brit. Inst. aus. Associate der Roy. Acad. ist er nie geworden. Seine Porträts, in denen er den Einfluß des Lawrence nicht verleugnen kann, waren sehr beliebt. Mit seinen Historien, in denen sich Mängel in Komposition u. Zeichnung stark bemerkbar machen, hatte er weniger Erfolg. Am bekanntesten wurde er durch seine Darstellungen von Schauspielern u. Schauspielerinnen in ihren Rollen, Werke, in denen er Porträt u. Historienbild verbindet. Sein Hauptwerk dieser Art ist das einst viel genannte Bild „Trial of Queen Catherine", das die Schauspielerin Sarah Siddons (geb. Kemble) als Königin Katharina und Angehörige ihrer Familie (daher auch manchmal als „Family Kemble" bezeichnet) als Nebenfiguren in Shakespeares „Henry VIII." 2. Akt, 4. Szene darstellt. Das Gemälde war 1817 auf der Roy. Acad. Exhib., später in der Samml. Morrison (Basildon Park, Berkshire) u. soll sich jetzt (nach Graves, Loan Exhib., IV) im Shakespeare Memorial, Stratford, befinden. (Mezzotintostich von George Clint.) Sarah Siddons wurde von H. mehrmals gemalt, so

als Lady Macbeth (jetzt im Garrick Club, London) u. als Pilgrim (im Besitz von Cyrus H. K. Curtis, Philadelphia). Bekannt waren auch seine Porträts des Schauspielers Mathews in seinen verschiedenen Rollen (1814 auf der Roy. Acad. ausgestellt; gestochen von W. Greatbach für Yates „Life of Mathews"), sowie die 1815 begonnene Porträtserie bekannter Maler u. anderer Berühmtheiten seiner Zeit. 1818 ging H. nach Rom, wo er in nahe Beziehungen zu Canova trat. Er arbeitete dort viel (Raphaels Transfiguration kopierte er in 18 Tagen), wurde als Ehrenmitglied in die Accademia di San Luca aufgenommen und schenkte ihr das in Rom entstandene Historienbild „Wolsey empfängt den Kardinalshut in der Westminsterabtei" (Guida Gall. Accad. S. Luca, Rom 1882 p. 19, 45). Für die Galerie von Künstlerporträts in den Uffizien in Florenz malte er sein Selbstbildnis (Catal. 1906 p. 26; Zeichnung danach von John Jacksons in der National Portrait Gallery London). 13. 1. 1819 ist er bereits wieder in London, wo er schon im folgenden Monat einer vernachlässigten Krankheit rasch erlag. Eine Ausstellung seiner hinterlassenen Werke (ca 150 Stück) wurde in Pall Mall veranstaltet und am 21. 6. 1819 versteigert. Viele seiner Porträts wurden gestochen, so das Northcotes, H. Füßlis d. J., Stothards, Beecheys, Flaxmans usw. Als Stecher nach ihm kommen außer den schon genannten in Betracht: W. J. Ward, H. Meyer, E. Scriven, W. Say, Miss D. Turner (später Mrs. Harriet Gunn) u. a. Weitere Werke H.s in der National Portrait Gallery, im British Museum, im Victoria and Albert Museum, im Garrick Club London, im Museum Dublin, im Shakespeare Memorial Stratford, in der Walker Art Coll. Minneapolis u. im Metrop. Mus. New York.

C u n n i n g h a m , Lives of the most eminent British painters, London 1830 V. — W. S a n d b y , Hist. of the Roy. Acad. of Arts, 1862. — R e d - g r a v e , Dict. of Artists etc., 1878; d e r s . , Century of Painters etc., 1866. — Dict. of Nat. Biogr. XXIV (1890). — F e u i l l e t d e C o n c h e s , Hist. de l'école angl. de peinture, 1882. — B é - n é z i t , Dict. des peintres etc., II (1913). — G r a v e s , Royal Acad., III (1905); British Instit., 1908; Summary of and Index to Waagen, 1912; Loan Exhib., II (1913); IV (1914). — The Connoisseur, 1918 p. 125 ff. — American Art News, XX (1922) No 17 p. 8. — C u s t , Nat. Portrait Gall., 1901 u. 02. — B i n y o n , Cat. of Drawings, British Museum, II (1900); dazu: Guide of Drawings etc. acquired 1912—14, 1914 p. 22. — Cat. Nat. Gall. of Brit. Art, Vict. and Albert Museum London, I (1907); II (1908). — Ill. Cat. of Pictures in the Shakespeare Memorial Stratford, 1896 No 18, 32. — Cat. of the Walker Art Coll., Minneapolis, 1913 p. 106. — Cat. of Paintings in the Metrop. Museum, New York 1914. — M i r e u r , Dict. des Ventes d'Art, III (1911). — Jahrb. der Bilder- u. Kstblätterpreise, I (1910); IV (1913). — Ill. Catal. of 100 Paintings etc. belonging to the Sedelmeyer Gall., Paris 1895 p. 96; dazu Versteig.-Katal. dieser Samml., Paris 1907 Heft I p. 48—50. — Cat. of Engr. Brit.

Portr. Brit. Mus. London, I (1908) 93, 210, 313, 375, 430, 480; II (1910) 19, 20, 40, 161, 176, 200, 264, 265, 314, 348, 370, 401, 447, 574, 589; III (1912) 57, 75, 126, 152, 207, 348, 496, 497, 559; IV (1914) 75, 100, 112, 124, 141, 203, 277, 319, 442, 466, 473, 565; V (1922) 30.   *J. M.*

Harlow, H a r r y M e r r i c k S u t t o n, Maler in Haverhill (Mass.), geb. 19. 7. 1882 ebenda, Schüler von Eric Pape in Boston, lieferte Wanddekorationen usw. für Kirchen, wie die Trinity Church in Haverhill, die Christ Church in Portsmouth u. a.

American Art Annual, XVIII (1921).

Harman, G e r a l d i n e, Miniaturmalerin in Kilburn, London W., stellte 1880—93 in der Royal Acad. u. andern Londoner Ausst. Kin-·der- u. Frauenporträts aus. In der Bristol Art Gallery (Catal. 1910 No 80) das Miniaturporträt der Schauspielerin u. Novellistin Emily Soldene. — Ihre Schwester ist vermutlich die Miniaturmalerin H a r r i e t t e H. in Kilburn, die 1881—98 in der Royal Acad. u. andern Londoner Ausst. Miniaturporträts, besonders Kinderbildnisse ausstellte.

G r a v e s, Dict. of Art., 1895; d e r s., Royal Acad., III (1905).

Harmandus, nach einer, wie neuerdings nachgewiesen, erst aus dem 18. Jahrh. stammenden Inschrift am oberen Teil des Südturmes der Kath. v. Chartres „Harmandus 1164" irrtümlich als dessen Architekt betrachtet.

R. M e r l e t, Cathédr. de Chartres (Pet. Monogr. Gr. Edif. de la France) p. 91, Anm.

Harmansz., D i r k, Maler, † in Amsterdam; sein Nachlaßinventar vom 16. 8. 1640 zählt unter den 411 Bildern mehrere Landschaften von ihm auf. 1612 war er Schüler von Cornelis van der Voort; auf den Nachlaßversteigerungen nach dessen Tode 1625 erwarb H. mehrere Bilder.

v a n d e n B u r g h in Oud Holland, III (1885). — B r e d i u s, Kstler-Inventare, I 305, in Quellenschr. z. holl. Kstgesch., Bd. V (1915).

Harmansz. (van) Valckenhoven, Cornelis, Fayencemaler in Delft, begraben ebenda 31. 7. 1637, als Meister in die Maler-Gilde eingeschrieben am 22. 10. 1615; um 1617 ließ er sich als Plateelbakker aufnehmen und führte seit etwa 1621 die Fabrik des Abraham Davits auf eigene Rechnung weiter. Aus dieser Fabrik stammende Stücke mit histor. Motiven, Schlachten oder religiösen Szenen (Marke C H in Ligatur) werden ihm zugeschrieben. Mit diesem Monogr. sign. u. 1634 dat. Schüssel abgebildet bei Havard I fig. 39; früher seinem Bruder G e r r i t zugeschrieben, der, ebenfalls Fayencemaler, aber bereits 1. 5. 1626 begraben wurde. Die Taufakte seines jüngsten Kindes (1626) unterschreibt nicht H. Valckenhoven, sondern H. van Est (vgl. Bd XI 48). Beide waren Söhne des Harman Pietersz. (s. d.).

Oud Holland, 1903. — H a v a r d, Hist. des Faïences de Delft, 1909, I 84; II 17, 19.

Harmant, Malerfamilie des 17. Jahrh. in Reims: J e a n, soll nach Loriquet (Catal. du

Musée de Reims, 1881) ein Martyrium d. hl. Symphorian gemalt haben. Er war Lehrer des Jean Hellart u. seiner beiden Söhne: N i c o l a s † 1652, von dem Loriquet ein (zerst.) Bild der Geißelung d. hl. Symphorian nennt u. dem er ein Bild der Heiligen Petrus u. Andreas im Mus. zu Reims zuschreibt (bei Sartor, Cat. du Mus. de Reims, 1909 p. 69 Jean Hellart zugewiesen); und R o b e r t I, geb. 24. 2. 1629 in Reims, † 1673 ebenda, von dem Loriquet Bilder im Hôpital général u. in der Chap. de Saint-Maur in Reims sowie in der Kirche N.-D. in Châlons s. M. erwähnt. Das ihm von Loriquet zugeschr. Bild im Mus. Reims im Katal. v. Sartor nicht mehr aufgeführt. Das von Loriquet einem R o b e r t II zugeteilte Porträt des Curé H. Gonel von 1694 wird von Sartor (p. 143) als Arbeit unbek. Meisters bezeichnet.

Harmar, T h o m a s, Kupferstecher in London. Von ihm 2 kleine Stiche (Gegenstücke): To the Banquet — From the Banquet, 1783 von W. Humphry herausgeg., und vermutlich 2 Ex-Libris: Ex Dono Samuelis Malbon, bez. „Harmar sculp. 164 Piccadilly"; Thos. Markham, bez. „Harmar sculp. London 1780".

B a s a n, Dict. des Graveurs, ²1789. — Jahrbuch der Bilder- u. Kstblätterpr., Wien 1911 ff., II. — H. W. F i n c h a m, Art. and Engr. of Brit. and Amer. Book Plates, 1897.

Harmath, G y u l a, Maler, geb. 1874 in Budapest, lebt ebenda; nach Absolvierung der dort. Kunstgewerbeschule seit 1890 Akad.-Schüler in Berlin, weitergebildet auf jahrelangen Auslandreisen. Nach Teilnahme am Weltkrieg (1914/18) in Budapest tätig, malt er vorzugsweise Stilleben.   *J. Szentiványi.*

Harmatios, s. *Herakleides,* Sohn des Aganos.

Harmen, Bildschnitzer; arbeitet 1482 am Hochaltar im Kloster Ilsenburg.

Bau- u. Kunstdenkm. Prov. Sachsen, II Heft 7, p. 162.

Harmen, Maler zu Braunschweig; malte 1536 für den Hochaltar der Klosterkirche zu Ilsenburg ein großes Tafelbild.

Bau- u. Kunstdenkm. Prov. Sachsen, II, Heft 7, p. 165.

Harmen, Maler in Emden, † vor 1551, erhält 1545 von der Gräfin Anna von Ostfriesland 10 Gld. für „der jungen frouchen contrafeyt". 1551 wird seine Witwe mit einer Unterstützung des Junker Tido von Knipens genannt.

Jahrb. d. Ges. für bild. Kunst etc. zu Emden, 1899 p. 181; IV 75.

Harmen v a n S o s t e, Kunsttischler, erhält 1564 lt Kirchenrechnungen der Stadt Emden 16 fl. für einen Kirchenstuhl an der Südseite „by de roe kerkdore" (Westtür).

Jahrb. d. Ges. f. bild. Kst etc. zu Emden, XI Heft 1/2 p. 192.

Harmen, siehe auch *Hermann.*

Harmenon (Dharmenon), S c i p i o n E u - g è n e d', Porträtmaler, geb. 1825 in Nimes,

Schüler von Delaroche u. Delacroix, stellte seit 1850 im Pariser Salon meist Porträts aus.

Bellier-Auvray, Dict. gén., 1882 ff. II 742; Suppl. 202.

Harmens, Pieter, Glasmaler aus Monickendam, 1627 von der Stadt Alkmaar bezahlt für ein Glasfenster für die Kirche zu Zunderdorp.

Oud Holland, 1908 p. 74.

Harmensz., Claes, Maler in Amsterdam. In einem wegen einer Schuld des H. aufgenommenen Inventar vom 31. 8. 1640 werden Gemälde genannt, ein Bildnis, ein anderes in oriental. Tracht mit einem Ringkragen, Christus u. d. Jünger, Jephta.

Bredius, Kstlerinventare II 454, in Quellenstudien z. holl. Kstgesch., Bd. VI (1916).

Harmensz., Cornelis, Kunsttischler u. Holzbildhauer; von ihm in der Kirche zu Den Oever (Insel Wieringen) die Taufe (Eichenholz) von 1671 und Kanzel (Eichenholz) von 1672.

Voorloop. Lijst Nederl. Mon., V 1 Prov. Noordholl., Utrecht 1921 p. 351.

Harmensz., siehe auch *Hermansz.*

Harmes, W., Zeichner u. Radierer, tätig um 1818, zeichnete mit vollem Namen oder Monogr. aus W u. H: Porträt des P. L. Wilmes; ein Blatt mit 2 Affenköpfen.

Brulliot, Dict. des Monogr. etc., I (1832). — Nagler, Monogr., III.

Harmos, Károly, ungar. Maler u. Graphiker, geb. 1879 in Somogy (Com. Baranya); nach Absolvierung des Budapester Zeichenlehrer-Institutes Schüler A. Ažbè's in München, weitergebildet in Berlin, Paris u. Italien. Nachdem er 1907 in Pécs (Fünfkirchen) eine Kollektivausst. seiner Arbeiten veranstaltet hatte, stellte er in Budapester Nationalsalon u. seit 1912 auch in der dort. Kunsthalle aus.

Nemzeti Szalon Almanachja 1912 p. 171; cf. Pécsi Napló 1907 Nr 177. *J. Szentiványi.*

Harms, Anton Friedrich, Maler, geb. 1695 in Braunschweig als Sohn des Joh. Oswald, † 1745 (in Cassel?). Nach dem Tode seines Vaters soll er 1709 nach Cassel gekommen sein. Er ist aber später in Braunschweig tätig. Von 1728 ist sein Altarblatt im Braunschweiger Dom (Himmelfahrt Christi), ein Geschenk des Herzogs August Wilh. v. Braunschweig. 1737—43 ist er Theaterdekorationsmaler in Braunschweig. Daneben malte er Landschaften, Architekturstücke, Stilleben. 2 derselben, „Totes Wild", das eine 1736, das andre 1744 datiert, sind im Katal. des Braunschweiger Museums von 1868 aufgeführt. Ein weiteres ist im Museum Christiania, bez. u. dat. 1735. Ein Stilleben mit Fischen führt Parthey aus Privatbesitz an. Ein Bild mit Darstellung eines Brandes in Braunschweig 1730, ehemals in Salzdahlum, ist im Städt. Museum Braunschweig, eine sorgfältig ausgeführte Winterlandschaft befand sich 1918 im Besitz von Dr. K. Erasmus, Berlin. H. betätigte sich auch als Kunstschriftsteller: 1742

gab er in Braunschweig seine „Tabl. hist. et chronol. des plus fameux peintres anc. et mod." heraus. Seine 1744 geschriebenen Briefe über Malerei sind z. T. in den Briefen über die Kunst von u. an Chr. L. Hagedorn, („Briefe des Malers Harms zu Braunschweig") abgedruckt (herausg. v. Torkel Baden, Leipzig 1797).

Allg. deutsche Biogr., X („August Fr."). — Nagler, Kstlerlex., V. — G. Parthey, Deutscher Bildersaal, I (1863). — Bau- u. Kstdenkm. im Herzogtum Braunschweig, III, 2. T. 51, 433 („Aug. Fr."). — Catal. des Tabl. de la Gal. Ducale à Salsthalen, 1776 p. 409.

Harms (Harmes, Horms), Johann Oswald, Maler u. Radierer, geb. in Hamburg, getauft 30. 4. 1643, † in Braunschweig 1708. Vater des Malers Anton Friedrich (s. d.). Schüler von Hinrich Ellerbroeck in Hamburg, weitergebildet in Rom unter dem Einfluß Salvator Rosas. 1669 war H. in Venedig. Anfang 1675 hielt er sich am Hofe des Herzogs Moritz von Sachsen-Zeitz auf, der (noch 1676) Arbeiten von ihm erwarb und ihn unterm 7. 4. 1675 an seinen prachtliebenden Bruder, den Kurf. Johann Georg II., nach Dresden empfahl. In Dresden wurde ihm sogleich die Erneuerung der Fresken an den Wänden des Residenzschlosses übertragen. Diese nahm ihn bis 1678 in Anspruch. Im Juni 1675 lieferte H. eine Ruinenlandschaft mit einer Szene aus dem Trojan. Kriege in die kurf. Kunstkammer (Das Bild wird 1756 als schadhaft bezeichnet und ist nicht nachweisbar. Auch ein 2., „Rudera" benanntes Gemälde [noch 1728 im Dresdner Schlosse] ist verschollen.) Am 24. 6. 1677 erlangte H. die ersehnte Bestallung als „Hoff- und Ober Theatralischer Mahler". Seiner Verpflichtung gemäß mußte er nun in der Folge die Ausstattung für das kurf. Komödienhaus liefern. Bei dem Umbau des Komödienhauses, der 1678—79 vorgenommen wurde, ist er an der Umgestaltung des Proszeniums, offenbar wesentlich als Dekorationsmaler beteiligt. Für das Textbuch: „Ballet v. d. Zusammenkunft und Wirkung derer VII Planeten auf Ihr. Churfl. Durchl. zu Sachsen großem Theatro gehalten den 3. Februarii Anno 1678", Dresden bei Melchior Bergens, liefert H. 9 (von 11) Stichen. Die Handschriftensammlg d. Landes-Bibl. in Dresden bewahrt 7 Federzeichnungen H.s von 1679, Theaterdekorationen. 1679 stattete H. auch das „Opern-Ballett unter dem Judicio Paridis und der Helenæ Raub" aus (Textbücher zu beiden Balletts in der Landesbibl. Dresden). Für die Huldigung der Dresdner Bürgerschaft vor dem neuen Kurf. Johann Georg III. 1681 entwarf er die Festtribüne, die er wiederum selbst radierte. (Die Originalzeichn. im Ratsarchiv Dresden GXXX. 6.) Sept. 1682 wird H. zum letzten Male in Dresden genannt. Er scheint sich zunächst nach Naumburg gewendet zu haben, wenigstens malte er dort 1683 eine

Kreuzigung (Hochaltar) für die Stadtkirche St. Wenzel; dann nach Braunschweig, wo er am 8. 9. 1691 als des Herzogs Anton Ulrich „Maschinenmeister, Cammerdiener und Maler" heiratete. An der malerisch-dekorativen Ausstattung des Schlosses Salzdahlum beteiligt; u. a. malte er für das ältere Schloß 1687 ein Deckengemälde (Entwurf Landesmus. Braunschweig) und 1695 eine olympische Götterversammlung im neuen Schloß. (Entwurf im Landesmus. Braunschweig, Abb. Bau- u. Kunstdenkmäler .... III, 2. Teil, p. 87.) H. fertigte auch Dekorationen für das Komödienhaus in Braunschweig u. ein Brustbild des Herzogs am Hauptgiebel al fresco (abgebrochen 1799). 1688/89 war H. in Hannover, wahrscheinlich bei Einrichtung d. Opernhauses beschäftigt. 1698 wird er nach Cassel berufen für Wandmalereien im Kunsthause (v. Rommel, Gesch. f. Hessen, X [1858] 140.) Ohne seinen Wohnsitz in Braunschweig aufzugeben, war er 1696 bis 1701 bei der Hamburger Oper als Dekorationsmaler angestellt. Als H.s Schüler wird Joh. Friedr. Wentzel genannt. — H. scheint in seiner Frühzeit mehr Tafelbilder gemalt zu haben als später. Das Verzeichnis der Sammlg des Malers Cristoph Lauch in Wien, die dieser 1673 dem Fürsten Karl Eusebius von Liechtenstein zum Kauf anbot, enthält 8 Bilder H.s, ein Inventar von Neuerwerbungen des Fürsten von 1677 deren 3, es sind Architekturen, Ruinenbilder, Winterlandschaften u. Seestücke. Sie sind heute selten, die Hamburger Kunsthalle besitzt eine mäßige Winterlandschaft holländischer Art, bez. u. dat. 1675; früher im Schweriner Mus. Ferner waren 1916 im Kunsthandel in Mainz zwei Gegenstücke, bez. „O. Harms 1672", eine Geburt des Kindes u. Anbetung der hl. drei Könige, oval in gemaltem Rahmen, von roher und lässiger Figurenzeichnung. Im Braunschweiger Mus. (Vorrat) ist ein Architekturstück. — H. hat mehrere Radierungen hinterlassen, die bei Nagler, Monogr. IV, genannt sind. Die Folge von Ruinen u. Architekturen (1673) ist in der Art des Salv. Rosa gemacht und zeigt H.s Begabung für bühnenmäßige Wirkungen. Der Stil ist wenig originell. — Das Kupferst.-Kab. des Braunschweiger Mus. besitzt eine große Zahl von Handzeichnungen, besonders Theaterdekorationsentwürfe, ferner das Berliner Kupferstichkab., das Kupferstichkab. in Dresden (3 Bl.), die graph. Samml. Leipzig (1 Bl.), das Mus. f. Kst u. Kstgew. in Weimar (2. Bl.).

Dresdner Akten (Hauptstaatsarchiv, Ratsarchiv, Generaldirektion der Samml., Kirchenb.). — W e c k , der Chur-Fürstl. Residentz Dresden Beschreib. u. Vorstellung, 1680 p. 30 (ohne H.s Namen). — T z s c h i m m e r , Durchlauchtigste Zusammenkunft, 1680, Kupf. 6—14. — [J. C h r. S c h u m a n n], Tabulatum curiosum, 1684 p. [30]. — A. Fr. H a r m s , Tables histor., 1742

XXXI. — H e i n e k e n , Nachr. v. Kstlern u. Kstsachen, I (1768) 88, 116. — M e u s e l , Mus. f. Kstler u. Kstliebhaber I, 1 (1787) p. 55. — H a s c h e , Magazin d. Sächs. Gesch., I (1784) 85. — G e b h a r d , Beitr. zur Gesch. der Kultur etc. in Sachsen, 1823 p. 124, 143. — F ü r s t e n a u , Zur Gesch. der Musik, I (1861) pass. — Archiv f. Sächs. Gesch. II (1864) 185; Neues Archiv, IX (1888) 7—9; XXIII (1902) 275. — F ü ß l i , Kstlerlex., 1779 u. 2. Teil 1806—21. — N a g l e r , Monogr. IV, Nr 147; vgl. dazu Chronik f. vervielf. Kst, III (1890) 68. — Hamb. Kstlerlex. 1854. — Allg. Dtsche Biographie X, 611. — Mitt. d. Ver. f. Hamb. Gesch. 1881, p. 151; 1885 p. 107. — H. B r a n d e s , Schloß Salzdahlum, 1880. — Hannöv. Geschichtsblätter, 1904 p. 379 (unter Hermes). — Jahrb. d. Gesch.-Ver. f. d. Herzogtum Braunschweig, III' p. 73 ff. (S t e i n a c k e r). — V. F l e i s c h e r , Fürst Carl Eusebius v. Liechtenstein . . . (Veröffentl. Ges. f. neuere Gesch. Oesterreichs, Bd. I) 1910. — Bau- u. Kst-Denkm. i. Herzogt. Braunschweig, III 2. T. 82, 88 f., 92. — Bau- u. Kstdenkm. Prov. Sachsen, XXIV (1903) p. 249, 320. — H a m m i t z s c h , D. moderne Theaterbau (Beitr. z. Bauwissenschaft, Heft 8), 1906 p. 129 f. — L i c h t w a r k , M. Scheits, 1899, p. 25. — F r i e d l ä n d e r , Die Zeichn. Alter Meister im Berl. Kupferstichkab., Bd. I/II Die deutschen Meister v. E l f r i e d B o c k , 1921. — *Kataloge:* Hamburg, Kunsthalle ², 1921; Braunschweig, Herz. Mus., Gemälde-Slg 1868, Nr 820; Oschatz, Ausst. Künstlerhilfswoche 1918 (Zeichnung). — Mitt. d. Staatsarchivs u. der Braunschwg. Galeriedirektion. — Mit Not. v. E. Sigismund. *Dirksen.*

Harms, L ü d e c k e , Zinngießer in Malchin (Meckl.), heiratet 1667. Arbeiten mit dem Stadtzeichen (Stierkopf) und seinem Meisterzeichen in: Kratzeburg, Kirche, 2 Leuchter (1679 u. 1697); Leussow, Kirche, 4 Leuchter (3 davon dat. 1683, 1684, 1684); Qualzow, Kirche, Leuchter (1711); Blankenförde-Kakeldütt, Kirche, Leuchter (1680); Babke, Kirche, 2 Leuchter (1702 u. 1704).

Kst- u. Gesch.-Denkm. Mecklenburg-Strelitz, I (1921) Heft 1 p. 72, 134, 202, 220, 233, 237.

Harmsen, J o h a n n , Maler in Bergedorf b. Hamburg, geb. 31. 9. 1817 ebenda, † 1. 4. 1888 ebenda, Schüler von C. F. A. Lorenzen, kam erst spät zur Kunst. Werke seiner Hand (Veduten aus Hamburgs Umgebung wie Partie am Wendtorfer Busch, Hünengrab bei Dassendorf, Bergedorfer Schloß) in Hamburger Privatbesitz u. im Bergedorfer Mus.

Collect. d. Vereins f. Hamburg. Gesch.

Harmsterf, E. D., Silberschmied, 2. Hälfte 17. Jahrh. Von ihm 2 in Silber getriebene Reliefs (Verkündigung Mariä u. Hl. Georg) im Grünen Gewölbe, Dresden.

Das Grüne Gewölbe Dresden, 1906 p. 16, 18; Führer, 1915 p. 8.

Harnapp, E d u a r d (Moritz Heinrich Ed.), Landschaftszeichner und Kupferdrucker, geb. 15. 8. 1794 in Dresden, † 26. 12. 1858 das. Seit 1808 Schüler Adr. Zinggs u. der Dresdner Akad., seit 1817 noch jahrelang Schüler J. Ad. Darnstedts, doch brachte er es in seinen Landschaftszeichn. u. -stichen nicht über mittelmäßige Leistungen hinaus. Schließlich begründete er in Dresden eine Kupferdruckerei. Seine Arbeiten sind selten. Eine Landschaft von ihm (Partie aus der Sächs. Schweiz, Feder u. Tusche, noch ganz im Stile Zinggs) in der Samml. Ernst Sigismund in Oschatz.

Dresdner Akten (Kirchenb., Kunstakad., Ratsarch.). — Kat. d. akadem. Kstausst. 808 sqq. — S c h o r n s Kstblatt, 1820 p. 387. — N a g l e r , Kstlerlex., V 564 (mit falschen Angaben). — L u d w. R i c h t e r , Lebenserinn. e. deutsch. Malers (Volksausg. d. Dürerbundes), ² p. 34.
Ernst Sigismund.

Harnett, W i l l i a m , Stillebenmaler, geb. 1851 in Philadelphia (Penns.), Schüler der Nat. Acad. New York, bildete sich 1880/84 in Frankfurt u. München weiter. 1883 stellte er im Glaspalast München, 1885 in der Royal Acad. London u. im Salon der Soc. des Art. franç. Paris aus.

C h a m p l i n - P e r k i n s , Cycl. of Paint. and Paintings, II (1888). — G r a v e s , Royal Acad., III (1905). — Ausst.-Katal.

Harnier, E d u a r d (Georg Ludwig E.) v o n , Porträtmaler in Frankfurt a. M., geb. 18. 9. 1860 ebenda, Schüler von Luc Olivier Merson, G. Ferrier u. A. W. Bouguereau in Paris u. von A. Erdtelt in München, bildete sich 1892 bis 98 durch Reisen in Europa u. Nordafrika weiter. Von ihm die Porträts der Justizräte Adolf u. Eduard v. Harnier, F. Ebrards, der Freiherren v. Esebeck u. v. Müffling u. a.

W e i z s ä c k e r - D e s s o f f , Kst u. Kstler in Frankfurt a. M., II (1909).

Harnier, W i l h e l m I v o n , hessischer Legationsrat u. Dilettant in Porträtmalerei u. Lithogr., geb. 1800 od. 1801 in München, † 14. 8. 1838 in Meran, lithogr. in Frankfurt um 1830 (nach Lawrence?) das Porträt des engl. Admirals Edw. Codrington u. malte Miniaturporträts (der hessischen Hofschauspielerin Th. Peche, bez. u. dat. 1828, Samml. d. Großherz. v. Hessen). In der Darmstädter Gal. befanden sich von ihm Kopien nach der Belle Ferronière u. einem angebl. Raffaelselbstbildnis. — W i l h e l m II v. H., Afrikaforscher u. Dilettant im Zeichnen, geb. 1836 in Eckezell (Hessen), † 23. 11. 1861 in Gondokoro (Nordafrika). Nach ihm lithogr. A. Braith Blätter mit Büffelherden. Sein Nachlaß an Zeichn. wurde 1866 in lithogr. Reprod. herausgegeben.

B r u l l i o t , Dict. des Monogr., I (1832). — P a r t h e y , Deutscher Bildersaal, 1863. — Die Miniaturensamml. d. Großherzogs von Hessen, 1917. — Schorns Kstblatt, 1838 p. 396 (Nekr.). — Allg. deutsche Biogr., L (1904) 17. — M a i l l i n g e r , Bilderchron. (Stadt-Mus. München), 1876 ff. III. — O e t t i n g e r , Moniteur d. dates, Suppl. 1871.

Harnisch, A l b e r t E., Bildhauer, geb. in Philadelphia (Penns.), deutscher Abstammung; Schüler J. A. Bailly's an der Philadelphia Acad. of Fine Arts, bildete sich durch 8 jähr. Aufenthalt in Rom weiter. Stellte 1876 in Philadelphia eine Statue des William J. Mullen u. den Entwurf zu einem Denkmal „The Priso-

ner's Friend" aus u. schuf 1878 für Richmond (Virginia) die Reiterstatue des Generals Lee.

C l e m e n t and H u t t o n , Art. of the 19th Cent., 1893.

Harnisch, A r n o l d . Mainzer Bildhauer, beerdigt in Mainz 19. 1. 1691. Im Mainzer Dom 2 Grabmonumente von ihm erhalten, tüchtige Arbeiten in einem steifen, trockenen Barock. Bei dem sehr großen Wandgrab des Kurfürsten Damian Hartard v. d. Leyen († 1678) ist das ebenda befindliche Denkmal des Kardinals Albrecht von Brandenburg von Diether Schroh als Vorbild, besonders in der Haltung der Hände, unverkennbar. Die große derbe Gestalt des v. d. Leyen im erzbischöflichen Ornat, aus weißem Marmor, stellte H. in eine hohe Ädikula mit gebrochenem Giebel, auf welchem die üblichen Putten trauern. Die 16 bunten, in je einer Reihe zu seiten des Erzbischofs übereinander angeordneten Ahnenwappen wirken etwas beengend. Der gute Porträtkopf zeigt derbe Züge. Die Farben des schwarzen, weißen und rosigen Marmors (Säulen) stimmen wirksam zusammen. — Aus schwarzem und weißem Marmor arbeitete H. ferner 1685 das (an vielen Stellen restaurierte) kleinere, epitaphartige, gleichfalls im Mainzer Dom am Pfarrchor aufgehängte Denkmal des hessischen Landgrafen Christian († 1677). Der lebensgroß und lebendig, ja leidenschaftlich gegebene Prinz in Rüstung und Perrücke kniet vor dem Gekreuzigten. Die Szene ist wieder in eine große Ädikula mit gebrochenem Giebel aus schwarzem Marmor eingestellt. Unten zu seiten der Schrifttafel 4 barocke bärtige Fratzen, die auch das Denkmal des v. d. Leyen zeigt. — An der Ädikulaform ist H.s Art auch bei einigen unbedeutenden Altären, z. B. in der Kirche zu Lörzweiler bei Oppenheim erkennbar. — Von etwa 1667 an führte er in der reich mit Marmor geschmückten Kirche zu Idstein in Nassau mehrere Arbeiten aus, von denen der reiche Marmoraltar (1673) am wichtigsten ist. Um 1682 lieferte er einen Altar für den Trierer Dom.

H. S c h r o h e , Mainzer Zeitschr., II (1907) 91—4; III (1908) 124 u. Aufsätze u. Nachweise zur Mainzer Kstgesch., 1912. — Kstdenkm. im Freistaat Hessen. Stadt u. Kreis Mainz. Bd II T. 1. Dom zu Mainz, 1919 p. 209, 297, 427. — Bau-u. Kstdenkm. Reg.-Bez. Wiesbaden, V (1914) 155. — D e h i o , Handb. der dtsch. Kstdenkm., IV. — K. L o h m e y e r , Ztschr. f. christl. Kst, XXIX (1917) 115. — Mainzer Zeitschr., XI (1916) 39.
P. Kutter.

Harnisch, C a r l , Zeichner und Lithograph in Berlin, geb. 1800 in Altenburg, † 1883 in Philadelphia, Schüler der Berliner Akad., in deren Ausstell. er 1820—32 vertreten war (Kat. 1820 p. 77, 1824 p. 15, 1828 p. 103, 1830 p. 19, 1832 p. 17). Wurde bekannt durch seine Illustrationen in Arabeskenform zu Goethes Faust (Bildliche Darstell. in Arabeskenform, 6 lithogr. Bl., Berlin 1832) und ebensolche zu

Ossian's Gedichten (6 lithogr. Bl., Berlin 1835), die u. a. das Lob Kugler's fanden. Friedrich Wilhelm IV. bestellte bei H. für das Bad zu Charlottenhof bei Potsdam Darstell. aus der Geschichte von Bacchus und Ariadne (nicht ausgeführt); Zeichnungen dieses Gegenstandes befinden sich unter den 16 Bl. von H., welche die Berl. Nationalgal. besitzt (Kat. der Handzeichn. usw., 1902). Für Raczynski's Geschichte der neueren dtschen Kunst, 1836 ff. lieferte H. mehrere Steindrucke.

N a g l e r , Kstlerlex., V. — R a c z y n s k i , Gesch. d. neueren dtsch. Kst, III (1841). — K u g l e r , Kl.Schriften u. Stud. zur Kstgesch., III (1854) 116. — H a g e n , Dtsche Kst in unserm Jahrh., II (1857) 91. — F. v. B o e t t i c h e r , Malerwerke d. 19. Jahrh., I 1 (1891). — K u t s c h m a n n , Gesch. d. dtschen Illustr., 1899 II 309 f. — W e i g e l ' s Kstcatal., Leipzig 1838—66 I 367, 3532.

Harnisch, F r i e d r i c h , Porträtmaler in Berlin, Schüler der Akad. ebenda, hielt sich längere Zeit in Rom auf, wo er 2 Porträts des Papstes Pius X. malte. Seit 1898 ist er auf der großen Berliner Kstausstell. vertreten, meist mit Porträts, gelegentlich auch mit Landschaften.

„Der Tag" vom 25. 6. 1908. — Die Kstwelt, II (1912/13) 539—41 (Abb.). — Ausstell.-Katal.

Harnisch, J o h a n n B a p t i s t , Medailleur in Wien, geb. ebenda 1778, † ebenda 24. 4. 1826, wurde 1811 als Nachfolger von Würth Direktor der Graveur-Akademie, dann auch Hofkammermedailleur und Obermünzgraveur. Von ihm zahlreiche Medaillen auf historische Begebenheiten und Porträtmedaillen, u. a. Vermählung der Erzherzogin Marie Luise mit Napoleon, Tapferkeitsmedaille 1805, Denkmünzen auf die Anwesenheit des Kaisers und der Kaiserin von Rußland, der Könige von Preußen, Bayern, Württemberg und Dänemark beim Wiener Kongreß, ferner auf die siegreiche Rückkehr von Kaiser Franz nach Wien 1816, das Freudenschießen zu Innsbruck 1816, Vermählung Franz' I. mit Carolina Augusta von Bayern 1816, Gründung des Polytechnikums in Wien 1815, Grundsteinlegung der Österr. Nationalbank 1821, Gründung des Wiener Tierarznei-Instit. 1823. Den Verzeichnissen bei Forrer und Wurzbach sind hinzuzufügen: Medaille auf Erzherzog Carl in der Schlacht bei Aspern; Tapferkeitsmedaille aus der Zeit Kaiser Franz' I., 1814; Porträtmedaille Georgs IV. (Friedr. Aug.) von Hannover (o. J.); Medaillen auf folgende Kriegsereignisse von 1815: Besetzung von Aquila, Sieg bei Tolentino, Besetzung von Rom, Gefecht bei Popoli, Gefecht bei S. Germano, Eroberung von Neapel, Schlacht bei Belle-Alliance, Einnahme von Paris, Besetzung von Grenoble, ebenso von Lyon, Friedensfeier. H. hatte durch Hofkammerdekret vom 20. 7. 1815 eine besondere Bewilligung zur Ausprägung von „Medaillen auf die glorreichen Kriegsereignisse" erhalten.

B ö c k h , Wiens Schriftsteller etc., 1822 p. 256. — Neuer Nekrol. der Dtschen, V. Jahrg. 1827 (1829) 21. — C. v. W u r z b a c h , Biogr. Lex. Österr., 1856 ff. — Mitteil. d. österr. Mus. f. Kst u. Industrie, N. F. V (1895) Jahresber. 1893 p. 7. — F o r r e r , Dict. of Medall., II (1904). — D o m a n i g , Dtsche Medaille, 1907 (Abb.). — Kst u. Ksthandwerk, XVIII (1915) 587. — F i a l a , Münzen u. Med. der welf. Lande, Neues Haus Lüneburg zu Hannover, III (1915) 654 (Abb.). — Jahrb. d. ksthist. Slgn d. allerh. Kaiserhauses, XXXIV (1918) 2. Teil p. VI. — Katal. der bei Wawra, Wien, versteig. Slg Köhler (30. 1. 1917) p. 20, 46 (No 397 f.). — Ausst.-Kataloge: Histor. K.-A. Wien, 1877 p. 168; Congress-A. Wien, 1896; Erzherz. Carl-A. Wien, 1909 p. 85 ff., 89, 93, 96 (3×); Histor. A. Breslau, 1913.

Harnisch, J o h a n n H e i n r i c h , Porzellanmaler in Berlin, zeigte 1836 und 1838 in den Berliner Akad.-Ausstellgn Porträts nach der Natur und nach Vorlagen von Ternite u. a., ferner „Die trauernden Juden" nach Bendemann und „Pilger vor Rom" nach H. Hess.

N a g l e r , Kstlerlex., V.

Harnisch, P a u l W i l h e l m , Maler in Berlin, geb. 10. 4. 1874 in Reichenbach i. V., bildete sich an der Dresdener Akad., war zuerst in Dresden, dann in Berlin tätig. Seine Werke, meist religiösen od. symbolischen Inhalts, sind seit 1904 auf der Großen Berliner Kstausst. zu sehen. Im Kaiser-Friedrich-Mus. Magdeburg ist von ihm eine „Hl. Nacht".

S i n g e r , Kstlerlex. Nachtrag, 1906. — Die Kunst, XXIX (1914). — Ausstell.-Katal. (Abb. Katal. 1905 u. 1908).

Harnischter, D a n i e l , Goldschmied in Straßburg i. E., 1651 Meister. Von ihm das prächtige silberne Prunkschwert des Egon von Fürstenberg, Fürstbischofs von Straßburg, im Landesmus. zu Darmstadt, mit reichem Rankenornament auf der Scheide, einem Adler als Griff, Sprüchen und dem Bischofswappen auf der Klinge, datiert 1663 und mit dem aus D und H gebildeten Monogramm bezeichnet, eine vorzügliche, eigenartige Barockarbeit, deren Ornamentstil nach Frankreich weist. Von H. ferner die Fassung einer Elfenbeinkanne mit figuralem Henkel im Grünen Gewölbe zu Dresden (Kat. von Graesse, 1881, Elfenbeinzimmer p. 35 No 395; im Führer von Sponsel, 1915 p. 31 mit Druckfehler: Hornischter). Das Kunstgewerbemus. zu Straßburg i. E. erwarb kürzlich einen guillochierten Becher mit H.s Zeichen.

Curiosités d'Alsace, 1861/63 II 160, 162 (Harnister). — Kstgewerbebl., II (1886) 69. — M. R o s e n b e r g , Goldschmiede Merkzeichen, [2]1911. — Illustr. Elsäss. Rundschau, XV (1913) 66 ff. (3 Abbn). — Alte u. neue Straßb. Goldschmiedearbeiten (Festschr. 14. Verbandstag dtscher Juweliere Aug. 1915) p. 41 ff., m. Abb. — Musées de la ville de Strasbourg, 1919/21, Ber. 1922 p. 18.

Harnsius, P. A., siehe *Feddes*, Petrus.

Haro, E t i e n n e F r a n ç o i s , Maler, Bilder-Restaurator u. Kunsthändler in Paris, geb. ebenda 13. 4. 1827, † 4. 2. 1897, Großneffe von H. Robert, Schüler von Ingres und Delacroix, stellte 1866/70 und 1879 Porträts im Salon aus (vgl. Katal.), u. a. die seiner beiden Lehrer.

Bellier-Auvray, Dict. gén., I (1882). — Revue Encyclopéd., 1897 Chron. p. 10. — Invent. gén. d. Oeuvres d'Art, Ville de Paris, Ed. rel. IV (1886). — Soullié, Ventes de Tableaux, 1896.

Haro, Henri, Maler und Kunsthändler in Paris, geb. ebenda 1855, † 7. 5. 1911, Sohn von Etienne Fr., führte die väterliche Kunsthandlung nach d. Tode seines Bruders Jules fort. Schüler seines Vaters und von Carolus Duran, stellte 1879/89 Porträts und Blumenstücke im Salon aus.

Bénézit, Dict. des peintres etc., II (1913). — Chron. d. arts, 1911 p. 150. — Salonkataloge.

Haro, Juan de, span. Maler um 1600, nur bekannt aus der Signatur eines Flügelbildes mit Darst. des hl. Tomas de Villanueva am Hochaltare der Augustiner-Klosterkirche zu Madrigal bei Medina del Campo (1604 von J. Pantoja de la Cruz u. L. de Carbajal ausgeführt).

Cean Bermudez, Diccion. de B. Artes en España, 1800 II.   *

Haro, Jules, Maler, Radierer und Kunsthändler in Paris, geb. ebenda 1855, † 1892, Leiter der Kunsthandlung seines Vaters Etienne Fr., Schüler desselben und von Carolus Duran, Domingo und Hédouin, stellte 1879/87 im Salon aus.

Bellier-Auvray, Dict. gén., Suppl. — Chron. d. arts, 1892 p. 117. — Salonkataloge (Abbn 1883 u. 1887).

Harou, Jean Baptiste Philippe, gen. *le Romain* (nach dem prix de Rome, den er 1788 erhielt), Architekt, geb. 19. 9. 1760 in Champeaux bei Bernay (Eure), † 13. 1. 1822 in Caen, besuchte seit 1786 die Pariser Acad. d'Archit. Er wurde Architekt des Departements Calvados, lieferte die Pläne für die 1830 von seinem Sohn Romain vollendete Strafanstalt zu Beaulieu u. stellte 1814 im Salon den Plan eines Hospitals für Caen aus. Seit 1799 war er in der Verwaltung des Depart. Eure tätig und wirkte seitdem vergeblich für die Errichtung eines Monuments zu Ehren von Poussin in Les Andelys. H.s Entwürfe zu diesem Gedenktempel sind von C. Normand gestochen (Abb. in Réun.).

Füßli, Allgem. Kstlerlex. II (1808). — Bellier-Auvray, Dict. gén., I (1882). — Bauchal, Dict. des archit. franç. 1887 p. 666. — Réunion des Soc. des B.-Arts, XXVII (1903) 233 ff.

Harou, Romain, Architekt, Sohn des Vorigen, geb. 15. 8. 1796 in Bernay (Eure), † 22. 4. 1866 in Caen. Zunächst auf dem Polytechnikum, studierte er seit 1815 Architektur, wurde 1822 Architekt des Departements Calvados als Nachfolger seines Vaters und vollendete nach dessen Plänen 1830 die Strafanstalt in Beaulieu. Studien für Gefängnisbauten mit Einzelzellen nach zentralem System beschäftigten ihn seitdem. 1840 wurde

er mit A. Blouet und L. Moreau beauftragt, verschiedene Gefängnisbauten auszuführen, veröffentlichte im selben Jahr einen Entwurf für das Gefängnis zu Caen. Außer andern Bauten daselbst errichtete er 1833/38 das Theater.

Bellier-Auvray, Dict. gén., I (1882). — Lance, Dict. d. archit. franç., I (1872). — Bauchal, Dict. d. archit. franç., 1887. — Guyot de Fère, Statist. d. B.-Arts, 1835 p. 241.

Harovnik (Harovnig), Fabian S., Maler in Prag, malte 1651/52 mit Jov. Vanetti die Fresken im spanischen Saal des Schlosses zu Nachod (Deckengemälde: Triumph des Fürsten Octavio Piccolomini als Kriegsheld; Supraporten: Putten, Wappen, Embleme usw.). Beide waren auch 1655 mit Malereien in der Kapelle desselben Schlosses beschäftigt. Nach H.s Zeichnung stachen Frater Constantin und Joh. Christ. Smischek die 7 Szenen für das Lustspiel „Pracht" (Prag 1660, Exemplar in der Strahow-Bibliothek). In den Unterschriften dieser Blätter heißt es nach Dlabacz teils „Fabian Horouing deli.", teils „Fabian. Harownig del".

Dlabacz, Kstler-Lex. Böhmen, I (1815). — Topogr. v. Böhmen, XXXVI (1911) m. Abb.

Harp, C. oder G. van, s. *Herp,* Willem van.

Harpenist, Arent Hendricse, holl. Historienmaler, 1670 dänischer Hofmaler, 36 Jahre alt.

Oud Holland, VIII (1890) 3 (im Schildersregister des Jan Sysmus).

Harper, Adolf Friedrich, Landschaftsmaler, geb. 15. 10. 1725 in Berlin, † 23. 6. 1806 ebenda. Ältester Sohn des Johann H. aus dessen 1. Ehe mit Maria Barbara, Tochter des Kupferstechers J. G. Wolffgang. Zuerst Schüler seines Vaters, nach dessen Tode H. nach Frankreich u. Italien reiste. 1752—56 studierte er in Rom unter dem engl. Landschafter R. Wilson und trat hier auch in enge Beziehungen zu Winckelmann (Noack, Deutsches Leben in Rom, 1907 p. 409; Justi, Winckelmann, 1898 II 15). Nach 8 jähriger Abwesenheit nach Deutschland zurückgekehrt, trat H. 1756 in den Dienst Hzg Carl Eugens von Württemberg. Erst beim Residenz-Bauwesen verwandt, wurde er 1759 Hofmaler, 1761 Professor an der später mit der Hohen Carls-Schule vereinigten Acad. des Arts, 1784 nach Nic. Guibals Tod Galerie-Direktor. 1797 von Hzg Friedrich in den Ruhestand versetzt, zog er 1798 wieder nach Berlin, wo er bis zu seinem Tode lebte. Seit d. 6. 5. 1783 Ehrenmitglied d. Berl. Akad. d. Kste. — Für Hzg Carl Eugen hat H. als Landschafter und als Maler von Blumen und Früchten, die er auch in den Deckengemälden Guibals ausführen mußte, von Theater- u. sonstigen Dekorationen eine erstaunliche Fruchtbarkeit entwickelt, nicht zum Vorteil seiner Kunst, die durch „zu vieles Arbeiten auf höhern Befehl" in Manier und „eine zur Gewohnheit gewordene Eilfertigkeit" verfiel (Journal d. Luxus u. der Moden, 1793 p. 29). Goethe (Reise in die Schweiz, 1797, d. 1. Sept.) rühmt den Geschmack der „freilich nur imaginirten Bilder" dieses „gebornen Landschaftsmalers", nennt aber seine Farbe „hart u. roh"; „allein er malt so aus Grundsätzen, indem er behauptet, daß sein Colorit mit der Zeit Ton u. Harmonie bekomme; wie denn auch einige dreißig- und vierzigjährige Bilder von ihm zu beweisen scheinen". — Der größte Teil der Arbeiten H.s findet sich in den württemberg. Schlössern: Ludwigsburg (Gemälde u. Supraporten in verschied. Zimmern, eine Landschaft in der Gemäldegal.), Bärenschlößchen bei der Solitüde, Monrepos (Supraporten), Eybach (Gemälde und Dekorationen); von ihm stammten auch z. T. die Deckengemälde im 1809 abgebroch. Lorbeersaal des Schlosses Solitüde. — Von H.s zahlreichen Staffeleibildern besitzt d. Berl. Akad. d. Kste eine Landschaft mit Felsentor. Eine vor 1760 entstandene Ansicht des Garten-Theaters d. Villa Madama in Rom wurde besonders gerühmt. Weitere Bilder H.s verzeichnen die Berl. Akad.-Kataloge 1786, 1787, 1788, darunter (1786 p. 23 No 105/6) 2 „Römische Gegenden", die „zu einer Sammlung von hundert Stücke" gehörten. Gute Bilder, u. a. eine Mondscheinlandschaft mit Widmung an den Bibliothekar Vischer von 1788, besaß Heinr. Rapp, der Schwager Dannecker's, nachmals Domdekan Jaumann in Rottenburg. 2 bez. Gebirgslandschaften mit Staffage von 1780 und 1799 wurden 28. 11. 1901 aus der Slg Heim bei Helbing in München versteigert (Katal. No 1086/7). Eine Ölskizze H.s (Tempel der Minerva Medica) in der Stuttgarter Altertümer-Slg (Führer 1908 p. 94, 98); ebenda eine etwas veränderte Kopie des von Anna Dor. Therbusch um 1761 gem. Bildnisses von H. (gestochen von C. J. Schlotterbeck 1783) und ein H. im Alter darstellendes Ölbild, auch eine von unbek. Hand geschn. Porträtsilhouette H.s (Abb. bei Lemberger, Bildnisminiatur in Deutschland, 1909). Dannecker, der einst u. a. H.s Unterricht genossen hatte und bis zuletzt einen Briefwechsel (Cod. hist. Fol. 750 der Landesbibl. in Stuttgart) mit ihm unterhielt, führte 1798 zum Abschied sein Medaillonporträt aus (Stuttgart, Mus. d. bild. Kste; Spemann, Dannecker, 1909, Abb. 47, druckt auch einige Briefe H.s ab). — Gestochen haben nach H. M. Balleis (3 röm. Ansichten: Tempel der Minerva Medica, Cestius-Pyramide, Grabmal der Helena) und N. Heideloff (1780/82 4 Landschaften: Le Matin, Le Soir, Un coup de vent, Vue de Tivoli). — Zeichnungen H.s in Florenz (Indice dei Disegni di Archit. Gal. Uffizi, 1885 p. 162, 205 u. 209, fälschlich Johann H. zugeschr.) und Berlin (Friedländer, Zeichnungen d. Berl. Kupferstichkab., I [1921], Bock, Die dtschen Meister). Wohl auch von H. die

„Harper, 1756" bez., farbig gehöhte Kreidezeichn. (Vesta-Tempel) im South Kensington Mus. in London (Redgrave, Cat. Water-Colour Paint., 1877).

[Heinecken], Nachr. v. Kstlern, 1768 p. 53. — Füßli, Kstlerlex., 2. Teil 1806/21. — Haakh, Beitr. aus Württemb. z. neueren dtschen Kstgesch., 1863 p. 4 f. — Parthey, Dtscher Bildersaal, I (1863). — Wintterlin, Württemberg. Kstler, 1895 p. 15 ff. — H. Müller, Kgl. Akad. d. Kste zu Berlin, 1896. — Bach, Stuttgarter Kst, 1900. — Pfeiffer in Herzog Karl Eugen v. Württembg u. seine Zeit, 8. Abschnitt, Eßlingen 1907 p. 639, 646, 652, 654, 677, 685, 695 f. (Abb.), 716, 724, 758. — Allg. dtsche Biogr., X 617. — Kst- u. Altert.-Denkm. Württembg, Neckarkr. (1889); Donaukr. I (1914). — Belschner, Führer durch Ludwigsburg, 1912 p. 39 ff., 44 f. — Kat. Portr.-Ausst. Stuttgart, 1882. *C. F. Foerster.*

Harper, Charles G., Illustrator in London, illustrierte eine Anzahl selbstverfaßter Reisebeschreibungen u. Wanderbücher, die zwischen 1889 u. 1900 erschienen, wie „Royal Winchester", 1889; „The Brighton Road", 1892; „The Marches of Wales", 1894; „Stories of the Streets of London", 1899; „The Holyday Road" u. a.

Sketchley, Engl. Book-Illustr. of To-day, 1903.

Harper, Edward S., Maler in Birmingham, zeigte auf der Londoner Royal Acad. zwischen 1885 und 1914 häufig Genre- u. Figurenbilder und Porträts.

Graves, Royal Acad., III (1905). — Catal. Exhib. Royal Acad. London, 1908, 09, 14. — Royal Acad. Pict., 1895/99, 1901.

Harper, Henry Andrew, Maler und Schriftsteller in London, geb. 1835 in Blunham (Bedfordsh.), † 3. 11. 1900. Zeigte 1858/93 in Suffolk Street, 1865/88 in der Royal Acad. Landschaften, seit 1873 vor allem Ansichten aus Palästina u. Ägypten, wo er sich lange aufhielt. 2 Aquarelle (Ansicht aus Jerusalem u. Nillandschaft) in der Wallace Coll. London (Catal. 1908).

Graves, Dict. of Artists, 1895; ders., Royal Acad., III (1905).

Harper, Johann, Maler, geb. 1688 in Stockholm, † 4. 12. 1746 in Potsdam, Vater des Ad. Friedr. Zuerst in Stockholm Schüler des Peter Martin van Meytens, dann des David v. Krafft. Ging 1709 nach Lübeck, wo er sich zusammen mit Ismael Mengs bei Paul Heinecken in der Miniatur- und besonders der Email-Malerei ausbildete. Von 1712 ab in Berlin, zunächst vorwiegend als Miniaturmaler tätig. Für Friedr. Wilhelm I., der ihm am 27. 2. 1716 die Bestallung als Hof-Kabinetsmaler ohne Gehalt verlieh, malte er „viele seiner Offiziers und Generals-Personen in Oelfarben, ganze Figuren, jedoch ins Kleine, einen Folio-Bogen groß" (Heinecken), scheint sich seitdem mehr der Ölmalerei zugewandt zu haben. Heinecken erwähnt indessen noch das 1724 auf Elfenbein „ein Quart-Blatt" groß gemalte Miniaturbildnis des Lübecker gelehrten

Wunderkindes Christian Heinr. Heinecken (gestochen v. Joh. Balth. Probst). Der Stockholmer Sammler Wicander erwarb 1908 bei Lepke in Berlin a. d. Slg Gräfin Lottum (Versteig.-Katal. No 60 m. Abb.) von H. eine 1738 dat. Miniaturkopie nach Le Moine's Louvre-Bild „Hercules u. Omphale". Nach Lemberger befindet sich in einer schwed. Privatslg ein Miniaturbildnis der Gräfin Henric Matthias v. Thurn, bez. „J. Harper". H.s Selbstbildnis in Öl im Bes. d. Berliner Akad. d. Künste, radiert von C. B. Rode mit der Unterschrift „Harper se ipsum pinxit". (Abb. bei H. Müller, p. 171, wo es fälschlich als Bildnis Andr. Riems von Graff gilt); das sog. Bildnis Joh. Harpers und seiner Frau als Pilger von Pesne im Neuen Palais b. Potsdam (Abb. Seidel, Gemälde Alter Meister i. Bes. d. Kaisers, p. 186) stellt dagegen eine viel jüngere Persönlichkeit dar. Von Ölbildern H.s sind ferner bekannt die Bildnisse Friedrichs I. und Friedrich Wilh. I. im Amalienstift zu Dessau (Kat. 1913 No 16 u. 18). Der Katalog der Berl. Akad.-Ausst. 1786 verzeichnet von ihm (p. 25, No 135—137): Sein eigenes Brustbild; Bildnis seines Sohnes als Kind; Bildnis seiner Tochter, in Pastell. — Sein Schwiegervater Joh. Georg Wolffgang stach 1737 nach ihm die Bildnisse des Bogislav Henning v. Koeller (Hofmarschalls des Markgrafen Albr. Friedr. v. Brandenburg) und des Joh. Wilh. de Neve. Nach Menadier, Schaumünzen d. Hohenzollern, 1901 (No 270 u. 285), stammen von H. die Entwürfe zu Medaillen auf die Hochzeit der Prinzessin Charlotte v. Preußen 1733 (ausgeführt von Koch) und auf die Thronbesteigung Friedrichs d. Gr. 1740 (ausgeführt von L. H. Barbiez u. a.). Für Friedrich d. Gr. malte H., unter dem Einfluß Pesnes, in seinen letzten Jahren einige Deckengemälde: in Schloß Charlottenburg Diana u. Endymion (1742) und Puttendarstellung (1744); im Vorsaal v. Schloß Sanssouci Flora und Putten (1746). (Winkler, Schloß Sanssouci, 1921 p. 17/18; Nicolai, Berlin u. Potsdam, 1786 p. 1011 u. 1216; dagegen ist die p. 1228 H. zugeschriebene Decke des Japan. Hauses 1756 von Th. Huber gemalt u. signiert.)

[H e i n e c k e n], Nachr. v. Kstlrn, 1768. — N i c o l a i, Nachr. v. Baumeistern ... in Berlin, 1786. — H. M ü l l e r, Kgl. Akad. d. Kste zu Berlin, 1896. — Zeitschr. f. bild. Kst, XXIII (1888) 194. — L e m b e r g e r, Bildnisminiatur in Skandinavien, 1912. — K. A s p l u n d, H. Wicanders Miniatyrsamling, Stockh. 1920. *C. F. Foerster.*

Harper, J o h n, Maler in Wednesbury (England), zeigte 1814/24 in der Royal Acad., 1815/19 in der Brit. Instit. Fisch- u. Wildstilleben u. Porträts.

G r a v e s, Royal Acad., III (1905); d e r s., Brit. Instit., 1908.

Harper, J o h n, Architekt, geb. 11. 11. 1809 in Dunkenhalgh Hall (bei Blackburn, Lancash.),

† 18. 10. 1842 in Neapel, bildete sich unter B. und Ph. Wyatt in London und ließ sich in York (Engl.) nieder. Er erbaute dort die Collegiate School u. mehrere Wohnhäuser, ferner die Roman Catholic Chapel, die Freetown Church u. die Elton Church in Bury (Lancash.). 1842 unternahm er eine Studienreise nach dem Kontinent, auf der er bei seiner Ankunft in Neapel der Malaria erlag. Zahlreiche auf dieser Reise angefertigte Aquarelle mit architekt. Ansichten, besonders ital. Bauwerke u. Städte, erhalten (im Bes. von A. Laws, Brighton; 1912/13 in der Public Art Gall. Brighton ausgest.; vgl. Catal.). Er war ein Freund W. Etty's, der ihn sehr schätzte.

The Art Union, IV (1842) 278. — R e d g r a v e, Dict. of Art., 1878. — Dict. of Nat. Biogr., XXIV (1890). — Catal. Exhib. of Water-Colour Drawings by the late J. H., Brighton Public Art Gall., [1912].

Harper, T., Miniaturmaler in London, zeigte zwischen 1817 und 1843 häufig Miniaturporträts in der Royal Acad.

G r a v e s, Royal Acad., III (1905).

Harper, W i l l i a m St. J o h n, Maler u. Graphiker, geb. 8. 9. 1851 in Rhinebeck (New York), † 2. 11. 1910 in New York. Schüler der dort. Nat. Acad. of Design, später Bonnats u. Munkacsys in Paris. Nach New York zurückgekehrt, war er künstl. Leiter des Daily Graphic, später Lehrer an verschiedenen Kunstschulen. Mit seinem „Herbst" erhielt er 1892 den Clarke-Preis an der Nat. Acad. of Design. 1901 stellte er auf der Pan-American Exp. Buffalo aus.

Amer. Art Annual, IX (1911) 312.

Harperath, B e r n a r d, Architekt, seit 1844 Stadtbaumeister in seiner Geburtsstadt Köln, wo er 1849 den Westgiebel der alten Cäcilienkirche baute, 1848 „Entwürfe zur Anlage eines Sicherheitshafens an der Insel Rheinau Köln" in Lithographie herausgab.

M e r l o, Köln. Kstler, Aufl. 1895. — F r. F a b e r, Conv.-Lex. f. bild. Kst, 1845 ff., VI.

Harperger, P e t e r, Baumeister in Salzburg, erbaute 1430—1433 die Wallfahrtskirche St. Leonhart bei Tamsweg. An der linken Chorwand ist der Meister mit dem Winkelmaß in der Hand al fresco abgebildet, darunter die Inschrift: „Maister Petter Harperger von Saltzburg hat aufgelegt das pav der chirchen mit anefang." Sonstige Nachweise über den Genannten fehlen gänzlich. St. Leonhart gilt als das schönste und reinste Bauwerk der Gotik im Lande Salzburg. Auch die Kirchen St. Peter im Katschtale und St. Leonhart in Murau werden mit H. in Zusammenhang gebracht.

K ü r s i n g e r, Lungau, 1853 p. 291. — Mitt. d. Central-Comm., XIX 78; N. F. XXIII (1897) 112. — Mitt. d. Ges. f. Salzb. Landeskunde, XXIII (1883) 381 f. — Der Kirchenschmuck, XX (1889) 116.

Harpff, P h i l i p p, Stecher, der für Merians Theatrum Europaeum arbeitete. Außer

Porträtstichen ist von ihm bekannt eine Ansicht von Regensburg von 1644 bez. „Phili. Harpff fec. Ffurt".

F ü ß l i , Kstlerlex., 2. Teil 1806 ff. — Bibliotheca Bavar. (Lagerkat. Lentner, München) 1911 Nr 9959.

Harpignies, H e n r i Joseph, Landschaftsmaler und Graphiker, geb. 28. 7. 1819 in Valenciennes, † 28. 8. 1916 in dem von ihm oft gemalten Dörfchen Saint-Privé (Yonne), wo er seit 1878 ansässig war und wo er auch beigesetzt wurde. Wandte sich erst verhältnismäßig spät der Malerei zu, nachdem eine 1838 unternommene Reise durch Frankreich die Lust zum Maler in ihm erweckt hatte. Nach seinen ersten Malversuchen hätte man auf eine nur ganz durchschnittliche Begabung geschlossen; wie sein großes Vorbild Corot, hat auch H. sich sehr langsam entwickelt. Bis 1846 blieb es bei dilettantischen Übungen. In diesem Jahre — also bereits als 27 jähriger — kam er, immer noch einstweilen nur versuchsweise, zu Jean Achard in die Lehre, mit dem er dann im Sommer 1847 in Crémieux in d. Dauphiné zusammen malte, eine Zeit, die über seinen Künstlerberuf entschied. 1848/49 ist er mit Achard in Brüssel, hier besonders mit Radierversuchen beschäftigt; 1849 gibt er ein Album mit 13 radierten Landschaften, Ansichten des belg. Dörfchens Roisin, bei Binois de l'Épine in Valenciennes heraus, die technisch noch reichlich unbeholfen sind. (Im ganzen hat man neben einigen Lithogr. 34 Radier. von H., die sich bei Béraldi katalogisiert finden.) 1850 geht er nach Rom, studiert an der Acad. de France und begeistert sich an der großen Form der ital. Landschaft; besonders entzückten ihn Capri, wo er volle 6 Monate weilte, und die röm. Campagna. März 1852 ist er wieder in Paris, debütiert im darauffolg. Jahr im Salon mit einer Ansicht von Capri und dem „Chemin creux", einem Motiv, das er gleichzeitig auch radierte. Noch einmal unterliegt er merkwürdigen Schwankungen: Hinwendung zum Figurenbild mit verfänglich anekdotischer Zuspitzung (Schuljungen beim Schulausgang u. ähnl.). 1859 begab er sich in das Nivernais, das fortan das Hauptfeld seiner Tätigkeit werden sollte; er malt die Loire-Ufer bei Nevers, die lieblichen Ufer der Allier (besonders bei Hérisson) und Nièvre, Bilder mit denen er seit Anfang der 60er Jahre seine ersten Erfolge errang. 1863 folgt er seiner alten Italien-Sehnsucht, verweilt 2 Jahre in Rom, Neapel und auf Capri und gerät immer mehr in den Bann Corot's. Die Hauptfrucht dieser Jahre ist das von 1866 dat. Bild des Luxembourg: Abend in der röm. Campagna. Das Schönste aus dieser Zeit aber sind seine Aquarelle, die in zartester Helligkeit leuchten. Der Einfluß Corot's u. Italiens macht sich noch die nächsten Jahre geltend in einer gewissen grauen Tonskala seiner Palette, dann aber bricht die Zeit eines Farbenjubels an, in der H. eine prachtvolle Ausdruckskraft erreicht. Neben dem Nivernais ist es das Yonne-Gebiet, das er jetzt mit Vorliebe aufsucht, die Ufer des Loing bei St-Fargeau, die Partien am Canal de Briare, und vor allem St-Privé; auch besuchte er jeden Winter die Mittelmeerküste, Beaulieu, Villefranche, Antibes und namentlich häufig Mentone. Ein neuer Stilwechsel tritt erst nach Beginn des 20. Jahrh. ein, als die ermattende Sehkraft des Auges — H. blieb bis in sein höchstes Alter hinein schaffenskräftig — ihn zwingt, die Details zu vernachlässigen und nur die großen Massen zur Wirkung zu bringen. Gleichzeitig läßt die Kraft der Faktur nach, und an die Stelle der strahlenden Farbigkeit von früher tritt eine silbrige Tonigkeit, die in ganz zarten, nuancenreichen Tonübergängen schwelgt. Dieser Altersstil bedeutet eine Rückkehr zu seinem Jugendideal Corot, mit dem H. eine starke Wesensverwandtschaft verknüpft, die sich in der lyrisch-musikalischen Auffassung der Natur — H. war nicht zufällig ein glänzender Cellist und begeisterter Verehrer Haydn's u. Beethoven's — zu erkennen gibt. Obgleich die Farbe für ihn das ausschlaggebende Moment war, predigte er doch unaufhörlich seinen Schülern die Ingres'sche Vorschrift: „Le dessin est la base de tout", die er selbst zur Basis seiner Kunsterziehung gemacht hatte. — Der Luxembourg bewahrt von H. 5 Bilder, darunter einen Blick auf das Colosseum und den „Saut du Loup" (Abb. bei Bénédite, Luxembourg-Mus., 1913), das Pariser Petit Palais eine größere Reihe von Aquarellen; weitere Bilder und Aquarelle in den Museen zu Auxerre, Besançon, Bordeaux, Caen, Clamecy, Dieppe, Douai, Grenoble, Lille (5 Ölgem.), Orléans, Rochefort, Roche-sur-Yon, Rouen, Soissons, Tourcoing und Valenciennes („Sauve qui peut", Gassenjungen, 1857). Einige Zeichn. im Louvre u. in der Berl. Nat.-Gal. Im Auslande ist H. vertreten in den Museen zu Lüttich, Bukarest (Mus. Simu), in der Walker Art Coll. Minneapolis, im Brooklyn Inst., in Cambridge (Fitzwilliam M.) und New York (Metrop. M.). Seine Büste, von Ségoffin modell., im Luxembourg-Mus.

C h . T a r d i e u in L'Art, XVI (1879) 269—72, 281—88. — B é n é d i t e in Gaz. d. B.-Arts, 1917 p. 207—35. — C. J. H o l m e s in The Burlington Magazine, X (1906/7) 219—29 u. XV (1909) 75 ff. (mit Tafel); vgl. ebenda XXIX (1916) 267—71; XXXII (1918) 164. — The Studio, XIII (1898) 143—52 (F r e d . L e e s); XL (1907) 4 ff.; XLV (1909) 257—68 (H e n r i F r a n t z ; m. Abb. u. farb. Taf.); XLIX (1910) 263—70 (H. F r a n t z : The charcoal drawings of H. H.); LXIX 132 ff., 182; LXXIII (1918) 43 ff. (E. G. H a l t o n). — Renaiss. de l'Art franç., II (1919) 415 ff. (Neuerwerb. d. Petit Palais). — Gaz. d.

B.-Arts, zahlr. Erwähn.; vgl. Tables alphab. — Les Arts, 1902 No 5 p. 21 (Abb.); 1903 No 17 p. 4 (Abb.); 1904 No 30 p. 2 (Abb.); 1905 No 42 p. 12 (Abb.). — Chron. d. Arts, 1914/16 p. 154, 250. — Bull. de l'Art anc. et mod., 1913 p. 266; 1914 p. 184. — Je sais tout, vom 15. 2. 1914, p. 159—68 (L a b u s q u i è r e). *Über die Graphik:* N a g l e r, Monogr., III. — B é r a l d i, Graveurs du 19ᵐᵉ siècle, VIII (1889). — G u i f f r e y u. M a r c e l, Inv. gén. ill. d. dessins du Louvre .., 1906 ff., VI. — Kat. d. Handzeichn. d. Berl. Nat.-Gal., 1902. *Museums-, Ausstell.-Kataloge usw.:* Q u e n - t i n - B a u c h a r t, Musées municip. (Rich. d'art de la ville de Paris), 1912 p. 67, 73, 78 u. Taf. 12. — B e l l i e r - A u v r a y, Dict. gén., I (1882) u. Suppl.; dazu Salon-Kat. (Soc. d. Art. franç.) bis 1912 (meist mit Abb.). — G r a v e s, Cent. of Loan Exhib., II (1913); IV (1914), Addenda. — Katal. d. angef. Museen. — Jahrb. d. Bilder- etc. Preise, Wien 1911 ff., I—VI. — M i r e u r, Dict. d. Ventes d'art, III (1911). *H. Vollmer.*

Harpin, siehe *Herpin.*

Harpocration, siehe *Aelius,* P. Harp.

Harprecht, Bildhauer in München, 1. Hälfte 17. Jahrh. (?). In der Dresdner Kunstkammer (Inventar von 1640) befanden sich von ihm eine grünbemalte Terrakottagruppe: Apollo u. Venus, ein rotes Wachsbild der Maria Magdalena u. 3 Bronzestatuen: ein Christus mit ausgebreiteten Armen, ein Mann u. ein Weib mit Spiegel.

N. Arch. f. sächs. Gesch. XXIII (1902) 263.

Harpur, P h i l i p, Architekturzeichner und Maler in Dublin, besuchte seit 1764 die Dublin Society's School, stellte 1770 in der Soc. of Art. Architekturzeichnungen aus, widmete sich später dem Porträtfach als Nachahmer von H. D. Hamilton.

S t r i c k l a n d, Dict. of Irish Artists, I (1913).

Harrach, F e r d i n a n d, Gold- u. Silberschmied in München, geb. ebenda 5. 5. 1821, † 27. 12. 1898, lernte in München und Wien, war im Atelier L. v. Schwanthalers tätig und gründete 1851 ein Geschäft, das für die In- u. Ausland größere und kleinere kirchliche Goldschmiedearbeiten lieferte, von denen hervorzuheben: Reliquienschrein des hl. Korbinian im Dom zu Freising 1863 (Statuettenmodelle von K. Zumbusch u. Ant. Hess), Metallhochaltar in Geltolfing bei Straubing und zahlreiche Arbeiten, meist in vergoldeter Bronze, für die königl. Schlösser Linderhof, Neuschwanstein u. Herrenchiemsee. 1887 überließ H. die Leitung der Werkstätte seinem Sohn R u - d o l f, geb. 29. 6. 1856 in München, † 1921, der ebenfalls alle Arten kirchl. Geräte u. andere Arbeiten nach eigenen und fremden Entwürfen fertigte.

Kirchenschmuck, XV (1864) 27. — Festgabe d. Ver. f. christl. Kst in München, 1910. — L. v. K o b e l l, König Ludwig II. v. Bayern u. d. Kst, München 1900. — A b e l e, Dom zu Freising, 1919 p. 28. — S t e i n b e r g e r, Herrenchiemsee, p. 50, 53, 59; d e r s., Neuschwanstein u. Hohenschwangau, 1. Abt., p. 31 u. Abb. p. 32, 61. — Katal. Glaspalast-Ausstell., München 1883. — Die christl. Kst, IV (1907/8) 20—23; V (1908/9) 193, 201, 203/5, 210, 212, 218; VI (1909/10) 193/99; VIII (1911/12) Beil. p. 32; IX (1912/13) 273/88; XVI (1919/20) Beibl. p. 14; XVIII (1921/22) 88 f. (Nekrol.); Beibl. p. 30, 52 (mit vielen Abbn.).

Harrach, F e r d i n a n d Graf v o n, Maler, geb. in Rosnochau (Oberschlesien) 27. 2. 1832, † in Berlin 14. 2. 1915. Vater des Hans Albrecht. Nach anfänglichen juristischen und philosoph. Studien 1860—68 Schüler von Kalckreuth, Pauwels und Ramberg an der Kunstschule in Weimar. Beschickte seit 1862 die Berl. Akad.-Ausstell. Begann mit historischen und Genredarstell., besonders aus dem Hochgebirge (Gemsjagd, Kaiser Max auf der Martinswand); das Hauptbild dieser Richtung „In den Alpen abgestürzt" (1886) in der Berl. Nat.-Gal. Im Mus. zu Breslau eines seiner bekanntesten frühen Historienbilder: Gefangennahme Luthers auf seiner Heimkehr vom Wormser Reichstage. Auch einige religiöse Bilder entstanden bereits in dieser frühen Zeit („Ecce homo", 1868). Die Teilnahme am deutsch-franz. Kriege zeitigte einige Bilder aus diesem Stoffkreise: In den Weinbergen von Wörth (Sterbender preuß. Soldat reicht einem verwundeten Turko die Feldflasche), in der Kunstschule in Weimar, Sedan (General Reille überbringt König Wilhelm den Brief Napoleons), Moltke in seinem Observatorium vor Paris, usw. Seit Ende der 1870er Jahre wandte H. sich mit gesteigerter Vorliebe dem neutestamentlichen Themenkreise zu: Verleugnung Christi durch Petrus (Mus. Breslau, 1879), Versuchung Christi, Der 12jähr. Jesus, Der gute Hirte, Am See Tiberias usw. Mehr nach der Form wie nach der Farbe hin empfunden, zeigen diese z. T. sehr tief empfundenen gemalten Bibeltranskriptionen einen unverkennbaren nazarenischen Einschlag, der sich auch in dem spezifisch zeichnerischen Stil der Bildnisarbeiten H.s nicht verleugnet. Seine bedeutendste Leistung stellen zweifellos seine Porträts dar, die durch schlichte Ehrlichkeit der Auffassung, psycholog. Vertiefung und solide technische Ausführung hervorragen, und die anerkennenden Worte Schefflers rechtfertigen: „die Bildnisse können späteren Generationen nicht übel eine Vorstellung vom Wesen des preußischen Adels zwischen 1870 und 1900 geben, sie haben etwas von gemalten Dokumenten". In der Gal. zu Donaueschingen ein Bildnis der Fürstin Dorothee zu Fürstenberg (1885). Ausgezeichnete Ansätze zu einem wirklich malerischen Stil finden sich in seinen kleinen, oft sehr frischen Landschaftsstudien aus der Schweiz, Tirol und Oberitalien. — H. beschickte zwischen 1862 und 1892 häufig die Berl. Akad.-Ausst., seit 1895 die Große Berl. K.-A., deren Präsident er war. Zu seinem 80. Geburtstage veranstaltete der Verein Berl. Künstler im Künstlerhause März 1912 eine umfangreiche Sonderausstellg.

Ad. R o s e n b e r g, Berliner Malerschule, 1879; d e r s., Gesch. d. mod. Kst, ² 1894, III. — F. v. B o e t t i c h e r, Malerwerke d. 19. Jahrh., I 1 (1891) u. Nachtr. zu Bd I. — Das Geistige Deutschland, I (1898). — Dresslers Kunsthandbuch, 1908 p. V—VIII (F r. S t a h l). — J a n s a, Deutsche bild. Künstler in Wort u. Bild, Lpzg 1912. — Die Kunst, XXXII (1914/15), Beil. zu Heft 7 p. VIII (Nekrolog). — Zeitschr. f. bild. Kunst nebst Kunstchronik, zahlr. Erwähn.; vgl. Register I—XXIV u. N. F. I—XVI; Zeitschr. f. bild. Kst N. F. XVIII 244; Kstchronik, N. F. XXVI 291 f. (Nekrol.). — Kunst und Künstler, XIII (1915) 334 f. (K. S c h e f f l e r). — Schlesische Zeitung, Breslau, vom 18. 2. 1915 (A. L i n d n e r). — Gedenkschrift u. Führer d. d. Carl Alexander-Gedächtnisausstellg Weimar 1918. — Sieben Photogravüren nach Gemälden H.s, Verlag Gust. Schauer Berlin. — Ausst.-Kataloge (z. T. mit Abbild.).
H. Vollmer.

Harrach, H a n s A l b r e c h t Graf v o n, Bildhauer, geb. in Florenz 11. 2. 1873, Sohn des Ferdinand, Schüler der Acad. Julian in Paris, dann des ungar. Malers Hollósy in München und Whistler's in Paris. Lebt in Villa Ridolfi Marignolle bei Florenz. Mitglied des Deutschen Künstlerbundes, beschickte er dessen Ausstell. in Weimar (1906), Darmstadt (1910), verschiedentlich auch die Ausstell. des Schles. Künstlerbundes in Breslau (1913), die Berliner (1909) und Münchner Sezession (1910) mit Bildnisbüsten, besonders Damen- und Kinderporträts, die seine Schulung an den großen Florentiner Renaissanceplastikern erkennen lassen.
Dresslers Kunsthandbuch, 1921. — Ausstell.-Kataloge.

Harrach, M a x, Maler, Radierer und Illustrator in Frankfurt a. M., geb. 20. 2. 1874 in München, daselbst unterrichtet von A. Quaglio 1889/90 und auf der Akad. 1890/92, seit 1896 in Frankfurt. Pflegt historische, romantische und landschaftl. Darstellungen. 41 Werke zeigte er in einer Atelierausstell. Okt. 1905; einige sind im Verlag v. Schuster u. Löffler Berlin in Reproduktion erschienen. Als Illustrator war H. u. a. für die „Fliegenden Blätter" und die „Jugend" tätig.
W e i z s ä c k e r - D e s s o f f, Kst u. Kstler in Frankf. a. M., II (1909). — J a n s a, Dtsche bild. Kstler in Wort u. Bild, 1912.

Harrach, R u d o l f, s. 1. Artikel *Harrach, Ferd.*

Harrache, siehe *Harache.*

Harraden, R i c h a r d, Zeichner und Kupferstecher, geb. in London 1756, † in Cambridge 2. 6. 1838, alt 82 Jahre; Vater des Richard Bankes. Tätig in London, Paris und seit 1798 in Cambridge. Veröffentlichte: 1797/98, Views of Cambridge (6 Bl., später auf 7 ergänzt, qu.-fol.); 1800, Ansichten der Stadt und Universität Cambridge, 24 kl. Bl. mit Text; Costume of the Various Orders in the University of Cambridge (Farbenlithogr. mit Beschreibung); 1811, Cantabrigia depicta, a series of engravings representing the most picturesque

and interesting edifices of the University of Cambridge, 4° (Stecher Rich. B. Harraden).
Dict. Nat. Biogr., XXIV (1890) 432 f.

Harraden, R i c h a r d B a n k e s, Zeichner u. Kupferstecher, geb. 1778, † in Cambridge 17. 11. 1862, alt 84 Jahre; Sohn des Richard (s. d.). Veröffentlichte selbständig: Illustrations of the University of Cambridge, 1830 (58 Bl., Aquatinta, davon 24 vorher in Rich. H.s Cantabrigia depicta ersch.). Lieferte 4 Aquatintabl. zu Girtin's Views of Paris. Mitglied der Soc. of Brit. Artists 1824—49.
Dict. Nat. Biogr., XXIV (1890) 433. — P r i d e a u x, Aquatint Engrav., 1909. — G r a v e s, Dict. of Artists, 1895; Royal Acad., III (1905); Brit. Institution, 1908. — Cat. of Drawings by Brit. Art. Brit. Mus., II.

Harral, H o r a c e, engl. Reproduktions-Holzschneider in London. Schüler von J. Orrin Smith († 1843). Mitarbeiter der Illustrated London News. Stellte 1862—70 in der Royal Acad. Arbeiten nach W. P. Burton, G. du Maurier, W. Small und J. M. W. Turner aus. Arbeitete außerdem nach George Thomas für Longfellow's Poems, ill. Ausg., Burn's Poems, Coleridge's Ancient Mariner, Campbell's Pleasures of Hope; ferner nach E. H. Wehnert, W. Allais („Prinzgemahl von England") u. a. Zuletzt 1876 nachweisbar.
G r a v e s, Dict. of Artists, 1895; Royal Acad., IV (1906). — C h a t t o - J a c k s o n, Treatise on Wood Engrav., o. J. [1861], m. Abb. — Cat. of engr. Brit. Portr. Brit. Mus., I (1908) 24, 72; II (1910) 556, 566; III (1912) 294; IV (1914) 369.

Harrath (Harrat), J o s e p h A n t o n, Hofmaler in München, läßt 1710, 23 u. 1726 Kinder taufen. Malte Landschaften mit Tieren, Tierhatzen u. Tierstücke. 4 Landschaften mit seltenen ausländ. Tieren lieferte er für den Münchner Hof. In Schloß Nymphenburg sollen sich mehrere Bilder von ihm befunden haben. 2 Jagdstücke befanden sich im Landauerbrüderhaus, Nürnberg.
Pfarrbücher U. L. Frau in München (Auszug Fassmann im Heinecken-Ms., Sammelband, im Kupferstichkab. Dresden). — L i p o w s k y, Baier. Kstlerlex., 1810, 2. Nachtrag. — N a g l e r, Kstlerlex., V. — P a r t h e y, Deutscher Bildersaal, I (1863).

Harrel, J e a n, franz. Architekt, der 1605 nach den Plänen des Pater Martellange das Jesuitenkollegium, jetzt Justizgebäude, in Moulins baute.
L o c q u i n, Nevers et Moulins (Villes d'Art cél.) 1913 p. 129.

Harrer, A., Zeichner und Lithograph, machte die Zeichnungen für „Architekton. Album. Erinnerung an Lindau a. Bodensee u. dessen Umgebung" (Farbenlithographien bei Fr. Wolf, München 1847.) Verschiedene Ansichten von Lindau hat E. Bollmann nach H.s Zeichnungen lithographiert. Eine große Lithographie H.s ist das Erinnerungsblatt an die Feier der Eisenbahneröffnung von Immenstadt nach Lindau (1854). Auch gab er eine „Sammlung architekton. Entwürfe u. s. w.", Landshut 1846 in Lieferungen heraus u. zeichnete den Hochaltar der Stadtpfarrkirche zu Moosburg (Oberbayern) für „Beiträge zur Holzarchitektur des Mittelalters", Lindau 1856.

Maillinger, Bilderchronik München (Sign d. Stadtmus.) 1876 III. — Weigel's Kstkatal., Leipzig 1838—66, III 16 431; IV 21 216. — Bibliotheca Bavar. (Lagerkat. Lentner, München) 1911 Nr 8808/9, 15 685/6.

Harrer, Hugo Paul, Architektur-, Genreu. Landschaftsmaler, geb. zu Eberswalde, Schlesien, am 6. 2. 1836, † in Rom 10. 12. 1876. Nach anfänglichen Baustudien betrieb er autodidaktisch die Malerei, zuerst in Nürnberg, dann in München, wo er durch Piloty gefördert wurde. 1861 ging er nach Italien, wo er mit Unterbrechung der Jahre 1867/68, während derer er einige Zeit bei O. Achenbach in Düsseldorf arbeitete, bis an sein Lebensende weilte, meist in Rom, wo er sich an L. Passini anschloß, zwischendurch auch in Neapel. (1863 u. 64; in Olevano 1873 u. 74). Seit 1870 beschickte er die Berliner Akad.-Ausst. mit Ansichten aus den Sabinerbergen, Rom, Neapel, Amalfi, Olevano usw. Seine nach der Natur gemalten Architekturbilder mit Staffage erregten ihrer außerordentlich fein durchgeführten perspektivischen Wirkungen wegen Aufsehen. Sein künstler. Nachlaß gelangte März/Mai 1877 in der Berl. Nationalgal. zur Ausstellung, darunter 160 Studien aus den Jahren 1868—76, die in der Beobachtung der atmosphär. Erscheinungen und in der Frische ihrer malerischen Faktur seine ausgeführten Gemälde von ihm übertreffen. Bilder von ihm im Städt. Mus. Braunschweig (Torre del Greco), im Mus. zu Erfurt (Theater des Marcellus in Rom, früher in der Berl. Nat.-Gal.), in der Gem.-Samml. zu Baden-Baden (Klostergarten) u. im Mus. in Bern (Ansicht aus Olevano).

F. v. Boetticher, Malerwerke d. 19. Jahrh., I 1 (1891). — Allgem. Deutsche Biogr., X 640. — Kunstchronik, VII 343; XII 288 (Nekrol.), 473 ff. (Nachlaß-Ausst.). — Jahrb. d. Bilder- u. Kstblätterpreise, IV (Wien 1914). — Katal. d. Berl. Akad.-Ausst., 1870; 74; 76; 77; u. d. angef. Museen. — Akten des dtsch. Kstler-Ver. in Rom. — Mit Notizen von Fr. Noack. *H. V.*

Harres, Franz, Bildhauer, geb. 1809 zu Darmstadt, † 25. 8. 1835 in Rom. 1828 nahm er am Dürerfest in Nürnberg teil. Für den Löwenbrunnen in Darmstadt arbeitete er den liegenden Löwen. Im Kestner-Mus. zu Hannover von ihm 4 gezeichn. italien. Landschaften.

Ludw. Grimm, Erinnerungen aus m. Leben, Lpzg 1911 p. 415. — Ev. Pfarrbuch in Rom. — Notiz von F. Noack.

Harrewijn (van Harrewijns), Kupferstecher-, Münzstecher- und Medailleur-Familie aus Holland, 17./18. Jahrh. in Amsterdam, Haag, Antwerpen und Brüssel tätig. **Jacobus,** Kupferstecher (und Medailleur ?), geb. um 1660 in Holland (in den Castella et praetoria nobilium Brabantiae [s. u.], Batavus gen.), 1732 noch am Leben, Schüler von Romain de Hooghe (als solchen bezeichnet er sich selbst in der Folge der Monate und Jahreszeiten 1698), heiratet in Amsterdam, 22 Jahre alt, 4. 12. 1682 Henrietta de Kemp. 1688/89 Meister in der Antwerpener Lukasgilde. Um 1695 vermutlich schon in Brüssel, da 11 Kinder aus seiner Ehe mit Catharina van Cleemput zwischen 1696 und 1714 in der Catharinen-Kirche ebenda getauft werden; 1727 im Haag (vom Herausgeber des Groot kerkelyk toneel van Brabant als dort wohnhaft bezeichnet), † vermutlich hier zwischen 1732 und 1740. — In der Literatur herrscht viel Unstimmigkeit in den biograph. Angaben über Jacobus und seinen Sohn François (s. u.), die oft verwechselt werden (die ältere Lit. bis Kramm kennt Jacobus überhaupt nicht), und über ihre Autorschaft an den z. gr. T. nur Harrewijn bez. Stichen. Nach den Untersuchungen von Piot arbeitet Jacobus 1689 bis 1732 und bezeichnet in seiner früheren Zeit meist nur mit dem Familiennamen, später, als er gleichzeitig mit dem unten besprochenen J. G. (seit 1711) und François (seit 1720) tätig ist, häufiger mit vorangesetztem J., und zwar ist sein H stets kursiv, das des François antiqua. Piot stellt folgendes oeuvre des Jacobus zusammen: 1689 allegor. Bl. auf die Personalunion zw. England und Holland, in Antwerpen gestochen (ein Hauptblatt, bez. J. Harrewijn); 1 Karte und 44 Ansichten von Schlössern, Dörfern, Klöstern usw. in Jacques Le Roy's Topographia historica Gallo-Brabantiae, Amsterdam 1692; in dems. Jahr Karte der Markgrafschaft Antwerpen und Stadtplan von Antwerpen; 1694 Citadelle von Antwerpen; 6 hervorragend schöne Bl.: „De XXV letteren van het A, B, C, tot sinnebeelden gemaakt met de volgende figuren, door J. Harrewijn, 1694; Porträts: Margarethe v. Valois (1. Gem. Heinr. IV.), A. Miraeus, A. Sanderus, P. Stockmans (1698), C. Butkens (1710), Mᵐᵉ de la Vallière, Karl X. von Frankr., Charles de Guise (Cardinal de Lorraine), Heinrich VIII. von England, Bischof von Prophyra, Papst Julius II., hl. Franz Xaver, hl. Ignatius (nach Piot werden manche andere Porträts, z. B. das Franz' II. von Frankr., das die Signatur J. B. Jongelincx trägt, nur deshalb Jac. H. zugeschrieben, weil er die Umrahmung bezeichnet hat; vielleicht verhält es sich ebenso bei dem Porträt Franz' I. nach Jongelincx und dem des Michael Korybut Wisniowiecki, Königs von Polen [„J. B. Jongelinx scu. J. Harrewijn fec. & invenit"]); 83 Bl. in Le Roy's Castella et praetoria nobilium Brabantiae, Amsterdam 1696; St. Quentin (Wallfahrtsbildchen von Lennick-St.-Quentin); 23 Bl. für die 1. Ausg. (1697) der Délices des Pays-Bas in Brüssel ersch. bei Fr. Foppens (Freund des Jac.), mit Zusätzen in den folgenden Ausgaben (Widersprüche in den Angaben der Daten der einzelnen Ausgaben bei Piot in

Text und Annex!), die von 1720 enthält im ganzen 103 Bl. von Jac.; 1697 Plan von Brüssel; eine besonders hübsche Folge, Maximilian-Emanuel v. Bayern gewidmet: T'jaar d'XII maanden, VII dagen en IV geteyden, geordonneert en in't coper gemaakt door J. Harrewijn, discipel van Rom. de Hooghe 1698; in dems. Jahr ein dems. Fürsten gewidmeter Plan von Brüssel, nach Zeichnung des Archit. J. Laboureur, auf dem er sich ebenfalls Schüler des de Hooghe nennt; Titelbl., Dedikationsbl. und 4 Vignetten in „Le Luyster van Brabant", 1699; Einführung Philipps V. in Brüssel 1702, nach Zeichnung von J. Laboureur; Statue der hl. Anna nach Duquesnoy, 1702; Plan von Gent, 1703; Illustrationen für „Les amans cloistrez ou l'heureuse inconstance", Brüssel 1706, für „La douce et la sainte mort" und „Les disgrâces des amans", 1706; Vignetten für die Antiquitates Belgicae von Gramaye, Löwen und Brüssel, 1708; Plan von Tournai, 1709; eine Slg von Karten der südniederländ. Provinzen, von Stadtplänen, Belagerungen und Schlachten, 1712; Les fortresses du Pays-Bas, gedr. bei Jacques Peeters, Antwerpen, vor 1720; Katafalk Ludwigs XIV., 1715; in dems. Jahr Stiche für die Bücher „Het leyden van ons Heeren saligmaeker" und „Dertien boecken der beleydenisse van den heyligen Augustinus"; Rekollektenkloster zu Brügge 1716; Abtei von Saint-Michel in Antwerpen 1717; Stiche für die „Desolata Batavia dominicana", 1717; Titelbl. von „Gekruysten Seraphien"; Einführung Karls VI. in Brüssel und Gent; Titelbl. für „Sacra Belgii chronologia" von Castillon (diese letzten 3 von 1719); Hl. Wivina für „Het leven ende mirakelen van de H. Wivina", Brüssel 1722; Titelvignetten für Band I und II der Opera diplomatica von Miraeus, 1723 (dieselben im III. Bd von 1734); in der Historia archiepiscopatus Mechliniensis, her. von Van Gestel 1725 drei Bl.: Karte der Diözese Mecheln, Gudula-Kirche in Brüssel, Peterskirche in Löwen; 15 Bl. im Supplément zu Butkens' trophées de Brabant, Haag 1726; 12 Ansichten in Sanderus, Chorographia sacra Brabantiae, 3 Bde, 1726/27; 2 bemerkenswerte Titelbl. in 2 von Foppens 1727 herausg. Büchern: Double représentation de la mort und Le chrétien en solitude; 13 Ansichten in Le Roy's „Groot kerkelyk toneel van Brabant", Haag 1727; 68 Ansichten in Le Roy's „Groot werredlyk tooneel des hertogdoms van Braband", Haag 1730 (größtenteils schon in den Castella et praetoria 1696); 4 Stiche in A. Sanderus' „Flandria illustrata", Ausg. 1732; 6 in Cafmeyer's „Véritable histoire du Très Saint-Sacrament des Miracles", 1720; 1 Vignette in Wynants' „Curiae Brabantiae decisiones". Außer diesen Arbeiten nennt Piot u. a. noch: Familie Van der Noot; Grab der Petronilla von Villegas; 2 Ansichten von Rubens' Haus

in Antwerpen, 1684 nach Zeichn. von J. van Croes; Pläne von Brüssel; Accusatio et querela populi Belgici; ein Blatt mit dem Titel: Al doende leert men; Titelbl. eines Buches: Mémoires pour l'histoire de France; Mönche der Abtei Orval (im Ms. No 16 610 der Biblioth. roy. Brüssel). — Dieser Liste von Piot wären hinzuzufügen: Die Zunftältesten von Brüssel vor Carl II.; das Karthäuserkloster zu Brüssel aus der Vogelschau; Place du Sablon in Brüssel; Darstellung des Feuerwerks auf der Brüsseler Place du Sablon zur Feier der Einnahme von Bude; hl. Franciscus de Paula; Brand im Hof von Oranien zu Brüssel 24. 11. 1701 (laut Kramm); Stiche für die Oeuvres de Molière, Brüssel 1694; Titelbl. zu J. Claude „Le comte de Soissons", Cöln 1706; Illustrationen für „Esope en belle humeur", Brüssel (bei Foppens) 1700; für Mendoza „La vie et les aventures de Lazarille de Tormes", Brüssel 1701; 1 Bl. in P. de Lesconvel „Idée d'un règne doux et heureux", 1703; Titelbl. zu Mme de Pringy „l'Amour à la mode", Paris 1706; 51 Stiche in Cervantes „Don Quichotte", Brüssel 1706; Titelbl. zu A. de Courtin „Nouveau traité de la civilité", Brüssel 1707; Titelbl. u. 72 Bl. (kopiert nach den R. de Hooghe zugeschr. der Ausg. von 1698) für Marguerite de Navarre „Contes et Nouvelles", Amsterdam 1708; Titelbl. zu „Hist. Prodigieuse", Cöln 1712; 32 Porträts in P. de l'Estoile „Mémoire pour servir à l'histoire de France", Cöln (Brüssel) 1719; 2 Titelbl. zu Bossuet „Politique tirée des propres paroles de l'Ecriture Sainte", Brüssel 1721; Ansicht und Grundriß des Mainzer Doms in „Hist. ecclesiast. d'Allemagne etc." I, Brüssel (bei Foppens), 1724; Porträt der Johanna van Randenraet († 1684) in deren Lebensbeschreibung, Antwerpen 1690; Porträt des Hugues Le Cocq († 1516), kniend mit seiner Gemahlin, dat. 1695 (nach dem Gemälde in der Peterskirche zu Lille, vgl. Houdoy); Porträt des Papstes Clemens XI., nach Jos. Passari, in ovalem Rahmen mit allegor. Figuren, falls die Bezeichnung J. H. sich hier nicht auch nur auf die Umrahmung bezieht. — „Gravé par H., publ. p. Philibert Bouttats" ist nach Duplessis das Porträt Karls II. von Spanien mit Gemahlin Maria Anna von Neuburg in ovalem Rahmen mit auf seine Regierung bezügl. Darstell. (6 Stiche mit Darstell. der Hochzeitsfeierlichkeiten [1690 in Madrid] dieses fürstl. Paares und damit eine Reise des Jac. nach Spanien lehnt Piot ab). Nach Piot's Charakteristik teilt Jac. alle Vorzüge s. Lehrers; er besitzt Phantasie, auch Anmut der Darstellung, läßt es nur zuweilen an Genauigkeit der Zeichnung fehlen, besonders bei den Umrahmungen. — Forrer nennt Jac. (wohl irrtümlich) Jean, führt (nach Pinchart) eine von ihm bez. Porträtmedaille der Prinzessin Anna v. Croy († 1660) an und vermutet seine Autorschaft für 2 Jetons bez. H. F. von 1675 und 1686.

Nach Piot scheint Jac. einen Bruder gehabt zu haben, der J. Harrewijn Junior und J. G. Harrewijn (manchmal dazu Junior) oder mit dem aus seinen Vornamen gebildeten Monogramm bezeichnet. Er arbeitet nachweisbar seit 1711, wie es scheint, in Brüssel, ohne hier geboren zu sein. Werke: Plan von Brüssel, bez. Harrewijn le jeune 1711; Blätter in „Lusus emblematicus in solemni professionis die oblatus Jacobo Van den Brande", 1715; ebenso (2) in der Brüsseler Ausg. von 1711 der „Délices des Pays-Bas" (vgl. oben); Porträt von L. Coster (bez. J. Harrewijn le jeune); 2 Bl. im 4. Bd der „Délices des Pays-Bas", Ausg. 1720. Piot bezeichnet seine Arbeiten als mittelmäßig und oft sehr hart in der Zeichnung.

F r a n ç o i s , Sohn und Schüler des Jacobus, getauft in Brüssel 26. 6. 1700, begraben ebenda 24. 11. 1764, zunächst mehr als Kupferstecher, dann als Münzgraveur (seit 1725 an der Brüsseler Münze, seit 1733 graveur de l'empereur [Karl VI.]), Medailleur und Siegelschneider (graveur des sceaux de l'Etat) tätig. 1721 heiratete er eine Tochter des Kupferstechers J. B. Berterham. 1730 ging er für einige Zeit nach Portugal, um dort für den König zu arbeiten. 1759 wurde er infolge von Streitigkeiten seines Amts an der Münze enthoben, später wieder eingesetzt. Von ihm (meist F. oder Fr. Harrewijn) bez. Stiche: Im Suppl. des Trophées de Brabant von Butkens, 1726, Wappen der Schöffen von Löwen (gravé par Frans Harrewijn, le fils); Inneres der Kirche Notre-Dame du Sablon beim Gottesdienst 10. 11. 1726 (nach Zeichn. von P. de Doncker); 14 Bl. im „Théâtre sacré du Brabant" von Le Roy, 1734; eine herald. Slg, publ. 1738 mit 2 Titelbl.; 9 Bl. im Exerzierreglement des Generals marquis de Los Rios, Brüssel 1740; Ambr., marquis d'Herzelles, Direktor der kais. Domänen in den Niederlanden, 1740; Vignette in Bd IV der „Opera diplom." von Miraeus, 1748; Willem van Estius, 1763; Charles de Lorraine; Marie Elisabeth, Erzhzgn von Österr.; Don Nuno Alvarez Pereira de Mello, duc de Cadaval; Thomas Bruce, earl of Elgin; Friedrich Graf v. Harrach, niederländ. Premierminister; Karl Ferdinand, Graf v. Königsegg, niederländ. Minister; Christ. Lupus, belg. Augustinermönch; Erzherzog Albrecht v. Österr. (kniend, mit Gebetbuch) nach Rubens' Ildefonso-Altar, Gegenstück Erzherz. Isabella; mehrere Exlibris, u. a. je eins für A. F. Jaerens und für D. Didacus Fernandes de Almeida, bez. F. Harrewijn delin. sculp. Lisboa. Während seines Aufenthaltes in Portugal stach er die Porträts Johanns IV., Alfons' VI., Peters II. und Johanns V. Das letzte befindet sich in den Memoiren des Königs (deren Titelbl. bez. ist: Franciscus Vieira Lusitanus invenit. Franciscus Harrewyn sculpsit, Lisboa) und ist bez.: François Harrewyn delineavit et sculpsit 1730. Die besten Stiche des François sind die gen. Porträts des erzherz. Paares Albrecht und Isabella nach Rubens, die sich vorteilhaft von seinen übrigen, oft harten und mangelhaft gezeichneten Arbeiten abheben. — Bei folgenden nur Harrewyn bez. Stichen bleibt die Urheberschaft vorläufig zweifelhaft, doch kommt wohl meist Jacobus in Betracht: Agnoste, le seigneur; François de Valois, duc d'Alençon; Gabrielle d'Estrées; René de Birague; Armand de Gontaut; Charles de Gontaut; Catharina von Medici; Karl IV. von Frankr.; Karl IX. von Frankr.; C. M. de Montmorency, princesse de Condé; Henri II de Bourbon, prince de Condé; J. D. Duperron; Pierre Dupuy; Elisabeth von Österr., Kön. v. Frankr.; J. L. duc d'Epernon; Henri de Lorraine; Louis de Lorraine; Heinrich II., III. und IV. von Frankr.; Jeanne d'Albret; A. duc de Joyeuse; A. Lemire (belg. Histor.); Ludwig VIII., IX., XI. und XIII. von Frankr.; Louise von Lothringen, Gem. Heinrichs III.; Margarethe von Parma; Maria Stuart; Maria v. Medici; Ulrike Eleonore von Schweden († 1693); laut Füßli: Diomedes und Manto nach Zeichn. von B. Picart 1711; laut Le Blanc: David im Gebet; laut Heinecken: Franc. Melo, Graf von Assumar (Gouvern. v. Belgien 1641) und 6 Bl. Taten Karls V., auch das anonyme Porträt eines Fürsten zu Pferde; der Katalog der Slg van Hulthem (verkauft in Gent 1846) nennt noch einen Stich nach einem alten Gemälde in der Carmeliter-Kirche zu Brüssel und ein Selbstporträt (im Atelier sitzend). Von François sind wohl die Illustrationen für Le Sage „Histoire de l'admirable don Guzman d'Alfarache", Paris und Brüssel 1734, u. für H. de La Motte, Oeuvres, Paris 1754. — 2 Medaillen sind von François bekannt, eine auf die Prinzessin Caroline von Lothr. (sitzend, einen Kranz haltend), dat. 1760, und eine „H." bez. Nachahmung von Jacques Roettiers' Medaille auf die Thronbesteigung Maria Theresias (1744), ferner mehrere Jetons, u. a. auf die Zeichenakad. in Brügge 1720 und die Statthalterin Marie Elisabeth 1739.

J e a n - B a p t i s t e , geb. in Brüssel 2. 8. 1722, † ebenda 2. 12. 1782, Sohn und Schüler von François, wurde 1753 von der niederländ. Regierung nach Wien geschickt, um unter Matthias Donner zu lernen. Nach seiner Rückkehr 1764 arbeitete er mit seinem Vater, dessen Nachfolger an der Münze er 1768 wurde. Er zeichnete auch Buchillustrationen. Seine Medaillen sind mittelmäßig. Forrer nennt folgende: Karl Alexander von Lothr., 1754; Belgicae Felicitatis Seculum Novum; Magistrats-Jeton von Brügge; Magistrats-Jeton der Burgvogtei von Courtrai; Gründung der Königl.

Akad. der Wissenschaften, 1722; Preismed. der Akad.; Gründung einer Korrektionsanstalt, 1773; Errichtung eines Brüsseler Denkmals für den Generalgouverneur, 1775, Von ihm auch das große Siegel von Brabant, 1768.

B a s a n , Dict. d. Grav., 1767. — H e i - n e c k e n , Dict. des Art., 1778 ff. (Ms. im Kupfer- stichkab. Dresden). — F ü ß l i , Kstlerlex., 2. Teil, 1806 ff. — R a c z y n s k i , Dict. Portug., 1847 p. 129 f. — N a g l e r , Monogr., II u. III. — K r a m m , Levens en Werken, III (1859). — Le B l a n c , Manuel. — R o m b o u t s - L e r i u s , Liggeren, II. — H o u d o y , Études artist., 1877. — Journal des B.-Arts, 1880 p. 42 (S c h o y). — P i o t , Les deux H., grav. holl., in Bull. de l'Acad. roy. des sciences de Belg., 1881 II p. 194 ff.; d e r s . in Biogr. Nat. de Belg., VIII; d e r s . in Dietsche Warande, 1893 p. 462, 586. — S t r u n k , Cat. over Portr. af det Danske Konge- huus, 1881 Nr 484. — Oud Holland, 1885 p. 148. — S o m e r e n , Catal. van Portr., III (1891) 765. — D u p l e s s i s , Catal. Portr. Bibl. Nat. Paris, 1896 ff., passim. — Ritratti Ital. della rac- colta Cicognara-Morbio, Nr 1793. — H u t t e n - C z a p s k i , Poln. Portr.-Stiche (poln.), 1901. — F o r r e r , Dict. of Medall., II (1904). — Revue belge de Numismat., 1908 IV; 1912 II. — L i n n i g , Grav. en Belg., 1911 (Abb.). — C o h e n , Livres à grav. 18e siècle, ⁶ 1912. — Kstdenkmäler im Freistaat Hessen, II Teil I (1919) 511. — Kataloge: Mus. Plantin-Moretus, Antwerpen, 1883; Expos. de l'art belge XVIIe siècle, Brüssel 1910 p. 296/99.   *D. St.*

Harrich, C h r i s t o p h , Bildhauer und El- fenbeinschnitzer in Nürnberg, † nach 1630, ver- mutlich Bruder des Jobst H. Seine Spezialität waren nach Doppelmayr in Elfenbein ge- schnittene Totenköpfe, womit wohl die janus- kopfartig mit jugendlichen männl. oder weibl. Köpfen verbundenen Schnitzereien, welche als Rosenkranzanhänger gedient haben, gemeint sein werden. Maze-Sencier erwähnt (nach dem Catalogue Debruge-Dumesnil Nr 196/7) 2 der- art. Arbeiten H.s, darunter ein Skelett, rückseit. verbunden mit einer, eine Rose haltenden Mäd- chenfigur. Kugler schreibt in seiner „Be- schreibung der in der Königl. Kunstkammer zu Berlin vorhand. Kunst-Slg" (1838 p. 226) einen kleinen, in Elfenbein „eigenthümlich geist- reich" gearbeiteten Totenkopf (mit bewegl. unterer Kinnlade) H. zu (Verbleib unbekannt).

D o p p e l m a y r , Nachr. v. d. Nürnb. Mathem. u. Kstlrn, 1730, 2. Reg. (handschriftl. erg. Ex. im Germ. Mus. Nbg). — A n d r e s e n , Nürnb Kstler, Ms. Bibl. U. Thieme, Leipzig, Fol. 241. — S c h e r e r , Stud. zur Elfenbeinplastik (Stud. z. dtschen Kstgesch., Straßburg, Heitz Nr 12), 1897 p. 96; d e r s . , Elfenbeinplastik (Monogr. d. Kst- gewerbes, VIII), p. 57. — M a z e - S e n c i e r , Livre des Collectionneurs, 1885 p. 610. — M o - l i n i e r , Hist. des Arts appliqués, Ivoires, I 232. — Neujahrsbl. herausg. v. d. Ges. f. fränk. Gesch., XIV. — H a m p e , Altnürnberger Kunst- glas, 1919 p. 27.   *W. Fries.*

Harrich (Harrisch), J o b s t , Maler („Kon- terfetter") in Nürnberg, geb. um 1580 ebenda, † 11. 4. 1617 ebenda, wahrscheinlich Bruder des Christoph H. Lernte 1594/97 bei Martin Beheim, wurde 1604 Meister, war 1609/13 Vor-

geher, fungierte 1614 zus. mit Falkenburger u. Juvenell als Sachverständiger für einen von Brechtel erneuerten Altar in S. Sebald, hatte im gl. Jahre Beziehungen zu Frankfurt. Seine Stärke bestand in Nachbildungen der Gemälde Albrecht Dürers: Himmelfahrt Mariä, Kopie nach dem Mittelbild des zugrundegegangenen Heller- Altars 1613, aus der Dominikanerkirche in Frankfurt a. M. stammend, jetzt im dort. Städt. hist. Mus.; Geburt Christi, freie Kopie nach dem Mittelbild des Paumgartner-Altars (Pinak. München), 1617, voll bezeichnet, jetzt im Frankfurter Städt. hist. Mus. Daß H. auch nach anderen Meistern kopierte, zeigt die „Ehe- brecherin vor Christus" nach L. Cranach, bez. J. Harrich, 1617, in der Gal. Liechtenstein, Wien (Katal. 1873) und das 1904 mit der Samml. J. v. Hefner-Alteneck bei Helbig- München (Katal. Nr 440) versteig. Bild nach Cranach „Alter Mann steckt jungem Mädchen einen Ring an den Finger". 1613 beteiligte er sich an der Restaurierung des Nürnberger Rathaussaales zusammen mit P. Juvenell, G. Gärtner u. P. Weyer. — Vielleicht ein Sohn H.s ist der von Joh. Hauer (Auszüge aus den Nürnb. Zunftbüchern der Maler etc., in Mit- teil. a. d. Germ. Nat. Mus., 1899 p. 129, 132, 137) erwähnte W o l f H., der 1619—24 bei Lienhart Brechtel lernte u. als dessen Vormund 1619 Paul Juvenell genannt wird.

D o p p e l m a y r , Nachr. v. d. Nürnb. Mathem. u. Kstlern, 1730, 2. Reg. (handschr. erg. Exempl. i. Germ. Mus. Nbg). — Anz. f. Kunde d. dtschen Vorzeit, 1870 p. 12. — Kstchronik, XIII (1878) 23; XVI 102 f. — Mitteil. a. d. Mitglieder d. Ver. f. Gesch. u. Altertumskunde in Frankf. a. M., VI (1881) 196/98, 258. — M u m m e n h o f f , Rat- haus in Nürnberg, 1891. — Mitteil. a. d. Germ. Nat.-Mus., 1899, p. 127, 130 ff. 146, 148. — Führer d. d. Städt. Hist. Mus. Frankf. a. M., 1903 p. 41 f. — H a m p e , Nürnb. Ratsverlässe, Quellen- schr. f. Kstgesch., N. F. XIII (1904). *W. Fries.*

Harriet, F u l c h r a n J e a n , Maler, geb. in Paris, † in Rom Nov. (nach anderer Nach- richt schon im Frühjahr) 1805. Erhielt als Schüler von J. L. David an der Pariser Acad. Roy. 1789 eine 3., 1791 eine 2. Medaille und wurde 1793 zum Wettbewerb um den Grand Prix zugelassen. Nach Aufhebung der Akad. in diesem Jahre wurde ihm der 2. Preis für sein Bild: „Rückführung der Leiche des in der Schlacht gefallen Brutus nach Rom" durch die besonders eingesetzte Jury des arts zuerteilt; namentlich David und Prud'hon setzten sich entschieden für H.s Bild ein. 1796 stellte er eine Ariadne auf Naxos aus und mehrere Zeichn. (Hero und Leander, Ödipus auf Kolonos). 1798 erhielt er den Rompreis mit seinem jetzt in der Pariser Ecole d. B.-Arts bewahrten „Kampf der Horatier und Curiatier". 1799 stellte er das Bildnis einer Dame im Bade aus, 1800 den Tod des Virgil, 1802 ein Selbstbildnis. Be- sonderen Beifall fand er in diesem Jahre mit einem Gemälde: Androclus mit dem Löwen in der Wüste. 1803 ging er als Pensionär der Acad. de France nach Rom, wo ihn A. W. Schlegel antraf, der voll Bewunderung über den jungen Künstler an Goethe berichtet (Jenaer Allg. Lit. Ztg, Intell. Bl. No 121/22). In einer von der Acad. de France veranstalteten posthumen Ausst. in Rom 1805 sah man sein vielfiguriges, unvollendet gebliebenes Gemälde: Horatius Cocles auf der Sublicischen Brücke, nebst einer Reihe dazugehöriger Skizzen; im Pariser Salon 1806 einen Raub des Hylas durch die Nymphen. Auf der Pariser Ausst. „David et ses élèves" 1913 war er mit dem Rompreis-Bild der Ecole des B.-Arts und mit 2 Bildnis-zeichn. (darunter Bildnis der Gattin des Künstlers, bez. und aus dem Revolutionsjahr IX dat.) vertreten (cf. Katal. No 178 u. 329/30). Adrien Godefroy stach nach seiner Zeichnung das amüsante vielfigurige Modeblatt: Thé parisien, das zu der Folge „Suprême Bon Ton" gehört, J. J. Fr. Tassaert die beiden Foliobl.: „Journée du 31 Mai" und „Le 9 Thermidor" und ein Reiterbildnis des Generals Brune (an VII), R. Delvaux eine Vignette: Hero u. Leander und 6 Vignetten zu einer Ausg. von Ségur's: Les Femmes etc., Paris Didot 1803.

Bellier-Auvray, Dict. gén., I (1882). — Fiorillo, Gesch. d. Zeichn. Künste, III (Göttingen 1805) 475, 514. — Füßli, Kstlerlex., 2. Teil, 1806 ff., II. — Mercure de France, XXXVII (1798) 109. — Arch. de l'art franç., Docum., V 308 f. — Montaiglon, Procès-Verb. de l'Acad Roy. etc., X (1892) 29, 114, 202 f., 213. — Renouvier, Hist. de l'art pend. la révolution, 1863. — Le Blanc, Manuel, IV 8 (r. Sp. No 1), 9 (l. Sp. No 13 u. 14). — Mireur, Dict. d. Ventes d'art, III, 1911. — Cohen, Livres à grav. du 18ᵐᵉ s., ⁴ 1912. — Béraldi, Grav. du 19ᵐᵉ s., V (1886) 182. — *H. Vollmer.*

Harringer, Karl Joseph, s. *Haringer,* Carl J.

Harrington, Christopher, Goldschmied in York (Engl.), 1595—1614; seine Söhne Robert, 1616—1647, und Thomas, 1624 bis 42, waren ebenfalls Goldschmiede in York. Werke von allen dreien (Abendmahlskelche u. andere liturgische Geräte) in Kirchen von Yorkshire u. engl. Samml.

W. J. Cripps, Old Engl. Plate, 1894 p. 81 f.

Harrington, Sarah, engl. Silhouettenkünstlerin, meldet 24. 6. 1775 ihre „new and curious method of taking and reducing shadows, with appendages and apparatus never before known..." zum Patent an. Von ihr im Brit. Mus. 2 Silhouetten des Wunderkindes William Crotch, 1779. Nach ihrer Vorzeichn. ein Stichporträt (Stecher unbekannt) des Admirals Aug. Keppel, bez. „Taken the 17ᵗʰ of Feb. 1779 by Mrs. Harrington".

E. Nevill Jackson, Hist. of Silhouettes, 1911. — Cat. of Engr. Brit. Portr., Brit. Mus., 1908 ff. I 534; II 688.

Harriott, W. H., Aquarellmaler in London, Schüler von S. Prout, zeigte 1811—37 in der Royal Acad., 1821—37 in der Brit. Instit. u.

häufig in Suffolk Street Landschafts- u. Städteansichten (Motive aus England, Frankreich, Italien, Schweiz). John Sell Cotman benützte manche der Skizzen H.s zu seinen Aquarellen. Im Brit. Mus. eine Zeichnung (Twisel Castle and Bridge).

Graves, Dict. of Art., 1895; ders., Royal Acad. IV u. Brit. Instit. — Binyon, Catal. of Drawings, Brit. Mus. London, II (1900). — The Portfolio, 1897 Heft 32 p. 78.

Harris, Stecher in Schabmanier, 2. Hälfte 18. Jahrh., dessen Signatur („Harris Fecit") auf einem kleinen Blatt (o. J.), Kopie von James Watson's Bildnis der Miss Fordyce, nach Reynolds, steht. Nach Chaloner Smith handelt es sich um eine Arbeit des Dilettanten Moses Harris (s. d.), wahrscheinlicher aber um diejenige eines jener Kopisten, die für den Verleger John Bowles tätig waren.

John C. Smith, Brit. Mezz. Portr., 1883 II 622. — Cat. of Engr. Brit. Portr... Brit. Mus., II (1910) 381. *M. W. H.*

Harris, Charles, engl. Pastellmaler, der 1780 in der Londoner Soc. of Artists als Honorary Exhibitor ein Porträt ausstellte. Bénézit vermutet in ihm den Meister eines Porträts des D. W. Jones im Mus. zu Cardiff.

Graves, Soc. of Art., 1907. — Bénézit, Dict. des Peintres, II (1913).

Harris, Charles X., Maler, geb. 1856 in Foxcroft (Maine), Schüler von Cabanel in Paris, bereiste Italien, Spanien u. Nordafrika und ließ sich 1881 in New York nieder. Malte Historien- u. Genrebilder und Porträts u. entwarf Kartons zu Glasmalereien. Werke in der Memorial Hall, Philadelphia; Manor Hall, Yonkers; Mercantile Library, Lambs' Club, New York.

Singer, Kstlerlex. Nachtr., 1906. — Amer. Art Annual, XVIII (1921) 443.

Harris, Daniel, Aquarellmaler in Oxford. Stellte 1799 in der Londoner Royal Acad. aus (Ansicht eines Landsitzes). Seine leicht aquarellierten Blätter fanden Redgrave's Beifall. Das Londoner Vict. and Alb. Mus. besitzt von ihm eine Ansicht des Oxforder All Souls College.

Redgrave, Dict. ot Art., 1878 (Harriss). — Graves, Royal Acad., IV (1906). — Cat. Nat. Gall. of Brit. Art, Vict. & Alb. Mus., II (1908).

Harris, Edwin, Maler in Birmingham, zeigte auf der Royal Acad. London 1882—1904 Genrebilder u. Porträts (Abb. in Acad. Notes, 1883, und Royal Acad. Pict., 1892 u. 93).

Graves, Royal Acad., IV (1906).

Harris, Fanny, geb. *Rosenberg,* Malerin in Bath, dann in London, geb. 1822, † 1872. Zeigte 1845 u. 48 in der Royal Acad., 1847—72 in der New Water-Col. Soc., London, Genrebilder u. Blumenstilleben (seit 1847 unter dem Namen Harris).

Graves, Dict. of Art., 1895; ders., Royal Acad., IV, VI. — Cundall, Hist. of Brit. Water-Col. Paint., 1908 p. 218.

Harris, G e o r g e , Maler, zeigte 1858—81
Genrebilder und Porträts in den Ausstell. der
Royal Acad. und in Suffolk Street zu London.
G r a v e s , Dict. of Art., 1895; d e r s . , Roy.
Acad., IV (1906).

Harris, G e o r g e W a l t e r , Maler in
London, wo er 1864—93 Fruchtstücke in der
Royal Acad. und anderen Ausstell. zeigte. Ein
Fruchtstück von ihm in der Guildhall Gall.
G r a v e s , Dict. of Art., 1895; d e r s . , Roy.
Acad., IV (1906).

Harris, H e n r y , Landschaftsmaler und
Lithograph in Birmingham, geb. ebenda 1805,
† 1865, studierte in London, wo er seit 1826
in der Royal Acad., der Brit. Instit. und in
Suffolk Street ausstellte. Er war einer der
Begründer der Birmingham Soc. of Artists;
das Mus. ebenda besitzt von ihm 2 Bilder:
„Brand der Kathedrale von York" und „Birmingham aus der Vogelschau" (1835). 1832 lithographierte er „The Gathering of the Unions".
G r a v e s , Dict. of Art., 1895; d e r s . , Roy.
Acad., IV (1906); Brit. Instit., 1908. — B é n é -
z i t , Dict. des Peintres etc., II 1913. — Notiz
von A. E. Popham.

Harris, J a m e s , Maler in Swansea, zeigte
1846/76 Seestücke in den Ausstell. der Brit.
Institution und in Suffolk Street in London.
Im Mus. zu Norwich von ihm ein Aquarell
„Wrack bei den Mumbles" (Kat. 1909).
G r a v e s , Dict. of Artists, 1895; d e r s . ,
Brit. Instit., 1908.

Harris, J a m e s C., Maler in Nizza, zeigte
1878/93 Landschaften in Londoner Ausstel-
lungen, meist im Royal Institute (New Water-
Colour Soc.), dessen Ehrenmitglied er war.
G r a v e s , Dict. of Art., 1895; d e r s . , Roy.
Acad., IV (1906).

Harris, J o h n , engl. Stecher (und Maler?),
datierte Werke 1686—1740. Von ihm gestochen: „Encampment of the royal army on
Haunslow Heath", bez. und dat. „J. Harris
1686"; eine große „map of the world" (1700,
nach Zeichnung des Astronomen'Edm. Halley);
mit John Kip Ansichten von engl. Landsitzen
für dessen topographisch sehr interessantes
Werk „Britannia Illustrata", London 1707
(wiederholt neu aufgelegt); Architektur-Ansichten im Campbell'schen „Vitruvius Britannicus" (London 1715/71); 30 Bl. für das (undat.) Werk „Views of all the Cathedral Churches of England and Wales etc."; Hl. Georg
zu Pferde, „John Harris fecit S. H. delin.";
Ansicht von Cadiz; mehrere Ansichten von
Mary-le-Strand; Plan von Rom (Kopie nach
Falda); Blätter für T. Bastoni's „Ships of the
Royal Navy"; für den „Oxford Almanach"
usw. Ferner nach Zeichnung von L. Chéron
ein großes Blatt „Revolt of the fleet" (die
allegor. Figuren im oberen Teil von G. v. d.
Gucht). Nach H. haben gestochen John Dixon,
R. Pranker und J. Wood (der letztgen. laut
Heinecken Ansichten aus dem Park von Thom.

Hart Esq. zu Warfield in Berkshire nach Gemälden H.s).
H e i n e c k e n , Dict. des Art., 1778 ff. (Ms.
und Suppl. im Kupferstichkab. Dresden). —
S t r u t t , Dict. of Engr., II (1786). — F ü ß l i ,
Kstlerlex., 1779; II. Teil, 1806 ff. — Dict. of Nat.
Biogr., XXV. — R e d g r a v e , Dict. of Art.,
1878. — Cat. of the Loan Exhib. of Brit. Engraving etc., Victoria and Albert Mus. London 1903.
— Arch. della Soc. Romana di st. patria, XXXVIII
(1915) 93. — Mit Notizen von H. M. Hake.

Harris, J o h n I, Maler und Aquatintstecher
in Kennington und London, † 1834, in der
Lit. oft verwechselt mit seinem gleichnam.
Sohn (s. u.); bezeichnet sich selbst 1793 auf
seiner Geschäftskarte als Miniatur- und Marinemaler von Princes Sq. in Kennington. Gehört
zu den frühesten Aquarellmalern, stellte seit
1797 in der Londoner Royal Acad. Landschaften, Stilleben und Genrebilder aus. Es
gibt von ihm eine Anzahl Aquatintblätter nach
Miniaturen in Mss. des Brit. Mus. Er zeichnete einige Illustrationen für Reeves' Bibel
(1802). Das Victoria and Albert Mus. in
London besitzt ein Marine-Aquarell, bez. „J. H."
und „Harris, 1795". — Sein Sohn J o h n II,
Maler, Stecher und Lithograph, geb. um 1791,
† 28. 12. 1873, stellte zuerst 1810, als er mit
seinem Vater in Kennington lebte, in der
Royal Acad. aus. 1811 wurde er bekannt mit
Heinr. Füssli und studierte dann in London
an der Akad. Lieferte Illustrationen für Th.
Dibdin's „Bibliotheca Spenceriana" (London
1814/15) und arbeitete gemeinsam mit seinem
Vater 1816/19 an einer Ausgabe der Magna
Carta (jetzt im Brit. Mus.). Vom Brit. Mus.
wurde er mit dem Restaurieren alter Drucke
beschäftigt. Malte Miniaturen und zeigte Porträts und Genrebilder in der Royal Acad.
(u. a. 1822 und 1837) und in der Brit. Instit.
(1845/49). Als seit 1858 seine Augen zu ver-
sagen begannen, wurde er in das Königl.
Freimaurer-Institut aufgenommen, wo er starb.
H. hat mehrfach Freimaurer porträtiert, so
Aug. Fred., Herzog von Sussex, als Großmeister (Lith. 1833), J. G. Lambton, Graf von
Durham (Lith.), Peter Gilkes, Meister der Globe
lodge (nach ihm gest. 1820 von J. Kennerly),
George Oliver (Lith.). Von Porträts noch zu
nennen: Wellington und G. W. F. C. Herzog
von Cambridge, Aquatintbl. nach H. de Dau-
brawa; Königin Victoria (Lith. 1837); Stiche
nach J. Reynolds und A. Cooper. Nach
eigener Zeichnung lithographierte er 1833
„Errichtung eines Granitblocks am Eingang
von New Bridewell". Das Brit. Mus. besitzt
eine aquarellierte Zeichnung, Porträt des Dr.
A. Donald, bez. und dat. „J. Harris Inr. pinxt
1822" und ein Skizzenbuch von 18 Bl. (beides
im Kat. John I zugeschrieben). — John II ist
wohl identisch mit dem g l e i c h n a m . Stecher,
der nach Slater in der 1. Hälfte des 19. Jahrh.
Sport- und ähnl. Szenen, viele davon nach

Rob. Pollard, stach. Von demselben militärische Szenen von 1845/52 nach Gemälden von H. Martens.

R. Cowton, Memories of the Brit. Mus., 1872 p. 334f. — Redgrave, Cat. of ... Water-Colour Paint. in the South Kens. Mus., 1877; ders., Dict. of Art., 1878. — Graves, Dict. of Art., 1895; ders., Roy. Acad., IV (1906); ders., Brit. Instit., 1908. — Dict. of Nat. Biogr., XXV. — Fincham, Art. and Engrav. etc. of Bookplates, 1897. — Cat. of Drawings by Brit. Art. Brit. Mus., II (1900). — Slater, Engravings and their value, 1900. — Cat. of Engr. Brit. Portr. Brit. Mus., I (1908) 50, 93; II (1910) 107, 321, 332, 709, 381; III (1912) 303, 370; IV (1914) 350, 427, 543. — Mireur, Dict. des Ventes d'Art, III (1911). — Jahrbuch der Bilder- u. Kstblätterpreise, Wien, II (1911); IV (1913). — Times Literary Supplement, 23. 1. 1919. — Mitteil. von A. E. Popham.

Harris, Juan Eduardo, Maler, geb. in Copiapo (Chile), lebt in Paris, Schüler von J. P. Laurens, zeigte Genrebilder im Salon des Art. Franç. 1892, 94, 95, 97, 1902, 09, 21.

Bénézit, Dict. des Peintres etc., II (1913). — Cat. de l'expos. décenn. des B.-Arts Paris, 1900 p. 332. — Salon-Katal. (z. T. mit Abb.).

Harris, Moses, Zeichner und Stecher (Amateur) in London, geb. 1731, † nach 1785, Entomologe und Mitglied der entomolog. Gesellschaft „The Aurelians", war 20 Jahre beschäftigt mit dem Zeichnen, Stechen und Kolorieren des für seine Zeit bemerkenswerten Tafelwerkes „The Aurelian; or Natural History of English Insects", London 1766; die Insekten sind nach dem Leben gezeichnet, das Titelbl. zeigt H.s Selbstporträt. Er gab dann noch ähnliche Werke heraus: „Essay intended as a Supplement to the Aurelian", 1766; „English Lepidoptera", 1775/78; „Exposition of English Insects", 1776; „Natural System of Colours", 1811; lieferte die meisten Platten für Dru Drury's „Illustrations of Natural History" (exotic insects), 1770/82, und einige Zeichnungen für den „Catalogue" von Andrew Peter Duponts „Collect. of Natural curiosities" (Brit. Mus. Addit. MSS. 18 904—10). 1785 stellte H. in der Royal Acad. aus. — Vgl. auch Art. Harris ohne Vornamen.

Strutt, Dict. of Engr., II (1786). — Redgrave, Dict. of Artists, 1878. — Dict. of Nat. Biogr.. XXV. — Cat. of Engr. Brit. Portr. Brit. Mus., II (1910) 452. — Cat. of Printed Books, Brit. Mus. — Notiz von H. M. Hake.

Harris, Philip Spooner, amer. Porträtmaler, geb. 1824 in Heath (Mass.), † 1884 in Flatbush, Brooklyn, wo er seit 1854 tätig war. Im Mus. des Brooklyn Institute ein Herrenbildnis (Cat. 1910).

Harris, Robert, Maler in Montreal (Canada), geb. in der Grafschaft Carnarvon, Nordwales, kam 1856 als Kind nach Prince Edward Island, Canada; Schüler von Legros in London und von Bonnat in Paris, Studienreisen in Italien, Frankreich, England, Belgien, Holland, Österreich und Spanien. Präsident der Roy. Canad. Acad. Zeigte Porträts und Figurenbilder 1882/87 in Londoner Ausstell. (1883 und 1906 Roy. Acad.), 1882 im Salon (Soc. d. Art. Franç.) und 1900 in der Expos. décenn. des B.-Arts zu Paris, 1913/14 in der Münchener Künstler-Porträt-Ausstell. In der Nat. Gall., Ottawa, von ihm „The Fathers of the Confederation", im Supreme Court ebenda Porträt des Earl of Aberdeen, im Mus. zu Montreal 4 Porträts.

Graves, Dict. of Art., 1895; ders., Roy. Acad., IV (1906). — Amer. Art Ann., I (1898) 124, 127 (Abb.), 452, 477 (Abb.). — Bénézit, Dict. des peintres etc., II (1913). — Studio, LXX 39 (Selbstbildn.). — Katal. der gen. Ausstellgn.

Harris, Samuel, Stecher, geb. 1783 in Boston, † 7. 7. 1810 (ertrank beim Baden im Charles River); Schüler seines Verwandten, des Bostoner Stechers Sam. Hill. Sein erstes Porträt erschien im „Polyanthos", Boston, 1806. Man kennt von ihm 12 Porträts (meist ebenda veröffentl. 1806/7) und ein allegor. Bl. „Amerika" (1804), sämtlich bez. S. Harris sc. — Ein S. H. (derselbe?) arbeitete um 1798 in Boston (nach anderer Angabe um 1798 geb.), signierte 2 Exlibris. — Bei Fincham ein dritter H. (in Stirling) mit 3 Exlibris um 1800 erwähnt.

Stauffer, Amer. Engrav., 1907 I u. II. — Fielding, Amer. Engrav. (Suppl. zu Stauffer). — Dunlap, Hist. of the Art of Design, II (1834) 469. — Fincham, Art. and Engrav. of Brit. and Amer. Bookplates, 1897. — Allen, Amer. Bookplates, 1905 p. 57, 59 (Abb.), 137, 165, 305, 314, 321.

Harris, W., Gemmenschneider in London, stellte 1788—92 in der Royal Acad. aus (Szenen aus der antiken Mythologie), schnitt auch Porträts, arbeitete für die Herzöge von York und Clarence.

R. E. Raspe, Katal. der Coll. J. Tassie, London 1791, Nr 14 343, 15 196, 15 355, 15 515, 15 530, 15 797. — Redgrave, Dict. of Art., 1878. — Graves, Roy. Acad., IV (1906).

Harris, W., Architekt in London, zeigte 1815/18 in der Royal Acad. Entwürfe für öffentl. Gebäude, Kriegsdenkmäler usw.

Graves, Roy. Acad., IV (1906).

Harris, William E., Maler in Birmingham, zeigte 1883/91 Landschaften in Londoner Ausstell., u. a. in der Royal Acad.

Graves, Dict. of Art., 1895; ders., Roy. Acad., IV (1906).

Harris, William Laurel, amer. Fresken- und Dekorationsmaler, geb. in New York 18. 2. 1870. Schüler von Th. W. Dewing in New York, der Acad. Julian und der Ecole des Beaux-Arts in Paris (1888—95). Erhielt daselbst Unterricht von Gérôme, Lefebvre, Galland, später von Henri Mayeux und Gauguin. Studienreisen in Europa, Ägypten und Palästina. Arbeitete nach seiner Rückkehr an der Dekoration der Kongreßbibliothek in Washington und mit Francis Lathrop an der Dekoration der St. Bartholomäuskirche in New York. Beschränkte sich seitdem hauptsächlich auf

Kirchen- und Dekorationsmalerei. Als Hauptwerke zu nennen: Hl. Franz von Sales vor
Klemens VIII., Catholic University, Washington; Hl. Abendmahl und „Our Lady of the
Lake", St. Mary, Lake George, N. Y.; Wandteppich hinter dem Kardinalsthron in St. Patrick,
New York. Außerdem vollständige Entwürfe
für die Innenausstattung und den Farben-
schmuck zahlreicher Kirchen. So entsteht
trotz der Mitwirkung verschiedener Künstler
bei der Ausführung der Entwürfe, wobei jene
in Malereien, Skulpturen und Altarwerken
ihren persönlichen Stil vertreten, jeweils ein
dekoratives Gesamtkunstwerk von großer Einheit
und Harmonie der Wirkung. Genannt seien
Entwürfe für die röm.-kath. St. Paulskirche
(1899); für die Corpus Christi Kapelle, Hunt's
Point, N. Y.; St. Nicholas of the Children,
Passaic, N. J., und für die Kirche der Ewigen
Anbetung zu New York. Für alle diese
Kirchen hat H. nicht nur den dekorativen
Gesamtentwurf, sondern auch viele Wandbilder, Altarwerke mit eigenhändigen Malereien,
Schnitzereien usw. geschaffen. H. hat sich
auch als Lehrer und Schriftsteller, als solcher
bes. auf dem Gebiete der Glas- und Wandmalerei sowie der Kunstgeschichte, betätigt.
Seine in vieler Hinsicht einflußreichste Tätigkeit entfaltete er erst in jüngster Zeit. Seit
1920 ist er nämlich leitender Direktor des Art
Centre; eines Verbandes, der sich engere Beziehungen zwischen Kunst und Industrie zur
Aufgabe macht. Eine Austauschstelle liefert
den Fabrikanten geeignete Entwürfe für ihre
Erzeugnisse und gibt den Künstlern andrerseits Gelegenheit zum Studium der von jenen
verarbeiteten Rohstoffe. — Während H.s Werk
eine sehr persönliche und individuelle Note
trägt, beschränkt sich seine öffentliche Tätigkeit auf die Richtlinien einer wahrhaft volks-
tümlichen Kunst, die sich die Fortschritte der
modernen Industrie zunutze macht. Seine Bestrebungen gelten vor allem der Verbesserung
der Kunstindustrie und der Kirchendekorationen,
auf welchen beiden Gebieten er bedeutende
Erfolge zu verzeichnen hat.

Hampton's Magazine, XXIII, New York,
1909 p. 557/8. — New York Herald, Easter
Section 9. 4. 1911 p. 9. — Amer. Art Annual,
IX (1911) 24 (Abb.); XII (1914), 389; XVI
392; XVIII 443. — Archit. Record, XXXIII
(1913) 187—203. — Blashfield, Mural Paint.
in America, 1914 (Abb. nach p. 132). — Cat. de
Luxe, Panama Pacific Exp. S. Francisco, 1915
Bd I p. 162, Nr 185, 196, 198, 214. — Internat.
Studio, LV (April 1915) p. LXI f.; LVI (Juli
1915) p. XVI—XVIII. — Who's Who in America,
XI (1920) 1247. — New York Times Book Review and Magaz., 31. 10. 1920 p. 20. B. M. Godwin.

Harrison, Stecherfamilie in Amerika, aus
England stammend, 18./19. Jahrh.: William I,
† in Philadelphia 18. 10. 1803, soll ein Enkel
des John H., Erfinders des Chronometers, gewesen sein, lernte in London, wo er für die
Bank von England arbeitete, stach auch
Wappen für die East India Comp.; kam mit
mehreren Söhnen 1794 nach Philadelphia, um
für die Bank von Pennsylvania zu arbeiten.
Er war der Lehrer seiner Söhne und des Peter
Maverick II. — Seine Söhne sind: William II
(bezeichnet W. Harrison Junior Sculp't), in
Philadelphia 1797—1819 tätig, stach und radierte
Porträts (Washington, Franklin usw.), Land-
schafts- und Architektur-Ansichten für Pinker-
ton's „Voyages", Philadelphia 1810/12, Exlibris,
arbeitete auch für Collins' Quarto Bible,
New York 1816, Paul Wright's „Life of Christ",
1814, für „The American Universal Magazine"
und für Bankgesellschaften. Charles P.,
Stecher, auch Maler, geb. in England 1783,
1850 noch am Leben, kam 1794 mit seinem
Vater nach Philadelphia, wo er 1806/19 als
Kupferdrucker tätig war, 1820/22 auch als
Stecher; 1823/50 und wahrscheinlich länger
arbeitete er in New York. Seine Blätter in
Linienstich übertreffen die in Punktiermanier.
Er stach Porträts nach Wood, G. Kneller (John
Locke 1823), G. Stuart (Washington), Raphael
Peale usw. und nach eigener Vorlage. Von
ihm auch Exlibris. Samuel, † 18. 7. 1818
(29 jährig) in Philadelphia; einziges bekanntes
Werk eine Mappe vom Lake Ontario und dem
westl. New York, 1809. — Ein Sohn des
Charles P., Gabriel, Maler, Schauspieler
und dramat. Schriftsteller, geb. 5. 3. 1818 in
Philadelphia, † 15. 12. 1902 in Brooklyn, zunächst Schauspieler (1838 am Nationaltheater
in New York), gründete 1851 die Kunstakad.
in Brooklyn; malte Landschaften, die im Londoner Crystal Palace und auf der World's
Fair in New York prämiiert wurden. — Vgl.
auch Artikel Richard G. Harrison.

Dunlap, Hist. of the Arts of Design, II
(1834) 470. — Stauffer, Amer. Engrav., 1907.
— Fielding, Americ. Engrav. (Suppl. zu
Stauffer). — Fincham, Art. and Engrav. etc.
of Bookplates, 1897. — Allen, Americ. Bookplates, 1905 p. 138, 172, 314. — Amer. Art Annual,
1913 p. 141.

Harrison, Alexander (Thomas A.),
amer. Maler, geb. in Philadelphia 17. 1. 1853.
Erhielt seine erste Ausbildung an der Pennsyl-
vania Acad. of Fine Arts. Eine Zeitlang
Beamter der Küsteninspektion, betrieb er in
Florida nebenbei die Aquarellmalerei und
widmete sich dann als Schüler Gérôme's an
der Pariser Ecole des Beaux-Arts ausschließlich
der Kunst. Doch merkt man in H.s ersten
Arbeiten nichts von dem Klassizismus seines
Lehrers, er studierte im Gegenteil die Werke
Manet's, Cazin's und Besnard's und malte in der
Art des ersteren die frühesten Freilichtbilder.
Mit seinem Freunde Bastien-Lepage lebte er
längere Zeit in der Bretagne und beobachtete wie
dieser mit offenen Augen die Natur. Auch
auf dem Gebiet der Freilicht-Aktmalerei trat
er als Pionier auf. Sein erster Salonerfolg

war das Bild „Luftschlösser" von 1882, jetzt im Metropolitan Mus. zu New York. Es folgten zahlreiche Arbeiten, die bedeutenderen mit Figuren in Landschaft oder Lichteffekten, besonders Mondschein auf dem Wasser. Zur ersten Kategorie gehört „In Arcadia" (Paris, Luxembourg), zur letzteren „La Crépuscule" (City Art Mus., St. Louis). — Arbeiten H.s in zahlreichen Museen, u. a. in der Pennsylvania Acad. of Fine Arts zu Philadelphia; Corcoran Gall. zu Washington; Chicago, Art Institute; Dresden, Gal.; St. Paul Institute, St. Paul; Metropol. Mus., New York; Mus. Quimper (Frankr.). Medaillen und andere Ehrungen auf Ausstell. in Philadelphia, Paris, München, Brüssel, Gent, Wien und Berlin. Ord. Mitglied der Nat. Acad. 1901; Mitglied der Pennsylvania Acad. of Fine Arts, des Londoner Institute of Painters in Water-Colours usw.

Who's who in America, XI (1920) 1248. — Amer. Art Annual, XVIII (1921) 444. — L o r i n d a M. B r y a n t , Amer. Pictures and their Painters, 1917 p. 105. — C h a s. H. Caffin, Story of Amer. Painting, 1907 p. 265. — Wynford D e w h u r s t , Impressionist Painting, 1904 p. 92. — H a l d a n MacFall, Hist. of Painting, VIII 291. — S a m. I s h a m , Hist. of Amer. Painting, 1916 p. 410. — Fine Arts Journal, XXXIX (1913) 515—44 (mit 34 Abbildgn). — S a d a k i c h i Hartmann, Hist. of Amer. Art, II (1901) 178—80. — Albright Art Gall. Acad. Notes, Buffalo, Oct. 1913. — Internat. Studio, Juni 1912 p. 280 f. — Studio, XIII (1898) 248 f.; LV (1912) 281 ff. — M u t h e r , Gesch. d. Malerei im 19. Jahrh., 1893/4 (engl. Ausg. 1896). — Zeitschr. f. bild. Kst, N. F. II (1891) 76, 97, 99; IV 296; V 117, 118, 143, 164; Kst-chronik, N. F. IV (1893) 422, 470, 491, 505; V 25, 252, 380; VI 473, 545; VIII 504; XIII 406. — Kst für Alle, IX (1894); XII; XIII; Die Kst, III (1901). — E. A. Seemann's „Meister der Farbe", X (1913). — Gaz. des B.-Arts, 1886 I 468. — Revue de l'Art anc. et mod., XXXVI (1914—19) 197 (Abb. p. 194). — B é n é d i t e , Luxembourg-Mus. Paris, 1913 p. 57, 181 (Abb.).

Blake-More Godwin.

Harrison, A n n i e J a n e , engl. Miniaturmalerin, zeigte 1888/1910 Porträts und Idealbildnisse in der Londoner Royal Acad.

G r a v e s , Dict. of Artists, 1895; d e r s . , Roy. Acad., IV (1906). — Cat. Exhib. Roy. Acad., 1906, 1908, 1910.

Harrison, B e r n a r d , engl. Landschaftsmaler. geb. in London, lebt in Paris, Sohn des Malers F r e d e r i c k H. in London (der 1846/78 in der Royal Acad. und der Brit. Instit. meist Militärszenen ausstellte). Bevorzugt ital. Motive, beschickt seit 1893 den Pariser Salon der Soc. Nationale, 1907/12 auch den Salon der Soc. des Artist. Indépend.

Studio, LIII (1911) 154 f. (Abb.). — Chron. des Arts, 1913 p. 171. — Daily Telegraph, 11. 2. 1910. — American Art News, XX (1922) Nr 22 p. 7. — Salonkataloge.

Harrison, B i r g e (Lovell B.), amer. Landschaftsmaler u. Kunstschriftsteller, geb. in Philadelphia 28. 10. 1854, lebt in Woodstock,

N. Y. Bezog 1874 die Pennsylvania Acad. of Fine Arts und studierte seit 1876 in Paris bei Cabanel an der Ecole des Beaux-Arts und bei Carolus Duran. Debütierte 1880 mit einem Figurenbild „November" (Bauerndirne aus der Normandie in Waldlandschaft), das von der französ. Regierung angekauft wurde und ihm eine Silbermedaille der Pariser Weltausst. 1889 verschaffte. Unternahm 1882 eine Weltreise, über die er Aufsätze für Scribner's Magazine schrieb, ließ sich dann in Californien nieder, ging später nach Canada, und lebte viele Winter in Quebec, wo er die Stoffe für zahlreiche seiner besten Werke fand. Begründete schließlich in Woodstock, N. Y., eine Sommerschule der Art Students League für Landschaftmalerei, deren Leiter er z. Zt. ist. Malte zuerst Freilichtbilder mit Figuren und ging allmählich zur reinen Landschaft über. Auf den großen amer. und europ. Kunstausst. regelmäßig vertreten, erhielt er zahlreiche Ehrenpreise, nicht nur auf Weltausstell., sondern auch im Pariser Salon, wo er außer Wettbewerb ausstellte (Goldmedaille in Philadelphia 1907). Mitglied der Nat. Acad. (1910), der Pennsylvania Acad. of Fine Arts usw. Arbeiten in zahlreichen bedeutenden Museen der Welt, u. a. in Paris (Luxembourg); Marseille; Quimper; Toledo, Ohio; Philadelphia (Pennsylvania Acad.); Washington (Corcoran Gall.); Chicago (Art Institute); Detroit; St. Louis; Indianapolis; St. Paul, Minn.; Boston; Memphis, Tenn.; Minneapolis, Minn.; Los Angeles, Calif.; und Atlanta, Ga. Außer als Landschaftsmaler (bes. Winterlandsch.) machte H. sich auch durch Zeitschriften-Aufsätze, die er mit Illustrationen versah, sowie durch Kunstbücher (Lehrbuch der Landschaftsmalerei) bekannt. Zahlreiche jüngere amer. Künstler verdanken ihm ihre Ausbildung.

Who's who in America, XI (1920) 1284. — Amer. Art Annual, XVI (1919) 392. — S a m. I s h a m , Hist. of Amer. Painting, 1916 p. 448. — L o r i n d a M. B r y a n t , What Pictures to see in America, 1915 p. 225; d i e s., Amer. Pictures and their Painters, 1917 p. 197. — B i r g e H a r r i s o n , Landscape Painting, 1913. — Fine Arts Journal, XXIX (1913) 583—606. — Internat. Studio, 44, Suppl. 3—10, Juli 1911. — Scribner's Mag., XLII (1907) 576—84. — Art and Progress, III (1911) 379—83. — Albright Art Gall. Acad. Notes, Buffalo, Jan. 1909; Oct. 1913.

B. M. Godwin.

Harrison, C h a r l e s P., s. 1. Art. *Harrison.*

Harrison, F r e d e r i c k , s. unter *Harrison, Bernard.*

Harrison, G a b r i e l , s. 1. Artikel *Harrison.*

Harrison, G e o r g e Henry, Maler, geb. in Liverpool März 1816, † in Paris 20. 10. 1846, Sohn der Blumenmalerin M a r y H., geb. *Rossiter* (geb. in Liverpool 1788, † in London 25. 11. 1875, erhielt durch ihre Kunst nach Vermögensverlust und Krankheit ihres Gatten ihre Familie von 12 Kindern, stellte 1833/75 regelmäßig in London aus, u. a. in der Royal

Acad. und in der New Water-Colour Soc., deren Mitglied sie war; 2 Bilder von ihr in der Walker Art Gall. Liverpool [Kat. ca 1910 Nr 64, 68]). H. kam jung nach London, wo Constable auf ihn aufmerksam wurde und ihn auf das Naturstudium wies. Seit 1840 zeigte er Landschaften und Figurenbilder, meist Aquarelle, in der Royal Acad., der Water-Colour Soc. (Mitglied 1845) und in Suffolk Street. Seine Bilder erinnern etwas an die Art von Watteau, besonders reizvoll sind Motive aus Fontainebleau und St. Cloud behandelt. Als geschätzter Lehrer in London und Paris war er einer der ersten, die ihre Klasse zum Skizzieren ins Freie führten. Das Victoria and Albert-Mus. besitzt von ihm 2 Aquarelle (darunter Landschaft mit Fig., bez. und dat. 1845), die Museen in Norwich (Kat. 1909) und Dublin je eins. H. lieferte verschiedene Zeichnungen, u. a. von Festlichkeiten im Buckingham Palace für die Illustr. London News und eine Lithographie „Hinchinbrook House, Huntingdonshire" für den 1. Band von S. C. Hall's „Baronial Halls etc. of England". — H.s ältester Bruder, W i l l i a m   F r e d e r i c k , Maler, † 3. 12. 1880 in Goodwick bei Fishguard Bay, Südwales, zeigte Küstenlandschaften in verschiedenen Londoner Ausstell. 2 Schwestern H.s, M a r i a und H a r r i e t , wurden gleich ihrer Mutter Blumenmalerinnen; die erste stellte 1845/93 in London aus, regelmäßig in der Water-Colour Soc. (seit 1847 Mitglied), mehrfach auch in der Royal Acad.

The Art Union, 1847 p. 44. — R o g e t , Hist. of the Old Water-Col. Soc., 1891. — G r a v e s , Dict. of Art., 1895; d e r s . , Roy. Acad., IV (1906); d e r s . , Brit. Instit., 1908. — C l a y t o n , Engl. Female Art., 1876. — B r y a n , Dict. of Paint., 1903 ff. III. — Cat. Nat. Gall. of Brit. Art., Vict. and Alb. Mus. London, II (1908). — Cat. of Engr. Brit. Portr., Brit. Mus., II (1910) 10. — Amer. Art Review, II¹ (1881) 174.

Harrison, G e r a l d E . , Maler u. Graphiker in London, lebte zeitweilig in Brighton (Suss.), zeigt seit 1890 (seit 1898 in der Royal Acad.) Porträts und Figurenbilder, meist Miniaturen.

G r a v e s , Dict. of Art., 1895; d e r s . , Roy. Acad., IV (1906). — Cat. Exhib. Roy. Acad. London, 1906, 07, 08, 18, 19, 21.

Harrison, H e n r y C . , Bildhauer in London, zeigte 1857/77 Porträts und Genredarstell. in der Royal Acad.

G r a v e s , Roy. Acad., IV (1906).

Harrison, J . , Miniaturmaler in London, zeigte 1784, 86, 89, 93 Porträts in der Royal Acad.

G r a v e s , Roy. Acad., IV (1906).

Harrison, Miniaturmaler in York und London, zeigte 1846—65 zahlreiche Porträts in der Royal Acad. F. Holl stach 1852 nach ihm das Porträt des Admirals Sir G. F. Seymour.

G r a v e s , Roy. Acad., IV (1906). — Catal. of Engr. Brit. Portr. Brit. Mus., IV (1914) 58.

Harrison, J a m e s , Aquarellmaler und Architekt in London (Bruder des George Henry H.?), zeigte 1827/46 Landschaften und Architekturzeichnungen in der Royal Acad. Im Victoria and Albert Mus. von ihm ein Aquarell „The River Orwell and the Bridge near Ipswich", bez. und dat. 1829 (Cat. Nat. Gall. etc., II 1908). — H. ist nicht zu verwechseln mit Dr. J. H a r r i s o n (Freund des Landschafters William John Müller), von dem 2 bez. Aquarelle (Ansichten von Bristol) von 1846, in der Art Gall. zu Bristol bewahrt werden (Cat. 1910).

G r a v e s , Dict. of Art., 1895; d e r s . , Roy. Acad., IV (1906). — Notes and Queries, 9. 9. 1911. *B. S. L.*

Harrison, J o h n , bis 1811 *H. Junr.* gen., Maler in London, zeigte 1801—52 mytholog. und Genrebilder und viele Porträts in der Royal Acad, der British Instit. und in Suffolk Street. W. Say stach 1812 nach ihm das Porträt von John Broadwood.

G r a v e s , Dict. of Art., 1895; d e r s . , Roy. Acad., IV (1906); d e r s . , Brit. Instit., 1908. — Catal. of Engr. Brit. Portr. Brit. Mus., I (1908) 246.

Harrison, L o v e l l B . , s. *Harrison,* Birge.

Harrison, M a r i a u . M a r y , siehe unter *Harrison,* George Henry.

Harrison, P e t e r , amerik. Architekt, geb. 14. 6. 1716 in Grimston, Yorks., England, † 30. 4. 1775 in Newhaven, Conn. H. kam 1740 nach Rhode Island (nicht 1729 mit Berkeley; auch ist er nicht der Schüler von Vanbrugh gewesen) und beschäftigte sich mit Landbau und Handel, bis er 1766 Hafeneinnehmer in Newhaven wurde; verschiedene Kartenaufnahmen gehen auf ihn zurück. Künstlerisch wertvoll aber sind seine sorgfältigen u. wohlproportionierten Entwürfe für öffentliche Bauten, mit denen er als der frühste wirkliche Architekt Neuenglands zu gelten hat: 1748—50 die Redwood Library, Newport; 1749—54 Kings Chapel, Boston; 1761 die Backsteinmarkthalle, Newport, und Christ Church, Cambridge; 1762—63 die Synagoge, Newport.

C. H. H a r t , Proceedings Mass. Hist. Soc., XLIX (1916). — S. F. B a t c h e l d e r , Bull. Soc. for Preserv. New England Antiqu., VI (1916). — G. C. M a s o n , Annals of Redwood Library 1851 p. 36, 487 f. — The Georgian Period I (1900), Taf. 9, 15 f. — R. C. K i n g m a n , New England Georgian Archit. 1912. *Fiske Kimball.*

Harrison, R i c h a r d G . , amer. Stecher, tätig in Philadelphia 1814/45, wahrscheinlich Sohn des William I H. (vgl. 1. Artikel Harrison), arbeitete 1814 für „Port Folio" und möglicherweise schon früher für S. F. Bradford's Philadelphia-Ausgabe der Edinburgh Encyclopaedia, 1805/18. Nach 1822 war er Banknotenstecher. Von ihm u. a. Porträts von Washington und Lafayette. — R i c h a r d H . , Stecher, 1820/22 Banknotenstecher in Philadelphia, arbeitete vorher für die Firma F. Lucas and J. Cushing in Baltimore (Titelbl. zu Rob. Burns' Werken, 1814). — R i c h a r d G. J u n r . ,

Mezzotintstecher in Philadelphia um 1860/65, stach hauptsächlich Porträts.

Stauffer, Amer. Engrav., 1907.

Harrison, S a m u e l, s. 1. Artikel *Harrison*.

Harrison, S a r a h C., Porträtmalerin in London, später in Dublin, Schülerin von A. Legros, stellte 1889—1909 in der Londoner Royal Acad. aus. In der Städt. Gal. zu Dublin das Porträt eines Ehepaares.

Graves, Dict. of Art., 1895; d e r s., Roy. Acad., IV (1906). — Catal. Exhib. Roy. Acad. London, 1909. — Studio, XXXVII (1906) 352; LXIV 288; LXV 281.

Harrison, S t e p h e n, Architekt in London, 1603/4. Wohl identisch mit „Stephen Harrison, Son of Harryson", der 25. 5. 1572 in der Londoner St. Dionis Backchurch getauft wurde. Zeichnete die anläßlich des Einzugs Jacobs I. unter seiner Aufsicht errichteten Triumphbögen, veröffentlicht unter dem Titel: The Archs of Triumph Erected in honour of James the first, King of England . . . at his Maiesties Entrance and passage through . . . London. Invented by Stephen Harrison and graven by William Kip. Fol. Gest. Titelblatt, 9 ganzseitige Stiche enthaltend 7 (ursprünglich 5, s. u.) Triumphbögen. Der Text rührt wahrscheinlich von Thomas Dekker und John Webster, den Verfassern der Anfangsoden, her. Die nur in 3 Exempl. bekannte 1. Auflage unterscheidet sich von der späteren durch das Fehlen der Verlegeradresse auf dem Titel. Wegen Ausbruchs einer Seuche wurde der Einzug auf das nächste Jahr verschoben; bei der Wiederaufnahme der Arbeiten wurden dann 2 weitere Triumphbögen hinzugefügt. H.s Entwürfe verarbeiten in merkwürdiger Weise niederländ. Reminiszenzen.

Dict. Nat. Biogr., XXV (1891) 39 f. — W a l p o l e, Anecdotes of Painting, ed. W o r n u m, 1862 III. — B. C h a n c e l l o r, Lives of the Brit. Archit., 1909. — P. J e s s e n, Ornamentstich, 1920.

Harrison, T h o m a s, Architekt, geb. 1744 in Richmond (Yorksh.), † 29. 3. 1829 in Chester; fand jung einen Gönner in Sir L. Dundas, der ihn 1769 zu seiner Ausbildung (mit dem Landschaftsmaler George Cuitt d. Ä.) nach Italien schickte. Er studierte mehrere Jahre in Rom, entwarf 1770 einen Plan zum Umbau des Belvedere-Hofes in ein Museum mit Oberlicht, gab auch Pläne zur Verschönerung der Piazza del Popolo, wofür ihm Papst Clemens XIV. eine gold. Medaille verlieh und seine Aufnahme in die Akad. S. Luca (6. 6. 1773) befürwortete. Über Frankreich reiste er in seine Heimat, war 1776 in London, wo er 1777, 79, 80 und 1814 Entwürfe (u. a. für eine nicht ausgeführte Themse-Brücke in London) in der Royal Acad. zeigte. Bekannt geworden durch seine schöne fünfbogige Brücke über den Lune bei Lancaster (Grundsteinlegung durch Georg III. 1783, voll. 1788), führte er Umbauten an dem alten gotischen Schloß in Lancaster aus und entwarf andere Bauten ebenda; baute in Chester u. a. die als Schwurgericht, Gefängnis und Kaserne dienenden Gebäude (1793—1820) und ebenda die für ihre Zeit technisch höchst kühne einbogige Brücke (Grosvenor Bridge) über die Dee; in Liverpool Athenaeum, Lyceum, Theater und Turm von St. Nicolas; in Manchester Börse, Bibliothek, Theater; bei Shrewsbury die Hill-Säule; in Plås Newydd die Säule für Lord Anglesea; in Holyhead den Triumphbogen; zum 50. Regierungs-Jubiläum Georgs III. den Obelisk vom Moel Fammau (Denbigshire); viele Schlösser und Landsitze für den engl. und schott. Landadel, besonders in Lancashire und Cheshire, u. a. für Lord Elgin Schloß Broome-Hall in Schottland. Er regte Lord Elgin dazu an, Abgüsse von den Parthenon-Skulpturen machen zu lassen und gab dadurch die Veranlassung zur Überführung der Elgin marbles nach London. 1824 wurde H. nach London berufen, um seinen Rat für den bevorstehenden Bau der Waterloo-Brücke zu geben. Nach seinen Plänen wurde in der Ukraine (unweit der Mündung des Dnjepr) das Schloß des Grafen Worontzoff erbaut. — H.s Bauten haben zur Einführung des klassizistischen Stils in England und Schottland wesentlich beigetragen. Sein Porträt ist gestochen von A. R. Burt (mit dem Schloß von Chester im Hintergrund), dat. Chester 1. 5. 1824.

Biogr. univ. anc. et mod. Suppl. LXVI (1839). — H o e f e r, Nouv. Biogr. gén., XXIII (1861). — R e d g r a v e, Dict. of. Artists, 1878. — Dict. of Nat. Biogr., XXV. — Mitteil. von Fr. Noack.

Harrison, T h o m a s Al., siehe *Harrison*, Alexander.

Harrison, T h o m a s E r a t, Bildhauer, Maler und Radierer in London, zeigte 1875/95 und 1907/10 Porträtbüsten, allegor. Bilder, Exlibris, auch einen Entwurf für Glasgemälde in der Royal Acad. und der Grosvenor Gall. zu London, 1892 u. 93 auch Exlibris im Pariser Salon (Soc. Nat.).

Graves, Dict. of Art., 1895; d e r s., Roy. Acad., IV (1906). — Cat. Exhib. Roy. Acad., London, 1907/10. — F i n c h a m, Art. and Engrav. etc. of Bookplates, 1897.

Harrison, W i l l i a m, s. 1. Art. *Harrison*.

Harrison, W i l l i a m F r e d., siehe unter *Harrison*, George H.

Harriss, D a n i e l, falsch für *Harris*, D.

Harriton, A b r a h a m, Maler und Radierer in New York, geb. in Bukarest (Rumänien) 9. 2. 1893, Schüler von J. W. Maynard und C. F. Mielatz. Im Mus. zu Oakland (Cal.) vertreten.

Amer. Art Annual, XVIII (1921) 444. — Catal. de Luxe Panama-Pacific Expos., San Francisco 1915, II 401.

Harrod, S t a n l e y, Radierer in Toronto (Canada), geb. 9. 7. 1881 in Leeds (Yorksh.), begann 1913 mit dem Kunststudium, besonders der Exlibris von G. W. Eve, radiert seit 1918 zahlreiche Exlibris.

Catal. of Bookplates designed by St. H., Kansas City 1919. — Mitteil. des Künstlers.

A. E. Popham.

Harrys (Harris), T h o m a s , Uhrmacher in London, fertigte 1671 die berühmte Kunstuhr an St. Dunstan's Church ebenda (beim Abbruch der Kirche 1830 vom Marquis of Hertford gekauft und an der von ihm erbauten St. Dunstan's Lodge im Regent's Park, allerdings verändert, angebracht. Ursprünglich trug die Uhr (die älteste dieser Art) ein doppelseitiges Ziffernblatt in einem Gehäuse, das von einem aus der Wand kragenden, figurengeschmückten Arm getragen wurde; darüber in einem offenen Tempietto die bemalten und vergoldeten Figuren des Gog und Magog, mit Hammern die Viertelstunden an 2 Glocken anschlagend.

B r i t t e n , Old clocks and watches, 1904 (Abb.).

Harsbeeck, M e l c h i o r v a n , siehe *Harbach,* M. v.

Harscher, A l b r e c h t , siehe unter *Harscher,* Martin.

Harscher, F e r d i n a n d v o n , Lithograph in München 1. H. 19. Jahrh., tätig für das Ministerium daselbst, vordem Offizier. Von ihm „Brücke von Cordova" und „Garten der Moschee von Cordova", ferner zus. mit P. Mettenleiter ein Plan von München, 1837, mit Krämer ein Stammbaum des Königshauses Bayern, ein ebensolcher mit Mettenleiter 1836 und nach Ohlmüllers „Ideen zu Grabdenkmälern" Blätter v. 1824.

N a g l e r , Kstlerlex. V. — M a i l l i n g e r , Bilderchronik Münchens (Stadtmus.), III (1876).

Harscher (Harsser), M a r t i n (oder Wilhelm?), Zinngießer in Nürnberg, geb. ebenda 1435 oder 1440 (nach Doppelmayr), † ebenda 1523. Von Neudörfer gerühmt, daß er das, was Goldschmiede von Silber anfertigten, von Zinn machen konnte, welches er zuvor so läuterte und mischte, daß es dem englischen an Glanz gleichkam. Er machte auch Leuchter, Becken, Gießkannen, „Hofbecher" u. „Magellein". — Sein Sohn A l b r e c h t , Schüler von D. Kremer, 1534 Meister, goß 1560 die Gedächtnistafel des Nürnberger Zinngießerhandwerks (s. Mitteil. a. d. Germ. Mus. II [1887/89] 78 ff.), verzog 1563 nach Krakau, wo er starb.

D o p p e l m a y r , Hist. Nachr. v. d. Nürnberg. Mathem. u. Kstlern, 1730 2. Reg. (Handschr. erg. Exemplar i. Germ. Mus. Nbg). — L o c h n e r , Des Joh. Neudörfer ... Nachrichten v. Kstlern u. Werkleuten, Quellenschr. z. Kstgesch. X Ausg. 1888. — H i n t z e , Nürnb. Zinngießer (Die deutsch. Zinngießer u. ihre Marken, Bd II) 1921 p. 5, 13; d e r s., Nürnb. Edelzinn, 1921 p. 3.

W. Fries.

Harsdörffer, J o h a n n C h r i s t o p h , Maler (Dilettant) in Nürnberg, tätig 2. Hälfte 17. Jahrh., † 19. 11. 1710 ebenda, war infolge seiner überaus naturtreuen Blumenmalerei bekannt; auch eifriger Kunstsammler.

S a n d r a r t , Teutsche Akad., II. Hauptt. (1679) II p. 86. — D o p p e l m a y r , Nachr. v. Nürnberger Mathem. u. Kstlern, 1730 (handschriftl. erg. Exempl. i. Germ. Mus. Nbg, Nachtr. Bl. 10 a).

W. Fries.

Harsdorff, C a s p a r F r e d e r i k , dän. Architekt, geb. 26. 5. 1735 in Kopenhagen, † 24. 2. 1799 ebenda. Zuerst Schüler der alten Akad. unter N. Eigtved, seit 1754 Schüler N. H. Jardin's an der neuen Kopenh. Akad., die ihm 1756 die große Goldmedaille verlieh. Seit 1757 als Akad.-Stipendiat in Paris unter J. Fr. Blondel, wo er die Werke Soufflot's u. Peyre's studierte, u. seit 1762 in Rom weitergebildet, wirkte H. seit 1764 in Kopenhagen als königl. Bauinspektor, seit 1766 an der dort. Akad. — die ihn 1765 zum Mitglied erwählte — als Lehrer für Perspektive, seit 1770 als Hofbaumeister und 1777/79 als Akad.-Direktor. Vom Hofe hauptsächlich mit dem Entwerfen vergänglicher, von den Zeitgenossen vielgepriesener Fest- u. Funeral-Dekorationen betraut, schuf H. von bedeutenderen Hofbauten den klassizistischen Grabkapellen-Anbau Friedrichs V. am Dom zu Roskilde (1774/9, Innendekor. nach H.s Orig.-Plänen erst 1825 von seinem Schüler Chr. Fr. Hansen vollendet) u. die schlanksäulige Holzkolonnade jonischen Stiles zwischen den Kopenhagener Amalienborgpalästen Christians VII. u. Christians IX. (1795, Abb. bei E. Hannover p. 159). Unter seinen zahlreichen Kopenhagener Privatbauten sind hervorzuheben sein eigenes Palais (jetzt Ministerium des Äußeren) am Kongens Nytorv u. die jetzigen Handels- u. Landmands - Bankgebäude am Holmenskanal (spätere Umbauten einstiger Privatpaläste, die H. 1798/9 erbaute). An dem zuletzt noch ihm übertragenen Weiterbau der Jardin'schen Frederikskirche zu Kopenhagen durch den Tod verhindert, gilt der an der griechischen Antike geschulte Erbauer der Amalienborg-Kolonnade als genialster Vertreter des dänischen Klassizismus.

W e i l b a c h , Nyt Dansk Kunstnerlex. 1896 I; cf. T r a p , Konger. Danm., ed. 1899 ff. I³ (Reg.). — E. H a n n o v e r , Dän. Kunst des 19. Jahrh., 1907 p. 157 ff. — O. A n d r u p in Dahl-Engelstoft's „Dansk Biograf. Haandleks." 1920 ff. II. — Monatsh. f. Kstwissensch., XV (1922) 214.　　*

•**Harsdorff** (Harsdorffer), G. P., deutscher Stecher um 1649, nur bekannt durch den Porträtstich des 1594 geb. J. S. Jörger.

Z a n i , Encicl., Bd. X. — D u p l e s s i s , Cat. Portr. Bibl. Nat., 1896 ff. V 23604/2, 4.

Harselin, s. *Haslin.*

Harshe, R o b e r t B a r t h o l o w , amerik. Maler, Radierer, Kunstschriftsteller, seit 1921 Museumsdirektor in Chicago, geb. 26. 5. 1879 in Salisbury (Mo.), Schüler des Art Institute in Chicago, der Art Students' League in New York, des Teacher's College (Columbia University) unter A. W. Dow, der Acad. Colarossi in Paris und von László in London. Im Luxembourg-Mus. in Paris Drucke seiner Radier-

Amer. Art Annual, XVIII (1921) 444. — Amer. Art News, XX (22. 10. 1921) 2, col. 2. — Cat. de Luxe, Panama-Pacific Expos. S. Francisco 1915, II 402.

Harsing, W i l h e l m , Landschaftsmaler, geb. 5. 11. 1861 zu Hessen in Braunschweig, studierte auf den Akademien in Düsseldorf und Berlin unter E. Dücker und E. Bracht bis 1890, machte Studienreisen nach Italien, Österreich, Belgien und Holland, lebte in Rödelheim b. Frankfurt und München, ist neuerdings in Hamburg. Malte Motive aus der Umgebung von Frankfurt und den ober- bayerischen Moor- und Flußgegenden. Viele Werke in Privatbes., u. a. deutscher Fürsten, einige in den Gal. Braunschweig u. Budapest.
W e i z s ä c k e r - D e s s o f f , Kst u. Kstler in Frankf. a. M., II (1909). — J a n s a , Dtsche bild. Kstler in Wort u. Bild, 1912. — Kataloge der Jahresausstellungen Frankfurter Kstler und der Gr. Kstausstell. Berlin 1891/95.

Hart, A b r a h a m v a n d e r , holländ. Architekt, geb. 1747, † 3. 2. 1820 in Amster- dam, wo er seit 1777 Stadtbaumeister war. Von ihm u. a. das Arbeitshaus an der Muider- gracht 1779/82 u. das kathol. Mädchenhaus (Abb. bei Weissman p. 415) 1784/87. Später war er viel mit Entwürfen für Festdekorationen (die reichsten für den Einzug Napoleons in Amsterdam 1811) beschäftigt, die teilweise als Kupferstiche erschienen. Von ihm auch die Entwürfe für den Bürgersaal im Stadthaus u. den Konzertsaal der Gesellschaft Felix Meritis, und die Kaserne Saint-Charles (1810/13), und in Haarlem das Haus des königl. Kommissars an der Nieuwe Gracht und das Gebäude der Holl. Maatschappy van Wetenschappen (1794), Spaarne 17. Nach seinem 1816 preisgekrönten Entwurf ist das Denkmal der Schlacht von Quatre-Bras (Obelisk) in Soestdijk errichtet.
v. E y n d e n - v. d. W i l l i g e n , Gesch. etc., III (1820). — I m m e r z e e l , Levens en Werken, I (1842). — K r a m m , Levens en Werken, III (1859) unter Hardt. — W e i s s m a n , Gesch. der Nederl. Bouwkunst, 1912. — Voorloopige Lijst Nederl. Monum., I (1908) 16; V I (1921).

Hart, A l f r e d H., Architekt in London, zeigt in der Royal Acad. seit 1893 Architektur- veduten aus Italien und Frankreich und Ent- würfe (seit 1904 gemeinsam mit dem Archit. P. Leslie Waterhouse) zu öffentl. und privaten Bauten.
G r a v e s , Roy. Acad., IV (1906). — Cat. Exhib. Roy. Acad. London, 1905, 09, 10, 13, 14, 16—18, 21.

Hart, E m i l y , Malerin in Paris, stellt seit 1890 im Salon (Soc. d. Art. franç.) Figurenbilder und Porträts aus (vgl. Katal. 1890—1900, 1907/10, 1920).

Hart, G u s t a v , Architekt der Gegenwart in Charlottenburg, assoziierte sich 1900 mit dem Arch. M o r i t z E r n s t L e s s e r in Firma *Hart & Lesser.* Aus dem Atelier der Firma gingen die Entwürfe zu zahlreichen Berliner u. Charlottenb. Geschäfts-, Kauf-, Wohnhaus-

u. Villenbauten hervor, darunter: Geschäftshaus Ullstein (Charlottenstr.), Geschäftsh. Simundt (Lützowstr.), Wohnhäuser Kurfürstenstr. 88, Tauenzienstr. 12 a, Lützowplatz 13, Ecke Königin- Augusta- u. Hildebrandtstr., Ecke Mommsen- u. Schlüterstr., Ecke Händel- u. Lessingstr., v. d. Heydtstr. 12, Lietzenufer 10 (Charlottenb.), Bendlerstr. 4 (nebst reicher Inneneinrichtung), Ulmenstr. 3, Wohnh. Israel, Bendlerstr. 38, Villa Erxleben, Grunewald, Empfangsgeb. der Wann- seebahn Haltestelle Zehlendorf-Beerenstr.; außer- halb Berlins: Villa Carfunkel in Cudowa, Villa Zimmermann in Schreiberhau, Vereinshaus f. d. Verein junger Kaufleute in Stettin. Auch die Ausstattung (aus Kadiner Kacheln) des Trau- saales der von E. Hessel erbauten Synagoge i. d. Fasanenstr. zu Charlottenburg rührt von ihnen her.
Der Baumeister, III 1 ff., 133 ff.; IV 95 ff.; V 6 f., 12 ff.; VI 3 f., 51 f. — Archit. Rundschau, XVII (1901) Taf. 7, 88; XIX T. 19; XX T. 62; XXI T. 81, 94; XXIII T. 29 f. — Zentralbl. d. Bauverwaltg, 1908 p. 526, 538. — Bl. f. Archit. u. Ksthandw., XVI (1903) 81; XVII 31 f., 62 f.; XVIII 73; XIX T. 66. — Archit. d. XX. Jahrh., VIII (1908) T. 68 f.; XI T. 12. — Berl. Architektur- welt, X (1908) 305 f., 439; XI 291/93, 455/63; XII 238 ff., 305; XIII 186/91, 291. — Profanbau, 1911 p. 509/18.

Hart, J a m e s Mac Dougal, amerik. Maler, geb. in Kilmarnock, Schottland, 10. 5. 1828, † in Brooklyn, N. J., 24. 10. 1901, kam als Kind mit seinen Eltern nach Albany in Ame- rika, wo er mehrere Jahre mit seinem Bruder William (s. u.) als Dekorationsmaler bei einem Wagenbauer arbeitete; war dann Schüler seines Bruders und ging 1851—52 nach Europa, um in München und in Düsseldorf unter Schirmer zu studieren. 1857 ließ er sich in New York nieder, wo er Mitglied der Nat. Acad. wurde. Er malte, ähnlich wie sein Bruder und andere Mitglieder der Hudson River School, auf Naturstudium beruhende, frisch aufgefaßte Landschaften, meist mit gut beobachteter Viehstaffage, und ist in folgenden amerikan. Museen vertreten: *Albany* (Kat. o. J. p. 34), *Baltimore* (Kat. 1910 p. 23), *Brooklyn* (Kat. 1910 p. 37), *Buffalo* (Kat. 1913 p. 21), *Chi- cago* (Kat. 1907 p. 199), *Minneapolis,* Walker Art Coll. (Kat. 1913 p. 105 f.), *New York,* Metrop. Mus., 3 Bilder (Kat. 1900 p. 68 u. Bull. XVI, 1921 p. 199), *Washington,* Cor- coran Gall. — H.s Bruder W i l l i a m , geb. 31. 3. 1823 in Paisley, Schottland, † 17. 6. 1894 in New York, autodidaktisch in Albany und auf Studienreisen (Schottland) gebildet, seit 1853 in New York (1858 Akad.-Mitgl., erster Präsident der Brooklyn Acad. of Design, 1870—73 Präsident der Gesellsch. f. Aquarell- malerei), malte in Öl und Aquarell Land- schaften ähnlicher Art wie sein Bruder. Werke in den Museen zu: *Albany* (Kat. o. J. p. 29, 34), *Brooklyn* (Kat. 1910 p. 38), *Buffalo* (Kat. 1913 p. 21), *Chicago* (Kat. 1907 p. 210,

270), *New York,* Metrop. Mus. (Kat. 1914 p. 108 und Bull., V [1910] 46 [Abb.]), Gall. Publ. Libr. (Kat. 1912). — James' Gattin M a r y   T h e r e s a , geb. 1829, † 19. 9. 1921 in Lakeville, Conn., war Malerin, ebenso eine g l e i c h n a m i g e Tochter (geb. in Brooklyn 7. 1. 1872, lebt in New York; von ihr Porträts, auch Illustrationen) und die ältere Tochter L e t i t i a Bennet (geb. in New York 20. 4. 1867, lebt ebenda), beide Schülerinnen ihres Vaters. — H.s Sohn R o b e r t G o r s u c h war als Maler 2 Jahre in Mexico tätig, † ebenda 4. 10. 1906.

The Art Journal, 1877 p. 314 f. m. Abb. — C l e m e n t and H u t t o n , Artists of the 19th Cent., 1879. — C h a m p l i n and P e r k i n s , Cyclopedia of Painters etc., 1888. — M u t h e r , Gesch. d. Malerei i. 19. Jahrh. 1893. — S. I s h a m , Amer. Painting, 1905. — C a f f i n , Story of Amer. Painting, 1907 p. 76. — Amer. Art Annual, IV (1903) 141; VI 109; XII 390; XVIII (1921) 226, 444. — Kst u. Ksthandwerk X, Wien 1907 p. 660. — Amer. Art News, XX (1921) Nr 1 p. 6 col. 3. — Cat. de Luxe, Panama-Pacific Expos. S. Francisco, 1915 II 321.

Hart, J a m e s T u r p i n , Maler in Nottingham, geb. ebenda 25. 2. 1835, † 1899, Schüler der Zeichenschule in Nottingham, dann der Londoner Royal Acad. Malte zunächst kleine Figurenbilder (Kinder) in der Art von Mulready, in seine Vaterstadt zurückgekehrt (Lehrer an der Kunstschule), auch viele Porträts und Aquarell-Landschaften. 1856/68 stellte er in London aus (Royal Acad. und Brit. Instit.). Das Mus. zu Nottingham (Cat. 1913 p. 60) besitzt 2 Bilder von ihm.

G r a v e s , Dict. of Art., 1895; d e r s . , Roy. Acad., IV (1906) ; d e r s . , Brit. Instit., 1908.

Hart, J o e l T . , amerik. Bildhauer, geb. 10. 2. 1810 in Clark City, Kentucky, † 2. 3. 1877 in Florenz. Nach harter Jugend als Maurer und Steinmetz versuchte er sich um 1830, angespornt durch eine Büste Henry Clay's von Clevenger, in Lexington an einer Büste des späteren Generals Cassius M. Clay. Er hatte Erfolg, führte weitere Porträts aus (Andr. Jackson) und erhielt, nachdem ein Besuch in Philadelphia, New York und Washington ihn mit reiferen plastischen Werken bekannt gemacht hatte, 1846 in Richmond den Auftrag, eine lebensgroße Marmorstatue Henry Clay's auszuführen, die ihn bis 1859 beschäftigte. 1849 ging er nach Florenz, wo er, von kurzen Besuchen in Paris, London und (1858) Amerika abgesehen, blieb. Dort führte er noch eine Bronzekolossalstatue Henry Clay's für New Orleans, sowie eine weitere für Louisville aus; daneben arbeitete er lange an einer Idealfigur ,,Triumph der Keuschheit" (1897 in Lexington verbrannt), sowie an einer Reihe von Porträtbüsten (die des Arztes Thom. S. Smith, † 1861, in der Londoner Nat. Portr. Gall.) und zahlreichen Aquarellen. Wie bei vielen Bildhauern der viktorianischen Zeit überwiegt in den Werken

H.s das literarische Interesse, was ihnen eine gewisse Kühle gibt.

H. T. T u c k e r m a n , Book of the Artists, 1867 p. 573 f. — S. W. P r i c e , Old Masters of the Bluegrass, 1902 p. 145 ff. — L. T a f t , Hist. of Amer. Sculpture, 1903 p. 99 f. — Catal. Marbles of the Corcoran Gall., Washington, 1910 ; Fine Arts Acad., Buffalo, 1913. *Fiske Kimball.*

Hart, K o n r a d , Glockengießer, der 1505 eine Glocke (Heiligenreliefs am Mantel) in der Kath. Pfarrkirche zu Beilngries in Bayern ,,kvnrade hart" bezeichnete.

Kstdenkm. Königr. Bayern, Bd II Heft XII (1908) 15, 167.

Hart, L a u r e n t J o s e p h , Medailleur und Stempelschneider in Brüssel, geb. 6. 11. 1810 zu Antwerpen, † 10. 1. 1860 in Brüssel. Schüler der Antwerpener Akad., dann tätig an der Münze in Brüssel, ebenso seit 1827 in Utrecht, wo er auch Schüler von Braemt war; 1831/37 bildete er sich weiter unter Veyrat und Jouvenal in Brüssel. Von ihm zahlreiche z. T. vortreffliche Medaillen (Forrer zählt 101 Stück als die bekanntesten auf) zur Erinnerung an Personen und Begebenheiten der belg. Geschichte seiner Zeit, z. B. 1834 die H.s Ruf begründende Medaille auf das Antwerpener Theater, 1835 auf die Industrieausstellung, 1840 für die Gesellschaft Felix Meritis in Amsterdam und mehrere Rubens-Medaillen, 1843 mehrere auf die belg. Reise der Königin Victoria, 1847 Porträts von König Leopold I. u. Papst Pius IX., 1855 vom König v. Sardinien, 1853 auf die Majorennitätsfeier des Herzogs von Brabant (ein Hauptstück). Ferner Arbeiten für den Sultan und eine Medaille auf russische Schlachten. H.s letzte Arbeit (Porträt Leopolds I.) war die bis dahin (1859) größte Medaille (Abb. bei Forrer).

I m m e r z e e l , Levens en Werken, II (1843). — E. v. A r e n b e r g h in Biogr. nat. de Belgique, VIII (1886). — F o r r e r , Dict. of medall., II (1904). — D e W i t t e , Médaille en Belgique au XIXᵉ siècle, 1905. — I w e r s e n , Lex. russ. Medaill., [1874] 38.

Hart, L e t i t i a u. M a r y T h e r e s a , siehe unter *Hart,* James.

Hart, P h i l i p , Maler in Dublin, 1795 Schüler der Dublin Society's Schools, stellte 1810/16 Landschaften und Figurenbilder aus.

S t r i c k l a n d , Dict. of Irish Art., I (1913).

Hart, R o b e r t G o r s u c h , siehe unter *Hart,* James.

Hart, S a l o m o n A l e x a n d e r , engl. Historien-, Genre- und Bildnismaler, geb. in Plymouth April 1806, † in London 11. 6. 1881. Kam mit seinem Vater S a m u e l , einem jüdischen Goldschmied und Schabstecher (cf. Bromley, Hist. of Engravers), 1820 nach London, wo er Schüler des Linienstechers S. Warren wurde und seit 1823 an der Royal Acad. studierte, indem er sich mit dem Malen von Elfenbeinminiaturen nach alten Meistern und Bildnisminiaturen eigener Erfindung durchschlug. Stellte zuerst 1826 in der Royal Acad. aus (Miniaturbildnis Sam. H.) und zeigte 1828 in der Brit. Institution sein erstes Ölbild („Instruction"), für das er wider Erwarten einen Liebhaber fand. Während 5 weitere Arbeiten im nächsten Jahre unverkauft blieben, wurde die „Jüdische Synagoge" 1830 in der Soc. of Brit. Artists von Mr. Vernon für 70 £ angekauft; es ist das bekannte große Bild der Londoner Tate Gal. (von E. Challis für Art Journal 1851 gest.). H. erhielt jetzt zahlreiche verwandte Aufträge, unter denen sich die ebenfalls für Vernon gemalte „Kommunion des kathol. Adels in einer Privatkapelle unter der Regierung der Königin Elisabeth" und die „Einkleidung einer Nonne", für Lord Lansdowne, befanden. Seine nächste größere Arbeit war die „Streitszene zwischen Wolsey und Buckingham", aus Shakespeare's „Heinrich VIII.", das 1834 von Lord Northwick angekaufte Bild der Prestoner Gal. Nachdem ihm das 1835 ausgestellte Gemälde „Richard Löwenherz und Saladin", nach Scott's „Talisman" (Gal. Liverpool) die Aufnahme in die Akad. (als Associate) verschafft hatte, reiste er auf ein Jahr nach Italien, von wo er mit zahlreichen Architektur- und Genrestudien zurückkehrte. Mit seinem großen Gemälde „Hinrichtung der Jane Gray", das er 1839 ausstellte, wurde er dann 1840 ordentl. Mitglied der Akad. Das Bild blieb jahrelang unverkauft und wurde 40 Jahre später von H. der Guildhall seiner Vaterstadt überwiesen. Um sich seinen Lebensunterhalt zu verdienen, zeichnete er damals die Illustrationen zu Charles Knight's „Entertaining Knowledge" auf den Holzstock. Ferner lieferte er Beiträge für das Athenaeum, Jewish Chronicle u. and. Zeitschriften. Bewies er in der Auswahl seiner Stoffe aus der Bibel und Heiligenlegende, aus Profangeschichte und Dichtung eine glückliche Hand, so verfuhr er in der Ausführung seiner farbenreichen Bilder, deren Helldunkel gerühmt wurde, mit großer Gewissenhaftigkeit. Zu den bekanntesten gehörten: Isaak von York auf dem Schlosse des Front de Boeuf, nach Scott's „Ivanhoe" (1830); Thomas Moore empfängt den Segen seines Vaters (1836, Ölskizze Guildhall-Gal., London); Hannah und Eli (1837, Entwurf, Federskizze, im Brit. Mus.); Milton besucht Galilei im Gefängnis (1847); Die Erfinder der Buchdruckerkunst (1852); Hl. Elisabeth, u. a., während von seinen späteren Werken „Manasseh ben Israel bittet Cromwell um die Zulassung der Juden" (1873) den größten Erfolg erzielte. Außerdem malte H. Landschaften, zahlreiche Innenansichten ital. Kathedralen (Pisa, Modena, Neapel) und Kirchen (S. Francesco, Assisi; S. Marco, Venedig; Ognissanti, Florenz), sowie Bildnisse, bes. jüdische Stifter für Londoner Synagogen, Hospitäler u. and. öffentl. Anstalten (Lordmayor Salomans [Guildhall]; Baron Anthony de Rothschild; Oberrabbiner Dr. Adler; Herzog von Sussex, u. a.). H. entfaltete seit 1855 in Nachfolge Leslie's als Akademielehrer eine erfolgreiche Tätigkeit; seit 1865 war er auch Bibliothekar der Royal Acad. Dagegen waren seine letzten künstler. Leistungen nur gering. Das Londoner Victoria and Albert Mus. besitzt von ihm „Othello und Jago" (Aquarell) und Ansicht der Scala Santa im Kloster S. Benedetto bei Subiaco (Öl). Studienblätter, Bildniszeichnungen (Charles Landseer; H. Orrin Smith) u. a. im Printroom des Brit. Mus. Ein Bildnis des Gideon Colquhoun hat Th. Lupton 1841 nach H. gestochen.

A l e x. B r o d i e, Reminiscences of A. S. Hart, R. A., Privatdruck 1882. — G. Pycroft, Art in Devonshire, Exeter 1883 p. 55/8 (A. S. Hart). — O t t l e y, Dict. of Painters etc., 1875. — P. S a n d b y, Hist. of the R. Acad., 1862 II. — The Art Journal, 1881 p. 223. — C u n d a l l, Hist. of Brit. Water-Col. Paint., 1908 p. 219. — G r a v e s, Dict. of Artists, 1895; R. Acad., IV (1906); Brit. Inst., 1908; Cent. of Loan Exhib., 1913 ff., II; IV 1954 f. — W a a g e n, Treas. of Art in Gr. Brit., 1854 I 374; II 142. — P o y n - t e r, Nat. Gall. of Brit. Art, 1900 I. — Kat. der gen. Slgn. — D u p l e s s i s u. a., Cat. des Portraits.. Bibl. Nat. Paris, 1896 ff., III 10314. — Cat. of Drawings by Brit. Artists, Brit. Mus., London II (1900). — Cat. of engr. Brit. Portr., Brit. Mus., IV (1914) 14. — Shakespeare in Pictorial Art. Studio, Spec. Spring Number 1916.
B. C. K.

Hart, S a m u e l, s. u. *Hart,* Salomon A.

Hart, T., Landschafts- u. Architekturmaler (19. Jahrh.), von dem das Londoner Victoria u. Albert Mus. ein bez. Aquarell: Inneres des Doms von Orta (Italien), besitzt. In der Londoner Whitechapel Gall. waren 1882 drei Landschaften H.s (Sorrent, Vierwaldstättersee) ausgestellt.

Nat. Gall. of Brit. Art, II. Cat. of Water-col. paint., 1908. — G r a v e s, Cent. of Loan Exhib., 1913 f., IV 1955.

Hart, T h o m a s, engl. Stecher 18. Jahrh., von dem folgende Porträts bekannt: Benedikt Arnold (Publ. par Tho. Hart, 1776); Hopkins, amerikan. Admiral, † 1785 (ebenso); John Sullivan, Generalmajor; Robert Rogers, Major; David Wooster, Generalmajor; John Wilkes.

H e i n e c k e n, Dict. des Art., 1778 ff. (Ms. Kupferstichkab. Dresden). — F ü ß l i, Kstlerlex., 2. Teil 1806 ff. — D u p l e s s i s, Cat. Portr. Bibl. Nat. Paris, 1896 ff. I 1695; V 22221.

Hart, T h o m a s, engl. Marinemaler, tätig in Falmouth (Cornwall). Stellte 1865—80 in London (1872—3 Royal Acad.) aus.

G r a v e s, Dict. of Art., 1895; R. Acad., IV (1906).

Hart, W i l l i a m, siehe unter *Hart,* James.

Hart, W i l l i a m Howard, Maler in New York, geb. 1863 in Fishkill-on-Hudson (N. Y.), Schüler der Art Student's League und von J. Alden Weir in New York, von Boulanger und Lefebvre in Paris, wo er im Salon (1889 u. 90 Art. Franç., 1893 u. 95 Soc. Nat.) Porträts und Figurenbilder zeigte.

Americ. Art Annual, XVIII (1921) 444. —
Salonkataloge.

Hart-Nibbrig, F e r d i n a n d, siehe *Nibbrig,
Ferd. Hart.*

Harta, F e l i x A l b r e c h t, Maler und
Graphiker in Morzg bei Salzburg, geb. 2. 7.
1884 in Budapest. Wuchs in Wien auf, studierte zunächst an der Techn. Hochschule
Architektur, sattelte dann um und ging
1906 nach München, um sich an der dort.
Akad. bei Habermann zum Maler auszubilden.
1908 in Paris, arbeitete er kurze Zeit in der
Académie Vitty unter H. Martin und Anglada,
kopierte im Louvre Tizian, Tintoretto und
Ingres, im Luxembourg Ed. Manet und bereiste
hierauf die Bretagne. Nach Paris zurückgekehrt, stellte er im Salon d'Automne 5 Landschaften aus und beschäftigte sich während des
folgenden Winters insbesondere mit den Impressionisten, Cézanne und Van Gogh. Frühjahr 1909 unternahm er eine Studienfahrt nach
Spanien, kopierte in Madrid Velazquez, Greco
und Goya, verbrachte den Winter in Wien
und begab sich 1910 nach Belgien, wo ihn
neben Brüssel und Gent vor allem Brügge des
längeren festhielt. 1911 neuerlich in Brügge,
1912 in Italien, 1913 zum zweitenmal in Paris.
Vom Herbst 1913 an bis zu seiner Einberufung
zum Militärdienst (1916) lebte H. in Wien,
1917 übersiedelte er nach Salzburg. — 1908 erschien er mit einem Herrenporträt in der Jubi-
läumsausst. des Wiener Künstlerhauses, 1911,
1912 und 1913 beschickte er die Ausst. der
Sezession, 1913 auch die Internat. Schwarz-Weiß-
Ausst. des akadem. Verbandes f. Lit. u.
Musik, 1916 die Ausst. des Wirtschaftsverban-
des im Künstlerhaus, 1918 die Kriegsbilderausst. des Kriegspressequartiers. In der 49. Ausst.
der Wiener Sezession (März 1918) war er mit
einer ganzen Kollektion von Gemälden, in der
52. Ausst. (Dez. 1918 bis Jan. 1919) mit Bildnissen und Porträtskizzen vertreten. Auch im
„Hause der jungen Künstlerschaft" (Wien,
Miethke 1919), in der „Kunstschau" 1920 und
1921, sowie in der Frühjahrsausst. des Hagenbundes 1922 sah man Arbeiten H.s. Die
Ausst. des „Wassermann" (Salzburger Künstlerhaus) 1920, sowie eine Kollektivausst. im
Kunstsalon Würthle (Wien 1922) gab in
einer stattlichen Reihe von Werken einen
Überblick über sein jüngstes Schaffen. Auf
der Salzburger Internat. Schwarz-Weißausst. 1921
erhielt er die große silberne Staatsmedaille.
Sehr häufig beteiligte sich H. an ausländ.
Ausst.; Bilder von ihm fanden auf Ausst. in
Budapest, Berlin, Dresden, Düsseldorf, Frankfurt, Hagen, Köln, München, Nürnberg, Basel,
Bern, Genf, Zürich, Rom und Paris Aufnahme. — H.s künstler. Entwicklung ist der-
zeit noch nicht abgeschlossen. Anfangs einer
mehr linearen, bzw. dekorativ-flächigen Darstellungsweise huldigend, ging er allmählich

immer mehr auf rein malerische Werte und
eine das Räumliche betonende Anschauung
aus; als Ziel schwebt ihm die Lösung des
Raum- und Lichtproblems durch Farbe vor.
In seinen Porträts strebt er weniger nach gefälliger Form als nach scharfer Charakterisierung. Seine figuralen, namentlich seine biblischen Kompositionen, atmen in ihrer lebhaften Bewegtheit ein ausgesprochen barockes
Empfinden, das an Greco und Tintoretto erinnert, denen H. auch durch das Mystisch-
Visionäre seiner kalten, weißgrauen Farbentöne
nahezukommen sucht. Seine Graphiken zeichnen
sich durch Rhythmus in der Komposition und
kräftigen, gefühlbeseelten Strich aus und stellen
sich als vollwertige Leistungen neben seine
malerischen Schöpfungen. Von Hauptwerken
H.s sind zu erwähnen: „Der große Markt in
Brügge" (1910, Sammlg Lanner-Wien), „Win-
terlandschaft aus St. Veit" (1911, Bes. Graf Paul
Esterházy), „Fischmarkt in Brügge" (1911,
Sammlg Dr. H. Rieger-Wien; Abb. in „Mo-
derne Welt" Jg. 1919, Heft 12), „Verkündi-
gung an die Hirten" (1914), „Der englische
Gruß" (1915), „Blick vom Mönchsberg" (1918),
„Kreuzigung" (1919, Neue Gal. Salzburg),
„Stilleben mit gotischem Christus" (1921),
„Abraham empfängt die Engel", „Zwei Pferde"
(1922), ferner Porträts von Frau Grete Kainz
(Sammlg Dr. H. Rieger), O. Kokoschka (1911),
P. Gütersloh (1912), Dr. Wilh. Groß (1918), Os-
kar A. H. Schmitz (1918, Abb. im 52. Kat. der
Wiener Sezession), Felix Petyrek (1920), Dr.
Jos. Mühlmann (Abb. Katal. der Kunstschau
1920). Auf graphischem Gebiete betätigte sich
H. als Radierer („Der englische Gruß", „Portr.
Herm. Bahr") und Lithograph („Kreuzannage-
lung", „Sommerlicher Garten", „Badende Frauen"
[Jahresmappe d. Ges. f. vervielf. Kst. 1919],
„Parkeingang", „Grablegung", Portr. Dr. Franz
Schreker, Mappe Tilla Durieux). Zeichnungen
H.s besitzt die österr. Staatsgalerie.

A r t h u r R o e s s l e r, Kritische Fragmente
(1918), p. 77—91 (m. Abb.); d e r s. in Donauland, I (1917) 212. — Die Kunst, XXIII (1910/11)
438, 451 (Abb.); XXV (1911/12) 450 (Abb.);
XXVII (1912/13) 287; XXX (1914/15) 471; XLIII
(1920/21) 116, 120 (Abb.). — Deutsche Kst u.
Dekoration, XXXVIII (1916) 47 (Abb.), 53 f. —
Kstchronik, N. F. XXVII (1916) 190; XXIX
(1917/18) 267, 282 f.; XXXIV (1922/23) 112,
394. — Kunst u. Kunsthandwerk, XVII (1914)
53; XXII (1919) 281; XXIII (1920) 197. —
Die bild. Künste, I (1916—18) Beil. p. XXV;
II (1919) 114 (Abb.), 118, 257—264, m. Abb.
(J. M ü h l m a n n); III (1920) 65, 66 (Abb.);
IV (1921) 83 (Abb.), 86, 188—192, m. Abb.
(A l i c e S c h u l t e). — Genius, II (1920)
67 (Abb.), 73. — Studien u. Skizzen z. Gemälde-
kunde, hrsg. v. F r i m m e l, III (1917—18) 151.
— Die Graph. Künste, XLII (1919), Beibl. 42,
45; XLIII (1920), nach p. 82 (Abb.), 84—86
(Abb.), 92. — Der Merker, XI (1920) 285,
nach 286 (Abb.), 288. — Kat. der obengenannten
Ausst. *H. Ankwicz.*

Hartbrunner, J o h a n n H e i n r i c h,

Maler und Amtsmeister (1644/77) in Lübeck. Von ihm an dem 1671 gefertigten Epitaph für Joach. Wulff in der Lübecker Jakobikirche die Staffierung und wahrscheinlich auch das Gemälde (Porträts vor Jerusalem-Landschaft).

Bau- u. Kstdenkm. der Stadt Lübeck, III, Teil 2 (1921).

Hartcop, J o h a n n , Schwertschmied in Solingen, Anfang 16. Jahrh.; von ihm bez. ein Schwert (mit auf d. Klinge eingeätzt. Kalender) von 1506 im Berliner Zeughaus (Führer 1883 p. 78; 1910 p. 52). — Ein g l e i c h n a m . Solinger Meister arbeitete um 1600. Cronau bildet sein Zeichen (Seepferd) ab, das sich auf einer Klinge der Slg auf der Veste Coburg befindet. Im Schweizer Landesmus. in Zürich ein Haudegen mit facettiertem Kugelknauf, auf der Klinge Inschr. „Johannis Hartcop Solingen me fecit" und Marke. Nach Ossbahr (Fürstl. Zeughaus in Schwarzburg, 1895) ist eine Stoßklinge in der Schwarzburger Slg „Harcop" und ein Degen (Mitte 17. Jahrh.) im Landeszeughaus zu Graz „Johannes Harzop" bezeichnet.

C r o n a u , Gesch. d. Solinger Klingenindustrie, Stuttg. 1885. — Monatsh. d. Berg. Gesch.-Ver., III (1896) 108. — 21. Jahresber. Schweizer Landesmus., 1912 p. 55.

Hartegen, M e r c u r i u s , s. *Herdegen,* M.

Hartel, A u g u s t , Architekt, geb. 26. 2. 1844 in Köln, † 18. 2. 1890 in Straßburg i. E., Schüler der Kölner Gewerbeschule, 1861 im Atelier von Raschdorff, 1863/68 von Franz Schmitz, bei dem er einen großen Teil des Kölner Domwerks auf Stein zeichnete, 1868 in Berlin (Atelier Kyllmann u. Heyden), 1869 wieder in Köln bei Raschdorff. 10 Jahre in Krefeld tätig, gemeinsam mit Quester, baute die dort. ev. Kirche, ferner die Christuskirche in Bochum (1877/79), Kirchen in Blumenthal a. d. W., Viersen, Mülheim a. d. Ruhr (1881), Neuwied und Linden, beteiligte sich an vielen Konkurrenzen, u. a. 1880 um das neue Leipziger Gewandhaus. 1881 siedelte er nach Halle a. S. über, um die Gebäude der sächs. Gew.- u. Industrie-Ausstell. auszuführen, 1882 nach Leipzig, wo er gemeinsam mit C. Lipsius die 1885 voll. Petrikirche baute (eine der größten ev. Kirchen Deutschlands, frühgot. Formen). In diesen Jahren entstanden auch die Kirche in Lindenau b. Leipzig und die Johanneskirche in Gera. Zeitweise arbeitete H. gemeinsam mit Bruno Schmitz, seit 1885 mit Skjold Neckelmann, betätigte sich auch als Sammler und Antiquitätenhändler, verfaßte den Versteig.-Katal. der Slg Felix-Köln 1886, gab u. a. 1889 „Architektonische Details des Mittelalters" heraus. H.s Entwürfe (mit Neckelmann) wurden mehrfach preisgekrönt, u. a. 1888 für die (1894 voll.) Christuskirche in Köln, das Landesgewerbemus. in Stuttgart (1. Preis), Empfangsgebäude des Kölner Zentralbahnhofes (2. Preis), auch für den Umbau der West-

fassade des Mailänder Doms (kam in engere Wahl). Für Straßburg lieferte er verschiedene Entwürfe (Landesausschußgebäude, neue Stadtbibliothek, Neubau von Jung St. Peter) und wurde 1889 Dombaumeister ebenda.

Architekton. Rundschau, I (1885) Taf. 52, 78, 79; III Taf. 50; IV Taf. 26, 50/52; V Taf. 13, 18, 29, 34, 88. — Kst für Alle, II (1887); III. — B o i t o , Duomo di Milano, 1889 p. 272, 275 f. — Dtsche Bauzeitung, 1890 (Nekrol.). — Kstdenkmäler d. Rheinprov., II (1892) 200. — Leipzig u. seine Bauten, 1892 p. 341, 348 f., 354. — Kirchenbau d. Protestantismus, 1893. — M e r l o , Köln. Kstler, Ausg. 1895. — Blätter f. Archit. u. Ksthandwerk, X (1897). — Ausstell.-Kataloge: Berlin, Akad. 1877, 80, 84, 86; München, Glaspalast 1879, 88.

Hartenbeck (Harterpeckh), P e t e r , Medailleur, Siegel- und Münzschneider aus Schwäb. Gmünd, † 16. 4. 1616, war 10 Jahre beim königl. Münzdruckwerk in Spanien, dann seit 1595 Stempelschneider in Diensten des Erzherzogs Ferdinand an der Münze zu Hall in Tirol. Von ihm eine schöne bez. Medaille von 1604, den Erzherzog Maximilian, Hoch- und Deutschmeister, darstellend.

Jahrb. d. ksthistor. Sammlgn d. allerh. Kaiserhauses, XVII 2. Teil. — S c h ö n a c h , Beiträge zur Geschlechterkunde tirolischer Kstler, o. J. — F o r r e r , Dict. of Medaill., II (1904). — S i t t e , Ksthistor. Regesten . . . der Geizkofler (Stud. z. dtschen Kstgesch. Heft 101, Straßburg 1908).

Hartenthal, M a t h i l d e v o n , Landschafts- und Blumenmalerin u. Radiererin, geb 29. 7. 1843 in Graz, † 16. 4. 1920 ebenda. Besuchte zuerst die landschaftl. Zeichenakad. unter Herm. v. Königsbrunn, war dann in Dresden Schülerin von Preller und Neumann (in der Rad.). 1878/79 in Holland, 1880 in Paris, 1881 im Atelier von Portaels in Brüssel. Portaels verglich ihre Bilder mit den Schöpfungen Makarts. Von ihren graph. Blättern sind bekannt: Grimming im Ennstal, Tressenweg in Altaussee und Motiv aus dem Mürztal.

J. W a s t l e r , Steir. Kstlerlex., 1883. — Steir. Künstler (Aufzeichn. im Kunsthist. Inst. der Graz. Univ.). *B. Binder.*

Harter-Hart, J o s e f , Maler, Architekt und Kstschriftsteller in Steyr (Ober-Österr.), geb. ebenda 27. 8. 1881. Von ihm 2 Glasgemälde in der Stadtpfarrkirche zu Steyr und Wandgemälde in der Wildalmkapelle bei Garsten.

J a n s a , Dtsche bild. Kstler in Wort u. Bild, 1912.

Harterpeckh, P e t e r , s. *Hartenbeck,* P.

Hartfeldt (Hardtfeld, Harefeldt, Hareveld, Harfeldt), B e r n a r d , Stecher, laut Bogaerts aus der Prov. Antwerpen, nach Merlo in Köln tätig. Für den dort. Verlag des P. Overadt arbeitete er mehrere relig. Blätter, darunter Christus am Kreuz nach Rubens. Er hatte auch einen Verlag von Andachtsbüchern. Die äußersten bekannten Daten für seine Kölner Tätigkeit sind 1641 (auf dem von ihm gest. Titelblatt zu F. Marchantii Rationale Evangelizantium) u. 1670 (Erscheinungsjahr des bei ihm erschienenen „marianischen Bundes").

Basan, Dict. des Grav. 1767, II 242; III 32. — Bogaerts, Esquisse d'une Hist. d. Arts en Belgique, 1841 p. 63. — Kramm, Levens en Werken etc., III (1859). — Merlo, Köln. Kstler, Ausg. Firmenich-Richartz, 1895.

Hartig, Arnold, Medailleur in Wien, geb. 12. 8. 1878 in Brand bei Tannwald (Nordböhmen), studierte an der kunstgewerbl. Fachschule in Gablonz a. N. und an der Wiener Kunstgewerbeschule, schuf zahlreiche, mehrfach bei Konkurrenzen (1903 Österr. Gesellsch. z. Förd. d. Medaillenkunst, 1908 Wiener Künstlergenossensch.-Plakette und Schulmedaille, 1911 Wiener Jagdausstell., 500 Jahrfeier der Universität Leipzig [1909] usw.) und 1909 durch die Gold. Staatsmedaille, 1910 durch den Dumba-Ehrenpreis ausgezeichnete Medaillen und Plaketten, u. a. auf das allgem. Wahlrecht (1907), den Karawankentunnel, 25 jähr. Bestand der Bozen-Meraner Bahn (1906), Beethoven, Schiller (1905), „Liebe", „Pietà", „Großmutterls Andacht", „Kopf mit Eule"; Porträts von Bürgermeister Dr. Lueger, Hofrat Ritter v. Luschin, Graf v. Kuenburg, Freih. Bachofen v. Echt, Dr. J. Sylvester usw., ferner verschiedene Bildnisse von Kaiser Franz Joseph I., Erzherzog Franz Ferdinand, 1914/15 die große Kaisermünze für das Kriegsfürsorgeamt, für dasselbe Amt eine kleinere gemeins. mit R. Neuberger und eine Münze mit dem Bildnis des Thronfolgers für den österr. Flottenverein, auf Erzherzog Friedrich, Erzherzog Karl Stephan, Conrad v. Hötzendorf.

Kstchronik, N. F. XX (1909) 86. — Die Kunst, XXV (1911/12) 196 (Abb.). — Jansa, Dtsche bild. Kstler in Wort u. Bild, 1912. — Kst u. Ksthandwerk, XVIII (1915) 591 ff. (Abb.). — Mitt. d. österr. Gesellsch. f. Münz- u. Medaillenkunde, VII (1911) 143 u. Taf. V. — Sauermann, Schlesw. Holst. Kstkalender, 1912 p. 85 (Abb.). — Blätter f. Münzfreunde, L (1915) Sp. 5881. — Mitteil. Erzherz. Rainer-Mus., 1918 p. 22. — Rass. d'Arte ant. e mod., VII (1920) 287 (Abb.). — Versl. omtr. 's Ryks Verzamel. 1920, XLIII (1921) 41 ff. — Mitteil. d. Gesch.-Ver. f. Kärnten, 1921 p. 78 f. — Führer Niederöster. Landesmus. Wien 1911 p. 16. — Kataloge: Kaiserjubil.-Ausstell., Wien 1908; 38. Jahresausstell. Kstlerhaus, Wien 1913 (Abb.) u. 1914.

Hartig (Hartich), Dietrich, Holzbildhauer in Rostock, fertigte laut Kontrakt von 1719 den Schalldeckel der Kanzel in der Jakobikirche mit Strahlen- und Engelglorie und Wappen der Familien Radow und Sibrand. 1723 arbeitete er den Schalldeckel der Kanzel in der Marienkirche (in 2stöckigem Aufbau reiche figürliche Darstellungen aus der Apokalypse). Für die 1730/35 errichtete Orgel in der Petrikirche lieferte H. den bildhauerischen Schmuck (harfespielender König David, Engel, Vasen und Ornamente).

Kst- u. Gesch.-Denkmäler Mecklenburg-Schwerin, 2. Aufl. I (1898) 24 f., 79 f., 110, m. Abbn.

Hartig, Erdmann, Architekt und Architekturschriftsteller, geb. 10. 10. 1857 zu Winsen a. d. Luhe, 1877/80 Schüler der Techn. Hoch-

schule zu Braunschweig unter C. Uhde, 1894 Direktor d. Kstgewerbeschule Barmen, seit 1902 der Baugewerkschule Aachen. Beteiligte sich erfolgreich an Denkmal-Konkurrenzen. Von ihm u. a. die „Ruhmeshalle" in Barmen (1897—1900) und die Heilstätte der Hansastädte in Oderberg.

Architekton. Rundschau, XIX (1903) Taf. 17/18. — Singer, Kstlerlex., Nachtrag (1906). — Spemanns Goldenes Buch vom eignen Heim. — Architektur d. 20. Jahrh., 1911 Taf. 47/48. — Jansa, Dtsche bild. Kstler in Wort u. Bild, 1912.

Hartig (Harting, Hartwig, Haerting, Herting), Hans, Goldschmied aus Leipzig, geb. 1608, † 20. 6. 1654 in Breslau, wo er 1640 Bürger und Meister wurde. Von ihm eine silbervergoldete Deckelkanne, bez. H H ligiert, von 1648, mit figürl. Darstellungen und Wappen im Breslauer Mus. f. Kstgewerbe.

Hintze, Breslauer Goldschmiede, 1906.

Hartig, Hans, Landschafts- und Marinemaler und Graphiker in Berlin, geb. 6. 10. 1873 zu Carvin in Pommern, Schüler der Berliner Akad. unter E. Bracht, dem er nach Dresden folgte, wo er bis 1904 blieb. Seine Bilder, welche schlichte Motive, altertümliche Gebäude, Kleinstädte, Häfen, besonders aus Alt-Dresden, Pommern, Ostpreußen, verwerten, waren seit 1901 auf den Berliner Gr. Kst-Ausstellungen (vgl. Kataloge bis 1920, davon 1907/16 je mit Abb.), 1906/14 im Münchner Glaspalast. Sonderausstell. in Berlin: Gesellschaft f. Kst u. Lit. März 1908 u. Salon Arthur Dahlheim Juni 1915. Von ihm auch farbige Lithographien des gleichen Stoffkreises, z. T. bei Voigtländer, Leipzig. Das Mus. Stettin besitzt die Gemälde „Winterabend in Masuren" und „Alte Baumbrücke", die Sammlung der Stadt Berlin „Hindenburgsieg" und „Vereiste Spree"; für die Brandenburghalle des Rathauses Berlin-Schöneberg malte H. mehrere Städtebilder, u. a. Prenzlau mit der Marienkirche.

Singer, Kstlerlex., Nachtrag (1906). — Zeitschr. f. bild. Kst, N. F. XVIII (1907) 244 u. Kstchronik gleichen Jahrg. 7, 145. — Jahresber. d. dtschen Kstvereins für 1909, Berlin 1910 p. 5 u. Abb. — Seemann's „Meister der Farbe", V (1908). — Pastor, Jahrb. d. bild. Kst, 1909/10 Abb. bei p. 68 u. 76. — Neuigkeiten d. dtschen Ksthandels 1909 p. 178; 1910 p. 18; 1911 p. 115; 1913 p. 55, 94. — Jahrb. d. Bilder- u. Kstblätterpreise, III (1912); IV (1913). — Dressler's Ksthandbuch, 1921 II.

Hartig, Karl Ludwig, Porträt-, Figuren- u. Tiermaler u. Lithograph in Berlin, geb. 23. 4. 1878 in Merseburg, Schüler der Berliner Akad. unter P. Meyerheim und W. Friedrich, stellte 1899 und 1920 in der Gr. Kstausstell., 1900 in der Sezession in Berlin aus.

Mitteil. des Künstlers. — Velhagen u. Klasings Monatshefte, Jahrg. 32 Bd. III (1917/18) 49/56.

Hartinger, Anton, Blumenmaler u. Lithograph, geb. 13. 6. 1806 in Wien, † ebenda 24. 1. 1890. Studierte an der Wiener Akad.

unter Strenzel und Wegmayer, erhielt 1825 den Gundel-, 1829 den großen Fügerpreis und trat 1836 als Korrektor in die Blumen- und Früchteschule der Akad. ein, deren Mitglied er von 1843 bis 1851 war. Illustrierte mehrerer größerer botanische Werke, darunter vor allem den Paradisus Vindobonensis mit sachlichen, trockenen Pflanzenbildern. Gründete 1859 eine eigene lithographische Anstalt, die Werke über Forstkulturpflanzen, Pilze, Giftpflanzen und zahlreiche Landschaften herausgab.

Allgem. Kunstchronik, XIV (1890) 105 (Nekrolog). — Singer, Künstlerlex., II 134. — L. Eisenberg, Das geistige Wien, 1893, I. — F. v. Bötticher, Malerwerke d. 19. Jahrh., I 1 (1891). — Katal. der hist. Ausstell. in Wien 1877. — Frimmel, Studien und Skizzen zur Gem.-Kunde, II 109. *Grimschitz.*

Hartitzsch, Emil von, Porträt- u. Pferdemaler in Dresden, wo er 1876/84 in der akad. Kstausstell. und im Kstverein ausstellte. 1894/97 Reiterbildnisse des Königs Albert von Sachsen.

F. v. Boetticher, Malerwerke d. 19. Jahrh., I (1891). — Sponsel, Fürstenbildnisse d. Hauses Wettin, 1906 Textbd. p. 90 zu No 302. — Kstchronik, XXIV (1889) 614. — Jahrbuch d. Bilderu. Kstblätterpreise, I (1910).

Hartker, Mönch, Kalligraph (und Buchmaler?) im Kloster St. Gallen, † 21. 12. 1011, nachdem er 30 Jahre als Rekluse gelebt. Von ihm geschrieben und wahrscheinlich auch gemalt das Antiphonarium Cod. 390/91 der St. Galler Bibl., „dessen leicht kolor. Federzeichnungen zu den schönsten Werken der Zeit gehören" (Merton); auf der 1. ist die Überreichung des Buches durch „Hartkerus reclusus" an den hl. Gallus dargestellt, auf dem andern der hl. Gregor diktierend, Abendmahl, Fußwaschung, Kreuzigung und die Frauen am Grabe; bemerkenswert auch die Behandlung der Ornamentik.

Rahn, Gesch. d. bild. Kste i. d. Schweiz, 1876 p. 141, 144 u. Abb. p. 140. — Meyer v. Knonau in Mitteil. d. antiquar. Gesellsch. Zürich, 1877 p. 14 ff., m. Abb. — Merton, Buchmalerei d. 9. Jahrh. in St. Gallen, Diss. Halle 1911 p. 81.

Hartkopf, Wilhelm, Porträt- und Genremaler, geb. 14. 7. 1862 zu Solingen, besuchte seit 1881 die Düsseldorfer Akademie unter Peter Janssen und Eduard von Gebhard, kopierte dann in den Niederlanden und leitete später in Magdeburg eine Malschule. Seit 1905 in Dessau tätig, starb er dort am 21. 9. 1918. Bilder von ihm in der Handelskammer, der Loge und den städt. Sammlungen zu Dessau.

Ströse, Die bildende Kunst in Anhalt während des 19.Jahrhunderts, Dessau 1905. — Jansa, Deutsche bildende Künstler in Wort und Bild, 1912. *van Kempen.*

Hartkopff, Hieronymus, Goldschmied in Hamburg, 1753 Meister, † 1767. Von ihm der silb. Bügel einer rotsammetnen Gürteltasche im Mus. f. Kst u. Gewerbe in Hamburg.

Biernatzki, Urkundl. Nachr. im Hamb. Mus. f. Kst u. Gew., 1910 p. 84. *A. R.*

Hartland, Albert (Henry A.), Landschaftsmaler, geb. 2. 8. 1840 in Mallow (Cork), † 28. 11. 1893 in Marine Terrace, Waterloo, Liverpool, Autodidakt, arbeitete jung bei einem Buch- und Kunsthändler in Cork, wo er sich auch an Theaterdekorationen versuchte und Naturstudien trieb. 1868—89 stellte er Landschaften, meist Aquarelle, in London aus (Royal Acad. und Suffolk Street), lebte nach Reiseaufenthalten in Irland (in Dublin malte er auch einige Dekorationen für das Königl. Theater) und Wales in Liverpool, vorübergehend in London. Bevorzugte Motive seiner zahlreichen Bilder, die er in jährlichen Auktionen zu verkaufen pflegte, sind Gebirge, Moor, Strand, Kornfelder. Er war Mitglied der Liverpool Acad. und der Society of Painters in Water-colours. Von ihm 16 Bilder in der Walker Art Gall. Liverpool (Kat. ca. 1910 No 30, 75, 301—13, 408); 3 im Mus. zu Reading (Kat. 1903 p. 36, 37, 38); 1 im Londoner Victoria and Albert Mus. (Cat. Part II, Water-Col. Paint., 1908); 1 im Mus. zu Blackburn.

Graves, Dict. of Art., 1895; ders., Roy. Acad., IV (1906); ders., Loan Exhib., II (1913) u. IV. — Bryan, Dict. of Paint. etc., III (1904). — Strickland, Dict. of Irish Art., I (1913).

Hartleff, Arnold Eduard, Maler u. Graphiker, geb. in Hamburg 30. 3. 1888. 1902—06 handwerklich bei seinem Vater als Maler ausgebildet, besuchte daneben die Kunstgewerbeschule in Hamburg bei J. Wohlers. Bildete sich 1908—09 im wesentlichen selbständig in München weiter u. ließ sich 1910 in Hamburg nieder. — Von ihm „Der Hamburger ,Dom' von der Feldstraße aus gesehen" in der Kunsthalle u. Zeichnungen.

Ausst. „Hamburg", Commeter 1912. — Katal. Kunsthalle Hamburg, 1922. *D.*

Hartleif, Glockengießer, bezeichnete 1527 die Glocke (mit Veronika-Relief) in der Kirche zu Langenstraße, Kr. Lippstadt, jetzt im Landesmuseum zu Münster.

Bau- u. Kstdenkmäler Westfalen, Kr. Lippstadt 1912 p. 96. — Otte, Glockenkunde, 1884.

Hartley, Alfred, engl. Maler u. Graphiker, geb. in Stocken Pelham, Hertfordshire, 15. 7. 1855. Studierte auf dem Royal College of Art, S. Kensington (1878), und unter Fred. Brown auf der Westminster School of Art, während er in der Radiertechnik von Sir Frank Short unterwiesen wurde. H. malt Bildnisse, Landschaften u. Figurenbilder und stellte seit 1885 häufig in der Royal Acad., sowie an andern Orten aus. Auszeichnungen gelegentlich der Weltausst. Paris 1889 und der Anglo-German Exhibition (Crystal Palace). Neuerdings betätigt er sich mehr als Radierer, hauptsächlich aber als Stecher in farbiger und monochromer Aquatinta. In dieser Technik hat er eine Reihe feiner Landschaftsblätter geschaffen. H. ist Mitglied der Royal Soc. of Painter-Etchers. Arbeiten im Mus. Nottingham und Venedig, Gall. Mod. — H.s Gattin **N o r a**, geb. in London, Schülerin von Carolus-Duran u. Dagnan-Bouveret, zeigte seit 1906 Kinder-Genrebilder in der R. Acad., 1921 ein Aquarellporträt im Pariser Salon (Soc. Art. Frç.).

The Studio, XXIII 22, 61, 223; XXVIII 61; LVIII 23; LXIV 99 ff.; LXVII 115, 252; LXX 55, 111. — Studio Spec. Nrs.: Art in 1898; Summer Number 1902; H o l m e, Mod. Etching etc., 1913; S a l a m a n, Mod. Woodcuts etc., 1919. — Die Graph. Kste, XXI (1898) 48 f. (H. W. S i n g e r). — G r a v e s, Dict. of Art., 1895; d e r s., Royal Acad., IV (1906); Cent. of Loan Exhib., 1913 ff. II. — Cat. Exhib. R. Acad. 1905/21. — Cat. Exhib. Carnegie Inst. Pittsburgh, 1907, 1911—3. — Mitt. d. Künstlers.

A. E. Popham.

Hartley, J e r e m i a h, Uhrmacher in Norwich um 1710; von ihm eine schöne Standuhr in der ehem. Pariser Sammlg Schloss.

B r i t t e n, Old Clocks etc., 1904 (Abb.).

Hartley, J o n a t h a n S c o t t, amer. Bildhauer, geb. in Albany, N. Y., 23. 9. 1845, † in New York 6. 12. 1912. Arbeitete 1863/4 bei E. D. Palmer, studierte 3 Jahre an der Londoner Roy. Acad. und ging zur weiteren Ausbildung auf 1 Jahr nach Berlin; später vorübergehend in Rom und Paris. Eröffnete 1875 ein Atelier in New York und betätigte sich auf dem Gebiet der Phantasieplastik. Erhielt bald darauf Aufträge für öffentl. Denkmäler, als deren erstes die Statue Miles Morgan's in Springfield, Mass. (1882) entstand. Weitere Hauptwerke H.s sind die Bronzestatue John Ericsson's für New York (1893 enthüllt); Alfred der Große (Marmor), an der Fassade des Appellate Court in New York (1899); Rev. Thomas K. Beecher, Elmyra, N. Y. (1901); Bronzemedaillons in halberhabenem Relief am Sullivan Memorial Fountain zu New York (1906); Daguerre-Denkmal, Washington. In späteren Jahren ging er zur eigentlichen Bildniskunst über, in der er sorgfältig und scharf charakterisierte Bildnisbüsten schuf. Seine Arbeiten wurden hoch bezahlt und viel verlangt; die Kritik rühmte Technik und seelischen Ausdruck. H. war ordentliches Mitglied der Nat. Acad. Er war verheiratet mit einer Tochter des Malers George Inness.

Who's who in America, VI (1910) 856. — Amer. Art Annual, X (1913) 275. — L o r a d o T a f t, Hist. of Amer. Sculpture, 1903 p. 263. — S a d a k i c h i H a r t m a n n, Hist. of Amer. Art, II (1901) 36. — Book News, XXIX (1910) 153/7. — Munsey's Mag., XI (1905) 515. — Cat. of Works of art owned by the City of New York, 1909 p. 105, 147, 224. — City Art Mus. St. Louis, Cat. of Sculpt., 1914. *Blake-More Godwin.*

Hartley, M a r y, Amateur-Zeichnerin und Radiererin in London, wo sie 1775 in der Soc. of Artists Landschaftszeichnungen ausstellte. (In der gleichen Ausstellung waren auch Landschaften einer Mrs. H.) Man kennt von ihr eine Landschaftsradierung von 1761 und das radierte Porträt des Mathematikers J. Buxton von 1764.

R e d g r a v e, Dict. of Art., 1878. — G r a v e s, Soc. of Art., 1907. — Cat. of Engr. Brit. Portr. Brit. Mus. London, I (1908) 310. — Notiz von A. E. Popham.

Hartley, N o r a, s. unter *Hartley,* Alfred.

Hartley, R i c h a r d, Landschaftsmaler in Liverpool, † Juli 1921, stellte 1890, 92, 97 und 1906 in der Londoner Roy. Acad. aus.

G r a v e s, Roy. Acad., IV (1906). — Cat. Exhib. Roy. Acad. London, 1906. — Studio, XLII (1908) 148. — The Year's Art, 1922 p. 312.

Hartley, T h o m a s, Maler in London, zeigte 1820/60 Figurenbilder und Porträts in der Royal Acad., der Brit. Instit. und in Suffolk Street. Nach ihm stach C. Turner das Porträt von Will. Lockwood.

G r a v e s, Dict. of Artists, 1895; d e r s., Roy. Acad., IV (1906); d e r s., Brit. Instit., 1908. — Cat. of Engr. Brit. Portr. Brit. Mus., III (1912) 82.

Hartlieb (Hardtlieb, Harttlieb), Plattnerfamilie des 15. u. 16. Jahrh. in Nürnberg. K o n r a d (Contz, Cuntz), d. Ä., 1473 Meister, letzte Erwähnung 19. 1. 1519. 1502 wird er mit „Turm" bestraft, da er „Krebse" gezeichnet hat, der Ablehnung der Geschworenen zuwider. — K u n z, d. J., Plattnergeselle, erwähnt 19. 12. 1536. — J ö r g (Georg), nachweisbar zwischen 1523 u. 1541 in Nürnberg, wahrscheinlich Sohn von Konrad d. Ä. und Vater von Kunz d. J., Meister 1523, steht 1539 in Beziehungen zu Sebastian v. Eib, arbeitet 1541 für die Fugger in Augsburg. Der ital. Festungsbaumeister Antoni Vasoni hielt ihn für den besten Plattner der Zeit in Deutschland, doch sei er (nach Neudörfer) so sehr mit der Trunkenheit geschlagen gewesen, daß er „sein Werk nicht gar an Tag hat geben können".

L o c h n e r, Des Joh. Neudörfer ... Nachrichten von Kstlern u. Werkleuten, Quellenschr. f. Kstgesch. X, Ausg. 1888 p. 64. — Mitteil. a. d. Germ. Nat.-Mus., II (1887/89) 254 f. — H a m p e, Nürnb. Ratsverl., Quellenschr. f. Kstgesch., N.F. XIII (1904). *W. Fries.*

Hartman, unter *Hartmann* eingeordnet.

Hartmann, Bildhauer in Ulm, 1417 dort erstmals urkdlich genannt, erhält (nach dem Ulmer Hüttenbuch von 1417—21) für Bildhauerarbeiten am Münster 1418, 1419, 1420, (für die „zwelff botten"), 1420—21 (für eine Statue unserer lb. Frau u. 19 andere Fig.) Bezahlung. 25. 9. 1428 wird er mit seinem Schwiegersohn Bürger in Ulm; 1430 letzte urkdliche Erwähnung. Über H.s Werk u. Bedeutung gehen die Meinungen auseinander. Während Habicht u. Baum ihn als führenden Meister der Werkstätte um 1420 ansehen, nimmt ihn Dehio (Handb. d. deutschen Kstdenkm., III ²) nur für die Fig. der Vorhallenstirnwand in Anspruch u. nennt ihn einen minderwertigen Nachahmer des Meisters der Vorhallenpfeiler. Die Entscheidung hängt von der Richtigkeit der Verbindung der im Hüttenbuch genannten Werke mit den in der Münstervorhalle erhaltenen ab. Am überzeugendsten dürfte die Identifikation „des Bildes unserer lb. Frau u. der 19 Fig.", für die H. 1410—21 Bezahlung erhält, mit den an Zahl übereinstimmenden Figuren der Vorhallenstirnwand sein. Die Bezahlung für die 12 Boten, die auf den Fenstern mittenan („vinstirn mettinan") stehen, wird auf die 12 sitzenden Apostel in den Leibungen der Fenster am Haupteingang des Münsters bezogen. Schwierigkeiten ergeben sich hierbei, da die Apostel qualitativ viel höher stehen als die Stirnwandfig. u. auch stilistische Abweichungen zeigen (vgl. P. Hartmann); doch dürften sich die Unterschiede aus der starken Verwendung von Gesellen für die infolge ihrer hohen Aufstellung der Nahbetrachtung entzogenen u. daher nur auf dekorative Wirkung hin weniger sorgfältig gearbeiteten Stirnwandfiguren ergeben. Aus stilistischen Gründen werden H. weiter die 4 Statuen der Vorhallenpfeiler (Maria u. Hl. Martinus, Johannes d. Täufer u. Hl. Antonius) zugeschrieben. Mit Ausnahme des Hl. Martinus zeigen auch sie eine „altertümlichere, weichere u. auch unorganischere Bildung", die der „stämmigen u. knappen Körperlichkeit" der Leibungsapostel u. des Hl. Martin widerspricht u. sie den Stirnwandfiguren nähert. Auch an ihnen müssen z. T. noch in älterer Tradition befangene Gesellen mitgearbeitet haben. In H.s Werkstätte dürften auch die verwandten Bildwerke in den Leibungskehlen der Vorhalle (kluge u. törichte Jungfrauen u. Märtyrerszenen) entstanden sein. Nach Beendigung der Vorhallenplastik (1421) scheint H. sich aus dem Münsterverbande gelöst u. eine eigene Werkstätte gegründet zu haben. Baum schreibt dieser Werkstätte den Grabstein Konrads von Kirchberg († 1417) in der Klosterkirche zu Wiblingen bei Ulm (erst nach 1422 gearbeitet) zu u. neben anderen Holzbildwerken der Dornstadter Altar (im Altertümer-Mus. Stuttgart). Habichts Zuschr. von 6 Kurfürsten vom Ulmer Rathaus (jetzt im Gew.-Mus.) hat keinen Anklang gefunden. Der Stil H.s, wie er sich in den plastischen, lebhaft geschwungenen Falten, den individuell gebildeten Händen u. Köpfen, den gelenkigen, an Bewegungsmöglichkeiten reichen Körpern (bes. an den Aposteln) ausspricht, bedeutet für Schwaben das Auftreten des neuen, realistischen Stils des beginnenden 15. Jahrh. Habicht hat ihn auf dem Wege über Köln (Saarwerdengrabmal) von Burgund abzuleiten versucht; auch auf Verwandtes in Straßburg (Münster) ist hingewiesen worden. Sicher ist H. von auswärts zugezogen, doch scheint die Frage der Herkunft noch nicht spruchreif zu sein. H.s Stil in Ulm wird durch den des ebenfalls von auswärts zugezogenen Multscher verdrängt.

A. K l e m m, Württemb. Baumeister u. Bildhauer, 1882. — P. H a r t m a n n, Got. Monumentalplastik in Schwaben, 1910 p. 107 ff. — V. C. H a b i c h t, Ulmer Münsterplastik von 1391—1421 mit besond. Berücksichtigung Meister Hartmanns, Heidelberger Diss. 1911; d e r s. in Ztschr. f. christl. Kst, XXV (1912) 169 ff. — Monatshefte f. Kstwiss., V (1912) 61 f. (D e h i o); VII (1914) 283 ff. (C h r i s t). — J. B a u m, Ulmer Plastik um 1500, 1911; d e r s., Deutsche Bildwerke, Katal. d. Altertümersamml. Stuttgart, III (1917); d e r s., Got. Bildwerke Schwabens, 1921. — Kst- u. Altert.-Denkm. Württemb., Donaukr. II p. 566. *J. M.*

Hartmann, Holzschnitzer aus Jena, fertigte 1685 die reichen Schnitzereien der ursprünglich in der Johanniskirche zu Zittau, 1738 in der Kirche zu Ebersbach aufgestellten Orgel.
Bau- u. Kstdenkmäler Kgr. Sachsen, XXXIV (1910).

Hartmann, Bildhauer aus Fladungen (Unterfranken), arbeitete 1722 am Hochaltar der Pfarrkirche zu Mellrichstadt (an 4 säul. Aufbau Fig. des hl. Petrus u. Paulus, seitl. Durchgänge mit Muschelwerk und den Fig. der hl. Bernhard u. Katharina; Gemälde von J. M. Schaffer).
Kstdenkm. Bayern, III, H. 21 (1922) 66, m. Abb.

Hartmann, Zeichner in Leipzig. Nach ihm stach J. G. Schmidt 1801: Opfer der Grazien (Zeitung für die elegante Welt, 1802) und Krüger 1802: Sokrates an der Toilette der Lais (ebenda 1803).
M e u s e l, Teutsches Kstlerlex., I (1808).

Hartmann, A. A., Porzellanmaler der Fürstenberger Fabrik, in deren Akten 1768 als Lehrling gen., in den 70 er Jahren wiederholt als „bester" Landschaftsmaler bezeichnet. Schüler von J. Fr. Weitsch und vielleicht an den diesem zugeschriebenen Porzellanmalereien beteiligt. Sichere Arbeiten bisher nicht nachzuweisen. Als 1774 die Buntmalerei von Fürstenberg nach Braunschweig verlegt wurde, siedelte er mit dorthin über, war nach seiner Pensionierung bis um 1798 als Laborant tätig.
S c h e r e r, Das Fürstenberger Porzellan, 1909.

Hartmann, A. J o s e p h, siehe *Hartmann, Joseph*, Porträtmaler (1812—85).

Hartmann, A d a m, Bildhauer in Wasserburg (Oberbayern), fertigte 1663 die Schnitzarbeiten (Heiligenfig., Engel, Ausgieß. d. hl. Geistes) am Hochaltar (1879 beseitigt, Gemälde im Stadtmus.) der Jakobs-Pfarrkirche zu Wasserburg. — Vielleicht identisch mit dem g l e i c h n a m. Holzbildhauer, der 1682/85 6 Leuchter, 2 Büschkrüge und eine „Urstendt Christi" (nicht erhalten) für die Stiftskirche in Seekirchen lieferte (Österr. Ksttopogr. X [1913] 127).
N a g l e r, Kstlerlex., V. — Oberbayr. Archiv f. vaterl. Gesch. XIX 1 (1858/59) 317. — Kstdenkmäler Bayern, I 2 (1902) 2079.

Hartmann, A l b e r t, Maler und Radierer in Darmstadt, geb. 2. 1. 1868 zu Michelstadt im Odenwald, lernte an der Münchner Kstgewerbeschule, war dann als Glasmaler tätig und arbeitete 1897/98 unter B. Mannfeld im Städelschen Institut zu Frankfurt a. M. Seit

1901 Prof. an der Techn. Hochschule in Darmstadt. Malt hauptsächlich Aquarell-Landschaften mit Odenwald-Motiven und stellt außer in Darmstadt seit 1898 im Münchner Glaspalast aus.

Weizsäcker-Dessoff, Kst u. Kstler in Frankf. a. M., II (1909). — Die Kunst, VII (1903). — Die Graph. Kste, XXVI Wien 1903, Mitt. p. 22.

Hartmann, Anton (Klostername: Frater Albert), Holzbildhauer aus Bregenz, Mönch im Benediktinerkloster Frauenzell bei Regensburg, geb. 1704, fertigte 1739 einen fournierten Altar für die profan. Dreifaltigkeitskirche zu Frauenzell.

Kstdenkm. d. Königr. Bayern, II Heft 21 (1910) 56, 69.

Hartmann, Arnold, Architekt in Berlin, geb. 24. 4. 1861 in Brüssow, Kr. Prenzlau, studierte an der Berliner Techn. Hochschule unter Adler, J. Otzen und H. Ende, erhielt 1891 den Gr. Akad. Staatspreis für 2 jähr. Studienreise nach Italien, lebte zeitweise in Stettin. Bekannt durch großzügige Entwürfe für Konkurrenzen (u. a. Völkerschlachtdenkmal Leipzig, Bismarckdenkmal Hamburg, Berliner Kgl. Opernhaus, Erweiterungsbau Wertheim-Berlin). Von ihm die Gedächtniskirche für den Prinzen Biron v. Kurland in Groß-Wartenberg bei Breslau, Bauten für das Knappschaftslazarett Königshütte in Oberschlesien, Architektur des Kaiser-Wilhelm-Denkmals in Bonn, Sockel des Roon-Denkmals in Berlin, die Bismarcksäule zu Bayenthal bei Köln.

Kst f. Alle, VII (1892). — Dtsche Kst u. Dekoration, X (1902). — Berliner Architekturwelt, VI (1903) p. 409/11 (A. Brünning) m. Abbn.; XIII (1911) 1, 38. — Architekton. Rundschau, XVII (1901) Taf. 13. — Die Kstwelt, I. Jahrg. (1911/12) Bd 2 p. 571 (Abb.); II. Jahrg. (1912/13) 318, 324 (Abb.). — Kataloge: Akad.-Ausstell. Berlin, 1892 p. XVIII, 117; Gr. Kst-Ausstell. Berlin, 1898/99, 1904/12. — Neudtsche Bauzeitung, IX (1913).

Hartmann, August, Maler d. 18. Jahrh., nur bekannt durch 2 kleine Landschaften mit Ruinen und Schafherden, die sich in der Slg zu Salzdahlum in Braunschweig (Katal. von Eberlein, Braunschweig 1776) befanden, und eine Landschaft in der Gal. des Schlosses zu Bamberg (Katal. 1901 Nr 32).

Füßli, Kstlerlex., 1779.

Hartmann, C., amerik. Bildnisstecher, arbeitete um 1850/55 für J. C. Buttre und andere New Yorker Verleger.

Stauffer, Americ. engrav., I (1907).

Hartmann, Carl, Maler, auch Radierer, geb. in Nürnberg 1818 als Sohn des Malers Matthäus Christoph, † in London 1857 oder einige Jahre später, zunächst in seiner Vaterstadt tätig, ging dann nach England und lebte seit 1839 in London, wo er 1850—57 u. a. in der Royal Acad. ausstellte; malte Aquarell-Miniaturbildnisse und Genrebilder; zeichnete das Titelblatt und mehrere andere Bl. zu Gust. Lommel's Buch „Die alten Franken", 1837 (Titelbl. gest. von Friedr. Wagner). 1848 war H. in Rom Mitglied des Dtsch. Künstlervereins, dem er auch 1854/55 und 1855/56 angehörte; am 8. 2. 1857 reiste er von Rom nach London ab, wo er im selben Jahre zum letztenmal ausstellte. Die 1. Ausstell. des Leipziger Kunstvereins (Verzeichn. 1837 p. 19) beschickte H. von Nürnberg aus mit 2 Genrebildern (Großmutter mit betendem Kind und Kindesmörderin). Von seinen Bildnissen zu nennen: Joseph Prinz v. Thurn u. Taxis, Generalmajor (1796—1856), gem. von H., lithogr. von W. Straucher; der 90jähr. Rektor der Universität Oxford, an einem Tisch sitzend, umgeben von 5 Croquis seines Kopfes und seiner Figur, „radiert von K. H. in Nürnberg 1850 und von Preisel mit dem Stichel vollendet" (Maillinger). 1845/46 porträtierte H. mehrere Mitglieder der Schleswig-Holst. Herzogsfamilie: Herzog Chr. C. Fr. August (1798 bis 1869), Aquarell von 1845 (1914 in der Altonaer Gartenbau-Ausst., vgl. Verz. der Kunstschätze aus schleswig-holst. Adelsbes. im Donnerschloß No 329); Porträts desselben Herzogs, seiner Gemahlin Luise Sophie, ihrer beiden Töchter (Doppelbildn.), ihrer Söhne Friedr. Christ. August und Friedr. Christ. Carl August, der Prinzessin Henriette (Gem. Friedr. Emil Augusts) und deren Kinder (Doppelbildn.) wurden von E. Fortling lithographiert. H.s Bildnis des Dichters H. C. Andersen gibt ein Holzschnitt A. Harral's in Howitts Journal 26. 6. 1847 wieder.

Nagler, Monogr., III. — Strunk, Cat. Portr. af Danske, Norske og Holstener, 1865 Nr 79; ders., Cat. Portr. af det Danske Kongehuus, I (1881) Nr 1192, 1193, 1197, 1198, 1200, 1212, 1216, 1217. — Maillinger, Bilderchronik (Stadtmus. München) 1876 III. — Bibliotheca Bavar. (Lagerkatal. Lentner, München) 1911 Nr 11318. — Rée, Nürnberg (Berühmte Kststätten Nr 5). — Mitteil. von Fr. Noack aus Akten des dtsch. Kstlerver. und Giornale di Roma 1857. — Graves, Dict. of Artists, 1895; ders., Roy. Acad., IV (1901); British Instit., 1908; Loan Exhib., IV (1914).

Hartmann, Carl Christian Ernst, Bildhauer, geb. 13. 9. 1837 in Kopenhagen, † 4. 9. 1901 ebenda; seit 1855 unter H. V. Bissen Schüler der dort. Akad., deren Ausst. er seitdem mit genrehaften, mytholog. und histor. Kompositionen beschickte, von denen der „Diomedes" von 1862 in das Kunstmus. zu Kopenhagen, die während seines Rom-Aufenthaltes (1863, 66, 68, 70) entstandenen Statuen „Alexandros" (1867) u. „Sterbender Abel" (1869) in das Mus. zu Aalborg (Jütland), die Bronzestatuette des „Amor beim Bogenspannen" in die Kopenhagener Ny Carlsberg-Glyptothek gelangten. Neben Bildnisbüsten und Dekorationsbildwerken für Privatbauten schuf er auch kirchliche Kultstücke wie das bronzene Altarrelief der „Kreuzigung Christi" von 1898 in der Kirche zu Thorstrup bei Ribe (Jütland).

Weilbach, Nyt Dansk Kunstnerlex. 1896 I; cf. Reitzel, Fortegn. 1883. — Trap, Konger. Danmark, ed. 1899 ff. V 738, cf. I 2 p. 33.   *

Hartmann, Carl Gustav, Medailleur u. Siegelschneider, geb. Mai 1666 in Stockholm, † 27. 4. 1738 ebenda; Schüler Arfved Karlsteen's, um 1700 Münzmeister des Hauses Holstein-Gottorp, schnitt neben Siegelstempeln Medaillen wie die auf König Karl XII. in der Schlacht bei Narwa (1700, 2 Typen) u. auf dessen Tod (1718, 2 Typen), auf den Tod Landgraf Karls von Hessen (1730) usw. — Sein Sohn (oder Bruder?) u. Schüler Engel H. (geb. angeblich 1676 in Stockholm, † 1769 ebenda) schnitt die Stempel zu einigen seltener vorkommenden Medaillen, so zu denen auf die schwed. Thronbesteigung Herzog Adolf Friedrichs v. Schleswig-Holstein (1743, 2 Typen).

Gahm Persson's Ms.-Notizen in der Univers.-Bibl. zu Upsala. — Eichhorn in Nordisk Familjebok u. in Zeitschr. „Nu" II (Stockholm 1876) p. 39. — Roosval, Svenskt Konstgalleri (Stockh.). — Forrer, Biogr. Dict. of Medallists, 1904 ff. II.   *K. A.*

Hartmann, Carl Heinrich, Kupferstecher und Kaufmann in Dresden, geb. 1840 in Dahlen bei Oschatz. Von ihm Porträts: Graf v. Beust, österreich. Reichskanzler, 1869; J. A. Guatiero, Kardinal, 1869; Thomas, Freiherr v. Fritsch, Kurfürstl. Sächs. Minister, nach A. Graff, 1870.

Apell, Handbuch für Kupferstichsammler, Leipz. 1880.

Hartman, Carl Wilhelm, Goldschmied, 1706 Meister und Bürger in Breslau, † 54jährig 17. 9. 1729, bezeichnete CWH in herzförmigem Schild. Von ihm im Schles. Mus. f. Kstgew. u. Altert. in Breslau 6 silb. Willkommschildchen an einem zinnernen Pokal der Breslauer Korbmachergesellen, dat. 1707, 1710 u. 13; ein silb. Deckelbecher; eine silb. ovale Zuckerdose; in der ev. Pfarrkirche zu Gr. Baudiss, Kr. Liegnitz, ein 1722 dat. Kelch.

Hintze, Breslauer Goldschmiede, 1906 p. 73 f. — M. Rosenberg, Goldschmiede Merkzeichen, ² 1911.

Hartmann, Christoph, Maler in Halle a. S. Von ihm die 1670 gemalten Porträts zweier Herzöge von Sachsen-Weißenfels am Altar der Jacobskirche zu Sangerhausen.

Bau- u. Kunstdenkmäler d. Prov. Sachsen, I Heft 5 p. 63, 119.

Hartmann, Daniel, Porträtmaler in St. Gallen, Vater des Hans Anton, geb. ebenda 13. 2. 1632, † 18. 7. 1711, Schüler von J. Chr. Scherer und Chr. Locher, war 3 Jahre in Venedig. Von ihm 3 Porträts (sein Vater, Dekan Chr. Huber 1689 und Dekan Seb. Hiller 1697) in der Stadtbibliothek St. Gallen.

Brun, Schweizer. Kstlerlex., Suppl. 1917.

Hartman, Daniel (Johann Daniel), Stecher und Vorzeichner für den Kupferstich, ätzte das Titelblatt zu Joh. Munik's Chirurgie (Amster-

dam 1715). Ein großes Blatt mit einer Pyramide (auf welcher die Mansfeldschen Wappen), links Kaiser Lothar zu Pferde, rechts ein Graf von Mansfeld, ist bez. „Daniel Hartman inventor. Aeg. Sadeler sculpsit". Von H. auch ein Bildnis Heinrich Patkul's von Rosenboeck; nach ihm kannte Heinecken 4 Schabkunstblätter, die Evangelisten, von G. P. und J. L. Rugendas.

Füßli, Kstlerlex., 2. Teil, 1806/21. — v. Heinecken, Dict. des artist., 1778 ff. (Ms. u. Suppl. Kupferst.-Kab. Dresden).

Hartmann, Engel, siehe unter *Hartmann,* Carl Gustav.

Hartmann, Erich, Maler u. Graphiker, geb. 7. 1. 1886 in Elberfeld. Besuchte zunächst drei Jahre die Akademie in Düsseldorf, war 1906—08 Schüler von H. Groeber in München u. lernte bei Peter Halm radieren. Nach einjähr. Aufenthalt in Paris bildete er sich auf Reisen in Deutschland, Italien u. Rußland u. kehrte 1912 nach Paris zurück, wo er bis Kriegsausbruch blieb. Ließ sich nach dem Kriege in Hamburg nieder. — H. arbeitete nach seinen Düsseldorfer und Münchner Studienjahren bis zu seinem zweiten Pariser Aufenthalt hauptsächlich vor der Natur. 1912 begann er, angeregt durch in Paris gewonnene Eindrücke (Bilder van Goghs usw.), nach stärkeren Ausdrucksmöglichkeiten zu suchen. Zeichnungen u. Druckgraphik in d. Hamburger Ksthalle.

Kataloge: München, Sezession (Frühj.-Ausst.), 1912, 1914; Düsseldorf, Gr. Kst.-Ausst., 1920; Dresden, Kst-Ausst. Brühl. Terrasse, 1921; Hamburg, Dtscher Kstlerbd, 1921, Sezession (3. Ausst.) 1922. — Mitt. des Künstlers.   *D.*

Hartmann, Ernst, Historienmaler, geb. 21. 5. 1818 in Welsleben b. Magdeburg, † 26. 6. 1900 in Düsseldorf, studierte in Dresden, Berlin, Rom (1847/49 Mitgl. d. dtschen Kstler-Ver.) und Antwerpen, war zeitweise in der Redaktion der Zeitschr. „Über Land und Meer" in Stuttgart tätig, lebte dann in Düsseldorf. Von ihm Wandmalereien in der Albrechtsburg zu Meißen, 1870 der Vorhang des Stadttheaters in Düsseldorf („Die Wahrheit enthüllt sich dem Gott der Dichtkunst") und 1880 die Entwürfe für Glasgemälde in der evang. Johanneskirche ebenda (der Auferstandene, Evangelisten u. Propheten). Auch für das Schweriner Hoftheater schuf H. einen Vorhang. Zusammen mit W. Georgy lieferte er Zeichnungen für „Blätter und Blüthen deutscher Poesie und Kunst", Album mit 12 Stahlstichen, Leipzig 1862.

v. Boetticher, Malerwerke d. 19. Jahrh., I 1 (1891). — Singer, Kstlerlex., Nachtrag (1906). — Schaarschmidt, Gesch. d. Düsseldorfer Kst, 1902. — Kstchronik XIV (1879) 278, 403; XV (1880) 501; XVII (1882) 632. — Die Kunst, I (1900). — Katal. Berliner Akad.-Ausst. 1844, 1846, 1874. — Weigel's Kstkatal., Leipzig 1838/66, V 23796. — Notiz v. Fr. Noack.

Hartmann, Ferdinand (Christian Ferd.), Historien- u. Porträtmaler, geb. 14. 7. 1774 in

Stuttgart, † 6. 1. 1842 in Dresden; Karls-
schüler, ging vom Studium der Medizin zur
Kunst über, Schüler von Hetsch in Stuttgart,
1794—98 in Rom (Via Gregoriana), Herbst 1797
in Neapel; in Rom von Carstens und Fernow
angeregt und im Verkehr mit seiner späteren
warmen Gönnerin, der Fürstin Luise von
Anhalt-Dessau, Friederike Brun und Matthisson,
der ihn den „hoffnungsvollsten der gegenwärtig
in Rom studierenden Historienmaler" nennt.
Kehrte April 1799 nach Deutschland zurück.
In Stuttgart, wo er Mitglied der Akad. der
Künste wurde, und Dessau beschäftigt, erhielt
er 1801 mit „Hektors Abschied" (Dessau,
Schloß) den Weimarer Goethe-Preis, ließ sich
1803 in Dresden nieder, wo er 1. 10. 1810
Professor, 1825 mit dem Direktorium der
Kunstakad. beauftragt sowie Direktor der
Meißener Zeichenschule wurde. 1820 bis
Anfang 1823 wieder in Rom, ebenso Mai—
Juni 1828 mit Kronprinz Friedrich August von
Sachsen (zuletzt in Florenz), 1839 in den
Niederlanden und Paris. — H. war einer der
begabtesten und fruchtbarsten Vertreter des
Klassizismus, genoß hervorragendes Ansehen
als Historien- und Porträtmaler bei s. Zeit-
genossen und übte durch seine höhere Bildung
als Lehrer bedeutenden Einfluß. — *Werke:*
Bildnisse Matthissons u. J. J. Winckelmanns
(dieses Kopie; beide 1794 in Stuttgart gemalt;
Gleimhaus Halberstadt); Eros und Anteros,
1803 (gest. von Heinr. Schmidt; vgl. Böttigers
Besprechung des Bildes in der Jenaischen Lit.-
Zeitung 1803); Hebe den Adler tränkend; Maria
mit dem Kinde (sämtlich im Luisium bei Dessau).
Hektors Abschied 1812; Bildnis Dantes (beide
im Schloß in Dessau). Nymphe mit Amor
(1810; sein Dresdner Rezeptionsbild. Akad. der
Schönen Kste Dresden). Die 3 Marien
(Johanneskirche Dessau); Raub des Hylas (1818
auf der Dresdner akad. K.-A.; Mus. Leipzig,
magaziniert). Selbstbildnis (Gal. Dresden).
„Erlkönig", „Der Tod entreißt einer schlafenden
Mutter ihr Kind" und Bildnis des Freih. v.
Wangenheim (sämtl. Mus. zu Stuttgart).
Auf der Dresdener Ausstell. 1808: „Magdalena
zu den Füßen Christi"; auf der dort. Ausstell.
1824: „Klage des Jeremias" und „Herkules mit
dem Löwen von Nemea". Im Körnermus.
zu Dresden wird ein Ölbildnis Schillers ihm
zugeschrieben. H.s Porträt zeichnete Carl
Vogel v. Vogelstein in Dresden am 20. 2. 1813
(Kupferstichkab. Dresd.); ein gezeichn. Selbstbildnis im Dresdner Stadtmus. („Carus-Album").
— Die bedeutendsten Schüler H.s in Dresden
waren Dietr. Lindau, C. H. Hermann, Wilh.
v. Kügelgen, Otto Wagner und Louis Asher.
In vorbildlicher Weise ist H. für den seinerzeit
stark angefeindeten Casp. Dav. Friedrich
eingetreten.

Allg. Dtsch. Biogr., X 682. — Neuer Nekrolog
der Dtschen, XX. 32. — H a a k h, Beitr. zur neueren dtsch. Kstgesch. aus Württembg, 1863 p. 12,
15 ff. — K. S i m o n, Gottlieb Schick, Lpzg 1914. —
F. v. B ö t t i c h e r, Malerwerke des 19. Jahrh.,
I (1891). — M e u s e l, Archiv f. Kstler, II, 3
p. 4; II, 4 p. 137. — W. H o s ä u s, Mitteil. a. d.
Briefen der Fürstin Herzogin Luise v. Anhalt-
Dessau an Ferd. H., in: Mitteil. d. Ver. f. Anhalt.
Gesch. u. Altertumskde, VIII (Dessau 1898)
181—200. — N o a c k, Dtsches Leben in Rom,
1907 p. 133, 136 f., 409, 437. — W e i n b r e n n e r,
Denkwürdigkeiten, 1829 p. 200. — M a t t h i s s o n,
Erinnerungen, 1814 II 313. — C h r. H n r. P f a f f,
Lebenserinner., p. 98. — C a r u s, Reise durch
Dtschl., Italien usw., 1835 I 3, 161, 330, 361; II
30, 61. — O. G e r l a n d, Paul du Ry usw., 1895
p. 175. — Morgenblatt, 1807 Nr 101; 1813 Nr 309.
— Kunstblatt, 1820; 1823; 1824; 1827; 1842. — J u l.
S c h n o r r v. C a r o l s f e l d, Briefe aus Italien,
1886 p. 425 u. 428. — Dtsche Rundschau, XLIV
11. — Akten des Hauptstaatsarch. u. der Akad.
Dresden. — Pfarrb. S. Andrea d. Fratte, Rom. —
Katal. akadem. Kstausst. Dresden 1807—1841 pass.
u. 1850 p. 5; Tiedge-Ausst. Dresden 1842 p. 6 u.
8; Katal. Gemäldegal. Dresden, Gr. Ausg. [7] 1908
p. 698; H. W. S i n g e r, Katal. Bildniszeichn.
Kupferstichkab. Dresden (1911) p. 35; E. S i g i s-
m u n d, Katal. Ausst. Dresdner Maler u. Zeichner
1800—1850 (Sächs. Kstver. Dresd. 1908) p. 31;
Katal. Städt. Mus. Leipzig, [19] 1897 p. 131. — Über
H.s Beziehungen zu Goethe, seine Tätigkeit als
akadem. Lehrer und s. ausgest. Werke, s. L. F ö r-
s t e r, Biogr. u. literar. Skizzen a. d. Leben K.
Försters, 1846 p. 87, 172 u. 328. — P a r t h e y,
Dtscher Bildersaal, I (1863). — C. G. C a r u s,
Lebenserinn. u. Denkwürdigk., II (1865) 210, 287;
III (1866) 98, 142. — W i l h. S c h w a r z, Jugend-
leben der Malerin Carol. Bardua, 1874 p. 54, 60.
— W o l d. v. B i e d e r m a n n, Goethe u. Dres-
den, 1875 p. 111, 114 f., 131 f., 149 f. (auch über
H.s Vorschläge für Bilderrestaurierung in der
Dresdner Gal.). — A n d r. O p p e r m a n n,
Ernst Rietschel, [2] 1873 p. 54, 56 f., 88 f. — H.
U h d e, Erinn. u. Leben der Malerin L. Seidler, [2]
1875 p. 65 f. — W. v. K ü g e l g e n, Jugenderinn.
eines alten Mannes (ed. Ad. Stern [2]) p. 122,
385 f., 513, 515, 566. — L u d w. R i c h t e r,
Lebenserinn. eines dtschen Malers (Volksausg.
d. Dürerbundes [2]) p. 336. — Dresdner Ge-
schichtsbl., I (1892) 39; IV (1906) 108/10. —
C o r n. G u r l i t t, Dtsche Kst des 19. Jahrh., [3]
1907. — G o e t h e s Werke, Weimarer Ausg. (s.
Index!). — Mit Notizen von E. Sigismund.
Friedr. Noack.

Hartmann, F r a n z, siehe unter *Hartmann,*
Joh. Jac.

Hartmann, F r a n z L u d w i g, Gold-
schmied und Münzschneider in Luzern, 1687/99
Probierer an der Münzstätte, fertigte 1691 die
Monstranz für das Kloster Rathausen (jetzt im
Landesmus. zu Zürich), lieferte auch einen
Meßkelch nach Beromünster.

B r u n, Schweizer. Kstlerlex., II (1908). —
Jahresber. d. Schweiz. Landesmus., XXVIII (1919)
39.

Hartmann, F r a n z O s k a r, Architekt in
Dresden, geb. daselbst 16. 8. 1859, Schüler der
Akad. unter Lipsius, baute Privathäuser (u. a.
Artushof am Fürstenplatz) in Dresden und das
Krematorium in Zittau.

S i n g e r, Kstlerlex., Nachtrag 1906. — J a n s a,
Dtsche bild. Kstler in Wort und Bild, 1912. —
Blätter für Archit. u. Ksthandw., XVII (1904) 8.

Hartmann, F r i e d r i c h , Elfenbeinschnitzer in Erbach im Odenwald, aus Michelstadt, † 1898, Schüler der Münchner Akad., Erfinder der sog. Rosenbroschen. Von seinen Arbeiten (Figuren, Pokale, Uhren usw.) war ein Pokal mit Jagddarstellungen bis 1910 im Kunstgewerbemus. zu Frankfurt a. M.

S c h e r e r , Elfenbeinplastik, in Monogr. d. Kstgew. VIII, m. Abb. — Kstgewerbeblatt, N. F. XXIV (1913) 93 f., mit Abbn.

Hartmann, F r i e d r i c h , siehe auch *Barisien,* Friedr. Hartmann.

Hartmann, F r i e d r i c h Hermann, Landschaftsmaler, geb. 15. 3. 1822 zu Frankfurt a. M., † 28. 9. 1902 zu Basel, Schüler des Städelschen Instituts unter Jak. Becker, wurde später Photograph in Basel. Mehrere Bilder in Frankfurter Privatbesitz.

W e i z s ä c k e r - D e s s o f f , Kst u. Kstler in Frankfurt a. M., II (1909). — B r u n , Schweizer. Kstlerlex., II (1908); nennt irrtümlich als Vornamen Johann Friedrich.

Hartmann (Hartman), G e o r g , Mathematiker und Kompaßmacher in Nürnberg, geb. 9. 2. 1489 zu Eggolsheim bei Forchheim, † 9. 4. 1564 in Nürnberg; studierte 1510 zu Köln Theologie und Mathematik, bereiste Italien u. lebte ab 1518 in Nürnberg als Vikarius an St. Sebald. 1540 erfand er den Kaliberstab, 1544 entdeckte er die Inklination. 1542 Herausgabe der „Perspectiva communis" des Johann Pisanus, 1554 erschien sein astrolog. Traktat „Directorium". Bezeichn. und großenteils dat. (1523—1563) wissenschaftl. Instrumente seiner Hand besitzt der Mathem.-Physikal. Salon zu Dresden (6), das Kestner-Mus. Hannover (1) u. das Germ. Nat.-Mus. Nürnberg (6 Sonnenuhren, 2 Astrolabien). Anspruch auf kunstgewerbliche Würdigung haben die wenigsten dieser Instrumente, die meist sachlich gearbeitet (Messing, graviert) und nicht einmal feuervergoldet sind (vgl. Abb. 35, Bibl. f. Kunst- und Antiquitätensammler, Bd 7, E. Bassermann-Jordan, Uhren, Berlin, 1. Aufl. 1914). Eine Ausnahme bildet eine sog. Crux horloga aus Elfenbein, Germ. Nat.-Mus. Nbg, mit sehr gefälligen Reliefs, Auferstehung, Kreuzigung, ein Wappen u. a. darstellend. 1544 erfahren wir von eigenen Kupferstichen, die er an den Herzog Albrecht v. Brandenburg lieferte. Es werden wohl, wie der erhaltene Kupferstich v. 1539, Sonnenuhrentwürfe gewesen sein. Der Stich von 1539 (Germ. Mus.) entbehrt jeder künstler. Einkleidung. Nicht so der „Compast oder Sonnen-Ur", ein 1551 dat. u. bez. Holzschnitt. Doch hat dazu H. zweifellos nur den Entwurf, ein Dürerschüler die Ausführung gegeben (Exemplar im Germ. Mus.). Die Kopie eines graph. Blattes von H., „Horologium Caesareum, Aquilam representans" von 1562, befindet sich ebenfalls im Germ. Mus. (Federzeichn., Sammelband d. Rothschmiedsbibl.).

D o p p e l m a y r , Nachr. v. Nürnb. Mathem. u. Kstlern, 1730, 2. Reg. u. Taf. XIV. — W i l l , Nürnb. Münzbel. aufs Jahr 1767, p. 251 ff.; d e r s., Nürnb. Gelehrten-Lex. fortges. v. C. C. Nopitsch, VI (1805) 32, mit weit. Liter. — H a m p e , Nürnberger Ratsverlässe, Quellenschr. f. Kstgesch., N. F. XIII (1904), mit weit. Liter. — Mitteil. a. d. German. Nat.-Mus., 1895 p. 70, 74; 1901 p. 4. — Allg. deutsche Biogr., L (1905) 27 (F e l d h a u s), mit weit. Liter. — Uhrmacherkunst, Juniheft 1922 (B a s s e r m a n n - J o r d a n). *W. Fries.*

Hartmann, G e o r g L e o n h a r d , Landschaftsmaler und Stecher, Vater von Joh. Dan. Wilh., geb. 19. 3. 1764 in St. Gallen, † daselbst 8. 5. 1828. Lernte in Zürich und Winterthur, dann in Frankfurt und Düsseldorf, war auf historischem und politischem Gebiet in seiner Vaterstadt tätig, sammelte die von seinem Sohn Wilhelm fortgesetzten handschriftl. Notizen über St. Galler Künstler. Nach Zeichnung von H. stach Sal. Geßner das Wildkirchli und den St. Jakobsbrunnen, F. Hegi einige Landschaften zu Neujahrsstücken, Lips das Denkmal von A. Stähelin. Sein Porträt wurde von J. Rieter gezeichnet und lithographiert.

B r u n , Schweizer. Kstler-Lex., II (1908) u. Suppl. (1917).

Hartmann, G o t t f r i e d , Schlosser aus Breslau, gab in Augsburg mehrere Folgen von Ornamentstichen für die Schmiedekunst heraus (bei verschiedenen Verlegern: Kaspar Rad, Hieron. Martin Ostertag und 1736 bei Joh. Andr. Steißlinger), z. T. mit denselben Tafeln. Seine Entwürfe greifen in der reichen Verwendung des Akanthus auf ältere Vorlagen zurück.

B r ü n i n g , Die Schmiedekunst (Monogr. d. Kstgewerbes III).

Hartmann, H a n s , Baumeister, wölbte 1477 den Chor der Pfarrkirche in Biberach (Württ.); sein Name und Zeichen war früher auf dem Schlußstein. 1476—84 baute er den „Weißen Turm" der Biberacher Stadtbefestigung.

K l e m m , Württemb. Baumstr u. Bildhauer, 1882. — Kst- u. Altert. Denkmale Württemberg, Donaukreis I (1914).

Hartmann, H a n s , Landschafts- und Architekturmaler in Berlin, geb. ebenda 24. 2. 1845, Schüler von H. Eschke, stellte 1864/92 in der Berliner Akad. aus. Im Mus. zu Altenburg von ihm „Straße in Sterzing" und „Kohlmarkt zu Braunschweig" (Katalog 1898 p. 158).

S i n g e r , Kstlerlex., II (1896). — v. B o e t t i c h e r , Malerwerke d. 19. Jahrh. I 1 (1891). — Kst f. Alle V (1890). — Kstchronik N. F. IV (1893) 411. — Jahrb. d. Bilder- u. Kstblätterpreise III (1912). — Katal. Akad.-Ausstell. Berlin 1864, 1866, 1881, 1883, 1889, 1890 (m. Abb.), 1892.

Hartmann (Hartmann-Mac Lean), H a n s (Rudolf H.), Bildhauer, geb. 21. 5. 1862 in Dresden, lebt ebenda. Bildete sich seit 1879 an der Dresdner Akad. und 1881—85 im Atelier Joh. Schillings. Hier erhielt er 1883 für eine Gipsfigur „Thor" die kleine silb. Medaille, Ostern 1885 für sein Werk „Der verlorene Sohn" das akad. Reisestipendium auf 2 Jahre. Januar 1886

Mitglied des deutsch. Künstlervereins in Rom. Seit 1900 Mitglied der Dresdner Akad. — H.s Wirken galt größtenteils seiner Vaterstadt Dresden. Hier schuf er für die neue Akademiegebäude in die Fensterzwickel des 2. Obergeschosses zwei Figurengruppen „Erde und Meer" und „Himmel und Hölle" mit den Köpfen Homers und Dantes, sowie drei Putten (Gewand-, Tier- und Landschaftsstudium) an dem westl. Anbau; die überlebensgroße Figur der Dresda in Barockkostüm mit dem Medaillonbildnis der Königin Carola auf der Carola-Brücke (1897); die Brunnenfig. und das Bronzerelief am Stübel-Gedächtnisbrunnen (1901); ferner figürl. Schmuck für die Hauptportale der Kreuzkirche und des Ständehauses und für das Giebelfeld des „Kaiserpalastes". Bei dem von der Tiedgestiftung ausgeschriebenen Wettbewerb zur Erlangung von Entwürfen für die eherne Festtür der neuen Jakobikirche erhielt H. 1900 unter 5 Bewerbern den 1. Preis und wurde mit der Ausführung beauftragt. Diese Bronzetür ist in Kreuzesform geteilt und zeigt in den Feldern die Erschaffung Adams, den Sündenfall, Kreuztragung und Himmelfahrt. Von sonstigen Arbeiten H.s sind zu erwähnen: Monumentalbrunnen im Hofe der Augustusburg, Einsetzung des h. Abendmahls (Steinrelief) im Dome zu Freiberg, Relief am Grabmal des Kommerzienrats Haubold in Chemnitz (1909). Auf den Ausstell. in Dresden, Berlin, München usw. war H. seit 1893 vielfach mit Reliefs, Figuren (z. T. lebensgroßen) und Statuetten in Gips, Marmor oder Bronze und auch mit einigen Bildnisbüsten vertreten. Im König-Albert-Mus. in Chemnitz von ihm ein getöntes Marmorrelief: Tänzerpaar.

Akten der Kstakad. Dresden. — Das geist. Deutschland, I (1898). — Jansa, Dtsche bild. Kstler in Wort u. Bild, 1912. — Dreßler, Kstjahrb., 1921. — Kstchronik, N. F. VIII 501; X 524; XIII 58. — Die Kunst, I (1900) 44, 402; V (1902) 90; VII (1903) 498; XI (1905) 33; XVII (1907/8) 202, 208 (Abb.), 536, 550 (Abb.). — Kst f. Alle, IV (1889); VIII; XI; XV; XVI; XVIII; XX. — Artur Schulz, Deutsche Skulpt. d. Neuzeit. — Dibelius, Kreuzkirche in Dresden, 1900 p. 43. — Göhler, Jakobikirche zu Dresden, 1901 p. 12. — O. Richter, Gesch. der St. Dresden 1871—1902, p. 96, 154. — P. Schumann, Dresden (Ber. Kststätten, Bd 46), Lpzg 1909 p. 284, 289, 293, 296, 299. — Führer d. d. Samml. zu Dresden, ¹² (1914) p. 293. — Ausstell.-Katal.: Chemnitz (Kunsthütte 1909 p. 52); Dresden (akadem. 1883 p. 6; 1885 p. 5; 1894 p. 59; 1895 p. V; Internat. 1897; Deutsche 1899; Sächs. 1903; Große 1904, 1908, 1912; Große Aquar., 1909 p. 34; Kstgenossenschaft, 1909, 1917, 1920; mit zahlr. Abbild.); Berlin (Große 1893—95, 97, 1905, 06, 09); München (Glaspal. 1895, 1913, 14).

Ernst Sigismund.

Hartmann, Hans Anton, Maler in St. Gallen, geb. 28. 3. 1675, † 18. 3. 1752, Schüler seines Vaters Daniel, reiste 1696 nach Italien, lebte in St. Gallen, wo von ihm 9 Porträts von Bürgermeistern und Dekanen aus den Jahren 1714—50 in der Stadtbibliothek, und 6 Jahre in Bern. Er malte 1722 ein großes Bild „Die Tochter Jephtha's" und 1737 neun andere Gemälde (für die obere Stube im Gesellschaftshause zu St. Gallen), alle nach Kupferstichen entworfen. Von ihm auch Stilleben u. Radierungen (Ansicht Schloß Altenklingen).

Brun, Schweizer. Kstlerlex., Suppl. 1917.

Hartmann, Hans Ulrich, Miniaturmaler in Graz, geb. in Augsburg, heiratete 1715 (15. 9.) in Graz Anna Maria, Witwe des landschaftl. Miniaturmalers Georg Chr. Lorbich. Bewarb sich 1718 um die Protektion der Landschaft und wurde auch am 22. 8. 1718 zum landschaftl. Maler bestellt. Er erscheint auch unter den Künstlern, die gelegentlich der Festlichkeiten beschäftigt waren, die am 3. 5. 1716 von der steirischen Landschaft anläßlich der Geburt des Erzherz. Leopold veranstaltet wurden. 1726 (9. 9.) heiratete er in 2. Ehe Anna Constantia, die Tochter des gräfl. saurauischen Agenten Johann Christoph Lang.

E. Kümmel, Kunst und Künstler in ihrer Förderung durch die steir. Landschaft vom 16. bis 18. Jahrh. (Beitr. zur Kunde steierm. Geschichtsquellen, Graz 1879, 16. Jahrg., p. 106). — J. Wastler, Steir. Künstlerlex., Graz 1883. — J. v. Zahn, Dritte Reihe von Zusätzen und Nachtr. zu Wastler's steir. Künstlerlex. (Mitteil. des hist. Ver. für Steiermark, Graz 1889, 37. Heft, p. 82).

B. Binder.

Hartmann, Hermann Eduard, Maler und Holzschneider in Dorpat, geb. ebenda 20. 7. 1817, † ebenda 26. 12. 1880, erhielt seine erste Ausbildung bei A. M. Hagen, lernte seit 1836 in Düsseldorf, später auch in München, lebte seit 1845 in Dorpat, wo er als Porträtmaler, hauptsächlich als Holzschneider tätig war, seit 1860 auch als Konservator am Mus. der Gelehrten estnischen Gesellschaft. Zeichnete und schnitt in Holz zahlreiche Ansichten von Dorpat, Riga (u. a. für den estnischen Volkskalender 1858) usw., auch estnische Trachtenbilder.

Neumann, Lex. baltischer Kstler, Riga 1908 (mit Verzeichn. der Werke).

Hartmann, Hugo Friedrich, Maler u. Graphiker, geb. Rosenberg i. Westpr. 26. 12. 1870, tätig in Bardowiek. Besuchte 1890—97 die Dresdner Akademie, vornehmlich unter G. Kuehl, ließ sich früh in Bardowiek nieder, wo er sich selbständig weiterbildete. Kuehl hatte H. zum Freilichtstudium angeregt, in Bardowiek vollendete sich die impress. Sehweise, doch hat H. nie die formale Festigkeit im Bildaufbau und die Vorliebe für das große Linie aufgegeben. Schon im ersten großen Bild (1900, Berliner Sezess.) „Das Pflügen im Herbst", ist das Thema gegeben, das H. vor allem variiert hat, Pferde in allen Stellungen; daneben malt er viel die reine niedersächs. Landschaft in Heide und Marsch. H. ist auch für den Holzschnitt tätig. — Im Sitzungssaal des Kreistages in Lüneburg und im Ratskeller ebenda Wandgemälde. Die Kunsthalle Hamburg besitzt: „Pferde zur Tränke ziehend", ferner Zeichnungen u. Holzschnitte; Bilder in Hamburger u. Bremer Privatbesitz.

E. L i n d e m a n n im „Dtsch. Volkstum", XIX (1917) 411, Abb.; XX (1918) 300. — J a n s a , Dtsche bild. Kstler, 1912. — K e m p f f in „Gegenwart", LXII 74. — Rheinlande, V (1905) 254 (Abb.). — Dtsche Kst u. Dekoration, XVII (1905/06) Abb. — Jahrb. d. bild. Kst, 1905/06 p. 26, Abb. — *Kataloge*, mehrfach Abb.: *Allenstein:* Kst Ausst. 1910. *Berlin:* Sezession, 1900, 1902; Gr. Kst Ausst., 1903, 1908, 1916. *Bremen:* Dtsche Kst Ausst., Febr.-April 1908. *Darmstadt:* Kstlerbd, 1910. *Düsseldorf:* Dtsch-nat. Kst Ausst., 1907; Gr. Kst Ausst., 1911, 1913. *Leipzig,* Buchgew. Haus: 1. graph. Ausst. d. Dtsch. Kstlerbdes, 1907. *Mannheim:* Dtsch. Kstlerbd, 1913. *München:* Glaspal. 1898. — Mitt. des Künstlers.   *Dirksen.*

Hartmann, J a k o b , Ritter v o n , Miniaturmaler (Dilettant), geb. 4. 2. 1795 zu Maikammer, Rheinpfalz, † 1873 in Würzburg, als bayer. General d. Inf. Von ihm ein Miniaturporträt (Aquarell auf Elfenbein) des Jos. Freiherr v. Asch († 1863), bez. Htn. 9/20 (Sept. 1820?) auf der Miniaturen-Ausstell. München 1912 (vgl. Katal.).

Hartmann, J o h a n n e s , Maler, Mitte 18. Jahrh.; von ihm im Kloster Chotieschau i. B. ein „Jo Hartmann invenit et pinxit" bez. Bild der Madonna mit den Hl. Joseph, Joachim und Anna und der hl. Dreifaltigkeit.

Topogr. v. Böhmen, XXX (1911).

Hartmann, J o h a n n , Maler in Regensburg, malte 1797 den Kreuzweg in der kathol. Pfarrkirche zu Geisling, B. A. Regensburg.

Kstdenkmäler Bayern, II, Heft 21 (1910) p. 75.

Hartmann, J o h a n n e s , Bildhauer in Leipzig, geb. 6. 12. 1869 ebenda, 1885/90 Schüler der Dresdener Akad. unter Hähnel. Von ihm in Leipzig: 2 Karyatiden am Universitätsportal (1896), Moses, Joh. d. T. u. Paulus an der Johanniskirche (1902), Figuren am Rathaus (1903, „Amtsgeheimnis", „Gerechtigkeit"), Bronzerelief „König Johann" im Hof des Paulinum, Fedor Flinzer-Denkmal, „Grabmal" (1908, Mariannenstiftung L.-Schönefeld), Gröppler-Döring-Denkmal (1909), Schiller-Denkmal (1914), Arbeiten an der Deutschen Bücherei; außerdem im Leipziger Mus. der Bild. Kste (Katal. 1917) Rob. Schumannbüste (1903), Semele (Bronze, 1912), weibl. Torso (1917). Ein Hauptwerk H.s ist das Rob. Schumann-Denkmal in Zwickau von 1901 (Abb. in Die Kunst III [1901] 171). Von ihm auch ein Schlegel-Brunnen und Skulpturen am Rathaus in Döbeln, Brunnen in Geislingen („Nixe mit Seehund") u. Taucha b. Leipzig, keramischer Altar in der Friedhofskapelle zu Waldheim i. S., Kreuzigungsrelief an der Friedhofskapelle zu Loschwitz b. Dresden.

S i n g e r , Kstlerlex., Nachtrag (1906). — Kst-chronik, N. F. VI (1895) 8; XXV (1914) 510; XXVII (1916) 199. — Die Kunst, III (1901); X (1904). — Kstgewerbeblatt, N. F. XVII (1906) 16; XVIII (1907) 60, 65 (Abb.). — Original u.

Reproduktion, II (1913) 104. — D r e s s l e r ' s Ksthandbuch II (1921). — Kataloge der Leipziger Jahresausstellungen.

Hartmann, J o h a n n , s. auch *Hartmann,* Joh. Joseph u. unter *Hartmann,* Jost.

Hartmann, J o h a n n C a s p a r , Uhrmacher in Wien, Anf. 19. Jahrh.; von ihm große Empire-Uhr: Rundtempel aus Alabaster, Granit, Lapis Lazuli und vergoldeter Bronze, mit Figuren, Reliefs, Tierbildern in Email usw., im Rossauer Palais des Fürsten Liechtenstein in Wien. Von H. bezeichnet auch das Werk einer goldenen emaillierten Formuhr in Wiener Privatbesitz.

L. H e v e s i , Altkunst-Neukunst, Wien 1909 p. 10. — Kst und Ksthandwerk, XX (1917) 29. — Kat. Congress-Ausst. Wien 1896.

Hartmann, J o h. D a n. W i l h., siehe *Hartmann,* Wilhelm.

Hartmann, J o h a n n J a c o b , Maler, geb. um 1680 in Kuttenberg (Böhmen), † zwischen 1728 und 1745 (nach Nagler 1730) in Prag, wo er schon 1702 (Taufe einer Tochter) ansässig war. Seine Landschaften und Architekturansichten mit reicher Staffage von vielen kleinen bunten Figuren in „geschickter Nachahmung des R. Savery und ein wenig auch des ält. J. Breughel" (Frimmel) zeigen, bei noch schematischer Komposition in 3 Plänen interessante, immer wechselnde Lösungen kolorist. Probleme und gehören zu den besten Leistungen der Zeit in Böhmen. In *Wien,* Gemäldegal. (Katal. 1907) 4 Darstell. der Elemente (Jagd, Fischzug usw. in Waldlandschaft) und 2 Landschaften (seit 1841 lange Zeit leihweise in der Grazer Gal.); Gal. Liechtenstein (Katal. 1873) ebenfalls eine Folge der Elemente und 2 Waldlandschaften mit Bauern und Hirten; *Prag,* Rudolfinum (Katal. 1889 No 352 und Führer 1913 p. 26) 3 Landsch., 2 davon Gegenstücke mit Blindenheilung und Fischzug; Gal. Nostitz (Katal. 1905 m. Abb.) 2 Stadtansichten; Slg Chlumetzky (Katal. 1863 p. 24, 98, 118), 4 Landschaften (1 mit Säemann, 1 mit Gang nach Emmaus); nach Parthey u. a. mehrere Bilder im Kloster Strahow. H.s Name wird auch genannt in dem Verkaufskatal. der gräfl. Wrschowetz'schen Bilders010g in Prag von 1723 (Repert. f. Kstwiss., X 15); Schloß *Raudnitz,* Gemäldeslg, 2 Waldlandschaften; *Schleißheim,* Gem.-Gal., 2 Bilder, Ortschaften am Meer; *Wörlitz,* Goth. Haus (handschriftl. Katal. 1912 No 1408 u. 1421) „Flußlandschaft" und „Landungsplatz an einer Ruine". Eine „Ideale Landschaft" aus der Bamberger Gemäldegal. war 1914 in der Darmstädter Jahrh.-Ausst. (Katal. p. 77). Mit der Gal. Brentano-Birckenstock versteigert wurden April 1870 (Katal. No 110, 111) Predigt Joh. d. T. und Speisung der 5000. 2 von Frimmel (Kl. Gal.-Stud. N. F. 1894 p. 29) H. oder seinem Sohne Franz (s. unten) zugeschr. Felsenlandschaften in der Gemäldegal. Hermannstadt führt deren Katal.

1909 No 1027 u. 1028 als von M. J. Schinnagel auf. H.s Bilder sind häufig auf Kupfer gemalt; nach Dlabacz wurden einige gestochen. — H.s ält. Sohn und Schüler F r a n z, geb. um 1697 in Obořistě (Wobořischt) in Böhmen, † 27. 4. 1728 in Prag, wo er 1723 und 1726 nachweisbar ist, malte in der Art seines Vaters, doch in der Wiedergabe des Atmosphärischen über diesen hinausgehend. Von ihm im Rudolfinum zu Prag (Katal. 1889, Führer 1913) 2 Flußlandschaften mit Staffage; in der Gal. Liechtenstein zu Wien (Katal. 1873) 2 ebensolche als Darstell. der Elemente Erde und Luft. Seine Arbeiten sollen sehr gesucht gewesen und meist ins Ausland gegangen sein. — Von Joh. Jacob's Sohn W e n z e l, ebenfalls Landschaftsmaler (von geringerer Qualität als Vater und Bruder), geb. in Prag, † ebenda 33 jähr. 17. 8. 1745, studierte in Italien, sind keine Werke bekannt.

D l a b a c z, Kstlerlex. f. Böhmen, I (1815). — C. v. W u r z b a c h, Biogr. Lex. d. Kaiserth. Österr., VIII (1862). — F r i m m e l, Kl. Galeriestudien, I. Lief. (1891) p. 12 u. 87; N.F. (1894) p. 29. — Topogr. v. Böhmen, XXVII Teil II (1910), m. Abb. p. 161. — Kstgesch. Jahrbuch d. K. K. Zentralkomm., IV (1910) Beibl. p. 100 ff. unter 1723, 26, 28, 45; VIII (1914) Beibl. p. 25 f. u. Taf. Fig. 8 u. 9. — Mitteil. d. Ver. f. Gesch. d. Dtschen in Böhmen, LIV (1915) 119.

Hartmann, J o h a n n Joseph, Landschaftsmaler und Radierer, geb. in Mannheim 1753, † in Cotterd (Schweiz) 8. 12. 1830, von vornehmer Abkunft, erzogen in Augsburg, dann in einem Jesuiteninstitut zu Pont à Mousson, seit seinem 16. Jahr in Mannheim, wo er den Namen *„von Schmidt"* führte und 4 Jahre Schüler F. Kobell's war; begleitete den engl. Gesandtschaftssekretär de Vantravers nach Biel (Schweiz) und Lord Blackmore nach Paris, ließ sich dann unter dem Namen „Hartmann" in Biel nieder. Seine Schweizer Landschaften, besonders Ansichten der durch Rousseau berühmten Petersinsel im Bielersee (andere von Schloß Reichenstein, Schloß Angenstein, Moulin-de-mort, Buren a. d. Aar, Weg nach Lauterbrunnen usw.) in Guasch (für welche Technik er ein besonderes Verfahren besaß), Öl und Aquarell erfreuten sich großer Beliebtheit (namentlich wurden seine Darstellungen von Tannen gerühmt) und brachten ihm zahlreiche Aufträge, u. a. vom engl. u. russ. Hof und durch Goethes Vermittlung von Herz. Karl Aug. v. Sachsen-Weimar. Mehrere Guaschbilder, darunter 2 der Einsiedelei zu Arlesheim und 2 der gen. Petersinsel malte er gemeinsam mit J. B. Stuntz. Einige sind in Stichen vervielfältigt. 2 Waldlandschaften mit Zigeunergruppe in Breughelscher Art besitzt das Histor. Mus. zu Speier (Katal. 1910, vgl. Münchner Jahrbuch d. bild. Kst VI [1911] I p. 121); 2 Felslandschaften mit kleinfigur. Staffage das Mus. zu Gotha (Katal. 1883); 9 Zeichnungen, darunter

1 Landschaft nach Bol, 1 nach Berchem, 2 dat. 1773, 1 bez. „Hartmann f. 1779", 1 „J. Hartmann f." und eine Minerva mit Putto (bez.) das Berliner Kupferstichkab. (Friedländer, Zeichn. alter Meister I [1921], Bock, Die dtschen Meister); 1 Zeichnung (Schlittenentwurf, dat. 1785) das German. Nat.-Mus. Nürnberg (Anzeiger 1916 p. 37). — Von H.s Radierungen nennt Nagler (Monogr. III) eine num. Folge von 20 Bl. und eine Folge mit Ansichten aus der Gegend von Basel, die F. Lorieux mit dem Stichel vollendete; eine Mondscheinlandsch. ist 1776 dat., Gebirgslandsch. mit Zaun 1774; auf andern Blättern Schloß Angenstein, der Drahtzug in Reuchenette usw. H. lieferte auch mit W. Thierry und Fr. Müller („Maler Müller") Blätter für eine Folge von 26 Landschaften und Viehstücken (Verlag Frauenholz, Nürnberg).

M e u s e l, Neue Miscellaneen artist. Inh., VI (1797) 767 ff.; d e r s., Teutsches Kstlerlex., I (1808). — P a r t h e y, Dtscher Bildersaal, I (1863), Verwechslung mit Joh. Jac. H. — L e B l a n c, Manuel, II. — Festgruß d. Kstvereins Biel, 1900 p. 6 f. — B r u n, Schweizer. Kstlerlex., II (1908), m. ält. Lit. — S c h w a b, L'art et les artist. du Jura Bernois, 1888 p. 16 ff.

Hartmann, J o s e f, Bildhauer in Passau, geb. um 1674, † ebenda Sept. 1734, arbeitete um 1710 den Altar der Lambergkapelle des Passauer Doms (dessen Kruzifix wahrscheinlich der heute im Stiegenhaus des Passauer bischöfl. Residenz erhaltene ist), vollendete 1715 den Hochaltar für die Probsteikirche St. Nicola nächst Passau, heute in der Pfarrkirche zu Vilshofen bei Passau, um 1715—18 die Gehäuse der Seitenorgeln des Passauer Doms. Außerdem werden ihm das Orgelgehäuse der Passauer Jesuitenkirche, der nicht erhaltene Hochaltar der Bartolomäuskirche in Passau und die um 1715 entstandenen Seitenaltäre der Klosterkirche in Fürstenzell zugeschrieben. Um 1720 erblindet, führt er sein Atelier durch Gesellen weiter.

G u b y, Passauer Bildhauer des 18. Jahrh., Heft I (S.-A. a. d. Niederbayer. Monatsschr., VI [1917/18]). — Kstdenkm. Bayern, IV, Heft 3. — Matriken Stadtpfarre St. Pauli in Passau. *Guby.*

Hartmann, J o s e f, Bildhauer, geb. um 1700, † 12. 5. 1764 in Kaschau (Slovakei), wo er seit 1750 Bürger u. seit 1755 Ratsmitglied war; meißelte zahlreiche Altäre u. Heiligenstatuen für Kaschau u. Umgebung, so 1751 die St. Florian-Statue in Kaschau, für die dort. Dominikanerkirche den St. Josephsaltar, für die St. Elisabethkirche die Kanzel u. noch 1764 die Steinfiguren für die Kanzel des Kaschauer Domes. Von seinen auswärt. Bildwerken seien genannt die Hauptaltäre der Kirchen zu Szomolnok, Svedlér u. Rosenau (Franziskanerkirche).

L. K e m é n y i in Archaeologiai Értesitő 1899 p. 115, 1906 p. 59, 1910 p. 266; d e r s. in Müvészet XIV (1915) 430 f., cf. 240 u. III (1904) 195, XII (1913) 238. *J. Szentiványi.*

Hartmann, J o s e p h , Maler aus Tüngen im Schwarzwald, tätig in Augsburg, nachweisbar von 1747—1788. Außer. in Freskomalerei arbeitete er in Öl, wovon mehrere Altarblätter und andere Ölbilder Zeugnis geben, und auch auf Glas. Von leider nicht erhaltenen Augsburger Fassadenmalereien seiner Hand erwähnt Paul von Stetten die am Maierschen Haus am Hundsgraben, am Carlischen bei der Heuwage und am Münchner Botenhaus bei St. Ulrich. In der Kirche zu Untergamenried (Bez.-Amt Mindelheim, Schwaben) schuf er 1747 die Deckengemälde (meist auf den hl. Rasso sich beziehend). Von 1758 ist das bez. u. dat. Deckengemälde (Mariä Himmelfahrt) im Langhaus der Kirche zu Mögling (Bez.-A. Traunstein, Oberbayern), von 1760 die bez. u. dat. Deckengemälde (wundertätige Quelle des Hl. Gangulph u. Verherrlichung desselben) in der Kirche zu Steinach (Bez.-A. Friedberg, Oberbayern). Erhalten ist auch noch eine Plafondskizze, die Geschichte Josephs darstellend (Privatbes.; 1913 auf der Ausst. d. Malerei u. Plastik des 18. Jahrh. in Bayern, Katal. p. 11). In seinen späteren Jahren scheint er sich mehr der Ölmalerei zugewendet zu haben. Er lieferte verschiedene historische Gemälde zur Ausstellung und übernahm mancherlei Aufträge für Kirchen. So fertigte er 1757 das Hochaltarblatt der Kirche zu Baumburg (Bez.-A. Traunstein, Oberbayern), 1757/58 2 Altarblätter (bez. u. dat.) der Nikolaikapelle in Seeon (Bez.-A. Traunstein, Oberbayern); gleich diesen beiden sind wohl auch das dritte Altarblatt und die beiden Fresken der Kapelle von H. 1761 u. 63 ist er für Rott a. I. (Oberbayern) tätig: Hochaltarbild (1761), Seitenaltarblätter: Mutter Anna mit Maria und: Maria als Stifterin des Rosenkranzes (1763). Das Bild des hl. Vinzenz für den nördlichen Altar am Chorbogen der Augustinerkirche zu Würzburg von 1762 ist nicht mehr erhalten. In der sogenannten neuen Sakristei oder Rosenkranzkapelle der Dominikanerkirche zu Augsburg findet sich ein weiteres Altarbild mit der Darstellung des hl. Vinzenz, aus dem Jahre 1772 stammend. Stetten erwähnt in eben dieser Dominikanerkirche befindlich noch einige Blätter, so besonders die hl. Katharina von Siena. 1785 kam aus seiner Werkstatt ein Gemälde in die Katharinenkapelle dieser Kirche, darstellend die Szene, wie Christus mit Maria das Herz vertauscht. Zeitlich unbestimmt sind sieben im Pfarrhof zu Unterliezheim (Bez-.A. Dillingen) aufbewahrte Ölbilder von seiner Hand, Szenen a. d. Leben des hl. Leonhard.

P. v. S t e t t e n , Erläut. der gest. Vorstellungen ... der Reichsstadt Augsburg, 1765 p. 245; d e r s., Kunst-Gewerbe und Handwerksgesch. Augsburgs, 1779. — S c h a r o l d , Würzburg und Umgebung, Würzburg 1836 p. 243. — A. S t e i c h e l e , Das Bistum Augsburg, II (1864). — Kunstdenkmäler Bayerns, I/I—III (1895—1908;

Reg. unter Hardtmann); III/XII (1915; Joh.!). — Jahrb. des hist. Ver. Dillingen, XX (1907) 88. — Zeitschr. des hist. Ver. für Schwaben und Neuburg, XLIII (1917) 22, 29. — Württemb. Vierteljahrshefte für Landesgesch., N. F. XII (1903) 61. *Paul Markthaler.*

Harttmann, J o s e p h , Bildhauer in Neisse, lieferte 1779 die Kanzel für die dort. Jakobikirche.

Kstdenkmäler Schlesiens, IV (1894) 99.

Hartmann, J o s e p h , Porträtmaler, geb. 8. 1. 1812 zu Ried in der Rhön, † 19. 9. 1885 zu Darmstadt, wo er seit 1848 ansässig und Hofmaler war. Wohl identisch mit dem von Nagler, Künstlerlex. VI gen. g l e i c h n a m. „jungen, in München lebenden" Porträtmaler, der 1838 Mitgl. des Münchner Kunstvereins war, dort 1838 u. 39 ausstellte (Ber. d. Kst-Ver. 1838, 39), und von dem wahrscheinlich das „A. Jos. Hartmann 1842" bez. Bildnis des Finanzrats Franz von Miller im Bayr. Nat.-Mus. München herrührt (im Katal. 1908 No 462 infolge falscher Lesung der Sign. als Anton Jos. Hautmann). H. malte viele Bildnisse hessischer Fürstlichkeiten (Großherzog Ludwig III. und Gemahlin, Prinzessin Marie (1840), Prinz Alexander, Prinzessin von Battenberg usw.), z. T. im Alten Schloß (Landgrafenmuseum) zu Darmstadt. Ebenda im Landesmus. (Katal. 1914) ein männliches Bildnis und das der Frau des Malers. Zahlreiche Bilder in Darmstädter Privatbes., u. a. Selbstporträt von 1852. In der Gemälde-Slg der Stadt Mainz (Katal. 1911) Porträt des hess. Ministerpräsidenten Frhr. v. Dalwigk, bez. u. dat. (J. Hartmann 1861); in der Schloßkuppel zu Wilhelmshöhe bei Cassel das Bildnis des letzten Kurfürsten v. Hessen, i. Auftrag d. Landgr. Friedr. Wilh. gemalt 1877. H.s Porträt der Großhzgn Mathilde Caroline von Hessen, Tochter König Ludwigs I. v. Bayern, lithographierte V. Schertle.

v. B o e t t i c h e r , Malerwerke d. 19. Jahrh., I 1 (1891). — Bau- u. Kstdenkm. Reg.-Bez. Cassel, IV (1910). — Bau- u. Kstdenkm. Prov. Sachsen, Heft XXXII p. 253. — M a i l l i n g e r , Bilderchronik (Münchner Stadtms.), 1876. — Kataloge: Glaspalast-Ausstell. München, 1879; Ausstell. ält. Bildnisse aus Darmstädter Privatbes., Kunsthalle Darmstadt 1909; Ausstell. hessisch. Maler 19. Jahrh., Cassel 1915. *D. St.*

Hartmann, J o s t I, Goldschmied und 1605/16 Münzmeister in Luzern, 1579 zuerst genannt, † 7. 4. 1616. Sohn eines Goldschmieds J o - h a n n H. (1541 Bürger von Luzern, † ebenda 1565), von dem eine silb. Monstranz im Alpnacher Kirchenschatz. Die Mitglieder der Familie bezeichneten sich mit einem 6 zackigen Stern im Schilde. Jost I fertigte 1597 eine aus Silber und Gold getriebene Büste des hl. Mauritius für die 1633 abgebrannte alte Hofkirche in Luzern. — Wahrscheinlich sein Sohn war J o s t II (urkundlich Jost, in gedruckten Werken bis Brun, Suppl., Joseph gen.), Goldschmied und 1620/56 Münzmeister in Luzern, geb. ebenda 1591 od. 1593, † 1673. Von ihm 1608 das

Ziborium von Beromünster, 1629 zwei silberne Büsten des hl. Beatus und Joseph für die oben genannte alte Hofkirche. Silberne Heiligen- statuen von ihm waren 1889 auf der Kstaus- stellg Luzern.

F o r r e r , Dict. of Medall., II, 1904. — B r u n , Schweizer. Kstlerlex., II (1908) u. Suppl. 1917. — Anz. f. Schweiz. Altertumskde, N. F. I (1899) Beil. p. 12 (Abb.).

Hartmann, K a r l , Maler in München, geb. in Heilbronn a. N. 15. 7. 1861, Schüler der Stuttgarter Kunstakad. 1881—87 unter Grünen- wald, Liezen-Mayr, Keller und Schraudolph, nach längerem Aufenthalt in Italien seit 1888 in München ansässig, malte zunächst meist Bilder humoristischen Genres neben Land- schaften, Porträts, Studienköpfen, dann auch Darstell. aus dem Bauern- und Volksleben und Bilder der verschiedensten Stoffgebiete (Pietà, Waldfrau, Faust in der Hexenküche usw.), stellte 1886 und 88 in der Berliner Akad. (Kat. 1888 m. Abb.), 1893—1912 in der Berl. Gr. Kunstausstell. (Kat. z. T. m. Abb.), seit 1889 im Münchner Glaspalast (Kat. bis 1921 z. T. m. Abb.) aus, ferner in zahlreichen Aus- stell. (Dresden Gr. K. A. 1908, Düsseldorf 1902, 07, 11, 13, Stuttgart 1913, 16/17 usw.), in den 90er Jahren auch in Paris (Kat. Salon Soc. Nat. 1895 [Abb.], 96; Soc. d. Art. Franç. 1893, 94) und in Venedig. Die N. Pinak. München erwarb „Adam und Eva" (1896; Kat. 1905), das Mus. Wallraf-Richartz in Cöln eine Farbenskizze „Erntezeit" (1896; Kat. 1910), das Mus. in Burghausen (Oberbayern) „Auf der Weide" (1900). Mehrere Bilder in „Über Land und Meer" und der „Leipz. Ill. Ztg." abgebildet. Von H.s Porträts zu erwähnen das des Malers O. Brausewetter und sein Selbst- bildnis. Zeichnungen in der Graph. Slg Mün- chen und in der Berl. Nat.-Gal.

F. v. B o e t t i c h e r , Malerwerke d. 19. Jahrh., I 1 (1891). — Das geistige Deutschland, I (bild. Kstler) 1898. — Kstchronik, XXII (1887) 142; XXIV 646; N. F. III (1892) 89; V 494; VI 494; X 420; XII 139; XIII 380. — Zeitschr. f. bild. Kst, N. F. IV (1893) 29, 50. — Kst für Alle, VI (1891) ; IX. — Rheinlande, II (1901/2) Sept.-Heft p. 9. — Kst, XXI (1909/10) 85 (Abb.). — Jahrbuch der Bilder- u. Kstblätterpreise, Wien 1911 ff., V—VI. — Kat. der 1912 bei Helbing, München, versteig. Slg E. Czermák-München, Nr 15. -- Kat. Sammel-Ausst. K. Hartmann, Kstler- Genossensch. München, April-Mai 1921 (illustr.).

Hartmann, K a r l , Maler in Wien, geb. ebenda 5. 9. 1867, Schüler der Wiener Akad. und von G. Lehner. Von ihm das Hoch- altarbild in der Wallfahrtskirche zu Eisenstadt (Ungarn) und Restaurierung der großen Kuppel und der Seitenaltarbilder ebenda. Malt auch Genrebilder.

K o s e l , Dtsch-österr. Kstler- etc.-Lex., I (1902).

Hartmann, K a r l G u s t a v , s. *Hartmann, Carl G.*

Hartmann, L e o p o l d F r i e d r i c h Her- mann, Maler, geb. 8. 10. 1839 in Berlin,

† 9. 5. 1897, seit 1846 in Kopenhagen auf- gewachsen, wo er 1857 als Schüler der Akad. prämiiert wurde und deren Ausst. seitdem — 1858/9 in Düsseldorf unter K. F. Sohn weiter- gebildet — bis 1866 mit Bildnissen beschickte. Im Kriege von 1864 auf dän. Seite und seit 1874 in Kopenhagen als Porträtist tätig.

W e i l b a c h , Nyt Dansk Kunstnerlex. 1896 I ; cf. R e i t z e l , Fortegn. 1883. *

Hartmann, L o r e n z , Goldschmied aus Mecklenburg, seit 1582 in Stockholm Meister seiner Gilde, † 1617 ebenda; beteiligt an den Arbeiten zur Krönung u. zum Begräbnis König Karls IX. im Dom zu Strängnäs am Mälarsee. Die Storkyrka zu Stockholm bewahrt von ihm eine 1597 dat. Weinkanne. *K. A.*

Hartmann, Mme L u c y H., Pastellmalerin und Bildhauerin in Paris, geb. ebenda, stellt seit 1898 im Salon de la Soc. Nat. Porträts, weibliche Akte, auch Porträtbüsten aus (vgl. Kataloge, Abbn 1899 und 1902.)

Hartmann, L u d w i g , Maler u. Rad., geb. in München 28. 10. 1835, † ebenda 20. 10. 1902. Nach dem frühen Tod beider Eltern zum Lithographen bestimmt, erkämpft sich H. mit 16 Jahren den Übertritt zur Akad. 1852 wird er wegen seiner sauberen Zeichnungen belobt, bald darauf aber wegen mangelnden Talents entlassen. Er genoß dann den Unterricht des Landschafters Wagner-Deines. H.s erster Erfolg 1860 war das Bild: „Pferde, die in ein Korn- feld eingebrochen sind". Weitere Pferdebilder folgten. Angeregt durch niederländ. Stiche, wohl auch durch die Arbeiten F. A. Kleins, widmete er sich mit aller Hingebung dem Studium des Arbeitspferdes. Auf diesem engen Spezialgebiet, als Darsteller des müden, abge- rackerten Gaules, ist H. echt und von ein- fühlendem Verständnis. Seine Zeichnung ist sicher, und zeugt von peinlichem Einzelstudium. Die farbigen Skizzen sind frisch und von scharfer Naturbeobachtung. Seine fertigen Bilder leiden ab und zu an trockenem Fertig- machen. Im Landschaftlichen ist der Einfluß seines Freundes Schleich unverkennbar. H. hat sein Thema auch in einigen guten Radierungen behandelt. Werke von ihm in der Neuen Pinak. München („Auf dem Felde"), im König- Albert-Museum Chemnitz i. S. („Pferde"), in der Kunsthalle zu Hamburg („Dorf"), in der Städt. Galerie Elberfeld (Studien), in der Picture Gallery Philadelphia („Pferdemarkt").

F. v. B ö t t i c h e r , Malerw. d. 19. Jahrh., I (1891). — Bericht des Kstvereins München, 1902 p. 76. — B e t t e l h e i m , Biogr. Jahrbuch, VII (1905) 155. — Die Kunst, VII (1903). — G u i d o H a r t m a n n , L. H., ein Künstlerleben, München 1921. — Katal. d. genannten Museen. — Versteig.-Katal. d. Samml. Perlbach, Hamburg (Heberle, Köln, 1899), E. Seitz, Nürnberg (Fleischmann, München 1895), Friedmann, Hamburg (Lepke Berlin, 1903). — Jahrb. d. Bilder- u. Kstblätterpreise, 1911 ff. II—VI. — M a i l -

l i n g e r , Bilderchronik Münchens (Stadtmuseum), 1876 III. *Hgl.*

Hartmann, M a t t h ä u s C h r i s t o p h ,
Maler und Stecher in Nürnberg, geb. ebenda
1791 oder 92, † vor 1850, Vater des Malers Carl,
lernte auf der Nürnb. Zeichnungs-Akad. unter
C. F. Fues die „Historienmalerei in Ölfarben".
Ab 1837 Zeichenlehrer an der höh. Bürgerschule Nürnberg. Ein Bild von seinem Können vermitteln lediglich seine graph. Blätter
(Zeichnungen, Aquarelle, Gouache-Malereien
u. Stiche); seine Ölbilder sind nicht mehr
nachzuweisen, einige Miniaturen ausgenommen.
Werke: 1816 Bleistiftz.: Selbstportr. und Porträt des Malers u. Stechers J. A. Klein, Nbg,
Germ. Mus. — 1817 Porträt des Rechtsgelehrten N. T. Gönner, von G. F. Vogel gestochen.
— 1818 Originalrad.: „Der Faule". — 1820
mit G. Adam 7 Stiche nach C. A. Heideloff, Illustrationen zu J. A. Koch's „Herrmanns, des
frommen Schäfers Erscheinungen zu Frankenthal" usw., Coburg 1820. — 1824, 10. 10.
Bleistiftz.: Porträt, Mutter des Künstlers (?)
Nbg, Germ. Mus. — 1826 2 Aquarelle, Nbg,
Germ. Mus. — 1827 Miniatur auf Elfenbein:
Kind mit Soldaten, bei Fürst Joh. v. Liechtenstein, Wien. — 1830 oder früher, Gouache-
Bild: „Itzig und Kala"; Ölbild: „Almosen
gebendes Kind"; Gouache-Bild: Der Künstler
mit s. 2 Söhnen vor der Büste Dürers. —
1834 Aquarell: Bildnis v. C. H. Seiler, Pfarrer
an St. Sebald, Nbg, im Besitz der Familie
Seiler. — 1835, 14. 1. Der Jude, Bleistiftent-
würfe zu Illustrationen, Germ. Mus. Nbg. —
1835 Gouache-Bild: Hammerschmiede, Nbg,
Germ. Mus. — 1835 Gouache: Porträt,
ältere Dame mit Kind. — 1836 Doppelporträt, Dame am Klavier u. älterer Herr.
— 1836 Aquarellbildnisse des Stadtsyndikus
N. Heiden mit Tochter, und seiner Frau Dora
mit ihrem Enkel Theodor, Nbg, Germ. Mus.
— Ohne Datum sind 2 Stiche H.s: Kath. v.
Bora (nach „Holbein") u. „Forum zu Rom"
nach Heck, ferner Bildnis des Schauspielers
Ferd. Esslair (Freih. v. Khevenhüller), gest. v.
F. Fleischmann, u. endlich eine Reihe v. Blei-
stiftentwürfen zu Illustrationen: „Notar", „Witwer", „Der Doktor vorm Tor" u. a. sowie
eine Sepiazeichnung, gleichfalls Illustrations-
entwurf im Germ. Mus.

Neues Adreßbuch der Stadt Nürnberg, 1850.
— N a g l e r , Kstlcatal., V; d e r s . , Monogr.,
IV. — L e i s c h i n g , Bildnisminiatur in Öster-
reich, 1907 p. 204. — B r u l l i o t , Dict. des
Monogr. etc., III (1834). — Kstblatt 1830 p. 374,
377. — Naumann's Archiv f. d. zeichn. Kste, X
(1864) 122. — Anz. d. Germ. Mus., 1915 p. 10;
1920 p. 30. — M a i l l i n g e r , Bilderchronik
München, Stadtmus., III (1876). — Aukt.-Katal.
C. J. Wawra, Wien, Samml. Köhler, 1917 No 109.
— Katal. Miniat.-Ausstell. Wien, 1905 No 1989.
— W e i g e l 's Kstcatal., Leipzig 1838/66, II
10398; III 17041. — D r u g u l i n , Portraitkatal.
p. 208 Nr 5547. — F. T. S c h u l z , Nürnb. Bürgerhäuser, p. 200. *W. Fries.*

Hartmann, M i c h a e l , Bildschnitzer in
Luzern, geb. ebenda, schnitzte 1685 das Kruzifix auf der Kanzel der Hofkirche.

B r u n , Schweizer. Kstlerlex. II (1908) u. Suppl.

Hartmann, M i c h a e l , Bildh. 18. Jahrh.,
falsch für *Hauttmann,* Georg Michael.

Hartmann, N i k o l a u s , Architekt, geb.
1838 in Chur, † 1903 in St. Moritz, Schüler
der Zeichenschule in Basel und der Bau-
gewerksch. in Holzminden. 1863 Pläne für
Wiederaufbau des abgebr. Dorfes Seewis im
Prättigau und des dort. Salis-Schlosses; 1866
für das abgebr. Kurhaus in Davos. 1869 Um-
bauten am alten Herrenhaus in Samaden und
Übersiedelung ins Engadin, wo er seitdem, an
die überlieferten Bauformen des Landes an-
knüpfend, vielfach tätig war; u. a. baute er
Hotel Margna in St. Moritz, das gleichnam.
Hotel in Sils-Baselgia, die engl. Kirchen in
Samaden und St. Moritz, ebenda Segantini-
Mus. und Reithalle, kathol. Kirche in Bad
St. Moritz. Seine letzte Arbeit waren die
Pläne zur Pauluskirche in Davos-Platz.

Schweizer. Bauzeitg, 1906 p. 165 ff.; 1907 p. 1 ff.;
1909 p. 121 ff., 152, 190, 258, 277 ff.; 1910 p. 151,
189; 1911 p. 216 ff.; 1912 p. 218 ff.; 1913 p. 6;
1914 p. 32 ff. — Schweiz, 1908 p. 81, 561; 1913
p. 293 ff.; 1918 p. 391. — Rheinlande, VII (1907)
2. Teil p. 119. — Zentralbl. d. Bauverwalt., XXXII
(1912) 213 f. — B r u n , Schweiz. Kstlerlex., Suppl.

Hartmann, O l u f , dän. Maler u. Radierer,
geb. 16. 2. 1879 in Søllerød bei Kopenhagen,
† 16. 1. 1910 in Kopenhagen; Schüler der
Kopenhagener Akad. (1896—1902) u. Kr.
Zahrtmann's (1902 in Portofino u. Città d'An-
tino), beschickte seit 1905 die Akad.-Ausst.
und seit 1908 die Sezessionsausst. zu Kopenhagen mit klass. u. bibl. Kompositionen von
temperamentvoll skizzenhafter, koloristisch
kühner Eigenart, von denen „Jakobs Kampf
mit dem Engel" u. ein Studienblatt in das
Kopenhagener Kunstmus. gelangten. 10 ähnlich geartete Kupferätzungen H.s wurden 1912
in Paris von A. Salmon und E. Goldschmidt
veröffentlicht.

V. W a n s c h e r in Kunstbladet (Kopenhagen) 1909/10 p. 361/6 (mit Abb.), cf. 321 f. —
D a h l - E n g e l s t o f t , Dansk Biograf. Haandleks. 1920 ff. II.

Hartmann, R i c h a r d , Maler, geb. 30. 9.
1868 in Heilbronn a. N., 1890/92 Schüler der
Münchner Akad. unter Gysis, Höcker und
Andr. Müller, ansässig 12 Jahre in München,
7 Jahre in Worpswede, dann in Wertheim
a. M., jetzt in Wiesbaden, zeigte 1898—1914
im Münchner Glaspalast hauptsächlich Landschaften, malte auch Porträts (E. v. Wolzogen,
Max Halbe) und Figurenbilder. Von ihm eine
Landschaft im Stadtmus. zu München, ein
Bürgermeisterbildnis im Rathaus zu Bremen.

Mitteil. d. Künstlers. — S i n g e r , Kstlerlex.,
Nachtrag (1906). — J a n s a , Dtsche bild. Kstler
in Wort und Bild, 1912. — B a u m , Stuttgarter
Kst d. Gegenwart, 1913.

Hartmann, S t e f f e n, Glockengießer, goß laut Inschrift 1501 die Glocke mit Madonnen- relief in der Kirche zu Ifta, Amtsger.-Bez. Eise- nach, ebenso eine größere, nicht erhaltene Glocke daselbst mit Reliefs und Inschrift. Bau- und Kstdenkmäler Thüringens, Sachsen- Weimar III 1 (1915) 475.

Hartmann (russ. Гартманъ), V i k t o r A l e x a n d r o w i t s c h, Architekt u. Maler, geb. 23. 4. (5. 5.) 1834 in St. Petersburg, † 23. 7. (5. 8.) 1873 in Kirejewo bei Moskau; Schüler der Petersburger Akad., die ihn seit 1856 mehrfach prämiierte, so 1861 mit der großen Goldmedaille für einen Bibliotheksbauentwurf. Weitergebildet im Atelier seines Oheims A. P. Gemilian, mit dem er u. a. das Mjassnikoff'sche Palais an der Snamjenskaja zu St. Petersburg erbaute. Auch bearbeitete er den architekton. Teil des Denkmalsentwurfs von Mikeschin für das „Tausendjährige Bestehen Rußlands" und lieferte für das entsprechende Album 3 große Lithographien. Bereiste 1864—68 Deutschland, Italien und Frankreich, wo er sich u. a. mit Restaurierungsplänen des röm. Amphitheaters in Périgueux befaßte. Zeichnungen H.s aus dieser Zeit im Hist. Mus. u. in der Zwjetkoff- Gal. Moskau (Kat. 1915, p. 51). Wurde nach seiner Heimkehr für den von ihm nach eig. Ent- wurf ausgeführten Fassadenbau der Petersburger Industrie-Ausstellung von 1870 (Abb. in Zeitschr. „Niwa" 1870 Nr. 20 p. 313) zum Akademiker ernannt und daraufhin auch mit der Errichtung des im altruss. Stile gehalt. Pavillons des russ. Kriegsministeriums in der Moskauer Polytechn. Ausstellung von 1872 betraut (Abb. im Kat. der Moskauer Nat.- Ausst. von 1882 Taf. 150). Seitdem in Mos- kau ansässig, entwarf er dort Pläne für ein Volkstheater am Lubjanskyplatz (Holzbau; seine Entwürfe dazu in der Wiener Weltausst. 1873 präm.), für die Buchdruckerei A. J. Mamontoff's und für dessen Landhaus im benachb. Kirejewo. Als nicht minder begabter Maler schuf er neben Innendekorationen etc. die szenischen Entwürfe für verschied. Peters- burger u. Moskauer Opern- u. Ballettauf- führungen, u. a. für die Glinka'sche Oper „Russlan u. Ludmilla" und das Ballett „Trilby". (Abb. im Moskauer Ausst.-Kat. 1882 Taf. 118 u. 173). Auch zeichnete er Buch- schmuck für den Verleger Hohenfelden, Peters- burg. H. war einer der Hauptvertreter jener Richtung, die in wenig glücklicher Weise die russ. Architektur durch Anwendung einer dem altruss. Kunstgewerbe entnommenen Orna- mentik zu beleben suchten.

A. N o w i t z k y in Russ. Biograph.. Lex., Bd. Га—Ге (1914) p. 242 f. — N. K o n d a k o w, Jubil.-Handbuch d. Petersb. Kstakad, 1764—1914, II 312. — S t a s s o f f, Ges. Werke, II (1914). — T e w j a s c h o f f, Beschreib. einiger Gra- vuren, 1903 p. 81. — Mit Notizen von P. Ettinger- Moskau. *

Hartmann, W e n z e l, s. unter *Hartmann,* Joh. Jac.

Hartmann, W i l h e l m (Johann Daniel W.), Maler, Kupferstecher, Lithograph und Kunst- schriftsteller in St. Gallen, geb. ebenda 1793, † ebenda 18. 4. 1862, Sohn und Schüler von Georg Leonhard, lernte auch bei A. O. Moretto und 1812 bei F. Hegi in Zürich, betrieb dann in St. Gallen hauptsächl. Miniaturmalerei und erlernte 1816 in München die Lithographie. 1819 in Zürich, wurde er 1820 als Naturalien- maler vom Prinzen Max v. Wied nach Neu- wied berufen, wo er 1 Jahr blieb. 1824 ging er auf 2 Jahre nach Bern als Schüler des Na- turalien- und Wappenmalers E. Wyß. In minu- tiösen Darstellungen von Konchylien, Vögel- chen, Käfern, Schmetterlingen usw. sehr be- wandert, gab H. 1844 ein Werk über Erd- und Süßwasser-Gasteropoden in handkolorierter Lithographie heraus. Vielfach war er im Auf- trag des Kaufmänn. Direktoriums in St. Gallen tätig (1828 Auftrag zur Anlegung eines Ge- schlechter- u. Wappenbuchs und zur Abb. der Stadtaltertümer, 1858 zur Abb. der St. Gall. Münzen und Medaillen). Die St. Galler Stadt- bibl. besitzt von ihm eine große Slg von Fa- milienwappen, die zum Kupferstichkab. d. Eid- gen. Polytechnikums gehörende Bühlmann'sche Handzeichn.-Slg zahlreiche Zeichnungen. In der Bibliothek des St. Galler Kunstvereins H.s zu vollständ. Biographien ausgearbeitete Fort- setzung der Notizen seines Vaters über St. Galler Künstler. Von H.s Stichen zu nennen die Porträts des Malers S. Landolt und J. A. Blatt- mann's (nach A. Curiger).

B r u n, Schweizer. Kstlerlex., II (1908); IV (1917). — St. Galler Neujahrsbl., 1814. — N. Bl. d. Zürch. Kstgesellsch., 1842 p. 10. — D u- p l e s s i s, Catal. Portr. Bibl. Nat. Paris, 1896 ff., I 5018; VI 25 593.

Hartmann, W o l f f g a n g, Kupferstecher (nach Heinecken auch Maler), in Stockholm u. Riga tätig (nach Heinecken um 1640 in Rostock), stach folgende Porträts: Phil. Clüver, Geograph (1580—1623), 1640; Johannes Qui- storp, Theologe in Rostock (1584—1648), 1647; Gustav Graf Horn (1592—1657), 1652, Origi- nalplatte im Dom-Mus. zu Riga; Matthias Re- land, Dompastor in Riga, 1653; Melchior Fuchs, Bürgermeister in Riga, 1654; ferner undat.: Laurenz Zimmermann, Ratsherr in Riga, um 1652, Originalplatte im Dom-Mus. zu Riga; Georg Gulten, Kanonengießer († 1663); Nicol. Henelius v. Hennenfeld, Syndikus in Breslau (1584—1656); Justus Lipsius, Philolog (1547 bis 1606); Heinrich Patkul v. Rosenboeck; Paul Buegel.

H e i n e c k e n, Dict. des Art., 1778 ff. (Ms. im Kupferstichkab. Dresden). — D u p l e s s i s, Cat. Portr. Bibl. Nat. Paris, 1896 ff., II 7255, 9991/7; IV 21123; VI 27839/29. — N e u m a n n, Lex. baltischer Kstler, Riga 1908. — Nordisk Familjebok, [2]X (1909) 1458.

Hartmann, W o l f f g a n g, Erzgießer; von ihm bez. und 1658 datiert die messingene gravierte Grabplatte des 1677 † Bürgermeisters Mattheus Rodde in der Marienkirche zu Lübeck, seit 1869 an der Innenseite der Nordwand des Lettners in einem eichenen Rahmen aufgehängt, aus 2 Stücken zusammengesetzt, mit Wappen u. Schrifttafel vor einem Portikus, auf dessen Giebel Schlaf und Tod lagern.

Bau- u. Kstdenkmäler . . . . Lübeck, II (1906) 402 (Abb.).

Hartmann - Mac Lean, siehe *Hartmann,* Hans (Rudolf H.).

Hartmont, Maler, nur bekannt durch ein Gemälde (Taufe Christi) von 1856 in der Pariser Kirche Saint-Lambert de Vaugirard.

Invent. gén. d. Oeuvres d'Art, Paris, Edif. rel. III (1884) 360.

Hartmotus, Abt von St. Gallen 872—883, leitete eine Zeitlang selbst den Bau der Klosterkirche.

Rahn, Gesch. d. bild. Kste i. d. Schweiz, 1876.

Hartmuth, J o s e p h, Schreiner in Donaualtheim (Bayern), fertigte für die Kirche daselbst 1751/53 den Choraltar und die Seitenaltäre (nach Entwurf von Dominikus Berkmiller), die Kanzel mit durchbrochenem Schalldeckel und 2 Beichtstühle.

Jahrbuch d. histor. Vereins Dillingen, XVII (1904) 125; XX (1907) 102. — R i e h l, Bayerns Donautal, 1912 p. 390.

Hartnack, J a k o b R u d o l f, Maler und Lithograph, geb. 6. 10. 1851 in Vordingborg, † 20. 3. 1890 in Kopenhagen, lernte seit 1865 in der lithogr. Anstalt von C. Th. Berg in Kopenhagen, dann 1867—72 an der Kunstakad. ebenda. Erwarb seinen Lebensunterhalt mit Lithographieren, zeichnete und malte in seiner Freizeit viel in der Natur. Von seinen lith. Blättern werden genannt die Bildnisse: Christian IX., Baron Bertouch-Lehn, Geheimrat Emil Rosenørn, Propst Warburg u. a. Für Løfflers Werk über die Grabsteine im Dom zu Roskilde lieferte H. einige Tafeln.

Weilbach, Nyt Dansk Kunstnerlex., 1896. — S t r u n k, Cat. Portr. Danske Kongehuus, 1882 No 1091.

Hartnell, N a t h a n i e l, Genre-, Landschaftsmaler u. Lithograph. Tätig in London, wo er 1829—64 in der Brit. Institut. u. Royal Acad. ausstellte. Lithographierte die Platten zu Lord Charles Beauclerk's Military Operations in Canada, 1840.

Graves, Dict. of Artists, 1895; Royal Acad., IV (1906); Brit. Instit., 1908. — Notiz Popham.

Hartogensis, J o s e p h, holländ. Landschaftsmaler, Radierer u. Lithograph, geb. in 's Hertogenbosch 7. 5. 1822, † durch Selbstmord in Düsseldorf 16. 7. 1865. Schüler von Domin. Franç. du Bois, S. L. Verveer und B. C. Koekkoek. Stellte seit 1845 in Amsterdam, Brüssel, im Haag u. a. O. aus: Motive aus Holland, Belgien, Tirol. Kramm beschreibt ferner 42 Radierungen (darunter 14 Zinkätzungen), die bezeichnet sind J. H. f., J. H. Bz. (d. h. Bernardzoon) f. oder J. Hartogensis Bz. ft. — Man kennt von H. ein rad. Selbstbildnis, außerdem 2 von M. Léon und J. Weissenbruch rad. Bildnisse H.s.

Kramm, Levens en Werken etc., III (1859). — Nederlandsche Spectator, 1865. — H i p p e r t u. L i n n i g, Peintre-Graveur holl. et belge du 19me s., 1879. — Rezensionen u. Mitteil. über bild. Kst, IV (Wien 1865) 279 (Nekrolog). — J. F. v a n S o m e r e n, Beschr. Catal. van gegrav. Portr. van Nederl., II (1890) No 2275/77 u. 3047.

Hartrick, A r c h i b a l d S t a n d i s h, schottischer Maler, Illustrator und Lithograph, geb. 7. 8. 1864 in Bangalore (Madras), lebt in London. Gatte der Lily H. Schüler von A. Legros an der Londoner Slade School (1884—5) und von Boulanger und Cormon in Paris (1885—6). Stellte 1887 im Pariser Salon aus und war um 1890 in Schottland tätig, wo er sich der Glasgow School anschloß. Mitarbeiter des Londoner Daily Graphic (1890) und des Pall Mall Budget (1893). Mitglied des New Engl. Art Club (1893) und der Royal Soc. of Painters in Water-Col. Stellte 1892—9 und 1909 in der Londoner Royal Acad. sowie verschiedentlich im Ausland (Sezess. in München u. Rom, Berlin, Düsseldorf, Valparaiso) aus. Handhabt als gewandter Schilderer der Großstadt geschickt die verschiedenen Schwarz - Weiß - Verfahren, während er in seinen Buchillustrationen (Landschaften) und Lithographien (Landschaft, Figuren) einer entschieden dekorativ-malerischen Ausdrucksweise zuneigt.

Who's who 1922. — R. E. D. S k e t c h l e y, Engl. Book-Illustr. of To-day, 1903. — J. L. C a w, Scott. Painting, 1908. — H. W. S i n g e r, Mod. Graphik, 1914. — The Studio, XLIV 140 f.; LXI 6, 13; LXVII 184; Special Nrs: Art in 1898; Winter Nr 1900—1; Graphic Arts of Gr. Brit., 1917; S a l a m a n, Mod. woodcuts and lithographs, 1919. — The Artist's Engraver, 1904 Nr 3. — G r a v e s, Dict. of Art. 1895; Royal Acad., IV (1906). — Cat. R. Acad. Exhib. 1909. — Kat. Gr. Kstausst. Berlin, 1914; Düsseldorf, 1913 Nr 1536—41; Sezess. München 1900 p. 18; 1902 p. 17. — Cat. Espos. intern. Secess., Rom 1913, 1914. — Cat. of the Loan Exhib. of Mod. Illustr. Vict. and Alb. Mus., 1901.

Hartrick, L i l y, geb. *Blatherwick,* schottische Landschafts- u. Blumenmalerin, lebt als Gattin des Archibald St. H. in London. Wohl Tochter des Dr. Charles Blatherwick in Helensburgh bei Glasgow, der 1875—82 in der Londoner Royal Acad. schott. Landschaften ausstellte. Sie stellte 1887—1904 in der R. Acad. (meist unter ihrem Mädchennamen) und sonst in London, sowie in Glasgow, Liverpool und Düsseldorf aus.

Graves, R. Acad. I 210; IV. — J. L. C a w, Scott. Painting, 1908. — S h a w S p a r r o w, Women Painters, 1905 p. 155. — Art in 1898; Studio Spec. Number. — The Art Journal, 1901 p. 254. — Kat. Intern. Kstausst. Düsseldorf 1904.

Harts, siehe unter *Haer,* Anthony van der.

Hartshorne, Howard Morton, Porträt- und Genremaler, geb. in New York, ansässig in Paris, Schüler von Benj. Constant und J. P. Laurens, beschickt seit 1900 den Pariser Salon der Soc. d. Art. Français.

Amer. Art Annual, XIV (1917) 506. — Salon-Katal.

Hartsoecker, Theodor, s. *Hartzoecker,* Th.

Hartson, Walter C., amer. Landschafts-maler, geb. in Wyoming, Jowa, 27. 10. 1866. Tätig in New York und Wassaic, Dutchess Co., N. Y. Erhielt Ehrenpreise auf Ausstell. in Atlanta (1895), Philadelphia (1898) usw.

Amer. Art Annual, I (1898), Tafelabb.; XVIII (1921) 444. — Cat. Isaac Delgado Mus., New Orleans, 1914 (Leihgabe aus Privatbes.).

Harttmann, unter *Hartmann* eingeordnet.

Harttwich, Glockengießer, siehe unter *Hart-wich,* Glockengießer.

Hartung, Adolf, Architekt, geb. 29. 5. 1850 in Magdeburg, † 30. 3. 1910 in Berlin, Schüler der Berl. Bauakad., leitete 1874/76 den Bau des Stadttheaters in Magdeburg, 1881—96 im Atelier Ende & Böckmann in Berlin, wo er die Entwürfe für Regierungsbauten in Tokio und für das Deutsche Haus in Brünn be-arbeitete. Seitdem selbständig in Berlin, baute er nach eigenem, durch den 1. Preis aus-gezeichneten Konkurrenzentwurf das Ministe-rialgebäude in Rudolstadt (1899). Sieger in den Wettbewerben für ein Museum in Altona und die Hochschule f. Bild. Künste in Berlin. Gab heraus: „Flachornamente auf geometri-scher Grundlage". Mitarbeiter der „Berliner Architekturwelt".

Spemanns Goldenes Buch v. eigenen Heim. — Deutsche Konkurrenzen, VII Heft 4; VIII Heft 1. — Berliner Architekturwelt, XI (1909) 317; XIII (1911), Nekrol. — Berlin u. seine Bauten, 1896. — Katal. d. Gr. Berl. Kst-Ausst., 1894 p. 121; 1899 p. 108; 1905 p. 150.

Hartung, C. C., Maler, nur bekannt durch eine 1710 dat. Verurteilung Christi vor dem Rate in der Kirche zu Radensleben, Kr. Ruppin.

Kstdenkm. Prov. Brandenbg, Bd I, T. 3 p. 190.

Hartung, Christoph Philipp, Gold-schmied von Königsberg i. P., Meister um 1777, † 1800. Kelch von 1786 in der Kirche zu Bartenstein. In der ehem. Sammlung Gield-zinski-Danzig von ihm 2 silberne Schälchen mit dekoriertem Spiegel (Abb. Taf. 40 im Ver-steig.-Katal. No 1662 Rud. Lepke, Berlin, 1912, No 1293/94).

v. Czihak, Edelschmiedekst ... in Preußen, I 63. — M. Rosenberg, Goldschm. Merk-zeichen, ² 1911.

Hartung (russ. (Гартунгъ), Fedor (Frie-drich) Fedorowitsch, russ. Mosaizist, geb. 1834, † 18. 3. 1898, seit 1852 Schüler der Akad. zu St. Petersburg, die ihn für kirchliche Mosaik-bilder, die er nach Kartons A. J. Beidemann's, N. A. Maikoff's etc. für die Petersburger Isaakskathedrale ausführte, 1857/77 diplomierte.

Bulgakoff, Unsere Künstler, 1889 f. (russ.)

I 103. — N. Kondakow, Jubil.-Handbuch d. Petersb. Kstakad. 1764—1914, II 448.

Hartung (Hartwig), Hans, Holzschnitzer, arbeitete 1610/11 mit Bernd App die Nikolai-kanzel in der Altlutheraner-Kirche zu Wernige-rode.

Bau- u. Kstdenkm. Prov. Sachsen, Heft 32 p. 184. — Gesch.-Qu. d. Prov. Sachsen, XV 610 f.

Hartung, Hans Caspar, Baumeister (Zimmermann), geb. 18. 6. 1622. Erbauer des Schlößchens Amalienruhe bei Meiningen (vgl. Baubeschr. in Bau- u. Kstdenkm. Thür., Sachs. Mein., I 1 [1909] p. 267 ff.). Als H. 100 Jahre alt geworden war, ließ der Herzog Ernst Lud-wig von Sachsen-Meiningen auf ihn eine sehr seltene silberne Medaille durch Christian Wer-muth in Gotha schlagen (Revers mit Inschrift: Senex centenari₉ Henneberg. Wasvng. Orivnd₉). H.s in Öl gemaltes Bildnis, trefflich ausge-führtes Brustbild (bez. „Hanns Caspar Hartung von Queienfeldt. Natus die 18 Junij 1622. Pictum 18 Novembris 1718 Aetatis An: 96 Men-sis 5 Hebd: 2") ist auf der Amalienruhe noch vorhanden. Der Widerspruch, daß er auf der Medaille als aus Wasungen gebürtig bezeichnet wird, nach der Bildinschrift dagegen aus Queienfeld stammen soll, läßt sich nicht auf-klären, da das Queienfelder Kirchenbuch erst 1661 beginnt und bis 1679 seinen Namen als „faber tignarius", d. h. Zimmermann, nur einige Male aufführt.

Otto F. Müller, Meininger Ortsnamen und Bauwerke auf Münzen und Marken, Schriften des Ver. für Meiningische Gesch. u. Landeskde, 1. Heft 1. Jahrg., 1888 p. 25 f.

Hartung, Hans Christoph, Maler in Dresden, erhielt 1657 vom Rate der Stadt Oschatz eine Gegenverehrung für ein „kur-fürstl. Brustbild in Goldriß", im gleichen Jahre (zus. mit Gabriel Funke aus Dresden) desgl. vom Rate der Stadt Rochlitz für ein gleiches Bild.

Ratsarchiv Oschatz, Jahresrechn. 1656/57 Bl. 27. — Einzelheiten a. d. Gebiet d. Rochlitzer Gesch., Lief. III. — Notiz von E. Sigismund.

Hartung, Heinrich, Landschaftsmaler, geb. in Coblenz am 29. 6. 1851, † daselbst am 12. 2. 1919, vorzugsweise tätig in Düsseldorf. Erhielt seine erste Anleitung zum Malen durch seinen Vater. 1876 ging H. nach Italien, wo er die Sammlungen studierte und Studien nach der Natur malte. Nach 11 Monaten zurück-gekehrt, lebte er vorübergehend in Berlin und Coblenz, um 1877 nach Düsseldorf überzusie-deln, wo er bis zum Herbste 1900 blieb. Hier in Düsseldorf malte er seine ersten Frühlings-bilder vom Mittelrhein, die seinen Namen schnell populär machten, ihn aber auch zu einer etwas hastigen Produktion verführten. Er hat auch viele Aquarelle geschaffen. Später entdeckte H., wie so viele andere Düsseldorfer Maler seit K. F. Lessing, die Eifel als Studien-feld. Seinen Lebensabend verbrachte H. in Coblenz. Im dortigen Museum ist er mit mehreren Landschaften vertreten, ebenso in Düsseldorf (deponiert). — Sein g l e i c h - n a m i g e r Sohn ist ebenfalls Landschaftsmaler und stellt häufig in Düsseldorf aus. Er lebt in Coblenz.

Autobiographie (oben benutzt) im Archiv des „Malkastens", Düsseldorf. — F. v. B ö t t i c h e r, Malerwerke d. 19. Jahrh., I. — S c h a a r s c h m i d t, Zur Gesch. d. Düssel. Kunst, 1902 p. 216 ff. — Jahresber. des Ver. Düsseld. Künstler, 1919 p. 7 (Nekrolog). — Zeitschr. f. bild. Kunst, N. F. III (1892) 263. — Kunstchronik, XXIII (1888) 205; N. F. XI (1900) 465. — Ausstellungskat.: Berlin (Akad.-Ausst. 1884; 86; 89; 90. Gr. K.-A. 1894; 96—1900; 1903); München (Glaspal. 1888; 90; 91). Düsseldorf, 1888/9; 90 ff. *Walter Cohen.*

Hartung, H u g o, Architekt, geb. 19. 8. 1855 in Jena, Schüler der Techn. Hochschule Charlottenburg, seit 1901 Lehrer an der Techn. Hochschule Dresden, dann an der Hochsch. Charlottenburg. Von seinen Bauten, in denen er mit Vorliebe die mittelalterlichen Formen anwendet, seien genannt: Schloß in Eichhof bei Lauterbach, Kaiser Wilhelmturm bei Arnstadt, Kreishäuser in Thorn und Gnesen, Turm der Altstädter ev. Kirche in Thorn, Bankgebäude in Mainz. Er veröffentlichte: „Motive der mittelalt. Baukunst" (Berlin Wasmuth), „Studienentwürfe, Aufnahmen u. Ausführungen" (ebenda), „Ziele u. Ergebnisse der ital. Gotik" (Berlin 1912).

Spemann's Goldenes Buch vom eigenen Heim. — Berlin u. seine Bauten, 1896. — Archit. Rundschau, XX (1904) Taf. 46. — Katal. d. Gr. Berl. Kstausst. 1889 p. 183; 1890 p. 271; 1900 p. 107; 1901 p. 152.

Hartung, J o h a n n, Bildhauer, geb. in Koblenz, Schüler von Rude in Paris, tätig in Koblenz, seit ca 1850 in Berlin. Von ihm in der Pariser Kirche St. Denis du Saint-Sacrement eine Kolossalstatue des hl. Paulus (1847). Weiter werden als Arbeiten H.s genannt: Bronzestatue des gehörnten Siegfried für einen Brunnen im Schloß Stolzenfels (1846); allegor. Marmorgruppe: Vermählung der Mosel mit dem Rhein, für Koblenz (in Berlin 1850 ausgest.); Philoktet auf Lemnos; Statue des Kurfürsten Balduin für die alte Moselbrücke in Koblenz; Napoleon auf St. Helena, 1852 von Napoleon III. zur Ausführung in großen Dimensionen bestimmt. H.s Rhein-Mosel-Gruppe wurde von Joh. Schilling gelegentlich eines Besuches des Prinzen Wilhelm in Koblenz 1854 auf einer Medaille reproduziert.

F r. F a b e r, Convers.-Lex. f. bild. Kst, VI (1853). — M e n a d i e r, Schaumünzen d. Hauses Hohenzollern, 1901 p. 118. — Inv. gén. d. Rich. d'Art de la France, Paris, Mon. rel., III (1901). — S c h a s l e r, Dtscher Kunst-Kalender auf das J. 1860, I 59.

Hartung, L o r e n z, Maler in Torgau, wurde unterm 21. 12. 1674 vom sächs. Kurf. Johann Georg II. zum „Cammerdiener" (Hofrat) bestallt. 1677 malte er das Bildnis seines Gönners (lebensgr., ganze Figur, jetzt in der Ratsstube im Stadtgesch. Mus. zu Leipzig) und wurde

danach vom Kurf. an den Hof des Herzogs August nach Halle empfohlen. 1679 klagt die Leipz. Innung gegen H., daß er seit 3 Jahren bereits Pfuscherei treibe; er muß also 1676—79 eine Werkstatt für Porträtmalerei in Leipzig gehabt haben. C. Romstedt soll nach ihm ein nicht näher bezeichnetes Bildnis gestochen haben. El. Hainzelmann stach nach ihm ein Bildnis des Leipz. Theologen Joh. Ben. Carpzov, Er. Andresohn ein Bildnis des Georg J. Marschall v. Bieberstein.

Akten des Dresdn. Hauptstaatsarch. — F ü ß l i, Kstlerlex., 2. Teil, 1806 ff. — N a g l e r, Kstlerlex., V. — Bau- u. Kstdenkm. Kgr. Sachsen, XVIII 319. — Akten des Leipz. Stadtarchivs, Tit. 64 No 99ª. — H e i n e c k e n, Dict. d. Art. etc., 1778 ff., I 233 und Ms. (unter „B. Hartung") im Dresdner Kupferstichkab. — D r u g u l i n, Portrait-Katal., I (1859) 118. *Ernst Sigismund.*

Hartvig, A l b e r t (Gotfred A.), Maler, geb. 27. 11. 1850 in Kopenhagen, 1867—76 Schüler der dort. Akad., bevorzugte die Pastellmalerei und zeigte seit 1879 in d. Charlottenborg-Ausst. vornehml. Bildnisse (1886 ein Pastell „Køkkenbord"); auch als Illustrator tätig für Illustr. Tidende (bes. Tierzeichnungen).

W e i l b a c h, Nyt Dansk Kunstnerlex., 1896. — R e i t z e l, Fortegnelse over Danske Kunstneres Arb., 1883.

Hartvig, B e r e n d t J a k o b, Bildhauer, geb. in Kopenhagen 8. 6. 1824, † ebenda 26. 3. 1892, 1852 Schüler der H. V. Bissen, seit 1853 an der Akad., zeigte 1854 u. 55 in der Akad.-Ausst. in Charlottenborg Büsten; wandte sich später als Violinist der Musik zu.

W e i l b a c h, Nyt Dansk Kunstnerlex., 1896. — R e i t z e l, Fortegnelse over Danske Kunstneres Arb., 1883.

Hartwagner, M i c h a e l, Maler u. Kupferstecher, geb. in Deggendorf (Niederbayern), † 1775 in München. Soll sehr begabt gewesen, aber durch die Not zu flüchtigem Schnellmalen getrieben worden sein. Es werden von ihm mytholog. Szenen, Historienstücke, Altarblätter, Porträts u. Stiche nach eigner u. fremder Erfindung genannt. Erhalten ist ein Deckenbild, Maria als Stifterin des Rosenkranzes, im Schiff der Kirche zu Altenhohenau (Oberbayern), bez. u. 1774 dat., Altarblatt von 1775 in der Kirche zu Arget bei München, Porträt der Theresia Kunigunde, 2. Gemahlin des Kurfürsten Max Emanuel v. Bayern (Germ. Nat. Mus. Nürnberg, Kat. d. Gem.-Samml., 1909 No 768), Porträt des Kurf. Maximilian III. Joseph in Leibregimentsuniform, 1767 (Bayr. Armeemus. München, Führer, [5] 1913 p. 84) und sein Selbstporträt (Bayr. Nationalmus. München, Gem.-Kat., 1908; auf der Rückseite des Bildes: „Hartwaenger obiit Monachii 1776—77"; ein Bildnis des Kurf. Klemens August v. Köln, Kopie nach Georg des Marées, wird ihm ebendort vermutungsweise zugeschrieben). 12 Porträts bayr. Fürsten in Lebensgröße bewahrte vormals das

Refektorium des Klosters Neustift bei Freising. Nach ihm stach A. Verhelst eine Allegorie auf die Vermählung der Kurprinzessin Josepha Maria Antonia mit Kaiser Joseph II. (1765), Jungwirt ein Blatt mit spielenden Kindern. Er selbst war als Stecher im Atelier des jüngeren Cuvilliés beschäftigt (an der Ecole de l'Architect. Bavar.) u. hat mehrere Altarblätter in Münchner Kirchen u. mythol. Szenen gestochen. Zusammenstellung seiner Stiche bei Nagler u. Maillinger.

Lipowsky, Baier. Kstlerlex., 1810. — Nagler, Kstlerlex., V; ders., Monogr., III; IV. — Kstdenkm. Bayerns, I (1895 ff.), Reg. — Dehio, Handb. der Dtsch. Kstdenkm., III (² 1920). — Maillinger, Bilderchronik Münchens (Stadtmus.), III (1876); IV (1886). — Heinecken, Dict. des Art. etc., 1778 ff. (Ms. Kupferstichkab. Dresden).

Hartwell, Charles Leonard, engl. Bildhauer, tätig in London. Stellte 1900—21 in der Royal Acad. — seit 1916 als „Associate" — hauptsächl. Bildnisse (Büsten, Statuen usw.) und Genreskulpturen in Bronze und Marmor aus. Arbeiten: „On sentrie"; „A reverie"; Die Mutter des Künstlers; Mädchen der Wende (Sierra Leone), Bronzekopf; Die Sirenen, Marmorgruppe; „The gleaner", Bronzestatue u. Silberkopf; Alexander Taylor, Bronzestatue für Delhi; Denkmalbüste Erzbischof William West Jones, Kapstadt, Kathedrale; Oberst-Leutnant R. S. Frowd Walker, Statue für Perak; Prinz von Wales, Marmorbüste (Corporation of London, 1920). Die Londoner Tate Gall. besitzt von H. „A foul in the giant's race", Elefantengruppe in Bronze, und „Dawn", Marmorstatue (1915 angekauft).

Graves, Royal Acad., IV (1906). — Cat. Exhib. R. Acad., 1905 ff. — Academy Architecture, XLI 76.

Hartwich, Glockengießer, goß 1450 eine Glocke für die Kirche in Herzfeld i. Westf., Kr. Beckum. — Ein Urbanus Johannes Harttwich nennt sich als Verfertiger einer friesverzierten Glocke von 1493 in Wehren, Kr. Fritzlar; ein Johannes Harttwich goß 1512 die Glocke der Kirche zu Friedensdorf bei Biedenkopf.

K. Walter, Glockenkunde, 1913 p. 758. — Bau- u. Kstdenkm. v. Westfalen, Kr. Beckum, 1897 p. 47.

Hartwich, Emil Hermann, Architekt, geb. 1801 in Bensdorf bei Brandenburg, † 17. 3. 1879 in Berlin, Schüler der Bauakad. in Brandenburg, Regier.-Baumeister in Potsdam, seit 1829 in Steinau i. Schles., seit 1834 in Danzig, studierte die mod. Technik 1841 auf Reisen in England, Belgien, Holland, Deutschl. und Österr. und betätigte sich dann hauptsächl. bei Eisenbahnbauten, wie der 1864 voll. Strecke Coblenz—Lahnstein mit der auch künstler. beachtenswerten Rheinbrücke (Eisenkonstruktion) in Coblenz.

Zeitschr. f. Bauwesen, XXIX 483 f. (Nekrol.). — Rheinlande, III (Nov. 1902) 52 f., m. Abb. p. 50.

Hartwich, Hermann, deutsch-amerik. Maler in München, geb. in New York 8. 7. 1853, Schüler der Münchner Akad. unter W. v. Diez und L. v. Loefftz. Unternahm mehrfach Studienreisen nach Tirol, Italien, Belgien, Holland, Paris, England und Nordamerika. Malt Landschafts- und Figurenbilder, auch treffliche Tierstücke und Bildnisse. Beschickt seit 1881 den Münchner Glaspalast und die Dresdner Ausst., seit 1888 auch häufig den Pariser Salon der Soc. d. Art. franç., seit 1893 die Gr. Berliner K.-A., seit 1895 wiederholt auch die Münchner Sezession. Entlehnt seine Stoffe mit Vorliebe dem Bauernleben in Südtirol und Oberitalien. In folgenden öffentl. Galerien Bilder von ihm: München, N. Pinak. („Olivenbäume", Studie aus d. Sabinergebirge), Leipzig („Saumweg am Monte Baldo" vgl. Katal. 1914), Cleveland, Ohio („Märzschnee"), Stuttgart (Bildnis).

Jansa, Deutsche bild. Künstler in Wort u. Bild, 1912. — F. v. Boetticher, Malerwerke d. 19. Jahrh., I 1 (1891). — Kunst f. Alle, III; V; Die Kunst, III; VII; XI. — Kstchronik, XX 744; N. F. XIII 483. — Fr. Pecht, Gesch. d. Münchner Kst im 19. Jahrh., 1888. — Katal. Ausst. d. Gemälde a. d. Privatbes. d. Prinzreg. Luitpold v. Bayern, 1913 p. 23 (mit Nachtr. III u. IV). — Ausst.-Katal.

Hartwig, Christoph, Tischler und Bildschnitzer aus Wernigerode, lieferte das reiche Schnitzwerk (mehrteil. Aufbau mit Arkaden, Säulen, Rollwerk, Engelsfiguren und -Köpfen) für das von H. Bulleus 1593 gemalte Epitaph des Florian Griesbeck und seiner Gattin in der Gruftkapelle zu Kralowitz in Böhmen. Das redende Wappen (kreuzweis durchstochenes Herz in einem von 3 Palmenblättern bekrönten Schilde) eines Martin H., Tischlermeisters zu Wernigerode, findet sich an der unteren Orgelprieche der S. Theobaldskirche ebenda von 1636.

Pilsner Anzeiger, 1848 (Abb.). — Zeitschr. d. Harz-Vereins f. Gesch. u. Altertumskunde, XVI 176 ff. — Topogr. v. Böhmen, XXXVII (1916) 67 ff. (Abb.).

Hartwig, Hans, Maler zu Schlanders (Tirol), bestätigt am 13. Nov. 1644 den Empfang von 1000 Gulden für Fassung u. Vergoldung des Hochaltares der Pfarrkirche zum hl. Martin in Schlanders.

Atz u. Schatz, Der deutsche Anteil der Diözese Trient, V 134.

Hartwig, Johann Gottfried, Blumenmaler an der Fürstenberger Porzellanfabrik, zuerst 1759 erwähnt, mit dem Zusatz „23 Jahre", nach Verlegung der Werkstätten 1774 nach Braunschweig bis gegen 1795 in Braunschw. tätig. — Sein Sohn, Hartwig junior, war bis in die 1820 er Jahre hinein für die Fürstliche Buntmalerei in Braunschweig als Figuren-, Bildnis- und Prospektmaler tätig; von ihm zahlreiche, seit 1817 (Reformationsjubiläum!) entstandene Tassen mit Lutherbildnissen.

Chr. Scherer, Das Fürstenberger Porzellan, 1909.

Hartwig, Max, Landschaftsmaler in München, geb. ebenda 28. 5. 1873, studierte zuerst 10 Jahre die Bildhauerei bei Rud. Maison, um sich dann der Malerei zuzuwenden. Er bevorzugt die oberbayer. Motive. 1898 stellte er im Münchner Glaspalast eine Dackel-Plastik (Gips) aus; seit 1904 beschickt er alljährlich den Glaspal. mit seinen in einer feinen, grauen impressionist. Manier gehaltenen Landschaftsgemälden.

Jansa, Deutsche bild. Künstler in Wort u. Bild, 1912. — Ausstell.-Katal. (1908 u. 1911 mit Abb.).

Hartz (Harz, Hacz), Hans, Bildschnitzer zu Würzburg, † 1552, wird 1520 Meister, nimmt 1521 und 1542 Lehrjungen auf.

Niedermayer, Kunstgesch. d. St. Würzburg, ² 1864. — L. Bruhns, Würzb. Bildh. d. Ren. etc., München 1922. *L. Bruhns.*

Hartz, Sophie, Genremalerin in Berlin, geb. ebenda 1805, Schülerin von C. Fr. J. H. Schumann, H. A. Dähling und C. F. Schulz an der Berl. Akad., beschickte 1820—46 die dort. Akad.-Ausst., anfängl. häufig mit Kopien (nach Champagne, Terborch, Liotard, Mengs usw.), später mit Genreszenen, Interieurs und Bildnissen eigener Komposition in Öl und Aquarell. 2 Bilder von ihr im Städt. Mus. in Braunschweig (Führer 1908 p. 66).

Raczynski, Gesch. der neueren deutsch. Kst, III (1841) 112 f. — F. v. Bötticher, Malerwerke d. 19. Jahrh., I 1 (1891). — Kat. d. Berl. Akad.-Ausst., 1820 p. 30; 1822 p. 41; 1824 p. 93; 1826 p. 37; 1828 p. 26; 1830 p. 19; 1832 p. 17; 1834 p. 22; 1836 p. 24; 1838 p. 21; 1839 p. 20; 1840 p. 17; 1842 p. 22; 1844 p. 30; 1846 p. 23.

Hartzer, Ferdinand (Carl Ferd.), Bildhauer, geb. 22. 6. 1838 in Celle (Hannover), † 27. 10. 1906 in Berlin. Besuchte das Polytechnikum in Hannover, war 1859/60 Schüler M. Widnmanns an der Münchner u. 1864—67 E. Hähnels an der Dresdner Akad. Ging dann nach Italien und ließ sich 1869 in Berlin nieder. Sein erstes Werk in Berlin, Amor mit der Satyrmaske, wurde vom König von Preußen angekauft. 1873 erhielt er ein Denkmal Thaers für Celle u. ungefähr gleichzeitig ein Denkmal Marschners für Hannover in Auftrag (1877 enthüllt). Es folgen: Spohrdenkmal für Cassel, 1881; Wöhlerdenkmal in Göttingen, 1890; Denkmal des Hl. Bernward von Hildesheim, 1893, u. des Senators Römer, beide für Hildesheim; Mitscherlichdenkmal in Berlin, 1894; Gauß-Weber-Denkmal in Göttingen, 1899; Siegesdenkmäler für Bückeburg u. Gleiwitz in Schlesien, Marmorfigur „Geschichte" auf dem Belle-Alliance-Platz Berlin. Daneben schuf er zahlreiche Porträtbüsten (z. B. für die Aula der Universität Göttingen). Zum plastischen Schmuck der Berliner Nationalgal. trug er mit einigen Stuckreliefs und 8 großen Figuren bei.

Das Geistige Deutschland, 1898. — Kstchronik, VIII (1873) 389; IX (1874) 44; XVI (1881) 282; XVIII (1883) 192, 341, 533; N. F. VI (1895) 121; XI (1900) 94, 214, 459; XVIII (1907) 73. — Kst für Alle, XIV (1899). — Kat. d. Nat.-Gal. Berlin, 1907 p. XXX, XXXVI, XLVI. — Führer durch das Zeughaus Berlin, 1914 p. 22. — A. Kiepert, Hannover in Wort u. Bild, p. 39. — Kat. der Akad.-Ausst. Berlin, 1870, 74, 76, 81, 83, 84, 90; Große K.-A. Berlin, 1893, 98, 99, 1903.

Hartzoecker (Hartsoecker), Theodor, geb. laut Balkema 1696 in Utrecht als Sohn des Mathematikers u. Physikers Nikolaas H., der seit 1704 in Diensten des Kurfürsten Johann Wilhelm von der Pfalz stand, † 1740 oder 1741 in Utrecht. Kam 1711 mit einer Empfehlung des Kurfürsten nach Rom. In Venedig soll er Schüler A. Balestras gewesen sein. 1721 erscheint in Utrecht, 1740 ist er dort Dekan der Malerkonfraternität. 1742 wird sein künstler. Nachlaß im Haag versteigert. Für das Bild mit einem Flußgott, das nach Kramm auf der Versteigerung J. Pauw im Haag vorkam und „F. Hartzoecker" bez. war, könnte H. als Meister in Betracht kommen, aber auch ein François Hartsoeker, der 1704 u. 20 in der St. Lukasgilde im Haag erscheint.

Balkema, Biogr. d. Peintres, 1844. — J. van Gool, Nieuwe Schouburg, II (1751). — Immerzeel, Levens en Werken, II (1843). — Kramm, Levens en Werken, III (1859). — S. Muller, Utrechtsche Archieven, 1880. — Obreens Archief, VI (1881/82). — Mitt. Fr. Noack aus dem Staatsarchiv München.

Haruaki 春明, (Shummei) eigentlich Kōno Bunzō, andere Namen Haruzumi 春住, Getsuō 月翁, Sansō 三窓, Fūko 風乎, Fūunsanjin 風雲山人, Jippō Kūsha 十方空舎, Taiō 對鷗, japan. Meister von Schwertzieraten, geb. 1787, † 1859, tätig in Edo, Schüler des Yanagawa Naoharu. Er gehört zu den besten Künstlern des 19. Jahrhunderts, seine Werke sind häufig und finden sich in allen größeren Sammlungen (Berlin, Hamburg u. a.).

Hara, Meister d. jap. Schwertzieraten, Hamburg 1902, 14 f. — Sammlung Oeder, Berlin o. J. No 1232 ff. — Hawkshaw Coll., London 1910, No 2534 ff. — Naunton Coll., London 1912, No 2174 ff. — Sammlung Moslé, Berlin 1909, No 1175 ff. *Otto Kümmel.*

Harunobu 春信, Suzuki H., eigentlich Hozumi Jihei, Gō Choeiken 長榮軒, japan. Maler und Zeichner für den Holzschnitt, geboren und tätig in Edo, † ebenda 29. 6. 1770, wahrscheinlich im 46. Jahre. Er war zunächst Schüler des Nishimura Shigenaga, in dessen Art er auch Schauspielerporträts zeichnete. Später wandte er sich fast ausschließlich der Darstellung schöner Frauen, namentlich der Halbwelt, zu. Die früheren Holzschnitte nach H. sind mit höchstens 4 Platten gedruckt, das Jahr 1765 aber bezeichnet den Beginn und zugleich den Höhepunkt des Vielfarbendruckes, an dessen Ausbildung H. wahrscheinlich ein wesentliches Verdienst hat. Seine puppenhaft zierlichen Arbeiten fanden bei den niedrigen Volksschichten vielen Beifall und wurden das Vorbild zahlreicher Schüler, Nachahmer, selbst Fälscher, unter denen Kōkan (s. d.) voransteht. Die farbige Schönheit der nach H. geschnittenen Einzelblätter und Bücher sichert ihm aber mit die erste Stelle unter den Meistern der Volkskunst. Seine Gemälde sind selten und unbedeutend.

Kurth, Harunobu, München 1910. — Ders., Harunobu-Studien, Ostas. Zeitschr. VIII. — Masterpieces sel. from the Ukiyoye School, Tōkyō 1908, III. *Otto Kümmel.*

Harveng, Karl Friedrich, Landschaftsmaler, geb. 23. 6. 1832 zu Frankfurt a. M., † 27. 6. 1874 ebenda. 1848—54 Schüler des Städelschen Instituts unter Hassemer, J. Becker u. Steinle, 1854—59 der Akad. zu Karlsruhe unter Schirmer. 1862 ließ er sich in Düsseldorf nieder; später lebte er, durch ein Lungenleiden gezwungen, abwechselnd in Südtirol (Meran) u. Norditalien. Unternahm Studienreisen in den Schwarzwald, die Tiroler u. Schweizer Alpen u. nach Südfrankreich. Mit besonderer Vorliebe schilderte er die Schwarzwälder Landschaft u. ihre Bewohner. Als Illustrator war er u. a. für Webers Ill. Kalender tätig. 1864 u. 66 stellte er auf der Berliner Akad.-Ausst., 1867 auf der Pariser Weltausst. u. der Dresdner Akad.-Ausst. aus.

F. v. Bötticher, Malerwerke d. 19. Jahrh., I 1 (1891). — Weizsäcker-Dessoff, Kst u. Kstler in Frankf. a. M., 1909 II.

Harvey, Eli, Bildhauer in New York, geb. 23. 9. 1860 in Ogden (Ohio), Schüler der Acad. in Cincinnati, weitergebildet in Paris an der Acad. Julian, der Acad. Delécluze und unter Frémiet. Vor allem Tierplastiker, bevorzugt er die Darstellung des Raubtieres. Zu nennen sind: Löwin („Maternal Caress") im Metrop. Mus. New York; Skulptur für das Löwenhaus im Zoolog. Garten ebenda, „Ruhende Löwen" für das Eaton Mausoleum, Denkmünze zur Erinnerung an den Eintritt Amerikas in den Weltkrieg für die American Numismatic Society. Werke ferner in den Museen zu St. Louis, London, Liverpool, Newark, Cincinnati.

American Art Annual, 1921. — L. Taft, Hist. of Americ. Sculpt., 1903 p. 485 f. — Cat. City Art Mus. St. Louis, 1914. — Bull. of the Metr. Mus. New York, I (1906) 130. — Cat. of the Works of Art of City of New York, 1909, 1920/II p. 8 (mit Abb.). — Cat. de Luxe Panama Pacific Exp. S. Francisco, 1915 I p. 162 f. — Cat. Salon Soc. des Art. franç. Paris, 1895, 97, 98, 1900, 01.

Harvey, Elisabeth, engl. Porträtmalerin, die zwischen 1802—1812 mehrmals im Pariser Salon ausstellte. Eine Skizze nach ihrem Bilde „Bernardin de Saint-Pierre im Kreise seiner Familie" (1804 im Salon) im Mus. zu Rouen.

E. C. Clayton, Engl. Female Art., 1876 I 370. — Bellier-Auvray, Dict. gén., I (1882). — Bénézit, Dict. des Peintres etc., II (1913).

Harvey, Sir George, schottischer Genre-, Landschafts- und Bildnismaler, geb. 1806 in St. Ninians bei Stirling, † 22. 1. 1876 in Edinburgh. Zuerst Buchhändlerlehrling in Stirling, kam mit 17 Jahren nach Edinburgh, wo er 2 Jahre bei W. Allan studierte. Wurde 1823 zur Trustees' Acad. zugelassen und machte so rasche Fortschritte, daß er 1826 in die neugegründete spätere Royal Scott. Acad. gewählt wurde, deren Interessen er mit Takt und Energie vertrat. In dems. Jahre debütierte er mit der „Dorfschule". Seit 1829 ordentl. Akad.-Mitglied (sein Diploma Work ist ein kleines Gemälde: Der Alarm), 1864 als Nachfolger Sir John Watson Gordon's Präsident; 1867 wurde ihm die Ritterwürde verliehen. Als Vertreter des histor. Genre behandelte H. häufig Episoden aus den schott. Religionskriegen des 16. und 17. Jahrh., die wegen der Neuheit des Stoffes, der schlichten, ernsten Auffassung in Figuren und Landschaft Aufsehen erregten und durch Stichreproduktionen weite Verbreitung fanden. Als erstes dieser Bilder entstand 1830 die „Predigt der Covenanters" (Gal. Glasgow; Schabblatt von J. C. Bromley), im Anschluß daran die „Taufe der Covenanters" (1831); Schlacht bei Drumclot (1836, Schabblatt von Wagstaff), „Kommunion der Covenanters" (Linienstich von G. Graves) u. a. Ein verwandtes Thema behandelt die „Bibelvorlesung in der alten St. Paulskirche". Weniger glücklich war H. in der Behandlung solcher Stoffe, die eine der Größe der Situation entsprechende dramatische Komposition verlangten, in Bildern wie „Shakespeare vor Sir Thomas Lucy" (1837); „Episode aus dem Leben Napoleons" (ausgest. London, R. Acad. 1843, Stich von W. Miller), „Kolumbus" (Nat. Gall. Edinburgh, nicht ausgestellt); „John Bunyan und seine blinde Tochter"; „Herzog von Argyle vor der Hinrichtung" u. a., die im allgemeinen wenig Beachtung fanden. Mit historischer Treue und persönlichem Empfinden schildert H. das Leben des Alltags, besonders die Kinderwelt in Schulszenen oder beim Spiel. Sein bekanntestes Werk dieser Art sind die „Curlingspieler" (1834—5, Bes. Sir E. Tennant; Stich von W. Howison); weitere Hauptwerke: „Schule Skailin" (Nat. Gall. Edinburgh); „Bowlingspieler (ebd.); „Blowing Bubbles" (Kinder sich auf einem alten Friedhof mit Seifenblasen belustigend); The Penny-Bank (1864, Bes. Mr. Ford). Die Proportionszeichnung seiner Figuren ist ziemlich schwach, und sein Kolorit leidet unter einem monotonen Braun; auch sind einige seiner früheren Werke durch unsolide Maltechnik so gut wie zerstört. Gute Proben der Bildniskunst H.s sind die Bildnisse des Prof. John Wilson und des Rev. John Brown (Presbyterian Church, Edinburgh). In späteren Jahren wandte sich H. immer mehr der Landschaftsdarstell. zu. In tieftonigen Ölbildern und frischen Aquarellen erweist er sich als ein feinfühliger Schilderer der stillen Reize der schott. Hügel- und Flußlandschaften und der melancholischen Einsamkeit des Hochlandes mit seinen düsteren Mooren und Heiden. Hauptwerke dieser Art, die ihn als einen Pionier der modernen Stimmungslandschaft erscheinen lassen, sind: „The Enterkin" (1846); „Loch Lee" (1856); „Ferregan" (1857); „We Twa hae paidled in the Burn" (1858); Schafschur (1859, Bes. Mr. Thomas Barclay; Abb. bei Caw [s. Lit.]); Glen Dhu, Arran (1861); „Holy Isle, Arran" (Albert Instit., Dundee). 2 Aquarelle: „Glenfalloch", „Loch Awe", in der Nat. Gall. Edinburgh. Vieles auch im Besitz der Familie H. in Edinburgh. H.s von R. Herdman gemaltes Bildnis, sowie seine Büste von John Hutchison, befinden sich im Besitz der Royal Scott. Acad. Ein anderes Bildnis H.s hat G. Aitkinson radiert.

Redgrave, Dict. of Art., 1878. — Dict. of Nat. Biogr., XXV. — W. D. McKay, The Scottish School of Painting, 1906. — J. L. Caw, Scott. Painting, 1908. — A. L. Simpson, Harvey's Celebrated Paintings. A Selection . ., London 1870. 4°. — The Art Journal, 1850 p. 341; 1858 p. 73—5; 1876 (Nekrolog); 1904 p. 392. — The Portfolio, 1887 p. 152 (W. Armstrong).— A. Graves, Dict. of Artists, 1895; Brit. Instit., 1908; Royal Acad., IV (1906); Loan Exhib., 1913 II; IV. — Kat. der gen. Slgn. — Cat. Art Gall. Leicester, 1899. — Cat. Pict. Gall. Public Library, New York, 1912. *B. C. K.*

Harvey, Harold C., Maler in Penzance (England), zeigt seit 1898 auf der Royal Acad. London Landschaften u. Seestücke, Tier- u. Genrebilder in impressionistischer Behandlung.

Graves, Royal Acad., IV (1906). — Cat. Exhib. Royal Acad., 1907 ff. — Studio, XLVII (1909) 116, 117 (Abb.); LXXXIV (1922) 54.

Harvey, J., Architekt in London, arbeitete bei Samuel Wyatt, stellte 1785—1810 in der Royal Acad. Entwürfe für Theater, öffentl. Gebäude, Brücken usw. aus. — Ein J. Harvey junr., Architekt, zeigte ebenda 1798 bis 1809 Entwürfe.

Graves, Royal Acad., IV (1906).

Harvey, James, engl. Stecher, 1. Hälfte 19. Jahrh. Man kennt von ihm 2 Bl. in Schabmanier: Bildnisse der Genevieve Janet Homfray und ihrer Schwester Katherine nach S. Lane, sowie das nach Raffael gest. Bildnis eines Jünglings.

Cat. of engr. Brit. Portr. Brit. Mus., II 553. *M. W. H.*

Harvey, Nelly, Porträtmalerin, geb. in London, bildete sich in München. Zeigte 1896—1911 Porträts (gelegentlich auch Kopien) im Münchner Glaspalast, 1910 u. 15 auf der Expos. Nacion. Madrid (Katal. 1915; mit Abb.).

Ausstell.-Katal. des Prinzreg. Luitpold v. Bayern, München 1913 p. 79.

Harvey, Seymour Garstin, Maler der Gegenwart in London, Schüler der Slade School, wo er die Aufmerksamkeit Burne-Jones' auf sich zog, der ihn ausbilden wollte, was der Tod Burne-Jones' († 1898) verhinderte. Doch ist dessen Einfluß auf H.s figürl. Kompositionen unverkennbar. Von H. auch zahlreiche Aquarelle, architekt. Ansichten aus Italien. 1904 stellte er in der Londoner Royal Acad. aus.

Art Journal, 1904 p. 78 (mit Abb.). — Studio, XXX (1904) 341; XXXV (1905) 289 (Abb.), 294. — Graves, Royal Acad., IV (1906).

Harvey, Thomas, engl. Ornithologe, Maler und Radierer-Dilettant, geb. 1748, † 1820. Entstammte einer angesehenen Norwicher Kaufmannsfamilie; Besitzer von Catton bei Norwich. Er war ein Gönner des jungen John Crome, der in H.s Gemäldesamml. seine Kopierstudien nach Hobbema, Gainsborough u. a. machte. Auch war H. Crome's Lehrer in der Radierung mit weichem Ätzgrund. H. malte Landschaften in Öl und hinterließ eine Anzahl Radierungen (Landschaften, Tierstudien) mit weichem Ätzgrund, von denen sich Abdrücke nebst zahlreichen Bleistiftzeichnungen von seiner Hand zu einem Album vereinigt im Print Room des Brit. Mus. befinden.

W. F. Dickes, Norwich School of Painting, 1905 p. 26, 56 f., 85. — Cat. of Drawings by Brit. Art. Brit. Mus., II.

Harvey, W. Alexander, Architekt in England, der durch seine Entwürfe für die Arbeiterkolonie Bournville bei Birmingham um 1902 bekannt wurde.

Studio, XXIV (1902) 163. — Studio-Year-Book of decorat. Art, 1918. — Muthesius, Das engl. Haus, 1904/5, I 201 ff. (hier irrtümlich Ralph Heaton als Erbauer von Bournville gen.); III 139.

Harvey, William, Zeichner u. Holzschneider, geb. 13. 7. 1796 in Newcastle-on-Tyne, † 13. 1. 1866 in Richmond. Kam 14jährig zu Th. Bewick in Newcastle in die Lehre und half bei den Holzschnitten zu „Aesops Fables" mit. 1817 schnitt er nach eigenem Entwurf eine Titel-Vignette für „Cheviot: a Poetical Fragment". Im gleichen Jahre ging er zur weiteren Ausbildung nach London, wo er bei B. R. Haydon eintrat u. als Illustrationszeichner u. Maler tätig war, doch auch noch in Holz schnitt, so 1821 das große Blatt nach Haydons „Death of Dentatus". Er wandte sich dann dem Holzstich zu. 1824 gab er auch diese Technik auf, um sich nur noch als Zeichner zu betätigen. Sein letztes Werk, das er selbst stach, sind die Illustr. zu Hendersons „History of Wines", 1824. Nach seinen Zeichnungen wurden illustriert: J. Northcote, One hundred Fables, London 1828, in Holz gestochen von Jackson; E. T. Bennett, The Tower Menagerie, 1829, in Holz gestochen von Branston u. Wright; The Children in the Wood, 1831, in Holz gestochen von Thompson, Jackson u. a., Gardens and Menagerie of the Zoological Society, 1831; The Blind Beggar of Bethnal Green, 1832; The Solace of Song,

1837; Hood, Dream of Eugene Aram; J. Bunyan, the Pilgrims Progress, in Holz gestochen von G., E. u. J. Dalziel. Der Höhepunkt seines Schaffens fällt in die Zeit um 1840, wo er für den Verlag Ch. Knight arbeitete. Die Illustrationen zu den dort erschienenen „Arabian Nights" von E. W. Lane, 1839, gehören zu seinen besten Zeichnungen. Von späteren Werken sind noch zu nennen die Zeichnungen zu J. G. Lockhart's „Spanish Ballads", 1856, und zu einer Ausgabe von Miltons Werken, 1861. Zeichnungen von ihm im Brit. Mus. (Binyon, Cat. of Drawings, II [1900]) u. im Mus. zu Nottingham (Illustr. zu Cowpers Poems; Catal. 1913 p. 61).

Redgrave, Dict. of Art. etc., 1878. — Dict. of Nat. Biogr., XXV. — Nagler, Monogr., III. — W. A. Chatto, Treatise on Wood Engrav., ² 1861. — Art Journal, 1866 p. 89 f. — Burlington Magazine, II (1903) 298 f., 306. — Cat. of Engr. Brit. Portr., Brit. Mus., II (1910) 647. — Univ. Catal. of Books on Art, South Kensington Mus., I (1870).

Harvie, J. S., Miniaturmaler, 1804—11 in Edinburgh tätig. Ein Miniaturporträt von 1804, Francis, 1st Marquis of Hastings darstellend, bezeichnet u. dat., befindet sich in der Scottish Nat. Portr. Gall. in Edinburgh (Catal. 1889, No 47). 1811 zeigte er ein Miniaturporträt des Earl of Buchan in der Londoner Royal Acad. (Graves, Royal Acad., IV).

Harvieu, Jehan, Bildhauer in Blois, führte 1457 im Auftrage der Herzogin von Orléans 2 steinerne Statuen der Hl. Adrian u. Sebastian für die Katharinenkap. neben Notre-Dame de Champbourdin aus.

De Laborde, Ducs de Bourgogne, III (1852). — Lami, Dict. des Sculpt., Moyen-âge, 1898.

Harwood, Bert, Maler, † 1922 in Taos (New Mexico). Bildete sich auf der Acad. of Design in Chicago u. in Paris aus. 1900—14 zeigte er im Pariser Salon der Soc. des Art. franç. Schilderungen des Volkslebens in der Bretagne.

Salonkatal. (1900, 01, 05 mit Abb.). — American Art News, XXI (1922/23) No 2 p. 6.

Harwood, Edith, engl. Malerin u. Zeichnerin, illustrierte vor allem Kinderbücher, wie „Old Engl. Singing Games" (herausgeg. von George Allen), Chaucers „The Flower and the Leaf" (Essex House Press), „The masque of the Edwards of England" (Essex House Press). Für die von Graily Hewitt geschriebene Pergamenthandschrift von G. Merediths „The Woods of Westermain" (1906) zeichnete sie die Miniaturen.

Vita d'Arte, II (1908) 215—28 (mit Abb.). — 3. deutsche Kstgew.-Ausst. Dresden 1906: Das alte Ksthandwerk, No 1788.

Harwood, Edward, irischer Genremaler, geb. in Clonnell 1814; Bruder des James und Robert. Schüler der Dublin Society's School; stellte 1844—8 in der Royal Hibernian Acad. aus, kam um 1851 nach London und be-

schickte bis 1872 von Rugby aus die Ausstell. der Royal Acad.

Lit. s. Harwood, Rob.

Harwood, Henry, Landschaftsmaler in Allerton bei Bradford, stellte 1892/93 in der Suffolk Street, 1894—1915 in der Royal Acad. in London aus.

Graves, Dict. of Art., 1895; ders., Royal Acad., IV (1906). — Cat. Exhib. Royal Acad., 1908, 12, 15.

Harwood, James, irischer Bildnismaler, geb. in Clonnell 1818; Bruder des Edward und Robert. Tätig in Italien (?), Clonnell (1836), London (1839) und Bath (1841—4). Später dauernd in London (gelegentlich in Irland, 1848—50 in Dublin). Stellte 1840—71 fast alljährlich in der Londoner Royal Acad. hauptsächlich Bildnisse aus. In den Dubliner Akad.-Ausstell. war er 1836—58 fast ausschließlich mit Historien (Jeremias in der Gefangenschaft, David und Nathan, Paolo und Francesca) vertreten. Die Dubliner Nat. Gal. besitzt von ihm 2 Bildnisse: Feldmarschall Viscount Gough; Samuel Lover (bez. u. 1856 dat.). Wird bei Graves [s. Lit.] irrtümlich als John H. bezeichnet.

Lit. s. Harwood, Rob.

Harwood, Mabel, s. u. *Chadburn*, G. H.

Harwood, Robert, irischer Landschafts-, Bildnis- und Genremaler, geb. in Clonnell 1830. Bruder des Edward und James Harwood. Tätig in Clonnell und London, wo er in der Royal Acad. 1855—76, meistens Waliser Landschaften ausstellte. In der Dubliner Nat. Gal. war er 1856 und 1858 mit 2 Arbeiten (Damenbildnis und „Junge Angler") vertreten. In der Gal. zu Sydney (Austr.) von ihm eine Landschaft (Kat. 1906).

W. G. Strickland, Dict. of Irish Artists, 1913 I. — Graves, Dict. of Art., 1895; Royal Acad., IV (1906); Brit. Inst., 1908.

Hary, Gyula, Maler u. Graphiker, geb. 20. 9. 1864 in Zala-Egerszeg (West-Ungarn), lebt in Budapest; studierte 1881/6 an der dort. Musterzeichenschule unter Greguss (János) u. K. Lotz und betätigte sich frühzeitig als Zeichner für Budapester illustr. Zeitschriften u. Prachtwerkdrucke, als Perspektivzeichner für Architekten u. als Entwurfzeichner für Kunstgewerbler. Nachdem er mit kunstgewerbl. Entwürfen mehrere Preise errungen hatte, verkaufte er 1891 seine erste Gebirgslandschaft an Kaiser Franz Josef, 1893 ein Aquarell „Donau-Frachtschiff" an den ungar. Staat u. 1901 sein Ölbild „Bauernhof" an das Budapester Kunstmuseum, das später von ihm noch die Ölbilder „Zaandam", „Rotterdam", „Panorama von Amsterdam" u. „Hafen von Venedig" hinzuerwarb, während viele seiner gezeichneten Straßenansichten aus Alt-Ofen in das Budapester Stadtmuseum gelangten. Schon 1901 in der Budapester Kunsthalle für sein Ölbild „Szene aus Tivoli" durch den Esterházy-Preis ausgezeichnet, errang er 1911 in der Graph. Ausst. des dort. Nationalsalons den Preis für Landschafts-zeichnung.

J. K e s z l e r in Művészet VIII (1909) 345 ff. (Abb. bis p. 361); cf. I (1902) 225 u. X (1911) 129—154 (passim.), 192. — Nemzeti Szalon Almanachja 1912 p. 171. — Révai Lexikon 1913 IX 560. — Mitteil. des Kstlers.   *J. Szentiványi.*

Harz, F r i e d r i c h, Architekt u. Zeichner in Mainz, von dem aus den Jahren 1876—79 zahlreiche Aufnahmen Mainzer Gebäude (Sepia oder Aquarell) auf der Ausst. „Darstell. der Stadt Mainz u. ihrer Denkmäler", 1879, sich befanden (vgl. Katalog).

Harzé, L é o p o l d, Bildhauer, geb. 29. 7. 1831 in Lüttich, † 20. 11. 1893 ebenda, trat 1845 in die Akad. zu Lüttich ein, ging dann an die Akad. zu Brüssel, wo er vor allem Schüler von Willem Geefs wurde. Die Not zwang ihn, sein Studium in Brüssel abzubrechen u. in die väterliche Waffenwerkstätte einzutreten. Daneben arbeitete er künstlerisch weiter u. begann jene kleinen, realistischen Gruppen u. Figuren aus Terrakotta zu schaffen, scharfbeobachtete Darstellungen von Szenen u. Typen aus dem Lütticher Volksleben, besonders humoristischer Art, die ihn allmählich in Lüttich u. bald auch darüber hinaus bekanntmachten. 1860 stellte er in Paris aus u. erhielt von der Acad. des Arts et Manufact. eine Med. 1. Klasse. 1864 ließ er sich in Brüssel nieder. Sein Darstellungsgebiet erweiterte sich nun; es entstanden Porträtbüsten u. -Medaillons, dekorative Reliefs, Darstell. von Gestalten aus der Literatur. 1868/69 war er in Italien. 1866, 69, 72, 75 stellte er im Brüsseler Salon aus, 1867 auf der Expos. univ. Paris, 1873 veranstaltete er eine Sonderausst. in Brüssel. Werke der Frühzeit im Musée des B.-Arts zu Lüttich, besonders charakteristisch: „Der Markt in Lüttich", 1858, mit über 200 Figuren auf einer Platte von 1,20 × 0,50 m. Im Palais des Académies in Brüssel ist von ihm die Büste des Geologen Omalius d'Halloy, an der Place Verte in Lüttich die Statue einer Wasserträgerin.

M a r c h a l, Sculpt. etc. Belges, 1895. — Bull. d. Commiss. roy. d'Art et d'Archéol., LII (1913) 85—120 (mit Abb.). — Cat. du Musée des B.-Arts de Liége, 1914 p. 62.

Harzen, E r n s t (Georg E.), Radierer (Dilettant) und Kunsthändler, geb. in Altona 1. 11. 1790, † in Hamburg 6. 2. 1863. Zuerst Kaufmann, machte Studienreisen durch Deutschland, Frankreich und Italien, ließ sich 1821 in Hamburg als Kunsthändler nieder. 1823 wurde J. M. Commeter sein Teilhaber. 1824 „Makler in Gemälden und Kunstsachen", leitete er nun nach Aufgabe seines an Commeter übergehenden Geschäfts die wichtigsten lokalen Auktionen. Gab 1847 seinen Beruf auf und ging nach Italien. — H. war einer der wichtigsten Anreger auf künstler. Gebiet in Hamburg u. gehörte mit Rumohr und M.

Speckter zu den Stiftern u. Förderern des Kunstvereins, aus dessen Kreisen die Anregung zur Gründung der Kunsthalle hervorging. Durch Veranstaltung von Ausstell. lebender Künstler gewann H. Fühlung mit der jungen Künstlerschaft. Er sammelte auch Bilder und Graphik alter Meister u. bildete sich zu einem vorzüglichen Kenner auf diesem Gebiet, wovon H.s kunstgesch. Artikel z. B. in „Naumanns Archiv f. d. zeichn. Kste", für Nagler (vgl. Monogr. IV) u. a. Zeugnis ablegen. — Es gibt von H. etwa 20 Bl. Landschaftsrad., die stark an holländ. Vorbilder erinnern; sie zeigen große technische Fähigkeiten, ohne über das Niveau allerdings sehr begabter Dilettantenarbeiten hinauszugehen. Die Kunsthalle bewahrt außerdem den schriftl. Nachlaß H.s und mehrere, z. T. lavierte Federzeichn. Seine bedeutende Kunstsammlung stiftete er der Kunsthalle, wo auch sein Bild, von H. Steinfurth gemalt, bewahrt wird.

N a g l e r, Kstlerlex., V. — Hamburg. Kstlerlex., 1854. — H e l l e r - A n d r e s e n, Handb. f. Kpferst.-Samml., I, 1870. — E. R u m p, Lex. der bild. Künstler Hamburgs, 1912. — L i c h t w a r k, Herm. Kauffmann, 1893, p. 31, 58. — A. L i n d n e r, Die großen Kunstmakler Harzen, Commeter, Lichtwark, in Kat. der Ausst. z. Feier des 100jähr. Bestehens d. Galerie Commeter, Hamburg 1821—1921. — Kat. der neueren Meister der Ksth. Hamburg, 1910, p. XI, XXXV (Lichtwark).   *Dirksen.*

Harzer, A u g u s t (Carl A. Friedrich), Maler, Zeichenlehrer und Lithograph in Dresden, † das. 18. 3. 1846, 62 jährig. Stellte 1822 ein Aquarellbild mit 12 Schmetterlingen in Dresden aus und veröffentlichte (1829 u. 1842 ff.) zwei belehrende Werke über Schmetterlinge und Pilze nach eigenen Entwürfen. Um 1842 zeichnete und lithographierte u. einige Ansichten sächs. Orte für Sachsens Kirchen-Galerie (Bd 7). Er war auch als Stickmusterzeichner tätig.

Dresdn. Adreßb. 1809—12, 1829—46. — Katal. akad. Kstausst. Dresden 1822 Nr 141. — Neuer Nekrol. d. Deutschen, XXIV 1045. *Ernst Sigismund.*

Harzer (Hartzer), L u d w i g (Carl L. August), Landschaftsmaler und Lithograph, † 1877 in Dresden, wo er seit 1839 als Zeichenlehrer wirkte. Wohl Sohn und Schüler des August. Malte Ansichten aus dem Plauenschen Grunde bei Dresden, aus Tharandt und Meißen in Wasserfarben, lithographierte auch (1844) das Diplom der „Gesellschaft für vaterländ. Naturgeschichte" in Dresden (Kunstschrift, Exemplar im Stadtmus. daselbst).

Dresdner Adreßb. 1839—77. — Katal. akad. Kstausst. Dresden 1845 Nr 460; 1863 Nr 251 f.; 1864 Nr 122—124; 1877 Nr 194. — N a g l e r, Kstlerlex., V (fälschlich „Harzen"). *Ernst Sigismund.*

Has, Ä g i d i u s, Kalligraph (u. Miniaturmaler?) in Passau, Priester, bezeichnet sich als Verfertiger eines in der Studienbibliothek zu Olmütz bewahrten Antiphonars des Klosters Bruck in der Kartusche eines Blattes mit der

Ausgießung des hl. Geistes und dem Wappen des Auftraggebers, des Abtes Paulus von Kloster Bruck: „Aegidius Has clericus Pataviensis Dioecesis scriptor hujus libri". Vermutlich stammen auch die sehr sorgfältig ausgeführten figuralen Darstell., die unverkennbar italien. Einfluß zeigen, von seiner Hand.

A u g. P r o k o p , Markgrafsch. Mähren in kstgesch. Beziehung, Wien 1904, II 646.

Has, C o n r a d , Glockengießer des 15. Jahrh. in Regensburg, goß für das Regensburger Gebiet viele Glocken, von denen aber nur die Glocke in Deising von 1476, in Mühlbach von 1486 (mit Maßwerkfries und Reliefs) u. 2 undatierte Glocken in Gundlfing u. Griesstetten erhalten sind.

K. W a l t e r , Glockenkunde, 1913. — Kstdenkm. Bayerns, II, Heft 1 (1905) 169; 4 (1906) 257; 13 (1908) 40, 69, 87, 164; 21 (1910) 89.

Has (Haas, Hase, Hass), G e o r g , Hoftischler u. Radierer in Wien, bekannt durch eine in Wien 1583 gedruckte Radierungsfolge: „Künstlicher und Zierlicher Newer . . . Funfftzig Perspectifischer stück . . . . gestelt und in Kupffer geetzt durch Georgen Hasen, Hoff Tischler und Burger inn Wienn"; enthaltend 48 Entwürfe zu Plafonds samt Titelblatt u. Bildnis des Künstlers, letzteres gestoch. von Nicolaus Andrea, der auch sonst als Stecher neben H. an diesem Werke beteiligt war. Von H. stammt die, 1571/72 gefertigte, zierliche Einlegearbeit mit Schnitzerei und Auflegearbeit verbindende, prunkvolle Saaldecke im Wiener Landhaus (Abbild. in Kunst u. Ksthandwerk, XI [1908] 443; vgl. p. 447).

A n d r e s e n - W e i g e l , Deutsche Peintre-Graveur, III (1866) 276 ff. — L ü b k e , Gesch. d. Renaiss. in Deutschland, Ausg. A l b r. H a u p t , 1914, I 144. — F r. R i t t e r in Mitteil. d. k. k. Österr. Mus., N. F. VI 69; d e r s ., Ill. Kat. d. Ornamentstichsamml. d. Österr. Mus. f. Kst u. Ind., Erwerbungen seit 1889, Wien 1919. *H. V.*

Has, J a c q u e s , Steinbildhauer, vermutlich fläm. Ursprungs, tätig in Amiens, fertigte 1464—81 für die Porte Saint-Michel eine Statue des Erzengels Michael, 1489—90 die Statue eines Heiligen. — J e a n I, vermutlich sein Bruder, Bildhauer, führte 1460 für die Abtei Cercamps (Artois) ein Lesepult aus u. arbeitete dann in Amiens, wo er 1465 das königliche Wappen am Giebel der Hallen, 1475 ein Relief des Jüngsten Gerichts für das Tor zum Friedhof Saint-Denis, 1486/87 das Wappen der Stadt an der Tour-du-Vidame fertigte. — J e a n II führte 1528 das Wappen von Frankreich an der Porte de Montre-Ecu aus, ein M a u r i c e 1544 an der Tour de la Haye das Wappen der Stadt u. des Königs.

L a m i , Dict. des Sculpt. etc. Moyen-âge, 1898.

Has (Haes, Hase), M a r t e n , Stück- und Glockengießer, 1577—1603 in Kassel. 1577 erwähnt Landgraf Wilhelm IV. von Hessen Geschütze, die ihm Martin Haes gegossen hat. Von 1592 ist eine Glocke in Elmshagen, von 1599

eine Glocke in Heimarshausen erhalten. Noch im 16. Jahrh. entstanden 2 Kammerstücke aus Eisenguß (bezeichnet Marten Has) im Landes-Museum Darmstadt. 1607 goß er eine weitere Glocke für Elmshagen. Jedenfalls identisch mit dem Büchsengießer M a r t i n H a s e , der 1602 und 1603 mehrere Geschütze für die Stadt Mühlhausen in Thüringen goß.

Hessenland, XXXI (1917) 33—37. — Zeitschr. f. hist. Waffenkunde, V p. 108. *Stöcklein.*

Has, siehe auch *Hass.*

Hasak, M a x , Architekt u. Architekturschriftsteller in Berlin-Grunewald, Dozent a. d. Techn. Hochsch. Charlottenburg, geb. am 15. 2. 1856 in Wansen bei Ohlau (Schlesien). Ausgebildet an der Berl. Bauakad. (1876/80), 1883 Regierungsbaumeister, machte er zu seinem Spezialgebiet die Aufgaben des Kirchen- und Bankbaus. Von ihm u. a. der Reichsbankgebäude in Aachen, Brandenburg, Braunschweig, Danzig, Elberfeld, Fulda, Hannover, Hildesheim, Karlsruhe, Köln, Leipzig, Mainz, München, Schweidnitz, Stralsund, Ulm, wobei er sich meist der vornehmen Monumentalformen der ital. Hochrenaiss. bediente. Auch der 1892—94 durchgeführte Erweiterungsbau der Reichsbank in Berlin am Hausvogteiplatz stammt von H. Von seinen Kirchenbauten sind die bekanntesten: St. Sebastian, St. Pius u. St. Bonifatius in Berlin, letztere mit seitlich angebauten Wohnhäusern in Ziegelbau mit 2 Fronttürmen und in gotischen Formen ausgeführt; ferner die kath. Stadtpfarrkirche zu Leobschütz (Umbau), der Erweiterungsbau der St. Mauritiuskirche zu Friedrichsberg bei Berlin, die Heiligekreuzkirche in Wilmersdorf und — als jüngstes Werk — die 1920 eingeweihte Corpus-Christi-Kirche in Berlin. Besondere Erwähnung verdient noch der mächtige Komplex des Krankenhauses für die Grauen Schwestern am Grunewald bei Berlin in den massiven Formen des märkischen Backsteinbaus. — Als Architekturhistoriker ist H. hervorgetreten mit einer glänzend illust. „Geschichte der deutschen Bildhauerkunst im XIII. Jahrh." (Berlin E. Wasmuth, o. J.) und den 2, zum Handbuch der Architektur (hrsg. von Jos. Durm) gehörenden Bänden: Die romanische u. die gotische Baukunst (Stuttgt 1902 u. 1903). Genannt seien auch seine Abhandlungen: „Die Kirchen Groß St. Martin u. St. Aposteln in Köln" (Die Baukunst, I. Serie, 11), „Haben Steinmetzen unsere mittelalterl. Dome gebaut?" (Berlin 1895) und „Zur Geschichte des Magdeburger Dombaues" (Berlin 1896).

J a n s a , Deutsche bild. Künstler in Wort u. Bild, 1912. — Dressler's Kunsthandbuch, 1921. — Berlin u. s. Bauten, 1896. — A d. K i e p e r t , Hannover in Wort u. Bild, p. 96 (Abb.). — Leipzig u. s. Bauten, 1892 p. 140 ff. — Danzig u. s. Bauten, 1908 p. 229. — Der Profanbau, 1908 p. 224 ff. — Archit. Rundschau, XX (1904) Taf. 32 f. (Reichsbank Danzig). — Blätter f. Archit. u. Ksthandw., VIII (1895) Taf. 85 f., 105 f.; 117 f.;

IX Taf. 48/50; XI Taf. 98 f.; XVII (1904) T. 77
(Kassensaal i. d. Reichsbank Berlin). — Zeitschr.
f. christl. Kst, VIII (1895) 319; X 89; XIII 281;
XIX 65 ff. (Bonifatiuskirche Berlin); XX 259 ff.
(Kirchen zu Leobschütz u. Friedrichsberg);
XXII 67 ff. (Krankenh. am Grunewald). — Berl.
Architekturwelt, XI (1909) 41 ff. (Bonifatiusk.);
XV (1913) 361 ff. (Heiligkreuzk. Wilmersdorf).
                                    H. Vollmer.

Hasan, gen. *Maestre Hazán,* maurischer
Architekt, Ende 15. Jahrh., der sich offenbar
mit den Formen der Gotik vertraut gemacht
hatte. Er entwarf und erbaute das (jetzt zerstörte) Hospital der Latina in Madrid auf Kosten
der Beatriz Galindo „la Latina", Hofdame u.
Lateinlehrerin Isabellas der Katholischen (1505
vollendet).

L l a g u n o y A m i r o l a, Not. de los arquitectos de España, 1829 I 142. — Q u a d r a d o -
d e l a F u e n t e, Castilla la Nueva, 1885 p. 86
u. Anm. 1. — D i e u l a f o y, Gesch. der Kst in
Span. u. Portug., 1913 p. 156.   *E. K—l.*

Hasan ben Abd es-Samad aus Samsun, türk.
Kalligraph im Naskh und Tsuluts, † 1486.
War Kadi in Konstantinopel und Lehrer des
Sultans Mehmed II.

H u a r t, Calligr. et miniat. de l'orient, 1908
p. 119.   *E. K—l.*

Hasan Baghdâdî, gewöhnlich *Maulâna H. B.,*
pers. Illuminator des 16. Jahrh., Leiter der
Malerschule am Hofe des Schah Tahmasp und
noch unter Abbâs I. tätig. Als sein Lehrer
wird Moh. Qamtana genannt. H. B. galt in
seiner Zeit als der hervorragendste Vertreter
der Goldverzierung und Arabeskenmalerei und
hatte viele Schüler, von denen Mîr Moh. Alî
von Tebris der bedeutendste war. Bezeichnete
Arbeiten von ihm sind nicht bekannt geworden.

H u a r t, Calligr. et miniat. de l'orient, 1908
p. 339. — S c h u l z, Die pers.-islam. Miniatur-
mal., 1914 I 176, 202. — M a r t i n, Miniat. paint.
of Persia etc., 1912 I 134.   *E. K—l.*

Hasan ibn Moqla, A b û A b d a l l a h H.,
arab. Kalligraph, geb. 892, † 949 in Bagdad.
Bruder des berühmten Moh. ibn Moqla, der den
Naskh-Duktus einführte und wie dieser Schüler
des Ustâd Ahwah. Er soll zuerst statt der aus
Ruß bereiteten die Gallapfeltinte verwendet
haben.

H u a r t, Calligr. et miniat. de l'orient, 1908
p. 76.   *E. K—l.*

Hasan Tschelebi, gen. *Karahissari,* eigentlich *Hasan ben Ahmed,* türk. Kalligraph, † ca
1593 in Konstantinopel. War ein freigelassener
tscherkessischer Sklave des Ahmed von Qara
Hissâr, nach dem er sich benannte. Er entwarf u. a. die Inschriften für die Moschee
Selim II. in Adrianopel und für die Suleimanieh
in Konstantinopel, angeblich auch für die Moschee Kilidj Ali Pascha in Tophane.

E d h e m P a s c h a u. M o n t a n i E f f.,
Die ottoman. Baukst, 1873 p. 35. — S a l a d i n,
Manuel d'art musulman, 1907 I 512. — H u a r t,
Calligr. et miniat. de l'orient, 1908 p. 127, 129. —
G u r l i t t, Die Baukst Konstantinopels, 1912 I
71, 85.   *E. K—l.*

Hasan Tschelebi, gen. *Ahdeb* („der Buck-

lige"), aus Böyük Qaramanda, türkischer Illuminator des 17. Jahrh. Er war Schüler des
Beyâzi Mustafa und als geschickter Arabesken-
maler ein begehrter Mitarbeiter berühmter
Kalligraphen wie Hâfiz Osmân (s. d.).

H u a r t, Calligr. et miniat. de l'orient, 1908
p. 145.   *E. K—l.*

Hasan Üsküdari („von Skutari"), türkischer
Kalligraph aus der Schule des Scheikh Ham-
dullah, † 1614. Von ihm u. a. Inschriften in
der Walideh-Moschee in Skutari und an der
Tür des Friedhofs von Eyûb.

H u a r t, Calligr. et miniat. de l'orient, 1908
p. 125, 132.   *E. K—l.*

Hasbrouck, D u B o i s F e n e l o n, Landschaftsmaler in Stamford (New York), geb.
1860 in Pine Hill, N. Y., stellte 1884 erstmalig
in der Nat. Acad. New York aus. Die Nationalgal. in Washington besitzt von ihm eine Herbstlandschaft.

American Art Annual, XII (1915) 391. — Cat.
Loan Collect. etc. Buffalo, 1907 p. 29.

Hasch, C a r l, Landschaftsmaler, geb. 8. 11.
1834 in Wien, † 4. 1. 1897 ebenda, gebildet
an der Wiener Akad., unternahm Studienreisen
in die österr. Alpenländer, an die Riviera, nach
Oberitalien, in die Schweiz und nach Belgien.
Ein umfangreiches Gemälde: Waldlandschaft
bei Veldes in Oberkrain (Wiener Weltausst.
1873), begründete seinen Ruf. H. ist ein
fleißiger Beobachter der österr. Alpenlandschaft,
der gleich A. Hansch und G. Seelos, J. Novo-
packy und L. Munsch vielfach an die Tradition
der noch biedermeierlich orientierten Steinfeld-
schule anknüpft. Er weiß den Stimmungs-
charakter abendlicher Wald- und Felsszenerien
mit wildaufschäumendem Talbach oder ruhigem
See nicht ohne Geschick zu treffen. Durch
übersorgfältige Korrekturen hat H. die Ursprünglichkeit seines künstlerischen Erlebens
meist abgeschwächt. In kleineren Skizzen und
Impressionen, die um 1870 und den folg. Jahren
noch vielfach an Calame und die Münchener
Stimmungsmaler anklingen, hat er sein Bestes
geleistet. Im Wiener naturhistor. Mus.: Calvarienberg in der Adelsberger Grotte; Smaragdgruben im Habachtale; Opalgruben bei Cser-
venitza; Gräberfeld bei Hallstadt; Höhlengebiet
im Tale des Lesse in Belgien. — Vollausge-
führte Skizzen zu den „Smaragdgruben" und
zum „Gräberfeld bei Hallstadt" in der Sammlung Dr. Loewe in Breslau. Ferner: Ein Engel
lehrt Vögel singen (Hist. Mus. der Stadt Wien);
Hallstädter Landschaft (Sammlg Frau Dir. Got-
tinger, Wien); Kohlbachfall (Sammlg Gomperz
in Brünn); Schweizer Gebirgslandschaft (ehemals Kunsthalle Hamburg).

v. B ö t t i c h e r, Malerwerke d. 19. Jahrh., I
1 (1891). — F r i m m e l, Lex. d. Wiener Ge-
mäldesammlgn 1913 ff., II 126. — Allg. Kunstchronik, VIII (1884) 293. — G u g l i a, Wien,
1908. — *Kat.:* Wiener Künstlerhaus, 1872, 1873,
1875/80, 1882, 1894, 1898 II; Glaspalast München,
1883, 1888/90; Akad.-Ausst. Berlin 1886 p. 34;

1890 p. 73 (Abb.); Versteigerung des Nachlasses, XCV. Kunst-Aukt. H. O. Miethke, Wien, Jan. 1898, mit zahlr. Abb. u. Biogr. *Leo Grünstein.*

Hase, C o n r a d W i l h e l m , Architekt, geb. 2. 10. 1818 zu Einbeck, † 28. 3. 1902 zu Hannover. Schüler des Polytechnikums in Hannover 1834/38, arbeitete darauf anderthalb Jahre als Maurergeselle. Ging Frühjahr 1840 auf die Wanderschaft, sah St. Elisabeth in Marburg, die Dome von Mainz, Speier u. Worms und die Frauenkirche in München, Eindrücke, die entscheidend für seine spätere Entwicklung wurden. Winter 1840/41 Schüler der Kunstakad. zu München, deren Besuch ihm indes nach eigenem Geständnis „die handwerksmäßige Art, mit welcher zu jener Zeit die neue Gärtner'sche Architektur-Richtung den Schülern eingeimpft wurde", bald verleidete. Dennoch muß er gewisse Anregungen durch Fr. v. Gärtner erfahren haben, durch den sein Interesse für die romanischen Bauformen gestärkt wurde. 1841/42 machte er einen Lehrkursus für Eisenbahnbau am Münchner Polytechnikum durch. 1842 erhielt er eine Anstellung bei der Eisenbahndirektion in Hannover, für die er die Bahnhöfe in Lehrte, Celle und Wunstorf baute, bei denen er die romanischen Formen im Sinne Gärtners anwandte. Gleichzeitig entstand als Bau von mehr selbständigem Gepräge eine kleine Grabkapelle in Wilkenburg bei Hannover. 1848 wurde ihm die Wiederherstellung der Zisterzienserabtei Loccum übertragen. 1849 wurde er Lehrer am Polytechnikum zu Hannover. In diesem fast ein halbes Jahrhundert hindurch von ihm verwalteten Lehramt für Baukunst und Architekturgeschichte entwickelte H. eine von fast beispiellosem Erfolg gekrönte Tätigkeit als zielbewußter Vorkämpfer der Wiederbelebung des mittelalterlich-gotischen Backsteinbaus. Eine ganze Generation von Architekten folgte als begeisterte Schülerschaft den von H. gewiesenen Bahnen und wurde der Hauptträger der retrospektiven Richtung der Baukunst der 2. Hälfte des 19. Jahrh. in Deutschland. Daneben ging H.s umfangreiche praktische Bautätigkeit, von der zahlreiche Kirchen und Profanbauten besonders der Provinz Hannover Zeugnis ablegen. Anfänglich noch in einer äußerlichen Verwendung der historischen Formen befangen, machte H. sich im Verlaufe seiner langen Baupraxis mit zunehmend tieferem Eindringen in den Geist des geschichtlich Gewordenen immer freier seinem historischen Ideal gegenüber. Ein halbjähriger Aufenthalt in Italien 1852 trug dazu wesentlich bei. In den 1850 er Jahren begann er die Herausgabe der „Mittelalterlichen Baudenkmäler Niedersachsens"; das intensive theoretische Studium der mittelalterl. Originale kam auch seiner praktischen Tätigkeit zustatten. Die äußerliche Nachahmung historischer Vorbilder, wie sie

selbst noch in seiner Christuskirche in Hannover durchblickt, wich immer entschiedener dem Streben, die Lösung in jedem Falle neu aus dem Wesen der Aufgabe herauszuentwickeln. Besonders glücklich war H. in dieser Beziehung in seinen Kirchenbauten, die ihm in großer Anzahl zufielen, nachdem er 1863 zum Konsistorialbaumeister von Hannover ernannt worden war. Gegen Ausgang der 1850 er Jahre wandte er sich von der Anwendung des romanischen Stiles, in dem er als sein Hauptwerk das alte Provinzialmus. (jetzt Künstlerhaus) in Hannover entworfen hat, der Anwendung des gotischen Stiles zu, in dem er die Entwicklung der Form aus dem Zweck, die „Wahrheit in der Baukunst", am reinsten verkörpert fand. Seine oft mit sehr bescheidenen Mitteln, meist in frühgotischen Formen in Ziegelbau ausgeführten Kirchenbauten weisen mit Vorliebe das für die protestantische Predigtkirche besonders zweckmäßige Grundriß-System der Saalkirche mit schmalen, gangartigen Seitenschiffen auf. Doch kommen auch mehrschiffige Anlagen, wie die stattliche 5 schiffige Kirche zu Tostedt, vor. Alle H.schen Kirchengrundrisse aber zeichnen sich durch verständnisvolles Eingehen auf die liturgischen Bedürfnisse des protestant. Gottesdienstes aus. Die bekanntesten seiner Kirchenbauten sind die Christuskirche in Hannover (1859/64), dreischiffige Hallenanlage mit Chorumgang und geschlossenem Kapellenkranz, die Apostelkirche ebenda (1883), Langenhagen (1867/70), Kalefeld (1870/72), Niedersachswerfen, Hagenburg, Lauenau, Markoldendorf und die von Spitta 1890/92 nach H.s Plänen ausgeführte Erlöserkirche zu Rummelsburg bei Berlin. Insgesamt hat H. weit über 100 Kirchenbauten ausgeführt, und es ist auf sein Beispiel zurückzuführen, daß die Gotik während der 1870 er u. 80 er Jahre der vorherrschende Kirchenstil in ganz Deutschland wurde. Zu den wenigen in Bruchstein- oder Quaderbau errichteten Kirchen H.s gehören die Martinskirche in Bernburg (1884/86), Rhüden bei Seesen (1885/6) und die von seinem Schüler Otzen ausgeführte Stiftskirche zu Ilfeld am Harz (1866/68). Sehr beachtenswert ist auch H.s namentlich mit seiner kirchlichen Bautätigkeit Hand in Hand gehende kunstgewerbl. Tätigkeit, die sich besonders auf das Entwerfen von Kanzeln, Altären, Gestühl und Kirchengeräten aller Art bezog, und durch die er den Sinn für materialgerechte Behandlung bei den ausführenden Handwerkern heranzuziehen suchte. Unter den Profanbauten H.s ist sein bekanntestes, aber nicht am meisten gelungenes Werk das mächtige neugotische Schloß Marienburg bei Nordstemmen (1857/64), das von Oppler nach den H.schen Plänen ausgeführt wurde. Das ehemal. Provinzialmus., jetzt Künstlerhaus, in Hannover zeigt noch die romanisierenden Münchnerischen Formen (1853/58). Zu seinen besten Profanbauten zählen das Postamt und das Andreas-Real-Gymnasium in Hildesheim, der Bahnhof in Oldenburg (1877/79), das Domgymnasium zu Verden (1872/3), die Hospitäler in Salzgitter und Einbeck, die Häuser an der Körnerstr. in Hannover, Landhäuser in Bückeburg u. Hudemühlen, schließlich sein eigenes 1859/60 erb. Wohnhaus in Hannover. Als Restaurator hat dieser „deutsche Viollet-le-Duc" sein Bedeutendstes geleistet in den Wiederherstellungen des Alten Rathauses zu Hannover (1878/82), der Michaelskirche und Godehardkirche zu Hildesheim (1848/63), der Nikolaikirche zu Lüneburg und des Münsters zu Hameln; sein besonderes Verdienst als Restaurator ist es, daß er zumeist die Zutaten späterer Stilepochen unangetastet ließ — in dieser Beziehung moderne Grundsätze vorwegnehmend. — Über die Neugotik H.s und der Hase-Schule ist von der Kritik der letzten Jahrzehnte häufig auf's schärfste und grundsätzlich abgeurteilt worden. Zugestanden, daß die schöpferische Originalität dieses wesentlich reproduktiv begabten Baukünstlers und seiner Schule sehr begrenzt war, so geben doch die durchgefühlte Formgebung, die die durch das Material des Backsteins bedingten Ausdrucksgrenzen mit feinem Takt berücksichtigt, und die liebevolle Durchbildung der Details allen Bauten H.s einen individuellen künstler. Charakter, der es durchaus verbietet, hier von lediglich imitativen Leistungen zu sprechen.

Wilh. Rothert, Allg. Hannov. Biographie, Bd I: Hannov. Männer u. Frauen seit 1866, Hann. 1912 p. 148/55 (mit autobiogr. Skizze). — Deutsche Bauzeitung, XXXVI (1902) 261 f. (Nekrolog); XLVIII (1914) 493 ff.; L (1916) 178 ff., 201 ff. (Einweihung eines Denkmals für H. am Künstlerhaus Hannover); LII (1918) 371 ff. — Centralblatt der Bauverwaltung, XXII (1902) 166 ff. (Nekrolog). — Der Baumeister, II (1904) 73/80 (Christian Rauch). — Denkmalpflege, IV (1902) 47 f. (Nekrolog). — Die christl. Kunst, VIII (1911/12) 187 ff. (H. Steffen). — Neudeutsche Bauzeitung, XI (1915) 89—91. — C. Gurlitt, Deutsche Kunst d. 19. Jahrh., 1899. — Kirchenbau des Protestantismus von der Reformation bis zur Gegenwart, Berlin 1893. — Ad. Kiepert, Hannover in Wort u. Bild, 1910 p. 85, 140 f. — Sammlung von Zeichn. ausgef. Kirchen usw., Hannover 1873/76. — Schönermark, Die Architektur der Hannov. Schule, Hann. 1889/95.   *H. Vollmer.*

Hase, Georg, siehe *Has,* Georg.

Hase (Haase), George; Architekt in Dresden, begr. als Amtsmaurermeister ebenda 11. 2. 1725. Stammte aus der Gegend von Annaberg (Erzgeb.), 17. 2. 1697 als „Maurer" in Dresden Bürger; 1719 Amtsmaurermeister gen. H. ist derjenige Dresdner Architekt, der neben J. G. Fehre den Barockstil im Wohnhausbau am reinsten zur Darstellung brachte. Charakteristische Zeugnisse dafür: sog. „Schiffsmühle" (Galeriestr. 14, um 1709) u. der Neubau des Köckeritzschen Hauses auf der Kreuzstraße v. J. 1709. Das „ehemals Fuchsische Haus",

Rampische Str. 7, das H. seit 1715 bewohnte, scheint nicht von ihm gebaut, sondern älter zu sein.

Akten des Dresdn. Ratsarchivs. — P. J. Marperger, Historie u. Leben der berühmtesten europ. Baumeister, 1711 p. 463 (u. 546). — Sächs. Curiositäten-Cabinet, 1731 p. 6; 1737 p. 217. — Hasche, Magazin d. sächs. Gesch., I (1784) 157. — G. Ebe, Der Deutsche Cicerone. Architektur, II (1898) 144. — Bau- u. Kstdenkm. Kgr. Sachsen, XXI—XXIII (1903), m. Abb. — W. Mackowsky, Erhaltenswerte bürgerl. Baudenkm. in Dresden, 1913 p. 15, 33, 41 (m. Abb.).
                          Ernst Sigismund.

Hase, Jacob de, Maler, geb. zu Antwerpen 1575, † zu Rom 3. 5. 1634, wurde 1588 als Lehrling des Gerard Schoofs in die Liggeren der Antwerpener Lukasgilde eingetragen. Als Meister ist er dort nicht verzeichnet, wohl weil er gleich nach Beendigung seiner Lehrzeit nach Italien ging. In Rom kommt er 1601 zum erstenmal vor; dort heiratet er 1602 Catarina Antonia Marchetti (Trauzeuge Paul Brill). 1603 hatte er drei Lehrlinge aus Antwerpen: Michele Gisberti, Antoni van Os und Jan Snellinck; um 1612—15 war Michelangelo Cerquozzi sein Schüler. — H. wurde 1604 Mitglied der Accad. di San Luca. H. wird ferner 1608, 1610, 1617 erwähnt; 1627 u. 1631 Vorsitzender der Bruderschaft von S. Maria in Campo Santo. Für S. Maria in Campo Santo hatte er 1629 eine „Himmelfahrt Mariä" und ein zweites Bild, vermutlich eine Empfängnis Mariä gemalt (beide verschollen). In dieser Kirche, der er eine Summe von 1000 Scudi vermachte, wurde er auch auf seinen Wunsch bestattet (Testament im Archiv der Kirche erhalten). Sein Grab ziert ein weinender Engel von Frans Duquesnoy. H. scheint in Rom großes Ansehen genossen zu haben. Bilder seiner Hand sind bisher nicht nachgewiesen. Gemäß der Überlieferung hätte er außer Heiligenbildern auch Schlachten gemalt.

Rombouts-Lerius, Liggeren, I p. 328. — L. Pascoli, Vite de' pittori, 1730, I 32. — F. Titi, Studio di pittura, 1675 p. 16; ders., Descriz. delle pitt. . . . di Roma, 1763 p. 25. — Kramm, De Levens en Werken, III (1859). — Forcella, Iscriz. delle chiese etc. di Roma (1869—79) III p. 398. — A. v. Wurzbach, Niederl. Künstlerlex., I (1906). — G. J. Hoogewerff, Nederl. Schilders in Italië in de XVI. eeuw, 1912.   *Z. v. M.*

Hase, Martin, siehe *Has,* Martin.

Hase, Maximilian de, s. *Haese,* Max. de.

Haselbägk, Franz, s. *Haslbägck,* Franz.

Haselberg, Ernst von, Architekt, geb. ca 1829 in Stralsund, † 1905 ebenda, Stadtbaumeister in Stralsund. Von ihm Bauten in Stralsund u. Kirchen in der Umgebung. Leiter der Inventarisation der Baudenkmäler des Regierungsbez. Stralsund.

Prüfer, Archiv f. kirchl. Baukunst, I (1876) 3, 82. — Kstchronik, N. F. XVII (1906) 23.

Haselberger, Johann Baptist, Glasmaler, geb. 22. 5. 1840 in Kanstein (Mittelfranken), † 13. 1. 1900 in Leipzig, Lehrer für Glasmal. an der Kunstgewerbeschule ebenda. Von ihm Fenster auf der Marienburg (Ostpreußen), im Schloß zu Dresden, im Reichsgericht u. der Kunstakad. zu Leipzig, ferner die Ergänzungen zu den Dürerfenstern des Landauerklosters in Nürnberg (Berlin, Kstgew.-Mus.) u. zu den großen Fenstern im Dom zu Meißen.

S i n g e r, Kstlerlex., Nachtr., 1906. — Festschrift der Kunstakad. u. Kstgewerbesch. Leipzig, 1890 p. 43, 44. — H. S c h m i t z, Glasgem. des Kstgewerbemus. Berlin, I (1913) 143. — Kst für Alle, VI (1891).

Haseleer, F r a n s, Historienmaler, geb. 10. 8. 1804 in Brüssel, Schüler der Akad. ebenda u. F. J. Navez'. Zwischen 1828—69 auf Ausstell. in Brüssel, Gent, Amsterdam mehrmals vertreten. Das Stedelijk Mus. Amsterdam besitzt von ihm: Ratssaal des Stadthauses zu Brügge (Catal. van Schilderijen etc., 1903 p. 20); die Gemäldesamml. der Stadt Mainz: Gesellschaftsbild (Verz. 1911 No 16); die Großherz. Gem.-Samml. Baden-Baden: Lieblinge (Verz. 1905 No 34). Im Pavillon Welgelegen Haarlem befand sich eine Orgelspielerin u. Esther vor Ahasver (Cat. 1848 p. 9). — Er war der Sohn des Dekorations-, Ornament- u. Landschaftsmalers J o s e p h H. in Brüssel, der 1833 eine Ansicht aus der Umgebung von Brüssel, 1836 die Ansicht einer einstürzenden Brücke ausstellte.

I m m e r z e e l, Levens en Werken, II (1843). — A. v. W u r z b a c h, Niederländ. Kstlerlex., I (1906). — S c h o r n s Kstblatt, 1831.

Haseler, H., Landschaftsmaler in London, stellte 1814—17 in der Royal Acad. u. der Old Water-Colour Soc. aus. 1825 erschien von ihm in Sidmouth: A Series of Views of Sidmouth and its Neighbourhood.

G r a v e s, Royal Acad., IV (1906); d e r s., Dict. of Artists, 1895.

Haselmeyer, J o h a n n C h r i s t o p h, Wachsbossierer aus Tübingen; Schüler des P. F. Lejeune; 1760, 62, 66 als Bossierer an der Ludwigsburger Porzellanfabrik genannt, später als Wachsmodelleur in Tübingen tätig. Seine in Wachs ausgeführten Miniaturporträts sollen nach Lemberger sehr geschickt koloriert sein. Nach J. B. Curiger d. Ä. modellierte er 1804 anatomische Reliefdarstell. des menschlichen Körpers. Von ihm soll das Porträt des Frankfurters Dr. Joh. Senkenberg, um 1770, sein (ehemals in der Samml. Adolf Heß, Frankfurt a. M.; Verst.-Katal. Helbing München, 1912 No 50; mit Abb.).

F ü ß l i, Kstlerlex., 2. Teil, 1806 ff. — M e u s e l, Archiv f. Kstler, II/1 p. 49, 51. — W i n t e r l i n, Württemberg. Kstler, 1895. — W a n n e r - B r a n d t, Album der Manufaktur Alt-Ludwigsburg, 1906 p. 7. — L e m b e r g e r, Bildnisminiatur in Deutschland, 1909.

Haseloff, J a n, Kunststicker, von dem eine bez. u. 1651 dat. Seidenstickerei, den Triumph Davids darstellend, in Privatbesitz in Brüssel sich befand.

P i n c h a r t, Archives des Arts, III (1881).

Haseltine, H e n r y J a m e s, Bildhauer, geb. in Philadelphia, machte den amerik. Bürgerkrieg mit, ging dann zu seiner Ausbildung nach Italien u. ließ sich 1867 in Rom nieder, von wo er 1876 die Jahrh.-Ausst. in Philadelphia beschickte. Ein Werk von ihm war 1914 im Delgado-Mus. zu New Orleans als Leihgabe aus Privatbes. ausgestellt (Cat. 1914 No 266).

C l e m e n t and H u t t o n, Art. of the 19th Cent., ⁶ 1893. — T a f t, Hist. of Amer. Sculpt., 1903.

Haseltine, H e r b e r t, amerik. Bildhauer in Paris, zeigte vor allem Pferdeplastiken im Salon der Soc. des Art. franç. (1906—14), in der Royal Acad. London (1907, 08, 13, 21) und in den internat. Ausst. in Venedig 1909 und Rom 1913. Seine Bronzegruppe „Les revenants", einen Zug von Militärpferden darstellend, die von Gasvergiftung betroffen, von der Kampffront zurückgeführt werden, erwarb 1921 das Luxembourg-Mus. in Paris.

Amer. Art News, XX (1922) No 15 p. 9. — Revue de l'Art anc. et mod., XLI (1922) 172 (m. Abb.). — L'Arte, 1909 p. 237, 393. — Ausst.-Katal.

Haseltine, W i l l i a m S t a n l e y, Landschaftsmaler, geb. 11. 1. 1835 in Philadelphia, † 3. 2. 1900 in Rom, bildete sich zuerst unter P. Weber in Philadelphia, dann in Düsseldorf, Venedig u. Rom aus, wo er seit 1857 sich meist aufhielt. Seine Werke, landschaftl. Motive aus Italien u. der Normandie, zeigte er gelegentlich in der Ausst. d. Nat. Acad. New York u. auf der Jahrhundertausst. in Philadelphia 1876.

C h a m p l i n u. P e r k i n s, Cycl. of Painters and Paintings, 1888. — C l e m e n t and H u t t o n, Art. of the 19th Cent., ⁶ 1893. — Amer. Art Annual, 1900 p. 58. — Mitt. F. Noack.

Hasemann, A r m i n i u s, Bildhauer u. Graphiker in Berlin, geb. ebenda 6. 9. 1888, besuchte zunächst die Unterrichtsanstalt des dort. Kunstgewerbemus., dann die Bildhauerklasse der Akad. zu Karlsruhe. 1912 stellte er 2 Marmorköpfe („Condottiere" u. „Narr") in der Berliner Sezession aus. Darauf abenteuerliche Wanderfahrten nach Italien, Nordafrika u. Spanien. Beginn der Beschäftigung mit dem Holzschnitt, deren erste bedeutende Frucht das Werk „Himmel und Hölle auf der Landstraße" (41 Orig.-Holzschn. mit Text. B. Behr's Verlag [Friedr. Feddersen]) ist, in welchem H. von seinen phantastischen Kunstzigeunerwanderungen mit Cassian und Tönchen in Wort u. Bild erzählt; ein eminent ausdrucksvoller, mit höchst prägnanten Mitteln arbeitender, echt holzschnittmäßiger Stil vereinigt sich in den Text- u. Tafel-Schnitten dieser Folge mit quellender Phantasie der Erfindung und der scharfen Beobachtung eines genialen Bohémientums zu z. T. ganz rein abgeklärten künstler. Wirkungen. Während des Weltkrieges kam H. an die verschiedensten Fronten. Seitdem beschäftigt ihn hauptsächlich die Graphik, doch schafft er daneben auch figürliche Plastik für Parkschmuck u. Porträtbüsten. Von seinen späteren Holzschnitt-Folgen seien genannt: „Der Zirkus", „Don Quijote" und „Eros Thanatos. Ein Totentanz" (sämtlich B. Behr's Verlag [Feddersen] Berlin).

Zeitschr. d. deutsch. Vereins f. Buchwesen u. Schrifttum, II (1919) 131/39 (K. A. Meissinger). — Cicerone, XIV (1922) 519 ff. — Die Kunstwelt, I 2. Band (1912) 594 (Abb. der Büste „Narr"). — Mitteil. des Künstlers. *H. V.*

Hasemann, W i l h e l m Gustav Friedr., Maler, geb. 16. 9. 1850 in Mühlberg a. d. Elbe, † 28. 11. 1913 zu Gutach i. Schwarzwald, ging 1868 auf die Berliner Akad., 1873 nach Weimar, wo er unter Gussow studierte, 1878 auf Anregung Menzels nach München. Hier erhielt er, der in Weimar schon Thüringer Volksbilder gemalt hatte, den Auftrag, Auerbachs „Lorle, die Frau Professorin" zu illustrieren. Um hierfür Studien zu machen, ging er 1880 nach Gutach i. Schwarzwald, das abwechselnd mit Karlsruhe sein Daueraufenthalt wurde. In Karlsruhe erhielt er Anregung von Schönleber u. K. Hoff, in Gutach begründete er eine Malerkolonie, der u. a. Voellmy, Grässel, V. Puhonny u. Des Coudres angehörten. Schwarzwälder Land und Leute haben in H. nächst Knaus und Vautier ihren besten Schilderer gefunden. Seine helldurchleuchteten Innenräume mit Genregruppen und seine leicht idealisierten bäuerlichen Charakterköpfe waren auch im Ausland, besonders Amerika, sehr beliebt und durch zahlreiche Reproduktionen verbreitet. Weiten Kreisen wurde er auch bekannt durch seine Buch - Illustrationen, z. B. für Storms „Immensee" (1887 mit den Landschaften von Kanoldt), Jensens „Schwarzwald" (1892), Hansjakobs „Vogt auf dem Mühlstein" (1893), „Bilder aus dem Schwarzwald" m. Text von Ludw. Pietsch, 1898. Seit den 70 er Jahren waren H.s Bilder auf den Ausstell. in Berlin u. im Münchener Glaspalast. Die Kunsthalle zu Karlsruhe besitzt „Vor der Wallfahrtskirche" und „Schwarzwälder Spinnstube" (Katal. 1910), die Gemäldeslg in Donaueschingen (Kat. 1921) „Zwei Mädchen in Schappacher Tracht" und „Landschaft bei Gutach" (1901); andere Bilder in der Gal. des Weimar. Kstvereins und in der Ehrengal. zu Weimar sowie im Mus. zu Cincinnati (Leihgabe, Katal. 1913).

v. B o e t t i c h e r, Malerwerke d. 19. Jahrh., I 1 (1891). — J a n s a, Dtsche bild. Kstler in Wort u. Bild, 1912. — B e r i n g e r, Bad. Malerei i. 19. Jahrh., 1913; d e r s. in Bettelheims Biogr. Jahrb., XVIII (1913). — K u t s c h m a n n, Gesch. d. dtsch. Illustration, 1899. — Über Land u. Meer, 1906 Nr 42 m. Abb. — Daheim, 1913 Nr 11 m. Abbn. — Zeitschr. f. bild. Kst, XIX (1884) 161 Abb.; XXIII (1888) 64. — Kstchronik, XIII (1878) 180; N. F. XXV (1914) 181. — Kst für Alle, VII (1892); XIII (1898). — Mein Heimatland, I (1914) 29—31.

Hasenauer, K a r l Freiherr v o n, Architekt, geb. in Wien 20. 7. 1833, † ebenda 4. 1. 1894, Schüler der Wiener Akad. unter van der Nüll und von Siccardsburg (1850—55), erhielt 1854 den großen Akad.-Preis für Architektur. Anschließend Studienreisen durch Deutschland, Italien, Frankreich, Belgien, England und Schottland. 1861 errang er im internat. Wettbewerb für das neue Wiener Hof-Opernhaus den 3. Preis, 1865 in dem internat. Wettbewerb für die Florentiner Domfassade den 2. Preis. 1867 lenkte er zuerst durch seine Bauten für die Pariser Weltausstellung die allgemeine Aufmerksamkeit auf sich, als er statt der bis dahin üblich gewesen nüchternen Zweckbauten einen freilich unechten, aber höchst pompösen Palaststil anwandte. Seine nachträgliche Zulassung (1867) zu dem Wettbewerb um die Hofmuseumsbauten, der anfänglich auf Th. Hansen, Ferstel und Löhr beschränkt war, erregte in gewissen Kreisen die heftigste Opposition, die H.s schließlicher Sieg noch steigerte. Man warf seinem Projekt eine „korrupte Kunstrichtung" vor und sprach von einem „Verfall der Baukunst". Aus einem neuen Wettbewerb zwischen H. und Löhr ging H. siegreich hervor; sein Entwurf bestach vor allem durch die Idee, die Museen mittels triumphbogenartiger Überbrückungen der Ringstraße mit der Hofburg in Verbindung zu setzen und damit ein monumentales Forum zu schaffen. Aber eine erbittert gegen H. einsetzende Agitation verhinderte es auch jetzt, zu einer endgültigen Wahl zu gelangen, bis der Kaiser auf Anregung Hansens die Entscheidung Gottfried Semper übertrug. Semper entschied sich für den Entwurf H.s, der freilich, was die Gestaltung der Außenarchitektur anlangt, nur als Grundlage für einen von H. und Semper gemeinsam ausgearbeiteten neuen Gesamtplan diente, der die Erweiterung der Hofburg, ein Hofschauspielhaus und die mittels Triumphbögen mit der Burg zu verbindenden Hofmuseen vorsah. Für die Gestaltung des gesamten Grundrisses blieben H.s Entwürfe maßgebend. 1871 wurde Semper zur Unterstützung H.s bei Ausführung dieses großartigen Projektes nach Wien berufen. 1872—81 wurden die Museen — zuerst von beiden Künstlern gemeinsam, nach Sempers Fortgang von Wien 1876 von H. allein — errichtet, die H. als zwei gesonderte, aber in der Außenarchitektur völlig identische Bauten gestaltete, „um den schönen unbebauten Raum als freien Platz zu erhalten". Durch die Verlegung der beiden, die Treppenhäuser enthaltenden Kuppelbauten an die Hauptfronten der zwei Gebäude nach dem zwischenliegenden offenen Maria-Theresia-Platz hin, wo sich die Haupteingänge befinden, wurde eine ideelle Bindung der beiden Zwillingsbauten erreicht. Der Stil ist üppigste römische Hochrenaissance, das Detail vielfach, wie häufig bei H., etwas klein-

lich. Das Prunkstück, die beiden Treppenhäuser, höchst imponierend schon durch die
gewaltigen Raumverhältnisse, zugleich „ein voller
Ausdruck des farbenfrohen Neu-Wien" (Hevesi).
Das Äußere der achteckigen Kuppelformen entschieden durch Brunelleschis Florentiner Dom-
kuppel bestimmt. 1871 war H. auch durch
den Auftrag ausgezeichnet worden, die Pläne
für die Bauten der Wiener Weltausstell. 1873
zu entwerfen, und als Chefarchitekt die Ausführung derselben zu leiten. Die für Wien
damals ganz neue Anwendung der römischen
Barockformen sollte von epochaler Bedeutung
für den Ausstellungsbau werden. Die 1881
begonnene, im Innenbau erst lange nach H.s
Tode vollendete Neue Hofburg und das 1880—88
errichtete Hofburgtheater hat H. auf Grund der
mit Semper zusammen ausgearbeiteten Pläne
nach Sempers Fortgang von Wien (1876)
allein ausgeführt. Die Verteilung der Urheberschaft am Burgtheater ist so vorzunehmen,
daß auf Semper die für den Schöpfer der
Dresdner Hofoper typische Grundrißlösung
(halbrunder Vorbau mit langen, die Treppenhäuser beherbergenden Querflügeln beiderseits)
kommt, auf H. besonders die Detaillierung der
Außenarchitektur, die reiche Innenausstattung,
der bühnentechnische Teil und nicht zuletzt
die Anpassung der Architektur an die Platz-
verhältnisse gegenüber dem Rathause, nachdem
der ursprüngliche Plan, das Theater mit dem
(niemals zur Ausführung gekommenen) linken
Flügel der Neuen Hofburg in Verbindung zu
bringen, fallen gelassen worden war. Die
Unzulänglichkeiten der „Lyraform" des Zuschauerraumes und die Mängel der Akustik
wurden 1898 unter bedeutendem Kostenauf-
wand einigermaßen beseitigt. Die großartige
Wirkung der Außenarchitektur und die höchst
effektvolle Raumwirkung der beiden mächtigen
Stiegenhäuser, der Festlogentreppe und des
auf Elfenbeinweiß, Gold und Rot gestimmten
Zuschauerraumes kommen in der Hauptsache
auf das Verdienst H.s. Von dem großartigen
Projekt der Neuen Hofburg ist nur der die
SO-Seite des Heldenplatzes einnehmende Flügel
zur Ausführung gelangt, im Innern erst 1907
vollendet, ein glanzvoller, ganz auf repräsen-
tative Prachtentfaltung gestellter Bau mit
überreichem Prunk der Stiegenhäuser und
dröhnender Formen- und Farbenpracht der
Festsäle. Wie auf den Gegenflügel, so hat
man auch auf den Mittelbau, der dem alten
Leopoldinischen Trakt vorgelagert werden
sollte, sowie auf die ursprünglich geplanten,
die Ringstraße überbrückenden Triumphbögen
von den Burgflügeln zu den Museen hin, die
eine Niederlegung des äußeren Burgtores notwendig gemacht hätten, verzichtet. Schließlich sind nach H.s Plänen das Palais Lützow
in der Giselastr. und das kleine, ehem. kaiserl.
Jagdschloß im Lainzer Tiergarten erbaut. Auch

der architekt. Teil des Maria-Theresia-Denkmals
und der des Tegetthof-Denkmals stammt von H.
— Die prachtvolle Sinnlichkeit seines Deko-
rationsstiles und die sprudelnde Phantasie seiner
architekton. Empfindung machten H. zum glän-
zendsten Repräsentanten des Neu-Wien der
Siebzigerjahre, zum „Makart der Baukunst".
Doch darf man mit Recht die Symptome eines
gewissen Verfalles darin erkennen, daß ihm
der äußere Effekt, der sich in seinen Innendekorationen zu geradezu berauschenden Wirkungen steigert, so sehr an oberster Stelle
stand, daß er ihm unbedenklich selbst die Rück-
sichten auf die praktischen Bedürfnisse gelegentlich zum Opfer brachte.

Allg. Deutsche Biogr., L 47. — E i s e n b e r g,
Das geistige Wien, I (1893). — Chronik d. K.Akad.
d. Künste zu Berlin, 1894 p. 79 ff. (Nekrol.). —
H e v e s i, Österr. Kst im 19. Jahrh., Leipzg 1903.
— A. S t r e i t, Das Theater, Wien 1903 p. 148 f.,
156 ff. — Archit. Rundschau, II (1886) Taf. 25;
III Taf. 57, 82 f.; IV Taf. 27 f., 83 f.; V Taf.
20 f., 50 f. — Mitt. d. k. k. Österr. Mus. f. Kst
u. Ind., N. F. V (1894) 18. — Zeitschr. f. bild.
Kst, I 73, 77, 272; IV 247; V 345; VI 12; VIII
282, 374 ff.; XIV 370; XXIV 25 ff.; N. F. III
97 ff. — Kstchronik, II 118 f., 126 ff., 165; IX 274,
359, 694; XIV 75, 170; XX 285; XXII 49; N. F.
V 189. — L ü t z o w, Kst u. Kstgew. auf d. Wiener
Weltausst. 1873, Lpzg 1875. — H a n s T i e t z e,
Wien (Ber. Kststätten Bd 67), Lpzg 1918. —
G u g l i a, Wien (Führer), 1908. — M. P a u l,
Techn. Führer durch Wien, 1910. H. Vollmer.

Hasenclever, J o h a n n P e t e r, Maler,
geb. 18. 5. 1810 in Remscheid bei Solingen,
† 16. 12. 1853 in Düsseldorf. Bildete sich seit
1827 zunächst im Architekturfach an der Bau-
klasse der Düssel. Akad., ging dann zum
Studium der Malerei in den Meisteratelier W. Schadows über. Da H. aber mit seinen mytholog.
und illustrativen Kompositionen die Unzu-
friedenheit Schadows, mit einem Bildchen
„Blinder Geiger mit seinem Buben" sogar den
Unwillen des Meisters erregte, ging er nach
Remscheid zurück, wo er sich eine Zeitlang
mit Porträtmalen beschäftigte, um dann doch
wieder nach Düsseldorf zurückzukehren. 1833
stellte er hier ein kleines Bild: Die Betschwester,
aus, das vom Rhein. Kunstverein angekauft
wurde. Die Behandlung humoristischer Motive
erkannte H. bald als sein eigentliches Feld,
worin ihn nun auch Schadow selbst bestärkte.
Seit 1832 erschien er auf den Berl. Akad.-
Ausst. mit pointierten Charakterstudien wie
Die Politiker, Der Nieser (Berl. Jahrh.-Ausst.
1906, Abb. im Katal. d. Gem.), Dudelsackpfeifer
(Kommerzienrat Stoddart, Zoppot), Milchmädchen, mit denen er denselben Beifall fand
wie sein das gleiche Rollenfach pflegender
älterer Gesinnungsgenosse Adolph Schrödter.
Seinen ersten großen Erfolg aber erntete H.
erst mit der Anlehnung an ein Dichtwerk, und
zwar Kortums Jobsiade, dessen kräftiger Humor
eine verwandte Saite in ihm anschlug, und das
ihn lange Jahre hindurch begleitet hat, ähnlich

wie der Don Quichote Schrödter. 1838 stellte er in Berlin die erste Illustration aus der Jobsiade aus: Jobs als Student heimkehrend (gestoch. von H.s Schwager Th. Janssen). In diesem Jahre ging H., um sich koloristisch weiter auszubilden, nach München, von dort 1840 mit dem Früchtemaler J. W. Preyer nach Oberitalien. 1842 kehrte er nach Düsseldorf zurück, wo er seitdem ansässig blieb. In München entstanden 1840 die 2 Redaktionen des Themas: Jobs im Examen (München N. Pinak. u. Gal. Ravené, Berlin), die neben ihrer scharfen physiognomischen Charakterisierung bereits eine feine Interieurstimmung zeigen. 1844 stellte er in der Berl. Akad., zu deren Mitglied er 1843 gewählt wurde, die „Weinprobe im Keller" aus (Berlin, Nat. Gal.), die ohne allzu aufdringliche Pointierung des physiognomischen Ausdrucks sich durch echten Humor und effektvolle Binnenraumbelichtung auszeichnet. Dasselbe Jahr 1843 sah sein zweites Hauptwerk, das „Lese-Kabinett" entstehen (ebenfalls Nat.-Gal.), auf dem die Reflexe des künstlichen Lampenlichtes, das über Tisch und die liebenswürdig charakterisierten Kleinbürgertypen hinweg sich in dem Raume verliert, meisterlich beobachtet wiedergegeben sind. Themen dieser Art (Die schmollenden Kartenspieler, Die 4 Temperamente beim Wein [Städt. Gemäldesammlg Düsseldorf, 1853], Teegesellschaft, Schachspieler usw.) haben ihn bis zuletzt beschäftigt; doch scheinen seine künstler. Kräfte gegen Ende der 1840er Jahre nachgelassen zu haben, wie besonders das erwähnte Düsseldorfer Bild verrät, das in jeder Beziehung weit zurücksteht hinter der älteren „Weinprobe". Seine späteren Darstellungen aus der Jobsiade (Jobs als Schulmeister, als Nachtwächter) findet man in der Ravené-Gal. in Berlin, die die beste Gelegenheit gibt, H. kennenzulernen. Als ausgezeichneter Porträtist erweist sich H. in den Bildnissen der Maler J. W. Preyer (1846) u. Karl Hilgers (1850; beide Ravené-Gal.), des Dichters Freiligrath (1851; Bildnissamml. d. Berl. Nat.-Gal.), Ludwig Oxé (1852; Privatbes. Krefeld; Berl. Jahrh.-Ausst. 1906) und in dem bekannten Selbstbildnis vor der Staffelei mit dem erhobenen Römer in der Rechten (1851; Gal. Ravené; gestoch. von Th. Janssen). Seine beiden Hauptwerke, die Weinprobe und das Lesekabinett, haben durch die Lithogr. F. Jentzen's große Popularität gewonnen. Außer in den erwähnten Museen ist H. auch vertreten in den öffentl. Sammlgn in Elberfeld („Kinderreigen"), Münster i. W. („Arbeiter u. Magistrat" [Skizze]), Riga („Gestörte Nachtruhe", 1849) und Amsterdam, Stedelijk Mus. („Dorfschule"). Eine Reihe von Tuschzeichn. und Aquarellen im Zeichn.-Kab. der Berl. Nat.-Gal. u. i. d. Maillinger-Samml. in München (Städt. Mus.).

F. v. Boetticher, Malerwerke d. 19. Jahrh., I 1 (1891) u. Nachtr. zu Bd. I. — Allg. Deutsche Biogr., X (Blanckarts). — Fr. Faber, Convers.-Lex. f. bild. Kst, VI (1853) 483/88. — Ad. Rosenberg, Gesch. d. mod. Kst, ²1894, II 435 f. — A. Hagen, Deutsche Kst in uns. Jahrh., 1857, I 315, 355. — Reber, Gesch. d. neueren deutsch. Kst, Stuttgt 1876. — Schaarschmidt, Zur Gesch. d. Düsseld. Kst, 1902. — W. Cohen, Mal. u. Skulptur d. Rheinprov. im 19. Jahrh., S. A. aus „Die Rheinprovinz 1815 bis 1915", Köln 1917 p. 421 f., 423. — L. Pietsch in Daheim, No 32 vom 7. 5. 1910. — E. A. Seemann's „Meister der Farbe", XIII (1916) Heft III No 879 („Schmollendes Ehepaar"). — Kat. d. Berl. Akad.-Ausst., 1852 p. 18; 1834 p. 22; 1836 p. 24; 1838 p. 110; 1842 p. 22, 147; 1844 p. 30; 1846 p. 23; 1848 p. 25 f.; 1854 (Nekrol.). — Ausst. deutscher Kst 1775—1875, Berlin 1906, Ill. Katal. d. Gem. (München 1906), I u. II. — Kat. d. Ausst. „Ältere Malerei u. Zeichn. aus Danziger Besitz", Danzig 1919 No 68 (m. Abb.). — Kat. d. Ausst. „Deutsche Mal. im 19. Jahrh.", Gal. Ernst Arnold Dresden, 27. 9.—10. 11. 1918 No 91; vgl. Rheinlande, XIX (1919) 8 (m. Abb. p. 1), Bildnis eines jungen Mädchens, aus Düsseld. Privatbes. — Kat. d. Ausst. „Düsseld. Bildnismal. d. Vergangenheit", Düsseld. 1—31. 1. 1922. — H. A. Müller, Museen u. Kstwerke Deutschlands, Lpzg 1857, I u. II. — Katal. d. angef. Museen. *H. Vollmer.*

Haseney, P., Kupferstecher der Firma Seitz in München, der die ersten bayr. Briefmarken (mit der Zahl als Markenbild) entworfen hat (1. 11. 1849 als 1. deutsche Marke erschienen), die von deutschen Staaten u. Schweizer Kantonen, auch von der Thurn- u. Taxisschen Post vielfach nachgeahmt wurden.

Bayerland, XXVII (1916) 357.

Hasenfratz, Amilcar, Pseudonym des Bildhauers Fr. A. Bartholdi (s. d.), unter dem er 1857—64 im Pariser Salon gemalte Ansichten aus Ägypten ausstellte.

Bellier-Auvray, Dict. gén., I (1882).

Hasenohr, Hermann (Karl H.), Bildhauer in Dresden, geb. 7. 1. 1855 in Zwickau (Sa.). Schüler der Akad. in Dresden. Inhaber einer Bildhauer- u. Stukkateurfirma. Entwarf 1889 für den Festzug zum Wettinjubiläum den Schmuckwagen der Konditoren-Kreisinnung zu Dresden und lieferte 1900 Modelle und Bildhauerarbeiten für die neuerbaute Jakobikirche das., wie schon vorher (1887) für die Martin Luther- u. die Johanneskirche.

Matrikel der Kstakad. zu Dresden; Katal. Ausst. Schülerarbeiten das. 1877—82 pass. — Festschrift zur 800 jähr. Jubelfeier des Hauses Wettin, 1889 p. 56. — Göhler, Jakobikirche zu Dresden, 1901 p. 24. — Kstchronik, XXII (1887) 684; XXIII (1887) 146. *Ernst Sigismund.*

Hasenpflug, Carl Georg Adolph, Architekturmaler, geb. 23. 9. 1802 in Berlin, † 13. 4. 1858 in Halberstadt. Sohn eines Schuhmachers, war er zuerst Lehrling bei seinem Vater. Kam dann zu dem Dekorationsmaler C. W. Gropius. Die Theaterdekorationsmalerei führte ihn zur Architekturmalerei. Eine Unterstützung Friedrich Wilhelms III. ermöglichte ihm den Besuch der Akad., die er aber bald wieder verließ, um sich selbständig weiterzubilden. Im Auftrage des Königs malte er Ansichten von Teplitz

u. Brandenburg. Durch Verkauf einer frei erfundenen Ansicht einer gotischen Kathedrale (wohl das 1824 in der Berl. Akad.-Ausst. gezeigte Bild) an Quandt in Dresden bekam er die Mittel zu einer Studienreise durch Mittel- und Süddeutschland. Es entstanden eine Ansicht des Brandenburger Doms (wohl das Bild im Märk. Mus., Berlin), und einige Ansichten der Dome zu Erfurt (eine kam in die Samml. Quandt Dresden, eine andere von 1827 mit der Wagenerschen Samml. in die Nationalgal.) u. zu Magdeburg (Schloß Bellevue Berlin). Ein Auftrag des Domherrn von Ampach zu Naumburg, das Innere des Halberstädter Doms zu malen, rief ihn 1828 nach Halberstadt, wo er sich seitdem niederließ. Er schuf verschiedene Ansichten des Dom-Inneren u. -Äußeren für den König v. Preußen, den Domherrn von Spiegel, den Consul Wagener (Nat.-Gal. Berlin). 1830 zeigte er in der Berl. Akad.-Ausst. 3 zusammengehörige Bilder, eine mittelalterliche Klosterkirche, eine Kaiserburg, eine deutsche Stadt, unter dem Titel „Baukunst des Mittelalters in Deutschland in 3 komponierten Darstellungen". Für Magdeburg lieferte er 1831 zwei Gemälde, die Magdeburg in der Zerstörung des 10. Mai 1631 u. der Blüte des 10. Mai 1831 zeigen (Kaiser-Friedrich-Mus. Magdebg; Kat. 1910 p. 4). 1832—36 arbeitete er an einem großen Bilde für den Domherrn von Spiegel: Der Dom zu Köln, vollendet gedacht. Die für dieses Bild unternommenen Studienreisen nach Cöln u. Düsseldorf brachten ihn mit K. F. Lessing in Berührung, der im Sinne einer stark romantisch-malerischen Auffassung auf ihn einwirkte. Er malte von nun ab am liebsten Klosterruinen, malerische Kreuzgänge und Kapellen mit Durchblicken auf beschnте Ruinen oder Friedhöfe. „Verfallene Kapelle" besitzt das Mus. Stettin; „Klostergang im Winter" (1840) die Kunsthalle in Hamburg (Katal. neuerer Meister, 1910, jetzt magaziniert); „Klosterhalle im Schnee" (1840) die Gemäldesamml. Donaueschingen (Katal., ³1921); „Burgruine im Winter" (1847) die Kunsthalle zu Bremen (Katal. 1913); „Klosterruine im Winter" die Gemäldegal. in Wien (Führer, III. Teil, 1907 No 359); „Burgruine im Schnee", 1852, Mus. Schwerin (Verz. d. Gem., ³1890); „Klosterruine in Winterabendbeleuchtung", 1853, das Provinzialmus. Hannover (Katal. 1905).

F r. F a b e r, Conv.-Lex. f. bild. Kst, VI (1853). — Deutsches Kstblatt, VII (1856) 171—74. — Dioskuren, 1858 (Nekr.); 1860. — M. S c h a s l e r, Deutscher Kstkalender, 1860 p. 33 (Nekr.). — Allg. Deutsche Biogr., X. — R e b e r, Gesch. d. neueren deutschen Kunst, 1876. — F. v. B ö t t i c h e r, Malerwerke d. 19. Jahrh., I/1 (1891); I/2 (1895) 975. — S c h o r n s Kstblatt, 1828. — Kstchronik, III (1868) 126. — Rep. f. Kstwiss., XIV (1891) 59, 63. — Cicerone, VII (1915) 157. — Katal. der Nat.-Gal. Berlin, 1907. — Topogr. d. hist. u. Kstdenkm. Böhmens, XXXV (1912) 303. — Verst.-Katal. Heberle der Samml. Perl-

bach, Hamburg, 1899 No 27. — Verst.-Katal. Lepke, Berlin, der Samml. Zeller, Prag, 1906 No 102. — Kat. d. Berliner Akad.-Ausst., 1822—38, 44, 46.   *J. M.*

Haseroth, M a x, Bildhauer u. Kstgewerbler in Berlin, stellte auf der dort. Akad.-Ausst. 1889 u. der Gr. Kstausst. 1894, 97, 98, 1900 Medaillen, Plaketten u. kstgewerbl. Gegenstände aus. Von ihm Medaille auf den Regierungsantritt Kaiser Wilhelms II. (1888), der Loge Archimedes, der geogr. Gesellschaft Berlin u. a.

F o r r e r, Biogr. Dict. of Med., II (1904). — Ausst.-Kat.

Hashimoto, G a h ō, siehe *Gahō.*

Haske, F e r e n c z, ungar. Graphiker, geb. 1833, † 17. 2. 1894 in Budapest. Studierte in Ungarn, ging dann nach Leipzig, wo er sich in der Kupfer- u. Stahlstecherkunst weiterbildete. Nach Rückkehr in seine Heimat arbeitete er in Budapest in Steindruckereien u. zeichnete zumeist Bildnisse. In den 1860 er Jahren war er Zeichner der illustrierten Zeitungen: „Hazánk s a Külföld", von 1869 bis 1882 der „Vasárnapi Ujság". Inzwischen übernahm er in der Ungar. Staatsdruckerei eine Anstellung. Einige seiner Lithographien u. Stahlstiche erschienen als selbständige Kunstblätter.

Vasárnapi Ujság, 1894 p. 129.   *J. Szentiványi.*

Haskell, E r n e s t, Maler, Stecher u. Lithograph in San Francisco (Calif.), geb. 30. 7. 1876 in Woodstock (Conn.), bildete sich in Paris aus, wo er 1898 im Salon der Soc. Nat. ausstellte. Seinen Stichen u. Aquarellen liegen meist Motive aus Californien zugrunde.

Amer. Art Annual, XVIII (1921). — Amer. Art News, XX (1921) No 3 p. 2; No 4 p. 1. — Cat. de Luxe Panama Pacific Exp. S. Francisco, 1915 II 402.

Haskell, J o h n, Architekt, geb. 5. 2. 1832 in Milton (Ot.), † 25. 11. 1907 in Lawrence (Kansas), kam 1857 nach Kansas. Von ihm Bauten in Topeka (Kansas), wie das Staatskapitol, das Washburn College, die Staatsirrenanstalt, in Lawrence die Universität.

American Art Annual, VII (1909/10) 76.

Haskoll, J., Bildhauer in London, stellte in der Royal Acad. u. Suffolk Street 1824—35 Bildnisbüsten aus.

G r a v e s, Dict. of Art., 1895; d e r s., Royal Acad., IV (1906).

Haslauer, K a s p a r, Glockengießer in Ingolstadt (Bayern), goß Glocken für Kirchen der Umgebung von Ingolstadt, so für die Kirche zu Zell, 1668; die Kirche zu Waal an der Ilm, 1672; eine mit Fries u. Mantelreliefs verzierte Glocke für Neustadt a. d. Donau, 1673.

Kstdenkm. Bayerns, II Heft 13 (1908) 157; IV Heft 7 (1922) 243. — A. v. S t e i c h e l e, Bisthum Augsburg, IV (1883). — Beitr. z. Gesch., Topogr. u. Stat. d. Erzbist. München, XI (1913) 419.

Haslbägck, F r a n z, mutmaßlicher Verfertiger zweier Federzeichnungen: Kreuzigung Christi (Kupferstichsamml. Stuttgart), und

Christus am Ölberg (Anhaltische Behörden-bibliothek Dessau). Das erstgenannte Blatt trägt die Aufschrift „Franz Haslbägck 1497". Nach Mitteilung aus dem Kupferstichkab. Stuttgart dürfte das Datum 1497 alt, der Name aber jünger sein als die Zeichnung, wohl 16. Jahrh. Die Zeichnung in Dessau weist nach Seidlitz von einer etwa ein Jahrh. späteren Hand die Inschrift: „1497 Frantz Hasllegk" auf. Seidlitz nimmt an, daß die beiden Blätter, die auch im Format übereinstimmen, zu einer Passionsfolge gehören, u. daß H. den Künstler bezeichnet. Es könnte sich aber auch um Besitzer-Signatur handeln.

M e u s e l , Misc. artist. Inhalts, Heft XIV (1782) 126. — N a g l e r , Monogr., III No 2935. — Jahrb. der preuß. Kstsamml., II (1881) 5 (W. v. S e i d l i t z).

Haslehurst, E r n e s t W., Landschaftsmaler in Lee, stellt seit 1888 in London (seit 1901 meist in der Royal Acad.) aus.

G r a v e s , Dict. of Art., 1895; d e r s., Royal Acad., IV (1906); d e r s., Loan Exhib., IV (1914). — Ausst.-Katal. d. Royal Acad. London, 1914, 15, 16, 18, 20. — Pictures of the Year, 1914.

Haslem, J o h n , Email- u. Porzellanmaler, geb. 1808 in Carrington (bei Manchester), † Mai 1884 in Derby. Lernte zuerst in Derby, dann in London unter E. T. Parris. 1836—65 in London ansässig, zeigte er in der Royal Acad. u. Suffolk Street Emailmalereien auf Porzellan, vor allem Porträts (z. T. nach dem Leben, z. T. nach fremden Vorlagen), so ein Porträt der Prinzessin (späteren Königin) Viktoria im Alter von 11 Jahren, wie er überhaupt von Hof u. Adel zahlreiche Aufträge erhielt. Seit 1865 war er in Derby tätig als Figurenmaler an der Porzellanmanuf. Von ihm dekorierte Stücke im Geolog. Mus. London. Ein Emailporträt von seiner Hand, Alice, 2. Tochter der Königin Viktoria darstellend, nach W. C. Ross, 1847 datiert, in der Samml. des Großherzogs von Hessen. H. ist der Autor des Buches: The Old Derby China Factory, 1876.

Dict. of Nat.-Biogr., XXV. — G r a v e s , Dict. of Artists, 1895; d e r s., Royal Acad., IV (1906). — The Years Art, 1885 p. 229. — Handbook of the Coll. of Brit. Pottery and Porc. in the Mus. of Geology London, 1893 p. 125. — B i e r m a n n u. B r i n c k m a n n , Miniatursamml. d. Großherzogs von Hessen, 1917.

Hasler, B e r n h a r d , Graphiker in Berlin, geb. 4. 6. 1884 in Schenkendorf (Glatz), Schüler von Ph. Frank, E. Orlik, L. Corinth. 1911, 12 stellte er in der Berl. Sezession, 1913 im Deutschen Kstlerbund Mannheim, 1914 auf der Ausst. f. Buchgew. Leipzig aus. „Auch er einer von den jüngeren Berlinern, die aus dem Banne des Impressionismus herauszugelangen suchen zu einem organischen Erfassen der Form, zum Verständnis monumentaler figürlicher Komposition u. rhythmisch gestalteter Bewegung" (H. Voss). Als Buchillustrator be-

tätigte er sich für das bei Br. Cassirer, Berlin, erschienene Märchenbuch „Frau Holle u. Anderes" (83 Zeichn.), für den Prospero-Druck „Romeo u. Julia" (10 Lithogr.), für Hans Bethges „Indische Harfe" u. „Pfirsichblüthen aus China" (11 Lithogr.).

D r e s s l e r s Ksthandbuch, 1921. — Kst u. Kstler, XII (1914) 230, 232, 563 ff.; XIII (1915) vor p. 195, 479; XIX (1921) 333. — Cicerone, V (1913) 73, 881; VII (1915) 159. — Kstchronik, N. F. XXXII (1920/21) 87, 294. — Die Graph. Künste, 1915 p. 29 f. (H. V o s s).

Hasler, F r i e d r i c h (Johann Fr.), Zeichner u. Lithograph, geb. 1808 in Othmarsingen (Schweiz), † 9. 3. 1871 in Baden (Schweiz). Zuerst in der Lehre bei H. Convert, dann bei dem Lithogr. Belliger, dem Maler Leimbacher u. dem Kupferstecher Lips d. J. Besuchte hierauf 2 Jahre die Akad. zu München, mußte aber, um sich seinen Lebensunterhalt zu verdienen, in das lithogr. Atelier G. Bodmer in München eintreten. Kehrte in die Schweiz zurück, beteiligte sich in Zürich an der Illustration der Werke: „Die Heiligen des Schweizerlandes" und „Die Heldinnen des Schweizerlandes" u. ging 1836 nach Basel. Dort lithographierte er nach dem Karton von Hier. Heß u. M. Disteli eine Darstell. der Schlacht von St. Jakob an der Birs. Ende der 50 er Jahre vollendete er als Gegenstück dazu die „Heimkehr der Eidgenossen vom Sieg bei Morgarten" nach L. Vogel. In der Zwischenzeit zeichnete er eine Reihe Porträts von Zeitgenossen auf Stein. In den 60 er Jahren begann er mit seinem Hauptwerk, der „Galerie berühmter Schweizer der Neuzeit", das seit 1863 in Baden, wohin H. 1842 als Zeichenlehrer berufen worden war, erschien. — Sein Sohn und Schüler H a n s , Lithograph, geb. 25. 11. 1840 in Othmarsingen, † 15. 8. 1903 in Bad Wildungen, arbeitete an der „Galerie berühmter Schweizer" mit u. vollendete sie. Auch die Blätter „Rufst du, mein Vaterland" nach A. Landerer und „Der sterbende Gatte" nach A. de Meuron sind größtenteils Werke seiner Hand.

B r u n , Schweiz. Kstlerlex., II (1908).

Hasler, G o t t l i e b , Lithograph, geb. in Aarau 1805, † in Basel 1864. Lernte in den Engelmann'schen Lithographieanstalten u. ließ sich 1832 in Basel nieder. Neben einer lithogr. Werkstatt eröffnete er einen Kunstverlag, für den Falkeisen , Guise, Hier. Heß, Tonner, Winterlin, Weiß, E. u. G. Wolf u. a. arbeiteten, u. in welchem in den 40er u. 50er Jahren eine große Anzahl von gest. u. lith. Schweizer Ansichten, Kostümbildern, Bildnissen u. Karikaturen erschienen.

B r u n , Schweiz. Kstlerlex., II (1908).

Haslin (Arcelin, Halins, Hallain, Harselin, Havelin), N i c o l a s , Bildhauer von Troyes, zuerst 1502/3 in den Rechnungen der Kathedrale erwähnt, † vermutlich um 1541 (letzte

Erwähnung); seine Identifizierung mit einem 1540 bis 1561 an den Stukkaturen im Schloß Fontainebleau tätigen Bildh. u. Maler N i c o - l a u s (II) H a l l a i n wird von Koechlin u. Marquet de Vasselot mit Recht zurückgewiesen; vielleicht handelt es sich um Vater u. Sohn. — Möglicherweise aus den Niederlanden stammend, da er 1534 einmal „Nicolas Haslin, dit le Fla- mant" genannt wird, mit welcher Notiz aller- dings in Widerspruch steht, daß in einer Ur- kunde von 1533 ausdrücklich unterschieden wird zwischen „Nicolas Haslin" und „Nico- las Flamant" als zwei verschiedenen Künstlern (vgl. Artikel Nicolas le Flamand). Einer der meistbeschäftigten Bildh. seiner Zeit in Troyes. 1502/3 mit unwichtigen Arbeiten für die Kathe- drale beschäftigt; 1512/13 liefert er 3 Figuren („ymaiges en rondeaulx") für die Chorbühne Jean Gailde's in der Madeleine-Kirche (vielleicht zu identifizieren mit den Figürchen-Gruppen [Relief] in den Vierpässen über den Arkaden der Bühne, Abb. bei Koechlin u. Marquet de V.), 1514 ein Holz-Reliquiar für dieselbe Kirche. H.s Hauptwerk, die 1521/27 ausgeführte Dekoration der 3 Portale der Kathedrale, ist in der Revolution leider völlig zerstört. Das Mittelportal war mit Reliefszenen aus der Passion, die Seitenportale mit Szenen aus den Legenden der hl. Petrus u. Paulus geschmückt. 1530/31 fertigte H. für die Kathedrale 3 „yma- ges", und zwar eine Notre Dame de Pitié mit den hl. Joh. und Magdalena, die in der Revo- lution gleichfalls zerstört wurden, 1525/26 4 Prophetenfigürchen für einen Hostienbehälter, 1526/27 Holzmodelle für den Figurenschmuck eines Reliquiars. 1531 arbeitet er für die Ka- thedrale, 1541 wird er mit Anfertigung dreier Gedächtnistafeln („parquets d'hystoires") für die Kirche St. Nizier beauftragt, davon sich Bruch- stücke möglicherweise in 2 Relieffragmenten mit Passionsszenen in der Kirche zu Crésan- tignes erhalten haben (Abb. 44 [Grablegung Christi] bei Koechlin u. Marquet de V.). Auf Grund einer engen Stilverwandtschaft mit der berühmten „Heimsuchung" in St. Jean in Troyes (Abb. 54 ebenda) weisen Koechlin u. M. de V. vermutungsweise auch diese Gruppe H. zu. — Ein Bildh. J e a n H. in Troyes arbeitete 1528/29 für das Petrus-Portal der Kathedrale 2 wappenhaltende Engel, außerdem (für das Paulus-Portal?) Szenen aus der Legende des Paulus, eine Auferstehung Christi u. Jonas' Befreiung aus dem Walfisch. — Ein Maler P i e r r e H a s l i n, 1541 in Troyes, 1540/50 für Schloß Fontainebleau beschäftigt.

R o n d o t in Nouv. Arch. de l'Art franç., 3me sér., III (1887). — A s s i e r, Les Arts etc. dans l'anc. capitale de la Champagne, 1876 p. 94 ff. — L a m i, Dict. d. Sculpt. etc., moyen- âge au règne de Louis XIV, 1898 (unter Hallain). — K o e c h l i n et M a r q u e t d e V a s s e - l o t, Sculpt. à Troyes etc. au 16me sièc., 1900.
H. V.

Haslinger, J o h a n n, Baumeister in Linz (Österreich), † 1741. Leitete den Bau des Klosters Wilhering bis zu seinem Tode. 1733 lieferte er mehrere Pläne für den Turm.
B r e t s c h n e i d e r, Bauschaffen der Stifte Oberösterr., Dissert. Dresden, 1914 p. 127.

Haslingk, D a n i e l, siehe *Haesling,* D.

Hasllegk, F r a n t z, siehe *Haslbägck,* Fr.

Haslund, O l e, siehe unter *Haslund,* Otto.

Haslund, O t t o Carl Bentzon, Maler u. Graphiker, geb. in Kopenhagen 4. 11. 1842, † in Koldby (Thy) 30. 8. 1917, trat 1858, nach erstem Zeichenunterricht bei F. F. Helsted, in die Kopenh. Akad. ein, kam 1862 in die Modellklasse und verließ die Akad. 1866; er hatte auch als Privatschüler unter J. Roed, Marstrand, N. Simonsen und P. C. Skovgaard gearbeitet. Nächst J. Th. Lundbye hat dieser auf H.s Entwicklung nachhaltigen Einfluß aus- geübt. 1872/73 war H. in Italien (zusammen mit P. Krohn), wo er sich hauptsächlich in Rom aufhielt; er brachte Genrebilder u. Land- schaften mit nach Dänemark zurück; 1875/77 u. 1907 wiederum in Italien, 1889 in Paris. 1887 erhielt er für das „Kinderkonzert" die Ausstellungsmedaille, 1892 wurde er in den Rat der Akademie gewählt. — H. hat als Land- schafter begonnen, ganz in der Art Lundbye's; in den sorgfältig ausgeführten Vordergrund stellt er mit silhouettenartiger Wirkung die Tier- staffage, oder er gibt Szenen aus dem Land- leben wie „Heimkehr vom Markt" (1871) oder „Kühe am Bauernhof" (1874), eine Szene, die er in das Licht des Spätnachmittages taucht. Der Zug zum Genrehaften in der Art (u. Tech- nik) des F. Vermehren wird deutlich in den „beiden Alten am Sonntag" (1879, Ny Carls- berg Glyptothek, Kat. 1912 No 1118); das „Kinderkonzert im Atelier" (1887, Kunstmus., Kat. 1921), das in der dän. Malerei des 19. Jahrh. eine ähnliche Stellung einnimmt wie Viggo Johansen's „Samstag - Bad der Kinder" (1888), zeigt ein Beispiel des realistischen Genres der 80er Jahre. Mit Johansen teilt er das In- teresse für das Leben der Kinder, dem er auch in vortrefflichen Kinderbildnissen Ausdruck zu geben verstand. Später hat H. dann auch die Wendung zu einem gemäßigten Impressionis- mus mitgemacht. — 1865 zeigte er in der Charlottenborg-Ausst. eine Radierung „Violin- spieler", der später andere Blätter gefolgt sind. Verschiedene Landschaften hat H. auch auf den Stock gezeichnet, so „Kühe am Bauern- hof", die H. P. Hansen 1875 danach in Holz schnitt. H. war als Illustrator tätig für „Ude og Hjemme" und für die Veröffentlichungen der „Fremtiden". — Von H.s Bildnissen wer- den genannt: Brauer C. Jacobsen, V. Bissen, C. Chr. Hall (1910, Schloß Frederiksborg). — Außer in Kopenhagen (Charlottenborg 1865 bis 1916, Rathausausst. 1901) erschien H. auf den Ausst. in München, 1891, 92, 1901, 13 und in

Paris 1900, auch 1914 in Malmö. — H.s Bildnis, gemalt 1910 von Fr. Lange, in der Porträtsamml. in Schloß Frederiksborg. — Auch in den Museen zu Aarhus u. Randers befinden sich Arbeiten von H. — Sein Sohn O l e Georg, Maler u. Kunstschreiner, geb. in Kopenhagen 21. 10. 1877, ging 1901 nach Paris, wo er sich bei van de Velde zum Möbelarchitekten ausbildete. Nach seiner Rückkehr begründete er in Kopenhagen ein Geschäft für alte und neue Möbel.

S. M ü l l e r , Nyere Dansk Malerk., 1884 p. 146 ff., Abb. — W e i l b a c h , Nyt Dansk Kunstnerlex., 1896. — M a d s e n , Kunstens Historie i Danmark, 1901/07 p. 378 f. (Abb. p. 365). — E. H a n n o v e r , Dänische Kst des 19. Jahrh., 1907 p. 101, Abb. — Dänische Maler v. J. Juel bis zur Gegenwart, 1911 (Langewiesche, Blaue Bücher), Abb. 69, 71. — V i g g o J o h a n s e n , In Memoriam in „Vor Tid", II (1918) 253 ff. — D a h l og E n g e l s t o f t , Dansk biogr. Haandleks., II (1921) 19. — *Kataloge* der angef. Ausst. u. Samml.; ferner: R e i t z e l , Fortegnelse over danske Kunstneres Arb., 1883; Christiansborg, 1880 p. 63; Frederiksborg, 1919; Malmö, Balt. Utställning, 1914 (Kstavdel.) p. 139, Abb. p. 87.

Haspel, J ö r g , Formschneider in Biberach a. R. (Württ.), 2. Hälfte 15. Jahrh., von dem ein farbiger Holzschnitt, der Hl. Bernhard umarmt den Gekreuzigten (Schreiber 1271), bez. „Jerg Haspel ze Biberach", bekannt ist. Ein zweites bemaltes Blatt, Antlitz Christi (Schreiber 761), wird ihm zugeschrieben.

W. L. S c h r e i b e r , Manuel de l'amateur de la grav. sur bois . . . au 15me s., 1891—93. — H a b e r d i t z l , Einblattdrucke des 15. Jahrh. in der Kupferstichsamml. der Hofbibl. Wien, 1920 No 120, 82, (78).

Hass, F r i t z , Maler u. Illustrator in München, geb. 29. 10. 1864 in Heiligenbeil (Ostpreußen), bildete sich an den Akad. in Königsberg (1885) u. München (1885—88) aus u. zeigte Porträts und Genrebilder 1892—1914 in den Münchner Sezessionsausst. Als Illustrator war er für Jugend, Fliegende Blätter, Meggendorfer Blätter tätig. 1893/94 entstand ein Zyklus „Satirischer Zeitspiegel" (11 Feder- u. Tuschzeichnungen).

Das geist. Deutschland, 1898. — Kst f. Alle, IX (1894) ; XI (1896) ; XVI (1901) ; XVIII (1903). — Sezessionskatal. (1893—96, 1912 mit Abb.).

Hass, H a n s , Bildschnitzer (Dominikanerbruder) in Stuttgart, fertigte laut Inschrift mit Bruder Conrad Zolner 1493 die nördl. Reihe des Chorgestühls in der Spitalkirche zu Stuttgart (die südl. ist von Hans Ernst von Böblingen, 1490).

Kst- u. Altertumsdenkm. Württemb., Neckarkr., I, 1889.

Hass (Has), H a n s , Maler u. Glasmaler in Kaufbeuren, 1517—23 mit Arbeiten für Kloster Wessobrunn genannt (1518: Tafel mit Darst. der Kreuzigung Christi, 1519: Tafel mit Darst. der Erscheinung des Hl. Gregorius). 1530 u. später erhält er als Glasmaler Aufträge auf Wappenscheiben von dem Kaufbeurer Patrizier

Jörg Hörmann. 1548 wird er in Kaufbeuren zuletzt urkundlich genannt. Vielleicht ist er ein Schüler des Jörg Breu, der dreimal (1507, 1514 u. 1543) Lernknaben dieses Namens vorstellte.

R. V i s c h e r , Studien z. Kstgesch., 1886. — H a g e r , Bautätigkeit u. Kstpflege in Kloster Wessobrunn, S. A. des Oberbayr. Archivs, 1894. — Mitt. des Germ. Nationalmus. Nürnberg, 1918/19 (Festschrift f. G. v. Bezold), 23, 29.

Hass, J ö r g , Baumeister zu Beutelsbach (Württ.), baute laut Inschrift 1582 an der Kirche zu Hochdorf (O. A. Vaihingen, Württ.).

Kst- u. Altert.-Denkm. Württ., Neckarkr., I (1889).

Hass, L u d w i g , Geschützgießer aus Nürnberg, von 1529 an in München tätig als Büchsenmeister der Stadt. † 1548 in München. Gießt Falkonets, Schlangen, Mörser u. Uhrglocken.

Camerbücher, Stadtarchiv München. *Stöcklein.*

Hass, S i e g f r e d Arnold Sofus, Maler, geb. 17. 10. 1848 in Kallundborg, † 29. 1. 1908, anfangs Lithograph, später als Autodidakt Landschaftsmaler, stellte seit 1883 in Charlottenborg aus.

W e i l b a c h , Nyt Dansk Kunstnerlex., 1896.

Hassall, J o h n , engl. Maler u. Illustrator, geb. in Walmes bei Dover 1868. Besuchte 1891—92 die Antwerpner Akad. und eine Zeitlang die Acad. Julian in Paris. Nach seiner Rückkehr nach Antwerpen malte er 2 große Ölbilder („Birds of Prey", „Temporary Insanity"), die er 1894 in der Londoner Royal Acad. ausstellte. 1912 Mitglied des Royal Institute of Painters in Water Colours, wo er seitdem alljährlich ausstellt. Betätigt sich hauptsächlich als Plakatzeichner, Illustrator bunter Kinderbücher und auf dem Gebiet der Schwarzweiß-Zeichnung.

„Pen, Pencil and Brush", Hassall his book, Black, London. — Studio : Bd 23 p. 52; 28 p. 200; 30 p. 26; 36 p. 199 ff.; 39 p. 60; 48 p. 237; 58 p. 57; 60 p. 306; 63 p. 245; 64 p. 281. — H o l m e s , Mod. pen drawings (Studio WinterNumber 1900—1) ; Pen, Pencil and Chalk (Studio Spec. Number 1911). — G r a v e s , Roy. Acad., IV. — Cat. Roy. Acad. Exhib. 1905, 7 f., 10 f., 17, 19, 21. — Cat. of New Gall. London, 1909. — Cat. of Roy. Inst. of Painters in Water Col. London 1902—21. *Frank Gibson.*

Hassam, C h i l d e , amer. Maler u. Radierer, geb. in Boston 17. 10. 1859. Studierte in Boston und bei Boulanger und Lefebvre in Paris. Ein Meister der Malerei in zarten, gebrochenen Tönen, entwickelt er eine Technik der vollen, reinen Farbe und erzeugt den Eindruck des vibrierenden Lichts, wodurch er einer der wenigen amer. Monet-Nachahmer geworden ist. H. arbeitet in Pastell, Aquarell und Öl und vereinigt als Stoffgebiet die Marine- und Landschaftsmalerei, das Genre, das Aktbild, das New Yorker Straßenbild sowie das Interieur, indem er das Licht und die Farben des Spektrums zu seinem Spezialstudium macht. So behauptet er einen hohen Rang unter den amer. Impressionisten. 1906 ordentl. Mitglied der Nat. Acad., auch Mitglied der „Ten American Painters", auf deren Ausstell. er häufig vertreten ist. Außerdem erscheint er auch ständig auf den großen amer. Ausstell. mit seinen Arbeiten. Zahlreiche Ehrenpreise in Paris 1889, Weltausstell. 1900, Chicago (Weltausst. 1893), Pittsburgh, Philadelphia usw., Goldmedaillen in München (1892), Buffalo (Panamerika-Ausst. 1901), St. Louis (1904), Washington (1912). Arbeiten in den Museen von Toledo, Ohio; Worcester, Mass.; St. Louis; Chicago; Minneapolis; Cincinnati; Buffalo; New York, Metrop. Mus.; Washington, Corcoran Gall. u. Nat. Gall; Providence, Rhode Island School of Design; Philadelphia, Pennsylvania Acad. of Fine Arts, u. a. O.

Who's who in America, XI (1920) 1263. — Amer. Art Annual, XVIII (1921) 445. — A. E. Gallatin, Certain Contemporaries, 1916 p. 38; ders., Amer. Water-Colourists, 1922 (m. Abb.). — Lorinda M. Bryant, Amer. Pictures and their Painters, 1917 p. 172—7; dies., What Pictures to see in America, 1915 p. 185—7 u. passim. — Ch. H. Caffin, Story of Amer. Painting, 1907 p. 277. — Haldane Mac Fall, Hist. of Painting, VIII 291. — R. Muther, Gesch. d. Mal. im 19. Jahrh., 1893/4, III (engl. Ausg. 1896, III 489). — Sam. Isham, Hist. of Amer. Paint., 1916 p. 453. — Sadakichi Hartmann, Hist. of Amer. Art, 1901 I 102—254, 110—248. — Arts and Decoration, XIII (Mai 1920) 28; XIV (Jan. 1921) 193. — Amer. Magazine of Art, X (Dez. 1918) 49—51. — Internat. Studio, XXIX (Sept. 1906) 2670; XLV Sup. 29—36, Dez. 1911; LVII, Sup. 83—6, Jan. 1916. — Brush and Pencil, VIII (1901) 141.

Blake-More Godwin.

Hasse, Conrad Nikolaus, Goldschmied in Braunschweig, Meister 1713, erwähnt 1733. (Meisterzeichen s. Lit.) Von ihm weißsilberner Kelch mit rohem, aufgesetztem Kruzifix ohne Kreuz, 1717 gestiftet, in der Kirche zu Hemkenrode, Kr. Braunschweig.

Bau- u. Kstdenkm. des Herzogt. Braunschweig, II (1900) 39.

Hasse, Eduard, Maler u. Lithograph, geb. Hamburg 12. 10. 1811, zeichnete früh im Genslerschen Hause u. kam darauf in Bendixens Schule. Er malte vorwiegend Marinen, Schiffswerften u. Strandpartien. 1834 kaufte der Kunstverein ein Elbbild von ihm. Von Arbeiten für den Steindruck kennt man ein „Panorama des rechten Elbufers ... aufgen. von T. B. Wilms, die Schiffe von E. Hasse, lithogr. von F. W. Vos"; ferner einige E. H. signierte Bildnisse, die Rump anführt, von denen H. zwei 1826 datierte mit 15 Jahren gemacht haben müßte, dazu kommt das Bildnis von Joh. Nicol. Bartels, Kassierer des Stadttheaters, bei Speckter & Co. gedruckt, ohne Jahr. Die Radierung eines karikierten Selbstbildnisses, bez. E. Hasse 1849, im Ver. f. Hbg. Gesch.

Hamb. Kstlerlex., 1854. — Rump, Lex. d. bild. Kstler Hamb., 1912. — E. Zimmermann,

Gesch. d. Lith. in Hbg, 1896 p. 31. — Mitt. des Hamb. Staatsarchivs. *D.*

Hasse, Ernst, Landschafts- und Tiermaler, auch Lithograph, geb. 22. 5. 1819 in Erfurt, † 2. 9. 1860 in Dresden. Trat 1837 in die Unterklasse der Dresdner Akad. ein und wurde hier einer der ersten Schüler des 1836 als Lehrer für Landschafts- und Tiermalerei angestellten Ludwig Richter. Unter dessen Anleitung zeichnete er Ansichten aus der Umgebung Dresdens in Bleistift, Tusche und Wasserfarben. Ein solches frühes Blatt aus dem J. 1837, das eine Partie aus dem Loschwitzer Grunde in leicht angetuschter Bleistiftzeichn. darstellt, besitzt der Unterzeichnete; ein anderes: „Ins Dorf heimkehrender Erntewagen und Viehherde" wurde im Mai 1886 aus Richters Nachlasse in Dresden versteigert. 1841 erscheint H. bereits als fertiger Künstler. Er lebte nun seit 1848 dauernd als Landschaftsmaler in Dresden; Reisen ins Rhonetal, nach Spanien (1853: Malaga, Sierra Nevada) boten ihm gelegentlich neue Bildstoffe. Im allgemeinen aber blieb er der heimatlichen Natur treu und zeichnete Bauernhöfe („Am Morgen" und „Am Abend", von Hugo Bürkner in Holz geschnitten), Ernteszenen u. Tierbilder in Blei, Feder oder Aquarell. Besonders reich ist er im Kupferstichkab. zu Dresden vertreten (27 Bl., darunter 14 landschaftl. Darstell. aus den J. 1840—1857), aber auch die Samml. weil. König Friedrich August II. das. (7), die Graph. Samml. des Leipz. Mus. (4), das Städt. Mus. in Halle (1) und der Unterzeichnete (3) besitzen Arbeiten H.s. Er hat auch einige seiner Zeichnungen selbst lithographiert („Dresden vom Elbschlößchen aus", um 1855), andere Ansichten übertrug er mit H. Williard auf den Stein (Exemplare im Dresdner Stadtmus.).

Akten der Kunstakad. u. des Sächs. Kunstver. in Dresden. — Fr. Faber, Conversat.-Lex. f. bild. Kst, VI (1853). — Katal. akadem. Kunstausst. Dresden 1838—1860 pass. — Nagler, Monogr., II. — Heller-Andresen, Handbuch f. Kupferstichsamml., I (1870). — Kstchronik, XII 735. — F. v. Boetticher, Malerwerke des 19. Jahrh., I 1 (1891) p. 469. — J. F. Hoff, Lehrjahre bei Ludw. Richter, 1903 p. 40; ders., Amt u. Muße, 1903 p. 180. — (Sigismund), Katal. Ausst. Dresdn. Maler u. Zeichner 1800—1850 (Dresd. 1908) p. 31. — Katal. Aquar.-Ausst. Dresden 1887 p. 21; Kunstaukt. v. Zahn u. Jaensch-Dresden, XI (1886) Nr 83—89, 390, 396; Boerner-Leipzig XC (1908) Nr 305—312. — Kat. d. 1912 bei Boerner-Lpzg versteig. Handzeichn.-Smlg Alex. Flinsch, p. 42 ff.

Ernst Sigismund.

Hasse, H. W., Maler. Von ihm bezeichnete Deckengemälde in der Kirche zu Ellenberg (O. A. Ellwangen, Württ.), Darstell. aus dem Leben Christi, um 1726; z. T. verblichene, z. T. restaurierte Deckenmalereien in der kath. Pfarrkirche zu Laupheim (Donaukr.), bez.: W. Hasse p. Dil. Dit. 1730.

Kst- u. Altertumsdenkm. Württemb., Jagstkr., 1907 p. 161; Donaukr., O. A. Laupheim, 1922 p. 22.

Hasse, Hans = *Hesse,* Hans.

Hasse, J o a c h i m A d a m, Tischlermeister in Kiel, lieferte Kanzelaltar u. Logen für die Kirchen in Grossenaspe (1771/2) u. Schönberg (1780/82).

A. B u r g h e i m, Kirchenbau des 18. Jahrh. im Nordelbischen, Dissert. Hannover, 1915 p. 66, 75, 88.

Hasse, J o h a n n, Goldschmied in Lübeck, besaß dort 1659—92 eine Goldschmiedsbude, fertigte 1681 eine silberne Oblatenlade (aus einer älteren Hostienlade) mit dem sauber gravierten Bild der auf dem Monde stehenden Madonna im Strahlenkranze (Marienkirche Lübeck), Meisterzeichen (undeutlich) I H.

Bau- u. Kstdenkm. Lübecks, II (1906) 429.

Hasse, J u l i u s, Kupfer- u. Stahlstecher in Berlin, † 1846 ebenda, begann als Mechaniker, weilte lange in England, wo er Schüler der Brüder Finden in London war. Stach besonders Landschaften u. Architekturen (nach zeitgenöss. Zeichnern) in Stahl, so nach E. Biermann den Dom zu Mailand, die Bauakad. in Berlin u. Schloß Hohenschwangau, nach Boisserée den Kölner Dom usw. Auch für die Illustration von Raczynskis Geschichte der neueren deutschen Kunst hat er gearbeitet (vgl. Bd III [1841]).

H e l l e r - A n d r e s e n, Handb. f. Kupferstichsammler, I (1870). — W e i g e l s Kstkatal., Leipzig 1838—66 V. — Katal. der Berl. Akad.-Ausst., 1840 p. 78; 1842 p. 118; 1844 p. 168.

Hasse, S e l l a, Malerin u. Graphikerin, geb. 12. 2. 1880 in Berlin, kurze Zeit Schülerin von Leistikow, Corinth u. Käthe Kollwitz, 1903—10 tätig in Hamburg, 1912 in Paris, dann bis zum Tode ihres Mannes 1919 in Wismar. Siedelte nach kurzem Aufenthalt in Holland nach Berlin über. — Anknüpfend an die Kunst von K. Kollwitz strebt die Künstlerin, die im wesentlichen Graphikerin ist, danach, den Rhythmus menschlicher Arbeit, wie sie ihn besonders im Hamburger Hafen u. im Industriegebiet kennengelernt hat, in großzügigen Formen wiederzugeben. Die Kriegserlebnisse gaben Anlaß zu Darstellungen über das Thema „Weib". (Einzelblätter u. unvoll. Lithogr.-Zyklus.) In den letzten Jahren entstanden vorwiegend Linoleumschnitte, Illustrationen u. Gebrauchsgraphik.

R u m p, Lex. d. bild. Kstler Hamb., 1912. — Seemann's Meister d. Farbe, 1917, Heft 1, p. 9 ff. (Text u. Zeichn. von ihr selbst). — Heimatblätter f. d. Industriegebiet. Monatsschrift f. d. niederrhein.-westfäl. Land. I, 1919 p. 129, 140, 147, 152. — Kataloge: *Berlin,* Sezession, 1902 ff. *Bremen,* Dtsch. Kstlerbund, 1912. *Hamburg,* V. graph. Ausst. d. Dtsch. Kstlerbds, 1913. *Leipzig,* Intern. Ausst. f. Buchgew., 1914. *Zürich,* Ksthaus, 1919. — Mitt. d. Künstlerin. *Dirksen.*

Hassel, A u g u s t Christian Valdemar, Bildhauer, geb. in Kopenhagen 9. 2. 1864, war anfangs als Bildschnitzer in der Lehre bei H. C. Berg, 1883—88 Schüler der Akad. in Kopenhagen. 1889 stellte er eine Statuette des N. V. Gade aus, machte dann eine Reise durch Deutschland u. Italien, gewann 1890 die kl. gold. Medaille mit einer Grablegung Christi, und erhielt 1894 von der Akad. ein Reisestipendium. In Charlottenborg zeigte er 1889 bis 97 meist Reliefs mit biblischen Motiven. — Von H. in der Friedenskirche in Kopenhagen ein Kruzifixus (1900, Hochaltar) in farbiger Keramik, in der Nazarethkirche, Hochaltar, Jesus predigt in Nazareth (1904, farbige Keramik), auf Holmens Friedhof das Grabmal des Predigers Joh. Petersen († 1895, Bronzebüste), in der Begräbniskapelle der Holmens Kirche u. a. das Epitaph für N. V. Gade († 1890). Ferner sind zu nennen das Denkmal Christians IX. (Tirsbjerg) und die Statue P. C. Albidgaards (Landwirtschaftl. Hochschule). — In der Pfarrkirche zu Nørre-Broby (auf Fünen, Amt Svendborg) an der Nordwand des Chores ein Relief der Auferweckung des Lazarus (1897) in farbiger Keramik.

W e i l b a c h, Nyt Dansk Kunstnerlex., 1896. — T r a p, Danmark, 1898 ff., I. — D a h l og E n g e l s t o f t, Dansk biogr. Haandleks., II (1921).

Hassel, J a c o b van, von Houbraken erwähnter niederländ. Maler der 1. Hälfte des 17. Jahrh., der Landschaften u. römische Ruinen malte. — Vielleicht identisch mit J a c o b v a n H a s s e l t in Utrecht, der 1638 ein Bild „Der ungläubige Hauptmann, der zu Christus kommt" an das St. Jobs-Gasthuis ebenda schenkte u. 1643 in einer Utrechter Notariatsurkunde genannt wird.

H o u b r a k e n, Groote Schouburgh, 1718—29. — K r a m m, Levens u. Werken, III (1859). — M u l l e r, Utrechtsche Archieven, 1880.

Hassel (Hässel, Hassells), W e r n e r (Warner), Bildnis- und Miniaturmaler (deutscher Herkunft?) in London. Schüler G. Kneller's. Arbeitete in Öl, Email und Aquarell. Eine Schlachtszene, Email, im Bayr. Nat. Mus., ist bez. Werner Hässel 1674 Decembris; ein Miniaturbildnis Ludwigs XIV. in der Samml. des Großherzogs von Hessen trägt die Signatur: W. Hassel 1680. Die Bildnisse C. L. Fels (1690) und J. Witt (Frankfurter Kaufmann, 1707) hat J. Smith nach H.s Vorlagen in Schabmanier gestochen; sein Bildnis eines schottischen Edelmanns wurde von P. van der Banck gestochen. H.s von G. Kneller 1694 gemaltes Bildnis, Schabblatt von P. Schenck (selten). Vgl. auch Artikel Haeskel.

W a l p o l e, Anecd. of painting, ed. Wornum, 1862 II 536, 944 (William H.). — R e d g r a v e, Dict. of Artists, 1878 (William H.). — Dict. Nat. Biogr., XXV 110 (Hassells). — Kat. der Miniat., Bayr. Nat. Mus. München, 1911. — Die Min.-Slg des Großh. v. Hessen, 1917. — Kat. Jahrh.-Ausst. dtscher Kst, Darmstadt 1914 p. 250. — Cat. rais. de 3000 portr. de peintres etc., Fred. Muller & Co., Amsterdam 1877 Nr 254.

Hasselbach, W i l h e l m, Maler in München, geb. 28. 6. 1846 in Dorum (Hannover), 1874—79 Schüler der Münchner Akad. unter

W. Lindenschmit, stellte 1898—1919 Genre-bilder, Porträts, Stilleben u. Landschaften im Münchner Glaspalast aus. Die Kunsthütte Chemnitz besitzt von ihm „Bettelnde Handwerksburschen". Die Galerie Thannhauser, München, zeigte 1918 auf ihrer Ausst. „Münchner Malerei 1870—90" ein feingemaltes Bild „Ara coeli" (Rom, Kapitol).

Dreßlers Ksthandbuch, 1921. — Katal. d. mod. Gal. Thannhauser München, Nachtragswerk III (1918), Abb. — Cicerone, X (1918) 98, 100. — Ausst.-Katal.

Hasselberg, Per (Karl Peter Åkesson), Bildhauer, geb. in Hasselstad bei Ronneby (Blekinge) 1. 1. 1850, † in Stockholm 25. 7. 1894. Lehrling bei einem Schreiner in Karlshamm, wo er 19 Jahre alt Geselle wurde. Ging 1869 nach Stockholm, arbeitete bei einem Ornamentbildh. und studierte ebenda an der Industrieschule. Nachdem er kurze Zeit die Akad. besucht hatte, wandte er sich 1876 nach Paris, wo er 1877 Schüler von Fr. Jouffroy an der Ecole d. B.-Arts wurde. Eignete sich schnell die moderne franz. Technik an, doch ließ er nie das rein Virtuos-Technische allzustark in den Vordergrund treten. Trat im Salon 1880 zum 1. Mal an die Öffentlichkeit mit der Statue „Le Charme" (Knabe mit Vogel spielend). Mit seinem zweiten Werk „Schneeglöckchen", das er als Gipsmodell im Salon 1881 ausstellte, verschaffte H. sich einen Namen. Es gibt davon 4 Marmorexemplare (Nat.-Mus. Stockholm, Mus. Göteborg, Glypt. Kopenhagen u. engl. Privatbes.). Für den Brunnspark in Göteborg schuf er 1883 eine Brunnengruppe (Figur einer Säerin) und für die P. Fürstenberg'sche Privatgal. ebenda 6 allegor. dekorative Gruppen (jetzt im Mus. Göteborg). In der Bronze-Gruppe „Großvater und Enkel" (1886, Stockholm, Humlegård) hat H. seine umfangreichste Arbeit hinterlassen. Seine besten Eigenschaften aber, die feine poetische Auffassung und sein Vermögen, für das Leben der primitiven Kräfte der Natur den künstler. Ausdruck zu finden, kommen am besten zur Geltung in der Gruppe „Schneeglöckchen", die das Erwachen des Liebeslebens in dem jungen Mädchen schildert, und in seinen beiden Meisterwerken: „Der Frosch" (1890, Marmor, Mus. in Göteborg) und „Seerosen" (1893, Orig. Modell ebenda; Marmorexemplar in gleicher Größe von der Hand Chr. Eriksson's ebenda). Der „Frosch" stellt ein hockendes Mädchen dar als frisches lebendiges Symbol für die unmittelbare, naive Natur- und Lebensfreude, die „Seerosen" ein auf dem Rücken ruhendes, sich auf den Wellen schaukelndes junges Mädchen als symbolischen Ausdruck für das Glück der Hingebung. — H. war auch ein hervorragender Porträtist von feinem Gefühl für psycholog. Charakterisierung und durchgearbeitete, aber nie trockene Form.

Zu seinen besten Arbeiten auf diesem Gebiete zählen die Bildnisbüsten: Bildh. Ernst Josephson (1883, Bronze, Nat.-Mus. Stockholm), Kunstsammler Pontus Fürstenberg (Marmor, Mus. Göteborg), Dichter Viktor Rydberg (Marmorausführung von Chr. Eriksson, Nat.-Mus. Stockholm). — H. war einer der bedeutendsten schwed. Bildh. seiner Zeit, der die französ. Form und technische Virtuosität mit germanischer Innerlichkeit und tiefem lyrischen Gefühl vereinigte. Er ist am besten im Mus. zu Göteborg vertreten, wo sich ca 40 Skulpturen und ebensoviele Studien u. Skizzen von ihm finden. 1918 fand im Kunstsalon Liljevalch in Stockholm eine Gedächtnisausst. statt.

Nordisk Familjebok, ² XI (1909), mit 8 Abb. — A. Romdahl, Per H.; Tre studier. Göteborg o. J.; vgl. Besprechung von J. Roosval in Konst och Konstnärer, 1910 p. 60. — Nordensvan, Schwed. Kst d. 19. Jahrh. (Gesch. d. mod. Kst Bd 5), Lpzg 1904; ders., Svensk Konst, 1892. — Romdahl u. Roosval, Svensk Konsthistoria, 1913. — William Andersson in „Bleking" (Lund), 1916 p. 75—83; ders. in „Idun", 1917 p. 425 f. — Konst och Konstnärer, 1911 p. 61 (Abb.), 68; 1913 p. 5 (Abb.). — Tidskrift för Konstvetenskap, III (1918) 87. — Zeitschr. f. bild. Kst, N. F. IX 19 (Abb.). — Emporium, XXXIII (1911) 13 ff., mit 4 Abb. (V. Pica). — Guide . . . Château Royal de Stockholm [par J. Böttiger], 1911 p. 80. — Kat. Ny Carlsberg Glyptothek Kopenhagen, 1912 Nr 797. — Katal. Göteborgs Mus. 1909 p. 68 ff.; Nachtr., 1913 p. 14. — Cat. of Sculpt. City Art Mus. St. Louis, 1914. — Kat. Skulpturarb. Nat.-Mus. Stockh., I (1895) 42, 58. — Cat. Salon Soc. Art. franç. Paris, 1880/1, 83 (Mai), 84, 87—90.
R. Hoppe.

Hasselblatt, Adolf, Bildhauer u. Maler, geb. 19. 6. 1823 zu Roethel in Estland, † 7. 8. 1896 zu Winnenden bei Stuttgart; ausgebildet in einer Gipsgießerei zu St. Petersburg und um 1850 an der dort. Akademie, wo er 1854 für seine Büste des Bibliothekars Spitz das Künstlerdiplom erwarb. Damals an der bildn. Ausschmückung der Petersburger Isaakskathedrale beteiligt, wirkte er später in Wiborg als Zeichenlehrer und betrieb schließlich noch Malstudien in Düsseldorf u. Italien. Das Mus. zu Reval besitzt von ihm eine finnländ. Landschaft.

Neumann, Lex. Balt. Künstler, Riga 1908. — N. Kondakow, Jubil.-Handbuch d. Petersb. Kstakad. 1764—1914, II 249.   *

Hasselbom, Lars, schwed. Maler, wurde 1735 Meister in Lidköping; sein Meisterstück war eine Opferung Isaaks. Bis 1785 erscheint er in der Zunft in Lidköping. Eine Altartafel von seiner Hand in der Kirche zu Mellby ist zerstört; kleinere, weniger bedeutende Arbeiten in der Kirche in Sunnersberg (beide Västergötland).

Curman u. Roosval, Sveriges Kyrkor Västergötland, I/1 p. 63; I/2 p. 252. *K. Asplund.*

Hasselet, Catherine, siehe unter *Wilde*, Jehan de.

Hasselgren, Gustaf Erik, Historienmaler, geb. in Stockholm 1781, † ebenda 9. 3.
1827. Schüler der Stockh. Akad. unter P.
Hilleström (1798), unter dessen Leitung er
mehrere histor. Kompositionen ausführte.
1803 erhielt er die Goldmed. der Akad., 1804
wurde er Agréé. 1806 wurde ihm die Gelegenheit zu einer Auslandsreise als Stipendiat
geboten, aber Paris zu besuchen hinderten ihn
die politischen Verhältnisse. Er begab sich
über Berlin nach Dresden und studierte hier
3 Jahre. Nach einjährigem Aufenthalt in Wien,
ging er nach Italien, wo er 5 Jahre blieb.
1816 wurde er nach Schweden zurückberufen,
um die Nachfolge seines Lehrers Hilleström
als Akademieprofessor anzutreten und wurde
nun einer der vornehmsten Vertreter der vaterländ. Historienmalerei. Charakteristische Arbeiten von ihm sind: „Ragnar Lodbrok in
der Schlangenhöhle" (1818) und „Andacht
Eriks des Heil." (1823), beide im Nat.-Mus.
Stockholm. 2 Selbstporträts in der dort. Kstakad. Im Kupferstichkab. in Dresden Bildnis
H.s, gezeichnet von C. Vogel v. Vogelstein
(Kat. d. Bildniszeichn., 1911 No 338). — H.
besitzt Kompositionsgabe, aber seine Farben
sind, besonders in seinen Spätwerken, schwer,
seine Malerei glatt und unpersönlich. — Seine
Gattin, Anna Catharina, geb. *Åbom*,
geb. 1775, † 1841, war ebenfalls Malerin (Öl
u. Aquarell).

B o y e , Målare-Lex., 1833. — Nord. Familjé-
bok, ² XI (1909), m. Abb. eines Selbstportr. —
N o r d e n s v a n , Schwed. Kunst (Gesch. d. mod.
Kst, Bd 5) Lpzg 1904; d e r s . , Svensk Konst etc.,
1892. — L o o s t r ö m , Acad. Samlingar, Stockh.
1915, Tafel 19, f. p. 165. — Förteckning Tafvelsamml. Nationalmus. Stockholm, 1897. — H o f -
b e r g , Svenskt Biogr. Handlex., 1876 I 411. —
H a f s t r ö m , De Bild. Konst. Utöfvare i Sverige,
1884. — S i r é n , Stockh. Högsk. Tafvelsamml.,
1912 p. 97.   *R. Hoppe.*

Hasselgren, Joachim, schwed. Goldschmied, † nach 1796 in St. Petersburg; seit
1766 Mitglied u. seit 1787 Vorsteher der dort.
Gilde ausländischer Goldschmiede, deren Archiv
er reorganisierte. Seit 1768 für die Hofhaltung
Katharinas II. beschäftigt, schuf er u. a. die
reiche, durchbrochen gearbeitete Rokoko-Gold-
fassung eines vollsignierten Kristallpokales
u. eines gleichartigen Flacons mit dem Monogramm Katharinas II. in der Petersburger
Ermitage-Schatzkammer.

A. v. F o e l k e r s a m , Lex. St. Petersb. Goldschm., 1907 p. 14 f. (Гассельгренъ); Silber-Inventar
der Kais. Pal. zu St. Petersb., 1907 (russ.)
I 57, 72; ders. in Staryje Gody 1911 Juli-Sept.
p. 105.   *

Hasselhorst, Heinrich (Johann H.),
Maler, geb. 4. 4. 1825 in Frankfurt a. M.,
† 7. 8. 1904 ebenda. Kam 1842 ans Städelsche
Institut als Schüler J. Beckers. Mit Porträtzeichnungen verdiente er sich sein Brot. Für
C. Jügels „Album der deutschen National-
versammlung" zeichnete er 1848 mit Th.

Winterwerb die hervorragendsten Abgeordneten des Parlaments auf Stein. 1852 ermöglichte ihm eine Reiseunterstützung des Städelschen Instituts den Besuch von Paris, 1855 ein
Stipendium eine Reise nach Rom. Er weilte
bis 1860 dort, bes. beschäftigt mit Kopieren.
Auch einige Genrebilder („Ital. Weinkelterei",
Deutsche Ausst. in Rom, 1859) entstanden damals. 1860 wurde er Lehrer am Städelschen
Institut. Nach einem halben Jahr beteiligte
er sich an Dr. G. Bernas Nordlandsreise u.
lieferte Illustrationen zu Karl Vogts Beschreibung derselben. Neben seiner Lehrtätigkeit
entstand eine große Zahl von Porträts, Histo-
rien- u. Genrebildern. Zeichnungen u. Studien
von ihm im Städt. Hist. Mus. Frankfurt u. im
Städelschen Institut. Hier auch das Gruppenporträt „Die Sektion" (Verz. d. Gemälde, 1914).
Eine Kopie nach Tizians himmlischer u. irdi-
scher Liebe in der Kunsthalle zu Karlsruhe
(Katal., ⁶ 1910).

F. v. B ö t t i c h e r , Malerwerke des 19. Jahrh.,
I 1 (1891). — W e i z s ä c k e r - D e s s o f f , Kst u.
Kstler in Frankf. a. M., 1909 II. — F r . N o a c k ,
Deutsches Leben in Rom, 1907. — Verst.-Katal.
Lepke-Berlin: Slg G. Bleibtreu, 1908 No 69
(Abb.). — Jahrbuch d. Bilder- u. Kstblätterpreise,
Wien 1911 ff., II—VI.

Hassell, Edward, Aquarellmaler, † in
Lancaster 1852; Sohn des John. Wurde 1841
Mitglied, später Sekretär der Londoner Society
of Brit. Artists, wo er häufig ausstellte (Landschaften). Daneben beschickte er gelegentlich
die Royal Acad. und Brit. Instit. 5 Aquarelle
in der Nat. Gall. Dublin, 1 Bl. („Barrow,
Derwentwater") im Londoner Victoria and Albert
Mus.

R e d g r a v e , Dict. of Artists, 1878. — Dict.
Nat. Biogr., XXV (1891), unter Hassell, John. —
G r a v e s , Dict. of Artists, 1895; Royal Acad.,
IV (1906). — Cat. of Drawings by Brit. Art.,
Brit. Mus., II (1900).

Hassell, John, Landschaftszeichner, Aquarellist und Kupferstecher, † in London 1825,
Vater des Edward. Stellte 1789 in der Royal
Acad. aus. Veröffentlichte folg. topograph.
Werke: Tour of the Isle of Wight. 30 Farbentaf. gez. u. gest. von H. 2 Bde 1790. Picturesque Guide to Bath, Bristol Hot Wells . .
16 Taf. gest. von H., davon 14 nach eigenen
Zeichnungen, je 1 nach J. Laporte und J. C.
Ibbetson, der auch zu 8 Bl. H.s die Staffage
zeichnete (1793). Picturesque Rides and Walks
with Excursions by Water 30 Miles round the
British Metropolis, Bd 1 mit 60 Farbentaf.
gez. u. gest. von H., die Taf. des 2. Bd. (60)
meist nach H. von D. Havell gest. 1817—18
(12°). The Tour of the Grand Junction,
24 Farbentaf. 1819. Excursions of Pleasure
and Sports on the Thames, 46 Taf., davon 30
in farb. Aquatinta gest. 1823 (12°). Außerdem,
für Lehrzwecke bestimmt: The Speculum, or
Art of Drawing in Water-Colour, 3 Taf. 1808,
3. Aufl. 1818. Calcographia, or the Art of

multiplying Drawings . ., 1811 (enthält Radierungen mit weichem Ätzgrund). Aqua pictura, illustrated by a series of original specimans from the works of Payne, Mann, Francia (folgen viele Namen), exhibiting the works of . . Water Colour draughtsmen . . engraved and finished in progressive exemples, 1813. (Erschien monatlich in Lieferungen zu je 4 Bl., davon 1 in farb. Aquatinta.) The Camera or Art of Drawing in Water Colour, 1823. Mit G. Morland befreundet, veröffentlichte er: Memoirs of the Life of G. Morland, mit Bildnis u. 7 Taf. 1806. Posthum ersch.: Art of Etching, 1836, mit Originalrad. Landschaftsaquarelle H.s befinden sich im Print Room des Brit. Mus.

Redgrave, Dict. of Artists, 1878. — Dict. Nat. Biogr., XXV (1891). — Prideaux, Aquatint Engraving, 1909. — Hayden, Chats on old Prints, 1909 p. 258 mit Abb. — Graves, Dict. of Artists, 1895; Royal Acad., IV (1906). — Cat. of Drawings by Brit. Artists, Brit. Mus., II (1900).

Hassells, Werner, siehe *Hassel,* Werner.

Hasselquist, Olaus, Goldschmied in Jönköping, als Meister 1768—92 genannt, als Inhaber der Werkstatt bis 1799. Man findet seine in ausgeprägtem Rokokostil gehaltenen, mit Namensstempel versehenen Arbeiten zahlreich in Kirchen in Småland und in Privatbes.

Fataburen (Nordiska Museet), 1917 p. 117 f., mit 2 Abb. (Upmark). *G. Upmark.*

Hasselriis, Louis, dän. Bildhauer, geb. in Hillerød 12. 1. 1844, † 20. 5. 1912 in Kopenhagen, verbrachte einen Teil seiner Jugend auf Bornholm, wo der Vater ein Gut erworben hatte, kam früh nach Kopenhagen zu dem Bildschnitzer Wille in die Lehre und wurde dann Schüler der Akad. (1859—66) unter H. V. Bissen, von dem er künstlerisch stets abhängig geblieben ist. 1863 stellte er zuerst (in Charlottenborg) eine Statuette des Joh. Ewald (Nat.-Gal. Christiania) aus, 1867/68 konkurrierte er um die kl. goldene Medaille mit „David bereitet sich zum Kampf mit Goliath". 1869 modellierte er eine Erinnerungsmedaille an H. V. Bissen und ging bald darauf nach Rom, wo er auch später meist zu leben pflegte. 1873 sandte er auf die Wiener Ausst. einen Diskuswerfer (1887 in Marmor ausgeführt, Kunstmus.) und eine Statue Heinrich Heines. 1874 zeigte er eine Marmorstatuette Bellmans (Kunstmus.), die ihm ein Reisestipendium einbrachte, 1879 eine Statue Heines, die er 1883 im Auftrag der Kaiserin Elisabeth von Österreich für das Achilleion auf Korfu in Marmor ausführte (1910 provisorisch in Hamburg an der Mönckebergstr. aufgestellt), 1880 die Statue H. Chr. Andersens (als Denkmal in Bronze, ganze Figur, seit 1888 im Kongens Have in Odense). 1897 wurde das „Danmarksmonument" auf dem Platz vor dem Kunstmuseum in Kopenhagen enthüllt (jetzt auf dem alten Festungswall in „Østre Anlaeg"), 1901 das Heine-

denkmal auf dem Grabe des Dichters (Paris, Montmartre), 1902 das Shakespeare-Denkmal in Marienlyst. 1863—1911 stellte er in Charlottenborg aus. — Das Beste leistete H. in Porträtdarstellungen, von denen Frederiksborg allein 6 besitzt; besonders gelobt wird die Bronzestatuette des schreibenden S. Kierkegaard (1883, ein 2. Exemplar in der Ny Carlsberg Glyptothek, ferner in Lebensgröße im Garten der Kgl. Bibliothek), eine Marmorbüste S. Kierkegaards (1899, Frederiksborg), ebenda noch Bronzebüste P. M. Møller (1898), Edv. E. P. Nielsen, Bronzebüste (1872), Fr. Ad. Schleppegrell, Bronzestatuette (1878), Chr. E. Poulsen, Marmorbüste (1881), Bronzebüste desselben auch im Kunstmuseum (Kat. 1921). Aus der Fülle seiner Arbeiten seien noch genannt der „Weinschlürfende Satyr" (1888, Bronze) im Ørsted-Park in Kopenhagen und ein Relief „Austreibung der Wechsler aus dem Tempel" in der Aa-Kirche in Aakirkeby auf Bornholm (1875). Auch als Grabmalsplastiker hat H. sich betätigt (Grabmal des Malers O. J. Broch, 1870). — Außer in den genannten, ist H. vertreten in den Museen: Aarhus, Aalborg, Stockholm, Dresden.

Weilbach, Nyt Dansk Kunstnerlex., 1896. — Trap, Danmark, 1898 ff., I. — Hannover, Dänische Kstler d. 19. Jahrh., 1907. — Revue Univers., 1901 p. 1152, Abb. — Natura ed arte, 1895/96, II 631 f., Abb. — Illustrierte Zeitung, CXXI (1903) 311 f. — Kunstchronik, N. F., XXIII (1912) 452. — Dahl og Engelstoft, Dansk biogr. Haandleks., II (1921) 20. — *Kataloge:* Reitzel, Fortegnelse over Danske Kunstneres Arb. 1883; Gal. Christiansborg, 1880; Ny Carlsberg. Glyptoth., 1912; Mus. Frederiksborg, 1919; Illustr. Führer Nat.-Mus. Frederiksborg, 1913 p. 102, 104, 108, 116 (Abb.)

Hasselt (urkundl. Asselt), van, niederl. Teppichweberfamilie in Florenz, 17. Jahrh. Mitglieder in chronolog. Folge: Jacopo Ebert, † vor dem 22. 4. 1630. Nach dem Tode des G. Papini 1621 Leiter der Großherz. Teppichfabrik. Arbeiten: 1622, Katharinenlegende (für Neapel, 7 Teppiche), 1627 Jagdteppiche und Bettbehänge (Phaëton u. a.) für den Markgrafen von Pescara in Neapel usw. — Bernardino, wohl Sohn des vor., † vor dem 12. 8. 1673. Arbeitet selbständig neben Pierre Lefèvre und leitet 1671 eine Werkstatt im Palazzo Vecchio. Zahlreiche z. T. erhaltene Arbeiten. 1643, Herbst (Weinernte): *Florenz*, Uffizien. 1645, Geißelung Christi, für Genua; 1646, Enthauptung des Apostels Paulus. 1648, Geschichte des Tobias (3 Teppiche). 1650, Geschichte Alexanders d. Gr., nach A. Melissi (5 Teppiche). 1651—9, Geschichte des Moses, Folge von 6 Teppichen: 1. Moses aus dem Wasser gezogen. 2. Durchzug durch das Rote Meer. 3. Moses schlägt Wasser aus dem Felsen. 4. Gesetzgebung auf dem Sinai. 5. Mannalese. 6. Die eherne Schlange. Architekton. Bordüren. Zeichnung korrekt, Kolorit flau. *Rom,* Monte di Pietà. — Pietro di Jacopo di Egidio, wahrscheinl. Sohn des Jacopo (s. o.). In den Urkunden als „Maestro di panni d'arazzo" bez. Erhält 16. 1. 1641 das Florentiner Bürgerrecht. Begraben in S. Marco 16. 1. 1644. Arbeiten: Behang mit dem von 2 Putten gehaltenen Mediciwappen (bez. PIERO VAN ASSELT), *Florenz*, Uffizien. Frühling (Musiker, Tänzer u. and. Fig. in Kostümen des 17. Jahrh. Figuren plump und gewöhnlich [Müntz]), *ebda* (bez.). Teppich einer unbekannten Folge, Mann auf einer Leiter stehend und mit Kohle an die Wand zeichnend (bez.), *Rom*, Monte di Pietà.

C o s i m o   C o n t i , Ricerche stor. sull' arte degli arazzi in Firenze, 1875 p. 19 ff., 62 ff. (Urkdn). — P. M ü n t z , Hist. de la tapiss. en Italie . . . (Hist. gén. de la tapiss.), 1878—84 p. 70 f., 74. — J. G u i f f r e y , Hist. de la tapiss., 1886. *B. C. K.*

Hasselt, H e n d r i c k   v a n , niederl. Architekt, lieferte 1562, offenbar durch einen Wettbewerb veranlaßt, einen Plan zu einer Vorhalle für das Kölner Rathaus, der mit den Entwürfen der übrigen Bewerber im städtischen Archiv aufbewahrt wird.

M e r l o , Köln. Kstler, Ausg. F i r m e n i c h - R i c h a r t z , 1895. — L ü b k e - H a u p t , Gesch. d. Renaiss. in Deutschland, ³ 1914 II. — Köln u. seine Bauten, 1888. — R. K l a p h e c k , Baukunst am Niederrhein, I (1915) 179.

Hasselt, J a c o b   v a n , siehe unter *Hassel,* J. van.

Hasselt, J a n   v a n   d e r , s. *Asselt,* J. v. d.

Hasselt, I z a k   v a n , von Houbraken erwähnter Landschaftsmaler, der 1642 mit J. G. Cuyp u. a. in Dordrecht eine neue Künstlergenossenschaft gründete. — Vielleicht identisch mit dem Utrechter I s a a c k   J a n s s e n H., der 1619 bei P. Moreelse in die Lehre trat. Vielleicht waren von ihm auch die 2 Genrestücke (Gemüsefrau, Raucher), die 1674 im Inventar der Witwe des G. van der Hulst als von „van Hasselt" gemalt genannt werden (die Raucher werden als H.s letztes Stück bezeichnet). Eine Landschaft mit Kuh im Vordergrund (Weimar, Privatbesitz), bez. „J. v. Hassele jor 1649" könnte von ihm (oder Jacob van Hassel?) sein.

H o u b r a k e n , Groote Schouburgh, 1718—29 I 238. — Oud Holland, II (1884) 245, 247. — M u l l e r , Utrechtsche Archieven, 1880. — B r e d i u s , Kstlerinventare, IV (Quellenstud. z. Holl. Kstgesch., X), 1917 p. 1373.

Hasselwander, J o s e f , falsch für *Haßlwander,* Josef.

Hassenberg, H i e r o n y m u s   J a k o b , Bildhauer, begr. 7. 1. 1743 im Dom zu Lübeck, lebte 1704 als Hofbildhauer des Herzogs Hans Adolf (1634—1704) in Plön, war seit 1714 in Lübeck tätig. Von ihm in Lübeck: Epitaph des Bürgermeisters J. C. Joh. Westken († 1714) in der Marienkirche, bez.; Epitaph des Bürgermeisters Thomas v. Wickede († 1716) in der Ägidienkirche, bez.; Hochaltar der Jakobikirche, 1717 vollendet, bez., ähnl. dem Hochaltar der Ma-

rienkirche; Sandsteinumrahmung der Grabtafeln des Präsidenten Jessen u. seiner Gemahlin im Dom, bez., um 1730; Portalaufbau der von Focke-Kapelle im Dom (Sandstein; der dekorative Schmuck u. die Figuren des Glaubens, der Hoffnung u. der liegenden weibl. Gestalt, aus weißem Marmor), bez., um 1730; Epitaph des Bürgermeisters J. H. Dreyer in der Petrikirche, bez. u. 1738 dat.; Sandsteinportal des fürstbischöfl. Mausoleums im Dom (mit reichem Wappen u. 2 auf den Ansätzen des rundbogigen Giebels lagernden weibl. Gestalten), bez., nach 1726 (der Bau der Grabkapelle 1726 geplant, aber erst 1747 vollendet). In der Kirche zu Damshagen, Mecklenburg, stammt von ihm der Altar mit der Kanzel, 1724 (nach einem Inventar von 1811). — Im architekton. Aufbau relativ einfach, weisen seine Arbeiten, vor allem die Grabdenkmäler, im Figürlichen den wilden Reichtum u. die massige Formensprache des nordischen Spätbarocks in charakteristischer Weise auf.

Bau- u. Kstdenkm. Schleswig-Holst., III (1889). — Bau- u. Kstdenkm. Lübecks, II (1906); III 1. u. 2. Teil (1919/21). — Kst- u. Gesch.-Denkm. Mecklenb.-Schwerin, ² II (1899) 359. — D e h i o , Handb. d. deutschen Kstdenkm., ² II (1922).

Hassenkamp, K u r t , Maler u. Graphiker in Berlin, geb. 1886, † 1917 in Heidelberg, Schüler von C. Saltzmann. Gemälde u. Lithogr., meist Marinen, waren auf der Gr. Berl. Kstausst. 1911—18 u. im Münchner Glaspalast 1912, 13, 16 ausgestellt.

Berl. Lokalanzeiger vom 22. 3. 1917. — Ausst.-Katal.

Hassenpflug, K a r l , Bildhauer, geb. 5. 1. 1824 in Cassel, † ebenda 18. 2. 1890, Sohn des späteren kurhess. Staatsministers und von Lotte Grimm, Schwester von Jakob, Wilhelm und Ludwig Gr. Schüler erst von Wichmann in Berlin, dann (1844—1847) von Schaller in München, für den er die Statue Herders in Weimar modellierte, ging 1848 zu weiterer Ausbildung nach Rom. Hier u. a. Simson u. Dalila. 1851 Rückkehr nach Deutschland, 1853 Besuch Londons, 1853—1856 in Cassel (Relief für Michaeliskirche, Fulda; Apostel für Elisabethkirche, Marburg). Seit 1858 wieder in Rom, wo zahlreiche Werke entstehen: Amor u. Psyche (Orangerie b. Potsdam), Eros u. Anteros (Köln, Museum), Nausikaa (Leipzig) u. a. 1868 als Lehrer an die Kunstakademie in Cassel berufen, hat er hier außer weiteren Gruppen — Fischerknabe nach Goethe (1874), Aschenbrödel u. a. — und Büsten, so bes. der Gebrüder Grimm (1884, Landesbibliothek, Cassel), des Kurfürsten Wilhelm (1881, Landgr. Friedrich v. Hessen), Ob.-Präsid. v. Möller (Cassel, Schöne Aussicht), den dekorativen Statuenschmuck für das Äußere u. Innere der Gemäldegalerie entworfen. H. hat sich nicht über einen unpersönlich akademischen Stil zu erheben vermocht.

Seubert, Allgem. Kstler-Lexikon, II (1878) (auf Grund von Notizen d. Kstlers). — Hoffmeister-Prior, Nachr. über Kstler in Hessen, 1885. — H. A. Müller, Biogr. Kstlerlex. d. Gegenwart, 1884. — Kat. Casseler Gal. (4. Aufl.), Vorwort v. Dehn-Rotfelser p. IX u. XVIII. — Knackfuß, Gesch. d. Kstakademie Cassel 1908, p. 219, 228, 235. — Kunst-Chronik, X (1875) 202, 521, 615; XI 435, 753; XII 165, 293; XIII 28, 198; XVII 156, 227; XVIII 531; XIX 93. — Kunst f. Alle, III (1888); V (1890). — Kat. Mus. Leipzig 1917. — Bergau, Bau- u. Kunstdenkm. Brandenburg p. 166. — Internat. Kst-Ausst. München Glaspalast 1869.   *Gr.*

Haßfurter, Georg, Steinmetz u. „Stadtmeister" in Amberg (Oberpfalz), erbaute dort laut Stadtkammerrechnung u. Meisterinschrift 1577 das Haus A 1 und 2 in der Georgenstr. Sein Meisterzeichen findet sich ferner am ehemal. Tanzhaus (Tanzhausgasse B 16), mit Jahreszahl 1577, an der Sakristei der Martinskirche mit Jahreszahl 1578, am Nabburgertor mit Jahreszahl 1578 (nur oberstes Geschoß der Türme u. Mittelbau über dem Torbogen in dieser Zeit entstanden) und am Spital neben der Katharinenkirche mit Jahreszahl 1588.

Kstdenkm. Bayerns, II Heft 16 (1909) 51, 102, 158, 184, 187.

Haßlwander (fälschlich Hasselwander), Josef, Historienmaler u. Graphiker, geb. 7. 8. 1812 in Wien, † 3. 8. 1878 in Scheibbs, Vater des Friedrich. Schüler der Wiener Akad., dann besonders von seinem Freunde Rahl beeinflußt; aus Erwerbsrücksichten wendete er sich fast ausschließlich der Illustration zu; 1853 wurde er Zeichenprofessor an der Schottenfelder Oberrealschule in Wien, 1857 an der Oberrealschule auf der Wieden, seit 1858 Direktor des Pensionsvereins für bild. Kstler, zu dessen Hebung er vor allem beitrug. Von seinen Bildern sind bekannt geworden: „Sappho" (1835), „Judith" (1836), „Kaiserin Maria Theresia" (Bildnis, Stahlst. v. Bogner), „Grab Walthers von der Vogelweide", „Erstürmung von Ofen" (Lith. E. Kaiser), „Austria" (Lith. Strixner), „Schutzengel", Aquarell (1855), „Vater Unser", 8 Bl. Aquarelle, „Bürgers Sonntagsruhe" (Holzschn. Weixelgärtner), „Heil. drei Könige" und „Rudolf von Habsburg" (Lith. Engel). Die Staatsgal. besitzt eine Kopfstudie u. ein Bildnis des Malers Heinrich Schwemminger (Führer durch die Gem.-Gal., III Mod. Meister 1907 No 128, 129), die Albertina 2 Sepiazeichn. (Kreuzigung und Hl. Anna). Auch Museum u. Rathaus der Stadt Wien besitzen Werke von ihm. Auf der Wiener Spitzen- u. Porträtausst. 1906 (Kat. No 531, 534) waren von H. 2 Bildnisse, darstellend den Vater u. die Gattin des Künstlers (Bes. Prof. Friedr. Haßlwander) ausgestellt. Die Statuen, die auf der ehemal. Elisabethbrücke standen und jetzt vor dem Rathaus aufgestellt sind, wurden nach H.s Zeichnungsentwurf ausgeführt. Von ihm selbst radiert sind die 4 Tageszeiten für die Zeitschrift „Adler" (1839). Eigen-

händige Lithographien sind: das Blatt „Wiener Moden 1816—1845", „Ein deutscher Krieger" für das Album der „Wiener Zeitschrift" und das Gedenkblatt „Der Schutzengel" (1855). Nach seinen Zeichnungen wurden zahlreiche Illustrationen für Taschenbücher, Almanache und Gebetbücher hergestellt, besonders in Stahlstich von Zastiera, Sonnenleiter, Lechleitner u. Benedikt. Eine Folge von 42 Blatt, Darstell. aus dem Leben Christi und Mariä, hat Stöber radiert. Von Edinger wurde „Der Stuckgießer" (für die Folge „Der Mensch und sein Beruf"), von Weixelgärtner „Amnestie der politischen Gefangenen" (1848) lithographiert. Im Wiener Künstlerhaus fand 1912 eine Gedächtnisausst. statt. Seit 1848 war H. Mitglied der Wiener Akad. Sein künstler. Nachlaß (Ölgem., Aquarelle u. Zeichn., 70 Nummern) wurde am 27. 3. 1918 bei Albert Kende in Wien versteigert (vgl. Katal. 42. Kst-Auktion, No 165 bis 233).

F. v. Bötticher, Malerwerke des 19. Jahrh., I 1 (1891). — Lauser's Allg. Kstchronik, XI (1887) 485 ff. — Kstchronik, XVI (1881) 686 ff. — Dioskuren, II, Berlin 1857 p. 54. — The Studio, LVIII (1912) 142. — Maillinger, Bilderchronik der St. München, IV (1886). — Frimmel, Lex. der Wiener Gemäldeslgn, II 127. — Die Kunst, XXIII (1911) 443. — Allg. deutsche Biogr., XI. — Mitt. † Friedrich Haßlwander.
H. Leporini.

Haßlwander, Friedrich, Historienmaler u. Schriftsteller, geb. 4. 10. 1840 zu Wien, † 1. 9. 1914 in Grein a. d. Donau, Sohn u. Schüler des Joseph. Besuchte 1859—60 die Techn. Hochschule in Wien, 1860—67 die Akad. als Schüler K. Wurzingers. Seit 1877 Sekretär der Pensionsgesellschaft bild. Kstler. Er führte religiöse u. histor. Kompositionen im Geiste der Romantik aus, von denen verschiedene, wie Faust in der Hexenküche, Lenore, König Richard III., u. a. in Zeitschriften u. auch in photogr. Reprod. im Verlag V. A. Heck, Wien, erschienen. Im Mus. der Stadt Wien befindet sich von ihm Mozarts Porträt nach Jean Guérin. Als Schriftsteller ist er durch seine Novellensamml. „Phantasiestücke" bekannt geworden.

C. Bodenstein, 100 Jahre Kstgesch. Wiens, 1888. — Eisenberg, Das Geist. Wien, 1893. — Das Geist. Deutschland, 1898. — Ztschr. f. Bücherfreunde, N. F. VI/2 (1915), Beibl. 329 ff. — Mitt. Robert Haßlwander.

Hast, Louis, Maler in Nancy, „peintre particulier" des Herzogs von Lothr., Stanislaus Leszczynski; von ihm eine Landschaft mit Mühle im Mus. zu Nancy.

Réun. des Soc. des B.-Arts, XXIII (1899) 455.

Hasté, Michel, *l'aîné,* Kstschlosser in Paris, 1676—88 mit Arbeiten (Gitter, Balkon- u. Treppengeländer) für die kgl. Schlösser Clagny, Versailles, Saint-Germain, Marly, Noisy genannt. 1693 empfängt er noch eine Nachzahlung. Von ihm vermutlich eine Ornamentstichserie im Stile Lepautres, 6 Bl., Geländer

u. Wandarme, bei F. Poilly erschienen, mit Widmung an den Archit. de Lespine, nach welcher den Stichen wohl für Lespines Bauten bestimmte und nach dessen Skizzen ausgeführte Werke zugrunde liegen. Eine 2. ähnliche Serie, Gitter, Geländer u. Details, ebenfalls bei F. Poilly erschienen, stammt wohl gleichfalls von ihm. — H. *le jeune* erhält 1705 Restzahlung für 1684/85 geleistete Schlosserarbeiten.

J. Guiffrey, Comptes des Bâtim. du Roi, 1881 ff. I—IV. — Guilmard, Maîtres orneman., 1881 (vgl. Katal. d. Ornamentstichsamml. des Kstgew.-Mus. Berlin, 1894). — A. Brüning, Schmiedekunst (Monogr. d. Kstgew. III), p. 36 bis 38, 40.

Hastedt, Hermann Diederich, Architekt in Hamburg, geb. ebenda 3. 2. 1824, † ebenda 7. 1. 1901. Lernte zuerst bei J. H. Schlösser, bezog 1845 die Bauakad. in Berlin unter Strack und setzte nach 4 jähr. Studium seine Ausbildung in München, Paris (Ecole des B.-Arts) und 1850—52 in Italien fort. Machte sich dann in Hamburg selbständig u. gründete 1859 den Architekten- u. Ingenieur-Verein. In mehr als 30 jähr. Berufstätigkeit baute er eine große Zahl öffentl. u. privater Gebäude, die dem Stil der Berliner Schule entsprechen. Zu nennen sind die Häuser für Fr. Hastedt, Vorwerck in Flottbeck, Carl Woermann in Narmühlen, Amsinck, Hünicken in Teufelsbrücke, Pfennig, Wilh. Hastedt und Goßler in Groß-Borstel. 1873 erbaute H. nach siegreichem Wettbewerb die St. Johannis-Kloster-Schule am Holzdamm, 10 Jahre später den 1. Erweiterungsbau. In seine letzten Jahre fallen die Bauten für Möring in Reinbeck u. das Vereinshaus für innere Mission. Mitte der 80er Jahre zog sich H. ins Privatleben zurück.

Dtsche Bauzeitung, 1868 ff., passim, vgl. Inh.-Verz. u. Sachreg. d. Dtsch. Bauztg, 1867—1908, bearb. von J. Faulwasser, Hambg 1909 p. 5. — F. Noack, Dtsches Leben in Rom, 1907 p. 315, 437. — J. Faulwasser, Baumhaus, Hambg 1919. *Jul. Faulwasser.*

Hastenbergh, holl. Porträtmaler des 17. Jahrh., von dem die Porträts des Pieter Nahuys u. seiner Gattin Catharina Soetens (Brüssel, Privatbesitz) stammen sollen. Im Mus. zu Douai befindet sich nach Bénézit das Porträt einer jungen Holländerin, 17. Jahrh., von Hastenburg, offenbar dem obigen.

Moes, Iconogr. Batava, I (1897) No 5287 u. 7363. — Bénézit, Dict. des Peintres etc., II (1913).

Hastie, Grace H., Blumenmalerin in London, stellte 1874—1903 in verschiedenen Londoner Ausst., bes. in der Royal Acad., Suffolk Street u. New Water-Colour Soc. aus.

Graves, Dict. of Art., 1895; ders., Royal Acad., IV (1906).

Hastie, William, (russ. Гесте, fälschl. gelesen „Geste" oder „Guesti, Wassilij Jwanowitsch"), engl. Architekt, 1783—1825 in Rußland tätig; 1798 auf der Krim-Halbinsel mit Architekturaufnahmen beschäftigt (namentlich solchen des alten Chan-Palastes von Bachtschi-Ssaraj), die in der Petersburger Staatsbibliothek erhalten blieben (cf. Gerngroß). In St. Petersburg, Zarskoje Sselo, Moskau u. Kijeff führte er nach eig. Plänen eine Reihe von Brücken- und Nutzbauten aus.

Benois-Fomin, Histor. Archit.-Ausst. in St. Petersb. 1911 (russ.) p. 49 f. — Wiltschkowski, Zarskoje Sselo, 1911 (russ.) p. 46, 183, 225, 227. — W. Gerngross in Staryje Gody 1912 April p. 20, cf. 8 f., 14, 32 n. 67, dazu 1911 April p. 43 und 1908 p. 569. *

Hastier, John, amer. Silberschmied, von französ. Herkunft, geb. in New York 1692, † daselbst 1771. 2 Becher, dat. 1729, Marke I H in Herzschild, in der First Presbyterian Church in Southampton, Long Island, N. Y. — Seine Tochter Margaret, geb. 1727, folgte dem väterlichen Beruf.

Jones, Old Silver Amer. Churches, 1911 p. 450. — Bull. Metrop. Mus. of Art N. York, VII (1912) 61. — Art in America, X (1922) 77. *F. H. Bigelow.*

Hastings, Edward, Maler in London, zeigte 1804—27 zahlreiche Porträts in der Royal Acad., Prospektmalereien (Ansicht der Cathedrale zu Durham, von Bamburgh Castle) u. Genrebilder in der Brit. Instit. Von ihm ein Porträt des Bischofs Shute Barrington von Durham im Balliol College Oxford. Er zeichnete für die Monthly Literary Recreations (Proben 1807 in der Royal Acad. ausgestellt). Nach ihm stach C. Turner die Porträts des James Britton u. John Carr, J. Hopwood das des Admirals Popham, T. Woolnoth für Ladies' Monthly Museum 1823 u. 24 die Porträts der Schauspielerinnen Marg. F. Carew, Mrs. Clifford, Cath. Tunstall, der Sängerin Miss Goodall, der Harfenspielerin Louisa Sharp und des Schriftstellers John Galt.

Nagler, Kstlerlex., VI. — Graves, Dict. of Art., 1895; ders., Royal Acad., IV (1906); ders., Brit. Instit., 1908; ders., Cent. of Loan Exhib., II (1913). — Cat. of Engr. Brit. Portr., Brit. Mus. London, 1908 ff. I—IV.

Hastings, Kate Gardiner, Malerin in London, mit Stilleben, Porträts, Landschaften zwischen 1878—93 häufig in dort. Ausst. vertreten, so in der Royal Acad., der Grosvenor Gall., der New Gall. u. der New Water Colour Soc.

Graves, Dict. of Art., 1895; ders., Royal Acad., IV (1906). — Hirsch, Die bild. Kstlerinnen der Neuzeit, 1905.

Hastings, Thomas, gen. *Captain Thomas,* Zeichner u. Radierer (Dilettant). Tätig 1813—31 in Liverpool (Associate der Akad.). Arbeiten: Vestiges of Antiquities or a Series of Etchings of Canterbury, 1813; Etchings from the Works of Richard Wilson, 1825 (39 Bl.); The British Archer or Tracts on Archery, New Part 1831. Ferner Platten zu Woolnoth's Canterbury Cathedral, 1816.

Redgrave, Dict. of Artists, 1878. — Dict. Nat. Biogr., XXV. — Graves, Dict. of Artists, 1895; Royal Acad., IV (1906).

Hastings, T h o m a s , amer. Architekt, geb.
in New York 11. 3. 1860. Schüler der Pariser
École des Beaux-Arts (1884). Gründete 1885
mit John M. Carrère (s. d.) die Firma *Carrère &
Hastings* in New York. Sie errichteten die
Hotelbauten Ponce de Leon (1887) und Alcazar
(1888), die Presbyterian Church (1890), Flagler's
Wohnsitz (1901) und Mausoleum (1906) in St.
Augustine und Palm Beach (Florida), in freier
Anlehnung an die spanische Renaissance, deren
Stilformen sie auch bei ihren Wettbewerbs-
plänen für die Johannes-Kathedrale in New
York (1892) und dem Plan der Panamerikan.
Ausst. in Buffalo (1901) durchführten. Für
gewöhnlich hielten sie sich aber an französ.
Renaissance- und Barockvorbilder, wie bei dem
Laurel-in-the-Pines Hotel in Lakewood, N. J.
(1891), der New York Public Library (1897 ff.),
Senate u. House Office Buildings in Washington
(1906), New Theatre, New York (1906) und
Carnegie Institution in Washington (1909) sowie bei vielen schönen Stadt- und Landhäusern,
z. B. bei den für Mrs. R. H. Townsend in
Washington (1893), H. T. Sloane (1894), Charles
Senff (1900), Elihu Root (1903) und Georges
L. Rives (1908) in New York, für F. H. Goodyear in Buffalo (1903), Mrs. Richard Gambrill
in Newport (nebst „Belle Fontaine" in Lenox,
1897) erbauten Wohnhäusern. Indian Harbor
in Greenwich, Conn. (1891) und Murry Guggen-
heim House in Newport (1903) zeigen dagegen
mehr den Stil der ital. Renaissance. Ansehnliche Geschäftshäuser der Firma sind das Mail
and Express Building (1891), Life Building,
Fiske Bldg u. Blair Bldg (1902). Als eine
ihrer Hauptaufgaben betrachten sie die Grund-
rißgestaltung, wie sie bei vielen öffentlichen
Wettbewerben, an denen sie beteiligt waren,
bewiesen haben. H. ist Mitglied der National
Commission of Fine Arts, der Nat. Acad. of
Design und der American Acad. of Arts and
Letters.

The Work of Carrère and Hastings, Architectural Record, XXVII (1910) 1—120 (mit Liste
der Werke der Firma). — Catal. of the Works
of Arts belonging to the City of New York, II
(1920). — Dtsche Bauzeitg, XLVI (1912) 717—21,
745—49 u. Taf. 82, 85 (Public Library New York);
XLVIII (1914) 291 ff. (Wettbewerb neues Gerichtsgeb. New York). *Fiske Kimball.*

Hastings, William G r a n v i l l e , Bildhauer, geb. um 1868 in England, † 13. 6.
1902 in Mt. Vernon (N. Y.), bildete sich in
London u. Paris, kam 1891 nach Amerika.
Von ihm das Soldiers'- and Sailors'-Monument
in Orange (N. Y.) u. in Pawtucket (R. J.) u.
das Lincoln-Denkmal in Cincinnati (O.).

Amer. Art Annual, 1903 p. 141.

Hastner, H i e r o n y m u s , gen. *il Corazza*,
Landschaftsmaler, geb. 1665 in Florenz, † 1729,
Sohn eines deutschen Soldaten aus Königsberg, welcher der Leibgarde des Großherz. Ferdinand II. v. Toskana angehörte. War Schüler

des L. Mehus u. wurde 1688 unter Cosimo III.
unter dessen Kürassiere aufgenommen. Von
ihm 2 Landschaften in der Pinac. zu Arezzo
(Kat. 1921), Landschaft mit einer Kavalkade
von Bewaffneten in der Gall. Corsini Florenz
(Kat. 1886 p. 23), Aquarelle u. Zeichnungen
in den Uffizien zu Florenz (Catal. di Disegni
autografi ant. e mod., 1870 p. 375).

A. P a z z i , Serie di Ritratti di celebri Pitt.,
T. I, P. II p. 23. — Danach : F ü ß l i , Kstlerlex., 1779 und F i o r i l l o , Gesch. d. zeichn. Kste
in Deutschland, 1815 ff.

Hastolz (Hastols), J. C., niederl. Landschaftsmaler, von dem sich Zeichn. in der 1821 versteig. Pariser Sammlg Paignon Dijonval (Catal.
p. 82) befanden. Eine lavierte Federzeichn.,
Waldlandschaft mit Reiter, in der Art D. Dalens' d. Ä., bez. „C. Hastolz", war 1897 auf
der Versteigerung Piek, Amsterdam.

N a g l e r , Kstlerlex., VI. — A. v. W u r z -
b a c h , Niederl. Kstlerlex., I (1906).

Hastrel, A d o l p h e d e , Maler u. Lithograph, von dem um 1845—53 unter Mitarbeit
anderer Zeichner u. Lithographen eine Anzahl
Albums mit Lithogr. erschienen, so: „Album
de tous les pays", „Album d'Hastrel, vues diverses des villes de France", „Album d'artiste,
souvenir de voyage", 1853, „Album Sablais",
1845, „Vues et monuments de La Rochelle",
1850, „Album de l'île Bourbon", „Colonie du
Sénégal", „Album de La Plata". Von ihm
auch Porträtlithogr. (Herzogin von Feltre, nach
Dubufe). — Am „Album d'artiste" war L u -
d o v i c d ' H a s t r e l sein Hauptmitarbeiter.

B é r a l d i , Grav. du XIXe S., VIII (1889).
— R e i b e r , Iconogr. alsat., 1896.

Hasz, M a r g . v a n , s. *Greulich*, Marg.

Hatch, G e o r g e W., Stecher, geb. um
1805 im Staat New York, † 1867 in Dobbs'
Ferry (N. Y.), Schüler der Nat. Acad. of Design in New York 1826 u. des A. B. Durand,
tätig in Albany u. New York. Stach Porträts,
Landschaften u. figürl. Szenen für „Annuals",
entwarf u. stach auch Banknoten. Ein Stichporträt Washingtons im „New York Mirror"
1832 wird besonders gerühmt.

W. D u n l a p , Hist. of Arts of Design in the
United St., II (1834). — D. M. S t a u f f e r ,
Amer. Engravers, I (1907).

Hatfield, J o s e p h H e n r y , amer. Genre-
maler, geb. 21. 6. 1863 bei Kingston, Canada,
Schüler von Constant, Doucet u. Lefebvre in
Paris, wo er 1891 im Salon der Soc. des Ar-
tistes franç. ausstellte. Ein Bild von ihm im
Boston Art Club.

Amer. Art Annual, XVIII (1921).

Hatfield, R i c h a r d , Kupferstecher, geb. in
London 1809, † das. 1867. Schüler von E.
Finden. Arbeitete für Finden's Royal Gall. of
Brit. Art (1838) nach Maclise, G. S. Newton,
R. Redgrave u. a. Wegen Augenschwäche
gab er später seine Tätigkeit auf.

B r y a n , Dict. of Paint., ed. Williamson, III
(1904). — Notiz von E. A. Popham.

Hatfield, W., Miniaturmaler in England, 18. Jahrh., von dem ein Email-Miniaturporträt nach Reynolds, Dr. Samuel Johnson darstellend, 1780 dat., im Ashmolean Mus. der Universität Oxford sich befindet (Catal. 1909 p. 128).

G. C. W i l l i a m s o n , Hist. of Portr.-Miniat., 1904.

Hatherell, W i l l i a m , Maler u. Illustrator, zeigte seit 1879 in der Royal Acad., der Old Water-Colour Soc. u. andern Londoner Ausstell. Porträts, Bilder mit Motiven aus Dichterwerken u. Darstell. aus der Zeitgeschichte. War auch als Illustrator tätig (Shakespeares Romeo u. Julia, London, Hodder and Stoughton). Eine Zeichnung von ihm in der Nat. Art-Gall. N. S. W. Sydney (Catal. 1906 p. 141).

G r a v e s , Dict. of Art., 1895; d e r s ., Royal Acad., IV (1906). — Cat. Exhib. Royal Acad. London, 1905 ff. — Royal Acad. Pictures, 1897; 98; 1902; 04; 10—15. — Art Journal, 1885 (Ill. zum Artikel „London Club-land"). — Studio, LVII (1913) 264; Special Spring No, 1916 (Abb.).

Hatlák, T h o m a s , böhm. Bildhauer, geb. in Pischely, tätig 1764—82 in Smilkau, wo er eine barocke Statuengruppe der Hl. Johann u. Paulus aus rötlichem Marmor am Wege von Smilkau nach Arnoschtowitz mit seinen Initialen bezeichnete (1761 errichtet; tüchtige Arbeit und gut erhalten). — Sein Sohn F r a n z , geb. 1764 in Smilkau, war ebenfalls Bildhauer. Diesen beiden kann mit Recht manche Schnitz- oder Bildhauerarbeit in den Kirchen des Smilkauer Patronats zugeschrieben werden.

Topogr. d. Hist. u. Kst - Denkm. im Kgr. Böhmen, III (1899) 134, mit Tafel.

Haton, C l a u d e , Kupferstecher, aus Frankreich stammend, arbeitete 1703—24 in Schweden, wohin er von N. Tessin berufen wurde, um die Pläne für das neue Schloß in Stockholm zu stechen, welche Arbeit er 1712 abschloß. Diese Stiche veröffentlichte er in einem Tafelwerk, das im ganzen 18 Bl. von H. und 1 Bl. von Le Clerc umfaßt. Er hat auch Buchtitel und Bildnisse gestochen, die aber keinen bedeutenden Kunstwert haben.

Nord. Familjebok, [2] XI (1909). — Biogr. Lex. öfver Namnkun. Svenska Män., XVIII 80 („Hatton"): K. Asplund.

Haton-Chatal, T r i s t a n , Architekt, lieferte 1460 die Pläne zum Portal der Kathedrale von Toul. 7. 5. dieses Jahres wurden sie von einem Baumeisterkollegium begutachtet u. vom Kapitel angenommen. Die Ausführung wurde jedoch Jacquemin de Commercy übertragen.

B a u c h a l , Dict. des Archit. franç., 1887.

Hatos, S á n d o r , ungar. Karikaturenzeichner, geb. 1868, † 1907 in Budapest, wo er lange Jahre Zeichner des Witzblattes „Herkó Páter" war.

Vasárnapi Ujság, 1907 p. 156. J. Szentiványi.

Hatot, G a b r i e l , Maler u. Lithograph in Paris, geb. in Troyes 1818, † 1891, Schüler von J. Schitz. Beschickte 1849—80 den Pariser Salon mit Landschaften, besonders Ansichten aus der Umgebung von Troyes. Im dort. Museum eine Landschaft, Sonnenuntergang, u. eine Zeichnung, Umgebung von Troyes (Cat. des Tableaux, [7] 1907).

B e l l i e r - A u v r a y , Dict. gén., I (1882).

Hattem, J e a n v a n , Münzstecher, † 1691, wurde 1672 graveur particulier der Münze zu Brüssel u. im gleichen Jahre auch graveur général des Monnaies des Pays-Bas. Von ihm zahlreiche Jetons, so die mit dem Wappen des Jacques Pipenpoy von 1672, des bureau des Finances, 1675, des Philippe Godefroid Vande Wouwere, anscheinend überhaupt alle 1672—88 ausgegebenen „jetons des intendants-receveurs du canal". Auch als Graveur von Pilgermedaillen wird er urkundlich genannt. — Von P i e r r e J e a n , vermutlich seinem Sohne, ist wohl das Siegel der Krämer in Brüssel.

F o r r e r , Dict. of Med., II (1904). — Revue belge de numismat., LXX (1914) 117—139, 262 bis 280.

Hattenberger, F r a n z J w a n o w i t s c h (urspr. Jean François Xavier, russ. Гаттенбергеръ), schweiz. Zeichner, Lithograph u. Keramiker, † um 1820 in Rußland; wurde als Professor der Technologie an der Universität zu Genf von Katharina II. nach St. Petersburg berufen und war eine Zeit lang bei der Porzellanfabrik von Gardner angestellt. Seit 1796 Hofrat, wirkte er bis 1806 in Petersburg als Direktor der von ihm reorganisierten Kais. Porzellanmanufaktur. Als künstlerisch begabter Dessinateur erweist er sich mit einem im Petersburger Ermitage-Kabinett befindlichen, Zar Alexander I. gewidm. Album von 30 Aquarell-Varianten eines „Pot au lait . . . faisant partie d'autant de déjeuners" (sign. „1801 F. X. Hattenberger"), mehreren Folgen von zeichnerischen Entwürfen zu kunstgewerbl. Arbeiten, Diplomen, Vignetten etc. im Archiv des ehemal. dort. Hofministeriums u. mit 3 lithograph. Beiträgen zu Ther. Schneider's „Premier essai de la gravure sur pierre faite à St. Petersbourg . . . 1816" (Quellnymphe u. 2 Vasenentw., signiert „composé et dessiné sur pierre par Hattenberger 1816", cf. Abb. bei Adarjukoff vor p. 65). — Im Archiv des ehem. Hofministeriums, Petersburg, befindet sich H.s handschriftl. Memorial „Itinéraire de mes voyages à la fabrique Impériale de Porcelaine par ordre supérieur et résultat des examens que j'ai fait de ces établissements dans toutes ses parties et après les désirs de S. Ex. M. de Gourieff, ministre du cabinet, en 1803" (66 Seiten). In der Bibliothek d. Porzellan-Manuf. werden 2 Bände mit aquarell. Zeichnungen von H. bewahrt, die Vasen, Services u. a. in klassizist. Geschmack darstellen. In der Ermitage ein Album mit Zeichnungen H.s — H. war einer der ersten russ. Lithographen. Das als Inkunabel geltende Album „Premier essai de la gravure sur pierre fait à St. Petersbourg au mois de Nov. 1816" enthält 2 von H. signierte Steinzeichnungen.

Sseliwanoff, Porzellan und Fayence in Russland, 1903 (russ.) p. 21; cf. Russ. Biograph. Lex., Bd Га—Ге— (1914) p. 270. — A. v. Foelkersam in Staryje Gody 1911 Juli-Sept. p. 109; cf. April p. 44, Dez. p. 22. — Adarjukoff in Apollon (russ.) 1912 I 10 f., 53 n. 13 f.; cf. 1911 V 6—7 (Abb.). — Adarjukoff u. Oboljaninoff, Lex. russ. Lithographie-Portraits, 1916, I p. II. — Adarjukoff in „Sredi Kollektionerow" 1922, No 5/6. *

Hattich (Hattick), Petrus (Pieter) van, Landschaftsmaler, geb. wahrscheinlich im Haag wohl vor 1620, da er 1638 in Overschie heiratete, † nicht vor 1665, dem spätesten Datum auf seinen Bildern. 1644 unterschreibt er das Inventar des Malers Dirck Aertsz. in Amsterdam, 1651 kauft er ein wertvolles Gemälde des Joachim Uttewael ebenda. Dagegen weist der Stil seiner Bilder auf einen Aufenthalt in Utrecht, wo Sebastiaen van H., nach Bredius sein Vater, zwischen 1634 und 36 in die Gilde eintrat. — In seinen Darstellungen von Höhlen mit antiken Statuen und Säulen (Amsterdam, Rijksmuseum, ehemal. Sammlg Hertel, Berlin [1665 dat.] und Petersburg Ermitage (aus Sammlung Ssemjonoff]) zeigt H. seine Zugehörigkeit zu jener Gruppe von Grottenmalern, die — wie etwa Abr. van Cuylenburg, van Troyen und Carel de Hooch — um 1640 bis 50, besonders in Utrecht, tätig waren. Hier und noch mehr in seinen anderen Landschaften (Sammlg Esch, Köln; Victor de Stuers, Haag; Wien, Staatsgal.) verrät sich ein gewisser Einfluß Elsheimers, der wohl auf dem Umweg über Landschafter wie Moeyaert, Uyttenbroek in die Kunst H.s gedrungen ist. — Erwähnt werden sonst Werke H.s im Inventar der Trijntge Pieters von 1648 in Rotterdam (6 Stück), auf der Versteigerung des Malers D. Dalens im Haag 1647, im Inventar einer Frau van Luchtenburg im Haag 1655, im Besitz von Philibert Bydaels in Amsterdam 1666, auf der Versteigerung J. Meyers am 9. 9. 1722 in Rotterdam („Viele badende Frauen"), auf der Versteigerung bei Roos in Amsterdam am 27. 7. 1858 („Diana u. Aktäon") und auf einer Petersburger Versteigerung (datiert 1648). H. ist wahrscheinlich der Maler des Bildes „Frau, die an einem Grabe kniet", das, wohl auf Grund einer falsch gelesenen Signatur (Katal. Versteig. van Schermbeek, 5. 11. 1901, Amsterdam) einem sonst nicht nachweisbaren G. Hattink zugeschrieben wurde.

S. Muller, Utrechtsche Archieven, I (1880). — Bode, Studien üb. holl. Malerei, 1883 p. 332. — Chron. des Arts, 1891 p. 4 (Frimmel); ebenda, p. 19 (Bredius). — Oud Holland, XII (1894) 146. — Jahrb. d. Bilder- etc. Preise, Wien 1911 ff., IV; V/VI. — Quellenstud. z. holl. Kstgesch. VI (Bredius, Künstlerinventare, 2. T.), 1916 p. 476, 521, 606. — Katal. der gen. Samml. *Karl Lilienfeld.*

Hattigh Baak, Jan, falsch für *Hattich,* Petrus.

Hattin (Hatin, Hattins, Hattem), John, engl. Kupferstecher, wohl 2. Hälfte 18. Jahrh., der laut Strutt eine Ansicht der alten St. Paulskirche in London gestochen hat. — Nagler kennt einen Hatin, der 1820 ein Blatt „Vergin and Child" nach Garofalo in Punktiermanier stach. — In den Registern der Londoner Dutch Church (ed. Moens 1884) erscheinen: John van Hattem, Kirchenältester 1704, und ein Jan Hattem, dessen Witwe 1700 wieder heiratet.

Strutt, Dict. of Engravers, 1785 f., II. *H. M. H.*

Hattinga, Anthonis, Architekt („luitenant-ingenieur"), geb. 17. 6. 1731 in Lillo (bei Antwerpen), führte 1764—72 nach den Plänen des Archit. P. de Swart den Bau des Delftschen Tores in Rotterdam aus. Gleich seinem Vater Willem Tiberius u. seinem Bruder David Willem Coutry war er vor allem Kartenzeichner.

Kramm, Levens en Werken, Aanh., 1864. — Obreen's Archief, IV (1881/82).

Hattinger, Johann Bernhard, Kupferstecher zu Augsburg, tätig zu Anfang des 18. Jahrh. 1702 steuert er einen Gulden. Bei Chr. Fr. Rudolph: „Livre de cartouches" finden sich 4 Stiche von ihm. Nach Sal. Kleiner stach er Pläne u. architekt. Prospekte für dessen Werke: „Vera etc. delineatio omnium templorum, etc. Viennae Austriae", Augsburg bei J. A. Pfeffel, 1724—25 u. „Les quatres représentations des Plans etc.", Augsburg bei Pfeffel, 1724 (?), ferner Türen (6 Bl.) nach J. Cl. Sarron u. a.

P. v. Stetten, Kunst-Gewerbe- und Handwerksgesch. Augsburgs, 1779. — Katal. d. hist. Mus. Wien, 1888 p. 61 u. 63. — Guilmard, Maitres ornemanistes, 1881 (unter Rudolph). — Ilg, Die Fischer von Erlach, I (1895). — Kat. d. Ornamentstichs. d. Kstgew.-Mus. Berlin, 1894. — Stadtarchiv Augsburg, Steuerbücher. *Paul Markthaler.*

Hattink, G., siehe unter *Hattich,* Petrus.

Hatto Bonosus, Abt von Fulda (und Miniaturmaler ?), 9. Jahrh. Freund und Mitarbeiter des Hrabanus Maurus, mit dem er auf der Schule von Tours in den freien Künsten unterwiesen wurde, und der ihm das erste Exemplar seines Werkes „liber de laudibus s. crucis" widmete (Haupthandschriften in Wien u. Rom). Da Hraban ihn ausdrücklich als Mitarbeiter nennt und in einem Gedicht seine übertriebene Vorliebe für die Malerei tadelt, wollte Schlosser dem H. auch einen Anteil am Bildschmuck jener Handschriften oder doch die Entwürfe zuschreiben. Eine Hypothese, die von Zimmermann wohl mit Recht als ungenügend begründet abgelehnt wird.

J. v. Schlosser, Jahrb. der ksthist. Sign des allerh. Kaiserh., XIII T. 1, Wien 1895, m. Lit. — H. Zimmermann, Kstgesch. Jahrb. der K. K. Zentr.-Kommiss. f. Denkmalpflege, IV (1911) 88 f.

Hatton, Claude, siehe *Haton,* Cl.

Hatton, E. W., Miniaturmaler in London, stellte 1845—82 in der Royal Acad. Porträtminiaturen aus.

G r a v e s , Royal Acad., IV (1906).

Hatton, H e l e n H o w a r d , siehe unter *Margetson,* William H.

Hatton, T., Architekt in London, der 1799 bis 1809 Entwürfe (Kirche, Tempel, Wohnhäuser usw.) in der Royal Acad. ausstellte.

G r a v e s , Royal Acad., IV (1906).

Hatvany, F e r e n c z , Baron, ungar. Maler, geb. 29. 10. 1881 in Budapest. Begann seine Studien in Budapest unter Leitung von Alex. Bihari, dann Schüler von Adolf Fényes. Einige Zeit arbeitete er auch in Nagybánya und Szolnok, später lernte er auf der Acad. Julian in Paris unter J. P. Laurens. Während seines Aufenthalts in Paris übten Cézanne und Ingres den größten Einfluß auf ihn aus. Stellte in der Budapester Kunsthalle seit 1898 aus. Kollektiv-Ausstell. bei Cassirer in Berlin (1912), bei Bernheim in Paris (1913), im Ernst Museum zu Budapest (1914, 1918 u. 1922). 1915 erhielt er in Budapest mit einem Frauenbildnis die kleine Goldmedaille des ungar. Staates. In seiner früheren Zeit malte er hauptsächlich impressionist. Landschaften. Später gewann das Interesse am Ausdruck der Form für ihn mehr und mehr Oberhand. Seine kraftvolle, malerisch sinnliche Art kommt mit am besten in seinen weiblichen Akten u. Stilleben zum Ausdruck. Von seinen Werken sind im Mus. der Schönen Künste zu Budapest: Umgebung des Colosseums, Liegende Frau, Interieur, Start u. Frühlingsstimmung.

B. L á z á r , F. Hatvany festményeinek gyüjt. kiállitása, Budapest 1914. — Művészet, XIII (1914) 69 (Abb.), 91; XIV (1915) 236; XV (1916) 6 f. (m. Abb.); XVI (1917) 9 (Abb.), 86 (Abb.); XVII (1918) 15 f., 87 (Abb.). — Cicerone, IV (1912) 145 f. (Bericht Ausst. Cassirer); VI (1914) 259. — L'Art et les Artistes, XVI (1913) 185 (Ausst. Bernheim). — B. L á z á r , F. Hatvany és Hatvany Lajosné gyüjt. kiállitása, Budapest 1918. — *Ausst.-Katal.:* Kstverein Budap. 1915 p. 39, 60 (m. Abb.); Salon d'automne Paris, 1908, 1911; Indépendants 1912; Esp. Internaz. Venedig 1909; Panama Pacific Exp. S. Francisco 1915, II 263, 270. *J. Szentiványi.*

Hatyseren, S e g e w i n u s , Glockengießer, goß 1512 eine Glocke für die Kirche zu Niederelten (Rheinprov.), 1521 für die Walburgiskirche in Zutfen u. 1526 eine kleine Glocke für das Rathaus in 's-Heerenberg, Gelderland.

Kstdenkm. Rheinprov., II, 1. Teil, 1892 p. 91. — Voorloopige Lijst der nederl. Monum., IV (1917).

Hatzel, J. S., Stukkator, führte in Heilbronn (Württemb.) 1779 die Ausstattung des Ratssaales im Rathause aus.

D e h i o , Handb. der deutsch. Kstdenkm., III (² 1920); vgl. Kst- u. Altert.-Denkm. in Württ., Neckarkr., 1889 p. 258.

Hatzmann (Hazmann), J a k o b , Maler, nachweisbar seit 1594 in Nürnberg, † ebenda 1625, 1594—1598 Schüler des Hier. Michel, 1605 Meister, bildete mehrere Schüler aus, darunter den Sohn s. Meisters, Conrad Michel (1606/08). — N i k o l a u s , wahrscheinlich Sohn Jakobs, nur durch sein von J. A. Böner 1670 gestoch. Bildnis von 1626 bekannt.

P a n z e r , Verz. von Nürnb. Portraiten, 1790 p. 96. — F ü ß l i , Kstlerlex., 2. Teil (1806/21). — N a g l e r , Kstlerlex., VI. — B o e s c h , Der Streit zwischen den Nürnb. Flachmalern u. Ätzmalern 1625—1627, S. A. Mitteil. d. Ver. f. Gesch. d. Stadt Nürnb., XIV (1901) p. 2 Anm. 6, p. 4 u. 11. — Mitteil. a. d. Germ. Nat.-Mus., 1899 p. 134 f. *W. Fries.*

Hau, E d u a r d , Maler, geb. 16. (28.) 7. 1807 in Reval, † um 1870 in St. Petersburg; Sohn u. Schüler eines Landschaftsmalers J o h a n n e s H. (geb. 30. 3. 1771 in Flensburg, † 22. 7. 1838 in Reval, wo er 1828 mit K. F. v. Kügelgen 12 Aquatintätzungen mit Revaler Stadtansichten veröffentlichte). Um 1830—32 Akad.-Schüler in Dresden, kam H. 1836 nach Dorpat, wo er seit 1837 neben verschied. Einzelbildnissen 6 Hefte mit Bildnissen der damaligen Dorpater Universitätsprofessoren veröffentlichte (lithogr. von F. Schlater, aufgez. bei Neumann 1908 p. 63). Seit ca 1840 in St. Petersburg ansässig, malte er dort vorzugsweise Innenansichten aus den kais. Palästen u. Lustschlössern (Abb. bei Neumann 1902 p. 99), für deren eine — Ansicht des Ermitage-Treppenhauses — er von der dort. Akad. 1854 zum Akademiker ernannt wurde, und von denen eine Aquarellansicht des Arbeitszimmers Zar Alexanders I. 1907 in das Petersburger Museum Alex. III. gelangte (cf. Staryje Gody 1907 p. 631).

N e u m a n n , Balt. Maler u. Bildh., 1902 p. 100, cf. 76; Lex. Balt. Kstler, 1908.　　*

Hau, H i e r o n y m u s , Maler, geb. 1679 in Kempten (Schwaben). Weilte 1712 in Venedig, wo er das Bild „Nürnberg empfängt von Venedig 1506 vormundschaftliche Gesetze" im Dogenpalast in einer Zeichnung kopierte. Ein Stich danach von B. W. C. Müller, 1803, wurde 6. 2. 1804 von Colmar in Nürnberg mit einer Erläuterung der Darstellung veröffentlicht. Von H. ein Bild der hl. Hildegard im Treppenhaus neben der östl. Hauptsakristei der St. Lorenzkirche in Kempten (früher wohl auf dem Hildegardisaltar in der Kirche; Jahreszahl auf dem Bilde scheint 1705 zu lauten), ein Christusbild in der prot. Stadtpfarrkirche St. Mang in Kempten u. ein Selbstporträt des Malers mit seiner Familie im Museum ebenda. Um 1720 wurde er zur Ausschmückung des damals in Bau befindlichen Klosters Ottobeuren herangezogen. Erhalten sind mehrere Ölbilder mit Darstell. von Heiligen über den Türen im Convent-Kreuzgang. Nach ihm stachen B. Vogel die Porträts der Kemptener Bürger Matthias u. W. J. Jenisch, J. J. Haid das Porträt des Jakob Fehr, Handelsmanns aus Kempten, J. C. G. Spitzel das des L. Fr. Voits von Berg (die beiden letzten Stiche angeblich Hier. Haug (!) bezeichnet). Eine Landschaft mit Staffage, bez. H. Hauf (im Besitze des Fürsten Reuß ä. L.) wird im Katal. der Jahrhundertausst. deutscher Kunst in Darmstadt, 1914 (Ausgabe B. p. 77) H. zugeschrieben.

Haggenmiller, Chronik v. Kempten, II 351. — Meusel, Archiv f. Kstler, I/3 (1804) 183; I/4 (1805) 190. — Füßli, Kstlerlex., 2. Teil, 1806—21. — M. Bernhard, Beschr. d. Klosters u. der Kirche zu Ottobeuren, ³ 1907 p. 30, 74, 109, 110. — Bibl. Bavarica (Lagerkatalog Lentner, München), 1911 No 4717. — Duplessis, Cat. Portr. Bibl. Nat. Paris, 1896 ff., III 15451; V 25373. — F. Schildhauer, Die Malerfamilie Hermann in Kempten u. die stiftskemptischen Hofmaler (Ms. ungedruckt).

Hau, Johannes, s. unter *Hau*, Eduard.

Hau (russ. Гау), Woldemar (Wladimir Jwanowitsch), balt. Maler, geb. 4. (16.) 2. 1816 in Reval, † 11. (23.) 3. 1895 in St. Petersburg; Stiefbruder Eduard H.s, Schüler K. F. v. Kügelgen's in Reval u. Al. Sauerweid's an der Petersburger Akad., die ihm 1836 eine Medaille und das Künstlerdiplom sowie 1849 für 2 Aquarellbildnisse den Akademikertitel verlieh. Nachdem er 1838—40 Deutschland u. Italien bereist hatte, wirkte er seit 1840 in St. Petersburg als Hofporträtist der Zarenfamilie von Nikolaus I. bis Alexander III., auch malte er für Nikolaus I. ca 200 Miniaturbildnisse von Veteranen seiner Leibgarderegimenter. Virtuoser Aquarellporträtist, der besonders in seinen Frauenbildnissen brilliert und ein sehr umfangreiches Oeuvre hinterlassen hat. Das Petersburger Museum Alex. III. bewahrt von ihm Aquarellbildnisse der Großfürstin Jekaterina Michailowna und Olga Nikolajewna, Nikolaus I. mit Gemahlin und Thronfolger, des Malers Sauerweid und des Fürsten Trubetzkoj (Kat. 1917 No. 2858, 5906—8), das Große Palais zu Zarskoje Sselo die 1843/45 dat. Aquarellbildnisse des Zarewitsch Nikolaus Alexandrowitsch u. des Großfürsten Alexander Alexandrowitsch (cf. Wiltschkowski). Außer vielen Privatsammlungen besitzt in Moskau das Histor. Mus. eine Reihe seiner Bildnisse, u. a. des Metropoliten Philaret, ferner die Tretjakoff-Gal. (Kat. 1917 No. 3244) und die Zwjetkoff-Gal. (Kat. 1915 p. 27) je 1 Aquarellporträt. Nach seinen Vorlagen stachen u. a. H. Robinson u. N. Utkin Bildnisse der Großfürstinnen Alexandra und Maria Nikolajewna (cf. Rowinsky). Die großherzogl. Miniaturensamml. zu Darmstadt enthält ein „W. Hau 1847" sign. Aquarellbildnis des Prinzen Alexander v. Hessen in russ. Generaluniform (Abb. in Brinckmann-Biermann's Kat. 1917 Taf. 146 Nr. 454), die Wiener Porträtsamml. der Fürstin Melanie v. Metternich u. a. ein „W. Hau 1837" sign. Bildnis des Petersburger österreich. Botschafters Graf v. Ficquelmont (Abb. bei Guglia p. 85, die Sign. fälschl. „W. Han" gelesen), die der Fürstenfamilie Lubomirski in Równo die 1842/44 dat. Miniatur-

bildnisse des Fürsten Kasimir u. der Fürstin Zenejda Lubomirski (Abb.-Taf. XIII im Kat. der Lemberger Miniat.-Ausst. 1912, cf. Nr. 315/6).

Neumann, Balt. Maler u. Bildh., 1902 p. 99 f.; Lex. Balt. Kstler, 1908; cf. Petroff, St. Petersb. Akad.-Akten, 1864 ff. (russ.) II 345 ff., 438 ff. u. III. 109. — Rowinsky, Russ. Portr.-Lex., 1886 ff. (russ.), IV 644 (Reg.), cf. Staryje Gody 1910 Mai-Juni p. 91 u. Kat. der Petersb. Portr.-Ausst. 1905 VIII 23 (Reg.). — N. v. Wrangell in Staryje Gody 1909 p. 548 u. 570 n. 277, cf. p. 264. — Wiltschkowski, Zarskoje Sselo, 1911 (russ.) p. 139. — E. Guglia in Die Graph. Künste XXXX (Wien 1917) p. 94 u. 109, cf. Beibl. p. 50 u. 53 („W. Han"). *

Haubenschmid, A., Architekturmaler in München, Ingenieuroffizier in bayr. Diensten, Anfang 19. Jahrh. Malte in Öl u. Aquarell viele nicht mehr erhaltene Baulichkeiten Münchens. Manche davon hat C. Schleich jr. in Stahl gestochen (so das Hartertor u. das Kreuztor).

Bibl. Bavarica (Lagerkatal. Lentner, München), 1911 No 8355, 15492. — Nagler, Monogr., I u. IV.

Haubenstricker, Paul, Maler u. Stecher in Wien, geb. 1750, † 30. 12. 1793 in Wien (laut Patuzzi) oder 28. 6. 1801 in Krems (laut Katal. der Schatzkammer in Klosterneuburg). Wird ein früher Schüler des Martin Joh. Schmidt („Kremser Schmidt") genannt. Von ihm das Hochaltarbild der Pfarrkirche zu Gansbach, Marter des hl. Bartholomäus, von 1781 (nach dem Gedenkbuch) und das Hochaltarbild der Pfarrkirche zu Nußdorf, Ungläubiger Thomas, bez. u. 1787 dat. In der Art H.s sind ein Ölbild, Vermählung Mariä, in der Pfarrkirche zu Säusenstein u. eine mythol. Szene, Mars u. Venus, in der Samml. Krenn, Währing bei Wien. Nach Gemälden von ihm stach Coloman Fellner die Porträts des Martin Joh. Schmidt, 1778, u. des Malers u. Galeriedirektors Joseph Rosa, 1779, J. P. Pichler das Porträt des Generals Laudon. Von seinen eigenen Radierungen sind zu nennen: Krieger in schwed. Kostüm, Brustbild eines Edelmanns u. einer Dame, Brustbild eines Orientalen mit Turban, alle von 1775; Hl. Hieronymus in der Felshöhle nach M. J. Schmidt, 1778, Calvarienberg nach Schmidt's Bild im Dom zu Waitzen, 1779, u. die Hl. Paulus u. Antonius nach Schmidt. Auch an den Stichillustrat. des Werkes „Österr. Merkwürdigkeiten", Wien 1779, war H. beteiligt.

C. v. Wurzbach, Biogr. Lex. Österreichs, VIII (1862). — Heller-Andresen, Handbuch f. Kupferstichsammler, I (1870). — A. Patuzzi, Gesch. Österreichs, II (1863). — Österr. Ksttopogr., II (1908); III (1909). — Jahrbuch des ksthist. Instituts, XII (1918) Beibl. p. 93, 94, 99. — Frimmel, Stud. u. Skizzen z. Gemäldekde, VI (1921/22) 43. — Schatzkammer u. Kstsamml. in Klosterneuburg, Wien 1889 p. 218. — J. Dernjač, Zur Gesch. v. Schönbrunn, 1885 p. 43, 44. — Weigels Kstcatal., Leipzig, 1838—66 V (Reg.). — Duplessis, Cat. d.

Portraits etc. Bibl. Nat. Paris, 1896 ff., VI 28 319/29.

Hauber, J o s e p h , Maler, Radierer u. Lithograph in München, geb. 14. 4. 1766 zu Geratsried bei Immenstadt als Sohn eines Schreiners, † 23. 12. 1834 in München. Erlernte die handwerkl. Anfangsgründe der Malerei bei Anton Weiß in Rettenberg im Allgäu, ging dann an die Akad. zu Wien, von hier nach München, wo er unter Roman Boos u. Joh. Jakob Dorner an der Zeichnungsschule sich übte u. in der kurfürstl. Galerie nach Rubens, van Dyck, Mieris, Dou u. andern Niederländern kopierte. Eine Anbetung d. Hirten nach Caravaggio ist im Klerikalseminar Freising (R. Hoffmann, Kstaltertümer im Klerikalsem. Freising, 1907). Kurfürst Karl Theodor, auf ihn aufmerksam geworden, wies ihm 1793 ein Stipendium von jährlich 200 Gulden zu. 1797 wurde er als Professor an die Zeichnungsakad. berufen, 1808 bei deren Umwandlung in die Akad. der bild. Kste als 3. Professor mit übernommen. Er führte zahlreiche Altarbilder für bayr. Kirchen aus (es sollen, nur die größeren gerechnet, an die 50 gewesen sein) u. war ein sehr gesuchter Porträtist des Münchner Hofes u. der Münchner Gesellschaft. Viele seiner, an berühmte Vorbilder erinnernden, konventionellen Altarbilder sind verschwunden, er selbst wurde ziemlich vergessen; sehr mit Unrecht, was den Porträtisten anbelangt, denn seine Bildnisse erweisen ihn als einen abseits von der antikisierenden Richtung schreitenden Vertreter einer frischen u. gesunden Naturauffassung. Von seinen Werken sind zu nennen: Choraltarblätter in der Pfarrkirche zu Dachau, in der Kirche zu Feldgeding, 2 Seitenaltarbilder in der Kirche zu Thalkirchen, Sendung des Hl. Geistes von 1793 im Pfarrhaus St. Ursula in Schwabing (aus dem ehemal. Nikolaikirchlein), Altarblatt, Hochzeit zu Kana, 1793, in der Pfarrkirche zu Altötting, Altarblatt von 1796 in der Pfarrkirche zu Altenerding, Kreuzweg in der Pfarrkirche zu Erding, Seitenaltarbilder von 1824 in der Pfarrkirche zu Albaching, Seitenaltarbilder in der Hl. Geist-Kirche München, Altarbilder in der Kirche zu Fraunberg, Hochaltarbild u. Seitenaltarbilder in der Kirche zu Mendorf, Hochaltarbild in der Kirche zu Thann (Oberpfalz), Seitenaltarbilder von 1797 in der Kirche zu Lauterhofen, Abendmahl von 1815 in der Kapuzinerkirche zu Schärding, Christus am Kreuz von 1816 in der Pfarrkirche ebenda. Von seinen Porträts bewahrt die Münchner N. Pinak. (Katal., ¹⁵1914) das des Staatsrats von Kirschbaum (spät); das Nationalmus. die Bildnisse zweier Söhne des Roman Boos, bez. u. 1792 dat. (Gemäldekatal., 1908, mit Abb.); das Landesmus. Darmstadt das des Musikers Abt Vogler, bez. u. 1808 dat. (Verz. d. Gem., 1914, mit Abb.); die

städt. Kunstsamml. Bamberg das des jugendl. Herzogs Pius in Bayern (Katal., 1909; dort auch eine Flucht nach Ägypten); Schloß Nymphenburg ein Bildnis der 2. Gemahlin des Herzogs Karl Theodor (Kleiner Führer, 1921 p. 6); das hist. Mus. der Stadt München ein Selbstporträt. Vorzügliche Porträts von ihm wurden auch auf der deutschen Jahrh.-Ausst., Berlin 1906, gezeigt, so das des Bichelbräu Hierl in München, bez. u. 1825 dat. (Ill. Katal. d. Gem., München 1906 mit Abb.), ferner auf der Jahrh.-Ausst. deutscher Kst in Darmstadt 1914: Selbstporträt u. Bildnis des Ferd. Kobell (Biermann, Deutsches Barock u. Rokoko, Leipzig 1914 I u. II, mit Abbn), auf der Ausst. „Münchner Malerei um 1800" in der Gal. Heinemann München, 1920, und auf der Ausst. alter Meister aus Leipziger Privatbesitz, Kstver. Lpzg 1920 (Katal. p. 9). Genannt seien noch ein schönes Gruppenporträt bei Exz. v. Malaisé in München u. die Bildnisse des Grafen Montgelas u. der Frau v. Mann-Tiechler (um 1809), ebenfalls in Privatbesitz. Zeichn., Original-Radierungen u. Lithograph. (aus der Frühzeit der Lithogr.), sowie Stiche nach ihm (meist von C. E. Chr. Hess) in der Maillingersamml. München (Stadtmus.): Porträtzeichn. (Tusche) des Kurfürsten Karl Theodor u. seiner 1. Gemahlin, lithogr. Porträts König Maximilians I. Joseph u. der Königin Karoline, von C. E. Chr. Hess nach ihm gestochene Porträts des Grafen Montgelas u. Gemahlin, des Generals Triva, des geistl. Rats Sambuga.

M e u s e l , Neue Miscell. art. Inh., I (1795) 77 ff. — N a g l e r , Kstlerlex., VI. — S c h a d e n , Artist. München, 1836. — R e b e r , Gesch. d. neueren dtschen Kst, 1876. — Allg. deutsche Biogr., XI. — F. v. B ö t t i c h e r , Malerwerke des 19. Jahrh., I 1 (1891). — Allgäuer Gesch.-Freund, VII (1894) 42 ff. — E. v. S t i e l e r , Akad. d. Bild. Kste zu München, I (1909) 8, 32, 34 f. (Abbn). — Die christl. Kst, XIV (1917/18) 261 ff. — H e l l e r - A n d r e s e n , Handbuch f. Kupferstichsammler, I (1870). — Kstdenkm. Bayerns, I, Bd I—III (1895 ff.); II, Heft 13 (1908) 84, 151, 163; Heft 17 (1909) 208, 303. — M a i l l i n g e r , Bilderchronik Münchens (Stadtmus.), III (1876); IV (1886). — R. O l d e n b o u r g , Münchner Malerei im 19. Jahrh., I (1922), mit Abb. *J. M.*

Hauberat, G u i l l a u m e d e , franz. Architekt in Diensten rheinischer Höfe, † vermutlich 1749. Kam 1716, von R. de Cotte gesandt, als dessen Schüler er bezeichnet wird, an den kurfürstl. Hof nach Bonn, als Ersatz für B. de Fortier. Er ist wohl identisch mit dem g l e i c h n a m. Architekten (meist „Haubrat"), der 1700—15 als Bauleiter am Schloß Chaville, dann am Schloß Meudon in den Comptes des bâtiments du roi genannt wird, oder aber mit H a u b r a t *fils,* der 1704—06 als Schüler der Acad. de peint. et sculpt., 1711—15 als „dessinateur" Zahlungen erhält. Nach den Plänen R. de Cottes leitete H. den Bau des Poppelsdorfer Schlosses, das noch unter Fortier 1715 begonnen wurde, wahrscheinlich 1717 aber infolge Geldmangels unvollendet liegen blieb; vor allem aber den Bau des Schlosses zu Bonn, der 1716 in Angriff genommen wurde. Heiratete in Bonn die Tochter des kurfürstl. Rates Steinmann. 1721 wurde er Intendant der Bauten. Um diese Zeit erhielt er die Leitung der Arbeiten zur Verschönerung der Stadt Bonn, deren Ausführung durch den Tod des Kurfürsten Joseph Clemens jedoch verhindert wurde. Nach dem Tode des Kurfürsten (1723) verschwindet er aus Bonn. 1726 wurde er Hofbaumeister am kurpfälz. Hof in Mannheim als Nachfolger J. Cl. Froimonts. 1729 führte er den Mittelbau des Schlosses zu Ende; die Dekorationen des Treppenhauses, des großen Saales u. einiger anstoßender Zimmer dürften nach Renard sein Werk sein. 1731 wurde die Schloßkirche vollendet, die nach Plan u. Anlage von ihm ist. Seit 1733, bei Planlegung u. Erbauung des linken Schloßflügels, wich sein Einfluß dem des A. Galli Bibiena. Um diese Zeit leitete er von Mannheim aus den Bau des Palais Thurn u. Taxis in Frankfurt a. M., das 1732—41 nach Plänen R. de Cottes erbaut wurde (ob die 1727 an de Cotte gesandten Pläne von H. stammten, ist ungewiß; sie wurden jedenfalls von de Cotte völlig umgeändert). 1748, nach Galli Bibienas Tode, wurde H. Oberbaudirektor in Mannheim u. führte die von jenem unvollendet hinterlassene Kuppel der Mannheimer Jesuitenkirche zu Ende. — Das Ansehen, das H. offenbar genoß, beruhte wohl auf seiner praktischen Bauerfahrung. Selbständig künstlerisch scheint er nur an der Schloßkirche in Mannheim tätig gewesen zu sein. Wie weit er bei den übrigen Bauten für Einzelheiten, besonders dekorativer Art, verantwortlich gewesen ist, wäre noch zu untersuchen.

D u s s i e u x , Art. franç. à l'étranger, ³ 1876. — G u i f f r e y , Comptes des bâtiments du roi, 1881 ff., IV; V. — E. R e n a r d , Die Bauten der Kurfürsten Joseph Clemens u. Clemens August von Köln, 1897 (S. A. a. d. Bonner Jahrbüchern, XCIX u. C), I p. 200 f., 204, 207, 224, 225; II 3; d e r s . , Das neue Schloß zu Benrath, 1913 p. 11, 12. — R. T i l l e s s e n , Schloß zu Mannheim, 1897 p. VII f. — Bl. f. Archit. u. Ksthandw., X (1897) 63. — Baudenkm. in Frankf. a. M., II 2. Lief., 1898 p. 401 ff., bes. p. 405 f., 454. — Kstdenkm. d. Rheinprov., V (1900) 454, 471, 537. — S i l l i b , Schloß und Garten zu Schwetzingen, 1907 p. 12. — P o p p , Architektur der Barocku. Rokokozeit in Deutschland, 1913 p. 21, 98, 106, 144, 145. — M. W a c k e r n a g e l , Baukunst des 17. u. 18. Jahrh. in den Germ. Ländern (in Burgers Handb. d. Kstwiss.), o. J. — Kst u. Kstler, XIX (1920—21) 292 f. *J. M.*

Hauberg, P e t e r C h r i s t i a n , Maler, geb. 29. 9. 1844 auf Christianshavn, erst nach abgeschlossenem Studium am Polytechnikum Schüler der Akad. in Kopenhagen (1870/71) u. P. C. Skovgaard's; 1873—76 zeigte er in Charlottenborg Landschaften und Strandbilder,

vornehmlich aus Bornholm; seit 1885 Numismatiker und Inspektor verschiedener Münzsamml., so am Nat.-Mus. u. Thorvaldsen-Mus.; gab 1879 u. 87 heraus: Bornholm, Billeder og Text.

W e i l b a c h , Nyt Dansk Kunstnerlex., 1896. — R e i t z e l , Fortegnelse over Danske Kunstneres Arb., 1883. — D a h l o g E n g e l s t o f t , Dansk biogr. Haandleks., II (1921).

Hauberrisser, G e o r g Joseph, Ritter v o n , Architekt, geb. in Graz, Steiermark, 19. 3. 1841, † in München 17. 5. 1922, einer im Rheingau heimischen Familie entstammend. Seit 1862 Schüler der Münchner Akad. unter Neureuther, Ziebland und Ludwig Lange, dann der Berliner Bauakad. unter Strack und Bötticher und der Wiener Akad. unter Friedr. v. Schmidt, von dem er lange nachwirkende Anregungen erfuhr. Seit 1866 in München ansässig. Noch in jungen Jahren sah H. sich der Aufgabe gegenüber, die sein Lebenswerk einleitet, und in der es zugleich ausklingt: 1866 siegte er in dem Wettbewerb zur Erlangung von Entwürfen für ein neues Rathaus in München und erhielt gleichzeitig die Ausführung, die 1867—74 erfolgte; 1899—1909 leitete er den Rathaus-Erweiterungsbau (Westtrakt mit Frontturm), der in seiner Ausdehnung den älteren Bau bedeutend übertrifft. In stilechter, aber schulmäßig-korrekter Anwendung der in dem neueren Teil fast überreich ausgebildeten hochgotischen Formen schuf er einen immerhin imponierenden Baukomplex, der innerhalb der Grenzen einer historisch orientierten Architektur für seine Zeit wohl den Anspruch auf vorbildliche Geltung machen durfte, so starke Anfeindung H. mit diesem Bau von mancher Seite erfahren hat. In ähnlicher, doch sparsamerer Formensprache sind die Rathäuser zu Saarbrücken und St. Johann an der Saar gehalten. Ohne indes einseitig auf den gotischen Stil eingeschworen zu sein, hat H. ebenso meisterlich die Formen der deutschen Renaissance beherrscht, die er zuerst in dem Rathaus zu Kaufbeuren (1879/87), dann, besonders glücklich, in dem Rathaus zu Wiesbaden (1884/90) als seinen nächst dem Münchner Rathaus zwei vornehmsten, städtischer Verwaltung dienenden Bauten angewandt hat. Dem alten Geist mit feiner Empfindung angepaßt sind der Umbau des Ulmer Rathauses (1905 eingeweiht) und der innere Ausbau der Rathäuser zu Landshut und Landsberg am Lech. Sehr bedeutend war auch H.s Tätigkeit als Kirchenbaumeister, als welcher er die reichen Formen der Hochgotik bevorzugte. In diesem Stil schuf er die Herz-Jesukirche in Graz (1881/91), die Pfarrkirche zu St. Johann an der Saar und die seine kirchliche Bautätigkeit krönende St. Paulskirche in München (1892—1906), mit der H. ungeteilte Anerkennung gefunden hat — eine mächtige 3türmige Anlage, deren malerische Silhouette die Umgebung der Theresienwiese in weitem Umkreise beherrscht. Mit seinem Schüler Jos. Schmitz führte er 1889 bis 1906 die Erneuerung des Äußeren der Sebalduskirche in Nürnberg durch. Neben diesen seinen beiden Spezialgebieten — Rathaus und Kirche — hat H. den Privatbau nur in geringerem Umfange gepflegt: In München baute er die Häuser Defregger, Hauberrisser und Hailer, zwei Nonnenkamphäuser und das (abgegebrochene) Kaulbachmuseum, bei Lindau die Villa Näher. Sowohl hier, wie bei seinen Monumentalbauten pflegte er auch die innere Ausstattung bis in die letzten Details hinein selbst zu entwerfen. Besondere Beachtung verdient in diesem Zusammenhange der seit 1890 von ihm geleitete Wiederaufbau der Deutschordensburg Busau in Mähren, bei welchem er die Übergangsformen von der Spätgotik zur Renaissance in Anwendung brachte. An zahlreichen öffentlichen Wettbewerben beteiligte sich H., von denen als die bedeutendsten genannt seien: Rathaus, Techn. Hochschule und Universität für Graz, Buchhändlerhaus Leipzig, Rathaus für Reichenberg i. B., Nationalmus. für München, Stadterweiterungspläne für Graz und München. — Mitglied der Akad. Berlin, München, Wien und der Londoner Royal Soc. of Archit., wurde H. an seinem 80. Geburtstage zum Ehrenbürger der Stadt München ernannt. — Sein Sohn H e i n r i c h, Architekt in Regensburg, erbaute das Friedhofsgeb. in Regensburg und erhielt Preise in den Wettbewerben für eine kath. Kirche zu Ingolstadt, eine Pfarrkirche in Achdorf b. Landshut und die St. Korbinianskirche zu München.

J a n s a, Deutsche bild. Kstler in Wort und Bild, Lpzg 1912. — W. Z i l s, Geist. u. künstler. München in Selbstbiogr., 1913. — Deutsche Bauztg, XLV (1911) 193 f. (Zum 70. Geburtstage). — Centralblatt d. Bauverwaltg, XLI (1921) 141 f. (J o s. S c h m i t z, Zum 80. Geburtstage); XLII (1922) 263 (Nekrol.). — Der Baumeister, XIX (1921) Beibl. p. 27 (L a n g e n b e r g e r). — Die christl. Kunst, I (1904/5) 97 ff. (C. H. B a e r, Kirche zu St. Paul in München); XII (1915/16) 200—210. — Archit. Rundschau, I (1885) Taf. 11 f., 19, 29, 44; II Taf. 51; VI Taf. 27, 43, 92; VII Taf. 29; X Taf. 45/48; XIII (1897) Taf. 40 — Deutsche Konkurrenzen, VIII Heft 1. — Kunstgewerbeblatt, N. F. XVIII (1907) 66 f. — Kunstchronik, Reg. I—XXIV u. N. F. I—VI; N. F. XXXIII (1922) 577 (Nekrol.). — München u. s. Bauten, 1912. — P r o k o p, Markgrafsch. Mähren in kstgesch. Beziehung, IV (Wien 1904) 1350, 1381 f. — Die christl. Kunst, XIV (1917/8) 16, 85 (Abb.), 107, 109 (Heinrich betreffend). *H. Vollmer.*

Hauberrisser, H e i n r i c h, siehe unter *Hauberrisser,* Georg.

Haubinger, Gemmenschneider der 1. Hälfte des 18. Jahrh. in Rom, von dem ein männlicher röm. Kopf, Onyx, in der Samml. Stosch (Cat. 49, 16) sich befand.

R. E. R a s p e, Descr. Catal. of . . . Gems etc., 1791 No 12201.

Haubitz, C h r i s t o p h, Baumeister in Mecklenburg, 1549 als Maurermeister des Herzogs Joh. Albrecht I. in Wittenburg angestellt, führt in den 60 er Jahren Renovierungsarbeiten aus, ist an der Kapelle, am Windelstein, am „alten Herzog Heinrich Haus" u. am Zeughaus in Schwerin unter J. B. Parr beschäftigt, u. zwar arbeitet er „nach alter Weise" (im Gegensatz zu den Italienern). 1570/71 erbaut er für Herzog Christoph das in schlichten Formen gehaltene Schloß zu Gadebusch, das in Anlehnung an die Fürstenhöfe in Wismar u. Schwerin mit Portalen, Friesen, Pilastern usw. aus Terrakotta im Stil der Frührenaiss. geschmückt ist. 1572 wird H. nach dem Weggange J. B. Parrs „Baumeister" Johann Albrechts, 1583 erscheint er als Baumeister Herzog Christophs, 1584 als Baumeister des Herzogs Johann.

Allg. Deutsche Biogr., XI. — H. W. H. M i th o f f, Mittelalterl. Kstler u. Werkm. Niedersachs., 1885. — F r. S a r r e, Beitr. z. Mecklenb. Kstgesch., 1890. — Kst- u. Gesch.-Denkm. in Meckl.-Schwerin, ² II (1899) 481, 585, 603, 606.

Haublin (Haublein), N i c o l a u s, siehe *Häublin,* Nic.

Haubrat, siehe unter *Hauberat,* Guill.

Haubt, siehe unter *Haupt.*

Haubtmann, M i c h a e l, Dr. iur., Landschaftsmaler, geb. 9. 4. 1843 in Prag, Schüler von M. Haushofer ebenda (1861—65) u. von J. Lange in München (1869—72). Ließ sich 1875 in München nieder. Besuchte die Schweiz, Italien, Griechenland, Ägypten u. Norwegen. Landschaften mit Motiven von diesen Reisen 1871—94 gelegentlich im Münchner Glaspalast u. auf der Gr. K.-A. Berlin. Im Mus. zu Linz von ihm: Strand bei Porto d'Anzio, 1894.

F. v. B ö t t i c h e r, Malerwerke d. 19. Jahrh., I I (1891). — S i n g e r, Kstlerlex., II (1896); IV (1906). — Das Geist. Deutschland, 1898.

Hauck, A n t o n, s. unter *Hauck,* Joh. Veit.

Hauck, A u g u s t C h r i s t i a n, Porträtmaler, geb. 3. 3. 1742 in Mannheim, † 28. 1. 1801 in Rotterdam, Sohn des Malers J a c o b H., der urkundlich als 1736 in Homburg v. d. H. lebend erwähnt wird u. später als kurpfälz. Hofmaler nach Mannheim gekommen sein soll. Wird meist als Schüler seines Vaters, bei van Eijnden u. van der Willigen als Schüler seines Oheims (Friedr. Ludwig?) bezeichnet. Ging früh nach den Niederlanden, zuerst nach Maastricht, dann nach dem Haag, von dort 1768 nach Leiden, wo er 1775 noch genannt wird. Später in Rotterdam ansässig. Von ihm die Porträts Friedrichs von der Leyen u. seiner Gattin Margaretha, bez. u. 1764 dat. (im Kaiser-Wilhelm-Mus. Crefeld), die Porträts des Vizeadmirals Johan Arnold Zoutman u. seiner Gattin Adriana Johanna, letzteres bez. u. 1770 dat. (beide im Reichsmus. Amsterdam; Katal. der Gem., 1920) u. das Porträt eines vornehmen holländ. Mädchens, 1771 dat. (Ksthalle Karlsruhe; Katal. der Gem.-Gal., 1910). Von ihm vielleicht auch die Porträts des Ulbo Julius van Sixma (holl. Privatbesitz), nach Moes (Iconogr. Bat.) von A. P. Hauck, 1761, u. des Arnoldus des Tombe (holl. Privatbesitz). L. Brasser stach nach H. das Porträt des Predigers A. L. Kolver, R. Vinkeles das des Predigers Reeder, 1775. Gemeinsam mit s. Schüler Corn. Bakker, der 1795 H.s Tochter heiratete, bezeichnete er (als Stecher?) eine gestoch. kolorierte Serie von 14 Sansculottes-Typen.

V a n E i j n d e n e n v a n d e r W i l l i g e n, Gesch. d. vaderl. Schilderkunst, II (1817) 328 ff.; Aanh., 1840. — Obreen's Archief, V (1882—83). — Oud-Holland, XIX (1901). — A. v. W u r z-b a c h, Niederländ. Kstlerlex., I (1906). — L e m b e r g e r, Meisterminiat., 1911. — M o e s, Iconogr. Batava, II (1905) No 6010/3, 7247/2, 8043, 9402/3. — S o m e r e n, Catal. van Portretten, I—III (1881—91).

Hauck, E l i a s P h i l i p, Porträtmaler in London, stellte **1761** in der Free Soc., **1761** bis 67 in der Soc. of Artists Porträts, darunter sein Selbstporträt, aus.

E. E d w a r d s, Anecd. of Paint., 1808. — G r a v e s, Soc. of Art., 1907.

Hauck, F r i e d r i c h L u d w i g, Porträt-maler und Stecher, geb. 10. 8. 1718 in Hom-burg v. d. H., † 4. 10. 1801 zu Offenbach, laut Hüsgen ein Sohn und Schüler des Jacob H. (s. im Artikel Aug. Christ. H.), wahr-scheinlicher aber Bruder des Jacob, also Oheim des Aug. Christ. (s. d.). Ließ sich nach längeren Reisen in Deutschland u. England 1744 in Frankfurt a. M. als Porträt- u. Miniatur-maler nieder. 1752 ist er Geschworener der Zunft. Später ging er auf einige Zeit nach Holland. Von ihm 2 Porträts im Germ. Mus. Nürnberg (Katal. d. Gem.-Samml., ⁴ 1909 No 950 u. 955): Maria Justina Waltherin, bez. u. 1766 dat., u. des Frankfurter Bürgermeisters Joh. David Walther, bez. „F. L. Hauck und Sohn, 1787" (dieser auch von Hüsgen genannte Sohn sonst völlig unbekannt). Moes (Iconogr. Bat.) kennt mehrere Porträts aus holl. Privat-bes. (Binnert Philip Aebinga van Humalda, Jacob Boreel van Haersma, Anna Henriette van Swinderen) u. 2 Porträts im Mus. zu Groningen (Gerhard Nic. Heerkens und ein unbekanntes männliches Porträt), die während H.s holl. Aufenthalts entstanden sein müssen u. die Daten 1786, 1787 u. 1792 tragen. Wei-tere Werke, deren Verbleib unbekannt ist, u. eine Anzahl Stiche nach ihm bei Gwinner. Zu den Stichen sind nachzutragen die Porträts des J. J. Dirks von Groningen, gest. von M. Brakel, 1796, des Jean Bischoff, gest. von J. J. Haid, u. der Helene Doerin, gest. von Ber-nigeroth. H. hat auch selbst gestochen, so das Porträt des Syndikus F. R. Hofmann, 1779.

H ü s g e n, Artist. Magazin, 1790. — G w i n-n e r, Kst u. Kstler in Frankfurt a. M., 1862. — R. B a n g e l, Joh. G. Trautmann (Stud. z. dtsch.

Kstgesch. Heft 173), Straßburg, 1914. — M o e s, Iconogr. Batava, I (1897) No 38, 3079, 3356; II (1905) No 7772, 9327. — S o m e r e n, Catal. van Portr., I—III (1888—91). — H e i n e c k e n, Dict. des Art. etc., 1778 ff. u. Suppl. (Ms. Kupfer-stichkab. Dresden).

Hauck, F r i t z Michael, Maler, geb. 13. 9. 1852 in Frankfurt a. M., Schüler des Städel-schen Instituts (1888) u. K. Ritters an der Akad. zu Karlsruhe. Machte 1896—1904 große Reisen nach allen Erdteilen. Landschaften u. Studien von seinen Reisen zeigte er 1901 in Frankfurt.

W e i z s ä c k e r - D e s s o f f, Kst u. Kstler in Frankf. a. M., II (1909).

Hauck, J. P., Basler Porträtmaler des 18. Jahrh., von dem mehrere Porträts erhalten sind: H. L. Sarasin mit seiner Gattin Anna Marg.; J. H. Passavant-Burckhardt, Peter Sarasin-Obermeyer mit Gattin. Von ihm wohl auch ein so signiertes u. 1760 dat. Herrenbildnis (1917 im Ksthandel Breslau).

S t a e h e l i n, Basler Porträts aller Jahrh., I (1919); III (1921). — Notiz K. Lilienfeld.

Hauck, J a c o b, s. u. *Hauck,* Aug. Christ.

Hauck (Hauckh), J o h a n n V e i t, (fälsch-lich manchmal „von" bez.), steir. Landschafts-maler, Hofkammermaler und „Ätzer", † 4. 3. 1746 in Graz. Über Herkunft und Anfänge dieses bedeutenden steirischen Barockmalers ist nichts bekannt. Nach älteren Autoren (z. B. Schmutz und Wurzbach) in Graz geboren, nach Wastler Schüler von Maria-Rast bei Mar-burg (Südsteiermark). 1700, 1704 u. 05 sterben ihm Kinder. Am 9. 9. 1723 wurde H. zum „landschaftlichen Maler" bestellt. 1734 erscheint er als „corporierter Mahler", spätestens 1745 wurde er zum Hofkammermaler ernannt. — Seine künstlerische Ausbildung hat H. sicher in Italien erhalten oder wenigstens dort abge-schlossen. Ilg weist in seinen Werken Marattas Einfluß, sowie Römische u. Bologneser Typen nach. „Grazie, Formenreiz und Anmut" zeich-nen seine Arbeiten ebenso aus wie die zarte Farbengebung. Außer in seinen Altarbildern scheint H. auch im Bildnis Tüchtiges geleistet zu haben. Erhalten nur das von Andr. u. Jak. Schmutzer nach seinem Gemälde radierte Blatt „Kaiser Karl VI. auf dem Thron". Urkundlich erwähnt werden mehrere Porträts, so die für die Kapuziner in Kalwang 1713 gemalten drei Porträts der Kaiser Leopold, Josef und Karl VI., 1722 ein lebensgroßes Bild Karls VI. für die Hofkammerratsstube und 1723 eine gleiche Darstellung für die geheime Ratsstube. Von seinen Altarblättern verdienen besonders genannt zu werden: die von *Rein* (hl. Anna mit Maria u. dem Jesukinde, 1731); *Neuberg* (Verkün-digung Mariä und Herzog Otto umgeben von Vertretern des Cisterz. Ordens als Stifter, 1738); *Graz,* Franziskanerkirche (Hochaltarbild Himmelfahrt Mariä, 1718 u. Seitenaltarbilder: hl. Franziskus, Joh. Capistranus u. hl. Barbara,

1723, 1882 entfernt); sowie eine hl. Familie (undatiert, in der landschaftlichen Galerie). Ferner sind Altarbilder von seiner Hand noch in *Schwanberg* (eine seiner ersten Arbeiten, 1709), *Stanz* bei Kindberg (hl. Katharina, 1740), im Dom zu *Graz* (die hl. Rochus und Sebastian), in der Kalvarienbergkirche zu Graz (Christus erscheint den armen Seelen im Fegefeuer, für die Maria vorbittet), im Stift *Vorau* (ein Erzbischof mit Pallium [hl. Albert] im Gebet vor Maria mit dem Kinde), Pfarrk. *St. Andrä* im Sausal i. St. (Hl. Urban, bez. u. 1723 dat.; der Hl. Joh. Nepomuk vor der Hl. Dreifaltigkeit, bez.). Ein großes Bild einer Gemsenjagd aus Schloß Ernau (bei Mautern) von Wastler im Besitz d. Grafen von Lamberg erwähnt. — Auch zu untergeordneten Arbeiten wurde H. herangezogen, so bei der feierlichen Einweihung des Mausoleums Ferdinands II. in Graz 1714; für das Leichenbegängnis der Kaiserin Amalia hatte er 1742 25 Stück Wappen zu malen; 1743 malte er auch Fahnen für die Kavallerie und Infanterie. Nach einer Erwähnung im „Prodromus zum Theatrum artis pictoriae von Franz von Stampert und Anton v. Prenner" 1735 scheint er sich auch als Stecher betätigt zu haben. Wie weit indes seine Mitarbeit bei diesem Werk anzunehmen ist, ist unsicher. Bekannt sind nur Vorzeichnungen zu Stichen: zu dem von Pfeffel und Engelbrecht gest. Blatt: hl. Maria zu Weizberg und zu den 4 Folioblättern: Karl VI. zu Pferd (Titelblatt); Allegorie auf den Friedensschluß zu Rastatt; Karl VI. überbringt der Austria die Weltkugel; Karl VI. als Eroberer (aus dem 1717 bei Widmannstetter in Graz ersch. Werk des P. Marcius Hansiz, S. J. „Quinquennium primum imperii Rom. Germ. Caroli VI." von Benjamin Kenkel und Daniel Herz gest.). — Sein Sohn (oder Enkel?) Anton war 1804—35 Blumenmaler an der Wiener Porzellanmanufaktur.

Aquilinus Julius Cäsar, Beschreibung der k. k. Hauptstadt Grätz, 1781 I 180. — F. H. Böckh, Wiens lebende Schriftsteller, Künstler etc., 1821 p. 256. — C. Schmutz, Hist.-topogr. Lex. von Steyermark, 1822 II 37. — J. A. Polsterer, Gräz u. seine Umgebungen, 1827 p. 369. — Steyermärkische Zeitschrift, 1833, 11. Heft, p. 98; 1842, 7. Jahrg. 881. — C. v. Wurzbach, Biogr. Lex. Österr., VIII (1862). — Katal. der hist. Kst-Ausst., Wien 1877 No 2434 u. 1421; „Hayck" falsch statt „Hauck"; dazu: A. Ilg in Beilage zur Wiener Abendpost, 1. 6. 1877. — E. Kümmel, Kst u. Kstler in ihrer Förderung durch die steir. Landschaft, S. A. aus Beitr. z. Kde steierm. Gesch.-Quellen, XVI (1879) 108. — Wastler, Steir. Kstlerlex., 1883 p. 42 f., 189. — Mitteil. der k. k. Centralkomm., N. F. X (1884) 7; XIX (1893) 209 (Ilg). — F. S. Pichler, Die Habsburgerstiftung Cistercienser Abtei Neuberg, Wien 1884, p. 24 u. 106. — Mitteil. des histor. Ver. f. Steiermark, 32. H. (1884) 61; 37. H. (1889) 82. — Jahrb. der Kunstsamml. des A. H. Kaiserh., VII (1888) p. IX. — Grazer Volksblatt vom 14. 10. 1911, No 471. — Mitt. d. Erzherz. Rainer-Mus., 1918 p. 66. *B. Binder.*

Hauck, Victor Gerhard, Landschaftsmaler u. Radierer in Karlsruhe, geb. 20. 6. 1868 in Köln, Schüler der Akad. in Karlsruhe unter G. Schönleber, besuchte 1893—94 Italien.

Das geist. Deutschland, 1898. — Jansa, Deutsche bild. Kstler in Wort u. Bild, 1912.

Haudebourt, Louis Pierre, Architekt, geb. 4. 10. 1788 in Paris, † 20. 4. 1849 ebenda, Schüler Ch. Perciers. Zeigte im Salon 1819 eine Ansicht der Villa Medici u. eine Ansicht des Vestatempels bei Tivoli, 1822 Aufnahmen vom Palazzo Massimi, Rom. 1818 gab er mit T. F. Suys ein Folio-Tafelwerk über diesen Palast heraus; 1838 erschien von ihm eine Rekonstruktion des Landhauses des jüng. Plinius nach dessen Beschreibung (Le Laurentin). Er bekleidete mehrere architekt. Ämter u. arbeitete 1833 unter L. T. J. Visconti an der Bibliothèque roy. Seine Gattin war A. Haudebourt-Lescot (s. d.).

Bellier-Auvray, Dict. gén., I (1882). — Bauchal, Dict. des Archit. Franç., 1887. — E. Delaire, Les Archit. élèves, 1907. — Bull. de la Soc. de l'Hist. de l'Art franç., III (1877) 129. — Univ. Catal. of books on art, London South Kens. Mus., I (1870) 795.

Haudebourt-Lescot, Antoinette Cécile Hortense, geb. *Lescot*, Genre- u. Porträtmalerin, geb. 14. 12. 1784 in Paris, † 1. 1. 1845 ebenda. Seit 1820 Gattin des Archit. L. P. Haudebourt. Schülerin von G. G. Lethière in Rom, Mitglied der Accad. di San Luca. „Sie zog zuerst die malerischen Stoffe des ital. Volkslebens in die moderne Kunst herein." 1810 debütierte sie im Pariser Salon mit Bildern dieses Genre, dem sie zeitlebens treu blieb, wenn auch später immer mehr Porträts u. Genrebilder allgemeineren Inhalts in ihrem Schaffen vorherrschten. Sie war Malerin der Herzogin von Berry. Von ihr im Mus. in Montpellier: Wahrsagerin (1817 im Salon) u. einige Aquarelle; im Mus. in Dijon: Aqua Santa, dat. 1819; im Louvre: Selbstporträt, dat. 1825; in Versailles eine Anzahl Porträts u. die Historienbilder: Einnahme von Thionville (1837) u. Papst Eugen III. empfängt die Gesandten des Königs von Jerusalem (1839). Werke außerdem in den Museen zu Aix, Angers, Besançon, Cherbourg, Rouen. Von ihr auch eine Anzahl lithogr. Blätter. Viele ihrer Werke sind durch Stich oder Lithogr. veröffentlicht worden. Ihr Porträtmedaillon in Bronze von P. J. David d'Angers im Mus. zu Angers.

Ch. Blanc, Hist. des peintres, Éc. franç., III (1865) Append. p. 47 f. — A. Tardieu, Dict. Iconogr. des Parisiens, 1885. — Bellier-Auvray, Dict. gén., I (1882). — Bénézit, Dict. des Peintres etc., II (1913). — J. Meyer, Gesch. d. mod. franz. Malerei, 1867. — H. Béraldi, Les Graveurs du XIXme S., VIII (1889). — Gonse, Chefs d'Oeuvre des Musées de France, 1900: Peint. p. 70 f. — Rich. d'Art de la France, Prov., Mon. civ., I

(1878) ; III (1885) ; IV (1891). — Bull. de la Soc. de l'Hist. de l'Art franç., III (1877) 129.

Haudt, Melchior u. Hans Georg, siehe *Haut*, M. u. H. G.

Haueisen, Albert, Maler und Graphiker, geb. 7. 7. 1872 in Stuttgart, verlebte seine Jugend in Ludwigshafen a. Rh., kam 1887 zunächst auf die Kunstgewerbeschule, dann auf die Akad. in Karlsruhe, ging 3 Jahre nach München, 1 Jahr nach Italien und wieder 1 Jahr nach München. Von Ludwigshafen und Jockgrim in d. Pfalz aus besuchte er dann mehrere Winter die Karlsruher Akad. als Schüler von Kalckreuth, später von Thoma, dem er freundschaftlich nahestand und den er mehrfach porträtiert hat. Längere Zeit lebte er in größter Zurückgezogenheit in Bernau i. Schwarzwald, während des Krieges mehrere Jahre in Frankfurt a. M. Seit 1919 Direktor an der Karlsruher Akad. Früh reif und das Technische beherrschend, zeigt H. schon in Bildern wie den „Landleuten, die sich vor dem Gewitter flüchten" von 1896 ein starkes Talent, das ihn bald zu einer der interessantesten Erscheinungen unter den jungen Karlsruhern werden ließ. Sein Entwicklungsgang ist sehr wechselvoll: altmeisterlich sorgfältigen und farbenprächtigen Werken (Porträt des Bruders 1902) folgen kühne landschaftl. Impressionen. Lange Zeit haben ihn Probleme des franz. Neoimpressionismus beschäftigt, was besonders in der großen Sonderausstell. der Gal. Moos zu Karlsruhe 1914 hervortrat. Aber auch von Cézanne, Manet und Hodler wurde er beeinflußt, um 1906 scheint er die Wendung zum monumentalen Figurenbild zu nehmen, zeigt auch Ansätze zu selbständiger expressionistischer Auffassung. Ungleich infolge dieser vielen Anregungen folgenden Beweglichkeit gehen H.s Werke doch aus einer einheitlichen, von starkem Willen gelenkten künstler. Gesinnung hervor; ihr Hauptwert liegt in der Trübner oft sehr verwandten Ausprägung des rein Malerischen, die sich auch in farbig erlesenen Stilleben äußert, und in der kräftigen Frische, mit der gegenwärtiges Leben gestaltet wird. Scharfe Beobachtungsgabe besonders der Bewegungserscheinungen zeigen auch die temperamentvollen graphischen Werke H.s, die leicht hingeworfenen Zeichnungen u. eine große Anzahl Radierungen von oft eigenartiger Lichtwirkung. Unter den Holzschnitten hervorzuheben „Bernau"(1901), „Kirchgang". Mehrere farbige Lithographien (u. a. „Badisches Landstädtchen") erschienen bei Voigtländer u. Teubner, Radierungen und Lithographien in den Jahresmappen (1912, 1913) des Vereins für Originalrad. in Karlsruhe. Seit 1895 ist H. auf den Münchener, Berliner, Dresdner und süddeutschen Ausstell. vertreten. Im Treppenhause des Hist. Mus. zu Speier (Katal. 1910, Führer 1914 p. 46) malte er eine Palatia (Deckengemälde). Die Kunst-

halle in Karlsruhe besitzt das frühe Bild „Bernauer Küferwerkstatt" (1899) und „Frühling in Bernau" (Katal. 1910). Andere Gemälde in den Sammlungen zu Freiburg i. B., Essen (Straßenbilder), Hagen i. W. (Bauernhaus), 2 Zeichnungen im Zürcher Kunsthaus (Katalog Nachtrag 1915).

Singer, Kstlerlex., Nachtrag (1906). — Beringer, Bad. Malerei i. 19. Jahrh., ² 1922. — W. Schäfer, Bildh. u. Maler in d. Ländern am Rhein, o. J. [1913] m. Abb.; ders. in Rheinlande, I (1900—01) Nov. Heft p. 40 ff. m. Tafel gegen p. 32, 34 u. Abb. p. 38 f. u. ebda VIII (1908) T. I, 117 ff. — K. K. Eberlein, ebenda, XX (1920) 105 ff. m. Abbn („A. H. als Graphiker"). — K. Fischer in die Graph. Kste, XXVII (1904) 75—80 m. Abbn. — Butz in „Der Schwäb. Bund", I (1920) 133/39 m. Abbn. — Zeitschr. f. bild. Kst, N. F. XIII (1902) 296 (Orig. Lith.) 304; XVIII (1907) 140 m. Abb. — Kstchronik, N. F. VII (1896) 348; XX (1909) 281; XXV (1914) 575 f. — Die Kst, XIII (1906). — Dtsche Kst u. Dekor., III (1898/99); XX (1907); XXVIII (1911); XXXIV (1914); XLIV (1918/19) z. T. m. Abbn. — Rheinlande, V (1905) 202, 207, 211 (Abb.), 232 (Abb.); VI (1906) T. I p. 162, 164, 175/7 (Abb.), T. II p. 97/8, 160, 207 (Abb.), 208; VII (1907) T. II p. 70, 72 (Abb.). — Kstwanderer, III (1921/22) 282 f. — Katal. der im Text gen. Ausstell.; dazu: Düsseldorf 1902 (Dtschnat. Kstausst.), 1907, 1913 (Gr. Kstausst.); Mannheim 1907 (Internat. Kstausst.), 1913 (Dtscher Kstlerbund), 1916/7 (Mannheimer Privatbes., Ksthalle); Darmstadt 1911, 1918 (Abb.); Baden-Baden 1912; Cassel 1913.   *D. St.*

Hauenstein, Johannes, Landschaftsmaler u. Zeichner, geb. um 1775 in Tegerfelden bei Zurzach, † 16. 4. 1812 in Schaffhausen, bildete sich in Zürich u. unter Georg Dillis in München. 1805 nahm ihn dieser nach Rom mit, wo H. mit dessen Bruder Cantius zusammenwohnte. 1807 kehrte er heim und ließ sich in Schaffhausen nieder, wo er der Lehrer des J. J. Oechslin gewesen sein soll. Ein Skizzenbuch aus der röm. Zeit in Privatbesitz.

Lutz, Moderne Biogr. in der Schweiz, 1826 p. 108—09. — Brun, Schweizer. Kstlerlex., II (1908).

Hauer, Andreas und Stephan, Büchsenmacher, 18. Jahrh. in Würzburg. Schöne Arbeiten im Mus. Naz. Florenz.

Zeitschr. f. hist. Waffenk., II p. 31. — Aukt.-Katal. d. Samml. Fechenbach Köln, 1889 (359—361).   *St.*

Hauer, Anton, Ätzmaler in Nürnberg, tätig um 1612. Im Wiener Waffen-Mus. eine schwarz geätzte Rüstung (Nürnberger Beschaustempel, Plattnerzeichen J. W.) mit Ornamenten, Schriftstreifen, in Kupferstichmanier grav. Bildern in 2 Medaillons und einer Figur der Germania, unterhalb des Medaillons rechts bez. „Anton Hauer Fecit 1612".

Übersicht des K. K. Hof-Waffen-Mus. Wien, 1872 p. 49.   *W. Fries.*

Hauer, Daniel Adam, Schrift-, Landkarten- u. Kupferstecher in Nürnberg, geb. ebenda 1734, lebte noch 1789. 1760 stach er das Porträt Friedrichs d. Gr. nach J. C. Albrecht.

Zwischen 1760 u. 1770 lernte Carl Guttenberg 3 Jahre bei ihm. — Sein Sohn F r a n z X a v e r war sein Schüler u. Nachfolger.

F ü ß l i , Kstlerlex., 2. Teil (1806—21). — L i p o w s k y , Baier. Künstlerlex., 1810. — M u r r , Beschreib. der vornehmsten Merkwürdigkeiten . . , 1778 p. 551. — D u p l e s s i s , Catal. Portr. Bibl. Nat. Paris, 1896 ff., IV 16649/121. *W. Fries.*

Hauer, G e o r g , siehe *Hayer,* Georg.

Hauer, G o t t h o l d , Kriegsrat, Dilettant in der Lithographie, geb. 28. 2. 1782 in Gernsbach (Baden), † 24. 11. 1825 in Karlsruhe, widmete sich gegen Ende seines Lebens der Lithogr. u. schuf mehrere Blätter, wie die Porträts des Hofrats J. L. Posselt u. des Hofmedailleurs Bückle (nach J. G. Edlinger), Thorwaldsens, Chr. Haldenwangs, Fedor Iwanows u. a.

S c h o r n s Kstblatt, VII (1826). — N a g l e r , Kstlerlex., VI.

Hauer, J e a n J a c q u e s , Maler, geb. 1751 in Algesheim bei Mainz, † 1829 in Paris. Kam früh nach Frankreich, wo er auch seine Ausbildung genoß u. 1793, 95 u. 96 im Salon Historienbilder, wie Tod Marats (1880 Pariser Privatbes.), Nationalwerkstätte u. Genre ausstellte. Als Kommandant des Bataillons der „Section des Cordeliers" hatte er Gelegenheit, Charlotte Corday während der Gerichtsverhandlung, kurz vor ihrer Hinrichtung, zu porträtieren. Das einfache, aber getreue Porträt, das auch mehrfach gestochen wurde, befindet sich im Mus. zu Versailles.

B e l l i e r - A u v r a y , Dict. gén., I (1882). — N o l h a c - P é r a t é , Musée Nat. de Versailles, 1896. — Revue de l'Art anc. et mod., XXI (1907) 141, 147 (Abb.). — Gaz. des B.-Arts, 1880 I p. 520 f. — D u p l e s s i s , Catal. Portr. Bibl. Nat. Paris, 1896 ff. III 10650/18, 61.

Hauer, J o h a n n , Maler, Kupferstecher, Radierer, Kunsthändler u. Kunstschriftsteller in Nürnberg, geb. ebenda 28. 9. 1586, † ebenda 12. 6. 1660, Vater des Ruprecht. Lernte nach 1600 7 Jahre bei Peter Hochheimer, wurde 1613 (mit einem geätzten Harnisch) Meister und 1628 „Genannter des größeren Rats". Er war dreimal Vorgeher der Malerzunft. Als solcher wurde er 1625 in den Streit der Nürnberger Flachmaler mit den Ätzmalern, und zwar als Wortführer der letzteren, verwickelt. Derselbe wurde 1627 zu H.s Gunsten entschieden. Er hatte zwischen 1611 und 1657 9 Schüler. Von seiner Tätigkeit als Maler — er soll Architekturen u. Bildnisse gemalt haben — ist nichts erhalten. Als Zeichner für den Holzschnitt erscheint er (mit einem Meister J. R.) in dem von Moses Thym geschn. Porträtwerke: „Die Durchlauchtigste, Hochgeborne . . . . Herzoge zu Sachsen", Wittenberg 1613 (11 Bl.: 8 Kurfürsten, Luther, sächs. Wappen, Titelbl.); ebenso in den Porträts: Daniel Sennertus, Wittenb. 1611; Johannes Foerster 1613. Kupferstiche: Titelbordüre und and. Blätter zu „Circinus Geometricus" v. L. Uttenhoven, Nbg 1626; die Hand Gottes m. d.

Symbole d. Heidenbekehrung (Fliegendes Blatt); Abriß der Stadt Pilsen . . . 1618; König Cyrus; Eine Laute, ein Notenbuch u. vier Blumen auf einem Tisch. Vorzeichn. für den Stich: Wappen des Patriziers J. W. Kress v. Kressenstein, gest. von H. Troschel. — Radierungen: kleine rad. Blätter mit Figuren, 1612; Satyr u. Nymphe in Landschaft, 1619; Friedr. Balduin, Wittenberg, 1620. — Daneben dilettierte er in anderen Künsten: Auf Veranlassung des Altdorfer Mathematikers M. L. Brunn betrieb H. das Schleifen optischer Gläser, um diese Kunst dann mit Hilfe der Camera obscura praktisch auf das Perspektiv-Zeichnen anzuwenden. Außerdem scheint er sich auch als Goldschmied versucht zu haben, denn a. d. J. 1617 ist im Grünen Gewölbe in Dresden (Führer, 1915 p. 184) ein Pokal, Herkules mit der Himmelskugel darstellend, erhalten, welcher die Inschrift trägt: Joh. Hauer fecit Norimb.: Anno 1617. Allerdings trägt dieses Werk außerdem noch die Meistermarke H̅M̅, so daß H. wohl nur als der Entwerfer in Betracht kommt. 1620 fertigte er einen in Silber getriebenen Globuspokal (auf den Schultern Julius Cäsars ruhend), welcher 1720 durch Schenkung an die Universität Altdorf gelangte. Das Stück ist bezeichnet: „Johann Hauer caelavit 1620". — H. ist der Verfasser des Auszuges aus den 7 verlorenen Nürnberger Malerbüchern (G. v. Volkamer-München, Norica-Samml. Bibl. Nr 891). Besonders als Dürerhistoriograph bemüht, verfaßte er: „Urtheil und Meinung über etliche Albrecht-Dürer'sche Stiche" sowie Abschriften von Dürers Reisejournal und eines „Kurze Erzählung des hochberühmten Albr. Dürers Herkommen etc . . ." betitelten Werkes. Endlich ist er der Verfasser der „Beschreibung der Krönung Ferdinands III. u. seiner Gemahlin zu Regensburg 1636". — Von H. existieren zwei anonym gestoch. Porträts (Panzer, Verz. von Nürnb. Portraiten . . . , 1790 p. 95).

D o p p e l m a y r , Nachr. v. Nürnb. Mathem. u. Kstlern, 1730 2. Reg. — L i p o w s k y , Baier. Kstlerlex., 1810. — N a g l e r , Kstlerlex., VI; d e r s ., Monogr., II ; III. — B r u l l i o t . Dict. des Monogr. etc., III, 1843 (unter Hauer u. Hauers). — Allg. deutsche Biogr., XI 45. — F ü ß l i , Künstlerlex., 1779. — H e l l e r - A n d r e s e n , Handb. f. Kupferstichsamml. — L e B l a n c , Manuel. — L e i t s c h u h , Stud. u. Quellen z. deutschen Kstgesch., 1912 p. 119; d e r s ., A. Dürers Tagebuch der Reise in die Niederlande, 1884 p. 22 ff. u. 199 (Reg.). — Mitteil. a. d. Germ. Nat.-Mus., 1895 p. 71 ff. ; 1899 p. 116 ff. (Abb.); 1911 p. 130. — M u r r , Beschreib. der vornehmsten Merkwürdigk. . . . , Nbg 1778 p. 410, 570. — L a n g e - F u h s e , Dürers schriftl. Nachl., Halle 1893. — M u m m e n h o f f , Rathaus in Nürnberg, 1891. — B o e s c h , Der Streit zwischen den Nürnberger Flachmalern und Ätzmalern 1625—1627, S. A. Mitteil. d. Ver. f. Gesch. d. Stadt Nürnb., XIV (1901). *W. Fries.*

Hauer (Hauwert, Hovart), J o h a n n , Maler „aus dem Haag", 1650 in Rastede (Oldenburg), wo er in diesem Jahre für „12 kleine Stück in des Grafen Gemach" (wahrscheinlich die aus Rasteder Schloßinventaren bekannten 12 Pferdeporträts am Plafond des Parterresaales), „1 groß Stück, der todte Christus", „1 Bild, die Maria Magdalena" (beide ehemals in der Klosterkirche zu Rastede; verschollen) Zahlung erhielt. Nach der wohl für J. J. Winkelmanns Oldenburger Chronik (erschienen 1671) zusammengest. „Nachricht einiger Notabelnsachen" (Ms. Landesarchiv Oldenburg) malte er auch u. zwar „im Haag" die 6 Tafeln am Plafond des gleichen Saales, die den Kampf des Grafen Friedrich v. Oldenburg mit einem Löwen darstellten; nicht identisch mit den 6 Löwenkampfbildern in der „Oldenburger Gal." in Schloß Rudolstadt.

Nach archiv. Auszügen von G. Sello. — Ztschr. f. Kulturgesch., Neue (4.) F. der Ztschr. f. deutsche Kulturgesch., 1894 p. 305 ff. (S e l l o).

Hauer, Johann, s. auch *Hauer, Joh.* Thomas.

Hauer, J o h a n n P a u l, Goldschmied in Nürnberg, geb. ebenda 1629; nur bekannt durch sein „Neues Schneidbüchlein", eine Ornamentstichsamml. (Schwarzornamente, Blumenwerk, Nadelbüchsen, Anhänger), die er ca 1650 bei Paulus Fürst in Nürnberg erscheinen ließ („Paulus Hauer fecit"). Panzer (Verz. v. Nürnb. Portraiten 1790 p. 95) überliefert sein (anonym gestoch.) Bildnis u. sein Wappen.

F ü ß l i, Kstlerlex., 2. Teil (1806/21). — Katal. d. Ornamentstichsamml. d. Kunstgew.-Mus. Berlin, 1894. *W. Fries.*

Hauer, J o h a n n T h o m a s, Bildhauer, Zeichner und Stecher, geb. 1748 zu Sommerein auf der Insel Schütt in Ungarn, † 1820, wohl in Augsburg. Um 1780 muß er in Paris ansässig gewesen sein, wie ein „Paris 1781" bez. Ornamentstich seiner „Desseins de la Mode neuve" beweist. 1785/86 ist er in Augsburg u. soll dort bei J. Ingerl die Bildhauerei erlernt haben. Er wurde städt. Steinmetz u. erhielt nach F. X. Habermanns Tode (1796) dessen Stelle als Lehrer an der Zeichenakad. Augsburg. Nach Nagler lebte er ebendort noch gegen 1818. — In seiner Pariser u. dem Beginn der Augsburger Zeit scheint er vor allem als Zeichner u. Stecher für den Ornamentstich tätig gewesen zu sein. Wir kennen: „Desseins de la Mode neuve etc. Inventées desinées et gravées par J. Hauer Rue St. Ursule à Paris" (Vorlagen für Architekturteile, Öfen, Möbel usw. im Stil Louis-Seize), 129 Bl. in 8 Serien. 1785/86 gab er eine ähnliche Serie bei „J. J. Haid et fils" in Augsburg heraus; eine andere erschien bei Joh. Elias Haid. Auch bei den Augsburger Verlegern Joh. Gradmann, Großmann, J. G. Hertel erschienen Ornamentstiche des fleißigen, aber trockenen H. Später betätigte er sich immer mehr als Zeichner u. Radierer von Landschaften, Historienbildern u. Viehstücken. Von seinen Blättern werden unter andern 16 Ansichten von Tivoli genannt und eine Folge

handkolorierter Radierungen für den Verlag Tessari, Augsburg. Von Zeichnungen wird die Sepiazeichn. des Denkmals des franz. Grenadiers Latour d'Auvergne bei Neuburg a. D. erwähnt. In der graph. Sammlung München sind 2 Blätter in Aquatintamanier, darstellend: „Beleuchtung des Stadt Augsburgischen Rathauses zu Ehren des ruhmvoll zurückkehrenden kgl. Baier. Militärs d. 1. Jan. 1808" und „Ehrenpforte den mit Ruhm aus dem Felde wiederkehrenden Königl. Baier. Truppen errichtet von der K. B. Stadt Augsburg bei dem Einzug derselben den 1. Jan. 1808". 1805 fertigte er aus grauem Marmor einen Sarkophag für die Ulrichskirche in Augsburg zur Aufnahme der Gebeine der Hl. Afra.

P. v. S t e t t e n, Kunst-Gewerbe- und Handwerksgesch. der Reichsstadt Augsburg, 1779. — M e u s e l, Teutsches Künstlerlex., I (1808). — N a g l e r, Künstlerlex., VI. — D. G u i l m a r d, Les maitres ornemanistes, Paris 1881. — E. W e l i s c h, Augsburger Maler im 18. Jahrh., Augsburg 1901. — Katal. der Ornamentstichsamml. des Kstgew.-Museums Berlin, 1894. — F r i e s e n e g g e r, Die St. Ulrichskirche in Augsburg, 1914 p. 69. — J e s s e n, Der Ornamentstich, 1920. *Paul Markthaler.*

Hauer, J o s e p h, Büchsenmacher, 1. Hälfte d. 18. Jahrh. in Bamberg. Schön gearbeitete Flinten in Schloß Schwarzburg und Waidhofen.

O s s b a h r, Zeughaus in Schwarzburg, Rudolstadt 1895 p. 140. — Österr. Kst.-Top., VI (1911) p. 171. *St.*

Hauer, P a u l, siehe *Hauer,* Joh. Paul.

Hauer, R u p r e c h t, Maler in Nürnberg, dort nachweisbar seit 1648, † ebenda 4. 1. 1667, Sohn des Johann, wurde nach Lehrzeit bei seinem Vater, einer Romreise und einem Aufenthalt in Venedig (1652) 1653 Meister. Werke: Berlin, Kupferstichkab. Stammbuchblatt: Cupido schlafend, Hintergrund Waldlandschaft, bez. „Zu guet gedächtnüß machte dieses A° 1648. d. 22. Novembris Ruprecht Hauer zu Nüremberg. P. St." (schwarze Kreide). Nürnberg, städt. Samml. (nicht Germ. Mus.!) Ölbild: Inneres der Peterskirche, bez. „Templum diui Petri apostoli Romae in Vaticano. Rupertus Hauer ibidem deliniauit posteaque pinxit A° 1653" (Probestück des Meisters für seine Aufnahme ins Malerhandwerk). Nürnberg, Städt. Samml. (Rathaus) Ölbild: Großer Rathaussaal mit Huldigung für Kaiser Leopold, 1658. — Nach H. („R. Hauer pinxit") stach A. Khol das Bildnis M. Edel's und J. Sandrart das der Magd. Edel, geb. Fürleger.

D o p p e l m a y r, Nachr. v. Nürnb. Mathem. u. Kstlern, 1730 2. Reg. — M u r r, Beschreib. d. vornehmsten Merkwürdigk. . . ., Nbg 1778 p. 410, 414. — M e i d i n g e r, Histor. Beschreib. von Landshut u. Straubing, 1790 II 213, 215. — L e i t s c h u h, A. Dürer's Tagebuch der Reise in die Niederlande, 1884 p. 24/5 Anm. — Mitteil. a. d. German. Nat.-Mus., 1899 p. 118, 134. — Katal. d. städt. Kstsamml. Nürnberg, 1909 p. 19, 84. — Gemälde-Katal. d. Germ. Nat.-Mus., 1909.

— Bibl. Bavarica (Lagerkat. Lentner, München), 1911 Nr 4689, 9336. — D u p l e s s i s, Cat. Portr. Bibl. Nat. Paris, 1896 ff. III 14191/2. — M. J. F r i e d l ä n d e r, Zeichn. alter Mstr im Kupferstichkab. Berlin, die dtschen Mstr (E l f r i e d B o c k) I (1921). *W. Fries.*

Hauer, S t e p h a n, s. unter *Hauer,* Andreas.

Hauer, T h o m a s, siehe *Hauer,* Joh. Th.

Hauers, W i l h e l m (Georg Friedrich W.), Architekt in Hamburg, geb. in Celle 10. 2. 1836, † in Hamburg 27. 4. 1905. Studierte 1853/58 auf der Polyt. Hochschule in Hannover als einer der ersten Schüler von C. W. Hase, an dessen Neubau der Christuskirche in Hannover H. 1859/61 als Bauführer tätig war. Durch seinen Studiengenossen F. Andreas Meyer kam er 1866 nach Hamburg, stand einige Zeit im Dienste der Baudeputation u. machte sich 1871 selbständig. Unter seinen zahlreichen, meist in gotisierendem Backsteinstil ausgeführten Bauten, sind hervorzuheben: die Häuser von Pardo, später Dr. Bülau, Fleischel, Crasemann, Eydie, der Umbau der Kapelle in Schloß Wiesen (Landrat Flügge) in einen Speisesaal; ferner das Grab des Wasserbau-Direktors Dalmann auf d. St. Jakobi-Friedhof, der Fontenaybrunnen am Mittelweg und die beiden großen Portale an der zweiten Elbbrücke. Sein Hauptwerk wurde die St. Johanniskirche in Harvestehude (1880—82), die die Ergebnisse einer langen Studienreise nach Italien zusammenfaßt. Während H. sich zeitweise mit Archit. Hüser verbunden hatte, führte er die Marienthaler Brauerei u. die Bauten der Malliser u. Victoria Ziegeleien, sowie das Kinderhospital an der Alfredstr. aus. Später baute er zahlreiche Wohnhäuser. Auch an Wettbewerben war H. vielfach beteiligt. Sein Entwurf für den Rathausbau wurde 1876 preisgekrönt. Infolgedessen gehörte er auch zu den 7 Baumeistern, die dem Senat das 1885/97 ausgeführte Projekt für den Rathaus-Neubau überreichten, bei dessen Ausführung H. hervorragend tätig war. Der Ausbau des Ratskellers ist vor allem sein Werk.

Dtsche Bauzeitung, 1868 ff., passim, vgl. Inh.-Verz. u. Sachreg. d. Dtsch. Bauztg, 1867—1908, bearb. von J. F a u l w a s s e r, Hambg 1909 p. 5. — Denkschrift z. 50 jähr. Stift.-Fest d. Archit.-u. Ing.-Ver. in Hamburg, 1909 p. 113. — Hamburg u. seine Bauten, 1890 p. 386 f.
Jul. Faulwasser.

Hauffe, M e l c h i o r, Baumeister in Dresden, † 1572 ebenda. 1545 starb seine Frau Ursula, 1561 seine Frau Barbara. 1563 wurde er zum Oberzeug- u. Baumeister in Wittenberg, Dresden, Leipzig u. Zwickau ernannt u. ihm die Bauleitung des Zeughauses in Dresden übertragen. 1555 erbaute er sich ein stattliches Wohnhaus in der Kreuzgasse (das spätere „Fraumutterhaus", 1760 zerstört).

F. R. S t e c h e, Hans v. Dehn-Rothfelser, Dissert. Leipzig, 1877. — Bau- u. Kstdenkm. Kgr. Sachsen, XXI—XXIII; XXXIV.

Hauffen, F r a n z, Maler in Potsdam, stellte auf der Berl. Akad.-Ausst. 1834 (Kat. p. 23) 2 Partien aus dem Rabenauer Grund bei Dresden u. eine Aussicht über den heiligen See bei Potsdam aus.
W. Fries.

Haug, H i e r o n y m u s, s. im Art. *Hau,* Hier.

Haug, J o b s t, Baumeister in Nürnberg, † 1436, nachzuweisen ebenda seit 1408, erbaute ab 1422 den oberen Teil des Schlüsselfelder'schen Stiftungshauses (sog. Nassauerhaus) gegenüber der Fassade von St. Lorenz.

Stadtarchiv Nürnberg, Lochner, Norica IV, 316, 318, 320, 322, 323, 328, 330 (1421—1427); ebenda: Genealog. Papiere „Haug". — Festgabe d. Vereins f. Gesch. d. St. Nürnberg, 1902 p. 27 ff. 76 ff. (M u m m e n h o f f). — R é e, Nürnberg (Ber. Kststätten 5), Lpzg 1922. *W. Fries.*

Haug, K r i s t i a n, norweg. Maler in Kristiania, geb. in Solör 9. 9. 1862, widmete sich erst mit 33 Jahren der Kunst und erhielt seine Ausbildung in Kristiania bei Harriet Backer und Eilif Peterssen. Hielt sich 1897 in München und während des Winters 1899/1900 (und auch später wiederholt) in Paris auf; Winter 1900/1901 in Kopenhagen. Malt Landschaften, hauptsächl. aber Porträts, die lebensvoll und ausgezeichnet charakterisiert sind. Stellte auf den Staatsausstell. in Kristiania zwischen 1895 u. 1921 häufig aus, mehrmals auch auf den akad. Ausst. in Kopenhagen, in Stockholm (1904), im Münchner Glaspalast (1913). Auch als Journalist u. Kunstkritiker an der großen Kristianiaer Zeitung „Aftenposten" tätig.

Persönl. Mitteil. — Ausstell.-Katal.
C. W. Schnitler.

Haug, M a r t i n, Goldschmied in Freiberg i. S., 1479 Bürger u. Meister in Freiberg, 1481—86 u. 1489—91 Obermeister, lieferte 1492 eine silb. Monstranz für die Kirche zu Frauenstein (nicht erhalten).

Mitt. d. Freib. Altert.-Ver., XXXI (1894).

Haug, R o b e r t v o n, Maler u. Lithograph, geb. 27. 5. 1857 in Stuttgart, † 3. 4. 1922 ebenda, besuchte 1872—77 die Stuttgarter Kunstschule unter Häberlin und Neher, dann 1877—79 die Münchner Akad., wo er Schüler von Otto Seitz war und sich besonders an Stauffer und Ludwig Herterich anschloß. 1879 kehrte H. nach Stuttgart zurück, wo er seitdem ansässig blieb, und wo er sich zunächst, auf eigenen Verdienst angewiesen, besonders mit Zeichnungen für Buchillustration beschäftigte. 1889 hatte er den ersten größeren Erfolg mit dem Bilde „Die Preußen vor Möckern", welches von der Stuttgarter Gemäldegal. erworben wurde. 1894 wurde er Professor an der Stuttgarter Kunstschule, deren Direktor er 1912—16 war. H. wählte seine Motive mit Vorliebe aus dem Stoffgebiet der Befreiungskriege, wobei ihm seine militärische und historische Sachkenntnis zustatten kam. Das Figürliche ist lebendig erfaßt, das Gegenständliche bleibt jedoch, so sehr es den Maler interessiert, der künstlerischen Absicht untergeordnet. H. ist Impressionist, doch herrscht die Zeichnung, von eigenartig schnittigem Charakter, bei ihm vor. Die Farbe, fein, oft silbergrün getönt, tritt mehr begleitend auf. Diese Darstellungsweise eignet sich besonders für die Steinzeichnung, worin er mit seinen wenigen Blättern (Morgenrot, 1904; Rechberg, 1906; Das Duell, 1906) großen Erfolg hatte. Seine Fresken (im Rathaus und im Kunstgebäude Stuttg.), in denen er kräftige Lokalfarben pflegte, fanden nicht denselben ungeteilten Beifall. Gemälde H.s werden in fast allen bedeutenderen öffentl. Galerien Deutschlands bewahrt. H. beschickte seit 1883 die internat. Münchner Ausstell. im Glaspalast, seit 1893 auch häufig die Münchner Sezession und die Gr. Berl. Kst-Ausstell.; außerdem die Ausst. in Stuttgart, Düsseldorf, Mannheim, Darmstadt usw. — Seine Hauptwerke in chronolog. Folge sind: 1888, Die Preußen bei Möckern (Gal. Stuttgart); 1889, Abschied (Neue Pinak. München); 1891, Freiwillige Jäger (Nationalgal. Berlin) u. Morgenrot (Gal. Dresden); 1896, Erstürmung des Grimmaischen Tores in Leipzig (Mus. der b. Künste Leipzig); 1897, Kampf im Kornfeld (Wallraf-Richartz-Mus. Köln); 1899, Am Wachtfeuer (Kunsthalle Bremen); 1906, Am Wachtfeuer (Kunsthalle Karlsruhe); 1908, Reitende Jäger (Gal. Stuttgart); 1913, Im Felde (Mus. Breslau).

F. v. Bötticher, Malerwerke des 19. Jahrh., I (1891/95) 470, 975. — Jul. Baum, Stuttgarter Kunst der Gegenwart, 1913 p. 51, 296 (m. Abb.). — Die Graph. Künste, XV (Wien 1892) 65—81 (reich illustr. Artikel von Fr. Herm. Meißner). — Die Rheinlande, V (1905) 34, 250, 401—05 (nur Abb.); VI/2 (1906) 20, 21, 133 (Abb.). — Jahrbuch der bild. Kunst, 1905/06 p. 29 ff. (Diez). — Die Kunst, XXVII (1913) 512, 519 (Abb.); XXXVII (1917/18) 433 (Abb.). — Velhagen u. Klasings Monatshefte, XXXI Bd III (1917) 37—51 (G. J. Wolf). — Westermann's Monatshefte, LXV Bd I (1920/21), 233—44 (F. Düsel). — Über Land und Meer, 1912 No 43 (Dobsky). — Cicerone, XIV (1922) 357 (Nekrol.) — „Kriegsbilder von Einst", Haug-Mappe des Kunstwart, München 1915. — Katal. d. genannten Museen u. Ausstellgen (häufig mit Abbildgn). *Kauffmann-Gradmann.*

Hauge, Alfred, norweg. Maler, geb. in Kristiania 1876, † in Madrid 1901. Schüler von Lars Jorde in Kristiania, wo er seiner eindrucksvollen Persönlichkeit und seiner feinen, kultivierten Kunst wegen eine sehr geachtete Stellung in Künstlerkreisen einnahm. Ein dekadenter Typ von höchst verfeinerter Empfindung. Sommer 1894 studierte er in Vaage (Gudbrandsdal) zus. mit hervorragenden Malern wie H. Egedius, Th. Erichsen, O. W. Torne u. L. Jorde. Um 1895 war er Schüler von Zahrtmann an dessen Malschule in Kopenhagen. Um 1896 kam er nach Paris, wo er während seiner letzten Jahre meist lebte. Im

Sommer 1898 hielt er sich in Telemark in Norwegen auf, 1900 in Crès in Südfrankreich, wo er in persönl. Berührung mit Cézanne kam, durch welchen er starke Eindrücke erfuhr. Die letzten Monate seines Lebens verbrachte er in Spanien. Bilder von ihm im Kunstmus. in Kristiania und in der Samml. Meyer in Bergen. Stellte auf der Staatl. Ausstell. in Kristiania 1900 und auf der Norweg. Jubil.-Ausst., ebenda 1914, aus.

J. Thiis, Norske malere og billedhuggere, Bergen 1904, II 81, 410. — W. Halvorsen, Halfdan Egedius, Kristiania 1914 p. 38, 39, 122 bis 127. — Persönl. Mitteil. *C. W. Schnitler.*

Hauge, Marie Octavia Nielsen, norweg. Malerin u. Bildhauerin, geb. 8. 7. 1864 in Drammen, studierte an Chr. Krohg's u. H. Heyerdahl's Privat-Malschule in Kristiania und einen Winter an der dort. kgl. Kst- und Handwerkerschule, später unter Eilif Peterssen, Erik Werenskiold u. Sven Jørgensen. Ihre hauptsächlichste Lehrerin aber war Harriet Backer. Seit Febr. 1900 hielt sie sich 1 1/2 Jahre in Italien und, seit Frühjahr 1903 3 1/2 Jahre in Paris, hier teilweise auf Akademien, wo sie nach alten Meistern kopierte. Später meist in Kristiania wohnhaft, doch mit mehrfachen Unterbrechungen durch Auslandsreisen (Italien 1911, Paris 1914, Sizilien 1920, Tunis, Paris 1921). Eine tüchtige Koloristin, malt sie Landschaften, Genre, besonders aber Porträts u. Interieurs. Sie hat sich auch bildhauerisch betätigt (Statuetten u. Reliefs). Bilder von ihr in den Museen zu Drammen u. Bergen. Stellt seit 1890 auf den staatl. Ausst. in Kristiania aus und hat 1908 u. 1921 Kollektivausst. veranstaltet. Auch beschickte sie die Jubil.-Ausst. in Kristiania 1914, die Skandinav. Ausst. in Stockholm 1897, den Pariser Salon des Indépendants 1904—06, die Internat. Ausst. in Rom 1911, den Münchner Glaspal. 1913 und die Norw. Ausst. in Brighton 1913.

Mitteil. der Künstlerin. — „Husmoderen", 1903 Nr 4. — „Urd", 1905 Nr 29; 1907 Nr 48; 1908 Nr 43. — „Hver 14 dag", 1908 Nr 13. — Allers Familiejournal, 1908 Nr 18. — Jens Thiis, Norske malere og billedhuggere, II (1907) 367. — Ausst.-Kataloge. *C. W. Schnitler.*

Hauger, Arthur, Holzschneider in Paris, zeigte 1874—82 im Salon Schnitte nach G. Bertrand, T. Lobrichon, F. de Vuillefroy, R. Mols u. a. Häufig kommen von ihm Porträtschnitte vor, die er meist für Buchillustr. u. Zeitschriften arbeitete.

Bellier-Auvray, Dict. gén., I (1882); Suppl., 1887. — Duplessis, Cat. Portraits Bibl. Nat. Paris, 1896 ff., I 161; II 5416, 6157, 8235; IV 19933.

Haugh, George, Maler in Doncaster, stellte 1808—18 in der Brit. Instit. in London Landschaften u. Historienbilder aus. Wohl identisch mit dem gleichnamigen Maler, der 1777/78 von Cumberland aus in der Royal

Acad. Porträts u. 1806/07 ebendort Landschaftsprospekte zeigte.

Graves, Dict. of Artists, 1895; ders., Royal Acad. IV (1906); Brit. Instit., 1908.

Haugh, Samuel, amer. Silberschmied, geb. in Boston 1676, † das. 1717. Tasse mit Ausguß, Marke S H in Rechteck, abgeb. bei Bigelow, Historic Silver, 1917 p. 386.

F. H. Bigelow.

Haughton, Benjamin, Landschaftsmaler in Dawlish (England), stellt seit 1893 in der Royal Acad. London aus, 1913 auch im Salon der Soc. des Artistes franç. Paris. In der Art Gallery zu Hull von ihm „Summer Shade" (Catal. 1913 p. 31).

Graves, Royal Acad., IV (1906). — Cat. Exhib. Royal Acad., 1905 ff., passim.

Haughton, Moses I, engl. Emailmaler, geb. in Wednesbury (Staffordshire) 1734, † 24. 12. 1804, tätig in Holden's Fabrik zu Wednesbury, dann in Birmingham. Lebte viele Jahre in Ashted bei Birmingham. Außer Emails (bes. Dekorationsarbeiten) malte er auch Stilleben. Stellte 1784—1804 in der Londoner Royal Acad. aus. — Sein Sohn Matthew, Kupferstecher in Liverpool 1810. — H.s Neffe Moses II, s. d.

Redgrave, Dict. of Artists, 1878. — Dict. Nat. Biogr., XXV. — Graves, Dict. of Art., 1895; Royal Acad., IV (1906); Loan Exhib., 1913 ff., IV.

Haughton, Moses II, Maler und Kupferstecher, geb. in Wednesbury (Staffordshire) um 1772; Neffe des Moses I H. Schüler von George Stubbs und der Londoner Royal Acad., wo er 1808—48 häufig mit Bildnisarbeiten, bes. Miniaturen, vertreten war. Als Stecher arbeitete er unter Aufsicht seines Freundes Heinr. Füßli (Fuseli) nach dessen Hauptwerken („Sin pursued by Death"; „Ugolino"; „Dream of Eve"; „The Nursery of Shakespeare"). Miniaturbildnisse Füßlis und seiner Frau von H.s Hand wurden m. W. Evans, R. W. Sivier u.a. gestochen. Letzterer hat auch „The Love Dream" und „The Captive" (Miniaturen) nach H. gestochen. Nach H.s Bildnissen haben auch Stecher wie J. Hopwood, C. Picart, W. Raddon, W. Sharp u. a. gearbeitet. Im Printroom des Brit. Mus. befinden sich von H. die Bildnisse von H. Füßli (Min. auf Elfenb.) und John Priestley (Sepiazeichn.).

Redgrave, Dict. of Artists, 1878. — Dict. Nat. Biogr., XXV. — Graves, Dict. of Art., 1895; Royal Acad.,IV (1906).—G.C.Williamson, Hist. of Portr. Min., 1904. — Cat. of engraved Brit. Mus., II (1910) 14, 238 (2✕), 259, 265, 648, 653; III (1912) 378, 611; IV (1914) 246, 518. — Cat. of Drawings etc. Brit. Mus., II.

Haugk, Gustav (Hanns G.) von, Landschaftsmaler, geb. 20. 2. 1804 in Leipzig. Ließ sich 1824 in die Dresdner Akad. aufnehmen, ohne sie ernstlich zu besuchen, bildete sich vielmehr bei Joh. Chr. Dahl. Nach dessen Anleitung malte er 1825 sein erstes Ölbild:

eine „Partie auf der Simplonstraße nach der Natur" (wohl nach einer früheren Skizze), 1826 den „Eingang eines Dorfkirchhofes" (Einfluß C. D. Friedrichs!). Wahrscheinlich 1827 verließ H. Dresden wieder und lebte meist in Leipzig, unternahm jedoch öfters Studienreisen, die ihn nach Bayern (1838 München) und Italien (1834 Neapel, 1838/39 u. 1840/41 Rom) führten und die ihm die Stoffe zu seinen Bildern boten.

Akten der Dresdner Kunstakad. und des Sächs. Kunstvereins. — Katal. akadem. Kstausst. Dresden 1825 Nr 141—43; 1826 Nr 388; 1833 Nr 574; 1841 Nachtr. Nr 70 f.; Kstverein Leipzig 1839 p. 15; 1841 p. 13 u. 39. — Schorns Kstblatt, 1827 p. 256; 1841 p. 111, 191. — Nagler, Kstlerlex., VI. — Akten des Dtsch. K.-Ver. Rom. — Merrem, Reise durch Salzburg u. Tirol nach Italien, 1840—42, II 135 f. — Allg. Ztg, 1839, Nr 120 Beil., Morgenbl. 1838, Nr 256. — Mit Not. Fr. Noack.

Ernst Sigismund.

Hauguet, Ferdinand, Maler in Paris, zeigte 1834—43 im Pariser Salon Genrebilder, Landschaften u. Historien.

Bellier-Auvray, Dict. gén., I (1882).

Hauguet, Jules, Maler in Paris, geb. in Rouen, Schüler von H. Bellangé u. Th. Couture, stellte 1863—70 im Salon Szenen aus Arabien u. Palästina aus.

Bellier-Auvray, Dict. gén., I (1882).

Haulroyze, Ricquier, Maler, im Auftrage der Stadt Amiens, wo er ansässig war, 1479, 1494 und 1496 mit handwerklichen Malerarbeiten beschäftigt.

Dusevel, Rech. histor. sur les ouvrages exécutés dans la ville d'Amiens . . ., 1858 p. 25.

Hault, Claudin de, Bildhauer am herzogl. Schloß zu Nancy, führte 1559 2 Löwenköpfe in Stein am Bassin des Brunnens im Garten aus. Ein Verwandter ist wohl der 1551—54 genannte, gleichfalls am herzogl. Hof beschäftigte Holzbildhauer Philippe de H.

Réun. des Soc. des B.-Arts, XXIV (1900) 337 f. — Lami, Dict. des Sculpt., Moyen Age, 1898.

Hault, Jean-Bapt., Dominikanerpater im Konvent zu Tarascon, Maler u. Miniaturmaler; stammte aus Lothringen, war 1635 Prior des Konvents, malte für die Dominikanerkirche ein Rosenkranzbild.

V. Marchese, Mem. dei Pitt. etc. Domen., 1878/79 II 424.

Haumont, Ksttischler in Paris, führte 1810 für das Palais des Corps législatif nach den Zeichn. des Archit. B. Poyet 5 Türen (für den Thronsaal usw.) aus.

Vial, Marcel, Girodie, Art. déc. du Bois, I (1912).

Haumont, Emile Richard, Maler in Paris, zeigte im Salon der Soc. des Art. franç. 1883—1902, u. im Salon der Soc. Nat. 1890 bis 99 Landschaften, Porträts, Stilleben u. Genrebilder.

Ausst.-Katal. (1890 u. 92 mit Abb.).

Haun, August C., Maler, Lithograph u. Radierer, geb. 10. 8. 1815 in Berlin, † 1894

ebenda, Schüler von K. Schulz, K. Blechen u.
A. W. Schirmer. Stellte seit 1836 in den Berl.
Akad.-Ausst. aus, zuerst Landschaftszeichn.,
dann Genrebilder, Architekturstücke, wie ver-
schiedene Ansichten von Kloster Chorin, roman-
tische Landschaften (Hünengräber, bewacht von
Giganten), Ansichten von seinen Reisen durch
Deutschland, Österreich, Tirol, Oberitalien (um
1848). Zeichnungen von ihm (häufig mit Motiven aus Nürnberg) in der Nat.-Gal. Berlin
(Kat. d. Handzeichn., 1902); 2 Bilder von 1842,
Klosterruine zu Hude u. Schloß zu Rastede in
Oldenburg (Verz. der zum Fideikommiß gehör.
Kstwerke in den Großherz. Gebäuden zu Oldenburg, 1912 p. 8). In den 40 er u. 50 er
Jahren betätigte H. sich vor allem als Lithograph, wobei er durch seine Versuche, die verschiedenen Arten der Behandlung des Steines
zu kombinieren, anregend auf andre Künstler
wirkte. 1847 erschien von ihm ein Heft mit
Originallithogr. in Tondruck „Landschaften mit
Staffage", in den folgenden Jahren ein schle-
sisches, mährisches, böhmisches Album, Beiträge zum Album der jüngeren Kstlervereins
Berlin (1852), zum „Album f. Kst u. Dichtung"
(1857), „Die römischen Baudenkmäler zu Pola
in Istrien" nach den Zeichn. von J. Weyde
(1859), ferner Einzelblätter wie „Kirchgang"
nach E. Meyerheim (mit G. Feckert zus. lithogr.), „Norweg. Fischer" nach H. Gude u. A.
Tidemand u. „Sommerabend auf einem norweg.
Binnensee" nach denselben (Tondrucke). 3 Radierungen von ihm sind bei Heller beschrieben.
Fr. Faber, Convers.-Lex. f. bild. Kst, VI
(1853). — F. v. Bötticher, Malerwerke d.
19. Jahrh., I 1 (1891). — C. Glaser, Graphik
der Neuzeit, 1922. — Heller-Andresen,
Handbuch f. Kupferstichsammler, I (1870). —
Weigels Kstkatal., Leipzig 1838—66, V (Reg.).
— Katal. der Akad.-Ausst. Berlin, 1836—48;
1856; 60; 66; 70; 76; 78; 86. — Kat. Ausst. von
Hamb. Zeichn., Ksthalle Hamburg, 1922.

Haunart, Johannes, falsch für *Hannart,*
Joh.

Haunold, Karl Franz Emanuel, Landschaftsmaler, geb. 29. 3. 1832 zu Wien, † 7. 7. 1911
ebenda. Studierte an der Akad. daselbst, später
— von 1854 an — unter der Leitung des
Landschafters Anton Hausch. Seit 1862
selbständig arbeitend, unternahm H. Studienreisen nach Italien, Ungarn, Deutschland u. in
die österreich. u. bayr. Alpen. Die Motive zu
seinen Bildern holte er sich meist aus den
Gebirgsgegenden Österreichs, Tirols, des Salz-
kammerguts u. Bayerns. Beschickte seit
1886 den Österr. Kstverein, seit 1872 die
Wiener Jahresausstell. Von seinen Arbeiten
seien genannt: „Allensee" (Besitz weiland Kardinal Schwarzenberg), „Enzesfeld" (Besitz weiland Fürst Schönburg), „Monte Christallo"
(in der Londoner Ausst. 1875 mit der Bronze-
Med. ausgezeichnet), sowie 6 Öl-Studien im
Wiener kunsthist. Mus. (Führer, III, Mod.

Meister, 1907 No 468—73). H., welcher in
der Wiener Gesellschaft als Arrangeur heiterer
Darstellungen bekannt war, gründete 1861
mit einigen andern Künstlern den Albrecht-
Dürer-Verein in Wien, der heute noch besteht.
Viele für denselben verfaßte Maifest-Dichtungen
stammen aus seiner Feder. Er lieferte Jahre
hindurch für Faschingsliedertafeln, für die
Narrenabende des Männergesangvereins in
Wien, für die Wiener Künstler- u. Gesellschafts-
abende humoristische Beiträge, darunter die
von Kremser vertonten Singspiele „König
Winter", „Unter'm Weihnachtsbaum" u. den
Text zu der Operette „Das Rosengärtlein von
Aggstein". — Sein künstler. Nachlaß wurde
Dez. 1912 durch die Ksthandlg Hirschler in
Wien versteigert (Katalog mit Vorwort von
Friedr. Stern).
Das geistige Deutschland, I, 1898. — F.
v. Boetticher, Malerwerke d. 19. Jahrh., I 1
(1891). — Bodenstein, 100 Jahre Kstgesch.
Wiens, 1888 p. 83. — Kosel, Deutsch-österr.
Kstlerlex., I (1902). — Die christl. Kst, VIII
(1911/12) Beil. p. 2 (Nekrolog). — Internat.
Sammler-Zeitung, vom 1. 12. 1912 p. 362f. (Fr.
Stern). — Jahrb. d. Bilder- etc. Preise, Wien
1911 ff., I—III. *Fr. Haßlwander.*

Haupt, Stukkator in Nikolsburg, Mähren,
führte 1727 die Stukkaturen in der Klosterkirche zu Raigern aus.
Prokop, Markgrafsch. Mähren, III u. IV
(1904) 1053, 1258.

Haupt, Albrecht (Karl Albr.), Architekt
u. Kunsthistoriker (Dr. phil.) in Hannover,
geb. 18. 3. 1852 in Büdingen (Hessen), besuchte die techn. Hochschulen in Karlsruhe
(Schüler J. Durms) u. Hannover (Schüler C. W.
Hases), arbeitete dann im Atelier E. Opplers
in Hannover, seit 1880 dort selbständig tätig.
Als Architekt vor allem bekannt durch Wiederherstellung, bzw. Wiederaufbau von Bauwerken
der deutschen Renaissance, so des Schlosses
zu Basedow (1895), der Stadtkirche zu Bückeburg (1895), der Stiftskirche zu Fischbeck
(1903/04), des Schlosses Schaumburg (1908/12),
des Schlosses Hachenhausen (1908), des Rathaussaales zu Krempe (1909). In seinen Neubauten, wie Schloß Wiligrad (Mecklenburg,
1899), Bau der „Langeschen Stiftung" Hannover (1900/01), Geschäftshäusern u. Villen, sucht
er den Stil der deutschen Renaiss. im modernen Sinne weiterzuentwickeln. Auf dem Gebiete des mod. Städtebaus bewegt er sich mit
seinem Entwurf „Nekropole für eine Million".
Als Ksthistoriker hat er sich durch seine Arbeiten über die Baukunst der portugies. u.
deutschen Renaissance, über Peter Flötner, über
die älteste Baukunst der Germanen einen Namen
gemacht.
Das Geist. Deutschland, I, 1898. — Jansa,
Deutsche bild. Kstler in Wort u. Bild, 1912. —
Dreßlers Kstjahrbuch, 1921. — Der Architekt,
III (1897) 44, Taf. 87. — Architekt. Rundschau,
XVII (1901) Taf. 63; XIX (1903) Taf. 15. —
Neudeutsche Bauzeitung, IX (1913) 783—85, 792.

Haupt, G., deutscher Medailleur u. Münzmeister, 1703—10 in St. Petersburg nachweisbar aus den Signaturen „Haupt f.", „G. H." u. „H." auf Rubel- und Halbrubelstücken Peters d. Großen (Abb. bei Forrer II 439) u. auf Denkmünzen, wie denen zur Erinnerung an die Schlachten bei Kalisch (1706) u. Poltawa (1709).

I w e r s e n, Medaillen auf die Thaten Peters d. Gr., 1872; Lex. Russ. Medaill., 1874 p. 38 f. (Гауптъ). — F o r r e r, Dict. of Med., 1904 ff. II.

Haupt, G e o r g, Ebenist, geb. in Stockholm 1741, † ebenda 23. 9. 1784. Sohn eines Tischlers E l i a s, gehörte einer 1660 von Nürnberg nach Schweden eingewanderten Familie an, die in mehreren Generationen Tischler waren. (Sein Großvater G e o r g war 1690 für das alte Schloß in Stockholm tätig, sein Vater Elias fertigte 1717—27 einfache Möbel für das neue Schloß). 1754—59 in der Werkstatt des Joh. Conr. Eckstein, während der 1760er Jahre weiterausgebildet auf Reisen nach Frankreich u. England. 1769 erhielt er das Amt eines Hofebenisten bei König Adolf Fredrik, 1770 wurde er Meister in der Tischlerzunft in Stockholm. Während der 15 Jahre, die er in Stockholm wirkte, war er der vom Hof und von der Aristokratie am meisten beschäftigte Möbelschnitzer. H. war einer der tüchtigsten Ebenisten seiner Zeit. Während seiner Lehrzeit lernte er den Rokokostil kennen, der in der Möbelkunst geschickt von H.s Lehrer Eckstein, von C. Linning, L. Nordin und C. L. Neijber vertreten wurde. In Paris machte er Bekanntschaft mit den jungen klassizist. Strömungen. Jean François Leleu war wahrscheinlich sein Lehrer; hier lernte er die „peinture en bois" kennen, jene bunte Holzintarsia, die eines der feinsten Wirkungsmittel der Möbelkunst des Louis XVI-Stiles darstellt. Die Ornamentstiche des Delafosse, Lalonde und Le Camus haben ihm einen später fleißig verwendeten Formenvorrat gegeben. Nach seiner Rückkehr wurde H. dank seiner franzöz. Bildung ein Bahnbrecher für den Louis XVI-Stil in der schwed. Möbelkunst. In seinen frühen Arbeiten macht er dem Rokoko noch einige Zugeständnisse, später wird seine Form immer reiner und strenger, doch ohne daß er direkt klassizistische Formelemente aufnimmt, die gegen 1780 in Schweden Aufnahme zu finden begannen. Im Ornamentalen zeigen seine Arbeiten eine gewisse nationale Eigenart. — Der erster größerer Auftrag, den er von Gustaf III. erhielt, war ein Mineralschrank, der vom König 1774 dem Prinzen Condé geschenkt wurde und in sehr pompösen Formen gehalten ist; er befindet sich, wie viele Arbeiten H.s, im Auslande, und zwar in Chantilly. 1776 schnitzte er eine Prachtkarosse, wie der Chantilly-Schrank nach Zeichnungen von J. E. Rehn gefertigt, die der König der deutschen Kaiserin zum Geschenk machte, und in dems. Jahre einen Fuß zu einem Augsburger Schrank; beide Stücke jetzt im Wiener Museum. Unter anderen Arbeiten für den Hof sei die Wiege genannt, die er 1778 zusammen mit J. B. Masreliez für den Thronfolger fertigte; dieses sehr elegant dekorierte Stück wird in der kgl. Leibrüstkammer im Nord. Mus. in Stockholm aufbewahrt. — Die meisten Arbeiten H.s stellen Sekretäre und Kommoden dar; besonders schöne, meist vollsignierte und datierte Beispiele finden sich im Stockholmer Schloß und im Schloß Drottningholm, eine Kommode im South Kensington-Mus. in London. Bei der Komposition seiner Möbel setzte H. oft das Konstruktive zum Vorteil des Dekorativen hintenan. Das Gefühl für Form und der feine Farbensinn sind es im Verein mit den, mit großem technischen Geschick ausgeführten Marketerien, die seinen Möbeln ihre besondere Schönheit geben. Die für die Gesamtwirkung wichtigen Bronzebeschläge wurden häufig aus Frankreich importiert, z. T. aber auch in Schweden ausgeführt, u. a. von F. L. Rung. H.s Schaffen ist von größter Bedeutung geworden für die heutige schwed. Möbelkunst. Ein ihn darstellendes Ölbildnis, wahrscheinlich von E. Martin, im Nord. Mus. in Stockholm.

J. B ö t t i g e r, Kgl. Hofschatullmakaren och Ebenisten Georg H., Stockholm 1901; d e r s., Notes d'un curieux, in Svenska Slöjdföreningens tidskrift, 1918. — A. L. R [o m d a h l] in Nordisk Familjebok, ² XI (1909); mit 2 Abb. — Château Royal de Stockholm, Guide par J. B ö t t i g e r, 1911 p. 32, 35, 81. — G. Upmark, Nord. museets möbler, Stockh. 1913. — Vägledning i Lifrustkammaren Stockholm, ⁵ 1917. — V i a l, M a r c e l u. G i r o d i e, Art. décorat. du bois, I (1912). *Gunnar Mascoll Silfverstolpe.*

Haupt (Haubt, Heupt, Hept usw.), H a n s, Goldschmied in Breslau, geb. um 1539 zu Malckwitz, † 18. 2. 1628 zu Breslau, heiratete 1578 die Witwe des Goldschmieds A. Kolbe, wird in dems. Jahr Bürger u. Meister u. heiratet 1588 zum zweitenmal. Von ihm silbervergold. Kelch mit Renaissancerollwerk, Engelsköpfchen und Früchtebuketts von 1588 in der kath. Pfarrkirche St. Jakobi in Zobten am Berge.

H i n t z e, Breslauer Goldschmiede, 1906 p. 74.

Haupt, L o r e n z, Architekt aus Öls, baute 1745 die Pfarrkirche zu Bistritz bei Pernstein.

P r o k o p, Markgrafsch. Mähren in kstgesch. Beziehung, 1904, IV 997, 1026, 1031.

Haupt (Haubt), S e b a s t i a n, Tischler in Wien, geb. um 1710 in Memmingen (Schwaben), † 5. 3. 1760 in Wien, wo er 1740 heiratete. Von ihm der Entwurf zum Hochaltar der Mariahilferkirche in Wien, den der Salzburger Steinmetz J. Mösel mit geringen Veränderungen in Marmor ausführte (Altarweihe 1758). Jac. Schmutzer stach den Altar nach Vorzeichn. H.s.

Ber. u. Mitt. d. Altert.-Ver. zu Wien, XL (1907) 115 f. — G u g l i a, Wien, 1908.

Hauptmann, A u g u s t (Karl A.), Bild-hauer, geb. 18. 2. 1826 in Dresden, † 21. 8. 1878 ebenda. Schüler der Dresdner Akad., seit 1873 Ehrenmitglied derselben. War vor allem im Fache der architekton. Ornamentik praktisch und schriftstellerisch tätig. 1852 wurde ihm die Ausschmückung des Vestibüls und der Haupttreppe im neuen Museumsbau (Gemäldegal.) zu Dresden, 1855 die Bildhauer-arbeit am Neustädter Kirchturm das. über-tragen. 1869 begründete er mit anderen in Dresden eine Lehranstalt für gewerbl. Kunst.

Akten der Kunstakad. u. des Ratsarchivs zu Dresden. — Katal. akadem. Kunstausst. Dresden 1850 Nr 132; 1874 p. 4; 1879 p. 3; Dresdn. Kunst-auktion v. Rud. Meyer LXXXVII (1879). — Kstchronik, IV (1869) 22. — O e t t i n g e r , Mon. des dat., IX (1882) 83. — G. O. M ü l l e r , Ver-gessene Dresdn. Kstler, 1895 p. 86. — Neues Archiv f. Sächs. Gesch., XXXIV (1913) 396.
Ernst Sigismund.

Hauptmann, D o m i n i k , Goldschmied in Wien, lieferte 1784 das gravierte Medaillon mit heraldischer Umrahmung an der Monstranz der Kirche zu Lainz bei Wien (laut Gedenk-buch).

Österr. Ksttopogr., II (1908).

Hauptmann, E u g e n i e , verehel. *Sommer,* Malerin, geb. 13. 4. 1865 in Böhmisch Leipa, Schülerin von R. Gayling in Wien, L. Herte-rich in München und der Acad. Colarossi in Paris; tätig in ihrer Vaterstadt und in Dresden. Sie malte zahlreiche Bildnisse des böhmischen und österr. Adels, sowie am Wiener und Braun-schweiger Hof; ferner Genrebilder und Kopien aus der Dresdener Gal. Außer in Prag, Wien, Dresden u. München stellte sie 1914 im Pariser Salon (Soc. d. Art. franç.) aus.

Das Geistige Deutschland, I 1898. — K o s e l , Deutsch-österr. Kstler- etc. Lex., II (1906). — C h . H o l m e , Pen, Pencil and Chalk, Studio-Spec.-Nr, 1911 Taf. 199. *H. W. S.*

Hauptmann (Haubtmann), G e o r g C h r i -s t o p h , Maurer in Großenhain (Sachsen). Sein Name findet sich auf dem Innungspokal der Maurer von 1740. Von ihm Pläne zur Marienkirche in Großenhain (in der „Samml. f. Baukunst" der Techn. Hochschule Dresden), um 1760, die aber der Ausführung nicht zu-grunde gelegt wurden.

Bau- u. Kstdenkm. Sachsens, XXXVIII (1914).

Hauptmann, J o h a n n F r i e d r i c h , Ar-chitekt, † 22. 8. 1740 in Dresden, 36 jährig. Seit 1738 Hofkondukteur beim Zivil-Oberbau-amt unter v. Bodt u. Leplat.

Sächs.-poln. Hof- u. Staats-Calender 1738—41. — Königl. Dreßden 1738 p. 37; 1740 p. 56. — Curiosa Saxonica, 1740 p. 282. *Ernst Sigismund.*

Hauptmann, J o h a n n G o t t l o b , Archi-tekt, geb. 28. 10. 1755 in Dresden, † 29. 10. 1813 das. Schüler des Oberlandbaumeisters Exner, wurde 1778 Oberbaumtskondukteur, 1799 Hofbaumeister, 1800 Oberlandbaumeister, später auch Professor der Architektur an der Dresdner Kunstakad. und endlich (1812) Assessor beim Militär-Oberbauamte. Er erbaute mit Joh. Dan. Schade das Lustschlößchen im Fa-sanengarten zu Moritzburg b. Dresden, ge-staltete 1783 das ehemal. Finanzhaus auf der Landhausstr. in Dresden für die Zwecke der Generalhauptkasse und 1802—1804 das Ball-haus das. zum Hauptstaatsarchiv um. Sein Bildnis zeichnete Carl Vogel v. V. am 6. 12. 1812 in Dresden (Brustbild, schwarze Kreide, im Kupferstichkab. zu Dresden); ein Selbst-bildnis, gleiche Ausführung, im Dresdner Stadt-mus. (Carus-Album).

Akten des Hauptstaats- u. des Ratsarch. zu Dresden. — H. K e l l e r , Nachr. von allen in Dresden leb. Kstlern, 1788 p. 66 f. — H a s c h e , Magazin der Sächs. Gesch., V (1788) 314. — M e u s e l , Neues Mus., II (1794) 235; d e r s., Archiv für Kstler u. Kstfreunde, II 3 (1808) p. 4; Teutsches Kstlerlex., I ² (1808). — K l ä b e , Neuestes gelehrtes Dresden, 1796 p. 57, 194. — Dresdn. AdreßB. 1797—1812 pass. — H a y m a n n , Dresdens Kstler u. Schriftsteller, 1809 p. 409. — L i n d n e r , Taschenb. f. Kst u. Lit. im Königr. Sachsen, II (1828) 77. — N a g l e r , Kstlerlex. VI. — W i e ß n e r , Akad. der bild. Kste zu Dresden, 1864 p. 84. — Neues Archiv für Sächs. Gesch., IX (1888) 25 f. — Bau- u. Kstdenkm. Kgr. Sachsen, XXII (1903) 392, 593. — Katal. Bildniszeichn. Kupferstichkab. Dresden, 1911 p. 35. *Ernst Sigismund.*

Hauptmann, I v o , Maler u. Radierer in Dresden-Loschwitz, geb. in Erkner am 9. 2. 1886 als Sohn des Dichters Gerhart H., Schüler L. v. Hofmann's an der Weimarer Kunstschule, 1911/12 in Paris, wo er sich den Neoimpressio-nisten anschloß und in diesen Jahren den Salon der Soc. des Art. Indépend. mit Zeichn. u. Aquarellen beschickte. Darauf in Dockenhuden bei Hamburg ansässig, machte er die Marine-malerei (bes. Ansichten vom Hamb. Hafen) zu seiner Spezialität, und zwar malte er bis vor kurzem in einer ausgesprochen pointillistischen Technik, wie sie etwa bei H. E. Cross in Paris zu bewundern Gelegenheit hatte. H. weiß mit dieser Technik oft feinste malerische Reize zu erzielen, lichtdurchflutete Lufträume mit weiten Fernen von prachtvoller Transparenz und in der Sonne zitternde Wasserflächen wiederzugeben; nur in seltenen Fällen, bes. in den Bildern größeren Formats, empfindet man die pointillist. Technik bei ihm als Manier, als bloßen kapriziösen Farbenauftrag, der das Auge in Unruhe hält. Seit etwa 1914 hat H. sich, unter gleichzeitiger Erweiterung seines Stoffgebietes, immer entschiedener von dem Pointillismus abgewandt und eine fester ge-fügte Form erstrebt; oftmals bei diesen Ver-suchen in reinem Experiment steckenbleibend (lebensgr. liegender Frauenakt im Grünen), hat er doch bes. in seinen Blumenstücken und Stilleben, aber auch in figürl. Kompositionen, Landschaften und Bildnissen einen Übergang gefunden von der opalisierenden malerischen Form des Pointillismus zu einem expressionist. Absichten von ferne sich nähernden Formen-

und Farbenausdruck. Die jüngsten Arbeiten H.s (Hafenbilder von 1922) lassen erkennen, daß er bereits wieder neue stilistische Wege eingeschlagen hat u. mit einer ganz leicht hingeworfenen, skizzenhaften Manier zu seinen impressionist. Ausgängen zurückkehren zu wollen scheint. Seit 1914 beschickt er u. a. die Ausstell. der Freien Sezession Berlin, der „Lia" (Leipz. Jahres-Ausst.) und der Künstler-vereinig. Dresden.

Ausstell.-Kataloge. *H. Vollmer.*

Hauptmann, S u s e t t e, geb. *Hummel,* Malerin u. Zeichnerin, hauptsächlich Porträtistin, auch Sängerin, geb. 12. 3. 1811 in Paris, † 30. 10. 1890 in Leipzig, Tochter des Akademiedirektors Ludwig Hummel in Cassel, Schülerin ihres Vaters u. ihrer Mutter, der Malerin u. Kopistin Marianne v. Rohden, Schwester des Malers Joh. Martin v. Rohden, seit 1842 verheiratet mit dem Thomaskantor Moritz Hauptmann in Leipzig, gehörte zum Kreis der Kunst- u. Musikfreunde des Komponisten Franz v. Holstein u. seiner Gattin Hedwig geb. Salomon. Studienaufenthalte in Dresden bei Ed. Bary (Kopieren in der Dresdener Galerie) u. dreimalige Reisen nach Italien. In den frühen Zeichn. bis 1840 zeigt sie den strengen Stil der Nazarener, etwa eines Overbeck; die Blätter sind von außerordentlicher Zartheit und zugleich ernster persönlicher Auffassung. (Vergl. z. B. die kl. Zeichn. Brustbild eines j. Mädchens v. 29. Jan. 1840 in der Graph. Slg zu Leipzig.) Von gleicher Qualität das Selbstbildnis an der Staffelei, Zeichn. v. 1830, im Bes. v. Herrn Dr. med. Ernst Hauptmann, Cassel, wie die meisten noch unten erwähnten Zeichn. Später fühlt man den Einschlag Ludwig Richters, so in dem farbig gehöhten Blatt des Zuges der Familie Hauptmann zur Gratulation zu „Reinhardts Hochzeit" 1860 (mit dem Bildnis der Künstlerin u. ihrer Mutter) u. in den 20 Bl. Umrahmungen zu den von einem Lithographen geschriebenen Sonetten von Fr. v. Holstein, 1855, im Bes. des Herrn Dr. med. Ernst Hauptmann, Cassel. Solche Hochzeitszüge u. Gratulationszeichn. kommen häufig im Werk v. S. H. vor. Die späteren Bleistiftzeichn. zeigen dann einen lockeren Strich, zuweilen auch Kreide u. Kohle auf gelbl. Papier. Die aquarellierten Blätter sind außerordentlich flott in der Handhabung des Pinsels, so das kl. Blatt der beiden spielenden Söhnchen von 1851 in der Graph. Slg zu Leipzig. — Wichtig sind die von ihr gezeichn., höchst charakteristischen Musikerporträts, wie Joseph Joachim als Kind mit der Geige 1843, Louis Spohr, Brstb. n. l. 1859, Moritz Hauptmann im Lehnstuhl 1860, die Familie Hauptmann, ohne S. H., in der alten Thomasschule mit Blick auf die Predigerhäuser, 1861, Bildnisse des Kapellmeisters Volkland (mit Gattin), Basel 1872 u. der ersten „7 Raben", Musiker, so gen. nach dem Auf-

enthalt in dem Stift der Frau H. v. Holstein, 1879. Erwähnt seien noch das Doppelbildn. v. Gustav Fechner u. Gattin, 1885, die genremäßigen Zeichnungen der greisen Mutter Marianne Hummel, der Fr. Prof. Braune, Fr. Julie Salomon (2 Fassungen), Fr. Präsident Reinhardt, der drei Kinder v. S. H. in Buntstift, 1854, der Witwe des Leipziger Akademiedirektors Gustav Jäger mit ihrer reichen Kinderschar, mehr porträtmäßig. Auch feine Zeichn. v. Landschaften, Blumen, Stadtbildern u. Innenräumen, oft von stadtgeschichtl. Interesse. Ihre Gemälde sind getreue Bildnisse von guter zeichner. Qualität u. geschickter, ausdrucksstarker Anordnung der Fig., meist bräunlich im Inkarnat u. dunkel in der Farbenhaltung, aber von großem psycholog. Reiz, so die Bildnisse des Komponisten Fr. v. Holstein, seiner Gattin Hedwig und seiner Schwester Helene im Holsteinhaus, Leipzig, Salomonstr. 7, das des Gatten v. S. H., Moritz Hauptmann, u. ihr Selbstporträt. Das unterlebensgr. Bildnis (Kniestück) von Frl. Helene v. Vesque, Verf. der Biogr. v. Hedw. v. Holstein „Eine Glückliche", schmales Hochformat, jetzt im Stadtgesch. Mus. Leipzig, 1870 gemalt, ist dagegen von großer farbiger Frische. Das Verzeichnis ihrer Werke im Bes. des Herrn Dr. Hauptmann, Cassel, weist 61 Bildnisse n. d. Leben, 6 unvollendete, 12 mit Benutzung v. Vorlagen u. 15 Kopien auf, ein Beiblatt gibt eine Aufstellung v. 10 landschaftl. u. 20 fig. Zeichn.

Mitteilgen d. Familie. — Kat. d. Ausst. Deutscher Kunst des 19. Jahrh. aus Privatbes. im Leipz. Kunstver. Nov.—Dez. 1915, N. F. p. 32, Nr 150—161. — Kat. d. Ausst. v. Bildnissen der Zeit von 1850 bis auf die Gegenwart aus Privatbes. im Leipz. Kunstv. Okt.—Mitte Dez. 1916, p. 10, Nr 52—56. — Kat. d. 2. Ausst. d. Graph. Slg des Städt. Mus. d. b. K. zu Leipzig. Leipz. Meister v. 1800—1850, Schenkung Leipz. Kunstfreunde 1913. Okt.—Ende Dez. 1913, p. 4—5, Nr 16—20. — Kat. Sonderausst. „Die Bildnismalerei v. 1700—1850" Leipz. 1912, p. 40. Nr 374. — Kat. d. Ausst. hessisch. Maler 19. Jh., Kassel 1915. — Ztschrft f. bild. Kst, N. F. XXV 139 (Abb.) 140. — Briefe v. M. Hauptmann an Franz Hauser. *H. Heyne.*

Hauptmann - Sommer, E u g e n i e, siehe *Hauptmann,* Eug.

Hauptner, E l i a s, Maler, nur bekannt durch 4 so bez. und 1705, 1707, 1715, 1716 dat., auf Kupfer gem. Heiligenbilder in der Domkirche zu Olmütz.

F r i m m e l, Stud. u. Skizzen z. Gemäldekde, III (1917/18) 51. — Mitteil. d. K. K. Zentralkomm., 3. F. XVI (1917) 103.

Hauptner, F e r d i n a n d, Maler, Zeichenlehrer am Gymnasium in Köslin (Pommern), stellte auf den Berliner Akad.-Ausst. 1828, 34, 36, 42, 46 Historien- u. Genrebilder aus.

N a g l e r, Kstlerlex., VI. — Ausst.-Katal.

Hauptvogel, G o t t h e l f M o r i t z, Goldschmied in Dresden, 1768 Meister, 1774—1804

urkundlich genannt. Von ihm großer Tafelaufsatz (Marke mit Namen, von 1793), ehemals
bei Fürst Bieloselsky (Kat. d. Silberausst. St.
Petersburg, 1885 No 272) u. vielleicht auch
Stücke mit dem Monogr. aus G M H, z. B.
4 weißsilberne, vierarmige Leuchter im Schloß
zu Dresden, von 1771.

M. R o s e n b e r g , Goldschm. Merkzeichen,
² 1911.

Haur, J a k o b K a s i m i r , Malerdilettant
u. Schriftsteller, geb. 1632, lebte noch 1707,
entstammte einer kurländ. Familie, die auch in
der Kulmer Wojewodschaft ansässig war. Seine
Mutter (geb. von Petard) war aus Graz gebürtig u. gehörte zu dem Hofstaat der poln.
Königin Konstantia (Tochter des Erzherz. Karl).
H. führte den Titel eines königl. Sekretärs und
Gutsverwalters. In seinem 1693 zu Krakau
gedruckten Buch „Skład abo Skarbiec znako-
mitych sekretów" (Vorratskammer oder Schatz-
behalter der vorzüglichen Geheimnisse) bekennt
er sich zur Ausübung der Malerei, belehrt über
dieselbe und zugleich über die Miniatur- u.
Zeichenkunst, bringt endlich auch die Kunde
von der Gründung einer Malerakademie im
Sommersitz des Königs Johann III. in Willanów
bei Warschau. Malereien seiner Hand bisher
nicht nachgewiesen.

E d w. R a s t a w i e c k i , Słownik malarzów
polsk., III (1857) 226/29. — Wielka Encyklop.
ilustr., Bd. 27. *Leonard Lepszy.*

Hauré, J e a n , Bildhauer in Paris, Schüler
von J.-B. Lemoyne an der Pariser Acad. 1766
bis 72; erhielt 1766 eine Medaille 2. Kl. u.
konkurrierte mehrmals, aber immer erfolglos,
um den großen Preis. Als Mitglied der Acad.
de St. Luc nahm er 1774 an deren Ausst. teil.
1776 stellte er im Colisée, 1791 im Louvre-
Salon aus: Büsten u. Gruppen in Terrakotta
u. Entwürfe zu Gehäusen u. Dekorationen von
Penduluhren. 1781, 82 erscheint er als Gläubiger des Marquis de Louvois, 1786 arbeitete
er für Schloß Fontainebleau. Anfang 1796
lebt er noch.

M o n t a i g l o n , Procès-Verb. de l'Acad. roy.,
Table, 1909. — Nouv. Archives de l'Art franç.,
1890 p. 321; Arch. de l'Art franç., 1915 p. 320. —
L a m i , Dict. des Sculpt. XVIIIme S., I (1910).

Haus, H. M., Landschaftsmaler, † 1841 in
Utrecht, bildete sich im Haag, seiner Vaterstadt, kam um 1835 nach Utrecht, malte besonders Winterlandschaften mit Flüssen u.
Mühlen.

K r a m m , Levens en Werken, III (1859).

Haus, L., Maler in Paris, zeigte 1888—97 im
Salon der Soc. d. Art. franç. Porträts, Genrebilder u. Interieurs.

Salonkatal. (1890, 95—97 mit Abb.).

Hausamann, H a n s , Maler und Radierer
in Karlsruhe, geb. 12. 10. 1886 in Stetten-
Lörrach, Schüler von Trübner und Dill; malt
Landschaften, Porträts, religiöse Darstellungen
und Stilleben.

Schwäb. Merkur, v. 25. 10. 1918 (Bericht über
Sonderausstell. in Karlsruhe). — Ausstell.-Katal.:
Münchner Glaspalast 1914; Dtsche Kst-A. Baden-
Baden 1922.

Hausch (russ. Гаушъ), A l e x a n d e r F j o -
d o r o w i t s c h , Landschaftsmaler in St. Petersburg, geb. ebenda 1873, Schüler der Petersb.
Akad. (1893/99), wo er besonders bei G. P.
Tschistjakoff, gründlich die technische Seite
der Kunst erlernte, schließlich kurze Zeit
der Acad. Julian in Paris. Mitglied der
Künstlergenossenschaft „Mir Iskustwa", auf
deren Jahresausstell. er seine vorwiegend
impressionist. Landschaften zeigt. Das ehem.
Petersb. Akad.-Mus. besaß von ihm ein Gemälde „Wind" (Kat. 1915, No 931); 2 seiner
Zeichnungen waren auf der Leipziger „Bugra"
1914 (Kat. d. russ. Abt. p. 192) ausgestellt.

N. K o n d a k o w , Jubil.-Handbuch d. Petersb.
Kstakad., 1764—1914, II 46. — Apollon, 1910
No 4 p. 15 (Abb. nach p. 32); 1911 No 2 p. 22 ff.
(Abb. vor p. 25); 1913 No 8 p. 16/24 (illustr.
Art. von A. R o s t i s l a w o f f). — Ausstell.-
Katal.: „Mir Iskustwa", passim; Balt. Ausst.
Malmö 1914, Kstabt. p. 236 No 3280; Espos.
internaz. d'Arte, Venedig 1914; Secess. Rom
1914. *P. E.*

Hausch, P e t e r P a u l , Altarbauer, geb.
4. 6. 1840 in Horb am Neckar (Württ.),
† 28. 2. 1899. Zuerst im väterl. Zimmer-
geschäft, dann 1 Jahr bei dem Lithographen
Mast in Horb tätig. 1856 trat er ins Mein-
telsche Atelier für kirchl. Kunst (Horb), wo er
vorzugsweise Detailzeichnungen von Entwürfen
zu Altären, Kanzeln, Chorstühlen, Orgelgehäusen
und kirchl. Geräten anzufertigen hatte. Ein
1 jähr. Aufenthalt in München bei dem Hof-
dekorationsmaler Schwarzmann (1865) gab ihm
wertvolle Anregung. 1876 erwarb er, zus. mit
dem Maler Johann Bayer, die Werkstätte Joh.
Nep. Meintels u. erhielt dadurch Gelegenheit
zum selbständigen Schaffen. Er bewegte sich
dabei in den Bahnen des in München von
Anselm Sickinger zur Blüte gebrachten und
von Meintel nach Württemberg verpflanzten
neugotischen Altarbaukunst, ohne Originelles
zu schaffen. Seine Altarwerke zeigen einen
oft sehr geschickten architekt. Aufbau, vielfach
mit üppiger Ornamentierung; dagegen fehlt es
dem plastischen Schmuck, soweit letzterer
von H. selbst gefertigt wurde, an Kraft und
Realistik; immerhin läßt sich seinen Bildwerken tiefe Innerlichkeit und religiöses Empfinden nicht absprechen. — H.s Altar- und
Kanzelbauten finden sich hauptsächl. in Kirchen
Württembergs. Zu seinen besten Arbeiten
zählen diejenigen in Tuttlingen (1878), Schram-
berg (1881), Villingendorf (1882), Deißlingen
(1883). Gemeinsam mit Joh. Bayer schuf er
Gemälde nach Abtsgemünd, Baisingen, Beffen-
dorf, Bierlingen, Binsdorf, Bittelbronn, Böttingen,
Dätzingen, Eßlingen, Frittlingen, Göttelfingen,
Grünmettstetten, Gündringen, Hailfingen, Horb,
Neckarsulm, Nordstetten, Tübingen, Unterthal-
heim, Wachendorf, Waldmössingen, Weitingen,

Hauschild

Zimmerbach. — Sein Sohn P i u s ist gleichfalls als vielbeschäftigter Altarbauer in Horb
tätig.

Beschreib. des O. A. Neckarsulm, Stuttgart
1881, p. 245. — Deutsches Volksblatt, 7. 6. 1899
(Nekrolog). — Diözesan-Archiv von Schwaben,
IV (1887) 49. — P. K e p p l e r , Württemb.
kirchl. Kstaltert. (Anhang), Rottenbg a. N. 1888.
Paul Meintel.

Hauschild, A l f r e d Moritz, Architekt in
Dresden, geb. 24. 10. 1841 in Hohenfichte im
sächs. Erzgeb. Besuchte seit 1861 die Bauschule an der Dresdner Akad. und trat 1863
in das Atelier Herm. Nicolais über. 1864
erhielt er auf Grund eines Entwurfes zu einem
„eingebauten herrschaftl. Wohnhaus für eine
Familie" ein Ehrenzeugnis. Später bildete er
sich in Paris im Atelier Daumet weiter und
unternahm danach Studienreisen durch Frankreich, Italien, Spanien, Griechenland, Ägypten,
Syrien, Marokko. Beteiligte sich an zahlreichen
Konkurrenzen mit Erfolg (Börse Chemnitz,
Rathaus Dresden u. a.); mehrmals erwarb er
sich den 1. Preis (z. B. Museumsinsel Berlin,
Künstlerhaus Dresden, Badeanstalt Nürnberg).
Seine Pläne für den Ausstellungspalast in Dresden fanden mit Verwendung (1894/95; Entwurf,
Aquarell, im Stadtmus. Dresden); der davor-
stehende Brunnen zum Gedächtnis des Oberbürgermeisters Stübel wurde von ihm ausgeführt (Säulenbrunnen im Barockstil, 1901).
H. erbaute in Dresden die Reichsbankneben-
stelle (1876/77, mit Eltzner), das Hauptgebäude
des Carolahauses und viele Villen in der Umgebung der Bürgerwiese, darunter sein eigenes
Wohnhaus Parkstr. 9 b. Im Sinne seines
Lehrers Nicolai arbeitete er vorzugsweise im
Stile der ital. Renaiss. War Mitherausgeber
der „Bauten von Dresden" (1878).

Mitteil. des Kstlers. — Matrikel der Dresdn.
Kstakad. — Katal. akadem. Kstausst. Dresden,
1861 Nr 475; 1862 Nr 571—73; 1864 Nr 632—34;
1865 p. 10; 1872 Nr 532—39; 1876 p. 10. —
W i e ß n e r , Akad. der bild. Kste zu Dresden,
1864 p. 101. — Deutsche Konkurrenzen XIII,
Heft 2 u. 3. — Bl. f. Archit. u. Ksthandw., I
(1888) 63 Taf. 30. — Kstchronik, XIV 381; XIX
511, 690. — Zeitschr. f. bild. Kst, XV 50. —
Bau- u. Kstdenkm. Kgr. Sachsen, XI (1886) p. 25
Anm. — Festschr. zur 800 jähr. Jubelfeier
des Hauses Wettin, 1889 p. 52 u. Abb. 11. —
K l o p f e r , Weinlig u. seine Zeit, p. 75. — O.
R i c h t e r , Gesch. Dresdens 1871—1902, ² (1904)
p. 96, 150. — P. S c h u m a n n , Dresden (Ber.
Kststätten Bd 46), Lpzg 1909, p. 256, 266, 296.
Ernst Sigismund.

Hauschild, M a x (Maximilian Albert), Architekturmaler, geb. 23. 8. 1810 in Dresden,
† 16. 10. 1895 in Neapel. Bildete sich seit
1826 in der Industrie- und Bauschule der
Dresdner Kunstakad. zum Architekten aus, ging
1833 nach Rom und wurde 1838 als Hilfslehrer an der genannten Bauschule angestellt.
1841 u. 1846 wieder in Rom. Nahm 1852
seine Entlassung, um wieder nach Rom zu
reisen. Lebte nun abwechselnd in Dresden

und in Italien, zuletzt dauernd in Neapel.
H. verließ früh die Baukunst, in der er
nichts Nennenswertes geschaffen hat, und
wandte sich schon seit seinem 1. röm. Aufent-
halte ganz der Architekturmalerei zu. Die
Zahl seiner Ölbilder, von denen sich eines,
„Bewirtung im Kloster" von 1848, in der
Dresdner Gal., ein anderes in der Stadtbibliothek zu Zittau i. Sa. befindet, und seiner
Aquarell- bzw. Gouachebilder ist groß (vgl.
v. Boetticher). Sie stellen meist Dome oder
Klöster dar, besonders Innenansichten. Seine
Stoffe entlehnte H. dabei mit Vorliebe Italien,
seltener der Heimat (Meißen, Erfurt, Bamberg).
Auf röm. Ausstell. war er 1857, 59, 65, 70,
78 u. 79 vertreten. Arbeiten von ihm findet
man im Besitze der ehemal. sächs. Königsfamilie, im Kupferstichkab. zu Dresden, im
(ehem. Großherz.) Mus. zu Weimar, in Lützschena
u. a. O. Einige seiner Gemälde haben C. G.
Hammer und C. Beichling für die Bilderchronik des Sächs. Kunstvereins in Kupfer gestochen. H.s Bildnis zeichnete C. Vogel v. V.
am 28. 2. 1840 in Dresden (Halbfigur, sitzend;
schwarze Kreide).

Akten der Kstakad. u. des Sächs. Kstver. in
Dresden. — Katal. akad. Kstausst. Dresden 1826
bis 1889, pass. (cf. 1850 p. 11; 1856 p. IV); Tiedge-
Ausst. Dresden 1842 p. 7 f. 25, 31. — N a g l e r , Kst-
lerlex., VI. — W i e ß n e r , Akad. der bild. Kste zu
Dresden, 1864 p. 98. — Dioskuren, 1865 p. 165.
— Kstchronik, IV (1868) 50; XIII 99, 717; N. F.
VI 206; VII 73 (Nekrolog). — A l e x . M ü l l e r ,
Biograph. Kstlerlex., ² (1884) p. 242. — v. B o e t -
t i c h e r , Malerwerke des 19. Jahrh., I 1 (1891)
p. 471 f. — E b e , Dtscher Cicerone, III (1898)
452. — v. E h r e n t h a l , Führer Gewehrgal.
Dresden, 1900 p. 67, 97. — (S i g i s m u n d),
Katal. Ausst. Dresdner Maler 1800—1850 (Dresden
1908) p. 31 f. — Kat. d. Berl. Akad.-Ausst.,
1836 p. 118; 1840 p. 17. — Katal. Gemäldegal.
Dresden 1908 p. 717; 1912 p. 226. — (S i n g e r),
Katal. Bildniszeichn. Kupferstichkab. Dresden,
1911 p. 35. — Katal. Ausst. dtscher Kunst, N. F.
(Leipzig 1915) p. 34. — Akten des Dtsch. K.-
Ver. und der Dtsch. Bibl. in Rom. — Brief-
wechsel des Malers F. A. Reinhardt und Heinr.
Brunns. — Giorn. di Roma 1851, Nr 251; 1852,
Nr 121, 230; 1853, Nr 132, 258; 1857, Nr 36, 105,
116; 1870, Nr 114. — Köln. Ztg 1878, Nr. 117;
1879, Nr 95. — Allg. Ztg 1865, Nr 105. — Alma-
nacco Romano 1860, Nr 298. — Guida Monaci
1872, Nr 249. — S c h a d o w , Kunstwerke u.
Kunstansichten, p. 323. — Mit Notizen von Fr.
Noack. *Ernst Sigismund.*

Hauschild, W a l t e r , Bildhauer in Berlin,
geb. 19. 1. 1876 in Leipzig, Schüler der Akad.
Leipzig u. Berlin, 1900/03 Meisterschüler von
R. Begas. Stellte seit 1901 auf zahlreichen
deutschen Ausst., besonders den Gr. Berl. K.-A.
aus. H. ist besonders als Tierbildhauer tätig.
Von ihm Tierplastiken im Zoolog. Garten
Dresden („Seelöwe"), im Albertinum ebenda
(„Nashornvögel", „Pinguine", „Perlhuhn"), in
den Museen in Leipzig („Pinguine"), Rostock
(„Kämpfende Geier"), Bautzen („Seelöwe").
Dresden besitzt von ihm den „Gluckenbrunnen"

u. einen Brunnen mit 2 Kinderfig., Bautzen das Denkmal König Alberts (1913). Auch das Gerhard Rohlfs-Denkm. in Vegesack bei Bremen wurde ihm übertragen.

Dreßlers Ksthandbuch, 1921. — Kstwelt, I/3 (1911/12) 699 (Abb.). — Kstchronik, N. F. XIX (1908) 54; XXIV (1913) 496; XXV (1914) 23. — Die Kunst, XXX (1914) nach 376 (Abb.); XXXI (1915) 430 (Abb.). — Mus.- u. Ausst.-Katal. (Gr. K.-A. Berlin 1912, 14, 19 mit Abb.).

Hauschild, W i l h e l m Ernst Ferd. Franz, Maler, geb. 16. 11. 1827 in Schlegel (bei Breslau), † 14. 5. 1887 in München, Sohn einfacher Webersleute. Kam um 1850 nach München u. wurde Schüler des Ph. v. Foltz an der Münchner Akad. Nach kurzem Aufenthalt in Paris ließ er sich in München nieder. Maximilian II. zog ihn zur Ausstattung des Alten Nationalmus. (jetzt Deutsches Mus.) heran: 8 Fresken, von denen „Martin Behaim entdeckt die nordwestl. Küsten Afrikas", „Max Emanuel v. Bayern vor Belgrad", u. besonders „Karl XII. vor Pultawa" genannt zu werden verdienen, sind sein Werk. Bald darauf erhielt er für die histor. Galerie des Maximilianeums das Ölgem. der Kreuzigung Christi in Auftrag. Er betätigte sich nun vielfach auf dem Gebiete religiöser Kunst mit Altarbildern für bayr. Kirchen, besonders mit den Fresken für die Gruftkirche der rumänischen Fürstenfamilie Stourdza am Michaelisberg zu Baden-Baden. Später, unter Ludwig II., wurde er durch die Arbeiten für die Ausstattung der königl. Schlösser Linderhof, Berg, Herrenchiemsee u. Neuschwanstein völlig in Anspruch genommen. Am umfangreichsten sind seine Freskenfolgen in Neuschwanstein (Bilder aus der Sigurdsage im Vorplatz des 3., aus der Gudrunsage im Vorplatz des 4. Stockwerkes; Szenen aus der Lohengrinsage im Wohnzimmer u. die Fresken im Thronsaal, welche die Beziehungen des Königtums zur Religion u. dessen Verdienste um das Christentum zum Gegenstand haben). In der Prälatur des Klosters Michaelbeuern von ihm ein Madonnenbild (1852).

Ber. d. Kstver. Münchens, 1887 p. 74—76 (Nekr.). — Beilage z. Allg. Zeitg 1887 No 166 vom 17. 6. (Nekr.). — F. v. Böttich er, Malerwerke d. 19. Jahrh., I 1 (1891). — P e c h t, Gesch. d. Münchner Kst, 1888, — Allg. Deutsche Biogr., L (1905). — Festgabe d. Ver. f. christl. Kst in München, 1910. — R. Oldenbourg, Münchner Malerei im 19. Jahrh., I (1922). — Führer d. d. Nat.-Mus. München, 1887 p. 146, 50, 51, 53, 55. — Verz. d. Gem. u. Stat. d. Maximilianeums München, 1888 p. 8. — L. v. K o b e l l, König Ludwig II. v. Bayern u. d. Kst, 1900. — H. S t e i n b e r g e r, Königsschlösser im Schwangau, p. 20, 26, 39, 66, 73; d e r s., Chiemsee, p. 45, 61; d e r s., Schloß Linderhof, p. 36, 58; d e r s., Schloß Berg, p. 26. — Österr. Ksttopogr., X (1913) 543. — Ausst.-Katal. d. Glaspal. München, 1888 p. XIX.

Hauschka, K a r l W i l h., siehe im folg. Artikel.

Hauschke (Hauschka), J o h a n n Sebastian,

Büchsenmacher, † 15. 9. 1776 80 jährig zu Wolfenbüttel. Sohn eines Nicol. H. aus Schmalkalden. Seit 1721 lebte er als herzogl. Hofbüchsenmacher in Wolfenbüttel. Heiratet 30. 6. 1722 in Braunschweig. Von seinen Söhnen wird Karl Wilhelm Hauschka, geb. zu Wolfenbüttel, † 1797, 1793 Zeichenmeister an der Amelunxborner Klosterschule zu Holzminden, bei Meusel als geschickter Zeichner und Graveur gerühmt. — H. war einer der angesehensten Büchsenmacher seiner Zeit — er arbeitete auch 1732 für König Friedrich Wilhelm I., Kaiser Karl VI. und 1733 für die Kaiserin Maria Theresia —, beherrschte aber auch meisterhaft jede Technik, die zur künstlerischen Ausstattung der Waffen, gleichviel ob figürlicher oder ornamentaler Art, diente. Mit Namen und Jahreszahl versehene Jagdgewehre, Pistolen, Geschütze und Miniaturgeschütze befinden sich in den öffentlichen Museen zu Braunschweig, Berlin, Dresden und Wien, sowie im Besitze Kaiser Wilhelms II., des Herzogs von Cumberland und in den Schlössern zu Destedt (Kr. Braunschweig) und Harbke (bei Helmstedt). Er bewährte sich auch darüber hinaus in anderen Kleinkünsten. Bezeichnete Perlmutterbildnisse Herzog Georg Wilhelms u. der Eleonore d'Olbreuse (1729) befinden sich im Kestnermus. zu Hannover, bezeichnete Miniaturbildnisse des Herzogs August Wilhelm u. seiner Gemahlin Elisabeth Sophie Marie zum Einlassen in den Schaft von Gewehren in Braunschweig und Destedt, eine Grabtafel aus Zinn von 1759 in der Trinitatiskirche zu Wolfenbüttel.

Mitt. aus dem Landeshauptarchiv in Wolfenbüttel. — St. Ulrici-Trauregister, Braunschweig. — Böheim, Waffenkunde, 1890 p. 647. — R o b. B o h l m a n n, Zeitschr. des allg. dtsch. Jagdschutzvereins, XIV (1909) 424 f., 442 ff. — Bau- u. Kstdenkm. des Herzogt. Braunschw., II (1900) 25; III 1 (1904) 87. — Kstgewerbeblatt, N. F. I (1880) 71. — Zeitschr. f. hist. Waffenkunde, IV 225; V 411. — Kat. Ausst. Bildnismin. Hannover, 1918. — Kat. der einschlg. Slgn. — Mit Notizen von F. Stöcklein. *P. J. Meier.*

Hausdorff (Haussdorff), J o h a n n A d o l f, Hofmaler in Dresden, malte zus. mit Joh. Gottfr. Köhler die Supraporten des 1764/66 erbauten Schlosses Stösitz bei Oschatz; meist in Öl auf Leinewand gemalt, stellen sie teils Landschaften, teils figürl. Szenen im Watteau-Stil von großer Frische dar; besonders trefflich sind einige graziöse Kindergruppen. Auch die 3 Supraporten im Saal des Obergeschosses, Jagd- u. Soldatenszenen u. tanzende Mädchen, stammen zweifellos von H.s Hand.

Bau- u. Kstdenkm. Kgr. Sachsen, Heft 27/28 (1905) p. 297 u. 299.

Hausdorff, M. S., Porträtmaler, nach welchem M. Bernigeroth die Porträts Otto Ludwig von Kanitz (1700; „M. S. Hausdorf pin.") u. Viktoria Tugendreich v. Kanitz (1637—1717) stach. — Nach einem andern H a u s d o r f f hat A. Zürcher die Silhouett-Bildnisse zu v. Oldenborgh's „Belegering van de Willemstad 1793" (Dordrecht 1793. 8°) gestochen.

H e i n e c k e n, Dict. des Art. etc., 1778 ff. II 593 u. Ms. Kupferstichkab. Dresden. — W. W e i d l e r, Die Kstlerfamilie Bernigeroth, 1914. — v. S o m e r e n, Catal. van Portr., I (1888) 238; III (1891) 765.

Hause, R u d o l f, Maler, geb. in Strasburg (Westpr.) 11. 3. 1877, arbeitete in der Zeichenschule bei Blanc-Garin in Brüssel (1898/99), bei Moritz Weinholdt in München (1899/1901), dann an der Karlsruher Akademie unter Schmidt-Reutte (1902/03). Auf der Jahrhundert-Ausstellung in Berlin (1906) empfing er von den Werken C. D. Friedrichs, Blechens u. a. entscheidende Anregungen. Seit 1906 ist er mit Landschaften, Figurenbildern, Stilleben auf Ausstellungen vertreten, besonders in der Münchener Sezession u. im Glaspalast. Ein Altarbild von ihm im Mausoleum in Streckenwalde, Erzgeb. (1919).

D r e s s l e r ' s Kunsthandbuch, 1921. — *Ausst.-Kataloge*: Sezession München 1906, 11, 16; Glaspalast München 1917, 19, 20, 21; Sezession Berlin 1908; Kstverein Hannover 1910; deutsche Kst im Ausland, Buenos-Aires 1912. *Hgl.*

Hausegger, S i g m u n d v o n, Maler, geb. 1838 zu Montona (Istrien), † 1864, Schüler K. Rahls in Wien. Entlehnte seine Stoffe der nordischen Mythologie. Auf der Wiener hist. K.-A. 1877 waren von ihm 10 Blatt lavierte Bleistiftzeichn., Kompositionen zur Edda (Katal. p. 113).

F. v. B ö t t i c h e r, Malerwerke d. 19. Jahrh., I 1 (1891).

Hausen, C h r i s t i a n, Geschützgießer in Braunschweig. Geschütz von 1586 im Zeughaus Berlin.

Kat. u. Führer Zeugh. Berlin. *St.*

Hausen, C h r i s t i a n v o n, Goldschmied in Danzig, Sohn des Joh. II von H. in Thorn, geb. 12. 4. 1716, † 3. 9. 1792, arbeitet bei Benj. Birend und Benj. Döbler. Ältermann 1763, Kompan 1762. Von ihm zahlr. kirchl. Geräte in S. Joseph, S. Johannis, ev. Kirchen in Thorn u. Medenau.

E. v. C z i h a k, Edelschmiedekst., II (1908) 80, 81, 86 u. Taf. 16. *Cy.*

Hausen, G e o r g, steir. Maler, führte in den 60er und 70er Jahren des 17. Jahrh. einen Teil der Deckenfresken in der Wallfahrtskirche Mariazell in Steiermark aus und erhielt dafür 2589 fl. J. Graus schreibt die flüchtiger gearbeiteten Partien dieser Fresken H. zu, während die sorgfältiger ausgeführten und besseren von J. Battista Columba stammen.

Kirchenschmuck, XXIX (1898) 23, — J o h. G r a u s, ebenda, XXX (1899) 109. *B. Binder.*

Hausen, J o h a n n I v o n, Goldschmied in Thorn, Meister 1675. Arbeitet bei Stephan Petersen. Erwähnt bis 1690. — J o h a n n II, Goldschmied ebenda, Meister 1701. Arbeitet bei Joh. Christ. Bröllmann. Erwähnt bis 1747.

Von ihm zahlreiche kirchl. Geräte erhalten: Kelch in Christburg, Pazifikale in Posilge usw. — Ein S e b a s t i a n v o n H., Goldschmied in Thorn, geb. in Nürnberg, wird 1641 Meister; † 1651.

Bau- u. Kstdenkm. d. Prov. Westpreußen, III (Pomesanien) 1909 p. 266, 321. — E. v. C z i h a k, Edelschmiedekst., II (1908) 131, 133, 135. *Cy.*

Hausen, W e r n e r (Paul Bernhard W.) v o n, finn. Maler, geb. 29. 10. 1870 in Helsingfors, ausgebildet in Paris u. München und auf Studienreisen durch Ägypten u. Italien (1894/6). Das Museum zu Helsingfors bewahrt von ihm neben verschied. Kopien ein 1907 dat. Ölbild „Sandstrand in der Bretagne".

Ö h q u i s t, Suomen Taiteen Hist., 1912 p. 473; cf. Kat. des Mus. zu Helsingfors 1920 p. 37f. *L. W.*

Hauser, Bildhauerfamilie des 17. u. 18. Jahrh. in Freiburg (Breisgau). Stammvater ist J o h a n n G e o r g, von Kirchzarten bei Freiburg, Holzbildhauer, † vor 1680. Von ihm wird eine Marienfigur für die Marianische Bruderschaft in Freiburg urkundlich genannt. — Sein Sohn F r a n z, geb. 2. 2. 1651 in Kirchzarten, weilte vorübergehend in Schlettstadt, ist 1696 in Freiburg Mitglied der Zunft zum Monde. 1677 erhielt er einen (nicht mehr vorhandenen) Altar im Frauenchörlein des Freiburger Münsters übertragen. Sein Sohn, der Bildh. F r a n z A n t o n, geb. 17. 8. 1683 in Freiburg, ist der Vater des A n t o n X a v e r, geb. um 1716 in Freiburg, † 23. 3. 1772 ebenda. Von ihm die holzgeschnitzte Gruppe der Taufe Christi auf dem Deckel des Taufsteins im Freiburger Münster, wohl nach Chr. Wenzingers Modell (1768 Bezahlung). 1771 ist er Zunftmeister u. erhält Bezahlung für geringere Arbeiten. — Anton X.s Sohn, F r a n z A n t o n X a v e r, geb. 8. 2. 1738 in Freiburg (nach den Büchern d. Münsterpfarrei), † 25. 1. 1819 ebenda, fertigte 1761 für St. Ottilien kleinere Skulpturen; 1790 die 4 Nischen mit den Reliefbildnissen der Herzöge von Zähringen zu beiden Seiten des Chors des Münsters; 1793, 96 u. 1804 (nicht erhaltene) Chorstühle „in gotischer Manier" für das Münster; 1795 die Bildhauerarbeit am Schalldeckel der Münsterkanzel; 1804—06 Letztes Abendmahl (lebensgr. Sandsteinfig.) in einer Kapelle des nördl. Seitenschiffs. Von ihm auch das Standbild Bertholds III. am Bertholdsbrunnen auf der Kaiserstraße, 1807, Gruppe der Beweinung Christi in der Städt. Skulpturensamml. Freiburg (1816), ein kleines Holzmodell, Leichnam Christi von einem Engel betrauert, vorzügliches Stück, im Kaiser-Friedrich-Mus. Berlin, buntes Tonmodell der Grablegung im Bes. E. Kreuzer, Freiburg; Grabdenkmäler wie dasjenige der Maria Ther. Ligibel, auf dem alten Friedhof ebenda.

Freiburger Münsterblätter, V (1909) 6, 11, 12 ff., 67; VII (1911) 40; IX (1913) 35 f.; XII (1916) 23; XIII (1917) 50 f. — Schau-ins-Land, XXXIII (1906) 50—56 (D i e f f e n b a c h e r). —

F r. K e m p f , Freiburger Münster, 1914 p. 21 f.
— K. B a n n w a r t h , St. Ottilien usw., 3 Wald-
heiligtümer bei Freiburg, 1905. — Freiburger
Bote, 1892 No 80. — Mitt. Fr. Noack.

Hauser, A l o i s , *d. Ä.*, Maler u. Bilder-
restaurator, geb. 17. 2. 1831 zu Burladingen
(Hohenzollern), † 7. 3. 1909 zu München.
Hofmaler u. Konservator des Fürsten von
Hohenzollern-Hechingen zu Löwenberg, siedelte
1861 nach Bamberg über, wo er 1869 Konser-
vator der Galerie wurde u. von wo er 1875
an die Alte Pinak. nach München berufen
wurde. Malte Kirchenbilder u. Porträts, wurde
aber bekannt durch seine Tätigkeit als Restau-
rator. (Holbeins Madonna des Bürgermeisters
Meyer in Darmstadt, Jüngstes Gericht von
Rubens, Seitenflügel des Baumgärtneraltars von
Dürer in der Pinak. usw.) — Sein Sohn,
A l o i s , *d. J.*, wirkt als Restaurator an den
Berliner Museen.

B e t t e l h e i m , Biogr. Jahrb., XIV (1909)
164—67. — Bericht des Kstver. München, 1909
p. 14.

Hauser, A l o i s , Architekt u. Archäologe,
geb. 16. 11. 1841 in Wien, † 6. 10. 1896 in
Baden bei Wien, Schüler K. Boettichers in
Berlin, bereiste Italien, Griechenland, die Balkan-
länder und Kleinasien. Trat in Wien in das
Atelier seines Oheims F. Fellner ein u. wurde
1868 Dozent für Stillehre an der Wiener
Kstgew.-Schule. Die Restaurierung des Doms
u. des Glockenturms zu Spalato, der venezian.
Loggia in Traù und des Campanile von San
Marco in Lesina, der stilvolle Umbau des
Äußeren der Schottenkirche in Wien (1882—88)
u. der Entwurf für den Umbau des Brunnens
auf dem Margarethenplatz ebenda sind seine
Hauptwerke. Zahlreich sind auch seine kunstgew. Entwürfe. Als Archäologe beteiligte er
sich 1873 u. 75 an den Ausgrabungen auf
Samothrake u. leitete die Ausgrabungen in
Patronell u. Deutsch-Altenburg, wobei er 1888
das Amphitheater von Carnuntum entdeckte.

Das Geist. Deutschland, 1898. — Mitt. d. Zentralkomm., N. F. XXII (1896) 236. — Mitt. d.
Österr. Mus. f. Kst u. Ind. Wien, N. F. VI (1896)
206. — Kstchronik, N. F. VIII (1897) 25. — Ber.
u. Mitt. d. Wiener Altert.-Ver., XLIV (1911) 31.
— G u g l i a , Wien, 1908.

Hauser, A n t o n , Architekt, geb. 1824 in
Graz, † 6. 7. 1870, baute 1854—56 nach den
Plänen Karl Junker's Schloß Miramar bei Triest
für den Erzherzog Maximilian von Österreich.

S i n g e r , Kstlerlex., II (1896). — E r m.
M e t l i k o v i t z , Miramar, Triest 1902 p. 20.

Hauser, A n t o n X a v e r , siehe im 1. Artikel *Hauser.*

Hauser, C a r r y , Maler und Graphiker,
geb. in Wien am 16. 2. 1895, absolvierte 1911
einen einjährigen Lehrgang an der Wiener
„Graphischen Lehr- und Versuchs-Anstalt" und
besuchte weiterhin die Kurse der Professoren
Strnad („Formenlehre"), Böhm („Naturstudium")
und Kenner („Aktzeichnen") an der Kunst-

gewerbeschule des Österr. Museums. Während
des Weltkrieges, der H. zweimal nach Konstantinopel führte, entriß ihn der Frontdienst
seiner künstler. Tätigkeit, die er seit dem
Friedensschlusse teils in Hals bei Passau, teils
in Wien ausübt. H., dessen erste Kollektiv-
ausstell. 1918 im Troppauer Mus. stattgefunden
hat, ist Mitbegründer der Wiener Künstlergruppe „Freie Bewegung" und des deutschen
Künstlerbundes „Der Fels". Er zählt zu jenen
jungösterr. Malern, die in der Farbe über
deren dekorative Bindungen hinaus das struk-
tive Element des Bildaufbaues erkennen und
sich durch Betonung seiner inneren Gesetzlich-
keit auf eigenen Wegen den Zielen der neu-
deutschen Ausdruckskunst nähern; neben
rhythmisch bewegten Aktkompositionen und
religiösen Szenen sind die Porträts des Dichters F. Th. Csokor (1919), des Malers Wörlen
(1921) und ein Selbstbildnis (1919) hervorzuheben. Das schmiegsame Talent des fruchtbaren Zeichners und illustrativ begabten Gra-
phikers, der von Kokoschka und Meidner,
neuerdings auch von G. Grosz einige Anregungen empfangen haben mag, offenbart
sich vor allem in den Bildniszeichnungen des
Musikers J. Hauer und des Malers Bronstert,
in den Lithographien-Mappen „Die Insel" (Wien,
Avalun-Verlag 1919) u. „Hafenbilder" (Wien,
Verlag K. König 1923) sowie in Einzel-Radie-
rungen und -Holzschnitten. In mehreren geschriebenen und gemalten Büchern, deren Text
gleichfalls von H. herrührt, erstrebt er eine
neuartige wechselseitige Durchdringung von
Schrift und Bild.

C. H a u s e r , „Aus eigener Werkstatt", Kunst-
und Kulturrat, hg. v. J. A. L u x , 1920 p. 231. —
E. W i n k l e r , Vorwort zum Katalog d. Kollek-
tivausstell. im „Haus der jungen Künstlerschaft",
Wien 1919 (12 Abb.). — Cicerone XI (1919)
746. — Kunst u. Kunsthandw., XXII (1919) 382. —
Kunstchronik, N. F. XXXI 147 [H. T.(ietze)];
XXXIII 384. — Die bild. Künste, II (1919/20),
Beibl. p. XXXI (2 Abb.); III (1920/21) 6 (Abb.),
8. — Der Ararat, II (1921) 250 (Abb.). —
R. H e n k l im „Zenit" (kroat., Agram 1921,
8 f., 2 Or.-Holzschn). — K. R a t h e im Archiv
f. Buchgew. u. Gebrauchsgraphik, LIX (1922),
Sondernummer Wien, p. 22/3 (2 Abb.). — Cice-
rone, XV (1923) 190 f. — Ausstellungskat. d.
„Freien Bewegung" (Abb.) und Mittlgen des
Kstlers. *Kurt Rathe.*

Hauser, C h r i s t i a n , Bildhauer in Wien,
Schüler und Geselle bei Peter Silvester Caradea,
mit dem er 1713 an dem „Indianischen Kabinett" in der Hofburg arbeitete; 1715 bewarb
er sich um den Hofbildhauertitel.

I l g , Die Fischer von Erlach, I (1895). —
Österr. Ksttopogr., XIV (1914). *H. Tietze.*

Hauser, E d u a r d (Kaspar Ed.), Historienmaler, geb. 1807 (laut D. Stern 1809) in Basel,
† 1864 in le Havre, bildete sich in Basel, dann
in München bei Cornelius. Um 1827 weilte
er in St. Petersburg u. Moskau und fand dort
als Porträtmaler reiche Anerkennung. Von

Rußland aus ging er nach Rom, wo er sich der Richtung Overbecks anschloß. (Trat zum Katholizismus über.) Von dem französ. klerikalen Politiker u. Publizisten Charles Montalembert begünstigt, kam er ca 1836 oder 37 nach Paris, stellte 1836 im Salon, 1837 sein vom Salon zurückgewiesenes Bild, Christus auf dem Ölberg, in der Taufkapelle St-Roch aus (dies Bild wurde allgemein als Werk der Prinzessin Marie v. Orléans u. der Name H. als deren Pseudonym bezeichnet, bis H. durch einen Prozeß sich sein Recht sicherte). 1840—48 wohnte er in Rom. Dort entstand 1846 sein Porträt Overbecks (Kstsamml. Basel; Katal. 1910; Stich von L. Flameng, abgeb. bei Stern), ein Bildnis Fr. Hebbels, 1845, ein Jüngstes Gericht, von Lord Shrewsbury in die Kirche zu Oscott bei Birmingham gestiftet, ein Bethlehemit. Kindermord (1844 auf der Berliner Akad.-Ausst.; 1845 im Pariser Salon; vom König von Preußen angekauft). 1852—63 lebte H. in Nizza, wo sich in verschiedenen öffentl. Gebäuden Fresken von ihm finden; dann bei Verwandten in le Havre. Zu nennen sind noch sein Hochaltarbild in St-Philippe-du-Roule in Paris, u. „Römische Wäscherinnen" in Privatbesitz, Basel. Overbeck u. H. Flandrin sind für H.s Stil maßgebend geworden. — Ein Octave H., Maler in Paris, stellte 1837 u. 39 im Salon religiöse Bilder aus, 1837 Zeichnungen aus dem Leben der Hl. Elisabeth für Montalemberts „Hist. de Ste Elisabeth de Hongrie".

Bellier-Auvray, Dict. gén., I (1882). — F. v. Bötticher, Malerwerke d. 19. Jahrh., I 1 (1891). — Brun, Schweiz. Kstlerlex., II (1908). — Raczynski, Gesch. d. neueren deutschen Kst, III (1841). — Gaz. des B-Arts, VI (1860) 86—92 (D. Stern [Pseudonym der Gräfin d'Agoult], Un artist à Nice). — Fr. Noack, Deutsches Leben in Rom, 1907 p. 437. — Weigels Kstkatalog, Lpzig 1838—66, II 8605.

Hauser, F., Porträt- u. Miniaturmaler, vermutlich in Salzburg tätig. Im dort. Museum Carolino-Augusteum befinden sich ein genremäßig aufgefaßtes Ölporträt eines Mannes in Hemdsärmeln, bez. „F. Hauser pinx." (um 1820) u. das Ölporträt der Hebamme Madame Ziehrer, bez. „Hauser" (um 1840). In der Samml. Grein in Salzburg ein Miniaturporträt einer Salzburger Bürgersfrau, bez. „Hauser", um 1830. Ihm gehört wohl auch das „F. Hauser" bez. Miniaturporträt einer jungen blonden Dame in Weiß, um 1825 (Katal. d. Ausst. von Bildnisminiaturen aus niedersächs. Privatbesitz, Hannover 1918) u. die nur „Hauser" bez. Miniaturen eines jungen Mädchens in Landschaft u. eines jungen Mädchens als Braut (Verst.-Katal. Lepke einer Samml. Elfenbeinminiat. aus Wiener Privatbesitz u. der Samml. E. Chaplin-Hamburg, 1909 No 95, 112; mit Abb.). — Eine Miniaturmalerin Louise H. stellte 1827 in Frankfurt a. M. aus.

Österr. Ksttopogr., XVI (1919). — Gwinner, Kst u. Kstler in Frankf. a. M., 1862 p. 467.

Hauser, Ferdinand, Bildhauer, Kunstgewerbler, Goldschmied, geb. 21. 5. 1865 in Wien, Schüler der dort. Kstgew.-Schule u. Akad. (unter C. v. Zumbusch), tätig in München. Entwarf kunstgew. Gegenstände, wie Schalen, Beleuchtungskörper, und führt vor allem Goldschmiedearbeiten aus.

Dressler's Ksthandbuch, 1921. — Kst u. Ksthandwerk, V (1902) 17; VII (1904) 42. — Kst u. Handwerk, 1913 p. 6; 1914 p. 313.

Hauser, Franz Anton Xaver, siehe im 1. Artikel Hauser.

Hauser, Fridolin, schweiz. Zeichner, geb. 1873 in Näfels, † 17. 4. 1900 ebenda, Autodidakt. Entlehnte seine Darstellungen meist der Tierwelt u. der Landschaft der Alpen, unter Bevorzugung der Federzeichnung. In der Samml. d. Kstvereins Glarus Federzeichn. 8 Bl.: „Vögel" u. 1 Bl. „Sennhütte" (Katal. 1903 No. 71, 72).

Brun, Schweiz. Kstlerlex., II (1908).

Hauser, Georg, Glockengießer aus Lindau, goß zuerst in Sterzing, dann in Feldkirch. Von ihm Glocken der Andreaskirche in Schluderns (1584, 89, 1602), Glocke in Prosto (1595), Glocke der Pfarrkirche in Dornbirn (1600, mit Festons, Brustbildern der 12 Apostel u. Kreuzigungsrelief), Glocke der Peterskirche in Rankweil (1603, mit Blumenfestons), 2 Glocken der Pfarrkirche zu Sulz (1603 u. 1611).

Walter, Glockenkunde, 1913. — Rapp, Beschr. d. Generalvikariats Vorarlberg, I 599. — Mitt. der k. k. Zentralkomm., N. F. XXI (1895) 143, 234, 241; XXIII (1897) 210. — Forsch. u. Mitt. z. Gesch. Tirols, XIII (1916) 187.

Hauser, Gregor, Dombaumeister an St. Stefan in Wien, wo er 1515 im Mitgliederverzeichnis der Fronleichnambruderschaft eingetragen erscheint und 1519 mit seinem Bruder, dem späteren kaiserl. Hauptmann Leonhard H., den beschädigten Südturm wieder herstellte. Risse, die er für diese Arbeit angefertigt haben soll, sind gegenwärtig nicht mehr nachweisbar; das früher manchmal H. zugeschriebene Zeichen auf einem Riß (im Brünner Stadtarchiv) für den nördl. (nicht ausgebauten) Turm ist als Zeichen des Hans Zierholt festgestellt. Als Herkunftsort H.s wird in verschied. Quellen Freiburg (Freiberg), Stettin, auch Heidelberg angegeben. Die ält. Literatur nennt einen angeblich im 14. Jahrh. als erster Baumeister des Turms von St. Stefan tätigen Georg H. aus Klosterneuburg (Verwechslung mit Gregor).

Tschischka, Kst u. Alterth. im österr. Kaiserst., 1836; ders., Der Stephansdom. — Nagler, Kstlerlex., VI. — W. Neumann in Gesch. d. St. Wien, her. v. Wiener Altertumsverein, III Band. — Drexler, Stift Klosterneuburg, 1894 p. 16. — Prokop, Markgrafsch. Mähren, II (1904) 502 f.   *H. Tietze.*

Hauser, Hans, Illuminist in Nürnberg Anfang des 16. Jahrh. Panzer (Verz. v. Nürnb.

Portraiten 1790 p. 95) erwähnt ein Porträt eines Hans Haußer (1510 mit Wappen), vermutlich des obigen, der nach Ausweis der Nürnb. Bürgerbücher 4. 6. 1519 das Bürgerrecht erwirbt. Die Identifizierung H.s mit dem g l e i c h n a m. Ulmer Briefmaler (Dodgson, Cat. of early Germ. and Flem. woodcuts, 1903, I 119, A 125 [Schr. 1894], cf. p. 71 A 46 [Schr. 969]), den man seinerseits wieder mit Hans Husser (s. d.) identifiziert hat, geht ohne Beweisgründe nicht an.

Rep. f. Kunstwiss., XXX (1907) 36. *W. Fries.*

Hauser, J o h a n n P h i l i p p , Maler in Vilsbiburg (Niederbayern), 1710—40 mit Arbeiten für Kirchen der Umgebung mehrfach genannt. Erhalten nur ein ehemal. Seitenaltarblatt, Hl. Wolfgang, 1740 gemalt, im Turmuntergeschoß der Kirche zu Margarethen.

Kstdenkm. Bayerns, IV Heft 5 (1921) p. 180, 190, 212, 226, 238, 280, 319.

Hauser, K a r l Ludwig, Maler u. Lithogr., geb. in Mannheim 5. 5. 1810, † ebenda 25. 7. 1873, Bruder des Philipp, bildete sich auf dem Lyzeum u. unter Galeriedirektor Fr. J. Zoll an der Mannheimer Gal. u. im Antikenkabinett, ging 1828 nach München, wo Peter Cornelius, Heinr. Zimmermann u. N. Schorn seine Lehrer waren. Bereiste Tirol u. Oberitalien u. ging 1834 nach Mannheim zurück und wirkte bis 1872 als Zeichenlehrer am dort. Gymnasium. Reisen an den Rhein u. ins Neckartal erweiterten seine Studien. Malte vornehmlich Landschaften u. Seestücke u. gab 1861 ein Heft lithogr. Zeichnungen (Landschaftsstudien, 36 Bl.) heraus.

Gesch. etc. des Lyceums zu Mannheim, 1867, Festschrift zum 100 j. Jub. d. Anst. 1907. — W e i g e l 's Kunstcatalog, Lpzg 1838/66, V 23156.

Beringer.

Hauser, L e o n h a r d , s. u. *Hauser*, Gregor.

Hauser, L o u i s e , siehe unter *Hauser*, F.

Hauser, O c t a v e , s. unter *Hauser*, Eduard.

Hauser, P h i l i p p , Bruder des Karl, Maler, geb. 1817 zu Mannheim, † nach 1873 ebenda, ging nach seinen Vorstudien in Mannheim 1841 nach München u. bereiste von da aus wiederholt Tirol, ging 1844 nach Mannheim zurück, war 1846 in Augsburg bei Gal.-Dir. Deurer, lebte 1847—48 in München u. von da ab in Mannheim. Malte Soldaten- u. Genrebilder: Erstürmung eines Tores in Familienbesitz.

Familienpapiere. *Beringer.*

Hauser, R u d o l f E d u a r d , Maler, geb. 10. 6. 1818 in St. Gallen, † 4. 3. 1891 in Rorschach, Schüler W. v. Kaulbachs in München, mit dem er 1838—39 nach Rom ging. Bildete sich in Antwerpen u. Paris weiter. Ein Nervenleiden veranlaßte ihn 1850 die Malerei aufzugeben u. in das väterliche Geschäft, eine Fellhandlung, einzutreten. Von ihm das Porträt des Hechtwirtin von Appenzell im Mus. in St. Gallen.

B r u n , Schweizer. Kstlerlex., II (1908). — Mitt. F. Noack.

Hauser, S o p h i e , Kunstgewerblerin, Graphikerin u. Malerin in Bern, geb. 30. 10. 1872 in Wädenswil, Schülerin der Kstgew.-Schulen in Zürich u. Bern, H. Gattikers, M. Kerns u. E. Lincks. Ihre Spezialität sind ledergepreßte Bucheinbände. Ihre farbigen Zeichnungen, Radierungen u. Steinzeichn., in neuerer Zeit auch Ölgemälde, zeigt sie in der Bernischen Weihnachtsausst., in den Ausst. des Ksthauses Zürich u. a. O.

B r u n , Schweiz. Kstlerlex., IV (1917) 207. — Schweiz. Zeitgenossenlex., 1921.

Haushalter, G e o r g e M., amerik. Maler, geb. 9. 1. 1862 in Portland (Me.), Schüler der Julian-Acad. u. der École des B.-Arts in Paris, wo er 1891—95 im Salon der Soc. des Art. franc., 1897/98 im Salon der Soc. Nat. Genrestücke u. relig. Bilder ausstellte. Von ihm die Ausmalung der St. Andreas- u. St. Philippskirche in Rochester (N. Y.).

Amer. Art Annual, XVIII (1921). — Salonkatal.

Haushofer, M a x i m i l i a n , Landschaftsmaler, geb. 12. 9. 1811 in Nymphenburg bei München, † 24. 8. 1866 in Starnberg am Starnbergersee. Studierte zuerst Rechtswissenschaft u. bildete sich nebenbei künstlerisch aus. 1833 ging er ganz zur Kunst über. 1834 gewann K. Rottmann auf ihn Einfluß. In diesem Jahre debütierte H. im Münchner Kstverein mit „Abend am Chiemsee". Herbst 1835 ging er mit dem Bildhauer M. Widnmann u. den Malern G. Jäger u. F. A. Palme nach Rom. Er trat dort zu A. Kestner in Beziehung, der sein Porträt zeichnete (Kestnermus. Hannover). Im Erinnerungsbuch an die Gründung des deutschen Kstlerver. in Rom von ihm ein Aquarell „Flußlandschaft bei Sonnenuntergang". 1836 ging er nach Neapel u. Sizilien, 1837 kehrte er nach München zurück. H.s Studiengebiet wurde vor allem der Chiemsee, besonders die kleine Fraueninsel, die er als einer der ersten „entdeckte", so daß er als „der Maler des Chiemsees" bezeichnet wird. (Er heiratete auch eine Tochter des Inselwirts Dumbser.) 1841 u. 43 weilte er am Rhein, um Aufträge für den Herzog von Nassau zu erledigen, wobei er auch Düsseldorf besuchte u. A. Achenbach kennenlernte. 1844 wurde er an die Akad. zu Prag als Professor der Landschaftsmalerei berufen. Neben Gebirgs- u. Chiemseemotiven verwertete er jetzt auch Motive des Böhmerwaldes. Werke von ihm in der N. Pinak. München („Am Walchensee", 1856), in der Akad. der bild. Kste Wien („Vierwaldstätter See", „Der blaue Gumpen"), im Rudolfinum Prag („Weißensee bei Lermoos", „Ideale Landschaft", „Partie auf dem Wartstein in der Ramsau", „Klöntal bei St. Gallen", „Fraueninsel im Chiemsee"); Zeichn. im Kestnermus. Hannover („Obersee bei Berchtesgaden"), in der Maillingersamml. München u.

im Kupferstichkab. Kiel. — Sein Sohn K a r l, geb. 1839 in München, † 1895 ebenda, war zuerst Landschaftsmaler, später Mineraloge.

C. v. W u r z b a c h, Biogr. Lex. Österreichs, VIII (1862); XXVIII (1874). — R e g n e t, Münchener Kstlerbilder, 1871 I. — F. v. B ö t - t i c h e r, Malerwerke d. 19. Jahrh., I/1 (1891). — Allg. Deutsche Biogr., XI. — R e b e r, Gesch. d. neueren deutschen Kst, 1876. — P e c h t, Gesch. d. Münchner Kst, 1888. — K. R a u p p u. F. W o l t e r, Kstlerchronik von Herren- chiemsee, 1918 p. 20 f. — Kstchronik, I (1866) 125 (Nekr.). — H. A. M ü l l e r, Museen u. Kstwerke Deutschlands, 1857 I; II. — Österr. Ksttopogr., II (1908); X (1913). — Verst.-Katal. d. Gal. Zeller Prag, 1906 No 31. — Jahrb. d. Bilder- u. Kstblätterpr., Wien 1911 ff. V/VI. — M a i l l i n g e r, Bilderchronik Münchens (Stadt- mus.), III (1876); IV (1886). — Katal. Glas- palastausst. München, 1888 p. XIV. — Kat. Ausst. Münchner Malerei unter Ludwig I., Gal. Heine- mann München, 1921. — Mitt. Fr. Noack.

Hausinger, A d a m, Goldschmied u. Hof- juwelier in München; von ihm die Edelmetall- u. Emailarbeiten des Albums, das die bayr. Armee 1867 dem Feldmarschall Prinzen Carl Theodor von Bayern widmete (Schatzkammer München) u. das Prachtgefäß für das Herz des Königs Ludwig I., 1868, nach Entwürfen von R. Seitz u. Wagmüller (Altötting, Königsgruft).

Dioskuren, 1861; 1862. — Kstchronik, III (1868) 181; IV (1869) 209. — E. v. S c h a u s s, Cat. d. bayr. Schatzkammer zu München, 1879 p. 441.

Hausinger, J o h a n n, falsch für *Heusinger,* Joh.

Hauska, J., Maler, nur bekannt durch eine Notiz in dem Verzeichnis der Gemälde auf Schloß Banz (Oberfranken) vom Pater Coelesti- nus Stöhr (um 1796), das eine kleine Abend- mahlsdarstell. auf Kupfer von H.s Hand sehr genau beschreibt; nach diesem Verzeichnis ist das Bild 1648 gemalt. Danach könnte H. identisch sein mit dem 1697 in Prag urkundl. nachweisbaren Maler G e o r g R u d o l p h J o - h a n n H a u s k a.

M e u s e l, Neue Miscellaneen artist. Inhalts, 5. Stück (Lpzg 1797) p. 624. — D l a b a c ž, Kst- lerlex. f. Böhmen, 1815, I.

Hauslab, F r a n z, Edler v o n, *sen.*, Minia- turmaler, geb. 1. 5. 1749 in Graz, † 23. 8. 1820 in Wien. War zuerst Offizier und wirkte als Zeichenlehrer an der k. k. Ingenieur-Akad. in Wien. Seine nicht besonders zahlreichen Ar- beiten zeichnen sich durch feine, zarte Farben- töne aus und verraten eine deutliche Abhängig- keit von Martin von Meytens. In der Sammlg der Akad. d. bild. Kste in Wien befindet sich sein Selbstbildnis auf Lindenholz, dat. 1. 5. 1819. (Beschreib. im Katal. d. Gal., Wien 1900, No 1106; dieses Bild befand sich auch auf der hist. Kst-Ausst., Wien 1877 No 2691.) Ein zweites Selbstbildnis befindet sich in der Sammlg Dr. A. Figdor (Wien): Miniatur auf Elfenbein, dat. 1782. (Abgeb. bei Leisching, Tafel II, No 10; Miniat.-Ausst., Wien 1905, No 1273.) Die Sammlg Josef Flesch, Wien,

enthielt das Miniaturporträt des österr. Offiziers Frh. v. Schottendorf (oval, dat. 1773, Miniat.- Ausst., Wien 1905, No 1408, fälschlich „Friedr. Hausteb"). — Sein Sohn F r a n z R. v. H. *jun.*, Feldzeugmeister, geb. 1. 2. 1798, † 11. 2. 1883, war ebenfalls künstlerisch tätig. Schüler Hub. Maurers an der Wiener Akad. 1816 in Mün- chen; dann in Wien Ing.-Leutnant am Lithogr. Institut des Generalstabes, gab 1822—25 ein großes Uniformwerk heraus „Darstellung der k. k. österr. Truppen mit allen Chargen" (Ver- lag Jos. Trentsensky, Wien), nachdem er schon vorher in Wien u. München einige (heute sehr seltene) Einzelblätter lithographiert hatte. 1826 führte er die Farbenlith., die schon 1819/20 in Wien eine kurze Blüte erlebt hatte, in die Kartographie ein. Seine kostbare Bibliothek und Kupferstichsammlung erwarb nach H.s Tode Fürst Liechtenstein; sie enthält vollständig auch die Einzelblätter H.s. (Aufgestellt im Gartenpalais.) Arbeiten von H.: Aquarelle, Lithographien, Bleistiftzeichn. (Landschaften, Bildnisse, Genreszenen, Panoramen) befanden sich in der hist. Ausst. Wien 1877 (Katalog No 1059—63 u. 1757).

J. W a s t l e r, Steir. Kstlerlex., 1883. — Ed. L e i s c h i n g, Bildnis-Miniatur in Österr. v. 1750—1850, Wien 1907, p. 73, 233 u. 258 u. Abb. — A. K e n d e - E h r e n s t e i n, Miniatur-Por- trät, Wien 1908. — Katal. d. Miniat.-Ausst., Wien 1905, No 1273, 1408. — Über Franz R. v. H. jun. vgl. C. v. W u r z b a c h, Biogr. Lex. Österr., VIII (1862). — Ferner: Akten der Wiener Akad., Protok. 7 p. 127. — H i r t e n f e l d, Österr. Milit. Konvers. Lex. — Mitt. d. k. k. Geogr. Ges. in Wien, XXIX (1886). — L ü t z o w, Gesch. der Akad. in Wien, 1877. — K. H ö s s, Fürst Joh. II. Liechtenstein und die bild. Kst, 1908. — Mitt. Ges. f. vervielfält. Kst Wien 1921 p. 35 f. — Mit Notizen von H. Schwarz-Wien. *B. Binder.*

Hausleithner, R u d o l f, Historien-, Genre- u. Porträtmaler, geb. in Mannswörth (Nieder- österreich) 10. 3. 1840, † in Wien 10. 3. 1918. Schüler der Wiener Akad. unter K. Wurzinger, Joh. Nep. Geiger, K. Blaas u. Ruben; arbeitete kurze Zeit bei W. v. Kaulbach u. Piloty in München. Zu seinen frühen Arbeiten gehören große Gemälde wie „Kaiser Josef, Pläne für das Josefinum besichtigend", „Friedrich der Große in Küstrin" u. a. In seinen Genrebil- dern bevorzugt er Szenen des kleinbürger- lichen Lebens, oft in humorvoll novellistischer Schilderung. In seiner Glanzzeit fand er Ein- gang in die vornehmsten Kreise, wurde mit Bestellungen überhäuft und stellte (ausser in Wien) in München, Düsseldorf, Dresden, St. Petersburg u. a. O. aus. Kaiser Franz Josef erwarb von ihm 3 Gemälde. Später geriet er dann in Vergessenheit. Besondere Anerken- nung fand „die Vision Beethovens" (1883); zu nennen sind noch „Die Bühne im Wiener Volksprater" (1881) und „Der Quacksalber". Das Franzens-Mus. in Brünn besitzt von ihm ein Bildnis Kaiser Franz Josefs I.; ein Ölbild-

Hausmann (Haussmann, Haußmann u. Hauszmann)

nis der Kaiserin Elisabeth war 1906 in Wien aus dortigem Privatbesitz ausgestellt. Die Kstsamml. Albertina besitzt von H. 2 Bleistiftzeichn. „Ein Duo" und „Mädchen mit Hund". Sein Ateliernachlaß wurde durch A. Kende 12. 2. 1903 versteigert.

E i s e n b e r g, Das geistige Wien, 1893. — K o s e l, Dtsch-Österr. Kstler- u. Schriftst.-Lex., I (1902). — J a n s a, Dtsche bild. Kstler .., 1912. — F. v. B ö t t i c h e r, Malerwerke des 19. Jahrh., I (1891). — F r i m m e l, Stud. u. Skizzen zur Gemäldekunde, IV (1918—9) 23. — Die christl. Kst, XIV (1917—8) Beibl. p. 32. — Kat. Frühjahrsausst. Kstlerhaus Wien, 1915. — Kat. Gr. Kstausst. Berlin, 1893 p. 38, Abb. — Kat. Spitzen- u. Porträt-Ausst. Wien, 1906 p. 191. — Führer Gem.-Gal. Franzens-Mus. Brünn, 1899. *H. Leporini.*

Hausmann, Haussmann, Haußmann und **Hauszmann** sind wegen der wechselnden Schreibweise sämtlich hier eingeordnet.

Haussmann, Baumeister, um 1798 mit dem Umbau des grfl. Brunswick'schen Schlosses in Korompa (Ungarn) beschäftigt.

P. J e d l i c s k a, Kiskárpáti emlékek, II (Budapest, 1891) p. 169. *K. Lyka.*

Hauszmann, A l o i s i u s (Alajos), ungar. Architekt, geb. 9. 6. 1847 in Buda (Ofen). Maurerlehrling, wurde er als Gehilfe bei dem Bau der Akad. der Ungar. Wissenschaften 1863 freigesprochen. Inzwischen vollendete er seine Studien auf der Budapester Josef-Gewerbeschule. Dann arbeitete er in den Ateliers der Archit. Skalnitzky u Koch. 1866 ging H. nach Berlin, wo er die Bauakad. 5 Semester hindurch besuchte. Daran schloß sich eine Studienreise in Italien, wo er besonders die Baudenkmäler der Renaissance studierte. 1869 wurde er mit dem techn. Zeichenunterricht an dem Polytechnikum zu Budapest betraut (1872 Professor). Seit den 1870 er Jahren entfaltete H. als praktischer Architekt eine äußerst umfangreiche Tätigkeit; er erbaute in Budapest u. den ungar. Provinzstädten zahlreiche Paläste u. öffentl. Gebäude. Die bedeutendsten seiner Bauten sind in Budapest: Tüköry-Palast, Kiosk am Elisabeth-Platz, Technologisches Gewerbemus. (in ital. Frührenaiss.-Formen), Justizpalast (in dem monumentalen Stil der ital. Spätrenaiss., mit 6 säuligem Portikus und das Mittelrisalit flankierendem Turmpaar, im Inneren das schöne Treppenhaus beachtenswert; 1896 vollendet); St. Stephans-Spital, Elisabeth-Spital des Roten Kreuzvereins, Fassade u. Vestibül des Polytechnikums in der Esterházy-Gasse, Gebäude der Oberrealschule in der Markó-Gasse, Batthyány-Palast am Theresienring, Palast der Nordöstl. Eisenbahngesellschaft, Palast der New York-Lebensversicherungsgesellsch., Gebäude des Gerichtsärztlichen Instituts, Gerichtsgebäude (1890), Zentralgebäude des Polytechnikums; auch beendete er (1906) den Erweiterungsbau der königl. Burg. Von seinen Werken in der Provinz sind nennenswert: Kirche in

Gyoma, Nádasdy-Schloß in Ladány, Schloß der Familie Széll in Rátót, Schloß des Barons Vécsey in Szőcsény, Schloß des Grafen Pejacsevich in Podgoracz, Stadthaus u. Theater in Szombathely, Palast des ehemal. Gouvernements in Fiume, usw. Die Bauten H.s weisen zumeist die Formen des Barock- oder des Renaissance-Stiles auf, den er als der gewandteste Meister in Ungarn beherrschte. Neben seiner ausgedehnten Baupraxis behielt H. auch seinen Lehrstuhl am Polytechnikum. Während seiner 40 jährigen Lehrtätigkeit gingen aus seiner Schule viele vorzügliche Architekten hervor. H. war auch literarisch tätig, hauptsächlich als fachkundiger Erklärer seiner Bauwerke.

S. V e r e b y, Honpolgárok kőnyve, Pest 1872. — Az Építési Ipar, 1877 p. 11, 290; 1878 p. 374, 381; 1879 No 52; 1881 p. 185, 195, 203, 343; 1882 No 16; 1883 p. 192. — Épitö Ipar, 1888 p. 94, 223; 1889 p. 174; 1892 p. 135; 1893 p. 29; 1894 p. 265, 483, 519; 1895 p. 10, 61; 1896 p. 79, 393; 1900 p. 60, 64, 70, 83; 1901 No 17, 36; 1903 No 10, 37, 39—41; 1904 p. 33; 1908 p. 119, 134; 1909 p. 65, 80, 465; 1910 p. 391, 399; 1911 p. 229. — Vasárnapi Ujság, 1874 p. 285; 1879 p. 238; 1884 No 42; 1889 No 28; 1891 p. 121, 189; 1894 p. 571, 764; 1898 No 2, 4, p. 349; 1900 No 25; 1903 No 36; 1905 p. 263; 1909 p. 990. — Magyar Mérnök-és Épitész-Egylet Közlönye 1881 p. 141—178; 1882 p. 315; 1891 p. 1—6, 229, 230; 1892 p. 321—325; 1896 p.177—180; 1897 p. 56—68; 1900 p. 217—238, 245—260; 1909 p. 265—288. — Ország-Világ, 1880 p. 451; 1891 p. 626; 1896 p. 649; 1903 p. 413; 1906 p. 93. — Bauzeitung f. Ungarn, 1883 No 33, 34; 1884 No 34, 40 etc. — Der Architekt, III (Wien 1897) p. 30, Taf. 57. — Architekt. Rundschau, XIII (Stuttgart 1897) Taf. 8/9. — S. O r s z á g h, Budapest középitkezései, 1884 p. 121/28. — A. H a u s z-m a n n, Az Erzsébet-kórház leirása, Budap. 1882. — J. R o z i n a y, Budapest épitményei, 1892. — A. H a u s z m a n n, A magyar királyi vár épitésének története, Budap. 1900; d e r s., Budapesti igazságügyi palota, 1901. — Művészet, II (1903) 299—307; XIII (1914) 228 f., 241/53, mit zahlr. Abb. (K o m o r M a r c e l l). — Budapesti Hirlap 17. 4. 1905. — Magyar Pályázatok, III (1905/6) No 8. — Vállalkozók Közlönye, 1906 No 5. — Magyar Epitömüvészet, 1907 No 9. — A. H a u s z m a n n, Magyar királyi vár. Budapest, 1912. *J. Szentiványi.*

Hausmann, C a r l, siehe *Hausmann,* Friedrich Karl.

Haußmann (Hausmann), E l i a s, fürstl. hessischer Hofmaler, geb. in Bautzen 1663, † in Leipzig am 9. 5. 1733, Vater des Elias Gottlob. Bereits als Schüler hatte er sich, vielleicht von dem Maler S. H. Kauderbach unterwiesen, mit einer Darstell. des Bautzner Stadtbrandes versucht (Ölgemälde auf Holz): Rathaus, Domkirche, Domstift, Schloß Ortenburg, die Türme stehen im Feuer, von den Flammen geisterhaft beleuchtet, das einzige von H. bez. Bild: Incendium . . . delineatum ab Elia Haussmanno (Bautzen, Altertumsmus.). 1709 erscheint er als Hofmaler des kunstsinnigen und musikfreundlichen Landgrafen Ernst Ludwig von Hessen-Darmstadt mit dem verhältnismäßig hohen Vierteljahrsgehalt von

Hausmann (Haussmann, Haußmann u. Hauszmann)

42 fl. 30 gr. Als am Darmstädter Hofe eine Einschränkung der künstler. Bestrebungen notwendig wurde, verließ H. Darmstadt. Seit 1720 war er nach einer Angabe (1722) der Leipziger Malerinnung in Leipzig tätig, wurde deshalb auch von dieser angegriffen und als „kein besonderer Künstler und Maler" bezeichnet. Bildnisse seiner Hand sind bisher nicht nachgewiesen; ihm ehemals zugeschriebene Stücke (Stadtmusikant Reich, J. S. Bach [Musikbibl. Peters], Bürgermeister Born, Prof. Christ) gelten jetzt als Arbeiten des Sohnes. — Als er starb, wohnte er in Leipzig am Schloßgarten. Sein von dem Sohne gemaltes Bildnis ist in dem Stich von J. Fr. Rosbach 1727 „observantiae ergo" erhalten (Druck im Leipz. Stadtgesch. Mus.).

R o s e n b e r g , Agon Musicus per Musicae peritos tres discipulos valedicturos, nempe . . . . Eliam Hausmann Budiss. Lus. . . . . exhibendus. Bautzner Schul-Programm von 1688. — G. E r l e r , Die jüngere Matrikel der Univ. Leipzig 1559—1809, II (1909) 165b. — H a s c h e , Mag. der sächs. Gesch., 1787 p. 493. — K l e e f e l d , Landgraf Ernst Ludwig von Hessen-Darmstadt u. die deutsche Oper, 1904 p. 47. — O t t o , Lex. der Oberlausitzer Schriftst. und Künstler, III (1803) 732. — G e y s e r , Gesch. der Malerei in Leipzig, 1858 p. 53. — W u s t m a n n , Leipziger Kupferstich (Neujahrsbl. der Leipz. Stadtbibl. III) 1907 p. 72; d e r s . , Aus Leipzigs Vergangenheit, N. F., 1898 p. 206 f. — A. K u r z - w e l l y , Das Bildnis in Leipzig, 1912 p. 4 ff. — B r u g e r , M. Sporer, M. Crocinius und andere Bautzner Maler, S. A. aus: Bautzner Geschichtshefte, No 1, 1915 p. 28 f. — Leipz. Ratsarchiv: Leichenbuch, Tom. XXV (1728 bis 1. 5. 1733).

Georg Müller.

Haußmann (Hausmann), E l i a s G o t t l o b (Gottlieb), Porträtmaler, kurfürstl. sächs. und kgl. poln. Hofmaler, geb. 1695 (Geburtsort nicht bekannt), † in Leipzig am 11. 4. 1774, Schüler seines Vaters Elias. Erscheint zuerst in einem Schreiben des Landgrafen Ernst Ludwig von Hessen-Darmstadt vom 15. 9. 1717, in dem H. „Unsers Hofmalers Sohn" als in fürstl. hessischen Diensten stehend und „um seine Profession desto besser excolieren zu können, an fremde Orte, als ins Preußische, Sächsische und andere Provinzien" entsandt „nebst bei sich habenden Sachen" den Behörden empfohlen wurde. Zunächst in Dresden, erlangte H. von dem Maler Manyoki ein günstiges Zeugnis über seine Leistungen, das aber von diesem später (1722, anläßl. des Streites zwischen H. u. der Leipzig. Malerinnung) in seiner Geltung eingeschränkt wurde. Dann, seit 1720, in Leipzig. Als die Eingabe der Innung zur Aussprache vom Leipziger Rate an H. zugestellt werden sollte, war er aus Leipzig verschwunden. 1723 wurde er in Dresden zum Hofmaler ernannt; seit 1725 wieder in Leipzig. 1729 erhob der Obermeister der Malerinnung neue Beschwerde über H., der „trotz höflichen Ermahnens weder Bürger werden, noch mit der Innung Vereinbarung treffen, noch zu den Oneribus sich heranziehen lasse und auf der Petersstraße in der Apotheke wohne". Auch diese Eingabe scheint ohne Erfolg gewesen zu sein. 1742 neue Beschwerde der Malerinnung, aber ohne Erfolg. — Erkennt man schon aus dem Wortlaut der Beschwerden das Ansehen und die Beliebtheit H.s, so beweisen die vielen erhaltenen Bildnisse, daß er seit der Mitte der 1720 er Jahre immer zahlreichere Aufträge erhielt und um die Mitte des Jahrh. einer der fruchtbarsten Porträtmaler Leipzigs war. Die Feststellung der Entstehungszeit der einzelnen Bildnisse wird dadurch erleichtert, daß H. fast regelmäßig auf der Rückseite mit kräftigen Zügen seinen Namen und das Jahr verzeichnet hat. In der Kramerinnung war es Bestimmung, daß jeder neu Erwählte sein Porträt auf eigne Kosten stiften mußte, u. deren Mitglieder waren anscheinend die ersten, die in größerer Zahl sich an H. wandten. Seit ungefähr 1726 übernimmt H. mit dem Bilde des Kramermeisters J. H. Linke die Kundschaft seiner Vorgänger und behält sie bis in die 60 er Jahre, wo er dann von E. Gottlob und Anton Graff samt dessen Schule abgelöst wird. H.s Bilder sind sämtlich in fast ganz gleicher Größe, die Haltung der dargestellten Personen immer die gleiche, wenn auch einzelne individuelle Züge: Pfiffigkeit des Gesichtsausdrucks, Pockennarben, lebhafte schwarze Augen mit derber Deutlichkeit hervortreten. — Eine Zeitlang war H. auch Maler der Geistlichen der evang.-reformierten Gemeinde. Bereits um 1751/52 hatte er das Ölbild des eben † Geistlichen Pierre Coste gemalt (von J. M. Bernigeroth d. J. 1754 mit wirkungsvollen Abänderungen gestochen). 1767 malte H. die beiden im Amte befindlichen Geistlichen Jean Dumas und Georg Joachim Zollikofer, gleichzeitig auch die beiden damals längst verstorbenen ersten Geistlichen der Gemeinde Pierre Butini und Gabriel Dumont. Auch bei den städt. Behörden kam H. in Aufnahme, ebenso gewann er die Professoren der Universität als Kunden. Seine Werkstatt war in Zeiten der Hochkonjunktur eine Bilderfabrik, in der die Sorgfalt hinter der Schnelligkeit zurücktrat u. die Qualität der Leistung leiden mußte, zumal es vielfach Reihenbilder waren, die in gleichem Format für die einzelnen Amtsstellen verlangt wurden. Da erscheint einer wie der andere in grünem Rock und purpurrotem, dekorativ konventionell geordnetem Mantel, der wohl mit dem braunen Rock und blausamten Dekorativmantel wechselt. Die früheren Bildnisse sind den späteren nicht selten an Kraft der Auffassung und Sauberkeit der technischen Ausführung überlegen, besonders den Bildnissen der 60 er Jahre, die dann gegen die feinsinnigen Leistungen des neu auftauchenden Anton Graff bedenklich abstachen. H. blieb ein selten über das Mittelmaß hinausragender Künstler; über dieses erhebt er sich z. B. in dem lebensvollen Porträt der Johanna Christiana Kees, geb. Gräve.

Einen Überblick über den Umfang von H.s künstler. Lebenswerk u. den Aufbewahrungsort der Bilder findet man in den Bau- und Kunstdenkmälern des Königreichs Sachsen, Stadt Leipzig. Seitdem haben zahlreiche Bilder ihren Standort gewechselt. Namentlich hat das Stadtgeschichtl. Mus. im alten Rathause viele aufgenommen, auch das ursprünglich der Thomasschule gehörige Bachbildnis (musikalische Abt.); zahlreiche Porträts in der Stadtbibliothek, ferner in der Univers.-Bibl., der Handelskammer, der Thomaskirche, der Sakristei der reformierten Kirche. Außerhalb Leipzigs, in Grimma, in der Kirche zu Mölbis, auf Rittergütern wie Zöbigker, Püchau, Brandis. Das Bildnis der sächs. Kurfürstin Marie Antonie in der Amalienstiftung zu Dessau; das Porträt einer jugendlichen fürstlichen Dame im Schlosse zu Eisenach. — Einzelne Bilder sind in vortrefflichem Zustande; meist die auf Kupfer gemalten, aber auch solche auf Leinwand. Andere waren schlecht konserviert u. durch Übermalung entstellt, z. B. das Bachbildnis. Für die Wiederherstellung ist in neuerer Zeit allerlei geschehen. Bei diesem Anlaß sind über einzelne wichtige Bilder Untersuchungen angestellt worden, so über die Porträts Bachs, denen H. seine Volkstümlichkeit in musikal. Kreisen verdankt; denn nach ihnen wurden alle neueren Reproduktionen, Stiche und Lithographien hergestellt. 1895, gelegentlich der Ausgrabung der Gebeine Bachs (Johanniskirche), wurde eine wissenschaftl. Untersuchung des Schädels unter Vergleichung mit H.s Bildern durch Wilhelm His angestellt, der das Porträt der Thomasschule nur in übermaltem Zustande benutzen konnte. Die Leipziger Bildnisausstell. von 1912 lenkte die Aufmerksamkeit von neuem auf H.s Bachbilder. Nachdem das Bild an das Stadtgesch. Mus. abgegeben und in der Thomasschule durch eine Kopie Walter Kühns ersetzt worden war, hat die von A. Kurzwelly veranlaßte Wiederherstellung des Bildnisses gegenüber dem durch Übermalung entstellten süßlichen und weichen, wegen der gelblichen Farbe angeblich leberkranken Bach den ernsten, kräftigen und charaktervollen Thomaskantor aufgezeigt und dadurch H.s ursprüngliches Werk wieder zu Ehren gebracht. Das Porträt Gottscheds, das bisher als ein Werk H.s galt, wurde 1912 als eine bezeichnete Arbeit des Lorenz (Leonhard) Schorer festgestellt. Dagegen ist das Bild der Gattin, Luise Adelgunde Viktoria Gottsched, geb. Kulmus, das damals ebenfalls L. Schorer zugeteilt worden war, auf Grund neuerer Untersuchung H. zugesprochen worden, was durch den Stich J. J. Haids bestätigt wird. — Viele Bildnisse H.s sind nur in Stichen erhalten, z. B. das

Bildnis seines Vaters (gest. v. Chr. Fr. Rosbach, 1727), oder die zahlreichen Bilder, die J. M. Bernigeroth d. J. gestochen hat, z. B. Adam Heinr. Bose, Joh. Zacharias Richter, Joh. Jakob Bertram, Franz Kreuchauff u. a. m. Andere erhaltene, aber nicht bezeichnete, werden durch die Bezeichnung auf den Kupferstichen sicher H. zugewiesen, so das Porträt Platners, Jöchers (J. M. Bernigeroth). Wieder andere, die beschädigt oder übermalt waren, konnten nach den Kupferstichen in ihrer ursprünglichen Form erkannt werden, z. B. das Thomasschulbild auf Grund von Kütners Stich. Außerdem haben nach H. gestochen: Martin Bernigeroth d. Ä., J. Fr. Bause, G. L. Crusius, J. M. Stock, Sysang, Pöschel, Th. Bollinger, Th. Sichling („das zweifellos beste gestochene Bachbildnis"), Schlick, F. W. Nestling, H. C. von Winter, Henschke, Goebel, G. Leybold. Sammlungen von Stichen und sonstigen Reproduktionen enthalten die musikal. Abteilung des Leipziger Stadtgesch. Mus. und die Musikbibliothek Peters, auch die Graph. Sammlg im Museum und die Handelskammer.

Darmstädter Staatsarchiv: Kabinettsrechnungen 1710 ff. — Leipziger Ratsarchiv: M 534. Acta Elias Gottlieb (sic!) H. contra die Maler-Innung alhier wegen Exercitu seiner erlernten Profession. Ao 1720; M 545. Acta die Maler-Innung alhier contra E. G. H. . . wegen Eintrags in ihre Innung. Ao 1729; M 668. Acta die Maler-Innung alhier contra E. G. H. und Consorten wegen verweigerter Annehmung des Meisterrechts 1742; Leichenbuch 1768—1779 Bl. 224 b. — H a s c h e , Mag. der Sächs. Gesch., 1787 p. 493. — Verz. des Kupferstichwerks von Herrn J. F. Bause, 1786 p. 17. — K e i l , Cat. des Kupferstichw. von J. Fr. Bause, 1849, No 230. — R. N a u - m a n n , Die Ölgem. der Stadtbibl. Leipzig, 1857 p. 9, 13. — G e y s e r , Gesch. d. Malerei in Leipzig, 1854 p. 54. — W. H i s , J. S. Bach, Forschungen über dessen Grabstätte, Gebeine und Antlitz. Bericht an den Rat der St. Leipzig, 1895 (mit Heliograv. der 2 H.schen Bildnisse und des Stichs von Kütner); d e r s . , Anatom. Forsch. über J. S. Bachs Gebeine und Antlitz nebst Bemerkungen über dessen Bilder, im XXII. Bd Abhandl. der mathem.-phys. Kl. der Sächs. Gesellsch. d. Wissensch., 381/420. — G. W u s t - m a n n , Aus Leipzigs Vergangenheit, N. F. 1898 p. 198, 211. — A. K u r z w e l l y , Neues über' das Bachbildnis der Thomasschule und andere Bildnisse J. S. Bachs, im Bach-Jahrbuch 1914 (11. Jahrg., 1915) mit 5 Bachbildnissen u. Angabe der älteren Leipziger Lit.; d e r s . , Das Bildnis in Leipzig, 1912, Taf. 9—15. — Bau- u. Kstdenkm.: Kgr. Sachsen, Heft XV—XX, XXXIV; Thüringen (Sachsen-Weimar-Eisenach), Bd III, 1. Teil, Heft XXXIX (1915) 182. — W e i n m e i s t e r , Beitr. z. Gesch. der ev.-reform. Gemeinde zu Leipzig 1700—1900, [1900] 153—163. — Staryje Gody, 1913 (Juli-Sept.) p. 154. — Kataloge: Amalienstiftung Dessau, 1913; Univers.-Jubiläumsausst. Leipzig, 1909; (F. B e c k e r), Gemälde, Skulpt. und Reliefs der Univers.-Bibl. Leipzig, 1917 (Ms. Univers.-Bibl. Leipzig); Sonderausst. Leipziger Bildnismalerei von 1700—1850, 1912; Stadtgesch. Mus. Leipzig, 1913 p. 19, 24; S. M o l t k e , Kat. der von der Handelskammer zu Leipzig aufbewahrten Alten Archive, 1913 p. 17, 113, 114. *Georg Müller.*

Hausmann, E r n s t Friedrich, Maler, geb. 25. 7. 1856 in Frankfurt a. M., † Anfang Oktober 1914 in Berlin, Schüler seines Vaters Friedrich Karl an der Hanauer Zeichenakad., dann (1875—78) der Münchner Akad. unter Lindenschmit; 1881—83 Studien in Paris, wo er sich seinem Landsmann Ad. Schreyer anschloß. Seit 1886 in Berlin ansässig. Beschickte 1879—92 die Berliner Akad.-Ausstell., seit 1893 alljährlich die Große Berl. K.-A. mit Genrebildern (oberbayr. und süditalien. Volksszenen, histor. Genreszenen [Frau Hadwig]), kirchl. Gemälden („Der Menschheit Ostern", „Kreuz auf Golgatha"), Kircheninterieurs, (Kathedr. Brügge, Große Messe ∙im Dom zu Florenz) und Bildnissen. Kollektivausst. auf der Gr. Berl. K.-A. 1899. Häufig auch in den Münchner Glaspalast-Ausst. und auf der Deutschnat. in Düsseldorf vertreten. Für die Marienkirche zu Rügenwalde i. P. malte er 1902 ein Altarbild: Christus auf dem Meere, für die Aula des Gymnasiums in Schneidemühl 1905 ein Bildnis Kaiser Wilhelms II. Auf der Deutschnat. Ausst. in Düsseldorf 1902 erhielt er die kleine gold. Medaille. H. hat sich gelegentlich auch mit der Radierung beschäftigt.

W e i z s ä c k e r u. D e s s o f f, Kst u. Kstler in Frankf.a. M., II (1909). — F. v. B o e t t i c h e r, Malerwerke d. 19. Jahrh., I ₁ (1891). — Kstchronik, N. F. II 330; V 397; VI 404; X 484; XXVI 59. — E. A. Seemann's „Meister der Farbe", IX (1912) No 596. — Ausstell.-Katal. (häufig mit Abbildgn). — Jahrb. d. Bilder- etc. Preise, Wien 1911 ff., II ; III ; IV.

Hausmann, F r i e d r i c h Christoph, Bildhauer, geb. in Wien 23. 6. 1860, Schüler E. Hellmers an der Wiener Akad. (1879—82), beteiligt an der Ausführung des Hellmerschen Türkendenkmals in der Stephanskirche. Erhielt für eine Gruppe „Achilles und Penthesilea" das Grillparzer-Fröhlich-Stipendium und machte darauf eine Studienreise durch Italien (Rom), Sizilien, Griechenland und Kleinasien. Nach Wien zurückgekehrt, führte er für den Dom von Sarajewo einen großen Christus aus, für das Gerichtsgeb. zu Ried eine Giebelgruppe. 1888 erhielt er von der Berliner Akad. den Michel Beerschen Preis für sein Relief „Amazonenschlacht". 1888/89 zweiter Aufenthalt in Rom als preuß. Stipendiat, wo er u. a. ein Denkmal für die Kapelle des Grafen Wimpffen bei Wien schuf. Seit 1891 in Frankfurt a. M. ansässig, übernahm er hier die Leitung der Modellierklasse an der Kunstgewerbeschule, 1892 auch für einige Jahre die Leitung der Bildhauerschule des Städelschen Instituts. Hauptsächl. tätig auf den Gebieten der dekorativen Skulptur und der Porträtplastik: Grabdenkmäler für die Gräfin Zichy in Kalosc (Ungarn), für den Oberbürgermeister Ohly in Darmstadt, für den Dichter Heinz, die Familien Erlanger, Manskopf und den Komponisten Hill in Frankf. a. M.,

für die Familien Stimbert und Bembé in Mainz, Modell der Rennpreis-Ehrengabe (in Silber) der Stadt Frankfurt für 1905, Mittelstück des von Luthmer entworfenen Frankf. Ratssilbers, Monumentalgruppen am Hauptpostgeb. und am Pariser Hof in Frankf., Giebelgruppe am Gewerbemus. zu Darmstadt, Statuen der Ev. Marcus und Matthäus sowie Altar und Kanzel für die Peterskirche in Frankf., Relief der „Wahrheit" am neuen Schauspielhaus ebenda, zwei der 4 Kaiserstatuen für die neue Römerfassade zu Frankf., schließlich zahlreiche Porträtbüsten, darunter die Clara Schumanns (im kleinen Saal des Saalbaues in Frankf.), Leopold Sonnemanns (Stadtbibl. ebenda) und Senckenbergs (Senckenbergianum ebenda). Eine für seine den Begas'schen Neubarock aufnehmende Richtung besonders charakteristische Arbeit ist der phantasievolle Märchen(Nixen)-Brunnen neben dem Schauspielhaus zu Frankf. a. M. Im Mus. zu Stuttgart zwei Gruppen („Ackerbau u. Industrie"). Zwischen 1894 und 1907 beschickte er häufig die Gr. Berl. Kstausst.

Das geist. Deutschland, I 1898 (Selbstbiogr.). — W e i z s ä c k e r - D e s s o f f, Kst u. Kstler in Frankf. a. M. im 19. Jahrh., 1909, II. — D r e s s l e r s Kunsthandbuch, 1921. — W. S c h ä f e r, Bildh. u. Maler in d. Ländern am Rhein, 1913. — A r t u r S c h u l z, Deutsche Skulpt. d. Neuzeit, o. J. — Kstchronik, N. F. IV 9, 61, 363. — Kstgewerbeblatt, N. F. XVII 102 f. (mit Abb.). — Rheinlande, I. Jahrg., Bd II, 1901 Juni p. 33; Sept. p. 4 (Abb.), 19, 35 (Abb.); II. Jahrg., Bd I, 1902 Nov. p. 46; V (1905) 470 (Abb.). — Deutsche Kst u. Dekor., VI (1900) 548 (Abb.). *H. V.*

Hausmann, F r i e d r i c h K a r l, Maler, geb. zu Hanau 23. 9. 1825, † ebenda 10. 3. 1886, Vater des Malers Ernst, des Bildh. Hermann u. der Malerin Lina. Zuerst Schüler der Hanauer Zeichenakad. unter Leitung Th. Pelissier's (1845/48), dann der Antwerpener Akad. unter Wappers und Dykmans (1848/50). Darauf selbständig tätig in Antwerpen, wo er viel mit Feuerbach verkehrte; dazwischen Studienreisen nach Holland (Amsterdam, Haag, Scheveningen). 1851—53 in Paris, hier besonders von Delacroix und der Schule von Fontainebleau angezogen. 1853 in Hanau, 1854 über München, Venedig, Florenz nach Rom, wo er am 28. 6. eintraf und Mitglied des deutsch. Künstler-Ver. wurde. Auf Ausflügen nach Tivoli u. Olevano eifrige Landschaftsstudien. Juli 1855 verließ er Rom, war Sept. 1855 bis Juli 1864 in Frankf. a. M. ansässig und wurde dort Mitbegründer der Künstlergesellschaft. Nach Pelissier's Tode (Okt. 1863) wurde er 1864 Direktor der Zeichenakad. in Hanau. Eines seiner frühsten, größeren, noch in der sentimentalen Düsseldorfer Auffassung empfundenen Gemälde: Der Pfaff entführt Gretchens Schmuck, in Antwerpen gemalt („C. Hausmann aus Hanau. 1848"), befand sich früher in der Hamburger Ksthalle (Kat. 1910; neuerdings verkauft). In der Pariser Zeit entstanden u. a. das große Bild der Hamb. Ksthalle: Pariser Gassenbuben („F. C. Hausmann. Paris. 52"), das schöne, luftige, überaus keck hingesetzte Strandbild („4. Juli 52") bei Ernst Hausmann (†), die durch einen Ausflug in die Bretagne angeregten „Galeerensträflinge im Bagno zu Brest" (ebendort), das Bildchen des Danziger Stadtmus. „Gesellschaft im Walde" (Abb. in Deutsche Kst u. Dekoration, XXXV 111), das eine entschiedene Beeinflussung durch die Fontainebleauer, speziell Diaz verrät, endlich eine Reihe sehr intim gesehener, kleiner Waldlandschaften aus Vaux de Cernay. Auch die ersten Studien für sein Hauptwerk „Galilei vor dem Konzil" fallen in die Pariser Zeit (Studie von 1852 bei Otto Lingner-Berlin, Abb. im großen Gemäldekatal. der Berl. Jahrh.-Ausst.), wurden dann in Rom wieder aufgenommen (Prachtskizze, bez. „F. Carl Hausmann Rom 55", in der Berl. Nat.-Gal.). Weiter entwarf er in Rom die „Ostermesse in der Sixtinischen Kapelle", bez. F. K. Hausmann 1854 (bei Ernst Hausmann [†], Abb. im Kat. d. Jahrh.-Ausst.) und die „Wallfahrt in der Campagna" (Studie in der Berl. Nat.-Gal.; Abb. im Katal. von 1908), ein Motiv, von dem er 1870 eine große freie Wiederholung malte, die 1917 in das Städt. Mus. Elberfeld gelangte. In Frankfurt entstand 1861 sein Hauptwerk, der durch eine lange Reihe von Skizzen seit langem vorbereitete „Galilei vor dem Konzil", der, nachdem an Steinle's Einspruch der Ankauf für das Städel'sche Institut gescheitert war, für die Hamburger Kunsthalle erworben wurde. Auch malte er damals einige Bilder aus dem holländ. Fischerleben („Scheveninger Fischer"), eine „Italienische Landschaft", die „Entführung Heinrichs IV. durch den Bischof von Köln" und einige Porträts. Während der zwei letzten Hanauer Jahrzehnte hat H., durch sein Amt stark in Anspruch genommen, wenig mehr geschaffen. — Weder von Muther (Gesch. der Mal. im 19. Jahrh.) noch von Ad. Rosenberg (Gesch. d. mod. Kunst) oder Meier-Graefe (Entwicklungsgesch. der mod. Kst) auch nur mit einer Silbe erwähnt, ist H. erst auf der Berliner Jahrhundert-Ausstell. 1906, wo ihm ein ganzes Kabinett überwiesen wurde, „wiederentdeckt" worden. Wenn man hier auch, mit der einen Ausnahme des schönen Halbfigurbildnisses der Gattin des Künstlers (1853; bei Frau Prof. Hausmann, Berlin; Abb. im Katalog), durchweg nur Skizzen sah, so kamen die Frische und das kühne Farbenpathos seiner an belg. u. französ. Mustern gebildeten Palette gerade in diesen zum großen Teil vor der Natur entstandenen Studien besonders eklatant zum Ausdruck. Wie meisterlich er weite Spatien von Innenräumen malerisch zu bewäl-

tigen wußte, davon gibt die große Galilei-Skizze der Berl. Nat.-Gal. die beste Vorstellung. Die Hamburger Ksthalle bewahrt außer den 2 erwähnten Bildern eine köstliche kleine Waldlandschaft (Abb. in Kunst u. Künstler, XVIII 438), die Berl. Nat.-Gal. 3 Studien aus Civitella u. Tivoli und eine Interieurstudie, wozu neuerdings noch eine sprühende kleine Farbenskizze: Oriental. Gesandtschaft vor einem europ. Herrscher („Carl Hausmann Paris") hinzugekommen ist, das Handzeichn.-Kab. 6 Zeichn. (Blei und Kreide), die Städt. Gal. in Frankf. a. M. eine große und eine kleine Landschaft (Abb. in Die Rheinlande, XIX [1919] 6) und 3 Skizzen aus der ital. Zeit, das Mus. in Elberfeld „Wallfahrt in der Campagna".

E m i l S c h a e f f e r , Fr. K. H. Ein deutsches Künstlerschicksal, Berlin 1907 (mit Oeuvre-Katalog). — K. S i e b e r t in Allg. Deutsche Biogr., L 773/6; d e r s., Hanauer Biographien aus 3 Jahrh., in Hanauer Geschichtsbl., N. F. No 3/4, Hanau 1919. — W e i z s ä c k e r u. D e s s o f f , Kst u. Kstler in Frankf. a. M. im 19. Jahrh., 1909, II 54 u. 176 (mit Lit.). — Ausstell. deutscher Kst 1775—1875 in der Nat.-Gal. Berlin 1906, Katal. d. Gem. u. Auswahl ..., München 1906. *H. Vollmer.*

Haussmann, G é z a (Viktor), Maler, geb. in Sátoralja-Ujhely (Ungarn) 10. 7. 1858. Schüler der Kunstgewerbeschule (1877—81) u. von Trenkwald an der Akad. zu Wien (1882 bis 83), tätig in Berlin u. Wien. Von ihm 17 Bilder a. d. Leben d. österr. Volkes im Mus. des Arsenals zu Wien. 1895 stellte er in Budapest 2 Ölgemälde: Myrrha u. Adonis u. Die Rosenkönigin aus, 1901 in Berlin 1 Damenbildnis.

S i n g e r , Künstlerlex., Nachtr. 1906. — Katalog der Kunstauss. Budapest, 1895; Gr. Berl. K.-A. 1901 p. 28. *K. Lyka.*

Hausmann, G u s t a v , Landschaftsmaler, geb. 23. 7. 1827 zu Barbis a. Harz, † April 1899 in Hannover, wo er seit 1856 ansässig war. Schüler von Edm. Koken in Hannover (1845/50), dann von Morgenstern, Zimmermann u. Aug. Seidel in München. Malte besonders Hochgebirgslandschaften. Bilder von ihm auf Schloß Marienburg bei Nordstemmen („Der Oeschinensee"), im Bes. des Fürsten von Stolberg-Wernigerode, des Herzogs von Cumberland, im Prov.-Mus. zu Hannover („Schloß Herzberg" u. „Gewitter im Gebirge") und im Römermus. in Hildesheim. Der Hannov. Kunstverein veranstaltete im Nov. 1899 eine Nachlaßausstell. von Werken H.s.

Das geistige Deutschland, I (1898). — F. v. B o e t t i c h e r , Malerwerke d. 19. Jahrh., I 1 (1891). — Kstchronik, N. F. XI 92 (fälschlich „Georg"). — Kat. d. Gem. etc. Prov.-Mus. Hannover, 1905 p. 195.

Haußmann, H a n s , Werkmeister von Biberach a. Riß, errichtete 1593 das Wag- und Schuhhaus als Verlängerung der „Gred" (Kornhaus); ein Teil 1870 abgebrochen.

Kst- u. Altert.-Denkm. Württemb., Donaukr. I, O. A. Biberach, p. 21, 71.

Haußmann, Hans Heinrich, Goldschmied in Leipzig, 1695 Meister, dem folgende Werke mit dem Zeichen HH zugeschrieben werden: Leipziger Innungspokal (Deckelfig. Türke, der Fahne mit Inschr. 1661 hält), Grünes Gewölbe, Dresden (Führer 1915 p. 162); Deckelpokal der Leipz. Schützengesellsch., bez. 1701, Stadtgesch. Mus. Leipzig; Abendmahlskanne mit Stifterinschr. v. 1702, Pfarrkirche z. hl. Kreuz in Lauban; Abendmahlskelch, Martinskirche in Plaußig; die beiden älteren Sargschilder der Bäcker von 1717, Stadtgesch. Mus. Leipzig; Abendmahlskelch mit Stifterinschr. v. 1718, Kirche in Sachsendorf; 2 Kelche, Ref. Kirche in Leipzig; mehrere, z. T. dat. (1711, 1730) Löffel der Leipz. Schützengesellsch., Stadtgesch. Mus. Leipzig.

M. Rosenberg, Goldschmiede Merkzeichen, ² 1911. — Mitteil. von Fr. Schulze-Lpzg.

Hausmann, Hermann, Bildhauer, geb. in Hanau 14. 6. 1865, † in Bad Salzhausen Mitte Juli 1907. Sohn des Friedrich Karl, in Berlin ansässig. Beschickte zuerst 1890 die Berl. Akad.-Ausst. mit 2 Bildnisreliefs und stellte seit 1891 in der Großen Berl. K.-A. bis 1901 alljährlich, 1892, 98, 1900 u. 1908 auch im Münchner Glaspalast aus: Genrestatuen und -Statuetten, Büsten, figurierte Vasen usw.

Bettelheim, Biogr. Jahrbuch, XII (1907/9) 35. — Artur Schulz, Deutsche Skulpt. d. Neuzeit, Berlin o. J. — Ausst.-Katal. (1894 mit Abb.).

Hausmann, Johann Moritz, Miniaturmaler, nur bekannt aus der rückseitigen Signatur („peint par Jean Moritz Haußmann 1752") eines Miniaturbildnisses (Moritz, Marschall v. Sachsen?), Brustbild im Rund, im Bayer. Nationalmus. in München (Katal. der Miniaturbilder, 1911 No 437).

Hausmann, Karl, s. *Hausmann*, Friedrich Karl.

Hausmannn, Lina, Blumenmalerin in Berlin, Tochter des Friedrich Karl, beschickt seit 1897 die Große Berliner K.-A. mit Blumen- u. Fruchtstücken (besonders Aquarell).

Ausst.-Katal. Gr. Berl. K.-A., 1897 ff.

Haußmann, Paul Gottfried, Goldschmied in Leipzig, Meister 1732, auf den das Zeichen PGH folgender Werke bezogen wird: Schild der Leipz. Schützengesellsch. mit Inschr. v. 1737, Stadtgesch. Mus. Leipzig; Anhänger von 1739 am sogen. Pacem der Leipz. Schützengesellsch., ebenda; Bäckerwillkomm, ebenda; reich getriebene Taufkanne, Thomaskirche Leipzig; 2 Abendmahlskannen (eine 1742) ebenda (Beschreib. in Bau- u. Kstdenkm. Kgr. Sachsen, XVII [1895] 65 f., abweichend von Biermann).

M. Rosenberg, Goldschmiede Merkzeichen, ² 1911. — Biermann, Dtsches Barock u. Rokoko, 1914 I p. 380 (Abb.); II p. XCVIII. — Mitteil. von Fr. Schulze-Lpzg.

Hausmann-Hoppe, Hedwig, Malerin in Berlin, geb. 29. 6. 1865 in Gumbinnen, Schülerin der Akad. in Hanau und München und der Acad. Julian in Paris, beschickte 1888 u. 1892 die Berl. Akad.-Ausst., zwischen 1891 und 1914 häufig die Große Berl. Kstausst., 1892 u. 1898—1900 auch den Münchner Glaspalast mit Blumenstücken, Stilleben, Figurenbildern und Bildnissen.

Dresslers Kunsthandbuch, 1921 II. — Ausst.-Katal.

Haussard (Haussart), Jean-Bapt., Stecher in Paris, geb. 1679 oder 80 in Dennevoux (Diözese Verdun), † 22. 12. 1749 in Paris. Stach für Ferriol, Recueil de cent estampes repr. diff. nations du Levant . . ., Paris, Cars 1714 u. J. Collombat, 1715; Sacre de Louis XV, Paris 1723 (2 Bl.; die Platten in der Chalcogr. des Louvre; Catal. 1881); für eine Pariser Ausgabe des Don Quixote, 1723—24 (nach Zeichn. von Ch. Coypel, Picart Le Romain u. a.); Crozat, Recueil d'Estampes d'après les . . . tableaux . . . dans le cabinet du Roy . . ., Paris 1729—42 (9 Bl., darunter Jupiter u. Semele nach Giulio Romano, Erschaffung der Eva nach demselben, Tempelaustreibung nach B. Manfredi, der reiche Prasser nach D. Feti usw.); F. de Réaumur, Mémoire pour servir à l'Hist. des Insectes, Paris 1734—42. Von Einzelblättern sind zu nennen: 4 Bl. nach J. Courtin (Bains de pied, deux galants, la musique u. la pêche) u. 2 Bl. nach Ph. de La Hire (Amusements champêtres) u. die Schlachten von Höchstädt u. Friedlingen nach J. B. Martin. Nach A. Humblot stach er Porträts römischer Kaiser. — Seine älteste Tochter Catherine (Marie Cath.) ist als Stecherin bekannt aus den Stichporträts des J. Tillot nach Dufour u. des S. F. Morand nach L. de Fontaine, 1746. Mehrfach arbeitete sie mit ihrer jüngeren Schwester Elisabeth zusammen. Diese stach vor allem Kartuschen auf geogr. Karten, so für J. N. Bellin, Essai géogr. sur les Iles Britann., Paris 1757, für dessen Hydrographie franç. u. für R. de Vaugondy, Atlas univ., Paris 1757 (nach Zeichn. von Choffard). Beide Schwestern arbeiteten zusammen für Buffon, Hist. naturelle gén. et part., Oiseaux, 1770—83 (nach Zeichn. von De Sève) u. Duhamel, Art du Serrurier, 1767.

Heinecken, Dict. des Art. etc., 1778 ff. (Ms. Kupferstichkab. Dresden). — Zani, Enc. met., X. — Le Blanc, Manuel, II (1856—88). — Portalis-Béraldi, Graveurs du XVIII. S., II (1881). — Bellier-Auvray, Dict. gén., I (1882). — H. Cohen, Livres à Grav. du XVIIIme S., ⁶ 1912. — Katal. d. Ornamentstichsamml., Kstgew.-Mus. Berlin, 1894.

Haussdorff, Joh. Adolf, s. *Hausdorff*, J. A.

Hausser, Cornelius, Porträtmaler, 1595 in Speier nachweisbar. Nach ihm stach J. A. Böner 1674 die bereits 1602 gemalten Porträts des Sigismund Buchner u. seiner Frau Klara.

Bericht d. hist. Mus. der Pfalz in Speier, 1914

p. 102. — D u p l e s s i s , Cat. Portraits, Bibl. Nat., Paris 1896 ff. II 7214. — H e i n e c k e n , Dict. des Art. etc., 1778 ff., Ms. Kupferstichkab. Dresden (nennt ihn fälschlich Hausen).

Hausser, J o h a n n , Maler aus Aachen, von dem 2 Bildchen auf Kupfer bekannt sind: Ecce homo in der Schloßgal. zu Aschaffenburg, bez. IOĀS HAVSSER V. ACH und Anbetung der Hirten, bez. IAN HAVSSR V O ACH, dat. 1603, in Besitz A. Peltzer-München. H. ist ein Manierist in der Art des Hans v. Aachen, aber schwächer u. derber als dieser. Peltzer hat die beiden zu identifizieren versucht, diese Annahme später aber selbst wieder aufgegeben.

N a g l e r , Monogr., III. — B a s s e r m a n n - J o r d a n , Unveröffentl. Gem. alter Meister aus dem Bes. d. bayr. Staates, I (1906) 2, Taf. 6 (Abb.). — F r i m m e l , Blätter f. Gem.-Kde, IV (1908) 130 ff. (m. Abb.). — Jahrb. d. ksthist. Samml. d. A. H. Kaiserhauses, XXX Teil I p. 60 Anm.

Haussmann, eingeordnet unter *Hausmann*.

Haussner (Haußner), H a n s M i c h a e l , Goldschmied in Nürnberg, wo er zwischen 1586 und 1620 nachzuweisen ist, 1600 Meister. Werke: Vergold. Pokal m. getr. Buckeln, Nat.-Mus. Budapest (Silberausstell. Budapest 1884); Deckel auf einem nicht von ihm stammenden Pokal, Rathaus Osnabrück; Silb. Taufschüssel mit Wappen der Katharina Belgica 1615, Marienkirche, Hanau; (verschollen) „Ein vergult knorretes Trinkgschirr, uf dem Deckel die Prudentia . . .“ vom Rat d. St. Nürnberg 1606 angekauft.

Nürnberg, Stadtarchiv, Libri litterarum 115, 32, 47 b (1603), 118, 81 b (1606), 121, 217 (1610), 123, 55 (1611), 129, 156 b (1617). — Mitt. d. Vereins f. Gesch. u. Landeskunde v. Osnabrück, XV (1890). — Bau- u. Kstdenkmäler d. St. Hanau, I (1897) 114. — M. R o s e n b e r g , Gesch. d. Goldschmiedekst, 1910 p. 61; d e r s., Goldschmiede Merkzeichen, ² 1911. — H a m p e , Nürnb. Ratsverlässe, Quellenschr. z. Kstgesch. N. F. XIII (1904), mit weit. Lit. *W. Fries.*

Haussoullier, W i l l i a m , Maler u. Kupferstecher in Paris, geb. ebenda 1818, † 1891, Schüler von P. Delaroche. Zeigte 1838—82 im Salon religiöse Bilder, Landschaften u. Porträts, vor allem aber Stiche nach ital. Meistern des 15. u. 16. Jahrh. u. nach zeitgenöss. Meistern. Als seine bedeutendsten Stiche werden genannt: Romulus als Sieger, nach Ingres (im Salon 1866 prämiiert), u. La Semaine, nach dems. (die Platten in der Chalcographie des Louvre; Catal. 1881). Nach seinen Kartons wurden 2 Glasgemälde, Johannes d. T. (1859; zerstört) u. der Hl. Augustin (1861) für Saint-Leu in Paris ausgeführt.

B e l l i e r - A u v r a y , Dict. gén., I (1882); Suppl. (1887). — H. B é r a l d i , Grav. du XIXme S., VII (1888). — B é n é z i t , Dict. des Peintres etc., II (1913). — Inv. gén. des Oeuvres d'Art de Paris, Éd. rel., I (1878). — Inv. gén. des Rich. d'Art de la France, Paris, Mon. rel., II (1888).

Haussy, A r s è n e D é s i r é d e , Maler, geb. 17. 10. 1830 in Paris, Schüler von J. R.

H. Lazerges, stellte 1857—70 im Salon Tierstücke aus. Im Mus. zu Montauban von ihm eine Landschaft mit Kühen (Catal. 1885 p. 43).

B e l l i e r - A u v r a y , Dict. gén., I (1882).

Hausteb, F r i e d r i c h , falsch für *Hauslab,* Franz von.

Haustein, P a u l , Kunstgewerbler in Stuttgart, geb. 17. 5. 1880 in Chemnitz, besuchte 1896 die Kunstgewerbeschule Dresden, 1897 die Kunstgewerbeschule München, 1898 die Akad. München als Schüler von Joh. Herterich. Seit 1899 Mitarbeiter der „Jugend" und der „Vereinigten Werkstätten München". 1903 wurde er an die Künstlerkolonie nach Darmstadt berufen. Seit 1905 Lehrer an der Kunstgewerbeschule in Stuttgart (Metallabteilung), wo er mit Bernh. Pankok u. H. v. Heider in den „Lehr- u. Versuchswerkstätten" als Fachlehrer f. Metallkunst tätig ist. Auf diesem Feld bewährt er seine besten Eigenschaften, doch betätigt er sich auf fast allen Gebieten des Kunstgewerbes. Mit seinen Buchschmuck- und keramischen Arbeiten errang er die ersten Erfolge. Für die Verlage Diederichs u. Hirth entwarf er Buchschmuck, Einbände u. Vorsatzpapiere; 1901 gab er mit Rudolf Rochga ein Mappenwerk mit dekorat. Entwürfen „Form u. Farbe im Flächenschmuck" heraus. Für Scharvogels Werkstätten lieferte er keram. Entwürfe, in denen er die alten, soliden Bauernformen übernahm und nur in Farbe und Ornament freiere Gestaltungen vornahm. In Darmstadt entwarf er Wohnungseinrichtungen (für die Ausstell. d. Darmstädter Kstlerkolonie, 1904) u. übte durch seine Entwürfe für keramische Erzeugnisse nachhaltigen Einfluß aus auf die oberhessische Haustöpferei. In Stuttgart beschäftigte ihn die Möbelkunst u. die gesamte Innendekoration; so schuf er die Innenausstattung für Haus Barth, Ludwigsburg (1905) u. Haus Rosenfeld, Stuttgart (1912); daneben widmete er sich vor allem dem Gebiet der Edelschmiedekunst (Frauenschmuck aller Art, silb. Becher, Pokale, Schalen, Silberkästchen, Entwurf für die Leipziger Bürgermeisterkette 1909, usw.) und auch der keramischen Kunst (Teeservice u. a.). Seine Schmiedearbeiten zeigen sehr phantasievolle, vielfältige Formen, sind aber stets im Sinne der von ihm gründlich beherrschten Technik empfunden. Arbeiten von ihm im Landesgew.-Mus. Stuttgart u. Kstgew.-Mus. Nürnberg.

B a u m , Stuttg. Kst der Gegenwart, 1913. — Die Kunst, II (1900); IV (1901); VIII (1903); X (1904); XII (1905); XIV (1906); XVIII (1908), vgl. Verzeichn. d. Illustrationen, ausführl. Artikel ebenda: XXII (1910) 35—42 (J u l. B a u m) u. XXVI (1912) 393—411 (E. W i l l r i c h). — Deutsche Kst u. Dekor., XIII (1903/04); XX (1907). — Kstgew.-Blatt, N. F. XIII (1902) 74 f. (Abb.), XVI (1905) 36—39, 57, 58, 60 (Abb.), 81—83 (O. B e r n h a r d , Neue Töpfereien von P. H.); XXI (1910) 172/5 (Abb.); XXV (1914) 165, 168, 173 f. (Abb.). —

Journal der Goldschmiedekunst, XXX, 1909 (R é e). — Deutsche Goldschmiedezeitung, XIV, 1911 (R ü c k l i n.). *Kauffmann-Gradmann.*

Haustrate (Haustraete, Hoochstraten, Van Haustraete, Van der Hoochstraete), J a c q u e s , Bildhauer, tätig 1589/1601 in Gent. 1589 in die Bildhauergilde eingetragen; 27. 4. 1589 kauft H. ein Haus am Freitagsmarkt in Gent. — 1589 Statuen der Jungfrau und des hl. Franz für die Fassade des Oratoriums der Kapuziner. 1598/99 für St. Jacques Statue des hl. Jacobus über der Orgel; Statuen Christi, der Jungfrau und des Johannes. 1599/1600 für den feierlichen Einzug des Erzherzogspaares Albert u. Isabella, zusammen mit Jacques Ondermaerck, für je 11 livres de gros allegorische Figuren der Schelde, Lys, Lieve und Moere, welche Gent durchfließen; für denselben Zweck Statue der Fortuna. 1601 Statue des hl. Jacobus für den Hochaltar und 4 Engel für die Pfeiler nahe diesem Altar in St. Jacques.

B u s s c h e r , Recherches sur les peintres et sculpteurs de Gand, 16 e s., 1866 p. 54, 91, 93, 96. — K e r v y n d e V o l k a e r s b e k e , Les églises de Gand II (1858) 20. — M a r c h a l , La sculpture et les chefs d'oeuvre de l'orfèvrerie belges, 1895 p. 353, 384. — Biogr. nat. de Belgique VIII (1886) Sp. 783. — Bull. Soc. d'hist. de Gand, VIII (1900) p. 132. *Hedicke.*

Hauswald, K a r l F r i e d r i c h , balt. Steinzeichner, gründete 1829 in Riga eine lithograph. Anstalt, aus der neben Bildnissen u. a. mehrere Folgen Rigaischer Stadtansichten hervorgingen (1830 nach Vorlagen G. C. Scharlow's 6 Bl., 1835 nach Vorl. D. Jantzen's 12 Bl.).

N e u m a n n , Lex. Balt. Künstler, 1908; cf. W. A d a r j u k o f f in russ. Zeitschr. „Apollon" 1912 I 34.

Hauswirth, J o h a n n J a k o b , Silhouettenschneider (Bauernkünstler), geb. um 1808 im Enhaut (Schweiz), † 29. 3. 1871 in Gesseney, wohnte zuletzt in L'Etivaz. War von Beruf Köhler, zog aber meist von Dorf zu Dorf, um seinen bäuerlichen Bestellern Silhouetten mit ihrem Namenszug oder ihrer Hausmarke zu schneiden. Es sind meist einfache Vignetten, eine Vase mit Blumen u. Vögeln, oder ein Haus mit Bäumen in symmetrischer Anordnung zeigend, Blätter mit Herzmotiven, auch figürl. Szenen, wie Bauerntanz, Auftrieb zur Alp. Ganz primitiv in Zeichnung u. Anordnung, sind diese Schnitte von großem dekorat. Reiz.

Schweizer Archiv f. Volkskde, XX (1916) 524 bis 32 (mit Abb.). — Schweiz, 1919 p. 634 ff. — Ztschr. „Werk", 1920 p. 73 ff.

Hauszmann, eingeordnet unter *Hausmann.*

Haut, F r a n ç o i s d e , siehe *Han,* Fr. du.

Haut (Haudt), M e l c h i o r und H a n s G e o r g , Stuckatoren in Ellwangen (Württemberg), stuckierten mit Gehilfen nach den Zeichn. des Jesuitenbruders Heinrich Mayer 1684 ff. die erste (1709 durch Brand zerstörte) Wallfahrtskirche auf dem Schönenberg bei Ellwangen aus. Reste dieser Stuckarbeiten in den 2 Vorräumen neben der Gnadenkap.

Kst- u. Altertumsdenkm. Württemb., Jagstkr. I (1907). — B r a u n , Kirchenbauten der deutschen Jesuiten, II (1910). — K i c k u. P f e i f f e r , Barock u. Rokoko aus Schwaben u. der Schweiz, o. J p. 6. — Diözesanarchiv v. Schwaben, XIV (1896) 85 f.

Haute, J e a n - B a p t . , Maler u. Musiker, geb. 11. 5. 1810 in Bordeaux, trat 1831 in die École des B.-Arts ein, war Schüler von P. Lacour d. J. u. G. G. Lethière, zeigte 1833—52 im Pariser Salon Stilleben. In den Museen zu Bordeaux u. La Rochelle je ein Stilleben.

B e l l i e r - A u v r a y , Dict. gén., I (1882). — Museums-Katal.: Bordeaux, 1894 p. 177; La Rochelle, 1900 p. 26.

Hautel, V i r g i l e d e , Maler, geb. 21.1. 1816 in Paris, Schüler von E. Cogniet, zeigte 1861 bis 69 im Salon Blumen- u. Früchtestilleben u. dekorative Panneaux.

B e l l i e r - A u v r a y , Dict. gén., I (1882).

Hauth, C h r i s t i a n L u d w i g , s. *Hautt,* Chr. L.

Hauth (Hauth-Trachsler), D o r a , Zeichnerin u. Malerin in Zürich, geb. 1. 8. 1874 ebendort, Schülerin der Zürcher Kunstgew.-Schule u. H. Schildknechts in München. Stellt seit 1914 im Kunsthaus Zürich aus. Von ihr das eidgen. Schwingfest-Plakat 1911, das Plakat für das Frauenstimmrecht 1920, das Mappenwerk „An der Grenze" (Federzeichn.) u. zahlreiche Porträts.

Schweizer Zeitgen.-Lex., 1921 p. 302. — Schweiz, 1912 p. 553 ff. (Abb.); 1915 p. 148 (Abb.); 1919 p. 344, 466 (Abb.); 1920 p. 300, 333 ff. (mit Abbn). — Schweiz. Kriegsgraphik (Kat. d. Samml. d. Landesbibl. Bern), 1921.

Hautier, E u g é n i e (Virginie Eug., bezeichnet ihre Bilder Eugénie, wird in den Lexicis aber meist Virginie genannt), Malerin, geb. um 1822 in Rennes, † April 1909 in Belley, Schülerin von Robert-Fleury u. Eug. Isabey, zeigte 1848—63 im Pariser Salon Porträts, Stilleben u. Historienbilder; wurde 1860 Leiterin einer städt. Zeichenschule, erhielt 1870 die Oberaufsicht über den Zeichenunterricht an den Pariser Schulen u. wurde dann Direktrice einer Kstgewerbeschule für Frauen. Werke von ihr in den Museen zu Amiens (Catal. 1911 p. 42): Blumenstilleben; Rouen (Catal. 1911 p. 35): Stilleben; Laval: Früchtestilleben; Dieppe: Katharina von Medici bei ihrem Astrologen (Salon 1863).

B e l l i e r - A u v r a y , Dict. gén., I (1882). — B é n é z i t , Dict. des Peintres etc., II (1913). — Chron. des Arts, 1909 p. 129. — Inv. gén. des Rich. d'Art de la France, Prov., Mon. civ., II (1887).

Hautier, L o u i s H e n r i , Historienmaler, geb. 18. 8. 1801 in Paris, † 24. 3. 1839 ebenda, trat 1824 in die École des B.-Arts ein, zeigte 1827—39 im Salon Porträts u. Historienstücke.

B e l l i e r - A u v r a y , Dict. gén., I (1882).

Hautier, V i r g i n i e , s. *Hautier,* Eugénie.

Hautmann, A. J o s e p h , falsch für *Hartmann,* J o s e p h (1812—85).

Hautmann, siehe auch *Hauttmann.*

Hautot, A d è l e , franz. Stecherin d. 2. Hälfte des 18. Jahrh.; von ihr Porträt eines jungen

Mädchens nach A. de Saint-Aubin in Punktiermanier und die Stichporträts der Mlle Golley
nach Ang. Kauffmann u. B. Lecouteulx de
Canteleu nach Robert (1787).

Mireur, Dict. des Ventes d'Art, III (1911).
— Duplessis, Cat. Portraits Bibl. Nat. Paris,
1896 ff. VI 26577.

Hautoy, F. T., Buchbinder u. Papiermacher
in St. Quentin, Ende 18. Jahrh. In der Samml.
L. Gruel, Paris, findet sich eine Buchbinder-
etikette mit diesem Namen.

L. Gruel, Man. de l'amateur de reliures, I
(1887) 110. *L. Baer.*

Hautrive, Mathilde Marguerite,
Malerin in Paris, geb. in Lille, Schülerin von
C. Duran u. F. Humbert, zeigt im Salon der
Soc. des Art. franç. seit 1905 Landschaften,
Stilleben u. Genrebilder, seit 1912 Motive aus
Italien.

Salonkatal. (1922 mit Abb.).

Hautsch, Georg, Medailleur, Münz-, Eisen-
u. Siegelschneider in Nürnberg, dort nachweis-
bar seit 1679, † vor 1745, wahrscheinlich in
Wien, wohin er 1712 übersiedelte; Schüler J.
J. Wolrabs, 1683 amtl. Eisenschneider (nach
Herm. Haffner's Tode 1691 an erster Stelle)
in Nürnberg, arbeitete mehrfach mit M. Brun-
ner, G. F. Nürnberger, F. Kleinert und L. G.
Lauffer; führte (wie später G. W. Vestner) als
Marke einen Stern und bezeichnete meist G. H.
Er fertigte eine große Anzahl vortrefflicher
Medaillen, neben einigen religiösen (Taufe
Christi, Tobias und Samuel) solche auf Fürst-
lichkeiten und zeitgeschichtl. Ereignisse, dar-
unter auf Kaiser Leopold I. und Gem. 1676;
Schlacht von Sicklos 1685; Belagerung von
Ofen 1686 (mit Lauffer); Krönung Josephs I.
in Preßburg 1687; Einbruch der Franzosen in
die Pfalz 1688; Belagerung von Mainz 1689;
Krönung Wilhelms III. von England 1689;
Amnestie in Irland 1690; Türkensieg bei Salan-
kemen 1691; Joh. Georg IV. v. Sachsen 1691;
Krönung Friedrichs I. v. Preußen 1701; mehrere
auf Karl XII. v. Schweden; auf Schlachten u.
Feldherren des span. Erbfolgekriegs; auf die
Expedition nach Vigo 1702 und Baron Cohorn
1703 (diese beiden mit Nürnberger); F. E. T.,
Graf v. Falkenstein 1715; Kaiser Karl VI.
(Friede v. Passarowitz) 1718. — Den sich
gegenseitig ergänzenden Verzeichnissen bei
Nagler und Forrer sind hinzuzufügen die Me-
daillen auf: Kurfürst Max Emanuel v. Bayern
mit der Einnahme von Belgrad 1688; Markgraf
Georg Friedr. v. Brandenburg - Ansbach 1694;
Kaiser Leopold I. (Friede von Karlowitz) 1699;
Würzburg (Fürstbisch. Joh. Phil. II.) 1706.
Vermutlich von ihm die G H bez., undat. Me-
daille auf Kaiser Sigismund mit den Reichs-
heiligtümern und die 1696 in einer Folge von
S. Thomassin gestoch. Medaillonporträts des
Kurfürsten v. Köln Jos. Clemens und des
Prinzen Ludwig v. Baden.

Stadtarchiv Nürnberg, Lochner, Norica
III 234; IV 640; V 405 („H. selig" 1745).
— Trechsel, Verneuertes Gedächtnis des
Nürnb. Johannis-Kirch-Hofs, 1735 p. 432. —
Samml. berühmter Medailleurs u. Münzmeister
etc., Nürnb. 1778 p. 23 No 43. — Nagler,
Monogr., II; III. — Forrer, Dict. of Medall.,
II (1904), mit Abb. — Kat. d. Münzen- u. Med.-
Stempel-Slg Wien, IV (1906) 1387. — Doma-
nig, Dtsche Medaille, 1907 (Abb.). — J. u. A.
Erbstein, Erört. . . . der sächs. Münz- u.
u. Med.-Gesch., 1890 No 1064, Abb. T.14. *W. Fries.*

Hautt (Hauth), Christian Ludwig (Johann Chr. Ludw.), Architekt, geb. 15. 3. 1726 in
Nohfelden, † 10. 11. 1806 in Zweibrücken, 1755
zum Baudirektor des Herzogtums Zweibrücken
ernannt, dann auch zum Kammerrat. Erhielt,
wohl auf Veranlassung Herzog Christians IV.
von Zweibrücken, Freundes Ludwigs XV. und
der Pompadour, seine Ausbildung in Paris und
zeigt sich in seinen Bauformen als ein Anhänger
der französischen Rokokoklassizisten, besonders
des Jacques François Blondel. Mit deutschen
Meistern der rheinisch-fränkischen Schule läßt
sich eine Beziehung zu Friedrich Joachim
Stengel, Generalbaudirektor des Saarbrückener
Landes, nachweisen. — Seine erste baukünst-
lerische Aufgabe war die Errichtung des Turms
der Alexanderkirche in Zweibrücken 1756,
dessen kuppelartig sich wölbender Helm über
einem schlicht-vornehm ausgebildeten kraftvollen Turmkörper mit geschmeidig abge-
rundeten Ecken sich erhebt und deutlich den
deutschen Meister, der durch die Schule französischer Klassizisten um 1750 ging, erkennen
läßt. Als solcher zeigt er sich auch bei der
Bebauung des Herzogplatzes und der Vorstadt
in Zweibrücken, die nach seinen Plänen in
einheitlich-monumentaler Weise von 1757 ab
vor sich ging, und womit er ein Stadtbild von
beglückender Harmonie und Vornehmheit erreichte. Auch die in der Revolution ver-
schwundenen, reicher ausgebildeten herzoglichen
Bauten in dieser Vorstadt, die Orangerie und
das einem Pariser herrschaftlichen Stadthotel
gleichende Schlößchen der Gräfin Forbach wurden
nach seinen Rissen erbaut. Nach dem Tode Christians IV. mußte er dem Hofmaler Mannlich, sehr
gegen dessen Willen, auf Befehl des neuen
Herzogs Karl II. August, seine Stellung ab-
treten. Da aber Mannlich nur als „Donneur
d'idées" im Bauamt dienen konnte u. ein
Techniker fehlte, mußte h. 1788 zurückberufen
werden. Neben Zweibrücken zeigt sich der
Einfluß H.s vor allem in der Residenz des gräfl.
Hauses von der Leyen in Blieskastel, wo sich
seine Hand beim Bau des Waisenhauses und
der malerisch dem Schloßberg in sicherer
Harmonie angepaßten, sanft aufsteigenden
Häuserwand erweist.

E. Stollreither, Lebenserinnerungen des
Johann Christian von Mannlich, Berlin 1910. —
Karl Lohmeyer, Friedrich Joachim Stengel,
Düsseldorf 1911; ders., Barockarchitekten in
Zweibrücken, Monatshefte für Kstw., VI (1913)

287ff. — R u d o l f R ü b e l , Bautätigkeit im Herzogt. Pfalz-Zweibrücken und in Blieskastel im 18. Jahrh. mit Hervorhebung des Baudirektors Chr. L. Hautt, Heidelberg 1914. *Karl Lohmeyer.*

Hautt (Haudt, Haut, Hautten), D a v i d Nikolaus, Kupferstecher u. Buchdrucker, geb. in Straßburg, zog 1636 nach Luzern, wo er eine Buchdruckerei eröffnete, für die sein Schwager Caspar Beutler u. dessen Sohn Clemens zeichneten u. stachen. Er selbst stach mit Caspar Beutler die Platten für die Wappenkalender von Luzern u. Beromünster (1636 u. 37); für das von ihm gedruckte Werk H. Murers „Helvetia sacra" stach er das Blatt „Der hl. Ida Grab" u. vermutlich auch das Titelblatt zu einem 1640 gedruckten Breviarium Romanum. Auch J. Callots „Passio Domini Jesu Christi" stach er nach. Nachdem seine Druckerei 1657 abgebrannt war, ging er nach Wien, von da wieder nach Luzern u. dann nach Konstanz. — Sein Sohn N i k o l a u s , geb. 1641 in Luzern, war ebenfalls Stecher. 1666 wurde er aus Luzern verwiesen, 1668 erhielt er das Bürgerrecht in Konstanz, 1675 siedelte er nach Wien über. Von ihm die Platte der Karte „Lacus Acronianus sive Bodamicus, 1675", ein Stich „S. Flora V. et M. Roma e Coemeterio S. Cyriacae translata in Monast. Feldbach S. ord. Cister." u. ein Stichporträt des kaiserl. Rats Joh. Sambucus.

B r u n , Schweizer. Kstlerlex., II (1908). — B e n z i g e r , Gesch. d. Buchgew. im Benediktinerstift Einsiedeln, 1912 p. 137 f., 169 (m. Abb.). — Kat. d. hist. Ausst. Wien, 1873 p. 116.

Hauttmann (Hautmann), aus der bayr. Oberpfalz stammende Künstler-Familie, deren Mitglieder im 18. Jahrh. vielfach als Bildhauer und Maler an der Ausschmückung der Stiftskirche in Waldsassen tätig waren, ohne daß ihr Anteil sich immer nachweisen ließe. Der Hauptstamm der Familie wurde gegen Ende des 18. Jahrh. in München ansässig und brachte vornehmlich Bildhauer hervor, ein Zweig in Lübeck, dessen Glieder Maler waren. Über das verwandtschaftl. Verhältnis der in chronolog. Ordnung aufgeführten Mitglieder vgl. den Stammbaum.

Geneal. Not. von C. Prandtl.

J o h a n n M i c h a e l , Bildhauer in Waldsassen, † 20. 5. 1762 ebenda, tätig seit 1730, lieferte nach Binhack 1735 die Skulpturen unter dem Musikchor der Stiftskirche, offenbar als Gehilfe des P. Marazzi, der das von Frater Ph. Muttone 1735 unter dem Musikchor eingebaute Gästeoratorium mit Stukkaturen im Laub- u. Bandwerkstil schmückte. Binhack nennt H. unter dem Jahr 1751 als Verfertiger des Apostelaltars, doch kann sich die Nachricht nur auf die Fassung beziehen, weil der Altar das Wappen des 1744 † Abtes Eugen Schmidt trägt.

B i n h a c k , Gesch. d. Cistercienserstiftes Waldsassen 1661—1756, Regensburg u. Amberg, 1888 p. 148, 164. — Kstdenkm. Bayerns, II, Heft 14 (Tirschenreuth), 1908 p. 106, 118, 154.

G e o r g P e t e r , Bildhauer in Tirschenreuth, geb. 19. 5. 1731 in Waldsassen, lieferte 1781 Entwurf und Risse (erhalten im Kreisarch. Amberg) zu einem neuen Hochaltar für die Pfarrkirche in Floss, während sein Bruder Joh. Baptist (s. d.) einen billigeren Voranschlag einreichte. Den Zuschlag erhielt jedoch Wolfg. Kurtzwort (1787).

Kstdenkm. Bayerns, II, Heft 9 (Neustadt a. W.), 1907 p. 27 (Abb.), 28, 166.

J o h a n n G e o r g , Bildhauer in Waldsassen, geb. ebenda 4. 8. 1735, † 20. 4. 1814.

D o m i n i k u s , Bildhauer in Waldsassen, geb. ebenda 1736 oder 38, † 20. 4. 1789.

P h i l i p p J a k o b , geb. 20. 7. 1744 in Waldsassen, „Maler in Civitate Grätz".

J o h a n n B a p t i s t , Maler, geb. 1756, wahrscheinlich zu Walthurn in der Oberpfalz, † zu Lübeck am 16. 2. 1832. Erscheint zuerst 1781 in Floss, wo er im Wettstreit mit seinem Bruder Georg Peter (s. d.) einen Voranschlag zu einem neuen Hochaltar für die Pfarrkirche liefert (Gemälde der Taufe Christi nebst Marmoreinfassung u. Vergoldung). Nach einem erhaltenen Reisepaß war er als Porträtmaler 1788 zur „hochfürstl. Herrschaft" im gräfl. Schönburgischen Amte Wechselburg „befehligt" und begab sich von da nach Dresden, Potsdam und Berlin, um Bildnisse zu malen. Um 1795 kam er nach Lübeck als Leiter der damals neugegründeten Tapetenfabrik des Ratsherrn Rodde. Nach der Auflösung aller Roddeschen Geschäfte durch die Franzosenherrschaft, lebte er als freier Künstler in Lübeck und wurde später am Katharineum und an der Ernestinenschule als Zeichenlehrer angestellt. Seine Bildnisse sind tüchtige Leistungen, die ein solides Können verraten, ohne sich zu besonderer Eigenart zu erheben. Für die Tapetenfabrik hat er vornehmlich die s. Z. beliebten mytholog. u. allegor. Friese und Amoretten entworfen. Im Museum zu Lübeck zwei gute Selbstbildnisse mit Frau und Kindern (das

S t a m m b a u m   d e r   H a u t t m a n n :
Johann Michael

Georg Peter	Johann Georg	Dominikus	Philipp Jakob	Johann Baptist
	Heinrich	Georg Michael		Ludwig Heinrich Mathias
	Joseph	Hippolyt	Carl	Minna
Johann Nepomuk	Anton			

größere war 1822 in der Berliner Akad. ausgest.; vgl. Kat. 1822 p. 111), das Bildnis eines älteren Herrn und mehrere in Öl gemalte Amoretten als Vorlagen für Tapeten.

Bau- u. Kstdenkm. Lübeck, III, Teil 2 (1921). — v. Lütgendorff, Mus. Lübeck, Kat. Gemäldesmlg, 1908, Abb.; ders., Werke Lübecker Maler in d. Gem.-Smlg d. Mus., 1900.
W. L. v. Lütgendorff.

H e i n r i c h, Bildhauer, geb. 12. 12. 1770 in Waldsassen, tätig ebenda, † 30. 5. 1830 (in München?).

G e o r g M i c h a e l, Bildhauer, geb. 24. 10. 1772 in Waldsassen, † 17. 3. 1868 in München, Schüler seines Vaters, kam 17 jährig nach Amberg und trat dann in die Werkstatt von Fr. Schwanthaler zu München ein, daneben besuchte er die alte Akad. unter R. A. Boos. Er lieferte hauptsächlich dekorative Arbeiten und Stukkaturen, so für die ausgebrannten Gemächer Max' I. in der alten Residenz, die Stukkaturen der Königsloge im Hoftheater u. a. Wurde zum Hofbildh. ernannt. Später arbeitete er vornehmlich in Elfenbein, Alabaster u. Perlmutter, und restaurierte Kunstwerke dieser Art im Kgl. Elfenbeinkab. (heute Nat.-Mus.). In der Lit. mehrfach fälschlich Michael Hartmann genannt.

N a g l e r, Kstlerlex., VI.

L u d w i g H e i n r i c h M a t h i a s, Maler, geb. in Lübeck am 2. 4. 1796, † ebenda 21. 11. 1861, Schüler seines Vaters, seit 1821 an der Berliner Akad., die er am 28. 7. 1824 nach dem Zeugnis G. Schadows „mit dem Rufe eines fleißigen u. gesitteten Künstlers" verließ. 1822 zeigte er in der Akad.-Ausst. Kopien nach alten Meistern und 2 Landschaften in Gouache, Motive aus Böhmen. Am 29. 7. 1824 erwarb er das Bürgerrecht in Lübeck, wo er sich als Maler u. Zeichenlehrer niederließ. Um 1828 errichtete er auch eine Steindruckerei u. veröffentlichte verschiedene Lithographien, z. B. eine Folge von 8 Bl. „Der Todtentanz in der sog. Todtenkapelle in der St. Marienkirche zu Lübeck", gez. nach den Orig. von H. junior. Auf den Ausstell. des Kunstvereins in Lübeck war er meist durch Kopien nach Raffael, Rembrandt u. R. Mengs vertreten. Die Gemäldesamml. in Lübeck bewahrt seine Kopie der Sixtinischen Madonna, die er für Konsul Harms malte, u. eine Kopie eines Selbstporträts von R. Mengs (Kat. Mus. Lübeck, Gem. Smlg, 1908). In der retrospekt. Kstausst. in Lübeck 1867 war ein Herrenporträt. — H.s Bildnis (in der Tracht der freiwilligen Lübecker Jäger) findet sich auf dem Familienbilde von der Hand des Vaters im Mus. in Lübeck. *W. L. v. Lütgendorff.*

J o s e p h, Bildhauer, geb. 11. 9. 1796 od. 99 in Waldsassen, † 28. 9. 1878 in München, tätig ebenda vorwiegend in dekorativer Skulptur (Königsbau der Residenz, Glyptothek, Grabdenkmäler).

N a g l e r, Kstlerlex., VI.

H i p p o l y t Mathias, Bildhauer, geb. 21. 2. 1802 in München, † 23. 7. 1887 ebenda. Schüler seines Vaters und der Akad. in München, bildete sich zum Ornamentbildh. u. Stukkator und wurde von Klenze mit dekorativen Skulpturarbeiten beim Bau der Glyptothek beschäftigt; nach Klenze's Skizzen lieferte er die Modelle für die Ornamente der Decken im Ägyptischen Saal und im Aegineten-Saal. Dann ging er nach Paris, wo er in die Dienste des Hofes trat und für die Krönungsfeier Karls X. in Reims (29. 5. 1825) die dekorative Ausschmückung eines Saales im erzbischöfl. Palast und der Kathedrale ausführte, eine Aufgabe, die er mit so viel Geschick löste, daß D. Quaglio, als er die Dekorationen sah, ihn sogleich für Hohenschwangau zu gewinnen suchte. Doch ging H. zunächst nach England zum Studium der engl. Gotik. Erst 1826 kehrte er nach München zurück und wurde hauptsächl. von Klenze, aber auch von Gärtner, Ohlmüller u. Ziebland beschäftigt, so für Glyptothek, Walhalla, Pinakothek, den Festsaalbau der Residenz und die darüberliegenden Gemächer, für die Nibelungen-Säle, wo er die Stukkaturen nach den Entwürfen von J. Schnorr v. C. ausführte, für die Allerheiligen-Hofkirche, das Palais des Herzogs Max in Bayern, die Staatsbibliothek, das Kriegsministerium, die Ludwigskirche, die Mariahilfkirche der Au und schließlich noch für die Basilika. Für Hohenschwangau lieferte er einen 12 Fuß hohen Schwan; ferner die Denkmäler in Oberwittelsbach (Nationaldenkmal, enthüllt 25. 8. 1834) und in Aibling (Theresienmonument [1835], Entw. v. Ziebland).

L. v. K l e n z e u. L. S c h o r n, Beschr. d. Glyptothek, 1837. — N a g l e r, Kstlerlex., VI. — Mitt. des Sohnes, Ferd. Hauttmann in Graz.

C a r l Kaspar, Bildhauer u. Maler, geb. 6. 1. 1813 zu München, † 16. 2. 1905 ebenda, Schüler der Akad. Arbeitete hauptsächlich in der Werkstatt seines Bruders Hippolyt. Er wird gelobt als Modelleur, Zeichner und Maler lebendig bewegter Tiere, besonders von Pferden, später Bären; malte Landschaften mit Tierstaffage.

N a g l e r, Kstlerlex., VI.

J o h a n n N e p o m u k, Bildhauer, geb. 21. 4. 1820 in München, † ebenda 30. 1. 1903, Schüler der Akad. unter L. Schwanthaler u. K. Eberhard, wurde 1848 für 17 Jahre Vorsteher des sog. Schwanthaler-Museums der Akad., das den künstler. Nachlaß Schwanthalers enthält. H. entfaltete eine umfangreiche Tätigkeit vornehmlich auf dem Gebiet kirchl. Plastik: Statue der Mutter Gottes für den Dom in Lemberg, im Auftrag des Kardinals v. Haynald eine kolossale Gruppe der Himmelfahrt Mariae für den Dom in Káloz (Ungarn), großes Relief der Maria m. d. Kinde für das kath. Krankenhaus in Lübeck, Portalreliefs (1873) für die St. Jakobs-Pfarrkirche in Friedberg bei Augsburg, Grabmal Kaster auf dem Südfriedhof in

München, Christusfigur auf dem kathol. Friedhof in Augsburg u. a. 1873—77 arbeitete er für Schloß Linderhof im Auftrag Ludwigs II.: in der südl. Gartenanlage, „Venus" u. „Diana" (Terrasse), im Monopteros Venus mit Amoretten (Marmor), in den westl. Gartenanlagen die 4 Jahreszeiten, in den nördl. die 4 Erdteile, in den östl. die Mittelgruppe „Amor u. Psyche" u. die 4 Elemente (sämtl. Sandstein). Seit 1883 auch für Schloß u. Park in Herrenchiemsee tätig, ging er im Auftrag des Königs mehrfach nach Versailles, um die französ. dekorative Skulptur zu studieren. Er modellierte u. a. am nördl. Bassin des Parterre d'eau Venus, Diana, Nymphe mit Delphin, Flora (sämtl. Marmor), die 4 Tiergruppen (vergold. Bronze). Die Skulpturen des Latona-Brunnens (Latonagruppe mit Apoll u. Diana aus Seravezza Marmor) sind nach Versailler Muster u. ganz H.s Werk. Daneben zeigte er im Glaspalast (1869 bis 97) Genrefiguren und vor allem zahlreiche Porträtbüsten (Mitglieder des kgl. Hauses, Baron v. Perfall, Hofopernsänger Reichmann, Generaldirektor Schnorr v. Carolsfeld, Graf Törring, Gabelsberger usw.). Zu H.s letzten Arbeiten gehört das Denkmal Ludwigs II. (Büste) in Murnau (1895). Im Armeemus. in München (Führer 1913 p. 159) eine Büste Ludwigs II. von 1876, im städt. Mus. in Bamberg (Kat. 1909) ebenfalls eine Büste des Königs.

Allg. Kstchronik, Wien, XIV (1890) 606. — Festschrift d. Ver. f. christl. Kunst in München, 1910. — Dioskuren, 1860; 61; 62. — Kunstchronik, IV (1869) 5; V 182; IX 388; XXII 217. — S t e i c h e l e , Bistum Augsburg, IV (1883). — Ausst.-Kataloge.

A n t o n , Bildhauer, geb. 20. 6. 1821 in München, † 1. 12. 1862 in Florenz, Schüler seines Vaters, dann an der Akad. unter L. Schwanthaler, erschien 1842 im Münchner Kunstverein mit einer Kreuzigung und einem Amor, der mit einer Taube spielt, den er bis 1854 zwölfmal wiederholte. 1845 zeigte H. in der 1. Ausst. in dem neben vollendeten Ausstellungsgebäude gegenüber der Glyptothek einen überlebensgroßen sitzenden Merkur. Im allgemeinen arbeitete er in kleinerem Format und bediente sich dazu — wie auch sein Bruder Joh. Nep. — eines rötlichen Alabasters. 1847 erhielt er ein Stipendium für Italien, ging im August nach Florenz, im Nov. weiter nach Rom, wo er einen „Amor, der eine Traube emporhält" arbeitete, den Schwanthaler kurz vor seinem Tode noch in München sah und lobte. Die Belagerung durch die Franzosen veranlaßte H. im April 1849 zur Rückkehr nach Florenz, wo er sich nun dauernd niederließ und 1851 auch heiratete; 1858 besuchte er München zum letztenmal. — In Florenz pflegte er jene Richtung weiter, die ihm so großen Erfolg gebracht hatte (mehrere Stücke sandte er zur Ausstellung nach München). Genannt seien: ohnmächtige Psyche, Venus u.

Amor, Venus mit dem Spiegel, jugendl. Bacchus, der sich den Saft einer Traube in den Mund träufelt; daneben entstanden auch religiöse Figuren, Madonnen, die hl. drei Könige, der englische Gruß u. a. Für König Ludwig arbeitete er die Büsten des Michelangelo, Giov. da Bologna, Cellini u. Donatello. Im Besitz des großherz. oldenburg. Fideikommiß von H. 2 Tischplatten in Florentiner Mosaik (Dekor: Blumen und Vögel).

Bericht des Kstvereins München, 1862 p. 53 f. (Nekrol.). — Dioskuren, 1860 p. 48 f.; 1863 p. 56 f. (Nekrol.). — Verz. d. zum Fidei-Kommiß gehör. Kunstwerke etc. zu Oldenburg, 1912 p. 44.

M i n n a , Malerin, geb. 22. 12. 1840 in Lübeck, † ebenda 19. 6. 1887. Schülerin ihres Vaters, auf Reisen nach Dresden u. München weitergebildet. Sie malte Lübecker Ansichten in Öl u. Aquarell, Landschaften, Blumenstücke u. restaurierte alte Bilder. Die Ausstell. des Lübecker Kunstvereins von 1867, 70, 78, 86 enthielten Werke ihrer Hand (zahlreiche in Lübecker Privatbesitz erhalten).

Ausst.-Kataloge.   *W. L. v. Lütgendorff.*

Hautzenberger, J o h a n n , Porzellanmaler, 1796—1837 an der Wiener Porzellanmanuf. tätig; anfangs Blumenmaler, seit 1800 Golddessinmaler. — Ein g l e i c h n a m i g e r Meister war 1754 bis nach 1812 als Blaumaler tätig. Seine Malernummer (8) trägt eine Schale mit gehenkeltem Becher in Blaumalerei (Erzherzog Rainer-Mus. Brünn). — F r a n z wurde 1804 als Figurenmaler angestellt, † 1857; pflegte seit 1808 die Golddekoration u. Radierung, wandte sich später dem Blumenfach zu. Von ihm u. J. Carmanioly dekoriert ist eine Henkelschale mit Untersatz im Erzherzog Rainer-Mus. Brünn.

F o l n e s i c s u. B r a u n , Gesch. d. Wiener Porzellanmanuf., 1907. — Mitt. d. Erzherzog Rainer-Mus. Brünn, 1918 p. 68, 72.

Hauvents, W. J. J. d e s , Stecher d. 2. Hälfte des 18. Jahrh., von dem die Stichporträts des J. Bentham, des Herzogs Heinrich I. von Guise, des Arztes A. Vesalius u. des Schauspielers H. L. Lekain († 1778) bekannt sind.

D u p l e s s i s , Cat. Portr. Bibl. Nat. Paris, 1896 ff., I 4066; IV 19 838/17; VI 26 857/7. — S o m e r e n , Cat. van Portr., III (1890) 765.

Hauwert, J o h a n n , s. *Hauer,* Joh. (2. Art.).

Hauwiller, J o h a n n Wolfgang, Maler, aus Porrentruy in der Schweiz gebürtig. Seit 1749 Meister in Straßburg. Zieht 1764 nach Rastatt, wo er badischer Hofmaler wurde, † gegen 1787 ebenda. (Angaben aus dem Journal seines Straßburger Schülers J. J. Sorg.) Mehrere Porträts von Straßb. Persönlichkeiten in Privatbesitz (Cat. Expos. Alsac. de Portr. anc. à Strasbourg, 1910 No 58 u. 173). Im „Musée des Arts décoratifs" zu Straßburg ein Gemälde „Raub der Olympia", bez. J. W. Hauwiller inv. et pinxit 1776". In der Kapelle des Schlosses Goldenstein bei Salzburg (seit 1877 Erziehungsinstitut „Notre Dame" von Augustiner-Chorfrauen aus Rastatt in Baden): eine Europa darstellende Frau (angeblich Markgräfin Sibilla von Baden), mit den Personifikationen der 3 andern Erdteile im Gebet kniend vor den 5 Wunden Christi, bez. J. W. Hauwiller pinxit 1770, u.: Immaculata auf der Erdkugel, bez. J. W. Hauwiller pinxit 1771. Im Schloß Großsedlitz bei Pirna Bildnis der Prinzessin Christine von Sachsen, Äbtissin von Remiremont (Tochter des Kurfürsten Friedr. Aug. II.), Kniestück in großer Toilette, bez. „Peint par J. W. Hauwiller | peintre de la Cour de Baaden | à Rastatt en 1780". — Im Stich erhalten: Bildnis des Grafen Joh. Phil. v. Solms (gestoch. 1743 von Joh. Martin Weis d. Ä.), Bildnis des Prof. Joh. Dan. Schoepflin (Schabblatt v. J. J. Haid).

Musées de la ville de Strasbourg. Compterendu, 1919—21 p. 5. — Ad. R i f f in Arch. alsac. d'hist. de l'art, I (1922) 67. — S p o n s e l , Fürstenbildnisse des Hauses Wettin, 1906, Text p. 74, Taf. 69. — Oesterr. Kunsttopogr., XI (1916) 60, 62 Abb. — H e i n e c k e n , Dict. d. artistes, 1778 ff. (Ms. Kupferstichkab. Dresden). — R e i b e r , Iconogr. Alsat., 1896.   *Ad. Riff.*

Hauzinger (Hautzinger), J o s e f , Maler, geb. 12. 5. 1728 in Wien, † 8. 8. 1786 ebenda. • Besuchte die Akademie in Wien unter Jakob van Schuppen, Paul Troger und Daniel Gran. 1761 k. k. Hofkammermaler, seit 1769 provisorischer, seit 15. 10. 1772 wirklicher Professor der Historienmalerei an der Wiener Akademie. Malte zahlreiche Deckengemälde u. Altarbilder, aber auch Porträts und Genrestücke. *Fresken:* als Gehilfe Paul Trogers beteiligt an den Fresken des Doms in Brixen a. E. (1748—50) und in der Sebastianskirche zu Salzburg (1751/2); Deckengemälde der Pfarrkirche zu Brixen a. E. 1757—58; Mehrzahl der Fresken der Mariahilfer-Kirche in Wien, 1760; einzelne Fresken in der Schloßkapelle zu Preßburg 1763, in der Wallfahrtskirche zu Dreieichen (Unbefleckte Empfängnis, Esther vor Ahasver), 1760; Fresken der Schloßkirche zu Ofen 1768, im Universitätssaal in Tyrnau (Vier Fakultäten) 1771, in der Stefanskapelle zu Ofen 1778; im Stiegenhause zu Altenburg (Saturn u. Ceres, Sonnengott). — *Ölbilder:* Hl. Antonius mit Maria in Ennsbrunn, 1754; Christus am Kreuz in Geras, 1756; Kreuzigung, Hl. Anna, Hl. Johann von Gott im Invalidenhaus zu Ofen, 1765; Hl. Theresia in Theresienfeld, 1766; Hl. Anton, Franz u. Johann von Nepomuk in Szegedin, 1774; Putten, mit einem Bock spielend, nach einem Relief von Duquesnoy, 1781, Hofmuseum Wien; Hl. Familie auf dem Wege nach Jerusalem, ebda. — Verschiedene Porträts von Mitgliedern der kais. Familie in Wien, Preßburg, Innsbruck, 1773—77; einzelne Genrestücke im Besitze der Grafen Trauttmansdorff, Kolowrat u. Galitzin. — H.s Fresken folgen in weitgehendem Maße dem Stil Paul Trogers: im breiten, kecken Wurf, der leidenschaftlichen Pose u. den kühnen Verkürzungen der Gestalten sowie in der freien asymmetrischen Komposition. Die Inszenierung der hl. Vorgänge ist wie bei Troger tiepolesk genrehaft: virtuose Scheinarchitekturen in Untersicht, reiche Kostüme und phantastische Landschaften. Das Kolorit anfänglich kräftig und bunt, später mehr auf einen hellen, kühlen Silberton gestimmt und nur an den Hauptpunkten der Komposition zu kräftigeren, aparten Farben gesteigert.

M e u s e l , Neue Miscell. artist. Inhaltes, XXI (1784) 177; XXIX (1786) 319.—C. v. W u r z b a c h , Biogr. Lex. Kaisert. Öst., VIII (1862). — W e i n k o p f ' s Beschr. der Akad. d. bild. Künste, Wien 1783 u. 1790, Neudr. p. 3, 5, 31. — L ü t z o w , Gesch. d. Akad. d. bild. Kste, Wien 1877. — Jahrb. der ksthist. Samml. des allerh. Kaiserh. XXIV (1906) I. Teil. — Mitteil. der Zentralkomm., 1861 p. 120 f.; 1890 p. 94. — Berichte u. Mitt. des Altertumsvereins zu Wien, XXVII (1891) 27; XXIX (1893) 99; XL (1907) 116. — Österr. Ksttopogr. V p. LX f., 424, 430, Abb. 496 f. — H a m m e r , Entwickl. der barock. Deckenmalerei in Tirol (Stud. zur deutschen Kstgesch. 159) 1912. — E n g e r t h , Beschr. Verz. ksthist. Samml. des Kaiserh., III (Wien 1886) p. 119. — Kat. Hist. Mus. der Stadt Wien, 1888 p. 149; Hist. Kstausst. Wien 1877, p. 238. — F r i m m e l , Studien u. Skizzen zur Gem.-Kde, VI (1921) 37, 39, 42.   *H. Hammer.*

Havard, V a l é r i e , Malerin, geb. 1878 in Meulan (Seine-et-Oise), † 1909, Schülerin von D. P. Bergeret in Paris. Beschickte 1902—10 den Salon der Soc. des Art. franç. mit Blumen- u. Früchtestilleben. Werke von ihr in den Museen zu Mantes, Dieppe u. Bourbon-Lancy (Saône-et-Loire).

Livre d'Or des Peintres expos., [8] 1914 p. 510. — Salonkatal.

Have, T h e o d o r e , siehe *Haveus,* Th.

Havein (Avayn, Havyen), P h i l i p p e v a n , Maler in Brügge, 1518 Schüler des Cornelis Jansuene, 1526 Meister. Malte 1527 ein Gewölbe in der Kirche St. Sauveur in Brügge aus.

C h . v a n d e n H a u t e , Corp. des Peintres de Bruges, o. J.

Havell, D a n i e l , engl. Kupferstecher u. Verleger, † 1826 (?); wohl Bruder des Luke (s. im Artikel William Havell). Tätig in London, wo er eine Zeitlang in Geschäftsverbindung mit seinem Sohn Robert I (s. d.) stand. H. veröffentlichte eine Anzahl topograph. und Architekturwerke mit Aquatintablättern, die wegen der Feinheit der Ausführung gesucht sind u. die in dieser Hinsicht zu den schönsten Erzeugnissen jener Epoche gehören. Den Ruf seiner Firma begründete H. mit den 1810 erschienenen „Picturesque Views of the River Thames" (12 Farbentafeln nach William H. von H. u. Rob. H. gest.). Andere Hauptwerke sind die „Picturesque Views of Noblemen's and Gentlemen's Seats", 1823 (nach William H. u. a. gest.) und die nach eigenen Zeichnungen von H. gest. Platten zu Brayley's Historical and Descriptive Accounts of the Theatres of London, 1826. H. war auch Mitarbeiter von Walker's Costume of Yorkshire; Combe's

History of the University of Oxford (1814); Hist. of the University of Cambridge (1815); der „Colleges" (1816), Pyne's Royal Residences, T. M. Richardson's Picturesque Views of the Architectural Antiquities of Northumberland; Latrobe's Journal of a Visit to South Africa (1818) u. a.

Redgrave, Dict. of Artists, 1878. — Dict. Nat. Biogr., XXV (im Artikel Robert). — S. T. Prideaux, Aquatint Engrav., 1909. — S. Kens. Mus. Univ. Cat. of Books on Art, I; II passim.

Havell, Edmund I, Landschaftsmaler, † 1853 (?), Sohn des Luke (s. im Art. William Havell). Tätig in Reading als Zeichenlehrer an der Lateinschule. Stellte 1814—47 in der Londoner Royal Acad. und Brit. Instit. Landschaften mit Motiven aus Reading u. Berkshire aus. — Sein Sohn Edmund II, Maler u. Lithograph, geb. 1819, war in Reading (1835—42) und London tätig. Stellte 1835—95 in der Royal Acad., Brit. Instit. und Soc. of Brit. Artists Genrebilder und Bildnisse aus. Lithogr.: Bildnis des John Proctor Anderdon, nach eig. Zeichnung (1842).

Graves, Dict. of Art., 1895; Royal Acad., IV (1906); Brit. Instit., 1908. — Cat. of engr. Brit. Portr. Brit. Mus., I (1918) 45.

Havell, Frederick James, engl. Kupferstecher, geb. 1801, † 1840. Sohn des Luke, Bruder des William. Stach nach Bildern seines Bruders (Napoleons Grab auf St. Helena u. a.) sowie kleine Blätter für Taschenbücher u. Schreibkalender, die im 2. Viertel des 19. Jahrh. im Londoner Verlag R. & A. Sutterby erschienen. Ferner: 7 Bl. für Elmes' „Metropolitan Improvements or London in the Nineteenth Century", nach Zeichn. von J. Shepherd; 1 Bl. für „Seventy Five Views of Italy and France", 1834, nach J. v. Harding (Neudruck im 2. Bande von Thomas Roscoe's Views of Cities and Scenery in Italy etc.", 1838); Landschaften in Linienmanier nach N. Nasmyth; 2 kl. Schabblätter nach eigener Erfindung.

Genealog. Tabelle der Familie Havell, ... Collector's Quarterly, VI (1916). — Graves, Dict. of Artists, 1895. — Art Union, III (1841) 34 (Nekrolog; hier fälschl. „John"). M. W. H.

Havell, George, siehe unter *Hale*, M. A.

Havell, John, falsch für *Havell*, Frederick James.

Havell, M. A., siehe *Hale*, M. A.

Havell, Robert I, engl. Maler, Kupferstecher u. Buchverleger. Sohn des Daniel. Tätig in London, anfangs Geschäftsteilhaber seines Vaters, später selbständig und bis 1828 in Geschäftsverbindung mit seinem Sohn Robert II (s. u.) in Oxford Street. H. stellte 1808—22 in der Royal Acad., Brit. Instit. und Old Water-Colour Soc. Gemälde (Landschaften) aus. Über seine stecherische Tätigkeit s. im Art. Daniel H.; ferner: Audubon, Birds of America, London 1827—30, 4 Bde und Atlas (fol.) mit 435 Farbentafeln („Engraved, Printed

and Coloured by R. Havell & Son"); ein Hauptwerk der engl. Aquatinta, von größter Feinheit der Zeichnung und des Kolorits. Von ähnlicher Schönheit sind die Farbentafeln zu Bury's Selection of Hexandrian Plants. Außerdem Platten zu Kostüm- und Reisewerken wie Walker's Costume of Yorkshire; Ch. Ham. Smith's Selections of the Ancient Costume of Great Britain and Ireland (1814); Bellasis' Views of St. Helena (1815); Salt's Views in St. Helena (1822); Peake's Characteristic French Costume; Gerning's Picturesque Tour on the Rhine; Naylor's Coronation of George IV. (1837); Views of London; Fitzclarence's Journal of a Route across India (1819); Daniell's Views in India; Barron's Views in India (1837) u. a. — Sein Sohn Robert II trat 1828 aus der Londoner Firma aus und wanderte mit Frau und Tochter nach den Vereinigten Staaten aus, wo er später als Landschaftsmaler und Stecher tätig war. Arbeiten (außer den oben gen.): Platten zu Audubon's Birds of America, New Yorker Ausg. 1840—44, 7 Bde mit 500 Farbentafeln; gest. Folge mit amer. Städteansichten.

Lit. s. unter Havell, Daniel. Ferner: Graves, Dict. of Art., 1895; Royal Acad., IV (1906); Brit. Inst., 1908. — Stauffer, Amer. Engravers, 1907 I (für Robert II H.).

Havell, William, engl. Landschafts- und Bildnismaler, geb. in Reading 9. 2. 1782, † in Kensington (London) 16. 12. 1857. Von 13 Geschwistern der 3. und bedeutendste Sohn des Luke, eines Zeichenlehrers an der Lateinschule in Reading, der nebenbei einen Laden hielt, sollte H. nach Abschluß seiner Schulbildung das väterliche Geschäft übernehmen, zeichnete aber lieber heimlich und wählte mit Zustimmung des Vaters die Künstlerlaufbahn. Er unternahm 1802—3 Studienreisen nach Wales, wo er mit den beiden Varley zusammentraf, bildete sich unter dem Einfluß Turner's, J. Varley's und Girtin's und beschickte 1804 zum 1. Male die Royal Acad. mit 3 Aquarellen („Caernarvon Castle", „Nant Franon Valley"), worauf er 1805 Mitglied der Soc. of Painters in Water-Col. wurde, in deren Ausstell. er bis 1816 im ganzen mit 136 Arbeiten, darunter auch einigen Ölbildern, vertreten war. In Ambleside (Westmoreland), wo H. 1807—9 tätig war, entstand eine Reihe der schönsten Arbeiten jener Frühzeit, denen ein Kenner (Pyne) Farbenreichtum, Tiefe und Harmonie der Töne nachrühmte (Aquarelle im Londoner Victoria and Albert Mus., darunter „Ansicht von Windsor"). Daneben kommen Themsebilder vor, besonders aus der Gegend von Caversham, Henley und Reading, wo H. 1810 in Vertretung seines kranken Vaters tätig war, nach dessen Tode er nach London zurückkehrte. In Hastings zeichnete er 1812—3 Strandszenen, Fischerboote u. dgl. und trat 1813 aus der Water-Colour Soc. aus, mit der er aber auch fernerhin als Aussteller verbunden blieb. Zu H.s Hauptwerken gehören ferner die kleinen Veduten, meist Sepia, die er für 5 Jahrgänge von Peacock's „Polite Repository" zeichnete und die von John Pye's Meisterhand gestochen wurden (12 Originalzeichn. im Mus. von Nottingham, Probedrucke im Brit. Mus.). Ferner veröffentlichte er 1812 „A Series of Picturesque Views of the River Thames" (12 Bl., von R. und D. Havell in farbiger Aquatinta gestochen) und lieferte Vorlagen für Britton's farbige Aquatintafolge: Picturesque Views and characteristic Sceneries of Brit. Villas (erst 1823 unter dem Titel: Picturesque Views of Noblemen's and Gentlemen's Seats, mit Stichen von R. und D. Havell, darunter 5 Bl. nach H., ersch.). 1816 ging H. als Zeichner der Gesandtschaft des Lord Amherst nach China, wo er sich infolge eines Streitfalls von ihr getrennt zu haben scheint. (In den über diese Reise vorhandenen Werken wird er nur flüchtig erwähnt.) Jedenfalls trat er im Februar 1817 in Macao die Rückreise nach Europa an und ging in Kalkutta, wo er Empfehlungen hatte, an Land. Er fand dort viele Abnehmer für seine kleinen Aquarellbildnisse und blieb 8 Jahre in Birma. Nach seiner Heimkehr (1827) wurde er 1827 wieder Mitglied der Water-Colour Soc., fand aber die Situation ziemlich verändert, indem sein Name vom Publikum vergessen war, und jüngere Künstler an seinen Platz getreten waren. In dems. Jahre brachte die Ausst. der Water-Colour Soc. noch 12 Aquarelle von H. (1 Vedute aus Rio de Janeiro, 3 Veduten aus China, das übrige engl. Motive), die aber wegen ihrer Deckfarbenmalerei bei den Mitgliedern nur geringen Beifall fanden. Damit war H.s Laufbahn als Aquarellist abgeschlossen; seitdem trat er nur noch mit Ölbildern, die er in der Royal Acad., Brit. Instit. und Soc. of Brit. Artists ausstellte, an die Öffentlichkeit. Ende 1828 ging er über Florenz nach Rom, wo er Januar 1829 eintraf. Den Sommer verbrachte er in Neapel, auf Streifzügen durch die Umgebung und mit seinem Freunde Uwins in einem verlassenen Hause in Resina, am Fuße des Vesuv hausend. Im Spätsommer war er wieder in London. Die Arbeiten, die er dort ausstellte, behandelten außer ital. und chines. Motiven hauptsächlich solche aus Wales und Westmoreland. Seine letzten Lebensjahre waren durch Krankheit und den Verlust seines kleinen Vermögens, das er bei einem Bankkrach einbüßte, getrübt. Einer der besten älteren Vertreter der engl. Aquarellmalerei, hat H. die jüngere Entwicklung nachhaltig beeinflußt. Dagegen fanden seine in zarten, reinen Farben gehaltenen Ölbilder (2 Landschaften im Mus. von Nottingham) erst nach seinem Tode die verdiente Würdigung. — H.s Selbstbildnis (Öl, 1830) im Vict. and Albert Mus.

Redgrave, Dict. of Artists, 1878. — Dict. Nat. Biogr., XXV 174. — R. and S. Redgrave, Century of Painters of the Engl. School, 1866. — J. L. Roget, Hist. of the Old Water-Colour Soc., 1891 (s. Reg. Bd II). — S. T. Prideaux, Aquatint Engravings, 1909. — The Portfolio, 1888 p. 155. — Graves, Dict. of Artists, 1895. — R. Acad., IV (1906); Brit. Inst., 1908; Loan Exhib., 1913 f. II; IV 1956 f. — Cat. Drawings etc. Brit. Mus., II. — Cat. Nat. Gall. Vict. and Albert Mus., I (1907); II (1908). — Cat. Art Mus. Nottingham, 1913 p. 61. — Cat. Art Gall. Sheffield, 1908. — Cat. 3rd Exhib. Nat. Portr. London S. Kens. Mus., May 1868.
B. C. K.

Haveloose, Marnix d', Bildhauer in Brüssel, geb. 1882 in einer kleinen Ortschaft der Antwerpener Kempen, Schüler der Brüsseler Akad. unter Van der Stappen, doch frühzeitig schon seine eigenen Wege gehend. Erfuhr starke Eindrücke durch die Kunst C. Meunier's. Ein glänzender Darsteller der rhythmischen Bewegung, hat er prächtige, lebensgroße Figuren nackter Tänzerinnen geschaffen, die trotz ihrer oft lebhaft bewegten, geschmeidigen Silhouetten und ihres voll atmenden, sprühenden Lebens eine Monumentalisierung der Bewegung bei sehr großartigem Formenausdruck zeigen. (Beispiele im Mus. zu Ixelles und in der Gall. d'arte mod. in Venedig.) H. bevorzugt als Material den weichen Modellierton, der seiner nervösen, fieberhaft schnellen Arbeitsweise am vollkommensten entspricht. Immer von der Gesamtform seinen Ausgang nehmend, reißt er seine lebensgroßen Figuren nach dem lebenden Modell in Ton auf, um dann erst die Massen auf die großen entscheidenden Linien des Körpers und die plastische Wirkung der Gesamtform hin zu detaillieren. In seinen mehrfigurigen Gruppen, wie den 3 Tänzerinnen oder der „Toilette" (3 nackte Frauen) mit ihrem etwas gekünstelt wirkenden schrägen Aufbau, ist ihm die plastische Bindung der einzelnen Figurenmotive untereinander immer noch nicht gelungen. Auch in der „Salome" vermißt man die lineare Bindung der Knienden mit dem vor ihr liegenden Johanneshaupt. Das starke Temperament aber und die große Auffassung der Form, die besonders auch in seinen Porträtbüsten (Bühnensänger Laurent Swolfs) sehr schön zum Ausdruck kommt, berechtigt vollauf, an die Entwicklung H.s die höchsten Hoffnungen zu knüpfen. In Deutschland ist H. bekannt geworden durch seine Ausstellung in Düsseldorf 1913 (Gr. K.-A.), auf der man 8 Bronzen von ihm sah (Kat. No 1878—85, mit 1 Abb.). Außer in Brüssel (Salon „Pour l'Art", 1912 u. flg., Libre Esthét. 1912, Salon Triennal 1914) stellte H. auch in den internat. Ausst. in Rom (1911), Venedig (1913 ff.), London (Internat. Soc. of Sculpt. etc., 1915) usw. aus.

Die Plastik, II (1912) 77/79 (Tim Klein u. Al. Heilmeyer); dazu Taf. 82—89; IV (1914) Taf. 29. — Die Kunstwelt, 2. Jahrg.,

3. Bd (1912/13), Taf. p. 655; 3. Jahrg., 1. Bd (1913/14) 57—69 (M. H o c h d o r f; mit zahlr. Abb.). — Rass. d'arte ant. e mod. 1917 p. 155/64 (C. T r i d e n t i). — Renaiss. de l'art franç., II (1919) 270 f. (mit 1 Abb.). — Onze Kunst, XXVII 1915 I p. 108, 142. — O j e t t i, Decima Espos. d'arte a Venezia 1912 p. 37, Abb. p. 289. — Katal. d. angef. Ausst. (z. T. mit Abb.). *H. Vollmer.*

Havemann (Braumüller-Havemann), M a r - g a r e t e, Holzschneiderin, geb. 3. 3. 1877 in Grabow (Mecklenburg), wandte sich in der Schule Ernst Neumanns in München dem far- bigen Holzschnitt zu, den sie fast ausschließ- lich pflegt u. in dem sie mit feinem Farben- empfinden u. sicherer Schnittführung einfache Landschafts- u. Genremotive, aber auch kom- pliziertere Bilder des großstädtischen Treibens darstellt. Seit 1904 ist sie häufig auf Ausst. vertreten, so im Glaspalast München (1904, 07, 09), in der Gr. Berliner K.-A. (1905, 06), Ausst. f. Buchgew. Leipzig 1914 usw. Von München zog sie nach Berlin, von da nach Hamburg, wo sie als Lehrerin an der Gewerbeschule für Mädchen wirkt.

D r e ß l e r s Ksthandbuch, 1921. — Die Kunst, XVI (1907) 302 f. (mit Abbn.). — Ztschr. f. bild. Kst, N. F. XVI (1905) 108 (mit Abb.). — Aus- stell.-Katal.

Haven, F r a n k d e, Landschaftsmaler in New York, geb. 26. 12. 1856 in Bluffton (Ind.), Schüler G. H. Smillies in New York, erhielt auf zahlreichen amerik. Ausst. Preise. Werke von ihm im Brooklyn Inst. (Indianercamp bei Custer; Catal. 1910 p. 24), in der Nat. Gall. Washington (Castle Creek Canyon, South Da- kota), in der Fine Arts Acad. Buffalo (Land- schaft; Catal. 1913 p. 19).

Amer. Art Annual, XII (1915) 359. — Kst u. Ksthandwerk, Wien, VI (1903) 390 f. (Abb.), 400 f. — Kstchronik, N. F. XV (1904) 567.

Haven, G e r b r a n d u s u. T h e o d o r u s v a n d e r, Bildhauer u. Bildschnitzer (der erst- genannte auch Baumeister) in Groningen, Brü- der. Gerbr. noch 1770 tätig, Theod. † 1780 in hohem Alter. Von ihnen die Statuen des Glaubens, der Hoffnung u. der Liebe an der Orgel der Groote Kerk zu Leeuwarden.

v. E i j n d e n u. v. d e r W i l l i g e n, Gesch. d. vaderl. Schilderkunst, I (1816); II (1817). — K r a m m, Levens en Werken, III (1859). — A. v. W u r z b a c h, Niederl. Kstler- lex., I (1906).

Haven, L a m b e r t v o n, Architekt und Maler, geb. in Bergen (Norw.) 16. 4. 1630, † in Kopenhagen 9. 5. 1695, begraben in der Trinitatis-Kirche, für die der Bildhauer Tyge Worm nach H.s Modell den Hochaltar — er enthielt ein Gemälde des Abendmahls — ge- liefert hatte (beim Brande 1782 vernichtet); Sohn des Salomon, Vater des Peter Nikolaj. König Friedrich III. sandte ihn 1653 zu seiner Ausbildung als Architekt und Maler ins Aus- land, besonders nach Italien, wo er den däni- schen Gelehrten Johan Rode malte, der ihm Empfehlungsbriefe nach Rom gab. Zu seinen

Aufgaben gehörte auch der Ankauf von Kunst- werken für den König; so erwarb er z. B. 1668/69 in Rom und Venedig 65 Gemälde. Um 1670 kehrte er zurück und wurde 1671 Generalarchitekt Christians V. und Inspektor aller Kunstsamml. des Königs mit einer jährl. Besoldung von 1500 Reichstalern aus der Kgl. Privatschatulle. Zu seinen ersten architekto- nischen Arbeiten in der Heimat gehört der Bau des neuen Nordertors in Kopenhagen von 1671, das, 1856 abgebrochen, aus dem Kupfer in Thurahs „Danske Vitruvius" bekannt ist (Abb. Trap, I 522), ferner der Umbau des nicht er- haltenen „blauen Lusthauses" (so genannt nach dem blauen Schieferdach) am Park des Schlosses Rosenborg (1671/72). Damals baute er auch die Kommandantenwohnung von Rosenborg mit dem danebenliegenden Schloßportal, das H.s ital. Eindrücke weniger stark als das Nor- dertor spüren läßt. In dem schlichten Dreiecks- giebel die gekrönte Initiale des Königs, im Architrav die Zahl 1672 (Abb. Liisberg, p. 115). 1674/75 arbeitet er für Schloß Christiansborg, Anbauten und Torhaus. Das bedeutendste Denkmal seiner Kunst ist die Erlöserkirche (Vor Frelsers Kirke) auf Christianshavn. Nach der Grundsteinlegung am 19. 10. 1682 waren langwierige Vorarbeiten nötig wegen des sump- figen Baugrundes, 1694/95 wurde die Kirche eingewölbt, am 19. 4. 1696, ein Jahr nach H.s Tode, geweiht. Der Schneckenturm (in An- lehnung an S. Ivo in Rom) wurde erst 1747/50 von Laur. Thurah erbaut. Die Kirche, be- deutungsvoll für die Entwicklung des pro- testantischen Zentralbaues im Norden, ist „ein hallenartiger Zentralraum, aus der Durch- dringung von griechischem Kreuz und Quadrat entstanden, wobei die inneren Kreuzecken als isolierte Mittelstützen des weiten quadratischen Hauptraumes fungieren, von den Kreuzarmen der eine als Altarraum, die übrigen zur Auf- nahme von Emporen eingerichtet sind". Ge- rühmt als technisches Meisterstück wird die Decke, die aber nur in Holzkonstruktion im Zusammenhang mit dem Dachstuhl ausgeführt ist. — H. leitete als Schloßverwalter von Fre- deriksborg seit 1681 auch die neue künstler. Ausstattung der 1665 durch eine Feuersbrunst zerstörten „gedeckten Galerie" und des „Audienzhauses". Die unterstellten Künstler arbeiteten z. T. nach H.s Entwürfen, der be- sonders für die Ausstattung der Galerie und des Audienzsaales verantwortlich ist. Beide sind vom Schloßbrand (1859) verschont geblie- ben. Der vornehme und festliche Saal spricht für H.s Fähigkeiten, obwohl die franzöz. Vor- bilder (z. B. Ch. Lebrun's „escalier des ambas- sadeurs" in Versailles) erkennbar sind (Beckett, Abb. 217, 221—23). — Von eigenen malerischen Arbeiten H.s ist, außer einem dän. Staatswappen der Zeit Christians V. (Rosenborg), nichts erhalten, doch kennt man einige Stiche, so nach einem Bildnis Christians V. (thronend im Königsornat) von 1671 (gest. v. W. van der Laegh), Bildnis des Generals Hans von Løvenhjelm (gest. v. Hubert Schaten, 1689), Bildnis Niels Rosenkrantz (gest. von dems.), Edele von Ulfeld, Gem. d. Admirals H. Bielke (gest. v. dems.), u. a. H.s Bildnis (von der Hand seines Bruders Michael?), in der Porträtsamml. in Frederiksborg (Kat. 1919 No 1274).

Trap, Danmark, 1899 ff., I. — Weilbach, Nyt Dansk Kunstnerlex., I 1896. — Beckett, Frederiksborg, II (1914). — Liisberg, Rosenborg, 1914. — [Fritsch], Der Kirchenbau des Protestantismus, 1893. — Wackernagel, Baukunst d. 17. u. 18. Jahrh. (Burger - Brinckmanns Handb. d. Kunstgesch.), 1921. — Kunstmuseets Aarsskrift, III (1916) 151 (Andrup). — Dahl og Engelstoft, Dansk Biogr. Haandleks., II (1921) 29. — Madsen, Kunstens Historie i Danmark, 1901—07 p. 102. — Strunk, Cat. over Portr. af det Danske Kongehuus, I (1881) 113; ders., Cat. over Portr. af Danske, Norske og Holstener, 1865 p. 374.

Haven, Michael von, Maler, geb. in Bergen (Norw.), † um 1683 in Frederiksborg, Sohn des Salomon, ging 1653, zusammen mit s. Bruder Lambert von Friedrich III. gesandt, ins Ausland, zu seiner Weiterbildung als Maler. Bereits vor 1664 kehrte er nach Dänemark zurück, wurde am 28. 1. 1664 kgl. Contrafejer, Mathematicus und Zeichenlehrer an der Akad. in Sorø als Nachfolger von Abraham Wuchters. Seine Bestallung erneuerte Christian V. am 28. 1. 1671. Aus Gesundheitsrücksichten wurde er 1676 nach Frederiksborg versetzt. — Von H., der ein mittelmäßiger Maler genannt wird, besaß Graf Christian von Rantzau 1754 ein großes Bild der Erbhuldigung von 1660; auch soll er „schöne Altarbilder" gemalt haben. — Bildnisse des Reichsrates Otte Krag (1649) und seiner Gattin Anne Rosenkrantz (1656) auf Steensballegaard (jetzt in Gyldensteen), Kopien dieser Bilder in Gaunø. In der Porträtsamml. in Frederiksborg ein bez. u. 1656 dat. Bildnis des Niels Juel (Kat. 1919 No 1260); ein Bildnis des Lambert v. Haven ebenda (No 1274) wird H. zugeschrieben. In der Samml. der Univ. Göttingen ein weibl. Porträt, bez. u. 1660 dat. — H.s Bruder Lambert zog ihn auch bei den Ausstattungsarbeiten für Frederiksborg heran, so sollte er ursprünglich im „Sommersaal" um das Mittelbild der Decke die 4 Bilder mit Engeln, die die königl. Insignien tragen; er vollendete nur das Bild mit dem Engel, der die Krone trägt. Da H. kurz danach starb, lieferte P. A. Normand die anderen drei 1683/84 an Lambert ab (sämtlich verloren).

Weilbach, Nyt Dansk Kunstnerlex., 1896. — Beckett, Frederiksborg, 1914. — [Madsen], Fortegnelse over . . Baroniet Gaunøs . . Portraetsaml., 1914 p. 118, 138. — Kunstmuseets Aarsskrift, II (1915). — Provis. Führer Gem.-Samml. Univ. Göttingen, 1905.

Haven, Peter Nikolaj von, Stempelschneider u. Medailleur, † in Kopenhagen vor d.

5. 1. 1762, Sohn des Lambert, aus dessen 2., 1674 geschlossenen Ehe mit Anne Pedersdatter Slange († 1729). Wurde 4. 12. 1725 Münzwardein und später Inspektor der Münze in Kopenhagen, 1749 Kammerrat, 1761 Justizrat. Wird auch Medailleur genannt, doch hat er nur Stempel für Dukaten u. andere Münzen geschnitten.

Weilbach, Nyt Dansk Kunstnerlex., 1896. — M. Rosenberg, Goldschmiede Merkzeichen, [2] 1911 (Faksimile der Wardeinmarke). — Foelkersam, Silberinventar der Kais. Pal. St. Petersburg, 1907, II 686, 695.

Haven, Salomon, Maler u. Bildhauer in Bergen, Norw., † 17. 3. 1670, Vater des Lambert u. Michael, stammte aus Stralsund und wurde 29. 1. 1633 Bürger in Bergen, wo er schon 1625 nachweisbar ist. Ursprünglich, und zwar i. J. 1636, war er Schauspieler. Später wird er als „Skilder" oder „Contrafejer" bezeichnet, und die Porträtmalerei war offenbar sein Hauptfeld; doch haben sich beglaubigte Arbeiten von seiner Hand in Norwegen bisher nicht nachweisen lassen. Bei Christians IV. Besuch in Bergen 1641 gewann er den Beifall des Königs, durch „atklaede Billeder" (bekleidete Wachsfiguren oder lebende Bilder?); der König suchte ihn an seinen Hof nach Kopenhagen zu ziehen, was H. aber wegen seines Alters ablehnte. Noch 1657 wird er in Bergen erwähnt.

N. H. Weinwich, Kunsthistorie, 1811 p. 48. — Norske Magasin, II (1868) 190, 200, 376, 690. — Vestlandske Kunstindustrimus. Aarbog, 1909 p. 40. — H. J. Huitfeldt, Christiania Theaterhistorie, 1878 p. 23 f. — Fr. Beckett, Frederiksborg, 1914. — C. W. Schnitler, Malerkunsten i Norge i XVIII. aarh., 1920 p. 20.
C. W. Schnitler.

Havenith, Hugo, Genremaler in München, geb. 12. 4. 1853 in London (ließ sich in München naturalisieren), Schüler von L. Löfftz u. W. Diez in München, zeigte 1883—97 im Glaspalast, 1893—96 in der Münchner Sezession Genrebilder aus dem Kinderleben. Die staatl. Gal. München erwarben 1914 von ihm ein Bild „Beichtstuhl".

F. v. Bötticher, Malerwerke d. 19. Jahrh., I 1 (1891). — Spemann, Das gold. Buch der Kst, 1901. — Münchner Jahrb. f. bild. Kst, IX (1914/15) 148. — Kst f. Alle, II (1887), mit Abb. — Ausst.-Katal.

Havens, Theodore, falsch für *Haveus,* Th.

Haver, Carl, Maler in Düsseldorf, wo er seit 1902 stimmungsvolle Interieurs aus Holland, Nordbrabant und Niederdeutschland, meist in Verbindung mit Genrefig. still-beschaulichen Charakters, zeigt (vgl. Düsseld. Ausstell.-Katal. Dtschnat. K.-A. 1902, Internat. K.-A. 1904, Gr. K.-A. 1909, 11, 13, 20, A. Kstver. f. Rheinlande u. Westf. 1908, Frühj.-A. Düsseld. Kstler 1912 [Katalog-Abb. „Aus einem alten Stift"] und Juni/Juli 1915). Stellte auch in der Berl. Gr. Kst-Ausst. (1901, 04, 06/7, 1909/15, 1917/18 [in Düsseldorf]) und im Münchner Glaspalast (1907, 12, 14) aus. Die Städt. Gemäldeslg Düsseldorf (Katal. 1913 p. 72) besitzt „Am Herd".

Rheinlande, IV (1903/4) 323. — Jahrb. d. Bilder-u. Kstblätterpreise, Wien 1911 ff., III; IV; V/VI. — Ausst.-Kataloge.

Haver, Jean Jacques, Maler, Schüler der Acad. in Paris, stellte dort 1795 u. 96 Genrebilder im Salon aus; später Lehrer an der École acad. zu Arras.

Bellier-Auvray, Dict. gén., I (1882). — J. Locquin, Peint. d'Hist. en France de 1747—85, 1912.

Haverkamp, C. L., Maler in Holland, von dem je 2 Porträts des Generaldirektors von Bengalen Jan Albert Sichterman u. seiner Gattin Sibylla Volckera Sadelyn, 1753 u. 55 gemalt, in Privatbesitz P. C. A. Sichterman in Zwolle sich befinden.

Moes, Iconogr. Batava, II (1905) No 6725/1, 2; 7188/1, 2.

Haverkamp, Gerard Christian, holl. Maler u. Graphiker, geb. 1872, tätig in u. um Amsterdam, in Scherpenzeel und Soest, malt u. sticht holl. Landschaften. 1912 beschickte er die internat. Ausst. im Stedel. Mus. Amsterdam, 1909 u. 13 den Glaspalast München.

A. Plasschaert, XIX^de Eeuwsche Holl. Schilderkunst, p. 281. — Elsevier's Maandschrift, 1915 II 157 f. (mit Abb.). — Ausst.-Katal.

Haverkamp, Wilhelm, Bildhauer in Berlin, geb. 4. 3. 1864 in Senden (Westfalen), erlernte in Münster die Stein- u. Holzbild-hauerei, bildete sich 1883—87 an der Berliner Akad. als Schüler von A. Wolff u. Fr. Schaper. 1889 erhielt er von der Berl. Akad. den großen Rompreis u. weilte bis 1892 in Rom. Seit 1891 zeigte er in der Gr. Berl. K.-A. (1892, 1908—11 auch im Münchner Glaspalast) Statuen u. Reliefs genrehaften, mytholog. u. religiösen Inhalts. Vor allem war er als Denkmals-plastiker beschäftigt: Bismarckdenkmal in Plauen im V. (1895 enthüllt), Denkmale des Gr. Kurfürsten in Minden (Westf.) u. Kiel (1900 enthüllt), Moltke-Denkmal in Plauen (1900 enthüllt), Kaiser-Wilhelm- u. Schichau-Denkmal in Elbing, Marmorhermen Friedrichs d. Gr. für Küstrin u. das Neue Palais in Potsdam, Kruppdenkmal in Kiel (1903 in Auftrag gegeben), Kaiser-Wilhelm- u. Kriegerdenkmal in Coesfeld (Westf.), Denkmal Kaiser Wilhelms II. in der Marineschule in Mürwik bei Flensburg, Kriegerdenkmäler in Lüdinghausen, Senden, Hiddingsel (Westf.), Fuchsjagdgruppe im Berl. Tiergarten, Arbeiter- u. Ringergruppe für die Stadt Berlin, Wasserträgerin in Breslau (1911), Nischenfigur für das Rathaus zu Charlottenburg, Wilhelm II. von Oranien für die Terrasse des kgl. Schlosses zu Berlin u. a. Von religiösen Werken seien genannt die Statuen für die Kaiser-Wilhelm-Gedächtniskirche in Berlin, Kreuzwegstationen (Relief) für die Bonifatius-kirche zu Berlin, 2 Grabfig. für die Fürsten-gruft in Dessau, Reliefs für den Hochaltar u. die Kanzel der Pfarrkirche zu Stadtlohn (Westf.) u. Gruppe der hl. Familie für den Hochaltar der Kirche des Martinistiftes in Appelhülsen

(Westf.). H. ist Professor an der Unterrichts-anstalt des Kstgew.-Museums Berlin.

Jansa, Deutsche bild. Kstler in Wort u. Bild, 1912. — A. Schulz, Deutsche Skulpturen der Neuzeit, 1900. — Kst f. Alle, IV (1889); VII (1892); XI (1896); Die Kunst, III (1901); V (1902); VII (1903); IX (1904). — Mitt. d. Ver. f. Gesch. Berlins, XX (1903) 56. — Kstwelt, I (1911/12) 86. — Die christl. Kst, X (1913/14) 114 bis 20 (Abb.); XIII (1916/17) Beil. p. 3. — Aus-st.-Katal. (Gr. Berl. K.-A. 1899, 1908—11, 1913 mit Abb.). — Ztschr. d. hist. Ver. f. Gesch. Schlesiens, LIII (1919) 137*. — Westermanns Monatshefte, Bd 133 I (1922) 231—43 (J. Tschiedel).

Havermaet, Charles van, Maler in London, zeigte 1901—11 Genrebilder in der Royal Acad. London, 1895 in der Gr. K.-A. Berlin.

Graves, Royal Acad., VIII (1906) 71. — Cat. Exhib. Royal Acad. London 1905—11 (unter van H.).

Havermaet, Jan Frans van, Bildhauer, geb. 1828 in St. Niklaas (Belgien), † 1899 ebendort, Bruder des Piet, Schüler der Antwerp. Akad. Schuf 1869 das Denkmal des Geographen Gerard Mercator für Rupelmonde, Genrestatuen u. vor allem Porträtbüsten, wie die Marmorbüste Jan Swerts im Mus. Antwerpen.

Journal d. B.-Arts, 1869 p. 89; 1883 p. 79. — Kstchronik, XXIII (1888) 703. — Beschr. Verz. d. kgl. Mus. Antwerpen, II. Mod. Meister, 1905 p. 143 (mit Lebensdaten).

Havermaet, Piet van, Porträt- u. Landschaftsmaler, geb. 16. 1. 1834 in St. Niklaas, † 8. 5. 1897 in Antwerpen, Schüler u. seit 1886 Lehrer an der Antwerp. Akad., Bruder des Jan Frans, 1879 nach London berufen, um verschiedene hochgestellte Persönlichkeiten zu porträtieren, wie den ehem. Minister Samuel Laing u. den Earl of Beaconsfield (diese Porträts 1879 u. 81 in der Royal Acad. ausgestellt). Im Mus. zu Antwerpen von ihm „Antwerpener Straßenkehrer" u. das Bildnis des Advokaten Armand Auger.

Journal d. B.-Arts, 1877 p. 159; 1879 p. 1, 136; 1883 p. 18; 1887 p. 137. — Beschr. Verz. d. kgl. Mus. Antwerpen, II. Mod. Meister, 1905 p. 44 (mit Lebensdaten). — Graves, Royal Acad., VIII (1906) 71.

Haverman, Hendrik Johannes, Maler und Graphiker, geb. 23. 10. 1857 zu Amsterdam, seit 1878 Schüler der dort. Akad. unter A. Allebé, seit 1880 der Akad. zu Antwerpen unter Ch. Verlat, darauf der Brüsseler Akad. unter Portaels, und wieder zurück zu Allebé (3 Jahre). Bildete sich dann auf zwei Studienreisen durch Spanien, Algerien, Marokko und Italien weiter, von denen er um 1892 mit vielen impressionist. Figuren- und Landschaftsstudien zurückkehrte. Ließ sich im Haag nieder, wo er seitdem lebt und sich zu einem der bedeutendsten Porträtisten der intellektuellen und bürgerlichen Kreise entwickelte und eine angesehene Stellung einnimmt als Vorstand der Akademie, des Pulchri Studio, Mitglied der Museumskommission usw. Schrieb auch einige Kritiken. Erhielt Gold. Medaillen in Amsterdam 1895, Dresden 1901, Lüttich 1905, München 1909, Barcelona 1911, Ehrenausstell. Haag 1918, usw. H. gehörte einer Gruppe jüngerer Künstler an, die, vornehmlich in Amsterdam, um 1895 auftraten (A. Der Kinderen, J. Veth, M. Bauer, W. A. v. Konijnenburg, A. Molkenboer; die ersten Bände der Zeitschrift „De Kroniek" geben viele Beispiele ihrer Bestrebungen) und die durch ihre starke Betonung der Linie eine Reaktion gegen den Impressionismus der Haager Schule bildeten. — Noch ganz akademisch ist H.s frühes Bild „Die Flucht", Sted. Mus., Amsterdam (Kat. 1922 No 190). Es folgen die koloristisch kräftigen und breit gemalten Bilder und Studien mit Motiven aus Afrika (auch Radierungen). Um 1895 beginnen die schönlinigen gemalten, hauptsächlich aber lithographierten Kompositionen (in „De Kroniek" und a. O.), vornehmlich das Thema Mutter und Kind, Waisenmädchen, Bauernkinder behandelnd (Einflüsse Eug. Carrières, auch wohl Toorops). Daneben malte er weibl. Akte in schöner lichter Färbung. Dann ist er hauptsächlich als Porträtmaler und -Zeichner tätig. Eine Serie von ca 80 Porträts in „Woord en Beeld" (1896—1901) im 1. Jahrgang xylo-, später zinkographisch reproduziert, brachte ihn zu stärkerer Betonung der Linie, die ihm zu schöner und charakteristischer Arabeske wird (besonders zu erwähnen Lod. van Deyssel, Fred. van Eeden, Louis Couperus, Prof. v. d. Sande Bakhuysen, Minister de Savornin Lohmann, Prof. Stokvis, D. Haspels, Dr. Schaepman). Von den gemalten und aquarellierten Porträts sind zu erwähnen: Minister Kuyper, Chinesische Kinder, Herr Krelage, Frau des Künstlers, Knabe von Soest. Seine Porträts sind eher ausgesprochen typisiert u. schön vorgetragen als scharf psychologisch erfaßt (im Gegensatz etwa zu Jan Veth). Viele Studien und graph. Blätter im Kupferstich-Kab. Haag, einige Porträts im Hist. Mus. ebenda. Werke ferner in den Museen „Mesdag" und f. Mod. Kunst im Haag, im Sted. Mus. Amsterdam, Mus. Boymans Rotterdam, Gall. d'Arte antica e mod. zu Rom und Venedig, Kupf.-Kab. Dresden. — Seine Gattin C. Haverman-Birnie, geb. 1864 zu Djember (Java), Schülerin der Antwerpener Akad. (1886—88) u. des Théoph. de Bock, ist Malerin von Blumenstücken und Stadtveduten.

G. H. M a r i u s , Hollandsche schilderkunst in de 19de Eeuw., ² 1920 p. 241 ff. (Abb.). — P l a s - s c h a e r t , XIXde Eeuwsche Holl. schilderkunst, o. J. p. 87, 281; d e r s., Het zien van schilderijen, Arnhem 1919 p. 15 (Abb.). — J. V e t h , Holl. Teekenaars van dezen tijd, 1905. — H. W. S i n g e r , Moderne Graphik, 1914. — Elseviers Geill. Maandschrift, 1898 u. 1918 (Abb.). — Onze Kunst, 1902 I p. 12 (Abb.); II p. 89—99 (mit Abb.); 1903 II p. 167—71 (mit Abb.). — Cicerone, Haag, II (1919) 3—12 (mit Abb.). — L'Arte Mondiale, Espos. di Venezia, 1905 p. 252, 253 (Abb.). — Mitt. d. Kstlers. *Knuttel.*

Haverman, M a r g a r e t a (verehel. *Mondoteguy*), Blumen- u. Stillebenmalerin, geb. in Breda (Holland), nach van Gool die einzige Schülerin des Jan van Huysum, die seine Werke geschickt kopierte, aber auch frei in seiner Art arbeitete, so daß der neidische Huysum sich ihrer bald wieder entledigte. Sie ging dann nach Paris, verheiratete sich dort mit Jacques de Mondoteguy u. wurde 31. 1. 1722 auf ein vorgewiesenes Blumen- u. Früchtestilleben hin in die Acad. aufgenommen. Da sie aber kein Rezeptionsbild ablieferte, entstand der Verdacht, das vorgewiesene Bild sei mehr das Werk ihres Lehrers als ihr eigenes, u. sie wurde wieder gestrichen. Von ihr ein bez. u. 1716 dat. Bild, Vase mit Blumen, im Metrop.-Mus. New York (Catal. of Paint., 1914 p. 109). Ein Blumenstück in der ehemal. Samml. Wilson, Paris (Gaz. des B.-Arts, 1873 I 264), ein weiteres in Schloß Fredensborg bei Kopenhagen.

J. v a n G o o l , Nieuwe Schouburg, II (1751). — K r a m m , Levens en Werken, II (1859). — V i t e t , L'Acad. roy. de peint., 1880 p. 358. — F i d i è r e , Les Femmes art. à l'Acad. roy., 1885 p. 27. — M o n t a i g l o n , Procès-Verbaux de l'Acad. roy., Table, 1909. — M i r e u r , Dict. des Ventes d'art, III; IV (fälschlich Kavermann).

Havers, A l i c e , verehlichte Mrs. *Fred. Morgan,* engl. Genre- und Landschaftsmalerin, geb. 1850 in Norfolk, † Sept. 1890. Heiratete 1872 den Maler Frederick Morgan. Schülerin der Londoner South Kensington Art Schools. Stellte 1873—89 in der Royal Acad., daneben in der Society of Brit. Artists und im Pariser Salon (1888 f.) aus: Landschaften mit bäuerlicher Staffage, Gänsemädchen, Holzsammlerinnen usw., auch biblische Darstell. und Interieurs. Eine ihrer frühesten Arbeiten („Ought and carry one") wurde von der Königin angekauft. Sonstige Arbeiten: Karneval in Montevideo (1875); „Blanchisseuses" (Gal. Liverpool, Abb. bei Sparrow, Women painters, 1905); „Rush Cutters" (Gal. Sheffield); „Maria aber behielt alle diese Dinge . . " (Gal. Norwich) u. a.

B r y a n 's Dict. of Painters etc., ed. W i l l i a m - s o n, III (1904), unter Morgan. — Portfolio, 1890 Art Chronicle p. XX. — The Year's art 1891 (Obituary). — G r a v e s , Dict. of Artists, 1895; Royal Acad. IV (1906); Cent. of Loan Exhib., 1913 f. IV 1957. — Kat. der gen. Slgn. — H. B l a c k b u r n , Acad. Notes, 1875 p. 34; 1876 p. 53, 55 (Abb.), 65; 1877—83, z. T. mit Abb.

Havers, V a l , Maler in London, † Januar 1905, zeigte Porträts, Landschaften u. dekorative Malereien (Wandbilder in Öl für Wohnräume, seit 1898 in der Royal Acad.

G r a v e s , Royal Acad., IV (1906). — Cat. Exhib. Royal Acad. London, 1905; 06; 07; 09; 11. — The Year's Art, 1913 p. 436.

Haverty, J o s e p h Patrick, Bildnismaler und Lithograph, geb. in Galway (Irland) 1794,

† in Dublin 27. 7. 1864. Bildete sich anscheinend als Autodidakt in seiner Vaterstadt und schickte 1814 ein Bildnis auf die Ausstell. der Hibernian Society in Dublin, wohin er 1815 kam. In den folgenden Jahren war er aber wieder in Galway tätig, wo er viele Gönner fand. Bei der Gründung der Hibernian Acad. 1823 zum Associate, 1829 zum ordentl. Mitglied gewählt, schied er 1837 aus dieser Stellung. H. war hauptsächlich in Dublin, zeitweilig auch in London, Limerick und Galway tätig. In der Londoner Royal Acad. stellte er 1823—58 im ganzen 27 Bildnisse aus; außerdem war er in der dortigen Royal Soc. of Artists vertreten. Sein bekanntestes Werk ist das von W. Ward gestoch. Bildnis des Daniel O'Connell (Ganzfigur; London, Reform Club). Sein „Limerick Piper" (Dublin, Nat. Gall.) wurde ebenfalls in Kupfer gestochen. H. selbst hat eine Anzahl Lithographien nach seinen Bildnissen, sowie eine lithogr. Folge „Die 7 Sakramente" gefertigt. Sein Lebenswerk besteht fast ausschließlich aus Ölbildnissen; daneben hat er einige Historien und Phantasiebilder, aus jüngeren Jahren auch Bildnisminiaturen hinterlassen. — Sein jüngerer Sohn T h o m a s (geb. um 1825) stellte 1847—58 in der Roy. Acad. Bildnisse aus, gab aber dann das Malen auf.

W. G. S t r i c k l a n d, Dict. of Irish Artists, 1913 I. *T. Bodkin.*

Havet, H e n r i C h a r l e s J u l i e n, Maler, geb. 21. 12. 1862 in Paris, † 1. 9. 1913 ebenda; bildete sich in Paris unter K. E. Lehmann, Galland u. Luc Olivier Merson. Zeigte seine Landschaften (Motive aus Algerien u. Tunis, der Bretagne, Frühlings- u. Nachtstimmungen), gelegentlich auch Genrebilder, 1883—89 im Salon der Soc. des Art. franç., seit 1890 im Salon der Soc. Nat., zu deren Gründern er gehörte. Von ihm im Mus. zu Arras: Ismaël in der Wüste.

C u r i n i e r, Dict. nat. d. Contemp., III (1906) 266 f. — Studio, XXXIX (1907) 260—62 (Abb.); LXII (1915) 41, 44 (Abb.). — Chron. des Arts, 1913 p. 238 (Nekr.). — Salonkatal. (1890—92; 93; 99; 1910; 11 mit Abb.).

Havet, J e a n, siehe unter *Herne,* Gilet.

Haveus (latinis. Form für Have?), T h e o d o r e, Bildhauer, (Maler?) u. Architekt aus Cleve, wird als Meister an dem 1558 erbauten Caius College in Cambridge genannt, ohne daß sein Anteil genau bestimmt werden könnte. Die einen bezeichnen ihn als Meister der malerischen „Porta honoris" (1566/67 erbaut); auch am Grabmonument des 1573 † Dr. Caius in der Kapelle des College (Sarkophag in einem von Alabastersäulen getragenen Aufbau) scheint er tätig gewesen zu sein (in den Rechnungen kommt ein Bildh. „Theodore" vor). Andre lassen als sein Werk nur eine originelle Säule mit 60 Sonnenuhren im Caius Court (jetzt verschwunden) gelten, als deren Meister u. Stifter

schon 1576 „Theodorus Haveus Cleviensis, artifex egregius et insignis architecturae professor" genannt wird. Ferner werden ihm 2 gemalte Porträts im Caius College zugeschrieben: Bildnis des Dr. Caius von 1563 u. Bildnis eines Mannes mit Kompaß u. Polyedron, das Walpole als H.s eigenes Porträt bezeichnet (nach Bryan Selbstporträt eines g l e i c h n a m i g e n Malers aus der Zeit Karls II. [1660 bis 85]).

W a l p o l e, Anecd. of Painting, ed. W o r n u m, I (1862) 194. — F i o r i l l o, Gesch. d. zeichn. Künste, V (1808) 255. — Portfolio, 1888 p. 88 (B l o m f i e l d); hier fälschlich „Havens". — Proceedings of the Huguenot Soc. of London, VII (1903) 57 f. — H u m p h r y, Guide to Cambridge, p. 118 („Havens"). — B r y a n, Dict. of Painters, ed. W i l l i a m s o n, III (1904). — R e d g r a v e, Dict. of Artists, ² 1878.

Havez, C h a r l e s T o u s s a i n t, Architekt u. Ingenieur, geb. um 1694, † 3. 10. 1777 in Aulnoye (Nord), Generalinspektor der Abteilung für Brücken- u. Straßenbau in Frankreich. Von ihm das Hôpital général in Valenciennes.

B e l l i e r - A u v r a y, Dict. gén., I (1882).

Haviland, F r a n c i s A., Maler in London, † März 1912, zeigte 1894—1912 Porträtminiaturen, figürl. Kompositionen u. Stilleben in der Royal Acad.

G r a v e s, Royal Acad., IV (1906). — Cat. Exhib. Royal Acad. London, 1906, 07, 08, 10, 12. — The Year's Art, 1913 p. 436.

Haviland, J o h n, amer. Architekt, geb. in England, † in Philadelphia 28. 3. 1853. War Bauleiter in London, bereiste den Kontinent und kam 1817 nach Philadelphia, wo er mit Hugh Bridgeport eine Zeichenschule für Architekten leitete und „The Builder's Assistent", 2 Bde, 1818—9 herausgab. Pläne zahlreicher Gebäude in Philadelphia, u. a. First Presbyterian Church, St. Andrew's Episcopal Church, Taubstummen-Institut des Staates Pennsylvania. Seinen Hauptruhm hat H. aber als Erbauer des Eastern Penitentiary (Zellengefängnis) in Philadelphia und anderer Staatsgefängnisse nach dem neuen Radialsystem, das in Europa Aufsehen erregte.

Nekrolog im Journal of Prison Discipline, VII (1852). — J. T. S c h a r f, Hist. of Philadelphia, 1884 II 1069. — Journal of the Amer. Institute of Archit., I (1913) 381; IV (1916) 420. — H.s Ms. „Description of the halls of justice, New York, etc." mit Zeichnungen, im Bes. des Royal Institute of Brit. Archit. *Fiske Kimball.*

Havill, F r e d e r i c k, Porträtmaler aus Cheltenham (England), zeigte seine Porträts 1849—74 in der Royal Acad. Von ihm ein Porträt David Livingstones in der Nat. Portrait Gall. London.

G r a v e s, Royal Acad., IV (1906). — C u s t, Nat. Portrait Gall., II 1902.

Havle, J o s e p h, siehe *Hawle,* Joseph.

Havlicek, V i n c e n z, Landschaftsmaler in Wien, geb. 20. 3. 1864 ebenda, Schüler E. Lichtenfels', arbeitete vornehmlich in Aquarell und stellte häufig im Wiener Kstlerhaus aus.

L. E i s e n b e r g , Das Geistige Wien, I (1893). — K o s e l , Deutsch-Österr. Kstler- u. Schriftstellerlex., I (1902; unter Hawlicek). — Jahrb. der Bilder- u. Kstblätterpreise, Wien 1911 ff., II; III; V/VI. — Donauland, III/II (1919) 896.

Havranek, Bildhauerfamilie des 19. Jahrh., in Székesfehérvár (Stuhlweißenburg, Ungarn) tätig. A n t o n *sen.*, lernte in Ofen bei Hofhauser, ging dann nach Deutschland, nahm an den Arbeiten der Walhalla u. bei der Aufstellung der Bavaria teil. Einige Engelfiguren am Fries der Münchner Oper u. Residenz stammen von ihm. Heimgekehrt, verrichtete er manche bildh. Arbeiten für den Architekten Ybl. — A n t o n *jun.* führte die Werkstatt seines Vaters weiter. Von ihm das Grabdenkmal des Freiheitskämpfers Béla v. Kun im Friedhof zu Veszprém, 1890 bestellt, und das Grabdenkmal d. Familie d. Gr. Széchenyi in Nagycenk, romanischer Sarkophag mit vier Löwen, 1911 bestellt. — Sein Bruder F e r e n c (Franz), Architekt, † April 1919, war Professor der Musterzeichenschule in Budapest.

Kunst f. Alle, V (1890) p. 333. — Persönl. Mitteil. *K. Lyka.*

Havránek, B e d ř i c h (Friedrich), Landschaftsmaler u. Radierer in Prag, geb. ebenda 4. 1. 1821, † 1899, Schüler der Prager Akad. unter A. Manes, Chr. Ruben und M. Haushofer. Studienreisen in Tirol, Steiermark und Bayern, später nach Wien, München, Paris und Berlin. Stellte seit 1844 in Prag aus (Partie am Chiemsee, Sudetenlandschaften, mähr. Bauernhof usw.), 1869 und 1883 im Münchner Glaspal., 1876 und 1888 in der Berliner Akad. Das Rudolfinum zu Prag (Katal. 1889 u. Führer 1913) besitzt eine bez. und 1869 dat. Herbstlandschaft und ein Aquarell; die Mod. Gal. ebenda (Katal. 1907) „Stadttor in Krumau". Im höheren Alter malte H. ausschließlich in Aquarell. 2 Werke des Erzherz. Ludwig Salvator v. Toskana, „Die Balearen" und „Die Liparischen Inseln", versah H. mit zahlreichen Holzschnitt-Illustrationen. Er radierte 4 Bl.: Alter israelit. Friedhof in Prag (nach eig. Gemälde); Burg Karlstein i. B. (1849); St. Ivan i. Böhmen; Buchenwald.

C. v. W u r z b a c h , Biogr. Lex. Österr., 1856 ff. VIII. — H e l l e r - A n d r e s e n , Handbuch f. Kupferstichsammler, I (1870). — M a n n - s t a e d t , Kstfreund, 1874 p. 248. — F. v. B o e t - t i c h e r , Malerwerke 19. Jahrh., I 1 (1891). — Das geistige Dtschland, I 1898. — J i ř í k , Tschech. Malerei i. 19. Jahrh. (tschech.), 1909, m. Abb. p. 20. — Katal. Graph. Ausstell. Wien 1883 p. 10.

Havránek, siehe auch *Hawránek.*

Haward, F r a n c i s , Kupferstecher und Miniaturmaler, geb. 19. 4. 1759, † 1797. Schüler der Londoner Roy. Acad. 1776, aus welchem Jahre sein erstes Schabblatt: James Ferguson nach J. Northcote, herrührt. Nachdem er 2 weitere Blätter in dieser Technik: Master Bun-

bury nach Reynolds und Euphrasia nach Hamilton gestochen hatte, ging er zu der durch Bartolozzi in Aufnahme gekommenen Mischtechnik von Radierung und Punktiermanier über. 1783 stellte H. in der Roy. Acad. eine Miniatur: Cupido, aus und wurde in dems. Jahre außerord. Akad.-Mitglied. Im übrigen beschickte er die Akad.-Ausst. 1787—97 ausschließlich mit Sticharbeiten: Mrs. Siddons als Tragische Muse, nach Reynolds; Madam d'Eon, nach La Tour u. Kauffmann; George, Prinz von Wales, nach Reynolds; „Cymon and Iphigenia", nach dems. 1793 in Diensten des Prinzen von Wales. H.s erste Stiche in Punktiermanier erschienen bei J. Birchall, die späteren seit 1786 im Selbstverlag. Genannt seien noch: Cupido krönt die Muse der Malerei, nach eigener Zeichn.; „The Infant Academy", nach Reynolds; 2 Bildnisse nach Gardner; ital. Trachten (oval) nach Rosalba Carriera, sowie Blätter nach Zucchi. Die Londoner Nat. Portrait Gall. besitzt H.s, von Ozias Humphrey gemaltes Pastellbildnis. Seine Schwester heiratete den Maler Daniel Gardner.

R e d g r a v e , Dict. of Artists, 1887. — S a n d b y , Hist. of the Roy. Acad., 1862 I. — G r a v e s , Roy. Acad., IV (1906). — G. C. W i l l i a m s o n , D. Gardner, 1920. — J. D o d d , Memoirs of English Engravers, Vol. VIII, Brit. Mus. Add. Mss. 133401. — Le B l a n c , Manuel, II. — Cat. Engr. Brit. Portr... Brit. Mus., I 285, 493, 495; II 35, 205, 312; IV 101. — H a y d e n , Chats on old Prints, 1909 p. 200. *M. W. H.*

Haweis, S t e p h e n , Maler u. Graphiker, geb. in London, Schüler von A. Mucha u. E. Carrière in Paris, stellte dort 1905 u. 06 im Salon d'Automne, 1904—10 im Salon der Soc. Nat. Landschaften u. Figurenkompositionen aus. Ging dann nach Amerika. Wandmalereien von ihm in der Kriegsgedächtniskap. St. Franziskus Xaverius in Nassau (New Providence, Bahama-Inseln) u. in der Stone Ridge Church New York; Glasmalereien in St. Anselms Church, Bronx (N. Y.); Gemälde im Detroit Institute u. Toledo Museum. Genannt seien auch seine Ansichten aus Venedig (Ölgem., Aquarelle, Radierungen). — Malerin ist auch seine Gattin M i n a , geb. *Loy,* Schülerin von Ch. Conder, die 1915 (gleich ihrem Mann) auf der Panama Pacific Exp. S. Francisco ausstellte.

Amer. Art Annual, XVIII (1921) 446. — Art et Décoration, 1905 II 198 (Abb.). — Studio, LVII (1913) 159. — Cat. de Luxe Panama Pacific Exp. S. Francisco, 1915 II 263, 265. — Salonkatal.

Hawel, J o s e p h , siehe *Hawle,* Jos.

Hawel, S a m u e l , Maler in Prag 1720; nach seinen Zeichn. stachen A. Birkhart (1711 gr. Prospekt v. Kukusbad mit Sporck'schem Wappen; Ansicht von Bonrepos, Vogelberg b. Benatek) u. J. L. Blank.

D l a b a c ž , Kstlerlex. f. Böhmen, 1815; Beitr. zu Dlabacž etc. her. v. B e r g n e r , 1913 p. 13.

Hawelka, Maler in Olmütz; von ihm um 1750 die Deckengemälde im ehemal. Rathaussaal zu Olmütz; Entwürfe hierzu (1722?) im Hist. Mus. ebenda.

Mitteil. d. k. k. Zentral-Komm., N. F. XXIV (1898) 105. — P r o k o p , Markgrafsch. Mähren, IV (1904) 1307, 1315.

Hawke, E u g è n e J o s e p h , Architekt, geb. 1830 in Saint-Servan, Schüler von E. Moll. Von ihm Präfektur u. Justizpalast in Vannes, die Kirchen St. Jean de Dieu in Dinan u. Notre-Dame in Pontmain, Justizpalast in Château-Gontier u. a.

D e l a i r e , Les Archit. Élèves, 1907.

Hawke, P i e r r e , Maler, Kupferstecher u. Lithograph, geb. 18. 1. 1801 in Newport (Wight), † 1887 in Tunis, kam mit seinen Eltern nach Frankreich, war zuerst in Dinan tätig (Glasgem. für die Kirche St.-Malo), ging dann nach Paris und ließ sich schließlich in Angers nieder. Dort entstanden zahlreiche archit. Ansichten aus Angers u. Nantes (Zeichn., Stiche, Lithogr.), wie die gestochenen Ansichten der Kathedralen von Angers u. Nantes, 1841. Illustrierte vornehmlich für histor. Werke, so Guépin, Hist. de Nantes, 2. Aufl. 1839 (Zeichnungen); Godard-Faultrier, L'Anjou et ses monuments, 1839 (Radier.) und Tapisserie de St. Florent, 1842 (Stiche); Quatrebarbes, Oeuvres complètes du roi René, 1845. Stach auch nach älteren u. zeitgenöss. Meistern, besonders Bilder, die in Angers ausgestellt waren. 1840 gab er „Souvenirs de l'Expos. de Peint. et Sculpt. anc. 1839 à Angers" in Lithogr. heraus. Eine Platte nach Jan Brueghel d. Ä. von 1849 wurde von der Chalcographie des Louvre erworben (Catal. 1881). Zeichnungen aus dieser Zeit im Mus. Dobrée in Nantes (Cat. gén., 1906 p. 28) u. im Mus. Bagnères-de-Bigorre (Catal. 1877 p. 34). Abenteurersinn trieb ihn von Angers wieder fort. Er ging nach Amerika, dann nach Algerien, schließlich nach Tunis.

B e l l i e r - A u v r a y , Dict. gén., I (1882). — B é r a l d i , Graveurs du XIXme S., VIII (1889). — B é n é z i t , Dict. des Peintres etc., II (1913). — Nouv. Arch. de l'Art franç. 1893; 1900. — Univ.-Catal. of Books on Art, I (1870).

Hawker, E d w a r d , falsch für *Hawker, Thomas.*

Hawker, T h o m a s , engl. Bildnismaler, † in Windsor kurz vor dem 18. 4. 1722, etwa 80 Jahre. Vertue und Walpole nennen ihn (offenbar irrtümlich) E d w a r d H a w k e r ; „was a poor knight of Windsor, and was living in 1721, aged fourscore". Die Schloßrechnungen von Windsor kennen nur einen Thomas H., der 22. 9. 1716 in Windsor wohnhaft war, und dessen Nachfolger 18. 4. 1722 ernannt wurde. Arbeiten: Bildnis des 1. Herzogs von Grafton († 1690), Schabblatt von Beckett. „Titus Oates", gest. von R. Tompson („Tho. Hawker pinxit"). Gruppenbild von 6 Kindern (um 1695), Stoneleigh Abbey, War-

wickshire, bez. „Hawker fecit". Laut Vertue übernahm H. nach Lely's Tode (1680) dessen Atelier, ohne von Erfolg begünstigt zu sein.

Vertue's Note Books. Brit. Mus. Add. Mss. 23068 f. 52, 23070 f. 25. — W a l p o l e , Anecd. of Painting, ed. Wornum. — Dict. of Nat. Biogr., XXV. — C. H. C o l l i n s B a k e r , Lely and the Stuart Portrait Painters, 1912. — Cat. of Engr. Brit. Portr. . . Brit. Mus., II 362; III 362. — C h a l o n e r S m i t h , Brit. Mezz. Portr. — Mitteil. aus Schloß Windsor.   *H. M. H.*

Hawkins, B e n j a m i n W a t e r h o u s e , Tiermaler, Lithograph u. Kunstschriftsteller in London, wo er 1832—41 in der Royal Acad. und Brit. Instit. ausstellte. Veröffentlichte eine Reihe von Lehrbüchern der Menschen- und Tieranatomie (ersch. zwischen 1843 und 1876), mit Lithographien nach eigenen Zeichnungen.

G r a v e s , Dict. of Art., 1895; Royal Acad., IV (1906); Brit. Instit., 1908. — S. Kens. Mus. Univ. Cat. of Books on Art, I (1870). — Cat. of engr. Brit. Portr. Brit. Mus., I (1908) 184; II (1910) 582. — Notiz von E. A. Popham.

Hawkins, E., Stecher in Schabmanier, tätig um 1800. Im Print Room des Londoner Brit. Mus. befindet sich ein Schabblatt (Bildnis eines ordengeschmückten Mannes), wohl Unikum, mit handschriftl. Notiz, Zeit um 1800: „Engraved by E. Hawkins pupil of J. R. S. Engraver in Mezzotints to R. H. P. of Wales". Es handelt sich also offenbar um einen sonst nicht näher bekannten Schüler des John Raphael Smith, der nur dieses eine Blatt gestochen hat.   *H. M. H.*

Hawkins, G e o r g e I, Architekturzeichner u. Aquatintastecher in London, tätig bis 1820. Stellte 1795—1810 in der Royal Acad. Entwürfe, Innenansichten Londoner Kirchen u. a. aus. Prideaux schreibt ihm auch die Aquatintastiche in J. Varley's Precepts of Landscape Drawing (1818) zu; vgl. aber Roget, Old Water-Col. Soc. I 324.

G r a v e s , Dict. of Artists, 1895; Royal Acad., IV (1906). — Annals of the Fine Arts, 1817 bis 1820. — P r i d e a u x , Aquatint Engraving, 1909. — Notiz von E. A. Popham.

Hawkins, G e o r g e II, engl. Lithograph, geb. 1819, † in London 6. 11. 1852. Zuerst Architekturzeichner, entfaltete als Lithograph eine erfolgreiche Tätigkeit. Seinen Arbeiten wird zarte Ausführung und korrekte Zeichnung nachgerühmt. Eines seiner besten Werke sind die Farbentafeln (Pläne, Aufrisse usw.) zu: Monastic Ruins of Yorkshire, 2 Bde fol. (York 1844—56, Skizzen von W. Richardson, Text von E. Churton).

Art Journal, 1852 p. 375 (Nekrol.). — Dict. Nat. Biogr., XXV. — G r a v e s , Dict. of Artists, 1895; R. Acad., IV (1906).

Hawkins, H., Bildnismaler, 1. Hälfte 18. Jahrh. John II Faber hat nach seiner Vorlage ein Bildnis des Thomas Newcomb als Titelkupfer für dessen Poem on the Last Judgment, 1723, in Schabmanier gestochen.

C h a l o n e r S m i t h , Brit. Mezz. Portr., 256.

Hawkins, H e n r y , Maler in London, zeigte 1822—80 in der Royal Acad., Brit. Instit. und in der Suffolk Street neben Genrebildern u. Landschaften zahlreiche Porträts.

Graves, Royal Acad., IV (1906); d e r s., Brit. Instit., 1908; d e r s., Dict. of Art., 1895.

Hawkins, J., Kupferstecher in England, um 1800, stach die Porträts John Howard (1787), J. Erskine (1809), Th. Laugher (1812), Prof. John Hawkins u. der Schauspielerin Charlotte Goodall (nach G. Hayter), ferner Porträts engl. Könige nach S. Wale.

Cat. engr. Brit. Portr., Brit. Mus. London, 1908 ff. II 348, 470; III 23. — D u p l e s s i s, Cat. Portr., Bibl. Nat. Paris, 1896 ff. III 14739, 14930/15; V 21182/17; 22390/10.

Hawkins, L o u i s W e l d e n , Maler in Paris, geb. in Stuttgart von engl. Eltern, † Mai 1910 in Paris, naturalisierter Franzose. Schüler von A. W. Bouguereau u. J. Lefebvre, zeigte 1881—91 im Salon der Soc. des Art. franç., 1894—1911 im Salon der Soc. Nat. Gemälde u. Zeichnungen, meist Genreszenen, aber auch Porträts, Landschaften, Allegorien. Das 1881 im Salon ausgestellte Bild „Die Waisen" kam ins Luxembourg-Mus. (L. Bénédite, Das Luxemb.-Mus., 1913, mit Abb.); im Musée Municipal in Nantes „Le Foyer" (1899 im Salon; Catal., 1913 p. 395), im Mus. zu Troyes „Paysanne" (Catal. 1907 p. 53).

Champlin-Perkins, Cyclop. of Paint. and Paintings, 1888 IV p. 481. — Chron. des Arts, 1910 p. 173. (Nekr.). — Salonkatal. (1894, 95, 1902 mit Abb.).

Hawkins, L o u i s a , siehe *Hawkins, Mrs. W.*

Hawkins, W., engl. Kupferstecher, tätig um 1793—1821. Lieferte zahlreiche Buchillustrationen bes. nach W. H. Corbould, u. a. zu Gulliver's Travels (1800); Robinson Crusoe (1799), Tom Jones (1797). Ferner: „The Gallant Behaviour of Sir Sydney Smith", nach Richter, 1803. *E. A. P.*

Hawkins, Mrs. W. (L o u i s a), engl. Miniaturmalerin, stellte 1839—68 in London (Royal Acad. u. Soc. of Brit. Artists) Bildnisse u. Genrearbeiten aus. T. H. Dean u. W. H. Mote haben nach ihr gestochen.

Graves, Dict. of Art., 1895; Royal Acad., IV (1906). — Cat. of engr. Brit. Portr. Brit. Mus., IV (1914) 319, 346.

Hawkins, W a t e r h o u s e , siehe *Hawkins, Benj. W.*

Hawks, J o h n , engl. Architekt, tätig in Amerika 1766—70. Kam aus England, wo er in den Diensten eines Mr. Leadbeater gewesen war, mit dem Gouverneur Tryon von Nord-Carolina nach Newbern, wo er das Gouverneurshaus (Tryon's Palace) erbaute. Lossing (s. Lit.) fand die Originalpläne im Besitz eines Nachkommen (Rev. Francis L. Hawks in New York); Gutachten und einschlägige Briefe Tryon's im Staatsarchiv von Nord-Carolina. Es handelte sich danach um einen akademischen Entwurf von einem für die Kolonien ungewöhnlichen Aufwand. (Der Bau 1798 abgebrannt.)

B. J. L o s s i n g , Pictorial Field Book of the Revolution, 1852 p. 570. — Colonial Records of North Carolina, VII (1890), VIII. — M. D. H a y w o o d , Governor Tryon of North Carolina, 1903 p. 63—5. *Fiske Kimball.*

Hawks, R a c h e l M a r s h a l l , Bildhauerin in Baltimore, geb. 20. 3. 1879 in Port Deposit (Md.), Schülerin des Maryland Instit. u. der Rinehart School of Sculpt. unter E. Keyser u. Ch. Pike. Arbeitet vor allem Wandreliefs. Von ihr eine Büste des Dr. Basil Gildersleeve in der John Hopkins Univ. Baltimore.

Amer. Art Annual, XVIII (1921).

Hawksett, S a m u e l , Porträtmaler in Belfast, geb. 1776, † 1851, der beliebteste Porträtist seiner Zeit in Belfast. Zeigte Porträts u. Miniaturporträts 1826—34 in der Royal Hibernian Acad., von denen einige auch gestochen wurden, so die des Rev. William Bruce (von G. Adcock, 1827), Rev. John Edgar (Mezzotintostich), S. Hanna (von J. Jenkins), Rev. Hugh MacNeill (Mezzotintostich von T. Lupton). Von ihm wahrscheinlich „Landung des Jacques Cartier in Stadacona" im Mus. der Laval Univ. Quebec (Catal. 1913 No 276). — Ein J o h n , Maler in Belfast, stellte 1844 bis 46 in der Royal Hibernian Acad. aus. Von ihm wohl eine Landschaft im Mus. der Laval Univ. Quebec (Catal. 1913 No 358).

Strickland, Dict. of Irish Art., I (1913).

Hawksley, A r t h u r , Landschaftsmaler in London, geb. 4. 3. 1842 in Nottingham, beschickte 1874—85 die Royal Acad., die Suffolk Street u. andere Londoner Ausst. Im Reichsmus. Amsterdam von ihm „Die einsame Bucht" (Katal. d. Gem., 1920).

Graves, Dict. of Art., 1895; d e r s., Royal Acad., IV (1906).

Hawksmoor, N i c h o l a s , Architekt, geb. 1661, † in London 25. 3. 1736. War laut Vertue zuerst Gerichtsschreiber in Yorkshire, kam dann nach London, wo er bei Sir Christopher Wren Bureauschreiber wurde. Begann als Wren's Assistent an der St. Pauls-Kathedrale, wurde Aufseher am neuen Westminster-Palast (1683—5); Vizeaufseher am Chelsea Hospital (1682—90); Bauaufseher am Greenwich Hospital (1698); Vizeaufseher ebendort 1705 („Plan General", bez. N. Hawksmoor, Bibl. des Roy. Inst. of Brit. Arch.). Bauaufseher am Kensington-Palast (1691—1715); Bauaufseher in Whitehall (1715—8); Sekretär des Bauamts (1718—35); im letztgen. Jahre Vizeaufseher; Hilfsaufseher unter Vanburgh in Blenheim (1710—15), einige Monate während Vanburgh's Krankheit Vize-Inspektor (1726). Baute seit 1692 am Queen's College in Oxford, errichtete 1720—34 den Nord-„Quadrangle" (Hof) des All Souls College; erhielt von der Universität 100 £ für das Clarendon Building; lieferte die Pläne für den Neubau des King's

College in Cambridge (1713); gab nach Besichtigung 1713 ein Gutachten über das Beverly Minster ab, „wo die Mauer an der Nordseite fast 3 Fuß aus dem Lot war". Erbaute die Landsitze Easton Neston (1713), Ponton Hall in Lincolnshire (1724) und Castle Howard (1736). Ferner lieferte er Pläne für Neubauten des Brasenose College in Oxford und des Parlamentsgebäudes sowie den Entwurf einer neuen Westminsterbrücke. Seine bedeutendsten Leistungen liegen aber auf dem Gebiet des Kirchenbaues. An der St. Pauls-Kathedrale war er 1669—1710 (Jahr der Vollendung) tätig; zus. mit dem Archit. John James („James of Greenwich") wurde er 1716 zum Kommissar für die „New Churches" ernannt. H. erbaute St. Anne's Limehouse (1712—24), St. George's in the East (1715—23), St. Mary Woolnoth (1716—19), St. George's, Bloomsbury (1720 bis 30), Christ Church, Spitalsfield (1723—9) und zusammen mit James (von dem der Entwurf des Turmhelms herrührt) St. Alphage, Greenwich. Beim Tode Wren's (1723) Oberaufseher der Westminsterabtei, vollendete er die Westtürme. — Als Architekt steht H. unter dem Einfluß von Wren und Vanbrugh. Sein Künstlergewissen sträubte sich gegen die Niederlegung der alten Bauteile im All Souls College, wo er alles stehen ließ, was „stark und dauerhaft" war; Vertue schildert ihn unter Berufung auf Read's Weekly Journal als einen Kenner der Architekturgeschichte, einen tüchtigen Mathematiker, Geometer und ausgezeichneten Menschen. — H. fand seine letzte Ruhestätte in Shenley in Hertfordshire (Grabschrift mitgeteilt im Journal of the Roy. Inst. of Brit. Arch. 1921 p. 486).

Walpole, Anecd. of Painting, ed. Wornum, 1862 II. — Redgrave, Dict. of Artists, 1878. — B. Chancellor, Lives of the Brit. Architects, 1909; ders., The Eighteenth Cent. in London. — R. Blomfield, Hist. of Renaiss. Archit. in England, 1897; ders., Short Hist. of Renaiss. Arch., 1914. — F. M. Simpson, Hist. of Architect. Development in England, 1913. — Fergusson, Hist. of Mod. Arch., II 53. — Chalmer's Biogr. Dict., XVII 254. — Muthesius, Kirchl. Baukunst in England, 1901 p. 10. — Kirchenbau des Protestantismus, 1893. — G. H. Birch, London Churches of the XVII. and XVIII. Cent., 1896. — Belcher & Macartney, Later Renaiss. Architecture, 1901, mit Tafeln (Greenwich, Castle Howard, Easton Neston, Clarendon Building, Queen's College, Oxford). — Wheatley & Cunningham's London, I—III. — Vitruvius Britannicus, I pl. 98—100. — Journal of the Roy. Inst. Brit. Arch., I 49, 893; II 97 f., 330, 389, 508; III 462; VI 12/4, 44/6, 60/3; XXVIII (1921) 485 ff. — C. F. Doll, Ms. Bibl. Roy. Inst. Brit. Arch. — Builder, XX 562, 590. — Dict. of Archit. (Architect. Publication Soc.) p. 30/2. — James Elmes, Memoirs of the Life Work of Sir Christ. Wren, 1823 p. 363, 486. — Wren's Parentalia, 1780 p. 328. — Read's Weekly Journal, March. 27. 1736 (langer Nekrolog, von Vertue H.s Schwiegersohn Nicholas Blackerby zugeschrieben). — Brit. Mus. Add. Mss. 23 076 f. 33, 46. — Brit. Mus. Cat. Drawings etc., II. — Civil Engineer's Journal, X 268 f. — Gentleman's Mag., 1735 p. 333; 1736 p. 233; 1751 p. 580; 1828 p. 298. — J. Cooke & J. Maule, Greenwich Hospital, p. 33 f., 42, 142. — Skelton's Oxonia, p. 28 f., 35. — Burrow's Worthies of All Souls p. 394. — Wood, Hist. and Antiquities of Oxford (ed. Gutch) p. 278—82. — Willis & Clark, Architect. Hist. of Cambridge, I 560; II 274; III 447, 534. — Malcolm, Londinium Redivivum, II 81 f. — Britton & Pugin, Public Buildings, I 90/4; II 95/8. — A. Murray Smith, Annals of Westminster Abbey, p. 320. — Lyon's Environs of London, IV 465 f. — Historical Register, 1716 p. 111; 1718 p. 34; 1735 p. 25. — Oliver, Hist. of Beverley Minster, p. 239, 241, 313. — Gough, Brit. Topography, I 479 f., 766. — Penny Cyclopaedia, II 95. — Brit. Mus. Cat. (weder dort noch in der Bibl. des Roy. Inst. Brit. Arch. ist H.s erste Abhandlung vorhanden. Der Titel lautet: Remarks on the Founding & Carrying on of the Buildings of Greenwich, for the Parliament, 1728). — R. I. B. A. Library: 4 große Grundrisse (bez.): Greenwich Hospital u. Umgebung. — Soane Museum: Entwürfe (2 Bde) Greenwich Hospital, u. a. unbez., die Handschr. dieselbe wie auf den Plänen im R. I. B. A. — Gotch's The English Home, p. 207—12, 222, 233. — Nouveau Théâtre de la Grande Bretagne, 1724 III 47 (Stich des Queen's College, Oxford). — Zeichnungen im Queen's College, Oxford. — Oxford Almanack, 1728 (Vertue's Stich von H.s Bauten in All Souls). — Bez. Tafeln u. Zeichn. in All Souls. — Viele Mss. ebd. — W. H. Godfrey, Hist. of Archit. in London, 1911. — Zeichnungen für die Radcliffe Library Oxford, ebd. — Williams, Oxonia pl. XXXI (Entwurf einer neuen Fassade für All Souls). — Stichansichten von St. Albans 1710, 1721, Brit. Mus., King's Library (K 49e u. g), Stiche u. Zeichn. für Cambridge (K 8, 44, 45)d London (K 23(11) a—w; K 23 (27) a—e; Oxford; K 34(42)b). K. A. E.

Hawksworth, Miss J., engl. Kupferstecherin um 1813, vermutlich Tochter oder Schwester des John H. Arbeiten: „A Blacksmith's Shop", nach G. Jones, Platten zu „Relics of Antiquity", nach S. Prout, 1811. E. A. P.

Hawksworth, John, Kupferstecher in London 1819—20. Wohl identisch mit einem Stecher Hawksworth, der für Nicholl's Literary Illustrations (1848) arbeitete und der zus. mit Woolnoth ein Bildnis Walter Scotts in Radierung und Punktiermanier mit reicher Umrahmung als Titelbild des „Spirit of the Public Journals" (1825) stach.

Annals of the Fine Arts, 1819, 1820. — Cat. of Engr. Brit. Portr. Brit. Mus. III (1912) 90, 451; IV (1914) 41, 184. — Notiz von E. A. Popham.

Hawksworth, W. T. M., Maler in London, zeigt Flußlandschaften u. Marinebilder seit 1881 in Londoner Ausstell., besonders in der Royal Acad. u. in Suffolk Street.

Graves, Dict. of Art., 1895; ders., Royal Acad. IV (1906). — Brit. Marine Paint., Studio-Special-Nr, 1919 p. 33, 125 (Abb.). — Cat. Exhib. Royal Acad., 1909—13, 15, 16, 19—21.

Hawle, Joseph, Zeichner und Radierer in Prag, geb. 9. 5. 1763 in Münchengrätz (Böhmen), † 19. 10. 1840 in Prag, wo er 1802 Adjunkt der Ständ. Ingenieur-Professur wurde; zeichnete und radierte (seit 1798) Landschaften kleinen Formats.

D l a b a c ž, Kstlerlex. f. Böhmen, 1815. — N a g l e r, Kstlerlex., VI (unter Hawel). — P a t u z z i, Gesch. Oesterr., II. Teil (1863). — J i ř i k, Tschech. Malerei i. 19. Jahrh. (tschech.), 1909.

Hawley, M a r g a r e t F o o t e, Miniaturmalerin in Boston (Mass.), geb. 1880 in Guilford (Conn.), Schülerin der Corcoran School Washington u. der Acad. Colarossi Paris. Zeigte Miniaturporträts in der Panama Pacific Intern. Exp. S. Francisco 1915 (Cat. de Luxe, II p. 322). Eine Miniatur von ihr im Metrop.-Mus. New York.

Amer. Art Annual, XVIII (1921). — Studio, LXVII (1916) 70 (Abb.), 72.

Hawlicek, V i n c e n z, siehe *Havlicek, V.*

Hawliczek, J o s e f, Miniaturmaler, nur bekannt durch 2 Bildnisse auf Elfenbein, Brustbild eines alten Herrn und Selbstporträt, beide bez. „Josef Hawliczek 1851", die 1905 in der Miniat.-Ausstell. zu Troppau waren (Katal. No 570/71).

Hawránek, E u s t a c h, Zeichner, Weltpriester, 1774/75 in Prag, † bald darauf ebenda; von ihm kannte Dlabacž 3 Tuschzeichnungen (Die Evangel. Gesch. in 12 Monaten dargestellt, Hl. Gerlak, Marienbild), die er für einen Prämonstratenser in Strahow gezeichnet hatte. 2 Zeichn. (Princeps Pastorum und hl. Joseph) in der Bibliothek zu Strahow.

D l a b a c ž, Kstlerlex. f. Böhmen, I (1815).

Hawranek, siehe auch *Havranek.*

Hawthorne, C h a r l e s W(e b s t e r), amer. Genre- u. Bildnismaler, geb. 1872 in Maine. Schüler der Nat. Acad. of Design and Art Student's League in New York unter William M. Chase, dessen Gehilfe er später wurde. Genoß daneben den Unterricht von Vincent du Mond und George de Forest Brush, denen er aber weniger verdankt als Chase, mit dessen Technik die seinige allerdings geringe Verwandtschaft hat. H. schildert mit besonderer Vorliebe das Leben und Treiben der Fischerbevölkerung am Kap Cod (Massachusetts), indem er in seinen Bildern den Hauptnachdruck auf eingehende sachliche Darstellung, reine Farben und eine harmonische Tonskala legt. Hauptwerke in amer. Samml.: „The Trousseau", Metropolitan Mus. New York; „The Fisherman's Wife", Corcoran Art Gall., Washington; „Venetian Girl", Worcester Art Mus., Worcester, Mass.; „The Net Mender", „The Girl in White", Rhode Island School of Design, Providence, R. I.; „The Song", Toledo Art Mus., Toledo, Ohio; in den Galerien zu Detroit, Michigan; Buffalo, N. Y.; St. Louis; Muskegon, Mich.; Art Institute, Chicago; Mus. of Fine Arts, Boston; The John Herron Art Institute, Indianapolis, Ind. Auf zahl-

reichen großen Ausstell. wurde H., der auch als Lehrer guten Ruf hat und sich neuerdings auch im Bildnisfach betätigt, mit Auszeichnungen bedacht. — Seine Gattin M a r i o n G(a m b e l l), geb. in Joliet, Illinois, Schülerin von W. M. Chase, stellte 1913 im Pariser Salon (Soc. Nat.) aus.

Who's who in America, XI (1920) 1274. — Amer. Art Annual, XVIII (1921) 446. — L o r i n d a M. B r y a n t, What Pictures to see in America, 1915 p. 206; d i e s., Amer. Pictures and their Painters, 1917 p. 206. — C h a r l e s H. C a f f i n, Story of Amer. Painting, 1907 p. 378. — Art and Progress, IV (Jan. 1913) 821. — International Studio, XXVI (1905) 261/4; XXXVII Sup. 65—72 (Mai 1909); LXI Sup. 19—24 März 1917. — Fine Arts Journal, XXVI (1912) 199—205. — Amer. Art News, XX (1921—2) Nr 17 p. 4, Nr 25 p. 8; XXI (1922—3) Nr 4 p. 1. *Blake-More Godwin.*

Hawthorne, H e n r y, engl. Architekt. Bauaufseher in Windsor 1575. Errichtete im Stil der ital. Renaiss. die Gallery, jetzt Bibliothek, und plante Umbauten der Terrasse u. a.

R e d g r a v e, Dict. of Artists, 1878.

Hawthorne, M a r i o n G., siehe unter *Hawthorne,* Charles W.

Hay, A l e x a n d e r, Kupferstecher in Schabmanier, um 1840. Von ihm folg. Bildnisse: Frances Countess of Mar, nach G. Kneller; James Lames nach Raeburn; John Thomson (Geistlicher u. Landschaftsmaler), nach dems.

Cat. Engr. Brit. Portr. . . Brit. Mus., III 24, 155. — W. A r m s t r o n g, Sir Henry Raeburn, 1901. *M. W. H.*

Hay, B e r n a r d o, Maler, geb. August 1864 in Florenz, Sohn der engl. Malerin J a n e B e n h a m H a y (die 1848—62 in der Royal Acad. in London Historienbilder u. landschaftl. Motive aus dem Arnotal — sie hielt sich in Florenz auf — ausstellte; vgl. Graves, Royal Acad. I p. 179 u. IV), Schüler des Sav. Altamura, ließ sich in Neapel u. auf Capri nieder. Schilderte vor allem die landschaftl. Schönheit Capris, stellte Charaktertypen aus der neapolit. Bevölkerung dar, brachte auch Motive aus Venedig und (von einer Reise nach Belgien) aus flämischen Städten. Die Stadt Neapel erwarb 1887 „Barche chioggiotte in Laguna".

M. d e l l a R o c c a, L'arte mod. in Italia, Napoli 1883 p. 277. — A. d e G u b e r n a t i s, Diz. degli Art. ital. viv., 1889. — E. G i a n n e l l i, Artisti nap. viv., 1916.

Hay, C h a r l o t t e, geb. *Militz,* Malerin, geb. in Gotenburg (Schweden) 10. 12. 1798, kam jung nach Antwerpen, wo sie 1843 noch tätig war; Schülerin von Wappers, zeigte 1834, 1837, 1840 in Antwerpen, 1837 in Douai, 1839 in Brüssel Genre- und Historienbilder.

I m m e r z e e l, Levens en Werken, II (1843).

Hay, D a v i d R a m s a y, Dekorationsmaler u. Kunstschriftsteller, geb. in Edinburgh März 1798, † ebenda 10. 9. 1866. Schüler des Wappen- und Dekorationsmalers Gavin Beugo in Edinburgh, malte in seiner freien Zeit Tierbilder und Ölkopien nach Watteau (Besitz der Familie). Wandte sich auf Scott's Rat der

Dekorationsmalerei zu und übernahm die Ausführung der Wandmalereien in Abbotsford, wobei ihm sein Geschäftsteilhaber George Nicholson und dessen Bruder William, der spätere Porträtmaler, behilflich waren. Um 1828 machte sich H. in Edinburgh selbständig. Zu seinen Schülern gehörten zahlreiche angesehene Edinburgher und Glasgower Dekorationsmaler, die zu seinem Gedächtnis den „Ninety Club" begründeten. H.s Hauptwerk ist die Dekoration der „Hall" der Londoner Soc. of Artists (um 1846). Mitglied der Edinburgher Royal Soc. u. Begründer der Aesthetic Soc. (1851). Verfasser zahlreicher Schriften zur Theorie u. Technik der Kunst, Farbenlehre, Ästhetik, Proportionslehre usw.

R e d g r a v e , Dict. of Artists 1878. — Dict. of Nat. Biogr., XXV 253 f.

Hay, E l i s a b e t h S. Le , s. *Chéron,* Elis.

Hay, F r e d e r i c k R u d o l p h , engl. Kupferstecher, geb. 1784, stach die 28 Platten zu „Views of the Seats of Noblemen . . . in England" (London 1822) nach J. P. Neale, sowie 1 Bl. (Luganer See) nach James Hakewill (1819).

L e B l a n c , Manuel, II. — Notiz von E. A. Popham.

Hay, G e o r g e , Maler, geb. 21. 6. 1831 in Leith (Schottland), † 31. 8. 1913 in Edinburgh, trat zuerst in ein Architekturbureau ein, wandte sich dann der Malerei zu, war zuerst Schüler der Trustees' Acad., dann von Robert Scott Lauder. Schildert vor allem Szenen aus der schottischen Geschichte des 15. u. 16. Jahrh. Seit 1876 war er Mitglied der Royal Scottish Acad. In der Nat. Gall. in Edinburgh von ihm „Caleb Balderstone's Ruse" (1874).

J. L. C a w , Scott. Painting, 1908 p. 261. — G r a v e s , Century of Loan Exhib., II (1913). — Art Journal, 1898 p. 367 (Abb.), 370. — Catal. Nat. Gall. Edinburgh, 1920 p. 358 f. (mit biogr. Daten).

Hay, J., Miniaturmalerin in London, zeigte Porträtminiaturen 1796—1812 in der Royal Acad., 1810 u. 12 in der Brit. Instit.

G r a v e s , Royal Acad., IV (1906); d e r s., Brit. Instit., 1908.

Hay, J a m e s H a m i l t o n , Maler u. Radierer in Liverpool, malt Landschaften u. Marinen von feinem koloristischem Reiz; betätigt sich auch als Radierer. 1900 u. 1914 stellte er in der Londoner Royal Acad. aus.

G r a v e s , Royal Acad., IV (1906); d e r s., Loan Exhib., IV (1914). — The Art Journal, 1905 p. 260 (Abb.). — Studio, XXXVII (1906) 345, 346 (Abb.); LXIII (1915) 217, 219; LXIV (1915) 140; LXVI (1916) 214.

Hay, J a n e B e n h a m , siehe unter *Hay,* Bernardo.

Hay, J e h a n , s. *Hey,* Jehan.

Hay, J o h a n n E d u a r d , Porträtmaler, geb. 1815 in Riga, † 1841 in Genua, Schüler L. Bülows in Riga u. A. Schroedters in Düsseldorf, ging von dort nach Italien. Das städt.

Mus. Riga besitzt von ihm das Bildnis seines Lehrers Bülow. (Verz. der Gem., 1906 p. 41).

W. N e u m a n n , Lex. balt. Kstler, Riga 1908.

Hay, J o h n , Miniaturmaler in London, Schüler von Richard Cosway, unter dessen Adresse er 1768 f. ausstellte. Malte außer Miniaturen wahrscheinlich auch Bildnisse in Lebensgröße und zeichnete (in Bleistift) kleine Bildnisse. Stellte 1768—83 in der Roy. Acad. und der Free Society aus; hier in letztgen. Jahr: „Inside of an Alehouse at an Election Time". Nach ihm gestochen: Bildnisse Ann und George Allan's, der Mrs. Palmer, u. a.

G r a v e s , Roy. Acad., IV (1906); d e r s., Soc. of Art., 1907. — Brit. Mus., Cat. of engr. Brit. Portr., I 37; III 404. *B. S. L.*

Hay, P e t e r A l e x a n d e r , schott. Genre-, Bildnis- u. Landschaftsmaler, tätig in Glasgow, Edinburgh und seit etwa 1895 in London, wo er bis 1920 hauptsächlich in der Royal Acad. ausstellte. Daneben auch wiederholt im Pariser Salon (zuletzt 1920) vertreten. Während seine frühen Arbeiten noch im Stil der damal. Glasgower Schule in vollen kräftigen Farben gehalten sind, bevorzugt er später eine tonige Gesamthaltung mit zarten, gebrochenen Tönen. H. hat auch eine Reihe Aquarelle mit reizvollen Kostümstudien geschaffen („The tapestry worker", 1904).

J. L. C a w , Scott. Painting, 1908. — G r a v e s , Dict. of Artists, 1895; Royal Acad., IV (1906). — Cat. Exhib. Royal Acad. London 1905—20. — Salonkat. (Soc. Art. franç.) 1893 f., 1896, 1910, 1913, 1920. — Cat. Espos. internaz. d'arte, Venedig 1909.

Hay, R o b e r t , Ägyptolog und Zeichner, geb. 1799, † 1863. Mitglied der Royal Scott. Acad. (1841). Veröffentlichte die „Illustrations of Cairo" (1840), deren Zeichnungen von O. B. Carter (s. d.) herrühren. Im Print Room des Brit. Mus. befindet sich ein Konvolut aquarellierte Federzeichnungen (Pläne seines Hauses in Kairo, Ansicht von Kairo u. a.) von seiner Hand. Anderes wird ihm ebendort zugeschrieben.

Cat. of Drawings by Brit. Artists, Brit. Mus., II (1900). — Dict. of Nat. Biogr., XXV.

Hay, T. M a r j o r i b a n k s , Maler in Edinburgh, † Nov. 1921, malte vor allem engl. Landschaften in Aquarell, die er in Londoner Ausst., wie der Royal Acad., der New Water-Colour Soc. u. a. seit 1885 zeigte. Mehrmals (1904, 07, 08, 11) auch im Münchner Glaspalast vertreten. Die Manchester City Art Gall. besitzt von ihm ein Aquarell „Crianlarich" (Handbook of the Permanent Coll., 1910 p. 51).

C a w , Scott. Painting, 1908 p. 303. — C h. H o l m e , Sketching Grounds (Studio Spec.-Nr 1909) p. 66, 68, 76, 77, 83, 86 (Abb.). — G r a v e s , Dict. of Art., 1895; d e r s., Royal Acad., IV (1906).

Hay, W., Bildnis- und Landschaftsmaler, tätig in Plymouth und London. Stellte 1776 bis 97 in der Royal Acad. hauptsächlich Bildnisminiaturen aus. J. Ward hat nach ihm das

Bildnis des Henry R. Yorke in Schabmanier gestochen.

G r a v e s, Royal Acad., IV (1906). — Cat. of engr. Brit. Portr., Brit. Mus., IV (1914) 564.

Hay, W i l l i a m M., Maler in London, zeigte Porträts, Genre- u. religiöse Bilder 1852—81 in Londoner Ausst.: Royal Acad., Brit. Instit., in Suffolk Street u. a.

G r a v e s, Dict. of Art., 1895; d e r s., Royal Acad., IV (1906); d e r s., Brit. Instit., 1908. — The Art Journal, 1860 p. 80.

Haya, R o d r i g o d e l a, Bildschnitzer wohl holländ. Herkunft (aus dem Haag?), arbeitete 1577—81 in Burgos mit seinem Bruder M a r t i n d e l a H. am dreistöck. Renaissance-Hochaltare der dort. Kathedrale, nachdem er schon 1575 vom dort. Erzbischof Crist. Vela für Statuen des Apostels Andreas u. des Evang. Mathäus Zahlung erhalten hatte. Sein bei Amador p. 472 f. erwähntes Chorpult von 1576 im selben Dom wurde 1771 beseitigt. — Ein B a r t o l o m é d e l a H. arbeitete gleichzeitig als Bildhauer an der Puerta de la Pellejeria des Domes zu Burgos. — Über den 1551/55 ebenda nachweisbaren Kunsttischler D i e g o d e l a H. vergl. den Artikel Juan de la Guerra.

C e a n B e r m u d e z, Diccion. de B. Artes en España, 1800 II; cf. L l a g u n o y A m i r o l a, Not. de los Arquit. de España, 1829 III 32. — A r a u j o G ó m e z, Hist. de la Escult. en España, 1885 p. 250, 607. — A m a d o r d e l o s R i o s, Burgos (Barcelona 1888) p. 473, 496. — J u s t i, Miscell. etc. Span. Kunstlebens, 1908 I 22; d e r s. in Baedeker's „Spanien u. Portugal", Ausg. 1912 p. LXXII u. 30.

Hayard, J.-B., Stecher des 18. Jahrh. in Paris, stach laut Basan mehrere Köpfe in Crayonmanier nach Vanloo, laut Nagler 12 Bl. archit. Verzierungen nach J. A. Renard. Nach J.-B. Descamps stach er 1752 das Porträt des Parlamentsmitgliedes von Rouen, Le Cornier de Cideville.

B a s a n, Dict. des Grav., I (1789). — N a g l e r, Kstlerlex., VI. — D u p l e s s i s, Catal. Portraits Bibl. Nat. Paris, 1896 ff. VI 26567.

Haybäck, K a r l, Architekt in Wien, geb. in Preßburg 6. 8. 1861, Schüler des Polytechnikums in Zürich (unter Bluntschli) und der Wiener Akad. (unter Hasenauer), die ihn 1886 durch ein Preisstipendium auszeichnete; dann Studienreisen in Italien, Frankreich, Schweiz. Seit 1889 selbständig, hat er in allen ehemal. Kronländern Österreichs eine Anzahl bedeutender Bauten ausgeführt, darunter: Sparkassengeb. in Neuhaus, Matthonis Kuranstalt in Karlsbad, Schloß Kantor in Millstadt, Schloß Wortburg in Karlsbad, Kuranstalt Gutenbrunn in Baden, zahlreiche Villen in Dornbach, Klagenfurt, Frain, Pörtschach, Karlsbad (Villa Asgard), Gießhübl-Puchstein (Villa Imperial), Hotelbauten in Karlsbad (Nürnbergerhof, Württembergerhof), Heilanstalt Dr. Just in Graz, Kuranstalt Lassnitzhöhe usw. Auch leitete er die Restaurierungsarbeiten am Nordportal des Preßburger Domes.

K o s e l, Deutsch-österr. Kstler- u. Schriftst.-Lex. 1902, I 12 f. — Der Architekt, I (1895) 48, Taf. 76; II (1896) 6, 7, 54, Taf. 11, 91; III (1897) 12; X (1904) Taf. 6. — Architekt. Rundschau, XI (1895) Taf. 66; XII (1896) Taf. 95; XIV (1898) Taf. 2.

Hayberger, G o t t h a r t, Architekt zu Steyr. Von ihm im Stiftsarchive zu Admont Pläne von 1742 für den Umbau des Klosters; den Ost- und Südtrakt beabsichtigte er umzubauen und den Nordtrakt neuzubauen. Ausgeführt wurde schließlich ein gewaltiges dreistöckiges Gebäude, das die älteren Bauten im Norden, Osten und Süden einschließt. Nach H. hat Josef Hueber den Stiftsbau zu Ende geleitet. 1744 Kontrakt zwischen Propst Johann Georg Wiesmayr von St. Florian u. H. wegen „Zusehung bei dem Gebäu" der Stiftsbibliothek, die schon von Prandtauer entworfen worden war. Da der Propst die Ausmaße der Bibliothek kleiner gehalten wissen wollte, wird H. mit 50 fl. Jahresgehalt (einschl. der Reiseunkosten usw.) bestellt. H. liefert einen „Riß zum Gebäu", der eine Auffahrt zum Stifte von der Marktseite, unterhalb der Bibliothek vorsieht, findet aber dafür kein Entgegenkommen. 1745 (Baujahr des Bibliotheksaales) ist H. mit 50 fl. ausgewiesen und verschwindet damit aus den Florianer Baurechnungen.

A. C z e r n y, Kst u. Kstgew. im Stifte St. Florian, Linz 1886 p. 152. — W i c h n e r, Kloster Admont, Wien 1888 p. 48, 118. — Mitt. d. Zentr. Komm., 3. F. XVI (1919) 60. — B r e t s c h n e i d e r, Bauschaffen d. Stifte Oberösterreichs, Diss. Dresden, 1914 p. 35.

K. v. Garzarolli-Thurnlackh.

Haybolt (Heybolt), L., Wachsbossierer, Anfang 19. Jahrh.; von ihm das Bildnis eines älteren Bürgers, in weißem Wachs auf grünem Glas, um 1800, bez. „L. Haybolt fec.", und das Profilbrustbild eines (Kölner?) Erzbischofs, in weißem Wachs auf blauem Grund, bez. „L. Heybolt fe." — Wohl identisch mit L. Hagbolt.

Helbings Verst.-Katal.: Antiqu. aus dem Besitz Jacques-Wiesbaden u. Pernat-München, München 1912 No 306; der Samml. Adolf Heß-Frankf. a. M., München 1912 No 82.

Haycock, G. B., Maler in London, zeigte Stilleben (vor allem Früchtestilleben) 1862—68 auf mehreren Londoner Ausst. (Royal Acad., Brit. Instit.).

G r a v e s, Dict. of Art., 1895; d e r s., Royal Acad., IV (1906); d e r s., Brit. Instit., 1908.

Hayd, A n n a M a r i a, s. *Werner,* A. M.

Hayd, s. auch *Haid* u. *Heyd.*

Hayden, C h a r l e s H., Landschaftsmaler in Boston, geb. 4. 8. 1856 in Plymouth (Mass.), † 4. 8. 1901 in Belmont (Mass.), Schüler der Unterrichtsanstalt des Museum of Fine Arts in Boston u. von Boulanger, J. J. Lefebvre u. R. Collin in Paris. Stellte 1889 im Pariser Salon der Soc. des Art. franç., 1900 in der Exp. décennale u. in amerik. Ausst. aus. Im Mus. in Cincinnati von ihm „Connecticut Hillside" (Catal. of the perm. coll., 1913).

Weitere Werke im Boston Art Club u. im Mus. of Fine Arts, Boston.

Amer. Art Annual, 1903 p. 141. — Cat. Exhib. Carnegie Instit. Pittsburgh, 1896/97. — Cat. de Luxe Pan. Pac. Exp. S. Francisco, 1915 II 322.

Haydock, Richard, engl. Arzt und Kupferstecher (Dilettant), geb. in Grewel, Hampshire, † um 1640. Studierte in Oxford und unternahm Reisen nach dem Kontinent. Später in Salisbury tätig. Veröffentlichte eine Übersetzung von Lomazzo's Trattato della Pittura unter dem Titel: A Tracte containing the Artes of Paintinge, Carvinge and Buildinge; written first by Jo. Paul Lomatius, painter of Milan, and Englished by R. H., student in Physik, Oxford 1598, fol. Das Buch ist mit 13 von H. gestochenen Tafeln, darunter 3 Kopien nach Dürers Proportionslehre, und einem merkwürdigen Titelblatt (Bildnisse von Verfasser und Übersetzer) geschmückt.

Dict. Nat. Biogr., XXV 281. — S. C o l v i n, Early Engraving.. in England, 1905 p. 63 f., 151. — F ü ß l i, Kstlerlex., 1779 (unter Haydocke). — L e B l a n c, Manuel, II.

Haydon, B e n j a m i n R o b e r t, engl. Historienmaler, geb. in Plymouth 26. 1. 1786, † in London durch Selbstmord 22. 6. 1846. Erhielt Anleitung von seinem Schulmeister und zeichnete schon mit 6 Jahren; besuchte die Lateinschule in Plympton und kam 1801 zu seinem Vater, einem Buchhändler, in die Lehre. Entschied sich trotz dessen Abneigung und ungeachtet seiner schwachen Augen für die Kunst und kam 1804 nach London, wo er zuerst einige Monate allein arbeitete und von Prince Hoare an Northcote und Füßli empfohlen wurde. Besuchte bis 1806 die Abendklasse der Akad., arbeitete ohne Lehrer oft 12—14 Stunden am Tag und schloß mit Wilkie Freundschaft. Begann 1806 sein erstes Bild, eine Ruhe auf der Flucht nach Ägypten, die er für 100 Guineen an den Sammler Thomas Hope verkaufte, macht die Bekanntschaft Sir George Beaumont's und erhält von Lord Mulgrave den Auftrag auf den „Dentatus". Vorübergehend in seiner Vaterstadt als Bildnismaler tätig, vollendet er nach seiner Rückkehr den „Dentatus", wofür er den von der Brit. Institution für das beste Historienbild ausgesetzten 100-Guineen-Preis erhielt (Stich von W. Harvey). Die ungünstige Placierung dieses Bildes in der Ausst. der Akad. (1809) wird der erste Anlaß zu seinem Streit mit dieser Körperschaft, der ihm hinfort das Leben verbitterte. Die soeben erfolgte Ankunft der Elgin Marbles bildet in London das Tagesgespräch, er erbittet sich von Lord Mulgrave eine Empfehlung an Lord Elgin und bekommt als erster von allen Künstlern — 4 Monate vor Benjamin West — die Erlaubnis, die berühmten Skulpturen zu studieren und zu zeichnen. Bedeuteten sie für H. eine Offenbarung, so veranlaßten seine ebenso genauen wie virtuosen Zeichnungen (Skizzenbuch im

Brit. Mus.) Lord Elgin, ihm den Posten eines Kurators seines Museums in Park Lane anzubieten, den H. indes ausschlug. Auf A. Archer's Bild des Elgin Room im Brit. Mus. von 1806 (jetzt Committee Room ebda) sieht man H.s Bildnis hinter dem Theseus. Bei der Abstimmung zur Wahl in die Akad. bringt er es (1809) zu keiner einzigen Stimme, während an seiner Stelle G. Dawe gewählt wurde. H. vollendete 1812 sein von Sir George Beaumont bestelltes Bild („Lady Macbeth"), und 1814 bringt ihm sein großes Gemälde „Urteil Salomos", zwar das Ehrenbürgerrecht seiner Vaterstadt und wiederum einen von der Brit. Institution ausgesetzten Preis, aber keinen einzigen Auftrag. Andere bedeutende Werke jener Zeit sind der „Einzug Christi in Jerusalem", mit einer Menge Bildnisse seiner Freunde, und die „Auferweckung des Lazarus" (1822), dessen Kopf Hazlitt den Typus des Erhabenen in der Kunst nannte (jetzt als Leihgabe der Nat. Gall. in Plymouth). Mit seinem Freunde Wilkie kam H. 1814 zum Studium der Kunstschätze des Louvre nach Paris, von wo er an Leigh Hunt interessante, ausführliche Briefe schrieb, und wo er mit Canova befreundet wurde, der gelegentlich seines Londoner Aufenthalts (1815) H.s Atelier besuchte. Zu H.s Freunden gehörten damals auch Keats, der sein von jenem gezeichnetes Bildnis eine „boshafte Karikatur" nannte, Charles Lamb, Hazlitt, Wordsworth, Southey u. a. Prominente Besucher seines Ateliers aus dem Ausland waren Großfürst Michael von Rußland, Vernet und Cuvier; mit Geldmitteln und Subskriptionen unterstützten ihn Goethe, Scott, Wordsworth u. a. Zu H.s Schülern zählten die beiden Landseer, Eastlake, Bewick, Harvey u. a. Gegen Payne Knight, der vom öffentl. Ankauf der Elgin Marbles abriet, richtete H. im „Examiner" und „Champion" 3 heftige Artikel, wodurch jene, wie Lawrence sich ausdrückt, für England gerettet wurden. Wegen seiner Sorglosigkeit in Geldsachen geriet H. in immer größere Bedrängnis; er ließ aus eigener Tasche Abgüsse der Elgin Marbles anfertigen, die er Canova u. a. verehrte, unterrichtete seine Schüler unentgeltlich, heiratete 1821 eine schöne Witwe (Mary Hymans), hielt seine Auftraggeber mit Versprechungen hin, verlangte aber Vorschüsse von ihnen und schlug 500 Guineen aus, die man ihm bot, falls er eine Raffaelkopie als ein echtes Meisterwerk beglaubigen würde — und dabei hatte er gerade keinen Heller in der Tasche. Der große Erfolg des Jerusalembildes (später in Philadelphia) und des „Lazarus", die er 1820 und 1823 in der von ihm gemieteten Egyptian Hall in Piccadilly ausstellte, stürzte ihn noch tiefer in Schulden. Das Lazarusbild (jetzt Bes. der Nat. Gall.) wurde (Nov. 1822) von seinen Gläubigern gepfändet und für 30 £ verkauft, während H. selbst zweimal in das Schuldgefängnis King's Bench kam, von wo aus er an das Parlament wegen Bewilligung eines öffentl. Fonds zur künstler. Ausschmückung öffentl. Gebäude und Errichtung öffentl. Denkmäler für die Teilnehmer am spanischen Feldzug petitionierte. Nach seiner Freilassung (Juli 1823) malte H. Bildnisse und kleinere Bilder für Lord Egremont, Sir Robert Peel und andere Gönner, sowie zahlreiche Wiederholungen seines „Napoleon auf St. Helena", nur um sich über Wasser zu halten; dennoch war er fortdauernd tief in Schulden und verlor 5 Kinder durch den Tod. Ferner entstanden nach Vorgängen, die er im Gefängnis beobachtet hatte, die beiden von Georg IV. für 500 Guineen angekauften Bilder „The Mock Election" und „Chairing the Member" sowie das von Scott so bewunderte „Reformbankett" für Lord Grey (Nat. Portrait Gall.). Ein Entwurf zur Errichtung von Zeichenschulen, der H. seit 1812 beschäftigte, wurde 1835 vom Parlament angenommen und zur Ausführung bestimmt. Als Konkurrenz gegen die Akademie errichtete er in Savile House eine Aktschule, die er aber eingehen ließ, als die Akad. ihrerseits das Aktzeichnen zum Unterrichtsgegenstand machte. Kunsttheoretische Vorträge, die H. 1835—42 in Liverpool, Manchester und den Industriezentren des Nordens veranstaltete, fanden großen Zulauf; auch erhielt er zahlreiche Aufträge, darunter auf das „Meeting der Anti-Slavery Society" (1840, jetzt in der Nat. Portrait Gall.). Damals hielt er auch zu seinem Stolz an der Universität Oxford Vorträge. Obgleich sein Programm für den Wandschmuck des neuen Parlamentsgebäudes zur Ausführung bestimmt worden war, sah er sich (1841) von der zu diesem Anlaß eingesetzten Parlamentskommission übergangen. Mit dem Mut der Verzweiflung machte er sich an die Ausführung zweier Kartons („Verbannung des Aristides" und „Nero besingt zur Leier den Brand Roms") aus der von ihm geplanten Folge von 6 Einzeldarstell., die aber, als er sie öffentlich ausstellte, so gut wie unbeachtet blieben, so daß H. aus Verzweiflung seinem Leben ein Ende machte. — Der Journalist Cyrus Redding, der ihn 1808 oder 1809 kennenlernte, schildert ihn als umgänglich, liebenswürdig, als glänzenden Gesellschafter und als einen Künstler, der von einer neuen Blütezeit der religiösen Kunst in England träumte. G. F. Watts sagt von H., daß sein Werk sein Selbst sei, fehlerhaft wie er selbst war, und weiter, daß seine anatomischen Kenntnisse und sein Formengefühl in der engl. Kunst nicht ihresgleichen fänden — ein Urteil, das ein moderner Kritiker wohl kaum unterschreiben würde, bei aller Anerkennung, die er H.s redlichem Streben nach dem Höchsten in der Kunst oder was er dafür hielt, widerfahren ließe.

T. Taylor, Life of B. R. H., historical painter, from his autobiography and journals. 3 Bde, 1853. — Correspondence and table talk of B. R. H., edited by his son F. W. Haydon, 2 Bde, 1876. — The Art Union, 1846 p. 235 f. (ausführl. Nekrolog). — Redgrave, Dict. of Artists, 1878. — Dict. of Nat. Biogr. XXV 283 ff. — Letters of Charles Lamb, ed. W. C. Hazlitt, 1886 I 47; II 32, 89, 244, 285. — C. Redding, Past Celebrities Whom I have known, II 226—67. — A. Edward Newton, A magnificent Farce, Atlantic 1921 p. 119 (Keats' Skizze in einem Briefe H.s an Browning). — Sir Walter Scott's Journals, 1890 I 413; II 172, 326 Anm. — Lockhart's Life of Scott, 1851 p. 684 u. Anm. — W. Hazlitt, Elected Works, 1902 ff. VI 336, 365, 380, 398 f., 471, 476; VII 42; IX 123, 309, 338, 359, 427; X 200, 423; XI 481, 590; XII 271, 277. — H. Crabb Robinson, Diary & Correspond., ³ 1872 I 214, 256, 313, 349, 414. — C. R. Leslie, Life and Times of Sir J. Reynolds, 1865 I 102, 303, 357, 376; II 266. — Wheatley & Cunningham's London, I 310; II 8, 342, 402, 474; III 3, 156. — Gentleman's Mag., 1846 II 207—10. — Magazine of Art, 1900. — Fine Arts Quarterly Review, II N. S. (1867) 71 ff. — A. H. Smith, Lord Elgin and his Collection; Journal of Hellenic Studies, XXXVI (1916) 297, 300/5, 314, 333, 354 [erste zusammenhängende Darstell. der Beziehungen H.s zu Lord Elgin u. den Elgin Marbles]. — Graves, R. Acad., IV (1906); ders., Cent. of Loan Exhib., IV (1914) 1957 f. — Nat. Portr. Gall. Cat. 1914 p. 168 f., 189, 206, 446, 513. — Brit. Mus. Cat. Drawings etc., II; Engr. Brit. Portr., II 473.
K. A. E.

Haydon, J., Stecher in Irland, 1. Hälfte 18. Jahrh. Von ihm 2 Bl., Ansichten der Kathedralen von Lismore u. Cloyne (nach J. Blaymire), u. 17 Vignetten in Harris' Ausgabe von „Ware's Works", Dublin 1739.

Strickland, Dict. of Irish Art., I (1913).

Haydon, Samuel James Bouverie, engl. Bildhauer, Genremaler und Radierer, geb. in Heavitree bei Exeter (Devonshire) 29. 4. 1815, † 1891. Schüler E. B. Baily's an der Royal Acad. Tätig in London, wo er 1840 bis 76 häufig in der Royal Acad. ausstellte; hauptsächlich Porträtskulpturen (Marmorbüsten, Bronzemedaillons), daneben allegor. Büsten, Figuren und Gruppen („The Rose", „Cordelia", „Perdita", „Ophelia"), Zeichnungen, sowie ein Gemälde („The Traveller's Club House"). Im Printroom des Brit. Mus. 4 Rad. H s: 2 Bl. Bildnisse (Etty; John Dickens, letzterer nach einer Büste H.s, Royal Acad. 1843) und 2 Bl. Genredarstell., 1833 und 1851 dat.

G. Pycroft, Art in Devonshire, Exeter 1883. — Art Journal, 1891 p. 352. — Graves, Dict. of Art., 1878; Royal Acad., IV (1906); Brit. Inst., 1908. — Mitteil. von C. Dodgson.

Haydt, Johann Valentin, Maler in Herrenhut, geb. 1700 zu Danzig, † 1780 in Bethlehem. Von ihm das „Erstlingsbild" (Christus mit den Vertretern der 18 heidnischen Völkerschaften, unter denen die Brüdergemeinde damals Mission trieb) im kleinen Saal des Gemeinhauses zu Herrenhut.

Bau- u. Kstdenkm. Sachsens, XXXIV (1910) 179, 593.

Haydum, G u i l l a u m e v a n d e r, Miniaturmaler in Brüssel, malte 1614 für das Album Philipps II. v. Pommern 2 Blatt Miniaturen, Beschneidung u. Auferstehung Christi, im Auftrage des österr. Erzherzogspaares Albert u. Isabella in Brüssel. Pinchart identifiziert ihn mit Guilliam van Deynum (s. d.).

A. P i n c h a r t, Archives des Arts etc., III (1881) 115. — O. D o e r i n g, Hainhofers Correspond., Quellenschr. f. Kstgesch., N. F., VI (1894) 288 (Heiden).

Haye, s. *Delahaye* u. *Lahaye.*

Hayek, H a n s v o n, Maler in Dachau, geb. 19. 12. 1869 in Wien, Schüler der Wiener Kstgewerbeschule 1886/90, dann der Münchner Akad. 1891/98 unter Hackl, Lindenschmit, Marr, Zügel, seit 1900 in Dachau ansässig, wo er eine Malschule für Landschafts- u. Tiermalerei leitet. Studienreisen nach Belgien, Holland, in die Bretagne usw. In seiner breiten pastosen Technik stark von seinem Lehrer Zügel abhängig, malt er unter besonderer Bevorzugung trüber, schmutziger Schneestimmungen Motive aus der Münchner u. Dachauer Umgebung, Hamburger Hafenbilder, dann Tierbilder, weidende Herden usw., wobei er ein frisches Naturgefühl und eine außerordentlich feine Beobachtung von Tonnuancen bewährt. Beschickt seit 1899 die Ausstell. der Münchner Sezession, seit 1901 auch die der Berliner Sezession, des Hagenbundes in Wien (1910 kollektiv), des Deutschen Kstlerbundes, die Gr. K.-A. in Dresden (1901, 04, 08, 12 usw.), die Deutschnat. in Düsseldorf (1902, 07) usw.; wiederholt (1901, 09, 13, 19, 20, 21) auch den Münchner Glaspalast. Sommer 1911 veranstaltete er eine umfangreiche Sonderausstell. bei Schulte in Berlin, Januar 1913 eine solche (50 Bilder) in der Galerie Heinemann-München. Den Weltkrieg machte H. als Kriegsmaler und Spezialzeichner der Leipziger „Illustrierten Zeitung" mit, nachdem er sich durch seine lebendig erfaßten, ausgezeichneten Manöverskizzen und Pferdebilder von früher für diese Mission gewissermaßen vorbereitet hatte; aus dieser Zeit stammt u. a. das eindrucksvolle Bildchen des Leipziger Mus.: Gefangene Inder in den Kasematten zu Lille (1914). Außerdem befinden sich in öffentl. Galerien: München, N. Pinak. („An der Amper", „Aus der Santa Margherita"); Wien, Mod. Gal. („Pferde in der Schwemme"); Danzig, Stadtmus. („Allee im Vorfrühling"); Krefeld, Kaiser-Wilh.-Mus. („Winter an der Amper"); Stuttgart; Würzburg, Mus. der Universität („Sommerweide"). — Eine Hauptstütze der neuen Dachauer Malergruppe, hat Hayek noch besondere Verdienste um das Zustandekommen der Dachauer Gemäldesammlung.

J a n s a, Deutsche bild. Kstler in Wort u. Bild, 1912. — O. D o e r i n g in Westermann's Monatshefte, Sept. 1914 p. 121 ff. — H. v. H a y e k, Als Maler im Felde mit der 6. Armee, in Velhagen & Klasings Monatsh., XXX (1916) 27/40.

— Münchner Neueste Nachr., Vorabendbl. vom 27. 5. 1915 („Was unsere Kriegsmaler erzählen"). — Deutsche Kst u. Dekoration, XXVII (1910/11) 304 (Abb.); XLII (1918) 156 (Abb.). — Die Kunst, VII (1903) 322 (Abb.); XI (1905) 390 (Abb.); XIII 468 (Abb.); XXV 384 (Abb.). — Katal. d. angef. Ausstell. (z. T. mit Abb.) u. Museen. — Kat. der Ausst. deutscher etc. Kriegsbilder, Akad. d. Bild. Kste Berlin, 1917. *H. V.*

Hayeneufve, S i m o n (gen. „Maistre Symon du Mans"), Geistlicher, Architekt, Maler u. Bildhauer, geb. 1455 (1450?) in Château-Gontier (Anjou), † Juli 1546 in Le Mans. Studierte in Italien die Rechte, kam nach Le Mans, wo er 1495—1510 „chapelain" des „grand doyen" des Kapitels war. 1528 zog er sich in die Abtei St.-Vincent zurück. Von Zeitgenossen werden seine schönen Bauten in Le Mans, besonders die untergegangene Kapelle des bischöfl. Palastes, seine zahlreichen architekt. Entwürfe u. seine Porträts gerühmt. Aus Urkunden wissen wir nur, daß er auf Visitationsreisen mit dem Doyen des Kapitels den Pfarrern Pläne zur Verbesserung der Kirchenausstattung überließ u. daß er in Le Mans von geistl. Genossenschaften häufig zur Begutachtung von Entwürfen u. Überwachung von Bauarbeiten herangezogen wurde, so 1508 von den Kanonikern von Saint-Pierre-de-la-Cour zur Prüfung der Pläne zu einem Schrein für die Gebeine der Hl. Scholastika, 1527 von den Kirchenvorstehern von Le Mans zur Überwachung u. Leitung der Arbeiten an der Fontaine d'Ysaac. 1529 erhält er Bezahlung für die Arbeiten bei Vollendung der Orgel in der Kath. von Le Mans. Ein Bild seiner künstler. Leistung läßt sich nicht gewinnen. Er hat wohl mehr als beratender Gelehrter, denn als ausführender Künstler zu gelten. Von erhaltenen Werken, die ihm zugeschrieben werden (Reliquienschreine des Hl. Vincenz, der Hl. Scholastika, Triptychon der Pietà in Avénières, Schloß zu Malicorne, alter bischöfl. Palast, Hôtel Grabatoire u. Hôtel Vignolle in Le Mans u. a.), kann höchstens das genannte Orgelgehäuse mit einiger Wahrscheinlichkeit als sein Werk angesehen werden.

Congrès Archéol. de France, XLV. Sess. (1878) 359 ff. (C h a r d o n). — L a m i, Dict. des Sculpt. etc., Moyen âge, 1898. — E s n a u l t, Dict. des Art. etc. Manceaux, 1899 (mit Lit.). — H. v. G e y m ü l l e r, Baukunst d. Renaiss. in Frankr., (Durms Handbuch der Archit.), 1898 p. 554.

Hayer (Hauer, Hawer), G e o r g, Maler u. Kupferstecher in Breslau, geb. 1559 in Dresden als Sohn eines Baumeisters Georg H., † 18. 7. 1614 in Breslau. Wurde 1584 in Breslau Meister, heiratete im gleichen Jahre zum 1. Mal, 1609 zum 2. Mal. Er war kaiserl. Ingenieur u. Zeugschreiber des Rats zu Breslau, 1594—1614 Ältester der Malerinnung. Als Maler nur aus Urkunden bekannt, die außer einigen handwerkl. Arbeiten einen Triumphbogen für den Einzug des Königs

Matthias in Breslau nennen. Sein Stichwerk hat Andresen zusammengestellt, A. Schultz ergänzt. Es besteht aus einigen Porträtstichen, Ansichten von Breslau u. Neisse, Ansichten des genannten Triumphbogens u. des Katafalks Rudolphs II., vor allem aber aus 37 Bl. mit Darstell. d. Kleinode der Breslauer Schützenbrüderschaft (vollendet erst 1613 oder 14). Als Stecher war er auch beteiligt an dem Werk: „Astra. Alle Bilder des Himmels . . . in Kupfer gebracht . . . durch Zachariam Bornmann‘‘ Breslau 1596. — Sein gleichnam. Sohn, Georg d. J., geb. 1594, starb schon 21. 6. 1618 als Malergeselle.

Andresen, Deutscher Peintre-Graveur, IV (1874). — A. Schultz, Untersuch. z. Gesch. d. Schles. Maler, 1882; Abdruck im Repert. f. Kstwiss., VI (1883) 65.

Hayère, französ. Architekt u. Ingenieur, entwarf die Pläne für den Wiederaufbau der 1762 abgebrannten Stadt Fougères (Ille-et-Vilaine) u. leitete die Arbeiten.

Bauchal, Dict. des Archit. franç., 1887.

Hayes, amerik. Architekt, in Firma Warren and Hayes, baute die Presbyterianerkirchen in Minneapolis u. Peoria (Minn.), um 1888, u. die method. bischöfl. Kirche in Minneapolis, um 1890.

Kirchenbau des Protestantismus, 1893.

Hayes, Claude, Maler in Guilford, vordem in Addlestone u. Godalming bei London, geb. in Dublin um 1850 als Sohn des Marinemalers Edwin. War zuerst Seemann. Besuchte die Londoner Royal Acad. u. war in Antwerpen Schüler Verlats. Sein Freund W. Estall beeinflußte ihn stark. Malt Landschaften u. Tierbilder in Öl oder Aquarell, wobei er die Darstell. von Schafherden oder schweren Arbeitspferden in trüber Winterlandschaft bevorzugt. Seit 1873 stellt er fast alljährlich in der Royal Acad., Suffolk Street u. New Water-Colour Soc. in London aus. Die Art Gall. in Preston besitzt von ihm „Evensong" (Illustr. Catal., 1907 mit Abb.); weitere Werke in den Samml. zu Dudley, Belfast, Kapstadt.

Graves, Dict. of Artists, 1895; ders., Royal Acad., IV (1906). — Cat. Exhib. Royal Acad. London, 1905—19. — Royal Acad. Pict., 1896—1907, 1912, 14, 15. — Studio, XXXIII (1905) 290—97 (mit Abb.); LXVII (1916) 79—90 (m. Abb.; A. L. Baldry). — Holme, Sketching Ground (Studio-Spec.-No 1909) 23 ff. (mit Abb.).

Hayes (Hays, Heyss), Cornelis, engl. Hofgoldschmied, seit 1537 in den Rechnungen der kgl. Privatschatulle und des Hofhaushalts häufig genannt. 1539 fertigte H. einen gold. Becher mit Deckel, der Holbein für ein von ihm gemaltes Bildnis des Prinzen Eduard von Wales verehrt wurde. Letzte Erwähnung 1553: Freeman Householder der Londoner Goldsmith's Company.

Archaeologia, XXXIX (1863) 8, mit Anm. c. — A. Woltmann, Holbein und seine Zeit, [2] I (1874) 404, 460. — Gaz. des B.-Arts, 1877 II

306. — W. Chaffers, Gilda Aurifabrorum, 1883 p. 47. *B. C. K.*

Hayes, Edward, Bildnis- und Miniaturmaler, geb. 1797 in der irischen Grafschaft Tipperary, † in Dublin 21. 5. 1864. Vater des Michael Angelo H. Erhielt unter J. S. Alpenny an der Royal Dublin Society's Drawing School eine ziemlich mangelhafte künstler. Ausbildung und war im Süden der Insel, in Clonnell, Waterford und Kilkenny als Zeichenlehrer und Miniaturmaler tätig. In den Ausst. der Royal Hibernian Acad. in Dublin erschien er zuerst 1830 mit einem Stilleben, 2 Landschaften (Öl) und einem Selbstbildnis in holländ. Malertracht. 1831 ließ er sich in Dublin nieder, wo er regelmäßig in den Ausstell. der Acad. vertreten war (1856 Associate, 1861 ord. Mitglied). Am besten gelangen ihm kleine, leicht kolorierte Bildnisse in Bleistiftzeichnung, außerdem malte er auch Miniaturbildnisse und einige Landschaften. Seine Arbeiten sind gewöhnlich voll bezeichnet. H.s von seinem Lehrer Alpenny 1812 gemaltes Bildnis hängt in der Dubliner Nat. Gall.

W. G. Strickland, Dict. of Irish Artists, 1913 I. *T. Bodkin.*

Hayes, Edwin, Marinemaler, geb. als Sohn eines Iren in Bristol 7. 6. 1819, † in London 7. 11. 1904; Vater des Claude. Kam in früher Jugend mit seinen Eltern nach Dublin, wo er unter dem Bildhauer J. H. Foley an der Kunstschule der Dublin Society studierte. Erwarb sich auf Studienfahrten, die er mit einem Segelboot im Irischen Kanal unternahm, und als Steward an Bord einer Bark, die nach Mobile bestimmt war, gründliche Vorkenntnisse für seinen künftigen Beruf. Nach seiner Rückkehr war er 10 Jahre in Dublin tätig, wo er in der Royal Hibernian Acad. ausstellte. Seit 1852 in London ansässig, wo er Schüler des Theatermalers Telbin wurde, erschien er seit 1854 mit wenigen Ausnahmen 49 Jahre hindurch fast alljährlich mit seinen Arbeiten in der Royal Acad.; daneben beschickte er auch die Brit. Instit., die Soc. of Brit.-Artists und das Royal Institute of Painters in Water-Col., die ihn 1863 zu ihrem Mitglied wählte. Seit 1870 war H. auch ord. Mitglied der Royal Hibernian Acad. Wenig originell und in der Auffassung an Stanfield erinnernd, dazu unrein im Kolorit, behandelt er seine Motive von der engl. und holländ. Küste im allgemeinen doch mit sachlicher Treue und Gewissenhaftigkeit, wodurch sich seine Wertschätzung beim Publikum erklärt. Auch die Küsten Frankreichs, Spaniens und Italiens boten ihm die Motive für seine zahlreichen Bilder. Sein Gemälde „Sonnenuntergang auf See" (London, Tate Gal.) ist sein einziges reines Seestück. — Werke H.s besitzen ferner das Victoria and Albert Mus. in London sowie die Gal. von Bristol (4 Bilder), Cardiff, Leeds,

Leicester („Genua" u. a.), Nottingham, Rochdale, Salford, Sheffield, Kapstadt, Melbourne und Sydney (2 Aquarelle).

Dict. Nat. Biogr., 2ᵈ Suppl., II (1912) 230 f. — W. G. S t r i c k l a n d , Dict. of Irish Artists, 1913 I. — B é n é z i t , Dict. des peintres etc., II (1913). — G r a v e s , Dict. of Artists, 1895; Royal Acad., IV (1906); Brit. Inst., 1908; Cent. of Loan Exhib., 1913 f. II. — Marine Painting; Studio Spec. Number, 1919. — P o y n t e r , Nat. Gall. of Brit. Art, 1900, I. — Kat. der gen. Slgn. — Royal Acad. Pictures, 1891—1904 (Abb.).

Hayes, F. W i l l i a m , Landschaftsmaler aus Liverpool, zeigt seit 1872 in der Royal Acad. u. andern Londoner Ausst. engl. Landschaftsmotive.

G r a v e s , Dict. of Art., 1895; d e r s., Royal Acad., IV (1906). — Cat. Exhib. Royal Acad., 1917.

Hayes, G e o r g e , Maler in Manchester, stellte 1855—75 einige Landschaften in der Royal Acad. u. Suffolk Street, London, aus. Im Royal Mus. Salford von ihm mehrere Porträts (nach Stichen) u. „Besuch der Königin Viktoria u. des Prinzen Albert im Peelpark, Salford, 1851" (Cat. 1909 No 263, 278, 321, 329, 331, 347).

G r a v e s , Dict. of Art., 1895; d e r s., Royal Acad., IV (1906).

Hayes, G e r t r u d e E., verehel. *Morgan,* Malerin aus Kensington, Gattin des Leiters der Rugby Art School, A. Kedington Morgan, zeigt seit 1896 Landschaften u. Architekturstücke (Ansichten aus belg. u. franzöz. Städten) in der Royal Acad. London. Auch als Radiererin tätig.

G r a v e s , Royal Acad., IV (1906). — Cat. Exhib. Royal Acad., 1907—09, 11, 16, 19. — Cat. Loan Exhib. of Brit. Engr. etc, 1903.

Hayes, J o h n , engl. Bildnis-, Genremaler und Lithograph, geb. um 1786, † 14. 6. 1866, alt 80 Jahre. Tätig in London, wo er 1814—51 in der Royal Acad. und Brit. Instit. ausstellte, außer Bildnissen (viele Offiziere) in späteren Jahren auch Historien („Abdankung der Maria Stuart" u. a.). Die Londoner Nat. Portrait Gall. besitzt sein Bildnis der Schriftstellerin Agnes Strickland (1846 von F. C. Lewis für ihre „Lives of the Queens of England" gestochen). Ferner haben F. Bromley, J. Thomson, W. Walker u. a. Bildnisse nach H. gestochen. Bildnislithographien H.s: „Cobbler Foot"; Robert Keeley.

Dict. Nat. Biogr., XXV (1891). — G r a v e s , Dict. of Art., 1895; Royal Acad., IV (1906); Brit. Inst., 1908; Cent. of Loan Exhib., 1913 f. IV 1958. — C u s t , Nat. Portr. Gall., 1900 II. — Cat. of engr. Brit. Portr., Brit. Mus., I (1908) 250, 532; II (1910) 230, 646, 672; IV (1914) 211, 237, 402. — Cat. of Paint. etc. India Office London, 1914.

Hayes, M i c h a e l A n g e l o , Pferde- und Schlachtenmaler, geb. als Sohn des Edward H. in Waterford 25. 7. 1820, † in Dublin 31. 12. 1877. Schüler seines Vaters, stellte 1837 zum ersten Male in der Dubliner Roy. Hibernian

Acad. aus und erhielt 1842 eine Anstellung als Hofmaler (Military-Painter „in ordinary") des Vizekönigs. In den folgenden Jahren war er meistens in London tätig, wo er regelmäßig in der New Soc. of Painters in Water-Col., die ihn 1848 zum Mitglied ernannte, ausstellte. In diesem Jahre war er auch — übrigens das einzige Mal — in der Ausst. der Londoner Roy. Acad. vertreten. Da er aber mit seinen Arbeiten nur geringen Beifall fand, kehrte er nach Dublin zurück, wo er 1853 Associate, 1854 ordentl. Mitglied der Akad. wurde. Nach seiner Wahl zum Sekretär (1856) betrieb H. eine energische Reform des Instituts, wodurch er in ernste Konflikte, besonders mit den älteren Mitgliedern geriet, so daß schließlich für eine bestimmte Zeit aus der Akad. ausgeschlossen wurde. Erst 1860 wurde der Streit durch Bewilligung neuer Statuten beigelegt, und H. wieder als Mitglied zugelassen; 1861—70 zum 2. Male Sekretär; 1874 Austritt aus der Akad. H. hat sich besonders durch seine Schlachten- und Sportbilder in Öl und Aquarell, wo überall Pferde eine Rolle spielen, einen Namen gemacht, während er in großen Zeremonienbildern weniger glücklich war. Er studierte eifrig die Gangarten des Pferdes und machte Beobachtungen auf dem Gebiete der späteren Momentphotographie; so veröffentlichte er eine Akademieschrift von 1876 über die Darstellung von Tieren in schneller Bewegung. Am bekanntesten wurde er durch 4 von John Harris nach seinen Zeichnungen gestochene Aquatintablätter: Car-travelling in Ireland (Verlag von Ackermann 1836; häufig neu aufgelegt). Bei vielen Londoner Verlegern erschienen Schlachten- und Kostümblätter nach seiner Erfindung, darunter die Szenen aus dem Krimkrieg („Incidents from the War of the Crimea", 5 Bl. Lith. Lloyd Brothers 1854—5), die Uniformen der Britischen Armee („Costumes of the British Army"), Folge von 51 Farbenlith. von J. H. Lynch (2 Bde, W. Spooner 1844) und 15 von Henry Graves & Co. 1845—6 unter gleichem Titel verlegte Blätter. Von Lynch wurde noch nach H.s Umrißzeichnungen eine Folge Illustrationen zur Ballade „Savourneen Deelish" lithographiert (von der Royal Irish Art Union prämiiert und 1846 veröffentlicht).

R e d g r a v e , Dict. of Art., 1878. — Dict. of Nat. Biogr., XXV 292. — S t r i c k l a n d , Dict. of Irish Artists, 1913 I. — The Art Journal, 1878 p. 76, 108 (Nekrol.). — G r a v e s , Dict of Art., 1895; d e r s., Roy. Acad. (1906); Loan Exhib. IV (1913). *T. Bodkin.*

Hayes (Hays), R i c h a r d , engl. Zeichner oder Radierer, dessen Name auf einer rad. Einladungskarte zum St. Lukasfest der Soc. of Painters-Stainers Hall, London, Nov. 1690, bez. „R. Hayes fecit", als Richard Hays erscheint (Brit. Mus. Print Room. Exempl. von Edwards' Anecd. of Painters [1808] mit Bildeinlagen). *H. M. H.*

Hayes, W i l l i a m, engl. Tierzeichner und Ornitholog, tätig 1773—99. Veröffentlichte 1. A Natural History of Brit. Birds with their Portraits accurately drawn and beautiful coloured (1775); 2. Portraits of rare and curious Birds, from the Menagery of Osterly Park. 2 Bde 4⁰ mit 81 Taf. (1794). H. lebte damals in Southall (Middlesex); wie aus einem Aufruf hervorgeht, war er 1799 krank und in ärmlichen Verhältnissen und ließ sich von einigen seiner 10 Kinder bei seinen Arbeiten helfen. Im Print Room des Brit. Mus. wird ein Folioband mit 29 Taf. kolor. Radier., Vögel, gez. von H. u. a., aufbewahrt (Titel und Text fehlen). Das Titelblatt einer frühen lithogr. Folge: Eight lithographic impressions by the following gentlemen Artists of Bath (folgen 8 Namen, darunter ein Hayes), ist bez. „W. Hayes pinxit".
R e d g r a v e, Dict. of Art., 1878. — Dict. Nat. Biogr., XXV 293. — Mitteil. von H. M. Hake.

Hayes, W i l l i a m J a c o b, falsch für *Hays, W. J.*

Hayette, F r a n ç o i s C l a u d e, Maler, geb. 16. 6. 1838 in Lyon, 1852—58 Schüler der École des B.-Arts in Lyon, dann der École des B.-Arts in Paris unter J. C. Bonnefond, L. Cogniet u. J. Pils. Stellte 1865 u. 66 in Paris, 1866—86 in Lyon Porträts, Genrebilder u. Skizzen aus Konstantinopel aus, wo er Professor am kaiserl. Lyzeum war.
B e l l i e r - A u v r a y, Dict. gén., I (1882). — B é n é z i t, Dict. des Peintres etc., II (1913).

Hayez, F r a n c e s c o, Historien-, Bildnismaler und Lithograph, geb. in Venedig 10. 2. 1791, † in Mailand 10. 2. 1881. Schulhaupt und letzter Vertreter der romant. Malerei in Italien. Seine interessanten, anekdotenreichen, leider nur bis 1838 fortgeführten Lebenserinnerungen hat H. in den Jahren 1869—75 niedergeschrieben und in stark verkürzter Form der mit ihm befreundeten Gräfin Negroni in die Feder diktiert. Die Originalhandschrift, mit vielen Briefen, Einzelaufzeichnungen und abgerissenen Notizen befindet sich jetzt zusammen mit dem verkürzten, der posthumen Buchausgabe der „Memorie" (s. Lit.) zugrunde gelegten Diktat in der Mailänder Akad. (Unveröffentlichte Bruchstücke des Originals von C. Boito in seinem unten zit. Aufsatz abgedruckt.) — H.s Vater war aus Valenciennes nach Venedig zugewandert und hatte dort eine Muranesin geheiratet. H. wuchs in der strengen Obhut eines Genueser Oheims und Antiquitätenhändlers, der einen Bilderrestaurator aus ihm machen wollte, auf, wurde Schüler des Franc. Maggiotto, eines Akademikers der alten Richtung, und zeichnete mit seinem Mitschüler Demin nach den Gipsabgüssen der Casa Farsetti. Er besuchte dann die Aktschule der alten Akad., erlernte bei L. Querena die Öltechnik und studierte die Bilder in den Kirchen seiner Vaterstadt, wo die kalte, korrekte Malweise eines Greg. Lazzarini auf ihn großen Eindruck machte. Seit 1808 studierte er auf der neu eröffneten Akad., wo er an dem künstlerisch unbedeutenden Batonischüler T. Matteini einen tüchtigen Lehrer fand, und erhielt 1809 ebendort den Rompreis. Der Präsident Cicognara gab ihm ein Empfehlungsschreiben an Canova mit, der ihn seinerseits mit offenen Armen aufnahm. In Rom, wo er zunächst nach der Antike zeichnete und die Köpfe aus Raffaels Stanzen in Öl kopierte, bildete er sich einen sehr ausgeprägten persönlichen Stil; doch blieb ihm Kraft und Leidenschaft sowohl in der Erfindung und Zeichnung wie in Helldunkel und Farbe versagt. Stand er den deutschen Nazarenern gleichgültig gegenüber, so schloß er Freundschaft mit Palagi und Minardi, mit denen er in Tivoli nach der Natur malte. Nachdem er sich 1811 mit einer Komposition („Erziehung des Achilles") erfolglos an einem Wettbewerb der Neapeler Akad. beteiligt hatte, errang er 1812 in einem Wettbewerb der Mailänder Akad. mit einem klassizist.-theatralischen „Laokoon" eine gold. Medaille (Bild der Mailänder Brera). Von Arbeiten der römischen Zeit befinden sich in der Akad. in Venedig, wo man mit seinen Leistungen offenbar unzufrieden war (Brief Canova's an den Sekretär Grafen Diedo) 2 unbedeutende Figurenstudien („Solon" und „Aristides") sowie das Gemälde „Rinaldo und Armida", das in Zeichnung und Kolorit gewisse Vorzüge hat. Da er durch den politischen Umsturz sowohl das akad. Stipendium als auch ein ihm von König Murat verliehenes Monatsstipendium eingebüßt hatte, geriet er vorübergehend in Not, aus der ihn Canova's Edelmut, der seit Jan. 1813 für ihn aufkam, befreite. Das von Murat in Auftrag gegebene Gemälde („Odysseus am Hof des Alkinoos") wurde ihm dann von der bourbonischen Regierung abgekauft und befindet sich jetzt in der Gal. von Capodimonte (Neapel). H. errang darauf einen Preis der röm. Akad. mit seinem klassizist. Gemälde „Atleta trionfante" (Gal. S. Luca ebenda) und malte die Fresken im Mus. Chiaramonti des Vatikans (s. u.); eine Arbeit, die Canova's Mißfallen erregte. Nachdem er sich 1817 mit einer Römerin verheiratet hatte, kehrte er nach Venedig zurück, wo ihn der Auftrag auf ein als Hochzeitsgeschenk für die Kaiserin Karoline bestimmtes Gemälde („La Pietà d'Ezechia") erwartete, und wo er in den nächsten 4 Jahren mit Wandmalereien in Patrizierpalästen beschäftigt war. Das nächste Jahr (1818) bringt die entscheidende Wendung seines Lebens. Im benachbarten Mailand hatte die romantische Bewegung, deren Echo zu ihm herüberdrang, ihren Höhepunkt erreicht. Er revidierte sein Verhältnis zum Klassizismus und „fand sich in vollem Einverständnis mit den Romantikern, getrieben vom reinen Ge-

Hayez

fühl für die Kunst" (Memorie). In Sismondi's eben erschienener ital. Geschichte fand er dann einen Stoff, der ihn zur Darstellung reizte: Pietro Rossi, von der Republik Venedig zum Feldhauptmann ernannt, nimmt im Kastell Pontremoli Abschied von seiner Familie. Es war sein erstes romantisches Bild, das wegen der Schlichtheit des Vortrags, Natürlichkeit der Empfindung und Wahrheit der Motive in Mailand, wohin er es zur Ausstellung brachte, das größte Aufsehen erregte und dort im 1. Preis erhielt. Während in Zeitschriften, Broschüren und Epigrammen der Kampf zwischen Klassikern und Romantikern in den heftigsten Formen ausgefochten wurde, fanden die Vertreter dieser Richtung in H.s Werk sozusagen die Verkörperung ihres Ideals. H. verkehrte im Hause Confalonieri nicht nur mit den Schildträgern der Romantik, Manzoni, Grossi, Berchet, Pompeo Litta, Carlo Cattaneo, Donizetti, Bellini u. a., sondern bekam auch Aufträge in Menge, die ihn nach seiner Rückkehr nach Venedig in Atem hielten. Doch trug er sich bereits mit der Absicht, nach Rom zurückzukehren, als der Tod Canova's (1822) seinen Plänen eine andere Richtung gab und ihn zum Bleiben in Mailand veranlaßte. Er kam aber auch in seinem rechten Augenblick, da der Tod Bossi's und Appiani's im Mailänder Kunstleben eine Lücke hinterlassen hatte, die weder ihre Schüler noch Palagi oder Sabatelli auszufüllen vermochten. Nachdem er während Sabatelli's Abwesenheit dessen Lehrstuhl an der Akad. übernommen hatte, und 1825 ein Privatatelier eröffnet hatte, stürzte er sich in die Arbeit, unbekümmert um den Streit der Meinungen. Nach seinem Rücktritt vom Lehramt an der Akad., wo er 1850—80 die Klasse für Malerei leitete, wurde er zum Ehrenpräsidenten der Akad. ernannt. — H.s Produktivität war ungeheuer, umfaßt doch das Oeuvreverzeichnis der posthumen Festschrift (s. u.) allein 465 ausgeführte Gemälde, abgesehen von zahllosen Entwürfen, Skizzen und Studien, die sich in seinem Nachlaß befanden. In rascher Folge entstand jene lange Reihe von Darstell. geschichtl. Ereignisse, Dogen- und Condottieribildern, Szenen aus dem griech. Freiheitskampf, sowie bibl. und relig. Gemälden, mit denen er viele Jahre die Mailänder Akad.-Ausstell. und die internat. Ausstell. im Ausland (Weltausst. Paris 1855, London 1862, Wien 1873) beschickte. Während er selbst offenbar von seinen großen Gemälden die höchste Meinung hatte und seine Leistungen im Fach der Historie für epochemachend hielt, fällt es uns heute schwer, diesen manierierten Bildern ein künstler. Interesse abzugewinnen. Und doch erklärt sich ihre einstige ungeheure Wirkung einigermaßen aus den Zeitverhältnissen im allgemeinen und der Individualität H.s im besonderen. War es politisch eine Epoche, in der sich der Italiener

auf Grund der geschichtl. Vergangenheit auf seine Nationalität besann, so war es für den Künstler eine Epoche, in der er sich in engster Fühlung mit dem Zeitgeist befand und ihm aus allen Gesellschaftskreisen die Aufträge zuströmten. Und da H., frei von politischen, konfessionellen und ästhetischen Vorurteilen, aus dem Born der Überlieferung seines Volkes schöpfte, und er den römischen Klassizismus mit dem Kolorit der Venezianer zu vereinigen schien, galt er seinen Zeitgenossen als ein Bannerträger der Romantik. Aber auch im Ausland bewunderte man seine Kunst, und als er 1835 nach Wien kam, um sich den Auftrag auf die von Appiani unvollendet gelassenen Malereien im Mailänder Palazzo di Corte zu sichern (s. u.), wurde er von Metternich ehrenvoll aufgenommen und vom Kaiser in Audienz empfangen. Wie hoch man ihn auch in Deutschland schätzte, zeigt Kuglers schier überschwengliches Urteil, der ihn 1836 in Mailand aufgesucht hatte: „ . . er erfüllt alle Anforderungen, die man an einen neueren Künstler stellen mag. Geistreiche Erfindung, lebendige und richtige Zeichnung, in der Farbe die älteren Venezianer erreichend, ist er an Fruchtbarkeit und Reichtum der Erfindung allem, was ich bis jetzt von Lebenden gesehen, überlegen . . jedes Werk ist auf eine eigentümliche Weise verschieden behandelt" (Kunstblatt 1836). H. arbeitete außerordentlich gewissenhaft, er trieb eingehende Kostümstudien, holte sich Rat bei Fachleuten und unternahm Reisen, um die von ihm dargestellten Bauwerke, soweit es nötig war, an Ort und Stelle zu zeichnen. Dabei arbeitete er mit erstaunlicher Leichtigkeit, indem er riesige Leinwände mit einer Unmenge Figuren, für die er gerne Bildnisse von Freunden und schönen Zeitgenossen wählte, anfüllte. Besonders umfangreiche Werke sind der „Durst der Kreuzfahrer" im Palazzo Reale zu Turin und die „Einnahme Jerusalems" in der Akad. zu Venedig. Als schließlich eine Zeit kam, wo das Publikum der ewigen Kreuzfahrer und Troubadours überdrüssig war, und H. von den Jüngeren in Acht und Bann getan wurde, arbeitete er unbekümmert weiter, bis in sein hohes Greisenalter eine unverminderte Schaffenskraft bewahrend, wie das jugendfrische, im Alter von 88 Jahren gemalte Selbstbildnis in der Akad. zu Venedig beweist, aber auch mit offenem Auge in die Welt blickend und z. B. dem Genie eines Tranquillo Cremona warmes Verständnis entgegenbringend. Entstanden doch noch in den letzten 6 Jahren, wo er 2 oder 3 Stunden täglich arbeitete, an Gemälden 16 Bildnisse in Öl, 2 große Blumenstücke, verschiedene Figurenstudien („Nonne", „Magdalena", „Hl. Therese", „Odaliske") sowie ein Entwurf „Tod des Julius Caesar"! Wirken seine kleinen, anspruchslosen Ölskizzen und Figurenstudien gewöhnlich frischer und ursprünglicher als die großen Gemälde, so zeigen seine Bildnisarbeiten, die ihre alte Anziehungskraft bewahrt haben, sein Können überhaupt von der besten Seite — gehören doch einige von ihnen zu dem Bedeutendsten ihrer Art in der ital. Malerei des 19. Jahrh. Mit solchen Werken ist H. in jüngster Zeit auf der Internat. Kunstausst. in Venedig im Sommer 1922, wo 20 ausgewählte Bildnisse von seiner Hand aus öffentl. und privaten Samml. vereint waren, denn auch wieder zu Ehren gekommen. Die Mehrzahl von ihnen stellt bekannte Mailänder Zeitgenossen, Patrizier und Patrioten, Dichter, bild. Künstler, Musiker, Diplomaten und vornehme Damen in einer beschränkten Farbenskala und einer etwas eintönigen Haltung, vor einem neutralen grauen Hintergrund, aber doch voll Leben, dar. Einen beträchtlichen Fortschritt bedeutet dagegen das Bildnis G. Rossini's (1870), einen letzten Höhepunkt schließlich das bereits erwähnte Selbstbildnis aus d. J. 1878. Zeigen einige frühe Damenbildnisse (die Schwestern Gabrini, 1835) noch Reminiszenzen an die venezian. Malerei des 18. Jahrh., so lassen das Bildnis des Alessandro Sala (1833) und ein Selbstbildnis von 1848 in ganzer Figur einen Sinn für pikante Farbenwirkungen und kräftige Modellierung erkennen. Daneben erscheinen die sanften Züge der 2. Gattin Manzoni's, (1860) der Dichter selbst, in tiefes Nachdenken versunken, in einem ganz modern anmutenden Porträt, der scharf gemeißelte Priesterkopf Rosmini's und Cavour's ironische Fuchsmaske, 3 Jahre nach dessen Tode in frischer Erinnerung an den Lebenden und mit erstaunlicher Einfühlung in die Seele des großen Staatsmanns gemalt. Mit gleicher intuitiver Sicherheit und Selbstverständlichkeit hat H. aber auch den feingeistigen, etwas blutleeren Typus der ital. Aristokratin jener Epoche in den geistvollen Bildnissen der Prinzessinnen Belgiojoso und S. Antimo auf die Nachwelt gebracht.

Werke (in Auswahl, vgl. auch das unten zit. Oeuvreverz.): 1. *Fresken. Mailand*, Pal. Reale, Sala delle Cariatide: Allegorie auf den Regierungsantritt Franz' I. von Österreich, nach Angaben des Dichters Andrea Maffei, Deckenbild 1838; *ebda* Sala della Lanterna: 1. Zweikampf zwischen Romulus und Tatius. 2. Der Wettlauf. — *Mantua*: Deckenbilder im Teatro Nuovo. — *Rom*, Vatikan, Corridoio Chiaramonte: Szenen aus dem Leben Pius' VII. (Lünetten). — *Venedig*, Dogenpalast, Erdgeschoß: Neptun und die 4 Weltteile (Lünetten). Fresken im Pal. Reale *ebda*. 2. *Staffeleibilder*. a) *Historien*: 1821, Sizilianische Vesper. 1823, Graf Carmagnola empfängt sein Todesurteil (von H. öfters wiederholt). 1827, Maria Stuart auf dem Weg zum Schafott (Hauptbild, von H. in verschiedenen Größen und mit kompositionellen Änderungen öfters wiederholt; ein

Exemplar in *Mailand*, Privatbes. Eigenhändige Steinzeichn.). 1829, Herzog Filippo Maria Visconti von Mailand gibt den gefangenen Königen von Navarra und Aragon ihre Kronen zurück. Peter der Einsiedler predigt den Kreuzzug (Hauptbild). Ismelda Lambertazzi mit ihrem Geliebten von ihren Brüdern überrascht (von H. öfters gemalt). 1850, „Moriamur pro rege nostro: Maria Theresia auf dem Preßburger Reichstag". 1853, Die Mailänder Konsuln empfangen die Abgesandten Friedrich Barbarossas. Die Rivalinnen (die beiden Venezianerinnen). 1858, Ludwig XIV. und Mme La Vallière. Die Barke (die Flüchtlinge von Parga). Bianca Capello mit ihrem Geliebten auf der Flucht aus Venedig (*Berlin*, Nat.-Gal.). Verschwörung der Lampugnani (*Mailand*, Brera). — Die beiden Foscari (*Wien*, Mod. Gal.). Die hl. 3 Könige (*Venedig*, S. Nicola di Tolentino, Sakristei). Der Kuß (auch Abschied Romeos und Julias gen., Hauptbild in der Gall. Mod. zu *Mailand*). Ferner im Mus. Poldi-Pezzoli, *ebda:* Kopf des hl. Petrus u. andere Frühwerke (Öl); Bathseba (Federzeichn., Entwurf). — b) *Bildnisse:* Selbstbildnisse (außer den bereits gen.), von 1822 (*Mailand,* Privatbes.), 1862 (Venedig, Akad.), in Florenz, Uffizien, u. a. — Alessandro Manzoni (1860). Die 2. Gattin des Dichters (1849). Ant. Rosmini (1860). Massimo d'Azeglio (1860). Camillo Cavour (1864). Gioacchino Rossini (1870). Graf Ambrogio Nava (eigenhändige Wiederholung des zerstörten Originals), sämtlich in *Mailand,* Brera. Der Bildhauer Pompeo Marchesi und Carlo Della Bianca, beide *ebda*, Gall. Mod. Prinzessin Belgiojoso u. a., *ebda*, Privatbesitz. Armenischer Mönch (desgl.). Prinzessin von S. Antimo *(Neapel,* Mus. S. Martino). — 3. *Lithographien:* Opera completa dei soggetti tratti dall' Ivanhoe, romanzo storico di Walter Scott, composti e disegnati da Hayez (Mailand, 1834. 22 Bl. gr. fol.). Hinrichtung der Maria Stuart. Columbus, nach Palagi, u. a. — Clerici, Gandini, Planer u. and. Stecher haben nach H.s Gemälden gearbeitet. Eine Bronzestatue H.s, von Barzaghi, wurde 1890 in Mailand enthüllt.

Eine Monographie fehlt. Das Hauptwerk ist die anläßlich der Errichtung von H.s Denkmal von der Kommission der Brera veranstaltete (von G. C a r o t t i redigierte) Festschrift: Le mie Memorie dettate da Fr. H. (Mailand 1890, nicht im Handel); Sammelbd enthaltend eine Denkrede des Brera-Präsidenten Senator E m i l i o V i s c o n t i, H.s Memorie (s. o.) mit Erläuterungen von C a r o t t i, 300 Briefe u. Dokumente, Oeuvreverz. (465 Nrn) u. 22 Tafeln mit Reproduktionen von Skizzen und Entwürfen H.s. Dazu: C. B o i t o in Nuova Antologia, Ser. 3 Bd. XXXIII (1891 III) 60 ff., 281 ff. („L'ultimo dei romantici"). — Von der *ält. Lit.* noch brauchbar: C. v. W u r z b a c h, Biogr. Lex. Kaiserth. Österr., VIII (1862), m. Lit. — *Neuere Lit.*: V. B i g n a m i im Kat. der Mailänder retrosp. Ausstell. von 1900 („Pittura lombarda nel sec. XIX"), p. 15, 36. — H. R. W i l l a r d, Hist. of mod. ital. art, 1902. — R. C a l z i n i im Kat. der Intern. Kstausst. Venedig 1922 (p. 92 ff., schöne Würdigung). — L. C à l l a r i , Pittura contemp. ital., 1909. — A. M u ñ o z im Marzocco, XXVII Nr 301 Florenz 23. 7. 1922: „Hayez ritrattista". — Dazu die Kat. der gen. Slgn u. die im Text zit. Lit. *B. C. K.*

Hayez, V i n c e n z o , Historien- u. Bildnis-maler, Neffe und Schüler des Franc. H., †, von ihm verstoßen, in Venedig um 1880 im Elend. Auf der Wiener Weltausst. von 1873 (Offic. Kst-Cat. ³ p. 173) war er mit einem Gemälde: Die letzte römische Vestalin, vertreten. Die Pinacot. comunale in Verona besitzt von ihm ein Ölbildnis des Bildhauers Ugo Zannoni, 1872 im Atelier des Franc. Hayez gem. (Trecca, Cat. etc., 1901 p. 91).

Hayler, A n t o n i u s , Miniaturmaler, von dem eine Miniatur, Hagar u. Ismael, bez. „Antonius Hayler 1730 pinxit" in der Samml. Buchner-Bamberg sich befand.

Verst.-Kat. Lepke 1891 No 821.

Hayler, H e n r y , Bildhauer in London, zeigte 1849—59 in der Royal Acad. Figuren u. Porträts in Medaillonform u. Kameen.

G r a v e s , Royal Acad., IV (1906).

Hayles, J a n e C., engl. Radiererin (Dilet-tantin). Das Londoner Brit. Mus. besitzt von ihr 27 Bl., hauptsächlich Arbeiten nach Land-schaftsskizzen Thomas Kerrich's oder nach Ge-mälden in dessen Samml. Ihre Blätter tragen die Jahreszahlen 1792—1802 und ein aus JCH gebildetes Monogramm. — Kerrich's Gattin, eine geborene Sophia Hayles, 4. Tochter des Arztes Richard H., war vermutlich ihre Schwester.

Dict. of Nat. Biogr., XXXI (unter Kerrich).
H. M. H.

Hayles, J o h n , s. *Hayls,* J.

Hayley, R o b e r t , falsch für *Healy,* R.

Hayley, T h o m a s A l p h o n s o , Bildhauer, natürlicher Sohn des Dichters William Hayley, geb. 5. 10. 1780, † in Felpham (Surrey) 2. 5. 1800. Schüler des Malers Joseph Wright und Flaxman's (seit 1795). Zog durch seine Arbeiten in Öl u. a. Romney's Aufmerksamkeit auf sich, kehrte aber wegen Krankheit 1798 nach dem Wohnsitz seines Vaters (Felpham) zurück. Erwähnt werden Büsten Flaxman's, Lord Thur-low's und des Schriftstellers James Stanier Clarke. Ein Bildnis Romney's (Medaillon) wurde von Caroline Watson für W. Hayley's Life of Romney (1809) gestochen. Ein Jugend-bildnis H.s nach Flaxman (Medaillon) und „Tod des Demosthenes" (Zeichn.) wurden von W. Blake für W. Hayley's Essays on Sculpt. gestochen.

Dict. Nat. Biogr., XXV 295. — Cat. of engr. Brit. Portraits, Brit. Mus., III 608.

Hayley-Lever, R., siehe *Lever,* Hayley R.

Hayllar, J a m e s , engl. Bildnis-, Genre-und Landschaftsmaler, geb. in Chichester 3. 1. 1829. Kam 1848 nach London, wo er Schüler von F. S. Cary wurde und die Royal Acad. besuchte. Seit 1851 lebte er 2 Jahre in Rom

und ein halbes Jahr in Florenz und kehrte nach Besuch der übrigen Kunstzentren Italiens nach London zurück, wo er seine Tätigkeit als Bildnismaler wieder aufnahm, indem er hauptsächlich kleine Köpfe in Öl malte. Er stellte 1850—98 in der Royal Acad. aus und beschickte daneben auch die Brit. Instit. (1855 bis 67) und Soc. of Brit. Artists, deren Mit-glied er war. Um 1885 ging er zum Genre über, indem er mit breitem kräftigem Pinsel besonders Szenen aus dem Volksleben malte, die wegen ihres liebenswürdigen Humors und der naturwahren Darstellung viel Beifall fanden („Temperenzler und Trinker" u. a.). Zwischen 1857 und 1860 arbeitete er unter dem Einfluß der Präraffaeliten in einer feinen, dünnen Manier („Zimmermanns Werkstatt", „Belvoir zur Herbstzeit" u. a.), kehrte aber dann zu seiner alten Malweise zurück. In diese Zeit fallen Bilder wie „Zahnweh der Königin Elisa-beth"; „Tod oder Leben"; Episode aus dem Leben Cromwells; „Themse bei Pangbourne" usw. Seit 1875 war er in Castle Priory, Wal-lingford, ansässig. Das Londoner Victoria and Albert Mus. besitzt sein Ölbild „Granville Sharp befreit einen Sklaven", das Mus. in Nottingham „The dead Master": das Gesinde eines Landhauses nimmt Abschied vom toten Hausherrn. W. J. Edward hat nach H. ein Bildnis der Herzogin von St. Albans punktiert.

O t t l e y , Dict. of Painters etc., 1875. — C l e m e n t u. H u t t o n , Artists of the 19th Cent., 1879. — G r a v e s , Dict. of Artists, 1895; Royal Acad., IV (1906); Brit. Inst., 1908; Cent. of Loan Exhib., 1913 f. II; IV 1958. — Kat. der gen. Slgn. — Cat. of engr. Brit. Portr., Brit. Mus. London, IV (1914) 8.

Hayllar, J e s s i c a , Miss, Genremalerin, wohl Tochter des James (gleiche Adresse!), tätig in Wallingford und Bournemouth. Stellte 1880—1915 in der Royal Acad. und der Lon-doner Soc. of Brit. Artists aus. Ein Bild von ihr besitzt die Gal. von Rochdale (Kat. 1913 p. 24). — Ihre Schwestern (?), die Malerinnen E d i t h , K a t e und M a r y (nachmalige *Mrs. H. W. Wells*) waren zwischen 1880—98 eben-falls in der Royal Acad. mit Genrebildern u. Blumenstücken vertreten.

G r a v e s , Dict. of Artists, 1895; Royal Acad., IV (1906). — Cat. Exhib. Royal Acad. 1908—15.

Haylmann, J a k o b , s. *Heilmann,* J.

Hayls (Hayles, Hales), J o h n , engl. Bildnis-maler, † in London 1679. Schüler von Miere-veldt und Van Dyck-Nachahmer. Tätig in Rom 1651 und London 1658. Für S. Pepys, der ihn häufig in seinem Tagebuch erwähnt, malte er dessen Bildnis (1666, Halbfigur; Nat. Portr. Gall.) sowie diejenigen seines Vaters Thomas Pepys und seiner Frau. In Woburn Abbey (Herzog von Bedford) befinden sich die Bildnisse Lord William Russell's und der Lady Diana Russell; im Print Room des Brit. Mus. eine Federzeichnung (Bildnis einer Dame als

Schäferin) und eine von G. Vertue gez. Kopie eines von H. gemalten Bildnisses des Miniaturmalers J. Hoskins (1665, Original verschollen). R. White und Walker (James?) haben nach H. je ein Bildnis des Dichters Thomas Flatman gestochen. Bildnisse H.s, nach J. Hoskins, wurden von T. Chambars (mit Claude Lefebure auf einer Platte) gestochen.

Walpole, Anecd. of Painting etc., ed. Wornum, 1862 II 463. — Dict. Nat. Biogr., XXV. — C. H. Collins Baker, Lely and the Stuart Painters, 1912. — Brit. Mus. Add. Mss. 23 068 f. 11; 23 070 f. 23. — L. Cust, Nat. Portr. Gall., 1901 I 141. — Cat. of Drawings etc. Brit. Mus., II; IV 298 Nr 23. — Cat. of engr. Brit. Portr. Brit. Mus., II 222; III 448. — L e Blanc, Manuel II 627 Nr 52. — Heinecken, Dict. des Art., 1778 ff. (Ms. Dresd. Kupferstichkab.).

Haym, Hans, siehe *Haim*, H.

Haym, Niccolo Francesco, Musiker, Münzsammler, Stecherdilettant u. Schriftsteller deutscher Herkunft, geb. in Rom 1688/9, † in London 1729 (?). Man kennt von ihm die Bildnisse der Musiker Thomas Tallis († 1585) und Byrd, die er unter dem Namen *Nicholas Haym* für eine geplante Musikgeschichte (um 1729) gestochen hat. Aus dieser Signatur machen die Handbücher fälschlich einen nicht existierenden Künstler N. Hayman.

Grove, Dict. of Musicians. — N. F. Haym, Tesoro delle Medaglie, p. 6, 7. — Brit. Mus. Cat. of Printed Books. — F. Lugt, Marques de Collections, 1921. — Strutt, Dict. of Engravers, 1785. — Le Blanc, Manuel de l'Amateur, II. — Dict. of Nat. Biogr. (unter Tallis u. Byrd). — Cat. of engr. Brit. Portr. Brit. Mus. (desgl.).

H. M. H.

Hayman, Francis, Historien-, Bildnismaler, Zeichner u. Radierer, geb. in Exeter (Devonshire) 1708, † in London 2. 2. 1776. Schüler des Robert Brown in Exeter, kam jung nach London, wo er als Dekorationsmaler am Drury Lane-Theater Beschäftigung fand. Heiratete die Tochter des Besitzers und schloß Freundschaft mit Hogarth, der viele Jahre hindurch sein Zechkumpan war, dem Schauspieler Quin, dessen Bildnis H. 1755 radierte, u. a. Erhielt von Jonathan Tyers den Auftrag, „Pavillon", Rotunde und Logen des Vauxhall-Theaters mit Darstell. aus dem zeitgenöss. Leben, darunter Kopien nach Hogarth's „Vier Tageszeiten" auszumalen. Diese Arbeiten sind in zahlreichen kulturgeschichtl. interessanten Stichen auf die Nachwelt gekommen. H. zeichnete außerdem Titelblätter und Buchillustrationen für Verleger, u. a. für Hanmers Shakespeare, 1744—46 (von Gravelot gestochen); Newton's Milton, 1749—52; Moore's Fabeln für das weibl. Geschlecht, 1744; Congreve's Poems; Pope's Works, sowie für Smolletts Don Quixote (Originale des letzteren im Brit. Mus.). „Moses Quellwunder", eines seiner vielen biblischen Bilder, malte er 1745 für das Findelhaus, wofür er ebenso wie die übrigen Stifter von

Gemälden, zum Governor desselben ernannt wurde. Von Mrs. Delany als der „beste Zeichner, den sie kannte", an die Herzogin von Portland empfohlen, zeichnete H. für diese Gönnerin gemeinsam mit N. Blakey 3 Bl. für die erste in England nach engl. Meistern gestochene historische Folge, in der von H. die Blätter „Caractacus", „Bekehrung der Briten zum Christentum" und die „Schlacht bei Hastings" (gestochen von C. Grignion, S. F. Ravenet u. a.) herrühren. H. war ein tüchtiger Bildnismaler und galt als der bedeutendste engl. Historienmaler seiner Zeit. Seine Spezialität waren Gruppenbilder in landschaftl. Umgebung oder Innenräumen. Zu seinen Schülern gehörten Gainsborough, Tom Taylor, John Th. Seaton, laut Dayot auch J. Farington und William Hodges. Andere, unbekannt gebliebene Schüler hatte er bei seinen Arbeiten im Vauxhall-Theater zu Gehilfen. Hogarth's Abneigung gegen die alten Meister teilte er durchaus nicht, zog vielmehr zur Revanche über den Freund her. — H. war Vorsitzender eines Komitees, das über den Plan einer öffentl. Ausst. von Werken engl. Künstler beriet. Bei der Veranstaltung derselben im großen Saal der Society of Artists war H. mit einem Bildnis Garrick's als Richard III. vertreten. Anläßlich der Spaltung innerhalb der Gesellschaft wurde H. 1761 Gründermitglied der Society of Artists in Great Britain, die ihre 1. Ausst. in Spring Gardens veranstaltete, wo H. ein Bild: Falstaff drillt Rekruten, zeigte; 1765 Vizepräsident; 1766 als G. Lambert's Nachfolger Präsident (1768 wurde Kirby sein Nachfolger). Auf den Ausstell. der Gesellschaft war H. im ganzen mit 11 Bildern vertreten. Auch gehörte er zu den Gründer-Mitgliedern der Royal Acad. (1768), auf deren 1. Ausst. er 1769 mit 2 Don Quixote-Bildern vertreten war (Bibliothekar 1771). Sein von Reynolds gemaltes Bildnis hängt in der Diploma Gall. der Royal Acad. Weitere Bildnisse H.s haben Zoffany (in dem großen Gruppenbild: die Aktklasse der Royal Acad.) und P. Falconet (von B. Reading gest. Zeichn.) hinterlassen. Ein gutes Selbstbildnis (im Begriff, Sir Robert Walpole zu malen) in der Nat. Portrait Gall., mit der Darstell. eines zeitgenöss. Ateliers, in der man wohl H.s eigene von Van Nost übernommene Künstlerwerkstatt zu erblicken hat. Ein Selbstbildnis H.s wurde von C. Grignion gestochen. J. Faber jun. hat nach H. das Bildnis des Lord John Perceval, J. S. Müller dasjenige des Dr. Barrowby gestochen. Houston hat nach H. „Die 5 Sinne" (weibl. Bildnisfolge), T. Chambers „The Bad Man" und „The Good Man at the Hour of Death" (2 Bl.) gestochen. H.s künstler. Bedeutung ist nur gering; Nichols spricht von einem unvernünftigen Sammler, der seine Zimmerwände mit H.s „Pinselabfällen" verunziert habe; Churchill schilt ihn einen langweiligen Manieristen. Anders dachte Tyers; wenigstens ließ er von H.s 4 Shakespeare-Szenen in der Loge des Prinzen von Wales Kopien anfertigen und bewahrte die Originale bei sich auf.

Redgrave, Dict. of Artists, 1878. — Dict. of Nat. Biogr., XXV. — Walpole, Anecdotes of Painting, ed. Wornum, 1862 II. — Pilkington's Dict. of Painters, ed. A. Cunningham, 1852 p. 246 ff. — Chapman's Biogr. Dict., 1814, XVII 268. — G. Pycroft, Art in Devonshire, 1883. — Strutt, Dict. of Engr., 1786. — Sandby, Hist. of the Roy. Acad., 1862. — The Art Journal, 1889 p. 294, 321 (Abb.), 324 f. — Sir H. T. Wood, Hist. of the Roy. Soc. of Arts, 1913 p. 38, 238 f. — J. T. Smith, Nollekens and his Times, ed W. Whitten, 1920 I 79, 81, 347; II 42, 165, 271, 277 ff.; ders., A Book for a Rainy Day, ed. W. Whitten, 1912 p. 13, 20, 317, 319. — Nichols' Literary Anecdotes, III 121. — Mrs Delany, Autobiography and Correspond., II 505. — Poems of Charles Churchill, I 369—74. — G. C. Williamson, Zoffany, p. 29—31 m. Taf. — C. R. Leslie, Life and times of Sir J. Reynolds, 1865 I 90, 135—7, 181, 223, 280, 328 f., 403; II 84, 168. — Wheatley & Cunningham's London, I 492; II 483. — Ducarel's Hist. of Antiquities of the Parish of Lambeth, 1786 p. 103 ff. — Brit. Mus. Add. Mss. 23074 f. 18 (Vertue, über H.s Schenkung an das Findelhaus). — Graves, Dict. of Art., ² 1895; ders., Roy. Acad., IV (1906); Cent. of Loan Exhib., IV (1914) 1958. — Roy. Acad. Cat. of the Diploma Gall. at Burlington House, 1920 Nr 209. — Cust, Nat. Portr. Gall., 1901/2 I 248. — Brit. Mus. Cat. of Drawings etc., II; Cat. engr. Brit. Portr., I 128; II 40, 281; III 519 f.; IV 537.   *K. A. E.*

Hayman, James, Tiermaler in London, geb. 1814, † 24. 3. 1849, seit 1838 Schüler von G. Lance. Seit 1840 zeigte er seine Tierbilder in der Royal Acad., der Brit. Instit. u. der Soc. of Artists.

Ottley, Dict. of Painters, 1875. — Bryan, Dict. of Painters, ed. Williamson, III (1904).

Hayman, Laure, Bildhauerin in Paris, geb. in Valparaiso (Chile), stellte Porträtbüsten, Figuren, dekorative Entwürfe u. Goldschmiedearbeiten 1905 im Salon d'Automne aus, seit 1906 im Salon der Soc. des Art. franç.

L'Art et les Artistes, XVIII (1914) 145. — Salonkatal.

Hayman, N., falsch für *Haym,* Niccolo Fr.

Haymann, Ernst, Radierer in München, geb. ebenda 26. 4 1873, Schüler der Münchner Akad. unter J. L. Raab u. P. Halm. Zeigt seine Radierungen (landschaftl. Motive aus der Umgebung Münchens, Genrescenen, Münchner Typen, Porträts usw.) seit 1904 im Glaspalast. Pflegt auch die farbige Radierung.

Deutschlands, Österreichs-Ungarns, der Schweiz Gelehrte, Kstler u. Schriftsteller, ³ 1911. — Bayerland, XXII (1921) 430 f. — Ausst.-Katal.

Haymon, Bildhauer, lieferte 1581 die Orgelbrüstungen der Kathedrale in Orense (Galicien). 1581 erscheint sein Name auch im Pfarrbuch von Sta Eufemia ebenda; Dez. 1588 arbeitete er im Kloster Samos (Lugo), von wo ihn das Kapitel der Kathedrale in Orense zur Prüfung

der Arbeit am Chorgestühl berief, womit zu der Zeit Diego de Solis und Juan de Angés beschäftigt waren. Mai 1589 wurde er von neuem nach Orense berufen, die von H. festgestellten Fehler in der Arbeit mußten die beiden Bildhauer nach seiner Anordnung beseitigen. Bereits am 22. 6. 1580 hatte sich H. um die Lieferung des Chorgestühls beworben; er wurde abschlägig beschieden, da der Auftrag bereits vergeben war, doch wurden ihm Aufwand und Reise vergütet. Auch eine Erneuerung seines Gesuches im August 1584 blieb ergebnislos, doch läßt sich daraus schließen, daß das Chorgestühl damals entweder noch nicht begonnen, oder eine Stockung in der Arbeit eingetreten war.

Nach unveröffentl. Forschungen von D. Arturo Varquer in Orense.   *Pérez-Costanti.*

Haympuech, Thomas, Kalligraph und Buchmaler, Vikar in Egern bei Tegernsee, schrieb und illuminierte 1489 ein Psalterium der Münchner Staatsbibliothek (Cod. lat. 19263), in Anlehnung an die Art des H. Molitor.

Ed. Thoma, Die Tegernseer Buchmalerei, 1910 p. 38. (Münchner Dissert. 1909.)

Hayn, Ernst, Freiherr von, Maler u. Bildhauer, geb. 12. 2. 1822 in Stuttgart, † 29. 6. 1896 ebenda. Offizier u. Hofmarschall des Prinzen Friedrich v. Württemberg. Nachdem er seinen Abschied genommen hatte, widmete er sich ganz der Kunst. Schüler der Akad. in Karlsruhe u. des Bildh. Th. v. Wagner in Stuttgart. Bildete sich durch Reisen in Frankreich, Italien u. Spanien weiter. Lebte dann in Stuttgart u. auf Burg Uhenfels (O. A. Urach). Als Maler schilderte er in seinen Öl- u. Aquarellbildern gerne die schwäbische Alb, als Bildhauer schuf er vor allem kleine, treffend erfaßte u. mit schärfster Naturtreue durchgebildete Tierplastiken, die er nur gelegentlich auf Ausst. zeigte (so 1877 auf der Berl. Akad.-Ausst., 1888, 89 im Pariser Salon der Soc. des Art. franç.). Der Tiermaler P. Meyerheim brachte 1899 eine kleine Auswahl solcher Tiermodelle auf die Gr. Berl. Kstausst.; 2 davon erwarb die Nationalgal. Berlin (Katal. 1907, III. Abt. No 123, 124). Zahlreiche Werke im Mus. der bild. Kste in Stuttgart, eine Landschaft im Kaiser-Friedrich-Mus. Görlitz (Führer 1910 p. 18), 5 Tiermodelle in der Ksthalle zu Hamburg (Übersicht der z. Z. ausgest. Gem. u. Bildw. 1907 p. 96).

F. v. Bötticher, Malerwerke d. 19. Jahrh., I 1 (1891). — Singer, Kstlerlex., II (1896). — A. v. Öchelhäuser, Gesch. d. Bad. Akad. d. bild. Kste, 1904 p. 161. — Kst- u. Altertumsdenkm. in Württemb., Schwarzwaldkr., I (1897) 478. — Kstchronik, XIII (1878) 646; XVII (1882) 483. — Kst u. Kstler, II (1904) 349 ff.

Hayne, Anton, Maler und Radierer (Dilettant), geb. in Krainburg (Krain) 17. 1. 1786, 1840 noch am Leben, in den 1820 er Jahren mähr. Landestierarzt in Brünn, später Prof. d. Tierarzneikunde in Wien, wo er 1828, 1835 u.

1840 Ölbilder (Landschaften, „Domkirche in Olmütz", „4 Ansichten bei Karlsbrunn") in den Akad.-Ausstell. zeigte. Im Franzens-Mus. zu Brünn (Katal. 1899) eine Mondscheinlandschaft (1822 v. H. geschenkt). Nach Kukuljevic, Lex. d. südslav. Kstler (Agram 1858), im Laibacher Mus. eine Ansicht von Schloß Krain (wohl Krainburg).

T s c h i s c h k a , Kst u. Alterth. i. österr. Kaiserst., 1836. — C. v. W u r z b a c h , Biogr. Lex. Österr., 1856 ff. VIII.

Haynes, D a v i d F r a n c i s , Steinzeugfabrikant, geb. 1835 in Brookfield (Mass.), gründete 1881 die Chesapeake-Steinzeugmanufaktur in Baltimore (Md.), die er zum Teil selbst mit Entwürfen versorgte. Von ihm der Entwurf zur „Calvert" Vase, dem bedeutendsten Stück der Fabrik. — Auch seine Tochter F a n n i e , gebildet in der Kunstschule des Maryland Institute u. des Metropolitan Mus. zu New York, fertigte Entwürfe für Keramik.

E. A. B a r b e r , Pottery and Porcelain of the United States, 1909 p. 320—32 passim.

Haynes, E d w a r d T r e v a n y o n , Maler in London, zeigte 1867—85 in der Royal Acad. u. anderen Londoner Ausst. Porträts, Genrestücke u. Historienbilder. Im Greenwich Naval College von ihm das Porträt des Admirals Sir Astley Cooper.

G r a v e s , Dict. of Art., 1895; d e r s . , Royal Acad., IV (1906) ; d e r s . , Loan Exhib., IV (1914).

Haynes, G e o r g e , Fayencefabrikant, kaufte 1790 die Fabrik zu Swansea, deren Erzeugnisse unter dem Namen „Cambrian Pottery" gingen. Unter dem Namen „opaque china" führte er eine besondere Art von Steingut ein u. brachte die Fabrik zur Blüte. Die Erzeugnisse bestehen vor allem in Vasen, Krügen, Geschirren, die in Emailfarben mit Landschaften, Figuren u. Blumen bemalt sind. Die unter ihm verwendeten Marken bei Hayden p. 415. 1802 ging die Fabrik an L. W. Dillwyn über.

Engl. Pottery and Porcelain, o. J. p. 43, 116. — A. H a y d e n , Chats on Engl. Earthenware, 1912. — G r o l l i e r , Manuel de l'Amateur de Porc., 1914 p. 252.

Haynes, J o h n , Zeichner, Kupferstecher u. Radierer, um 1730—50, wahrscheinlich in York tätig. Zeichnete und stach Ansichten von York und Scarborough für T. Gent's History of Kingston on Hull sowie Architekturen für Drake's Eboracum (1736). Veröffentlichte ferner 1740 eine Radierung nach eigener Zeichnung: „The Dropping Well at Knaresborough as it appeared in the Great Frost, January 1739"; Yacht des Herzogs von Cumberland in Windsor (1753). Stach 1748 einen großen Plan von York.

R e d g r a v e , Dict. of Art., 1878. — Dict. Nat. Biogr., XXV. — F i n c h a m , Artists and Engravers of Engl. etc. Bookplates, 1891.

Haynes, J o h n , falsch für *Haynes,* Joseph.

Haynes, J o h n W i l l i a m , engl. Genremaler, stellte 1852—82 in der Londoner Royal Acad., Brit. Instit., Soc. of Brit. Artists (Suffolk Street) aus. Die Städt. Gal. in York besitzt sein Ölbild „The First, the only one".

G r a v e s , Dict. of Art., 1895; R. Acad., IV (1906) ; Brit. Inst., 1908. — City of York. Art Gall. Cat. of Pictures in the perman. Coll., o. J.

Haynes, J o s e p h (nicht John!), Maler und Radierer, geb. in Shrewsbury 1760, † in Chester 14. 12. 1829. Kam jung nach London, wo er (um 1775) Schüler J. H. Mortimer's wurde, nach dessen Tode (1779) er etwa 20 Bl. nach seinen Vorlagen radierte, die von Mortimer's Witwe, z. T. in Verbindung mit John Boydell, verlegt wurden. H. radierte 1782 zwei Bl. nach Hogarth: „Debates in Palmistry" und Bildnis James Caulfield, Graf von Charlemont, beide nach Originalgemälden, „in the possession of Mr Saundreland, etched by Josh. Haynes, pupil of the late Mr Mortimer". Von diesen Blättern ist die Bildnisrad. ganz in Mortimer's Radiermanier, mit dem aus den Shakespeare-Köpfen bekannten „gekritzelten (scribbled)" Hintergrund, gehalten. In dems. Jahre (1782) radierte H. auch ein Bildnis des Barons Holland, ebenfalls nach Hogarth. Später kopierte er einige Gemälde Reynolds', doch ist die Zahl seiner Bilder klein, und ihr Vorkommen selten. Er unternahm eine Reise nach Jamaika und ließ sich nach seiner Rückkehr als Zeichenlehrer in Chester nieder. Nach Nagler soll H. auch Bildnisse Ludwigs XVI. und der Marie Antoinette gestochen haben. Zweifelhaft ist die Angabe, daß er auch in Schabmanier gearbeitet habe.

R e d g r a v e , Dict. of Artists, 1878. — Dict. Nat. Biogr., XXV 302. — G i l b e r t B e n t h a l l and P e n e l o p e I k i n , Life of John Hamilton Mortimer R. A. Appendix (1921 in Vorbereitung). — L e B l a n c , Manuel II. — H u b e r - M a r t i n i , Handb. f. Kstliebh., IX (1808). — N a g l e r , Kstlerlex., VI. *G. Benthall.*

Haynes, W i l l i a m , falsch für *Haynes,* Joseph.

Haynes-Williams, J o h n , engl. Genremaler, geb. in Worcester 1836, † in Eastbourne 7. 11. 1908. Studierte in Worcester und Birmingham und kam um 1861 nach London, wo er 1863 bis 97 — zunächst als *J. Williams* — in der Royal Acad. ausstellte. Daneben beschickte er die Ausstell. der Brit. Instit., der Soc. of Brit. Artists, bei der er lange Jahre das Ehrenamt eines Schatzmeisters bekleidete, die Grosvenor Gall. usw. Als Ausbeute einer spanischen Reise (1862) entstanden eine Reihe Bilder voll Leben und Pathos, mit denen er seit 1870 in der Royal Acad. vertreten war, darunter das große, figurenreiche Gemälde „A los toros", die modernen Sittenbilder die „Findelkinder" (für Melbourne angekauft), die „Predigt" sowie das Rokokobild „The Ancestor on the tapestry" in der Liverpooler Gal. (der alte Diener eines vornehmen Hauses erklärt dem jungen Erben die Taten eines Vorfahren). Schilderte er in andern Bildern die Zeit Franz' I. von Frankreich und die Epoche der Stuarts, so bildete doch seine eigentliche Domäne — besonders in späterer Zeit — das französ. Empire, dessen Kostüme und Einrichtungen er in zahlreichen eleganten Salon- und Gesellschaftsbildern in stilgetreuer Wiedergabe unter Benutzung von Vorbildern aus Fontainebleau vor Augen führt. Dazu gehören „Noblesse oblige", die Gegenstücke „Losing" („Im Verlieren") und „Winning" („Im Gewinnen"), „Keine Rose ohne Dornen", „Unangemeldet", u. a.; Bilder, denen ihr liebenswürdiger Humor, die Feinheit der Charakterschilderung und die liebevolle Sorgfalt in der Ausführung aller Einzelheiten unter peinlicher Beobachtung der historischen Treue einen stillebenartigen Reiz verleiht, Vorzüge, die diesem „Novellisten der Leinwand" — wie man ihn genannt hat — einen Ehrenplatz unter den Vertretern des histor. Sittenbildes einräumen. In den 80er und 90er Jahren hat H. auch eine kleine Anzahl breit und farbig behandelter Bildnisse mit intimer Milieuschilderung gemalt (Gattin des Künstlers; Lord Lathom u. a.). Die Londoner Tate Gal. besitzt sein Gemälde „Ars longa, vita brevis" (ein Maler läßt sich vor seinem Ende an die Staffelei führen, um den letzten Pinselstrich an seinem Werk zu tun).

F r. W e d m o r e in The Art Journal, 1894 p. 289—93, mit Bildnis u. Abb. — Nekrolog ebenda, 1909 p. 31. — G r a v e s, Dict. of Artists, 1895 p. 304 (unter Williams, J. Haynes); d e r s., Royal Acad., VIII (1906) 287 f. (Williams); Brit. Inst., 1908. — P o y n t e r, Nat. Gall. of Brit. Art, 1900 I. — Royal Acad. Pictures, 1891—7 (Abb.). — Kat. der gen. Slgn.

Haynesworth, W i l l i a m, engl. Kupferstecher, tätig 1659. Man kennt von ihm ein schönes Bildnis Cromwell's als Lord Protector (sehr selten; Exemplare im Brit. Mus. und Oxford, Bodleian Library) sowie ein Bildnis Geffroy's de Lusignan, Kopie nach Jérôme David.

Dict. Nat. Biogr., XXV 303, mit ält. Lit. — Cat. of engr. Brit. Portr. Brit. Mus., I (1908) 532.

Hayoit, Maler in London, stellte 1771—83 in der Free Society fast alljährlich Blumenstilleben aus.

G r a v e s, Soc. of Artists, 1907.

Hayon, L é o n A l b e r t, Maler, geb. 16. 11. 1840 in Paris, † 1885 ebenda, Schüler von L. Bénouville, F. Picot u. J. Pils. Zeigte seit 1864 im Salon Porträts, Genrestücke u. religiöse Bilder. 1869 u. 83 stellte er auch im Glaspalast München, 1869 auf der Exp. des B.-Arts in Brüssel aus. Im Mus. zu Vire von ihm „Franciscains faisant de la musique" (Salon 1867; Catal. somm. 1909 p. 8).

B e l l i e r - A u v r a y, Dict. gén., I (1882); Suppl. (1887). — Chron. des Arts, 1885 p. 237. — Verst.-Kat. d. Samml. Zeller-Prag, 1906 No 58. — Ausst.-Katal.

Hays, Bildnismaler, nach dessen Vorlage J. Beckett ein Bildnis des Oxforder Musikers Edward Low (um 1675) in Schabmanier gestochen hat. — Wohl identisch mit Hayls (s. d.).

Cat. of engr. Brit. Portr., Brit. Mus., III (1912) 99. *B. C. K.*

Hays, A u s t i n, s. u. *Hays,* William Jacob.

Hays, W i l l i a m J a c o b I, Tiermaler, geb. 8. 8. 1830 in New York, † 13. 3. 1875 ebenda, erhielt den ersten Zeichenunterricht von J. R. Smith, bildete sich dann autodidaktisch weiter. 1850 stellte er erstmals in der Akad. zu New York aus. 1860 machte er eine Reise nach den Quellen des Missouri, um die Tierwelt dieses Gebietes zu studieren. Seine Landschaften u. Tierbilder aus diesen Gegenden gehören zu seinen besten Arbeiten. Das Mus. des Brooklyn Inst. besitzt von ihm „Deer" (Cat., 1910 No 180), die Gem.-Gal. der New York Public Library „Terriers Head" u. „Spaniel and Terrier" (Catal., 1912 p. 17, 28). Eines seiner Hauptwerke, wandernde Büffelherde, hat er selbst lithographiert. — Sein Sohn A u s t i n, geb. 1869 in New York, † 24. 7. 1915, war Bildhauer. Er bildete sich in Paris unter M. J. A. Mercié u. stellte 1895, 96 im Salon der Soc. des Art. franç. Paris, später in der Nat. Acad. of Design in New York aus. — Ein jüngerer Sohn, W i l l i a m J a c o b II, geb. 1. 7. 1872 in Catskill (N. Y.), ist Landschaftsmaler. Er bildete sich an der Nat. Acad. of Design in New York u. der Julian- u. Colarossi-Acad. in Paris. Besonders seine Jagdbilder werden genannt.

C l e m e n t and H u t t o n, Art. of the 19th Cent., 1893. — Kstchronik, X (1875) 697 (Nekr.). — Amer. Art Annual, XII (1915) 259; XVIII (1921) 447. — Amer. Art News, XX (1921) No 5 p. 1 f.; XXI (1922/23) No 5 p. 6.

Hayter, A., Miniaturmalerin in London, zeigte 1814—30 Porträts in der Royal Acad. u. in Suffolk Street, London.

G r a v e s, Dict. of Art., 1895; d e r s., Royal Acad., IV (1906).

Hayter, A n g e l o C o l l e n, Maler in London, zeigte 1848—52 in der Royal Acad. u. Brit. Instit. Porträts u. Genrebilder (Motive aus Italien).

G r a v e s, Royal Acad., IV (1906); d e r s., Brit. Instit., 1908.

Hayter, C h a r l e s, Bildnismaler, geb. 24. 2. 1761, † in London 1. 12. 1835. Sohn eines gleichnamigen Architekten in Hampshire, Vater von Sir George und John. Tätig als Miniaturmaler in Hampshire und London, wo er 1786—1832 regelmäßig in der Royal Acad. ausstellte. Zeichenlehrer der Prinzessin Charlotte von Wales, der er eine „Introduction to Perspective adapted to the Capacities of Youth" (1813) widmete; ein Buch, das bis 1845 6 Auflagen erlebte. Seine Aquarellbildnisse auf Elfenbein und Pastelle auf Pergament galten als sehr ähnlich, sind aber schwache und unerfreuliche Leistungen. P. Audinet, S. Cook, W. Read, J. T. Wegdwood u. a. haben nach H.s Vorlagen gestochen.

R e d g r a v e, Dict. of Art., 1878. — Dict. of Nat. Biogr., XXV 303. — F o s t e r, Chats on old Miniatures, 1908. — G r a v e s , Royal Acad., IV (1906) ; Loan Exhib., 1913 II. — Cat. of engr. Brit. Portr. Brit. Mus., I 18, 262; III 129, 172, 202, 209, 265, 421; IV 458.

Hayter, Sir G e o r g e , Bildnis-, Historienmaler u. Graphiker, geb. in London 17. 12. 1792, † in Marylebone (jetzt Stadtteil von London) 18. 1. 1871. Sohn des Charles. Studierte an der Royal Acad., die ihm 2 Medaillen für Zeichnungen nach der Antike verlieh, diente 1808 in der Kgl. Marine, stellte 1809 bis 15 in der Royal Acad. Bildnisse in Kohle und Kreide aus und wurde 1815 zum Hofminiaturmaler der Prinzessin Charlotte und des Prinzen Leopold von Sachsen-Koburg (späteren Königs der Belgier) ernannt. In dems. Jahre verlieh ihm die Brit. Instit. für sein dort ausgestelltes Gemälde einen Preis von 200 Guineen. 1816 begab H. sich zu Studienzwecken auf 3 Jahre nach Rom, wo er Mitglied der Accad. di S. Luca wurde. Nach seiner Rückkehr zeigte er 1821 in der Royal Acad. ein Bildnis des Herzogs von Wellington. Nachdem er 1823 sein großes Gemälde „Verhör der Königin Karoline im Oberhaus" (s. u.) ausgestellt hatte, begab er sich zum 2. Male nach Italien und wurde von den Akademien von Parma, Florenz, Bologna und Venedig zum Ehrenmitglied gewählt. Auf der Rückreise blieb er bis 1831 in Paris, wo er viele Bildnisaufträge erhielt. Nachdem ihm der König der Belgier 1833 ein Bildnis der 14jähr. Prinzessin Viktoria in Auftrag gegeben hatte, wurde er nach deren Thronbesteigung (1837) zum Kgl. Porträt- und Historienmaler ernannt. Nach Wilkie's Tod erfolgte 1841 seine Berufung zum „Historical Painter in Ordinary to the Queen", worauf ihm 1842 die Ritterwürde verliehen wurde. Bereits 1838 hatte er sich indes von den Ausstell. zurückgezogen und war bei seinem Tode so gut wie vergessen. Als Porträtist erfreute H. sich in seiner Glanzzeit bei den Zeitgenossen einer ähnlichen Beliebtheit wie Lawrence, dessen Arbeiten aber höher geschätzt wurden. H. hat eine Unmenge Einzelbildnisse in Lebensgröße und Miniaturen von Mitgliedern des Hochadels, der königl. Familie, von Staatsmännern, Politikern, hohen Beamten, kirchl. Würdenträgern usw. hinterlassen, alles Arbeiten von gefälliger Wirkung, aber geringem Kunstwert. Immerhin hat er als Porträtist eine größere Bedeutung als im Fach der Historie. Auf diesem Gebiet wurde er zuerst mit seinem für den Herzog von Bedford gemalten großen Bilde „Verhör des Lord William Russell vor dem Gerichtshof in Old Bailey 1683", das 1825 in der Royal Acad. ausgestellt war und sich jetzt in Woburn Abbey befindet, in weiteren Kreisen bekannt. Setzte schon dieses figurenreiche Bild eine Menge von Porträtstudien nach zeitgenöss. Darstellungen voraus, so wagte er sich als Schilderer von Staats-

aktionen und Parlamentssitzungen an viel größere Aufgaben in bezug auf Bildumfang, Komposition und Porträtähnlichkeit zahlloser Bildnisfiguren und Gruppen, mit denen er diese Bilder anfüllte. Bei aller Gewissenhaftigkeit kam er aber nicht über einen trocknen Reporterton hinaus, indem er sich angesichts der Schwierigkeit der Aufgabe damit begnügte, etwas „Halbgeschichtliches" zu geben, wie ihm ein Kritiker der Zeit zum Vorwurf machte. Hauptwerke der bezeichneten Gattung, die sämtlich gestochen wurden, sind „Verhör der Königin Karoline im Oberhaus in der Sitzung vom 23. 8. 1820", mit über 300 Figuren, darunter über 160 nach dem Leben gezeichneten Köpfen, 1823 gemalt; „Die Königin im Oberhaus" (1838), auf kgl. Befehl für die Stadt London gemalt, jetzt in der Guildhall daselbst; „Krönung" und „Hochzeit der Königin" (Originale in Windsor, Stiche von T. Ryall bzw. E. Wagstaff); „Sitzung des 1. Reformparlaments 5. 3. 1833", mit rund 400 Bildnissen, 1848 gemalt (Nat. Portrait Gall.); „Krönungseid der Königin" (1854, Stich von Th. L. Atkinson); „Konfirmation des Prinzen von Wales" (1859, Stich von W. Greatbach; Original in Windsor). Bildnisse der Königin Viktoria in der Londoner Goldsmith's Hall und Nat. Portr. Gall., ebenda Bildnis Lord Lynedoch, u. a. Außerdem befinden sich Werke H.s im Londoner Victoria and Albert Mus. („The Angels ministering to Christ", 1849), in der Dubliner Nat. Gall. („Bildnis George Tierney"), in der Glasgower Gal. („Erste Londoner Staatsvisite der Königin Viktoria"), in den Uffizien in Florenz („Selbstbildnis") und in der Akad. in Bologna („Bildnis des Kupferst. Rosaspina", 1828). Nach H. gestochen: „Latimer preaching St. Paul's Cross" (W. H. Egleton); „The Glorious Company of the Apostles praise Thee" (1854; Egleton). Ferner zahlreiche Bildnisse in Vervielfältigungen (Stiche in Linien-, Punktier- und Schabmanier) von J. Brayn, J. L. Busby, J. W. Cook, H. Cousins („Königin Viktoria im Krönungsornat", Schabbl. 1839), T. A. Dean, T. Hodgetts, W. Holl, T. Landseer, R. J. Lane, T. C. Lewis, J. Porter, J. H. Robinson, W. Sharp, J. Scott, E. Scriven, J. Thomson, C. Turner („Viscount Melbourne", Schabbl. 1839) u. a. H. hat sich in jüngeren Jahren auch selbst als Radierer betätigt und u. a. das Bildnis des Herzogs von Devonshire und ein Selbstbildnis im Alter von 30 Jahren (Original in Woburn Abbey) nach eigenen Vorlagen radiert. Einen Stich nach Tizian's „Himmelfahrt Mariä" (1820, fol.) hat er Canova gewidmet. Nagler führt von H. auch 2 Bildnislith. auf. Zahlreiche Zeichnungen (Bildnisse, Studien) u. a. im Print Room des Brit. Mus.

N a g l e r , Künstlerlexikon, VI 22; XIX 548. — R e d g r a v e , Dict. of Art., 1878. — Dict. of

Nat. Biogr., XXV. — B é n é z i t , Dict. des peintres etc., II (1913). — S m i t h , Recollect. of the Brit. Instit., 1860. — Art Journal, 1871 p. 79 (Nekrolog) ; 1879 p. 180 ; 1902 p. 192, m. Tafel. — Literary Gazette, 1823 Nr 324. — G r a v e s , Dict. of Art., 1895 ; Royal Acad., IV (1906) ; Loan Exhib. 1913 ff., II ; IV ; V. — Kat. der gen. Slgn. — C u s t , Nat. Portr. Gall., II. — W i l l i a m s o n , Miniaturensammlg des Herz. von Cumberland, engl. u. dtsche Ausg., 1914. — Min.-Sammlg des Großherz. v. Hessen, 1917. — Cat. Mostra del Ritratto, Florenz 1911. — Cat. Gal. des Offices, Florenz 1883 p. 113. — Cat. of engr. Brit. Portraits, Brit. Mus., I—V (1908—22) passim. — Cat. of Drawings by Brit. Art., Brit. Mus. II. — Guide of Drawings etc. Brit. Mus. acquired 1912—4, p. 23. — Kat. russ. Portr.-Ausst. St. Petersburg 1905 (russ.), Nr 1266. — Kat. Bildniszeichn. Kupferst.-Kab. Dresden, 1911 Nr 342. *B. C. K.*

Hayter, J o h n , Bildnis- und Genremaler, geb. 1800, † nach 1891 (Dict. Nat. Biogr. XXV 303). Jüngerer Bruder des Sir George. Tätig in London. Stellte zuerst 1815 in der Royal Acad. aus (Bildnis des Malers E. Landseer als Cricketspieler), wo er bis 1879 mit zahlreichen Arbeiten (Bildnissen) vertreten war. Daneben stellte er auch 1820—61 in der Brit. Instit. (hauptsächl. histor. Genre) und in der Soc. of Brit. Artists (Suffolk Street Gall.) aus. Seine Bildniszeichnungen waren sehr beliebt, und zahlreiche Stecher und Lithographen haben nach seinen Vorlagen für Verleger gearbeitet. Gemälde in der Nat. Portrait Gall. („Admiral Carew"), im Victoria and Albert Mus. („Viscountess Dungannon"); Zeichnungen (Bildnisse, Studien) im Print Room des Brit. Mus.

G r a v e s , Dict. of Art., 1895 ; Royal Acad., IV (1906) ; Brit. Instit., 1908 ; Loan Exhib., 1913 II. — C u s t , Nat. Portr. Gall., II. — Cat. of engr. Brit. Portr. Brit. Mus., I—IV passim. — Cat. of Drawings etc. Brit. Mus., II. — Guide Drawings etc. Brit. Mus. acquired 1912—4, p. 23. — Cat. Nat. Gall. Brit. Art., Vict. & Albert Mus. I (1907). — Shakespeare in pict. Art. Spec. Spring Nr of the Studio, 1916 (Abb.). — Cat. Exhib. Portr. Min., London 1865. — Cat. 3rd Exhib. Nat. Portr. London S. Kens. Mus., 1868.

Haytley (Hateley), E d w a r d , engl. Maler von Porträts und Veduten, tätig 1746—61. Im Londoner Foundling Hospital zwei gut gemalte, kleine runde Ansichten der Hospitäler von Chelsea und Greenwich von 1746, Geschenke des Künstlers. J. Faber jr stach 1751 in Mezzotinto nach H. das Porträt der berühmten Schauspielerin Peg Woffington als „Mrs. Ford". 1760 und 1761 stellte er in der Soc. of Artists mehrere Porträts und eine Genreszene „Zwei Knaben mit einer Traube" aus. Ein kleines Porträt des Matthew Robinson, des Vaters der Eliz. Montagu, in ganzer Figur, an der Staffelei sitzend, war im Besitz der † Mrs. Emily Climenson.

Dict. Nat. Biogr. XXV, 308. — Redgrave, Dict. of Artists, 1878. — G r a v e s , Soc. of Artists. — J. B r o w n l e r s s , Memoranda etc. of the Foundling Hospital, 1847. — Catal. Engr. Brit. Portr. Brit. Mus. London 1908 ff. IV. — Pers. Mitt. v. Mrs. E. Climenson. *H. F. F.*

Hayward, A l f r e d Frederick William, engl. Maler, geb. 1856 in Port Hope, Ontario (Canada). Kam 1875 nach England, wo er die West London Art School besuchte und 1877 die Roy. Acad. Schools bezog. Stellte zuerst 1880 in der Roy. Acad. aus, daneben häufig in der Londoner New Gallery und im Pariser Salon (Soc. Art. Franç.). Außerdem war er auf der Weltausst. in St. Louis (1904) vertreten. Mitglied des Roy. Institute of Oil Painters als Nachfolger Fantin - Latour's, durch den er in seiner Kunst — er malt ausschließlich Blumen u. Früchtestillleben — bei aller Selbständigkeit stark beeinflußt erscheint.

G r a v e s , R. Acad., IV. — Cat. Exhib. R. Acad. 1909—17, 1919—21. — Cat. Exhib. New Gall. 1890—1906, 1908. — Cat. Salon Soc. Art. Franç. 1906, 1917. *Frank Gibson.*

Hayward, A l f r e d Robert, engl. Maler, geb. in London 1875. Besuchte die South Kensington Art Training School und 1904—6 die Slade School. Stellte sein erstes Bild („A House near Waterford") 1906 im New English Art Club, wo er seitdem häufig vertreten war, aus (1910 Vereinsmitglied). Außerdem stellte H. in der Internat. Soc. of Painters, Modern Soc. of Portrait Painters, Londoner Roy. Acad. und im Pariser Salon (Soc. Art. frç.) aus, hauptsächlich Landschaften u. Bildnisse. Seine bekanntesten Arbeiten sind: „Un Jour d'été, Montreuil" und „A Boulevard with Courtisanes" (Venedig, Mod. Gal.). Zu seinen besten Bildnissen gehört „Der Fechtmeister", den man auf der Düsseldorfer Internat. Kunstausst. von 1913 sah. — H.s künstler. Vorzüge sind dekorative Behandlung der Landschaft und Schärfe der Charakterschilderung in den Bildnissen.

Studio, Bd 39 p. 346 ; 44 p. 41, 141 ; 48 p. 229 ; 49 p. 139 ; 52 p. 222 ; 53 p. 122 ; 54 p. 144 ; 58 p. 138 ; 63 p. 140. — Connoisseur, Bd 29 p. 51, 56 ; 32 p. 69 ; 34 p. 193 ; 38 p. 56 ; 39 p. 204 ; 61 p. 116. — Cat. Roy. Acad. 1920. — Cat. Salon Soc. Art. frç. Paris 1919, 1920. — Cat. Brighton Corporation Gall. — Cat. Gall. d'Arte Mod. Venedig 1913. — O j e t t i , La X. Espos. d'arte a Venezia 1912, Bergamo 1912 (Abb.). — Cat. Carnegie Inst. Pittsburgh 1913. *Frank Gibson.*

Hayward, E m i l y L., Miss, engl. Bildnismalerin, tätig in London. Stellte 1887 in der Royal Acad. aus. Ihr Bildnis des Rev. F. D. Maurice († 1872) in der Londoner Guildhall Gallery.

G r a v e s , Dict. of Artists, 1895 ; Royal Acad., IV (1906). — Cat. of the Works of Art . . . Corporation of London, 1910.

Hayward, J. S., Aquarellmaler (Dilettant), stellte 1798—1816 in der Londoner Royal Acad. Landschaften (Wales, Cornwallis, Italien) und Historienbilder (Klassische Mythologie, Bibel) aus. Seine kräftige Malweise und korrekte Figurenzeichnung wird von Redgrave gerühmt. Einer der Gehilfen Cristall's bei der Ausführung seines Panoramas von Konstantinopel und wohl identisch mit dem gleichnamigen Sekretär der Sketching Society. Radierte in Umrissen eine Komposition eigener Erfindung: Der Strom Lethe (1820).

Redgrave, Dict. of Art., 1878. — Graves, Dict. of Artists, 1895; Royal Acad., IV (1906). — Roget, Hist. of Old Water-Colour Soc., 1891 I 189 f. — Notiz von E. A. Popham.

Hayward, Richard, Bildhauer in London. Stellte 1761—6 in der Society of Artists Basreliefs aus. In der Westminsterabtei von ihm das Grabmal der Schauspielerin Pritchard († 1768).

Redgrave, Dict. of Artists, 1878. — Graves, Soc. of Artists, 1907. — Bradley & Bradley, Westminster Abbey 1908 p. 38.

Ház, Miklós (Nikolaus, Pseudonym: *Vándor Miklós*), ungar. Graphiker u. Aquarellist, geb. in Zólyom 18. 1. 1883, tätig in New York. Lernte in der Kunstgewerbeschule in Budapest, dann bei Fr. Stuck in München und bei Ph. E. László in London, sich hauptsächlich den graph. Techniken widmend, und debütierte 1912 in Leipzig u. München (Kunstsalon Brakl), in dems. Jahre auch in London. Nachdem er 1913 im Münchner Glaspalast ausgestellt hatte, nahm er ein Engagement für die Zeitung New York World als Illustrator an.

Nemzeti Szalon Almanachja, Budapest 1912, p. 215 (unter Vándor). — v. Krücken u. Parlagi, Das geist. Ungarn, 1918 I. — Mitteil. d. Künstlers.   *K. Lyka.*

Hazán, siehe *Hasan.*

Hazard, Arthur Merton, Porträt- und Freskomaler in Boston (Mass.), geb. 20. 10. 1872 in North Bridgewater (Mass.), Schüler der Kstschule des Mus. of Fine Arts u. der Cowles-Kstschule in Boston, dann von R. Prinet u. H. Blanc in Paris. Werke von ihm im Statehouse Boston u. Courthouse Baltimore; Wandmalereien in der Synagoge zu Boston.

Amer. Art Annual, XVIII (1921) 447. — Cat. Exhib. Carnegie Instit. Pittsburgh, 1903, 1907.

Hazard, Charles-François, Glasbläser in Paris, geb. 1758, † 1812. Von seinen mit der Pfeife aus Emailglas geblasenen Arbeiten hat sich die vorzügliche, 270 mm hohe Reiterfigur (ohne Pferd) Heinrichs IV. im Musée des Arts décor. in Paris erhalten. Bald nach deren Ausführung erhielt er den Auftrag, eine Figur des Dauphin zu modellieren.

L'Artiste, IV (1869) 28. — Revue de l'art anc. et mod., XXVIII (1910) 298—300 (mit Abb.).

Hazard, James, Kstsammler, Kupferstecher u. Radierer (Dilettant), geb. 1748 in London, † 3. 8. 1787 in Brüssel, wo 15. 4. 1789 seine Samml. versteigert wurde. Eine Anzahl ital. u. niederländ. Zeichnungen des 16. u. 17. Jahrh. aus seiner Sammlg hat er selbst gestochen oder radiert und zu einem Sammelwerk vereinigt, das er aber nicht in den Handel brachte, sondern nur an Freunde verschenkte. Titelblätter (Porträt H.s u. Allegorie auf seinen Tod) nachträglich von S. Legros gestochen u. eingefügt. Ein Verzeichnis der

Blätter gibt Weigel; danach Nagler u. Wurzbach.

Weigels Kstkatal., Leipzig, 1838—66 II 15454. — Nagler, Monogr. II, III. — Wurzbach, Niederl. Kstlerlex., I (1906).

Hazard, Juliette, Malerin in Paris, geb. in Rouen, zeigt seit 1893 Blumenstilleben im Salon der Soc. des Art. franç.

Bénézit, Dict. des Peintres etc., II (1913). — Salonkatal.

Hazé, François Alexandre, Maler u. Lithograph, geb. 15. 6. 1803 in Paris, trat 1820 in die École des B.-Arts ein, stellte 1833, 59 u. 64 im Pariser Salon Ansichten u. Stillleben aus. Im Mus. zu Bourges von ihm 12 Aquarelle, Ansichten der Stadt u. ihrer Denkmäler.˙ Fertigte auch Porträtlithogr.

Bellier-Auvray, Dict. gén., I (1882). — Bénézit, Dict. des Peintres etc., II (1913). — Duplessis, Cat. Portraits Bibl. Nat. Paris, 1896 ff. III 12 463, 12 640, 13 880/15; IV 17 627.

Haze, Melchior de, Unterwardein an der kgl. Münze in Antwerpen u. Glockengießer, wohl Lehrling der Brüder Hemony, berühmt durch die von ihm gegossenen Glockenspiele. Goß 1680 die wappengeschmückte Glocke für die Liebfrauenkirche in Brügge (jetzt im Turm der Hallen), 1687/88 das aus 35 Glocken bestehende Glockenspiel im Turm der Stadtwage zu Alkmaar, 1688/89 Glockenspiel von 30 Glocken der Laurentiuskirche ebenda, 1696 die Karlsglocke für Mechlen (umgegossen), ferner 7 Glocken des Glockenspiels des Domes zu Utrecht. Sein Ruf erstreckte sich weit über die Niederlande; so goß er 1676 ein Glockenspiel von 31 Glocken für den Escorial, um 1701 ein Glockenspiel für den sog. Neubau in Salzburg.

Oude Kunst, I (1915/16) 141 f., 181. — J. Weale, Bruges et ses environs (Coll. des Guides Belges), 1884 p. 45. — Voorloopige Lijst der Nederl. Monum., I (1908) 57; V/I (1921) 8, 12. — Österr. Ksttopogr., XIII (1914) 57. — Walter, Glockenkunde, 1913 p. 760.

Haze, Théodore de, Architekt, Bruder im Konvent der unbeschuhten Karmeliter zu Brügge, aus Antwerpen stammend, 1645—98. Nach seinen Plänen wurde 1688 die Kirche dieses Konvents erbaut.

Weale, Bruges et ses environs (Coll. de Guides Belges), 1884 p. 263. — C. Gurlitt, Brügge (Hist. Städtebilder), 1912 p. 38 (fälschlich Hane).

Hazelton, Mary Brewster, Malerin in Boston, geb. in Milton (Mass.), Schülerin der Unterrichtsanstalt des Fine Arts Mus. Boston u. E. C. Tarbell's, beschickt seit 1896 amerik. Ausstell. mit Landschaften, Genrebildern usw., so die Ausst. des Carnegie Instit. Pittsburgh 1896, 1912, die Pan-Am. Exp. Buffalo 1901, die Panama Pacif. Intern. Exp. S. Francisco 1915 u. a. Von ihr Dekoration des Chors der Congregational Church in Wellesley Hills (Mass.), 1912.

Amer. Art Annual, XVIII (1921) 447. — Amer. Art News, XXI (1922/23) No 2, p. 9. — Ausst.-Katal.

Hazenpflug, F r a n k , amerik. Maler u. Zeichner, geb. 1873 in Dixon (Ill.), Schüler der Kstschule in Chicago, als Illustrator tätig für die Zeitschrift Chap Book, wurde bekannt durch seine Plakate, wie „The Emerson and Fisher Company", „Living Posters" u. a.

R. M a r x , Maîtres de l'Affiche, 1896 ff. II, Taf. 87. — S p o n s e l , Das mod. Plakat, 1897. — Studio, Spec. Winter-Number (Modern Pen Drawings), 1900/01. — H. W. S i n g e r , Kstlerlex., Nachtr., 1906.

Hazlehurst, J. B., Maler in London, stellte 1817 zwei Porträts in der Royal Acad. aus, deren eines, Rev. S. Bennett, von C. Penny 1818 gestochen wurde.

G r a v e s , Royal Acad., IV (1906). — Catal. of Engr. Brit. Portr. Brit. Mus., I (1908) 168.

Hazlehurst, T h o m a s , engl. Miniaturmaler, tätig in Liverpool 1760—1818. Schüler von J. Reynolds. Stellte in der Liverpool Soc. aus. Seine höchst sorgfältig ausgeführten Bildnisminiaturen (Aquarelle) sind gewöhnlich T. H. signiert.

R e d g r a v e , Dict. of Artists, 1878. — Dict. Nat. Biogr., XXV. — G. C. W i l l i a m s o n , Hist. of Portr. Min., 1904 I 188, m. Abb. — Cat. Spec. Exhib. of Portr. Min. on Loan, S. Kens. Mus. June 1865, London 1865.

Hazlitt, J o h n , engl. Miniaturmaler, älterer Bruder des William, geb. in Marshfield, Gloucestershire, 1767, † in Stockport 16. 5. 1837. Tätig in London, wo er 1788—1819 in der Royal Acad. und Brit. Instit. hauptsächlich Miniaturen ausstellte. Sein Ölbildnis (Miniatur) Joseph Lancaster's in der Londoner Nat. Portrait Gall. H. Meyer, W. Nutter und C. Turner haben nach H.s Bildnissen gestochen.

R e d g r a v e , Dict. of Art., 1878. — Dict. Nat. Biogr., XXV 318 f. (unter Hazlitt, William). — G. C. W i l l i a m s o n , Hist. of Portr. Min., 1904 II. — W. C. H a z l i t t , John Hazlitt the Miniaturist (1767—1837), in The Antiquary, XXXVI 249, August 1900. — G r a v e s , Royal Acad., IV (1906); Brit. Inst., 1908; Loan Exhib., 1913 ff., II. — C u s t , Nat. Portr. Gall., 1901 II. — Cat. of engr. Brit. Portr. Brit. Mus., II (1910) 180, 638; III (1912) 516. — Cat. Exhib. Portr. Min., London 1865. — Cat. 3rd Exhib. Nat. Portr. London, S. Kens. Mus., May 1868.

Hazlitt, W i l l i a m , engl. Bildnismaler, Essayist und Kritiker, jüngerer Bruder des John, geb. in Mitre Lane, Maidstone, 10. 4. 1778, † in London 18. 3. 1830. Widmete sich zuerst der Malerei, wahrscheinlich unter Anleitung seines Bruders. In der Royal Acad. war er 1802 mit einem Bildnis seines Vaters vertreten. Winter 1802—3 verbrachte er in Paris, wo er im Louvre für Auftraggeber kopierte. Nach seiner Rückkehr unternahm er eine Reise nach Nordengland und malte u. a. die Bildnisse Hartley Coleridge's und Wordsworth's, von denen er das letztere als unzulänglich selbst vernichtete. Von seinen Bildern (Verz. in W. C. Hazlitt's Biographie I p. XVI) ist das Bildnis Charles Lamb's in venezian. Senatorentracht (London, Nat. Portr. Gall.) am

bekanntesten. Von seinen zahlreichen Schriften enthält die von ihm unter dem Titel „Round Table" veranstaltete Sammlung von Essays auch Aufsätze über Kunst.

R e d g r a v e , Dict. of Art., 1878. — Dict. of Nat. Biogr., XXV 318. — G r a v e s , Royal Acad., IV (1906). — C u s t , Nat. Portr. Gall., II. — Cat. of engr. Brit. Portr. Brit. Mus., I (1908) 443; III (1912) 5, 582.

Hazmann, siehe *Hatzmann.*

Hazon, M i c h e l B a r t h é l e m y , Architekt in Paris, geb. 1722, † 1818, erhielt 1745 den 2. Architekturpreis der Acad. roy. u. wurde Pensionär der École de Rome. Nach seiner Rückkehr nach Frankreich wurde er 3. 10. 1749 „intendant et ordonnateur des bâtiments, jardins, arts et manufact. du roi". 1775 wurde er Académicien und Contrôleur der Arbeiten an der École roy. milit. unter J. A. Gabriel. 1776 erhielt er vom König das vorher von Lécuyer bewohnte Haus zugewiesen. Er war beteiligt am Wettbewerbe für die Place Louis XV (jetzt de la Concorde) 1752, in welchem J. A. Gabriel siegte. Eine Zeichnung von ihm im Pariser Musée Carnavalet. G. Voiriot hat sein Porträt gemalt (Salon 1761).

Nouv. Arch. de l'art franç., 1873 p. 111; 1879 p. 369. — A. L a n c e , Dict. des Archit. franç., I (1872). — Ch. B a u c h a l , Dict. des Archit. franç., 1887. — C a i n , Guide du Musée Carnavalet, 1903 p. 109. — D e l a i r e , Archit. élèves de l'Éc. des B.-Arts,² 1907. — L. G i l l e t , Nomenclat. etc. de Paris, 1911.

Hazon de Saint-Firmin, J a n e d e , Genremalerin in Paris, Schülerin von D. Rogier, U. Checa u. M. F. Yon, beschickte den Salon der Soc. des Art. franç. 1896—1911 meist mit harmlosen Schilderungen junger Kätzchen. Das Mus. zu Bourges besitzt von ihr ein Aquarell.

B é n é z i t , Dict. des Peintres etc., II (1913). — Salonkatal. (1898—1903, 1905—07, 09, 10, 11 mit Abb.).

Head, B. G., Genremaler in London, stellte 1867—88 in der Royal Acad. u. Suffolk Street aus.

G r a v e s , Dict. of Art., 1895; d e r s., Royal Acad., IV (1906).

Head, Edward J., Landschafts- u. Stillebenmaler in Scarborough, dann in Tenby u. London, stellt seit 1893 in der Royal Acad. aus.

G r a v e s , Royal Acad., IV (1906). — Cat. Exhib. Royal Acad., 1916, 19, 20, 21.

Head, G u y , engl. Bildnis- und Landschaftsmaler, geb. in Carlisle 1753, † in London 16. 12. 1800. Schüler J. B. Gilpin's und der Londoner Royal Acad., wo er Reynolds' Beifall fand. Stellte dort 1779 und 1780 je 1 Herrenbildnis aus und beschickte die Society of Artists 1780 mit dem Bild eines Londoner Brandunglücks („The Fire of London Water Works") und 2 Bildnissen. 1781 zeigte er in der Royal Acad. eine Landschaft mit der Geschichte der Europa und ein Schauspielerbildnis (Henderson als Richard III.). H. ging dann nach Rom, wo er sich besonders als geschickter Kopist nach alten Meistern (Correggio, Tizian) betätigte. Seine Rubens-Kopien befinden sich jetzt in der Royal Acad. Nach Ausbruch der französ. Revolution kehrte er nach England zurück (1798), in der Absicht, seine vielen Kopien und Zeichnungen in London auszustellen. Die Londoner Nat. Portrait-Gall. besitzt sein in Rom gemaltes Bildnis des Herzogs von Sussex (6. Sohn Georgs III.; Stich von A. Cardon). Seine Gemälde „Echo" und „Iris" (letzteres Rom, Gal. S. Luca) wurden von J. Folo (1814), ein Pferdekopf nach H. von C. Turner gestochen. H. war Mitglied der Akad. von Florenz (seit 1787), Kassel (1788) und Rom (7. 10. 1792).

E d w a r d s , Anecd. of Paint., 1808. — R e d g r a v e , Dict. of Artists, 1878. — Dict. Nat. Biogr., XXV. — G r a v e s , Dict. of Art., 1895; Royal Acad., IV (1906); Soc. of Artists, 1907. — K n a c k f u ß , Gesch. der kgl. Kstakad. zu Kassel, 1908 p. 78. — C a m p o r i , Lettere artist., 1866 (Guido H.). — C u s t , Nat. Portr. Gall., 1901 II. — Guida Gall. Accad. S. Luca, Rom 1882 p. 18. — Cat. of Drawings etc. Brit. Mus., II (1900). — Cat. of engr. Brit. Portr., Brit. Mus., I (1908) 93; II (1910) 63, 423. — Florenz, Arch. di Stato. Accad. Disegno 154. — Arch. S. Luca, Rom. — Notiz Fr. Noack.

Heade, M a r t i n J o h n s o n , Maler in New York, geb. in Bucks County (Pa.), begann als Porträtmaler, hielt sich 2 Jahre in Italien auf. Nach Amerika zurückgekehrt, lebte er einige Zeit in Boston u. ging dann nach Brasilien. Dort zeichnete er Illustrationen für ein Werk über die südamerik. Kolibris, das aber nicht zustande kam. Die Originalzeichn. kamen in Londoner Privatbesitz. Vor allem war er als Maler von Küstenlandschaften tätig. Die Museen in Cincinnati (Cat. of perm. Coll., 1913) u. der Public Library New York (Catal. 1912) besitzen Blumenstücke von ihm.

C l e m e n t and H u t t o n , Art. of the 19th Cent., I (1893). — G r a v e s , Royal Acad., IV (1906); d e r s., Brit. Inst., 1908.

Headwood, T h o m a s , falsch für *Heawood,* Th.

Healey, G. R., Historienmaler in London, stellte 1840—52 in der Royal Acad., Brit. Instit. u. in Suffolk Street aus.

G r a v e s , Dict. of Art., 1895; d e r s., Royal Acad., IV (1906); d e r s., Brit. Instit., 1908.

Healy, G e o r g e P e t e r A l e x a n d e r , amer. Bildnis- und Historienmaler, geb. in Boston 15. 7. 1808, † in Chicago 1894. Ältester Sohn eines irischen Schiffskapitäns, dessen Tod die Familie mittellos ließ, bildete er sich nach Thomas Sully's Anleitung im wesentlichen als Autodidakt und gründete sich mit 18 Jahren als Bildnismaler in Boston eine Existenz, die ihm ein bescheidenes Auskommen ermöglichte. Kam 1834 nach New York und begab sich um 1836 nach Europa, war 1838—43 in London ansässig und beschickte in diesen Jahren die Ausstell. der Royal Acad. hauptsächlich mit Bildnisarbeiten; ging dann nach Paris, wo er 1840 im Salon eine Preismedaille erhielt und Schüler von Gros und Couture war. Nach seiner Rückkehr nach Amerika (1855) war er bis 1866 in Chicago ansässig. Seitdem lebte er meistens in Rom und Paris sowie auf Reisen in Europa und Amerika, bis er sich 1892 wieder in Chicago niederließ, wo er bis zuletzt unermüdlich tätig war. Auf der Pariser Weltausst. 1855 erhielt er für seine Bildnisarbeiten und die großen Gruppenbilder: „Franklin fordert von Ludwig XVI. die Unterstützung der amer. Kolonien" und „Webster spricht im Senat" eine Medaille 2. Klasse. Das letzte Bild, das 130 Bildnisse nach dem Leben in einem Rahmen vereinigt, befindet sich jetzt in der Faneuil Hall zu Boston. Auf der Weltausst. zu Philadelphia (1876) war H. u. a. mit den Bildnissen E. B. Washburne's, Lord Lyon's, Thiers', der Prinzessin von Rumänien, im Pariser Salon von 1878 mit dem Bildnis des Generals Grant und einem Damenbildnis vertreten. Außerdem beschickte er später noch wiederholt den Pariser Salon, die Ausstell. der Londoner Royal Acad. und der Nat. Acad. of Design in New York, die ihn zu ihrem Ehrenmitglied ernannte. H.s Lebenswerk soll an Umfang noch dasjenige seines Landsmanns Elliott, der über 700 Bildnisse hinterlassen hat, übertroffen haben, und vielleicht gibt es keinen zweiten Künstler jener Tage, dem so viele amerikan. u. europäische Berühmtheiten Modell gesessen haben wie gerade H. Außer den bereits genannten seien nur die Namen Lincoln, Webster (öfters), Clay, Calhoun, Louis Philippe, Pius IX., Marschall Soult, Gambetta, Guizot, Liszt und Lesseps erwähnt. Außerdem strömten H. aus fast allen größeren Städten der Union die Aufträge zu. Unter der älteren Generation erscheint er als ein Hauptvertreter der Pariser Schule, deren solide Technik er mit Vornehmheit der Auffassung verbindet. Seine besseren Arbeiten zeichnen sich aus durch kraftvolle Charakteristik; in dieser Hinsicht sind die Bildnisse Guizot's (1841) und des Präsidenten Tyler (1842) in der Nat. Gall. zu Washington gute Beispiele seiner Bildniskunst. Daß die Massenproduktion auch flaue und unbedeutende Arbeiten daneben mit sich brachte, war unausbleiblich. Weitere Arbeiten, fast durchweg Bildnisse, befinden sich in folg. öffentl. Kunstsamml. u. Instituten der Union: *Albany,* State Library („Will. H. Seward"); *Boston* („Webster", „Father Taylor" u. a.); *Brooklyn* („Charles Goodyear"); *Chicago* („Armenian Fathers"); *Cincinnati* (Damenbildnis); *New York,* Historical Soc. („Webster", „Lord Ashburton") und Public Library („J. Lenox"); *Washington,* Corcoran Gall. („Lincoln"), Kapitol (Präsidentenbildnisse). Selbstbildnisse H.s in *New York* (Metrop. Mus.); *Newport,* N. J., Redwood Library; *Pittsburgh* und *Florenz* (Uffizien).

Treffliche Ölkopien nach Lawrence, Hoppner und Beeche („Georg IV."; „Spencer Perceval"; „Liverpool", „Castlereagh"; „Nelson" u. a.) in *Versailles*.

S. I s h a m, Amer. Painting, 1905. — C h a m p - l i n and P e r k i n s, Cyclop. of Painters etc., 1888. — C l e m e n t and H u t t o n, Artists of the 19th Cent., 1879. — V a p e r e a u, Dict. des Contemp., ⁶1893. — Fine Arts Journal, 1913 p. 228 ff. — G r a v e s, Dict. of Artists, 1895; R. Acad., IV (1906); Brit. Instit., 1908; Loan Exhib., II (1913). — F. v. B ö t t i c h e r, Malerwerke 19. Jahrh., I 2 (1895). — Ausst.- u. Gal.-Kat. — N o l h a c et P é r a t é, Musée de Versailles, 1896. — Boston Mus. of Fine Arts Bulletin, XIV (1916) 50; XVI (1918) 10; XIX (1921) 73. — Amer. Art Annual, 1898 p. 235, 319. — Bull. of the New York Public Library, XX (1916) 688 f. — Cat. Salon Soc. Art. frç. Paris, 1879—81, Mai 1883, 1884, 1887, 1889, 1890. — Cat. 3ᵈ Exhib. Nat. Portr. London S. Kens. Mus., May 1868. — Panama Pacific Expos. San Francisco. Cat. de Luxe, 1915 II 323. — Cat. of engr. Brit. Portr. Brit. Mus., II (1910) 585.

Healy (Haly), R o b e r t, Maler in Dublin (Irland) 1765—71. Schüler von Rob. West an den Dublin Society's Schools. Stellte 1766—70 in der dort. Society of Artists Bildniszeichnungen aus und gewann 1770 einen Preis der Dublin Society. Seine ausdrucksvollen, aber etwas steifen Kreidebildnisse sowie seine Zeichnungen von Pferden erfreuten sich wegen ihrer weichen, an die Schabmanier erinnernden Strichführung großer Beliebtheit. Arbeiten in irischem Privatbesitz. H.s prächtige Wandmalereien in Moira House, Usher's Island, wurden 1826 zerstört. 2 Selbstbildnisse, Kreide (1765 und 1766 dat.), in der Dubliner Nat.-Gall. — Sein jüng. Bruder W i l l i a m, 1769 Schüler der Dublin Society's Schools, arbeitete in der Manier seines Bruders, dessen Arbeiten er kopierte. 1774 veranstaltete er eine Ausstell. solcher Kopien und zeigte in dems. Jahre in der Society of Artists 2 solcher Bilder (jetzt in der Dubliner Nat.-Gall.).

W. G. S t r i c k l a n d, Dict. of Irish Artists, 1913 I, m. Abb. — R e d g r a v e, Dict. of Artists, 1878 (unter Hayley). — Dict. Nat. Biogr., XXV 295 (desgl.).

Healy, W i l l i a m, s. unter *Healy,* Robert.

Heape, M., Miss, engl. Miniaturmalerin. Tätig in London und Birmingham. Stellte 1821—3 in der Royal Acad. Bildnisse und Genrebilder aus. H. R. Cook hat nach ihr das Bildnis einer Opernsängerin gestochen.

G r a v e s, R. Acad., IV (1906). — Cat. of engr. Brit. Portraits, Brit. Mus., II (1910) 417.

Heaphy, E l i z a b e t h, siehe *Murray,* E.

Heaphy, M. A., Miss, verehl. *Musgrave,* engl. Miniaturmalerin. Tätig in London, Birmingham und Edinburgh. Stellte 1821—47 (seit 1832 unter dem Namen ihres Mannes) in der Royal Acad. Bildnisse aus.

G r a v e s, Dict. of Artists, 1895; Royal Acad., IV (1906); V (1906; unter Musgrave); Loan Exhib., 1913 f., IV 2085 (Musgrave).

Heaphy, T h o m a s I, Aquarellmaler, geb. in London 29. 12. 1775, † ebda 23. 10. 1835,

Vater des Thomas II. Er war Schüler des Stechers R. M. Meadows und besuchte in seiner freien Zeit die Zeichenschule des John Boyne. Stellte 1797—1804 in der Roy. Acad. Bildnisse, im letztgen. Jahre auch ein Genrebild, „The Portland Fish Girl", aus. Viel Beifall fanden seine Fischmärkte und Genreszenen, mit denen er außer anderen Arbeiten in der neugegründeten Water-Colour Soc. vertreten war; 1807 Associate u. ordentl. Mitglied. Sein „Fischmarkt in Hastings" wurde 1809 für 500 Guineen verkauft. In den folgenden Jahren machte er sich auch als Porträtist einen Namen; Hofmaler der Prinzessin von Wales, deren Bildnis er neben denjenigen der Prinzessin Charlotte und des Prinzen Leopold malte. 1812 trat er aus der Water-Colour Soc. aus und folgte einer Einladung des Herzogs von Wellington ins Hauptquartier nach Spanien, wo bis zur Beendigung des Feldzugs zahlreiche Offiziersbildnisse entstanden. Nach seiner Rückkehr vollendete H. ein großes Bild Wellingtons und seines Stabes, das 1822 von Anker Smith in Kupfer vervielfältigt wurde. Nachdem er eine Zeitlang in Grundstücken spekuliert hatte, kehrte H. zu seiner Kunst zurück und war an der Gründung der Soc. of Brit. Artists beteiligt, deren erster Präsident er dann wurde, und auf deren 1. Ausst. (1824) er mit 9 Arbeiten vertreten war. 1829 erfolgte sein Austritt aus der Gesellschaft. 1831 reiste er nach Italien, wo viele treffliche Kopien entstanden, und von wo er 1832 nach England zurückkehrte. In seinen letzten Lebensjahren ist H. nur noch wenig künstlerisch tätig gewesen. Das Londoner Victoria and Albert Mus. besitzt von ihm 2 Aquarelle: „Strandansicht mit Staffage", und „The Sore Leg". Eine Reihe von Zeichnungen H.s mit Offiziersbildnissen bewahrt die Londoner National Porträt Gall.

R e d g r a v e, Dict. of Artists, 1878. — Dict. Nat. Biogr., XXV. — G r a v e s, Brit. Instit., 1908; Roy. Acad., IV; Cent. of Loan Exhib., II 496; IV 1959. — G. C. W i l l i a m s o n, Hist. of Portrait Miniatures, 1904. — Catalogue of engr. British Portraits Brit. Museum, I 268/9. — C u s t, Nat. Portr. Gall., II 198. — Athenaeum, Nr 418 Sept./Okt. 1835. — Gent. Mag., 1835 II 661. — Fine Arts Quarterly Review, II (1864) 305. — Mag. of Fine Arts, III 223. *C. H. S. J.*

Heaphy, T h o m a s II, Bildnis-, Historien-, Genremaler und Kunstschriftsteller, geb. in London 2. 4. 1813, † daselbst 7. 8. 1873. Zum Unterschied von seinem Vater Thomas I nannte er sich eine Zeitlang (bis gegen 1850) *Thomas Frank H.* Auf einer Reise nach Italien, wohin er 1831 seinen Vater begleitete, wurde zuerst sein Interesse für religiöse Kunst geweckt. Seit 1831 stellte er in der Royal Acad. Bildnisse aus und gewann sich auf diesem Gebiet einen ausgedehnten Kundenkreis. Seine ersten dort ausgestellten Figurenbilder waren eine Maria Magdalena (1846) und die Erziehung des Pan-Kindes

(1850). Es folgten: Katharina und Bianka (1853, aus Shakespeare's „Zähmung der Widerspenstigen"); eine Folge von Bauernmädchen verschiedener Länder; Kepler in Venedig (1863); Palissy von seinen Mitbürgern für einen Falschmünzer gehalten (1864); Lizzie Farren bringt ihrem Vater Essen ins Gefängnis (1867), und andere Arbeiten, die er in der Royal Acad. und in der Brit. Instit. ausstellte. In der Soc. of Brit. Artists, deren Mitglied er 1867 wurde, zeigte er u. a. sein Bild: General Fairfax und seine Tochter auf der Flucht vor den Truppen der Royalisten. Außerdem malte er Altarbilder für die protestant. Kirche auf Malta und für eine Kirche in Toronto (Canada). Er stellte auch Forschungen über den Urtypus des Christusbildes an und unternahm zu diesem Zweck weite Reisen (zuletzt 1860 in Rom). Er hatte dabei das Glück, Zutritt zu den sonst unzugänglichen Bildern in S. Bartolommeo in Genua und in S. Silvestro in Capite in Rom (jetzt in der päpstl. Privatkap. des Vatikans) zu erlangen und Kopien dieser Reliquien zu zeichnen. Seine sorgfältigen Aufnahmen aus röm. Kirchen und Katakomben (Aquarelle u. a.), die sich jetzt im Brit. Mus. (Printroom) befinden, haben sich als ein wertvolles Hilfsmittel der archäol. Forschung erwiesen (vgl. Burlington Mag., V [1904] 518 ff.). Die von H. im Art Journal 1861 veröffentl. Artikelreihe wurde nach seinem Tode 1880 von Wyke Bayliss unter dem Titel: The Likeness of Christ. An Enquiry into the verisimilitude of our Blessed Lord (fol.) herausgegeben. (Billiger Neudruck der Soc. for Promoting Christian Knowledge.) H. war auch Mitarbeiter verschiedener Zeitschriften. Seine Erzählung „Mr. H.s Own Narrative" (All the Year round 1861) machte s. Zt großes Aufsehen und erschien in einer Separatausg. unter dem Titel: A Wonderful Ghost Story. In seinen letzten 4, durch Krankheit getrübten Lebensjahren malte H. Typen ausländ. Schönheiten und veröffentlichte darüber literarische Beiträge in Zeitschriften. Im Londoner Victoria and Albert Mus. befindet sich sein Ölbild: The little wood gatherer.

Dict. Nat. Biogr., XXV (1891) 333 f. — R e d g r a v e , Dict. of Artists, 1878. — The Art Journal, 1873 p. 308. — G r a v e s , Dict. of Artists, 1895; R. Acad., IV (1906); Brit. Inst., 1908; Cent. of Loan Exhib., 1913 f. II. — Cat. of Drawings by Brit. Artists, Brit. Mus., II (1900). — Cat. Nat. Gall. of Brit. Art, Vict. & Alb. Mus., I (1907). *B. C. K.*

Hearn, J o s e p h , engl. Zeichner, nach dessen Vorlage Thomas Malton eine Ansicht der Kaiserl. Akad. der Wissenschaften in St. Petersburg in Aquatinta gestochen hat (London, J. Dean, 1789). *H. M. H.*

Hearne, F r a n c i s , falsch für *Hearne,* Thomas.

Hearne, S a m u e l , engl. od. amer. Zeichner um 1769—72, nach dessen Vorlage Wise die Platten für folg. Publikation radiert hat: A journey from Prince of Wales' Fort in Hudson's Bay, to the Northern Ocean undertaken by order of the Hudson's Bay Company for the discovery of Copper Mines, an northwest passage etc. in the Years 1769, 1770, 1771, 1772 by Samuel Hearne, London 1795. *H. M. H.*

Hearne, T h o m a s , engl. Aquarellmaler, geb. 1744 in Brinkworth bei Malmesbury (Wiltshire), † 13. 4. 1817 in London. Gewann 1763 einen Preis der Soc. of Artists und war 1765—71 Schüler u. Gehilfe des Stechers Woolett, bei dem er Landschaften stach. 1771 begleitete er den Gouverneur der Antillen nach Westindien, wo er die Häfen, Forts u. dgl. zeichnete und sich über 3 Jahre aufhielt. Nach seiner Rückkehr nach England verband er sich 1777 mit dem Stecher Byrne zur Herausgabe der „Antiquities of Great Britain" (London 1807, 2 Bde qu.-fol.), für die er die 52 Tafeln mit Ansichten gotischer Kirchen u. Klöster in England u. Schottland, nach der Bereisung dieser Länder, zeichnete. H. stellte seine Arbeiten in der Soc. of Artists (1770—83), Free Soc. of Artists (seit 1765) u. Roy. Acad. (1781 bis 1806) aus. Ein bedeutender Aquarellmaler, übertrifft H. in seinen lavierten Federzeichnungen (topograph. Ansichten u. Landschaften) alle seine Vorgänger durch richtige Zeichnung, geistreiche Komposition, Wiedergabe der Luftperspektive — er liebt klare Himmel und weite Horizonte — und zarte Farbentöne. Von den Meistern der älteren Generation war er wohl derjenige, dem der junge Turner, neben Cozens, am meisten zu verdanken hatte. H. hat auch für W. Watts' „Seats of the Nobility and Gentry" 3 Bl. gezeichnet. Man kennt auch 2 gute Bildniszeichnungen von seiner Hand: „Sir John Banks" (Halbfigur, oval, Brit. Mus.) u. „Will. Woolett" (ebda, Rad. von F. Bartolozzi 1795). H. arbeitete viele Jahre für Sir Georges Beaumont u. Dr. Thomas Monro, den er zusammen mit dem Maler H. Edridge zu seinem Testamentsvollstrecker ernannte. Arbeiten außer im Brit. Mus. (u. a. Ansichten griech. Tempel in Sizilien, die er in Verbindung mit Ch. Gore zeichnete), im Londoner Victoria and Albert-Mus., im Mus. zu Norwich (Szene aus Fielding's „Joseph Andrews", Stich von W. Sharp) und in engl. Privatbes.

R e d g r a v e , Dict. of Art., 1878. — Dict. of Nat. Biogr. — J. L. R o g e t , Hist. of the old Water-Colour Soc., 1891. — C o s m o M o n k h o u s e , The earlier engl. Water-col. painters, p. 32, 38; Life of J. M. W. Turner, p. 15, 23, 26. — C. E. H u g h e s , Early engl. Water-colour, p. 21 f. — T h o r n b u r y , Life of Turner, p. 15, 23, 26. — F i n b e r g , Turner's Sketches and drawings, p. 18 f.; The Development of Landscape Paint. in Water-col., p. 47. — Portfolio, 1888 p. 46, 49, 64 f., m. Abb. (M o n k h o u s e). — Art Journal, 1907 p. 340 f. m. Abb. — G r a v e s , Roy. Acad.,

IV; d e r s., Soc. of Art.; Loan Exhib., II. — Cat. engr. Brit. Portr. Brit. Mus., IV 540. — Kat. der gen. Slgn. — Early engl. Water-Col. drawings.. Studio Spec. Nr 1919 p. 2, 39, 43 f., 47.

Frank Gibson.

Heath, C h a r l e s I, engl. Reproduktionsstecher, geb. 1785 als Sohn des James, † in London 18. 11. 1848. War Schüler seines Vaters und radierte schon im Alter von 6 Jahren einen Kopf (Druck im Brit. Mus.). Lieferte kleine Platten für Buchillustrationen und war einer der ersten Mitglieder der Society of Brit. Artists, aus der er aber bald austrat. In zahlreichen kleinen Platten für die Illustration von Klassikerausgaben entwickelt er ebensoviel Geschmack wie Zartheit, während von seinen Bildnisstichen besonders die vortreffliche „Lady Peel", nach T. Lawrence, gerühmt wird. Weniger glücklich war H. dagegen in Blättern großen Formats, z. B. „Puck" und „The Infant Hercules", nach J. Reynolds; „Sunday Morning", nach M. W. Sharp; „The Girl at the Well", nach R. Westall; „The Bride", nach R. Leslie; „A Gentleman of the Time of Charles I.", nach A. van Dyck; „Ecce Homo", nach C. Dolci; „Europa", nach W. Hilton und „Christ healing the Sick in the Temple", nach B. West, eine große Platte, die ihn mehrere Jahre beschäftigte. Als einer der Hauptverleger der beliebten „Annuals" beschäftigte H. zahlreiche Gehilfen, und an den Verlagswerken, die er in späteren Jahren veranstaltete, wie „Keepsake", „Picturesque Annuals", „Literary Souvenir", „Book of Beauty", „Amulet", Turner's „England and Wales", war sein Stichel nur in geringem Umfang beteiligt. Bewundernswert ist seine technische Geschicklichkeit und die Treue in der Wiedergabe der verschiedenen Vorlagen; aber seine etwas kalte und mechanische Arbeitsweise ließ ihn nie populär werden. Zu seinen Schülern gehörten Doo u. J. H. Watt.

R e d g r a v e, Dict. of Artists, 1878. — Dict. Nat. Biogr., XXV, m. ält. Lit. — L e B l a n c, Manuel, II. — S. T. P r i d e a u x, Aquatint Engraving, 1909. — H a y d e n, Chats on old Prints, 1909. — Cat. of engr. Brit. Portr., Brit. Mus., I (1908) 157, 173, 434; II (1910) 80, 420; III (1912) 333, 419, 434, 451; IV (1914) 43, 178, 243, 374, 448, 505. — Cat. of Drawings by Brit. Artists, Brit. Mus., II.

Heath, C h a r l e s II, Maler und Kupferstecher, Sohn des vor. Stellte 1801—7 in der Royal Acad Bildnisse und Szenen aus Dichterwerken (Homer, Milton, Tasso) sowie bis 1825 in der Londoner Soc. of Brit. Artists 30 Arbeiten aus.

G r a v e s, Dict. of Artists, 1895; Royal Acad., IV (1906). — R e d g r a v e, Dict. of Artists, 1878 (im Artikel des Vaters).

Heath, H e n r y C h a r l e s, engl. Miniaturmaler, tätig in London. Stellte 1851—98 in der Royal Acad. Bildnisminiaturen aus.

G r a v e s, Dict. of Artists, 1895; Royal Acad., IV (1906); Loan Exhib., 1913 f. II.

Heath, J a m e s, Kupferstecher, geb. in London 19. 4. 1757, † ebenda 15. 11. 1834; Vater des Charles I. Sein Lehrer war Jos. Collyer d. Ä., bei dem er sich eine gewandte Technik aneignete, wie die Bildnisstiche zu Walpole's Works und Correspondance, eine seiner frühesten Arbeiten, zeigen. Er arbeitete zunächst für Verleger, bis er sich größeren, selbständigen Aufgaben zuwenden konnte. Seine kräftige, sichere Strichführung eignete sich trefflich für die Wiedergabe von Stothard's vielbewunderten, ebenso humorvollen und pathetischen, wie graziösen Zeichnungen in Harrison's Novelist's Magazine (1780 ff.) und Bell's Brit. Poets (1782 ff.), so daß durch beider Zusammenwirken dieses Illustrationsgenre rasch in Aufnahme kam. So entstanden H.s zahlreiche Stiche nach Stothard, Smirke u. a. zu Sharpe's Brit. Classics, Lady's Poetic Magazine, Forster's Arabian Nights, Glover's Leonidas usw., sowie die Reproduktionen von Gemälden der Boydellschen Shakespeare-Galerie (1802). Kaum ein anderer Stecher der Zeit beschäftigte so viele Schüler und Nachahmer, von denen ihm aber keiner an Bedeutung gleichkommt. H. stellte 1780 in der Free Society aus, wurde 1791 Mitglied („Associate engraver") der Royal Acad. und erhielt 1794 den Titel eines kgl. Kupferstechers. Zu seinen bedeutendsten Einzelblättern in großem Format gehören „The Dead Soldier", nach J. Wright; „The Death of Nelson", nach B. West; „The Riot in Broad Street 1780", nach F. Wheatley; „The Death of Major Pierson", nach J. S. Copley's Gemälde in der Nat. Gall.; „Titian's Daughter", nach Tizian; „Holy Family" (sog. Madonna des Hauses Orleans), nach Raffael, und „The good Shepherd", nach Murillo. H., der zuerst die Punktiermanier, später den Linienstich anwandte, hat zuweilen mit anderen Stechern zusammengearbeitet. Er hat auch die Folge der Hogarth'schen Platten aufgestochen und Schiavonetti's Platte der „Canterbury Pilgrims", nach Stothard, vollendet. Außerdem hat er zahlreiche Bildnisse gestochen, nach J. Barry, T. Beach, H. Bone, A. Calcott, G. Chimmery, J. Comerford, W. Cuming, A. Dewis, J. Donaldson, Gainsborough, H. Hone, J. Hoppner, T. Lawrence, J. R. Maguire, J. Opie, J. Petrie, A. Plimer, J. Reynolds, H. Raeburn, Rebecca, J. Saxon, M. A. Shee, J. R. Smith, T. Stothard, R. Westall, B. Wilson u. a. Im Besitz eines großen Vermögens, aber durch Brandunglück 1789 schwer geschädigt, zog sich H. 1822 vom Geschäft zurück, nachdem er vorher eine Versteigerung seiner Plattenbestände, Probedrucke usw. veranstaltet hatte. Sein von J. Reynolds gem. Bildnis befindet sich in der Slg Parr in Nottingham, ein anderes, von J. Lonsdale gemalt, in der Londoner Nat. Portr. Gall.; weitere sind in Stichen (W. Behne, L. F. Abbott, T. George) vorhanden; ein kleines Bildnis

H.s (oval) wurde für Monthly Mirror 1796 gestochen.

Redgrave, Dict. of Artists, 1878. — Dict. Nat. Biogr., XXV, mit ält. Lit. — Graves, Soc. of Artists, 1907. — Le Blanc, Manuel, II. — Cat. of engr. Brit. Portr., Brit. Mus., I—IV (1908—12), passim. B. C. K.

Heath, William, engl. Zeichner, Bildnis- und Schlachtenmaler, Stecher u. Radierer, geb. 1795, † in Hampstead 7. 4. 1840. Bekannt unter dem Künstlerpseudonym *Paul Pry*. Diente zuerst als Dragonerkapitän und arbeitete seit etwa 1810 hauptsächlich für Verleger. In seinen Arbeiten vertritt er das humoristische und historische Genre (Zeitgeschichte) und die politische Karikatur. Seine Hauptwerke sind die Zeichnungen zu den „Martial Achievements of Great Britain and her Allies" (1815), den „Naval Achievements", 1817 (50 + 54 Bl. farb. Aquatinta, gez. von H. und Whitcomb, gest. von T. Sutherland); „Costume of Brit. Cavalry", 1820 (16 Farbstiche) und „Life of a Soldier. A Narrative and Descriptive Poem", 1823 (18 Farbstiche). Ferner Illustrationen zu W. Combe's Wars of Wellington, 1819 (30 Bl., gest. u. rad. von H.); P. Egan's Real Life in London, 1821—2, 2 Bde (34 von H. Alken, T. Rowlandson, von H. u. a. gez. Bl.); Sir John Bowring's Minor Morals, 1834, u. a. Außerdem zahlreiche Schlachtendarstell. (gest. von M. Dubourg, T. Sutherland u. a.); Bildnisse („Blücher", farb. Kupferstich 1821; „Kosackenhetman Graf Platow", Rad., u. a.); Uniformblätter (Stecher A. O'Driscoll und J. W. Giles); Karikaturen. Aquarelle und Federzeichnungen im Printroom des Brit. Mus.; im Victoria and Albert Mus.: Szene aus Shakespeare's „Heinrich IV." (Aquarell).

Redgrave, Dict. of Artists, 1878. — S. T. Prideaux, Aquatint Engraving, 1909, Reg. u. p. 363, 396. — G. Everitt, Engl. Caricaturists etc., 1893. — Cat. of Drawings by Brit. Art., Brit. Mus., II. — Cat. of engr. Brit. Portr., Brit. Mus., I 85, 453; II 392. — Rowinsky, Russ. Portr. Lex., 1886 ff. (russ.), II 985 Nr 1; III 1786 Nr 23; 1791 Nr 58. — Cat. of Military Prints .. on sale by T. H. Parker, Bros. London, W. C. 1914. — Cat. Nat. Gall. of Brit. Art. Vict. and Alb. Mus., II (1908). — Shakespeare in pictorial Art, Studio Special Spring-Number, 1916.

Heatley, Malerin in London, stellte, als Honorary Exhibitor, 1797—1805 Landschaften u. Blumenstilleben in der Royal Acad. aus.

Graves, Royal Acad., IV (1906).

Heaton, Augustus George, Historien- u. Porträtmaler, geb. 28. 4. 1844 in Philadelphia, Schüler von A. Cabanel an der Pariser École des B.-Arts (1863) u. von L. Bonnat (1879). Stellte 1879—83 im Pariser Salon aus. Werke von ihm im Kapitol zu Washington (Recall of Columbus), im Army War College ebenda (Baron Steuben at Valley Forge), im Union League Club zu Philadelphia (Washington's first Mission), in der Hist. Soc. of

Pennsylvania ebenda (Columbia's Night Watch); Porträts von ihm in zahlreichen staatl. Gebäuden. American Art Annual, XVII (1921).

Heaton, Clement I, Glas- u. Dekorationsmaler, geb. 1824 in Bradford (Wiltshire), † 1882 in London, ließ sich zuerst in Warwik, dann in London nieder, wo er die Firma „Heaton and Butler" gründete. Auf den Stil der kirchl. Glasmalerei Englands gewann er großen Einfluß. Auch seine Versuche zur Verbesserung der Farbe sind von Bedeutung. Von seinen Werken, die er häufig in Verbindung mit dem Archit. A. Blomfield ausführte, sind zu nennen die Dekorationen der Kapelle des Trinity College in Cambridge, des Mansion House in Bristol, der Kirchen zu Banbury, All Saints, Ascot, West Newton, Sandringham. — Sein Sohn Clement II, Kstgewerbler u. Glasmaler, geb. 21. 4. 1861 in Watford (England), bildete sich im Atelier für Glasmalerei von Burlison u. Grylls in London, dann im Atelier seines Vaters. In England führte er Glasgemälde für das Imperial Instit. in London und dekor. Bronzeplastik für die Victoria Law Courts aus. 1893 ließ er sich in Neuchâtel (Schweiz) nieder. Nach den Entwürfen von Paul Robert führte er die Dekoration des Treppenhauses im Musée des B.-Arts in Neuchâtel in Email cloisonné aus, sowie die Mosaiken für die Fassade des hist. Museums zu Bern, nach den Kartons Sandreuters eine ähnliche Arbeit für das Landesmus. in Zürich, mit Robert zusammen die Dekoration des Bundesgerichtspalastes in Lausanne. Die Glasgemälde für die Kirchen zu Serrières, Cornaux, St.-Aubin, Chaux-de-Fonds, Burglen, die Kollegiatskirche in Neuchâtel hat er nach eigenem Entwurf ausgeführt, wie auch die Mosaiken (22 Wappen der Südfassade u. das eidgen. Kreuz mit den Genien der Freiheit in der Kuppel) des Bundeshauses in Bern. Er hat die Technik des Email cloisonné, die er gerne auch bei keramischen Gefäßen anwendet, wieder zu Ehren gebracht u. pflegte neben andern Techniken besonders auch des Glasmosaiks (opus sectile).

Brun, Schweiz. Kstlerlex., II (1908). — Dict. of Nat. Biogr., XXV. — Studio, XXXII (1904) 212—19 (mit Abb.). — Art et Décoration, I (1897), Abb.; XV (1904), Abb. — Führer d. d. schweiz. Bundeshaus in Bern, 1902 p. 47. — Cat. Salon der Soc. Nat. Paris 1897—1913. — Graves, Royal Acad., IV (1906).

Heaton, John Aldan, Kstgewerbler in London, geb. 1830 (?), † 20. 11. 1897 in London, entwarf Zeichnungen für Glasgemälde, Möbel, Schnitzereien usw., u. gab 1889 „Furniture and Decoration in the 18th Century" heraus.

Graves, Royal Acad., IV (1906). — Amer. Art Annual, 1898. — H. W. Singer, Kstlerlex., Nachtr. (1906).

Heavyside, John Smith, engl. Holzschneider, geb. in Stockton-upon-Tees, † in

Kentish Town 3. 10. 1864, alt 52 J. Tätig in London und Oxford für Verleger archäolog. Werke. — T h o m a s H. (Heaviside), Bruder des vor., ebenfalls Holzschneider, lieferte Bildnisse des Thomas Bewick, nach W. Nicholson, und John Owen's. — Ein 3. B r u d e r war laut Redgrave gleichfalls Holzschneider.

R e d g r a v e , Dict. of Artists, 1878. — Cat. of engr. Brit. Portr. Brit. Mus., I (1908) 184; III (1912) 390.

Heawood (nicht Headwood), T h o m a s , engl. Stahlstecher um 1850. Arbeitete für den Verlag A. H. Payne in Leipzig nach C. Arnold, E. Linnig, A. H. Payne („München aus der Vogelschau", qu.-fol.) u. C. A. Ruthart.

H e l l e r - A n d r e s e n , Handb. f. Kupferst.-Sammler, I (1870). — Cat. Expos. des B.-Arts Brüssel 1851. — W e i g e l , Kstcat., Leipzig 1838—66, IV 18 634. — Bibl. Bavarica (Lager-Kat. Lentner-München), 1911 Nr 13757; cf. Bilderchronik St. München (Kat. Maillinger-Slg Stadtmus.), III Nr 50. — Repert. f. Kstwiss., IX (1886) 140 (fälschl. Headwood).

Heazle, W i l l i a m , Maler, geb. in Cork (Irland), † ebenda 1872. Schüler von Will. Willes an der dort. Kunstschule 1850, setzte seine Studien an der Londoner South Kensington-Schule fort. Malte hauptsächlich Ölbilder, u. a. treffliche Kopien nach Etty. Schlug eine gute Lehrstelle aus, die sich ihm in London bot, und kehrte in seine Vaterstadt zurück, von wo aus er die Dubliner Royal Hibernian Acad. 1861 mit 6 Arbeiten (Genredarstell., bes. Kinderszenen) beschickte. Seine Bilder haben meist kleines, oben abgerundetes Hochformat und sind nur ausnahmsweise signiert. H. wandte sich später dem Studium der Medizin zu.

W. G. S t r i c k l a n d , Dict. of Irish Artists, 1913 I. *T. Bodkin.*

Heban *le jeune,* Geschützgießer in Paris; Geschütze von 1794/5 im Zeughaus Berlin und Heeresmus. Wien.

Kat. Zeugh. Berlin, 1907 p. 131. — Kat. Heeres-Mus. Wien, 1903 p. 453. *St.*

Hebanowski, S t a n i s ł a w , Architekt, geb. 1820 vermutlich in Großpolen, † 13. 2. 1898 in Giecz, studierte die Architektur in Berlin. Baute mehrere Edelhöfe und Herrenhäuser auf dem Lande, z. B. in Posadow, Zaniemyśl, Zimnowoda, Tarce, Lubin u. Lubstów, sodann die Kirche in Brodnica, das poln. Theater im Garten des Grafen Potocki in Posen (1872).

S t a n i s ł a w Ł o z a , Słownik architektów i budowniczych pol., Warszawa 1917 p. 72; Suppl. hiezu p. 23. *Leonard Lepszy.*

Hebbel, K a r l , schwed. Bildhauer, in den 1660er Jahren tätig, arbeitete auf dem Magnus Gabriel de la Gardie gehörigen Schloß Vängarn, wo er den größeren Teil der Barockdekorationen der dort., 1665 eingeweihten Kapelle ausführte.

A. H a h r , Konst och Konstn. vid M. G. de la Gardies Hof (Skrifter utg. af K. Hum. Vetenskaps-Samf. i Uppsala IX 4), 1905 p. 85. — R o m d a h l - R o o s v a l , Svensk Konsthist., 1913. *G. M. S—e.*

Hebbel, M a r k u s , schwed. Bildhauer, arbeitete 1650 an der großen Triumphpforte auf dem Norrmalmstorg in Stockholm, die zur Krönung der Königin Christine aufgeführt wurde, und lieferte während der folgenden Jahrzehnte eine Anzahl Prachtöfen für das Karl Gustaf Wrangel gehörende Schloß Skokloster.

R o m d a h l - R o o s v a l , Svensk Konsthist., 1913. — O. G r a n b e r g , Skokloster slott, 1904. *G. M. S—e.*

Hebbelinck, J a n , Bildschnitzer in Gent, 1689 Meister. Schnitzte mit Jacobus Coppens die von Verbrugghen entworfenen, 1719 (oder 1724) vollendeten Chorstühle von St. Jacques in Gent (nach England verkauft). Von H. sind die Bekrönungen. — Ein Bildhauer H e b b e l i n c k , wohl der gleiche, arbeitet 1717 an dem ebenfalls von Verbrugghen entworfenen Hochaltar von St. Bavo in Gent. — F r. H e b b e l i n c k arbeitete die Kommunionbank (Eiche) mit den Reliefs des Abendmahls, der hl. Agathe, des hl. Blasius u. der Mannalese (von 1750), die Kanzel (Eiche) mit den Reliefs Gott Vaters, der hl. Agathe und des hl. Blasius u. der Statue des guten Hirten (von 1752) und das Tabernakel (von 1752) in der Kirche zu Landscauter. Vielleicht = F r a n s L i v i n u s H., 1741 Meister in Gent u. 1766 noch urkundlich genannt.

V. v. d. H a e g h e n , Corp. des Peintres etc. de Gand, 1906. — K e r v y n d e V o l k a e r s - b e k e , Églises de Gand, 1857/58 I, II. — Bull. de la Soc. d'Hist. de Gand, VIII (1900) 137. — Inv. archéol. de Gand, Fasc. LI (1910) 510. — Flandre orient., Inv. archéol., Fasc. IV (1911).

Hebbelynck, A n s e l m u s , siehe *Hulle,* Anselm van.

Hebendanz, T h o m a s , Bildschnitzer in Nürnberg. Schnitzte 1522 den Rosenkranzaltar der Rochus-Kapelle, wofür er 22 fl. erhielt. Der Altar enthält im Schrein den Rosenkranz, in der Predella das Jüngste Gericht, als Bekrönung Christus als Schmerzensmann zwischen Maria u. Johannes, darüber 3 Engel mit Marterwerkzeugen. Die Flügelgemälde von H. Burgkmair d. Ä., dem Dehio auch die Zeichnung der architekton. Umrahmung zuschreibt.

B. D a u n , Veit Stoss [2] (Kstgesch. Monogr. XVII), Lpz. 1916. — D e h i o , Handb. der dtsch. Kstdenkm., [2] III (1920) 368.

Hebenstreit, G e o r g , Goldschmied in Danzig, aus Stampwart (Stemwarde, Schlesw.-Holst.?). Wird 1632 Meister und zugleich Bürger in Danzig. Nach 5jähr. Lehre bei Jochim Scharping in Danzig und Aufenthalt in Konitz und Pr. Stargard, lebte er seit 1626 in Danzig. Erwähnt 1634 und 1638. Ist 1648 Aeltermann, 1647 Kompan des Gewerks. Großer silberner Willkomm der Bäckergesellen-Brüderschaft, getragen von einer Kriegerfigur, bez. 1644, im Besitz der Brüderschaft zu Danzig.

C z i h a k , Edelschmiedekunst früherer Zeiten in Preußen, II (1908) 58.

Hebenstreit, Glasmalerfamilie in München: Hans erscheint dort 1554 erstmals als Verfertiger von 12 Scheiben für den Hof, 1567 mit 10 Gläsern für das Schloß zu Dachau. 1571 erhält er Bezahlung für 2 große geschmelzte Gläser mit Erzherzog Ferdinands Wappen für die Hofkirche in Innsbruck. 1574 tritt er in den Hofdienst. Liefert 1575 zwei Wappenscheiben in das Riedler Reglhaus, 1578 Wappen für den Herzog Albrecht, den Bischof von Salzburg u. 12 Herren des inneren Rats, 1581 ein fürstl. Wappen in den Dechantshof bei St. Peter; 1582 arbeitet er in der Kunstkammer (Antiquarium), 1588 in der Gnaden-Kapelle zu Altötting. Um 1590 verfertigte er (nach Fr. Sustris' Entwurf) mit seinem Sohn Georg die (erhaltenen) Glasmalereien des Fassadenfensters der Michaelskirche in München mit dem Hl. Michael u. den Wappen des Herzogs u. der Herzogin. — Georg läßt 1594 einen Sohn Heinrich taufen, liefert 1630 geschmelzte Fenstergläser für die Hofkapelle. (Kann mit Jörg H., Glasmaler, der 1621 Meister wird, nicht identisch sein.) — Sigmund, Maler, nach Nagler ein Sohn des Hans (Schüler J. Melchior Bocksbergers?), wurde 1556 Meister, † 1611. 1574 für die Kstkammer beschäftigt. Nagler (Monogr. III) schreibt ihm Federzeichn. in der Graph. Samml. München (Szenen aus dem Leben Christi), bez. mit einem Monogr. aus H S u. M u. der Jahreszahl 1595 zu u. ein Zeichenbuch (mit Wappen u. einigen Bildnissen bayer. Fürsten) der Staatsbibl. in München, welches das gleiche Monogr., aber auch die Beischrift „Hans Hebenstreit Maler" enthält, woraus Nagler auf die Zusammenarbeit beider schließt. In den 80 er u. 90 er Jahren werden mehrfach Lehrlinge von ihm genannt. — Ferdinand (fälschlich Friedrich), Glasmaler, Schüler seines Vaters Sigmund, wurde 1592 Meister. Nagler schreibt ihm 2 Wappenscheiben der Familie Hundt mit dem Monogr. aus H u. P (!) zu. 2 Scheiben im bayr. Nat.-Mus. von 1614 u. 16 (Christus am Kreuz; Wappen des Georg Ruedorffer) mit dem gleichen Monogr. und eine stilistisch verwandte Rundscheibe mit dem Wappen der Sibylle Schlumperger von 1615 (ebenda) werden ihm ebenfalls vermutungsweise zugeschrieben.

Lipowsky, Baier. Kstlerlex., 1810, Nachtr. II.—Nagler, Kstlerlex., VI; ders., Monogr., III u. IV. — M. G. Zimmermann, Die bild. Kste am Hofe Albrechts V. v. Bayern (Stud. z. deutsch. Kstgesch., 5) 1895 p. 40, 44, 46.—Jahrb. d. Kstsamml. d. allerh. Kaiserhauses, XI (1890) 255 f. (I. Teil); XIV (1893) II. Teil.—Ztschr. f. alte u. neue Glasmal., 1913 p. 110 f.—Häutle, Gesch. d. Residenz in München, 1883 p. 139.—G. Rott, Kst u. Kstler am Baden-Durlacher Hof, 1917. — Schinnerer, Kat. der Glasgem. des Bayr. Nat.-Mus. München, 1908, No 245—47. — Taufbücher der Pfarrkirche zu unserer lb. Frau in München u. Wappenbuch der Münchner Malerzunft im Bayr. Nat.-Mus. München (nach Faßmanns Auszügen im Kupferstichkab. Dresden).

Hebenstreit, Miniaturmaler in Berlin; von ihm ein Miniaturporträt der Sängerin Luigia Sandrini, 1811, in Berl. Privatbes.

Kat. der Miniaturenausst. Berlin 1906 (Salon Friedmann u. Weber).

Heber, Carl Augustus, Bildhauer in New York, geb. 15. 4. 1874 in Stuttgart, Schüler von L. Taft in Chicago. Von ihm „Pastorale" (Ruhende Jünglingsfig., die Flöte blasend) im Art Instit. Chicago (Gener. Cat., 1907) u. im City Art Mus. St. Louis, ebendort auch „Transportation" (Cat. of Sculpt., 1914). Ferner die Champlain-Monumente in Crown Point (N. Y.) u. Plattsburg (N. Y.), Schiller-Denkmal in Rochester u. Benjamin-Franklin-Denkmal in der Princeton University, Statue der „Lateinischen Lyrik" am Brooklyn Institute, Statuen des Handels u. der Industrie im Borough of Manhattan, New York.

L. Taft, Amer. Sculpt., 1903 p. 449. — Amer. Art Annual, XVIII (1921) 448. — Catal. of the works of Art of City of New York, II (1920) 66, 77.

Heber, Franz Alexander, Zeichner, Topograph in Böhmen, geb. 1815, † 29. 7. 1849 zu Nachod i. B., begann 1843 die Herausgabe des (1853 voll.) Werkes „Böhmens Burgen, Vesten und Bergschlösser", für das er zahlreiche Ansichten und Pläne selbst aufnahm. Das Mus. der Stadt Prag besitzt 2 Zeichnungen H.s (No 3425/6), Ansichten von Schloß Nachod.

C. v. Wurzbach, Biogr. Lex. Österr., 1856 ff., VIII. — Topographie v. Böhmen, XXXIV (1914); XXXVI (1911).

Heberger (Hepperger), Maler, geb. zu Tarrenz bei Imst (Tirol), 2. Hälfte 18. Jahrh., Schüler P. Zeillers, bildete sich in Rom und kam dann nach Wien, wo er der Melancholie verfiel und im Krankenhaus starb (vor 1796). In Zeillers Haus (Reutte) sah Meusel von ihm einen hl. Antonius von Padua und ein Porträt.

Meusel, Neue Miscellaneen artist. Inh., II (1796) 244. — [Lemmen], Tirol. Kstlerlex., 1830. — Nagler, Kstlerlex., VI (fälschlich Heberberger). — C. v. Wurzbach, Biogr. Lex. Oesterr., VIII (1862). — Andreas Hofer, 1879 p. 360. *H. Hammer.*

Heberger, Wolf, Rotgießer in Nürnberg; Granatwerfer von 1594 im Zeughaus Berlin.

Kat. Zeugh. Berlin, 1914. *St.*

Heberle, Johannes, Maler in Freiburg i. B.; von ihm die Malereien am Gewölbe der Münstervorhalle, 4 Evangelisten, 4 Kirchenlehrer, Engel mit Leidenswerkzeugen, 1609 gemalt (bis 1888/89 noch sichtbar). 1612 erhält er Bezahlung für Faßarbeiten am Ölberg.

Freiburger Münsterblätter, VIII (1912) 64; XIII (1917) 15.

Heberlin, Hanns, Bildschnitzer oder Faßmaler, 1514, 1518 und als ausgewandert 1521 in den Augsburger Handwerksbüchern erwähnt. Vermutlich identisch mit jenem „Hanns

Heberlin von Augsburg", dessen Signatur sich an der Rückseite eines geschnitzten Altarschreins aus der Schule des Veit Stoss im German. Nat.-Mus. zu Nürnberg befindet. Nach Josephi handelt es sich schwerlich um eine Künstlersignatur.

W. Josephi, Die Werke plast. Kst (Kat. des germ. Nat.-Mus.). 1910 p. 144. — B. Daun, Veit Stoss (Kstgesch. Monogr. XVII), Lpzg 1916.

Heberlein, Leonhard, s. *Haeberlin*, L.

Heberlen, Johann Georg, Maler in Gmünd (Württemb.), † 1725. Ein Ölbild von ihm „Ursprung der Johanniskirche u. der Stadt Gmünd" von 1670 im Turm dieser Kirche; ein weiteres, der Hl. Georg, u. mehrere Handzeichn. in der Erhardtschen Altertumssamml. in Gmünd.

Kst- u. Altertumsdenkm. Württemb., Jagstkr., I (1907) 356, 402. — Württemb. Vierteljahrsh., N. F. V (1896) 317.

Hébert, Goldschmied in Paris, lieferte 1747 für Maria Theresia Antoinette von Spanien 3 Tabatièren. Zahlreiche Tabatièren, meist emailliert u. mit Edelsteinen besetzt, die er für den franzôs. Hof geliefert hatte, werden in seinem Verkaufsverzeichnis von 1749 aufgeführt.

L'Art, XLIV (1888) 150 ff. — Staryje Gody, 1911 Nov. p. 29 (russ.).

Hébert, Modelleur an der Porzellanmanuf. in Sèvres 1782—87. Nach seinen Modellen wohl sind 2 Vasen ausgeführt (1757 u. 1763) in den kgl. Samml. zu Windsor Castle u. Buckingham Palace. Vielleicht identisch mit einem 1778 in Paris genannten Bildhauer Jean-Bapt. H.

Laking, Sèvres porcelain of Buckingham Palace etc., 1907. — Lechevallier-Chevignard, Manuf. de porcel. de Sèvres, 1908 II 148. — Lami, Dict. des Sculpt. etc. du XVIIIme S., I (1910).

Hébert, Kstlerfamilie des 18. u. 19. Jahrh. in Genf. Stammvater ist Nicolas Didier, Emailmaler, geb. 9. 10. 1754 in Vassy (Champagne), † 28. 10. 1820 in Genf, wohin seine Eltern als Réfugiés bald nach seiner Geburt kamen. In der Lehre bei L. Galopin, arbeitete dann in Locle und begründete in Genf ein eigenes Atelier, das vor allem für den Orient arbeitete. — Sein älterer Sohn Pierre, Email- u. Miniaturmaler, geb. 2. 2. 1783 in Genf, † 12. 12. 1867 in Lignières-Châtelain (Somme), war Schüler seines Vaters, dann 3 Jahre Zeichenlehrer am Institut Pestalozzi in Yverdon. Nach Genf zurückgekehrt, wurde er Schüler der Henriette Rath, ging um 1806 nach Paris, lebte dann in Lignières, Genf u. wieder in Lignières, als bekannter u. geschätzter Porträtminiaturist tätig. Im Mus. Rath in Genf von ihm ein Miniaturporträt der Henr. Rath (Catal. 1906). — Bekannter wurde Nicolas' jüngerer Sohn Jules, Maler u. Lithograph, geb. 1. 1. 1812 in Genf, † 10. 11. 1897 in

Plainpalais. Anfangs in einem staatl. Bureau tätig, konnte er sich erst 18 jährig, als er mit B. Menn nach Paris ging, ganz der Kunst widmen. Machte zahlreiche Reisen in Europa u. im Orient u. malte histor. Szenen aus der Schweizer, speziell Genfer Geschichte, Porträts u. Genrebilder in Öl u. Aquarell. Das Mus. Rath in Genf besitzt von ihm „Betrachtung" u. „Am Tage nach der Erstürmung Genfs (12. 12. 1602) durch den Herzog von Savoyen" (Catal. 1906), die Soc. des Arts ein Porträt der Henr. Rath, das Mus. in Bern „Ital. Söldner mit Beute" (Katal. d. Bildergal., 1915). Als Lithograph illustrierte er die „Hist. des hommes vivants et des hommes morts dans le XIX. S." von Birague, arbeite am „Album de la Suisse romande", an den „Esquisses d'atelier" u. and. Werken mit. Auch zahlreiche Porträtlithogr. sind von ihm (Al. Calame). — Jules' Tochter Juliette Charlotte, Miniaturmalerin, geb. 12. 12. 1837 in Genf, war Schülerin ihres Vaters u. G. Lamunières. Das Mus. Rath besitzt von ihr ein Miniaturporträt Lamunières' (Catal. 1906), die Soc. des Arts ein Emailporträt des James Audéoud, das Genfer Institut ein Bildnis Saint-Ours'. — Ihr Bruder Henri (William H.), Maler, geb. 14. 10. 1849 in Vandoeuvres, war Schüler seines Vaters, der Kstschule in Genf u. der École des B.-Arts in Paris unter A. Cabanel u. A. Yvon. Tätig in Genf, wo er 1885 Lehrer an der École des B.-Arts wurde. Malte in Öl, Aquarell u. Pastell Genrebilder u. Schweizer Landschaften. Im Mus. Rath von ihm „Les Pommes en cage" (Catal. 1906). Unter dem Namen *Tubal* zeichnete er Karikaturen für den Carillon, Pi-Ouit, Genève amusant. Gab auch humorist. Albums heraus, wie: Hist. d'une chapelle (1879), Patric et Patrac (1883), Souvenir du rassemblement (1885). — Seine Söhne, Jules Auguste, geb. 2. 7. 1878 in Plainpalais, ansässig in Genf, u. Pierre Charles, geb. 15. 6. 1885 ebenda, ansässig in Paris, waren Schüler der École des B.-Arts und, in der Emailmalerei, der École des Arts industr. in Genf.

Brun, Schweizer. Kstlerlex., IV (1917) 208 f. — L. Schidlof, Bildnisminiatur in Frankreich, 1911. — F. v. Bötticher, Malerwerke des 19. Jahrh., I 1 (1891). — Béraldi, Grav. du XIXe S., VIII (1889). — Schweiz. Zeitgenossen-Lex., 1921 p. 302. — Nos Anciens et leurs Oeuvres, 1905 p. 16; 1909 p. 79, 134, 152, 158; 1910 p. 53, 97, 133. — Art mod. Genève, 1896, Lief. 6 (Abb.).

Hébert, César Auguste, Holzschneider in Paris, wo er 1841—51 im Salon ausstellte. Fertigte zahlreiche Buchillustrationen, so für Nodiers „Expédition du duc d'Orléans, aux Portes de Fer" nach D. A. Raffet, für „Illustration de la Bibliothèque Nat.", „La Pleïade", „L'Algérie", „Écho des Feuilletons" usw. Von ihm auch Holzschnitte nach Zeichn. von Wattier u. A. Devéria u. Porträts, so des

Hébert

Königs von Schweden, Bernadotte, u. des
Marschalls Jourdan (beide zus. mit L. H.
Brévière), des Königs Murat von Neapel (nach
Raffet) u. der Madame Grisi nach H. Valentin.
B e l l i e r - A u v r a y, Dict. gén., I (1882).
— B é r a l d i, Grav. du XIXᵐᵉ S., VIII (1889).
— N a g l e r, Monogr., I. — G l a s e r, Graphik
der Neuzeit, 1922. — D u p l e s s i s, Cat. Por-
traits Bibl. Nat. Paris, 1896 ff. II 9187/31; IV
19 400/9; V 23 443/48, 23 663/9.

Hébert, E d m o n d E r n e s t P a u l i n,
Maler, geb. 1824 in Paris, Schüler von
A. Dupuis u. Th. Couture, zeigte zwischen
1857 u. 82 mehrmals im Salon Genrebilder,
stellte 1886 noch in Angers aus.
B e l l i e r - A u v r a y, Dict. gén., I (1882).
— B é n é z i t, Dict. des Peintres etc., II (1913):
Hébert-Paulin.

Hébert, É m i l e, s. *Hébert,* Pierre Eug. Ém.

Hébert, E r n e s t (Antoine Auguste Ern.),
Maler, geb. in La Tronche bei Grenoble 3. 11.
1817, † ebenda 5. 11. 1908. Kam 17jährig in
der ursprünglichen Absicht, die Rechte zu
studieren, nach Paris und trat auf den Rat
des Malers Monvoisin 1835 in das Atelier des
Bildhauers David d'Angers ein, nebenher seine
Rechtsstudien betreibend. 1836 wurde er
Schüler der Ecole d. B.-Arts. 1839 einige
Monate Studium bei Delaroche. In dems.
Jahre erhielt er den Rompreis mit dem in der
Ecole d. B.-Arts bewahrten Bilde: Findung
des Bechers Josephs in Benjamins Sack. 1839
debütierte er im Pariser Salon mit „Tasso im
Gefängnis" (Mus. Grenoble). Januar 1840 bezog
er die Villa Medici in Rom, deren Leiter damals Ingres war. 60 Jahre später hat H. eine
lebendige Schilderung seiner Eindrücke dieser
ersten Romjahre geschrieben(Gaz. d. B.-Arts
1901 I 265 ff.). Enge Freundschaft verknüpfte ihn hier besonders mit dem Komponisten Gounod. Nach Ablauf der 5 üblichen
Pensionärjahre verblieb H. noch 3 weitere
Jahre in Italien, wo wo er die Motive zu
seinen besten Bildern mit heimbrachte. Seit
1848 war er — damals in Marseille ansässig —
regelmäßiger Aussteller im Pariser Salon, wo
er 1850 seinen ersten Triumph feierte mit dem
für das Luxembourg-Mus. erworbenen Bild:
Malaria (Römische Campagnabauern auf einem
Nachen aus den Fiebergegenden fliehend),
dessen poetischen Stimmungsgehalt man allgemein bewunderte. Eine kleinere Wiederholung
bewahrt das Mus. zu Chantilly. Schon damals war H. als Porträtist, besonders als
Maler der eleganten Dame geschätzt. 1853
stellte er das effektvolle Nachtstück „Judas-
kuß" aus (Luxembourg-Mus.). 1853—55
zweiter, 1857—59 dritter Aufenthalt in Italien,
während welcher Jahre er u. a. das Bild des
Luxembourg-Mus.: Les Cervarolles (Wasser-
holende Mädchen aus Cervara) malte, das seine
romantische Auffassung charakterisierte. Zahlreiche ähnlich idealisierte Frauendarstell. in

genrehafter oder auch allegorischer (Morgen
und Abend des Lebens, Die Musik) oder religiöser Auffassung (Madonna für die Kirche in
La Tronche) entstanden namentlich während
der Jahre 1867—73, als er in Rom Direktor
der Acad. de France war. Nach seiner Rückkehr nach Paris war H. vor allem als Porträtmaler beschäftigt, übrigens unter fast aus-
schließlicher Beschränkung auf das Kinder- und
das Damenbildnis, das er in sehr geschmackvoller Herrichtung und weicher malerischer
Faktur, oft auch mit feiner psychologischer
Durchdringung zu behandeln wußte. 1885
bis 91 bekleidete er zum zweiten Male das
Direktoriat der römischen Acad. de France.
Bis in sein hohes Alter hinein schaffend, hat
H. alljährlich bis zu seinem Todesjahre 1908
den Salon der Société d. Artistes franç. beschickt, in letzter Zeit hauptsächlich mit Bildnissen kleinen Umfangs. Selbstbildnisse H.s
finden sich in den Florentiner Uffizien, im
Mus. zu Montpellier und im Mus. zu Grenoble,
wo H.s Kunst besonders gut vertreten ist;
hier auch sein Entwurf zu dem Mosaik der
Apsis des Panthéon. Im Louvre ein Bildnis
der Mᵐᵉ Jules Ferry; im Pariser Musée Jacque-
mart-André ein Bildnis der Mᵐᵉ Edouard André,
in Versailles ein Porträt des Prinzen Napoleon
u. das schöne Bildnis der Prinzessin Clotilde.
Weitere Arbeiten H.s in den Museen zu
Bayonne, Mülhausen i. E., Rouen, im Metropolitan Mus. in New York, im Art Instit. in
Chicago und in der Sammlg Johnson in
Philadelphia. Den reizvollsten Ausschnitt aus
seinem Werk stellen neben seinen Damenbildnissen seine landschaftl. Studien (Aquarelle,
Zeichnungen und Ölskizzen) dar, die der Be-
lehrung durch den mit H. eng befreundeten
Jules Dupré ihren naturfrischen Charakter
danken.
G. L a f e n e s t r e in Gaz. d. B.-Arts, 1897 I
177/85; II 353/70. — J u l e s C l a r e t i e in
Revue de l'Art anc. et mod., XX (1906) 401/16;
XXI (1907) 53/67. — P é l a d a n, Ern. H., sa vie
son oeuvre, son temps. Introd. par J. C l a r e t i e,
Paris 1910 (vgl. Besprechung von G a b i l l o t
in Gaz. d. B.-Arts, 1911 I 502 ff.). — Chron. d.
Arts, 1908 p. 354 (Nekrol.); 1921 p. 42. —
A d. R o s e n b e r g, Gesch. d. mod. Kst,
² 1894 I 154 ff. — Les Arts, 1908 No 84
p. 25/32 (F r é d. M a s s o n); 1914 No 146 p. 1
(Abb.). — La Revue de Paris, No vom 1. 12.
1910, p. 498—528 (Briefe H.s an P. Delaroche
a. d. Jahren 1841—56). — Le Temps, No vom
15. 12. 1910 (J. C l a r e t i e). — Kstchronik,
N. F. XX 84 (Nekrol.). — Gaz. d. B.-Arts,
Tables alphab. (zahlr. Erwähn.); 1903 I 89 ff.
(Studie H.s über Gust. Ricard). — B e l l i e r -
A u v r a y, Dict. gén. d. Art. franç., I (1882)
u. Suppl. — Katal. des Salon (Soc. d. Art. franç.),
1839—1908 (z. T. mit Abbild.). — B é n é d i t e,
Luxembourg-Mus., 1913 (mit 3 Abb.). —
B e y l i é, Musée de Grenoble („Musées et Coll.
de France"), 1909. — L a p a u z e, Palais d.
B.-Arts de Paris, 1910 p. 81 (Abb.). — M ü n t z,
Guide de l'Ecole Nat. d. B.-Arts, 1889 p. 258. —
Catal. of a Collection of Paintings etc. (John G.

196

Johnson Philadelphia), Bd III (1914) No 1003. — Mireur, Dict. d. Ventes d'Art, III (1911). — Bénézit, Dict. d. Peintres etc., II (1913). *H. Vollmer.*

Hébert, G e o r g e s Jean-Bapt., Maler, geb. 26. 7. 1837 in Rouen, Schüler von Ern. Hébert u. L. Bonnat, bereiste England u. Algier u. war dann Schüler Delacroix'. Ließ sich in Rouen nieder, später in Paris, zeigte auf den Ausst. in Rouen u. im Pariser Salon 1861/84 Historien- u. Figurenbilder, später fast ausschließlich Porträts. Im Mus. zu Rouen (laut Bénézit) von ihm ein Porträt des Malers Stevens (fehlt im Katal. 1911).

G l a e s e r , Biogr. nat. des contemp., 1879. — B e l l i e r - A u v r a y , Dict. gén., I (1882); Suppl. (1887). — B é n é z i t , Dict. des Peintres etc., II (1913). — Gaz. des B.-Arts, VII (1860) 239. — Chron. des Arts, 1863 p. 37.

Hébert, H é l è n e , s. *Bertaux*, Mme Léon.

Hébert, H e n r i , s. unter *Hébert, Familie.*

Hébert, J e a n , Tischler u. Holzbildhauer in Bernay (Eure), in der Lehre bei G. Delanoë, wurde 1750 Meister. Von ihm die Kanzel in der Kapelle des Hospitals zu Bernay, 1772. 1802/03 erhielt er Bezahlung für einen Altar der Kirche Sainte-Croix.

V i a l - M a r c e l - G i r o d i e , Art. déc. du bois, I (1912).

Hébert, J u l e s , J u l e s A u g u s t e und J u l i e t t e , siehe unter *Hébert, Familie.*

Hébert, L o u i s , Bildhauer, 1511 als Gehilfe des P. Desaubeaux bei Ausführung der großen (1794 zerstörten) Gruppe des Marientodes in der Kirche Saint-Servais et Saint-Protais in Gisors genannt.

L a m i , Dict. des Sculpt. etc. Moyen-âge, 1898.

Hébert, L o u i s G e o r g e s , Bildhauer u. Gemmenschneider, geb. 23. 4. 1841 in Caen (Calvados), Schüler A. Lechesne's. Mit Porträtbüsten u. -Medaillons 1867—86 im Pariser Salon vertreten.

L a m i , Dict. des Sculpt. etc. au XIXe S., III (1919). — F o r r e r , Dict. of Medall., II (1904).

Hébert, N i c o l a s D i d i e r , siehe unter *Hébert,* Familie.

Hébert, P h i l i p p e (Louis Ph.), Bildhauer, geb. 27. 1. 1850 in Sainte - Sophie - d'Halifax (Canada), ging 1869 mit den kanadischen Freiwilligen zum Schutze Pius' IX. nach Rom. Nach der Rückkehr ließ er sich 1871 in Montreal (Canada) nieder u. arbeitete dort mit N. Bourassa als dessen Schüler an der Kirche Notre-Dame-de-Lourdes. Bildete sich dann in Paris weiter. 1893 bis 1913 stellte er mehrmals im Salon der Soc. des Art. franç. Büsten, Statuen u. Gruppen aus. Von ihm in seiner Heimat zahlreiche Denkmäler, Porträtstatuen u. -büsten kanad. Persönlichkeiten: Denkmäler Salaberrys in Chambly (1884) u. Cartiers in Ottawa (1885), Statuen u. Gruppen für das neue Parlamentsgebäude in Quebec (1887), Maisonneuve-Denkmal in Montreal (1893). Werke von ihm auch im Mus. zu Montreal.

C u r i n i e r , Dict. des contemp., III (1906). — Salonkatal. (1894 mit Abb.).

Hébert, P i e r r e , Bildhauer in Paris, geb. 31. 10. 1804 in Villabé (Seine-et-Oise), † 15. 9. 1869 in Paris, Vater des Pierre Eug. Ém. u. der Hélène (Mme Léon Bertaux [s. d.]). Sohn eines Arbeiters, zuerst Gärtnergehilfe am Jardin des Plantes, konnte sich dann als Schüler G. Jacquots der Plastik widmen und trat 1831 in die École des B.-Arts ein. 1836 bis 69 stellte er im Salon aus. Seine Gruppe „Kind mit einer Schildkröte spielend" (Salon 1849), kam 1862 in Bronzeausführung in den Jardin d'acclimatisation in Toulouse (vgl. Museé de Toul., Catal. de Sculpt. 1912 p. 402); für die Opéra-Comique fertigte er 1853 eine Marmorbüste Nicolo's, die Marmorstatue „Gefangene" (Salon 1859) kam ins Mus. zu Carcassonne. Er schuf auch mehrere Denkmäler: Olivier de Serres, Bronze, in Villeneuve-de-Bercq (Ardèche), 1858 enthüllt (Gipsabguß im Mus. zu Dünkirchen, Bronzewiederholung in der Mairie zu Aubenas), Comte Boissy d'Anglas, Bronze, in Annonay (Ardèche), 1862 enthüllt, Comte de Gasparin, Bronze, in Orange (Vaucluse), 1863 enthüllt, Admiral Duperré, Bronze, in La Rochelle, 1869 enthüllt, Statue Parmentiers für die École de Pharmacie. Für den Louvre führte er die Steinstatuen des Herzogs von Saint-Simon u. Mazarins aus, einzelne Statuen auch für die Kirchen Saint-Eustache, Saint-Etienne-du-Mont u. de la Trinité.

G l a e s e r , Biogr. nat. des Contemp., 1879. — B e l l i e r - A u v r a y , Dict. gén., I (1882). — F o r r e r , Dict. of Medall., II (1904). — L a m i , Dict. des Sculpt. etc. au XIXe S., III (1919). — Inv. gén. des Rich. d'art de la France, Paris, Mon. rel., I (1876); Prov., Mon. civ., IV (1911).

Hébert, P i e r r e u. P i e r r e C h a r l e s , siehe unter *Hébert,* Familie.

Hébert, P i e r r e E u g è n e É m i l e , Bildhauer, geb. 12. 10. 1828 in Paris, † 20. 10. 1893 ebenda, Sohn des Pierre. Schüler seines Vaters u. J. J. Feuchères. Stellte 1849—93 im Salon aus. Von ihm zahlreiche Porträtbüsten: Chirurg S. Vaillant (Salon 1849) in der Administration des naturgeschich. Mus. in Paris, V. Texier (Salon 1865) im Mus. zu La Rochelle (Catal. 1900 p. 56; hier fälschlich als Arbeit des Vaters), A. Tessier in Angerville, Bildh. Cabet im Mus. zu Dijon, E. Perrin im Mus. zu Rouen (Cat. 1911 p. 157). Eine Bacchusstatue erhielt er für die Tuilerien in Auftrag (Salon 1866), 2 Kinderfig., Komödie u. Drama symbolisierend, schuf er 1867 für das Pariser Théâtre du Vaudeville, eine Regnard - Statue 1880 für das Pariser Rathaus, 2 Reliefs für den Sockel des Duperré-Denkmals seines Vaters in La Rochelle, 1869. Von ihm auch das Grabmal des Marschalls Prim in der Atochakirche zu Madrid, das Relief „Orakel" im Mus. zu Vienne (Isère). Am bekanntesten ist sein Rabelais-Denkmal (Bronze) in Chinon (Indre-et-Loire), 1882.

Glaeser, Biogr. nat. des Contemp., 1879. — Bellier-Auvray, Dict. gén., I (1882). — Forrer, Dict. of Medall., II (1904). — Lami, Dict. des Sculpt. etc. au XIXe S., III (1919). — L'Art, XXVIII (1882) 141 ff. (mit Abb.); LIII (1892) 130 (Abb.). — Inv. gén. des Rich. d'art de la France, Paris, Mon. civ., I (1879); II (1889); III (1902); Prov. Mon. civ., IV (1911).

Hébert, Théodore Martin, Bildhauer, geb. 29. 7. 1829 in Paris, † 1913 ebenda, Neffe des Pierre H., Schüler des J. L. Chenillion. Stellte 1848—86 im Salon Porträtbüsten, Bildnisstatuen u. Figuren alleg. oder mythol. Inhalts aus. Von ihm Marmorbüste De Forbin (1869) im Palais de l'Institut, Büste Henri Lemaire's im Mus. zu Versailles. Auf dem Friedhof Montparnasse von ihm das Bronzemedaillon J. B. Robert's (1861) u. Bronzebüste des Dr. Morant (1880). Das Mus. zu Morlaix besitzt eine Statuette, La Liberté, das Mus. zu Rochefort eine Gruppe „Pan u. Faun" (Cat. 1905).

Glaeser, Biogr. nat. des Contemp., 1879. — Bellier-Auvray, Dict. gén., I (1882). — Vapereau, Dict. des Contemp., ⁸1893. — Lami, Dict. des Sculpt. etc. au 19e S., III (1919).

Hebert, William, Kupferstecher in London, gewann 1760 einen Preis der Society of Artists und veröffentlichte 1750 eine Folge kleiner Landschaften mit Gebäuden (6 Bl.). Heinecken kennt von ihm auch 1 Bl. in fol. „Weibl. Halbfig.".

Füßli, Kstlerlex. 2. Teil, 1806 ff. — Redgrave, Dict. of Artists, 1878. — Heinecken, Dict. des Artistes, 1778 ff. (Ms. im Dresdner Kupferstichkab.).

Hébert-Stévens, Jehan B. G., Porträtmaler in Paris, stellte 1888—1904 im Salon der Soc. des Art. franç. aus.

Salonkatal. — Annuaire de la Curiosité, 1911—14.

Hebler, Gottlieb, Architekt, geb. 2. 10. 1817 in Bern, † 28. 1. 1875 ebenda, Schüler L. v. Stürler's in Bern, Brocher's in Genf u. Bargezzi's in Solothurn. Vollendete, nach Bern zurückgekehrt, die Tiefenau-Brücke u. führte, neben mehreren Privatbauten, auch die Irrenanstalt zu Waldau u. den östl. Anbau der Berner Stadtbibliothek aus. Von ihm stammt der Entwurf zu dem zierlichen gotischen Brunnen in der oberen Spitalgasse. Sein Vermögen hinterließ er der Stadt zum Bau eines Kunstmuseums. — Sein Halbbruder Ludwig, Architekt u. Aquarellist, geb. 28. 11. 1812 in Bern, † 26. 12. 1893 ebenda, entwarf 1886 ein Helm-Projekt für den Münsterturm u. führte mehrere Privatbauten aus. Als Aquarellist war er kurze Zeit Schüler A. Calames.

Brun, Schweiz. Kstlerlex., II (1908).

Hebler, Niklaus, Architekt, geb. 11. 5. 1728 in Bern, † 19. 8. 1796 ebenda, 1755—70 Stadtwerkmeister, 1770—96 Münsterbaumeister. Im Münster sind von ihm Chorschranke (1864 entfernt) u. Chorkanzel von 1783. Auch der

meisterhafte Bau des Gasthofes zum Adler von 1766 ist sein Werk.

Brun, Schweiz. Kstlerlex., II (1908). — Blätter für Berner Gesch., XVII (1921) 33.

Hebling, Thaddäus, falsch für *Helbling,* Fr. Th.

Hebra, Anna de, siehe *Ballarini,* A. de.

Hébrard, Ernest, französ. Architekt, 1906 bis 10 Pensionär der Acad. de France in Rom, beschickte 1910 von Rom aus den Salon der Soc. des Art. franç. mit Rekonstruktionsversuchen des diocletianischen Palastes in Spalato u. des Marktplatzes in Siena. Befaßte sich mit städtebaulichen Studien (Plan zu einer Welthauptstadt, 1912) u. erhielt 1917 eine große städtebauliche Aufgabe übertragen, die Ausarbeitung eines Planes zum Wiederaufbau des niedergebrannten Saloniki.

Revue de l'art anc. et mod., XXVII (1910) 412 f.; vgl. L'Architecte, V (1910) 42 f., 56, Taf. 37—42. — Gaz. des B.-Arts, 1914/16 II 389; 1922 II 239 ff. (mit Abb.). — Deutsche Bauzeitung, XLVIII (1914) 159 (mit Abb.).

Hécart-Gaillot, François Clovis, französ. Landschaftsmaler, geb. in Mauregny-en-Laye (Dep. Aisne) 20. 2. 1813, † 1882. Autodidakt, tätig in Reims. Von ihm besitzt das dort. Museum 3 Landschaften, 2 davon bez. „Hécart, 1871".

Mus.-Kat. Reims, 1881 u. 1909.

Hechenberger, Adam, Büchsenmacher, Ende 17. Jahrh., Gewehre in Schloß Ambras, Musée Porte de Hal in Brüssel und ein 1675 dat. auf der Auktion Peucker.

Ilg-Böheim, Schloß Ambras, Führer 1897 p. 35. — Valencia, Cat. de la Armeria Madrid, 1908. — Demmin, Kriegswaffen, Gera 1891 p. 1008. — Cat. Aukt. General v. Peucker, Brüssel 1854 No 482. *St.*

Hechendörffer, Andreas, Kunstschmied u. Uhrmacher, geb. in Peiting (Diöz. Freising) 25. 11. 1677, † in Ellwangen 2. 8. 1731. Trat 1707 in den Jesuitenorden und verfertigte hauptsächlich Turmuhren. Unter seiner Leitung wurden die schönen Brüstungen an den Galerien in der Ordenskirche zu Ellwangen geschmiedet.

Jos. Braun, Kirchenbauten der dtschen Jesuiten, II (1910).

Hecher (Heger), Bartholomäus, Goldschmied, geb. um 1729 in Salzburg, seit 1774 in Rom; 1778/92 in den Zunftbüchern ebenda genannt (1778 wird sein Probstück gutgeheißen); bei seinem 1779 in Rom geb. Sohn stand der Wiener Medailleur Fr. Xav. Würth Pate. H. lieferte zusammen mit Peter Ramoser die silbervergoldete, in der Werkstätte von Luigi Valadier 1780 in Rom hergestellte 6 Fuß hohe Nachbildung der Trajanssäule, die 1783 vom Kurfürst Karl Theodor von Bayern angekauft wurde (jetzt bayr. Schatzkammer in München). An den nach Kupferstichen von Santo Bartoli gearbeiteten Reliefs die Signatur „Barth. Hecher 1774."

[L e m m e n] , Tirol. Kstlerlex., 1830 p. 203.
— N a g l e r , Kstlerlex., VIII 120 und XII 285.
— S c h a u s s , Kat. d. kgl. bayr. Schatzk., 1879
p. 435. — Monatshefte f. Kstwissensch., XV (1922)
298 (F r . N o a c k). — Mit Notizen v. Fr. Noack.
H. Hammer.

Hecher, W i l h e l m , siehe *Heher,* W.

Hechle, J o h . B a p t., falsch für *Hoechle,* J. B.

Hechner, C a r l , eigentlich *C. Ludwig Müller,*
Korkschnitzer, geb. 27. 3. 1804 in Dresden,
† 11. 1. 1847 in Hamburg. Von Beruf Schauspieler am Tivoli-Theater, dann Gastwirt,
fertigte H. kunstvolle Korkschnitzereien, z. B.
die Ruinen der 1842 im Brande untergegange-
nen Kirchen und öffentl. Gebäude.

Hamburg. Kstlerlex., 1854. *D.*

Hechperger, G e o r g , Stuckgießer in Olmütz; Falkonet von 1596 im Zeughaus Berlin.

Kat. Zeugh. Berlin, 1914 p. 189. *St.*

Hecht, A e g i d , Priester, Vorzeichner für
den Kupferstich, geb. 1664 zu Leipnik in
Mähren, † 5. 10. 1726, trat 1682 in den Pia-
ristenorden zu Leipnik; zeichnete die Mitglieder seines Ordens und ließ nach seinen
Vorlagen in Kupfer stechen.

D l a b a c ž , Kstlerlex. f. Böhmen, 1815, I.

Hecht, F r i e d r i c h August Richard, Bildhauer u. Maler, geb. 27. 6. 1865 in Dresden,
† 16. 11. 1915 ebenda, Schüler der Dresdner
Akad., seit 1883 im Meisteratelier Joh. Schillings. Erhielt 1887 die große silberne, 1888
die gr. goldene Medaille, 1891 das akadem.
Reisestipendium; damit 2 Jahre (bis Sommer
93) in Rom. Nach seiner Rückkehr nach
Dresden auch eine Zeitlang Lehrer an der
dort. Kunstschule. Von H. zahlreiche kirchliche Bildwerke, z. B. die Fig. des Johannes
u. Elias und ein Christusmedaillon für die
Kirche in Blasewitz; „Christus in Gethsemane"
(1904), Bronzestatue hinter der Christuskirche
in Dresden-Strehlen; 2 Engel für die Kirche
in Ostritz, Reliefs für die Lutherkirche in
Meißen (Jesus als Freund der Kinder und
Kranken, Bekehrung des Paulus, Luthers
Thesen-Anschlag), „Christus am Kreuz", Friedhofskap. zu Werdau, Sa.; „Andacht", Ideal-
gestalt, Pauluskirche zu Plauen i. V., 3 Relief-
köpfe: Melanchthon, J. G. Ehrlich und V.
Löscher, am Hauptportal der Ehrlichschen Ge-
stiftskirche zu Dresden. Grabdenkmäler (Näu-
mann 1900 u. Förster 1910, beide Bronze, auf
dem Alten Annenfriedhofe, Köhler 1899 auf
dem Eliasfriedhofe in Dresden, Graff auf dem
Weißen Hirsch b. Dr. 1908); Bildnisbüsten
(z. T. Doppelbildnisse) und -Reliefs, darunter
ein Selbstporträt 1908; auch einige Plaketten
(für P. Kießling u. a.), deren zwei im Dresdn.
Stadtmus.; eines seiner letzten Werke ist das
Denkmal D. Friedr. Meyers († 1911), des Vor-
kämpfers der Gustav-Adolf-Bewegung (Relief
an der Marienkirche in Zwickau). In den
Arbeiten, die er solchen Aufträgen verdankt,
kommt trotz mancher gelungenen Einzelheiten

sein bestes Können nicht rein zum Vorschein.
Den nazarenischen Christustypus vermochte er
nicht zu überwinden und in der Formensprache
vom herkömmlich Akademischen nicht los-
zukommen. Glücklicher war er dort, wo er in
freiem Schaffen gestalten konnte, besonders in
den unterlebensgroßen Figuren und Statuetten,
mit denen er unpathetisch dem lyrischen Zuge
seines Wesens folgte; z. B. das blinde Blumenmädchen „Nydia" (Bulwer), das in Rom entstand, „Paris", „David", „Sehnsucht" (Statuette
eines weibl. Aktes), das genrehafte Aktfigür-
chen seines 3 jähr. Sohnes, u. a. — Als Maler
ist H. nur mit dem Bilde „Ostersonntag" hervorgetreten. Eine Nachlaß-Ausstellung veranstaltete 1915 der Sächs. Kunstverein in
Dresden.

Akten der Dresdn. Kstakad. (Matrikel, Album
des Kunstfonds). — Festschrift zur 800 jähr.
Jubelfeier des Hauses Wettin, 1889 p. 59, Abb.
p. 41. — Kstchronik, N. F. IV (1893) 193 f.; XV
411. — Die Kunst, V (1902) 402; IX (1904) 411. —
F. Z i m m e r m a n n in Westermanns Monatsh.
61. Jahrg. (1916), Bd 121, 1. Teil p. 385—96, m.
zahlr. Abb. — Dresdn. Anzeiger 1915 Nr 320 f.
— Sächs. Volkskalender 1917 p. 17 (Abb.: Luther-
relief), 79 u. 80 (Bildnis). — Dresdn. Kalender
1919 p. 92. — *Katal.:* Kstausst. Dresden: Akadem.
1883—1889, 1895 (vgl. bes. 1885,7; 1888, 9; 1889,5);
Internat. 1897, 1901; Deutsche 1899; Sächs. 1903;
Große 1904, 1908, 1912; Moderne Kstwerke aus
Privatbes. (Sächs. Kstver.) 1912; Berlin, Gr. Kstausst., 1894, 1903. *Ernst Sigismund.*

Hecht, G a b r i e l , Zeichner u. Architekt,
Pater im Kloster St. Gallen, geb. in Wangen
30. 12. 1664, † 10. 1. 1745. Erhielt in der
Taufe den Namen *Joseph,* trat mit 14 Jahren
ins Kloster St. Gallen, studierte daselbst und
legte 1682 das Ordensgelübde ab. H. zeichnete die von Jacob Müller in Augsburg gestoch. Blätter zu dem Werke „Idea sacrae
congregationis Helveto-Benedictinae" (1702, fol.).
Das Titelblatt zeigt in einer Barockhalle die
auf Lehnstühlen sitzenden 9 Äbte der schweizer.
Benediktinerkongregation, mit den Stiftswappen
und darüber zwischen den Säulen die Abbildung des betreffenden Stifts. Die übrigen
Blätter zeigen Papstbildnisse (Clemens VIII.,
Clemens XI., Clemens III. u. Clemens IX.),
die Bildnisse der 9 Äbte u. des Abtes (späteren Kardinals) Cölestin Sfondrati von St.
Gallen sowie die Ansichten der 9 Benediktiner-
klöster. H. illustrierte auch das Buch von
Amandus Krenner: die klösterliche Disciplin,
übersetzt von P. H. Hegner, St. Gallen 1708.
— Nach dem Tode Kaspar Moosbruggers
(† 1723) setzte er dessen Arbeiten für den
Neubau der Stiftskirche in St. Gallen fort und
schrieb den „Baumeister" (Ms. der Stiftsbibl.).
Er entwarf einen Plan für die Dekoration der
Kirche und den Bau der Stiftsbibliothek mit
genauen Vorschriften.

B r u n , Schweiz. Kstlerlex., IV (1917) 209.
— A. H a r d e g g e r , Die alte Stiftskirche...
in St. Gallen. — K i c k u. P f e i f f e r , Barock,

Rokoko u. Louis XVI aus Schwaben u. d. Schweiz, p. 10 zu Taf. 50.

Hecht, Guillaume van der, Landschaftsmaler, Radierer u. Lithograph, geb. in Brüssel. 1851, 1857 u. 1863 auf dortigen Ausstell. vertreten. Werke („Château de Hollenfeltz" u. a.) in der Brüsseler Slg Goethals. Das „Album de la Fête artistique du 5 Janvier 1850" (Brüssel 1850) enthält von ihm 2 Orig.-Rad. („Souvenir d'Italie", „Kenilworth"), „La Renaissance" T. VI (Brüssel 1844—45) eine Orig.-Lith. („Rochester").

Hippert u. Linnig, Peintre-grav. holl... XIXe siècle, 1879 p. 1053. — Joly, Les Beaux-Arts en Belgique, 1857 p. 379. — Le Beffroi, I (1863). — Gaz. des B.-Arts, VI (1860) 111; XV (1863) 379 (,Vanderhect'). — Cat. Expos. d. B.-Arts, Brüssel 1851 p. 129.

Hecht, Henri (Hendrik) van der, Landschaftsmaler u. Radierer, geb. in Brüssel 25. 8. 1841, † das. 1901; Neffe des vor. Schüler von J. Portaels. Tätig in Brüssel. Stellte in Brüssel, Antwerpen, Wien (Weltausst. 1873), London (1885), Paris (Soc. Art. franç. 1887, Soc. Nat. 1890, 93) u. München (Glaspal. 1888, 91) aus. Seine in warmen, saftigen Tönen gehaltenen Landschaften behandeln Motive aus Belgien u. Holland. Eine Nachlaßausst. (Brüssel 1902) vereinigte 77 Gemälde. Arbeiten in den Mus. von Brüssel (Gal. Mod. „Der Regenbogen" u. a.), Ixelles u. Antwerpen. H. hinterließ auch 2 Orig.-Rad. (Pachthof mit Trauerweide, Die Brücke, bez. „H. V. D. Hecht 70").

A. v. Wurzbach, Niederländ. Kstlerlex., I (1906). — Singer, Kstlerlex., Nachtr. 1906. — Bénézit, Dict. des peintres etc., II (1913; auch unter Heck!). — Hippert-Linnig, Peintre-grav. holl. etc., 1879 p. 1054. — F. v. Bötticher, Malerwerke des 19. Jahrh., I 1 (1891). — A. Graves, Dict. of art., 1895. — Gaz. des B.-Arts, XVII (1864) 469; 1873 II 257; 1875 II 349 (Abb.), 350. — Journal des B.-Arts (Brüssel), 1885 p. 75; 1886 p. 66. — Chron. des Arts, 1901 p. 272. — Onze Kunst, 1902 II 21 f. — Cat. Expos. des B.-Arts, Brüssel 1869 p. 115. — Cat. Exp. rétrosp. de l'art belge, Brüssel 1905 p. 36. — Jahrb. der Bilder- usw. Preise, V/VI (Wien 1919).

Hecht, Hieronymus, Maler u. Schnitzer in Breslau, 1513 Bürger. Seine Frau stammte aus Krakau. 1519 ist er auf Reisen und wird vom Rat aufgefordert, eine Tafel für den Propst von Kalisch zu vollenden. 8. 7. 1530 zuletzt erwähnt; 26. 5. 1531 erscheint s. Witwe vor Gericht.

Alwin Schultz, Urk. Gesch. der Bresl. Maler-Innung, 1866 p. 90ff.; ders., Unters. z. Gesch. der schles. Maler, 1882.

Hecht, Johann Wolfgang, Maler, † in Wien 10. 8. 1827, 45 J. alt.

Neuer Nekrol. der Dtschen, V (1827) Nr 950.

Hecht, Victor David, amer. Bildnismaler, geb. in Paris 15. 5. 1873, lebt in New York. Schüler der dortigen Art Students' League und der Pariser Acad. Julian unter Lefebvre und Robert-Fleury. Stellte im Pa-

riser Salon (Soc. Art. frç.) und in S. Francisco (Panama Pacific Exhib.) 1915 aus.

Amer. Art Annual, XVIII (1921) 448. — Panama Pacific Exhib. San Francisco 1915, Catalogue de luxe, II 323. — Cat. Salon Soc. Art. frç. Paris 1901—5. — Cat. of the Works of art .. City of New York, II (1920).

Hecht, Wilhelm (Karl W.), Holzschneider u. Radierer, geb. in Ansbach 28. 3. 1843, † in Linz a. D. Anfang März 1920. War 1857—59 bei dem Holzschneider Döring in Nürnberg in der Lehre, arbeitete 1860—62 in J. J. Webers Artistischer Anstalt in Leipzig, ein Jahr in Berlin für illustrierte Blätter (Porträts berühmter Zeitgenossen) und 1865—68 bei Closs u. Ruff in Stuttgart. Kam dann nach München, wo er einige Zeit die Akad. besuchte und eine xylographische Anstalt errichtete. Der Ruf ihrer Erzeugnisse und seiner eigenen Arbeiten verschaffte ihm 1885 eine Berufung nach Wien als Leiter des für die Herstellung der Holzschnitte zu dem Werk „Die österr.-ungar. Monarchie in Wort u. Bild" neugegründeten xylograph. Instituts der K. K. Hof- u. Staatsdruckerei. 1886—98 wirkte er auch als Lehrer an der Kunstgewerbeschule. Nach seiner Versetzung in den Ruhestand lebte H. einige Zeit in Graz, dann in München und seit 1912 in Linz. — Sein künstler. Glaubensbekenntnis — Recht auf künstler. Individualität und Treue in der Wiedergabe des Originals — hat er in dem von ihm verfaßten Abschnitt der „Vervielfältigenden Künste der Gegenwart" (Bd 1) niedergelegt. H. ist einer der bedeutendsten Vertreter des deutschen Faksimileholzschnitts. Die Fähigkeit, sich der Eigenart der Vorlage anzupassen und die farbige Wirkung des Originals mit den einfachsten Mitteln wiederzugeben, hat er in zahlreichen hervorragenden Arbeiten bewiesen. Er ist ebenso klar und bestimmt in der Form wie geschickt in der Andeutung zarter Tönungen und feiner Abstufungen. Neben Holzschnitten für illustrierte Werke (Grimms „Kinder- u. Hausmärchen") u. Zeitschriften („Daheim") nach Piloty, Menzel, Gysis, Diez, Kaulbach, G. Max u. a. ist in erster Linie die Ströfer'sche Faustausgabe mit den von H. auf den Holzstock gezeichneten Illustrationen von Liezen-Mayer u. Rud. Seitz zu nennen. (In einer späteren kleineren Ausgabe wurden die Holzschnitte durch Radierungen von H. u. W. Krauskopf u. H. ersetzt.) H.s erstes Einzelblatt war der „Bismarck im Schlapphut" nach Lenbachs Pastellskizze (Verlag E. Aumüller, München), dem das große Bildnis „Franz Joseph I. im Ordensgewand des Goldenen Vließes", nach Angeli (Verlag der Wiener Hof- u. Staatsdruckerei 1885) folgte. Zu seinen schönsten Arbeiten gehört der große Holzstich „Henriette von Frankreich, Königin von England", nach dem Van Dyck'schen Bilde der Dresdner Gal. (1889), der mit vollkommener Beherrschung des Werkzeugs die malerische Wirkung des Originals flott und frei wiedergibt. Kleinere Holzschnitte nach Rubens u. a. sind in den älteren Bänden der „Graphischen Künste" zu finden. — Als Radierer fast völlig Autodidakt, brachte H. es auch auf diesem Gebiet zu ansehnlichen Leistungen. Während das Blatt nach Piglheins großem Golgathabild „Moritur in Deo" noch die Unreife des Anfängers zeigt, und die Radierungen nach Murillo („Melonenesser", „Würfelspieler", 1881) und Tizian („Madonna mit dem Kinde", Münchner Pinakothek) nicht frei von Härten sind, gelangt er in den Blättern nach Schwind („Die Schöne Melusine" nach Zeichn. von W. H., Text von Hans Grasberger, Wien 1887) und Böcklin (Schackgalerie) mit innigem Verständnis des Originals zur vollen Meisterschaft. Es folgten Radierungen nach Lenbachs weiblichen Studienköpfen (Gemälde, Pastelle, 1884) und Bildnissen („Ludwig II. im Ornat des Georgi-Ritterordens", „Bismarck", „Moltke", „Wilhelm I."), die aber z. T. zu kräftig u. schwer in der Gesamtwirkung sind. Außerdem entstand eine Reihe von Bildnissen nach der Natur („Ludwig II. im Krönungsornat", „Prinzregent Luitpold", „Prinzregent Ludwig", „Piloty"). H.s Stichradierung nach Scorels Mittelbild des Altarwerks in Obervellach beweist sein feines Verständnis für die farbige Gesamthaltung des Originals und die Reize der Landschaft. Er hat auch viel für das Galeriewerk der Gesellschaft für vervielfältigende Künste in Wien u. das Berliner Galeriewerk gearbeitet (Radierungen nach Rembrandt, Vlieger, Ruisdael, Fr. Hals u. a.). Die Wiener Graph. Ausst. v. 1894 brachte eine Gesamtausst. seiner Werke.

Das geistige Dtschland, 1898. — K o s e l , Dtsch-österr. Kstlerlex., I (1902). — J a n s a , Dtsche bild. Kstler in Wort u. Bild, 1912. — Die Graph. Kste, XIII (1890) 73 f. (cf. Chronik p. 9 f.), 78 ff.; XVII (1894) 36 f.; XXX (1907) 68 f. — Münchener Neueste Nachr. 1913 Nr 157 (28. 3.). — C. G l a s e r , Die Graphik der Neuzeit, 1922. — Kat. Graph. Ausst. Wien 1883 p. 72 f., 87; 1886 (Reg.); 1895 p. 58, 77. — Kat. Handz. Nat.-Gal. Berlin 1902.   *B. C. K.*

Hecht, X a v e r , Historien- u. Porträtmaler, geb. in Willisau (Kt. Luzern) 1757, † in Vesoul (Frankreich) 16. 11. 1835. Kopierte alte Meister, die er in Rom (als päpstl. Gardist?) studiert hatte. Arbeitete 1784 für den Erzbischof von Besançon und stellte um 1793 eine für die Pfarrkirche von Ruswil bestimmte Kopie von Raffaels Transfiguration aus. In der ehem. Kap. S. Philipp Neri in Luzern befanden sich von H. 2 Kopien nach Maratta; Bildnisse des „Weißen Waldbruders" in Horw u. der Mutter H.s waren 1889 in Luzern ausgestellt. Für den Freiburger Gemeinderat malte H. das Ölbildnis des P. Gregor Girard; 1816 entstanden das Auferstehungs-Altarbild u. die Deckenfresken (Abendmahl im Chor, Vertreibung der

Händler aus dem Tempel u. Himmelfahrt Mariä im Schiff) der Kirche in Horw; um 1810 ein Altarbild für die Stiftskirche in St. Gallen; 1812—14 die große Komposition der Sempacher Schlacht für die Schlachtkap. bei Sempach, wofür H. Harnische des 17. Jahrh. als Rüstungsmodelle benutzte (das Bild 1885 entfernt). Die Landschaft zeichnete Schmid in Luzern, während die ornamentale Fassung u. das Heraldische von Barozzi aus Bissago gemalt wurden. Auch schuf er die Gemälde der Pfarrkirche von Altdorf (Kt. Uri).

B r u n , Schweiz. Kstlerlex., II (1908); IV (1917) 209.

Hechten, P e t e r d e , Tapissier aus Brüssel. 2. 11. 1604 mit seinem Schwiegervater Lukas von Neuenhofen an die Münchner Teppichfabrik berufen. 23. 8. 1613 entlassen.

M a n f r e d M a y e r , Gesch. der Wandteppichfabriken . . in Bayern, 1892 p. 39, 55, 125.

Heck, A b r a h a m v a n d e n , siehe *Hecken,* A. v. d.

Heck, C l a e s D i r c k s z . v a n d e r , Landschafts- u. Porträtmaler, tätig in Alkmaar, † ebenda 31. 1. 1649; Vater des Marten Heemskerck v. d. H., Neffe des Claes Jacobsz. v. d. H. (s. d.). In seiner Jugend scheint er besonders große Landschaften mit phantastischer Staffage (Versuchung des hl. Antonius u. dgl.) gemalt zu haben, die von Frimmel — wohl irrtümlich (vgl. die Signatur des Wiener Bildes!) — dem ält. v. d. H. zugeschrieben wurden. Später malte oder kopierte H. hauptsächlich kleine Ansichten von Schloß u. Abtei Egmond, sowie des Dorfes Egmond, diese wahrscheinlich nach einem Stich des C. Visscher. Man kennt von H. eine ganze Anzahl voll bez. u. datierter Bilder mit den Jahreszahlen 1630—49. Als Bürger von Alkmaar erklärt er 25. 4. 1617, daß er 1611 das Porträt der Margrieta Heykes gemalt u. ihr Alter, 17 Jahre, darauf angegeben habe. 1613 wurde von ihm ein Schützenbild (Landschaft) im Alkmaarer Rathaus aufgestellt. Bei Moes werden von ihm die Bildnisse des Allard van Cornbalck u. seiner Frau angeführt (1625, verschollen). Eine Landschaft mit Kindern unter Bäumen (voll bez. u. 1630 dat., die Figuren vielleicht von fremder Hand) war 1889 in Leipzig aus dortig. Privatbes. ausgestellt. Arbeiten: *Alkmaar,* Städt. Mus.: 2 Landschaften; *Amsterdam,* Rijksmus.: 2 Ansichten von Schloß u. Abtei Egmond (3 ähnl. Bilder waren 1901 in Alkmaar aus dort. Privatbes. ausgest.; 2 andere in der Slg Verloren van Themaat in Utrecht; eine voll bez. u. 1648 dat. Ansicht des Dorfes Egmond 1912 im Wiesbadener Ksthandel); *ebenda:* Die Laster und ihre Folgen (Berglandsch. m. vielen Figuren u. Ungeheuern, „C. Heck fecit 1636"); *Bamberg:* Landschaft mit zahlreichen Figuren in Zeittracht („C. Heck Inventer fecit 1616"); *St. Petersburg,* Slg

Somoff: Versuchung des hl. Antonius („C. Heck 1649"); *Wien,* Privatbes.: Berglandschaft mit einem betenden Heiligen, die Felsen des Vorder- u. Mittelgrundes tiefbraun, die Ferne in kalten, grünlichen Tönen („C. Heck fecit 1630", Abb. u. Faks. bei Frimmel, der eine Versuchung des hl. Antonius, ebenfalls Wien, Privatbes., erwähnt). Ein „Hexensabbath in einer Ruinenlandschaft", voll bez. u. dat. 1636, ein Bild mit starkem flämischem Einschlag, war in der Verst. E. Moll Sen. u. a. Amsterdam 15. 12. 1908 (No 49), eine „Gesellschaft im Freien mit Blick auf Alkmaar", voll bez. in der Verst. J. J. v. Allen u. a., Amsterdam 22. 11. 1910.

A. v. W u r z b a c h , Niederl. Kstlerlex., I (1906) m. ält. Lit. — v. M a n d e r , Leven der .. Schilders, dtsche Ausg. v. F l o e r k e , 1906. — H o f s t e d e d e G r o o t , Quellenstud. z. holl. Kstgesch., I (1893). — C. W. B r u i n v i s , Levensschetsen .. over beeld. Kunstenaars .. te Alkmaar.., Privatdr. 1905 u. Nachtr. Oud Holland, XXVII (1909) 119; XXXVII (1919) 192. — F r i m m e l , Blätter f. Gemäldekde. I (1904). — M o e s , Iconogr. Batava, 1907 No 1813, 8544₁. — Bull. Nederl. Oudhk. Bond, III (1908). — Kat. Rijksmus. Amsterd. 1920; Städt. Samml. Bamberg 1909. — Mitt. v. A. Bredius u. C. Hofstede de Groot. *B. C. K.*

Heck, C l a e s (Nicolaes) J a c o b s z. v a n d e r , Maler, tätig in Alkmaar, † ebenda Dez. 1652; Onkel des Claes Dircksz. v. d. H., mit dem er neuerdings öfters verwechselt wurde. Nach van Mander, der ihn bes. als Landschaftsmaler rühmt, ein Verwandter des Martin Heemskerck (das Verwandtschaftsverhältnis nicht geklärt) u. Schüler des Jan Nagel († 1602). Mitgründer der Alkmaarer Malergilde 1631. H. malte 1616, 18 u. 20 drei Landschaften mit Urteilen weiser Richter (Graf Wilhelm III. v. Holland, Kambyses, Salomo) für das Rathaus in Alkmaar, die sich jetzt im Städt. Mus. ebenda befinden. Houbraken erwähnt noch andere Bilder von ihm: eine große Cebestafel mit dem Bildnis des Gelehrten Adriaen Metius († 1625) bei A. le Fevre in Egmond-op-den-Hoef, eine Bauernkirmes u. eine Waldlandschaft mit der Predigt Johannes d. T. bei dem vorsitzenden Schöffen G. van Vladderakken in Alkmaar (sämtlich verschollen).

Lit. s. u. Heck, Claes Dircksz. v. d.

Heck, M a r t e n H e e m s k e r c k v a n d e r , Landschaftsmaler, Sohn des Claes Dircksz. v. d. H., tätig in Alkmaar. Erhielt seine Taufnamen nach Marten van Heemskerck, dem Bruder der Großmutter s. Vaters, Neeltgen Jacobsdr. 1643 läßt H. ein Kind begraben, 1648 † seine Frau. 8. 9. 1653 wird er Mitglied der Alkmaarer Malergilde, 1654 deren Regent. Nach Houbraken, der diese beiden Daten überliefert, malte er alte holländ. Burgen in der Art R. Roghmans, bes. Ansichten des Schlosses u. der Abtei Egmond in ihrem Zustand nach der Zerstörung von 1573. Wurzbach vermutet, daß Houbraken die Taufnamen verwechselt habe

und daß sich diese Angaben auf H.s Vater beziehen (?). 1647 vergoldeten beide die neue Orgel der Groote Kerk in Alkmaar.

A. v. W u r z b a c h , Niederl. Kstlerlex., I (1906) 660 („Heemskerk"). — C. W. B r u i n v i s , Levensschetsen .. over beeld. Kunstenaars .. te Alkmaar .., Privatdr. o. J. [1905].

Heck, R o b e r t (Wilhelm Emil R.), Genre-, Landschafts- u. Porträtmaler, geb. in Stuttgart 25. 4. 1831, † das. 11. 11. 1889. War bis 1849 Zimmermaler und schloß sich aus religiöser Schwärmerei dem Wanderprediger Werner an. 1853 Schüler von Rustige an der Stuttgarter Kunstschule; 1855 erster Preis für Ölmalerei. Seine Genrebilder, in denen er schwäbische Motive behandelt, erinnern in charakteristischer Weise an seinen Lebensgang, wie die Bilder des Stuttgarter Mus. „Wanderprediger in Schwaben", „Schwäbische Landleute in einer Stadtkirche" u. das nach Sydney verkaufte Gemälde „Empfang des neuen Pfarrers in einer Gemeinde im Schwarzwald". Eine Reise nach Südfrankreich u. Italien (1863 in Rom) erweiterte H.s Stoffgebiet durch Darstell. italien. Architekturen, Landschaften u. Genrebilder („Krater des Vesuv während des großen Ausbruchs", i. Bes. der Univ. Tübingen; „Campo Vaccino" u. „Nervaforum in Rom"). Seine Gemälde „Iphigenie am Meeresgestade" (Glaspalast-Ausst. München 1876) u. „Antigone ihren gefallenen Bruder Polyneikes auf dem Schlachtfelde suchend" (Landesausst. Stuttgart 1881) zeigten ideale Auffassung u. schöne Gesamtwirkung. Andere Werke im Ulmer Rathaus („Turkos in den Kasematten von Ulm"), im Besitz der Könige von Württemberg u. Preußen sowie in deutschem, engl. u. amer. Privatbes. „Pygmalion" u. „Anakreon": Deckengemälde, Villa Siegle in Stuttgart. Zeichnungen in Nürnberg, Germ. Nat.-Mus. („Beschießung von Straßburg 1870" u. a.) u. Mus. Ulm.

M ü l l e r , Kstlerlex., IV (Nachtragsbd von S e u b e r t). Kstlerlex., 1882. — S i n g e r , Kstlerlex. — Ausführl. Nekrol. in „Schwäb. Kronik" 1889 p. 2459 (v. 14. 12. 1889). — F. v. B ö t t i c h e r , Malerwerke des 19. Jahrh., I 1 (1891). — Kstchronik, I (1866) 23; XII (1877) 260, 499. — Akten des Dtsch. Kstlerver. Rom (Mitt. F. Noack).

Hecke, v a n d e n , Teppichwirkerfamilie in Brüssel (16.—18. Jahrh.), die mehrere bedeutende Künstler hervorbracht hat. — Das Verwandtschaftsverhältnis der im Stammbaum (s. unten) nicht genannten Künstler ist nicht näher festzustellen.

A. W a u t e r s , Essai hist. sur les tapiss. etc. de Bruxelles, in Bullet. des Commiss. Roy. d'art et d'archéol., XVI (1877) 549—56; XVII (1878) 164—71 (Hauptarbeit). — Hist. gén. de la tapiss., 1878—84. Pays-Bas [par A l e x. P i n c h a r t],

S t a m m b a u m d e r v a n d e n H e c k e :

	Frans I	
Jan Frans		Anton
Frans II	Peter	

p. 127. — J. G u i f f r e y , Hist. de la tapiss., 1886. — H. G o e b e l im Cicerone, XIV (1922) 17—31 („Das Brüsseler Wirkergeschlecht der van den Hecke"), leider ohne Nachweise der benutzten Lit. — Cat. de la Collect. du Duc de Berwick et d'Albe, Paris 1877. — X. B a r b i e r d e M o n t a u l t , Invent. des Tapiss. . . conservées à Rome, Arras 1879. — *Speziallit.* s. unter den einzelnen Artikeln.

A n t o n , 10. 7. 1649 Lehrling des Tiermalers F. Snyders. Als Dekan der Zunft wurde er 15. 11. 1669 privilegiert, weil er seinen beiden Amtsvorgängern zur Deckung eines Fehlbetrags eine größere Summe vorgeschossen hatte. Er bewohnt 1656 das Haus, das dem Jan (s. unten) gehört hatte, und erwirbt 1664 und 1669 mehrere Hausgrundstücke. Nach Übernahme eines städt. Amts nicht mehr als Teppichwirker tätig.
W a u t e r s l. c. XVI 555 f.
F r a n s I, wahrscheinlich Sohn des Jan (s. u.). 15. 3. 1629 privilegiert, Dekan der Zunft (1640), Hoftapissier und städt. Beamter. Arbeitete nach den berühmten, von Rubens und dessen Schülern zum größten Teil in Ölfarbe ausgeführten Kartonfolgen. Die Qualität der Ausführung und die Farbenwirkung der in großer Zahl erhaltenen, meistens mit prachtvollen Bordüren versehenen Teppiche sind bei den mit der vollen Signatur des Meisters bez. Stücken durchweg vortrefflich, was in der Regel auch von den mit seinen Initialbuchstaben oder dem Monogramm versehenen Arbeiten gilt. Daneben kommen aber auch geringere Stücke mit schmaler, blauer Bildkante vor, die nach Goebel wahrscheinlich auf Bestellung außerhalb der Werkstatt angefertigt wurden. Von der Rubensfolge des Triumphs der Kirche war in der 1877 in Paris verst. Samml. Berwick-Alba eine Folge von 11 Stück vorhanden, von denen 7 Teppiche F. V. H. (Frans Van den Hecke), die übrigen mit den Initialen des Jan Frans (s. u.) bezeichnet waren. Ferner besaß nach Wauters der Graf Oñate in Madrid 22 „Frachois (!) Van den Hecke" bez. Teppiche. In der Vatikan. Samml. zu Rom befinden sich mehrere F. V. H. bez. Einzelteppiche dieser Folge, drei weitere Stücke einer anderen Wiederholung, von denen die Begegnung Abrahams und Melchisedeks F. van den Hecke, ein anderes mit dem Propheten, dem der Engel Brot und Wein bringt, mit den Buchstaben F. V. H. in schmaler Bildkante bezeichnet ist, befinden sich im Genfer Museum. Von der nach Rubens' Geschichte des Decius gearbeiteten Folge befindet sich der „Franchois van den Hecke" bez. Triumph Roms nach Goebel in der schwed. Staatssamml. zu Stockholm, während das Leben des Menschen, eine prachtvolle, von einem Rubensschüler unter Benutzung von Stichen des Otto van Veen ausgeführte Folge, in zwei Wiederholungen von je 7 Stück, von denen 1 Teppich mit den Marken I. V. H. und I. R.

(Jan Raet?) signiert ist, im Madrider Schloß vorhanden ist, wo aber der Teppich mit dem Triumph des Todes, der nach Goebel nur in einzigem Exemplar in einer deutschen Sammlung vorkommt, fehlt. Zu derselben Folge gehört auch die Liebe des Menschen, deren Entwurf demselben Meister zugeschrieben wird, und der in 2 Ausführungen von je 7 und 3 Stück ebenfalls in der Madrider Staatssamml. vorhanden ist, während Einzelteppiche im Vatikan (Triumph der Mäßigkeit, bez. F. V. H.) und in der Wiener Staatssamml. (Bruchstück mit Pallas Athene und Venus, bez. F. V. H.) bewahrt werden. Die berühmte nach Le Brun's Entwürfen von G. Audran u. Edelinck gestochene Alexanderfolge hat der Meister in mindestens 2 Wiederholungen ausgeführt, von denen der Triumph auf der retrosp. Kunstgewerbeausst. in Gent (1877) ausgestellt war und in einer geringeren Ausführung im Berliner Kunsthandel vorkam. Schließlich werden Frans I noch eine Jakobsfolge, 4 Einzelteppiche aus der im 17. Jahrh. von verschiedenen Brüssler Werkstätten ausgeführten Geschichte des Paradieses, deren Entwürfe dem Giulio Romano zugeschrieben wurden, in der Samml. Krupp von Bohlen und Halbach (Villa Hügel bei Essen), sowie eine in Rom befindliche Elementenfolge, bez. F. V. D. H., zugeschrieben.
W a u t e r s l. c. XVI 552 ff. — G o e b e l l. c. — L'Art, XXVII (1880) 34.
F r a n s II, ältester Sohn des Ján Frans aus dessen 1. Ehe, beschäftigte um 1703/7 4 Webstühle.
W a u t e r s l. c. XVII 161, 164.
J a n , † 1633/4 als Dekan der Zunft. Man schreibt ihm ein der Marke des Leo (s. u.) sehr ähnliches Monogramm zu, das auf 8 Teppichen einer Alexanderfolge in der Wiener Staatssamml. sowie auf einem Teppich mit dem Raub der Sabinerinnen in der Samml. Chavannes vorkommt.
W a u t e r s l. c. XVI 549. — G o e b e l l. c. m. Abb.
J a n F r a n s , ältester Sohn des Frans I aus dessen 2. Ehe mit der Johanna (Anna) d'Oudesoen, 24. 5. 1662 privilegiert. Arbeitete um 1676/7 mit 21 Webstühlen, von denen 8 seiner eigenen Werkstatt, 6 weitere seinem Sohn Peter (s. u.), 2 dem Erasmus de Pannemaeker und je einer dem Leonard Wyns, Willem de Puttere, Willem van den Sande, Jan Parmentiers und Willem Roelants gehörten. Mit Vertrag vom 7. 6. 1691 verpflichtet er sich gegenüber dem Antwerpener Kaufmann Louis de Lannoy zur Lieferung von 8, den Triumph der Kirche darstellenden Seidenteppichen mit lebensgroßen Figuren von 53 Ellen Länge und $5^{1}/_{2}$ Ellen Höhe binnen 6 Monaten. Offenbar handelte es sich um die Kartons der väterlichen Werkstatt, die Jan Frans in verschiedenen Ausführungen verarbeitete. In der ehem. Samml. Berwick-Alba befand sich die bereits

erwähnte Folge von 11 Stück, von denen 4 Teppiche I. F. V. H. (Jan Frans van den Hecke) bezeichnet waren. Dagegen trug ein wahrscheinlich aus einer anderen Wiederholung stammender Teppich der Slg Braqenié (Paris) die volle Signatur (Jan François Van den Hecke), während der zu dieser Folge gehörige Triumph der Kirche über die Ketzerei in einem Exemplar der Slg Voyson in Abbeville sogar mit einer doppelten Signatur (P. P. Rubens pinxit. Jan Franciscus van den Hecke fecit) versehen war. Ein weiteres Stück aus dieser Folge befindet sich im Wiener Mus. für Kunst und Industrie. Auch von der Alexanderfolge kennt man verschiedene aus der Werkstatt des Jan Frans herrührende Ausführungen. In der Samml. Berwick-Alba befanden sich 12 Teppiche (bis zur Größe 4×9 m), deren aus üppigem Rankenwerk und Blumengewinden gebildete Bordüren am oberen Rand mit dem Wappen des Columbus und der Devise „a Castilia et a Leon nuebo mundo dio Colon" geschmückt waren, und von denen die Schlacht bei Arbela mit der vollen Signatur (Joannes Franciscus van den Hecke) versehen war. Eine geringere Wiederholung von 10 Teppichen befindet sich in der Madrider Staatssamml., während 3 schöne Einzelstücke (darunter 2 Jan Francis van den Hecke, bzw. I. F. V. Hecke bez.) in der Würzburger Residenz vorhanden sind (die übrigen 6 dort befindlichen Teppiche stammen aus der Werkstatt des Jan Peemans). Ferner befinden sich Einzelteppiche der Alexanderfolge im Bruchsaler Schloß (2 Stück) und in der Kathedrale zu Toledo (2 Stück), während 3 weitere Stücke, davon 2 bez., auf der Pariser retrosp. Gobelinausst. 1876 ausgestellt waren. Im Würzburger Schloß befindet sich auch die aus 2 Teppichen mit allegor. Frauengestalten bestehende prachtvolle Folge der 4 Elemente (Terra et ignis, bez. I. F. Van den Hecke; Aër et aqua), von der ein Stück (Ignis et terra, bez. I. F. V. H.) auch in der Wiener Staatssamml. vorhanden ist. Von der nicht weniger hervorragenden Folge der durch die verschiedenen Beschäftigungsarten charakterisierten 4 Jahreszeiten wird ein vollständiges Exemplar in der Münchner Staatssamml. bewahrt, während sich 2 Einzelstücke in Wien befinden. Aus einer Jahreszeiten- oder Monatsfolge stammen auch 3 Einzelteppiche in der Salzburger Residenz (je 2 Monate, bez. mit voller Signatur bzw. I. F. V. H.), deren reiche Blumenbordüre am unteren Rand eine von einer Schlange umwundene Kugel enthält. Jacquemart erwähnt eine Marcus de Vos und I. F. V. Hecke bez. Jahreszeitenfolge. Weitere ebenfalls bez. Einzelstücke, Triumph der Venus und des Apollo, Jagdszene aus der Zeit Ludwigs XIV. u. a. nach Entwürfen von J. Ch. Lotin, befinden sich im Bayr. Nat.-Mus. zu München. Zu dieser oder einer verwandten

Folge gehören wahrscheinlich auch Apolloteppiche (Slg Krupp von Bohlen und Halbach und im Londoner Kunsthandel), sowie einige Teppiche (Diana und Endymion, Zeus und Kallisto u. a.) in Seusslitz, die ebenfalls mit einiger Wahrscheinlichkeit der Werkstatt des Jan Frans zugeschrieben werden.

Wauters l. c. XVI 552—5; cf. 324, 569, 571; XVII 149; ders. in Roddaz, L'Art ancien à l'Expos. nat. belge, Brüssel 1882 p. 229 ff. u. Les Tapiss. historiées à l'Expos. nat. belge etc. — Donnet, Doc. p. s. à l'hist. . . de tapiss. de Bruxelles; Extr. des Annales de la Soc. archéol. de Bruxelles, X; XI; XII, Brüssel 1898. — A. v. Wurzbach, Niederl. Kstlerlex., I (1906) 654. — Jacquemart, Hist. du mobilier, p. 149. — Jahrb. der ksthist. Slgn des allerh. Kaiserh., II (1884) Reg. T. I. — Kstdenkm. Bayerns, III H. XII, Stadt Würzburg, 1912 p. 703 (Reg.) m. Abb. — Kstdenkm. Königr. Sachsen, XXXVII (1913) 360 m. Abb. — Österr. Ksttopogr., XIII (1914) m. Abb. — Boletin de la Soc. españ. de excurs., XIV (1906) 31, 32 Anm. 1 u. 2. (Tormo y Monsó). — Staryje Gody, 1908 p. 193 f. m. Abb. (A. Benois). — Badische Heimat, IX (1922) 67 f., 73, 75. — Führer öst. Mus. f. Kst u. Ind., 1901 p. 174; 1914 p. 67. — Führer Bayr. Nat.-Mus., München 1908 p. 307. — H. Schmitz in P. Clemen, Belgiens Kstdenkmäler, 1923 II.

Leo, das älteste bekannte Mitglied der Familie. Tätig in Brüssel, erscheint 1576—77 in Antwerpner Urkunden. Bei der Plünderung der dortigen Niederlage (Pant) hatte er 32 Teppiche eingebüßt, die mit seinen Fabrikmarken (H mit einem V zwischen den oberen Querbalken, 2 mit den Spitzen gegeneinandergerichtete Dreiecke) signiert waren, und die er seinen Agenten zum Verkauf in Kommission übergeben hatte. Davon konnte einiges später wieder zur Stelle geschafft werden. Genannt werden 2 „boschaige" (Laubwerk oder Jagden)-Folgen (je 9 und 10 Stück), Geschichte Davids (4 Stück), Geschichte Abrahams (7 Stück). — Wahrscheinlich gehören ihm auch eine in Rom befindliche, mit der liegenden Dreieckmarke bez. Caesarenfolge sowie 8 Teppiche mit Szenen aus dem Hirtenleben und schönen Bordüren in der Wiener Staatssammlung.

F. Donnet, Les Tapiss. de Bruxelles etc. pendant la furie espagnole (1576), Sonderdruck [1894] p. 10 f. 22, (Heque), 28. — Goebel l. c. m. Abb.

Peter, jüngerer Sohn des Jan Frans aus dessen 2. Ehe. 1711 Dekan der Zunft, † 1752, 19. 2. begraben. Als Inhaber einer bedeutenden Fabrik bietet er in einem von Wauters veröffentl. Verkaufskatalog (Mémoire) 5 vollständige nach den in seinem Besitz befindl. Kartons ausgeführte Teppichfolgen an, die z. T. in verschiedenen Größen vorrätig waren, und deren Stücke auch einzeln abgegeben wurden. Darunter befanden sich die Geschichte der Psyche (7 Stück); die 4 Jahreszeiten und die 4 Elemente (4 und 2 Stück, erstere nach Entwürfen des W. v. Schoor), die Freuden der

Welt, eine offenbar aus älteren Beständen zusammengestellte Folge (6 Stück); die Bauernfeste, sogen. Teniersfolge mit kleinen Figuren (9); Geschichte des Don Quijote ebenfalls mit kleinen Figuren (8 Stück). Von den Kartonfolgen werden einige auch 1752 im Nachlaßinventar aufgeführt (s. u.). Daß die Aufzählung aber keineswegs vollständig ist, geht aus den noch in großer Zahl erhaltenen Arbeiten der Werkstatt hervor. Auf Schloß Pau werden 4 Einzelteppiche der Bauernfeste, aus dem Besitz des Pariser Garde-Meuble, aufbewahrt (schlecht erhalten), darunter das Maifest oder der Bauerntanz („le Mai"), der Früchtemarkt u. a., sämtlich bez. P. V. der Hecke. In Paris wurde 1877 eine Don Quijote-Folge (5 Stück), bez. P. van den Hecke, versteigert, die sich seit 1725 im Besitz einer Familie in Tournai befand, während die Samml. Hubert Meersman (Granada) 6 bez. Teppiche dieser Folge besitzt. Ebendort auch die Krönung Salomos (Einzelteppich, wohl aus den Freuden der Welt). In einem französ. Kroninventar aus der Zeit Ludwigs XIV. wird eine aus 7 Stück bestehende Don Quijote-Folge beschrieben. Im Genter Rathaus werden 8 schöne Einzelteppiche mit einfach gewebter, schlichter Rahmenleiste, die aus der ehem. Peterskirche herrühren (sämtlich P. van den Hecke bez.), aufbewahrt, darunter 5 (Apollo und die Musen; Neptun und Amphitrite; Minerva belohnt Malerei, Skulptur und Musik; römischer Triumph; Diana mit ihren Nymphen) mit dem Wappen der Genter Körperschaft Vieux Bourg, die übrigen eine Ärzteversammlung, eine Alexanderschlacht nach Le Brun, die Flucht der Cloelia und Penelope mit ihren Mägden darstellend. Ein Einzelteppich aus einer unbekannten Folge, junge Dame bei der Toilette in einem Park, bez. P. V. D. H., befindet sich im Pariser Garde-Meuble. In dem 1755 mitsamt dem Hause von den Erben verkauften Werkstattinventar befanden sich Jan van Orley's Kartons mit der Geschichte der Psyche, die man für eine für Maria Theresia bestimmte Teppichfolge benutzt hatte, die von M. de Haese entworfenen Kartons der „Berühmten Frauen", eine danach ausgeführte Folge — zu der Goebel den Penelopeteppich in Gent (s. o.) rechnet — sowie 2 weitere Teppichfolgen: Die Geschichte des Don Quijote und die 4 Jahreszeiten. Auf jene für die Kaiserin bestellte Arbeit scheint sich auch eine von Peters Erben 18. 9. 1755 bei dem Minister Grafen Cobenzl in Brüssel eingereichte Rechnung zu beziehen, sodaß die von einigen Forschern bezweifelte Existenz dieser vielleicht noch auffindbaren Folge außer Zweifel stände.

W a u t e r s l. c. XVII 864—71; cf. 222, 224, 227 u. XVI 332; d e r s. in R o d d a z, L'Art ancien à l'Expos. nat. belge, Brüssel 1880 p. 231 f., 234 m. Abb. — G o e b e l l. c. — D. v a n d e C a s t e e l e, Notice sur la Maison des Etats

etc., Extr. du Bull. Archéol. liégeois, XV (1879) 37 f. — Jahrb. der Ksthist. Slgn des allerh. Kaiserh., II (1881), Reg. T. I. — J. G u i f f r e y in Inv. gén. des Richesses d'art etc., IV (1900) 154 f., cf. 147 Anm. 1. — Inv. gén. oeuvres d'art, Ville de Paris. Edif. civ. II (1889). — Journal des beaux-arts, Brüssel 1877 p. 128. — Nouv. Archives de l'art franç., 1892. — Museum II, Barcelona 1912 p. 254. — Kstchronik, N. F. XXXI (1920) 446 (fälschlich Hoecke). — Jadis (belg. Ztschr.), 1912 Juni p. 90 f. <i>B. C. K.</i>

Hecke, A b r a h a m v a n d e n, siehe *Hecken,* A. v. d.

Hecke, J a n I v a n d e n, Maler u. Radierer, geb. zu Quaremonde bei Audenaerde 1620, † zu Antwerpen 22. 8. 1684. Er wurde in Antwerpen 1637 Lehrling des Abrah. Hack u. 1642 Meister u. meldete dort 1659 u. 1672 Lehrlinge an. Seit 1660 war er mit Maria Adriana Heyens verheiratet, von der er 4 Kinder, darunter Jan II v. d. H. bekam. Wann seine Reise nach Italien u. Frankreich und seine Tätigkeit im Auslande, von denen de Bie berichtet, anzusetzen sind, steht nicht fest; jedenfalls war H. 1644 in Antwerpen, sodaß die Wahrscheinlichkeit für die Zeit zwischen 1644 u. 1659 spricht, in der er dort nicht erwähnt wird. H. hat Landschaften, kleine Figuren u. Stilleben gemalt. Blumen u. Fruchtstücke von ihm haben sich bes. in der Wiener Gemäldegal. erhalten, wo von einer größeren, im Inventar des Erzherzogs Leopold Wilhelm erwähnten Zahl noch 4 (eines davon ein Blumenkranz um ein Bildnis von Lievens) und 2 aus anderem Besitz stammende nachzuweisen sind. Ein 1658 dat. Jagdstilleben befindet sich in der Schleißheimer Gal., ein Frühstückstilleben in der Slg Tritsch in Wien. Zwei oder drei Landschaften von H. findet man auf dem Gonzales Coques zugeschr. Galeriebilde (No 238) im Mauritshuis im Haag; eine Kreuzabnahme ebenda bleibt zweifelhaft. Wahrscheinlich gehört ihm eine Landschaft mit den Gestalten der 4 Elemente in Dessau (Amalienstiftung). Einen Jahrmarkt sah v. d. Branden 1883 in der Slg Baron Frederick de Gilman zu Antwerpen. Ferner hat H. eine Reihe Radierungen, meist Tiere darstellend, geschaffen; doch scheint es, daß ein Teil dieser Blätter, insbesondere die mit dem Zusatz „junior" hinter dem Namen versehenen, von Jan II v. d. H. sind. Theodor van Kessel stach eine Folge von 18 Tierzeichnungen H.s. Zeichnungen von H. u. a. in der Albertina zu Wien.

A. v. W u r z b a c h, Niederl. Kstlerlex., I (1906), m. ält. Lit.; III (1911). — R o m b o u t s - L e r i u s, Liggeren, II. — J. v. d. B r a n d e n, Gesch. der Antwerpsche Schilderschool, 1883. — Jahrb. der Ksthist. Slgn des a. h. Kaiserh., I T. 2 (unter Eck). — G. G l ü c k, ebda, XXIV (1903); d e r s., Niederl. Gem. a. d. Slg Alex. Tritsch, Wien 1907 p. 42. — J. M e d e r, Handzeichn. . . aus der Albertina usw. (Gen.-Reg.). <i>Z. v. M.</i>

Hecke, J a n II v a n d e n, Maler u. Radierer, geb. zu Antwerpen 19. 6. 1661. Heiratete 18. 10.

1699 in Wien und wird 1702 ebenda als Taufpate erwähnt. Über die ihm zugeschriebenen Radier. vgl. den Art. seines Vaters Jan I.

H a j d e c k i in Oud Holland, 1907 p. 23 (J. van Egge!).

Hecke, J a n v a n, Holzbildhauer, geb. 1699 in Dadizeele bei Brügge, † 25. 5. 1777 in Brügge. Schüler von H. Pulincx d. ä. u. M. de Visch. Fertigte nach eigenem Entwurf an der reichen Kanzel von Notre Dame in Brügge (Zeichn. von J. A. Garemyn) die Statue der Weisheit u. 4 Flachreliefs (Bergpredigt, Jesus u. die Samariterin, Verklärung Christi u. Guter Hirt).

E. v. A r e n b e r g h in Biogr. Nat. de Belg., VIII (1886) 819. — E. M a r c h a l, Sculpt. etc. belges, ² 1895. — H. R o u s s e a u, Sculpt. aux XVIIᵉ et XVIIIᵉ siècles, 1911.

Hecke, J o s e p h, Landschaftsmaler, geb. 1810 in Mülheim am Rhein, 1835 Schüler der Düsseldorfer Akad. unter Schadow u. J. W. Schirmer.

N a g l e r, Kstlerlex., VI. — R a c z y n s k i, Kstler-Wörterbuch z. Gesch. d. neueren deutschen Kst, 1842.

Hecke, siehe auch *Heck* u. *Hecken.*

Heckel (Hecquel, Ekel), Kunsttischler in Paris um 1800, vielfach beschäftigt für die Napoleonischen Residenzen, zeigte reichverzierte Möbel in der Pariser Expos. industr. 1806. — Mᵐᵉ E k e l in Straßburg i. E. lieferte ebenfalls zahlreiche Möbel in kaiserl. Auftrag.

L a f o n d, L'art décor. et le mobilier s. 1. républ., 1900 p. 58, 69, 83, 86, 96. — V i a l, M a r c e l, G i r o d i e, Art. décor. du bois, I (1912).

Heckel, A b r a h a m, Kupferstecher u. Radierer, vermutlich deutscher Abkunft, tätig in Kopenhagen, 2. Hälfte 18. Jahrh. Für C. Niebuhrs „Reisebeschreibung nach Arabien u. and. uml. Ländern" (Kopenh. 1774/78) radierte er eine Tafel mit Abbild. morgenländ. Musikinstrumente, für Th. Holmskjold's „Beata ruris otia fungis Danicis impensa etc." (Kopenh. 1790 f.) stach er mehrere Tafeln nach den Vorlagen von J. Neander und für das Titelblatt (1795) radierte er eine Flora; andere Blätter: Sandsteinfig. norweg. und isländ. Bauern im Nationalkostüm im Nordmandsdal des Parkes von Schloß Fredensborg, Reiterstatue Friedrichs V. in Amalienborg, Bildnis der Charlotte Amalie († 1782), Tochter Friedrichs IV. (wegen seiner Häßlichkeit unterdrückt und darum selten).

W e i l b a c h, Nyt Dansk Kunstnerlex., 1896. — Nouv. arch. de l'art franç., 1895. — S t r u n k, Cat. over Portr. af det Danske Kongehuus, 1882 No 635, 713.

Heckel, A n d r e a s, siehe *Henkel,* A.

Heckel, A u g u s t v o n, Historien- u. Genremaler, geb. in Landshut 26. 9. 1824, † in München 26. 10. 1883. Studierte 2 Jahre an der Augsburger Kunstschule, dann als Schüler Schorns und Foltz' an der Münchner Akad. Stellte 1850 sein erstes, vom Münchner Kunstverein angekauftes Bild „Atala" aus, dem

1851 das Bild „Schwäbische Auswanderer" (nach Freiligrath) folgte. Eine kleinere Wiederholung wurde (1854) vom Wiener Kunstverein angekauft und von Jos. Bauer in Kreidemanier lithographiert. In den nächsten Jahren entstanden Bilder wie „Mignon und der Harfner", „Nach dem Hagelwetter" (von Max II. von Bayern angekauft), „Gretchen am Spinnrade", „Chiemgauer Fischermädchen", „Der Findling", sowie das große Bild „Episode aus dem Bauernkriege" (1855, aus Bremer Privatbes. ebenda 1863 ausgest.). H. ging dann zu Studienzwecken nach Paris und Belgien, worauf ein 3 jähriger Aufenthalt in Italien folgte (1857—58 Mitglied des Deutschen Künstlervereins in Rom). Nach seiner Rückkehr nach München vollendete er sein Riesenbild „Judith zeigt dem Volke das Haupt des Holofernes", eine mit großem Aufwand von Statisten, Landschaft u. Architektur in der Art Schnorrs bis zur Karikatur heroisierte Szene mit überlebensgroßen Figuren, das er, nachdem es auf verschied. Ausstell. gewesen war, nach Philadelphia verkaufte. Aus Rom brachte H. neben 2 dort ausgestellten kleineren Bildern („Morgen auf der Piazza Navona in Rom", „Arme Bauern ziehen über das abendliche Forum") eine große Ölskizze „Einzug Ludwigs des Bayern in Rom 1328", mit, die er neben 2 anderen Kompositionen („Kurfürst Max Emanuel hält 1692 seinen Einzug als Statthalter in Brüssel", „König Max I. gründet das Armenbad Kreuth") für das Münchner Nat.-Mus. al fresco ausführte (das erstere als eines der besten dort vorhandenen Bilder gelobt). Außerdem zeichnete er mit Piloty, Makart, Ramberg u. a. Holzstöcke für die Cotta'sche illustr. Schiller-Ausgabe, verarbeitete ital. Studien und Landschaftsskizzen zu kleinen Bildern, z. B. „Das Gängelband", „Heimkehrende Bauern" (Motiv von Ischia), „La Madonna della febbre" (Olevano), und malte einige Mädchenköpfe („Frühling", „Erato"). Mit seinem Bilde „Die Tochter der Herodias" „bewies er seine Begabung für sinnlich reizende Frauengestalten". Zu H.s Hauptwerken gehört noch ein Bild mit lebensgr. Figuren: „Lear verstößt seine Tochter Cordelia", das in Berlin (Akad. Kstausst. 1866), Dresden, Paris (Weltausst. 1867) u. London ausgestellt war (kleinere Wiederholung: Akad. Kstausst. Berlin 1872). Die schwierige Aufgabe schien in der lieblichen Gestalt der Hauptfigur, der die übrigen Figuren allerdings nur als Folie dienten, glänzend gelöst; aber auch die Äußerlichkeiten waren mit Geschmack dargestellt (Stich von Fr. Mayr, Holzschnitt in der „Gartenlaube" 1873 p. 547). Von einem Bilderzyklus (Leben der hl. Elisabeth, Album mit 9 Kompositionen), sowie 8 kleineren Aquarellen zu Wagners „Parsifal", Arbeiten, die Ludwig II. bei H. bestellte, verlautet nichts weiter. Außerdem lieferte H. dem König viele Entwürfe (Wandgemälde, Surporten, Gobelins) für die Schlösser Linderhof, Fernstein usw. Das 1876—77 für die blaue Grotte in Linderhof gemalte große Ölgemälde „Tannhäuser im Venusberg" ist durch Feuchtigkeit gänzlich zerstört (Tafel [p. 104] bei Kobell, König Ludwig II. und die Kunst). Von sonstigen Arbeiten nennen wir eine mißglückte „Kleopatra", als Gegenstück zum Learbild entstanden (akad. Kunstausst. Berlin 1872), Genrebilder mit ital. Reminiszenzen („Flötespielendes Mädchen", Motiv aus Ischia, auf einer Londoner Kunstausst. 1871 verkauft, u. a.), sowie ein Fresko („Kinderstube") in einer Familiengruft des Münchner Südfriedhofs. Seit 1880 siechte H. an einem unheilbaren Gehirnleiden dahin.

H. Holland in Allg. dtsche Biogr., L (1905) 556—61, m. Lit. — H. Pecht, Gesch. der Münchener Kst, 1888. — Zeitschr. f. bild. Kst, I (1866) 245; VIII (1873) 95. — Dioskuren, 1860—62. — Archiv des dtsch. Kstlerver. Rom. — Giornale di Roma, 1857 Nr 116. — Allg. Zeitg 1883 Nr 362 Beil. — Notizen F. Noack.

Heckel, Augustin und Catharina, siehe unter *Heckel*, Michael.

Heckel, Christian, Kupferstecher u. Radierer in Leipzig, geb. in Bischofswerda, † — sehr jung — 11. 10. 1705 ebendort oder in Leipzig. Schüler u. Gehilfe M. Bernigeroths. Da er seine Blätter fast nie bezeichnete, ist sein Werk ziemlich unerkannt. Doch lassen sich aus den Briefen Chr. Fr. Boëtius' an Hagedorn eine Anzahl seiner Hauptblätter feststellen: 4 vorzügliche Prospekte von Leipzig (Radier.), einer dat. 1704, bei P. Schenk in Leipzig erschienen; Titelblatt zu Joh. Gg. Schmidts „Gestriegelte Rockenphilosophie" (Bd I 1705 in Chemnitz ersch.), Kupfer zur Zeitlerischen Bibel. Eine Ansicht von Bischofswerda ist bezeichnet „Christianus Heckelius". Wustmann schreibt ihm 2 weitere Leipziger Ansichten zu: „Prospekt von den Kühthurm" u. „Inwendiger Prospect des Bosischen Gartens". Ein Skizzenbuch H.s kam in den Besitz J. A. Thiele's, der in seinen Landschaftsradierungen von H. stark beeinflußt wurde.

Torkel Baden, Briefe von u. an Chr. L. Hagedorn, 1797 p. 133 f., 136, 137 f. — G. Wustmann, Aus Leipzigs Vergangenheit, 1885 p. 180 f.; ders., Leipz. Kupferstich in: Neujahrsbl. d. Bibl. u. d. Arch. Leipzig, III (1907). — M. Stübel, Landschaftsmaler J. A. Thiele, 1914 p. 13 ff.

Heckel, Christoph (Johann Chr.), Maler u. Klavierbauer, geb. 12. 8. 1792 zu Mannheim, † 1. 12. 1858 daselbst. Sohn des Kapellmeisters Johann Jakob H. zu Wien, erhielt er seine Ausbildung als Maler auf der Wiener Akad., wurde später Gutsbesitzer auf der Haardt, dann Klavierbauer in Mannheim. 1821 stellte er in Karlsruhe einen Amor, Bildnis und 2 Stilleben aus, 1823 ebenda ein Bildnis der Sängerin von

Sales nach Sales (Kopie) und 1 Stilleben (Schmuckkästchen). Beethoven saß ihm zu einem Bildnis im Konzertsaale des Flügelfabrikanten Streicher; dieses Bild, das auf der Schubert-Ausst. in Wien 1897 gezeigt wurde, befindet sich im Besitz Emil Heckels Erben in Mannheim. Ferner Bildnisse der Eltern und Verwandten im Besitz der Frau Leontine Machnik, Wien, ein Selbstporträt im Bes. von Franz Steiner, Wien, ein Stilleben im Besitz von Karl Heckel, Schöngeising b. München.

Familienpapiere. — Nagler, Kstlerlex., VI 28. — Kunstblatt 1821 p. 306 (2×); 1823 p. 190. — Fr. Faber, Convers.-Lex. f. bild. Kst, 1845 ff., VI. — Alte Mannheimer Familien, II 1922. — *Kataloge:* Ausst. aus Mannh. Privatbes. 1917; Schubert-Ausst. d. St. Wien, Künstlerhaus 1897 No 28. — Frimmel, Beethoven-Studien, I. *Beringer.*

Heckel, Erich, Maler u. Graphiker in Berlin, geb. am 31. 7. 1883 zu Döbeln in Sachsen, studierte 1904/5 anderthalb Jahre in Dresden Architektur an der Techn. Hochschule unter F. Schumacher, gab Anfang 1906 das Studium auf, um in das Architektur-Bureau von W. Kreis in Dresden einzutreten. Dort arbeitete er bis Sommer 1907, um sich dann ganz der Malerei u. Graphik zuzuwenden, mit der er sich schon während seiner Architekturstudienzeit ohne jede fremde Anleitung beschäftigt hatte. Heckel ist Mitbegründer der Künstlergemeinschaft „Brücke". Von der Schulzeit in Chemnitz her verband ihn Freundschaft mit dem ein Jahr später an die Techn. Hochschule gekommenen Schmidt-Rottluff und Bekanntschaft und nachmalige Freundschaft mit dem älteren, schon längere Zeit in Dresden weilenden E. L. Kirchner. 1906 stellten die Freunde das erstemal gemeinsam bei Richter in Dresden unter dem Namen „Brücke" Gemälde und Graphik aus und gaben im gleichen Jahr die erste der alsdann alljährlich folgenden Graphik-Mappen heraus. Veranlaßt durch die Ausstell. E. Noldes bei Arnold in Dresden 1906 trugen die Freunde diesem die Mitgliedschaft der „Brücke" an. Nolde beteiligte sich zwischen 1906 und 1909 an den Ausstell. u. Veröffentlichungen. Ebenso wurde Amiet die Mitgliedschaft angetragen, der in der Folgezeit an den Ausstell. teilnahm. Bei der Vorarbeit zur Dresdener Kunst-Gewerbe-Ausstell. von 1906 traf Heckel auf Pechstein, der ebenfalls Brücke-Mitglied wurde. Otto Müller trat gelegentlich der Ausstell. der „Zurückgewiesenen der Sezession" (Galerie Macht in Berlin) 1910 in die Gemeinschaft. 1913 löste sich die „Brücke" formell auf. — Während der Sommer 1907, 1908 und Herbst 1910 hielt sich H. in Dangast am Jadebusen auf, winters in Dresden, Frühjahr 1909 in Italien, Sommer 1909 und 1910 in Moritzburg bei Dresden, Sommer 1911 in Prerow a. d. Ostsee. Ende 1911 Übersiedelung nach Berlin. Sommer 1912

Hiddensöe. Sommer 1913 und 1914 Flensburger Förde. Während des Kriegs freiwilliger Pfleger in Belgien: 1915 in Roeselare und Ostende, 1916 in Gent, 1917/18 in Ostende. Von 1919 ab sommers an der Flensburger Förde, in den Frühjahren Reisen in Süddeutschland. Durch die Kameradschaften im Felde ergaben sich für ihn, ähnlich wie ehemals in Dresden, jedoch auf Grund eines anderen Lebensgefühls, neue menschliche Verknüpfungen, deren Wirkung sich seitdem für seine künstlerische Entwicklung fruchtbar zeigt.

Von den künstler. Ausdrucksmitteln des Impressionismus ausgehend, wandten sich H. und seine Freunde von vornherein von den landläufig und allgemein gewordenen Stofflichkeitsschilderungen ab. Nur der Weg, der durch die Kunst van Goghs, Gauguins und Munchs ermöglicht war, erschien gangbar. Dies bedeutet formal: das Ergreifen der Zusammenhänge flammender und ungebrochen leuchtender Farbmassen, und dadurch die Steigerung der Lichtwerte der Erscheinungen im Bilde auf Kosten ihrer sachlichen und plastischen Einzeldeutlichkeit; in Hinsicht der künstler. Leidenschaftlichkeit: die unmittelbar optische Hinnahme und Umsetzung jedes Elementar-Reizhaften ungeachtet der Herkunft. Das Geistige in dieser Kunst fällt nicht zusammen mit der „Geistigkeit" eines anregenden Gegenstandes, eher mit der einer Situation oder besser: mit dem Grad ekstatischer Gespanntheit, in der den Künstler ein Reiz trifft. Das Stoffgebiet H.s ist ausgesprochen unkonventioneller Art. Natureindrücke leidenschaftlicher Hinnahme, motivlose Landschaft und das Bereich unbekümmerten, unidyllischen Daseins sind sein Gebiet. Von dichterischen Prägungen beschäftigten ihn Figuren Dostojewski'scher Romane, später solche Jean Pauls. Ziel ist die Darstellung einer außergesellschaftlich beseelten Lebensform, der er sich, dem Zwange seiner Zeit vorauseilend, vom Bereich des Untergesellschaftlich - Triebhaften (Proletarier, Artisten, Irre) nähern mußte. — Auf graphischem Gebiet arbeitet H., vom Holzschnitt seinen Ausgang nehmend, in allen Techniken (Landschaften, Köpfe, namentlich Matrosen, badende Menschen) und mit sparsamen Mitteln, das ausgesparte Weiß in Rechnung ziehend. In den besten Jahren beschränkte sich H.s Graphik lediglich auf lithographische Umsetzung seiner Bilder.

Hauptbilder: „Frau am Meer" (1913), Mus. Essen; Triptychon „Frau vor Blumen" (1913), Mus. München-Gladbach; „Herbst" (1914), Ksthalle Hamburg; „Ostender Madonna" (1915), Kronprinzen-Palais Berlin; „Zwei Männer am Meer" (1915), Gal. Dresden; „Drei Frauen am Meer" (1921), Ksthalle Mannheim; „Stufen des Daseins" (Fresken 1922—23), Mus. Erfurt.

Das Kstblatt (herausg. von P. Westheim), I (1917) 161—79 (Westheim u. Wallerstein); vgl. auch Verz. d. Abbild.; II 283/92 (G. Schiefler, E. H.s graph. Werk); III; V u. VI, vgl. Verz. d. Abbild. — Genius, III (1921/22) 73 ff. (Sauerlandt). — C. Glaser, Graphik d. Neuzeit, 1922; ders. in Kst u. Künstler, XVIII 53 ff. — K. Scheffler in Kunst u. Künstler, XVI (1918) 249/56; ebenda XII; XV; XVIII—XX (1921/22), vgl. Verz. d. Abbildgn. — P. F. Schmidt in Zeitschr. f. bild. Kst, N. F. XXXI (1920) 257/64 („E. H.s Anfänge"). — Cicerone, VI (1914) 95; IX (1917) 24, 176, 214; X 13 (Abb.), 14; XI 55, 259, 566; XIII 1 ff., 121, 124, 365, 399, 500; XIV 82, 355, 479, 522; XV (1923) 227 f. — Kstchronik, XXVIII (1916/17) 89 ff.; XXXIV (1922/23) 337 ff. *L. Thormaehlen.*

Heckel, Friedrich, siehe *Ekel,* Fr.

Heckel, Johann Georg, Glasermeister u. Porzellanfabrikant in Frankfurt a. M., geb. 1698, † 1775. Ersteigerte 1741 den Porzellanhof und wird in dems. Jahre als Porzellanfabrikant bezeichnet. Nach dem Tode seines ältesten Sohnes trat der jüngere, Johann Friedrich, der seit 1753 als Porzellanmaler in St. Cloud tätig war, 1755 in die Fabrik ein; 1763 alleiniger Inhaber. In einem Prozeß, den der junge Advokat Goethe Anfang der 70er Jahre für den alten H. gegen den Sohn führt, wirft H. diesem vor, er habe durch seine Nachlässigkeit die Fabrik heruntergebracht. Vom Niedergang des Betriebs, der gegen die Nachbarfabriken nicht konkurrieren konnte, geben die Prozeßakten (cf. Kriegk, Dtsche Rechtsaltertümer) ein anschauliches Bild. Künstlerische Bedeutung scheint die Produktion der H. nicht gehabt zu haben. 1772/3 wurde der Betrieb wahrscheinlich eingestellt, und der Porzellanhof 1774 an die Gläubiger, zu denen auch der Rat Goethe gehörte, abgetreten.

R. Jung im Archiv f. Frankfurts Gesch. u. Kst, 3. F. VII (1901) 235 ff. — Riesebieter, Dtsche Fayencen, 1921. *B. C. K.*

Heckel (Haeckel), Johann Michael, Schreiner in Trier, 18. Jahrh., fertigte Modelle zu Steinmetzarbeiten für das 1744—50 erbaute Kesselstatt'sche Palais in Trier und lieferte die prächtigen Seitenaltäre der 1734 errichteten dortigen Paulinuskirche.

Trierische Chronik, N. F. XVI (1920) 112. — Mainzer Ztschr., X (1915) 13.

Heckel, Michael, Goldschmied in Augsburg, heiratete 1685, † 1726. Bediente sich der Marke MH mit Blatt. Eine ganze Anzahl seiner Werke stellt Rosenberg zusammen, von denen die vergoldete Fassung eines Elfenbeinzylinders (von J. Elhafen) mit Reiseuhr im Besitze des Großherz. von Baden genannt sei (Abb. bei Biermann, Barock u. Rokoko). Nachzutragen ist ein silberner Trinkhumpen mit alttestamentl. Fig. aus der ehem. Samml. A. v. Liebermann, Berlin (Versteig.-Katal. Heberle, 1894 No 806, mit Abb.). Mit Leonhard I Heckenauer arbeitete er an einer großen Bestellung auf Tische, Stühle usw. für den Bayreuther Hof. — Sein Sohn Augustin,

Ziseleur, Maler u. Stecher, geb. um 1690 in Augsburg, † 1770 in Richmond, ging nach England u. ließ sich in London nieder. Seine Treibarbeiten müssen berühmt gewesen sein. Er erwarb sich ein Vermögen u. konnte sich in ein Landhaus nach Richmond zurückziehen. Dort malte er Landschaften und Blumen in Aquarell, zeichnete und stach in Kupfer. Ansichten von Richmond u. Umgebung haben Ch. Grignion, J. Mason, Vivares u. a. nach ihm gestochen, L. Sullivan stach eine Schilderung der Schlacht von Culloden. H. selbst stach 8 kleine Bl., Ansichten von Richmond u. Umgebung, ein Pferd nach J. Wootton, ein Blatt mit seinem Hund u. 2 Serien Blumen (die eine nebst Anleitung sie zu bemalen). — Ein zweiter Sohn, Johann Zacharias, Goldschmied, † 1713, wird bei Werner genannt, wo noch 2 weitere Goldschmiede des Namens Heckel, wohl der gleichen Familie angehörig, aufgeführt werden. Mitgliedern dieser Familie weist Rosenberg vermutungsweise die Goldschmiedemarken No 418 u. 444 zu. — Eine Tochter Michaels, Catharina, verehel. *Sperling*, Malerin u. Radiererin, geb. 10. 4. 1699 in Augsburg, † 28. 5. 1741 ebenda, war im Zeichnen Schülerin ihres Vaters, im Radieren des Freundes ihrer Familie, J. U. Kraus. Schon 1710, im Alter von 11 Jahren, radierte sie ein „artig Zeichnungsbüchlein" mit zeitgenöss. Modetrachten in Umrißzeichnung, das Kraus verlegte. Von 1712 datiert eine Federzeichnung, die Prudentia darstellend, mit einer Widmung an die Frau des J. U. Kraus, im Kupferstichkab. Berlin (ebenda eine zweite bez. Zeichnung, Junge Paare beim Spiel im Garten). In Öl- u. Miniaturmalerei bildete sie sich autodidaktisch aus. Ihre Miniaturen sollen besonders nach England gegangen sein. 1725 vermählte sie sich mit dem Kupferstecher H. Sperling. Stiche u. Radierungen von ihr in der Hyburtzischen Kinder- u. Bilderbibel u. in J. J. Scheuchzers „Kupferbibel" (1731—35 bei J. A. Pfeffel in Augsburg erschienen). Auch für den „Allmanach auf das Jahr 1741" lieferte sie Illustrationen (J. U. Kraus excud.). Ihr Gatte u. Ferd. Stenglin stachen nach ihr Porträts, J. Ph. Haid die „katholische, lutherische, kalvinische u. griechische Taufzeremonie". G. C. Kilian hat ihr Porträt gestochen.

P. v. Stetten, Erl. d. gest. Vorst. d. Reichsst. Augsburg, 1765; ders., Kst- etc. Gesch. Augsburgs, 1779. — Füßli, Kstlerlex., 1779; II. Teil, 1806 ff. — Heinecken, Dict. des Art. etc., 1778 ff. (Ms. Kupferstichkab. Dresden). — Heinecken-Ms.-Sammelband, Kupferstichkab. Dresden (ausf. Biogr. d. Cath. H.). — Strutt, Dict. of Engravers, 1785 (Hekel). — M. Rosenberg, Goldschmiede Merkzeichen, ² 1911. — A. Werner, Augsburger Goldschmiede, 1913 p. 96. — G. Biermann, Deutsches Barock u. Rokoko, herausgeg. im Anschluß an die Jahrh.-Ausst. Darmstadt, 1914 I p. 337; II p. XC. — Bericht über das Kestnermus. Hannover, 1908—11 p. 41. — Maillinger, Bilderchronik Münchens (Stadt-

mus.), III (1876). — Friedländer, Zeichn. alter Meister im Kupferstichkab. Berlin, I: die deutschen Meister von E. Bock, 1921 p. 186.

Heckel, siehe auch *Haeckel.*

Heckele, siehe *Eeckele.*

Heckeler, Hans u. Hans Georg, siehe *Heckler,* H. u. H. G.

Hecken (Hecke, Heckius, Heeck), Abraham I van den, Goldschmied u. Kupferstecher in Amsterdam, 1. Hälfte 17. Jahrh. Das Brüsseler Musée du Cinquantenaire besitzt von ihm eine Kollektenschale, silbervergoldet (Fuß fehlt) mit gravierter Darstellung, Anbetung der Könige in Medaillon, mit Randinschrift: „Abraham van den Hecken scalp. (!) Franckendaliae". Demnach war H. auch in der niederländ. Künstlerkolonie zu Frankenthal (Rheinpfalz) tätig. Von H. gestochen: 1. Die 3 Männer im feurigen Ofen. Abrahamus Heckius inv. et sculps. I. C. van Sichem exc. Spätere Abdrücke mit den Adressen des Joh. Jansson u. C. Visscher. 2. Folge von 12 Bl. mytholog. Darstell., als Muster zur Verzierung von Dosendeckeln u. anderen ovalen Schmucksachen. Titel auf dem 1. Bl.: Konstbuechlein den Goldschmieden dienstlich. Christoffel van Sichem excudit 1608. Die meisten Blätter bez. Abraham Heckius inv. et celavit. 3. Folge von 12 Bl. mit Goldschmiedeverzierungen, Figuren mit Blumenwerk enthaltend. Bl. 1 mit Titel: Konst Boexken dienstlich den Goudsmeden . . . J. C. Visscher (sehr selten).

Nagler, Kstlerlex.; ders., Monogr., I. — A. v. Wurzbach, Niederl. Kstlerlex., I (1906), Heckius. — Bullet. des Mus. Roy. du Cinquant., VII, Brüssel 1908 p. 27 f. mit Abb.; cf. Cat. Tentoonstell. oude kerkelijk. Kunst, 's-Hertogenbosch, 1913 Nr 682. — Guilmard, Maitres ornem., 1881. — Kat. Ornamentstichsamml. Berlin, 1894. — Ritter, Kat. d. Ornamentstichsamml. d. k. k. österr. Mus., Wien 1889.

Hecken (Heck, Hecke), Abraham II van den, Maler aus Antwerpen, Sohn des Samuel. Heiratet 1635 in Amsterdam die Schwester des Malers Gerrit Lundens und wohnte, nebenbei auch Weinhändler, bis 1655 abwechselnd im Haag und in Amsterdam. Ging dann nach London, wo er wiederholt in den Büchern der niederl. evang. Kirche vorkommt. 3. 3. 1653 macht er einen Kontrakt mit „Joachim Beck, Herr von Gustrow in Dänemark (?), gegenwärtig im Haag"; er soll von ihm ein einfaches Bildnis und ein größeres Bildnis mit allerlei Beiwerk für je 12 und 150 Reichstaler malen. Die Bilder sollen gegen nächsten Mai fertig werden. H.s vollbez. Hauptwerk, eine Bauerngesellschaft von über 30 Personen, in der Art des J. M. Molenaer, nach Wurzbach im Besitz von H. Wertheimer in London. H. signiert Heck oder Hecke. Besonders häufig malt er einen Philosophen vor seinem Arbeitstisch (Bilder in Frankfurt a. M., Slg v. Mumm, im Besitz des früheren deutschen Kaisers u. a.). Ein charakteristisches Merkmal sind die äußerst sorgfältig und farbenprächtig gemalten Teppiche, die auf seinen meisten Bildern vorkommen. Andere Werke in Amsterdam, Rijksmus. (Die Metzgerei; der Ingenieur Cornelis Meyer, ganze Figur) und St. Petersburg, Ermitage (Die Reue des Judas, bez. u. dat. 1654). Eremit am Fenster, Art Rembrandts, 1898 in Hees (Holl.), Privatbes. In Warschau, Slg. Abbé de Mrozowski: Bildnis eines Rabbiners (voll bez.), ehem. Slg Peltzer, Köln: Familienbild, voll bez. Im Nachlaß des Juweliers Aert Conincx († Amsterdam 1639, Vater des Malers Philip Koninck) war ein voll bez. Stilleben, Vasen mit Blumen.

A. v. W u r z b a c h , Niederl. Kstlerlex., I (1906), Heck. — A. B r e d i u s , Kstlerinventare VII, Nachtr. (Quellenstud. zur holl. Kstgesch. XIII), 1921 p. 15; 100 ff. — Jahrb. d. preuss. Kstsamml., XI (1890) 77 f. — Kstchronik, XX (1885) 200. — Repert. f. Kstwiss., VIII (1885) 84 (Heek). — Oud Holland, V (1887). — Kat. Reichsmus. Amsterd., 1920. — Coll. Semenov, St. Petersburg, 1906. — Jahrb. der Bilder- u. Kstblätterpreise, Wien 1911 ff., IV; V/VI. — M i r e u r , Dict. des Ventes d'art, III. — Mitt. C. Hofstede de Groot.

B. C. K.

Hecken, S a m u e l v a n d e n , Maler aus Antwerpen, wo er 1616/7 als Meister der Lukasgilde vorkommt und 1620 einen Lehrling anmeldet. Vater des Abraham II. Aus 2 Briefen, die er um 1617/8 an den Verleger u. Dekan der Lukasgilde Jan Moretus II richtete, geht hervor, daß er diesem eine Anzahl Platten zu liefern hatte und daß er eine Reise nach Holland, Frankfurt und weiter vorhat. Ein Samuel van den Hecken (Beruf unbekannt) wird 1629 in Leiden erwähnt. 1635 u. 37 ist der Maler H. in Amsterdam nachweisbar. Sein einziges bekanntes Werk ist eine fein gemalte Landschaft (Die vier Elemente) in der Amalienstiftung zu Dessau, bez. S. v. d. Hecken.

R o m b o u t s - L e r i u s , Liggeren, I. — Boek gehouden door J. Moretus II (Maatschappij der Antwerpsche Bibliophilen Nr 1), 1878. — B r e d i u s , Kstler-Invent. VII, Nachtr. p. 100 f. (Quellenstud. z. holl. Kstgesch. XIII), 1921. — Zeitschr. f. bild. Kst, XIV (1879) 389. — Kat. Gem.-Samml. Amalienstiftg Dessau, 1913 Nr 400.

Heckenauer (Heggenauer), Augsburger Goldschmiede- u. Kupferstecherfamilie des 17. u. 18. Jahrh.: W i l h e l m I, aus Giengen bei Ulm, Münzmeister, heiratete 1571, 1585 u. 1590, war 1586/87 Vorgeher, † 1626. Sein Sohn W i l h e l m II erhielt 1620 für eine Münze, „darin das neue Rathaus geprägt", Bezahlung. War seit 1618 Stadtaichmeister. — L e o n h a r d I, Silberarbeiter, heiratete eine Tochter des Augsburger Goldschmieds Hans II Kolb, zahlte 1667 Steuer, war 1669, 88—91 Vorgeher, † 1705 (nach Werner). 1671 soll er in Augsburg ein Legierbüchlein herausgegeben haben. Mit M. Heckel zusammen führt er große Aufträge auf Tische, Stühle usw. für den Hof zu Bayreuth aus. — Sein ältester Sohn L e o n h a r d II, Kupferstecher, geb. wohl zwischen

1650—60 (Weyermanns Angabe, er sei 1627 geb. u. zuerst in Ulm tätig gewesen, würde eher auf den Vater, Leonhard I, passen), † angeblich 1704 in München, war Schüler B. Kilians d. J., besuchte Italien u. ließ sich dann in Augsburg nieder, wo er eine Zeichnungsakad. in seinem Hause errichtete. Er hat sein Bestes als Porträtstecher geleistet. Seine Stiche, häufig in Linienmanier, tragen die Jahreszahlen 1679—1704. Die Zeichner, nach denen er stach, sind die Merian, J. V. Grambs, J. H. Roos, D. de Savoye, J. C. Beischlag, Isaac Fisches u. a. Ein vollständiges Verzeichnis seiner Porträtstiche liegt nicht vor. Die Zusammenstellungen bei Weyermann, Nagler, Le Blanc können durch die Bibl. Bavarica u. Duplessis erweitert werden. Wir nennen von ihnen nur sein Selbstporträt, die Porträts seines Bruders Johannes (Musiker), 1681, u. seines Vaters, 1691. H. stach auch szenische Darstell. (nach P. da Cortona, J. C. Loth, C. Maratti), war als Ornamentstecher tätig („Romanisches Laubwerck", 1. u. 2. Teil [„in Rom selbst nachgezeichnet"], erschienen bei J. Wolff, Augsburg; „Neues Lauberbüchlein", erschienen bei J. U. Stapf, Augsburg; „Neues Goldschmidtsbuch", Verlag von Kolb, Augsburg) u. als Stecher von Thesenblättern (Apotheose des hl. Benedikt nach J. K. v. Reslfeld, 1701). Ferner finden sich Stiche von ihm in zahlreichen Buchwerken: J. v. Sandrarts „Acad. nob. artis Pictoriae", 1683, u. „Admiranda sculpturae veteris", 1683 (Stiche antiker Statuen); „Erneuertes Augspurgisches Friedens Gedächtnuß", 1678; ¶„Abbildungen Beeder Römm. Kays. . . . Königl. Majestäten u. . . . Churfürsten . . . auf dem . . . Wahltag in . . . Augsburg im Jahr 1689 u. 1690"; H. Scherers S. J. „Geographia Hierarchica", 1703 (nach den Zeichn. von J. Degler); N. Goldmanns „Erste Ausübung der Anweisung zur Civilbaukunst", 1708. — J a k o b W i l h e l m , Kupferstecher, † 1738 in Wolfenbüttel, war Schüler B. Kilian's u. wohl auch seines Bruders Leonhard II. Tätig zuerst in Augsburg. Die Porträts seiner Augsburger Zeit, wie die B. Kilian's (nach J. C. Beischlag), 1696, u. Chr. R. Schifflin's, 1701, sind seine besten. Für den Verleger J. Wolff stach er „Romanisches Laubwerck, 3. Theil". Von Augsburg ging er nach Berlin, wo er 1703 mit P. Decker Plan u. Ansicht des Schlüterschen Schloßbaues (6 Bl.) herausgab u. neben andern Porträts das König Friedrichs I. stach. 1705 erscheint er in Wolfenbüttel, wo er eine Samml. von Gesimsmotiven nach G. Charmeton stach. 1709 ist er dort Hofkupferstecher. Er arbeitete vor allem Porträtstiche (meist nach T. Querfurt) für den Hof: Herzogin Elisabeth Juliane, Prinz August Ferdinand, Herzöge Anton Ulrich, Rudolf August, August Wilhelm, Ludwig Rudolf usw. In Technik u. Zeichnung sind die meisten Porträtstiche dieser Zeit roh u. nachlässig. Noch unbedeutender sind seine übrigen Werke: Das 1710 herausgegebene „Artis in Valle Salina Theatrum", 18 Stiche nach Bildern der Salzdahlumer Gal.; „Conspectus Celeberrimae Fabricae et Aulae Magnif. in Saltzdahlum" (15 radierte Ansichten von Schloß u. Garten); Abbildung der Altarwand der braunschweig. Schloßkirche; Wiedergabe einer in Salzdahlum blühenden Aloe von 1732; Ansicht der Stadt Wolfenbüttel u. des dort. Schlosses; ebenso seine Buchillustrationen, so zu Brückmanns „Epistolae itinerariae", 1737 u. J. S. Leuckfelds „Antiquitates Gandersheimenses", 1709. Besser gelangen ihm ornamentale Werke wie eine Kartusche mit alleg. Sinnbildern auf das Herzogshaus, Blätter zu Taschenkalendern von 1711, 1728 u. 1730. Auf einen Aufenthalt in Wien schließt Nagler aus kleinen Andachtsblättern u. allegor. Darstell. mit der Unterschrift J. W. H. sc. Vienna. Auch ein mit vollem Namen versehener Stich „Garten u. Palais des Prinzen Eugen von Savoyen" um 1730 u. die Mitarbeit als Stecher an G. Bibienas „Giardini reali de Tarquinii" u. an dessen „Theateranlage u. Dekor. für Aufführung eines Festspiels im Schloß zur Prag" (1723) weisen dahin. Doch könnte für diese Blätter auch an den in der Wiener Universitätsmatrikel 1731 genannten W i l h e l m , Kupferstecher, gedacht werden. — Einer andern Linie der Familie scheinen anzugehören: P h i l i p p , Goldschmied, † 1729, heiratete 1705 als Witwer. Von ihm vielleicht ein Krummstab, silbervergoldet, mit Meistermarke P H , um 1710, in der Domkapitelsakristei Würzburg. — J o h a n n P h i l i p p , Goldschmied, † 1794. Heiratete 1748, war 1765 bis 68 Geschworener. Inhaber der Marke J P H im Rechteck und wohl auch der Marke J P H im Dreipaß. Danach von ihm eine teilvergoldete Weinkanne mit Inschrift von 1744 in der Katharinenkirche zu Schwäbisch-Hall u. eine silberne Taufkanne mit Schüssel, von 1744 in Beutelsbach (Württemberg). Seine Spezialität scheinen Silberleuchter gewesen zu sein. Solche finden sich: in der Silberkammer der Münchner Residenz (von 1764), in den kaiserl. Palästen in St. Petersburg, der Allerheiligenkirche zu Erfurt (Jahresbuchstabe 1771 bis 72), in der Stiftskirche und dem Propsteigebäude zu Mattsee (Jahresbuchstabe 1775 bis 77), der Pfarrkirche zu Eibelstadt, Unterfranken (Jahresbuchstabe 1777—79), in Aachener Privatbesitz (Jahresbuchstabe 1777—79), in der Silberkammer im Schloß zu Weimar.

Allgem. Lit.: P. v. S t e t t e n , Erläut. der gest. Vorst. der Reichsstadt Augsburg, 1765; d e r s . , Kst-, Gew.- u. Handwerksgesch. Augsburgs, 1779. — F ü ß l i , Kstlerlex., 1779; II. Teil, 1806 ff. — H e i n e c k e n , Dict. des Art. etc., 1778 ff. (Ms. Kupferstichkab. Dresden). — A. W e y e r m a n n , Neue Nachrichten von Ge-

lehrten u. Kstlern etc., 1829. — N a g l e r , Kstlerlex., VI. — Diözesanarchiv v. Schwaben, XIV (1896) 98. — Zeitschr. d. hist. Ver. f. Schwaben u. Neuburg, XIV (1887) 232. — W e r n e r , Augsburger Goldschmiede, 1913 p. 54. — Zu *Leonhard II:* L e B l a n c , Manuel de l'Amat. d'Est., II. — J. W i c h n e r , Kloster Admont, 1888. — O. L o c h n e r v. H ü t t e n b a c h , Jesuitenkirche zu Dillingen, 1895 p. 53. — Kst- u. Altertumsdenkm. in Württemberg, Donaukr. I (1914). — Bibl. Bavar. (Lagerkatal. Lentner, München), 1911 No 4641, 4647, 4952ᵃ, 5051, 5053, 5059, 9537. — D u p l e s s i s , Cat. Portraits Bibl. Nat. Paris, 1896 ff., I 2824, 2993, 3244/3, 4, 3286, 3376/14, 3401/47, 48, 3729, 4095, 5167, 5191; II 5730, 5731, 7586, 7795/4, 8367; III 10876, 12038, 13075, 14165/2, 3, 14374/20, 14541, 14548, 14592, 15230, 15870; IV 16648/29, 16708, 17223, 18501, 18503/2, 3, 20004, 20017, 20433, 20469, 20650, 20872, 20873; V 21872, 21892, 21929, 22241, 22318, 22807, 22837/6, 23625/43, 23625/44, 24903, 24905; VI 27052, 27112/106, 27610. — Kat. d. Ornamentstichsamml. d. Kstgew.-Museums Berlin, 1894. — Altbayr. Monatsschrift, II (1900) 113, 114. — Zu *Jakob Wilhelm:* K. S t e i n a c k e r , Die Graph. Kste in Braunschweig u. Wolfenbüttel etc. (S. A. des Braunschw. Jahrbuchs 1906), p. 75—79 (ausführlich). — Bau- u. Kstdenkm. des Herzogt. Braunschweig, III/I (1904) 3, 121.— R o w i n s k y , Russisches Portr.-Lex., 1886 ff., IV 645. — D u p l e s s i s , Cat. Portraits, Bibl. Nat. Paris, 1896 ff., III 12330, 13928/34; V 22122, 22877/33, 24847; VI 28091. — Kat. d. Ornamentstichsamml. des Kstgew.-Mus. Berlin, 1894. — N a g l e r , Monogr., IV. — C. v. L ü t z o w , Gesch. d. Wiener Akad., 1877. — I l g , Fischer von Erlach, 1895. — Kat. d. Hist. Mus. der Stadt Wien, 1888 p. 80. — Zu *Philipp:* Kstdenkm. Bayerns, III Heft 12 (1915) 86. — Zu *Johann Philipp:* M. R o s e n b e r g , Goldschmiede Merkzeichen, ² 1911. — A. O v e r m a n n , Die älteren Kstdenkm. d. Stadt Erfurt, o. J. p. 374. — Österr. Ksttopogr., X (1913) 294, 317.— Kstdenkm. Bayerns, III Heft 1 (1911) 61. — Kat. Ausst. f. christl. Kst in Aachen, 1907, 2. Abt. No 198. — P a z a u r e k , Alte Goldschmiedearbeiten aus schwäb. Kirchenschätzen, 1912 p. 47, Taf. 46² (Abb.). — A. d e F o e l k e r s a m , Inv. de l'Argent. des Palais Imp. etc., Petersburg, 1907 I Taf. 43 (Abb.); II p. 137, 143, 150, 155. *J. M.*

Heckendorf, F r a n z , Maler u. Graphiker in Berlin-Steglitz, geb. in Berlin am 5. 11. 1888, Schüler der Unterrichtsanstalt des Berl. Kunstgewerbemus. und der Akad., im wesentlichen aber Autodidakt. Einer der begabtesten Vertreter der jungen deutschen Künstlergeneration, dessen persönliche Note in seinen von ungeheurer Dynamik des malerischen Vortrages erfüllten und starker Innerlichkeit der Empfindung getragenen Landschaften bisher ihren reifsten Ausdruck gefunden hat. Als 20jähriger bereits (1909) stellte er in der Berl. Sezession 2 Straßenbilder aus, die noch unter dem Eindruck der impressionist. Malweise standen. Sehr bald aber trat ein völliger Umschwung seiner Technik und maler. Anschauung ein, und er fand einen neuen Stil, der unter grundsätzlicher Aufgabe aller rein imitativen Absichten darauf ausging, „alles optisch Wahrnehmbare zu vergeistigen und in die Sphäre des visionär Geschauten zu übersetzen"; das bedeutete die Erfüllung des Programms des modernen Expressionismus, zu dessen überzeugendsten Verkündern H. zählt. Einen harten, aber sehr ausdrucksvollen Kontur zu der zeichnerischen Grundlage seiner Kompositionen machend, bringt er durch eine sprunghaft unvermittelte Nebeneinandersetzung seiner oft bis zur Roheit kräftigen, leuchtenden Lokalfarben, die sich ebenso bewußt von jeder naturalistischen Wiedergabe trennen wie seine Linienführung, einen vehement gesteigerten Natureindruck hervor. Die Bewegungssuggestion, die von seinen Landschaften, über die es wie Wetterleuchten zuckt, ausgeht, resultiert aus der dröhnenden Wucht ihrer malerischen Faktur, in der viel weniger eine äußerlich erregte Stimmung der betreffenden Natursituation als die innere Erregung des schaffenden Künstlers zum Ausdruck kommt, daher diese Landschaftsvisionen einen durchaus subjektiven Charakter tragen. Auch in seinen Bildnissen, Stilleben, und figürlichen Kompositionen weicht H. einer objektiv-porträthaften Wiedergabe grundsätzlich aus; die Heraushebung des psychischen Inhalts, selbst um den Preis einer Vergewaltigung des Objektes, ist ihm auch hier das Ziel. Ausgesprochen begabt für das dekorative Fach, hat H. auch das Monumentalgemälde in den Bereich seiner Kunst gezogen: Gestrandet (Berl. Sezess. 1917), Auferstehung Christi (ebenda 1918, Abb. im Katalog), Löwenjagd, doch macht sich eine gewisse jugendliche Unausgeglichenheit in diesen figürlichen Kompositionen noch geltend. Das Reifste, was H. bisher geschaffen hat, sind seine Landschaften, Motive aus dem Berl. Tiergarten, vom Wannsee usw., besonders aber die Landschaften, die er während des Weltkrieges als Kampfflieger an der Ostfront, auf dem Balkan, am Bosporus und am Tigris zu malen Gelegenheit hatte: Notbrücke, Übergang über die Angerapp (Berl. Sez. 1915, Abb. im Katal.); Vormarsch deutscher Truppen an der Morawa (ebenda 1916, desgl.), Balkanlandschaft (ebenda 1917, desgl.), Ansichten von Konstantinopel, Karawane im Hochgebirge usw. In allen Techniken gerecht und ein ungemein leicht produzierendes Talent, was ihn bisweilen zu Flüchtigkeiten in der malerischen Durchführung verleitet, pflegt H. neben der Ölmalerei das Pastell, Aquarell und die Lithographie. 1917 brachte er eine Mappe mit 12 farbigen Lithogr. heraus, deren Motive ebenfalls dem Leben im Orient entnommen waren, wie es H. während des Feldzuges kennengelernt hatte, 1919 ein Mappenwerk „Sonne" (10 farb. Orig.-Lith. Verlag Wasmuth A.-G. Berlin). Eine umfangreiche Sonderausstell. in der Kestner-Gesellsch. in Hannover Mai/Juni 1918, die Gemälde wie Graphik umfaßte, gab einen guten Überblick über die Ernte seiner ersten Schaffenszeit (Katal. XVII. Sonderausst., mit Einleitg von P. E. Küppers).

— Mitglied des Deutschen Künstlerbundes und (seit 1917) Jury-Mitglied der Berl. Sezession, beschickt er seit 1909 die Gemälde- und Schwarz-Weiß-Ausstell. dieser beiden Vereinigungen; außerdem wiederholt Sonderausst. im Berl. Graph. Kabinett Neumann und bei Hans Goltz in München.

Joachim Kirchner: Fr. H. („Junge Kunst" VI), Lpzg 1919; ders. in Cicerone, XI (1919) 389/402. — W. Wolfradt in Feuer, II 1 (Weimar 1920/21) 195—202. — Kunst u. Künstler, VIII 179; XII 230; XV 289; XVI 122. — Cicerone, IV (1912) 936; V 847; IX 61, 410; X 218; XI 287 (Abb.); XII 8 f. (Abb.). — Deutsche Kst u. Dekoration, XXXIII 17 (Abb.); XXXIV 164 (Abb.); XXXVII 269, 271 (Abb.); XLI 242 (Abb.), 244; XLIV 168 (Abb.),ʼ169; L (1922) 187 (Abb.). — Kstchronik, N. F. XXIX (1918) 466 f. — Die Kunst, XXVII 484, 487 (Abb.); XXXIII 139 (Abb.); XXXVII 116 (Abb.); XLI 384 (Abb.); XLIII 48 (Abb.). — Ausst.-Katal. (Berl. Sez. u. Dtscher Künstlerbund). *H. Vollmer.*

Hecker, Christian Friedrich (nicht Carl Friedr.), Gemmenschneider aus Tirol, † 15. 4. 1795 in Rom, wo er seit 1784 nachweisbar ist. Neben Pichler und Marchant galt er als einer der besten röm. Gemmenschneider. In den Handbüchern wird er seit Meusel durchweg mit K. W. Höckner (s. d.) vermengt. In einem Brief an den Baron Heinrich von Offenberg (Hofmarschall und Reisebegleiter des Herzogs Peter von Kurland in Italien 1784 bis 1785), dat. Rom 12. 11. 1785, unterschreibt er sich wie oben angegeben. Der Herzog hatte ebenso wie andere vornehme und reiche Romfahrer von ihm antike Kameen und Intaglien, freie Nachbildungen, Pasten und andere Steine gekauft. Seine Arbeiten sind in der Regel „Hecker", einmal „C. F. Hecker", und in 2 Fällen (griech.) ‚EKER" signiert. Die Herkunftsbezeichnung (wohl Tiroliensis) scheint sich lediglich auf 2 weiteren Arbeiten zu befinden; vgl. Trésor de numismat. etc., Paris 1836 Taf. XV Nr 10 u. 14. — Nach Goethe, Winckelmann und sein Jahrh., 1805 p. 358, war H. ein Freund des Bildhauers Trippel, nach dessen Anleitung er „etwas weicher und runder" — wie es dort heißt — als der gleichzeitig in Rom tätige Engländer Marchant arbeitete, der dagegen „mehr Geist und eine feinere Geschmacksbildung" besessen habe. Eine Gemme H.s mit Goethekopf nach Trippel's Büste war 1789 im Besitz von Goethe's Mutter (Brief Joh. Heinr. Merck's, der ihn fälschlich „Necker" nennt, an den Herzog Karl August von Weimar vom 28. 3. 89, worauf dieser 8. 4. eine Nachbildung bestellt), später in Goethe's Besitz, wie aus dessen Briefen an Eichstädt (12. 11. 1803) und Nicolovius (2. 4. 1827: „Beykommend ein Bildnis von Hecker nach Trippel") hervorgeht (Intaglio in Siegelringfassung, bez. HECKER, im Goethe-Nat.-Mus. zu Weimar). Rollett's handschriftl. Verzeichnis (s. Lit.) führt eine ganze Reihe von H.s Kameen und Intaglien mit Darstell. nach der Antike und eine Kamee nach Thorwaldsen, sowie folg. moderne Bildnisse (Kameen) auf: Galilei; Michelangelo (Abb. beider im Trésor de numism. l. c.); Clemens Wenzel, Prinz von Sachsen, Kurfürst u. Erzbischof von Trier (Goldring in Rollett's Slg); Clemens XIV. (Slg. Piatti-Collalto). Ferner: Amor einen Schmetterling opfernd, Intaglio, größere Darstell.

Meusel, Neue Miscell. artist. Inhalts, I (1795) 125 (Todesdatum); Teutsches Kstler-lex., ² III (1814) 102 f. (Höckner-Hecker), cf. „Berichtungen" p.569 (Höckner!).—F r. N o a c k , Dtsch. Kstleben in Rom, 1907 p. 410 (als Höckner, röm. Daten für H.). — Jahrb. der Goethe-Ges., II (1915) 203—5, m. Taf. (H. T. K r ö b e r , m. weit. Lit.). — R o l l e t t , Die Glyptiker, Ms. Bibl. U. Thieme-Lpzg. — Brief-liche Mitteil. von O. Clemen aus Nachlaß Offen-berg in Mitau v. 8. 6. 1917.   *B. C. K.*

Hecker, C h r i s t o p h , Danziger Gold-schmied, geb. 1708, 1751 Meister, † 9. 10. 1784. Vater des Joh. Carl. In der ev. Kirche zu Fürstenwerder (Kr. Marienburg) von ihm eine silb. Weinkanne, in Ladekopp, Kath. Kirche, eine Platte mit 2 Meßkännchen von 1774, im Danziger Stadtmus. eine Kuchenschaufel.

Bau- u. Kstdenkm. Westpreußen, IV (1919) 54, 111. — E. v. C z i h a k , Edelschmiedekst früherer Zeiten in Preußen, II (1908). — Mitteil. des Stadtmus. Danzig.

Hecker, F r a n z , Maler u. Radierer, geb. in Bersenbrück (Westfalen) 15. 11. 1870, lebt in Osnabrück. Studierte an der Düsseldorfer Akad., in München und an der Acad. Julian in Paris (Lehrer Bouguereau). Studienreisen nach Holland, Italien usw. Malte zuerst haupt-sächlich Porträts, wandte sich aber um 1900 mehr der Landschaft und dem Genre unter Behandlung heimischer Motive zu. Zunächst Leibl-Nachahmer in Interieur-Motiven (Spinn-stuben u. dgl.), zeigt sich H. selbständiger in stimmungsvollen Wald- und Heide-Landschaften, Darstell. alter Kirchen usw.; Bilder, in denen er dem Lichtproblem viel Sorgfalt widmet. Am fruchtbarsten und glücklichsten ist H. vielleicht als Radierer mit malerisch aufge-faßten Landschaften oder derbwuchtigen Bauernköpfen („Aus der Heimat", Mappe mit 6 Orig.-Rad., anderes im Selbstverlag usw.). Der Dürerbund Osnabrück veranstaltete im Sommer 1903 im Osnabrücker Mus. eine Ausst. von Ölgemälden, Pastellen, Zeichnungen usw. (Samml. heimischer Motive). — Ein Ge-mälde H.s im Mus. zu Osnabrück.

J a n s a , Dtsche bild. Kstler, 1912. — S i n - g e r , Kstlerlex., Nachtr. (1906 u. 1922). — D r e s s l e r , Kstjahrb., 1906—21 II. — Die Kst, VII (1903). — Kst f. Alle XVIII. — Die Kst-welt, Jahrg. 3, Bd 2 (Febr.-Mai 1914) Abb. vor p. 441 u. 456, 461/4. (Rad.). — Kat. Gr. Kst-ausst. Berlin, 1897 p. 33; 1900 p. 29; 1901 p. 28, 1906. — Glaspal.-Ausst. München, 1897 p. 33; 1900 p. 29; 1901 p. 28; 1906; 1909 p. 203; 1911; 1914. — Neuigk. des dtsch. Ksthandels, 1908 p. 29; 1909 p. 113, 146; 1910 p. 105, 129, 141; 1912 p. 182.

Hecker, F r i e d r i c h , siehe *Hecker,* Chri-stian Fr.

Hecker, J e a n - B a p t . , Hofbildhauer in Nancy, arbeitet 1751—59 im Palais de l'Inten-dance (P. du Gouvernement).

L a m i , Dict. des sculpt. . . 18ᵉ siècle, I (1910).

Hecker, J o h a n n C a r l , Goldschmied in Danzig, Sohn des Christoph (s. d.), Meister 1784, Ältermann 1801, 05, Kompan 1800, 04, † nach 1812. Von ihm ein silbernes Schäl-chen (mit reichen Blumen- u. Rocaillemotiven in getriebener Arbeit) und eine silb. Dose (auf dem Deckel in Rocaillerahmen nacktes Mäd-chen in Landschaft, in getriebener Arbeit) in der ehemal. Slg Gieldzinski, Danzig, Kelche in Rahmel (Westpr.), Danzig, Trinitatis- u. Bri-gittenkirche, teilvergoldetes Reliquiar im Dom zu Frauenburg.

E. v. C z i h a k , Edelschmiedekunst früherer Zeiten in Preußen, II (1908) No 511. — Kat. Slg Gieldzinski, Danzig; Versteig. Lepke, Berlin 1912 No 1290, 1386 (mit Abb.).

Hecker, J o h a n n K a s p a r , Kunstschlosser in Schwyz, fertigte 1737—39 (Vertrag v. 25. 8. 37) das eiserne Chorgitter der Kirche zu Engelberg.

P. I g n a z H e s s , Klosterbau in Engelberg, Diss. Freiburg (Schw.), 1914 p. 61; d e r s . in Brun, Schweiz. Kstlerlex., II (1908).

Hecker, K a r l , Architekt in Düsseldorf, der aus öffentlichen Wettbewerben der 1880er und 90er Jahre wiederholt als Sieger hervor-ging: 1. Preis Kreisständehaus in Bonn (1889, gemeinsam mit Fr. Deckers [s. d.]); 2. Pr. Konzerthaus der „Liedertafel" in Mainz (1888); 1. Preis u. Ausführung Kstgewerbemus. Düssel-dorf (1890; voll. 1896, der Westflügel 1906 angefügt). Gemeinsam mit Deckers baute er das Hôtel auf dem Petersberg, Villen in Düssel-dorf, Barmen usw.

Zeitschr. f. bild. Kst, N. F. I (1890) 195; Kstchronik, XXIV (1889) 11, 584; N. F. III 501.

Heckheler, H a n s und H a n s G e o r g , siehe *Heckler,* H. u. H. G.

Heckius, A b r a h a m , s. *Hecken,* A. v. d.

Hecklauer, J o h a n n , Glockengießer u. Orgelbauer, geb. 1596 in Nordhausen am Harz, † in Schleswig 13. 8. 1652, wurde 1619 von Christian IV. zur Anfertigung eines kunst-reichen Glockenspieles für Schloß Frederiksborg verpflichtet, das 100 verschiedene Kirchenlieder spielen sollte. 1621 aufgestellt, fand es aber nicht die Zufriedenheit des Königs und wurde 1629 wieder abgenommen. 1620 war H. in die Dienste des Herzogs Friedrich III. von Schleswig getreten und wurde 1624—26 für Renovierung der Orgel in der Schloßkapelle zu Gottorf, 1626/27 für Anfertigung einer neuen Orgel für die Schloßkapelle in Husum bezahlt.

W e i l b a c h , Nyt Dansk Kunstnerlex., 1896. — B e c k e t t , Frederiksborg, II (1914). — H a r r y S c h m i d t , Gottorfer Künstler, I; in

„Quellen u. Forsch. d. Ges. f. Schleswig-Holst. Gesch.", Bd. IV (1916).

Heckler (Häckler, Heckeler, Heckheler), H a n s˙ (Johann), Baumeister aus Denkendorf bei Eßlingen in Württemberg, wurde am 5. 8. 1622 zum Münsterbaumeister in Straßburg bestellt, welches Amt er bis Januar 1642 innehatte. Er reparierte 1625/26 die durch Blitzschlag entstandenen Beschädigungen des Turmes und der Plattform, setzte 1626 den neuen 8 eckigen Schlußstein auf und stellte 1633 die Johanneskap., 1634 die Andreaskap. wieder her. — Sein Sohn und Nachfolger H a n s (Johann) G e o r g stand, nach einer 12 jährigen meisterlosen Zwischenzeit, 1654—1682 dem Bau vor. Er hat ein für die Kenntnis der Baugesch. des Münsters höchst wichtiges, ca 1666 abgeschlossenes Manuskript hinterlassen, das neben einer Baubeschreibung wertvolle Beiträge zur Geschichte der Münsterarchitekten enthält. 1870 verbrannt, ist dieses Ms. in einem auf der Straßburger Bibliothek bewahrten handschriftl. Auszug des Pfarrers Mürschel von 1732 auf uns überkommen, der bei Kraus abgedruckt ist. Joh. Georg stellte 1657 die durch Blitz 1654 beschädigte Turmspitze wieder her und erneuerte 1682 nach einem Brande den Chor, wobei der alte schöne Lettner und Erwins Marienkapelle abgebrochen, die Apsis mit einer Stuckverzierung versehen, die Basen und Kapitäle der Wandpfeiler abgeschlagen und mit zopfigen Gipsrocaillen überkleidet wurden. Sein Vorschlag, den zweiten Turm auszubauen, wurde abgelehnt (1665/66). Auch war er es vermutlich, der 1671 den Umbau des ehem. Drachenhofes in Straßburg leitete.

F r. X. K r a u s , Kunst u. Altertum in Elsaß-Lothr., I (1876) 414/17, 693—703. — K l e m m , Württemb. Baum. u. Bildh., 1882 p. 184. — Rep. f. Kstwiss., V (1882) 276 f. (A l . S c h u l t e). — G é r a r d , Art. de l'Alsace.., 1872/3. — H a n s R o t t , Kunst u. Kstler am Baden-Durlacher Hof, Karlsruhe 1917 p. 99 ff. — Archiv f. christl. Kst, XXXVI (1918) 103 f. — Zeitschr. f. Gesch. des Oberrheins, N. F. XXXIII (1918) 92. *H. Vollmer.*

Heckris (Heckerise, Heckerys), H e i n r i c h , um 1316/17 „magister fabricae herbipolensis ecclesiae", also Würzburger Dombaumeister. Die älteren Schriftsteller verstanden unter diesem Titel den leitenden Architekten; Mader (im Inv. Werk) vermutet dahinter nur einen einfachen Maurermeister; G. H. Lockner hat festgestellt, daß manche dieser „Dombaumeister" — vielleicht alle — weder Künstler noch Handwerker, sondern Baurechnungsführer waren. H. scheint 1320 † zu sein; 1321 wird seine Witwe genannt.

K. G. S c h a r o l d , Würzburg u. s. Umgebungen, 1836 p. 168; d e r s . im Archiv d. hist. Ver. von Unterfranken u. Aschaffenburg, IV (1837). — C. P ö h l m a n n , ebenda XXX 205. — Fr. L e i t s c h u h , Würzburg (Ber. Kststätten Bd 54), 1911. — Kstdenkm. Bayern, U.-Franken, XII, St. Würzburg, 1915 p. 26. — Unveröffentl. Forschungsresultate G. H. Lockners, Würzburg. *L. Bruhns*

Heckrott (H.-Conrady), W i l h e l m , Maler und Graphiker, geb. in Hannover 15. 1. 1890, lebt in Dresden, Mitbegründer und Mitglied der „Dresdner Sezession Gruppe 1919" und auswärt. Mitglied der Berliner „Freien Sezession". Begann als Dekorationsmaler (3 jährige prakt. Lehrzeit), dann 3 Jahre Schüler der Kunstgewerbeschule in Hannover, 5 Jahre Schüler der Akad. in Dresden. Pflegt besonders die Akt-, Tier- und Landschafts- sowie die Monumentalmalerei. Beschickt seit 1918 die Ausstell. der Hannoverschen Sezession (Kestner-Gesellsch.), der Dresdner Sezess. (zuletzt Leipz. Kstverein Okt. 1922) u. der Freien Sezess. Berlin. Sein breitflächiger, oft das Brutale streifender malerischer Stil, der die Lokalfarben in harten Gegensätzen nebeneinandermauert, unterstreicht bewußt den Eindruck des Naturvorbildes nicht selten bis zur Verzerrung. Diese gewollte Primitivität des farbigen Vortrages wird von einer entsprechend vereinfachenden Zeichnung begleitet. Der Erfolg ist eine starke dekorative Wirkung, die besonders glücklich in seinen Landschaften und Stilleben zum Ausdruck kommt. Diese dekorativen Absichten haben H. auch auf die Monumentalmalerei geführt: Ausmalung der Lutherkirche in Glauchau i. Sa. mit 4 Wandbildern und 1 Deckengemälde (1922). Im Stadtmus. in Dresden von ihm: „Maienkönigin" (1918), im Besitz des Sächs. Ministeriums: „Dorfteich" (1914), im Dresd. Kupferstichkab. ein Druck seiner Radierung: Geschw. Berlage (1920).

Neue Blätter f. Kst u. Dichtung, I, Märzheft (Verlag Richter-Dresden). — „Menschen", II, Heft 8 (Dresdener Verlag von 1917). — „Die junge Kunst", I, Heft 3 (Verlag Kstgesellsch. Leydhecker & Co., Berlin). — Glauchauer Zeitg vom 18. 11. 1922. — Ausstell.-Kataloge. — Mitteil. d. Künstlers. *H. V.*

Heckstorfer (Hackstorfer, Heckenstorfer), O s w a l d , Glasmaler in Freiburg (Schweiz), wohl identisch mit Oswald Bogstorfer, „Maler oder Glaser zu Freiburg im Oechtland", der 1493 in Basel urkundl. erwähnt wird, obgleich H. in Freiburg erst seit 1501 nachweisbar ist. In diesem Jahre wurde ihm „la belle fenêtre qu'on a placée à la chapelle" bezahlt, anscheinend ein bedeutendes Werk, doch läßt sich nicht feststellen, um welche Kapelle es sich handelt. 1503 arbeitete H. für den Rat, 1504 lieferte er ein Fenster nach Favernach (Kirche, zerstört), 1505 (letzte Erwähnung) 5 Glasfenster für das Münzhaus.

H a n s L e h m a n n , Zur Gesch. der Glasmal. in der Schweiz, II (Mitt. d. Antiquar. Gesellsch. in Zürich Bd XXVI Heft 6), 1908 p. 390 (236), 392 (238).

Hecquet, P i e r r e , Holzbildhauer in Amiens. Fertigte 1452 eine Kanzel für die Kirche St. Germain.

L a m i , Dict. des sculpt. etc., moyen âge, 1898.

Hecquet, R o b e r t , französ. Kupferstecher u. Stichverleger, geb. in Abbeville,

1693, † das. 1775. Tätig in Paris, wo die Abbeviller Künstler in seinem Hause an der Place Cambray, in der Nähe der Sorbonne, gastliche Aufnahme fanden. H.s Verlag vertrieb besonders Thesenblätter. Von seinen eigenen Arbeiten nennen wir: Die Taten des Herkules, 4 Bl. nach Guido Reni, Das Frauenbad u. Venus und Amor, 2 Bl. nach Poussin, letzteres mit Jeaurat gest., Taufe Christi u. Abendmahl, ebenfalls nach Poussin, dieses mit Poilly gest.; Blindenheilung Jesu, nach Coypel, Enthauptung Johannes d. T. nach Rubens, Ludwig XV., nach Rigaud; Mignard für Monville's Vie de Pierre Mignard, 1730, außerdem Stiche nach Boucher, Ant. Dieu, C. G. Hallé, Mignard, Raillard, Watteau u. a. H. ist auch Verfasser mehrerer geschätzter Stecher-Kataloge; Catalogue de l'œuvre de Poilly avec Notice biographique, 1762 (Neudruck Abbeville 1865); Catalogue des estampes d'après Rubens. Auquel on a joint l'oeuvre de Jordaens et Visscher, 1751. (Neuausg. der Rubensstecher von Basan 1767.) Für den Eloge in dem Verkaufskatalog der Werke seines Freundes J. Ph. le Bas (1783) wurde ein älteres Manuskript H.s benutzt.

Basan, Dict. des grav., 1767; ² 1789. — Herluison, Actes d'état-civil etc., 1873. — Delignières, Recherches sur les grav. d'Abbeville, in Réun. des Soc. des b.-arts, X (1886) 526 f.; auch separat ersch. — Deville, Index du Mercure de France, 1910. — Port, Les Artistes angevins, 1881. — Cohen, Livres à grav. etc., ⁶ 1912. — Schneevogt, Cat. des estampes d'après Rubens, 1873. — Cat. Portr. Bibl. Nat. Paris, 1896 ff. VI 28 362₁₈. — Legrand-Landouzy, Collect. artist. de la Faculté de Médecine, 1911 p. 226 Nr 322. — Cat. Mus. Abbeville, 1902. — Ch. Blanc, Trésor de la curiosité, II (1853) 84. *B. C. K.*

Hecqueville, Noëlle, s. u. *Eve,* Nicolas.

Hector (Hektor), deutscher Maler aus Koblenz, von dem die ovalen Sopraportengemälde im Kurfürstenzimmer des Weilburger Schlosses herrühren (um 1709). Die Kapelle des Schlosses Philippsburg in Ehrenbreitstein wurde ebenfalls von ihm ausgeschmückt (zerstört).

Bau- u. Kstdenkm. Reg.-Bez. Wiesbaden, III (1917) 19. — K. Lohmeyer, Joh. Seiz (Heidelb. Kstgesch. Abhandl. I), 1914.

Hector, Salvatore, röm. Bildhauer u. Kupferstecher, von dem Heinecken einen 1747 dat. Stich: Grabmal des Eduardo de Silva nennt.

Heinecken, Dict. des art., Ms. im Dresd. Kupferstichkab. — Zani, Enc. met., X.

Heda, Cornelis Claesz., Maler aus Haarlem; Geburts- u. Todesdatum unbekannt; vermutlich Bruder des Willem Claesz. H. 1587 Mitglied der St. Lucasgilde in Haarlem. Ließ sich 1605, wo er in Prag in kaiserl. Dienst stand, vom persischen Gesandten als Hofmaler nach Persien anwerben. Wurde 1606—1608 infolge ungünstiger Durchreiseverhältnisse durch Rußland in Schweden zurückgehalten u. gelangte dann auf dem Seewege

nach Naraspoer an der Küste von Coromandel (Vorder-Indien), woselbst er in die Dienste des dortigen Vizekönigs treten mußte. Seine interessanten Briefe von dort bei v. d. Willigen abgedruckt. Nach 1618 haben sich bisher keine Nachrichten von ihm gefunden. Werke bisher nicht nachgewiesen.

A. v. d. Willigen, Artistes de Harlem, 1870 p. 152 ff. — R. Fruin, Bydragen voor vaderl. Geschied., II Reihe, Bd VI (1870) p. 56. — Nederl. Spectator, 1873 p. 260. — A. v. Wurzbach, Niederl. Künstlerlex., I (1906). *H. S.*

Heda, Gerrit Willemsz., Stillebenmaler in Haarlem; Geburts- u. Todesdatum († vor 1702) unbekannt. Zweiter Sohn des Willem Claesz. H. u. seit 1642 dessen Schüler. Von ihm dürften die in alten Auktionen u. Inventaren als *J(onge) Heda* aufgeführten Bilder stammen. Bezeichnete Gemälde nur wenige bekannt: Amsterdam (Jonge Heda 1642); Rotterdam (G. H. bez. Bücherstilleben); Wien, Priv.-Bes. (Gerret Heda 1646). Meist sind es Frühstücksstilleben in der Art der bekannten Bilder seines Vaters, von denen sie nicht immer leicht zu unterscheiden sind, obwohl meist nicht so fein in Ton und Ausführung wie jene. Mit Vorliebe bildet er dabei eine dickbauchige Zinnkanne ab. Weitere Stücke von ihm gehen vielfach unter andern Namen; z. B. Antwerpen (als G. v. Es); Darmstadt (als W. C. Heda); Kopenhagen, Slg Moltke (als M. Boelema).

A. v. d. Willigen, Artistes de Harlem, 1870 p. 37, 157. — Oud Holland, XI (1893) 224. — Chron. des Arts, 1891 p. 44. — Bull. v. d. Nederl. Oudheidk. Bond, II. Reihe, Bd II (1909) 147. — Repert. f. Kunstwiss., XXXVIII (1916) 255. — Frimmel, Studien u. Skizzen z. Gemäldek., IV (1918—19), 102, mit Abb.; V (1920) 7. — Kataloge der gen. Museen, sowie von Haarlem, der Versteigerung Slg Menke aus Antwerpen in Cöln 1903 No 31, u. der Stilleben-Ausstlg 1909 in Rotterdam. — A. v. Wurzbach, Niederl. Künstlerlex., I (1906). — A. Bredius, Künstler-Inventare, I—VII Reg. *H. S.*

Heda, Willem Claesz., Stillebenmaler, geb. 1594 in Haarlem, † daselbst zwischen 1680 u. 1682. Vater u. seit 1642 Lehrer des Gerrit Willemsz. H.; vermutlich Bruder des Cornelis Claesz. H. Seit 1631 Mitglied u. von 1637 an mehrfach Obmann der Haarlemer St. Lucasgilde. Betätigte sich in seiner Frühzeit gelegentlich auch als Figurenmaler (Zeichnung in Braunschweig u. Altarbild der Versteigerung Stockbroo, Amsterdam 1854, beide von 1626). Das frühstdatierte Bild ist eine Vanitas (1621) der Slg Bredius, Haag. Weitaus die Mehrzahl seiner Werke besteht aber aus Stilleben mit Darstellung von Frühstückstischen. Das Breitformat ist durchaus das übliche bei seinen Gemälden. Die ältere Haarlemer Stillebenmalerei eines Floris van Dyck und die Nähe seines Zeitgenossen Pieter Claesz, von dessen ganz verwandten Werken die seinigen oft nur sehr schwer zu unterscheiden sind, dürften von

Einfluß auf seine Entwicklung gewesen sein. H. versteht vor allem das wohlabgewogene Anordnen u. geschmackvolle Nebeneinanderreihen der darzustellenden Gegenstände, sowohl von Prachtgefäßen wie von zinnernem Eßgerät, Trinkgläsern, Speisen u. Früchten; jedoch so, daß sich keine komponierte Aufhäufung u. romantische Überladung des Bildganzen ergibt. Beinahe nie verwendet er dabei Blätter u. Ranken. Charakteristisch ist die Vorliebe für Gegenstände, die nicht bunt sind, sondern ruhig u. neutral wirken. Und weiterhin die stete Verwendung eines vollkommen neutralen grauen Hintergrundes (Ausnahmen nur in Gent u. Amsterdam, J. Goudstikker, wo der Hintergrund durch Landschaften gebildet wird, die wie Tapisserien wirken; wobei jedoch noch nicht feststeht, ob dies nicht Zutaten der 2. Jahrhunderthälfte sind). Bei vollendeter Korrektheit der Zeichnung u. der Beobachtung von metallischen Tönungen, Lichtreflexen u. Brechungen gibt ein feiner, kühler, grauer, bisweilen geradezu silbriger Gesamtton (heller u. nicht so braun wie bei P. Claesz) den Zusammenhalt des Ganzen. H. ist der Hauptmeister der tonigen Stillebenmalerei Hollands im 2. Viertel des 17. Jahrh. — In öffentl. wie in privatem Besitz ist der nicht eben seltene Meister vielfach vertreten. Bez. u. dat. Werke u. a. in: Aachen, Amsterdam, Berlin, Budapest, Dresden, St. Etienne, Gent, Haag, Hamburg, Karlsruhe, Köln, Kristiania, Leipzig, London, München, Oldenburg, Paris, Prag (Slg Nowak), Rotterdam, Schwerin, Wien (Slgn Harrach, Liechtenstein, Stummer). Jan v. d. Velde's Bildnisstich des Dankert Cornelis (nach H.s Vorbild) u. ein in der Art des J. G. Cuyp gemaltes, „Heda 1647" bez. großes Familienbild (aus Versteigerg Bos in Amsterdam 1888) der Slg A. P. Vischer-Boelger in Basel erweisen, daß sich H. gelegentlich auch im Porträtfach betätigt hat. Jacob de Bray malte 1678 H.s Bildnis (heute verschollen). Außer seinem 2. Sohn Gerrit Willemsz. H. sind Arnoldus van Berensteyn, Hendrick Heerschop u. Maerten Boelema gen. de Stomme als seine Schüler bezeugt. Pieter Claesz, Cornelis Mahu, Louyse Mouillon u. a. malten oft ganz in seiner Art.

S. Ampzing, Beschryvinge ende Lof der Stad Haerlem, 1628 p. 372. — Th. Schrevelius, Harlemias 1648, p. 381. — Houbraken, Groote Schouburg, II 124. — v. Eynden - v. d. Willigen, Vaderl. Schilderkunst, 1816 I 55. — Obreen's Archief, I. — A. v. d. Willigen, Artistes de Harlem, 1870 p. 19, 21, 28, 30, 38, 45, 156. — Bode, Stud. z. Gesch. d. holl. Malerei, 1883. — Jahrb. d. preuß. Kunstsammlgn, XI (1890) 224 ff. — O. Granberg, Trésors d'art en Suède, II (1912); III (1913), mit Abb. — Bull. v. d. Nederl. Oudheidk. Bond, II. Reihe, Bd II (1909) 94, 146 f. — A. v. Wurzbach, Niederl. Künstlerlex., I (1906). — A. Bredius, Künstler-Inventare, I—VII, Reg. — Katal. der gen. Museen; der Ausst. von Bildnissen a. d.

Besitz d. Kaiser Friedr.-Mus.-Ver., Berlin 1909; der Slg J. Goudstikker, Cat. No 14, Amsterdam 1919 sub No 31, m. Abb. — Jahrb. der Bilder- u. Kstblätterpreise, Wien 1911 ff., I—V/VI. — Notizen von A. Bredius u. C. Hofstede de Groot.
H. Schneider.

Hedbavný, Veit, Baumeister aus Reichenstein i. Böhmen, soll die 1356/61 unter Karl IV. errichtete Burg Karlsberg bei Bergreichenstein i. B. gebaut haben.

Prokop, Markgrafsch. Mähren, 1904, II 351 (2 ✕), 363.

Hedberg, Bengt Erland, Landschaftsmaler, geb. in Stockholm 1868, Schüler der dort. Akad. (1889/96), behandelt schwed. Motive. Er war ansässig in Waxholm (Schweden), später in dem Städtchen Grenna am Fuße des steilen Grennaberges. Beschickte 1909 den Münchner Glaspalast, 1914 die Balt. Utställ. in Malmö.

Arktos, I (1908/9) 87 (m. Abb.). — Ausstell.-Katal.
G. M. S—e.

Hedberg, Erik, schwed. Maler, geb. 1868 in Gästrikland, anfänglich Figurenmaler, spezialisierte sich später auf die Landschaft (Heimatmotive, bes. Winterstimmungen). Ansässig in Järbo. Beschickte außer schwed. Ausstell. auch häufig Ausstell. in Deutschland (Berlin Gr. K.-A. 1896, 1900, 1907; München Glaspal. 1901, 1909, 1913); Paris (Salon d'automne 1906), Venedig (Internat. 1901) und S. Francisco (Internat. 1915). Im Mus. Göteborg von ihm: Walpurgisfeuer (1908).

Dagens Nyheter. Stockh. 24. 10. 1908 (Nordensvan, Utst. af E. Nielsen, Erik Hedberg och Vilh. Smith). — Stockh. Dagblad, 24. 10. 1908 (K. Wåhlin: E. H.s utst.). — Arktos, I (1908/09) 40, 42 (Abb.). — Konst och Konstnärer, 1912 p. 56, 59 (m. Abb.). — Pica, L'Arte Mond. alla IV. Espos. di Venezia, 1901 p. 44, 45 (Abb.). — Ausst.-Kataloge. — Kat. Göteborgs Mus., Nachtr. 1913 p. 5. — S. Francisco, Panama Pacif. Expos., Cat. de Luxe, II 246.
G. M. S—e.

Hedberg, Gustaf, schwed. Buchbinder, geb. 22. 4. 1859 in Höja (Kristianstadän), † 1920 in Stockholm, ausgebildet in Stockholm, 1881 bis 85 in Paris, längere Zeit auch in London. 1901 Hofbuchbinder. War während 3 Jahrzehnten der führende Buchbinder in Stockholm. Arbeitete mit Vorliebe in eklektischem Stil. Seine Bucheinbände zeigen geschmackvolle Goldprägemuster und schöne Mosaikarbeit, nach Zeichnungen, die sich dem engl. Genre nähern. Er verstand es, mit wenig Mitteln reiche Wirkung zu erzielen. — Sein Bruder und Schüler Arvid, geb. 1872 in Höja, ist ebenfalls Buchbinder; 1895/97 als Staatsstipendiat in Paris. Teilhaber der Firma seines Bruders, nach dessen Tode Alleininhaber der Firma Gustaf Hedberg-Stockholm.

Meier-Graefe in Kst f. Alle, XII (1897) 258; Abb. p. 261. — H. Lagerström in Boktryckeri-Kalender 1905/6. — Nordisk Familjebok, XI (1909). — The Art of the Book (Spez.-Nr des Studio), 1914 p. 247, 254 f., mit 4 Abb. (A. Brunius).
G. M. S—e.

Hedelhofer, J a c o b , Goldschmied in Breslau, geb. 1630, † 15. (21.) 8. 1690, Sohn des Goldschmieds G e o r g H. aus Ratibor. Wird 1664/65 Meister in Breslau. Von ihm nach Hintze silberne Sargschilde der Breslauer Tuchscherer (1665) im Bes. d. Tuchmacher-Innung Breslau, silberne Altarleuchter (1676) in der Barbarakirche ebenda, silbervergoldeter Deckelhumpen im Schles. Mus. ebenda u. vor allem die prachtvolle Sonnenmonstranz des Bischofs Sebastian von Rostock, Gold mit reichem Maleremail, im Breslauer Domschatz.

E. H i n t z e , Breslauer Goldschmiede, 1906 (mit Abb.). — Schlesiens Vorzeit in Bild u. Schrift, N. F. V (1909) 168, 263 (mit Abb.). — G. B i e r m a n n , Deutsches Barock u. Rokoko (herausgeg. im Anschluß an die Jahrh.-Ausst. Darmstadt), 1914 I p. 365 (Abb.); II p. XCIV. — H i n t z e u. M a s n e r , Goldschmiedearbeiten Schlesiens, 1911 (Abb.).

Hedelhofer, P a u l , Goldschmied in Breslau, geb. um 1633, wird 1661 Meister, † 28. 8. 1683. Von ihm ein Schaustück, Wiege des Christkindleins, von 1665 in der kath. Pfarrkirche von Trebnitz u. ein silbernes Sanduhrgehäuse in der Bernhardinkirche in Breslau.

E. H i n t z e , Breslauer Goldschmiede, 1906 p. 75 f.

Hedelius, L o r e n t z , Zinngießer in Hanau, von dem lt Signatur der reiche Zinnsarg der Magdalena Claudina, Gemahlin des Grafen Philipp Reinhard von Hanau-Lichtenberg († 1704) in der Hanauer Johanneskirche herrührt.

B a u - u. Kstdenkm. St. Hanau, I (1897) 170.

Hedemann, A., Zeichner um 1800, von dem das Berliner Kupferstichkab. eine Pinselzeichn., Bildnis des Grafen Matthias von Gallas (Brustbild, oval) besitzt („A. Hedemann del. 1804"). — Wohl identisch mit einem g l e i c h - n a m i g e n Künstler, nach dem Rosmäsler ein Bildnis des Gießner Professors Kiehnöl (1768 bis 1841) gestochen hat.

F r i e d l ä n d e r , Zeichn. alter Meister i. Berl. Kupferstichkab., I: E. B o c k , Die deutschen Meister, 1921. — Cat. Portr. etc., Bibl. Nat. Paris, 1896 ff. V 24 898.

Hedemann, C h r i s t o p h G o t t l i e b , Architekt, 1739—46 Bauinspektor in Frankfurt a. O., um 1747 Baudirektor. Leitete den Bau der französisch-reformierten Kirche (zerstört) und erneuerte die Franziskaner Klosterkirche, deren treffliche barocke Orgel nach seinem „dessein" ausgeführt wurde.

Kstdenkm. Prov. Brandenburg, VI T. 2 (St. Frankf. a. O.), 1912.

Hedengran, A m b r o s i u s , schwed. Graveur um 1700. Von ihm in mehreren schwed. Kirchen gravierte Gedenktafeln, die durch kalligraph. Ornamente eingerahmt u. mit Inschriften versehen sind: Tafeln zur Erinnerung an die Jahrhundertfeier der Konferenz von Upsala (1693), zur Erinnerung an das Begräbnis Karls XI. (1697), zur Erinnerung an den Sieg bei Narva (1700), zum Andenken an die Wiedereinführung der evang. Gottesdienstfreiheit in Schlesien durch Karl XII. (1707).

C u r m a n - R o o s v a l , Sveriges Kyrkor. Gottland, I, 1. Hälfte (1914), p. 48, 121 (2 ✕).
G. M. S—e.

Hedenick (Hedeneck, Hedenegg), C h r i - s t o p h , Goldschmied in Wien, nachweisbar 1574—1594. Scheint in der Wiener Zunft eine bedeutende Rolle gespielt zu haben und stand zum Hof in Beziehungen. Erhaltene Werke seiner Hand sind eine Prunkschüssel der Samml. Graf Erdödy-Budapest und eine Kanne der Kirche in Freudenthal (Württemberg). In der Samml. Figdor, Wien, ein von ihm in Silber montierter mittelalt. Steinzeugbecher mit graviertem Lippenrand. Vermutungsweise ist ihm ein kleiner Pokal der Samml. von Benda (Wien) zuzuschreiben. Die stilistische Herkunft H.s, die sich vornehmlich aus der massiv getriebenen Schüssel der Slg Erdödy erschließen läßt, weist nach Nürnberg. Die Ornamentik ist der der frühen Punzenstecher verwandt, ohne daß eine unmittelbare Beziehung angenommen werden muß. Technische Einzelheiten lassen an den Einfluß Elias Lenckers denken.

Jahrb. der Ksthist. Slgn d. ah. Kaiserh., XIII Teil 2; XV T. 2 (Regesten). — M. R o s e n - b e r g , Goldschmiede Merkzeichen, ² 1911. — Kst u. Ksthandwerk, X (1907) 327; XII (1909) 20; XXIII (1920/1) 62. *Kris.*

Hederich, F r i e d r i c h (Frigyes), ungar. (?) Kupferstecher, tätig in Wien. Man kennt von ihm ein gestochenes Bildnis des Abtes Benedikt von Mauerbach (Niederöst.) in Schabmanier (Brustbild, oval mit Wappen, bez. Hederich Sc. Viennae Anno 1710). Im ungar. Nationalmus., Budapest, befindet sich von ihm ein Exlibris des Physikus von Komarom (Ung.), Johannes Seth, bez. „del. et sculps. Hederich". — Wohl identisch mit einem g l e i c h n a m i g e n Künstler, von dem das Berliner Kupferstichkab. eine getuschte Federzeichnung: nackter Mann von 2 Schlangen umringelt, Rückseite Fragment eines Herkules mit dem nemäischen Löwen (bez. „Hederich den 16. Dec. 1675"), besitzt.

D e l a b o r d e , Hist. de la grav. en manière noire, 1839 p. 333. — N a g l e r , Kstlerlex., VI. — F r i e d l ä n d e r , Zeichn. des Berl. Kupferstichkab., I: E. B o c k , Die dtsch. Meister, 1921. — Mit Notiz von K. Lyka.

Hédiart, D a m i e n , Bildhauer, arbeitete 1498 mit Jacquemard Lescot an der Ausschmückung der Kapelle Notre-Dame la Flamande in der Kathedrale zu Cambrai (zerstört). 1513 ist er in Avesnes (Hennegau) nachweisbar.

L a m i , Dict. des sculpt. . . moyen âge, 1898. — W e i s s m a n , Geschied. der Nederl. Bouwkunst, 1912.

Hédin, A m é d é e , französ. Architekt, geb. in Alençon 12. 9. 1842. Schüler von Constant Dufeux u. Vaudremer an der Pariser Ecole des Beaux-Arts. Stellte 1866—82 im Pariser Salon Entwürfe für öffentl. Gebäude

(Rathäuser, Kirchen, Schulen), Landhäuser usw. aus. 1884—94 Direktor der Ecole des Beaux-Arts zu Lyon. Theater zu Alençon (Innenraum), Landhäuser in Bagnoles (Dép. Orne), Markthalle in Flers. Zwei 1. Preise für die Entwürfe eines Kasinos in Val d'Andorre u. der Eglise Saint-Pierre de Montsort in Alençon. Außerdem zahlreiche Aquarelle, Ansichten aus der Provence, Normandie, Bretagne u. Italien.

Bellier-Auvray, Dict. gén. des Art. franç., I u. Suppl. — Delaire, Archit.-élèves etc. ² 1907. — Les Archives biogr. contemp., 3e série, o. J.

Hédin, Louis, französ. Landschaftsmaler, geb. in Arras im Juli 1818, tätig in Alençon. Stellte 1868—79 im Pariser Salon Ölbilder u. Aquarelle (Ansichten von der Sarthe, aus dem Bourbonnais, Alençon u. Umgebung) aus.

Bellier-Auvray, Dict. gén. des Art. franç., I (1882).

Hédincourt, s. damit verbund. Vornamen.

Hedinger, Elise, geb. Neumann, Malerin, geb. in Berlin 3. 7. 1854. Schülerin Ch. Hoguet's, A. Hertel's, K. Gussow's in Berlin und Fouace's in Paris. Tätig in Berlin. War seit 1879 bis in die neueste Zeit auf zahlreichen Berliner, Münchner, Dresdner u. and. Ausstell. mit feinempfundenen Stilleben, Interieurs (Motive aus Holland) u. Landschaften vertreten. Das Kölner Wallraf-Richartz-Mus. besitzt von ihr ein Stilleben (Kat. 1910).

Das geistige Dtschland, 1898. — Jansa, Dtsche bild. Kstler, 1912. — Dressler, Kstjahrb. 1921 II. — Das geistige Berlin, I (1897) 177. — Spemanns gold. Buch der Kst, 1901. — F. v. Bötticher, Malerwerke 19. Jahrh., I (1891). — Ausst.-Kat. Berlin, Akad. 1879, 81 83 f., 86, 88; Gr. Kstausst. 1893—1920 (Abb. 1897, 1918 Sept./Nov.); München, Glaspal. 1883, 88, 91 f., 95, 97—99, 1901, 08, 14; Dresden, Gr. Kstausst. 1904, 8, 12; Intern. Kst-Ausst. 1901.

Hedley, Percival M. E., engl. Bildhauer und Maler, geb. 1870. Studierte auf der Akad. in Wien, wo er für den monumentalen Schmuck von Gebäuden und mit Aufträgen für Mitglieder des Kaiserhauses und der Aristokratie beschäftigt war und sich 1890 am Wettbewerb um das Wiener Goethedenkmal beteiligte. Später in London, wo er 1905 die R. Acad.-Ausst. mit einer Porträtbüste beschickte, und in Montreux (Schweiz) ansässig. Machte sich besonders durch seine Musiker- und Schauspielerbildnisse einen Namen. So begann er um 1890 eine Büstenreihe bedeutender Musiker und schuf als Freund von Brahms das ähnlichste Bildnis, das es von dem Komponisten gibt. Neuerdings hat er auch Bildnisplaketten in Bronze und oxydiertem Silber geschaffen. Dazu gehören: Königin Viktoria von England; Eduard VII.; Georg V.; Erzherzogin Maria Theresia von Österreich; Hans Richter; Saint-Saëns; Paderewski (vom belg. Staat angekauft); Arthur Nikisch u. a. Ferner: Salome; Ars longa vita brevis; Skiläuferin; Eishockey usw. (Plaketten).

The Studio, XLV (1912) 57 f., m. Abb. — Kstchronik, N. F. I (1890) 371. — Cat. R. Acad. Exhib. 1905. — Cat. Salon Triennal Brüssel, 1914 p. 147 f.

Hedley, Ralph, engl. Genremaler, geb. in Richmond (Yorkshire) 1851, † 12. 6. 1913. Schüler der Art School in Newcastle, tätig daselbst als Präsident des Bewick Club und Northumbrian Art Institute. Stellte seit 1879 in der Londoner Roy. Acad. und anderswo Bilder aus dem Volksleben und der Geschichte seiner Heimat aus. In seinen Schilderungen aus dem Seemannsleben, dem Leben der Kleinstädter u. der ländlichen Bevölkerung, der Handwerker, Rekruten u. Veteranen verrät er scharfe Beobachtungsgabe; er neigt aber mehr zu sorgfältiger Einzelschilderung als zu psychologischer Vertiefung. Viele seiner Darstellungen haben eine humoristische oder rührende Note. Arbeiten in der Gal. von Sunderland („Bezahlte Schuld", Stifterbildnis, u. a.)

Who's who, 1913; 1914 („Obituary"). — The Year's Art, 1914 p. 445. — Graves, Dict. of Art., 1895; Roy. Acad., IV (1905). — Cat. Exhib. R. Acad., 1905, 1907 f., 1911, 1913. — Roy. Acad. Pictures, 1892—1900, 1905, 1907 f., 1913 (Abb.). — Art Journal, 1904 p. 308 (Abb.). — Cat. Art Gall. Sunderland, 1908 Nr 35 f., 86 m. Abb.

Hedlinger, Johann Karl, schweiz. Medailleur, geb. in Schwyz (nach and. in Seewen) 28. 3. 1691, † ebenda 14. 3. 1771. Sohn des Joh. Baptist (geb. 1653, studierte die Malerei in Rom, kehrte 1685 in die Heimat zurück, † als Direktor der Bergwerke im Blegnotal 27. 10. 1711) und Bruder des Joh. Anton (s. u.). H. lebte 1700—8 mit seinen Eltern im Blegnotal und besuchte wahrscheinlich das Gymnasium in Bellinzona, wo er sich die humanistische Bildung erwarb, die ihn zur Wahl und Beurteilung der Gegenstände und Legenden der Medaillen befähigte. Er fing früh an zu zeichnen, kopierte Callot'sche Radierungen und versuchte sich auch im Stempelschneiden. Seit 1710 war er bei dem Luzerner Goldschmied W. Krauer, der die bischöfl. Münze in Sitten (Wallis) gepachtet hatte, als Stempelschneider in der Lehre. Er schnitt für diesen seinen ersten Münzstempel und folgte ihm, zunächst als Goldschmiedlehrling, 1711 nach Luzern, wo er seit 1713, nachdem Krauer die Luzerner Münze gepachtet hatte, auch als Stempelschneider arbeitete, indem er sämtliche Münzstempel und einige Medaillen, darunter die sog. Luzerner Medaille mit dem Bild des hl. Leodegar, deren sichere, kräftige Modellierung schon die Meisterhand verrät, schnitt. Als Stempelschneider Krauer's war H. 1716 auch in Montbéliard tätig; damals entstand seine erste Bildnismedaille (Joh. Konrad, Bischof von Basel). Nachdem er Anfang 1717 in Nancy 2 Monate bei St. Urbain gearbeitet hatte, kam er im Mai nach Paris, wo er, von de Lancre an de Launay empfohlen, in der kgl. Medaillen-Münze arbeitete und unter

Coyzevox an der Akad. studierte. (Arbeiten der Pariser Zeit nicht bekannt.) Auf de Launay's Empfehlung erhielt er den durch Karlsteen's Tod erledigten Posten eines Medailleurs an der kgl. Münze in Stockholm, wo er 25. 8. 1718 eintraf und 27 Jahre blieb. Zunächst wurde er mit einem Jahresgehalt von 750 Thl. auf 3 Jahre fest angestellt, während ihm die Medaillen, zu deren Prägung die sich drängenden politischen Ereignisse häufigen Anlaß gaben, besonders bezahlt wurden. In die ersten Jahre seines schwed. Aufenthalts fällt eine Reihe Medaillen, mit denen er seinen Ruhm begründete, darunter das verlangte Probestück, die Med. auf Karl XII. („Indocilis pati" mit dem die Stricke zerreißenden Löwen und dem Bildnis des Königs in Uniform ohne Perücke), der Jeton auf den verstorbenen Helden (Hercules Sueonum), die Krönungsmedaillen der Königin Ulrike Eleonore (1719) und ihres Gemahls Friedrich von Hessen (1720), der Jubiläumstaler mit den Büsten Gustavs I. und Gustav Adolfs (1721), der Friedenstaler (1721) u. a. War H. einerseits mit Baron Hårleman, Lars Haesling, dem Altertumsforscher N. Keder, Tessin, Berch u. a. befreundet, so fand er andrerseits auch Neider, die den in Wien tätigen Benedikt Richter an seine Stelle bringen wollten. Auf das Gutachten des Kammerkollegiums wurde der Vertrag mit H. auf 6 Jahre verlängert und ihm die Erlaubnis zu der längst geplanten Romreise erteilt. Für eine in Stockholm angefertigte Medaille auf Karl VI. verlieh ihm dieser als Gnadenbeweis eine goldene Kette. Im Mai 1726 verließ H. Stockholm und reiste über Stralsund, Hamburg, Amsterdam durch die Schweiz, wo er 6 Wochen blieb, nach Italien. Von Mailand aus bereiste er Oberitalien und kam im Spätherbst nach Rom. Dort verkehrte er mit bedeutenden Künstlern und Gelehrten sowie mit dem Baron v. Stosch und dem Kardinal Albani, und studierte die antiken Vorbilder seiner Kunst. Ein Hauptwerk der röm. Zeit ist die schöne Medaille auf Benedikt XIII. (Revers: Thronende weibliche Gestalt in priesterlichem Gewand, die Tiara auf dem Haupt), worauf ihm (1727) der Christusorden verliehen wurde. Nach einem Besuch Neapels kehrte H. über Venedig, München, Wien, Preßburg, Prag, Dresden, Berlin und Hamburg (Okt. 1727) nach Stockholm zurück. Die nächsten Arbeiten waren das Standessiegel des Kantons Schwyz (Hl. Martin zu Pferde), die Medaillen des sel. Klaus von der Flühe, deren Stempel W. Krauer als Geschenk H.s besaß, die Medaille auf Stosch, die 2 Medaillen und der Jeton auf Keder, die Medaille mit H.s Selbstbildnis, die 2 sog. ΛΑΓΟΜ-Medaillen (weich modellierte Idealköpfe im Stil der Antike), die Medaillen auf die Geburt des Dauphin (zartes Bildnis Ludwigs XV.), den russischen Gesandten Admiral Golowin, die

200 jähr. Jubelfeier der Reformation (1730), den Landgrafen Karl von Hessen u. a. Schon 1728 beschäftigte ihn der in einer Denkschrift (1731) erläuterte Plan einer schwed. Medaillengeschichte. Von den vollständigen Entwürfen hat H. indes nur 28 Jetons (Kupfer) mit den Bildnissen schwed. Könige, sowie die Medaillen auf die Akad. von Upsala, Lund und Åbo, die Jetons auf die Stockholmer Kunstakad., das Bergwerk von Falun, das Münzwesen, die Manufakturen, das Verkehrswesen und das Riddarhus ausgeführt. Von der Königsreihe waren 1741 erst 14 Probeabdrücke vollendet, während H.s Nachfolger Fehrmann die Fortsetzung 1745—60 lieferte. Während die fremden Höfe H. vergebens dauernd zu gewinnen suchten, weilte er 1732 vier Monate in Kopenhagen, wo er 4 Medaillen auf König Christian VI. und die Königin in Angriff nahm, die er nach seiner Rückkehr nach Schweden vollendete. Unter den Arbeiten, die ihn in den folg. Jahren beschäftigten, befinden sich die große Medaille auf das Riddarhus in Stockholm, die dem „süßen Vaterland" gewidmete Medaille auf die Schlacht bei Morgarten (1734) und die Med. auf den Medailleur Roëttiers. Oktober 1735 berief ihn die Kaiserin Anna Iwanowna nach Petersburg, wo er bis Juni 1737 blieb. Hier entstanden die große Medaille auf die Kaiserin (Revers: Pallas Athene), die Stempel für einen Rubel und Dukaten und das große Reichssiegel. Nach der Abreise von Petersburg beschäftigten ihn außer 2 weiteren Medaillen auf die Kaiserin, die Medaillen auf den Grafen Ostermann, Hårleman, Nikodemus Tessin, die Ständeversammlung usw. Ende 1739 unternahm H. eine Reise in die Heimat, vermählte sich in Arlesheim bei Basel mit seiner Schwägerin und verfertigte dort einen neuen Avers der 2. ΛΑΓΟΜ-Medaille (s. o.), die Medaille auf den Kaiserl. Medailleur Gennaro in Wien, sowie Wachsmodelle für seine Schüler in Stockholm. Wir finden ihn dann $^{3}/_{4}$ Jahre in Berlin, wo ihn sein Freund Euler für eine dauernde Ausstellung zu gewinnen trachtete. Er modellierte dort wahrscheinlich das Bildnis des Königs und nahm die Medaille auf den Monarchen in Angriff. Nachdem er noch ein Jahr in der Heimat verbracht hatte, war er im Sommer 1744 wieder in Stockholm. Dort entstanden der Jeton auf die Vermählung des Kronprinzenpaares, 2 Jetons auf die Kronprinzessin, der Avers einer Medaille auf die Kaiserin Elisabeth von Rußland, der Revers einer solchen auf den Friedensschluß Rußlands mit Schweden und die Med. des Bischofs Benzelius. Nachdem er 1745 zum Mitglied der schwed. Akad. der Wissenschaften gewählt worden war, erhielt er die erbetene Entlassung, blieb aber im Genuß seines Gehalts und des Titels eines kgl. schwed. Medailleurs. Seit 1746 lebte H. als freier Künstler in Schwyz. Während eines einjähr. Aufenthalts bei Vestner

in Nürnberg (1747/8) entstanden die Medaille des Landgrafen von Hessen-Cassel und diejenige auf die Berliner Akad. der Wissenschaften (Avers: Brustbild Friedrichs des Gr. in Harnisch u. Perücke, Revers: Inschrift in Lorbeerkranz), wofür er mit dem Akademikerdiplom belohnt wurde (1748). Von größeren Arbeiten, die in den folg. Jahren in Schwyz entstanden, verdienen Erwähnung: die Einsiedelner Jubelmedaille, das Medaillon auf Friedrich d. Gr., dessen Ähnlichkeit, glückliche Erfindung und feine Ausführung auch die Anerkennung des Königs fanden (1750), und die Berner Verdienstmedaille (1752). Außer einigen Familienmedaillen schuf H. noch die Med. für die Akad. der Wissenschaften in Stockholm (1760), die große Med. auf Georg II. von England (der Avers ein Meisterwerk lebendiger Darstellung) und die Medaillen auf seine Freunde Berch und Keder und auf die Kaiserin Maria Theresia (Avers 1767, Revers: Allegorie der Tugend, 1768). Hauptwerke seiner letzten Jahre sind die herrliche Todesmedaille Karls XII. (Avers: Brustbild mit Legende: Hercules Sueonum Fortissimus, 1767, Revers: Obelisk vor einer Exedra mit gekrönter Frauengestalt und klagendem Löwen), die unvollendete, für H.s Arbeitsweise lehrreiche Med. auf den Grafen Tessin, die Med. mit der Taufe Christi und die Med. mit dem Totenkopf, seine letzte Arbeit. — Nannten ihn die numismatischen Zeitschriften den „Weltberühmten", den „Unvergleichlichen", so wurde H. von seinen Berufsgenossen, wie Schega, Dassier, Gennaro, neidlos als der größte lebende Medailleur anerkannt. Wie Wille in Paris an Füßli schrieb, beruhte seine Überlegenheit besonders auf der Behandlung der Köpfe. Man pries seine klassische Formenreinheit, Adel und Würde des Ausdrucks, verglich ihn mit den Alten und nannte ihn einen Erfinder, der im eigentlichen Sinn Epoche gemacht habe (v. Mechel). Bei aller fließenden Weichheit der Form ist die Zeichnung kräftig, klar und bestimmt. In Goethes „Winckelmann" wird er mit O. Hamerani verglichen und es heißt dort von ihm; „Seine Kunst ist noch mehr auf gefällige Weichheit und überdies auf malerische Effekte berechnet. Jenem gegenüber haben die Haare bei H. bessere Massen und größere Leichtigkeit, die Köpfe überhaupt etwas mehr Relief..." Die Draperie, deren Einzelheiten mit vollendeter Technik behandelt sind, wirkt ungemein malerisch und feierlich. In der Behandlung der Reverse folgt H. mit seiner Vorliebe für die Allegorie dem Zeitgeschmack, verfährt aber mit höchster Sorgfalt in der Ausführung, indem er für die ihm vorschwebende Idee einen einfachen, klaren Ausdruck sucht. Bei der Wahl der Legenden ließ er sich von seinen gelehrten Freunden beraten. Die Herstellung und den Vertrieb von Abgüssen und Abdrücken überließ

H. seinem Freunde u. Nachahmer Mörikofer in Bern. — Das Hist. Mus. in Basel besitzt durch Vermächtnis eine bes. reichhaltige Samml. von Werken H.s, darunter 186 Medaillen, einen Goldabschlag mit dem Bildnis der Kaiserin Elisabeth von Rußland, über 100 Blei- und Zinnabschläge, Eisengüsse, auf Schiefer montierte Wachsbossierungen usw. (cf. Cicerone, III [1911] 790 f.) Sein künstlerischer Nachlaß (Medaillen, Eisen- und Bronzeabgüsse, Prägestöcke für Medaillen usw.) wird im Schweiz. Landesmus. in Zürich aufbewahrt, eine kleine Anzahl Zeichnungen, flüchtig geistreiche Entwürfe zu seinem Werk, im H.schen Kabinett (Privatbes.) in Schwyz. H. hat auch einen hübschen kleinen Kupferstich (harfespielender Engel, ein zweiter mit der Notenrolle in der Luft schwebend) hinterlassen. — Die Heranbildung eines tüchtigen Schülernachwuchses für Schweden ließ er sich besonders angelegen sein. Zu seinen Schülern, die er z. T. überlebte, gehören sein Nachfolger Fehrmann, Georgii, Haesling, Volt, Hartmann u. a. Außer v. Mechel's in prächtiger Ausstattung (Großquart) erschienenem Medaillenwerk in Stichen enthält J. C. Füßli's Schabkunstwerk (Titel s. u.) eine fast vollständige Sammlg der H.schen Medaillen. — Ein von Wyrsch 1765 gem. Bildnis H.s (Halbfigur) hängt im Mus. in Luzern (Holzschnitt bei Amberg und Forrer, s. Lit.). Zwei andere von O. Arenius in Stockholm 1738 und von Studer gem. Bildnisse (Brustb.) hat J. J. Haid in Schabmanier gestochen. Ferner werden ein 1744 von Kraus in Bern gem. Bildnis (Kopf) und ein von Delobel in Schweden gem. Bildnis H.s erwähnt (beide verschollen).

J o h a n n A n t o n , Zeichner, Bruder des vor., geb. 1689, † in Schwyz (oder Seewen) 23. 3. 1755, arbeitete 1710 mit s. Bruder in der Münze in Sitten, 1713 bei W. Krauer in Luzern und studierte 1715 in Paris. 1716 wieder bei Krauer in Montbéliard u. Pruntrut. Um 1720 bei einem Goldarbeiter in Wien; ging von dort 1721 nach Rom. Ende d. J. bei F. K. Krauer in Luzern. Seit 1725 bischöfl. Münzwardein in Pruntrut, um 1735 als Münzwardein nach Schwyz berufen.

J. A m b e r g , Der Medailleur J. C. H., Einsiedeln, 1887 (S. A. aus „Der Geschichtsfreund", Bd 37, 39, 40, 41), Hauptarbeit (m. Oeuvreverz.); d e r s. in Brun's Schweiz. Kstlerlex., II (1908) m. Lit. — F o r r e r , Dict. of Medall., II (1904), m. Oeuvreverz., Abb. u. Lit. — C h. d e M é c h e l , Oeuvre du chevalier H. ou Recueil des médailles... précédées de la vie de l'auteur, Basel 1776. — Des Ritters J. K. H. Medaillen-Werke gez. von J. C. F ü ß l i und in schwarzer Kunst bearb. von J. E. H a i d , Augsburg 1781. — Allg. dtsche Biogr., XI. — F. N o a c k , Dtsches Leben in Rom, 1907 p. 42, 409. — T o r k e l B a d e n , Briefe von und an Hagedorn, 1797 p. 304, 308. — D u s s i e u x u. a., Mém. inéd. sur la vie etc. des membres de l'Acad. Royale, 1854 II. — H o f b e r g , Svensk Biogr. Handlex.,

I (1876) 419. — Biogr. Lex. öfver .. Svenska Men, II 126; V 138; XXI 221. — Nordisk Familjebok, ² XI (1909). — Russ. Biogr. Lex. (russ.), Bd Гa—Гe (1914). — R o w i n s k y, Russ. Portr.-Lex. (russ.), 1886 ff., IV 645 (Reg.). — W e i l b a c h, Nyt Dansk Kunstnerlex., II (1897) 597. — v. S c h a d, Versuch einer brandenb. Pinakothek, 1793 p. 45. — Badisches Magazin, 1813 Nr 88, 89, 95. — F i a l a, Münzen u. Med. der welf. Lande. Das neue Haus Braunschweig zu Wolfenbüttel, 1907—8 p. 54. — Hohenzollernjahrb., XV (1911) 38 Abb. (Med. auf Friedr. d. Gr.) — H. W a h l, Briefwechsel Carl August mit Goethe, III 228, 401. — Kat. der Münzen- u. Med.-Stempel-Slg Wien, IV (1906). — Führer d. d. schweiz. Landesmus. Zürich o. J. p. 25. — Jahresber. u. Rechnungen Hist. Mus. zu Basel 1916 p. 25. *B. C. K.*

Hedlund, H a n s F r e d r i k, schwed. Architekt, geb. 27. 4. 1855, Schüler der Akad. in Stockholm (1875/79), seit 1881 selbständig tätig in Gotenburg, wo er zahlreiche öffentl. u. private Bauten ausführte, darunter die Oberrealschule (1895), Volksbibliothek (1897), Stadtbibliothek (1900 vollendet), Krankenhaus u. Handarbeitsschule (1903), Haus des Kontoristenvereins (1908). Gemeinsam mit V. Rasmussen baute er das Haus der Gesellschaft „Svea" in Gotenburg.

Nord. Familjebok. — N o r d e n s v a n, Svensk Konst och Svenska Konstnärer, 1892; d e r s., Schwed. Kst d. 19. Jahrh. (Gesch. d. mod. Kst, Bd 5), Lpzg 1904. *M. Olsson.*

Hédou, J u l e s Paul Ernest, Maler (Dilettant) u. Kunstschriftsteller, geb. in Rouen 20. 9. 1833, † in der Nähe von Rouen 15. 9. 1905. Stellte 1858—64 im Pariser Salon Stilleben aus. Mitarbeiter der Chronique des Arts und L'Art, Verfasser wertvoller Oeuvrekataloge französ. Stecher des 18. Jahrh.: Noël Le Mire, Jean le Prince u. J. A. le Veau. Im Mus. von Rouen von ihm ein Stilleben (Kat. 1911 p. 185).

B e l l i e r - A u v r a y, Dict. gén. des art. franç., I (1882). — L'Art, LXIV (1905) 461. — Kstchronik, N. F. XVII (1906) 23.

Hédouin, E d m o n d (Pierre Edm. Alexandre), Maler, Radierer u. Lithograph, geb. in Boulogne-sur-Mer 16. 7. 1820 als Sohn des bekannten Kunstschriftstellers, Opernkomponisten und Sammlers Pierre H., † in Paris 12. 1. 1889, Schüler von P. Delaroche und Cél. Nanteuil an der Pariser Ecole d. B.-Arts. Debütierte im Salon 1842 mit einem Schäfer, stellte in der Folge Bauernbilder (Motive aus den Basses-Pyrénées) aus, bereiste Ende der 1840 er Jahre Algerien, von welcher Reise er zahlreiche Bildmotive mit heimbrachte, die er in der Folge verarbeitete. Mit Vorliebe schildert er das arbeitsame Treiben des Landvolkes, doch spürt man, „wie lose er doch im Ganzen den groben Mantel des gemeinen Naturlebens umgeschlagen hatte" (J. Meyer). Sein großes Bild: Ährenleserinnen in Chambaudoin (Loiret), das er im Salon 1857 zeigte, wurde für das Luxembourg-Mus. erworben. Außerdem befinden sich Gemälde H.s in den Museen zu Aix, Arras,

Bayonne (2 Bilder), Calais, Epinal, Lille (Kleeschnitter in Chambaudoin, 1852; 10 Vorzeichn. zu diesem Gem. im Musée Wicar), Narbonne, Toulouse, Troyes, Valenciennes, Versailles. Seine allegor. Malereien in den Festsälen des Palais Royal sind 1871 verbrannt; erhalten sind nur die 4 Medaillongemälde in dem grand foyer public des Théâtre-Français. Größere Bedeutung wie dem Maler H. kommt dem Radierer zu. Für Hachette überwachte er die Ausführung der Tafeln nach den Zeichnungen Alex. Bida's für die große Ausgabe der Saints Evangiles, an der er auch selbst mitgearbeitet hat. Seine graph. Hauptleistung sind die nach eigener Zeichnung ausgeführten, sehr sorgfältig vorbereiteten, in ihrer Delikatesse es mit den Meistern des 18. Jahrh. aufnehmenden Illustrationen zu dem Théâtre de Molière (Morgand, 1888; Titel und 34 rad. Vignetten). Weiter sind seine Vignetten für Manon Lescaut (Jouaust 1874), für den Voyage sentimental (ebenda 1875) und die Confessions de J. J. Rousseau (ebenda 1881) hervorzuheben. Auch nach fremden Vorbildern hat H. häufig gearbeitet; unter diesen reproduzierenden Radierungen sind die bedeutendsten: Diane sortant du bain, nach Boucher; La Dame au chapeau, nach Chaplin; Halte de chasse, nach C. van Loo; Les Romains de la décadence, nach Couture; ferner mehrere Blätter nach Watteau, Greuze, Delacroix, Diaz, Meissonier, Daubigny, einige besonders reizvolle Blätter nach Ad. u. Armand Leleux usw. Das Verzeichnis seiner Radier. bei Béraldi umfaßt 195 Bl. Auch kennt man einige Lithogr. von H.s Hand, darunter das frische Blatt: „Chantes ossalois" nach seinem 1845 ausgestellten Gemälde (Abb. Gaz. d. B.-Arts, 1913 II 315).

B e l l i e r - A u v r a y, Dict. gén. etc., I (1882) u. Suppl. (1887). — V a p e r e a u, Dict. univ. d. Contemp., Édit. 1—5 (hier auch über den Vater). — B é r a l d i, Graveurs du 19me s., VIII (1889). — F. v. B o e t t i c h e r, Malerwerke d. 19. Jahrh., I 1 (1891). — J. M e y e r, Gesch. d. franz. Mal., Lpzg 1867 p. 613, 636 f. — Courrier de l'Art, 1889 p. 32 (Nekrol.). — Chron. d. Arts, 1889 p. 22 (desgl.). — Gaz. d. B.-Arts, X 58/60 (P h. B u r t y über die Gemälde im Palais-Royal); cf. auch Tables alphab. 1859/63, 1864/68, 1869/80. — C h a m p i e r u. R o g e r S a n d o z, Palais Royal, 1900, II 89, 172. — M a x. D u C a m p, Les B.-Arts à l'Expos. univ. de 1855, p. 250 f. — B é n é z i t, Dict. d. Peintres etc., II (1913). — The Portfolio, 1873, Orig. Rad. gegen p. 156 u. 188; 1874 gegen p. 14, 140, 152. — Inv. gén. d. Rich. d'Art de la France, Paris, Mon. civ., I; Prov., Mon. civ., II, III, VII, VIII. — S o u l l i é, Ventes de Tableaux etc., 1896. — M i r e u r, Dict. d. Ventes d'Art, III (1911). *H. Vollmer.*

Hedouin, J e a n - B a p t i s t e, Pariser Kunsttischler, 1738 zünftiger Meister. Signierte Arbeiten (Kommoden, Wandschränkchen, bez. Hedouin, Edouin u. ähnl.) H.s kamen auf Pariser u. Londoner Versteigerungen vor.

V i a l, M a r c e l u. G i r o d i e, Artistes décor. du bois, I (1912). — Collect. M. Jules Boasberg, Vente Muller & Co., Amsterdam 1905 Nr 854.

Hédouyns, A n t o i n e , Pariser Goldschmied u. Ornamentzeichner. Man kennt von ihm eine Folge (6 Bl.) Entwürfe für Goldschmiede, von M. van Lochom 1653 gestochen.

M. d e M a r o l l e s , Livre des peintres etc., éd. D u p l e s s i s , 1855 (Hedouins). — G u i l m a r d , Maitres ornem., 1881.

Hedvig Elisabeth Charlotte, Prinzessin von Oldenburg, spätere Königin von Schweden, Tochter des Herzogs Friedr. August v. Oldenburg, geb. 22. 3. 1759, † zu Stockholm 20. 6. 1818, vermählt seit 1774 mit dem späteren König Karl XIII. von Schweden. Beschäftigte sich mit der Miniaturmalerei, worin sie es zu gewisser Fertigkeit brachte. Eine bez. Miniatur von ihrer Hand in Löfstad, Östergötland, ein Kinderbildnis (Halbfig.) im Nat.-Mus. in Stockholm.

Förteckning . . . Oljefärgstaflor . . . Nat. Mus. Stockholm, 1908. — Katal. över Miniatyrutställ. i Stockh., 1915. — C. M. C a r l a n d e r , Miniatyr-Målare i Sverige, 1897. *G. M. S—e.*

Hedwig, Königin von Polen, Tochter des Königs Ludwig d. Gr. v. Ungarn, seit 1386 Gemahlin Jagellos v. Litauen u. Polen, geb. um 1370, † 17. 10. 1399 in Krakau, führte in Perlstickerei ein rationale episcoporum als Geschenk für den Dom zu Krakau aus (erhalten im Domschatz). Eingestickt ist: „Hedwigis regina".

F r . B o c k , Gesch. d. liturg. Gewänder d. Mittelalters, 1870 II 202.

Heeck, A b r a h a m v a n d e n , siehe *Hecken,* A. v. d.

Heede, V i g o r v a n , fläm. Maler, geb. zu Furnes 1661, † daselbst 1708, Bruder des Willem, mit dem er nach Italien reiste.

Lit. s. unter Heede, Willem van.

Heede, W i l l e m v a n , fläm. Maler, geb. zu Furnes 1660, † 1728, Bruder des Vigor. Reiste in Frankreich, Italien u. Deutschland, und soll längere Zeit in Wien tätig gewesen sein. Es werden ihm mehrere Altarbilder in der Walpurgiskirche zu Furnes zugeschrieben, von denen der „Verlorene Sohn" aber von anderen auch für seinen Bruder Vigor in Anspruch genommen wird.

D e s c a m p s , Vies des peintres etc., IV (1764) 26. — F. C. G. H i r s c h i n g , Hist.-litt. Handb., 1797 p. 46. — D e s c a m p s , Voyage pittor. de la Flandre etc., éd. 1838, p. 300. — I m m e r z e e l , Levens en Werken, II (1843). — K r a m m , Levens en Werken, III (1859). — C o u v e z , Inv. des objets d'art de la Flandre occid., 1852 p. 623. *Z. v. M.*

Heegen, J o h a n n e s v a n , holl. Maler (Kunstschilder), wird am 1. 1. 1686 in Amsterdam begraben. *A. B.*

Heel, D a n i e l , siehe *Heil,* D. van.

Heel, J o h a n , Miniaturmaler, nur bekannt durch ein „Johan Heel fecit 1603" bez. Miniaturporträt eines Patriziers, das mit der Samml. Jaffé-Hamburg März 1905 bei Heberle

in Köln versteigert wurde (Katal. p. 69 No 811).

Heel, J o h a n n , Maler aus Göggingen; von ihm das unbedeutende, 1738 gemalte Deckenbild im Langhaus der Pfarrkirche von Mauerstetten (Bez.-Amt Kaufbeuren), die Patrone der Kirche u. a. darstellend, und die Deckenbilder im Langhaus der Kirche zu Hohenfurch (Bez.-Amt Schongau): Himmelfahrt Mariä und Tobias mit dem Engel, bez. u. dat. 1759.

S t e i c h e l e - S c h r ö d e r , Bistum Augsburg, VI (1896—1904). — Kstdenkm. des Königr. Bayern, I (1895) 581.

Heel, J o h a n n P e t e r , Baumeister und Bildhauer in Pfronten (Schwaben), leitete den 1687 begonnenen Neubau der dort. Pfarrkirche, an deren Innenausstattung auch der einheim. Maler J o s e f H. tätig war (malte die Stationen). Joh. Peter führte auch einen Auftrag für die Residenz in Dresden aus.

Bayer. Heimatschutz, XVII (1919) 148.

Heel, J o h a n n Wilhelm, Goldschmied, Emailleur, Glasschneider u. Radierer in Nürnberg, geb. zu Augsburg 25. 10. 1637, † zu Nürnberg 17. 3. 1709, war nach 1650 9 Jahre Schüler von Matth. Schaffhauser, ließ sich nach den Wanderjahren 1668 in Nürnberg nieder. Goldschmiedearbeiten nicht erhalten. H. soll (1670) sogenannte Dreifaltigkeitsringe angefertigt haben, sich in der Treibarbeit hervorgetan, emailliert und optische Gläser geschliffen haben. Nach Doppelmayr (handschr. erg. Exemplar im German. Mus.) fertigte er auch zuerst in Nürnberg die gegossenen zinnernen (?) Knöpfe auf holländ. Art; auch habe er die „indianische Lackarbeit" in Nürnberg eingeführt, habe in Eisen geschnitten und Porträts u. Figuren in Glas geschnitten. Ihm zugeschrieben wird eine Medaille von 1670 mit dem Bildnis des Arztes Gregor Hilling. Er radierte eine Folge von Querfüllungen, Ranken mit Figuren u. Tieren, 8 Bl., das 1. bez. „Johan Heel Fecit Anno 1664", eine ähnliche Folge, 8 Bl., das 1. bez. „J. H. Fecit 1665", ein „Schneid-Büchlein, D. Funck exc.", Nürnberg o. J., (6 Bl. Schwarzornamente) und „Johann Heels Goldschmidts-Büchlein. Zu finden bey David Funcken in Nürnb.", 5 Bl. und Titelbl., Juwelengehänge, Ringe u. a. Schmucksachen, auf dem letzten Bl. ein Ecce Homo in ovalem Rahmen. — Ein geschabtes Bl. zeigt H.s Selbstbildnis (?), einen bekränzten Kopf in Laubwerkeinfassung, Überschr.: Soli Deo Gloria, Unterschr.: Johann Heel 1668.

D o p p e l m a y r , Nachricht v. Nürnb. Mathem. u. Kstlern . . ., 1730 2. Reg. (handschr. Ergänzungen im Exempl. d. Germ. Mus. Nürnberg). — M u r r , Beschreibung d. vornehmsten Merkwürdigk. . . ., 1778 p. 736. — W e i g e l ' s Kstcatal., Leipzig 1838/66, I 3651/2; V 25 256. — N a g l e r , Monogr., III. — H e l l e r - A n d r e s e n , Handb. f. Kupferstichsammler, I (1870). — G u i l m a r d , Maitres Orneman., 1881

(Hell). — R i t t e r, Katal. d. Wiener Ornament-stichsammlung, 1889. — Katal. d. Ornament-stichslg Berlin 1894, Nr 464. — H a m p e, Alt-nürnberger Kunstglas u. s. Meister, Neujahrs-blätter, XIV. Heft p. 46. — F o r r e r, Dict. of Medall., II (1904). — Archivalien: Nürnb. Toten-bücher, 1713/24 p. 332, 1724/33 p. 312; Nürnb. Ratsverl. a. d. J. 1694 u. 1699. *W. Fries.*

Heel, J o s e f, s. unter *Heel, Johann Peter.*

Heel, K a r l August Theodor, Landschafts-maler, geb. in Wolfenbüttel 1. 6. 1841, † in Braunschweig 15. 7. 1911. Schüler von W. Brandes in Braunschweig und H. Gude an der Düsseldorfer Akad. (1859—62). Tätig in Wolfenbüttel, Studienreisen nach dem Harz, 1865 Zeichenlehrer, 1881 Gymnasiallehrer in Braunschweig. H. hat viele hunderte von Ge-mälden, Skizzen u. Studien mit Motiven aus der Umgegend Braunschweigs, dem Harz, der Heide, Schweiz, Unterelbe, Rügen u. Süd-schweden geschaffen. Seine Arbeiten zeichnen sich aus durch flotte Technik, klare Zeichnung und ansprechende Motive. Das Städt. Mus. in Braunschweig, das eine Anzahl seiner Arbeiten besitzt, veranstaltete Ende 1911 eine Nach-laßausstellung.

Das geistige Dtschland, 1898. — J a n s a, Dtsche bild. Kstler, 1912. — F. v. B ö t t i c h e r, Malerwerke des 19. Jahrh., I 1 (1891). — Braun-schw. Neueste Nachr., 1911 Nr 166 v. 18. 7. — Kat. Gr. Kst-Ausst. Hannover, 1912.

Heem, d e, holländ.-flämische Familie von Stillebenmalern in Utrecht u. Antwerpen. Der Verwandtschaftsgrad der einzelnen Mitglieder untereinander ist noch nicht restlos aufgeklärt. Auch bei der Aufteilung der von ihnen sign. Bilder unter die verschiedenen Mitglieder, die wir in chronolog. Anordnung folgen lassen, sind noch nicht alle Widersprüche behoben.

K r a m m, Levens en Werken, 1857—64. — T h. v. L e r i u s, Biographies d'art. Anversois, I (1880) 211 ff. — Repert. f. Kunstwiss., XI (1888) 123—146 (H u g o T o m a n). — Allgem. Deutsche Biogr., XI (W. S c h m i d t). — A. v. W u r z-b a c h, Niederl. Künstlerlex., I (1906). — B é n é z i t, Dict. d. Peintres etc., II (1913). — Spezial-Lit. folgt unter den einzelnen Artikeln.

D a v i d I, geb. um 1570 in Utrecht, † um 1632 daselbst. Stammvater der Familie. Die Tradition, daß schon er Maler u. der erste Lehrer seiner Söhne Jan I Davidsz. u. David II Davidsz. gewesen sei, ist bisher noch nicht urkundlich belegt. Diesbezügliche Angaben Houbrakens beruhen auf einem Mißverständnis, das auch Kramm übernommen hat.

H o u b r a k e n, Groote Schouburgh, 1718—29, I 210. — H o f s t e d e d e G r o o t, Houbraken, 1893 p. 251. — T h. v. L e r i u s, Biogr. d'art. Anversois, I 213/16. — K r a m m, Levens en Werken, (1857—64) 652. — Repert. f. Kunstwiss., XI 127, 130 f.

J a n I D a v i d s z., geb. 1606 in Utrecht, † zwischen 14. 10. 1683 u. 26. 4. 1684 in Antwerpen. Angeblich erst Schüler seines Vaters David I in Utrecht, übersiedelt er nach Leiden u. heiratet dort 12. 12. 1626 Aletta van Weede aus Utrecht. Der Maler Cornelis ist das 2. Kind aus dieser Ehe. 1636 geht H. nach Antwerpen u. wird Mitglied der St. Lukasgilde, 1637 auch Bürger dortselbst, wo er ansässig bleibt, obwohl er seit 1658 in den Lig-geren mehrfach als abwesend bezeichnet wird. Verwitwet 29. 3. 1643, heiratet er 6. 3. 1644 Anna Ruckers aus Antwerpen; ihr Sohn Jan II Jansz. wird ebenfalls Maler. Seit 1669 in Utrecht Mitglied der dort. St. Lukasgilde, ver-läßt H. 1672 diese Stadt auf der Flucht vor der franzöz. Invasion u. wohnt von neuem bis zu seinem Tode in Antwerpen. — Werke H.s aus seiner ersten Utrechter Zeit konnten bisher nicht mit Sicherheit nachgewiesen wer-den. Wenn er überhaupt seine erste Ausbil-dung in Utrecht empfangen hat, so dürften seine Werke in engem Anschluß an die dortige ältere Stillebenmalerei eines B. v. d. Ast, B. Asteyn, Abr. Bosschaert u. a. entstanden, aber erst noch aus deren Schulgut auszuschei-den sein. Das merkwürdige bez. u. 1627 dat. Stilleben der Verst. J. J. v. Alen u. a. (Amster-dam 22. 11. 1910), eine Schale mit Früchten, ein Weinglas u. a. m., ist schon in Leiden entstanden, erinnert aber mehr an die Haar-lemer Art, etwa eines Floris van Schooten, als an damalige Utrechter Stilleben, während das Frühstücksbild von 1628 in Gotha wiederum schon ganz an die feine Tonmalerei eines P. Claesz. u. W. C. Heda gemahnt. Dies legt die Frage nahe, ob H. nicht etwa eher von der Haarlemer Schulung ausgegangen sein könnte. Erst in seiner Leidener Zeit wird H. für uns eine auch künstlerisch faßbare Persön-lichkeit durch einige bez. u. dat. Bilder, worin er sich eng an die eigentümliche Richtung der dortigen Stillebenmalerei anschließt: „Vanitas"-Darstellungen, wie sie die Meister aus dem Umkreis des David Bailly (Pieter Potter, H. u. P. v. Steenwijk, J. de Claeuw, Collier u. a.) offenbar unter dem Einfluß des jungen Rem-brandt besonders häufig malten. Also Stilleben mit Büchern, Schreib- u. Rauchzeug, Musik-instrumenten, bisweilen mit Totenkopf, Sand-uhr u. anderen Symbolen der Vergänglichkeit, die ganz in braungrauem, beinahe monochro-mem Ton u. malerischer Behandlung aufgehen (Haag 1628, Amsterdam, Leipzig 1628). Auch sind aus diesem Jahr 1628 einige der seltenen Figurenbilder aufgetaucht, ebenfalls in der Art der mit dem Leidener Rembrandtschülerkreis zus.-hängenden Arbeiten eines Pieter Potter, Codde u. a. Ein bez. u. 1631 dat. Bild (Verst. N[ar-dus] 27. 11. 1917 in Amsterdam) mit Korb,

Stammtafel der de Heem:

David I

Jan I Davidsz.   David II Davidsz.

Cornelis   Jan II Jansz.

David III Cornelisz.

Früchten usw. unter einem Vorhang zeigt aber auch schon, daß H.s Übergang zu der reicheren Form des Stillebens, wie sie vor allem seit der Übersiedelung nach Antwerpen 1636 bei ihm die übliche wird, gelegentlich bereits in Leiden sich vollzogen haben muß. — In Antwerpen entstehen dann im Anschluß an die Blumenmalerei des D. Seghers u. die spezifische Ausprägung, die das Stilleben in der Rubensschule u. a. durch F. Snyders erfahren hatte, jene Hauptwerke H.s, die zum Allerbesten u. Schönsten gehören, was auf dem Gebiete der Stillebenmalerei im 17. Jahrh. geleistet worden ist: Blumensträuße, Frucht-Gehänge oder Körbe; reiche Arrangements von Eßwaren, Meertieren, Tafelobst, kostbaren Prunkgefäßen u. Gläsern, Musikinstrumenten, allerlei kleinem Getier u. a. m.; meist untermischt mit Blumen u. Blättern, u. üppig übersponnen von Pflanzenranken. Im Hintergrund dient ein geraffter Vorhang, Säulenarchitektur oder altes Gemäuer als Folie; auch eröffnet sich bisweilen ein Ausblick auf eine Landschaft oder Marine. H. hat Bilder in allen Größen vom bescheidenen Kabinettformat bis zum ganz großen Prunkstück (152×206 cm) gemalt. Er bleibt im 17. Jahrh. unübertroffen in der mannigfaltigen, geschmackvollen u. gewählten Anordnung seiner Bilder, wo ein ausgesprochenes Helldunkel die verschiedensten Farben zu einem warmen Ton vereinigt. Verglichen mit flämischen Stücken eines D. Seghers mit ihrer kalten Tagesbeleuchtung u. den hellen, bunten, dünn aufgetragenen Lokalfarben bleibt H. doch der Holländer u. bei aller Feinheit u. liebevollem Eingehen aufs Einzelne der Naturerscheinungen stets harmonisch im Bildganzen u. schmelzend klar u. warm in der Farbe. Sein Stil hält in überaus glücklicher Weise die Mitte zwischen der breiten dekorativen Art etwa eines F. Snyders u. der holländ. exakten Kleinarbeit etwa eines J. v. Huysum. H.s lange Lebensdauer, wechselnder Aufenthalt u. großes Produktionsvermögen trugen, ganz abgesehen von der Menge seiner Schüler u. Nachahmer, dazu bei, daß seine Kunst, die fast die ganze Dauer der Entwicklung des niederl. Stillebens begleitet, weit über sein Atelier hinaus von nachhaltigem Einfluß auf dieselbe gewesen ist. Nach verschiedenen Richtungen hin hat er zwischen Nord u. Süd ausgleichend gewirkt u. die Vorzüge der einen Schule der andern vermittelt. — In beinahe jeder öffentl. Galerie ist H. durch ein oder mehrere Bilder vertreten; bes. reichlich mit 10 in Dresden. Datierte Stücke kommen bes. aus den Jahren 1640—1667 vor. So z. B. 1640 Paris; 1641 Brüssel, Städt. Mus.; 1642 Wien, Slg Czernin; 1645 Longford Castle, Earl of Radnor; 1648 Wien, Staatsgal. u. Slg Liechtenstein, Mailand, Slg Bonomi-Cereda; 1650 Berlin, Dresden, Innsbruck; 1651 Berlin, Frankfurt; 1652 Kopenhagen, Prag, Slg Nostitz; 1653 Dublin, München; 1655 St. Petersburg; 1659 Montpellier, St. Petersburg, Akad.; 1667 Brüssel. — Neben der Großzahl üppiger Blumen- u. Tischstilleben entstehen in H.s Antwerpener Zeit auch einige wenige Vanitas-Bilder — stilistisch völlig verschieden von denen der zwanziger Jahre — Totenschädel oder Gebeine u. a. in umrankter Mauernische (1652 Prag, Slg Nostitz; 1653 Dublin; Dresden u. Brüssel undat.). Ferner kathol. Kultgeräte in Blumenumrahmung (Wien: Kelch u. Hostie). Auch hat H. im Sinne der Arbeitsteilung, wie diese im Umkreis des Rubens üblich geworden war, mit andern Meistern zus.-gearbeitet u. deren Gemälde mit Blumen u. a. ausstaffiert; z. B. Laxenburg bei Wien (Pfarrkirche) mit Ger. Zegers u. andern; München mit N. v. Veerendael; Lyon mit einem Unbekannten; Brüssel mit C. (?) Lambrechts; urkundlich beglaubigt u. a. auch mit Jan Lievens. Als seine Schüler sind z. T. nachgewiesen oder werden als solche genannt: vor 1636 in Leiden P. de Ringh; in Antwerpen 1638 Michiel Versteylen, Andreas Benedetti, 1641 Alex. Coosemans, Thomas de Clerck, Leonard Rougghe, ferner seine Söhne Cornelis u. Jan II Jansz.; seit etwa 1669 in Utrecht Jac. Marellus, Abr. Mignon, M. van Oosterwijk, Jac. Rootseus, Hendr. Schook. Groß ist auch die Zahl seiner Nachahmer, wie z. B. Th. Aenvanck, Jan de Bondt, El. v. d. Broeck, Corn. Kick, J. de Claeuw, Hendrik de Fromantiou, J. P. Gillemans d. Ä. u. d. J., J. Hannot, Jan I van Kessel, H. Loedingh, J. Mortel, J. Potheucq, die van Sons, M. Simons u. a. — Die Signaturen auf Gemälden anderer Meister, namentlich seiner zahlreichen Schüler u. Nachahmer, sind nicht selten verstümmelt u. zu den seinigen verfälscht worden. Damit ist auch heute noch bei der Kritik seiner Werke sehr zu rechnen. Auch hat die Verschiedenartigkeit, womit H. seine Schöpfungen zu signieren pflegt, zu mancherlei Verwechslungen u. irrigen Zuschreibungen an andere Glieder der Familie H. Anlaß geboten. H. pflegt, bes. in der Frühzeit, seinen Vornamen auszuschreiben, später dann oft das Patronymikon Davidszoon durch ein D anzudeuten, ohne daß aber dabei eine feste Regel aufzustellen wäre (vgl. die Faksimiles im Repert. f. Kunstwiss., XI [1888] 128 ff.). — Verschiedene Bilder H.s wurden von Stöbner, Zentner, R. Earlom u. a. gestochen bzw. geschabt. Eine anonyme Folge von 16 Stichen nach Blumen „mises au jour par J. H. 1653" soll auf H.s Vorlagen zurückgehen. — Ein Selbstporträt H.s in Amsterdam. Sein Freund Adr. Brouwer hat H., zus. mit J. Cossiers, auf einem heute nicht mehr nachweisbaren Genrestück porträtiert. Jan Lievens Vorzeichnung für den Bildnisstich H.s von P. Pontius in London (Print Room).

C. de Bie, Gulden Cabinet, 1662 p. 216—219.
— Sandrart, Academia, 1683 p. 307. —
Houbraken, Groote Schouburgh, 1718—29,
I 209 ff.; III 82 f. — Weyerman, Nederl.
Konstschilders, 1729 I 407 ff.; II 69. — Kramm,
Levens en Werken, 1857—64 p. 652 f. — Nagler,
Künstler-Lex., VI; ders., Monogr., III No 2493.
— Rombouts - Lerius, Liggeren 1864—72,
II. — Th. v. Lerius, Biogr. d'art. Anversois,
I 219 ff. — F. J. v. d. Branden, Antwerpsche
Schilderschool, 1883 p. 862, 864, 866—70. —
S. Muller, Utrechtsche Archieven, 1880. —
Oud Holland, II 118; IV 214; VI 176, 189;
X 65. — Kunstchronik, VIII 260 ff. — Repert.
f. Kunstwiss., VIII 215 f.; X 42; XI 123 ff., 344.
— Jahrb. d. Kunstsammlgn d. a. h. Kaiserh. Wien,
V 349; XXIII 11, 27 ff. — Cicerone, V (1913)
789; VII (1915) 186, m. Abb. — Oude Kunst, I
(1916) 366, Abb. (Bild bei Goudstikker). — Hof-
stede de Groot, Houbraken, 1893 p. 41, 128, 251.
— Kat. Ausst. alter Bilder, Utrecht 1894. —
W. Schmidt in Allg. Deutsche Biographie,
XI. — Bode, Studien z. Gesch. d. holl. Malerei,
1883 p. 229; ders., Rembrandt u. s. Zeitgenossen, 1906 p. 199 ff.; ders., Meister d. holl.
u. vlaem. Malerschulen, 1917 p. 288 f. — Granberg, Trésors d'art en Suède, I (1911) 21, m.
Abb. — A. v. Wurzbach, Niederl. Künstler-
Lex., I. — E. Heidrich, Vläm. Malerei, 1913
p. 79, m. Abb. — Hind, Cat. of drawings in
the Brit. Mus., I (1915) 84, m. Abb. — Oldenbourg, Fläm. Malerei, 1918 p. 199. — Notizen
von C. Hofstede de Groot.

David II Davidsz., geb. vermutlich in
Utrecht, wo er 1668 Mitglied der St. Lukasgilde
wird (Kramm). Wahrscheinlich jüngerer Bruder
des Jan I Davidsz. Werke mit Sicherheit
einstweilen nicht nachgewiesen, da es sich bei
den bisherigen Zuschreibungen an David II
zumeist um Bilder mit verstümmelter oder apo-
krypher Bezeichnung gehandelt hat, die sich
als Werke des Jan I Davidsz. bzw. des Cornelis herausstellten. Ob einige D. de Heem f.,
bzw. D. D. D. Heem bez. Bilder mit Blumen
u. Früchten, sowie Frühstückstilleben (Aachen,
Amsterdam, Pommersfelden, Tournay) wirklich
von ihm oder etwa von David III Cornelisz.
herrühren, bleibt noch festzustellen.

Kramm, Levens en Werken (1857—64) 652.
— Th. v. Lerius, Biograph. d'art. Anversois,
1880 I 217 f. — Repert. f. Kunstwiss., XI 126. —
Kat. Ausst. 1893 in Lüttich und des dort. Mus. —
Kat. Ausst. Alter Bilder Utrecht 1894. — Chron.
des arts, 1894 p. 148. — A. v. Wurzbach,
Niederl. Künstler-Lex., I. — Cicerone, VII (1915)
186, m. Abb.

Cornelis, get. 8. 4. 1631 in Leiden, begr.
17. 5. 1695 in Antwerpen. Vater des David III
Cornelisz., Schüler seines Vaters Jan I Davidsz.
1660—61 Mitglied der St. Lukasgilde in Antwerpen, woselbst er den größten Teil seines
Lebens verbracht hat. Von 1676—81 ist er
vorübergehend im Haag nachzuweisen u.
Mitglied der dort. Malerzunft. Er war in
2. Ehe (vor 1678) verheiratet mit Maria van
Beusecom, Witwe des Jan van Oostrum
(Notiz Bredius). In seinen besten Werken
kommt er beinahe seinem Vater gleich,
zumeist aber unterscheiden sich die seinen

durch trockeneren Vortrag u. nicht so restlos ausgeglichenes Kolorit. Auch sind seine
Kompositionen weniger geistvoll u. abwechs-
lungsreich angeordnet als diejenigen seines
Vaters, an die er sich gegenständlich allermeist
zu halten pflegt: Blumensträuße sowie Früchte
in kunstvollen Gehängen oder mit Blumen,
Pflanzenranken, Prunkgeschirren, Tafelgeräten
u. Eßwaren zu reichen bunten Tisch-Still-
leben angeordnet. Den neutralen Hintergrund
bildet meist eine Mauer oder ein Vorhang.
Seine überaus zahlreichen Bilder sind in beinahe allen öffentl. Galerien u. vielfach in
Priv.-Besitz zu finden. Verhältnismäßig selten
aber hat er seine meist C. De Heem f. bez.
Bilder auch datiert, z. B. Frankfurt 1657 u.
1658; Tours 1658; Karlsruhe 1659; Nancy
1664; Bessinge bei Genf (Slg Tronchin) 1665.

C. de Bie, Gulden Cabinet, 1662 p. 369. —
Sandrart, Academia (1683) 313. —
Houbraken, Groote Schouburgh (1718—29)
I 212. — Rombouts - Lerius, Liggeren
(1864—72) II. — Th. v. Lerius, Biogr. d'art.
Anversois, 1880 I 249 ff. — F. J. v. d. Branden,
Antwerpsche Schilderschool, 1883 p. 870 f. —
Obreen's Archief, IV 106. — Kramm, Levens
en Werken (1857—64) 651 f. — A. v. Wurz-
bach, Niederl. Künstler-Lex., I. — Cicerone,
VII (1915) 186, m. Abb. — Notizen A. Bredius.

Jan II Jansz., get. 2. 7. 1650 in Antwerpen,
† wahrscheinlich zwischen 1683/84 u. 1695, Sohn
des Jan I Davidsz. aus zweiter Ehe. Offenbar
Schüler und unselbständiger Gehilfe seines Vaters,
der nach Houbraken die Arbeiten des Sohnes
zu retouchieren pflegte. Werke nicht mit Sicherheit nachgewiesen.

Houbraken, Groote Schouburgh 1718—29,
I 212. — Kramm, Levens en Werken (1857
bis 64) 652 f. — Th. v. Lerius, Biogr. d'art.
Anversois, I 231 f. — Repert. f. Kunstwiss., XI
(1888) 125 f., 143—45.

David III Cornelisz., get. 27. (laut
Bredius' noch unveröffentl. archival. Forschungen: 17.) 2. 1663 in Antwerpen, † vermutlich
in London, unbekannt wann, Sohn des Cornelis, mit dem er später im Haag wohnte,
wo 1687 sein Inventar wegen Schulden
beschlagnahmt wird. Wird 1693—94 Mitglied der St. Lukasgilde in Antwerpen.
1697—1701 wieder im Haag. Weyerman, dem wir
wenige u. ungenaue Angaben über H. verdanken
(er kennt nicht einmal dessen Vornamen), will
ihn 1718 in London als kränklichen Mann gekannt haben, von dem er 1729 annimmt, er
sei inzwischen wohl bereits verstorben. Ein
Bild, echt bez. D. De Heem, Vase mit Blumen,
trocken gemalt, ganz im Stil des beginnenden
18. Jahrh., im Haag'schen Gemeente-Mus.
(noch nicht katalogisiert u. nicht ausgestellt).

Weyerman, Nederl. Konstschilders, 1729,
III 387. — Rombouts - Lerius, Liggeren
(1864—72), II. — Th. v. Lerius, Biogr. d'art.
Anversois, 1880, I 260 ff. — Kramm, Levens
en Werken (1857—64) 652. — Kat. Ausst. alter
Bilder, Utrecht 1894. — Oud Holland, XI (1893)
139. — Mit Notizen von A. Bredius. *H. Schneider.*

Heem, A b r a h a m   d e , holl. Maler, geb. um 1616, † 3. 12. 1649, 33 Jahre alt, an einer Wunde in seiner Wohnung am Spanischen Platz in Rom.

Pfarrb. S. Lorenzo in Lucina, Rom. *Fr. Noack.*

Heemer, T., holl. Maler, signierte ein Gemälde: Belagerung von Zalt-Bommel 1574 (Rathaus Zalt-Bommel).

Voorloopige Lijst der Nederl. Monum. etc. IV de Prov. Gelderland, 1917 p. 206.

Heems, J a n , siehe *Heemst,* J.

Heemsce, S i m o n   d e , gen. *Simon de Honnefleu,* französ. Glasmaler in La Bretonnière bei Moulay (Dep. Mayenne), 1543—57. Arbeiten (sämtlich zerstört): Fenster für die Eglise de la Trinité in Laval, Notre Dame in Mayenne usw. 1553 Anklage wegen Ketzerei. — D a v i d   d e H., Maler (Glasmaler?), arbeitet 1557 für Notre Dame in Mayenne.

Esnault-Denis, Dict. des artistes etc. Manceaux, 1899.

Heemskerck (Heemskerk), B a s t i a a n (Sebastiaan), Maler, angeblich aus Rotterdam. Tätig seit 1691; 14. 2. 1748 i. d. Oude Kerk zu Amsterdam begraben. Wohnte an der Lauriergracht. Er malte Bauernstuben, Gelage, Charlatane usw. in dem Genre des Egbert v. H., mit dem er oft verwechselt wird. Am 31. 3. 1749 wurde sein künstler. Nachlaß verkauft. Zwei bez. Gemälde, Gegenstücke, in Schwerin, dat. 1730.

A. v. W u r z b a c h , Niederl. Kstlerlex., I (1906), m. Lit. — C. H o f s t e d e d e G r o o t , Quellenstudien z. holl. Kstgesch., I (1893). — Oud-Holland, XXXI (1913) 203. — Mit Notizen Dr. A. Bredius.

Heemskerk, D a v i d , Maler u. Dekorateur. Erwähnt in Haarlem als Mitglied der Gilde, 1720 u. 1748. Sohn des Johannes H.

v. d. W i l l i g e n , Geschiedkundige Aanteekeningen, 1866 p. 126.

Heemskerck (Heemskerk), E g b e r t   I v a n , Genremaler, geb. in Haarlem 1634 oder 1635, † in London 1704. Schüler des Pieter de Grebber. Außer Versuchungen des hl. Antonius, Hexenszenen u. dgl. malte er lustige Gesellschaften; bisweilen auch ziemlich freie Darstellungen. 1663 ist er im Haag erwähnt (28 Jahre alt) und arbeitete 1665 in Amsterdam (31 Jahre alt). Später siedelte er nach England über, wo Lord Rochester sein Gönner war. Ein Bild mit einer Quäkerpredigt, das 1892 in der Versteig. Höch zu München verkauft wurde, war bezeichnet: „E. Heemskerck, London 1690". Eine ähnliche Darstell. in London, Hampton Court Palace. Als Hauptwerke dürfen 2 bez. Gegenstücke mit zahlreichen Figuren im Kunstmus. zu Kopenhagen gelten: „Der Richterspruch" u. „Bauerntanz in einer Wirtschaft". Ein Selbstbildnis H.s ist aus einem geschabten Blatte bekannt. Seine Zeichnungen sind nicht selten; nicht bez. Blätter gehen oft unter dem Namen Brouwers. — Weyerman teilt mit, daß H.

einen g l e i c h n a m . Sohn hatte, der ebenfalls Genremaler war und angeblich 1744 †. Gesicherte Bilder dieses E g b e r t   I I   v a n   H. sind bisher nicht nachgewiesen.

Oeuvreverz.: A. v. Wurzbach (s. Lit.), I u. III. Zu ergänzen durch Bilder zu Arras, Basel, Dünkirchen, Gent, Göttingen (Univ.), Haarlem, Kapstadt, Karlsruhe, Linz a. D. (Landesgal.), Lissabon, Lüttich, Mailand (Poldi-Pezzoli), Mainz, Mannheim, Meiningen, Minneapolis, Mülhausen i. E., Nancy, New York, Prag (Gal. Nostitz, vgl. Kstchronik, XXIV 698), Saint-Omer, St. Petersburg (Ermitage u. Samml. Ssemjonoff; vgl. [Weiner u. Liphart], Les écoles de peint. dans les Palais etc. russes, 1910 p. 89), Speyer (vgl. Münchner Jahrb. der bild. Kst, VI [1911] p. 124). Vgl. die betr. Gal. Kat.

A. v. W u r z b a c h , Niederl. Kstlerlex., I (1906); III (1911), m. ält. Lit. — M o e s , Iconogr. Batava, 1906 Nr 871, 3315, 3433—47, 4233. — Oud-Holland, XIX (1901); XXIII (1905); XXXIV (1916). — Bulletin v. d. Nederl. Oudheidk. Bond, III (1901—2) 133. — Repert. f. Kunstwiss., XIV (1891) 238. — F r i m m e l , Kl. Galeriest., N. F. I (1894); III (1896). — P a r t h e y , Dtscher Bildersaal, I (1863). — G r a n b e r g , Trésors d'art en Suède, I (1911). — M i r e u r , Dict. des Ventes d'art, 1901 ff., III. — G r a v e s , Century of Loan Exhib., II. — Jahrb. d. Bilderpreise, Wien 1911 ff., IV; V/VI. — Kstdenkm. d. Rheinprov., III (1894) 73.

G. J. H.

Heemskerck (Heemskerk), H e n d r i k   v a n , als Maler von Bauerngesellschaften in alten Katalogen erwähnt. Ein „Henderick Cornelisse Heemskerck" zahlte 1659 das Eintrittsgeld in der Gilde zu Leiden. Später soll er im Haag gelebt haben. Seine Bilder gehen wahrscheinlich unter dem Namen des J. M. Molenaer u. a.

A. v. W u r z b a c h , Niederl. Kstlerlex., I (1906), m. Lit.

Heemskerck v a n   B e e s t , J a c o b   E d u a r d , Jonkheer, Marinemaler, geb. in Kampen am 28. 2. 1828, † im Haag am 22. 12. 1894; Vater der Jakoba H. v. B. Schüler von Dirk van Lockhorst. Trat in die Kgl. Marine ein, die er wieder verließ, um sich der Malerei zu widmen. Stellte in Brüssel, Paris (Salon u. Weltausst. 1878), London, München (Glaspalast) u. Wien (Weltausst. 1873) aus. Arbeiten im Rijksmus. Amsterdam („Der Zuydersee", „S. M. Schiff Medusa die Durchfahrt durch die Straße von Shimonoseki erzwingend", „Unsere Bahnbrecher": Lünette, für die landwirtschaftl. Ausst. Amsterdam 1884 gem., u. a.), Haag (Gemeente Mus.), Rotterdam u. a. O.

A. v. W u r z b a c h , Niederl. Kstlerlex., I 72. — S i n g e r , Kstlerlex. — B é n é z i t , Dict. des peintres etc., II. — G r a v e s , Dict. of art., 1895; Loan Exhib., IV. — B ö t t i c h e r , Malerwerke 19. Jahrh., I 1 (1891). — Cat. Espos. des b.-arts, Brüssel 1869 p. 118. — Kat. Glaspal.-Ausst. München, 1869, 1891 (ill. Ausg.) p. 106, 1894 p. 17. — Kat. Ausst. Kstlerhaus Wien, 1894 p. 91. — Gal.-Kat. — Kat. Handzeichn. Nat.-Gal. Berlin, 1902. — M i r e u r , Dict. des Ventes d'art, III (1911).

Heemskerck v a n   B e e s t , J a k o b a , Malerin und Holzschneiderin im Haag und in Amsterdam, geb. 1876, Tochter und Schülerin des Jacob Ed. Heemskerck v. B., dessen Stoffgebiet, die Marinemalerei, sie übernahm. 1886 bis 1901 an der Haager Akad., seit 1904 für einige Jahre in Paris als Schülerin Eug. Carrières. Vom Impressionismus und Pointillismus fand sie bald den Weg zum Expressionismus. Sie sucht Architektonik des Aufbaus, starke lineare Rhythmik mit leuchtenden, reinen Farben zu vereinen. Ihre besten Bilder und Holzschnitte sind frei von Manier, der sie in schwächeren Arbeiten nicht ganz entgeht. Ihr Sinn für Architektonik des Gefüges und für die Farbe befähigt sie besonders für Mosaik und Glasgemälde. Sie hat Entwürfe für die Glasmosaikfabrik Puhl & Wagner, Gottfried Heinersdorff, Berlin, geliefert; zu ihren besten Arbeiten zählen die streng architektonisch aufgefaßten, rhythmisch durchgebildeten Glasgemälde für die Treppenhalle der Mariniers-Kaserne und für das Gebäude der Städt. Gesundheitspflege in Amsterdam (1922/23). Die naturentlehnten Formen gehen hier bis nahe an die Grenze rein abstrakter Gestaltung. H. zählt zu den frühesten Künstlern des „Sturm" in Berlin, der ihr seit 1913 den Weg bereitete, und zu den Bahnbrechern der expressionist. Bewegung in Holland. Werke in der Samml. des „Sturm"-Leiters Herwarth Walden, Berlin, in der Samml. Tak van Poortvliet in Holland u. a. O. H. pflegt ihren Bildern keine Namen, sondern nur Nummern zu geben, die zugleich über die Entstehungszeit aufklären.

Kunstchronik, N.F. XXIX (1918) 116; XXXIII 104. — Cicerone, XI (1919) 707; XII 128. — Ararat, II (1921) 262/3. — Kunstblatt, I (1917) 46, 268; II 320; III 167. — Sozialist. Monatshefte, LVII 1080. — Dial, LXXII 272. — Die Kornscheuer, 1920, Dez.-Sonderheft, p. 26. — „Der Sturm", Originalholzschn. fast in allen Jahrgängen. — Cat. Soc. des Artist. Indépend., Paris 1911, 12, 13, 14; Salon Soc. Nat., Paris 1911; Münchener Glaspalast, 1909. *Hans Hildebrandt.*

Heemskerck, Jan van, Maler, 1611 Schüler des Abr. Bloemaert in Utrecht.

S. Muller, Utrechtsche Archieven I (1880).

Heemskerck, Jan Gerritsz. van, holl. Maler, geb. in Rotterdam zwischen 1590 u. 1594. Schüler des Glasreißers S. Q. van der Maes im Haag (1608) und 5 Jahre (seit 1611) von Abraham Bloemaert in Utrecht. Trat dann eine Studienreise nach Frankreich, Spanien u. Italien an und ist zuletzt, anscheinend auf der Rückreise, in Saumur (Frankr.), Brüssel u. Antwerpen nachzuweisen.

Oud Holland, XXXI (1913).

Heemskerk, Johannes, Bildnismaler u. Dekorateur, geb. zu Haarlem 1687; † ebenda durch einen Unglücksfall 14. 6. 1740. Van der Willigen besaß von ihm ein Porträt, „gut gezeichnet". Er ist der Vater des David H.

v. d. Willigen, Geschiedk. Aanteek., 1866 p. 125.

Heemskerck (Heemskerk), Maarten (Marten, Martinus) van, Maler u. Kupfer-

stecher, geb. 1498 in Heemskerk, † 1574 in Haarlem. Schüler des Cornelis Willemsz. in Haarlem und eines gewissen Jan Lucasz. in Delft. Nach Scorels Rückkehr aus Italien und während dessen Aufenthalts zu Haarlem (1527 bis 29) bildete H. sich unter seinem ehemal. Mitschüler weiter aus in romanistischem Sinne. Als Scorel endgültig nach Haarlem übersiedelte, eröffnete H. in Haarlem eine eigene Werkstatt. 1532 machte er sich selbst auf den Weg über die Alpen, indem er seinen Gildebrüdern als Abschiedsgeschenk jene „Madonna mit dem hl. Lukas" hinterließ, die jetzt im städt. Mus. aufbewahrt wird (laut Inschrift 23. 5. 1532 vollendet). Im Sommer 1532 scheint H. in Rom angekommen zu sein, wo er Unterkunft im Hause eines Kardinals fand, an den er empfohlen war. — „[In Rom] hat er seine Zeit nicht verschlafen, noch bei den Niederländern mit Saufen u. dergl. versäumt, sondern sehr viele Dinge conterfeit, sowohl nach der Antike wie nach Werken Michelangelos. Auch zeichnete er viel Ruinen... usw." (Van Mander). Diese Nachricht wird bestätigt durch die große Menge Handzeichnungen nach Antiken, welche von H. bekannt sind und sich für die archäolog. Studien von höchster Bedeutung erwiesen haben. Sie sind gesammelt in den 2 sog. Skizzenbüchern des Berliner Kabinetts und von Christian Hülsen und Herm. Egger trefflich herausgegeben (Verl. Jul. Bard, Berlin). 1536 verließ H. Rom wieder und ließ sich wahrscheinlich im folgenden Jahre wieder in Haarlem nieder. Am 25. 9. 1538 schloß er in Alkmaar den Kontrakt über das Mittelbild eines großen Flügelaltars für die S. Laurentius-Kirche ebendort. (Flügel 1543 vollendet.) Das große Werk befindet sich jetzt im Dom zu Linköping (Schweden). (A. Romdahl in Oud-Holland, 1903.) 1539 vervollständigte H. Scorels große Tafel der „Kreuzigung" über dem Hauptaltar der S. Nikolaskirche in Amsterdam durch 4 Flügel (1566 zerstört); die für dieselbe Kirche von ihm gemalten Orgeltüren wurden 1724 beseitigt (Oud-Holland, 1895). Weitere biographische Nachrichten entnehmen wir der vorzüglichen Monographie von L. Preibisz (Leipzig 1911): 1540 war H. Dekan der Lukas-Gilde zu Haarlem und heiratete in 1. Ehe Maria Jacobsdochter Coninghs. Nachdem diese jung gestorben war, heiratete er Marytgen Gerritsdochter. Am 4. 1. 1546 schloß er Kontrakt über die Lieferung zweier Flügel für den Altar der Tuchbereiter in S. Bavo zu Haarlem („Anbetung der Könige" u. „Anbetung der Hirten"), jetzt im Mauritshuis im Haag. 1553 wird H. Kirchenmeister von S. Bavo; 1555 verkauft er ein Haus in Haarlem; 1558 errichtet er mit seiner Frau eine Stiftung zur Brautausstattung zweier armer Mädchen; 1562 bewohnte er ein eigenes Haus am

„Donkere Sparen"; 1570 wird er seiner Kunst wegen von den städt. Steuerabgaben befreit. 1572, als Haarlem von den Spaniern belagert wurde, siedelte H. nach Amsterdam über und wohnte dort bei dem Kunstfreund Jacob Rauwaert, seinem früheren Schüler. Am 31. 5. 1572 machte er sein Testament und kehrte 1573, nach der Einnahme Haarlems, dorthin zurück. — Bei Lebzeiten war H. ein angesehener Maler. Er war ein gewandter Zeichner, wurde aber allmählich konventionell und hat sich nach seiner Rückkehr aus Italien überhaupt künstlerisch wenig mehr entwickelt. Gewissenhaft in der malerischen Durchführung der oft allzu gedrängten Kompositionen, überträgt er die erworbenen Kenntnisse sorgfältig ins Bild, die Farben haben etwas Trübes und Kraftloses. Italien hat ihm nur äußerliche Aufgaben gestellt, kaum eine wirkliche Lösung gebracht. Er war einer der ersten Niederländer, die auf Leinwand gemalt haben (Bilder von 1532 u. 1536). — Zu der Gruppe der schon angeführten Kirchenbilder gehört die „Kreuzigung" im Mus. zu Gent (1543) und das ungefähr gleichzeitige kleine Triptychon mit derselben Darstellung in der Ermitage St. Petersburg. Zwei Triptychen mit dem „Schmerzensmann" zu Breslau u. Haarlem (bez.) datieren von 1544 u. 1559—60. Zu den Hauptbildern gehören weiter die Darstellungen der „Grablegung Christi": der große Flügelaltar im Mus. zu Brüssel (1559 bis 60), die Tafel der Turiner Akad. und das für H. besonders wichtige Gemälde im Rathaus zu Delft (1566). Dazu kommt „der dornengekrönte Christus mit 2 Stifterinnen" in der Slg Traumann zu Madrid. (Cicerone, VII [1912] 95.) — Deutliche Scorel'sche Reminiscenzen zeigt das frühe Bild „Juda und Thamar" im Schloß Sanssouci bei Potsdam (1532) und der „Sündenfall" im städt. Mus. in Haarlem, während die spätere „Taufe Christi" (1563) im Mus. zu Braunschweig die Absicht verrät, Scorel zu übertrumpfen. Wichtig sind weiter die Bilder, in denen Altertümer dargestellt sind: die Findung des Herkules Farnese bei Villa Madama (in der Ecke der barmherzige Samariter) in Haarlem; Ruinenlandschaft mit dem Hl. Hieronymus, Gal. Schönborn in Wien; Stierkampf in einem röm. Amphitheater (1552) zu Lille. Hervorzuheben sind noch 2 bedeutende Bilder von 1561: „Momus tadelt die Werke der Götter" in Berlin, und das „Gastmahl beim Pharisäer Simon", Gal. Weber in Hamburg (1912 verst.). — Ausgezeichnet sind mehrere von H. gemalte Bildnisse: das seines Vaters im Metropolitan Mus. zu New York, dat. 1532 (Repert. f. Kstwiss., VII [1884] 461; XI [1888] 74); das Selbstbildnis mit dem Colosseum im Hintergrunde (1553) im Fitzwilliam-Mus. zu Cambridge; Porträt des Joh. Colmannus (1538)

im Rijksmus. zu Amsterdam; 2 Bildnisse der Fam. Lockhorst auf Schloß Herdringen in Westfalen (Oud-Holland, 1905). Für das Kasseler Familienbildnis (Gem. Gal. N. 33) kommt H. dagegen keinesfalls in Betracht. — Außer den Zeichnungen in den „Berliner Skizzenbüchern" (s. o.) sind etwa 190 zerstreute Blätter von H. nachgewiesen, meistens Vorzeichnungen für Stiche. Cornelis Bos, Coornhert, H. Cock u. a. haben Werke von H. radiert. Er selbst hat 12 Bl. und einige Bl. einer Folge „Leben Christi" (16 Bl.) gestochen.

Oeuvreverz. bei Preibisz (s. Lit.), wozu noch das Bild mit dem Schmerzensmann in der Slg Brom zu Utrecht kommt. — Die „Kreuzabnahme" in der Gall. Naz. in Rom, gelegentlich als Frühwerk H.s in Anspruch genommen, rührt nicht von ihm her.

Quellen: V a s a r i , Vite. — V a n M a n d e r , Het Leven etc. (dazu G r e v e , Bronnen van Carel v. M., Quellenstud. z. holl. Kstgesch., hrsg. von C. Hofstede de Groot, II). — B u c h e l i u s „Res Pictoriae" (Bibl. d. Univ. Utrecht, Ms.). — A m p z i n g , „Beschryvinge . . . Haerlem", 1628. — S c h r e v e l i u s , Haarlemum, 1647. — C o m m e l i n , Beschryving van Amsterdam, 1693. — B l e y s w i j c k , Beschr. van Delft, 1667.

Urkunden: V a n d e r W i l l i g e n , Historische Aanteckeningen, 1866; d e r s., Les artistes de Harlem, 1870. — Bijdragen voor de geschied. van het bisdom Haarlem, 1893 u. 1896. — Oud-Holland, 1915.

Allgemeines: L e o n P r e i b i s z , Martin van H., Inaug.-Diss. Halle, 1910; vollst. Ausg. Leipzig 1911 (dazu Besprech. von F r i e d l ä n d e r, Repert. f. Kstwiss., XXXIV [1911] 269—71; H a b e r d i t z l , Kstgesch. Anzeigen, Beiblatt der Mitt. des Inst. f. öst. Geschichtsforsch., 1910 p. 116—20; F r e i s e , Monatshefte f. Kstwiss., IV [1911] 456/9). — A. v. W u r z b a c h , Niederl. Kstlerlex., I (1906); III (1911). — G. J. H o o g e w e r f f , Niederl. Schilders in Italië, 1912. — G r e t e R i n g , Beitr. zur Gesch. niederl. Bildnismal. (Beitr. z. Kstgesch., N. F. 40), Leipzig 1913 p. 167 f. u. passim.

Gemälde: W a a g e n , Treas. of art in Gr. Brit., 1854; cf. G r a v e s , Index . . to Waagen, 1912. — M o e s , Iconogr. Batava, 1905 Nr 1698/1, 1905, 2259, 2987, 3322/1—5, 4567/2, 5230/1, 8274/1, 9406/1. — Repert. f. Kstwiss., XI (1888) 74. — F r i m m e l , Kl. Galeriestud., N. F. I—III (1894 bis 96). — Oud-Holland, VII (1889); XIII (1895); XIV (1896); XIX (1901); XXI (1903); XXIII (1905); XXXI (1913). — Notizie d'arte, I (Pisa 1909) p. 13/5 (Wandteppich in Pisa, dessen Entwurf H. zugeschrieben wird). — Katal. der Tentoonstelling van Noord-Neder. schilder- en beeldhouwkunst voor 1575, Utrecht 1914 (vgl. dazu B e e t s in Onze Kunst, XXV [1914] 97; C o h e n in Zeitschr. f. bild. Kst, N. F. XXV [1914] 35). — Jahrb. d. Ksthist. Samml. in Wien, XXXV (1920) 142 (Abb.), 150, 165 No 7 u. 8. — Wiener Jahrb. der bild. Kst (Die bild. Kste V), 1922 p. 51 Abb., 56 („Mars und Venus", Neuerw. der Wiener Akad. a. Slg Kutschera).

Zeichnungen: P r e i b i s z , l. c. p. 80—100. — Zu den „Skizzenbüchern": J a r o S p r i n g e r in Jahrb. d. preuß. Kstsamml., V (1884) 327—33; XII (1891) 117—24. — A. M i c h a e l i s , Jahrb. des Kais. Dtsch. Archäol. Instituts, VI; d e r s. in Gesammelte Studien zur Kstgesch. Festgabe für A. Springer, 1885. — v. F a b r i c z y , Arch. stor. dell arte, VI (1893) 112 f., m. Lit. — Abschließende Ausgabe von H ü l s e n u. E g g e r, oben zit. — *Weitere Zeichn.*: F. G. H ü b n e r in Revue archéol., XII (1908) 359—64. — A. B a r t o l i in Bollett. d'Arte, III (1909) 253—69. — H o o g e w e r f f, ebenda, IX (1915) 319. — O r b a a n in Onze Kunst, XXXII (1917 II) 114 ff., 121 f., 157 ff., 161. — C. D o d g s o n in Wiener Zeitschr. Belvedere, I (1922) 6 f. — H ü b n e r, Le statue di Roma (Röm. Forschungen der Bibl. Hertziana II), 1912, mit weiterer Lit. über sämtl. Blätter.

Radierungen: K e r r i c h, Catal. of the prints.... after Martin van H., 1829.

Vgl. auch die im Text zit. Lit.

G. J. Hoogewerff.

Heemskerck, M a r t e n v a n d e r H e c k, siehe *Heck*, Marten H. v. d.

Heemskerck, S e b a s t i a a n, s. *Heemskerck,* Bastiaan.

Heemskerk, W i l l e m Jacobsz. van, holl. Tuchmacher, Dichter u. Glasreißer, geb. in Leiden 16. 1. 1613, begraben das. zwischen 2. u. 8. 2. 1692. Schrieb u. a. ein 1647 aufgeführtes Trauerspiel „Hebreeusche Heldinne" und verfaßte die Verse auf dem Bildnis seines Freundes, des Malers Jan van Mieris, sowie dessen Grabschrift. Das Glasreißen scheint er erst in seinem Alter, etwa seit 1672 mit Eifer betrieben zu haben, da man nur wenige frühere Arbeiten von ihm kennt. Er verzierte hauptsächlich farblose, blaue, grüne u. violette Gläser u. Flaschen mit Versen u. Sprüchen in kalligraphischer Manier. Zahlreiche Stücke in holl. Samml., bes. reichhaltig im Städt. Mus. (Lakenhal) zu Leiden (außer Pokalen u. Flaschen auch mehrere grüne Römer). Im Londoner Brit. Mus. eine große Schale mit gerissenen Blumen u. Sprüchen (Unikum), im Berliner Kunstgewerbemus. eine blaue Flasche, unter dem Boden bez. „Willem van Heemskerk. Ae. 70. A° 1683. Leiden". Sein von J. v. Mieris gemaltes Bildnis („Aetatis 74. Anno 1687") wurde von A. Blooteling in Schabmanier gestochen.

A. v. W u r z b a c h, Niederl. Kstlerlex., I (1906) m. Lit. — Oud Holland I (1883) m. weit. Lit. — R. S c h m i d t, Das Glas (Handb. der Berl. Mus.), o. J. m. Abb., u. Cicerone III (1911) 819 f., m. Abb.; d e r s., Sammlung Jacques Mühsam (Berlin), 1914. — Jahrb. der hamburg. wiss. Anstalten, XXI (1903) p. CCV. — Bull. nederl. oudheidkond. Bond, IV (1902—3) 138 f. — Onze Kunst, XXVIII (1915 II) 90. — Oude Kunst, I (1915—6) 16. — Voorloop. Lijst der Nederl. Monum., III (1915). — Cat. van Voorwerpen.. Stedelijk Mus. Leiden, 1914. — Cat. Teentoonstell. oude Kunst, Haarlem 1915 Nr 354. *B. C. K.*

Heemst (Heems), J a n v a n, Porträt- u. Miniaturmaler, geb. in Rotterdam 21. 1. 1696, † im Haag 31. 5. 1725. Mitglied der dortigen Malergilde 1725. Schüler u. Nachahmer der Brüder Adriaen u. Pieter van der Werff. — Ein J o h a n n e s v a n H e e m s t, Maler aus Amsterdam, 21 J. alt, zeigt 8. 6. 1708 daselbst seine Heirat mit Margareta Fortuyn an (Notiz A. Bredius).

K r a m m, Levens en Werken, 1858 ff. III u. Aanh. — A. v. d. W i l l i g e n, Art. de Harlem, ² 1870. — O b r e e n, Archief, IV (1881—2).

Heemstede, D i r c k v a n (Theodoricus de Emstede), gen. *Dirck van Haarlem,* Maler u. Kalligraph, geb. im Dorfe Heemstede bei Haarlem, † in Löwen 3. 4. 1542. Studierte die Rechte und trat 1505 in die Kartause zu Löwen, später Prior.

J o h a n n i s M o l a n i, Historiae Lovaniensum libri XIV, ed. de Ram, 1861, I 302. — A. W a u t e r s, Thierry Bouts, Brüssel 1863 p. 55. — E. v a n E v e n, Ecole de peint. de Louvain, 1870 p. 255 f.

Heemstede, I s a a c L a m b e r t u s, siehe *Berch van Heemstede,* I. L.

Heenck, J a b e s, Zeichner, Radierer u. Kunsthändler friesischer Abstammung, geb. im Haag 27. 10. 1752, † in Leiden im Nov. 1782; Schüler von A. Schouman. Sein vollständiges radiertes Werk (74 Bl.) wurde 1808 mit der Slg J. van Buren im Haag versteigert. Weigel kennt 53 Bl., Landschaften mit Staffage, Tierstücke, Genreszenen, Figuren usw., z. T. nach A. v. Ostade, Teniers u. a. Dabei H.s Selbstbildnis; einige Bl. in Zeichnungsmanier. Arbeiten in Leiden (Stedelijk Mus.), Haarlem (Teyler Mus.) u. London, Brit. Mus. (Zeichn. mit Vögeln auf einem Baume in der Art Schouman's).

A. v. W u r z b a c h, Niederl. Kstlerlex., I (1906), m. Lit. — Kat. der gen. Slgn. — W e i g e l, Kstlager - Cat., 18. Abteil. (1846) 15782. — Notiz O. Hirschmann.

Heer, Miniaturmaler in Breslau, Schüler des J. H. Ch. König. Gab 1823 den „Kopf eines Alten" und 1825 einen „Amor den Bogen spannend" en miniature zur Breslauer Kunstausst.

Schlesiens Vorzeit, N. F. III (1904) 148.

Heer, A d o l f, Bildhauer, geb. in Vöhrenbach (Schwarzwald) 13. 9. 1849, † in Karlsruhe 29. 3. 1898. Bildete sich an der Nürnberger Kunstgewerbeschule, bei Siemering und Calandrelli in Berlin, an der dortigen Akad. und als Gehilfe des Schilling-Schülers Breymann, studierte 1877—81 in Italien, meistens in Rom, und wirkte seitdem als Lehrer an der Kunstgewerbeschule in Karlsruhe. Seine Erstlingsarbeiten (1877) waren 2 überlebensgroße Engelfiguren (Genien des Todes u. der Auferstehung) in Marmor für die fürstlich Fürstenbergische Gruftkirche in Neidingen, die 1879 u. 81 mit einer Gruppe „Kain und Abel" in Rom ausgestellt waren. Der römischen Schaffensperiode gehörte auch der Entwurf eines Marmorreliefs mit den Figuren der Quellflüsse der Donau, Brigach u. Breg, im Schloßgarten zu Donaueschingen an (erst 1896 vollendet). In Karlsruhe entstanden zahlreiche plastische Figuren und Gruppen für die Durm'schen Monumentalbauten, u. a. die allegor. Kolossalgruppe über dem Nordportal der Festhalle, Atlanten, Nischenfiguren usw. an der Fassade des Palais Prinz Max, 2 Bronzefiguren (Wissenschaft u. Fama) für die Heidelberger Universitätsaula, die Sandsteinfig. an der Fassade des neuen Rathauses

daselbst sowie das Scheffeldenkmal (überlebensgroße Bronzefig. des Dichters als Wanderer,
Bronzereliefs) auf der Schloßterrasse in Heidelberg 1889, Ausführung eines mit dem 1. Preise
gekrönten Wettbewerbsentwurfs für Karlsruhe,
und die Skulpturen des Kaiserin-Augusta-Bades
in Baden-Baden. Zu H.s letzten Arbeiten gehörte das Kaiser-Wilhelm-Denkmal in Karlsruhe (überlebensgroße Reiterfigur, 1897 enthüllt),
in dem er sich ebenso wie in seinen übrigen
Werken als Anhänger eines strengen Klassizismus bewies. Von einem Lungenleiden suchte
H. 1897/98 vergebens Heilung in Rom. Sein
Reliefbildnis V. v. Scheffels wurde 1897 in der
Serpentara bei Olevano enthüllt; ein anderes
von 1889 am Grabdenkmal des Dichters in
Karlsruhe. Auf dem Heidelberger Friedhof
eine Büste des Literarhistorikers Gervinus.
  W e e c h - K r i e g e r , Bad. Biographien, V
(1906) 263—7. — B e t t e l h e i m , Biogr. Jahrb.,
III (1900) 322; V 27*. — Kunst für Alle, XIII
(1898) 234 (Nekrol.). — N o a c k , Dtsches Leben
in Rom, 1907 p. 343, 437. — Kstgewerbeblatt, IV
(1888) 167, m. Abb. — Kstchronik, XXIII (1888)
642; XXIV (1889) 222, 332, 379, 675. — Archiv
des Dtsch. Kstler-Ver. Rom. — Fremdenbuch der
Casa Baldi, Olevano. — Köln. Zeitg., 1879 Nr 95;
1881 Nr 99; Mai 1897. — Allg. Zeitg, 1881 Nr 104.
— Notizen von F. Noack.
  Heer, A u g u s t , Bildhauer, geb. in Basel
7. 6. 1867, † in Arlesheim bei Basel im März
1922. Schüler von Albert Wolff an der Berliner Akad. (1888—91) und von Falguière an
der Pariser Ecole des B.-Arts. Tätig in Basel,
München (1892), Genf (1895/6) und seit 1896
wieder in Berlin. Seit 1900 lebte er abwechselnd im Sommer in Arlesheim und den Hauptteil des Jahres in München (im selb. Jahre auch
einige Monate in Rom) und nach Ausbruch
des Weltkriegs (Sommer 1914) fast ständig in
der Schweiz. H.s Tätigkeit lag auf dem Gebiet der Denkmals- und der dekorativen Plastik;
zu seinen besten Leistungen gehören seine
Porträtbüsten, die scharfe Beobachtungsgabe u.
ungewöhnliche Gestaltungskraft bekunden. Daneben bemerkt man Einflüsse der modernen
französ. Kunst und der italien. Renaissance.
So zeigt er sich in polychromen Terrakottabüsten („Fränkischer Bauer") von Arbeiten des
florentin. Quattrocento angeregt. H. war an
zahlreichen öffentl. Konkurrenzen sowie schweizer. u. reichsdeutschen Ausstell. (Berlin, München usw.) beteiligt. Konkurrenzarbeiten: Wilhelm Baumgartner-Denkmal in Zürich (1. Preis,
1890 enthüllt), National-Denkmal in Neuenburg,
gemeinsam mit dem Bildh. Ad. Meyer (1. Preis
u. Ausführung), Wettstein-Denkmal in Basel
(1897), 2. Preis; Modelle in der Basler Kunsthalle, Welti-Denkmal in Aarau (1901, 3. Preis),
Weltpostdenkmal in Bern, gemeinsam mit Ignaz
Taschner (1903); Grabdenkmal J. C. Horber
auf dem Wolf-Gottesacker in Basel (1901,
1. Preis). Dekorative Arbeiten in Verbindung
mit Architektur für Basel (Skulpturen am Hotel

Bären, am Bundesbahnhof-Aufnahmegebäude,
Fries am Hause zum Tanz, Wandbrunnen mit
Orpheusrelief für eine Villa), Bern (Giebel-
figuren für die Nationalbank, Skulpturen für das
Bundeshaus, 2 Brunnen, Figuren u. a. für die
Landesausst. 1914). Porträtbüsten u. sonstige
Arbeiten in öffentl. Besitz: Basel, Kunsthalle:
Bronzebüsten Jacob Burckhardt (1900); Em.
Bernoulli; Jakob Sarasin-Schlumberger; „Mein
Großvater", Bronzebüste; Gottfried Keller,
Gipsrelief (1894); „Verlassen", Gipsfigur. Mus.
in Biel: Bronzebüste Albert Anker. Mus. in
Genf: „Bauer", Steinbüste. Mus. in St. Gallen:
„Meine Mutter", Marmorbüste; Kunsthaus in
Zürich: „Mummelgreis", Steinbüste. Rathaus
in Danzig: Büste Bürgermeister Steffens.
Ferner: Bronzebüsten der Maler Herm. Gröber
u. H. B. Wieland, Marmorbüste des Zeichners
Olaf Gulbransson, Terrakottabüsten der Maler
Blos, Edgar Steiger u. K. Haider, Büste des
Komponisten Dr. H. Huber, Büsten des Gene-
rals Wille in Bronze u. Stein u. Büste des
Obersten Sprecher von Bernegg (1915) sowie
Medaillen auf die beiden letztgen., Plakette
E. A. Stückelberg, Büsten des Dichters Max
Buri u. des Dichters Karl Spitteler, „Sphinx",
Frauenbüste aus schwarzem Marmor, „Vestalin",
Marmorstatue, „Frühling", „Badendes Mäd-
chen", Marmorstatuetten u. a.
  B r u n , Schweiz. Kstlerlex., IV (1917) 534 f.
(ausführlich). — Schweiz. Zeitgenossenlex., 1921
p. 303. — Cicerone, XIV (1922) 254. — Kstchronik, N. F. XXXIII (1921—2) 401. — Dtsche Skulpturen der Neuzeit, hrsg. v. A r t h u r S c h u l z ,
o. J. — Die Kst I (= Kst für Alle XV), 1900 m.
Abb.; cf. ebda V (Kst für Alle XVII), 1902. —
Schweiz, 1916 p. 599, 604 (Abb.); 1917 p. 494 f.;
1920 p. 358 (Abb.). — Schweizerland, 1916
p. 630, 632 f. m. 2 Abb.; 1917 p. 615 (ausführl.
Würdigung). — Blätter für Münzfreunde, LI (1916)
57. — Berliner Münzblätter, N. F. XXXVII (1917)
518. — Ausst.-Kat. Berlin (Gr. Kstausst. 1898,
1899); München (Glaspalast 1900, 1911—14, 1916);
Zürich (Kunsthaus, Ausst. v. 13. 1.—6. 2. 1918),
u. a. — Schweiz. Kriegsgraphik, 1914/20. Kat.
Schweiz. Landesbibl. Bern, 1921 No 254. *B. C. K.*
  Heer, F r i d o l i n Jos., Architekt, geb. in
Wallenstadt (Kanton St. Gallen) 30. 7. 1834,
† in Dubuque, Illinois (Ver. Staaten von Nord-
am.) 19. 9. 1910. Absolvierte seine Lehrzeit in
Rapperswil, arbeitete 6 Jahre in Süddeutschland
u. bes. bei Riedmüller in München sowie als
praktischer Architekt in Chur. Wanderte 1865
nach Amerika aus, wo er zuerst in Belleville
(Illinois), später in Chicago und zuletzt in
Dubuque ansässig war. Errichtete dort Kirchen
u. öffentl. Gebäude, u. a. County Court House,
sowie den Erweiterungsbau der St. Mary's Acad.
(Jesuitenkolleg) in La Prairie du Chien. Sein
letztes Werk war das Denkmal Pierre Ma-
quette's, Entdeckers des Mississippi, 1910 von
den Bildhauern Bell u. Hermant vollendet.
  B r u n , Schweiz. Kstlerlex., IV (1917) 210. —
Amer. Art Annual, IX (1911) 313.
  Heer, G e r r i t A d r i a e n s z . d e , Maler,

Zeichner u. Radierer, auch Bierverschleißer („bierbeschoyer") in Amsterdam, von dem man dat. Arbeiten aus den Jahren 1634—52 kennt. 1670 wird seine Witwe genannt. Nach Bredius' Forschungen wohl zu unterscheiden von einem jüngeren Zeichner Willem (Guilliam) de Heer (s. d.), der vielleicht sein Sohn war. — H., „Schilder en Teyckenaer" genannt, macht 3. 3. 1650 mit einem Biersteuerbeamten einen Vertrag. Er ist ihm 450 Gulden schuldig, wofür er Gemälde und Zeichnungen machen will, und muß binnen 15 Monaten bezahlen. Jacob Wilthout ist Bürge und hat das Vorkaufsrecht, muß aber das Geld sofort an den Gläubiger auszahlen. Der Maler Isack van Hooren († 1652) besaß eine Zeichnung von H., 1669 werden im Nachlaßinventar des Laurens Mauritz Douci 2 Gemälde von ihm aufgeführt. In Versteigerungskatalogen des 18. u. 19. Jahrh. (s. Mireur) kommen unter seinem Namen gemalte Landschaften mit Bauernhöfen, Dorffeste, Marktszenen u. dgl. vor, also Gegenstände, wie sie H. in der Art des Isak van Ostade gezeichnet und radiert hat. Ein J. v. Ostade (echt?) bez. Bild mit der Jahreszahl 1660 (!), Halt vor dem Wirtshaus, in der Gal. Brüssel (Kat. 1906 No 342 = Hofstede de Groot, Verz. usw. III 462 No 11), ursprünglich angeblich unbezeichnet, wurde früher dem H. zugeschrieben (Gaz. des B.-Arts, X [1861] 179). Wurzbach kennt von ihm 2 Landschaften im Mus. Leeuwarden, Hofstede de Groot schreibt ihm ein Bild, der fröhliche Zecher, bez. G. D. H. F., in der Art des Cornelis Dusart, im Rigaer Mus. zu (Beschr. Verz. 1906 p. 155). Sehr sorgfältig ausgeführte Federzeichnungen auf Pergament mit Figuren und Landschaften von H. haben sich in verschiedenen Samml. erhalten. Davon das schönste Exemplar nach Bredius bei der Baronin van Harincxma thoe Sloten in Leeuwarden. Weitere Blätter in Amsterdam, Rijksmus. (Bildnis eines jungen Kavaliers mit Spazierstock, hinter ihm ein Junge mit Gewehr und tote Vögel, Wildbret, Reiter, Pferd u. Wagen im Hintergrund); Haag, Slg Hofstede de Groot (Bildnisse eines Herrn und einer Dame in einer Landschaft, 2 Zeichn. in Punktiermanier, dat. 1634, die Kräuter, Insekten usw. im Vordergrund von miniaturartiger Feinheit der Ausführung); London, Brit. Mus. (3 G. de Heer bez. Bl.); Danzig, Stadtmus. (Weglandschaft mit 4 Personen im Vordergrund, „G. de Heer 1652"; Tanzende Bauern vor einer Schenke, „G. de Heer F . . 16 . ."); Wien, Albertina u. a. O. Ein 1644 dat. Stilleben, Feder auf Pergament, wurde 1904 in Amsterdam, ein Parisurteil (Zeichn.) ebda 1890 versteigert. Radierungen (nach Nagler u. Wurzbach): 1. Verfallene Bauernschenke mit lagernder Zigeunerbande. 2. Zigeuner bei dem Wirtshaus mit dem Taubenschlag. 3. Wirtsstube mit zechenden und rauchenden Bauern u. Bäuerinnen,

Peter Potter inv. G. de Heer sculps. . . 4. Bildnis des Jesuiten Nicolas Talon (Stich).

A. v. Wurzbach, Niederl. Kstlerlex., I (1906) m. Lit.; III (1911), unter Guilliam de Heer. — A. Bredius, Kstler-Inventare, Register (Quellenstud. z. holl. Kstgesch. XIII), 1922, und persönl. Mitt. aus Amsterd. Archiven. — C. Hofstede de Groot, Beschr. . . Verz. der Werke . . holl. Maler, III (1910) 583. — Mireur, Dict. des Ventes d'art, III (1911). — Kstchronik, N. F. XXVII (1916) 343. — Füßli, Kstlerlex., 2. T. 1806 ff. — Briefl. Mitt. des Stadtmus. Danzig.
B. C. K.

Heer, Guilliam de, s. *Heer,* Willem de.

Heer, Margarethe de, Stillebenmalerin, tätig angeblich in Friesland um 1650; vielleicht die Frau oder Schwester des Willem de Heer (s. d.). In älteren Katalogen kommen häufig Stilleben, bes. in Aquarell, aber auch Figurenstücke in Miniaturmalerei von ihr vor. Ein bez. Stilleben im Mus. zu Bordeaux.

A. v. Wurzbach, Niederl. Künstlerlex., I (1906), m. ält. Lit. *Z. v. M.*

Heer, Willem (Guilliam) de, Maler in Amsterdam, ist (laut den Forschungen von Bredius) Mai 1677 39 Jahre alt und wird 27. 7. 1681 begraben. (Nicht identisch mit Guilliam de Heer, „Wijnverlater" in Amsterdam, Oud Holland, III [1885] 148). Nach Kramm ein Bruder der Margarethe (s. d.) und vielleicht ein Sohn des Gerrit (s. d.). H. hat feine Federzeichnungen auf Pergament ausgeführt, von denen sich Exemplare in London, Brit. Mus. (1 Bl. bez. W. de Heer) und in Amsterdam, Rijksmus., befinden. Ob auch einige der G. de Heer bez. Blätter (Amsterdam) von ihm herrühren, wie Moes und Wurzbach annehmen, wäre noch zu untersuchen. Eine Zeichnung von Guilliam de Heer kommt schon 1695 im Inventar der Adriana Fabritius, Witwe von Lambert Schepper (in Leiden) vor. Eine andere Zeichnung im Brit. Mus. ist nach Fagan „1695 (!) Guilliam de Heer" bezeichnet.

A. v. Wurzbach, Niederl. Kstlerlex., I (1906); III (1911), m. Lit. — Mitt. von A. Bredius aus Amsterd. Archiven. — Fagan, Handbook of prints and drawings, Brit. Mus., 1876. — The Connoisseur, XXXVII 156, 160. *B. C. K.*

Heer, William, Zeichner u. Kunstgewerbler, geb. in Lausanne 6. 11. 1883, Schüler der Genfer Ecole des arts ind., von Edmond G. Reuter, L. O. Merson in Paris u. Fehr in Karlsruhe. Stellte 1910—14 im Pariser Salon (Société Nationale) aus: Miniaturen, Schwarzweiß-Zeichn. für Buchillustrationen, Fächer, dekorative Panneaux, Gobelins usw.

Brun, Schweiz. Kstlerlex., IV (1917) 210, 535.

Heer, siehe auch *Herr* u. *Hörr.*

Heerdt, Christian (Johann Chr.), Landschaftsmaler, geb. in Frankfurt a. M. 4. 5. 1812, † in Bockenheim bei Frankf. 1. 6. 1878. Besuchte zuerst die Höffler'sche Zeichenschule seiner Vaterstadt, bezog dann das Städel'sche Institut, wo Zwerger, Hessemer, Wendelstadt und besonders Veit seine Lehrer waren, und studierte 1836 bei Schirmer in Düsseldorf, wo er vom Porträt, das er vorher gepflegt hatte, zur Landschaft überging. Noch im selben Jahre kehrte er nach Frankfurt zurück, wo er sich auch als Lehrer betätigte. Seine Motive fand H. anfangs am Rhein und in dessen Seitentälern, später im Taunus, namentlich in Cronberg, zuletzt in den bayrischen Alpen u. Südtirol. Das Städel'sche Institut in Frankf. besitzt von ihm ein Gemälde „Cronberg im Taunus", die Stuttgarter Gal. ein Ölbild mit dems. Gegenstand u. Staffage von Karl Engel (1862).

W e i z s ä c k e r - D e s s o f f , Kst u. Kstler in Frankf. a. M., II (1909), m. Lit. — Städel'sches Kstinst. Verz. der Gemälde, 1914.

Heerdt, E m m a , Malerin, geb. in Frankfurt a. M. 14. 11. 1849, lebt daselbst; Tochter des Joh. Chr. Besuchte 1869/78 das Städel'sche Institut in Frankf. als Schülerin Hasselhorsts. Malt Porträts, Genrebilder u. Stilleben.

Das geistige Dtschland, 1898. — W e i z s ä c k e r - D e s s o f f , Kst u. Kstler in Frankf. a. M., II (1909). — D r e s s l e r ' s Ksthandbuch, 1921 II.

Heere (Dheere, D'heere, Mijnsheere), J a n I (Hansken) d e , Architekt und Bildhauer aus Mecheln, wohl ein Verwandter des Frans Mijnsheere (s. d.), 1532/3 Freimeister der Genter Maler- und Bildhauerzunft, † um 1576/78, Gatte der Miniaturmalerin Anna Smyters und Vater der Maler Lukas (s. d.) und Jan II (s. unten). Die „vielen herrlichen Werke in Alabaster und Marmor", die noch der Geschichtschreiber Marcus van Vaernewyck von H. sah, und die z. T. auch urkundlich genannt werden, sind zum größten Teil schon in den Religionskriegen des 16. Jahrh. zugrunde gegangen. Zusammen mit dem Maler Jan Gossaert wurde er 1528 aus Seeland zur Ausführung des ihm bereits früher übertragenen Marmorgrabs der Isabella von Österreich, Gemahlin Christians II. von Dänemark, im Chor der Peterskirche in Gent berufen, wie aus einem 1528 dat. Brief des Königs an den Abt der Petersabtei hervorgeht. Sarkophag und Statue der Königin wurden 1579 zerstört, Bronzetafel und Wappen, von Engeln gehalten, an der Wand darüber, 1810 geraubt (Holzschnitt bei Vaernewyck, Historie van Belgis, 1576, mit einer alten Zeichnung mitgeteilt von J. F. Willems, Belgisch Museum I, Gent 1838). Ein Prozeß, den die Genter Maurerzunft wegen unbefugter Übernahme ihr zustehender Arbeiten gegen H. 1536—39 vor dem Rat von Flandern führte, endete mit seiner Freisprechung. Als Zeugen erscheinen der Dekan und die Geschworenen seiner Zunft. H. schnitzte 1531/2 ein Tabernakel für den Liebfrauenaltar der Kathedrale und wird 1533/4 für Arbeiten in der Kapelle des Rathauses bezahlt, für das er 1576 eine Holzfigur (Justitia) als Türschmuck des Schöffensaals schnitzte, die von Joris van der Rivière bemalt und 1647 von Pieter Nicasius neu bemalt und vergoldet wurde. Für das

Ordensfest des Goldenen Vlieses errichtete er 1559 den neuen, mit Statuen und Reliefs geschmückten Lettner der Kathedrale (1568 zerstört) und leitete Mai 1562 zusammen mit seinem Sohn Lukas und dem Geschichtschreiber Vaernewyck das zu Ehren des Schützenkönigs Grafen Lamoral d'Egmont von den Armbrustschützen veranstaltete Fest. Für die Kathedrale in Gent schuf H. das Grabmal des letzten Abtes, Lucas Munich († 1562), nach dessen letztwilligen Verfügungen, mit 4 Trägerfiguren (Mönchen) aus schwarzem Marmor, die aber nicht als solche verwendet wurden. Von der 1578 verwüsteten Anlage hat sich der schlichte Steinsarg mit figurierter Grabplatte und Inschrift in der Krypta ebenda erhalten. Von sonstigen Arbeiten H.s werden ohne nähere Zeitangabe erwähnt: 2 Alabasterreliefs (hl. Antonius u. a.) in der Peterskirche, ein Tabernakel am Hochaltar der Michaeliskirche und der mit einem hl. Grab geschmückte Lettner ebenda. Mit Vertrag vom 13. 11. 1566 übernahm H. für Anna de Morslede, Witwe des Jean de Beaufremez, die Ausführung eines Kenotaphs für ihren Gatten in der Kathedrale. 6. 3. 1576 überläßt er Wohnung und Werkstatt seinem Schwiegersohn Jan Schoorman und seinem Sohn J a n II, indem er sich ein Zimmer im Vorderhaus vorbehält. Mit Vertrag vom 9. 12. 1578 verkauft letzterer Haus und väterliches Erbe an den Schwager. Dieser Umstand und weitere Geldgeschäfte lassen vermuten, daß sich Jan II, der Dez. 1577 mit seinem Bruder Lukas und Schoorman an der Festdekoration für den Einzug Wilhelms des Schweigers beteiligt war, damals auf Reisen begab. Wenigstens ist er in Gent später nicht mehr nachweisbar. Er könnte also immerhin (entgegen Kramm) mit dem niederl. Bildhauer und Maler J a n M i j n s h e e r e identisch sein, der nach Immerzeel außer Bildnissen Karls V. und von Personen seines Hofes Bilder der 12 Apostel in der Kathedrale von Toledo gemalt haben und dort angeblich 1569 (!) gestorben sein soll.

A. v. W u r z b a c h , Niederl. Kstlerlex., I (1906), m. Lit.; III (1911). — G u i c c i a r d i n i , Descrittione di tutti i paesi bassi, Antwerpen 1567 („Giovanni Minesheren"). — V a s a r i , Vite etc., ed. M i l a n e s i , VII (1881) 589 („Giov. di Minescheren da Guanto"). — H. E. G r e v e , De Bronnen van Carel van Mander (Quellenstud. z. holl. Kstgesch., hrsg. von Hofstede de Groot II), Haag 1903 [Vaernewyck als Quelle v. Manders nachgewiesen]. — v. M a n d e r , Het leven der .. schilders, ed. F l o e r k e , 1906 II. — P h. B l o m m a e r t in Annales de la Soc. Roy. des B.-Arts de Gand, IV (1851—2) 250. — C. J u s t i in Zeitschr. für bild. Kst, N. F. VI (1895) 163 f., m. Lit. — V. v a n d e r H a e g h e n , Mémoire sur des documents faux etc. (Mém. publiés par l'Acad. Roy. etc., LVIII 5), Brüssel 1899. — K e r v y n d e V o l k a e r s b e k e , Les Eglises de Gand, 1857 I, m. Abb. — Bulletin der Maatschappij van Geschied. en Oudheidkunde te Gent,

XVI (1908) 152, 155. — I m m e r z e e l, Levens en Werken etc., II (1843) 252 (Mijnsheere). *B. C. K.*

Heere, L u k a s d e, Dichter u. Maler, geb. in Gent 1534, † 1584 in der Verbannung, vielleicht in Paris. Durch van Mander, der wie er Maler und Dichter, zugleich sein Schüler war, erlangte er unverdiente Berühmtheit, die im 19. Jahrh. noch gesteigert wurde, weil H. mit dem in England tätigen Bildnismaler H E (= Hans Ewouts, s. d.) fälschlich identifiziert worden ist. Noch die jüngsten Arbeiten über H., wie die Anmerkungen in Floerkes Mander-Ausgabe sind daher voll irrtümlicher Angaben. — H. war mehr Dichter als Maler. Seine Ode an den Genter Altar hat neben ausgesprochen Lehrhaftem und einer gewissen Wortgewandtheit auch wirklich dichterische Züge, gibt aber von seiner historischen Glaubwürdigkeit keinen günstigen Eindruck. Der Verlust seiner Ode über die altniederländ. Maler ist deshalb kaum schwerwiegend. Auch Goes' verschollenes Bild mit David und Abigail hat H. u. a. angedichtet. Er besaß selbst eine Sammlung vorgeschichtlicher und antiker Werke, einige Zeichnungen Dürers, Jan van Eycks hl. Barbara (Antwerpen) usw. Er war wohl ein gewandter Höfling, der nur infolge der zweideutigen Haltung, die er zur Reformation einnahm, seine gesellschaftliche Stellung ernstlich gefährdete. Als Maler war er durchaus unselbständig und seinen Zeitgenossen F. Floris, W. Key, P. Bruegel, M. de Vos unterlegen. — H. war der Sohn des Bildhauers Jan I de H. und der Miniaturmalerin Anna Smyters. Nachdem er Schüler des Frans Floris gewesen, ging er nach Frankreich, wo er Kartons für die Königinmutter entwarf. Er lernte bei diesem Aufenthalte auch Fontainebleau kennen, das damals sehr reich an Kunstschätzen war. Nach seiner Rückkehr ist er spätestens in der 2. Hälfte der 50 er Jahre in Gent ansässig gewesen. Van Mander war spätestens 1566 sein Schüler und verließ ihn 1568, als H., der sich im Bildersturm von 1566 um die Rettung der Lukasmadonna des Floris verdient gemacht hatte, aus Gent verbannt wurde. H. ist offenbar direkt nach England gegangen, wo er wiederholt, sicher 1576, nachweisbar ist. Nach der Amnestie von 1576 ist H. anscheinend sofort zurückgekehrt — er wird 1577 auch in Middelburg erwähnt —, mußte aber Anfang der 80 er Jahre nochmals aus Gent flüchten. Sämtliche sicher auf H. zurückgehenden Werke sind bis auf eins noch in Gent. In St. Bavo ein Bild mit Salomo u. der Königin v. Saba von 1559 und ein größerer Altar (Abb. bei de Busscher u. im Bull. de Gand, XIV [1906], 60); in der Universitätsbibl. eine Ansicht d. Abtei von St. Bavo (Abb. im 3. Bd des Werks über d. Weltausstellg in Gent 1913, Casier-Bergmans); im städt. Archiv ein Kostümwerk in Aquarellmalerei („théâtre de tous les peuples", 189 Bl.). Außerdem ist eine Kreuzigung in St. Paul (Ostflandern) bekannt. — Die mehrfach versuchte Identifikation H.s mit dem „Meister der weibl. Halbfiguren" ist unhaltbar.

v a n M a n d e r, Schilderboek, ed. Hymans, 1884. — E. d e B u s s c h e r, Rech. sur les peintres et sculpt. de Gand, 1866 p. 28 ff., 185 ff., 304 ff. — P h. B l o m m a e r t, Nederduitsche Schryvers van Gent, 1862 (H. als Dichter; vgl. hierzu Oud Holland, XXI [1903]). — S. E r i n g a, Luc de H. et la seconde Renaiss. franç. in „Neophilologus", II (1917) 161 ff. (H. als Dichter). — C u s t in Proceedings Huguenot Soc., VII (1903) 46 f. — G r e v e, De Bronnen van Carel van Mander (Quellenstud. z. holl. Kstgesch. II), 1903. — Bull. de la Soc. d'hist. et d'archéol. de Gand, XII (1904); XIV; XV; XVII; XVIII; XIX. — Burl. Mag., XIV (1908/09) 366 f. (C u s t). — Oud Holland, XV (1897). *Winkler.*

Heeremans, T h o m a s, holl. Landschaftsmaler in Haarlem (früher irrtümlich Frederik Hendrik Mans gen.), von dem man Bilder mit Daten zwischen 1660 u. 97 kennt (Parthey, Dtscher Bildersaal II 65 [„Maas"], nennt 2 Bilder von 1699). Heiratet 1663 in Haarlem und wird 1664 Mitglied der Lukasgilde; 13. 9. 1666 gibt er an, 25 Jahre alt zu sein (Mitteil. A. Bredius). H. malt mit Vorliebe Kanallandschaften, Strandansichten u. Dorfbilder im Sommer und Winter in der Art Molenaers und ist mit seinen Arbeiten — unter denen die Bilder aus der frühen Zeit überwiegen — in zahlreichen öffentl. u. privaten Samml. vertreten. Außer in den Gal. von Amsterdam, Ansbach, Leiden, Oldenburg, Rotterdam, Stockholm u. Wien (s. das Verz. bei Wurzbach) noch in den Mus. von Bordeaux, Dresden, Haag (Gemeente Mus.), Mainz, Riga, St. Petersburg, Stockholm (Univ.), Verona sowie in den Samml. Baron Otto Reedtz-Thott in Gaunø (Dänem.), Schtschawinski in St. Petersburg u. a. H. signiert gewöhnlich T H Mans oder T Heere-Mans.

A. v. W u r z b a c h, Niederl. Kstlerlex., I (1906). — N a g l e r, Monogr., II 2174. — H o f s t e d e d e G r o o t, Beschr. u. krit. Verz. der Werke holl. Maler, VII (1906) 524. — Münchner Jahrb. der bild. Kst, IX (1914—15) 288 (Bilder in Ansbach). — Kunstwanderer, II (1920—1) 437 (Fred. Muller & Co.-Amsterdam). — Kat. der gen. Slgn. — Verz. der Kstwerke Städt. Mus. Leipzig, 1887 p. 75. — Jahrb. der Bilder- u. Kstblätterpreise, IV (1913). — Kat. Gem.-Slg Nelles, Verst. Heberle-Köln, 1895 Nr 96 m. Abb. — Kat. Gem.-Slg Alter Meister.. Wedewer, Wiesbaden, 2. Abt. Verst. Lepke-Berlin, 1909 Nr 142 m. Abb. — Coll. Semenow, St. Petersburg, 1906. — Coll. Schtschawinsky, St. Petersburg 1917 p. 47 m. Abb. Nr 35. — Coll. Goudstikker-Amsterdam (o. J.) I Nr 19. — P a r t h e y, Deutscher Bildersaal, II (1864) 75 f. *B. C. K.*

Heeren, M i n n a (Henriette Wilhelmine), Malerin, geb. in Hamburg 26. 10. 1823, † ebenda 7. 5. 1898, gebildet 1848—57 in Dresden und Düsseldorf bei Privatlehrern, 1857—80 in Düsseldorf tätig, seitdem in Hamburg. Malte vornehmlich bäuerliche Genreszenen. In der Hamburger Kunsthalle (Kat. 1910) befinden sich 2 Bilder von ihr.

R u m p , Lex. bild. Kstler Hambgs, 1912. —
v. B ö t t i c h e r , Malerwerke d. 19. Jahrh., I 1
(1891). — Dioskuren 1857 p. 52. — Kunstchronik, VI
(1871) 119; IX 449. — Kat. Ausst. von älteren
Bildnissen aus Hambg. Privatbes., Kunstver. Hamburg, 1912. — Kat. Kunstausst. Lübeck, 1878. *D.*

Heerfordt, A n n a Cathrine Christine, geb.
Obelitz, Malerin, geb. 4. 10. 1839 in Fredensborg, † 30. 7. 1910, Schülerin ihrer Schwägerin
Ida H., und von O. A. Hermansen, stellte seit
1880 vornehmlich Blumenstücke aus, arbeitete
später auch einige Zeit bei Bertha Wegmann.
Sie malte die Blumen mit botanischer Genauigkeit in ihrer natürlichen Umgebung.
W e i l b a c h , Nyt Dansk Kunstnerlex., 1896.
— R e i t z e l , Fortegnelse over Danske Kunstneres Arb., 1883.

Heerfordt, I d a Marie Margrethe, Malerin,
geb. 22. 7. 1834 in Skjoldborg, † 1. 12. 1887
in Kopenhagen, Schülerin von F. F. Helsted,
malte Blumenstücke, Landschaften, später auch
Kircheninterieurs. Stellte in Charlottenborg
seit 1866 aus.
W e i l b a c h , Nyt Dansk Kunstnerlex., 1896.
— R e i t z e l , Fortegnelse over Danske Kunstneres Arb., 1883.

Heerkens, G., Radierer (Dilettant) in Paris
um 1760, von dem Le Blanc eine Landschaft
aufführt („Le Bas dir.").
L e B l a n c , Manuel, II.

Heermann, Architekt in Posen, † als Stadtu. Baurat in Breslau, 65 jährig, 27. 1. 1839.
Lieferte 1796—97 die Pläne für das Stadttheater
in Posen (1802—4 erbaut, 1877 abgerissen);
bescheidener klassizist. Bau (Entwürfe H.s erhalten im Besitz der poln. Ges. der Freunde
der Wissensch. in Posen).
Neuer Nekrol. der Dtschen, XVII Nr 488. —
Hist. Monatsbl. f. die Prov. Posen, XVI (1915)
18. — Kstdenkm. Prov. Posen, II (1896) 86 f.
(mit Abb. u. weiterer Lit.).

Heermann, E r i c h , Maler u. Radierer,
geb. in Liegnitz 25. 2. 1880, lebt in Berlin.
Besuchte die Kunstgewerbeschulen in Innsbruck u. München, seit 1896 die dortige Akad.
(Radierklasse Peter Halm) und war seit 1908
vier Jahre Meisterschüler Karl Köppings in
Berlin. Seine Bildnisradierungen zeichnen sich
aus durch solide Technik, einen feinen Blick
für das Charakteristische der Dargestellten,
subtile Ausführung der Einzelheiten u. geschlossene Gesamtwirkung. Wir nennen von
seinen Porträt-Arbeiten: Helmuth v. Moltke,
Chef des Großen Generalstabes der Armee;
Eugen v. Kulmiz; Erzherzog Eugen, Hochu. Deutschmeister; Kammersänger Slezak;
Bildhauer Stephan Sinding; Ad. v. Menzel;
Friedrich der Große; Max Liebermann
(die beiden letzteren von 1921); Ed. Seler
(Seler-Festschrift 1922); ferner: Salome; weibl.
Rückenakt.
J a n s a , Dtsche bild. Kstler, 1912. — Moderne Kunst (Berlin), XXVII No 21 (Abb.). —
Brandenburgia, XXV (1916) 37. — Neuigk. des
dtsch. Ksthandels, 1914 p. 2. — Ausst.-Kat. Mün-

chen Glaspal. 1908 p. 158; Berlin, Gr. Kstausst., 1908.

Heermann, G e o r g (Joh. G.), Bildhauer
in Dresden, 1683—1700 dort nachweisbar,
Oheim (u. Lehrer?) des Paul, hatte sich „in die
10 Jahre" studienhalber in Italien, besonders
in Rom und Venedig aufgehalten. 1685—95
arbeitete er am „Sturz der Giganten" und
anderen Figuren (Sandstein) an der großartigen
Freitreppe am Schloß Troja b. Prag und fertigte
1695 den Hochaltar in der Peterskirche zu Görlitz (Sandstein, Stuck u. Stuckmarmor).
Dresdn. Akten (Ratsarch., Kirchenb. der Dreikönigskirche). — D l a b a c ž , Kstlerlex. f.
Böhmen, I (1815) 584 f. — Topogr. d. Kstdenkm.
Böhmen, XV (1903) 333 ff., Abb. — Neues Arch.
f. sächs. Gesch., VI (1885) 260 u. Anm. — G u s t.
O. M ü l l e r , Vergessene Dresdn. Kstler, 1895
p. 27. — L u t s c h , Kunstdenkm. Schlesien, III
(1891) 650. *Ernst Sigismund.*

Heermann, P a u l , Bildhauer, getauft 23. 1.
1673 in Weigmannsdorf bei Freiberg i. S.,
† 22. 7. 1732 in Dresden als Hofbildh. Gleich
seinem ält. Bruder Z a c h a r i a s (getauft 8. 8.
1670) jedenfalls Schüler seines Oheims Georg H.
u. 1685 (!)—1703 dessen Mitarbeiter an den Götterstatuen der Gigantensturz-Freitreppe des
Schlosses Troja bei Prag (dat. Signaturen bei
Dlabacž). In Dresden seit 1705 verheiratet
u. seit 1714 Bürger, lieferte H. als Mitarbeiter
(nicht Schüler) Balth. Permoser's: dekorative
Steinbildwerke für den Dresdner Zwinger (laut
Gurlitt die klassizist. Attika-Statuen des Paris
u. der 3 Göttinnen am Wall-Pavillon), für den
Dresdner Großen Garten (laut Hagedorn die
Statue einer okulierenden Gärtnerin) u. für
Leipziger Privatgärten (laut Kreuchauf z. B.
für Bose's Garten, nichts erhalten), — ferner 1721
für die Leipz. Thomaskirche die Marmor-Attika
zu J. M. Fossati's Barockaltar (jetzt in der
Leipz. Johanneskirche) u. 1725 die Portalskulpturen für das Leipz. Georgenhaus (fragmentarisch erhalten die hl. Georg zu Pferde im
Stadtgesch. Mus.), endlich für Leipz. Kunstsammler Marmorbildwerke, wie die klassizist.
Apollo- u. Merkur-Statuen des Stadtgesch. Mus.
(aus der Stadtbibl.) u. die 4 Puttengruppen
der Slg Richter (cf. Kreuchauf u. Leonhardi,
jetzt verschollen), die angeblich auch Elfenbeinschnitzereien H.s enthalten haben soll (cf. Kreuchauf u. J. G. Schulz, bisher nichts als erhalten nachweisbar). Kurz vor seinem Tode
dürfte er noch die voll signierte prächtige
Marmorbüste Augusts des Starken in der
Dresdner Skulpturensammlg gemeißelt haben
als Vorbereitung auf sein ebenda noch vorhandenes Gipsmodell zu dem nicht ausgeführten Reiterdenkmal Augusts d. St. für
Dresden. Als Holzbildhauer schuf er den
Hochaltar der Kirche zu Lommatzsch, 1714
(mächtiger, reich figurierter Aufbau mit
Himmelfahrt Christi, Engeln etc.).
Das Illuminierte Dresden, 1736. — Bibl. d.
schönen Wissensch. etc., II 2 (1758) 299; Neue

Bibl. d. schönen Wissensch. etc., XVIII 2 (1776) 321; XXXV 1 (1788) 140. — Curiosa Saxon., 1764 p. 122. — H a g e d o r n, Lettre à un Amateur de la Peint., Dresden 1755 p. 334 f. — K r e u c h a u f, Histor. Erkl. der Gem.-Slg G. Winkler, Leipzig 1768 p. IX, XV. — J. G. S c h u l z, Beschr. d. Stadt Leipzig, 1784 p. 332, 435. — L e o n h a r d i, Gesch. d. St. Leipzig, 1799 p. 624. — D l a b a c ž, Böhm. Künstlerlex., 1815 I 584 f.; cf. Topogr. d. Histor. u. Kst-Denkm. im Kgr. Böhmen XV (Bez. Karolinenthal 1903) p. 334 ff. (m. Abb.). — W u s t m a n n, Aus Leipzigs Vergangenheit, 1885 p. 163 ff. — G. O. M ü l l e r, Vergess. Dresdner Kstler, 1895 p. 24—34. — C. G u r l i t t, Bau- u. Kstdenkm. d. Kgr. Sachsen, XVII f. (1895) p. 52, 367, 387, 502; XXI f. (1903) p. 311, 430 ff., 623 (m. Abb.); XLI (1923) 270, 284. — J. L. S p o n s e l in Neues Archiv f. Sächs. Gesch., XXII, 1901 p. 130; d e r s., Fürstenbildnisse aus dem Hause Wettin, Dresden 1906, Tafel 52 u. Text p. 61 No 132. — A. K u r z w e l l y, Stadtgesch. Mus. zu Leipzig (Führer) 1913 p. 12, 14.   *

Heerschop (Herschop), H e n d r i c k, Genremaler u. Radierer, geb. in Haarlem 1620 oder 1621, † nach 1672. Auf einem 1649 gemalten Porträt war sein Alter mit 22 Jahren angegeben, und er als Schüler Rembrandts in Amsterdam bezeichnet. 1642 Schüler von Willem Claesz. Heda in Haarlem; 1648 Mitglied der dortigen Lukasgilde und als solches 1661 in Haarlem erwähnt. Als Künstler vielseitig, aber nicht besonders stetig in seiner Vortragsweise, flüchtig und ohne Kraft der Empfindung (Woermann). In seinen ebenfalls flüchtig, aber geistreich behandelten Radierungen erkennt man nach Nagler die Schule Rembrandts. Gemälde: *Amsterdam*, Rijksmus.: Erechtheus wird von den Töchtern des Kekrops gefunden; Rebekka empfängt die Geschenke Abrahams (bez. „H. Herschop 1656"). *Berlin*: Der Mohrenkönig (undeutlich bez. u. 1654 dat.); Bildnis eines Orientalen, Brustbild (Gegenstück zum vor., im Vorrat). *Cassel*: Das Kartenspielchen (Soldat u. Dirne). *Dresden*: Alchymist an einer Flasche riechend. *Haarlem*: Alchymist („J. H. Heerschop 1668"). *Riga*: Der holl. Arzt Seijger van Rechteren an seinem Schreibtisch sitzend. *St. Petersburg*: Hl. Familie. *Schwerin*: Der Architekturmaler (bez. u. 1672 dat.). — Radierungen: 1. Bathseba im Bade („H. Herschop 1652"). 2. Schlafende Venus und Amor („H. Herschop 1652"). 3. Eremit in der Wüste („H. Herschop 1659"). Über Zuschreib., s. Lit.

A. v. W u r z b a c h, Niederl. Kstlerlex., I (1906), mit Lit.; III (1911). — W o l t m a n n - W o e r m a n n, Gesch. der Mal., III (1888) 618 f. — Kstchronik, XX (1885) 200. — M i r e u r, Dict. des Ventes d'art, III. — Kat. der gen. Slgn.   *B. C. K.*

Heerstadt (Herstatt), I s a a k   P e t e r, Wachsbossierer (Dilettant), tätig in Köln um 1800, † nach 1813. Schüler von K. B. Hardy.

F ü ß l i, Kstlerlex., 2. T. 1806 ff. — M e r l o, Kunst u. Kstler in Köln, 1850. — L e m b e r g e r, Bildnismin. in Dtschl., 1909.

Heerstal, G e r r i t   v a n, Haarlemer Bild-

hauer, 1710 Mitglied der Lukasgilde, † nach 1750. Meißelte 1722 das Standbild des Laurens Jansz. Coster für den Hortus medicus in Haarlem, nach Entwurf des Romeyn de Hooghe, das 1801 auf den Markt versetzt und 1856 an seinem ursprüngl. Standort aufgestellt wurde. Am Hofje van Staats (1730 erbaut) rühren die Reliefs an den beiden Seitengiebeln mit dem Brustbild des Stifters Y. Staats von H. her. Wahrscheinlich war er auch an der Ausführung eines vom ehemaligen Hortus medicus erhalten gebliebenen Peristyls in klassischen Formen (Entwurf von Romeyn de Hooghe) beteiligt.

A. v. W u r z b a c h, Niederl. Kstlerlex., I (1906), m. Lit. — Voorloop. Lijst der Nederl. Monumenten, V 1 (1921).

Hees, Fayencemaler in der Nürnberger Fayencemanuf. um 1730. Ein von ihm mit Blaumalerei in Scharffeuerfarben bemalter Vexierpokal im German. Mus. Nürnberg, ein blaubemalter, walzenförmiger Krug im Kstgew.-Mus. Berlin.

S t o e h r, Dtsche Fayencen (Bibl. f. Kst- u. Antiquit.-Sammler, X) 1920. — R i e s e b i e t e r, Dtsche Fayencen d. 17. u. 18. Jahrh., 1921. *W. Fries.*

Hees, G e r r i t   v a n, Landschaftsmaler, 1660 und 1663 in Haarlemer Urkunden erwähnt. Macht 23. 9. 1670 sein Testament und wird 6. 10. in Haarlem begraben. Bedeutender Nachahmer J. v. Ruisdaels und Hobbemas, mit deren Arbeiten die seinen oft verwechselt werden. H. malt hauptsächlich Dünenlandschaften mit hohen alten Bäumen, einsamen Bauernhütten und Wirtshäusern an einem Bach oder Teich und einem Sandweg. Ähnlich wie der junge Ruisdael konzentriert er das Licht auf einzelne Stellen im Bilde, ist aber in der Behandlung nüchterner und monotoner als dieser und auch an den bescheidenen Staffagefiguren leicht zu erkennen. H.s Hauptwerk ist die schöne „Landschaft mit den Planken" in der Wiener Akad. der bild. Künste (dort „J. v. Ruisdael" gen.); im Haarlemer Mus. eine vollbez. u. 1650 dat. Landschaft. Andere Arbeiten in Bonn, Provinzialmus., Hamburg, Kunsthalle, Lille (dort „Simon Du Bois" gen.), Rennes (bez. u. 1665 dat. Bild; dort „C. Decker" gen.), St. Petersburg (Winterpalais u. Slg Delaroff), Stockholm (Nat.-Mus.), Dortmund (Slg Cremer), Wien (Slg Pacher), Boston (Slg Thayer) u. a. O.

A. v. W u r z b a c h, Niederl. Kstlerlex., I (1906); III (1911). — H o f s t e d e   d e   G r o o t, Repert. f. Kstwiss., XXV (1902) 296/8; d e r s., Beschr. u. krit. Verz. der Werke holl. Maler, IV (1911) 5, 363. — A. B r e d i u s in Oud Holland, XXXI (1913). — W. C o h e n ebda u. Kat. Gem. Gal. Prov.-Mus. Bonn, 1914. — O. G r a n b e r g, Trésors d'art en Suède, II (1912). — Staryje Gody (russ.), Okt. 1913 p. 33 f. m. Taf. — Repert. f. Kstwiss. XXXVIII (1916) 256. — Galeriekataloge.   *B. C. K.*

Hees, G u s t a v   A d o l f   v a n, Marinemaler, geb. 12. 7. 1862 in München, lebt daselbst. Schüler von G. Hackl, N. Gysis u. W. v. Diez an der dort. Akad. Studienreisen nach Italien (1890—95 alljährlich nach Chioggia), Ungarn, Dalmatien, nach der Nordsee u. Skandinavien. Malte zuerst Stilleben u. kleine Genrebilder u. widmete sich seit 1885 der Marinemalerei. Arbeiten: In den Lagunen von Chioggia, Seeschlacht zwischen Spanien u. Schweden, Besuch Kaiser Wilhelms II. auf dem Schulschiff Moltke, u. a.

S p e m a n n s Gold. Buch der Kst, 1901. — J a n s a , Dtsche bild. Kstler, 1912. — D r e s s l e r , Ksthandbuch, 1921 II. — Ausst.-Kat. Berlin, Kstausst. 1896, Gr. Kstausst. 1908; München, Glaspal. 1892, 1895 (ill. Kat.), 1906—14, 1916, 1919.

Hees, J a c o b d e , siehe *Heusch,* J. de.

Hees, P. C., falsch für *Heer,* Gerrit, A. de.

Heesche, F r a n z , Maler, geb. 7. 9. 1806 in Hamburg, † ebenda 5. 3. 1876, Schüler von G. Hardorff d. Ä., weitergebildet in Dresden und München, kehrte 1836 über Wien nach Hamburg zurück. Später Besuch von Paris; mehrere Jahre in Rostock und Bützow. — Gehörte zum Kreise des Hamb. Künstlervereins und stand vornehmlich als Bildnismaler in Ansehen. Daneben hat er auch einige Genrebilder u. Innenräume gemalt. In der Kunsthalle Hamburg die frische Bildnis-Studie des Malers Emil Janssen (1830, München), Bildnis G. Genslers (1833), sein Selbstbildnis und das Bildnis des alten Hardorff (1856); ferner eine Anzahl von Bildniszeichn. H. hat auch einige Radierversuche gemacht.

Hamburg. Kstler-Lex., 1854. — N a g l e r , Kstlerlex., VI. — v. B ö t t i c h e r , Malerwerke d. 19. Jahrh., I 2 (1895). — R u m p , Lex. d. bild. Kstler Hamburgs, 1912. — L i c h t w a r k , Bildnis in Hamburg, 1898 II; d e r s ., Herm. Kauffmann, 1893 p. 66. — Mitt. d. Ver. f. Hamb. Gesch., 1891 p. 210, 212. — *Kataloge:* Berlin, Akad.-Ausst., 1830 p. 20; Hamburg: Kunsthalle 1910, 1922, Ausst. v. Zeichng. d. gut. alt. Zeit, 1922.   *D.*

Heeseman, P i e t e r , siehe *Heseman,* P.

Heestere (Eestere), A n t o n i I v a n , Glasmaler in Brügge, 1551 als Fremder Freimeister der Zunft, nimmt 1553 einen Lehrling an, † um 1603. — A n t o n i II, † um 1653. Arbeiten (zerstört): 1609, St. Sauveur, Fenster der Sakramentskapelle. 1614, 4 Scheiben für das große Fenster im Querschiff ebenda, zusammen mit Corn. Coedyck, Jac. de Coninck u. Paul Pot. — Andere Mitglieder der Familie nur urkdl. bekannt.

C h . V a n d e n H o u t e , Corporation des peintres de Bruges, o. J. — Ad. D u c l o s , Bruges, 1910 p. 393 (Heester).

Heetvelt, J a n W o u t e r s z . v a n , holl. Maler (Fynschilder), macht mit seiner Frau 1635, 1648, 1649 und 1655 in Amsterdam Testamente. † 1665.   *A. B.*

Hef, G u g l i e l m o (Willem), fläm. Maler in Piemont. Arbeitete um 1620 mit seinem Landsmann, dem Maler Ludovico de Susi, im Turiner Schloß u. den herzogl. Schlössern. 1620 begaben sich beide mit einer Empfehlung des Herzogs Karl Emanuel I. an dessen Gesandten nach Rom.

Atti della Soc. di archeol. e belle arti della prov. di Torino, V (1894) 350.

Hefele, deutscher Maler in England, † in London Anfang 18. Jahrh. Kam als Soldat im Heere Wilhelms III. nach England, nahm seinen Abschied und malte Landschaften, Blumen und Insekten in Aquarell. Seine Arbeiten waren schon zu Walpole's Zeiten sehr selten.

W a l p o l e , Anecd. of painting, ed. Wornum 1862, II 621.

Hefele (Häfele, Hefeln, Heferl, Heverle, Höferle), M e l c h i o r , Baumeister, geb. in Kaltenbrunn, Tirol, am 11. 1. 1716, † in Steinamanger am 2. 1. 1799. Zum Schreiner bestimmt, ging er nach Deutschland, wo er auch das archit. Zeichnen lernte u. wohl um 1734 beim Würzburger Hofschlosser Georg Oegg eintrat, dem er vermutlich bei Herstellung der Risse für die berühmten Eisengatter des Residenzbaues behilflich war. Neben seiner Mitarbeit in der Werkstätte Oeggs leitete H. in Würzburg eine Handwerkszeichenschule („Reißschule"). Von Würzburg zog H. nach Wien. 1742 erhielt er an der Wiener Akad. den 1. Preis f. Architektur u. die gold. Medaille. 7. 1. 1754 heiratete er in Wien Katharina Jeklein u. war in dieser Zeit Zeichenlehrer bei der ungar. Leibgarde in Wien und Lehrer der Architektur an der Schmutzer'schen Kunstschule. 1756 wird er im Heiratsprotokoll der Tochter des Wiener Bildh. Barthol. Seegen als „k. k. Architektur Baumeister" genannt. — In das Jahr 1751 fällt sein erstes beglaubigtes selbständiges Werk: der marmorne Hochaltar der Wallfahrtskirche bei Sonntagberg, N.-Öst.: Prunkvoller, auf 12 Säulen ruhender Tempel (mit bleiernen Reliefs, deren Ausführung ebenfalls ihm zugeschrieben wird, von dem genau unterrichteten Schauff jedoch nicht unter seinen Arbeiten angeführt). Dieses in der Gesamtkomposition klassisch strenge Werk wurde von Jacob Binz (Augsbg) gestochen, der Originalplan 1757 als Aufnahmestück von der Wiener Akad. angenommen, zu deren Mitglied H. am 15. 10. gewählt wurde. 1756 war H. auch die Anfertigung der Kanzel in Sonntagberg übertragen worden. 1763—64 erfolgte der Bau des neuen Hochaltars der Neulerchenfelder Kirche in Wien nach seinen Plänen. 1766 fertigte er den Entwurf zu dem Seitenaltar im nördl. Querschiff der Sonntagberger Kirche, dessen prachtvolle Fig. u. Reliefs der Bildh. J. G. Dorfmeister nach H.s Entwürfen ausführte. 1767 zierte er die berühmte Kap. des hl. Peregrinus bei den Serviten in Wien mit schwarzem Marmor aus, 1768 überreichte er der Akad. den Plan eines großartigen, mit Fontänen geschmückten Platzes, 1769 fertigte er die Zeichn. zu den 2 Gittern der großen Fenster neben bzw. hinter dem Hochaltar der Sonntagberger

Kirche. Etwa gleichzeitig scheint H.s ausgedehnte Tätigkeit für mehrere Bischofsitze außerhalb Wiens, namentlich in Ungarn begonnen zu haben. Wohl schon gegen 1763 wurde er nach Passau berufen zwecks „Zurichtung oder vielmehr Erneuerung der fürstbischöfl. Residenz" (Schauff). Wie Guby nachgewiesen hat, bestand die „Zurichtung" in einer totalen Erneuerung der Außenarchitektur. Seit 1774 wird H. mit dem Titel eines fürstbisch. Passauischen Hofarchit. in den Passauischen Kirchen- u. Hofkalendern geführt. Der Bau selbst, der eine eklatante Stilverwandtschaft mit der Bisch. Residenz in Steinamanger aufweist, war vermutlich 1770 zum Abschluß gebracht. Diese Arbeiten scheinen die Aufmerksamkeit des Bischofs Grafen Ferenc Zichy auf H. gelenkt zu haben, von welchem er um 1770 den Auftrag zur Umgestaltung des aus dem Zeitalter der Árpáden stammenden, von Rana 1639—45 im Renaissancestil umgebauten Domes in Győr (Raab) erhielt (von Lippert neuerdings völlig umgebaut). 1778 begann er den Bau des Primatial-Palais in Pozsony (Preßburg) im Auftrage des Kardinal-Fürstprimas Jos. Batthyány (die Pläne signiert er „Melchior Hefele fürstl. Primatialischer Hof - Architect 1778"). Dieser imposante, bereits völlig klassizist. Bau, der jetzt als Teil des Rathauses mitverwendet wird, ist nächst dem Schlosse der bedeutendste Monumentalbau Preßburgs. In dems. Jahre erbaute H. im Auftrag seines späteren Gönners, des Bischofs v. Szily, die Kirche zu Nova (Com. Zala). 1780 folgte der Umbau der Kirche zu Zanat (1888 wieder umgebaut). 1781 beendete er den Primatialbau und (laut Inschrift) das Bischöfl. Residenzpalais zu Szombathely (Steinamanger), das die konsequente Weiterentwicklung der in Passau verwendeten Barockformen zum klassizist. Stil hin bezeichnet. Inmitten dieser Arbeiten wird er im Kommerzial-Schema von Wien immer noch (1789) als „Melchior Heferl wohnhaft Währing N⁰ 8" bezeichnet. Auch wurde er in Wien mit offiziellen Arbeiten betraut; so errichtete er im Febr. 1790 das Trauergerüst für Josef II. bei St. Stefan (Originalzeichn. im Stadtmus. Wien, Stiche v. Mansfeld u. v. Czetter) u. in dems. Jahre den Triumphbogen bei der Rückkehr Leopolds II. von der Krönung (gestochen v. C. Schütz), ferner 1792 das Trauergerüst für Leopold II. in Wien bei St. Stefan (Stich v. C. Conti). Inzwischen betraute ihn Bischof János v. Szily mit der umfangreichsten seiner Arbeiten: dem Bau des neuen Domes zu Szombathely (Steinamanger). Die Arbeiten begannen 1791, doch erlebte H. deren Beendigung (1813) nicht mehr (der Bau wurde von Georg Anreith weitergeführt). Die Fassade (Turmhelme leider im 19. Jahrh. übermäßig erhöht) gehört dem strengen Klassizismus an; sehr großartig das Innere, von Guby als die „Glanzleistung

des österreich. Klassizismus" bezeichnet. Von H. stammen außerdem in Steinamanger her die Privatpalais des Großpropstes János Eölbey u. des Kanonikus Szegedy. — Wie sehr H. von seinem Gönner, dem Bischof v. Szily, geehrt war, bezeugt der Umstand, daß sein Leichnam als erster in dem von ihm erbauten Dom zu Szombathely bestattet wurde. — Von seinen in die Samml. der Akad. zu Wien gelangten Arbeiten sei noch erwähnt „Ein mit Fontänen u. Spitzsäulen gezierter Platz, im Vordergrunde ein Teil einer Kirche". In seinem Nachlaß fanden sich ziemlich weit gediehene Vorarbeiten für ein Foliowerk über Architektur, dessen Manuskript seither verlorenging.

L. K e m é n y , Hefele Menyhért, Pozsony 1915 (ungar.). — N a g l e r , Künstlerlex., VI. — C. v. W u r z b a c h , Biogr. Lex. d. Kaiserth. Oesterr., VIII (1862). — W e i n k o p f , Beschreib. d. Akad. Wien, 1783 p. 37, 39, 87 (Heferl). — J. S c h a u f f , Beytr. zu einer künftigen Kunstgesch. von Ungarn, in „Zeitschr. von u. für Ungarn", Bd VI (1804) Heft 1 p. 39 ff. — P. v. B a l l u s , Preßburg u. s. Umgebung, 1823 p. 190. — C. v. S z e p e s h á z y u. J. C. v. T h i e l e , Merkwürdigk. des Königr. Ungarn. Kaschau, 1825, II 113 (Hefela; die Jahreszahl 1787 für die Erbauung des Primatialpalais irrig) — Vasárnapi Ujság, Bud., 1877 p. 515—16 (Abb.). — C. v. L ü t z o w , Gesch. d. Akad. d. bild. Künste Wien, 1877 p. 45. — Kazinczy Ferenc Levelezése, ed. J. Váczy, V (Bud. 1894) 10 (hier Hevele u. Häfele). — Die Graph. Künste, XXIII (Wien 1900), Mitt. No 2 p. 11. — Művészet (Budapest), III (1904) 201—3; XIV (1915) 239. — Österr. Kunst-Topogr., II (1908) 210 (Höferle). — Ö. B o d á n y i , Szombathely város fejlődése, Bud., 1910 p. 145, 155, Abb.: p. 5, 7, 146, 147 u. 148. — Auktionskatalog Gilhofer u. Ranschburg, Wien, 1911. — J. T ó t h , A szombathelyi püspöki székesegyház leirása, Szombathely 1913 p. 6 (hier Todesjahr irrig: um 1810). — K. L y k a , A táblabiróvilág művészete 1800—1850, Budapest 1922, I 26; III 85. — A. R. F r a n z , Wiener Baukstler in Preßburg im Theresian. Zeitalter, in Jahrb. d. ksthist. Instit., XIII (Wien 1919), Beibl. p. 22, 58 ff. — J á n o s K a p o s s y , Die Kathedr. in Szombathely u. ihre Deckengemälde, in den Abhandlungen d. ksthist. Instit. d. Pázmány-Universität in Budapest, 1921(2) (ungar.). — R. G u b y , Melchior H., ein vergessener Wiener Archit., in Monatsblatt d. Altert.-Vereins zu Wien, Bd XII, Jahrg. 35 (1918) 113/30 (auch separat ersch., Passau o. J.) ; d e r s . , M. H., fürstbisch. Passauischer Hofarchit., in Niederbayer. Monatsschrift, VII (1918) 41/55 ; d e r s . , M. H. u. d. Neubau d. bischöfl. Residenz zu Passau, in Monatsschr. f. d. ostbayer. Grenzmarken, X (1921) 49/53. — Kstdenkm. Bayerns, IV 3 (1919) p. 382, 476. — Mit Notizen von H. Hammer. *K. Lyka.*

Heff, C a r o l o v a n d e r , Blumenmaler, von dem das Bayr. Nat.-Mus. in München (Kat. 1908) ein großes Blumenstück besitzt (bez. u. 1721 dat.).

Heffen (Vanheffen), J e a n - B a p t i s t e v a n , Bildhauer in Brüssel, 2. Hälfte 19. Jahrh. Stellte in Brüssel, Wien u. Paris Genre-, Figurengruppen u. Büsten aus, u. a. Die Überraschung (Tiergruppe), Simson jagt die Füchse in die Felder der Philister, Zigeuner (Büsten).

Cat. Expos. d. B.-A. Brüssel 1869 p. 171. — Weltausst. Wien 1873.. Abt. Belgique. Cat. Oeuvres d'art p. 289. — Cat. Salon Soc. Art. frç. Paris, 1885.

Heffer, E d w a r d , Architekt in Liverpool, stellte 1872—85 in der Londoner Roy. Acad. Architekturzeichnungen, Aufnahmen von Kirchen in Liverpool u. a. aus. Die Corporation of London besitzt von ihm 6 kolorierte Zeichn., Königsgräber in der Westminster Abtei, Tempel von Ellora u. a.

G r a v e s , Roy. Acad., IV (1906). — Cat. Works of art belonging to the Corpor. of London, 1910.

Heffernan, J a m e s , irischer Bildhauer, geb. in Londonderry 1785, † in Cork 21. 10. 1847. Kam nach dem Tod seines Vaters, eines Steinmetzen, mit 11 Jahren zu einem Corker Architekten in die Lehre, bei dem er sich zuerst als Bildhauer versuchte. Mit 22 Jahren ging er nach London, wo er Schüler Chantrey's und der Royal Acad., die er mit Auszeichnung absolvierte, wurde. Nach einem kurzen Aufenthalt in Rom ließ er sich durch Chantrey's unredliche Versprechungen bewegen, als Gehilfe bei ihm einzutreten und, obgleich sein Meister nicht im Ernst daran dachte, ihn durch ein Legat, wie er versprochen hatte, zu bedenken, fand er sich bereit, nach Chantrey's Tod (1841) dessen unfertig hinterlassene Werke zu vollenden. H. stellte 1816—37 in der Royal Acad., Brit. Instit. und Society of Brit. Artists Originalarbeiten aus, hauptsächlich klassisch-mytholog. Figuren und Gruppen, daneben auch Bildnisbüsten. Aus Gesundheitsrücksichten gab er später seine bildhauerische Tätigkeit auf und verbrachte seine letzten Tage in Cork, wo er Volkstrachten für ein von ihm geplantes Werk zeichnete. *Arbeiten: Cork,* Kunstschule: Susanna; Verlassene Mutter; Mädchen mit Kind. *Cloyne* (Irland, Grafsch. Cork): Grabmal eines Bischofs. *Dublin,* Royal Society: James Watt, Statue. *Edinburgh,* Nat. Gall.: Sir Francis Chantrey, Bronzemedaillon; ders., Marmormedaillon, Northon Church bei *Sheffield. Paris,* Palais de l'Institut: James Watt, Büste, Kopie nach Chantrey. — Nach einer Skizze H.s „Römischer Schiffer" fertigte W. Sharp einen Steindruck.

W. G. S t r i c k l a n d , Dict. of Irish Artists, 1913 I. — G r a v e s , Dict. of Artists, 1895 ; Royal Acad., IV (1906) ; Brit. Inst., 1908. — Inv. gén. des Rich. d'art etc., Paris. Mon. civ., I.

Heffner, C l a u s , Bildschnitzer u. Steinmetz in Wittenberg, 1492—1510 mit zahlreichen, nicht mehr nachweisbaren Arbeiten für Friedrich den Weisen erwähnt. 1494 kauft er sich in Wittenberg ein Haus; 1492 reist er nach Magdeburg, um 2 Steine für Wappen zu kaufen. Arbeiten: geschnitzte Tafeln u. Altäre, für Torgau bestimmt 2 Engel und ein Johannes, ferner Brustbilder für Kirchenleuchter, Kirchengestühle in Wittenberg (1503, zerstört), geschnitzte u. bemalte Kruzifixe u. a. Letzte Erwähnung 1515: nimmt an den Beratungen für den Wittenberger Schloßbau teil.

R. B r u c k , Friedrich der Weise usw. (Stud. z. dtsch. Kstgesch. H. 45), 1903.

Heffner, H a n s , bischöfl. ermländ. Hofmaler in Heilsberg. Wurde 1549 nach dem Tode seines Schwagers Crispin Herrant als Hofmaler nach Königsberg berufen. Erhielt dort viele Aufträge, 1550 auf Drängen seines Bischofs wieder entlassen. An seiner Stelle wurde Georg Pencz aus Nürnberg nach Königsberg berufen.

E h r e n b e r g , Kst am Hofe der Herzöge von Preußen, 1899.

Heffner, J o s e p h , Maler, geb. in Bretzingen 1877. Arbeitete zuerst in der Art Dischler's und malte später malerisch wirkungsvolle und sorgfältig behandelte Schwarzwald- und Phantasielandschaften in Öl und Aquarell.

J. A. B e r i n g e r , Badische Malerei, [2] 1922.

Heffner, K a r l , Landschaftsmaler, geb. in Würzburg 1. 1. 1849. Studierte in München Musik und nahm für Wagner eifrig Partei, bildete sich dann in der Malerei als Autodidakt, Schüler von J. N. Otto und Ad. Stademann; auch unter dem Einfluß von Lier. Arbeitete für den engl. Kunsthändler Wallis und unternahm seit Anfang der 70er Jahre häufig Reisen nach England, wo er Abnehmer für seine ersten, von französ. u. engl. Radierern vervielfältigten Bilder fand. Im Winter 1883 unternahm H. seine erste Reise nach Italien und ließ sich in Rom nieder, wohin er bis 1888 jeden Winter zurückkehrte. 1889 in Florenz, 1894 in Dresden, später in Freiburg i. B., zuletzt in Berlin ansässig. Stellte in Wien, München, Berlin, London u. Paris aus. Sonderausstell. in München und Berlin (bei Schulte 1888). H. wurde durch das Studium Turner's, Constable's, Corot's, Rousseau's, Diaz', Troyon's u. and. Meister des Paysage intime, deren Arbeiten er in den engl. Galerien kennenlernte, entscheidend beeinflußt. Seine Vorliebe für diese Meister zeigte eine internat. Samml. von 125 Gemälden aus engl. Privatbes., die er für die Münchner internat. Kunstausst. 1883 zusammenbrachte. Während er zuerst ausschließlich Motive aus Bayern u. dem Hochgebirge, England (Themselandschaft, Nordwales) u. Holland behandelt hatte, bevorzugte er in Italien Motive aus der röm. Campagna zwischen Rom und Ostia und aus der Umgebung von Florenz. Später fand er seine Motive auch an der Ostseeküste bei Prerow und auf der Insel Rügen. H.s Lieblingsthema ist die Schilderung der einsamen Natur in der Abenddämmerung und an trüben, regenfeuchten Tagen im Frühling und Herbst, sumpfiger Heidegegenden und Hochmoore, Lichtreflexe auf stillen Wasserflächen und Teichen, weiter von dunklen Baumsilhouetten begrenzter Horizonte mit charakteristischer, aber unaufdringlich behandelter Staffage. Er zeigt dabei eine hohe Meisterschaft in den unendlichen Abstufungen grauer und brauner Töne, in sicherer Zeichnung, plastischer Wiedergabe der Einzelformen und überhaupt in der poetischen Gesamtstimmung bildmäßig gestalteter Naturausschnitte, ohne freilich an Naturwahrheit und Größe des Gesamteindrucks seine französ. und engl. Vorbilder zu erreichen. „In seinen mit feinem poetischen, bisweilen an das Melancholische streifenden Gefühl ausgeführten Landschaften gipfelt die koloristische Virtuosität der neueren Münchener Landschaftsmalerei" (Rosenberg). Arbeiten in München, Neue Pinak. („Isola sacra") und in den Mus. von Bristol, Rochdale, Milwaukee, Melbourne u. Sydney.

Singer, Kstlerlex., II; IV (Nachtr.). — Jansa, Dtsche bild. Kstler, 1912. — Dressler, Ksthandbuch, 1921 II. — Bénézit, Dict. des peintres etc., II (1913). — Pecht, Gesch. der Münchener Kst, 1888. — Ad. Rosenberg, Gesch. der mod. Kst, ² 1894 III, u. Zeitschr. f. bild. Kst, N. F. VIII (1897) 105 ff. — Muther, Gesch. der Mal. im 19. Jahrh., | 1893 III 409. — Kstchronik, XXII (1887) 406; XXIII (1888) 191 f.; N. F. VII (1896) 164. — Die Kunst, VII (Kunst f. Alle, XVIII), 1903. — Moderne Kunst (Berlin), XXIII 400 ff. (farb. Reprod.). — Allg. Kstchronik, VII, Wien 1883 p. 647 f. — Seemann's Meister der Farbe, XIII (1916) 893. — F. v. Bötticher, Malerwerke 19. Jahrh. I 1 (1891). — A. Graves, Dict. of Art., 1895; ders., Roy. Acad. IV; Loan Exhib. II; IV. — Ausst.-Kat. Berlin (Intern. 1893, 1899—1901 m. Abb., 1910—17; Jahrh.-Ausst. dtsch. Kst 1906) u. München (Glaspal. 1890, 1900 f., 1914; Ausst. Münch. Malerei 1860—80, Gal. Heinemann 1915). — Kat. der gen. Slgn. — Jahrb. der Bilder- u. Kstblätterpreise, Wien 1911 ff. III—V/VI. — Mireur, Dict. des Ventes d'art, III (1911). *B. C. K.*

Heffner, Leopold, Silhouettenkünstler um 1830, von dem ein Mädchenbildnis aus Berliner Privatbes. auf der Düsseldorfer Silhouetten-Ausst. 1909 zu sehen war (Kat. No 225).

E. Lemberger, Meisterminiaturen, 1911 Anhang.

Hefft, Anton, Architekt, geb. in Wien 15. 12. 1815, Schüler der Akad. Errichtete das Nationaltheater in Bukarest (1852, nach Plänen von Oràscu), die Schloßkapellen in Weilburg und Weikersdorf bei Baden, das Palais Erzherzog Albrecht in Wien I, Albrechtgasse 1, und vollendete den Umbau der Villa Erzherzog Albrecht in Arco.

Eisenberg, Das geistige Wien, I (1893). — Tausig, Jos. Kornhäusel, 1916 p. 21 (A. v. Hefft).

Heffter, Anton, Zeichner in Salzburg um 1809, von dem das dort. städt. Mus. 4 Aquarelle (Landschaften) u. Architekturzeichnungen (Grundrisse u. a., 2 Bl. dat.) bewahrt.

Öst. Ksttopogr., XVI (1919) 198.

Heffter, Ja. Anton, Maler in Leoben (Steiermark), malte 1718 die 2 Orgelflügel der Kirche St. Jakob (mittelmäßige Arbeit).

Handschriftl. Notiz von Wastler.

Hefftler, Karl Eduard (sign. russ. К. Гефтлеръ, in russ. Quellen Karl Eduardowitsch gen.), Architekt u. Maler, geb. 26. 4. (8. 5.) 1853 in Reval, seit 1876 in St. Petersburg, in der Architekturabt. d. Akad. als Volontär, absolvierte 1882 das Zivilingenieur-Instit. Bis 1882 Assistent M. Petersson's am Petersburger Schlachthofbau; wandte sich um 1880 mit der Ausführung eines für Zar Alexander II. bestimmten Albums von Ansichten der vom russ. Wasser- u. Wegebauministerium veranlaßten Staatsbauten der Aquarellmalerei zu (trat zu diesem Zweck in die Akad. ein, die er 1895 als diplom. Landschaftsmaler verließ), unternahm zu deren Spezialstudium Reisen durch Deutschland, Italien u. Frankreich und gelangte dann namentlich als Architektur- u. Marine-Aquarellist zu bedeutendem Ruf. Stellte aus in den Jahresausstell. der Aquarellisten-Ges., Petersburg; in der Allruss. Ausstell. 1896 in Nishny - Nowgorod (Kat. No. 620/25 u. 727/31) und in der Internat. Kstausstell. Rom 1911 („L'Arte Russa alla Espos. de 1911 in Roma", No. 84/85). Vier seiner Aquarelle erwarb das Petersb. Mus. Alex. III. (Kat. 1912 No 1192/5, letzt. dat. 1894), mehrere das dort. ehemal. Akad.-Mus. (Kat. 1915 No. 1368), welche größtenteils an Provinzmuseen verteilt wurden, so an das Stadtmus. in Nishny-Nowgorod (Kat. 1916 No. 200), die Kunstschule in Kasan, das Wereschtschagin-Mus. in Nikolajew (Kat. No. 7) und das Stadtmus. in Taganrog. Außerdem befinden sich Werke von H. in der Zwjetkoff-Gal. in Moskau (Kat. 1915, p. 90) und in der Kowalenko-Gal. in Jekaterinadar (Kat. 1912 No. 373/75).

Neumann, Balt. Maler u. Bildh., 1902 p. 164 ff. (m. Abb.); ders., Lex. Balt. Kstler, 1908; cf. russ. Zeitschr. „Apollon", IV (1913) H. 4 p. 46. — N. Kondakow, Jubil.-Handbuch d. Petersb. Kstakad. 1764 — 1914, II 48. — Mus.-Kat. d. Petersb. Kstakad. (1915), Malerei, p. 64, X, XII, XIV u. XV. — Mit Notizen von P. Ettinger-Moskau. *

Heflein (Hoflein?), H., Nürnberger Maler um 1509, hat nach der Tradition (Inschrift Anf. 19. Jahrh.) ein in der Sakristei der Zwickauer Marienkirche befindl. Ölgemälde, Ecce homo, gemalt. Thode macht den Versuch, ihn mit dem Meister des Altars in der Reglerkirche zu Erfurt zu identifizieren.

Thode, Malerschule v. Nürnberg, 1891. *W. Fries.*

Heflich, Gabriel, Bildhauer, Franziskaner-Laienbruder, 17. Jahrh.; von ihm in der Seitenkap. des ehem. Refektoriums des Franziskanerklosters in Bozen mehrere Statuen von Ordensheiligen.

Atz u. Schatz, Der deutsche Anteil der Diözese Trient, I 56. *H. H.*

Hefner (Höffner), Daniel, Kupferstecher (Dilettant), aus Nellingen bei Ulm, † 21. 2. 1624 in Graz. Seine Mutter Margarete (geb. 1516, gest. 1594) entstammte der Familie der Grazer Buchdrucker Widmannstetter. 1576 trat H.

als Türhüter in die Dienste des steir. Herzogs Karl II. 1590 wurde er mit 144 fl. Gehalt Lichtkämmerer, welchen Posten vor ihm Michael Holzpecher bekleidete, der sich als Steinätzer einen Namen gemacht hatte. Von 1614 bis 1618 war H. Ratsherr von Graz. — Von H. sind 2 Stiche bekannt: Leichenzug Erzherzog Karls II. (ungefähr 41 Blätter), nur in 2 unvollständigen Exemplaren vorhanden: eines im Stift Rein bei Graz (29 Bl.) und eines im Joanneum in Graz. Dieses wurde wegen der Übermalung seinerzeit als „Originalgemälde" angesehen und H. daher als „Maler" bezeichnet. Wastler verlegt die Entstehungszeit dieser Stiche in die Jahre 1594/95 und vermutet, daß sie wahrscheinlich von dem berühmten Münchner Stecher Georg Peham, der damals wegen einer Aufnahme der Stadt in Graz weilte, gezeichnet wurden. Daher erkläre sich auch der Mangel jedes Ausdruckes von Individualität. „Die Hunderte von Figuren, ob Cavaliere, Trompeter oder Diener, sind fast alle gleich. Es sind gedrungene Gestalten, fast alle gleicher Größe, mit breiter Stirne, gerader Nase, breiter Nasenwurzel, spitzem Kinn, Vollbart, der am Kinn zugespitzt ist" (Wastler). Die Stiche selbst sind von keiner besonderen Qualität. „Die Schraffierstriche schließen sich nicht an die Faltenkrümmungen der Mäntel an, sondern sind über sämtliche Falten hinweg geradlinig geführt" (W.). Die Blätter haben demnach nur kulturgeschichtl. Wert, da die Namen der Beteiligten und ihre Kostüme genau vorgezeichnet werden.

Der zweite Stich H.s ist nur in einem einzigen Exemplar im Stift Rein vorhanden und stellt das für die Leichenfeier des Erzherzogs im Dom zu Graz aufgestellte Castrum doloris dar. Der Stich besteht aus 3 Blättern, die zusammengesetzt 74 cm hoch und 47 cm breit sind. Auch in diesen vermutet Wastler die Mitarbeit Pehams. Ein dritter Stich wird nur urkundlich erwähnt und soll eine allegor. Darstellung der Siege des Jahres 1595 über die Türken sein.

J o s. W a s t l e r , Kunstleben am Hofe zu Graz, 1897. — E. K ü m m e l , Kunst und Künstler in ihrer Förderung durch die steir. Landschaft vom 16.—18. Jahrh. (Beitr. zur Kunde steirm. Geschichtsquellen, XVI [1879] 92. — J o s. W a s t l e r , Steir. Kstlerlex., 1883, p. 44 u. 189; d e r s., Nachr. über Gegenstände der bild. Kunst in Steiermark, II (Mitteil. des histor. Ver. für Steierm., 1884, XXXII 123 ff. — K a r l L a c h e r , Führer d. d. steierm. kulturhist. und Kunstgew.-Mus. zu Graz, 1906, p. 25. *Bruno Binder.*

Hefner, O t t o T i t a n v o n , Zeichner und Heraldiker in München, geb. ebenda 1827, † ebenda 10. 1. 1870, erhielt als Sohn des Archäologen Joseph v. H. eine gelehrte Bildung und studierte am Münchner Polytechnikum. Gab u. a. 1852 „Originalbilder aus der Vorzeit Münchens" heraus, verfaßte 1860 im Auftrag des Magistrats von Rosenheim eine Chronik dieses Orts und zeichnete die Holzschnittvi-

gnetten für dies Werk; besorgte die Neuausgabe des Sibmacher'schen Wappenbuchs (1854 ff.), begründete ein herald. Institut und gab seit 1862 die „herald. Bilderbogen" heraus. Seine herald. Zeichnungen und Miniaturmalereien tragen häufig sein Monogramm. Im Stadtmus. München (Maillinger's Bilderchronik, III [1876]) eine Zeichnung (Ritter in Rüstung).

F a b e r , Convers.-Lex. f. bild. Kst, 1845 ff. VII. — N a g l e r , Monogr., III. — Mitteil. d. Zentralkomm. f. Denkmalpflege, XIV (1915) p. XLIX; XVI p. CXLV.

Hefner-Alteneck, J a k o b H e i n r i c h v o n , Zeichner, Stecher, Radierer, Kultur- und Kunsthistoriker, geb. 22. (nicht 20.) 5. 1811 in Aschaffenburg als Sohn des großherz. frankfurtischen, nachmalig bayr Staatsrats Franz Ignaz Heinrich von Hefner, † 19. 5. 1903 in München. Verlor mit 6 Jahren durch einen Unfall den rechten Unterarm, erwarb sich aber eine große Fertigkeit im Gebrauch der linken Hand. Er erhielt Zeichenunterricht von dem Landschafter Georg Schneider in Aschaffenburg, später von Franz Hubert Müller in Darmstadt, studierte und kopierte nach den Schätzen der Schloßbibliothek und der Kupferstichsamml. und unternahm mit seinem Vater Reisen an den Rhein, nach Nürnberg, Augsburg, München, Wien, Freiburg und Straßburg. Als Mitbesitzer der Porzellanfabrik seines Schwagers, des Revierförsters Dr. Daniel Ernst Müller in Damm, beschäftigte er sich mit Zeichnen, Stechen und Radieren und gab, nachdem der Minister Fürst von Öttingen-Wallerstein auf seine „künstler. Befähigung" aufmerksam geworden war, ohne Entgelt Zeichenunterricht an der 1833 eröffneten Gewerbeschule in Aschaffenburg. 1836 Professor, 1840 auf Wunsch seiner Stelle enthoben. Für das Programm zur Eröffnung der Landwirtschafts- und Zeichenschule zeichnete er das Titelblatt (4 Männer in altdeutscher Tracht mit den Symbolen der einzelnen Unterrichtsfächer) und trat mit einem offiziellen Programm-Beitrag zur Geschichte der deutschen Goldschmiedekunst, besonders des 16. Jahrh. (Aschaffenburg 1838, mit 4 Tafeln), zuerst an die Öffentlichkeit. Die Universität Gießen schickte ihm das Doktordiplom (1840), und J. M. von Radowitz gab ihm die Anregung zu einer Sammlung kulturhistor. Vorbilder mit diplomatisch getreuen Kopien, aus der das großartig angelegte Prachtwerk „Trachten des christl. Mittelalters" (3 Bde 1840—54) entstand, dessen zahlreiche Mitarbeiter, darunter Graf Pocci, Ph. Veit, Ed. Steinle, Fr. Hoffstadt, sich aber nach und nach zurückzogen, so daß H. in unablässigem Sammeln und Zeichnen des kostbarsten Materials freie Hand bekam. Zur Ergänzung des Trachtenwerks gab H. in Verbindung mit C. Becker die „Kunstwerke und Gerätschaften des Mittelalters und der Renaissance" (1852—57) ebenfalls als Prachtwerk heraus. Um diese Zeit entstand auch das (handschriftliche) „Geschlechtsbuch der Freih. von Fechenbach - Laudenbach" (500 Taf. in Aquarell) und der Bericht über die Ausgrabungen der „Burg Tannenberg" (Frankf. 1850), wozu H. den beschreibenden Teil lieferte. Im Herbst 1850 unternahm er eine längere Reise über Weimar, wo er bei Hofe Aufnahme fand, Eisenach und die Wartburg nach Berlin, wo er zu Charlottenburg dem König vorgestellt wurde, nachdem er die Kostüme der Herolde für die bevorstehenden Ordensfeste gezeichnet hatte, und mit Männern wie A. v. Humboldt, Waagen, Schorn, Menzel, den Bildhauern Tieck und Rauch und dem Maler Cornelius verkehrte. Die Rückreise führte über Dresden, Leipzig und Kassel; im Mai 1852 siedelte H. nach München über, wo er Maximilian II. für seine Museumspläne gewann. Er erhielt den Posten eines Konservators der Vereinigten Sammlungen, entzweite sich aber bei der gemeinsamen Herausgabe der „Altertümer und Denkmale des bayerischen Herrscherhauses" mit seinem Direktor, Freiherrn von Aretin, worauf er sich von dem Werke zurückzog. Die Akad. der Wissenschaften ernannte ihn 1858 zum ordentl. Mitglied, nachdem er 1854, zur Unterscheidung von einer gleichnamigen Gelehrtenfamilie, den Beinamen Alteneck angenommen hatte. Nach dem Abschluß des Trachtenwerks und nach Erscheinen des Katalogs der Waffenabteilung der Vereinigten Sammlungen (1856) unternahm H. Studienreisen nach Belgien und Paris und veröffentlichte nach seiner Ernennung zum Kustos des Kupferstich- und Handzeichnungenkab. (1861) die „Original-Entwürfe deutscher Meister für Prachtrüstungen der Könige von Frankreich" mit den Zeichnungen Hans Mielichs u. a. (Frankf. 1865, 2. verm. Prachtausg. 1889). Es folgte H.s Ernennung zum Generalkonservator der Kunstdenkmale Bayerns und nach Aretins Tod (1868) zum Direktor des Bayrischen Nationalmus., in welcher Stellung er eine bedeutende organisatorische Tätigkeit entfaltete (1885 Versetzung in den Ruhestand). Von seinen sonstigen Publikationen sind zu nennen: Die Ausgabe von Hans Burgkmairs Turnierbuch (aus dem Besitze des Fürsten von Hohenzollern-Sigmaringen), mit 28 von Regnier gestochenen und kolorierten Tafeln (Frankf. 1854/56); die „Kunstkammer des Fürsten Karl Anton von Hohenzollern-Sigmaringen" (1867), mit 60 kolor. Stichen von H. Petersen, die „Sammlung der Eisenwerke" (1877) und die „Ornamente der Holzskulptur von 1450 bis 1820 (in Lichtdrucken), 1881, die „Goldschmiedewerke" und die Auswahl seiner sämtlichen Publikationen „Trachten, Kunstwerke und Gerätschaften vom frühen Mittelalter bis Ende des 18. Jahrh." (1879—89)

als Abschluß seines Lebenswerks in 10 Bdn mit 720 Taf. Als Zeichner verfügte H. über eine rasche Auffassung und ein ungewöhnliches Gedächtnis. Er wirkte bahnbrechend nicht nur auf dem Gebiet der Altertumsforschung und Museumsorganisation, sondern auch als Begründer zweier neuer Disziplinen, der Kostümkunde und der Waffenkunde. Seine „Lebenserinnerungen" (Privatdruck) erschienen 1899; seine reiche Kunstsammlung wurde 1904 bei Hugo Helbing in München versteigert (prachtvoll ausgestatteter Katalog).

H. Holland in Bettelheims Biogr. Jahrbuch, VIII (1905). — J. Hetzenecker, Aus H.-A.s Lern- und Lehrjahren in Aschaffenburg, in Aschaffenb. Geschichtsbl., V (1911) 28—32. — Illustr. Zeitg, CXX (1903) 847 f. (Th. Hampe). — Zeitschr. f. hist. Waffenkde, III (1903) 57—60 (K. Kötschau). — Nagler, Monogr., IV. — Kugler, Kl. Schriften, I 478; II 428. — A. Stöhr, Dtsche Fayencen (Bibl. f. Kst- u. Antiquitätensammler 20), o. J. [1920]. — Kstchronik, N. F. XIV (1903) 436. *Red.*

Hegedüs, Armin, ung. Architekt, geb. in Szécsény (Com. Nógrád) 5. 10. 1869, am Budapester Polytechn. Schüler von Czigler, A. Hauszmann u. Steindl, trat früh ins städt. Bauamt in Budapest und entwarf dort die Pläne einer Reihe von Schulbauten, der ersten, welche modernen sozialen u. hygien. Bedürfnissen gerecht werden. Von ihm die Entwürfe der Neuregelung des Kerepeser Friedhofes u. des zentralen Arkadenbaues daselbst, ferner der Umbau der einstigen, von Martinelli gebauten Karlskaserne zum Zentral-Rathaus von Budapest. Mit dem Archit. Henrik Böhm gemeinsam entwarf er die modernen Badebauten von Pöstyén, Trencsén-Teplic, Daruvár. Sein Hauptwerk ist der Prunkbau des hl. Gerardus (Gellért-) Bades in Budapest, 1910 in Gemeinsch. mit d. Architekten Sterk u. Sebestyén nach seinen im Wettbewerb preisgekrönten Plänen begonnen.

Magyar Iparművészet, XXI (1918) 140—3. — v. Krücken u. Parlagi, Das geist. Ungarn, I (1918) 472. — Mitt. d. Künstlers. *K. Lyka.*

Hegedüs, László (Ladislaus), ung. Maler, geb. in Szentes 3. 1. 1870, † in Budapest 7. 7. 1911. Schon im Kindesalter genoß er Malunterricht bei Pfarrer Franz Bernátsky, der ihn dem Kammermaler des Grafen Esterházy, Béla Pállik, empfahl. Dieser nahm ihn 1888 zu sich nach Tata. Nachdem er dort beim Ausmalen des gräfl. Theaters behilflich gewesen war, sandte ihn Pállik nach München, wo H. 1890—92 in der Akad. bei Ludwig Schmidt und bei Simon Hollósy lernte. Während seines Militärdienstes besuchte er in Wien den Abendkurs Eisenmengers. Von hier ging er zu Pállik nach Budapest und gewann 1895 den 1. u. 2. Preis in dem vom Bischof Bende veranlaßten Wettbewerb mit den Gemälden Hl. Emericus u. Hl. Familie (ersteres in der Kathedrale, letzteres in der bischöfl. Hauskapelle in Nyitra), worauf er 1896 nach Paris ging, wo er Schüler von Benj. Constant u. J. P. Laurens wurde. 1897 nach Budapest zurückgekehrt, wurde er Schüler von Benczur und 1900 Professor an der Akad. 1904—5 verbrachte er als Stipendiat des Bischof Fraknói'schen Ungar. Institutes in Rom. Hier malte er eine Beweinung Christi, ferner den Park der Villa Borghese, welche seine Vaterstadt Szentes für ihr Mus. nebst dem Gemälde: Vater Bem bei Szászváros, 1910 ankaufte. Ferner: „Der Blutschwur" und „Rücknahme der Festung Buda 1849", beide für die Stadtgal. Budapest; „Kain u. Abel" (1899, Mus. der bild. Künste, Budapest); Hl. Stephan u. die Patrona Hungariae (Altarbild der ungar. Kirche in New York); „Zwischen Lilien" (1898); „Das Sklavenjoch". Von seinen Genrebildern wurde „Im Lampenscheine" 1909 von der Mod. Gal. zu Venedig, „Der Brief" für das kgl. Schloß in Budapest angekauft. 1901 gewann H. den 1. Preis beim Wettbewerb der Österr.-Ung. Bank; nach seiner Zeichnung wurden die 100-Kronen-Banknoten gedruckt. 1902 erhielt er den 1. u. 2. Preis beim Gewerbediplom-Wettbewerb, auch stammt von ihm eine Reihe von Illustrationen zu Petöfi's Gedichten. In seinem Nachlaß fand sich eine Menge kunstgewerbl. Arbeiten, Gobelins, Bucheinbände, Keramisches, Terrakotta- u. Bronzefiguren, Holzschnitzereien u. a., welche er aber nie ausgestellt hat. H. war ein sehr gewandter Maler mit virtuoser Technik, dessen Stil einigermaßen von jenem seines Meisters Benczur abhängig ist.

Müvészet, IX (1910) 66 ff. — Révai Nagy Lexikona, IX (1913) 660. — V á r d a i , Az Orsz. Magy. Kir. Képzőmüvészeti Főiskola Évkönyve 1910/1, Budapest 1911 p. 36 ff. — A Nemzeti Szalon Almanachja, Budapest 1912 p. 172. — v. K r ü c k e n u. P a r l a g i , Das geist. Ungarn, 1918 I. — Autobiographie (Mscr.). — Kstchronik, N. F. XI (1900) 315; XXII (1911) 519. — The Studio, XLIV (1910) 189, 192 (m. Abb.) — Chron. des Arts, 1911 p. 215 f. — Kataloge des Budap. Kunstvereins 1894—1912 (letzterer H.s kstl. Nachlaß enthaltend), 1915. *K. Lyka.*

Hegel, K o n s t a n t i n , poln. Bildhauer, † 1876, war 1829/30 in Rom. Von ihm die 12 Apostel der Kanzel im Warschauer Dom.

G o m u l i c k i , Warschau, München 1918 p. 103. — Notiz Fr. Noack.

Hegel, L. C., Bildhauer in Bukarest, stellte 1881/89 mehrmals im Pariser Salon der Soc. des Art. franç., 1900 in der Exp. décennale Paris (Katal. p. 319) aus, meist Porträtbüsten.

B é n é z i t , Dict. des Peintres etc., II (1913). — Salonkatal.

Hegele, M a x , Architekt in Wien, geb. ebenda 21. 5. 1873, Schüler der Wiener Akad. unter Hasenauer 1893/94 und von V. Luntz 1894/96, als Stipendiat 1897 in Italien. Von seinem 1900 preisgekrönten Entwurf für die bauliche Gestaltung des Wiener Zentralfriedhofes kamen nach mehrfachen Abänderungen

zur Ausführung die Portalbauten, Leichenhallen, Arkadengrüfte nebst Kolumbarien und die Einsegnungskirche (1907/10, Zentralbau mit Kuppel). Preisgekrönt wurden ferner H.s Entwürfe für das Kaiser Franz Josef-Stadtmus. in Wien und für das Kurhaus in Karlsbad. 1911 lieferte er die architekt. Umrahmung des Taglang'schen Denkmals des Pianisten Leschetizky im Türkenschanzpark in Wien. 1900 gab er „Moderne Wohn- und Landhäuser" heraus.

K o s e l , Dtsch-österr. Kstler- u. Schriftsteller-Lex., I (1902). — Der Architekt, VIII (1902) Taf. 46ª, 47, 66, p. 23; IX Taf. 99 u. 100; XII Taf. 22, p. 8; XIII Taf. 90/91, p. 56; XV Taf. 32. — G u g l i a , Wien, 1908. — P a u l , Techn. Führer durch Wien, 1910. — Kstchronik, N. F. XXII (1911) 502. — Dtsche Konkurrenzen, XXVI (1911) Heft 9 p. 7, 29/30 (Abb.). — F r i m m e l 's Stud. u. Skizzen z. Gem.-Kde., VI (1921/22) 75.

Hegeler, H e i n r i c h , Genremaler in Berlin, geb. in Varel (Oldenburg) 15. 5. 1861, Schüler der Düsseldorfer Akad. (1880—86) und von Lefèbvre in Paris.

S i n g e r , Kstlerlex., Nachtr. (1906). — Kat. Gr. Kstausst. Berlin, 1900 p. 30, 1901 p. 28. — D r e s s l e r , Ksthandb. 1909—1921 II.

Hegelin, H a n s U l r i c h , Zeug- und Gießmeister, Mitte 17. Jahrh. in Lauingen. In einer Handschrift mit Zeichnungen von Geschützen (1644—1651) bezeichnet als „Fürstl. Durchl. Zeug- und Gießmeister zu Lauingen". Handschrift jetzt in der Luther-Halle in Wittenberg.

J. H a l l e , Antiquariat München, Kat. 50, 1918 No 81. *St.*

Hegelmann, J o h a n n M a r t i n , Porzellanfabrikant in Zerbst 1757. Aus einer Eingabe, die er unterm 4. 3. 1757 zus. mit dem Porzellanfabrikanten Joh. Gottfried Becker an den Fürsten Friedrich August von Anhalt-Zerbst richtete, geht hervor, daß beide ursprünglich in Meißen, Frankfurt und bis ins 3. Jahr bei Wegely in Berlin tätig gewesen waren. Sie legten 2 Stücke Porzellan „mit allerhand Farben, Vergoldungen und Figuren, wie es erfordert werden dürffte", vor und bitten um 3—4 Wochen Beschäftigung in der Fayencefabrik. Auch erklären sie sich ev. bereit, das Arcanum der Masse und Glasurbereitung zu verkaufen. Doch wurden die Modelle, die sie unter Aufsicht in der Fabrik anfertigten (Terrine in Form eines Schweinkopfes u. a.), nur niedrig taxiert. Am 22. 3. legen sie eine Porzellantasse vor, setzen ihre Ideen einer Fabrik auseinander und erheben große Forderungen, ohne daß ihr Projekt, das offenbar den Stempel des Abenteuerlichen an sich trug, angenommen wurde. — Ein Maler H e i n r i c h H. arbeitete 1742—43 in der Fayencefabrik Dorotheenthal bei Arnstadt (Cicerone, IV [1912] 206).

W. S u i d a , Die keram. Industrie im Herzogt. Anhalt während des 18. Jahrh., in Mitt. des Ver. f. Anhalt. Gesch., X (1904) 181 ff. *B. C. K.*

Hegemeister, Zinngießerfamilie in Großenhain. Zu nennen nur: J o h a n n G e o r g e , geb. um 1720 in Großenhain, † 15. 1. 1779 in Döbeln. 1736—40 Schüler seines Vaters J o h. C h r i s t i a n (der 1715 Meister wurde, 1754 noch Quartalgeld bezahlt), wird 1752 Meister in Döbeln. Von ihm Schnabelkanne (1765) in der Nikolaikirche in Waldheim i. S. u. reichgravierter Krug in der Kirche zu Mochau bei Döbeln. — C h r i s t i a n G o t t l i e b , wird 1777 Meister in Großenhain, zahlt bis 1827 Quartalgeld. Von ihm Willkommpokal der Fleischer (1786) im Heimatmus. Großenhain, Taufschüssel (1802) in der Kirche zu Lenz bei Großenhain, Taufkanne (1815) in der Kirche zu Walda, Kanne (1816) in der Kirche zu Ponickau bei Großenhain. — F r i e d r i c h G o t t l i e b A u g u s t , lernte 1806—10 bei seinem Vater Christ. Gottlieb, wurde 1817 Meister in Großenhain, zahlte bis 1851 Quartalgeld. Von ihm vielleicht die 2, August Hegemeister bezeichneten u. 1832 dat. Altarleuchter in der Marienkirche zu Großenhain.

E. H i n t z e , Sächs. Zinngießer, 1921. — Bau- u. Kstdenkm. Königr. Sachsen, XXXVII (1913); XXXVIII (1914).

Hegenauer, J o h a n n , akad. Bildhauer in Wien, † 50 Jahre alt, 14. 1. 1803. — Ein gleichnamiger Bildh. wird 1747 mit Arbeiten für die Pfarrkirche in Kaiser-Ebersdorf (Wien IX) erwähnt. Füßli, Kstlerlex. 2. Teil, verwechselt ihn mit J. B. Hagenauer.

M e u s e l , Archiv f. Kstler u. Kstliebhaber, I 2 (1804) 167. — Österr. Ksttopogr., II (1908) 2.

Hegenbart, F r i t z , Maler, Graphiker u. Bildhauer in München, geb. 15. 9. 1864 in Salzburg, verlebte seine Jugend in Prag, wohin der Vater 1865 als Professor des Cellospieles an das Konservatorium berufen worden war. Auch der Sohn wurde zunächst zum Musiker ausgebildet, und setzte es erst 1886 durch, daß er die Prager Akad. besuchen durfte (Gipsklasse bei Lhota). 1888 ging H. nach München zu Joh. Frank Kirchbach, dem er, nach dessen Berufung an das Städel'sche Institut (1889), nach Frankfurt folgte. Erkrankt mußte H. ein herberes Klima aufsuchen; er wandte sich nach Salzburg, dann nach München; darauf 2 Jahre in Dinkelsbühl mit Landschaftsmalerei beschäftigt. Ließ sich schließlich, nach längerem Aufenthalt in Darmstadt (1907/10), wo ihm der Großherzog v. Hessen ein Atelier zur Verfügung gestellt hatte, in Salzburg, dann in München nieder. Seitdem hauptsächlich als Graphiker tätig, pflegt H. vornehmlich die Radierung, und zwar als Nadelarbeit oder in mit Aquatinta gemischter Technik oder auch als Schabkunst, daneben das Aquarell, die Gouache, und — seit ca 1910 — auch die Monumentalmalerei. Aus der inneren Vorstellung heraus schaffend, entwickelt er eine starke Phantasie, die sich nur anfänglich mehr auf das Gegenständ-

liche, als auf das Formale bezog. Sein Zyklus: ,,Lebens-Kanon" (11 Rad. u. Titelbl.) fesselt zunächst durch das Stoffliche, illustriert aber doch nicht abstrakte philosophische Gedanken, sondern ist aus einer plastischen Vorstellung heraus geformt. Die Anlehnung an Max Klinger sieht immerhin noch allzu deutlich aus den pessimistisch gefärbten Gedankentiefen dieses technisch mit etwas trockener Subtilität behandelten Frühwerkes hervor. Später hat H. diese illustrative Richtung völlig verlassen und sich immer mehr auf spezifisch formale Probleme eingestellt: Figurenkompositionen, meist nur 3 oder 4 Gestalten ohne eigentliche verbindende Erzählung, aber in monumentaler Absicht zusammengruppiert unter Bevorzugung des stark bewegten, heroisierten Aktes: Jünglinge als Stier- oder Rossebändiger, vorstürmende ,,Flora", Wüterich u. die Frauen usw., auch prächtige Tierimprovisationen (Stürzendes Pferd mit sich überschlagendem Reiter u. a.), das alles in einer den Eindruck des rein Veristischen vermeidenden, arabeskenhaften, anschaulich phantasievollen Form gezeichnet. In diesem Zusammenhange wurde H. auch auf die Plastik und Monumentalmalerei geführt; ein großes Holzrelief schuf er für Aachen, Wandmalereien für Agram. Auch gute Porträts hat er gemalt. Zeichnungen von ihm im Kaiser-Friedr.-Mus. in Magdeburg. H. veranstaltete wiederholt Sonderausstell.: im Münchner Kunstverein (1906), im Lessing-Bund, Braunschweig (Okt. 1919), in der Graph. Sammlg in München (Nov. 1922), im Kunstverein, Leipzig (Febr. 1923).

A r t h u r R o e s s l e r in ,,Bildende Künstler", 1911 (Wien, Rosenbaum) Heft 1, p. 3—23 (mit Abbildgn); d e r s ., Fritz H., ein Bilderwerk, Wien Rosenbaum, 32 Taf., mit Text. — Deutsche Kst u. Dekoration, XIX (1906/7) 154, 155, 160 (Abb.); XXI (1907/8) 72/5 (Abb.). — Die Graph. Künste, XXX (1907) 112 f., 109 (Abb.). — Die Kunst, XIII 406. — Deutsche Arbeit, III (1904) 546/8. — H i r t h , 3000 Kstblätter der Münchner ,,Jugend", München 1909. — Kunstwanderer, IV (1922) 155. — Jahrb. d. Bilder- u. Kstblätterpreise, Wien 1911 ff., IV, V/VI. *H. V.*

Hegenbarth, E m a n u e l , Maler, geb. 14. 1. 1868 in Böhmisch-Kamnitz, lebt als Akademieprof. in Dresden. Vetter u. erster Lehrer des Josef Hegenbarth. 1898—1901 Schüler der Münchner Akad., namentlich H. Zügels. H. hatte sich als Tiermaler auf Ausstell. bereits einen Namen gemacht, als er 1903 einem Ruf nach Dresden folgte. Häufig auf Ausstell. in Berlin, Dresden, München, Düsseldorf, Wien, Prag, Amsterdam, Venedig, Malmö, Pittsburgh u. a. O. vertreten. Gehört zu den besten Schülern Zügels, bevorzugt aber im Gegensatz zu diesem die Darstellung von Pferden und Hunden in ruhigen, einfachen Motiven, Landschaften unter bedecktem Himmel und kühle Stimmungen. Seine Kunst beruht auf einem emsigen, liebevollen Naturstudium und läßt ein Streben nach monumentaler Auffassung erkennen. Von einer neuen Seite zeigte ihn ein Ölbild „Badende Kinder" (1916), Sommertagsstimmung mit prächtiger Wiedergabe von Sonne und Wasser. Seitdem hat er sich in steigendem Maße der reinen Figurenmalerei zugewendet. Arbeiten (Gemälde) in den öffentl. Samml. von *Dresden* („Zwei Schimmel am Fluß"), *München*, N. Pinak. („Jäger"), *Wien,* Mod. Gal. („Jäger mit Hund"), *Prag,* Landesgal. (3 Bilder) u. Rudolfinum, *Düsseldorf* („Die Bauernjäger") u. *Erfurt.*

J a n s a , Dtsche bild. Kstler, 1912. — Die Kunst, VII (1903); VIII (1904); XVII (1908) 535. — Dtsche Kst u. Dekor., XIX 160; L 271 (Abb.). — Die christl. Kst, I (1904—5) 257 (Abb.). — Die Kstwelt, III Teil I (1913—4) 388 (Abb.). — E. A. Seemanns „Meister der Farbe", VI (1909) 372. — Ausst.-Kat. (z. T. m. Abb.): Berlin Gr. K.-A. 1901, 4, 13, 17 (in Düsseldorf), 1918; Sezess. 1901, 2, 7—10. Dresden, Gr. K.-A. 1908, 12; Kstlervereinigung 1910, 16, 22. München, Glaspal. 1897, 1909, 13, 20, 21; Sezess. 1900, 1, 2, 6, 7, 10—12, 14—16. Wien, Hagenbund, 1903, 9, u. a. — Kat. der gen. Slgn.

Hegenbarth, E r n s t , Bildhauer in Wien, geb. 5. 3. 1867 in Ulrichsthal (Böhmen), Schüler der Fachschule in Steinschönau, dann der Kunstgewerbesch. in Wien unter Otto König. Von ihm u. a. eine Justitia im Schwurgerichtssaal in Wels, Richter-Denkmal in Lembach, die beiden in Kupfer getriebenen Hermen zu seiten des Vordaches am Theater an der Wien in Wien, ein Tafelaufsatz im Österr. Mus. f. Kst u. Ind. in Wien, Brahms-Medaillonrelief am Brahms-Mus. in Gmunden (abgeb. bei Fuller-Maitland, Brahms [dtsch von Sturm], 1912 Taf. 86). Sein Wettbewerb-Entwurf für den figürl. Schmuck der Fassade des Deutschen Volkstheaters in Wien (1888) fand ehrenvolle Erwähnung.

K o s e l , Deutsch-österr. Kstler- u. Schriftst.-Lex., 1902, I 138. — H. W. S i n g e r , Kstlerlex., Nachtr. 1906. — Kstchronik, XXIII (1888) 596. — Der Architekt, XIII (1907) 3 (Abb.).

Hegenbarth, J o s e f , Graphiker u. Maler in Dresden, geb. 15. 6. 1884 in Böhmisch-Kamnitz, Schüler seines Vetters Emanuel Hegenbarth in Dresden (seit 1905), der Dresdner Akad. (seit 1908), zunächst in den Malsälen Bantzer's u. Zwintscher's, dann längere Jahre bei G. Kuehl (bis zu dessen Tod Januar 1915). Trat zum 1. Male in einer Ausst. bei Richter in Dresden, Herbst 1914, dann im Winter 1918/19 bei Halm u. Goldmann in Wien (hier auch Aquarelle u. einige Ölgemälde) an die Öffentlichkeit, kollektiv zuerst in der Herbstausst. der Wiener Sezession 1919. Ein scharfer Beobachter expressiver Bewegung und mit starker Formphantasie begabt, sucht H. stofflich gern die Anlehnung an Dichtungen besonders romantischen Charakters (Lenaus Faust, Longfellow's Hiawatha, Wielands Wintermärchen, Nibelungenlied, usw.), deren Stimmungsgehalt er mit einer ins Dämonische gesteigerten

Leidenschaftlichkeit des Ausdrucks wiederzugeben weiß. Das Vulkanische seines künstler. Naturells u. das Barocke seiner Formensprache läßt ihn, woran Zahn mit Recht erinnert, als Geistesverwandten der Greco u. Goya, der Daumier u. Delacroix erkennen. Mit einer die Wirklichkeit häufig förmlich verzerrenden Steigerung des Gesten- u. mimischen Ausdrucks bringt H.s Kunst ein starkes physisches Geschehen, oft nach der rein animalischen Seite hin (Kampf gegen einen räudigen Hund, Vergewaltigung einer Frau), oft aber auch nach einer mystisch-visionären Seite hin umgedeutet, wie in den Hiawatha-Blättern, in wundervoll prägnanter Weise zum Ausdruck. „Von Leidenschaft überwältigte Menschen darzustellen, Sehnende, Liebende, Wütende, Ergriffene und Besessene", so charakterisiert Zahn das Kernproblem seiner Kunst. „Der Körper ist reiner Ausdruck der Leidenschaft." In die künstler. Sphäre hebt H. diesen stofflichen Furor durch die Vehemenz seiner ausdruckgesättigten Linie, die „nicht Kontur, Abbreviatur der Form ist, sondern in ihrem scheinbar regellosen Durcheinander den malerischen Wert der Erscheinung umschreibt" (Zahn). Als techn. Mittel bevorzugt H. den lithograph. Stift und die kalte Nadel, die allen künstler. Ausdruck aus dem Charakter der Linie zieht, während er das Vernis mou-Verfahren grundsätzlich ablehnt. Von seinen bisher erschienenen Mappenwerken seien noch genannt: „Vaterunser" (8 Zeichn.), „Strindberg-Phantasien" (9 Rad., Lpzg 1920), „Salambo" (20 Rad., Dresden 1921), „Moses" (17 Rad., Berlin 1922).

L e o p . Z a h n in Die Graph. Künste, XLIII (1920) 68—73. — Das Graph. Jahr. Fritz Gurlitt, 1921 p. 56 (Selbstbiogr.). *H. V.*

Hegenmiller, H., siehe *Egemiller.*

Heger, B a r t h o l o m ä u s , s. *Hecher,* B.

Heger, F r a n z , Architekt, geb. in Worms 5. 1. 1792, † als großherz. hess. Baurat in Darmstadt 2. 5. 1836. Studierte an der Universität Gießen und arbeitete seit 1810 in den Ateliers Georg Mollers in Darmstadt und Weinbrenners in Karlsruhe. Mit letzterem bereiste er Norddeutschland, ging 1817 auf Reisen nach Italien und Frankreich und unternahm 1819 von Rom aus mit Heinrich Hübsch und Jos. Thürmer eine Reise nach Athen zum Studium der griech. Architektur. Mit ersterem gab er „Malerische Ansichten von Athen", 26 Bl., Darmstadt 1823, mit Moller „Entwürfe ausgeführter und zur Ausführung bestimmter Gebäude", 5 Teile, Darmstadt 1825—31, heraus. Unter H.s Bauten werden die Dragoner- und die Infanteriekaserne in Darmstadt wegen des „schönen und ganz eigentümlichen Stils" an erster Stelle genannt. Sein von Carl Fohr um 1817 gezeichnetes Bildnis im Städt. Mus. zu Heidelberg.

Nekrolog im Kstblatt 1837. — N a g l e r , Kstlerlex., VI (1838). — P h. D i e f f e n b a c h, Das Leben des Malers K. Fohr, Darmstadt 1823 p. 147 ff., 163 ff. — J a n s s e n, J. Fr. Böhmers Leben, Briefe usw., 1868 II 88—91. — Hist.-polit. Blätter f. d. kathol. Dtschland, LIII (1864) 256. — Mit Notizen von Fr. Noack.

Heger, F r a n z, siehe auch unter *Heger, Philipp.*

Heger, H e i n r i c h Anton, Architekturmaler, geb. in Hadersleben 1832, † in München 4. 2. 1888. Studierte 1852—56 an der Kopenhagener Akad. unter Heinr. Hansen und bereiste dann Deutschland. Tätig bis 1863 in München, wo H. Dyk sein Lehrer war, bis 1865 in Kopenhagen, 1864 in den Niederlanden, 1865—75 in Kiel, 1869 in Antwerpen, 1872 in Danzig, seit 1875 wieder in München, 1874/5 und 1878 in Italien. Vertreten auf Ausstell. in Kopenhagen, Berlin, Dresden (Akad.), München (Glaspalast, Kunstverein), Brüssel (Expos. d. B.-Arts 1869), Augsburg, Lübeck, Freiburg u. a. O. H.s höchst sorgfältig und liebevoll bis ins kleinste Detail ausgeführten Bilder schildern fast ausschließlich reiche Innenräume der Renaissance in norddeutschen Schlössern und Rathäusern. Arbeiten: Partie aus der Domkirche zu Schleswig; Inneres des Ulmer Münsters (Kiel, Kunstverein); Betstube auf Schloß Gottorp (ebda, ein 2. Exemplar in Oldenburg); Im Rathause zu Danzig; Aus dem Artushof in Danzig; Interieur aus dem Rathaus zu Lüneburg; Gerichtssaal im Justizpalast zu Brügge; Prunkzimmer des Bürgermeisters Fredenhagen im Lübecker Rathause (Mus. Lübeck, andere Exemplare in Augsburger u. Berliner Privatbes.); Große Treppe in der Scuola di S. Marco in Venedig; Sakristei von S. Marco in Venedig (Danzig, Stadtmus.); Zimmer im Dogenpalast, u. a.

Allg. Dtsche Biogr., L (1905) 567 f. (H. H o l l a n d), m. Lit. — W e i l b a c h, Dansk Kunstnerlex., I (1896). — P e c h t, Gesch. der Münch. Kst, 1889 u. Kst für Alle, III (1888) 190. — Schlesw.-Holst. Jahrb., 1920 p. 48 Abb., 53 u. Taf. XI—XII. — Kat. Akad.-Ausst. Berlin, 1870, 74, 76, 77, 81 p. 55. — Kat. Glaspalast-Ausst. München, 1879 p. 18, 1888 p. XIX. — Cat. Expos. d. B.-Arts, Brüssel 1869 p. 68. — Verz. der zum Fideikommiß gehör. Kstwerke.. Oldenburg, 1912 p. 9. — Jahrb. der Bilder- u. Kstblätterpreise, I (Wien 1910).

Heger (Häger), H e n r i c h, Bildnismaler u. Kupferstecher, getauft 8. 6. 1777 in Bremen, † 25. 7. 1835 daselbst. Studierte wahrscheinlich in Kopenhagen und war seit 1823 in Bremen tätig. Stellte 1829 und 1833 in der Kunsthalle Gemälde, z. T. Kopien, aus. Man kennt von ihm ein Bildnis des Konferenzrats Dr. med. Callisen in Kopenhagen, Kupferstich, Crayonmanier (1784) und 3 Radierungen: Dr. med. Nic. Meyer, sitzende alte Frau, Barde die Harfe spielend. Ferner Bildnisse des Großh. Paul Friedrich August von Oldenburg, der Erbprinzessin Louise Augusta von Schleswig-Holstein - Sonderburg - Augustenburg, Pastor

Knippenberg, Ansicht des 1821 errichteten Lutherdenkmals in Wittenberg, u. a.

Bremische Biogr. des 19. Jahrh., 1912. — S t r u n k, Cat. over Portr. af Danske etc., 1865 p. 108 Nr 521.

Heger, J o a c h i m, Zinngießer in Kamenz (Sachsen), stammt aus Stargard in Pommern, wird 1618 Meister. Von ihm reichgravierter Trinkkrug von 1628 im Kstgew.-Mus. Dresden.

E. H i n t z e, Sächs. Zinngießer, 1921.

Heger, J o h a n n, Steinmetz aus Schlettstadt. Tätig in Kolmar 1483, Schlettstadt, wo er 1491 für das Münster Dekorationsarbeiten ausführte, und Straßburg, wo er 1491 das Bürgerrecht erlangte.

C h. G é r a r d, Art. de l'Alsace, II (1873).

Héger, L o u i s e, Landschaftsmalerin, geb. in Brüssel 1842. Stellte 1879 und 1884 im Pariser Salon (Soc. Art. franç.) belg. Landschaften aus. In der Gal. Brüssel eine Ansicht von Houffalize (Catal. 1908).

Heger (Höger), P h i l i p p, Architekt und Kupferstecher, geb. 1734 in Kladrau (Böhmen), † 1804 in Prag, wo er sich 1770 um das Bürgerrecht bewarb. Baute das 1784 zum General - Militär - Kommando bestimmte Münzhaus (Zeltnergasse 36) in Prag um, führte vermutlich auch die Fassade seines eigenen Hauses ebenda (Teingasse 10) aus, lieferte gemeinsam mit dem Kaadner Baumeister Anton Bernt Risse für die Wiederherstellung (1783/84) des Rathauses in St. Joachimsthal. Gemeinsam mit seinem Sohne (nach der ält. Lit. Bruder) F r a n z I (wohl nicht identisch mit dem gleichnam. Architekten [s. unten]) gab er 1792 ff. eine Reihe von farb. Stichen mit Ansichten von Prager Plätzen und Straßen heraus (der Numerierung nach 30 Bl., 24 bei Dlabacz beschrieben). — F r a n z II, Architekt aus Neufalkenburg, erwarb 1799 das Bürgerrecht in Prag, wo er noch 1820 unter den Bausachverständigen erscheint; baute ebenda (nach 1797) das „Deutsche Haus" (Am Graben 26) und das Haus am Wenzelsplatz 15.

D l a b a c z, Kstlerlex. Böhmen, I (1815). — C. v. W u r z b a c h, Biogr. Lex. Österr., 1856 ff. VIII. — Topogr. v. Böhmen, XL (1913) 100. — S c h m e r b e r, Prager Baukst um 1780, Stud. z. dtschen Kstgesch. Heft 163, Straßb. 1913 p. 11, 17, 19, 29, 36/39. — Jahrbuch d. Bilder- u. Kstblätterpreise, Wien 1911 ff., V/VI.

Heger-Gasser, E u g e n i e, Bildnismalerin, geb. in Freiberg (Mähren) 1866, tätig in Wien. Schülerin der Wiener Kunstgewerbeschule und von l'Allemand an der Akad. Arbeiten: Bildnisse der Prinzessin Clementine von Sachsen-Koburg (Rathaus Sofia), Kaiser Franz Joseph (Wien, Franz Joseph-Spital und Hotel Pittner, St. Pölten), u. a.

K o s e l, Dtsch-österr. Kstler- u. Schriftstellerlex., I (1902).

Hegesias, siehe im Artikel *Hegias I.*

Hegesibulos, attischer Vasenfabrikant, aus dessen Atelier wir zwei ausgezeichnete Schalen besitzen, die eine, noch Ende des 6. Jhdts v. Chr. entstanden, im Metrop. Mus. New York, die andere, etwa aus dem J. 470 v. Chr., im Mus. zu Brüssel. Die ältere Schale trägt innen und außen mit unverkennbarem Humor und in individuellem Stil gezeichnete Bilder — im Innenbilde einen köstlich charakterisierten plattfüßigen Hebräer mit seinem Hunde, außen eine Kneipszene und lärmende Vergnügungen mit Weibermützen versehener, bezechter Jünglinge. Die andere Schale zeigt als Innenbild die allerliebste Szene eines Kreisel spielenden, schlanken jungen Mädchens, mit schwarzem Firnis auf weißen Tonüberzug gezeichnet; daß auch dies Bild von derselben Hand herrührt, ist bei der Verschiedenheit der Proportionen und der Gesamtstimmung sehr unwahrscheinlich, ganz abgesehen von dem beträchtlichen zeitlichen Unterschied, der beide Schalen trennt.

Furtwängler - Reichhold, Griech. Vasenmalerei, II 178 f. — Hoppin, Handbook of attic red figured vases, II 9 f. — Pfuhl, Malerei u. Zeichnung d. Griechen, I 421; II 548.
Pernice.

Hegewald, Johann Michael, siehe unter *Hegewald,* Zacharias.

Hegewald, Michael, Bildhauer aus Freiberg (Sa.), 1623 in Chemnitz, 1626 in den Freiberger Stadtprotokollen erwähnt. Lieferte 1595 den Taufstein der Kirche zu Niederrabenstein mit 13 knienden Kinderfiguren. Ebendort wird ihm auch das Altarwerk (Reliefs in der Sakristei) zugeschrieben. Der nicht mehr vorhandene Taufstein der Kirche zu Lößnitz bei Schneeberg war ebenfalls von H.

Mitt. des Freib. Altertumsver., XXXIV (1897) 75 f. (K. Knebel). — Kstdenkm. Königr. Sachsen, VII (1886): „Hogenwald"; VIII (1887). — Dehio, Handb. der dtsch. Kstdenkm., I² (1914), unter Hogenwald.

Hegewald, Zacharias, Bildhauer, † 30. 3. 1639 in Dresden, 43 J. alt, wohl Schüler Sebastian Walthers, arbeitete wie dieser unter dem Einflusse des Archit. und Bildh. Giov. Maria Nosseni u. fertigte (zusammen mit Walther) für Nossenis Grabmal (in der Sophienkirche zu Dresden) 1616 den alabasternen Ecce homo, in Anlehnung an Michelangelos Christus in der Minerva zu Rom. (Ein Alabasterrelief „David und Goliath im Lager", angeblich von demselben Grabmale, im Albertmus. zu Freiberg i. Sa.). Über die Frage, ob der marmorne Schmerzensmann vom zerstörten Pfeiferschen Epitaph in der Frauenkirche zu Dresden ebenfalls von H. herrührt, sind die Meinungen geteilt. 1638 fertigte H. für die Kirche zu Kötzschenbroda einen Altar mit 4 Alabasterreliefs (Geburt, Taufe, Auferstehung und Himmelfahrt Christi). Der Altar wurde 1884 beseitigt, Geburt u. Taufe (rechteckige Tafeln) u. Himmelfahrt (Rundrelief, von Rollwerk umgeben, oberer Abschluß des Altars) im Konfirmandensaale ebenda erhalten; außerdem

5 Sandsteinfig. im Dresdner Kunstgewerbemus. Den von H. begonnenen Taufstein der Kirche vollendete nach dessen frühem Tode Seb. Walther. — In der kurfürstl. Kunstkammer zu Dresden befanden sich 1640 (und noch 1741) zwei lebensgroße Statuen aus Stein, Adam und Eva, höchstwahrscheinlich identisch mit den beiden Statuen im Albertinum, die in den 1890 er Jahren aus den Kellerräumen des Zwingers entnommen wurden. — Ein Bildhauer Johann Michael Hegewaldt kommt 1667—1677 in den Kirchenbüchern der Dreikönigskirche zu Dresden vor, vielleicht identisch mit Hanns Michael H., der 1690 als Vertrauensmann der Rochlitzer Hütte genannt wird.

Weck, Der Churfürstl. Residentz Dresden Beschreib. und Vorstell., 1680 p. 37, 264. — Oettrich, Richtiges Verz. der Verstorbenen zu St. Sophien, 1709 p. 117. — Michaelis, Dreßdnische Inscriptiones, 1714 p. 171. — Curiosa Saxon., 1746 p. 361. — Weinart, Topograph. Gesch. Dresdens, 1777—80 p. 188, 314. — Daßdorf, Beschreib. der vorzügl. Merkwürd. Dresdens, 1782 p. 58, 606. — Hasche, Magazin der sächs. Gesch., I (1784) 81—83; VIII (1791) 298 Anm. — Mitteil. des Sächs. Altert.-Ver., II (1842) 65; III (1846) 45. — Archiv für sächs. Gesch. II (1864) 190; XI (1873) 165; Neues Archiv etc., IV (1883) 180; VIII (1887) 148 f.; XXIII (1902) 263. — Zeitschr. f. Museologie, VIII (1885) No 4 p. 35. — Bau- u. Kstdenkm. Kgr. Sachsen, XI (1888) 20; XXI (1900) 70 (Abb.), 73, 102 f., Abb.; XXVI (1904) 46—49 pass. (Abb.). — Haendcke, Studien zur Gesch. der sächs. Plastik, 1903, Abb. — Dresdn. Geschichtsbl. III (1904) 258. — Knebel, Führer König-Albertmus. Freiberg Sa., 1906 p. 7 u. No 287. — Wegweiser d. d. Kstgewerbemus. Dresden, 1909 p. 28. — Bruck, Sophienkirche in Dresden, 1912 p. 49, 51 ff., 60, 79, Abb. — W. v. Seidlitz, Kst in Dresden, I (1921) 386, 395, 424. — Rep. f. Kstw., XVIII (1895) 173 (Hanns Michael H.).
Ernst Sigismund.

Hegg, Theresa Maria, siehe *Landerset,* Th. M.

Heggelund, Georg Andreas, norweg. Keramiker und Bildhauer, geb. 26. 7. 1860 in Lödingen in Nordland, † 21. 10. 1916 in Kristiania. War zuerst Fischer, begann um 1885 mit Holzarbeiten bei Fladmoe in Kristiania und studierte 2 Winter unter Middelthun an der Kgl. Kunst- und Handwerkerschule ebendort. Nachdem er einige Jahre in Nordland gelebt hatte, trat er Herbst 1889 in eine Berliner Holzbildhauerwerkstatt und besuchte einige Semester die Kgl. Kunstschule in Berlin, wo er sein Formentalent und seine malerische Begabung ausbildete, indem er bei dem Dekorationsbildh. Giesecke Modelle für den Schmuck des Reichtagsgebäudes anfertigte. Seit 1894 arbeitete H. als Dekorationsbildhauer und Gipsmodelleur in Kristiania und lieferte u. a. die Dekorationsarbeiten und 15 Köpfe in Haustein für das Gebäude der Norweg. Witwenkasse (1899 voll.). Unzufrieden mit seiner unkünstlerischen Tätigkeit, schuf er 1898 sein erstes freiplastisches Werk, eine Büste der „Frau vom

Meer", die H. Ibsen's Eigentum wurde. Bald führte ihn sein ausgesprochener Farbensinn zur Keramik. So hat er 1906 für die Norweg. Bank in Kristiania 8 Reliefs (Wissenschaften und norweg. Gewerbe) geschaffen. 1908 errichtete er eine Werkstatt für keramische Gebrauchsgegenstände, die in phantastischen Formen und kräftigen, glänzenden Farben gehalten sind. Für Porsgrund's Porzellanfabrik zeichnete er Modelle und führte er eine „7. Juni-Platte" aus (1905). H. hat auch u. a. eine charakteristische Büste des Dichters Peder Dass geschaffen, die in Alstahaug (Nordland) aufgestellt wurde (1908 enthüllt). Nach H.s Tode setzte die Witwe seine keramische Tätigkeit fort.

Folkebladet, 1902 p. 101. — Aftenposten v. 10. 11. 1901. — The Studio, XXXVI (1905) 180. — Th. K i e l l a n d, Ny norsk Keramik, Kristiania 1918. *C. W. Schnitler.*

Heggenauer, siehe *Heckenauer.*

Hegh, H e n d r i k, Maler im Haag, dort erwähnt 13. 10. 1758. Der Maler Albertus van Heusden hat ihm 150 fl. geliehen. *A. Bredius.*

Hegi, Zürcher Künstlerfamilie (Stammbaum s. u.), deren bedeutendstes Mitglied Franz (s. dort) ist. Die übrigen Mitglieder, soweit sie als Künstler hier in Betracht kommen, sind: H a n s K a s p a r I, Zeichner, Goldschmied u. Juwelier, geb. 30. 2. 1741 in Zürich, † 13. 4. 1811. Meister 1766. Seine Söhne H a n s K a s p a r II (1773—1822) und H a n s R u d o l f (1775—1834) waren ebenfalls Goldschmiede.

H a n s K a s p a r III, Zeichner, Graveur u. Lithograph, geb. in Freiburg (Schw.) 8. 4. 1778, † in Zürich 7. 1. 1856; Schüler seines Vaters Joh. I. Tätig in Basel, Straßburg und seit 1820 in Zürich als Inhaber einer Steindruckerei. Lieferte 16 Umrißstiche zu dem Werk über das eidgen. Geschützsystem von 1850, dessen Blätter zum großen Teil von Franz H. (s. d.) gezeichnet wurden. Andere Arbeiten von ihm bei Brun.

H e i n r i c h, Zeichner, geb. 25. 2. 1745 in Oberglatt, † in Zürich 4. 4. 1829. Später Kaufmann.

J o h a n n I, Goldschmied u. Kupferstecher, getauft 26. 10. 1747 in Oberglatt (Kt. Zürich), † 17. 5. 1799 in Straßburg. Führte schon als Gesell ein unstetes Wanderleben und heiratete 1772 in Neubreisach gegen den Willen seiner Eltern die Johanna Eleonora Verdeil, Tochter einer nach Berlin ausgewanderten Hugenottenfamilie. Tätig in Lausanne, Freiburg (Schweiz) und Zürich (1780), wo er zum Kupferstechen überging. 1782 folgte er mit seiner Frau und

den jüngsten Kindern einer Berufung als herzogl. Hofgraveur nach Stuttgart, während die ältesten Kinder im Zürcher Waisenhaus untergebracht wurden. Appenzeller kennt von H. nur 4 (unbedeutende) Stiche, außer Veduten (Montblanc, Rhonegletscher u. a.) zu Bourrit's „Beschreybung der Alpen" (Zürich 1782) einen Bildniskopf nach J. Ramler. Dazu: Antistes Joh. Rud. Ulrich (1777); Diakon Joh. Jak. Hess und Arbeiten für Lavater. — Sein Sohn u. Schüler J o h a n n II, Zeichner, Schrift- u. Formschneider, geb. in Freiburg (Schw.) 1777, † 2. 11. 1806 in Straßburg.

H. A p p e n z e l l e r in Brun's Schweiz. Kstlerlex., II (1908). — Zürcher Taschenbuch, N. F. XXXVIII (1917) 286—303 (F r i e d r. H e g i). — Neujahrsbl. der Zürch. Stadtbibl. 1876 p. 36. — 78. Neujahrsbl. z. Besten des Waisenh. in Zürich, 1915 p. 68.

Hegi, F r a n z, schweiz. Zeichner, Kupferstecher u. Radierer, geb. als Sohn des Johann I in Lausanne 16. 4. 1774, † in Zürich 14. 3. 1850. Kam 1780 mit seinen Eltern nach Zürich und wurde nach ihrer Übersiedelung nach Stuttgart 1782 im Zürcher Waisenhaus erzogen. Seit 1790 Schüler des Kupferstechers M. Pfenninger, übertraf er seinen Lehrer bald mit großen Aquatintablättern, wie die Wasserfälle von Erlenbach und Weißlingen, Bäder von Orbe (sämtl. nach H. Wüst), Ansicht von Olivone (nach L. Hess) und Ansichten des Zürcher Waisenhauses (2 Bl. nach J. J. Aschmann), mit denen er viel Beifall fand. Daneben entstand ein Blatt nach eigener Komposition „Gottesdienst im Züricherischen Feldlager im Hard". Nach einem Besuch bei seinen Eltern in Straßburg war H. 1796—1802 für den Maler und Verleger P. Birmann in Straßburg tätig (Stiche nach Loutherbourg, Roos u. Claude Gellée, sowie 28 Bl. zu Bridel's „Voyage pittor. de Bâle à Bienne"), der ihn auch weiterhin, nach H.s Rückkehr nach Zürich, mit Aufträgen aller Art beschäftigte. Aus dieser Zeit stammen die Ansichten vom Bergsturz in Goldau (4 Bl. nach J. C. Rahn) und die Ansichten von der Simplonstraße (4 Bl. nach dems.). In das Jahr 1804 fallen H.s erste Radierversuche, die indes noch nichts von seiner künftigen Meisterschaft in dieser Technik verraten; nebenbei sammelte er ein reiches Material zur Kulturgeschichte und Architektur des Mittelalters. Sein Ruf wuchs jetzt von Jahr zu Jahr, und seine Arbeiten für Almanache, Neujahrsblätter u. literarische Werke gingen bereits in die Hunderte. Auf einer Reise von Straßburg nach Nimes, wohin er nach dem Tode der Eltern seine Schwester

S t a m m b a u m d e r F a m i l i e H e g i:

Hans Kaspar (Pfarrer)

Hans Kaspar I		Heinrich	Johann I		
Hans Kaspar II	Hans Rudolf		Franz	Johann II	Hans Kaspar III.

brachte, entstanden ein Skizzenbuch und die Zeichnungen von Dorfkirchen in der Umgebung von Nîmes (4 Bl. Rad.). Die Glanzzeit seiner Kunst fällt in die Jahre 1809 bis in den Anfang der 20er Jahre. Mit besonderer Vorliebe schilderte er die alten Bauwerke seiner Vaterstadt, ihre Vergangenheit und die Sitten und Trachten ihrer Einwohner. Seine Blätter sind ebenso poetisch in der Stimmung wie hervorragend in der Technik und gehören überhaupt zu den besten zeitgenöss. Leistungen; darunter die Vignetten zu Matthisson's Erinnerungen (Zürich 1810—16, 18 Bl.), die Stiche zu den „Helvetischen Almanachs" (63 Bl.), den „Alpenrosen" (Bern 1811 ff.) sowie zur „Badenfahrt" des David Hess (26 Kupfer in gemischter Manier, Neudruck Zürich 1921) — vielleicht H.s schönstes Werk. Ferner seien genannt die großen Aquatintablätter für die Pariser Verleger Osterwald und Bance, die Hafenstädte des Mittelländ. Meeres und des Atlantischen Ozeans (6 Bl. nach L. F. Cassas und A. Noël), die Ansichten und Tempel aus Hindostan (9 Bl. nach W. Daniell u. a.) und zu E. G. de la Salle's „Voyage pittor. en Sicile" (Paris 1822—26, 23 Bl.), deren Platten H. 1822 in Paris vollendete. Mit seinem Freunde, dem Maler L. Vogel, zeichnete er dort auch die Blätter der Manesse'schen Liederhandschrift in der Biblioth. Nat. und die Denkmäler des Père Lachaise-Friedhofs. Nach seiner Rückkehr nach Zürich entstand trotz häuslichem Kummer (Tod der Gattin 1828) und materieller Sorgen eine Reihe bedeutender Arbeiten, wie die großen Aquatintablätter „Kapelle auf der Tellenplatte", das „Steinstoßen" („Fête du Jet de pierres sur le Rigi", beide nach L. Vogel), „Schwingfest" („Lutteurs Suisses", nach F. Abart) und als seine größte Radierung die Apostelnkirche in Köln, nach D. Quaglio zu S. Boisserée's „Denkmale der Kunst am Niederrhein". Sein größtes Aquatintablatt ist „Eiger, Mönch und Jungfrau von der Wengernalp aus", nach J. J. Meyer. H. hat auch eine kleine Anzahl Lithographien geschaffen, von denen die Werkstätte des Löwendenkmals in Luzern die bedeutendste ist. Im letzten Jahrzehnt seines Lebens entstanden noch die Platten zu den „Mitteilungen" und „Neujahrsblättern" der Antiquar. Gesellschaft in Zürich, deren Ehrenmitglied er war (im ganzen 72 Bl.), und die „Belagerung der Feste von Freudenberg" für das Neujahrsblatt der Feuerwerkergesellschaft (1850), seine letzte Arbeit. H. gehörte dem Artilleriekorps an und brachte es bis zum Feldzeughauptmann; auch beteiligte er sich lebhaft an den militärischen Vorträgen der „Gesellschaft zum Schwarzen Garten" und erfand zusammen mit dem Mechaniker Hans Georg Oeri ein Spiegelinstrument für militär. Aufnahmen. Seine auf höheren Befehl verfertigten Geschützzeichnungen

wurden von s. Bruder Hans Kaspar gestochen. — H.s gesamter Nachlaß (25 Bde Entwürfe, Zeichnungen u. Skizzenbücher) gelangte an die Künstlergesellschaft, die auch das fast vollständige graphische Oeuvre in vorzüglichen Abdrucken besitzt. Ebendort auch das Bruchstück einer Selbstbiographie. Neudrucke der „Badenfahrt" ersch. Zürich 1921; der „Tore und Porten von Alt-Zürich", ebda 1920.

H. Appenzeller, Der Kupferst. F. H. von Zürich 1774—1850. S. Leben u. s. Werke, mit Illustr. u. Bildn. H.s nach Zeichn. von J. Notz u. Beschr. sein. sämtl. Kupferst. [1181 Nrn], Zürich 1906; ders. in Brun's Schweiz. Kstlerlex., II (1908); IV (1917), m. ält. Lit.

Hegi, H., siehe *Haegi,* Heinrich.

Hegi, Salomon (Johann Sal.), Maler u. Radierer, geb. in Zürich 9. 10. 1814, † daselbst 11. 12. 1896. Studierte auf der Akad. zu München, wo er viel mit Gottfried Keller verkehrte, wurde dann Schüler von Hornung in Genf, lebte ein Jahr in Paris und ging 1849 nach Mexiko, wo ziemlich dilettantische, aber ethnographisch interessante Aquarellstudien entstanden. 1864 kam er nach Schaffhausen, später wieder nach Genf, wo er für Zeitschriften und naturhistor. Werke zeichnete. Seit 1891 in Zürich, wo er 1847, 1871 und 1875 auf Ausstell. mit Gemälden vertreten war. G. Kinkels Schweiz. Künstleralbum enthält H.s Orig.-Rad. „Ein Offizier aus Algier heimkommend".

H. Appenzeller in Brun's Schweiz. Kstlerlex., II (1908).

Hegias I, attischer Bildhauer der 1. Hälfte des 5. Jahrh. v. Chr. Ein auf der Akropolis gefundener Rest einer Statuenbasis aus pentelischem Marmor mit Brandspuren zeigt auf der Stirnseite unter der verstümmelten Weihinschrift die Künstlersignatur Ἐγίας: ἐποίεσεν (Inscriptiones Graecae, I Suppl. 373 [259] p. 203; Lolling, Κατάλογος τοῦ ἐν Ἀθήναις ἐπιγραφικοῦ μουσείου, p. 45 Nr. 40; Michaelis, Arx Athenarum a Pausania descripta[3] A. E. 92). Der Schriftcharakter weist auf die ersten zwei Jahrzehnte des 5. Jahrh. Da eine Heimatbezeichnung fehlt, dürfte H. in Attika ansässig gewesen sein. In ihm ist zu erkennen der von Plinius, N. H. XXXIV 49, unter den Erzbildnern als „aemulus" des Phidias, Alkamenes, Kritios und Nesiotes genannte H., der mit jenen um Olympiade 83 (448—445 v. Chr.) gelebt hätte. Endlich nennt Pausanias VIII, 42, 10 einen Ἀθηναῖος Ἡγίας als Zeitgenossen des Ageladas von Argos und des Onatas von Aigina, welch letzterer durch das dem Hieron von Syrakus nach seinem Tode (467 v. Chr.) errichtete Siegesdenkmal datiert ist. Nach diesen gut auf einen attischen Bildhauer H. zu vereinigenden Zeugnissen hat Ottfried Müller überzeugend in den Handschriften den zu ἤπου oder ἵππου verderbten Namen des Lehrers des Phidias bei Dion von Prusa Or. 55, 1 zu Ἡγίου hergestellt. Nicht ohne Zwang kann in diese

Reihe von Zeugnissen das Verzeichnis der Werke eines H. eingefügt werden, das Plinius N. H. XXXIV 78 gibt: Hegiae Minerva Pyrrhusque rex laudatur et celetizontes pueri, et Castor ac Pollux ante aedem Iovis tonantis. Entweder ist die Bezeichnung Pyrrhus rex beizubehalten, dann hat ein Bildhauer H., der nicht mit dem des 5. Jahrh. identisch sein kann, ein Bronzebild des Königs Pyrrhus (319—272 v. Chr.) gearbeitet (Röm. Mitt. VI p. 282 f., Six); Sellers, The Elders Plinys Chapters on Art, p. 64; Brunn-Arndt, Denkmäler, Text zu 502 (Urlichs); dann bleibt immer noch zweifelhaft, ob die übrigen Werke dem H. des 5. oder dem des 3. Jahrh. gehören. Oder rex ist ein mißverständlich von Plinius eingeschobener Zusatz (Brunn, Gesch. d. gr. Künstler, I p. 102; Pfuhl bei Pauly-Wissowa, Realencyclop., VII Sp. 2617), und alle Werke gehören dem H. des 5. Jahrh. Hierzu liegt jedoch keine Veranlassung vor, denn H. ist ein stets häufiger Name, und kann sehr wohl von verschiedenen Künstlern verschiedener Zeiten geführt worden sein. Am weitesten trieb die Kritik Bursian, Ersch-Gruber, Encycl. I 82 p. 418, 93, der im Anfang des Verzeichnisses der Werke eine verstümmelte Wiederholung von Plinius N. H. XXXIV 80 Pyrrhus Hygiam et Minervam (sc. fecit) sehen wollte, wobei die Verwechslung von Hygia und Hegias untergelaufen sei, eine sehr scharfsinnige, aber nicht durchaus überzeugende Vermutung. Es läßt sich keines der Werke in irgendeinem, in Original oder Kopien erhaltenen, auch nur mit einiger Wahrscheinlichkeit erkennen. Über den persönlichen Stil des H. sind wir so im unklaren; der Zeitstil wird dem der, aus der Tyrannenmördergruppe bekannten Kritios und Nesiotes entsprochen haben. Mit Kritias (!) und Nesiotes wird als Vertreter der παλαιὰ ἐργασία von Lukian, rhet. praec. 9 ein Hegesias genannt. In ähnlichem Zusammenhang führt Quintilian, inst. or. XII 10, 7 neben Callon einen Hegesias als Künstler von „duriora" an. Man hat in Hegesias die volle Form des Kurznamens Hegias erkennen wollen. Allein der Name kann doch nur aus Künstlerinschriften entnommen sein, und es wäre unwahrscheinlich, wenn derselbe Künstler einmal mit vollem, einmal mit abgekürztem Namen signiert hätte. Auch Hegesias ist ein durchaus nicht ungewöhnlicher Name, und zwei gleichzeitige Meister Hegias und Hegesias sind wohl denkbar. Die Identifikation mit Hegias wird nicht gestützt, wenn man in Hegesias den von Plinius, N. H. XXXIV, 78 als Schöpfer des Herakles von Parion genannten Hagesias erkennt, dessen dorische Namensform attische Heimat zwar nicht ausschließt, aber unwahrscheinlich macht.

P f u h l bei Pauly-Wissowa, Realencyclop. VII Sp. 2615—2620 (mit ält. Literatur). *Rumpf.*

Hegias II, attischer Schalenmaler aus der Zeit um 450. Die einzige von ihm erhaltene Arbeit ist eine bei Stackelberg, Gräber der Hellenen XXV, leider sehr mangelhaft veröffentl. Schale mit der Darstellung einer Nike, die einem bärtigen Manne einen größeren Kessel und eine Schale zu übergeben scheint, während noch eine Hydria am Boden steht. Vielleicht handelt es sich um Nike und einen Handwerkermeister (Maler, Töpfer oder dgl.); die Strigilis, die der Mann in der Hand hält, braucht nicht auf einen Athleten gedeutet zu werden, sondern kann bei der Wiedergabe mißverstanden sein.

W. K l e i n , Meistersignaturen, ² No 186. — H o p p i n , Handbook of attic red figured vases, II 12. — P f u h l , Malerei u. Zeichn. d. Griechen, II 549. *Pernice.*

Hegias III, athen. Bildhauer des 1. Jahrh. n. Chr. Seine Signatur erscheint mit der eines P h i l a t h e n a i o s zusammen an der aus dem Metroon in Olympia stammenden Statue des Kaisers Claudius. Der Vergleich mit einem ähnlichen Bildnis desselben Herrschers im Vatikan lehrt, daß es sich bei dem Werk des H. und Philathenaios um eine der üblichen griech., im Vergleich zu den stadtrömischen leeren und konventionellen Arbeiten handelt.

Olympia, Ausgrab. u. Ergebn., III p. 244, Taf. 60, I (bessere Abbildung Phot. Alinari 24869). — P f u h l bei Pauly-Wissowa, Realencyclop., VII Sp. 2620 f. *R.*

Hegli, falsch für *Jegli.*

Hegner, F r i e d r i c h , Maler von Gebweiler (Elsaß). Tätig in der Stiftskirche von Schennis (Graubünden), zusammen mit J. D. Faber aus Hall in Tirol (um 1645—48). Von einem der beiden rührt das Wandgemälde an der Hauptfassade (Hl. Michael und Seelengericht) her. H.s Gemälde im Langhaus (Heilige und Kirchenväter an den Pfeilern) schon bei der Restauration 1779 fast gänzlich zerstört.

A. T r ä f e l und Ad. G a u d y , Baugesch. der Stifts- und Pfarrkirche in Schennis, Gossau 1913 p. 43, m. Abb.

Hegner-Abrahamowicz, A n d r e a s , poln. Architekt, † vermutlich 1623, baute nach eigenen Entwürfen 1598 — 1619 die alte königl. Burg in Warschau.

S t a n i s ł a w Ł o z a , Słownik architektów i bud. polaków, Warschau 1917 p. 72. — A. L a u t e r b a c h , Warschau (Berühmte Kunststätten Bd 66), Lpzg 1918 p. 26, 33, 34. — C. G u r l i t t , Warschauer Bauten aus der Zeit der sächs. Könige, Berlin 1917 p. 30 Anm. *Leonard Lepszy.*

Hegret, P e t e r u. T h e o d o r u s , siehe *Egret,* P. u. Th.

Héguin, A u g u s t i n A n d r é , Pariser Goldschmied oder Miniaturmaler, Anf. 19. Jahrh.; von ihm im Louvre eine Tabaksdose mit dem auf Elfenbein gem. Porträt der Marie Antoinette.

D r e y f u s , Cat. Mus. du Louvre (Mobilier), 1922.

Hegwaldr, schwed. Bildhauer (u. Architekt?), lebte auf Gotland während des 12. Jahrh.

Hat einen Taufstein in der Kirche zu Etelhems signiert. Roosval möchte ihm eine Anzahl von Taufsteinen in schwed. Kirchen zuschreiben, die reichen figürl. Schmuck aufweisen und wahrscheinlich auf norddeutsche Vorbilder zurückgehen.

J. R o o s v a l, Die Steinmeister Gotlands, Stockh. 1918; cf. O. R y d b e c k in Tidskrift för Konstvetenskap, IV (1919) 50 f., 56, 58, 60 u. R i c h. H a u p t in Kstchronik, N. F. XXX (1918 bis 19) 662 f. *G. M. S—e.*

Hegylos, spartan. Bildhauer des 6. Jahrh. v. Chr. Pausanias, V 17, 2 und VI 19, 8, erwähnt eine Gruppe aus Zedernholz, die, Herakles, Atlas mit dem Himmelgewölbe, den Hesperidenbaum mit der Schlange und fünf Hesperiden darstellend, von H. und seinem Sohne T h e o k l e s für das Schatzhaus von Epidamnos in Olympia gearbeitet sei. Da Theokles ein Schüler des Dipoinos und Skyllis genannt wird, ist die Datierung ins 6. Jahrh. gegeben. H i t z i g - B l ü m n e r, Pausanias II, 1 p. 391. — P f u h l bei Pauly-Wissowa, Realencyclop., VII Sp. 2621. *Rumpf.*

Heher, R e m i g i u s, Bildhauer in Freiburg i. B., 2. Hälfte 18. Jahrh., soll nach Nicolai die besten Bildhauerarbeiten an der 1771 vollendeten Stiftskirche in St. Blasien (Neubau 1783) gemacht haben.

F r. N i c o l a i, Beschreib. einer Reise durch Deutschland und die Schweiz i. J. 1781, XII (1796) 107.

Heher (Hecher), W i l h e l m, Maler zu Eisenerz (Steiermark), nach Zahns Vermutung der Sohn eines 1630 ebenda als Maler, Restaurator u. Vergolder erwähnten G e o r g H. Malte 1651 um 160 fl. das Altarbild in der Pfarrkirche zu Vordernberg u. 1674 das „Jüngste Gericht vnd Mussicanten Chor" in der Pfarrkirche von Eisenerz.

J. W a s t l e r, Steir. Kstlerlex., Graz 1883, p. 44. — J o s. v. Z a h n, Zusätze und Nachtr. zu J. Wastlers Steir. K.-Lex. (Mitteil. des hist. Ver. f. Steierm., Graz 1884, XXXII. Heft, p. 61 f.). *Bruno Binder.*

Hehl, C h r i s t o p h, Architekt, geb. in Cassel 11. 10. 1847, † in Charlottenburg 18. 6. 1911. Schüler Ungewitters in Cassel, arbeitete dann im Atelier George Gilbert Scott's in London und war nach seiner Rückkehr bis zum Ausbruch des deutsch-franzöz. Krieges Schüler C. W. Hase's an der Techn. Hochschule in Hannover. Mitkämpfer, wurde er bei Wörth schwer verwundet. Aus dem Feldzug heimgekehrt, war er bis 1874 in dem Atelier E. Oppler's in Hannover tätig. Darauf in Hannover selbständig, beteiligte er sich in den 1870 er und 80 er Jahren mit großem Erfolg an mehreren öffentl. Wettbewerben, die sich fast ausschließlich auf Kirchenbauten bezogen. Sein ältester ausgeführter Kirchenbau ist die Dreifaltigkeitskirche in Hannover (1880/83), Backstein, frühgotischer Formcharakter. 1891/94 folgte die doppeltürmige ev. Garnisonkirche in Hannover, 3 schiffige gewölbte romanische

Basilika. Etwa gleichzeitig entstanden die kath. Marienkirche in Hannover, in spätgotischen Formen gehalten, ebenda die St. Clemens- und die Elisabethkirche, ferner die Johanniskirche in Harburg a. E. (1892/94), die Bennokirche in Linden b. Hannover, die Kirche zu Döhren und als einer seiner ganz wenigen Profanbauten das Rathaus zu Harburg. Besonders bekannt machten ihn in Fachkreisen zuerst seine prämiierten Wettbewerbentwürfe für die Dresdener Garnisonkirche und das Essener Rathaus, die 1894 nach Weggang Karl Schäfer's seine Berufung an die Charlottenburger Techn. Hochschule zur Folge hatten, wo er das Lehrfach für mittelalterl. Baukunst übernahm. Für Berlin schuf er als eines seiner Hauptwerke die in streng romanischen Formen entworfene, in Sandstein ausgeführte Herz - Jesukirche, für Steglitz die in Backstein mit weißen Blendflächen ausgef., in die Straßenfluchtlinie eingebaute Rosenkranzkirche mit massigem, breitgelagertem Fassadenturm in den schlichten Formen des märkischen Backsteinrohbaues des 12. Jahr. und 16 eckiger Kuppel, für Groß-Lichterfelde die kath. Kirche mit Pfarrhaus, interessante Baugruppe in frühgot. Formen; für Zehlendorf die stattliche 2 schiffige Pfarrkirche (1907). Sein letztes Werk war die 1911 vollendete kath. Pfarrkirche zu Spandau, mit 10 eckiger Vierungskuppel, Eingangsturm und kuppelüberwölbtem Chor, sehr malerische Raumwirkung, in der äußeren Silhouette etwas locker und ungebunden. Erst nach dem Tode H.s wurden nach s. Entwürfen die Kirchen zu Lankwitz u. Friedenau von Karl Kühn ausgeführt.

Der Baumeister, I (1903) 128 f. (Rosenkranzkirche Steglitz). — Deutsche Bauzeitung, XLIII (1909) 181 ff. (Kirche in Zehlendorf), 349 ff.(Kath. Kirche Spandau); XLV (1911) 426 f. (Nekrolog). — Zentralbl. d. Bauverwaltg, XXXI (1911) 314 ff., 328 ff. (Kath. Kirche Spandau); 349 f. (Nekrolog). — Berliner Architekturwelt, XIV (1912) 167 f. (Nekrolog). — Die christl. Kunst, IX (1912 bis 13) 55/64 (W. R a v e: Chr. H. und s. letzten Kirchen); XI (1914/15) 269/76 (H. S t e f f e n: Max Meckel, Karl Schäfer u. Chr. H.). — Blätter f. Archit. u. Ksthandwerk, XIII (1900) Taf. 39/42, 54 f. — Kirchenbau des Protestantismus von der Reformation bis zur Gegenwart, Berlin 1893. *H. Vollmer.*

Hehmlich, J o h a n n J e r e m i a s, Zeichner. Lebensverhältnisse unbekannt. Das Berliner Kupferstichkab. besitzt 2 Bl. Aquarelle, Früchte, das eine bez.: Johann Jeremias Hehmlich.

F r i e d l ä n d e r, Zeichn. alter Meister im Berl. Kupferstichkab., I/II: E. B o c k, Die dtschen Meister, 1921.

Heiberg, A s t r i W e l h a v e n, s. *Welhaven,* Astri.

Heibl, J a k o b, s. *Heybel,* Jakob.

Heichert, O t t o, Maler u. Graphiker, geb. 27. 2. 1868 in Kloster Gröningen bei Halberstadt, ansässig in Berlin-Dahlem. 1882—89 Schüler der Düsseldorfer Akad. unter H. Crola, Pet. Janssen, Ed. v. Gebhardt u. W. Sohn.

1894 in der Acad. Julian, Paris. Bis 1902 in Düsseldorf tätig. 1902 ordentl. Lehrer an der Akad. Königsberg i. Pr., 1903 Professor. Lebte von 1903—1918 in Königsberg. Anfänglich noch stark abhängig von den Traditionen der Sohnschule, und einem durch frühe persönliche Eindrücke genährten Hang zur Armeleute- u. Totenmalerei nachgehend, machte er sich mit dem „Pfarridyll", einer Familienszene, die er ganz im Freien malte, stofflich u. koloristisch zuerst frei von diesem sentimentalen Genre und ging immer entschiedener auf eine derbe realistische Charakterisierung des bäuerlichen Milieus („Dorfälteste", „Pflügendes Bauernpaar", „Pflügende Mönche") und lebendige impressionistische Gesamtwirkung mit heller, leuchtender Farbengebung aus. Zugleich tritt das anekdotische Moment, das seine Frühbilder beherrscht, zurück zugunsten eines einheitlichen malerischen Ausdrucks und einer symbolisierenden Verallgemeinerung des stofflichen Inhalts („Holzsammlerin"). Doch behält die Stoffmalerei für ihn immer ein gewisses Interesse, wie besonders sein großes Bild „Seelenmesse der Heilsarmee" beweist, die psychologisch ausgezeichnet beobachtete, kraß naturalistische Schilderung einer Versammlung ekstatischer religiöser Schwärmer bei flackerndem Lampenlicht. Gemälde besitzen: das Museum zu Antwerpen „Todesstunde" (1898), die Galerie Düsseldorf „Totenandacht" (1898) und das Stadtmus. Königsberg „Ora et labora" (1902). „Veteranenversammlung" befindet sich im Besitze des „Verbandes f. bild. Kunst, München" (eine 2. Redaktion im Krieger-Vereinshaus Berlin). „Und wenn es köstlich gewesen ist . . ." in New Yorker Privatbesitz, ein Porträt „Pfarrer Gundel" in der Neuroßgärter Kirche Königsberg i. Pr., ein Monumentalgemälde „Friedrich Wilh. I. begrüßt die Salzburger" in der Aula des Friedrichsgymnasiums in Gumbinnen. Kriegsstudien i. d. Berl. Nat.-Gal. u. im Reichskriegsmus. — Seit 1894 beschickt H. die Ausst. im Münchner Glaspalast, seit 1893 die Gr. Berl. Kstausst., daneben die Ausst. in Düsseldorf (1904, 9, 11, 20), Köln 1907), Dresden (1901, 4, 8, 12) usw. Nov./Dez. 1913 umfangreiche Kollektivausstell. bei Riesemann & Lintaler in Königsberg: Studien aus Spanien u. Holland, Pastelle u. a. Er erhielt 1895 die kl. gold. Medaille in Berlin, 1900 die 2. Medaille auf der Weltausstell. in Paris, eine gold. Plakette 1904 auf der Intern. Kunstausstell. in Dresden.

Das geistige Deutschland, I, 1898. — Dressler's Ksthandbuch 1921 II. — S c h a a r s c h m i d t , Zur Gesch. der Düsseld. Kunst, 1902 (mit 3 Abb.). — J a n s a , Dtsche bild. Kstler in Wort u. Bild, 1912. — Deutsche Kst u. Dekoration, 1899 I 164 (Abb.). — Die Kunst, III; V; IX; XIII; XVII. — E. A. Seemann's „Meister der Farbe", VI (1909) No 396 (E b. K r a u s). — Neue Kunst in Altpreußen, I (1912/13) 38 (Abb.), 41, 42. — Die Kunstwelt, I 3. Teil (1912) p. 633 ff. (m. Abb.).

— Rheinlande, I 1, Okt.-Heft 1900 p. 23 ff., mit zahlr. Abb. (E. P. K e i t h); I 2, Juli-H. 1901, p. 47; II 2, Juni-H. 1902, Taf. gegen p. 34; IV 349. — Cicerone, V (1913) 849. — Jahrb. d. Bilder- u. Kstblätterpreise, Wien 1911 ff., IV; V/VI. — P i c a , L'Arte mond. a Roma 1911, Bergamo 1913 p. 117 (Abb.). — Katal. d. angef. Ausstell. (meist mit Abb.). *Brattskoven.*

Heicke, J o s e p h , Tier- u. Landschaftsmaler und Lithograph, geb. 1811 in Wien, † 6. 11. 1861 ebenda. Studierte an der Wiener Akad. 1824—26 u. 1831 und beteiligte sich seit 1834 an den Kunstausstell. in St. Anna. Er unternahm häufige Studienreisen, verweilte 1842 in Italien, später in Ungarn und im Orient. — H. wird meist als einer der weniger bedeutenden künstler. Nachfahren Fr. Gauermanns bezeichnet. Nicht sehr erfindungsreich in zahlreichen Landschaften mit Haustieren, die noch den sentimental idyllischen Einschlag der nachklingenden Biedermeierzeit verraten und in der Behandlung des figuralen Details bisweilen zu nüchterner Schablone und zu einem unnatürlichen oder verzerrten Ausdruck hinneigen, darf jedoch H. mit einzelnen lebendig erfaßten Szenen aus den Wiener Revolutionsjahren 1848 und 1849 und vor allem mit seinen durch wirkliche Laune und gewinnende Ursprünglichkeit charakterisierten Darstell. aus dem Sportleben der Wiener Gesellschaftskreise Interesse für sich in Anspruch nehmen. Daneben verdient er als einer der fruchtbarsten und vielseitigsten Lithographen altwienerischer Prägung Beachtung. — Aus seinem umfangreichen Lebenswerk seien genant: Selbstbildnis en face u. ein solches im Profil, Zeichn. und ein Ölgemälde: Marsch der Seressaner nach Wien, bez. u. dat. 1858, im Histor. Mus. der Stadt Wien; Gräfin Almássy, inmitten ihrer Lieblingstiere (Sammlg Graf Wilczek, Wien); Spielende Kinder mit Kätzchen (im Nachlaß des Erzherzogs Rainer); Auszug der Senner auf die Alp 1848 (Stift Kremsmünster). Ein Reiterbravourstück des Grafen Sándor (Aquar. Städt. Mus., Budapest), Araber im Hinterhalt, Lager in der Wüste (im Nachl. des Grafen Edmund Zichy in Budapest); Hochgebirgslandschaft (Sammlg Dr. Loewe, Breslau); ferner mehrere charakter. Werke in den ehem. Wiener Samml. Bühlmeyer, Beroldingen, Christomano - Tirka, Lobmeyr, Plach, Sarg u. a. — Von H.s graphischen Arbeiten seien angeführt: *Radierungen:* 1840 Rehe, 1842 weid. Ziegenbock, 1850 Hund. *Lithographien* nach Huot: Spazierritt; nach C. A. H. Heß: Pferdekopf; nach Leander Ruß: Erteilung der brillantenen Ordensinsignien am Glacis. — *Originallithographien:* Jagdalbum, Verlag Trentsensky & Vieweg, Wien, Leipzig; Sammlg interessanter Jagdbilder (Verl. L. T. Neumann, Wien); Tierschule nach der Natur gez. u. lith. (Verl. Anton Paterno's Witwe, Wien); Staffagenschule, ebenda; 6 ländliche Szenen; 6 Bilder aus Ungarn; Springgarten des

k. k. Militär - Equitations - Institutes in Wien, 14 Bl. Farbenlith.; Pferdeporträts (der Vollbluthengst des Herzogs v. Angoulême); Schreibzimmer des Erzherzogs Johann im Brandhof; Lith. des Feldzugs in Ungarn 1848 u. 1849; Erstürmung einer Bresche unter Anführung des Erzherz. Friedrich von Österreich bei Eroberung von Sardis in Syrien, 1814; Schlacht bei Szöreg 1849 und das Hauptquartier des Grafen Schlick in Acs; Österreich. und russ. Truppen aus dem ungar. Feldzug 1849 (2 Hefte zu je 4 kolor. Bl.); Seressaner und Croaten (1 Heft mit 4 kolor. Lithogr.); Carl Formes, Lieutenant der akadem. Legion auf der Barrière beim alten Mauthgebäude; ferner: Reise des Kaiserpaares im Komitat Békés 1857 (10 Bl.), Buchmann u. Börs del., Heicke lith. (in Farben). Sein Gemälde: Attaque der Oberst. II. Escadron der fürstl. Lichtenstein'schen Cheveauxlegers, 20. Jan. 1849, wurde von Ed. und A. Kaiser lithographiert. Porträtlithogr.: Prince Beboutoff; Feldmarschalleutnant Jos. Frh. v. Jellačić; FM. Jos. Graf v. Radetzky; FM. Alfred Fürst v. Windisch-Graetz usw.

v. B ö t t i c h e r, Malerwerke d. 19. Jahrh., I 1 (1891). — H e l l e r - A n d r e s e n, Handb. f. Kupferstichsammler, I (1870). — C. v. W u r z - b a c h, Biogr. Lex. Oesterr., VIII (1862). — Die Meister d. Wiener Porträtlithogr. (Kat. No 76, Gilhofer u. Ranschburg, Wien), 1906 p. 9. — Jahrb. der Bilder- u. Kunstblätterpreise, 1911 ff., I, II, IV, V/VI. — W e i g e l s Kunstcat., Leipzig 1838—1866, V, Reg. — *Kataloge:* Jahrh.-Ausst., Berlin 1906; Histor. Ausst., Wien 1873 p. 90, 1877 p. 197 u. 298; Jub.-Ausst. Künstlerhaus Wien, 1898 No 516 u. 759; d. Graph. Ausst., Wien 1883 p. 14. — Verz. d. k. k. Gemäldegal. Wien, Mod. Schule 1878. *Leo Grünstein.*

Heiczingner (Heitzinger, Heutzing, Heytzinger), J a c o b, Maler in München, wo er 1500/1510 in den Steuerbüchern, 1510 in den Stadtkammerrechnungen (mit Arbeiten am Kaufingerturm) genannt wird. Eine Bildtafel (Geißelung Christi) im Kapuzinerkloster zu München trägt die Inschrift: „Mair jud hab glich 46 Guld Jacob Heiczinger auf Pfant 1505" und zeigt H. von Schongauer, Dürer und der Münchner Schule, besonders Jan Pollack beeinflußt. Buchner schreibt H. auf Grund der Stilverwandtschaft mit dem Geißelungsbilde die aus einer ehemal. Kapelle des Lebling-, früher Häring-Hauses in München (Ecke Pranner-Promenadenstr.) stammende Freskenfolge im Bayer. National-Mus. zu.

E. B u c h n e r, Jakob Heitzinger, in Kstchronik, XXXIV (1922/23) 485 ff. m. Abbn; Berichtigung p. 522.

Heid, J. U., s. *Heidegger*, Joh. Ulrich.

Hejda, W i l h e l m, Bildhauer, Maler u. Kunstgewerbler, geb. in Wien 26. 5. 1868. Machte sich nach Vollendung seiner Studienzeit (1887—96) bei Lefevre in Paris und an der Wiener Akad. (unter C. Zumbusch und E. Hellmer), wo er sich auch der Architektur

widmete, in Wien selbständig. Stellte zuerst 1892 auf der Wiener Jahresausst. (Künstlerhaus) aus und trat auf der Kaiser-Jubil.-Ausst. 1898 mit seinen originellen, meist polychromierten Plastiken hervor. Seitdem häufig auf den Wiener Ausstell. (Kstlerhaus, Hagenbund) sowie auf Berliner, Dresdner, Düsseldorfer u. Münchner Ausstell. vertreten. Ein sehr witziger und einfallsreicher Künstler, ist H. in allen möglichen Techniken beschlagen und arbeitet mit allen erdenklichen Raffinements. Seine Pastell-Landschaften (Motive aus Alt-Ofen und Siebenbürgen) sind als Farbenvisionen gedacht und bekommen durch die einfache Komposition etwas Lyrisch-Schwungvolles. Als Bildhauer hat H. eine Vorliebe für das Groteske und Schauerliche und gestaltet mit froher Laune und kecker Erfindung Fabeltiere (Ritter im Kampf mit dem Lindwurm), Kleinbronzen (Tiere), Bronzereliefs mit Kentauren und Nixen („O diese Meerweibchen!") u. dgl., gewissenhaft modellierte, polychrome Skulpturen, denen die Zusammenstellung grellbunter Farben einen eigenartigen Reiz verleiht. Eines seiner bekanntesten Werke ist der polychrome, in der Masse gefärbte Stuckfries am Portal des Hagenbundes in Wien (Pallas Athene als Beschützerin der Künste). Zu seinen sonstigen Arbeiten gehören architekton. Entwürfe und solche für Denk- und Grabmäler, dekorative Skulpturen an Gebäuden, Porträtbüsten und -reliefs, Medaillen, Möbel usw. Genannt seien: Sophienbad und Haus Meinl, Wien; Grabmal Dr. Carl Keller, Hallein bei Salzburg; Kaiser-Jubiläums-Brunnen in Eggenburg (Nied.-Österr.); figürl. Skulpturen am Urania-Gebäude, Wien; Adler, Trophäen und Soldatenköpfe am Kriegsministerium; Eingangstor und Atlanten im Kassensaal des Wiener Bankverein-Gebäudes; Steinplastiken am Technischen Museum Wien und am Schloßbrunnen in Karlsbad; „Der Menschheit letzter Sproß", Tod mit schlummerndem Säugling über ein Leichenfeld reitend (Hagenbund 1902); Ehrenpreismedaille des K. K. Ministeriums für Kultus und Unterricht; Medaillen für Kriegshilfe des Ministeriums des Innern, usw.

K o s e l, Dtsch-öst. Kstler- und Schriftst.-Lex., 1902 I 63. — D r e s s l e r's Ksthandbuch, 1921 p. 229. — H e v e s i, Altkunst-Neukunst, 1909 p. 343 ff. — F o r r e r, Dict. of Medall., II (1904). — P i c a, L'arte mondiale all' espos. di Venezia, 1907 p. 184 (Abb.). — Kstchronik, N. F. X (1899) 358; XIII (1902) 282. — Die Kst, V (1902) = Kst f. Alle XVII. — Kst u. Ksthandwerk, XVIII (1915) 597. — Der Architekt XXI, Wien 1916—8 p. 136. — The Studio, XXXV (1905) 349. — Art Revival in Austria. Studio Spec. Nr 1906 p. AX, BVI. — Kat. Hagenbd-Ausst. Wien, 1901 ff. — Kat. Intern. K.-A. Berlin 1896 p. 240; Gr. K.-A. 1899 p. 150; Gr. Aquar.-A. Dresden 1909, 1911 Nr 595; Gr. K.-A. Düsseldorf 1902, 1911 p. 133 f.; München, Glaspal. 1898 p. 125, 1901 p. 157, 178; Paris Salon Soc. Nat. 1893 (Heyda); Cat. Espos. intern. d'arte, Venedig 1907.

Heidbrinck, O s w a l d , elsäss. Zeichner u. Lithograph, geb. in Bordeaux 1860, † in Paris 5. 3. 1914, Schüler von Bonnat. Tätig in Paris als Mitarbeiter des „Chat noir", des „Courrier français" u. and. illustr. Blätter. Seine Manier war etwas trocken, aber geistreich und gewissenhaft.

G r a n d - C a r t e r e t , Les Moeurs et la Caricature en France, 1888 p. 649. — Chron. des arts, 1914 p. 86. — Cat. Salon Soc. Art. franç. Paris 1885; desgl. Soc. Nat. 1892, 1899. — Cat. Expos. Centen. de la lithogr. 1795—1895, Paris 1895. — M i r e u r , Dict. des Ventes d'art, III (1911). — Le Gaulois, 7. 3. 1914.

Heide, A l f r e d , Landschafts-, Architekturmaler u. Illustrator, geb. in Magdeburg 4.10.1855, lebt in Berlin. Schüler der Berl. Kunstschule u. Akad. Tätig in Deutschland und 10 Jahre hindurch in Amsterdam. Stellte gelegentlich in Berlin, Dresden, Amsterdam u. a. O. aus. Arbeiten: Wandgemälde im Rathaus zu Kösen, im Städt. Mus. zu Braunschweig (Ansichten aus Alt-Braunschweig) u. in der Handelskammer daselbst.

Das geistige Dtschland, 1898. — J a n s a , Dtsche bild. Kstler, 1912. — Kat. Gr. Kstausst. Berlin, 1901 p. 28; 1903 p. 109; 1904 p. 128; 1906 p. 164. — Führer Städt. Mus. Braunschweig, 1908 p. 6.

Heide (Heyde), C o r d v a n d e r , Glocken- u. Stückgießer in Lüneburg, wo er 1482 Bürger wird und bis 1520 nachweisbar ist. Nach Wrede Werkstattnachfolger des Curd Vribusch (s. d.), dessen Leistungen er erheblich übertraf; von Focke der Schule der Klinge zugewiesen. H.s älteste erhaltene Glocke (1476) in Handorf (Prov. Hannover). Weitere mit künstlerischen Flachreliefs in Allermöhe bei Hamburg (1483), Hittbergen (2 Glocken von 1478 u. 1485), Undeloh (1490), Rätzlingen (1491), Vellahn in Mecklenburg (Abb. im Inventarwerk), Hermannsburg (1495), Lüne (1505), Baben (1508) u. Granzin i. M. (1509).

F o c k e im Jahrb. der brem. Samml., II (1909) 31, m. Abb. — W r e d e , Die Glocken des Landkreises Lüneburg, p. 27, 44 ff. — M i t h o f f , Mittelalt. Kstler.. Niedersachsens, 1885. — O t t e , Glockenkunde, ² 1884. — W a l t e r , Glockenkunde, 1913 p. 760. — Kstdenkm. Prov. Hannover, III H. 4 (1902) 138. — Kst- u. Geschichtsdenkm. Mecklenb.-Schwerin, III (1900) 88, 133.

Heide, H a n s v o n d e r , Bildschnitzer in Königsberg i. Pr., lieferte 1599 dem Kirchspiel Mensgut (bei Ortelsburg) einen anscheinend nicht mehr vorhandenen Altar.

H. E h r e n b e r g , Die Kst am Hofe der Herzöge v. Preußen, 1899.

Heide, H e n n i n g v. d., siehe *Heyde,* H. v. d.

Heide, J o h a n n C h r i s t o f f e r v o n d e r , Bildhauer in Hamburg, wurde 20. 4. 1703 Bürger und lieferte 1724—25 die Bildhauerarbeit am Altar der Petrikirche (zerstört).

Hamb. Kstlerlex., 1854. — Hamb. Staatsarchiv, Retardatenbuch 1700 p. 337 und Protokoll des Amtes der Tischler (II 1) 15. 7. 1705.

Heide, J o h a n n e s W i l h e l m v a n d e r , Maler, geb. 1878 in Amsterdam, tätig in München, zeigt impressionistische Landschaften u. Tierbilder auf der internat. Ausst. im Stedelijk-Mus. Amsterdam 1912, im Glaspalast München (seit 1912), auf der Ausst. „Der Turm" München, 1919. In der Privatgal. des Prinzregenten Luitpold v. Bayern (Ausst. d. Gem., 1913) befand sich: Ochsengespann.

Elsevier's Maandschrift, 1913 II 399 f. — Onze Kunst, 1913 II 204. — Dreßler's Kunsthandbuch, 1921. — Ausst.-Katal. (Glaspal. 1916 m. Abb.).

Heideck (Heydeck), C a r l Wilhelm Freih. v o n , entstammt der zürcherischen Familie *Heidegger,* Maler u. Graphiker (Dilettant), geb. in Saaralben in Lothr. am 6. 12. 1788, † in München am 21. 2. 1861. Sohn des Hartmann Heidegger (s. d.). Kam 1801 auf die Militärschule nach München und kämpfte seit 1805 als bayr. Art.-Leutnant im preußisch-schles. und Österreich.-tirol. Feldzug, in Spanien u. Portugal zuerst auf französ. Seite, dann gegen Napoleon und endlich im griech. Befreiungskriege (1821/29). Kehrte 1829 über Rom (längerer Aufenthalt) nach München zurück, ging aber 1833 wieder nach Griechenland. 1835 mit dem Rang eines Generalmajors aus Griechenland zurückgekehrt, widmete er sich in München der Malerei, die er übrigens schon seit Beginn seiner militärischen Laufbahn gepflegt hatte. In Zürich hatte er bei Joh. Heinr. Meyer, Joh. Kaspar Huber, Conrad Geßner u. Lavater gezeichnet, in München seit 1801 bei Quaglio u. Hauenstein studiert, später (nach 1815) bei Joh. Chr. v. Mannlich sich besonders mit d. Landschaftsmalerei beschäftigt. Gelegentlich eines Aufenthaltes in Zweibrücken, 1798/99, soll er schon nach alten Meistern kopiert haben. Anfänglich malte H. nur in Aquarell u. Gouache, erst seit ca 1816 auch in Öl. 1823 beschickte er zum 1. Mal die Münchner Kstausst. mit dem mit der Wagener'schen Sammlg in der Berl. Nat.-Gal. gelangten Bildchen: Bayrische Holzfäller. 1824 wurde er Ehrenmitglied der Münchner Akad. In der Folge stellte er zahlreiche Genrebilder, Landschaften, Architekturbilder aus Griechenland, Spanien usw., Militär- u. Schlachtendarstell. in München und Berlin (Akad.) aus. Albrecht Adam bezeichnet in seiner Selbstbiographie (herausgeg. von H. Holland, Stuttgt 1886) ihn und Peter Hess als „zwei großen Rivalen" und rühmt von H., daß er gewisse veraltete Manieren aus der Zopfzeit in der Münchner Malerei beseitigt habe. „Der dunkle Vordergrund, der gewisse Coulissenbaum und ähnliche Unarten verschwanden nach und nach . . . Er war durchaus hell in seinen Bildern, suchte keine groben Kontraste, um die Gegenstände auseinander zu setzen, und brachte das Licht oft bis ganz in den Vordergrund." Pestalozzi bezeichnet seine Ölbilder als „etwas trocken

und gläsern, die Staffage ist mitunter über-
zierlich". Eine gute Charakteristik seiner Kunst,
die von Nagler (Kstlerlex.) wörtlich übernommen wird, bei Speth. — 6 Bilder von ihm
bewahrt die N. Pinak. in München, darunter
Löwentor in Mykenae, Aufgang zur Akropolis
und Brücke von Cuenca in Spanien, 3 Bilder
die Sammlg Lotzbeck in München (Katal. 1907
No 63, 80, 82), 2 Bilder (Bayr. Holzfäller, Palli-
karen bei Korinth) die Berl. Nat.-Gal. (Kat.
1907 unter Heydeck), je 1 Bild das Leipziger
Mus. (Brücke von Cuenca; Szene a. d. Guerillas-
kriege von 1809), die Sammlg Speck von
Sternburg in Lützschena bei Leipzig (Winterlandschaft mit franz. Dragonern), die Gal. in
Schleißheim (Der blinde Passagier, Kat. 1914),
die Villa Rosenstein bei Stuttgart (Ruine bei
Athen mit ruhendem Maultiertreiber), das Mus.
zu Stuttgart (Pferdestall), das Thorvaldsen-Mus.
in Kopenhagen (Szene aus der Verteidigung
einer span. Stadt; vgl. Verz. d. Gemäldesammlg
1907 No 118) und das Künstlergut zu Zürich
(Erntewagen; vgl. Verz. 1891 No 113). In
das Bild No 794 des Stuttgarter Mus., Ge-
witter-Landschaft von Jos. A. Koch, hat H.
die Staffage hineingemalt. Die ehem. Gal.
des Herzogs v. Leuchtenberg in München bewahrte 3 Bilder von ihm. Auch einen Versuch
al fresco machte H., indem er für Cornelius
im Göttersaal der Glyptothek das Viergespann
des Helios ausführte. Nagler (Kstlerlex.) beschreibt ferner 6 schöne Radierungen von ihm;
5 derselben stellen Tiere dar, das 6. einen
Postillon neben seinem Pferde, bez. C v h d k,
H d k, h d k f. oder V. H. d. K. u. dat. 1825
bis 32; ein 7. Blatt, Schlafender Eseltreiber
mit 2 Maultieren bei einer Fontäne, 1839, beschreibt Maillinger. Im 3. Hefte des Münchner Albums von Heinr. Kohler 1839 findet
sich eine Orig. Lithogr. von H., Soldaten auf
dem Marsche darstellend; 2 weitere Lithogr.
(Schimmelstute mit Fohlen auf der Weide und:
Bauernfamilie mit Pferd auf dem Felde rastend
[nach Wouwerman]) beschreibt Maillinger.
Zeichnungen H.s im Stadtmus. in München
(Maillinger-Sammlg) und im Brit. Mus. in
London. — Sein 1829 in Rom von Aug.
Kestner gezeichn. Bildnis im Kestner-Mus. in
Hannover; ein anderes, 29. 5. 1842 in Rom
von Weller gezeichnet, im Album des deutsch.
Kstlervereins in Rom. Lithogr. Bildnisse H.s
von Hanfstängl (1831) u. D. Engelmann, ein
gestoch. Bildnis von Fr. Fleischmann (Drucke
im Stadtmus. München [Maillinger-Sammlg]).
N a g l e r, Kstlerlex., VI; d e r s., Monogr. II
No 789; III No 848; IV No 777; V No 1211. —
F. v. B o e t t i c h e r, Malerwerke d. 19. Jahrh.,
I 1 (1891) u. I 2 (1895). — A d. R o s e n b e r g,
Gesch. d. mod. Kst, *1894, III 16. — H. H o l-
l a n d in Allg. Deutsche Biogr., XI 294 f.; LVI. —
F. O. P e s t a l o z z i in Brun's Schweiz. Kstler-
lex., II (1908). — R. O l d e n b o u r g, Münch-
ner Mal. im 19. Jahrh., I (1922). — H ä u t l e,
Die fürstl. Wohnsitze der Wittelsbacher in Mün-

chen, I (Bayr. Bibliothek 27), 1892. — K e s t n e r-
K ö c h l i n, Briefe zw. Aug. Kestner u. s. Schwe-
ster Charlotte, Straßbg 1904, p. 180. — R a u c h-
R i e t s c h e l, Briefwechsel, 1890, I 87. — Kunst-
blatt, 1820—31, passim; bes. wichtig 1825 p. 401 ff.,
405 ff. (Canon. B. S p e t h). — Katal. d. Berl.
Akad.-Ausst., 1826 p. 115; 1828 p. 26; 1832 p. 21;
1834 p. V; 1836 p. X; 1838 p. 21. — P a r t h e y,
Deutscher Bildersaal, I (1863). — M a i l l i n g e r,
Bilderchronik d. St. München, III (1876). — Jahrb.
d. Bilder- u. Kstblätterpreise, Wien 1911 ff., IV,
V/VI. — Verz. d. Bildergal. . . . d. Prinzen Eugen,
Herzogs v. Leuchtenberg in München, 1828. —
Katal. d. angef. Museen. — Katal. d. Ausst. „Münchner Malerei um 1800" (Gal. Heinemann-München),
1920; d. Ausst. Münchner Malerei unter Ludwig I.
(ebenda), 1921; Erzherz. Carl-Ausst. Wien 1909
p. 37. — Mit Notizen von Fr. Noack. H. Vollmer.

Heideck, siehe auch Heydeck.

Heidecke, C h r i s t i a n, Architekt, geb. in
Dietersdorf 16. 5. 1837, tätig in Berlin. Ausgebildet in den Ateliers von Lohse, Lucae,
Strack, Bötticher und Adler. Erbaute zahlreiche herrschaftl. Wohnhäuser in der Tier-
gartenstraße, Unter den Linden u. a., ferner
Geschäftshäuser und Villen, u. a. die Villa von
Liebermann, vom Rath, Palais Wesendonck
und die große National-Mutterloge „Zu den
3 Weltkugeln".

Berlin u. seine Bauten, 1896.

Heidecker, A n d r e a s, Goldschmied, dem
eine Silberstatuette der hl. Hedwig in der
Berliner Hedwigkirche von 1513 und ein spätgot. Kelch in der kathol. Pfarrkirche in Frau-
stadt (ehem. Prov. Posen) von 1517 zugeschrieben werden.

D e h i o, Handb. der dtsch. Kstdenkm., ²II
(1922); cf. Verz. der Kstdenkm. Prov. Posen, III
(1896) 177 f., m. Abb.

Heidegger, C a r l W i l h. v o n, s. Heideck,
C. W. v.

Heidegger, H a r t m a n n, Zeichner (Di-
lettant), geb. in Zürich 1753 oder 1754, † in
München. Machte in französ. Diensten den
Siebenjähr. Krieg mit, wurde als Major pen-
sioniert und trat durch seine Heirat in Be-
ziehungen zum kurfürstl. bayr. Hof, später
Oberst. Schüler von Joh. Kaspar Füßli, übte
sich bes. in der Darstell. von Pferden u.
Reiterschlachten. Vater des Carl Wilh. von
Heideck (s. d.).

B r u n, Schweiz. Kstlerlex., II (1908).

Heidegger, J o h a n n J a k o b, Kupferstecher, geb. in Zürich 29. 1. 1752, † in Augsburg 29. 7. 1781. Schüler seines Oheims
Joh. Rud. Holzhalb. Stach einige Bildnisse
und die Schrift in Lavaters Physiognomik.
Ließ sich 1781 in Augsburg nieder, wo er
aber schon nach wenigen Monaten †.

B r u n, Schweiz. Kstlerlex., II (1908). —
78. Neujahrsbl. d. Waisenhauses in Zürich, 1915
p. 68.

Heidegger, J o h a n n (Hans) U l r i c h,
Bildnismaler, Kupferstecher u. Radierer, geb.
in Zürich 1700, † das. Febr. 1747. Schüler
des Tob. Laub in Augsburg. Tätig in Zürich.

Seinen im übrigen mittelmäßigen Arbeiten wird von Füßli Porträtähnlichkeit nachgerühmt. Gemälde in der Zürcher Zentralbibliothek und in Basler Privatbes. Stiche in Schabmanier u. Rad. nach eigener Erfindung, bes. Bildnisse Zürcher Ratspersonen und Geistlicher, ferner nach Sam. Hofmann, T. Laub („J. J. Scheuchzer"), H. Rigaud („Kardinal Fleury"), Simler u. a. Nach H.s Vorlagen haben gestochen Bodenehr, J. J. Haid („J. J. Breitinger", „J. F. v. Welsch"), J. J. Kleinschmidt („F. O. Langenmantel"), M. Salmusmüller u. a.

B r u n , Schweiz. Kstlerlex., II (1908); IV (1917) 535. — F ü ß l i , Kstlerlex., 2. T. 1806 ff. — L e B l a n c , Manuel, II. — Neujahrsbl. der Zürcher Stadtbibl., 1875 p. 13; 1876 p. 20. — E s c h e r u. C o r r o d i , Zürcher Porträts, II Tafel 17. — S t ä h e l i n , Basler Porträts, III (1921) Taf. 26 („J. U. Heid"). — H e i n e c k e n , Dict. d. art. etc., 1778 ff. (Ms. im Dresd. Kupferstichkab.)

Heidegger, L u d w i g , Goldschmied, geb. in Zürich 1551 als Angehöriger einer Goldschmiedfamilie, 1576 Meister. Heiratete 1577 u. 1586. Das Schweiz. Landesmus. in Zürich u. das Straßburger Kunstgewerbemus. besitzen von ihm Trinkschalen zur Erinnerung an die Zürcher Hirsebreifahrt (1576). Das Straßburger Exemplar, silbervergoldet, mit getriebener Fußplatte u. Fuß ist mit 4 die Hauptszenen der Fahrt darstellenden Reliefs geschmückt, die zwischen den 5 eingelassenen Denkmünzen geschickt verteilt sind. Am Fuße des Gefäßes H.s Meisterzeichen u. Beschaumarke. Im Zürcher Mus. von H. noch ein Besteck in silb.-gravierter Scheide, mit Zürcher Beschaumarke.

B r u n , Schweiz. Kstlerlex., II (1908). — E. P o l a c z e k in Ill. Elsäss. Rundschau, 1910 p. 24, m. 2 Taf. — Der Cicerone, V (1913) 132. — 5. Jahresber. des Schweiz. Landesmus., 1896 p. 59.

Heidegger, S e b a s t i a n , Goldschmied u. Medailleur (?), geb. in Zürich um 1520, tätig in Wien. Man kennt eine 1556 dat. Medaille mit seinem Bildnis (Brustbild) im Alter von 36 Jahren, die Habich nebst einer Gruppe verwandter, 1552—59 dat. Medaillen (mit Darstellungen Basler, Breslauer, Leipziger u. Augsburger Personen) hypothetisch dem H. selbst zuschreibt. Die von Nagler u. a. wiederholte Zuschreibung von Zeichnungen u. Holzschnitten (bez. „Sebastian H." u. mit Monogr. B H) in der „Kriegsbeschreibung" des Grafen Reinhard d. ält. zu Solms (1559 fol.) wurde dagegen schon von Brulliot als irrig erkannt.

F o r r e r , Dict. of Medall., II (1904), m. Lit. — H a b i c h , Dtsche Medailleure, 1916. — B r u l l i o t , Dict. des Monogr. etc., III (1834). — N a g l e r , Monogr. I. — B r u n , Schweiz. Kstlerlex., IV Nachtr. 1917 (nach Forrer).

Heidekamb (Heidekamp), B a s t i a n , Bildhauer und Kunsttischler vom Anfang des 18. Jahrh., tätig in Osterode und Ilsenburg am Harz, Hoftischler des Grafen Ernst von Stolberg. Von ihm der reich in Holz ge-

arbeitete, große, zweiflügelige Hochaltar von 1706 in der Schloßkirche zu Ilsenburg. In der Mitte zwischen hohen gewundenen Säulen Relief der Kreuzigung, an den Flügeln große vollplastische Apostelfig. in Muschelnischen, im oberen Geschoß Kreuzabnahme, darüber im gebrochenen Giebel zwischen zwei Füllhörnern der Auferstandene. Das Figürliche bewegt, aber stellenweise roh barock und unproportioniert; weit besser die virtuose Schnitzerei des Ornaments, wie Akanthus mit naturalistischen Fruchtbündeln, sowie um die Windungen der Säulen laufende Blumengirlanden. Im ganzen mehr die Arbeit eines sehr guten Tischlers als eines Bildhauers. In derselben Kirche die von der Figur Johannes d. T. getragene Kanzel mit 4 Evangelisten an der Brüstung, der durchbrochene Schalldeckel von einem Friedensengel gekrönt. Nahebei (wohl auch von H.) das geschnitzte Epitaph des Grafen Ernst von Stolberg († 1710), wo die geflügelte Fama das zierlich gerahmte Brustbild des Grafen vor sich hält. Unten Trophäen und Schrift auf einem entrollten Teppich.

Bau- und Kstdkm. Prov. Sachsen, XXXII (Grafsch. Wernigerode) 1913, mit Tafel. — D e h i o , Handbuch, V.   *P. Kutter.*

Heideken, P e r G u s t a f v o n , Maler, geb. in Stockholm 2. 3. 1781, † ebenda 21. 2. 1864, erhielt seine erste Ausbildung an der Stockh. Akad., dann (um 1830) Studienreisen in Deutschland, Frankreich u. Italien. 1831 Mitglied der Stockh. Akad., seit 1834 Lehrer an derselben. Hauptsächlich Landschafter, schloß H. sich eng an die romantische Stilrichtung des C. J. Fahlcrantz an. Beschäftigte sich auch als Restaurator der Gemälde des Kgl. Museums. Arbeiten von ihm in den Sammlungen des schwed. Königs u. in der Hochschule in Stockholm. Eine norweg. Berglandschaft von 1845 im Athenäum in Helsingfors (vgl. Verz. 1912 No 219).

H o f b e r g , Svenskt Biogr. Handlex., I (1906) 2. Aufl. — N o r d e n s v a n , Svensk Konst och Konstnärer, 1892. — S i r é n , Stockholms Högsk. Tafvelsaml., Stockh. 1912 p. 97. — Nordisk Familjebok, ² XI (1909).   *K. Asplund.*

Heidel, H e r m a n n Rudolf, Bildhauer, geb. 20. 2. 1810 in Bonn, † 29. 9. 1865 in Stuttgart. Wurde mit 25 Jahren Schüler von Schwanthaler in München, stellte 1839 im Kölner Kunstverein eine Zeichnung: Leben der Minerva (Fries), eine Beethovenbüste u. a. aus und lebte 1839/42 in Italien, hauptsächlich in Rom, wo er mit dem Maler Karl Rahl Freundschaft schloß. Kam 1843 nach Berlin, wo er mehr mit Politikern u. Gelehrten als in Künstlerkreisen verkehrte, und stellte 1848 in der Akad. 4 Medaillons, Gipsmodelle mytholog. Inhalts, aus. 1847 war er nochmals in Rom u. Neapel, 1852 in Bonn. Ein 1852 vom Martinsstift in Erfurt erworb. allegor. Gipsrelief: Luther die Thesen anschlagend, verriet noch deutlich den Einfluß Schwanthalers, dagegen lassen die „Umrisse zu Goethes Iphigenie", 8 Bl. Zeichnungen, gestochen von Sagert (Berlin 1850), großartige Erfindung und eine echt plastische Auffassung erkennen. Seine modern empfundene Marmorstatue: „Iphigenie in Tauris", $^3/_4$ lebensgroß, wurde 1852 von Friedr. Wilh. IV. angekauft (Orangerie bei Potsdam). Für die Fassade des mineralog. Mus. der Univ. Kiel modellierte H. 1855—57 je 4 Büsten und Porträtmedaillons berühmter Naturforscher und 1857 erhielt er den Auftrag auf das Bronze-Standbild Händels in Halle (1859 enthüllt), das den Meister in künstlerisch aufgefaßter Zeittracht zeigt. H.s Entwurf eines Arndt-Denkmals für Bonn (Skizze) wurde nicht angenommen, weil er einige gewünschte Änderungen nicht vornehmen wollte, was ihn derart verstimmte, daß er seine bildhauer. Tätigkeit immer mehr einschränkte. Das Gipsmodell einer Oedipus und Antigone-Gruppe (1854) ist verschollen. H. zeichnete auch geistvolle kunstgewerbl. Entwürfe für Becher, Vasen, Pokale u. dgl., und beschäftigte sich später mit Kompositionen zum Anakreon und zur Odyssee, die er z. T. für Reliefdarstell. verwendete. Von diesen waren 2 Marmorreliefs: „Odysseus, Penelope heimführend" und „Penelope und die Freier", die H. zur Silberhochzeit eines befreundeten Gelehrten anfertigte, 1886 in der Berliner Akad. aus dort. Privatbes. ausgestellt. Für die Brunnenhalle in Wildbad modellierte er ein Terrakottarelief „Überfall im Wildbad", nach Uhlands Gedicht, die Figuren $^2/_3$ lebensgroß, lebendig gruppiert und meisterhaft charakterisiert. Die Berl. Nat.-Gal. (Leihgabe Mus. Posen) besitzt sein Marmorrelief „Iphigenie giebt sich Orest zu erkennen". In der Berl. Universitätsaula befindet sich eine 1856 erworbene Marmor-Büste G. B. Niebuhrs, in Oldenburg das Denkmal und die Büste Herbarts, auf dem Alten Kirchhof in Bonn das Grabmal des Universitätskurators Ph. J. v. Rehfues († 1843) mit Porträt u. Marmorrelief (Psyche u. Persephone).

A. Woltmann in Zeitschr. f. bild. Kst, II (1867) 77—81, m. Abb.; ders. in Allg. Dtsche Biogr., XI (1880) 299. — Kstlerlex. von Nagler, Müller, Seubert u. Singer. — Pietsch, Wie ich Schriftsteller geworden bin, 1898 I, II (Reg.); ders. in Grenzboten, 1866 p. 511. — Merlo, Köln. Kstler, ^{2}1895. — Dtsches Kstblatt, 1857. — Jahrb. der preuß. Kstsamml., XIX (1898) 81 Anm. 1. — Bonner Jahrbücher, CXXV (1919) 5. — Pädagog. Studien, XLI (1920) 56. — Schasler, Dtscher Kstkalender 1860. — Kat. Akad.-Ausst. Berlin, 1848 p. 96; 1886 p. 201. — Führer Kaiser Friedrich-Mus. Posen, ^{3}1911 p. 67. — Kstdenkm. der Rheinprov., V (1900) 425 (Druckf. ‚Heider'). — Wintterlin-Ms. Landesbibl. Stuttgart. — Mit Notizen von F. Noack aus röm. Archiven u. Bibliotheken. *B. C. K.*

Heidel, Moritz (Carl August M.), Maler in Dresden, geb. 23. 5. 1847 ebenda. Besuchte

1861—63 die Dresdner Kunstakad., wurde Dekorationsmaler, 1878 in Rom, setzte sein Studium an der Kunstgewerbeschule in Wien und (seit 1881) an der Dresdner Akad. fort, wo er erst bei L. Pohle, dann 4$^1/_2$ J. im Atelier Ferd. Pauwels', arbeitete. Hier erhielt er 1887 die große silberne Medaille. Damals schuf er sein erstes größeres Ölgemälde: Ophelia (1884, Kunstverein Zwickau). Es folgten Geschichts- und Genrebilder (Der ewige Jude, nach Schubarts Gedicht; Karls V. Flucht von Innsbruck, 1886); bald aber wandte sich H. ausschließlich der Landschaft zu (Öl, Aquarell oder Pastell). 1890 ff. malte er 4 landschaftl. Fresken in einem Gartensaale des Rittergutes Wendisch-Paulsdorf, ferner Wandbilder in der Fürstenschule Grimma (1894) u. im Lehrerseminar in Annaberg (1901); später Ansichten aus Italien (Taormina, Trentino), vom Meere u. a. Zu seinen gelungensten Bildern der späteren Zeit gehört „Die Meisterpredigt" (Der Regenbogen), 1897; aus der neuesten Zeit „Blick ins Weite" (Stein, 27. 8. 19).

Mitteil. des Kstlers. — Akten der Kstakad. Dresden (Matrikel, Album des Kstfonds). — v. Boetticher, Malerwerke des 19. Jahrh., I 2 (1895). — Kstchronik, N. F., XVIII (1907) 430. — Kunst f. Alle, IX (1894); Die Kunst, III (1901). — *Katal.:* Kstausst. Dresden (akad. 1862 No 504; 1882—1887; III. internat. Aquarell, 1892 p. 27; Internat. 1897 u. 1901; Sächs. 1903; Dresdn. Kstgenossensch. 1918—21); Chemnitz (1909 p. 27). *Ernst Sigismund.*

Heidelberger, Bartolomäus, *d. Ä.,* Goldschmied u. Eisengräber an der kaiserl. Münze in Frankfurt a. M. u. Nördlingen; † zwischen 1471 u. 1474. Der Familienname des fast immer nur „Goldschmied" Genannten ist durch neue Urkundenfunde erwiesen. (Vgl. Thieme-Becker, Bd IX 98, wo diese beiden Bartolomäus irrtümlich bereits unter dem Familiennamen „Dernbach" mitbehandelt wurden.) Seit 1430 in Frankfurt tätig, wird er 1432 Bürger und verläßt Frankfurt 1461 nach dem Prozeß des Münzmeisters Fr. Nachtrabe. — Sein Sohn Bartolomäus, *d. J.,* Goldschmied u. Münzwardein, † 1475, 1449 erwähnt, 1455 Bürger. 1473 prozessiert er mit seinem Gesellen um ein „Kunstbuch". Vielleicht ist er identisch mit dem „Monogrammisten b. g.", dem Kupferstecher des Rorbach-Holzhausenwappens.

J. Albrecht, Münzstätten in Frankf. a. M. p. 70. — Zülch-Mori, Frankf. Urkundenbuch, 1920 p. 57, 65. *W. K. Zülch.*

Heidelberger (Heydelberger), Ernst, Hofbildhauer in Prag, aus dem Mansfeldischen stammend, erhält 1631 in Prag das Bürgerrecht, ist ebenda 1650 Mitglied der Malerzunft, kommt 1655 vergeblich bei der Statthalerei um Trennung der Bildhauer- von der Malerzunft ein. Unterstützte G. Pendel bei der Ausführung der Mariensäule auf dem Altstädter Ringe 1650. Der H. gewöhnlich zugeschriebene Brunnen von 1686 im inneren Burghofe ist vielleicht ganz das Werk von Hieron. Kohl, der die Statuen desselben verfertigte.

D l a b a c ž , Kstlerlex. f. Böhmen, I (1815) u. B e r g n e r , Beitr. usw. zu Dlabacž, 1913 p. 13. — N e u w i r t h , Prag (Berühmte Kststätten No 8), ²1912. — Mitteil. d. Ver. f. Gesch. d. Dtschen in Böhmen, LIV (1915) 121.

Heidelberger, H e i n r i c h , Goldschmied, geb. 1525 in Frankfurt a. M., wohl Enkel von Bartolomäus H. d. J. Seit 1552 werden seine Arbeiten im Probiermeisterbuch aufgezählt. Sein Wappen im Meisterbuch der Frankf. Goldschmiede zeigt dreimal ein gotisches A. 1602 ist er nach Mainz verzogen.

Meisterb. i. Hist. Mus. Frankfurt. — Probiermeisterb. i. Stadtarchiv. — Arch. f. Frankfurts Gesch. u. Kst, N. F. 7/8 p. 56. — Z ü l c h , Urkundenb. Frankf.: Goldschmiede (in Vorbereitung). *W. K. Zülch.*

Heidelberger, T h o m a s , Ksttischler u. Bildschnitzer in Memmingen (Schwaben), 16. Jahrh. Biogr. Nachrichten nur spärlich. Nach einer offenbar auf die alten Rechnungen sich stützenden Angabe des Pater Jacobus Melitor in seiner 1643 geschriebenen Chronologia (Ms. Reichsarchiv München, Kloster-Lit. Ottobeuren, fasc. 10) arbeitete er unter Abt Kaspar Kindelmann (1547—84) 11 Jahre lang mit seinen Gesellen (nicht Söhnen!) in Kloster Ottobeuren und verfertigte das Orgelgehäuse, Chorgestühl u. andere nicht näher bezeichnete Werke für die Ausstattung der unter Kindelmann umgebauten u. 1588 geweihten Kirche. 1597 ersucht seine Witwe in Memmingen um Aufnahme in eine Pfründe. Er ist vielleicht der Sohn jenes C o n r a d H., der 1522 von der Kirchenpflege St. Martin in Memmingen für ein Gestühl (nicht das bekannte Chorgestühl dieser Kirche!) 40 fl. erhielt. — Die beiden einzig als Arbeiten H.s genannten Werke, Orgelgehäuse u. Chorgestühl, wurden bei Abbruch der Kindelmannschen Kirche (1748 ff.) entfernt. Das Chorgestühl zeichnete sich nach einer alten Beschreibung (P. Schilz im Chronikon Maius [geschrieben um 1730], Ms. Klosterbibl. Ottob. p. 782) durch seinen Intarsienschmuck aus. Als Reste desselben dürfen die zahlreichen Intarsientafeln angesprochen werden, die in dem großen Sakristeischrank von 1769 u. in einem Beichtstuhl der Benediktuskap. eingebaut sind. Dargestellt sind Architekturen, Mauresken, reiche Rollwerkmotive und 2 figürl. Szenen, Samariterin am Brunnen u. Anbetung des Kindes (nach Dürers Stich B 2; zugefügt sind die hl. 3 Könige). Letztere Tafel mit dem seitlichen Rahmenwerk u. einem geschnitzten, segmentbogigen Aufsatz könnte ein Teil der Rückwand des Gestühls gewesen sein. (Oberital. Chorgestühle, wie etwa dasjenige des Pantaleone de Marchis in der Certosa zu Pavia, mögen als Vorbilder gedient haben.) Den gleichen Intarsien- u. Schnitzstil wie diese Reste weisen 2 Prachtschränke aus Eichenholz im Vorraum der Sakristei auf, deren einer das Wappen Kindelmanns trägt, u. die nach alter Klostertradition (schon in den Series et Acta Abbatum des P. Krez, 1711; Ms. Klosterbibl. Ottob.) H. zugeschrieben werden. Der eine ist ein breiter, 3 teiliger Schrank, mit hohem Sockel u. kräftigem Gebälk. Die Seitenteile enthalten die breiten Schubladen für die Paramente (die Felder der Schubladen mit Mauresken in Intarsia geschmückt), der reiche Mittelteil öffnet sich in 2 Türen zwischen 3 Hermen. Vom 2., im Aufbau ganz gleichartigen Schrank, nur noch der Mittelteil (u. auch dieser verändert) erhalten. Sie bildeten mit einem zweigeschossigen Schrank u. 2 aus den Kästchen des ehemal. Ankleidetisches nachträglich zusammengesetzten Schränken die Ausstattung der alten, von Kindelmann eingerichteten Sakristei. Nach stilistischer Übereinstimmung mit diesen Schränken dürfen H.s Werkstätte einige Altärchen zugewiesen werden, die alle Kindelmanns Wappen tragen. Es sind ein Altärchen im Klosterms. Ottobeuren (die Malereien und die Reliefs nach Dürers Kupferstichpassion; das Mittelrelief, bez. 1543, nicht von H.), in der Klosterkirche zu Rummelshausen (bez. 1572; 1565 hatte Kindelmann das Dorf für das Kloster zurückgekauft!), im Kloster der Franziskanerinnen zu Mindelheim und in Dissentis (Schweiz). In der Ornamentik besonders dem Ottobeurer Altärchen verwandt sind ein Orgelgehäuse im Germ. Mus. Nürnberg u. eine Handorgel im Mus. zu Bregenz (vgl. Halm). Das umfangreichste erhaltene Werk, das H. zugeschrieben werden darf, ist die Ausstattung des Vorraums der Prälatur zu Ochsenhausen mit 5 Türumrahmungen (eine jetzt in der Altertümersamml. Stuttgart) u. Kassettendecke, unter Abt Andreas Sonntag 1583—85 entstanden (Abb. bei Gradmann u. im Atlas zu den Kstdenkm. Württemb.). Die Portale zeigen hinter korinth. Säulen Nischen mit flankierenden Hermen (an dem schmäleren Portal je 1 Herme über einer Nische). Über dem Gebälk mit den frei-ornamentierten Friesen 3 teiliger Aufsatz mit Nischen u. Rankenwerk. In der Mittelnische je 1 Relief aus der Passion. Die Türen weisen Tabernakelarchitektur mit Intarsienfüllung auf. — Nach Feyerabend soll H. auch den Hochaltar der Kindelmannschen Kirche gefertigt haben, eine Nachricht, die der Bestätigung entbehrt. Jedenfalls können die Holzreliefs im Klosterms. Ottobeuren, die von diesem Hochaltar stammen sollen, ihrem Stil nach nicht von H. sein. Vielleicht stammte aber die Tischlerarbeit des Hochaltars von H., während das figürl. Werk einem eigentlichen Bildhauer übergeben wurde, wie H. auch sonst für die figürl. Arbeit Bildhauer herangezogen zu haben scheint, so für die Reliefs der Hl. Theodor u. Alexander an dem einen Sakristeischrank (vielleicht auch für die großen Hermen daran) u. den Kruzifixus an der Decke der Prälatur zu Ochsenhausen, die sich vorteilhaft von dem in der Proportion vergriffenen u. rohen figürl. Bildwerk H.s selbst abheben. — H., der in Oberschwaben u. der angrenzenden Schweiz eine reiche Tätigkeit entfaltet haben muß, ist eine zwar provinzielle, für die noch wenig erforschte Geschichte der oberdeutschen Tischlerei aber sehr interessante, bisher noch nirgends gewürdigte Erscheinung. Seine Werke sind von großem Reichtum, das Ornamentale u. die Intarsien sind sehr flott u. geschickt gearbeitet. In der Erfindung scheint er jedoch nicht stark gewesen zu sein, trägt vielmehr von allen Seiten her Motive zusammen (unter ausgiebiger Verwendung von Ornamentstich u. Vorlagewerken). Daher das oft Unorganische seiner Werke u. das unmittelbare Nebeneinander zierlicher Frührenaissanceformen (Kandelabersäulchen, Delphin- u. Puttenmotive) u. kräftiger Formen des vorgeschrittenen Stils der 2. Hälfte des Jahrh. (Vorliebe für Verwendung von Hermen, ausgebildetes Rollwerk usw.). Augsburg u. die Alpenländer scheinen von besonderem Einfluß auf ihn gewesen zu sein. Sein Orgelgehäuse im Germ. Mus. Nürnberg ist im Aufbau nahverwandt demjenigen in der Fuggerkap. in Augsburg (Augsburg. Gepräges auch die von ihm verwendeten Frührenaissancemotive). Seine frühen Intarsien (in Ottobeuren) lassen an einen Aufenthalt in Oberitalien denken, seine späten (in Ochsenhausen) gehen mit dem Schweizer Intarsienstil zusammen.

Ottobeurer Klosterchroniken im Reichsarchiv München u. Kloster Ottobeuren. — M a u r u s F e y e r a b e n d , Ottobeurer Jahrbücher, III (1815) 192 ff. — B a u m a n n , Gesch. d. Allgäus, III 407, 416, 430, 542, 601 (mit Abb.). — Archiv f. christl. Kst, VIII (1890) 17 f. — G r a d m a n n , Die Portalumrahmungen aus der Prälatur zu Ochsenhausen, 1899. — M a g n u s B e r n h a r d , Beschr. d. Klosters u. d. Kirche zu Ottobeuren, [2] 1907 p. 62, 70. — Bau- u. Kstdenkm. Württemb., Donaukr. I (1914), mit Abb. — J. B a u m , Deutsche Bildwerke (Kat. d. Altertümersamml. Stuttgart, III), 1917. — Memminger Geschichtsblätter, V (1919) No 1. — P h. M. H a l m , A. Daucher u. die Fuggerkap. in Augsburg (Stud. z. Fuggergesch. VI), 1921.
J. Müller.

Heideloff (im 18. Jahrh. auch Heydeloff), aus Hannover stammende Künstlerfamilie, deren zahlreiche Mitglieder, die vornehmlich in Süddeutschland blühten, in zeitlicher Ordnung des Stammbaumes (s. u.) folgen:

F r a n z J o s e p h I g n a t z A n t o n , Bildhauer (u. Maler?), geb. 1676 in Hannover, † in Mainz 1772, nach den Angaben Naglers (der über H. sehr ausführlich berichtet), die aber aus Mangel an Archivforschungen nicht zu kontrollieren sind und offenbar zahlreiche Irrtümer enthalten. H. soll seinen Vater früh verloren haben und von einem Verwandten erzogen worden sein, der ihn zu einem Bildhauer in die Lehre gab. H. habe dann bald die Aufmerksamkeit des Kurfürsten auf sich gezogen, sei aber, als dieser 1714 König von England geworden, zu seiner Ausbildung auf Reisen gegangen, zunächst nach Antwerpen, dann in die Dienste der Abtei Werden an der Ruhr, „wo er die Ausschmückung der dortigen Kirchen leitete". Joh. Wilhelm von der Pfalz habe ihn an seinen Hof nach Düsseldorf berufen, um mit dem Hofbildhauer „Grepel" (Grupello) am Modell eines kolossalen Pferdes in Bronze zu arbeiten. Nagler schreibt H. dann noch 4 metallene Löwen an der großen Pyramide in Mannheim zu, und das große Bronzewappen am Residenzschloß ebenda. Das „kolossale Pferd" ist Grupellos Reiterdenkmal Joh. Wilhelms auf dem Marktplatz in Düsseldorf, 1703 begonnen, 1711 aufgestellt. An Grupellos Pyramide in Mannheim gibt es keine Löwen, doch hatte Gr. für den Sockel des Reiterdenkmals 4 Löwen vorgesehen, deren Modelle auch vollendet worden waren. Möglicherweise hat H. daran mitgearbeitet, wie vielleicht auch an dem großen Bronzewappen, das Gr. für Schloß Bensberg modelliert hatte, und das 1721 nach Mannheim kam. Nach dem Tode Joh. Wilhelms († 1716) soll der Kurfürst von Cöln Joseph Clemens († 1723) H. nach Bonn berufen haben, wo der Bau der neuen Residenz begonnen war; auch der Nachfolger Clemens August (1723—61) wird H.s Gönner genannt, für den er am Schloß in Poppelsdorf, auch in Münster u. Paderborn tätig gewesen sei. Gesichert ist, daß H. 1728 bis 31 an der künstler. Ausstattung der Räume des Nordflügels im Schloß Brühl beteiligt ist, er wird z. B. bezahlt für Bildhauerarbeiten in Holz zu den Vertäfelungen des Schlafzimmers, das besonders reich geschmückt wurde. — 1734 wird H. vom Kurfürsten von Mainz Philipp Karl von Eltz-Kempenich nach Mainz berufen, um die künstlerische Ausstattung des Lustschlosses Favorite zu leiten. Er soll hier eine Privat-Akademie begründet haben, die der

Stammbaum der Heideloff:

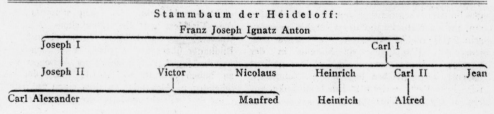

Domkapitular Graf Lothar von Stadion begünstigte. Nagler nennt als Arbeiten H.s die Innenausstattung der Deutsch-Ordens-Kommende in Mainz, der Liebfrauen-Kirche (1807 abgebrochen), des Schotten-Klosters, die Stukkaturen der Peters-Kirche. Von allen diesen Arbeiten scheint nur die letzte gesichert zu sein. Bei Naglers Angabe, H. habe auch ein Altarblatt für diese Kirche gemalt, liegt vermutlich eine Verwechslung vor mit Joseph II. — 1738/39 führt ein Joseph H. die Vergoldung der „Consoles, pallustres, Festons u. Nigen" im runden Saale des Schlosses zu Biebrich aus (unter F. J. Stengel), wohl Franz Jos. Ign. Anton. Vogts sagt, daß die Eltzische Familie, besonders der Dompropst H. F. C. von Eltz, den Mainzer Malern und auch H. Aufträge gegeben habe. Der Dompropst, der am 5. 8. 1768 die eben im Bau vollendete Kirche zu Flörsheim am Main (Landkreis Wiesbaden) besuchte, erbot sich, das Innere auf seine Kosten von dem Maler H. ausmalen zu lassen. Luthmer sieht in diesem H. den Franz Jos. Ign. Anton, der damals bereits 92 Jahre alt war, und meint, er habe wenigstens die Oberleitung gehabt; was doch wenig wahrscheinlich ist. — Nagler sagt, H. sei viermal verheiratet gewesen und seine 5 Söhne hätten sich meist der Kunst zugewandt, der älteste (?), Carl, sei nach Stuttgart berufen worden.

{N a g l e r, Kstlerlex., VI. — R e n a r d, Bauten der Kurfürsten Jos. Clemens u. Clemens Aug. v. Köln, II (1897) 13. — H. V o g t s, Das Mainzer Wohnhaus im 18. Jahrh., 1910 p. 109. — L o h m e y e r, Friedr. Joach. Stengel, 1911. — L u t h m e r, Bau- u. Kstdenkm., Reg.-Bez. Wiesbaden, V (1914) 227. — Mainzer Zeitschr., X (1915) 36. — S c h r o h e, Aufsätze z. Mainzer Kstgesch. (Beitr. z. Gesch. d. Stadt Mainz, II), 1912.

C a r l I, Hofvergolder in Stuttgart, † 1803 ebenda, wo er bereits 1757 ansässig gewesen sein muß (sein Sohn Victor dort geboren), war bei seinem Tode 40 Jahre als Hofvergolder am württemb. Hofe angestellt gewesen. 1789 liefert er für Schloß Hohenheim für 18 Bilder seines Sohnes Victor die Rahmen, ferner Tapetenleisten für 3 Kabinette des „Boudoirs". 1787 hatte er Möbel für das Bad im neuen Meiereigebäude gearbeitet. In einer Eingabe vom 3. 9. 1787 bittet er für seinen Sohn Victor um die 1. Maschinistenstelle am Hoftheater.

Kgl. Hausarchiv, Acta die Kstler bey Hof betreffend, K. 7. J. 27 No 52 (Ms. W i n t t e r l i n, Stuttgart, Landesbibl.). — N a g l e r, Kstlerlex., VI. — Festschr. z. Feier d. 50jähr. Bestehens d. K. Altert.-Samml. in Stuttgart, 1912. — Württemb. Vierteljahrshefte f. Landesgesch., N. F. XXIX (1920) 9.

J o s e p h I, Maler, † in Wien, kam (laut Nagler) durch seinen Schwager, den Naturforscher Fr. Wilh. v. Gleichen-Rußwurm (1717—1783), von Mainz nach Wien, wo er als „des hl. röm. Reiches Herold u. kaiserl. Hof-Wappenmaler" angestellt wurde. H. kann wohl nicht vor 1750 nach Wien übergesiedelt

sein, da sein Sohn von Weinkopf als in Mainz geboren angegeben wird.

N a g l e r, Kstlerlex., VI.

J o s e p h II, Maler u. Radierer, geb. in Mainz, † in Wien nach 1827, wird am 20. 3. 1781 Mitglied der Akad. in Wien; nach Meusel Schüler des J. Ch. Brand ebenda. Weinkopf führt 1783 unter den Bildern der Akademie H.s Aufnahmestück an: „Eine Aussicht im Prater gegen die Vorstadt Landstrasse. Diese ganz im Brandischen Geschmack . ." (Gemäldesamml. der Akad. [Kat. 1889], Abb. in Die bild. Künste, Wien, III [1920/21] 112). Bez. u. dat. Gouachen, z. B. Kloster Langegg (1802), St. Pölten (1793), tauchten 1914 im Kunsthandel auf. Bei Heller-Andresen werden 6 Landschafts-Radierungen aufgezählt, darunter von 1792 eine Felsige Landschaft mit Wasserfall, und 2 Bl. Waldlandschaften von 1805 nach M. Molitor. H. wohnte 1822 „Auf dem Salzgrieß No 214".

W e i n k o p f's Beschreibung d. Akad. d. Künste, Wien 1783 u. 1790, Abdruck v. 1875 p. 12, 22, 83, 90. — M e u s e l, Teutsches Kstlerlex., ² 1808. — B ö c k h, Wiens leb. Schriftst., Künstler etc.. 1822 p. 257. — H e l l e r - A n d r e s e n, Handb. f. Kupferstichsammler, I (1870). — Jahrb. d. Bilder- u. Kstblätterpreise, V/VI (1914/15).

V i c t o r Wilhelm Peter, Maler, getauft in Stuttgart 29. 6. 1757, † ebenda 11. 5. 1817, kam am 21. 10. 1771 in die Karlsschule auf der Solitüde, wo er Mitschüler von Friedr. Schiller u. Dannecker war. Schüler von Nic. Guibal u. Harper, erhielt er 1776 bis 78 einen Zeichen- u. 3 Malpreise, am 15. 12. 1780 wurde er als Hofmaler von der Karlsschule (seit 1775 in Stuttgart) entlassen. Herzog Karl Eugen ließ H. von Ende 1782 bis 1785 unter Fortzahlung seiner jährl. Besoldung von 400 fl. Paris, Lyon u. Marseille (wo er das neuerbaute Theater und seine Einrichtungen studierte) u. Italien besuchen. Seit 1786 war H. Mitglied der Residenzbaudeputation, wurde am 12. 4. 1788 „mit 600 fl. Gehalt und 200 fl. vor Farben" Theatermaler, am 9. 11. 1789 Professor an der Karlsschule (bis 1794). Infolge Überanstrengung schließlich halb erblindet, lebte er in bedrängten Verhältnissen, zumal er seine Pension verloren hatte. — Bereits 1779 war H. neben Ph. Fr. Hetsch im Schloß Hohenheim als Dekorationsmaler verwendet worden, 1780 sind beide nach Entwürfen Guibals an den Deckengemälden des ehem. Speisesaales der Akad. in Stuttgart beschäftigt (die beiden kleinen, kreisrunden Zwischenstücke). H. malte für das Residenz-Schloß in Stuttgart die 4 Jahreszeiten und „Apoll unter den Hirten". In der Heiligkreuzkirche in Rottweil (Nordseite, 2. Kapelle) ein „großes, schönes, antikisierendes Ölbild" Der hl. Valentin segnet die Kinder, voll bez. u. 1792 dat. — Noch zu Lebzeiten des Herzogs hat H. die Hohenheimer Gartenanlagen mit ihren Gebäuden (z. B. die diokletianischen Bäder, das sogen. „Boudoir" u. a.) und einige Teile des Schlosses gezeichnet und in Aquarell gemalt (ehemals im Boudoir, jetzt in Schloß Ludwigsburg [Fahnenzimmer], danach die kleinen Stiche von d'Argent, Schöpflin, Duttenhofer, Haldenwang u. a. in Cottas „Taschenbuch für Natur- u. Kunstfreunde" der Jahre 1795—99, zur Beschreibung Hohenheims von H. Rapp). Ferner verwendet in dem Folio-Kupferwerk „Ansichten des herzogl. württemb. Landsitzes Hohenheim", nach der Natur gez. von V. H., Nürnberg 1795 bei J. J. Frauenholz (dazu 3 Ergänzungshefte), im ganzen 44 meist kolor. Bl.; Vorzeichn. f. d. Titelbl. zu Städlins Schwäbischem Musenalmanach für 1782; in der Altertümersamml. in Stuttgart ein Gouachebild der Solitüde (zugeschrieben). Zeichnungen H.s hat sein Bruder Nicolaus gestochen, z. B. „Einweihung d. hoh. Karlsschule 11. 2. 1782", „Jagd am Bärensee 24. 9. 1782", „Herzog Karl zu Pferde u. s. Baumeister" (meist farbig) u. a. Im Armee-Mus. in München ein Aquarell H.s „Apotheose Herz. Karl Eugens". — Als Theatermaler „suchte er den in Dekorationen und Costümes noch immer vorherrschenden altfranzös. Geschmack zu verbannen". Wie er auch sonst als Dekorateur verwendet wurde, lehrt Meusels Bericht über seinen Besuch bei Thouret, der mit H. zusammen für das Abschiedsfest des engl. Gesandten in Stuttgart „einen künstlichen Gartensaal mit Illumination . . im Asiatischen Geschmack" dekorierte.

Pfeiffer in Herz. Karl Eugen u. s. Zeit, 1907, I 668, 691, 722, 727, 739—41, 758, 769, 772. — Meusel, Museum f. Kstler, XI (1790) 480; ders., Neue Miscellan., XI. Stück, 1800 p. 309. — Haakh, Beiträge a. Württemb. zur Dtsch. Kstgesch., 1863 p. 7. — M. Bach, Stuttgarter Kst, 1900. — Marbacher Schillerbuch, 1905 p. 213 (Abb.), 231 (Abb.), 232, 379. — Festschr. z. Feier d. 50 jähr. Bestehens d. K. Altert.-Samml. in Stuttgart, 1912 p. 135 (Bach).

Nicolaus Innocentius Wilhelm Clemens van, Kupferstecher, geb. in Stuttgart (angeblich 1761), † im Haag 2. 3. 1837, seit 1772 erzogen auf der Karlsschule, Schüler des Joh. Gotthardt v. Müller, wurde 1784 vom Herzog Karl Eugen zu seiner Ausbildung nach Paris geschickt, wo er unter Ch. Cl. Bervic arbeitete und sich auch als Miniaturmaler betätigte. Bei Ausbruch der Revolution mußte er nach England fliehen, wo er in London u. a. 1794—1802 die „Gallery of Fashion" herausgab, ein monatlich erscheinendes Modejournal, zu dem H. die Kupferstiche und Aquatinta-Blätter lieferte (vollständig in 9 Bänden, die Blätter handkoloriert und auch mit Gold gehöht, im ganzen 251 Bl.). Für R. Ackermanns „Costume of the Swedish Army" arbeitete H. die Stiche. 1815 wurde er vom König Wilhelm der Niederlande zum Direktor des Kgl. Kabinettes im Mauritshuis im Haag ernannt, dessen Hauptbilder er in Umrißstichen herausgab, wovon jedoch nur 3

Lieferungen 1826 erschienen. Sein Bildnis, gemalt von J. Corbett, befand sich nach Kramm in der Samml. P. J. Landry im Haag. — H. starb als kinderloser Witwer nach Elisabeth Pollard. — Nagler gibt ein Verzeichnis seiner Einzelblätter, dem sich außer den Blättern, die er nach den Vorlagen seines Bruders Victor (s. d.) gearbeitet hat, folgende hinzufügen lassen: Bildnis d. Theodora de Verdion († 1802), Georgs IV. v. England, Ludwigs XVI., Ludwigs XVII. (dat. 1814); Bildnis der Hillegond Wenssen, von H. nach J. Scheltemas Gemälde gez. u. von P. Velyn gest. — In der Miniat.-Ausst. zu München 1912 (Kat. No 290) befand sich das Miniaturbildnis eines Herrn (auf Elfenbein), bez. N. Heideloff 1790.

Nagler, Kstlerlex., VI. — Kramm, Levens en Werken, III (1859) 663, u. Aanh. 1864 p. 77. — B. Pfeiffer in Herzog Karl Eugen u. s. Zeit, 1907, I 740, 757, 769. — Prideaux, Aquatint engraving, 1909. — Graves, Roy. Acad., IV. — Duplessis, Cat. Portr. Bibl. Nat. Paris, 1896 ff., IV 17911/47; VI 28363/365, 28364/58.

Heinrich (Johann Henrich), Bildhauer und Maler, † 1804 in Usingen, herzogl. Nassau-Saarbrückenscher Hofbildhauer, der unter Balthasar Wilh. Stengel, der seit 1785 Oberbaudirektor des Fürsten Ludwig war, für die damals in Saarbrücken entstehenden Bauten gearbeitet hat, darunter wohl für das Schauspielhaus, das in der Revolution durch einen Brand vernichtet wurde. Wurde von der Revolution vertrieben und trat in die Dienste des Fürsten von Nassau-Usingen. — H. hatte, gemäß Nagler, einen Sohn Heinrich, der ebenfalls Künstler wurde, aber früh in Biebrich starb.

Nagler, Kstlerlex., VI. — Lohmeyer, Kunst in Saarbrücken, in Mitt. d. Rhein. Ver. f. Denkmalspflege usw., VI (1912); ders., Friedr. Joach. Stengel, 1911.

Carl II, Maler, geb. 1770 in Stuttgart, † 1814 in Weimar, kam 1798, wohl auf Veranlassung Thourets, der die weitere Ausgestaltung des bereits ziemlich weit gediehenen Neubaues des Schlosses in Weimar übernommen hatte, dorthin und ist dann auch nach Thourets Rückkehr nach Stuttgart in Weimar geblieben. Mit Thouret zusammen malte er den Vorhang des 1798 umgebauten Theaters in Weimar (Eröffnungsvorstellg 12. 10. 1798, Wallensteins Lager; abgebrannt 22. 3. 1825). Thouret schlug bei Beendigung seines 1. Aufenthaltes in Weimar (Okt. 1798) vor, H. eine Art Oberleitung über die dekorative Ausstattung des Schloßbaues zu übertragen, da H. mit Thourets Ideen „durch deren öftere Bearbeitung und durch persönlichen Umgang vertraut" sei. H. hat dann an den dekor. Arbeiten beim Schloßbau wesentlichen Anteil gehabt, ohne daß dieser bisher im einzelnen festgelegt worden wäre. Bei diesen Arbeiten ist er durch einen Sturz vom Gerüst verunglückt.

Neuer Nekrolog d. Deutschen, IV (1826) 2. Teil, p. 987 u. 988. — N a g l e r , Kstlerlex., VI. — F a e r b e r , N. Fr. Thouret, in Württemb. Vierteljahrsh. f. Landesgesch., N. F. XXIX (1920) 9 f., 12 f., 23, 51, 57, 90, 116. — D o e b b e r , Schloß in Weimar, 1911.

J e a n , Maler u. Vergolder, wird am 7. 8. 1804, wohl als Nachfolger seines Vaters, Hofvergolder in Ludwigsburg.

Kgl. Württemb. Hausarchiv, Acta die Kstler bey Hofe betreffend. K. 7. J. 27. No 52 (lt Wintterlin, Ms. Landesbibl. Stuttgart).

C a r l   A l e x a n d e r   v o n , Maler, Bildhauer, Architekt, Radierer und Kunstschriftsteller, geb. in Stuttgart 2. 2. 1789 (nicht 1788), † in Haßfurt am 28. 9. 1865, Schüler von Thouret, Dannecker, Scheffauer, A. Keim, Seele, J. G. v. Müller und seines halberblindeten Vaters, den H. bei dessen Dekorationsmalereien unterstützen mußte. Schon früh wandte sich H.s Interesse im Sinne der Romantik der alten gotischen und romanischen Architektur Deutschlands zu. 1814 bei einem Aufenthalt in Mainz, wo er im Dom nach den Denkmälern zeichnete, kam er mit dem Herzog Ernst von Sachsen-Coburg in Berührung, der ihn nach Coburg berief (1816, als Architekt für das Schloß Rosenau). Damals entstanden wohl jene Zeichnungen der Veste Coburg, die (1840 in einen Band eingebunden; Kupferstichkab. Veste Coburg) eine Vorstellung vom Aussehen der Veste vor H.s Wiederherstellung (1838 ff.) ermöglichen. 1821 schied H. aus dem Dienste des Herzogs und wandte sich nach Nürnberg, 1822 wurde er Konservator der städt. Kunstdenkmäler und Lehrer an der polytechn. Schule (bis 1854); 1824—26 machte er eine Reise durch Deutschland und Frankreich, um die alten Baudenkmäler zu studieren, der spätere Reisen folgten. — In seiner Frühzeit ist H. mehr als Maler und Zeichner hervorgetreten, z. B. malte er ein großes Bild „Maximilian am Grabe des Herzogs Eberhard I. im Kloster Einsiedeln" für den König von Württemberg (1919 versteigert; Kat. Versteig. Residenzschloß Stuttgart, 27.—29. 11. 1919, No 57, Fleischhauer), ein Gemälde nach Schillers „Ritter Toggenburg" für den Grafen Fries in Wien (lithogr. v. Wieser); für den König lieferte er eine Reihe von Darstellungen schwäb. Trachten in aquarellierter Federzeichnung (auch veröffentl. unter dem Titel „Volkstrachten des Königreichs Württemb." mit 12 kolor. Stichen, Stuttgart 1824). Genannt seien noch 10 Wandbilder in der Orangerie des Schlosses zu Ansbach: „Turnier des Albr. Achilles 1485", „Einzug Ludwigs v. Bayern mit seiner Schwester Susanne, der Braut des Markgrafen Casimir 1518". Ferner lieferte er gemalte und gezeichnete Bildnisse und zahlreiche Vorlagen zu Kupfern für Taschenbücher: Cornelia, Schweizer-Alpenrosen, Rhein. Taschenbuch, Da-

mentaschenbuch, Neues Taschenbuch v. Nürnberg (1819/22), Taschenbuch von der Donau (1824), zu dem Gedichte von I. A. Koch, „Hermanns des frommen Schäfers Erscheinungen zu Frankenthal . . ." (Coburg, 1820, Stiche von M. Hartmann und G. Adam), auch für Einzelblätter: „Ansicht d. Wallfahrtskirche Vierzehnheiligen" (1819, gest. v. G. Adam) u. a. Bekannt ist sein Aquarell nach einer Skizze seines Vaters: „Schiller liest im Bopserwäldchen seinen Kameraden — darunter Kapf, Dannecker, Schlotterbeck, V. Heideloff — aus den Räubern vor" (Marbach, Schillerhaus). Radierungen zu Fouqués „Zauberring". — Als Konservator der Nürnberger Kunstdenkmäler hat H. eine reiche Tätigkeit entfaltet, von Wärme für die alte deutsche Kunst beseelt, unzweifelhaft vieles vor dem Untergang bewahrt und das allgemeine Interesse für das Alte geweckt. Daß er bei der „stilgerechten" Wiederherstellung der Bauwerke als Kind seiner Zeit (der schon die fehlenden technischen Vergleichsmittel [Photographie] ein tieferes Eindringen in das Wesen des gotischen und romanischen Stils versagten) später scharfe Kritik fand, ist erklärlich, doch wird noch heute manche dieser Arbeiten anerkannt (Restaurierung des Chors der Ritterkapelle zu Haßfurt, über der H. starb). Schwerer wiegt, daß H. bei dem Bestreben nach „Stilreinheit" nicht nur spätere bauliche Zutaten, besonders des Barock und Rokoko, entfernte, sondern auch rücksichtslos Altäre, Grabmäler usw. aus dieser Epoche beseitigte. Was er dafür im alten Stil Neues gab, war meist trocken und nüchtern und konnte den Zauber des allmählich Zusammengewachsenen nicht ersetzen. In Nürnberg restaurierte H.: Die Sebalduskirche, St. Lorenz, St. Aegidien, St. Jacob, Hl. Geistkirche, Frauenkirche, Dürerhaus und zahlreiche Privathäuser; ferner den Dom in Bamberg (1828—37 mit Gärtner), Hl. Kreuzkirche in Rottweil, Stiftskirche in Stuttgart, Klosterkirche in Heilsbronn, Kirchen in Schönaich, Mergelstetten, Heidenheim, Veste Coburg usw.

Aus seinem historischen Interesse heraus — er war auch Sammler —, zur Begründung seines eignen „gotischen" Stils und zu Muster und Lehre für andere hat er in zahlreichen Veröffentlichungen (meist mit vielen Taf. in Kupfer- oder Stahlstich, auch in Lithogr.) Beispiele alter Architektur, Bildhauerkunst und Ornamentik herausgegeben, z. B. „Nürnbergs Baudenkmäler der Vorzeit, oder Musterbuch der altdeutschen Baukunst", Nürnberg 1838—43; „Der christl. Altar archäol. und artistisch dargestellt", 1838 (mit G. Neumann); „Der kl. Altdeutsche (Gothe), oder Grundzüge des altdeutschen Baustils", 1849—52; „Die Ornamentik des Mittelalters", 1843—52; „Die Bauhütte des Mittelalters in Deutschland", 1844. Auch seine eigenen architekt. Entwürfe und Bauten hat H. in dieser Art vorgelegt: „Architektonische Entwürfe und ausgeführte Bauten in byzantin. und altdeutschem Stil", 1850, u. a. m. (das vollständigste Verzeichnis seiner Schriften im Univers. Cat. of Books on Art, South Kensington Mus., 1870, und Suppl. 1877). — „Die selbständigen Bauten, die H. aufführte, standen künstlerisch nicht über jenen Zwirners und anderer Gotiker: Ein paar Formen, viel Anstreben zum Himmel und wenig eigentliche künstlerische Zutat . . ." (Gurlitt). Der alte Stil wird doch mehr oder weniger nur dekorativ verwendet, ohne eigentliches Verständnis für das Funktionelle, die Formengebung im einzelnen ist leblos. Es seien genannt: Schloß Lichtenstein des Herzogs von Urach, 1839 ff.; Stadtpfarrkirche in Sonneberg, 1845; Aegidienkirche in Oschatz (nach dem Brande von 1842), 1846—49; Kirche in Schlieffenberg bei Güstrow, 1854—59; Kathol. Kirche an der Weststr. in Leipzig, 1856; Protest. Kirche in Ingolstadt, 1846, u. a. m. — Von H.s bildhauerischen Arbeiten wird das Denkmal des Fürstbischofs von Fechenbach († 1808; Bamberger Dom) gelobt (nach H.s Entwurf modell. und in Bronze geg. v. I. D. Burgschmiet); ferner das Denkmal des Dichters I. P. Uz in Ansbach (1835, Kolossalbüste), Grabmal des Generals Bystroem in Kissingen; anderes in Nürnberg: St. Sebald (Kruzifixus auf dem Hochaltar), St. Lorenz (Taufstein), St. Jacob (Hochaltar, mit Bronzereliefs von Burgschmiet) usw. Auch um das Jubiläumsdenkmal für Stuttgart hat H. 1841 konkurriert, sein Plan wurde als der beste anerkannt, aber der Kostspieligkeit wegen nicht ausgeführt (dagegen der Entwurf von Knapp, Jubiläumssäule, voll. 1846, Schloßplatz). Für die von ihm wiederhergestellten Kirchen hat H. zahlreiche Entwürfe für Bildhauerisches (Portale usw.), ebenso für Innenausstattung geliefert (auch Muster für Gebrauchsmöbel in seinem Werke: „Der Bau- und Möbelschreiner oder Ebenist", 1832—37); ferner Glasfensterentwürfe, so für die Chorfenster der Hl. Kreuzkirche in Rottweil (gemalt 1841 von Gebr. Kellner in Nürnberg). — H.s Vielseitigkeit wurde von den Zeitgenossen bewundert, er war als Dichter und Redner geschätzt, sehr musikalisch (befreundet mit Franz Liszt) und ist nicht nur durch seine künstler. Tätigkeit mit fast allen Zelebritäten der damaligen Zeit in Berührung gekommen. — Eine Anzahl Zeichnungen bewahrt die Nat.-Gal. in Berlin (Kat. 1902); im Germ. Mus. in Nürnberg (Kat. 1909) „Allegorie König Ludwigs I. von Bayern auf Nürnberg"; im Schloß Stolzenfels a. Rh. „Der Schwanenordensaltar der St. Gumpertskirche in Ansbach", Aquarell (Abb. Hohenzollernjahrb., 1898, Taf. gegen p. 84). — H.s Bildnis, gezeichnet von Vogel von Vogelstein, im Kupferstichkab. Dresden (Kat. 1911 p. 36).

Nagler, Kstlerlex., VI; Monogr., II u. III. — Kunstblatt, 1822; 25; 28; 30. — The Art-Union, 1845 p. 307 ff., Abb. — Renaissance, XI (Brüssel 1849) 4 f., 11, 18, Abb. — Rezensionen über Bild. Kst, 1865 p. 352, Nekrolog. — Vapereau, Dict. des Contempor., ² 1861. — Allg. Dtsche Biographie, XI (Wessely, ganz unzulänglich). — Neues Tagbl. Stuttgart, 2. 2. 1888 (Mitt. der Tochter H.s über das Todesdatum). — „Altmeister H. und seine Werke" in Allg. Kunstnachrichten, Beil. z. Keims Techn. Mitt. z. Malerei, 1886 No 22. — Oelenheinz, in „Denkmalpflege", XVIII (1916) No 16. — Pfeiffer, in „Herzog Carl Eugen u. s. Zeit", I (1907) 739. — Hensoldt, Die neue Stadtpfarrkirche in Sonneberg, 1845. — Bau- und Kunstdenkm.: Kgr. Sachsen, XXVIII; Thüringen: Sachsen-Coburg-Gotha, IV 507, 550, 598; Württemberg: Schwarzwaldkr., I; Mecklenburg-Schwerin, IV 306. — Hoffmann, Sebalduskirche in Nürnberg, 1912. — Leipzig u. s. Bauten, p. 361. — Müller, Museen u. Kstwerke Deutschlands, 1857, I u. II. — Kirchenbau des Protestantismus, 1893. — Leitschuh, Bamberg (Berühmte Kunstst. No 63), 1914. — Führer durch Ansbach, 1911. — Zeitschr. f. Bild. Kst, V (1870) 252; Kunstchronik, XVII (1882) 45. — Kugler, Kl. Schriften, II (1854). — Hagen, Deutsche Kst in unserm Jahrh., 1857, I/II. — D. Fr. Strauss, Ausgewählte Briefe, 1895 p. 155. — Sighart, Gesch. d. Bild. Kste in Bayern, 1862. — Gurlitt, Dtsche Kst d. 19. Jahrh., 1899. — Wintterlin, Württemb. Kstler, 1895. — Bach, Stuttgarter Kst, 1900. — Maillinger, Bilderchronik München, III (1876). — Bibliotheca Bavarica (Lagerkat. Lentner, München), 1911 No 5323, 5324, 9527, 10870, 10874, 12290, 12291. — Weigel's Kstcatal. Leipzig, 1838—66, V, Reg. — „Ex Libris", XXVIII (1918) 10 f. — Duplessis, Cat. Portr. Bibl. Nat. Paris, 1896 ff., II 8691; IV 16658/8; VI 27869/6. — 24. Rechenschaftsbericht, Schwäb. Schillerverein, 1919/20 p. 69, Abb: — Marble, Katharina Paulowna, p. 95 f. — Marbacher Schillerbuch, 1905 p. 213 (Abb.), 231 (Abb.), 232, 379. — Bayerland, XXXII (1921) 402 f. — Josephi, Kat. Germ. Nat. Mus. Nürnberg, 1910. — Kat. Hist. Ausst. Breslau, 1913.

Manfred, Maler u. Kupferstecher, geb. 1793 in Stuttgart, Lehrer an der polytechnischen Schule in Nürnberg, arbeitete mehrfach mit seinem Bruder Carl Alexander zusammen, z. B. als Dekorationsmaler bei der Wiederherstellung der Veste Coburg. H. lieferte zahlreiche Vorlagen für Kupferstiche, so „Ansichten von Stuttgart" (gest. von Nilson), zus. mit Carl Alexander „Der Hochaltar von Blaubeuern" (gest. von Fr. Wagner u. Ph. Walter), „Grundriß der Stadt (Nürnberg) und ihrer Umgebung" (um 1830), u. a. — H. gab heraus (mit J. Rossée) „Vorübungen zum Freihandzeichnen für Gewerbeschulen", Nürnberg, 1830.

Nagler, Kstlerlex., VI. — Kugler, Kl. Schriften, II (1857) 554. — Bach, Stuttgarter Kst, 1900. — Bibliotheca Bavarica (Lagerkat. Lentner, München), 1911 No 9264.

Alfred, Maler, geb. 13. 9. 1802 in Weimar, † in Paris 18. 9. 1826, arbeitete mit an der dekorativen Ausmalung des Hoftheaters, unternahm 1824 eine Reise nach Dresden, wurde 1826 vom Großherzog zu seiner Ausbildung nach Paris geschickt, dort Schüler von P. L.

Ch. Cicéri und des Architekten A. M. Chatillon. Man kennt auch Lithographien von H. (Ornament-Lithogr., Pokale). H.s künstler. Nachlaß in der Bibliothek zu Weimar.

Neuer Nekrolog d. Dtschen, IV (1826) 987 ff., mit Bildnis. — Anzeiger des Germ. Nat.-Mus. Nürnberg, 1913 p. 35. — H. W a h l , Briefwechsel Carl Augusts mit Goethe, III 239 f., 406.   *R.*

Heidemanns, H. P., Miniaturmaler aus Amsterdam. Tätig in London, wo er 1845, 47, 49 und 64 in der Royal Acad. Bildnisminiaturen (Baroneß Pfeil, Gem. des württemb. Gesandten im Haag; Lola Montez) u. a. ausstellte. 1848 in der Berl. Akad.-Ausst. mit einer Arbeit vertreten (Kat. p. 139). — Vermutlich identisch mit einem holl. Lithographen H. H e i d e m a n s (Heidemann), von dem man u. a. das 1835 dat. Bildnis eines Utrechter Professors kennt.

G r a v e s , Royal Acad., IV (1906). — v. S o - m e r e n , Catal. van Portr. etc., 1891 Reg. III 766.

Heiden, C h r i s t i a n , Uhrmacher in Nürnberg. Arbeiten: Horizontale Sonnen- und Nachtuhr Melanchthons 1553, Globusuhr 1560 (Dresden, Mathem. Salon); Horizontaluhr, 1565 für die Landgräfin Hedwig von Hessen-Marburg gefertigt (Cassel, Fridericianum, Führer o. J. [1913] p. 10).

W. v. S e i d l i t z , Die Kst in Dresden, II (1921) 284 f.

Heiden (Heyde), M a r c u s , Elfenbeinschnitzer und Kunstdrechsler, geb. in Koburg, tätig besonders während der 1630er und 40er Jahre in Eisenach und Weimar, wohin ihn 1638 Herzog Wilhelm IV. († 1662), ein großer Verehrer der Drechslerkunst, berufen hatte. — H.s meist in fürstl. Auftrag angefertigte und häufig datierte Werke, wie passicht gedrehte Pokale, Vasen, Becher, Aufsätze usw., befinden sich im Nationalmus. zu Florenz (hier sein frühstes, 1625 dat.), im Wiener Staatsmus., im Mus. und in der Bibliothek zu Weimar u. im Schloßmus. zu Berlin. Sie sind meist geistreich ersonnen, mit höchster Virtuosität ausgeführt, wobei der Künstler sich freilich öfters noch in allerlei Spielereien und einer allzu offenkundigen Zurschaustellung seiner Geschicklichkeit gefällt, und erinnern oft an die Arbeiten Zicks; doch enthalten sie so viel Persönliches, daß man H. nicht ohne weiteres als dessen bloßen Nachahmer bezeichnen kann.

L a b a r t e , Hist. des arts industr., 1864, I 261. — I l g , Führer durch d. Samml. der kunstindustr. Gegenst., Wien, 1891 p. 183, 185 f. — P. L e h f e l d , Bau- u. Kstdenkm. Thüringens, Sachs.-Weimar-Eisenach, I (1893) 323, 391, 404. — S c h e r e r , Elfenbeinplastik seit d. Renaiss. (Monogr. d. Kstgew. VIII).   *Chr. Scherer.*

Heiden, siehe auch *Heyden.*

Heidenreich, D a v i d , Maler in Breslau, † 29. 9. 1633, 60 Jahre alt; 1601 Meister. Arbeitete 1611 unter Georg Hayer an der Bemalung des Triumphbogens für König Matthias. War 1617 bei der Herstellung der Ehrenpforte für Ferdinand II. Prinzipalmaler und zeichnete auch mit Andreas Hempel die perspektivische Ansicht desselben (Original im Kunstgewerbemus. Breslau), die in Prag gestochen wurde. War auch 1620 bei Ausführung der Ehrenpforte für den Winterkönig einer der ersten Maler.

A. S c h u l t z , Unters. z. Gesch. der schles. Maler, 1882.

Heidenreich (Haidenreich, Haydenreich, Heydenreich), E r h a r d , Baumeister und Bildhauer, geb. zu Kulmbach, Amberg oder Eichstätt, † 1524 zu Regensburg. Vater des Ulrich. Sein Steinmetzinsiegel: ⚒ Unter Roritzer als Geselle am Dombau zu Regensburg tätig, 1496 Bürger zu Regensburg, 1514—1524 Dombaumeister daselbst. Die 6 Fenster des Domkreuzganges zu R., das früheste Auftreten dekorativer Renaissance in R., werden ihm zugeschrieben. 1519 in lebhaftem Zwist mit dem Baumeister der Kirche „Zur schönen Maria" in R., Hans Hieber v. Augsburg. Auch als Bildhauer war H. tätig. Vor der an Stelle der bei der Regensburger Judenverfolgung 1519 niedergerissenen Synagoge erbauten Kapelle stand ein Gnadenbild der Maria von seiner Hand: „Die schöne Maria von Regensburg" (1544 aus der den Protestanten angewiesenen Kirche entfernt). Inwieweit Altdorfer in den verschiedenen Darstell. der schönen Maria von Regensburg (Holzschnitte z. B. B 51) sich an H.s Skulptur anlehnt, kann heute nicht mehr festgestellt werden. — Tätig außerdem in Eichstätt, Amberg (Turm der Martinskirche) und in Ingolstadt: 1509—1524 Baumeister an der Pfarrkirche zu U. L. Schönen Frau. Die ursprünglich nicht geplanten Seitenkapellen des Langhauses sind sein Werk. Ob ihm oder seinem Sohne Ulrich (s. d.) der Hauptanteil an den kunstvollen Gewölben gebührt, ist unbestimmt.

S i g h a r t , Gesch. der bild. Künste in Bayern, 1862 p. 445 f., 476. — B. R i e h l , Bayerns Donautal, 1912. — Kunstdenkm. Bayerns, I (1895) 16, 24. — Jahrb. der preuß. Kunstsamml., VII 154 ff. — N i e d e r m a y e r , Kstler u. Kstwerke in Regensburg, 1857. — v. W a l d e r d o r f f , Regensburg, 1896. — H. H i l d e b r a n d t , Regensburg (Ber. Kststätten Bd 52), Lpzg 1910. — Verhandl. des hist. Vereins v. Oberpfalz und Regensburg, XVI (1855) 258 ff.; XXVIII (1872) 151, 194.
Hans Kiener.

Heidenreich, G u s t a v , Historien- u. Genremaler, geb. in Berlin 27. 2. 1819, † daselbst 9. 11. 1855. Schüler von A. F. König in Breslau und K. W. Wach in Berlin. Sein Hauptwerk sind die stereochromen Fresken im Saal der nordischen Altertümer des Neuen Museums zu Berlin, deren treffliche Erfindung und gediegene Technik gerühmt wurden: Hertha, Odin, Kampf der Riesen, Spielende Wassernixen, die Nornen. Als seine letzte Arbeit malte er im Saal der griechischen Altertümer einen Fries mit Darstell. der Hauptmomente der Entwicklung Griechenlands. Mit

H. Th. Schultz und Th. Eich war H. auch an der Ausführung der Fresken in der Vorhalle des Alten Mus. beteiligt. Im Herbst 1853 suchte er in Rom Heilung von einem Lungenleiden und kehrte im Juli 1854 nach Berlin zurück. Das Breslauer Mus. besitzt H.s Bild „Affenkomödie": Rügener Fischerfamilien sehen am Strande dem Seiltanz eines Affen zu.

Allg. Dtsche Biogr., XI 302. — A. Rosenberg, Berliner Malerschule, 1879. — Dtsches Kstblatt, III (1852) 108; VII (1856) 21 (Nekrol.). — F. v. Bötticher, Malerwerke des 19. Jahrh., I 2 (1895). — Kat. Akad.-Ausst. Berlin, 1842 p. 23; 1848 p. 26. — Preuß. Paßregister Rom. — Arch. des Dtsch. Künstler-Ver. Rom. — Giornale di Roma, 1854 Nr 124, 143. — Notiz Fr. Noack.

Heidenreich, J. D., Zeichner u. Kupferstecher, 1791—93 Schüler der Berliner Akad. Stellte eine Tuschzeichn. (Apollo und Marsyas, Kopie nach einem Stich von Zucchi) und ein Familienstück (Zeichn.) aus. Stiche: Bildnis Prof. Ch. C. L. Hirschfeldt in Kiel, Brustbild oval, 1792; Geschichtsschreiber J. F. Le Bret (1792).

Kat. Akad.-Ausst. Berlin, 1791 p. 50; 1793 p. 30. — Strunk, Cat. over Portr. af Danske etc., 1865 Nr 1156. — Cat. Portr. etc. Bibl. Nat. Paris, 1896 ff. V 26446₂.

Heidenreich (Haidenreich, Haydenreich, Heydenreich), Ulrich, Baumeister von Regensburg, Sohn des Erhard, nach dessen Tode 1524—36 Baumeister an der Pfarrkirche zu Unserer Lieben Schönen Frau zu Ingolstadt, nach 1524 Dombaumeister am Dom zu Regensburg. Von ihm (oder Erhard H.?, s. d.) sind die äußerst kunstvollen Gewölbe in den Seitenkapellen der Pfarrkirche zu U. L. Frau in Ingolstadt: Tonnengewölbe mit Stichkappen, denen zwei zum Teil ganz frei herausgearbeitete Rippensysteme untergelegt sind. Wahre Prunkstücke der letzten Spätgotik. In den westl. Kapellen der Südseite treten Renaissanceformen auf, welche an die Fenster des Domkreuzganges in Regensburg erinnern.

Sighart, Gesch. der bild. Künste in Bayern, 1862 p. 446. — B. Riehl, Bayerns Donautal, 1912. *H. Kiener.*

Heidenreich, siehe auch *Heydenreich.*

Heidepriem, Johannes (Hans), Bildhauer in Charlottenburg. 1922 nicht mehr am Leben. Schüler von Albert Wolff in Berlin. Stellte zuerst 1881 in der Akad. aus und unternahm Studienreisen nach Rom (1882/3, 1890) und Paris (1887/8). Seine Arbeiten zeichnen sich aus durch frischen Naturalismus und gute Beobachtung. Genannt seien: Jagdgruppe; Halali; Jäger auf dem Anstand; Neapol. Fischerknabe; Büste eines jungen Campagnolen; Ganymed.

Kstchronik, XVII (1882) 308. — Kat. Akad.-Ausst. Berlin, 1881 p. 177; 1883 p. 146; 1884 p. 166; 1886 p. 127; 1888 p. 223 (Abb.), 224; 1892 p. 106; Intern. Kstausst. ebda 1891; Gr. Kstausst. ebda 1910 p. 68. — Cat. Salon Soc. Art. frç. Paris 1887, 1888, m. Abb. — Arch. des dtsch. Kstlerver. Rom. — Notiz Fr. Noack.

Heider, Christoph, Glockengießer in Hildburghausen. Glocken in Christes, Kreis Schleusingen (1561, zus. mit Paul Heider) und in Gereuth, Unterfranken (1575).

Bau- u. Kstdenkm. Prov. Sachsen, XXII (1901) 136. — Kstdenkm. Kgr. Bayern, III 15 (1916) 101. — Archiv für christl. Kst, VI (1888) 5.

Heider, Fritz von, Tiermaler, Keramiker und Graphiker, geb. in München 3. 9. 1868; Sohn des Maximilian, Schüler von Heinz Heim in München und der Akad. Karlsruhe (H. Baisch) und München (H. Zügel). Empfing seine keramische Ausbildung in der Werkstatt seines Vaters und stellte zuerst 1893 in der Münchner Sezession 2 Landschaften in Öl und 1897 bei der keramischen Gruppe im Glaspalast aus. Tätig als Lehrer an der Kstgew.-Schule in Magdeburg. Beschickt Ausstell. in Berlin, Wien, Dresden, Paris, Turin, St. Louis und Brüssel. Arbeiten: Entwürfe für Wandfliesen mit kräftig modellierten Tierfig. (Panther, Antilope, Fuchs, Hermelin, Schwan) in Graublau oder Weiß auf rötlichem Grund mit lichtgrünen Flecken; für fabrikmäßige Herstellung von Ziergefäßen mit geflossenen Glasuren usw.; Wandbrunnen, Kamine; Türverkleidungen und Uhrumrahmungen. Pferde, Ziegen, Kaninchen in kräftiger Pastelltechnik.

Jansa, Dtsche bild. Kstler, 1912. — Dressler, Ksthandb. 1921 II. — Dtsche Kst u. Dekoration, X (1902); XIV (1904); XX (1907). — Die Kst, VII (1903). — Kstgewerbeblatt, N. F. XVIII (1907) 69, 71, 80 f.; XXI (1910) 183. — Kat. Sez.-Ausst. München, 1893; Glaspalast 1897 p. 208; Gr. Kstausst. Berlin, 1895 p. 37; 1907; Kstlerkolonie Darmstadt, 1916 p. 60, 65. — Magdeb. Zeitg, 1909 Nr 574 (11. 11.).

Heider, Hans, Bildhauer um 1400, soll laut Sighart, der leider seine Quelle nicht nennt, für das Hochgrab des Pfalzgrafen Aribo in der Klosterkirche zu Seeon (Oberbayern) 110 Pfund Pfennig Bezahlung erhalten haben. Forschungen nach Bestätigung dieser Angabe waren bisher ohne Erfolg. Bildhauer u. Bildschnitzer des Namens Haider, Hayden, Halder, Halden kommen im 15. Jahrh. in Süddeutschland häufig vor; sie gehören vielleicht (unter Annahme falscher Lesarten) einer einzigen, weitverzweigten Steinmetzenfamilie an. Das Grabmal, laut Inschrift von Abt Simon Farcher gestiftet u. 1395—1400 geschaffen, zeigt auf der Deckplatte die monumentale Figur Aribos, des Stifters des Klosters, an der Schräge der Deckplatte 6 Prophetenfigürchen, an den Seiten der Tumba Wappen (z. T. von Engelhalbfig. gehalten), in der Mitte der einen Längsseite die Figur Farchers. „Ein an der Schwelle zweier Jahrhunderte errichteter Markstein, überragt es alles Gleichzeitige an Kraft u. Größe, an Reichtum u. Eleganz." Nach stilistischen u. technischen Besonderheiten weist Halm der gleichen Hand die heraldischen Grabsteine des Erasmus von Laiming im Kreuzgang des Klosters Seeon (um 1406) u. des Thomas von Trenbeck in der Vorhalle der Pfarrkirche zu Haslach (um 1410) zu, ferner den Grabstein des Abtes Simon Farcher, mit der Figur des Abtes unter reichem Kielbogen, in der Klosterkirche zu Seeon (um 1411) u. den heraldischen Grabstein des Oswald von Törring im Kapitelsaal des Klosters Baumburg (um 1418—29). Die Werkstätte H.s scheint sich nicht im Chiemgau, wo seine Werke uns begegnen, befunden zu haben, sondern in Salzburg. Darauf deutet der von Halm nachgewiesene Einfluß seiner Kunst auf die Salzburger Sepulkralplastik (Grabplatte des Hl. Vitalis in St. Peter in Salzburg, des Georg von Fraunberg in Kloster Gars, des Herzogs Albrecht II. in der Karmeliterkirche zu Straubing). Die künstlerische Herkunft H.s erkennt Halm in Brixen, wo die Vorhalle des Doms u. der Kreuzgang unmittelbare Vorläufer der H.schen Kunst bergen. Daß H. zeitweilig auch später wieder dort arbeitet habe, läßt der Grabstein des Bischofs Ulrich von Wien († 1417) in Brixen, der wie eine letzte Stufe in der Entwicklung H.s erscheint, vermuten.

J. S i g h a r t , Gesch d. bild. Kste in Bayern, 1862 p. 498. — P h. M. H a l m , H. H. u. die Salzburger Marmorplastik, in Kst u. Ksthandwerk, XVI (1913), mit Abb. u. ausführl. Liter.; vgl. ebendort, XVII (1914) 297 f. — Festschr. d. Münchner Altert.-Ver., 1914 p. 22, 38, 42.

Heider, H a n s , Landschafts-, Bildnis- und Stillebenmaler, geb. in München 6. 9. 1861. Mit 38 Jahren Schüler der Akad. Tätig in München (Mitglied der „Luitpold-Gruppe"). Seit 1907 auf Ausstell. in München (Glaspalast, Kunstverein), Berlin, Düsseldorf, Pittsburgh, Rom u. Venedig vertreten. Etwas wahllos in seinen Motiven aus der Vorstadt, dem Hochgebirge und dem Hügelland, zeigt er in seinen virtuos nach der Natur gemalten Landschaften ein feines Verständnis für atmosphärische Stimmungen. Die Darstellung ist verschiedenartig, zuweilen etwas unruhig in Komposition und malerischer Behandlung, aber immer ehrlich, kraftvoll, eindringlich und ausgeglichen im Ton. Arbeiten in der Berliner Nat.-Gal. („Bahnhof Dachau") und im Städt. Mus. Hannover („Am Falzwegepaß").

D r e s s l e r , Ksthandb. 1921 II. — Dtsche Kst u. Dekoration, XXVIII (1911). — Kollektion .. Heider. Leipzig Ksthalle P. H. Beyer u. Sohn (ill. Ausst.-Kat. o. J. [1912]). — Gem.-Ausst. Hans Heider. Brakls Kstsalon München, o. J. — Abb.: Die Kst, XXV (1907); XXVII (1913). — Die christl. Kst, VI (1909—10) 60 f.; VII (1910 bis 11) 116 f.; IX (1912—3) 47; X (1913—4) 96. — Jahrb. der Münchner Kst, I (1917—8). — Kat. Gr. Kstausst. Berlin, 1909; Düsseldorf, 1911 p. 41, 98; Glaspalast München 1907/9, 1911 f., 1916 f., z. T. m. Abb. — Cat. Exhib. Carnegie Inst. Pittsburgh, 1910, 1912. — Cat. Iª Espos. internaz. Secess., Rom 1913 p. 63; 1914; Espos. internaz. d'arte, Venedig 1914. — Jahrb. der Bilder- u. Kstblätterpreise, 1911 ff., II—V/VI.

Heider, H a n s v o n , Landschafts- u. Still-lebenmaler, Keramiker und Graphiker, geb. in München 7. 1. 1867; Sohn des Maximilian. Schüler von Heinz Heim und G. Hackl an der Akad. Tätig in der Werkstatt seines Vaters (s. d.), 1901—5. Lehrer an der Kunstgewerbeschule in Magdeburg; folgte 1905 einem Rufe als Lehrer und Werkstattleiter an der Kunstgewerbeschule in Stuttgart. Malte zuerst dekorative Landschaften (Schweiz, Tirol, Schwäbische Alb), die wegen ihrer skizzenhaft frischen Auffassung Beifall fanden, und ging dann definitiv zur Keramik über. Seit 1909 war er wieder auf zahlreichen deutschen Ausstell. mit Landschaften und Blumenstücken in Öl, Aquarell und Guasch vertreten. Seine keramischen Arbeiten sind in ernsten, kühlen Farben und schlichten Formen gehalten. Arbeiten: Kirchhofsanlage mit Familiengrab in Holzheim in der schwäb. Alb; 2 Elblandschaften im Mus. Magdeburg; Buddhistisches Märchen; Frühling (Lithogr.). Steinzeichn. in Mappen: Die Offensive in Polen, 1915; Die Kampfstätten des XIII. Armeekorps (Stuttgart, Verlag Mathaes).

J a n s a , Dtsche bild. Kstler, 1912. — D r e s s l e r , Ksthandb., 1921 II. — J. B a u m , Stuttg. Kst, 1913. — Kstgewerbebl., N. F. XXI (1910) 166 f., 169. — Kst f. Alle, XII (1895) 266 (Abb.). — Kat. Gr. Kstausst. Berlin 1914 p. 41 (2×); Darmstadt (Dtscher Kstlerbd 1910) Kstausst. 1911; Kstlerkol. 1914 p. 59 f., 65, 75 f.; Ausst. dtsche Kst 1918 p. 22); Aquarell-Ausst. Dresden 1911 Nr 156, 762; Köln, 1897 p. 71, 208; 1907 Nr 418; Dtscher Kstlerbd Mannheim 1913 p. 15; Sezess. München 1893, 1895, 1896, m. Abb.

Heider, M a x i m i l i a n v o n , Chemiker und Keramiker, geb. in München 14. 10. 1839. Vater von Fritz, Hans und Rudolf v. H. Studierte in München, Stuttgart und Köln und begründete in Schongau am Lech eine keramische Werkstatt, in der auch seine Söhne tätig waren. 1907 Lehrer an der Kunstgewerbeschule in Magdeburg. Die Firma *Max v. Heider & Söhne* lieferte Steingutgefäße mit Lüsterglasuren und gemaltem Dekor oder geflossenen Glasuren und Reliefdekor (Vogelköpfe, Masken), Kleingerät in Frittensteinzeug, Fayencefliesen mit Tierfig., Wandbrunnen und Kamine. Der Hauptreiz dieser Arbeiten besteht in der originellen, wuchtigen Formgebung und den feinen koloristischen Wirkungen, die dem Material und der Technik abgewonnen werden. H. erhielt Auszeichnungen auf Ausstell. in Paris (1900), Dresden (1901), Turin (1902), St. Louis (1904) usw.

J a n s a , Dtsche bild. Kstler, 1912. — D r e s s l e r , Ksthandb., 1921 II. — R. B o r r m a n n , Mod. Keramik (Monogr. des Kstgew. V), o. J. — Dtsche Kst u. Dekoration, I (1897—8); III (1898 bis 99); V (1899—1900) cf. Text p. 198 f.; VI (1900). — Kst u. Handwerk, XLVII (1897—8) 129 f. — Kstgewerbebl., N. F. XIII (1904) 95 f.; XXI (1910) 182. — Kat. Gr. Kstausst. Berlin, 1899 p. 108; 1900 p. 112; Dtsche Kstausst. Dresden, 1899 p. 107; Glaspalast-Ausst. München, 1899 p. 173.

Heider, Rudolf von, Bildhauer u. Keramiker, geb. in München 30. 7. 1870; Sohn des Maximilian. Schüler von Fehr in München. Als Keramiker Autodidakt. Tätig in Schongau; 1903 an die Kunstgewerbeschule in Elberfeld berufen. Von ihm eine Porträtbüste (Bronze) im Rathaussaal zu Elberfeld.

Jansa, Dtsche bild. Kstler, 1912. — Dressler, Ksthandb., 1921 II. — Dekor. Kst, II (1898) 177 (Abb.). — Kat. Gr. Kstausst. Berlin, 1906 p. 196; Internat. Kstausst. Dresden, 1901 p. 134; Dtschnat. Kstausst. Düsseldorf, 1902 p. 128; Sezess. München, 1893.

Heider, siehe auch *Haider.*

Heidland, B., Maler, tätig um 1850; ein bez. Bild (Schweizer Landschaft) im Städt. Hist. Mus. zu Frankfurt a. M. Ein Bild „Mädchen am Brunnen" von H. wurde am 21. 9. 1915 bei Lepke versteigert (Katal. No 13).

Jahrb. d. Bilder- etc. Preise, V/VI (Wien 1919).

Heidler, Andreas, Maler in Ravensburg (Schwaben) 1545. Probst schrieb ihm ein mit Monogramm A H versehenes Holzrelief (Geburt Christi) zu, das sich jetzt in der Kapelle zu Rißegg (Oberamt Biberach) befindet und angeblich zu 4 an den Außenflügeln des Hochaltars zu Mettenberg befindlichen Passionsreliefs gehörte. Letztere sollen nach Probst aus dem Kloster in Heggbach herrühren.

Hafner, Württ. Vierteljahrshefte, 1889 p. 121. — Probst, Archiv f. christl. Kst, IX (1891) 65 f., m. Abb. cf. 56 ff. — Kst- u. Altertumsdenkm. Württ. Donaukr., I (1914).

Heidner, Heinrich, Maler in Gstadt a. Chiemsee, geb. 1876 zu Nürnberg, Schüler von Wilh. Diez in München. Strebt, impressionist. Schulung mit groß-dekorativem Sehen und stark expressionist. Gestaltung seelischer Erlebnisse zu verbinden. Stellte wiederholt in München (Glaspalast 1904, 1907 Bildnis des Malers Hans Best u. Biedermeierin, 1909, 1911 Selbstbildnis, 1913 Weide am Chiemsee [Aquarell]; Sezession 1912; bei Caspari), Düsseldorf (1907), Dresden (Gr. Aquarellausst. 1911) u. Berlin (Gr. K.-A. 1907, 08, 10, 11) aus. Aus der Bilderfolge „Aus den Vogesenkämpfen" sind im Besitz der N. Pinak. München „Oktoberkämpfe 1915" und „Nach den Kämpfen am B-Kopf", im Kaiser-Friedrich-Mus. Magdeburg „Aus den Sturmtagen an der Maas", in der städt. Gemäldesamml. Nürnberg: „Sieg". Noch stärker expressionistisch als diese Kriegsbilder sind die 1920 bei Caspari (München) ausgestellten religiösen Gemälde: „Isaaks Opferung", „Am Ölberg", „Sonnenanbeter", „Beweinung Christi", „Ende", „Maria, Maria Magdalena u. Johannes", „Und es ward Licht", „Philosoph", „Anbetung".

Kstchronik, N. F. XXVII 444; XXXI 539. — F. Stahl, Der Krieg in der Kunst. Zu der Bilderfolge „Aus den Vogesenkämpfen" v. H. H., in: Velhagen und Klasings Monatshefte 31. Jg. 3. Bd (1916/17) p. 322 ff., m. Abb. — Heinr. H. Ausstell. in der Gal. Caspari. Bayr. Staatszeitg 1920 Nr 23. — Feuer, III 248 (Abb.), 261. *H. Kiener.*

Heidrich, Johann, österr. Architekt, seit 1847 tätig am Bau des fürstl. Liechtenstein'schen Schlosses Eisgrub unter G. Wingelmüller, nach dessen Tode 1848/58 als Bauleiter; arbeitete in der Hauptsache nach den Plänen Wingelmüllers, nur das Innere der Schloßkirche führte er selbständig aus.

Prokop, Markgrafsch. Mähren etc., 1904 IV p. 1349, 1374, 1380 f.

Heidrich, Max, Innenarchitekt in Paderborn, geb. in Mitteloderwitz am 25. 10. 1876, erlernte zuerst das Tischlerhandwerk, dann Besuch der Gewerbeschule zu Dresden. Wanderjahre: Deutschland, Österreich, Schweiz, Italien. Anschließend Besuch der Kstgewerbesch. zu Bern. Arbeitsjahre: München, Dresden, Berlin, Bern, Stuttgart; seit 1905 künstlerischer Leiter der Werkstätten Bernard Stadler in Paderborn. Seine im Stil meist sehr schlichten Möbel zeichnen sich durch Sachlichkeit der Form, technische Solidität und materialgerechte Behandlung aus und repräsentieren in ihrem harmonischen farbigen Zusammenklang mit der künstler. Gesamtkomposition der Räume eine feine großstädtische, komfortable und doch echt bürgerliche Wohnkultur von ebenso eleganter wie intimer Wirkung.

Die Kunst, XXVI (1911/12) 281/96 (Ernst Schur); XXVIII (1912/13) 545/58 (O. Pelka); XLII (1920) 137/52 (W. Sörrensen). — Deutsche Kst u. Dekoration, XXXI (1912/13) 483—506 (Rob. Breuer). — Innendekoration, XXV 234 ff.

Heidtmann, Jürgen, siehe *Heitmann,* J.

Heidtmann, Tönnies, Bildschnitzer in Itzehoe (Schleswig-Holst.), schnitzte 1656 den mit Reliefs gezierten Altar in der Kirche zu Neuendorf.

Bau- u. Kstdenkm. Prov. Schlesw.-Holst., III (1889) 12, 510. — R. Wiebalck, Jürgen Heitmann d. Ält. u. d. Jüng. usw. in Nordelbingen, Beiträge zur Heimatforschung in Schleswig-Holst., Hamburg u. Lübeck, I (1923) 37.

Heidtrider (Heitrider, Heitridder, Heidtreiter), Henni (Henning), norddeutscher Bildhauer, tätig in Kiel (1611—16), Hamburg (1618—26, 1638—40) und Lübeck (1626). Im Winter 1612/13 hatte er eine Werkstatt im Kieler Schloß, wo er für den Herzog Sandstein- und Alabasterarbeiten, darunter einen großen Löwen, anfertigte und (28. 9. 1612 bis 2. 5. 1613) mit 3 Gesellen an den Kaminen, „so nach Husum gekommen", arbeitete. In der Husumer Amtsrechnung von 1614 heißt es, daß H. für einen neuen Kamin im Prinzenzimmer des Schlosses, für den die Steine aus Kiel kamen, 100 Reichstaler bekommen habe, und 1615, daß er zwei Alabaster-Schornsteine staffiert habe. Am 28. 4. 1620 erwarb er das Hamburger Bürgerrecht, ist aber schon vorher dort ansässig und läßt 29. 11. 1618 in der Nikolaikirche einen Sohn, Henning, sowie 7. 1. 1621 bzw. 10. 10. 1622 in St. Petri 2 Töchter taufen. Ein ihm 1620 zugeschriebenes Grundstück, in das gleichzeitig und 1623 Renten eingetragen werden, läßt er 1626 durch einen Verwandten an einen Dritten veräußern. Im Auftrag des Rats errichtete er 1622—24 für 4500 lübsche Mark das stattliche Dammtor mit Steinbrücke (im 19. Jahrh. abgerissen; Risse im Staatsarchiv und im Verein für hamburg. Geschichte). Von Hamburg scheint H. dann nach Lübeck gegangen zu sein, wo er 18. 4. 1626 das Bürgerrecht erwirbt. In den Gottorffer Rentekammerbüchern ist bis 1627 von einer 1613 an H. geliehenen Summe von 200 Reichstalern die Rede, mit deren Abtragung dieser im Rückstande war. Für die nächsten 7 oder 8 Jahre fehlen alle Nachrichten über ihn; 1634 liefert er einen nicht mehr vorhandenen Schnitzaltar für die Kirche in Oldesloe. Zuletzt finden wir ihn wieder in Hamburg, wo er 1638—40 für die Katharinenkirche ebenfalls nicht mehr vorhandene Alabasterbilder anfertigte. Das häufige Vorkommen des Familiennamens in Hamburger Urkunden (Älterleute des Tischleramts) macht H.s Herkunft aus Hamburg wahrscheinlich. — Von den in den Urkunden erwähnten Arbeiten haben sich nur 6 Kamine im Husumer Schloß, 2 einfacher ausgestattete im Erdgeschoß, 4 sehr reich in Sandstein und Alabaster gearbeitete im Obergeschoß erhalten, deren Freifiguren und Reliefs zum Schönsten gehören, was die Hochrenaissance in Norddeutschland hervorgebracht hat. Das bemalte Hauptrelief im Kreissaal zeigt die prachtvolle schwebende Gestalt der Fortuna, wie sie ihre Gaben an die Menschen austeilt — eine meisterlich abgewogene Komposition; darüber in einer später hinzugefügten barocken Bekrönung das Relief des Stifters, Herzogs Johann Adolf. (Viele einzelne Bauteile, Figuren usw. fehlen.) Noch reicher und feiner ist die Ausstattung des leider schwer beschädigten zweiten Hauptkamins im sogen. Turnsaal, dessen Flachrelief in einer großartigen Komposition mit 40 Figuren den Kampf des Lebens mit dem Tode zeigt. Unter den Konsolen, die einen mächtigen Sims tragen, standen die Figuren von Mars und Venus, von denen die prachtvoll bewegte Figur der Venus noch erhalten ist. Der obere Aufbau wurde später durch eine Barockkartusche ergänzt, die das ursprüngliche ovale Wappenrelief enthält. Ein kleinerer Kamin in einem Nebenraum ist mit Darstell. aus der antiken Mythologie geschmückt. „Der Reichtum des Ornaments, der Behandlung des Figürlichen, wie der tiefe Gefühls- und Gedankeninhalt wird von keinem andern Renaissancekünstler der nordelbischen Lande erreicht" (Brandt).

J. Biernatzki im Jahrb. für die Kreise Husum und Eiderstedt, 1891 p. 105 ff. („Das Husumer Schloß und seine Kunstschätze"); d e r s. in Mitteil. der Gesellsch. für Kieler Stadtgesch., XXII, 1906 („Kieler Schloßrechnungen"), in Hamburger Nachrichten 1917 Nr 254 v. 20. 5., im

Schleswig-Holst. Kstkalender, 1917 p. 44 ff. (gute Abbildgn) und in Festgabe .. Rich. Haupt, 1922 p. 197 ff. („H. H.s Altarwerk für Oldesloe"). — H a r r y   S c h m i d t, Gottorffer Kstler, I; in Quellen u. Forsch. der Gesellsch. für Schlesw.-Holst. Gesch., IV (1916) 218 ff. — Ztschr. für lübeck. Gesch., XIX (1918) 274 f. — G. B r a n d t in „Unsere meerumschlung. Nordmark", II (1918) 204 f. — D e h i o, Handb. d. dtsch. Kstdenkm., II [2] (1922); cf. Bau- u. Kstdenkm. der Prov. Schlesw.-Holst., I (1887) 464 ff. (2 Tafeln, 4 Textabb.). *R.*

Heiduck, M a r t i n, Büchsenmacher u. Graveur, Ende 17. Jahrh., in Dresden. Gewehre mit schönen Gravierungen in der Gewehr-Gal. Dresden u. gelegentlich auf Auktionen. — Sein Sohn (?) C h r i s t i a n, Büchsenschäfter, † um 1750 in Dresden.

Führer d. d. K. Gewehr-Gal. Dresden, 1900 p. 101. — Aukt.-Kat. S. v. K. Augsburg, 1869 No 185. — Aukt.-Kat. Lepke-Berlin 1284 No 336. *St.*

Heier (Hoeur), J o h a n n, Landschaftsmaler, geb. spätestens Anf. 18. Jahrh., da Bilder von ihm bereits vor 1737 in Salzdahlum vorhanden. Von den 4 kleinen Landschaften in Salzdahlum nur eine im Landesmus. (Nr 638) zu Braunschweig.

A. F. H a r m s' hdschrftl. „Designatio" der Gemälde in Salzdahlum von 1744. — [E b e r l e i n], Catal. d. Tabl. de la Gal. duc. à Salsthalen, 1776; danach F ü ß l i u. N a g l e r, Künstlerlex. — R i e g e l, Verz. der Gem.-Slg Braunschw. 1900 p. Fl e c h s i g, Verz. etc. 1922. — Kat. Jahrh. Ausst. deutsch. Kst Darmstadt 1914, p. XXI u. 526. *P. J. Meier.*

Heifelder (Heufelder), bayrische Harnischmacher-Familie: G e o r g (1545—1555 in Nürnberg), H a n s (1553—1555 in Augsburg) und W o l f (1553—1557 in Nürnberg und Augsburg), Brüder, sowie J a k o b (1565 bis 1572 in Nürnberg), lieferten in diesen Jahren Rüstungen, Hakenbüchsen und andere Waffen an die Zeughäuser Wien, München, Graz, Dresden, Magdeburg. Georg wird auch als Waffenkünstler und Handbüchsenschmied bezeichnet.

Jahrb. d. Kunstslgn d. allerh. Kaiserh., V 4390; VII 4860, 4882, 4885, 4906. — H a m p e, Nürnb. Ratsverlässe (Quellenschr. N. F. XI/XII), I 2890, 3590, 3591. — Zahns Jahrb., I 256. — E s s e n w e i n, Quellen z. Gesch. d. Feuerw., Lpzg 1872/77 p. 78. — Büchsenmacher-Akten, Stadt-Archiv Augsburg. *Stöcklein.*

Heigel, F., Architekt, Mitte 18. Jahrh. Signierte einen Plan für das Amtshaus zu Habitzheim (Fürstl. Löwensteinische Hofbibl. zu Kleinheubach).

Kstdenkm. Bayern, III 18 (1917) 156 Anm. 1.

Heigel, F r a n z   N a p o l e o n, Miniatur- und Aquarellmaler, geb. 15. 5. 1813 in Paris, † 22. 6. 1888 in München; Sohn des Joseph. Studierte 1827/28 an der Münchner Akad. und wandte sich dann nach Paris, wo er Schüler von J. Guérin wurde, dessen elegante Manier er geschickt nachahmte. War vorübergehend in Beaujolais bei Lyon tätig und erhielt auf einer Ausst. in Rouen eine Große silb. Medaille. Stellte 1833 im Pariser Salon Miniaturen, darunter ein Aquarellbildnis der Schauspielerin Schröder-Devrient, aus. Ende 1835 kam er nach München, wo er von Ludwig I., der ihn zum Zeichenlehrer der kgl. Prinzessinnen ernannte, bedeutende Aufträge erhielt. Er malte nicht nur sämtliche Mitglieder des kgl. Hauses, sondern auch viele Koryphäen der Schönheit, Kunst und Wissenschaft. Unternahm 1838 Studienreisen nach Frankreich, Belgien und Italien und 1846 mit seinem Gönner, dem russischen Obersten Barischnikow, eine Reise nach Oberitalien, Florenz, Rom und Neapel, um sich dann dauernd in München seßhaft zu machen. Das Selbstbildnis des 17jährigen (Bes. der Familie) ist bereits eine reife Leistung. Unter den von H. gemalten Fürstlichkeiten befanden sich Ludwig I. (2 mal), König Otto von Griechenland und seine Gemahlin Amalie (Lith. von Dresely), Königin Therese, Königin Olga von Württemberg (Bes. Herzogin Wera von Württemberg), Großherzogin Mathilde von Hessen und ihre Schwester Adelgunde (nachmal. Herzogin von Modena), Herzog Maximilian und dessen Gemahlin Luise, die Mitglieder des fürstl. Hauses Taxis, Kronprinzessin Marie und Prinz Karl von Bayern, Feldmarschall Fürst Wrede, die Sängerin Karoline Hetzenecker als Catarina Cornaro (Lith. von Dresely), u. a. Gegen Ende der 50 er Jahre hatte H. über 800 Porträts gemalt, nach denen er Wiederholungen in ein Skizzenbuch eintrug. Ebenso legte sein Vater eine Sammlg von Durchzeichnungen der von H. gemalten Miniaturbildnisse an. Als die aufkommende Daguerreotypie die Miniaturmalerei mehr in den Hintergrund drängte, wandte sich H. dem Genrefach zu. Ein großes Aquarell: „Schützenkönig", das vom Kunstverein zur Ausstellung nicht angenommen und von einem Lord angekauft wurde (verschollen), verriet noch das Haften an den Modellen, zeigte aber eine minutiöse Ausführung. Auf der Münchner internat. Kunstausst. von 1863 sah man von H. 5 einzelne Frauentypen, europäische Ländertypen darstellend, die in einem Ehrendiplom der Société belge des Aquarellistes wegen ihrer tiefempfundenen Charakteristik, Formengebung und Farbenschönheit als ein wahrer Triumph der Münchner Kunst gefeiert wurden. H. hat dann diese Folge mit einzelnen Abänderungen für Rußland, London und Amerika wiederholt und später als „Erinnerungen" in breiterer Manier ausgeführt. August 1865 wurde er nach Schwangau berufen, um das Bildnis Ludwigs II. zu malen. Er erhielt 1869 seine Ernennung zum Hofmaler sowie im ganzen vom König 118 Aquarellaufträge. Wiederholt wurde er nach Paris und Versailles geschickt, um die Bildnisse Ludwigs XIV., Ludwigs XV., der Pompadour

und der Marie Antoinette zu studieren. Unter den für Ludwig II. ausgeführten Aquarellen sind Kopien von M. Echters Freskenzyklus mit dem „Ring des Nibelungen" und nach dessen Tristan und Isolde-Bildern sowie eine Folge: Leben Ludwigs XV., zu nennen; von anderen Arbeiten Bildnisse der kgl. Prinzen u. Prinzessinnen (1874 ff.) sowie ein Aquarell „Maskenloge" (1884).

Allg. Dtsche Biogr., L (1904) 128—31 (H. Holland) m. Lit. — Lemberger, Bildnismin. in Dtschland, 1909. — Destouches, Gesch. des hist. Mus... der Stadt München, 1894 p. 58, 66. — Bilderchron... Stadt München (Maillinger-Samml.), III (1876). — Kat. Theaterausst. der Stadt Wien, 1892 Nr 766ᵃ. — Kat. Bayr. Nat.-Mus. München XI: Wittelsbacensia. — Kat. Ausst. Münchner Malerei unter Ludwig I., Gal. Heinemann, München 1921.

Heigel, Joseph, Porträt-, Miniaturmaler u. Radierer, geb. 23. 3. 1780 in München als Sohn eines Schauspielerehepaares, † 1837 in Paris. Vater von Franz Napoleon. Studierte an der Münchner Akad. Später in Paris tätig, wo er 1817 zuerst im Salon ausstellte und bald bedeutenden Ruf genoß. Er radierte ein Bildnis Napoleons, Brustbild oval, nach eigener Zeichnung (1806). Von seinen durch sorgfältige Technik, lebendige Charakteristik und kräftige Farben ausgezeichneten Miniaturbildnissen seien erwähnt: Bildnisse seines Vaters Franz Xaver, seiner Mutter Karoline u. seines Bruders August (Bes. Frau Geheimrat v. Heigel, München), Selbstbildnis von 1815 (Bes. der Familie); König Max I. Joseph (Privatbes. München u. Slg des Großherz. von Hessen); Bildnisse des Malers Wenzel Kraus (Privatbes. Wien); Bildnis F. Delbrück's, Erzieher des Prinzen Wilhelm (Berlin, Hohenzollern-Mus.), Bildnis der Schwester des Malers Rottmann (Nat.-Mus. München).

Lipowsky, Baier. Kstlerlex., 1810. — Nagler, Kstlerlex., VI. — Allg. Dtsche Biogr., L (1904) 128. — Lemberger, Bildnismin. in Dtschland, 1909. — Bellier-Auvray, Dict. gén., I (1882). — Lugt, Portrait-Miniature, 1917 p. 107 m. Abb. — Schidlof, Bildnismin. in Frankreich, 1911. — Kat. Min.-Ausst. Wien 1905 Nr 1548; München 1912. — A. Feulner, Münchner Malerei um 1880. Ausst. der Gal. Heinemann, München 1920. — Kat. Bayr. Nat.-Mus. München XII. Miniaturbilder, 1911. — Die Miniat.-Samml. des Großh. Ernst Ludwig v. Hessen, o. J. [1917]. — Bilderchronik München, Samml. Maillinger, IV (1886).

Heigel, Martin, Uhrmacher (Augsburg?), 18. Jahrh. Die Wiener Staatssamml. besitzt von ihm eine runde Taschenuhr mit goldenem doppeltem Gehäuse, das äußere von getriebener Arbeit (Jagdszene), das innere durchbrochen.

Ksthist. Slgn des allerh. Kaiserh., Führer d. der Slg der kstindustr. Gegenstände, Wien 1891 p. 59.

Heigel, siehe auch *Heigl.*

Heigelin, Karl Marcell, württemb. Architekt, geb. auf seinem väterl. Gut Floride bei Echterdingen 9. 6. 1798, † in Stuttgart 4. 8. 1833. War 1814/5 Schüler des Hofbaumeisters Ferd. von Fischer in Stuttgart und bei Gelegenheit eines Besuches der Kaiserin-Mutter von Rußland an der Ausführung von Dekorationsarbeiten in Schwäbisch-Gmünd beteiligt. Nachdem er bis 1821 bei Fischer in Ellwangen gearbeitet hatte, ging er Ende 1821 über Darmstadt (Bekanntschaft mit Moller) und Cassel (Bekanntsch. mit Jussow) nach Paris, von dort Ende 1822 nach Italien (Rom, Neapel). Nach seiner Rückkehr in die Heimat (1823) ließ er sich als Privatdozent in Tübingen nieder, wo er eine von In- und Ausländern besuchte Bauschule eröffnete. H. war ein kenntnisreicher Architekt, der auch als Fachschriftsteller hervorgetreten ist. Zu seinen Arbeiten gehören die Entwürfe für eine Kathedrale in Rottenburg (nicht ausgeführt), den Stadtbrunnen in Bern (1824) und die Kirche in Korb (1831). Zuletzt war er Direktor der Stuttgarter Gewerbeschule und Abgeordneter der Ständekammer. Von seinen Publikationen sind zu nennen: Handbuch der neuest. ökonomischen Bauarten (1827) und Lehrbuch der höheren Baukunst.

Allg. Bauzeitg, V (Wien 1840) p. 62 ff. — W i n t t e r l i n, Württ. Kstler, 1895, m. Lit. — Über die Erbauung einer neuen Kathedrale in Rottenburg, Privatdruck 1828 oder 29. — Kst- u. Altert.-Denkm. Württ. Schwarzwaldkr. (1897). — Univ. Cat. of Books on Art, S. Kens. Mus. London, I (1870).

Heighway, R i c h a r d, Miniatur- u. Genremaler, tätig in London, Lichfield u. Shrewsbury. Stellte 1787—93 in der Londoner Roy. Acad. Porträtminiaturen u. a. aus. Malte mit Vorliebe auf Glas, indem er auf die Rückseite des Glases eine anscheinend rohe Malerei setzte, die von der anderen Seite betrachtet, eine gute Wirkung tat. Im Londoner Victoria and Albert Mus. wird ihm ein Ölbild zugeschrieben (Cat. of oil-paint. 1907).

R e d g r a v e, Dict. of Art., 1878. — G r a v e s, Roy. Acad., IV (1906).

Heigl (Heigel), J o h a n n E v a n g., Maler in Wolfratshausen (Oberbayern), geb. ebenda 1739, malte, gleich seinem Vater M i c h a e l, unbedeutende Fresken in Wolfratshausen, besonders in den Kapellen des Kalvarienberges.

L i p o w s k y, Baier. Kstlerlex., 1810. — N a g l e r, Kstlerlex., VI.

Heigl (Heigel), M a r t i n (Johann Martin), Maler in München, geb. in Konstanz, † 1776 in München, Schüler u. Gehilfe des Joh. Bapt. Zimmermann. War als Öl- u. Freskenmaler für zahlreiche Kirchen u. Klöster Altbayerns beschäftigt. Als Gehilfe Zimmermanns arbeitete er an der Ausstattung der ehem. Klosterkirche Dietramszell um 1774, für welche er 1785 das Altarblatt des Hl. Achatius lieferte. Auch die Deckengemälde in der Pfarrkirche zu Offenstetten (Niederbayern), Marter u. Glorie des Hl. Vitus darstellend, ganz im Zimmermannschen Stil, hat er als „Malergeselle" unter Aufsicht des alten Zimmermann 1757 ausge-

führt. Selbständige Arbeiten sind die Deckengemälde im Schiff der Pfarrkirche zu Aibling, bez. u. 1756 dat., u. das Deckengemälde in der Kirche zu Unterbrunn, Max Emanuel vor Belgrad, bez. u. 1758 dat. (1863 übermalt). Es folgen: Deckengemälde in der Kirche zu Wilparting, Szenen aus dem Leben der Hl. Marinus u. Anianus, von 1759, „flüchtig u. derb in der Ausführung, aber wirkungsvoll"; Deckengem. in der Pfarrkirche zu Burgkirchen a. d. Alz, um 1763; Deckenmalereien (die 4 Elemente u. a.) im Prunksaal des ehem. Prälaturbaues des Klosters Raitenhaslach, 1764; Deckengem., Mariä Himmelfahrt, 1765, in der Wallfahrtskirche zu Tading; Deckengem. in der Pfarrkirche zu Altenerding, Hl. Familie, Verherrlichung Mariä, von 1767, bez.; Deckengem. des Hl. Leonhard im Chor der Kirche St. Leonhard im Forst, bez., um 1769; Deckenfresken, Szenen aus dem Leben des Hl. Nicolaus, Pfarrkirche in Mühldorf, bez., 1771/72; Deckengem. in der Pfarrkirche zu Oberflossing, bez. u. 1772 dat. (restauriert). Zugeschrieben werden ihm die Deckengem. in der Pfarrkirche zu Buch am Buchrain, um 1761, zu Langengeisling u. Mariatalheim, um 1764.

L i p o w s k y, Baier. Kstlerlex., 1810. — Kstdenkm. Bayerns, I (1895 ff.) Reg.; IV 7 (1922) p. 272 (mit Abb.). — D e h i o, Handb. der Dtsch. Kstdenkm., III (² 1920). — Kirchl. Kst, XII p. 161 ff., 177 ff., 185 ff.

Heiglen (Heuglin), J o h a n n E r h a r d (nicht Ekhardt), Goldschmied u. Kupferstecher in Augsburg, † 1757, wurde 1717 Meister (Meisterzeichen bei Rosenberg). Arbeitete Gegenstände für den Tisch- u. Toilettenbedarf. Zu den bei Rosenberg aufgezählten Stücken sind nachzutragen: 2 Salzfässer, silbervergoldet, mit gravierten Ornamenten (Wiener Privatbesitz), goldene Dose mit graviertem Bandornament, applizierten Medaillons, Deckel in Cloisonnéemail mit applizierter goldener Hirschjagd (Samml. M. v. Gutmann, Währing bei Wien), kelchartige Kanne auf silbervergoldetem Fuß, mit Frauenbüste am Henkel u. weiblicher Maske am Ausguß (Grünes Gewölbe Dresden). H. war auch als Ornamentstecher tätig. Es sind 3 Serien bekannt, die er selbst erfunden u. gestochen (bzw. gepunzt) hat: „Erfindungen unterschiedlicher Arten von Servicen" (nach Stetten hat er dafür 1721 von Kaiser Karl IV. den Freiheitsbrief erlangt), „Erfindungen unter Schiedtlicher Arten von Toilet Stücken", „Underschidliche Infention von Muscheln und Schnogen Werck". — Über weitere, nur urkundlich bekannte Mitglieder dieser Familie vgl. Werner.

M. R o s e n b e r g, Goldschmiede Merkzeichen, ² 1911 (Heuglin). — A. W e r n e r, Augsburger Goldschmiede, 1913 p. XII, 55 (urkundlich: Heuglin). — Kat. d. Ornamentstichsamml. des Kstgew. Mus. Berlin, 1894 (Heiglen, wie auf seinen Ornamentstichen). — Österr. Ksttopogr., II (1908) 318. — Kat. Ausst. alter Gold- u. Silberschmiedearbeiten, Wien 1907 No 322. — Führer d. d. Grüne Gewölbe Dresden, 1915 p. 114, 153, 163, 174. — v. S e i d l i t z, Kst in Dresden, IV (1922) 502, 536, 554.

Heihusen, G e r d, Maler, liefert 1652 für das Lusthaus im gräfl. Garten zur Wunderburg in Osternburg bei Oldenburg ein Bild „so schlecht und nicht der Gebur verfertigt".

G. Sello.

Heijde, J ö r e n v o n d e r, Teppichwirker, 1564 nach Schweden berufen, † ebenda 1614/15. Wirkte an den blühenden Teppichfabriken Schwedens zur Zeit der Wasakönige, während der letzten Zeit an der Kgl. Weberei in Eskilstuna. Arbeitete u. a. Verdüren. Von seinen Arbeiten nichts erhalten.

G u i f f r e y, Hist. gén. d. arts appliqués . . ., VI 176. — B ö t t i g e r, Nord. Museet Utställn. af väfda Tapeter, 1902; d e r s. in Konshist. Uppsatser, Stockh. 1913 p. 14 ff.; d e r s., Svenska statens samling af väfda Tapeter (1894/96; französ. Auszug a. d. schwed. Ausg. 1898).

G. M. S—e.

Heil, C h a r l e s E m i l e, amer. Aquarellmaler u. Illustrator, geb. in Boston 28. 2. 1870. Studierte in Boston u. Paris, tätig in New York. Erhielt für seine Arbeiten (Landschaften, Tierbilder u. a.) in S. Francisco (Panama-Pacific Expos.) 1915 die Gold. Medaille. Arbeiten in Worcester (Mass.), Art Mus., u. Malden (Mass.), Public Library.

Amer. Art Annual, XVIII (1921) 448. — Panama Pacific Expos. S. Francisco 1915. Cat. de luxe, II 323.

Heil, D a n i e l v a n, Maler, geb. zu Brüssel 1604, † angeblich daselbst 1662; Bruder des Jan Baptist u. des Leo. De Bie lobt seine Landschaften und hebt besonders seine Feuersbrünste hervor (Brand von Troja, Untergang von Sodom und Gomorrha); er bringt auch das von Bouttats gestochene Bildnis H.s. Auf die Nachrichten de Bies hin und auf Grund eines häufig wiederkehrenden Monogramms D. V. H. f. werden H. Landschaften u. Feuersbrünste zugeschrieben; doch ist diese mehrfach bestrittene Aufstellung seines Werkes nicht ganz sicher, da vollbez. Arbeiten nicht nachweisbar sind. Bilder der gen. Art bewahren die Museen in Amsterdam, Besançon, Brüssel, Dessau (Amalienstiftung), Dünkirchen, Hannover (Prov.-Mus.), Linköping, Magdeburg, Verviers, Wien, Würzburg (Univ.). Sie kommen auch häufig in Privatsamml. vor, z. B. bei Krauspe (verst. Berlin 28. 10. 1895), Walter Linnartz Ober-Weistritz (Kreis Liegnitz), des Tombe Haag, Ssemjonoff St. Petersburg, Schtschawinsky St. Petersburg. Eine Zeichnung von H. im Berliner Kupferstichkab.

J. C. W e y e r m a n, Levens-Beschryvingen, II (1729). — A. v. W u r z b a c h, Niederl. Kstlerlex., I (1906), m. ält. Lit. — I m m e r z e e l, Levens en Werken, II (1843) — P a r t h e y, Deutscher Bildersaal, I (1863). — Oud Holland, IV (1886); XVII (1899); XXII (1904). — Jahrb. der Ksthist. Slgn des a. h. Kaiserh., I/2. — Repert. f. Kstwiss., XVIII (1895) 484. — Rich.

d'Art de la France, Prov., Mon. civ., V. — O. G r a n b e r g, Trésors d'Art en Suède, I (1911). — F r i e d l ä n d e r, Zeichnungen Alter Meister des Berl. Kupferstich-Kab., I (1921) E. B o c k, Dtsche Meister (Heel). — M i r e u r, Dict. des Ventes d'Art, III (1911). — Kat. der gen. Gal. u. Slgn Ssemjonoff (1906) u. Schtschawinsky (1917). — Mitt. von W. Cohen und O. Hirschmann.

Z. v. M.

Heil, F r i e d r i c h M i c h a e l, Zeichner, geb. in Mannheim 1830, † in München 1865. Schüler der Mannheimer u. Münchner Akad. Tätig in München als Mitarbeiter der „Fliegenden Blätter", deren Leser er durch die harmlose Laune und drastische Komik seiner Bilder erfreute. Zeichnete außerdem treffliche Kostümblätter für eine in den Münchner Bilderbogen erschienene Bilderfolge und für die Landes- u. Volkskunde Bavaria, 4 Bde (München 1860 bis 68), zu Karl Stielers oberbayr. Gedichten u. a. H.s sämtliche Entwürfe, Studien u. Skizzen verbrannten kurz vor seinem Tode.

Rechenschaftsbericht des Kstvereins München, 1865 p. 55 f. — Bilderchronik d. St. München, Maillinger-Slg, III (1876); IV (1886).

Heil, G e o r g, Genremaler, geb. in Berlin 3. 1. 1868, Schüler der Akad. in Weimar (1889—95), tätig in Berlin, wo er in den 1890er Jahren ausstellte.

S i n g e r, Kstlerlex. Nachtr. 1906. — Kat. Gr. Kstausst. Berlin, 1893 p. 38, 1896, 1897 p. 33. — Jahresber. des dtsch. Kstvereins 1906, p. 6.

Heil, G u s t a v, Genremaler und Illustrator, †, 70 J. alt, in Berlin 16. 1. 1897. Stellte 1848—62 in der Berl. Akad. aus. Als künstler. Mitarbeiter der Berliner „Wespen" durch seinen drastischen Humor bekannt. Seit 1883 an den Händen gelähmt und nicht mehr künstlerisch tätig. Arbeiten: Ergreifung Ravaillac's nach dem Morde; „Prussiani e Teresiani" (Venez. Szene 18. Jahrh.); Ausrufer in einem hessischen Städtchen. In der Akad.-Ausst. von 1856 war er auch mit einem Bildnis in Öl vertreten. — Ein G. Heil (ident.?) veröffentlichte: Zehn Jahre Berliner Kunstgeschichte, o. J. (um 1880).

Das geistige Berlin, I (1897) 179. — B e t t e l h e i m, Biogr. Jahrb., IV Totenliste Sp. 105*. — Kstchronik, N. F. VIII (1897) 200. — Kat. Akad.-Ausst. Berlin, 1848 p. 26; 1856 p. 25; 1860 p. 39; 1862 p. 30.

Heil, J a n B a p t i s t v a n, Maler, geb. zu Brüssel 1609, 1661 noch am Leben, Bruder von Daniel und Leo. Malte Kirchenbilder u. Bildnisse; solche in alten Inventaren mehrfach nachzuweisen. Mehrfach wurden seine Bildnisse gestochen: Erzherzog Leopold Wilhelm von P. Clouwet (1655), Andreas Cantelmo (1646), Henri Dupuy von C. Lauwers, Daniel van Heil, Leo van Heil und sein Selbstbildnis von Friedrich Bouttats (diese drei für Meyssens' „Image" 1649).

A. v. W u r z b a c h, Niederl. Kstlerlex., I (1906), m. ält. Lit. — D e s c a m p s, Voyage pittor. de la Flandre etc., ed. 1838 p. 69, 92. — H o f s t e d e d e G r o o t, Houbraken (Quellen-

stud. z. holl. Kstgesch., I), 1893. — Jahrb. der
Ksthist. Slgn des a. h. Kaiserh., I/2. — D u p l e s -
s i s , Cat. . . des portr. etc. Bibl. Nat. Paris
(1896 ff.), I Nr 2143/23; II Nr 8000/5; III Nr
13869/9; IV Nr 20949, 20951, 20952.   *Z. v. M.*

Heil, L e o v a n , Maler u. Architekt, geb.
zu Brüssel 1605, war 1661 noch am Leben.
Bruder des Daniel und Jan Baptist. Malte
Blumen u. Insekten in Miniatur; eine solche
Arbeit im Inv. der Samml. des Erzherzogs
Leopold Wilhelm verzeichnet. Für diesen war
er auch als Baumeister tätig. Eine Radierung
nach einem Bauerntanz von Rubens trägt seinen
Namen mit dem Zusatz excudit. Nach ihm
radierten Wenzel Hollar eine Ehrenpforte und
eine Ansicht von Tongerloo, A. Santvoort eine
Ansicht des Brüsseler Rathauses.

A. v. W u r z b a c h , Niederl. Kstlerlex., I
(1906), m. ält. Lit. — S c h n e e v o o g t , Cat.
des estampes grav. d'après P. P. Rubens, 1873
p. 150. — Trésor de l'art belge, II (1913) 164. —
Kataloge der Expos. d'Architect., Brüssel 1883
p. 55 und Expos. de l'art Belge au 17e siècle,
Brüssel 1910 p. 298. — Jahrb. der Ksthist. Slgn
des a. h. Kaiserh., I (1883), 2. T.   *Z. v. M.*

Heiland, M a x (Bernhard Robert M.), Landschaftsmaler u. Graphiker, geb. in Leipzig 8. 4.
1862, † das. Anfang Sept. 1915. Schüler der
Akad. Leipzig u. Dresden und der Weimarer
Kunstschule bei Zimmer. Stellte seit 1906 auf
deutschen Ausstell. Aquarelle u. Ölbilder aus,
hauptsächlich anmutige Motive mit bäuerlicher
Staffage, aus der Leipziger Umgebung (Gerichs-
hain) und von der Ostsee. Eine Kollektivausst. seiner Arbeiten (Aquarelle, Rad., Steinzeichn.) wurde Jan. 1923 vom Leipziger Stadtgeschichtl. Mus. veranstaltet.

Original u. Reprod., II, Leipzig o. J. [1913]
p. 104. — Kat. Sächs. Kstausst. Dresden 1906,
Gr. Kstausst. 1908; Aquarellausst. 1913; Dtschnat. Ausst. Düsseldorf 1907 p. 103; Jahres-Ausst.
Leipzig 1912; Intern. Ausst. f. Graphik usw. 1914.
Abt. Zeitgenöss. Graphik. Glaspal.-Ausst. München 1908 p. 119.

Heilbroek, M i c h a e l , s. *Heylbroeck,* M.
Heilbrouck, S e r a p h i n , s. *Heylbrouck,* S.
Heilbut, E m i l , Maler u. Kstschriftsteller,
geb. 2. 4. 1861 in Hamburg, † Ende Febr.
1921 in Montreux, Neffe des Ferdinand Heilbut. Malte impressionist. Landschaften, wurde
dann Kunsthändler, schließlich Kstschriftsteller
(unter dem Pseudonym *Hermann Helferich).*
In der „Nation" schrieb er über die Kunst der
französ. Impressionisten. Er war der erste
Herausgeber der Berl. Zeitschrift „Kunst und
Künstler" (begründet 1902) und gab den Pracht-
katalog der Hamburger Sammlg Behrens heraus.

H. W. S i n g e r , Kstlerlex., VI (2. Nachtr.),
1922. — Kstchronik. N. F. XXXII (1920/1) 450.

Heilbuth, F e r d i n a n d , Maler, geb. in
Hamburg 27. 6. 1826, † in Paris 19. 11. 1889.
Sohn eines Rabbiners; mit einem Stipendium
s. Vaterstadt studierte er in München, Antwerpen, vor allem in Paris, wo er bei Delaroche und Gleyre arbeitete. Lebte 1854/55
aus Gesundheitsrücksichten in Rom, wo er

Mitglied des Dtsch. Kstlerver. wurde (wieder
in Rom 1861/62, 63/64, 71/75). Ließ sich
dann in Paris nieder. 1881 Offizier der Ehrenlegion. Nahm das Angebot der franz. Regierung, während des deutsch-französ. Krieges
in Frankreich zu bleiben, nicht an, sondern
siedelte nach London über, kehrte nach Friedensschluß nach Paris zurück. 1878 naturalisiert.
Sein Vermögen vermachte er z. T. der Assoc.
des Artistes Peintres. — Die frühen Bilder H.s,
z. B. das Bildnis des Sammlers Nic. Hudt-
walcker in der Hambg. Ksthalle (1852) verraten noch das Vorbild und die Schulung an
den alten Meistern, daneben bereits eine starke
koloristische Begabung. 1853 errang er seinen
ersten Erfolg mit dem „Empfang bei Rubens".
H. bevorzugt in seiner 1. Periode histor. bezw.
romantische Themen aus der ital. Renaissance,
denen er großen farbigen Reiz verleiht. Ein
Hauptbild der Gattung in der Hambg. Ksth.
„Luca Signorelli an d. Leiche seines erschlagenen Sohnes" (1859). H. zieht das Weiche
dem männlich Herben in seinen Darstellungen
vor, z. B. „Der Leser" (1856) in Hamburg.
Beliebt wurden seine römischen Szenen, Kar-
dinäle auf dem Spaziergang, auf dem Pincio
usw. Beispiele bei Herrn Joh. Wesselhoeft in
Hamburg. Eine größere Zahl von Arbeiten,
die er 1859 u. 1861 im Salon zeigte, darunter
„Tod des Signorelli", „Mont de Piété" u. a.,
brachten ihm 1861 das Kreuz der Ehrenlegion.
— Um 1870 ging H. von der dunkleren zur
helleren Palette über, weiß und grau bevor-
zugend, und verließ die anekdotenhaften Themen. Er wendet sich nun der Darstellung
der eleganten Pariserin zu, deren Leben an
den Ufern der Seine, auf der Wiese, im Boot,
die immer wiederkehrenden Vorwürfe seiner
Bilder bietet, mit denen er seinen Ruf be-
festigte. An der Entwicklung der impress.
Bewegung hatte er lebhaften Anteil. In seinen
Aquarellen kommt der Duft der Atmosphäre
noch besser als in seinen Ölbildern zur Geltung. — Im Luxembourg-Mus. (Cat. 1898)
„Mont de Piété" u. „Rêverie"; andere Bilder
in den Museen zu: Bayeux, Hamburg, London
(Wallace Coll.), Philadelphia, Reims, Sydney.

H. A. M ü l l e r , Kstler der Gegenwart, 1882.
— B e l l i e r - A u v r a y , Dict. gén., I (1882). —
v. B ö t t i c h e r , Malerwerke d. 19. Jahrh., I 2
(1895). — R u m p , Lex. d. bild. Kstl. Hambgs, 1912.
— S o u l l i é , Ventes de tableaux, 1896. — M i r e u r ,
Dict. des ventes d'art, III (1911). — M u t h e r ,
Gesch. d. Mal. im 19. Jahrh., III (1894) Abb. —
C. G u r l i t t , Dtsche Kst d. 19. Jahrh., 1899. —
L i c h t w a r k , Bildnis in Hambg, 1898, II 206.
— M a r c e l , Peint. franç. au 19e siècle, 1903. —
A. P r o u s t , L'Art franç. [o. J.] p. 85, Abb. —
Dioskuren, 1860 p. 129; 1861 p. 327. — Ztschr.
f. bild. Kst, III (1868) 278; XIV 352. — Kunst-
chronik, V (1870) 151; XIV 74. — Kst f. Alle,
V (1890) 110 (Nekrolog), 161—67, Abb. Aufs. von
H.s Neffen E m i l H e i l b u t (alias Hermann
Helferich); XIII (1898) 169 (Abb.). — Gaz. d.
B.-Arts II (1859) 358; X 347; XIV 505; N. S., 1869,

II 11; 1870, II 48. — Chronique d. Arts 1889 p. 278 (Nekrol.); 1890 p 161. — L'Art, XLVII (1889) 268 (Nekrol. v. A. Hustin). — *Kataloge: Berlin,* Kat. Gr. Kst-Ausst. 1906, retrosp. Abt., p. 28. — *Bonn,* Ausst. mod. Kst a. Privatbes., 1911. — *Hamburg:* Ausst. neuer. Gem. . . . aus Privatbes., 1879 p. 35, 104; Kat. Gal. A. Ph. Schuldt, versteigert 1893 in Hamburg (durch J. M. Heberle, Köln), No 33—35, Abb.; Gal. Frau Konsul Weber (W o e r m a n n), 1907 p. 17; E. H e i l b u t, Die Slg Ed. L. Behrens, Hambg 1891 p. 178. — *München,* Glaspalast, 1869, 95, 97. — *Paris,* Exp. univ., 1889, B-Arts, 1789—1889 p. 13; Exp. Soc. d'Aquarell. franç., 1879, 1880—83 (Abb.), 85, 86, 89; Salon Soc. d'art. franç., 1881 Sept. 83, 84, 85, 87; Cat. d. tableaux, aquar. et dessins . . . proven. de l'atelier Ferd. Heilbuth, texte et préf. p. C h. Y r i a r t e, 1900. — Kataloge der angeführten Museen. *Dirksen.*

Heilbutt, E. M., Lithograph in Altona, Mitte 19. Jahrh., Inhaber eines Verlages, einer Kunst- und Musikalienhandlung, lieferte mehrere, künstler. wertlose Blätter vom Brand 1842, auch Karten vom Neuaufbau.

N a t h a n s e n, Verz. d. auf d. Brand v. 1842 bezüglichen Abb. u. Pläne, S. A. Ztschr. d. Ver. f. Hambg. Gesch., VIII (1884) 16 f. — Verst.-Kat. Samlg Frisch (J. Hecht), Hambg 1901, p. 11. — Verst.-Kat. Samlg Dr. Predöhl (F. Dörling), Hambg 1922, Nr 367. *D.*

Heilemann, E r n s t, Maler u. Zeichner in Berlin, geb. ebenda 8. 8. 1870, kurze Zeit Schüler der dort. Akad., selbständig weitergebildet auf Reisen in Italien, Frankreich, England u. Nordamerika. Wurde zuerst bekannt als Schilderer des mondänen Berliner Lebens durch seine flotten farbigen Zeichnungen, die er für die „Lustigen Blätter", den „Simplizissimus" und die „Jugend" lieferte, wo er das durch den Tod Rezniceks verwaiste Rollenfach übernahm. Von dieser erfolgreichen Tätigkeit als Illustrator ging H. dann sehr bald zu einer sehr umfangreichen malerischen Produktion über, die vor allem das Porträt, aber auch die Landschaft und das Stilleben pflegt. Ein mühelos und schnell produzierendes Talent, beschränkt er sich in den meisten seiner Bildnisarbeiten auf eine etwas äußerliche, geschickte Repräsentation; alles sehr „schmissig" und mit voller Beherrschung des Handwerks gemalt, aber psychologisch auf der Oberfläche bleibend und namentlich in den Damenporträts oft eine leere, fast süßliche Eleganz streifend. Febr. 1901 und März 1912 veranstaltete H. Sonderausstell. bei Ed. Schulte in Berlin, die eine Kollektion von Bildnissen (Fürst Bülow, Bildhauer J. Taschner u. a.), Figurenbildern und Stilleben vereinigten, Juni 1918 eine große Ausstell. im Künstlerhaus, die jede Weiterentwicklung außer nach der Richtung des Handwerklichen hin vermissen ließ; einige kleine frische Landschaftsskizzen ragten als das Wertvollste aus der Masse des Gezeigten hervor. Seit 1893 beschickt H. fast alljährlich die Große Berl. K.-A. Sein im Verlage Albert Langen in München erschienenes Album „Die Berliner Pflanze" (30 Bl.)

zeigt den auf pikante Situationen ausgehenden Zeichner von seiner charakteristischen Seite.

Kunstchronik, N. F. XII 251. — Der Tag, No 61, vom 13. 3. 1912. — Deutsche Kunst u. Dekoration, XXXIII 31 (Abb.); L 261 (Abb.). — Katal. d. Berl. Akad.-Ausst. (mit Abb.: 1897, 99, 1900, 01, 08, 09, 13, 16, 18 (Düsseldorf), 19. — Westermanns Monatshefte, Bd 123 Teil 1 (1917) 21—36 (R o s e n h a g e n; mit Abb.). *H. Vollmer.*

Heiler, J o h. D a v i d, Büchsenmacher u. Graveur, 18. Jahrh. Ein Gewehr auf der Aukt. Aretin, 2 Pistolen im Mus. Kaufbeuren, 1 Pistole in Schloß Ottenstein.

Aukt.-Kat. Carl v. Aretin, München 1887 No 544. — Kat. Schwäb. Kreis-Ausstell. Augsburg, 1886 No 1210. — Österr. Kst-Top., VIII 143 (unter Heller). *St.*

Heilig, K a r l, Maler u. Illustrator, geb. 25. 8. 1863 zu Karlsruhe, † 13. 11. 1910 ebenda. Schüler der Karlsr. Akad. unter Ferd. Keller (1883—88), wurde Vorstand des Künstlervereins u. brachte in reicher Produktion seine Gnomen-, Waldzwerg-, Elfen- u. Wichtelmännchenbilder heraus. Beschickte die Münchner Glaspalast-Ausst. (1898, 99, 1904), die Berl. Gr. K.-A. (1904, 06), die Ausst. in Düsseldorf (Deutschnat. 1902), Baden-Baden usw. Die „Jugend" u. Meggendorfers Blätter brachten eine große Anzahl von Reproduktionen nach seinen Bildern u. Farbstiftzeichn. Sein Bild „Märchen" in der Karlsr. Kunsthalle.

[2] B e r i n g e r, Bad. Malerei i. 19. Jhdt, 1913; [2] 1922. — v. Ö c h e l h ä u s e r, Gesch. d. Gr. bad. Akad. d. bild. Künste, 1904. — H i r t h, 3000 Kunstblätter d. Münchner „Jugend", 1909. — Kunstchronik, N. F. XXII 105 (Nekrol.). — Kunst f. Alle, X (1895). — Kat. Kunsthalle Karlsruhe, 1910. — Ausstell.-Katal. *Beringer.*

Heiliger, P e t e r, Bildhauer. in Würzburg, heiratet als Witwer 1725 die Tochter des Wzbger Goldschmiedes Martin Nötzel. Beim Residenzbau beschäftigt, und zwar 1726/28 bei Ausstattung der 1. Bischofswohnung im Nordblock (Marmorkamine, geschnittene Rahmen und „Tischfüß") und 1735/36 bei Einrichtung der Wohngemächer Friedrich Carls von Schönborn im Südblock, hier nur mit untergeordneten, wohl rein handwerkl. Arbeiten gegenüber dem neuberufenen überlegenen Künstlerstab. Auch die durch Quittungen aus den Jahren 1726—31 bezeugte Tätigkeit für das Würzburger Domkapitel scheint über das Handwerkliche kaum hinausgegangen zu sein (meist Reparaturen u. Ergänzungen). Nach Scharold schrieb man ihm Arbeiten zu, die nunmehr für Balth. Esterbauer erwiesen sind (R. Diehl, B. Esterbauer, Diss. Frankfurt 1920).

C. G. S c h a r o l d, Materialien z. fränk. Würzburg. Kunstgesch., Ms. d. Univ.-Bibl. Würzburg, fol. 248, 450 ff. — J. B. S t a m m i n g e r, Würzburgs Kunstleben im 18. Jahrh., 1893 p. 17, S.-A. aus Archiv d. Hist. Ver. f. Unterfranken, XXXV (1892) 225. — Kunstdenkm. Bayerns, III Heft 12 (1915) 416 f. — R. S e d l m a i e r u. R. P f i s t e r, Fürstbisch. Residenz zu Würzburg, München 1923 p. 89 u. Anm. 241. *R. Sedlmaier.*

Heilinggötter, J o s e p h , Zinngießer in
Karlsbad, Mitte 18. Jahrh. Von ihm Suppen-
topf mit geschweifter Wandung u. 4 Muschel-
reliefs u. eine glatte Schüssel im Mus. zu
Iglau, ein Tintenzeug im Mus. des Stifts St.
Peter in Salzburg.

Mitt. d. Erzherzog Rainer-Mus., 1916 p. 86. —
Österr. Ksttopogr., XII (1914) 140.

Heilmaier, M a x , Bildhauer, geb. 19. 6.
1869 zu Isen (Oberbayern), seit 1907 Professor
für figürl. Modellieren an der Kunstgewerbeschule zu Nürnberg. Aus einem alten oberbayer. Ledererergeschlecht stammend, wurde er
von seinem Vater, einem ländlichen Kaufmann,
1882 in die Bildhauerwerkstätte des alten Jakob
Bradl nach München gebracht. 1891 kam er
an die dort. Akad. als Schüler von Syrius
Eberle und Hackl. Wesentlich für seinen Entwicklungsgang waren sein Selbststudium im
Bayer. Nationalmus. und die Erweiterung
seiner Allgemeinbildung durch das Lesen der
Klassiker. Unter schweren Entbehrungen arbeitete er sich empor, bis er 1895 die große
Medaille der Akad. erhielt. Eine Reise nach
Frankreich und Spanien schloß sich unmittelbar an. Bei dem Konkurrenzausschreiben für
ein Friedensdenkmal in München 1895 erhielt
er zus. mit Heinr. Düll und Georg Pezold
die Ausführung zuerkannt, die 1896—99 als
Abschluß der Prinzregentenstraße verwirklicht
wurde. Nach dieser mehr klassizist. Anfangs-
periode kam er allmählich zu der ihm wesent-
lichsten Stilgestaltung, einem Anknüpfen an
deutsch-gotische Traditionen ohne direkte Nachahmung. Er berührt sich hierin mit seinen
Mitschülern Ignaz Taschner und Georg Wrba.
Gewissermaßen programmatisch wird dieser
Stilwandel durch die 12 Apostel in der Pfarrkirche zu Wasserburg (Oberbayern) 1902—06
eingeleitet. Seine deutsche Volksart zieht ihn
nicht zu dem auf sich gestellten Einzelkunst-
werk, sondern er sieht die Vollendung in der
Einordnung in ein Ganzes, ohne den individuellen Charakter zu verwischen. Diese tektonische Kraft, die auch das Dekorative zu
würdigen weiß, verschaffte sich am stärksten
Geltung im Sparkassengebäude zu Bozen (1907),
der Orgelempore in der Pfarrkirche zu Neumarkt i. d. Oberpfalz (1907), den Plastiken am
Friedhof zu Meran (1908/9) und den Portalfig.
auf Schloß Mainberg bei Schweinfurt (1916),
Werke, in denen Reichtum der Erfindung,
Klarheit der Komposition und Tiefe der Empfindung sich die Wage halten. Das Höchste
hat H. jedoch in seinen religiösen Schöpfungen
geleistet, wo sich eine herbe, ehrliche Männ-
lichkeit mit zarter Innerlichkeit ganz im alten
deutschen Sinn paaren, aber auch die kultische
Strenge der Form erreicht wird, ohne deshalb
dem kirchlichen Gemeinschaftsgefühl entrückt
zu werden. Hier wären die Portalfiguren an
der Jakobskirche zu Rothenburg o. T. (1910/12),

die Kanzel in der Hl. Geistkirche zu Nürnberg
(1912), der Marienaltar im Dom zu Metz
(1914/15), die 4 Evangelisten in Bechhofen bei
Ansbach (1916/19), die Altäre in der Klara-
kirche zu Nürnberg (1919) und vor allem sein
kraftvolles, symbolisches Kriegserinnerungsdenk-
mal in der Hl. Geistkirche zu Nürnberg (1917
bis 18), wohl seine beste bisherige Arbeit, zu
nennen. Zahlreiche Grabdenkmäler, so das für
Oberbürgermeiser v. Schuh auf dem Johannis-
friedhof zu Nürnberg (1917), die Grabplatte
der Geschwister Haberstock in Isen (1913), die
Grabplatte für seine Eltern ebenda (1919),
zahlreiche Kriegsgedächtnistafeln (seit 1919)
schließen sich an, ferner Architekturplastiken
dekorativer Art vor allem in Nürnberg, kleinere
Bronzen, wie Füllen und Ziege, Porträtbüsten
(seiner Frau 1903, seines Vaters 1920), Plaketten
usw. — H. gehört heute in Süddeutschland zu
den wenigen Beachtenswerten, deren Kunst im
Volkstum in völkischer wie religiöser Beziehung
aufs festeste verwurzelt ist. Hieraus zieht auch
seine Lehrtätigkeit ihre beste Kraft sowohl
praktisch wie theoretisch, indem er für eine
Werkstättenerziehung auserlesener Schüler im
mittelalterl. Sinn im Gegensatz zu dem heutigen Akademiebetrieb eintritt, wie er es in
einem Aufsatz in „Kunst u. Handwerk" (LXIX
[1919] 1 ff.) niedergelegt hat.

G e o r g L i l l , Max H., ein deutscher Bildhauer. Mod. Meister christl. Kunst, Plastiker
Bd. II, München 1922. — P h i l. M. H a l m in
„Kunst u. Handwerk", L (1900) 289 ff.; LX
(1910) 261 ff.; d e r s. in „Die christl. Kunst", III
(1907) 193—203; d e r s. in „Der Profanbau", 1913
p. 739 ff. — A l e x. H e i l m e y e r in „Kunst u.
Handwerk", LIV (1904) 181 ff.; LVIII (1908)
218 f., d e r s. in „Die christliche Kunst", III
(1906/7) 165 ff.; XIV (1917/18) 1—28 (mit zahlr.
Abb.); d e r s. in „Die Plastik" 1919 p. 49. —
F r i e d. H a a c k in „Kunst u. Handwerk", LXX
(1920) 76 ff. (mit zahlr. Abb.). — G. L i l l in
Jahresmappe d. deutsch. Ges. f. christl. Kunst,
1919 p. 5 f.; d e r s. in „Friedhof u. Denkmal",
I (1922) 125 ff. — M. H e i l m a i e r , Ein Bei-
trag zur Lösung der Kriegerdenkmalsfrage, in
„Die Plastik" VIII (1918) 10 ff., Taf. 17—19.
Georg Lill.

Heilmair, E m i l , Landschaftsmaler (Dilettant) u. kgl. Hofschauspieler in München, geb.
in Rott am Inn 20. 5. 1802, † in München
29. 7. 1836. Vater des Karl Heilmayer (s. d.).
Widmete sich nach einer Reise im bayr. Hochland in seinen Mußestunden der Landschaftsmalerei und stellte 1826 zuerst im Münchner
Kunstverein aus. Arbeiten: Mondnacht in Südtirol, Partie bei Meran im Mondschein, Heimkehrender Fischer am Chiemsee, Schleichhändler in Nordtiroler Mondscheinlandschaft (sämtlich von J. Wölfle lith.); Gebirgslandschaft an
der Grenze von Tirol 1829 (Ölbild, Städt. Mus.
Braunschweig). H.s von W. v. Kaulbach gez.
Brustbild wurde von Thäter gestochen.

N a g l e r , Kstlerlex. VI; Monogr. III. — A d. v.
S c h a d e n , Artist. München, 1836. — Brulliot,
Dict. des Monogr., I (1832). — A. Raczynski,

Gesch. d. neuer. deutsch. Kst, II (1840) 366. — Bericht des Kstver. München, 1836 p. 70 Nekrol. (Heilmayr).—M a i l l i n g e r, Bilderchron. Stadt München (Maillinger-Slg), III (1876) ; IV (1886). — Bibl. Bavarica, Lagerkat. Lentner-München 1911 Nr 12292—4.

Heilmair, J o s e p h, Landschaftsmaler u. Radierer, geb. in Obergrießbach (Niederbayern) 5. 8. 1843. Seit 1871 Schüler von H. Baisch, tätig in München. Stellte 1877—83 in München, Dresden u. Düsseldorf Landschaften, bes. Motive aus Oberbayern, aus. Rad.: Landschaft mit Weiden an einem Bach, über den ein Steg führt (n. d. Natur gez. 1870, rad. 1876); Landschaft mit altem Gemäuer u. a.

F. v. B ö t t i c h e r, Malerwerke des 19. Jahrh. I 2 (1895). — H. A. M ü l l e r, Biogr. Kstlerlex., 1882. — M a i l l i n g e r, Bilderchron. Stadt München (Maillinger-Slg), III (1876) ; IV (1886). — Kat. Glaspal.-Ausst. München 1879 p. 18, 42. — Münchner Malerei 1850—80. Ausst. Gal. Heinemann, München 1922, Kat. p. 24. — Kstchronik, X (1875) 134.

Heilmann, Mainzer Glockengießer, 15. Jahrh. Schmucklose Glocken in Brombach (Kr. Heidelberg), bez. Magister Heilmannus de Maguncia; Frankfurt a. M., Liebfrauenkirche („Heilmann de Moguntia Fecit me"), u. a. a. O.

Kstdenkm. Großherzogt. Baden, VIII, II (1913) 3. — Baudenkm. in Frankfurt a. M., I (1895) 149. — Bau- u. Kstdenkm. Reg.-Bez. Wiesbaden, V (1914) 73. — W a l t e r, Glockenkunde, 1913 p. 761 (fälschlich: Heimanus).

Heilmann, A n t o n Paul, Landschafts- u. Dekorationsmaler, geb. 30. 5. 1830 in Neumarkt bei Salzburg, † 21. 7. 1912 in Wien. Schüler der Wiener Kunstgewerbeschule unter Fr. Sturm, später der Akad. unter Lichtenfels, arbeitete dann einige Jahre hindurch im Atelier der Hoftheatermaler Brioschi, Herm. Burghart und Kautzky. Malte verschiedene dekorative Bilder für Ausstell., so die Kolossalbilder des steier. Erzberges für die Ausst. in Graz 1890; für die land- und forstwirtschaftl. Ausst. in Wien 1890 „Gruppe des Baron Rothschild"; 7 große Bilder, alte Wiener Theater darstellend, im Auftrage der Stadt Wien für die Musik- und Theaterausstell. in Wien 1892; mehrere Aquarelle für die Schubert-Ausst. 1897; mehrere Aquarelle, ein großes Ölgemälde, Ansicht von Marienbad, für die Ausst. in Chicago; 4 große Bilder aus Schlesien für den Pavillon des Erzh. Friedrich in der Wiener Jubil.-Ausst. 1898; 3 forstliche Bilder für den Pavillon des österr. Ackerbauministeriums auf der Pariser Weltausst. 1900. — H. war vor allem ein trefflicher Aquarellist und ein scharf beobachtender Landschafter des alpinen Hochgebirges. Auch als Illustrator tätig, lieferte er besonders Bilder aus dem Hochgebirge für alpine und andere Zeitschriften und gab eine Sammlung „Alpine Zeichenstudien" heraus. Im Schubert-Mus. in Wien von ihm 3 Aquarelle: Ansichten von Atzenbrugg, des Hauptplatzes in Steyr u. d.

Schlosses Ochsenburg; im Steiermärk. Kstgew.-Mus. in Graz eine Ansicht des steir. Erzberges.

K o s e l, Deutsch-österr. Kstler- etc. Lex., I (1902). — Kataloge: Schubert-Ausst. Kstlerhaus Wien, 1897 No 172/3; Theatergesch. Ausst. der St. Wien, 1892 No 900/906; Schubert-Mus. Wien, Führer 1912 p. 27, 47. — H ö ß, Fürst Johann II. v. Liechtenstein u. d. bild. Kst, Wien 1908.

Fr. Haßlwander.

Heilmann, C a r l, Radierer u. Lithograph (Dilettant), tätig um 1830 in Kopenhagen; von ihm Radier.: Landschaft mit Aquädukt, Hirschkuh, Pferd, Köpfe, Blumen und einige Lithogr. Seine Blätter sind bez. C. H. oder C. H. f.

N a g l e r, Monogr., II. — Weigels Kstcatal., Lpzg 1838—66, III 17349/50.

Heilmann, C h r i s t o p h, Glasmaler in Freiburg (Schweiz), tätig 1581—1610. In den Stadtrechnungen mit Arbeiten für Freiburg, Montagny les Monts und Farvagny genannt.

B r u n, Schweiz. Kstlerlex., II (1908).

Heilmann, G e o r g F r i e d r i c h, schweiz. Landschaftsmaler (Dilettant), geb. in Biel 5. 1. 1785, † daselbst 24. 7. 1862. Studierte in Halle u. Heidelberg die Rechte, 1813—15 Abgeordneter seiner Vaterstadt im Hauptquartier der Verbündeten, in Zürich u. auf dem Wiener Kongreß, 1826—30 u. 1846—50 Mitglied des Großen Rats in Bern, 1829—45 Hauptmann in kgl. sizil. Diensten. Es gibt einen Kupferstich nach einem von H. in Aquarell ausgeführten Panorama von Neapel. Das Zofinger Künstlerbuch enthält von ihm „Wasserfall von Rondchâtel" (Gouache).

B r u n, Schweiz. Kstlerlex., II (1908).

Heilmann, G e o r g M a t h i a s, Kupferstecher, 1773 und 1774 an der Dresdner Akad. Schüler Gius. Canales, stach damals eine Landschaft nach Joh. Chrn. Vollerdt († 1769) aus der Hagedornschen Samml., ein Selbstbildnis und Bildnis seiner Schwester. Heinecken nennt noch einen Stich H.s nach J. Punt's Trennung Abrahams und Lots (aus Punts Kupferstichfolge [1743/45] zu Hoogvliet's „Abraham den Aartsvader"). — H. wird in der Literatur seit Füßli mit J. St. H. Helman zusammengeworfen.

Neue Biblioth. der schönen Wissensch. u. der freyen Kste, XVII (1775) 153; XVIII (1776) 203. — Miscellan. Saxon. X (1776) 92. — W e i n a r t, Topograph. Gesch. Dresdens, 1777—80 p. 314. — H e i n e c k e n, Dict. des Art. etc., 1778 ff. (Ms. Kupferstichkab. Dresden). — F ü ß l i, Kstlerlex., 1779 p. 310; u. 2. Teil, 1806—21 p. 527 u. 1058. — [D a ß d o r f], Beschreib. der vorzügl. Merkwürd. Dresdens, 1782 p. 606 f., 658. — H a s c h e, Magazin der sächs. Gesch., V (1788) p. 555. — S t ü b e l, C. L. v. Hagedorn, 1912 p. 208.

Ernst Sigismund.

Heilmann, G e r h a r d Vilhelm Ernst, Maler, Keramiker, Illustrator u. Schriftsteller, geb. 25. 6. 1859 in Skelskør. Anfangs Student am Kopenhagener Polytechnikum und der Medizin, seit 1883 an der Kunstschule in Kopenhagen unter Fr. Schwartz, L. Tuxen u. P. S. Krøyer. 1893 Studienreise nach Deutschland und Italien. 1890—1902 Porzellanmaler an der Kgl. Porzellan-

manuf. in Kopenhagen. Daneben lieferte er
Zeichnungen für Buchschmuck und Bucheinbände, Entwürfe für Banknoten und war auch als
Illustrator tätig, z. B. für K. Gjellerup's „Minna".
Als Verfasser u. Illustrator gab er heraus: „Slaegten Heilmann" (1893/95), „Øresund" (1904),
„Onkel Vilhelms Historier om Dyr" (1908), „Min
Slaegt" (1919), u. a. Im Kunstindustrie-Mus. Entwürfe H.s für Vasen; im Kaiser-Wilh.-Mus. in
Krefeld Vase mit Unterglasurmalerei, tanzende
Putten. — In Charlottenborg stellte er aus:
1887—92 u. 1905, meist Gemälde (Landschaften
mit Fig. u. Tierstaffage, im Freilicht ausgeführt),
1897 in Stockholm auf der Ausst. f. Buchkunst, 1900 in London, ebenda 1901 (Exhib.
of mod. Illustr.), 1914 in Leipzig; ferner in
München (1892, 99), in Paris (1893, Soc. Nat.),
in Wien (1898, Jubil.-Ausst.) usw.

Weilbach, Nyt Danske Kunstnerlex., 1896.
— Dahl-Engelstoft, Dansk Biogr. Haandleks., II (1921), mit Lit. — Borrmann, Mod.
Keramik (Monogr. d. Kstgew., V). — Loubier,
Der Bucheinband (Monogr. d. Kstgew., X). —
Deutsche Kst u. Dekor., IX (1902), Abb. — Kat.
d. angeführten Samml. u. Ausst.

Heilmann, H. M., falsch für *Heilmann,*
Georg Mathias.

Heilmann (Haylmann), Jakob, Baumeister,
† vor d. 3. 7. 1526 in Annaberg. Nach seiner
mehrmals vorkommenden Bezeichnung als
Jakob Frank oder *Jakob von Schweinfurt*
(den man früher irrtümlich mit Jakob Hellwig
[s. d.] identifiziert hat) zu schließen, dürfte er
aus Schweinfurt in Franken stammen. Über
seine frühere Tätigkeit ist nichts bekannt;
nach Mitteilung E. Flechsigs kam er aus
Böhmen, wo er unter Benedict Ried tätig gewesen sein könnte. Am 11. 4. 1515 wird er
als Nachfolger Peter Ulrichs zum Werkmeister
der Annenkirche in Annaberg bestellt, deren
Bau er 1525 zu Ende führt. Für H.s Stellung
bezeichnend ist seine häufige Heranziehung zu
anderen Bauten. So sollte er 1517 die Wenzelskirche in Naumburg übernehmen, was
durch einen Brand verhindert wurde. Im
gleichen Jahre liefert er den Plan zum Neubau
der Stadtkirche in Brüx, dessen Leitung er
bis 1519 innehatte (spätere Ausführung durch
seinen Parlier Georg von Maulbronn, dann
durch seinen Bruder Peter Heilmann).
1521, 1522, 1523 wird H. mehrmals zu Gutachten
für die Marienkirche und das Kaufhaus in
Zwickau herangezogen; seine Risse für das
Gewölbe der Marienkirche wurden allerdings
nicht berücksichtigt. Nur Vermutung ist es,
daß H. den Ausbau der Albrechtsburg in
Meißen vollendet habe; stilistische Übereinstimmungen der Gewölbe des Wappensaales
mit den Gewölben von Annaberg sowie H.s
enge Verbindung mit dem Bauherrn, dem
Herzog Georg von Sachsen, lassen es zwar
möglich erscheinen, daß er der „Meister
Jakob" war, der 1521 ein Gutachten über die

auszubauenden Räume abgab, indessen ist H.
gerade während der Jahre 1521—23 in Annaberg ständig anwesend, könnte also die Bauleitung in Meißen nicht persönlich gehabt
haben. — H.s Anteil an der Annaberger
Kirche ist noch nicht sicher abgegrenzt. Bei
seinem Antritt war das Gebäude im Rohbau
bereits fertiggestellt. Außer dem Bau der südl.
Sakristei fällt in H.s Bauleitungszeit die Ausführung der Gewölbe und der eigenartige
Schmuck der Emporbrüstungen mit Reliefs;
beides ist in der Brüxer Kirche ziemlich getreu
wiederholt. — Die hervorragende Stellung, die
H. als Leiter der bedeutendsten erzgebir. Bauten
einnimmt, tritt auch in seiner Rolle im Annaberger Hüttenstreit 1518/19 zutage. Obwohl
den alten Hütten gegenüber tatsächlich im
Unrecht, setzte H. seine Forderungen — 4
statt 5 jährige Lernzeit der Steinmetzen, Erlaubnis, daß gelernte Steinmetzen im Dienste
zünftiger Bildhauer arbeiten dürften — mit
Hilfe Herzog Georgs durch Gründung einer
neuen obersächsischen Hütte durch. Fälschlich
ist diese Emanzipationsbewegung mit der Einführung von Renaissanceformen durch H. in
Verbindung gebracht worden: solche fehlen
an seinen gesicherten Bauten noch ganz oder
sind doch auf die zünftigen Bildh. Franz
Maidburg u. Chr. Walther zurückzuführen.

Annaberg, Ratsarchiv, 4. Lehnbuch, 1. Erbteilbuch. — Archiv f. Sächs. Gesch., N. F. IV (1878)
329 (Distel); ebenda N. F., V (1879) 262 ff.
(Gurlitt). — C. Gurlitt, Kunst u. Künstler
am Vorabend d. Reformation, 1890. — J. Neuwirth, Der Bau der Stadtkirche in Brüx, o. J.
— Alemannia, XXIV (1897) 174. — Bau- u.
Kunstdenkm. Kgr. Sachsen, IV (Steche); XL
(Gurlitt). — Bau- u. Kunstdenkm. Prov.
Sachsen, VII 316. — Wankel-Flechsig,
Sammlung des Kgl. Sächs. Altertumsvereins zu
Dresden, 1900 p. 36ª. — Mitteil. d. Vereins f.
Geschichte von Annaberg, 5. Jahrb. (Fink). —
Neues Archiv f. Sächsische Geschichte, XXI
(1906) 49 (Speck). — K. Weißbach,
Marienkirche zu Zwickau, 1922 p. 26, 47. — E. O.
Schmidt, St. Annenkirche zu Annaberg, 1908.
Walter Hentschel.

Heilmann, Jacob, siehe auch unter *Littmann,* Max.

Heilmann, Johann Kaspar (Jean Gaspard), Historien-, Bildnis-, Genre- u. Landschaftsmaler, Kupferstecher u. Radierer, geb.
in Mülhausen i. E. 1718, † in Paris 27. 11.
1760. War 4 Jahre Schüler von Deggeler (Hans
Leonhard?) in Schaffhausen und verschaffte
sich durch Bildnismalen am Hofe des Fürstbischofs von Basel die Mittel für eine Reise
nach Rom, wo er die französ. Akad. besuchte
und bei S. Conca studierte. Durch seine
Kopien nach Reni und den Carracci wurde
der französ. Gesandte, Kardinal de Tencin, auf
ihn aufmerksam, der bei ihm Kopien nach
Domenichino bestellte und ihn 1742 mit nach
Paris nahm, wo H. bis 1752 im Hause seines
Gönners wohnte. Er malte zahlreiche Bild-

nisse von Franzosen und Ausländern und zeichnete mit seinem Freunde J. G. Wille, der ihm Abnehmer für seine Arbeiten in Deutschland und der Schweiz verschaffte, eifrig nach der Natur. Macon erwähnt 5 Kopien nach J. M. Nattier's 1754 gem. Bildnis der Prinzessin von Condé (Original in Chantilly). Neben Bildnissen und Landschaften malte er bes. Küchenstücke und Genrebilder in der Art des Gerard Dou. Seine Arbeiten zeichnen sich aus durch Naturwahrheit, warme, duftige Farbe und die Kraft des Helldunkels. Seine Bilder sind selten; „La joli Ménagère" wurde 1907 aus der Slg Mühlbacher in Paris für 18 000 Fr. verkauft. Zu H.s letzten Arbeiten gehörten die Bildnisse dreier Grafen von der Leyen (verschollen). Landschaften von ihm befanden sich in Paris, Kopenhagen und Basel, eine Köchin mit Rebhuhn in der Slg Winkler in Leipzig. Chevillet hat 2 Bildnisse der Schwester H.s (Halbfigur als Spinnerin bzw. als Näherin) unter den Titeln „Le bon Exemple" u. „Melle sa Soeur", J. R. Schellenberg H.s Bildnis gestochen.

Gemälde (soweit erhalten). Mülhausen, Mus.: 2 Selbstbildnisse, Halbfig., das eine in Phantasietracht, roter, pelzverbrämter Mantel mit Halskette u. turbanartiger Mütze, bez. u. 1740 dat.; das andere in Zeittracht, grüner Rock, gelbe Weste. Näherin, Privatbes. *ebenda,* das Gegenstück, junges Mädchen mit Vogel, in *Paris,* Privatbes. Bildnis Jak. Sigismund Freiherr von Reinach-Steinbrunn, Fürstbischof v. Basel, Slg v. Reinach, *Hirtzach.* Bildnis eines Freih. v. Fries, Halbfig., in blauem Samtrock mit Goldtressen, blaugrauer Hintergrund (Bes. Paul Bernard-Blech, *Montbéliard).*

Stiche nach verschollenen Arbeiten (mit Angabe der Stecher): J. D. Schöpflin, Historiker (1746, das Original wahrscheinlich 1870 in Straßburg verbrannt; J. R. Metzger 1762). Pierre de Tencin, Erzbischof v. Lyon (J. G. Wille). Ludwig XV. (1. J. Houbraken 1752. 2. J. G. Wille nach J. B. Le Moyne u. H.) „The Cook-Maid" (J. E. Haid). „The art of dressing fish" (2 Bl. in Schabmanier, von dems.). „La Couturière", „la Fileuse" (2 Bl., J. Watson). Denkmal des akad. Jubiläums zu Basel 1760, mit Bildnis Pius' II. (Ch. v. Mechel). Akad. Diplom des Ch. v. Mechel, von H. gezeichnet, von Mechel gestoch.

Eigenhändige Stiche: Selbstbildnis; Bildnis seiner Schwester; kleine Landschaften (rad.). „Le Médecin clairvoyant", nach Le Prince.

B r u n , Schweiz. Kstlerlex., II (1908), m. Lit. — F ü ß l i , Kstlerlex., 1. u. 2. Teil. — T o r k e l B a d e n , Briefe von u. an Hagedorn, 1797 p. 331, 345 f. — E. M e i n i n g e r , Les anciens artistes-peintres Mulhousiens, 1908 p. 48 bis 61, m. Abb.; cf. Ill. Elsäss. Rdschau, XII (1910) 13 ff., m. Abb. — Ch. O u l m o n t , ebda p. 187, m. Abb. — G. M a c o n , Les arts dans la maison de Condé, 1903. — F. R e i b e r ,

Iconogr. alsat., 1896. — D u p l e s s i s , Cat. Portr. frç. etc. Bibl. Nat. Paris, 1896 ff. IV 20 962/₁.₂; VI 28 362 ₂₀₀. — W e i g e l , Kstcatal., Leipzig 1838—66, II 8795. — M i r e u r , Dict. des ventes d'art, III (1911), 425, 446 („Heylman"). — Notice des tabl. Mus. des B.-Arts Mulhouse, 1907 p. 26. — H e i n e c k e n , Dict. des Art., 1778 ff. (Ms. Kupferst.-Kab. Dresden).
B. C. K.

Heilmann, M a x , Landschaftsmaler und Radierer in Frankfurt a. O., geb. 7. 4. 1869 in Schmiedeberg, studierte in Breslau und an der Kunstschule zu Weimar 1885/89, zeigte Gemälde und Radier. in der Berliner Gr. Kunstausst. (Katal. 1894, 96/7, 99, 1903, 05, 06/7, 10, 12/14), im Münchner Glaspalast (Kat. 1908, 11, 14), in Düsseldorf (Kat. Gr. K.-A. 1909) und Hannover (Kat. Gr. K.-A. 1912). Die Gemälde-Slg des Stadtmus. in Bautzen (Kat. 1912) besitzt „Heranziehendes Frühlingsgewitter".
Neuigkeiten d. dtschen Ksthandels, 1907 p. 2; 1908 p. 34. — D r e s s l e r ' s Ksthandbuch, 1921 II.

Heilmann, P e t e r , s. im Artikel *Heilmann,* Jakob.

Heilmann, R u d o l f , Maler in Berlin, Schüler von E. Holbein, zeigte in den dort. Akad.-Ausstell. 1846 (Kat. p. 23) und 1848 (Kat. p. 26) Porträtzeichn. und Miniaturporträts, religiöse und Genrebilder (Kruzifixus, Petri Befreiung, Italienerinnen, Hirtenknabe). — Vermutlich identisch mit H e i l m a n n , der nach K. F. Hampe ein Bildnis von Frau E. Jaffée, geb. Argée, lithographierte.

Heilmayer, K a r l , Landschaftsmaler, geb. 5. 3. 1829 in München als Sohn des Emil Heilmair (s. d.), † daselbst 18. 5. 1908. Besuchte kurze Zeit die Münchner Akad., bildete sich selbständig weiter und unternahm Studienreisen nach Oberbayern, Südtirol und Italien, später auch nach Frankreich, Belgien und Norddeutschland. Seine Bilder behandeln hauptsächlich duftige Nebelstimmungen und Mondnächte, mit Vorliebe mit romantischer Staffage (Schleichhändler überschreiten im Mondlicht das Gebirge), und Motive aus den von ihm bereisten Ländern. Häufig auf Ausstell. in München, Berlin, Dresden, Wien u. a. O. vertreten. Arbeiten in den Gal. von München (Neue Pin.), Bamberg, Chemnitz, Linz a. D. u. Mainz.
B e t t e l h e i m , Biogr. Jahrb., XIII (1910) 109 f. (H. H o l l a n d) u. Totenliste p. 39*. — F. v. B ö t t i c h e r , Malerwerke des 19. Jahrh., I 2 (1895). — F. P e c h t , Gesch. der Münchner Kst im 19. Jahrh., 1888. — Kat. der gen. Slgn. — Kat. Ausst. d. Gem. a. d. Privatbes. des Prinzreg. Luitpold v. Bayern, München 1913 p. 24 f. — Jahrb. der Bilder- u. Kstblätterpreise, Wien 1911 ff., II–V/VI.

Heilmayr, E m i l , siehe *Heilmair,* E.

Heilmeier, M a x , falsch für *Heilmaier,* M.

Heilrath, J a k o b , Stukkateur, arbeitete 1749—50 mit Jos. Rauch die Rokoko-Stukkaturen der Jesuitenkirche zu Luzern.
J. B r a u n , Kirchenbauten der dtsch. Jesuiten, II (1910). — G y s i , Entwickl. der kirchl. Arch.

in der dtsch. Schweiz, 1914 („Heilratt', Druck-fehler im Text).

Heim, A d o l f V a l e n t i n A u g u s t, Architekt u. Maler, geb. 17. 6. 1843 in Scheß-litz in Bayern, seit 1869 in Hamburg tätig, besaß 1883 eigene kunstgewerbl. Werkstatt, verließ 1885 Hamburg. Bekannt als Zeichner von Gelegenheitsblättern.

Jahresber. Mus. f. Kunst u. Gew., Hamburg, 1890 p. 38. *D.*

Heim, E b e r h. F r i e d r., s. *Heimbsch,* E. F.

Heim, F r a n ç o i s J o s e p h, Maler, geb. in Belfort (Elsaß) am 16. 1. 1787, † in Paris am 30. 9. 1865, Sohn des Dekorationsmalers und Zeichenlehrers J o s e p h H., der 1781 in Belfort, seit 1788 in Straßburg nachweisbar ist. Ging 1803 — kaum 16jährig — nach Paris und trat in das Atelier Vincent's ein. 1806 erhielt er den 2. Rompreis mit einer Heimkehr des verlorenen Sohnes, 1807 den 1. Preis mit einem Theseus als Besieger des Minotauros (Pariser Ecole d. B.-Arts). In Rom kopierte er Gruppen aus Michelangelos Jüngstem Gericht. Den Salon beschickte er zum 1. Mal 1812 mit einer Ankunft Jakobs in Mesopota-mien (identisch mit dem 1814 ausgestellten großen Gemälde des Mus. zu Bordeaux) und dem Bildnis eines Jägers. Damals entstanden auch das große Aquarell des Mus. zu Sèvres: der Hochzeitszug Napoleons und Marie Louises durchschreitet die Große Galerie des Louvre, und das ziemlich öde Gemälde des Mus. zu Versailles: Verteidigung von Burgos. Nach Rückkehr der Bourbonen wurde H. deren be-vorzugter Hofmaler. 1817 stellte er das große Bild des Mus. zu Lyon aus: Ruben zeigt Jakob den blutigen Rock Josephs, 1819 zwei altrömische Szenen für die Galerie des Grand Trianon und ein Martyrium des hl. Cyriacus und seiner Mutter für die Pariser Kirche St. Gervais et St. Protais. Nicht mehr an Ort und Stelle findet sich sein für Notre-Dame ge-maltes, 1822 ausgestelltes Martyrium des hl. Hippolyt. In dems. Salon erschien das auf sehr detaillierten Porträtstudien beruhende Bild: Überführung der Gebeine der französ. Könige nach Saint-Denis (Skizze im Pariser Musée Carnavalet). Für die Dauphine malte er eine Landung der spanischen Königsfamilie in Puerto Santa Maria (Schloß Villeneuve-l'Étang), die mit einer hl. Adelheid (für die Begräbnis-kapelle in Dreux) und einer Szene aus Fla-vius Josephus (Louvre, No 408) im Salon 1824 den Ruf H.s begründete. Das Jahr 1827 wurde das Ruhmesjahr für H.; damals stellte er sein durch eine Unzahl von Bildnisstudien (48 im Louvre, andere in der ehem. Samml. Alexis Rouart) aufs sorgfältigste vorbereitetes Meisterwerk aus: Karl X. verteilt die Aus-zeichnungen des Salons von 1824 an die Künstler (Louvre; Stich von Jazet). Diese Massenversammlung von Porträtfiguren, deren

Mittelgruppe der König, der Bildh. Cartellier (dessen Tochter Fanny H. 1824 geheiratet hatte), Carle Vernet und der Vicomte De la Rochefoucauld bilden, hat nicht nur das größte dokumentarische Interesse, sondern auch hohe künstlerische Qualitäten, denn es ist H. gelungen, in diese Reihen offiziell gekleideter Statisten Leben und Bewegung zu bringen. Der Schauplatz der Szene ist der Grand Salon des Louvre; an den Wän-den hängen die prämiierten Clous des Sa-lons von 1824, darunter Ingres' Voeu de Louis XIII. Die Schärfe der Charakterisie-rung der einzelnen Personen ist besonders klar ersichtlich aus der Fülle der prächtigen Kreidestudien. Das zeitgenössische Gruppen-bild dieser Art erhob H. als der „Louis David der Restauration" von nun an zu seiner Spezialität; die Ausführung dreier, vom Hof ihm in Auftrag gegebener Versamm-lungen der Mitglieder der verschiedenen Ab-teilungen des Institut (zu dessen Mitglied H. 1825 erwählt worden war) wurde durch die Juli-Revolution zwar verhindert; doch haben sich zahlreiche Vorstudien dazu aus den Jahren 1827—29 im Louvre und in Pa-riser Privatsammlungen erhalten, die z. T. Verwendung gefunden haben in den beiden großen Zeremonienbildern des Mus. zu Ver-sailles: Louis Philippe empfängt die Depu-tierten, die ihm die Krone übertragen (Salon 1834), und: Empfang der Pairs - Kammer durch Louis Philippe (Skizze bei Alex. Rou-art). Sein historisches Gruppenbild: Empfang der ersten Akademiker durch Kardinal Ri-chelieu (Salon 1833) verbrannte 1848 bei Plünderung des Palais Royal (Skizze im Mus. zu Montpellier). Gleichfalls in Versailles fin-den sich die 1840 gemalte „Schlacht bei Rocroy", und die im Salon 1847 von der Kritik ungerechterweise mit Spott und Schimpf begrüßte „Vorlesung Andrieux' im Foyer der Comédie-Française", ein Bild, das durchaus auf die Qualitäten der älteren „Ver-teilung der Auszeichnungen an die Künstler" Anspruch erheben darf, dessen Gegenstück es darstellt (Kopie im Foyer der Comédie-Franç.; Vorzeichnungen im Louvre u. a. a. O.). Als mißlungen dagegen sind die reli-giösen Kompositionen H.s zu bezeichnen (An-betung der Könige und Darstellung im Tempel in St. Germain-des-Prés, die Male-reien in der Annakap. in St. Séverin usw.) und ebenso auch seine Dekorationen des Sitzungssaales der Chambre des Députés. Ein vollständiges Fiasko erlebte er mit seiner Riesenkomposition: „Niederlage der Cimbern und Teutonen" im Salon 1853. Seinen alten Ruhm erneuerte erst wieder die Exposition univ. 1855, auf der er mit 8 älteren Bildern, darunter die Verteilung der Auszeichnungen, vertreten war. Zum letztenmal beschickte er den Salon 1859, und zwar mit einer neuen Folge von 64 Zeichnungen von Bildnissen der Mitglieder des Institut (1856—59 entstanden), die von der Witwe des Künstlers dem Louvre geschenkt wurden. Mit den älteren Folgen verglichen, zeigt diese Serie eine gewisse Erweichung der zeichner. Faktur, doch ist die Schärfe der Individualisierung der Köpfe auf der früheren Höhe geblieben. — Gelegentlich hat H. sich auch mit Radierung und Lithographie beschäftigt, doch ist es in dieser Hinsicht bei Versuchen geblieben.

M. de Saint-Santin, Fr. J. H., peintre (S.-A. aus Gaz. d. B.-Arts, XXII [1867] 40—62). — Paul Lafond in Gaz. d. B.-Arts, 1896 II 441—54; 1897 I 27—36; außerdem zahlr. Erwähn. ebenda, vgl. Tables alphab. — L'Art, XV 113/18 (Ém. Perrin). — R. Ménard, L'Art en Alsace-Lorr., 1876 p. 102/5. — L'Art et les Artistes, VII (1908) 225/28 (Psichari, Les dessins de H.). — Revue de l'Art anc. et mod., XXVIII (1910) 132 ff. — Les Arts, 1908 No 75 p. 9 (Abb.), 13 ff. (Samml. Alexis Rouart). — Les Musées de France, 1912 p. 40. — Illustr. Elsäss. Rundschau, IX (1907) 47 (Abb.), 55 ff. (A. Girodie; hier auch über den Vater). — Bellier-Auvray, Dict. gén. etc., I (1882). — Soubies, Les Membres de l'Acad. d. B.-Arts, 2me série, 1909 p. 50 ff. — Bénézit, Dict. d. Peintres etc., II (1913). — Inv. gén. d. Rich. d'Art de la France, Paris, Mon. rel., I—III; Mon. civ., III; Prov., Mon. rel., IV (fälschlich „Henri Jos."); Mon. civ., I, III, V. — Béraldi, Grav. du 19me s., VIII (1889). — L. Rosenthal, Du Romantisme au Réalisme, 1914. — Guiffrey u. Marcel, Inv. gén. ill. d. dessins du Louvre, VI (1911); cf. IV (1909) 111. — Galeries hist. de Versailles, 1842 No 219, 1075, 1144, 1145.   *H. Vollmer.*

Heim, Heinrich, Historien- u. Bildnismaler, geb. in Rüsselsheim a. M. (Hessen) 5. 4. 1850, tätig in Nürnberg. Besuchte seit 1874 die Nürnberger Kunstschule unter C. Raupp u. K. Jäger, später die Münchner Akad. unter Alex. Wagner u. Andr. Müller. Für sein erstes Bild „Fahrende Schüler" (Internat. Kstausst. München 1884) erhielt er die Gr. Silb. Medaille. H. erhielt dann viele größere Aufträge zu Malereien für Klöster u. Kirchen sowie zu Entwürfen u. Kartons für Glasfenster. 1884 malte er 2 Wandgemälde (Hochzeitszug u. a.) auf der Drachenburg a. Rh. u. 1886 ein allegor. Fresko „Handel u. Industrie" in einem Kaufhaus in Ochsenfurt a. M. 1885 war er an der Ausmalung des Schlosses Neuschwanstein u. des Rathaussaales in Landshut beteiligt. Nach einer Studienreise nach Belgien u. Holland erhielt er 1888 eine Professur für Aktzeichnen an der Nürnberger Kunstschule. Im Sitzungssaal des Neuen Rathauses am Fünferplatz malte er allegor. Wandbilder, Darstell. aus der Nürnberger Geschichte des 19. Jahrh. mit vielen Bildnissen, im Deutschen Mus. zu München das Wandbild „Eröffnung der ersten Eisenbahn in Deutschland". Die Nürnberger städt. Gal. besitzt sein Ölbildnis des Oberbürgermeisters v. Schuh.

F. v. Bötticher, Malerwerke des 19. Jahrh. I 2 (1895). — Beschr. der städt. Kstsamml. Nürnberg, 1909, m. Biogr. — P. J. Rée, Nürnberg (Ber. Kststätten 5), ³ 1907. — Kst für Alle, VIII (1893), m. Tafelabb.

Heim, Heinz, Genremaler, geb. in Darmstadt 12. 12. 1859, † ebenda 12. 7. 1895. Studierte seit 1880 an der Münchner Akad. unter Strähuber, Benczur, Löfftz und Lindenschmit und ging 1886 nach Paris, wo Bouguereau, T. Robert-Fleury und Flameng seine Lehrer waren, und er besonders von Fantin-Latour stark beeinflußt wurde. Herbst 1887 finden wir ihn in Mainz und 1890 wieder in München. Wegen seiner geschwächten Gesundheit schlug er Professuren, die ihm dort, von Karlsruhe u. a. O. angeboten wurden, aus und kehrte in seine Heimat zurück. Die Sommer der folg. Jahre verlebte er in Schlierbach im Odenwald, die übrige Zeit in Darmstadt, wo er nach langjährigem Leiden, wozu sich ein schweres Augenübel gesellte, mit 35 Jahren starb. — Im Anschluß an die damals im Entstehen begriffene Münchner Sezession malte H. zuerst Armeleutebilder, indem er seine Aufgabe etwas nüchtern im Sinn der neuen Lehre von Licht und Farbe löste. Dagegen hat er in den letzten Lebensjahren seine Studien hauptsächlich dem hessischen Bauernleben gewidmet mit inniger Versenkung in die Natur und die Menschen seiner Heimat. Durch ein rastloses Modellstudium gelangte er zu immer reiferen Leistungen und koloristischer Verfeinerung. Mit schlichter Innigkeit schildert er einfache Motive aus dem Volksleben, die Bauern bei der Arbeit in Wiese und Feld oder während der Ruhe des Sonntags, in der Wirtsstube und daheim, die Schuljugend beim Spiel, die Mädchen, wie sie mit ihrer Handarbeit beschäftigt sind, müßig vor sich hinträumen, usw. Dazu bot ihm der Rötel das einfachste Ausdrucksmittel, das ihm bei der Wiedergabe eines lebenden Modells, eines Kopfes, eines Aktes, einer Figur in Landschaft eine möglichst weiche Flächenbehandlung im vibrierenden Licht vor einem absichtlich unbestimmt gehaltenen Hintergrund erlaubte. Was er ein „Malen ohne Farben" nannte, war eine instinktive Sicherheit der Strichführung, ein Herausarbeiten der Persönlichkeit in ihren individuellen Zügen und eine Andeutung der zartesten Licht- und Farbenübergänge. In seinen prachtvollen Rötelzeichnungen, mit denen er in München, Dresden, London, Barcelona und Chicago Medaillen und Diplome gewann, und die von den Galerien und den Sammlern begehrt wurden, hat H. ein abgeschlossenes Lebenswerk hinterlassen. Einige dieser Blätter „gehören unter die vollkommensten Manifestationen der malerischen Form, die in Deutschland entstanden sind" (Fuchs). Auch die Ölmalerei war ihm lediglich eine Frage der

Technik, wie er sich ausdrückt, „denn ich fühle die Kraft in mir, auch in der Malerei alles ausdrücken zu können, was in mir treibt". In diesem Sinne sind seine letzten Arbeiten mehr als nur die glänzende Verheißung eines starken malerischen Talents. Dazu gehören das „Konzert" im Darmstädter Mus., das „Pfründnermahl" der Dresdner Gal., der „Kugelspieler" in der Privatgal. des † Prinzregenten Luitpold von Bayern, der „Frauenakt" der Münchner Sezessionsgal., „Sonntag im Odenwald" und das unvollendete „Mädchen im Grünen" („Idyll") in Frankfurt a. M. (Privatbes.). — Eine Gedächtnisausstellung veranstaltete nach H.s Tode der hessische Kunstverein in Darmstadt; eine größere Kollektivausst. brachte die hess. Landesausst. ebendort 1908. — H.s Grabmal, von Habich, auf dem Darmstädter Friedhof.

Georg Fuchs, Das Werk des Malers Heinz Heim, Berlin, J. Stargardt, o. J.; ders., in Die Rheinlande, VIII (1908) T. II p. 65—75. — L. Weber, ebenda, III (1902/3) 301 ff. — Kst f. Alle, VI (1891); IX (1895), Nekrol. — Die Kst, XIX (1909), Abb. — Kstchronik, N. F. VI (1895) 502. — F. v. Bötticher, Malerwerke des 19. Jahrh., I/2 (1895). — Hessenkst, 1913; dem Andenken H.s gewidmet, 18 Abb. — Katal.: Akad.-Ausst. Berlin, 1889 p. 52, 149; 1890 p. 73; Gr. Kstausst. ebda, 1893 p. 39; 1894 p. 98. Glaspal.-Ausst. München, 1888 p. 58, 179; 1889 p. 133; 1890 p. 16; 1891 (ill. Ausg.) p. 39, 124; 1892 p. 35, 100; Sezess. 1893 p. 16, 38, m. Abb. — Festschr. z. 25 jähr. Reg.-Jub. des Großh. v. Hessen, 1917 p. 91 (Abb.), 94. — Kat. Ausst. der Gem. a. d. Bes. des Prinzreg. Luitpold v. Bayern, München 1913 p. 25. — Kat. der gen. Slgn.   R.

Heim, Johannes, Stuttgarter Architekt, † 15. 1. 1694, alt 68 Jahre, seit 1685 als Stiftswerkmeister gen. Erbaute mit Matthias Weiss von Kassel das Eberhard Ludwigs-Gymnasium (1840 umgebaut, Portal dat. 1685). — Johann Ulrich H., wahrscheinl. Sohn des vor., geb. um 1669, † 1737, um 1695—99 Kirchenratsbaumeister. Restauriert um 1700 die Kirche in Brenz und erneuert um 1710 die Kirche in Königsbronn (mit neuer Decke, Dachstuhl u. neuen Emporen) und 1727 die Paulskirche in Heidenheim. 1704—1716 fürstl. Bau- u. Werkmeister in Ludwigsburg.

A. Klemm, Württ. Baumeister, 1882. — Kstu. Altert.-Denkm. Kgr. Württ. Neckarkr. I (1889); 49/52. Lief. Jagstkr. Oberamt Heidenheim, 1913 p. 13, 32, 87, 205. — K. Weiss, Schloß Ludwigsburg, Diss. Techn. Hochsch. Stuttgt, 1914 p. 33, 40, 54, 57 Anm. 62.

Heim, Joseph, s. u. Heim, Franç. Joseph.

Heim, Ludwig, Architekt in Berlin, geb. am 8. 1. 1844 in Salzungen, studierte auf der Berl. Bauakad. und im Atelier von Lucae und Hitzig. Bald nach dem Baumeisterexamen begann er im Staatsdienst seine erste große Aufgabe, den Zentralbahnhof in Magdeburg (1870—74), dem dann 1875—77 die Entwürfe und ein Teil der Ausführung der Berliner Stadtbahn folgten. Danach verließ er den Staatsdienst und entfaltete eine an großen Aufgaben reiche Privattätigkeit in Hochbauten aller Art, besonders Geschäfts- und Wohnhäusern, Hotels, Bankgebäuden, städt. Villen und industriellen Bauten, meist im Stile der frei behandelten Renaissanceformen ital. oder französ. Gepräges. Aus der langen Reihe seiner Arbeiten nach 1880 nennen wir hier nur: Unionklub, Kontinental-, Bellevue-, Monopol- und Palasthotel in Berlin, Hotel Kaiserhof und Bad in Wiesbaden, Preuß. Bodenkreditaktienbank (Voßstr.), Dresdener Bank (Behrenstr.), Magdeburger Lebensversicherung, Berliner Paketfahrt, Villa Friedheim in Cöthen, Umbau und Erweiterungsprojekte der kgl. Oper in Berlin und neue Saalanlage für die Philharmonie daselbst, Marine-Panorama am Lehrter Bahnhof.

Berlin u. s. Bauten, 1896. — Spemann's Goldenes Buch v. eigenem Heim. — Zeitschr. f. bild. Kst, N. F. I (1890) 322. — Kstchronik, N. F. III 234.

Heim, Matthias, Landschaftsmaler u. Radierer (Dilettant), geb. in München 1782, † daselbst 1827. Schüler von M. J. Wagenbauer u. D. Quaglio. Gemälde von ihm befanden sich in Münchner Privatbes. Seine letzte Arbeit, „Kochelsee", war 1830 auf der Berl. Akad.-Ausst. zu sehen. Tuschzeichn. mit Ansichten Münchner Stadttore im dortig. Stadtmus. Einige rad. Landschaften tragen sein Monogramm.

Nagler, Kstlerlex., VI; Monogr., IV. — Brulliot, Dict. des Monogr., I (1832). — Maillinger, Bilderchronik Stadt München, I (1876). — Kat. Akad.-Ausst. Berlin 1830 p. 20.

Heim, Nicolaus, siehe Heimen, N.

Heim, Wilhelm Clemens, Fayencemaler in Durlach (1754—82), Mosbach (1782—86) und Dautenstein im Schwarzwald.

Riesebieter, Dtsche Fayencen, 1921.

Heimann, Joseph Anton, siehe Heymann, J. A.

Heimann, Leo, Bildnis-, Genre- und Landschaftsmaler in Berlin, geb. in Riga 6. 5. 1889, Schüler der Akad. Berlin u. München.

Dressler's Ksthandbuch, 1921 II.

Heimanus, falsch für Heilmann, Glockengießer.

Heimb, Eberh. Friedr., s. Heimbsch, E. F.

Heimbach, Matthias, falsch für Heubach, M.

Heimbach, Wolf, „Schnitzker" aus Sondershausen, erhält 27. 9. 1578 für 27 Wochen Arbeit beim Oldenburger Schloßbau für die Woche 1 fl.; seit dem 11. August d. J. arbeitete er mit Jorge Heybach „zu Oldenburg auf dem schlos, die bun zu deflen oben zu berge auf dem langen sael". Diesen Holzplafond ersetzte Graf Anton Günther 1617 durch die allegorischen Deckengemälde des Christ. Gärtner.   G. Sello.

Heimbach, W o l f , Hoftischler, Bildschnitzer in Oldenburg, arbeitete 1652 am Lusthaus auf der Wunderburg in Osterburg und fertigte 1661 die Kanzel in der Kirche zu Bockhorn (Amt Varel, Oldenburg); an dem Portal zum Aufgang der mit Figuren geschmückten und einer längeren Zugangsgalerie versehenen Kanzel befindet sich neben dem Wappen des Grafen Anton Günther v. Oldenburg und seiner Gemahlin die Inschrift: „Wolf Heimbach hat diesen Stol gemagt. 1661". 1666 bezieht H. eine Besoldung.

Bau- u. Kunstdenkm. Oldenburg, V (1909) 134, Abb. *G. Sello.*

Heimbach, W o l f g a n g (fälschlich Christian W.), Maler, geb. wahrscheinlich im 2. Jahrzehnt des 17. Jahrh. in Ovelgönne (Herzogtum Oldenburg, Amt Brake), wo sein Vater gräfl. Kornschreiber war, † nach 1678, wegen seines Gebrechens gen. *„Der Stumme von Ovelgönne".* Vom Grafen Anton Günther v. Oldenburg angeblich nach den Niederlanden zur Ausbildung geschickt, doch geben die Verzeichnisse der oldenb. „Stipendiaten" (nur für 1630—37 erhalten) keinen Anhalt dafür. 1636/37 malt H. in Bremen Porträts. 1645 vermutlich in Rom, da er in diesem Jahre den Papst malte. Der Großherzog von Toskana, Ferdinand II., war sein Gönner, wie aus einem, 27. 10. 1646 aus Loreto dat. Briefe des Fr. Caetano an Ferdinand hervorgeht. Damals war H. mit einer Empfehlung des Großherzogs an Caetano offenbar nach Loreto gekommen. (Florenz, Staatsarch., Arch. Mediceo, Inserto 3 del 1646, No 260; Notiz. Gronau.) Er blieb im ganzen 12 Jahre (1640—52) außer Landes. In Dänemark seit 1647 tätig, da er in diesem Jahre die Bildnisse der Prinzen Christian und Frederik malte (Schloß Rosenborg). 1651 muß er auf Schloß Nachod geweilt haben, wo er vermutlich ein Bildnis des Fürsten Octavio Piccolomini malte. Am 5. 5. 1652 wird er vom Grafen Anton Günther versuchsweise auf ½ Jahr in Dienst genommen, am 12. 11. bereits wieder „in Gnaden" entlassen; H. gibt das Versprechen Oldenburg binnen 8 Tagen zu verlassen. Er ging zunächst nach Ovelgönne. Aus dem Revers, den er dabei unterschreiben mußte, erfährt man, daß er während seiner Dienstzeit 9 Bilder gemalt habe: 1. ein „Waschelstucke", bei der Wäsche beschäftigte Frauen. 2. Geißelung Christi. 3. „Badestucke". 4. „Ein Frauenbild im Bette, vor der ein Mann mit bloßem Schwert stehet". 5. Die Frau von Samaria. 6. „ein klein wenig kleiner nach dem Leben gemacht; sind beide Nachtstucke und werden sehr hoch geschatzet". 7.—9. noch 3 kleine Stücke ohne Angabe des Gegenstandes. — 1654 ist H. am Hofe Friedrichs III. v. Dänemark und wurde auch Hofmaler. 1660 nimmt er an der Erbhuldigung teil; 1665 wieder in Oldenburg, denn vom 26. 3. 1665 bis 15. 4. 66 wird aus der gräfl.

Kammer Haus-Steuer für ihn bezahlt. Damals entstand eine weiß gehöhte Rötelzeichnung der Grablegung Christi, bez. „Wolffgang HBach fecit contraf. 1665" (Kupferstichkab. Oldenburg). In Oldenburg wurde nach der Signatur auch das Erbhuldigungsbild vollendet. Am 29. 8. u. 28. 12. 1666 kaufte Graf Anton Bilder von H., 1667 malt H. das Bild des Grafen u. s. Gemahlin in Kopenhagen. Dieser starb am 19. 6. 1667, was H.s Rückkehr nach Oldenburg veranlaßt haben mag. Er kam beim König um Urlaub ein, der 21. 8. 1667 mit Reisegeld genehmigt wurde; später wurde H. auch eine Pension gewährt. H. klagt in seinem Gesuch, daß er während der 8½ Jahre als königl. Maler 5 Jahre keine Löhnung bekommen habe. 1669 ist er wieder in Ovelgönne nachweisbar. Die letzte bekannte Arbeit ist 1678 dat. — Die frische Farbigkeit der frühen Bilder H.s läßt, nach Waldmann, darauf schließen, daß er in Haarlem im Kreis des Frans Hals sich gebildet u. die Gesellschaftsmaler wie Dirk Hals, Codde, Palamedes u. a. studiert hat. H.s Technik ist schwach, oft dilettantisch unbeholfen, aber seine Bilder sind koloristisch reizvoll. Neben den vielen Bildnissen hat er auch häufig Genreszenen aus dem Bürgerleben gemalt, mit Vorliebe in Form von Nachtstücken. — H.s Selbstbildnis auf dem Erbhuldigungsbild Friedr. III. (Abb. Madsen, p. 92). — In der ehem. Samml. v. Fromm in Meiningen befand sich eine mit H.s Monogramm bez. u. Bremen 1636 dat. Zeichnung, Landschaft mit einem Liebespaar und 3 Personen, die es überraschen wollen. H. signierte häufig W. H B (H u. B in Ligatur), bisweilen mit Hinzufügung eines C [= contrafactor], welches irrig als Christian gedeutet worden ist.

Datierte Bilder: 1636: Ratsherr Dr. Graevaeus, Frau Dr. Graevaeus, Bremen, Kunsthalle. — 1637: Vornehme Gesellschaft, bez. Ovelgönne 1635, Bremen 1637, Bremen, Kunsthalle; Münzmeister Blum, ebenda, Focke-Mus. — 1645: Bildnis eines Papstes, Kopenhagen, Mus. — 1647: Prinz Christian u. Frederik v. Dänemark, Rosenborg. — 1651: Interieurszene, 1921 bei Ch. Brunner in Paris. — 1654: Bildnis des Elfenbeinschnitzers Jakob Jensen Normand, Rosenborg (Madsen Abb. p. 93). — 1658: Familienszene. — 1659: Ulrik Christ. Gyldenlöwe, gestochen von Alb. Haelwegh. — 1660: Königin Christine von Schweden, Braunschweig (Führer 1891 p. 37), schwächere Replik in Cassel. — 1662: Bildnis eines jungen Mannes mit der Reede von Kopenhagen im Hintergrund, London, Nat.-Gall. — 1666: Erbhuldigung Friedr. III. v. Dänemark, Rosenborg. — 1667: Familienbild Anton Günthers v. Oldenburg, Kopenhagen; gest. v. H. W. Winterstein, Hamburg 1667. — 1669: Der Kranke, Hamburg, Kunsth. — 1678: Bildnis eines Prinzen (aus dem Hause Braunschweig ?), Hannover, Prov. Mus. (Kat. 1905 p. 60).

Nichtdatierte Bilder: Wechsler, Rosenborg (Madsen, Abb. p. 94). — Reiter am Wirtshaus, Oldenburg. — Im Wirtshaus, Hannover, Prov. Mus. — Nachtstück mit vielen Fig., Kopenhagen. — Bildnisse, Rosenborg. — Königin Sophie Amalie in Maskeraden-Tracht, Frederiksborg; Graf Rantzau, ebenda. — Graf Hans Schack u. s. Gattin, Schloß Steensgaard, bei Svanninge (Amt Svendborg).

Oldenburg. Landesarch., Ms. „Bestallungsbuch Graf Anton Günthers", 1652; Acta Grafsch. Oldenb. Tit. VI, C; IX Abt. II, C; Kammerregistratur, Rechnungen ohne Beläge, 1665—67; Beläge ohne Rechn. 1614—16, 1618—25, 1628—31, 1633, 1636/37, 39, 43, 44, 46, 1652—57, 59, 69; Rechn. mit Belägen, 1617, 47, 77. — J. J. W i n k e l m a n n , Oldenb. Friedens- u. d. benachbarten Örter Kriegshandlungen, 1671 p. 513. — G. P a z a u r e k , Beschreib. von Nachod. — „Von einem alten Oldenb. Maler" in „Nachrichten f. Stadt u. Land", Oldenburg 1907 No 73. — Illustrered Tidende, XXXVII (1895) 23. — W e i l b a c h , Nyt Dansk Kunstnerlex., 1896. — P a r t h e y , Dtscher Bildersaal, I, 1863. — D a h l og E n g e l s t o f t , Dansk biogr. Haandleksik., II (1921) 48. — S t r u n k , Portr. af det Danske Kongehuus, I (1881) 287; d e r s., Portr. af Danske, Norske og Holstener, 1865 p. 201. — G. S e l l o , Histor. Wanderungen durch Oldenbg, 1894 p. X. (nur Abb.). — R ü t h n i n g , Oldenbg. Gesch., 1911 I, 568, 587 f. (Vorsicht!). — Ztschr. d. Ver. f. Hambg. Gesch., XI, 356. — Ztschr. d. Ver. Heimatbund Niedersachsen, 1915 p. 135. — M a d s e n , Kunstens Historie i Danmark, 1901/07 p. 92 ff. (Abb.). — Jahrb. d. brem. Sammlgn, I (1908) 44 ff., Abb. (W a l d m a n n). — G. B i e r m a n n , Deutsches Barock und Rokoko, Jahrh.-Ausst. Darmstadt 1914, I 86, Abb. — Kataloge der angef. Samml., ferner: *Bremen:* Ausst. alt. Meister a. brem. Privatbesitz, 1904 p. 13, 60; *Frederiksborg:* Catal. 1919 (A n d r u p); *Hannover:* Verz. d. Hausmannschen Gem. Slg, 1831; *Kopenhagen:* J. C. Spengler, Cat. over det Kong. Billedgal. paa Christiansborg, 1827 p. 503 ff.; *Stockholm:* Förtecking Oljefärgstaflor Nat. Mus., 1908.

G. Sello u. *V. Dirksen.*

Heimbrod, J o h a n n C h r i s t o p h , Bildhauer, wahrscheinlich deutscher Abkunft, † Anfang 1733, arbeitete in Diensten der dän. Könige Friedrich IV. u. Christian VI., meist handwerklich beschäftigt. 1724 nahm er eine Totenmaske (Wachs) von der † Prinzessin Christiane Amalie, wonach Joh. Hofmann ihr Bildnis malte. 1725 übernahm er die Ausführung von Kapitellen für den Hochaltar der Erlöserkirche in Kopenhagen (Vor Frelsers Kirke), für die der schwed. Architekt Nicod. Tessin das Modell geliefert hatte; H. werden auch die Engel mit Kelchen zugeschrieben. Für den Schloßpark Fredensborg arbeitete er eine Statue der Flora. Für Schloß Hirschholm erhielt er 1732 Aufträge für Bildhauerarbeiten, und machte einen Voranschlag für Wiederherstellungsarbeiten an der Marmorgalerie des Außenbaues von Schloß Frederiksborg, deren Ausführung durch H. sein Tod verhinderte.

W e i l b a c h , Nyt Dansk Kunstnerlex., 1896. — T r a p , Danmark, 1898—1906, I. — B e c k e t t , Frederiksborg, II (1914).

Heimbsch (Haim, Heim), E b e r h a r d F r i e d r i c h , Werkmeister von Stuttgart, vermutlich aus der Schule des Frisoni oder Paolo Retti, wurde nach der großen, die Stadt Hall am 31. 8. 1728 heimsuchenden Feuersbrunst zum Wiederaufbau der Stadt vom Herzog von Württemberg dem Rat von Hall zur Verfügung gestellt. 1730 wurde ihm, zusammen mit dem Haller Werkmeister Joh. Georg Arnold der Rathausneubau übertragen. Grundsteinlegung 22. 8. 1732, Einweihung 18. 6. 1735. Der prächtige Bau mit seinem lebhaften Umriß, den das von zierlicher Laterne und Korbkuppel gekrönte Urtürmchen pikant überschneidet, ist in den schwellenden Formen des Frisoni-Stiles gehalten unter Verlassen der Traditionen des deutschen Rathauses, und trägt, namentlich im Innern, „den Charakter fürstlicher Prunkarchitektur in der Stilrichtung des frühen Rokoko". Dehios Zweifel an der H.schen Autorschaft des Entwurfes selbst sind gewiß unberechtigt; denn die Haller Ratsprotokolle (die übrigens stets „Haim" schreiben) nennen neben ihm u. Arnold keinen weiteren Baumeister und besagen ausdrücklich, daß beide den Plan geliefert hätten. 1731—38 erbaute H., gemeinsam mit J. G. Arnold und Georg Andr. Teschler, die Kapelle des hl. Geistspitals und vermutlich auch das Hospital zu Hall. Ferner fertigte H. die „Alabasterarbeiten" am Hauptportal des Rathauses und das Grabdenkmal des Joh. Jacob Hetzel († 1732) auf dem alten Kirchhof in Hall (bez. „Eberhard Frideric. Heimb. Architekt. Stuttgardiae designatus fecit"). In der „Umständl. Nachricht von den Ceremonien ... bei .. Einweihung der hospital. Kirche z. hl. Geist .. in Hall" (Hall 1740) wird er „Eberh. Friedr. Heim Stuttgardiensis, designatus ibidem architectus" genannt. — Eine stilkritische Untersuchung der zahlreichen schönen, nach dem Brande von 1728 errichteten Barockbauten in Hall (wie des Firnhaler-Jopp'schen Hauses am Markt und der gegiebelten Doppelbauten des Oberamtes und Kanzleihauses) auf die Autorschaft H.s hin würde sicherlich interessante Resultate zeitigen.

Kst- u. Altert.-Denkm. Württemberg, Jagstkr., 1. Hälfte, 1907 p. 488, 530, 548, 552, 719. — D e h i o , Handb. d. deutschen Kstdenkm., ²III (1920). — Blätter f. Archit. u. Ksthandwerk, VI (1893) Taf. 31 ff., p. 19 (K o l b); XXIX (1917) Taf. 8—12 (Detailaufnahmen vom Rathaus in Hall) u. 48, p. 4 f., 20 f. — W i l h. G e r m a n in der Zeitschr. Württembergisch Franken, N. F. IX (1906) 62—80 (Erbauung des Haller Rath., mit weiterer Lit.). — Württ. Vierteljahrsh. f. Landesgesch., VIII (1885) 198 (K l e m m).

H. Vollmer.

Heimburg, E. v o n , Landschaftsmaler und Zeichner in München um 1858. Nagler kannte von ihm nur eine ziemlich große Landschaft in Öl, „deren Motiv an das bayrische Hochland erinnert". 1907 als „längst verstorben" erwähnt. Zeichnete die Theaterzettel zu Otto Stöger's Ritter- und Schauerdramen für die Münchner Künstlerfeste der 60 er Jahre. Köstliche Karikaturen H.s enthält auch das Künstleralbum von Jung-München („Otto Stöger mit der Riesenmappe"). Fr. Gunkel hat nach seinen Zeichnungen Ansichten zu L. Clarus (Pseud. für Volck): Passionsspiel in Oberammergau (2. Aufl. München 1860) in Stahl gestochen.

N a g l e r , Monogr., II (1860). — M a i l - l i n g e r , Bilderchron. Stadt München (Mailinger-Slg, Stadtmus.), III (1876). — Die Kst, XV (1907), Abb. — Bibl. Bavarica Lagerkat. Lentner, München 1911 Nr 9581.

Heimburg, K o n r a d , Architekt, arbeitete um 1448 mit Konrad Stol an der Pfarrkirche zu Tauberbischofsheim, laut Inschrift an dem 1448 dat. Sakramentshäuschen u. der aus dem gleichen Jahre stammenden Glocke ebenda.

Kstdenkm. des Großherzogt. Baden, IV 2 (1908) 184, 190.

Heimen (Heim, Hein), N i c o l a u s (Niclas), Bildschnitzer, fertigte für Schloß Gottorff 1649 Hirsch- u. Rehköpfe, 1650 „allerhandt arbeidt", 1652 eine „geschnittene" Wiege, die nach Darmstadt geschickt werden sollte, 1652, 53 u. 54 wiederum Hirschköpfe, 1654 ein Kruzifix für die Herzogin Maria Elisabeth.

H. S c h m i d t , Gottorffer Kstler, I; in Quellen u. Forsch. d. Ges. f. Schleswig - Holst. Gesch., IV (1916) 250 ff.

Heimer, J o h a n n C h r i s t o p h , Landschafts- u. Miniaturmaler, geb. um 1781, tätig 1808 in Nürnberg, † nach 1838.

N a u m a n n ' s Archiv f. die zeichn. Kste, X (1864) 123. — N a g l e r , Kstlerlex., VI (1838).

Heimeran (Emmeran), eigentl. *Heinrich*, Zimmermeister aus Straubing, begibt sich 1470 auf 10 Jahre in den Dienst der Stadt München, wo er 1477/78 den Bau des riesigen Dachstuhles der Frauenkirche leitet. 140 Flöße, jedes zu 15—16 Baumstämmen, wurden verbaut. — Porträts von ihm finden wir in der Frauenkirche zu München (neben dem Bildnis Jörg Ganghofers) und im Klerikalseminar zu Freising, eine späte Kopie im Münchner Nationalmus. Wahrscheinlich hat H. auch unter Herzog Albrecht IV. den großen Beschlacht- oder Wasserwehrbau in Straubing ausgeführt (1480).

H u g o S t e f f e n , Mittelalt. Ziegelsteinbauten in München, in Zeitschr. d. Verbandes deutscher Archit. und Ingenieurvereine, V (Berlin 1916) 83. — A. M a y e r , Domkirche zu U. L. Frau in München, 1868 p. 56—62. — Kunstdenkmale Bayerns, I 970. — R i c h. H o f f m a n n , Kunstaltertümer im erzbisch. Klerikalseminar zu Freising, in: Beiträge zur Gesch., Topographie und Statistik des Erzbist. München u. Freising von Martin von Deutinger, X (München 1907) 291. — Führer d. d. Nationalmus. München, 1908 p. 79.
Hans Kiener.

Heimerdinger, F r i e d r i c h (Johann Fr. Andreas), Maler, geb. in Altona 10. 1. 1817, † in Hamburg 2. 10. 1882. Zuerst Lehrer,

dann gebildet 1839—42 in Düsseldorf unter Th. Hildebrandt, 1842—45 in München. Wieder in Hamburg, gründete er eine Zeichenschule für Maler u. Bildhauer, die er durch seine ausgesprochen pädagogische Begabung zu einer gewissen Bedeutung erhob. Gab heraus: 1857 „Elemente des Zeichnens nach körperl. Gegenständen", 1868 „Aufgaben für Schule und Haus". H. ist von Wichtigkeit in der Geschichte des Zeichenunterrichts durch die Einführung der Methode des Zeichnens nach Körpern, die nach ihm in der Hamburger Gewerbeschule ausgebildet und später über Deutschland verbreitet wurde. Malte Tier- und Stillebenbilder und wurde durch seine Illusionsmalereien, z. B. Vögel an Kistendeckeln hängend, sehr populär. — In der Kunsthütte Chemnitz „Herbstfrüchte" (Stilleben).

H. A. M ü l l e r , Biogr. Kstlerlex., 1884. — R u m p , Lex. bild. Kstler Hambgs, 1912. — v. B ö t t i c h e r , Malerwerke d. 19. Jahrh., I 2 (1895). — Kunstchronik, VII (1872) 342; IX 124, 654; XIII 717; XVIII 9 (Nekrol.). — Hambg. Nachr., 1882, Nr. 233 (Nekrol.). — R e b e r , Gesch. d. neuer. dtsch. Kst, 1876. — L i c h t - w a r k , H. Kauffmann, 1893 p. 66. — *Kataloge:* Altona, Ausst. aus Privatbes., 1912 p. 58. Berlin: Akad.-Ausst. 1868; 74; 78; 79; 81. Breslau: Kstausst., 1873. Hamburg: Ausst. a. Hambg. Privatbes., 1879; Kat. d. Kunsthalle, 1910; Gal. Frau Konsul Weber, 1907. Lübeck: Ausst., 1850; 52; 54; 78. München: Glaspalast, 1869; 1871; 1879. Oldenburg: Kat. Samml. Rösicke, Augusteum, 1910 p. 6.
D.

Heimes, H e i n r i c h , Maler, geb. 12. 7. 1855 in Mayen (Eifel), Schüler der Düsseldorfer Akad. unter Eug. Dücker u. O. Jernberg (1880/84), dann der Kunstschule in Karlsruhe als Meisterschüler G. Schönleber's (1884/90). Von 1890 bis 1910 in Düsseldorf ansässig, dann in Cronberg i. T. Malt mit Vorliebe Marinebilder, besonders von der holl. Nordseeküste, in einer die Darstellung der atmosphärischen Erscheinungen sehr fein beobachtenden, impressionistischen Technik. Sein Hauptstudienplatz (seit 1883) war Egmond a. Z., wo er fast 2 Jahrzehnte den freundschaftl. Verkehr mit Gari Melchers und George Hitchcock pflegte und von dem Zusammenarbeiten mit diesen jedenfalls stark beeinflußt wurde. Seit 1901 in Katwijk a. Z. ansässig, unternahm er auch Studienreisen nach Dänemark, Italien, Südfrankreich, Griechenland, Palästina u. Ägypten. Beschickt seit 1888 die Ausst. im Münchner Glaspal., seit 1893 auch die Gr. Berl. K.-A. die Ausst. in Düsseldorf, Köln usw. In der Städt. Gemäldesamml. in Düsseldorf von ihm eine Marine.

S c h a a r s c h m i d t , Zur Gesch. d. Düsseld. Kst, 1902. — F. v. B o e t t i c h e r , Malerwerke d. 19. Jahrh., I 2 (1895). — Das geist. Deutschland, I (1898). — E. A. Seemann's „Meister der Farbe", XV (1918) Heft 3, No 7997 (J. A. B e r i n g e r). — Mitteil. d. Künstlers. — Mit Notizen von W. Cohen.

Heimgartner, J o s e p h , schweiz. Maler,

geb. in Fislibach (Ktn Aargau) 27. 1. 1868. Tätig in Altdorf. Studierte in München u. Italien. Arbeiten (dekor. u. Figurenmalereien) in den Kapuzinerkirchen von Rapperswil, Schwyz (1901), Solothurn, Sursee (1902) sowie in den Pfarrkirchen von Biel (Wallis) u. Schennis (1910).

Brun, Schweiz. Kstlerlex., II (1908). — A. Fräfel u. Ad. Gaudy, Baugesch. der Stifts- u. Pfarrkirche in Schennis, Gossau 1913 p. 99.

Heimig, Walter, Maler u. Lithograph in Düsseldorf, geb. in Wesel am 3. 10. 1881, Schüler d. Düsseldorf. Akad. unter E. v. Gebhardt u. Claus Meyer, hielt sich als fertiger Künstler einige Zeit in Paris auf. Während des Weltkrieges als Leutnant im Osten; zahlreiche launige Zeichnungen aus dieser Zeit in der städt. Kriegssammlung (Stadtarchiv) in Düsseldorf. Beschickt seit 1907 die Gr. Berl. Kst-A., den Münchner Glaspalast, die Gr. Kst-A. u. die Jahresausst. der Kstler.-Vereinigung „Niederrhein" in Düsseldorf, die Ausst. in Köln, Wiesbaden, Stuttgart usw. Anfänglich noch von Gebhardt abhängig, wie vor allem das 1907 gemalte Altarbild in Marienhagen bei Vöhl, Christus am Kreuz, bezeugt (Abb. in Die christl. Kunst, IV [1907/8] 191), hat er sich in seinen späteren, koloristisch kühnen Figurenbildern, Akten u. Landschaften sehr selbständig weiterentwickelt. Die Düsseldorfer Gal. bewahrt von ihm: Marienbrücke (1914) und Cellospieler (1919).

Die Kunst, XXV (1911/12) 464 (Abb.). — Ausstell.-Katal. (z. T. mit Abb., z. B. Düsseldf 1909, 11, 18). — Mahlberg, Beitr. zur Kst d. 19. Jahrh. u. uns. Zeit (Eröffnungs-Kat. d. Gal. Flechtheim-Düsseldf), 1913 p. 96. — Mitteil. d. Kstlers. — Notizen von W. Cohen.

Heimlich, Johann Daniel, Maler und Radierer, geb. in Straßburg 1740, † ebenda 1796; der Name vielfach fälschlich als Pseudonym für J. E. Zeisig gen. Schenau aufgefaßt. Gegen 1765 weilte H. wohl in Paris, machte 1772 sein Meisterstück in Straßburg, war hauptsächlich im Elsaß als Porträt- und Landschaftsmaler tätig. Eine Reihe vollbezeichn. und dat. Bilder in elsäss. Privatbes., sowie in den Museen von Colmar und Straßburg. Mehrere seiner Werke wurden während der Belagerung 1870 beim Brande der Straßburger Kunstsammlungen vernichtet. Im Musée des Beaux-Arts in Straßburg ein Interieurbild von 1784, ferner der Künstler mit seiner Gattin im Atelier, ferner Porträt eines Jägers (1770) u. einige signierte Zeichnungen. H. figurierte während der Revolution als Expert bei der Beschlagnahme der kirchlichen Gemälde des Straßburger Münsters. Seine graph. Folgen führen die Titel: „Vues des environs de Paris par Daniel Heimlich 1765 à Paris chez Quillau librairie Christine au magasin littéraire" (10 Bl.); „Suite de paysages, dédiés à Monsieur Frédéric Dagobert Baron de Wurmser etc . . . par son très humble et très

obéissant serviteur J. D. Heimlich 1774" (7 Bl.). Einzelblätter zeigen Porträts, Ansichten der Umgegend von Straßburg, Landschaften u. a. H. hat auch verschiedene Vignetten zu in Straßburg gedruckten Büchern, für Tabakpackungen usw. geliefert.

Ad. Riff, J. D. Heimlich, in Arch. alsac. d'hist. de l'art, II (1923), monographisch. — Nagler, Kstlerlex., VI. — Vachon, Strasbourg, 1882 p. XL. — Reiber, Iconogr. alsat., 1896. — Illustr. Elsäss. Rundschau, XVI (1914) 49, 52. — Anzeiger f. elsäss. Altertskde, IX (1918) No 1—4 p. 976. — W. Schmidt in Kunstchronik, N. F. XXXII (1920/21) 573/76, mit Abb. u. Lit. — Compte-rendu des Mus. de la ville de Strasbourg, 1919/21 p. 5 f., Abb. — *Kataloge:* Mus. Colmar, 1866; Ausst. v. elsäss. Kst u. Altert. Gegenst., Mai 1893; Ausst. v. Kst u. Altert. in Els. Lothr., 1895; Expos. alsac. de Portr. anc. à Strasbourg, Mars-Avril, 1910; Kunstmus. Stadt Straßburg, 1909; Dessinateurs alsac. (Expos... Soc. d. Amis d. arts de Strasb.), Straßb. 1921. *Ad. Riff.*

Heimmerich, C.H., Ornamentzeichner, zeichnete 6 Bl. Vorlagen für Goldschmiede: Bouquets de Fleurs, London 1754.

Guilmard, Maitres ornem., 1881.

Heimo, Bildhauer um 1200, dessen angebliches Selbstbildnis (kniende Figur, der hl. Maria ein Kapitell verehrend) nebst Signatur („S. Maria. Heimo") sich an einem der figurierten Kapitelle im Chorumgang der Kathedrale von Maastricht befindet.

Helbig, La Sculpture etc. au pays de Liège, 1890, p. 25. — Marchal, La Sculpture etc. belges, 1895.

Heimo, Glockengießer aus Tübingen, goß die Glocke der Kirche zu Dätzingen (Oberamt Böblingen), lt Inschr.: „. . magistro Heimo de tuwingen . . 1306".

Kst- u. Altertumsdenkm. Württ., Neckarkr., I (1889) p. 98. — Otte, Glockenkunde, ² 1884 p. 192 (fälschl. Hein).

Heimpell, Zimmermeister in Frankfurt a. M. Lieferte für den Neubau der Paulskirche (1786 ff.) 2 (nicht ausgeführte) Entwürfe. Die noch vorhandenen Risse u. Pläne zeigen einen Zentralbau mit Kuppel nach dem Vorbild der Dresdner Frauenkirche.

K. Jelkmann, St. Paulskirche usw., Diss. der Techn. Hochschule zu Darmstadt, Frankf. a. M. 1913 p. 13 ff., m. Abb.

Heims, Carl Heinrich Ludvig, Kupferstecher, geb. 24. 5. 1817 in Altona, bildete sich ebenda zum Architekten, kam 1838 zum Abschluß seiner Studien nach Kopenhagen, wo er sich jedoch dem Kupferstich zuwandte und J. L. Lunds Schüler wurde. Man kennt von ihm einen Stich (in Schølers stylograph. Verfahren) nach dem von Eckersberg gemalten Bildnis Thorvaldsens in der Akad. Kopenhagen. 1840 wurde er Zeichner am zoolog. Mus. in Kopenhagen; nach 1848 beschäftigte er sich mit dem chalkograph. Verfahren, ging nach Berlin, von dort 1854—58 nach Paris, machte 1860 in Berlin das Zeichenlehrerexamen und wurde darauf an Gymnasium u. Realschule in Flensburg angestellt.

Weilbach, Nyt Dansk Kunstnerlex., 1896.

Heims, Ernst M., Tier-, Kolonial- u. Schlachtenmaler, geb. 16. 3. 1886 in Berlin, † 2. 4. 1922 ebenda. Schüler der dort. Kstgewerbemuseumsschule u. Akad. (unter P. Meyerheim). Begleitete den Herzog Johann Albrecht von Mecklenburg auf seiner Reise nach Afrika und war während des Weltkrieges auf dem westl. Kriegsschauplatz als Schlachtenmaler tätig.

Kat. Gr. Kstausst. Berlin 1909, 1910 p. 74, 1912; Kriegsbilderausst. Akad. ebda 1916. — Deutscher Courier, Berlin, v. 7. 9. 1914. — Todesanz. in Tageszeitungen.

Heimundt, Blasius, = *Hemony,* B.

Hein, Glockengießer, falsch für *Heimo,* Glockengießer.

Hein, Alois Raimund, Historien-, Genremaler u. Kunstschriftsteller, geb. in Wien 1. 6. 1852. Studierte mit vielfachen Unterbrechungen 1869—85 unter Trenkwald und Jacoby an der Wiener Akad. Tätig als Zeichenlehrer u. Prof. in Oberhollabrunn (Niederösterr.) und seit 1891 in Wien. Unternahm 1880 u. 84 Studienreisen nach Italien und debütierte 1874 mit seinem Bilde „Requiem" in der Wiener Kunstgenossenschaft. Seine durch sorgfältige Kleinmalerei ausgezeichneten Gemälde wie: Atelierszene, Dissonanz, Andromeda, Faust, Stilleben, Le Garçon, sind durch Reproduktionen verbreitet. Sein Zyklus „Kreislauf des Lebens" behandelt ein Stück Lebensund Liebesgeschichte aus den Kreisen der vornehmen Welt. In der Landschaft hat sich H. auf Studien beschränkt. Arbeiten im Staatsmus. u. im Mus. der Stadt Wien. Von H.s schriftstellerischen Arbeiten sind zu nennen: Die Alhambra (1880), Die bild. Künste bei den Dayaks auf Borneo (1890), Mäander, Kreuze, Hakenkreuze und urmotiv. Wirbelornamente in Amerika (1890), Adalb. Stifter, s. Leben u. s. Werke (1904), sowie Lehrbücher für den Zeichen- u. Malunterricht.

Dressler, Ksthandb. 1913; 1921 II. — A. Martinez, Wiener Ateliers, III (1892) 33—48. — Das geistige Dtschland, I (1898). — Kosel, Dtsch-öst. Kstler- u. Schriftstellerlex., I (1902). — Kstchronik, IX (1874) 357.

Hein, Andreas, Goldschmied in Elbing, von dem sich in der dort. Marienkirche ein vergoldeter Kelch (1602) befindet.

v. Czihak, Edelschmiedekst in Preußen, II (1908), m. Taf.

Hein (Heine, Hayn), Benedikt, Glockengießer in Diensten des Herzogs von Pommern-Stettin 1581. Goß die Glocken zu Ziethen (1587), Eggesin (1626) u. diejenige des Hospitals vor dem Steinbeckertor in Greifswald (1623, jetzt im Alten Hospital daselbst).

Th. Pyl, Gesch. der Greifswalder Kirchen, II (1886). — Bau- u. Kstdenkm. des Reg.-Bez. Stettin, H. III. Kr. Ückermünde, 1900 p. 275. — Baltische Studien, XXI (1918) 209 f.

Hein, Christianus Hendricus, Landschaftsmaler, geb. in Bellingwolde bei Groningen 19. 8. 1815. Schüler von J. Plugger in Zwolle u. J. de Ryk in Hilversum (1840). Tätig in Haarlem, seit 1858 in Kampen. — Hendrik Jan, Bruder des vor., Stillebenmaler, geb. in Kampen 19. 2. 1822, Schüler von Plugge, J. Esman u. H. Reekers. Tätig in Haarlem.

Immerzeel, Levens en Werken, II (1843). — Kramm, Levens en Werken, III (1859).

Hein, Constantin, Silberarbeiter, geb. in Danzig 8. 3. 1674. Meister 1705, Ältermann 1725, 1731, 1737, † 16. 9. 1743. Arbeiten: 2 silb. Zuckerdosen in Muschelform, ehem. Slg Gieldzinski, 1912 bei Lepke, Berlin, versteigert (Abb. im Verst.-Kat.); Löffel, bez. 1735, Prov.-Mus. Danzig.

E. v. Czihak, Edelschmiedekst früherer Zeiten in Preußen, II (1908). — M. Rosenberg, Goldschmiede Merkzeichen, ²1911.

Hein, Einar, Maler, geb. in Kopenhagen 19. 5. 1875; nach Vorbereitung bei H. Grønvold 1892—96 Schüler der Akad. in Kopenh., darauf 3 Winter an der Kunstschule unter P. S. Krøyer, 1899 in Paris, 1900—02 wieder im Ausland, meist in Italien. Stellte seit 1898 in Charlottenborg aus, 1911 in Rom, 1914 in Malmö (Kat. Balt. Utställn. Kstavdel. p. 144). Malt außer Blumenstücken vorwiegend Porträts, besonders Kinderbildnisse in lichten, kühlen Farben im Sinne Krøyers.

Dahl-Engelstoft, Dansk biogr. Haandleks., II (1921), mit Lit.

Hein, Franz, Maler, Graphiker, Buchgewerbler, Dichter u. Schriftsteller in Leipzig, geb. 30. 11. 1863 in Altona, gebildet auf der Kstgew.-Schule in Hamburg u. der Akad. in Karlsruhe unter Ferd. v. Keller, 1885 Aufenthalt in Paris, lebte dann in Grötzingen bei Karlsruhe, seit 1890 als Lehrer an der Kstgew.-Schule in Karlsruhe, seit 1905 Lehrer an der Akad. f. Graph. u. Buchgew. Leipzig. — H.s Frühwerke, meist Aquarelle von beträchtlicher Größe, sind noch historisch genrehaft im Motiv: Geiger v. Gmünd, Teufelsliebschaft, im Bes. v. Prof. Paul Schultze-Naumburg in Saaleck, Eva, 1892, Vision des Mönches, Macbeth (zerschnitten), beim Künstler. 1892/93 Treppenhausfresken aus d. Familiengesch. in Villa Bassermann, Mannheim. Um 1895 wandte H. sich auch der Ölmalerei zu: Märchen von der gefangenen Königstochter, Braunschweig, Gal. v. Franquet. 1896 entdeckte er für seine Kunst die Vogesen, wo er bis zum Weltkrieg ein Viertel jedes Jahres in Obersteinbach am Wasigenstein verbrachte. Während dieser Periode bevorzugt er dunkle Farben mit seltsamen Lichtwirkungen: Feuerlilien, um 1895, im Bes. v. Fabrikbes. Schladitz, Dresden; Vogesenlandschaft, 1896, im Bes. v. Generalkonsul Hermann Ahlswede, Leipzig; Das Kreuz in den Feldern, 1897, im Bes. v. Prof. Dr. H.

W. Singer, Dresden; 1898 Sommernacht, im Mus. d. bild. K. zu Leipzig; Walddorf im Wasgenwald, im Bes. v. Dr. Martin Pauly, Naumbg a. S. Von 1899 ab tritt eine Aufhellung in der farbigen Gesamthaltung ein, wenn auch gedämpfte Farben, Licht im Dunkel, des Neuromantikers Vorliebe bleiben. Auch nimmt die Ausführung im realistischen Sinn allmählich zu; der Pinselstrich wird flotter. Hervorgehoben seien aus der Fülle der Ölg.: „Meine Söhne", 1899 (2 lebensgr. Bildnisse); „Am Nixensee", 1899, im Bes. v. Fr. Berger, Gaschwitz b. Leipz.; „Königskerzen", 1900, Mus. d. bild. K., Leipz.; „Acker u. Wald", 1905, im Bes. der Familie des Geh. R. Seeliger, Leipz.; „Der Wasigenstein", 1906, im Bes. v. Herrn H. Beyer, Dresden; „Morgen im Wald", 1908, im Bes. v. Komm.-Rat Polter, Leipz.; „Köhler" u. „Kiefern", 1914, Merkwitz b. Taucha, Gut; „Waldbach", 1915, im Bes. v. Frau Geh. Rat Barthel, Leipz.-Plagwitz; „Feengarten", 1917, im Bes. v. Frl. Maria Faber, Halle a. S.; Ganzfig.-Bildn. der Fr. Komm.-Rat Polter, Leipz., 1917; der Opernsängerin Rosa Lind als Undine, 1921; „Rex, dtsche Tigerdogge", 1918, im Bes. v. Dr. med. Witt, Leipz.; „Eulenfee", 1922, im Bes. v. Herrn Bielmann, Leipz. — Große Aqu.: „Liliengarten", 1899, im Bes. des Verlagsbuchh. Keutel, Lahr i. B.; „Schneewittchens Hochzeit" (auch Krönungsmarsch gen.), um 1915, im Bes. v. Fabrikbes. Schladitz, Dresden. Oft ist H., wie Schwind u. Richter, als deren Nachfolger er sich fühlt, im kleinen Format am stärksten. Die Verwunschenheit im Märchen, die geheimnisvolle Waldesstimmung kommen in diesen kleinen Gem. oft hervorragend zur Auswirkung; auch gelingen ihm im Aqu. kleineren Formates die farbig feinsten Stimmungen. Dahin gehören in Öl: 1894, „Brunnen a. d. Wartburg", im Bes. v. Frl. Waedekin, Arnstadt i. Th.; 1897, „Vogesenruine Klein-Arnsburg", im Bes. v. Herrn Alb. Müller, Leipz.; 1897/98, „Feldweg", im Bes. v. Dr. med. Bretschneider, Leipz.; 1898, „Farren im Herbstwald", im Bes. v. Herrn Carl Dreier, Dresden; 1900, „Meilergrund", bei Herrn Löfmann, Mannheim; 1921, „Nebelmorgen", bei Fr. Prof. Baldamus, Leipz. In Aqu.: um 1891, „Maitag", in Grötzingen bei Herrn Großbuchbindereibes. Fikentscher, Leipz.; 1905, „Geheimnis", im Bes. v. Generalkonsul H. Ahlswede, Leipz.; 1906/7, „Meerstudien u. Seetiere", beim Künstler; 1911, „Rehe auf der Saat"; 1914, „Quelle", Mus. in Essen; 1916, „Fee", im Bes. v. Fr. Berger, Gaschwitz; 1917, „Brautpaar", im Bes. v. Prof. Dr. Franz Hein, Leipz.; 1917, „Hohe Königskerze", im Bes. v. Herrn W. B. Jakob, Leipz.; 1920, „Heckenrosen", Leipz. Privatbes.; 1921, „Waldstilleben" (Lungenkraut), im Bes. v. Dr. Herzfeld, Essen. Im Bes. des Mus. zu Kiel: „Up ewig ungedeelt" (2 Fig. „Holstein" u.

„Schleswig"), Aqu. v. 1898. Seit 1910 arbeitete H. viel in Leulitz b. Wurzen: Aquarellzyklus: Das Gut u. seine Innenräume, 1915, im Bes. v. Fabrikbes. Walter Cramer, Leipz.; ferner, um 1919, die Kirche u. der Altar in mehreren Fassungen, beim Künstler u. bei Dr. med. Michael, Leipzig-Probstheida; 1917 Aquarellzyklus v. Gut Merkwitz b. Taucha, als Privatdruck in Dreifarbendr. in Mappe, vervielfältigt v. Jütte, Leipz.; seit 1920 in Rochsburg Waldbilder u. „Erntedankfest", 1921, in Öl, beim Künstler, in Aqu., Leipz. Privatbes., einige Bilder davon zum Besten gehörig, was H. schuf. Einen guten Überblick über H.s Zeichenkunst gibt der Bes. d. Graph. Slg in Leipz. Die Lith. H.s, Landschaften, Blumen, Stilleben, fast vollständig in der Graph. Slg des Mus. d. b. K. Leipzig u. im Dresdener Kabinett; meist Verl. des Karlsr. Kstlerbundes u. v. R. Voigtländer, Leipzig. 1906 erschienen die Lith. „Biblische Bilder" im Verlag v. R. Schick, Leipzig. Seit 1914 widmet er sich mehr dem Holzschnitt in Zyklen, z. B. Deutscher Wald, Vorw. v. Jul. Vogel, 1919; Wasgenwald, Vorw. v. Fritz Lienhard, 1921; Brüderchen und Schwesterchen, Vorw. v. Max Lehrs, 1922; Waldstille I 1920, letztere nach eigener Weise in zwei Farben gedruckt, Verl. v. R. Voigtländer, Leipzig, u. Einzelblätter dieser Art ebenfalls in d. Graph. Slg d. Mus. d. b. K. Leipzig u. der Pinak. in München. Die Entstehung ist nicht mit d. Dat. der Herausg. identisch. Illustrationswerke: Stifter-Studien, mit Fr. Kallmorgen, Amelangs Verl., Leipz. 1895; Andersen, Der Reisekamerad, Fischer & Franke, Berl. 1898; Turgeniew, Das Lied der triumphierenden Liebe, Einzelwerk für G. J. Rosenberg, Karlsr. 1891; Gedichte v. Albert Roffhack, Schottländer, Bresl. 1900; Franz Hein, Die Nixe, G. Braunsche Hofbuchdr., Karlsr. 1901; ders., Lieder u. Bilder, R. Voigtländer, Leipz. 1902; ders., Hellenische Sänger, Winter, Heidelb. 1904; ders., Schneewittchen, Verl. des Bureau Karl Fischer, Berl.-Friedenau 1911; ders., Scheheresade, Winter, Heidelb. 1906; K. E. Knodt, Von Sehnsucht, Schönheit, Wahrheit, Fritz Eckardt, Leipz. 1906; Brentano, Chronika eines fahrenden Schülers, Winter, Heidelb. 1906; Weber, Neue Kinderlieder, Richter, Hambg 1901; Krausbauer, Aus meiner Mutter Märchenschatz, Benzinger, Stuttg. 1905; Deutscher Balladenborn, Fischer & Franke, Düsseldorf 1904 p. 31, 38, 98, 122, 143, 158; Märchenbuch der Woche, Berl. 1905 p. 56, 64; Goethe, Novelle, Daphnis-Drucke, Hoennicke, Charlottenbg 1920.

S i n g e r , Kstlerlex. u. Nachtrag (1906). — F. v. B ö t t i c h e r , Malerwerke des 19. Jahrh., I 2 (1895). — Dtsches Zeitgenossenlex. Schulze & Co., Leipz. 1905 p. 559. — J a n s a , Dtsche bild. Kstler in Wort u. Bild, 1912. — K u t s c h - m a n n , Gesch. d. dtschen Illustr., 1899, m. 2 Illustr. — O e c h e l h ä u s e r , Gesch. d. bad.

Akad. d. bild. Kste, Karlsr. 1904. — E. W. B r e d t
Dtsche Lande, dtsche Maler, Leipz. 1909 p. 253,
255. — H. W. S i n g e r , Moderne Graph., Leipz.
1914. — W. z u r W e s t e n , Neue dtsche Glück-
wunschkarten, p. 157 f., 169. — R i c h. B r a u n -
g a r t , Das mod. dtsche Gebrauchsexlibris,
Münch. 1922 p. 39. — H. W. S i n g e r , 10 farb.
Märchenbilder u. 6 farb. Märchenbilder I u. II
v. F. H., Karlsr. 1907, 1916, 1917. — H i l d e g.
H e y n e in Velhagen u. Klasings Monatsh.,
32. Jahrg. Dez. 1917 p. 409 ff., m. Abb.; vgl.
ebenda 36. Jahrg, 1. Bd 1921 p. 357; d i e s., in
Reclams Universum, 35. Jahrg., Heft 11 m. Abb.;
vgl. ebenda, 37. Jahrg., Heft 52. — W i l l y
D o e n g e s in Leipz. Illustr. Ztg No 3998 v.
12. 2. 1920 p. 194, m. Abb.; No 3151 p. 773;
No 4036 p.593; No 3898 p.3. — L u d w. W e b e r ,
in Über Land u. Meer, 1913, No 11, m. Abb. —
E. A. Seemann's „Meister d. Farbe", III (1906);
XVI (1919), 8059, 8073; XV (1918) 8026 (Heft
IX). — Hundert Meister d. Gegenw., Heft 5,
Karlsruhe. — Die Schönheit, 7. Bd, Heft 2, K a r l
V a n s e l o w , Mod. Schönheitspropheten XXIV:
Fr. Hein. — Dtsche Kst u. Dekor., III; IV;
VII; XX. — Ztschr. f. b. Kst, N. F. XIII 124/255;
XVIII 135. — Kstchronik, N. F. IV 346; XXV 201
(50. Geburtstag). — Kst u. Ksthdwerk, Wien, III
449—457, Abb. bis p. 466 (J. F o l n e s i c s). —
Die Rheinlande, II (1901/02) Jan.-Heft, p. 78;
Sept.-Heft, p.3; IV (1903/04) 65, 332, 490, 492—493;
V (1905) 39. — Die Kstwelt, III (1913/14) 571,
Abb. 579. — The Studio, vol. 37 p. 260 Text,
p. 261, 262, 265 Abb.; vol. 47 p. 322 Abb. —
J u l. V o g e l in Meisterzeichn. dtscher Kstler,
München 1910 p. 13, Taf. 19. — Die Graph. Kste,
1902, Beilage p. 38 f.; 1915 p. 46. — J. B e r i n g e r ,
Franz Hein als Buchgraphiker, in „Exlibris",
II (1912) 67—76. — Jahrb. d. Bilder- u. Kstblätter-
preise, III (1912). — Kat. d. Mus. d. b. Kste,
Leipzig 1917, No 972; 1919, 972 u. 1109; 1921
ebenso. — H. H e y n e , Führer durch d. Mus. d.
bild. Kste Leipzig, I. Teil 1921 p. 58 f. — A.
K u r z w e l l y , Führer Stadtgesch. Mus. Leipz.,
1913 p. 18. — *Ausst.-Kataloge:* Berl. Akad.-A.
1889—92; Gr. K.-A. Berlin 1893—1909; Glaspal.
München 1888—92; 1898 ff.; Gr. K.-A. Dresden
1904, 08, 12; Düsseldf 1911, usw.   *H. Heyne.*

Hein, H e n d r i k J a n , siehe unter *Hein,*
Christ. Hendr.

Hein, M., Blumenmaler, 19. Jahrh. Bez.
Arbeiten in der Slg Speck v. Sternburg in
Lützschena (Verz. usw. 1889 p. 103) und in
Leipziger Privatbes.

Kat. Ausst. dtsch. Kst. . 19. Jahrh. Leipzig
Kstverein, Nov.—Dez. 1915.

Hein, N i c o l a u s , siehe *Heimen,* N.

Hein, S. W., Kunsttischler in Stockholm,
1755 Meister. Kommode, bez. S. W. H(ein),
in dortig. Privatbes.

Kat. Rococo-Utställn. Stockholm 1911, Nr 298.

Heina (Heyna), Kupferstecher in Paris. Arbeitete nach Netscher für das Musée Français
(1809), sowie nach Moreau le jeune Vignetten
für eine Lafontaine-Ausgabe (1822).

B é r a l d i , Graveurs du XIXe siècle, VIII
(1889).

Heinbach (Haynbach), J o h a n n D a n i e l ,
Zeichner, geb. in Marburg 1694, † in Bremen
Sept. 1764. War von Beruf Gärtner und trat
1727 als Artillerist in bremische Militärdienste.
Lieferte 1731 dem Rat 2 Kompagnie-Pläne,

1734 einen Stadtplan, 1742 einen Riß mit dem
Ratswappen, wofür er 50 Thlr erhielt, sowie
1748 einen Plan des Landgebiets. Von ihm
haben sich zahlreiche Federzeichn. auf Papier
und Pergament, z. T. aquarelliert, in der Bremer
Stadtbibl. (42 Bl.) und im dortig. Hist. Mus.
(24 Bl.) mit Stadtplänen, Prospekten, Gebäuden
und Bauteilen erhalten. Seine recht unbehol-
fenen Arbeiten, deren Stoffgebiet sich auf
Bremen und sein Landgebiet beschränkt, sind
topographisch wertvoll.

Jahrb. der brem. Slgn, III (1910) 1. Halbbd
13—21.

Heinbucher, J o s e p h , E d l e r v o n B i -
k e s s y , dilettierender Wiener Landschafts- und
Genremaler, wohnte 1823 in der Leopoldstadt
No 414; zeigte 1824 in der Akad. zu St. Anna
Porträts, eine Kopie des Christus nach Correggio,
eine Pastellandschaft aus dem Prater u. a. Die
Wiener Fideikommißbibliothek besitzt von ihm
2 kolorierte Zeichnungen: Ansicht der Gegend
Vado, nebst den französ. Lagern am 24. 6.
1795; Vue des environs et du siège du fort de
Czettin mit der interess. Widmung: dédié a
son Altesse Royale François Archiduce Prince
héritaire de la Couronne, bez.: Joseph Heinbucher noble de Bikessy, Souslieutenant du
Corps de Génie. — Sein Hauptwerk erschien
unter dem Titel: Pannoniens Bewohner in ihren
volkstüml. Trachten auf 78 Gemälden dargestellt, nebst ethnograph. Erklärungen verfaßt
und herausgeg. von Joseph Heinbucher Edlen
v. Bikessy, k. k. Obristlieutenant in der Armee,
vormals im Genie Corps. Wien 1820.   Auf
einzelnen Blättern befindet sich der Vermerk:
Carl Beyer sculpsit.

B ö c k h , Wiens Merkwürdigkeiten etc., 1823.
— L e i s c h i n g , Bildnisminiatur in Oesterreich,
1907 p. 205. — Kat. Ausst.-Akad. St. Anna, Wien,
1824. — Kat. der Erzherzog-Karl-Ausst. Wien,
1909 p. 323.   *L. G.*

Heince (Haentz, Hainsse, Heins, Heintze,
Hinse, Hintz), Z a c h a r i e , Maler, Vorzeichner für den Kupferstich und Kupferstecher in
Paris, geb. 1611 (in Paris?); nach Robert-
Dumesnil's Vermutung von Schweizer Herkunft
und zur Familie des Malers Joseph Heintz
gehörig, eine Vermutung, die stark an Wahrscheinlichkeit gewinnt, wenn man aus der bei
Herbet veröffentlichten Urkunde von 1630
erfährt, daß der Vater H.s Fähndrich der damals
in Fontainebleau stationierten Schweizer Leibgarde des Königs war), † 22. 6. 1669 in Paris.
1630/31 in Fontainebleau weilend zwecks Studiums der Gemälde im dort. Schloß. 1663
zum Mitglied der Acad. Roy. ernannt.   Im
Auftrage der Goldschmiedezunft malte er 1654
das Maienbild für Notre-Dame: Bekehrung der
Purpurkrämerin Lydia (Apostel-Gesch. XVI
14 ff.); ebenso 1665: Simon Magus bietet Petrus
Geld an, um die Macht zu kaufen, den hl.
Geist zu geben (ebenda VIII 18 ff.). In der
Todesurkunde für seine Frau Françoise Bignon

(† 19. 7. 1658), offenbar einer nahen Verwandten (Schwester?) des Stechers François Bignon, wird er als „peintre du Roy" bezeichnet. Hauptsächlich scheint H. sich aber als Vorzeichner für den Kupferstich betätigt zu haben. So lieferte er die Zeichn. zu zwei, von Fr. Bignon gestoch., sehr bedeutenden Bildniswerken: Les portraits .... des plénipotentiaires à la paix de Munster (33 Bll., Paris 1648) und: Les portraits des illustres Français, qui sont peint dans la Galerie du Palais Royal (27 Bll., Paris 1650); ebenso stammen von ihm einige der Vorzeichn. zu einer gleichfalls von Bignon gestoch., 12 Bll. umfassenden Folge von dekorativen Friesen mit mytholog. Meerwesen. Ferner kennt man von H. drei eigenhändige, geistreich behandelte Stiche nach Primaticcio, die Robert-Dumesnil beschreibt: Schmerzhafte Mutter mit dem toten Heiland auf dem Schoß, bez. „Bolongna inuent. Z Haentz"; Kinderbacchanal, bez. „François Primadis .... Heinz 163." (recte 1631); Junger Mann in span. Kostüm mit Korb, in welchem sich Waren befinden, bez. „Boulongne inv. Z. Heintz". Schließlich beschreibt Nagler noch ein angeblich von Jean Alix (so auch bei Rob.-Dum. IV 19 No. 3) nach H., tatsächlich aber von H. selbst gestochenes, 1655 dat. Bildnis Papst Alexanders VII., bez. Z. H.

Robert-Dumesnil, Peintre-Grav. franç., V 131 ff. — Nagler, Monogr., V; vgl. auch III No 877. — Guilmard, Maitres orneman., 1881. — Vitet, Acad. Roy. de Peint. etc., 1880 p. 333. — Montaiglon, Procès-Verb. de l'Acad. Roy., vgl. Table par Cornu, 1909. — Gaz. d. B.-Arts, XVI (1864) 462 No 26, 464 No 37. — Herbet, Artistes de Fontainebleau, 1901 p. 86 f. — Herluison, Actes d'état-civ. d'Art. franç., 1873. — Fidière, Etat-civ. d. Peintres . de l'Acad. Roy., 1883. — Nouv. Arch. de l'art franç., 1890 p. 142 f.; 1891 p. 88. — Duportal, Livres à figures édités en France (Revue d. Biblioth., Suppl. XIII), 1910. — Mireur, Dict. d. Ventes d'art, III (1911) 425. *H. Vollmer.*

Heincken, Andreas, siehe *Heinecke,* A.

Heindel (Heindl), Carl, Lithograph in München, geb. um 1810, † um 1869. Arbeiten: religiöse Darstell. nach F. X. Glück („Pastor bonus", „Madonna mit Kind"), J. Hauber („Kreuzigung"), S. Klotz („Flucht nach Ägypten"), Raffael („Madonna del S. Sisto", Zeichn. von Max Haider, 1837); Genredarstell., Tierbilder usw. nach C. W. v. Heideck („Bagagewagen"), Ch. H. Hanson („Der Fischer von Göthe"), Ph. Heinrich („Die drei spielenden Kinder"); Bildnisse nach Kellerhoven u. a., Herzogin von Berry.

Nagler, Kstlerlex. VI. — Maillinger, Bilderchronik Stadt München (Maillinger-Samml.), III (1876); IV (1886). — Weigel, Kstcatalog, Leipzig 1838—66. V (Reg.). — Bibl. Bavarica (Lagerkat. Lentner) München 1911 Nr 4832. — Duplessis, Cat. Portr. frç. etc. Bibl. Nat. Paris, 1896 ff. I 4345/92. — Kat. der Samml. Kippenberg, Leipzig 1913.

Heindel, R., Stempelschneider in Stuttgart.

Man kennt von ihm eine Gutenbergmedaille (1840) und eine Medaille mit den Bildnissen des Königs Wilhelm I. und der Königin Pauline von Württemberg.

Ch. Binder, Württemb. Münz- u. Medaillenkde, 1846 p. 501 Nr 35. — K. Pfaff, Gesch. der St. Stuttgart, II (1846) 507. — Kstblatt, 1839.

Heindl, Joh. Adam, falsch für *Heindl,* Wolfg. Andreas.

Heindl, Leopold, Goldschmied aus Wien, Schwiegersohn des Joh. Christoph Schmidt in Passau, 1721 in die dortige Zunft aufgenommen, 1743 als † bezeichnet. 1738 übergibt er die Profession seinem Sohn Ferdinand Thaddäus. In den Kirchen von Passau (Dom, St. Paul), Vornbach u. Rinchnach haben sich von H. schöne Rokokoarbeiten (Meßgerät, Weihrauchschiffchen), bez. mit seiner Meistermarke L. H., erhalten.

Kstdenkm. Bayern, IV, Heft III Stadt Passau, 1919; Heft IV Bezirksamt Passau, 1920. — R. Guby, Niederbayr. Donauklöster (Süddeutsche Kstbücher 1—2), o. J. p. 25.

Heindl, Wolfgang Andreas, Historienmaler aus Wels (Oberösterreich), tätig 1. Viertel 18. Jahrh. Versah die Hausmeisterstelle des Kremsmünstererhofs in seiner Vaterstadt und schmückte die Stiftskirchen und Klöster seiner engeren Heimat und des bayr. Grenzbezirks mit umfangreichen und bedeutenden Fresken, an denen die flotte, frische Malweise, die hellen, heiteren Farben besonders auffallen, und in denen er ein minutiöses theologisches Programm, das ihm vorlag, bewältigte. In der Kalvarienbergkapelle von Stift *Lambach* malte er unter der Regierung des Abts Maximilian Pagl († 1725) die Deckenbilder in der Kuppel (Erlösungsbeschluß), in den Zwickelfeldern des Tambours (eherne Schlange, Isaaks Opferung, Jonas, Simson), in den Flügelarmen (Grablegung, Christus in der Vorhölle, Auferstehung und die Frauen am Grabe), an den Pfeilerschrägen (Christus vor Kaiphas, Hannas, Pilatus u. Herodes), in der Hochaltarnische und an den Seitenwänden der Nebenaltarnischen. Ebenda werden H. auch die Wandgemälde der Frontseiten im Refektorium zugeschrieben (Stiftsweihe durch den hl. Adalbero und Versuchung Christi). In der Kirche S. Nikola in *Passau* (Chor angeblich 1726 voll.) rühren von ihm her die Deckenbilder im Chor (die 24 Ältesten und der hl. Geist), in der Vierungskuppel (Himmelfahrt Mariä in einer gemalten Kuppel, deren Kassettenfelder mit Szenen des Marienlebens geschmückt sind), in den Medaillonfeldern der Kuppelzwickel (hl. Nikolaus, Andreas, Pantaleon und Magdalena), am Gewölbe des nördl. Querschiffs (die Stifter des Klosters, Bischof Altmann und die Kaiserin Agnes, mit dem hl. Leopold), im südl. Querschifflügel (David, hl. Caecilie, Engelkonzert) sowie in den Seitenschiffen und Kapellen (Heilige bzw.

Allegorien). Ferner schuf H. den reichen Freskenschmuck der Stiftskirche *Niederaltaich* (Niederbay.), wo er 1719 mit den Fresken der Westseite des Langhauses begann und 9. 7. 1722 seine Arbeit im Langhaus vollendete. In Kirche und Kloster sind nicht weniger als 213 große und kleine Fresken von ihm. Die Fresken im Mittelschiff schildern die Geschichte des Klosters, während die Malereien in den Seitenkapellen und Emporen die Geheimnisse des Rosenkranzes, Leben und Tugenden der Heiligen, und die Bilder im Konventchor die hl. Dreifaltigkeit, die 4 großen Kirchenväter und Engelsfiguren darstellen. Schließlich rührt auch der Freskenschmuck der Propsteikirche *Rinchnach* im Bayr. Wald von H. her. (Neubau der Kirche von Joh. Michael Fischer 1726 beg.) Das Kuppelbild schildert die Verehrung des hl. Kreuzes; die übrigen Fresken des Hauptraums bringen Gegenüberstellungen verwandter Ereignisse im Leben des hl. Günther und Johannes d. T. Die Fresken im Chor stellen die Himmelfahrt Mariä dar, die Jochfresken Vermählung und Tempelgang, die Seitenfresken ebenda die Figuren des hl. Günther, mit einer Ansicht des neuerbauten Klosters, und Erasmus (bez. „Andreas Heindl"). — Die von Meidinger dem Cosmas Damian Asam oder H. zugeschriebenen Fresken der Mettener Stiftskirche sind wahrscheinlich Arbeiten des Innocenz Warathi aus Sterzing in Tirol.

T s c h i s c h k a , Kst u. Alterth. in dem österr. Kaiserstaate, 1836. — B. R i e h l , Bayerns Donautal, 1912. — R. G u b y , Das Benediktinerstift Lambach in Ob.-Öst. (Öst. Kstbücher 6), Wien o. J. p. 18 f.; d e r s., Die niederbayr. Donauklöster (Süddtsche Kstbücher 1—2), München o. J. p. 15, 23 f., 37; d e r s., Die niederbayr. Waldklöster (dies. Slg 13—4), p. 32. — Kstdenkm. v. Bayern, IV/3 (Stadt Passau), 1919 p. 268, 275, m. Tafel u. Textabb. — Öst. Ksttopogr., III (1909) 295 f. — Berichte u. Mitt. des Altertumsvereins Wien, IL (1916) 62, 65, 67 (hier fälschl. Joh. Adam H. gen.). — Stud. u. Mitt. z. Gesch. des Benediktinerordens, XL (1920) 181. *R.*

Heindryck, A m b r o s i u s , Kupferstecher in Schabmanier, um 1700. Arbeiten: Bildnis des Zisterzienserabtes Claude Petit („Ambroisi Heindryck fecit Exc. 1700"), oval mit Wappen; Bildnisse des Kurfürsten Maximilian Emanuel von Bayern und seiner 2. Gemahlin Therese Kunigunde Sobieska (Brustbilder oval). N a g l e r , Kstlerlex., VI. — D u p l e s s i s , Cat. Portr. etc. Bibl. Nat. Paris, 1896 ff., I 3401⁴⁹, 3427¹¹. — F ü ß l i , Kstlerlex. 2. T. 1806 ff. (Hendryck).

Heine, A d a l b e r t , siehe *Heine,* Joh. A.

Heine, B a s t i a n , Goldschmied in Elbing. Marienburger Dienstbrief vom 10. 6. 1549. Willkomm der Kramerzunft, dat. 1576, im städt. Mus. in Elbing; mit zahlreichen figürl. mytholog. Szenen guter Treibarbeit u. Gestaltung. Der spätere Deckel von Niklas Henningk.

E. v. C z i h a k , Edelschmiedekunst, II (1908) 160, 163. — M. R o s e n b e r g , Goldschm. Merkzeichen, ² 1911 No 1239 (beschreibt den Pokal als anonyme Arbeit). *Cy.*

Heine, F r i e d r i c h W i l h e l m , Maler und Illustrator, geb. 25. 3. 1845 in Leipzig, † 27. 8. 1921 in Milwaukee (Nordamerika). Schüler der Leipz. Akad., dann bei P. Thumann in Weimar. Tätig in Dresden, seit 1884 in Amerika, gründete in Milwaukee die Heine Art School. 1870/71 Kriegszeichner der „Gartenlaube". Beschickte in den 1870er Jahren wiederholt die Ausstell. in Dresden u. Düsseldorf, besonders mit Schlachten-, Militär- u. Jagddarstell. Im Körnermus. zu Dresden von ihm: Th. Körner am 25. 8. 1813, dem Vorabende seines Todes, im Herrenhause zu Gottsgabe im Kreise einiger Lützower Kameraden am Klavier sitzend (Abb. in „Illustr. Ztg" 1881); im Stadtmus. zu Dresden das große, 1879 vollend. Gemälde: Begrüßung des mit den siegreichen sächs. Truppen seinen Einzug haltenden Kronprinzen Albert durch den Oberbürgermeister Pfotenhauer auf dem Dresdner Neumarkt am 11. 7. 1871 (mit 216 Porträtfig.). In die Braunschweiger Gal. gelangten: Heldenmütiger Kampf des 92. braunschw. Inf.-Rgts bei Vendôme 16. 12. 1870, und: Gefecht der 4. braunschw. Fußbatterie des hannov. Art.-Rgts No 10 bei Vendôme am 15. 12. 1870. In Amerika beteiligte er sich mit A. Lohr u. a. an einem riesigen Panoramengemälde, Kreuzigung Christi darstellend. Mai 1921 fand eine Ausstell. von Aquarellen H.s im Leipz. Stadtgesch. Mus. statt (hauptsächl. Alt-Leipziger Motive u. amerik. Landschaftsstudien). Für zahlreiche Holzschnitte in dem Werke des Stallmeisters Th. Heinze „Pferd und Fahrer oder die Fahrschule" (Lpzg 1876) zeichnete er die Vorlagen.

F. v. B o e t t i c h e r , Malerwerke d. 19. Jahrh., I 2 (1895). — N a g l e r , Monogr., V No 1709. — Kstchronik, XV (1880) 174, 352 f.; XVI 492. — Sachsen-Post, VII (1913) Heft 26. — Milwaukee-Sonntagspost vom 18. 10. 1908 (18. Jahrg. No 34). — A l f r e d T h ü r m e r , Ein deutscher Maler in Amerika, in „Der Leipziger" vom 25. 7. 1920, Heft 30. — Amer. Art Annual, XVIII (1921) 226. — Mit Notizen v. Fr. Schulze-Lpzg. *H. V.*

Heine, G e o r g , Maler und Radierer, geb. 11. 9. 1877 in Bautzen, 1892—1900 als Lithograph in der Anstalt von Gebrüder Weigang-Bautzen ausgebildet, 1900—03 auf der Zeichen-Akad. in Hanau unter Wiese, 1903—06 auf der Kunstgewerbeschule in Dresden unter Donadini, 1906—14 auf der Dresdner Akad. unter Sterl, Bantzer, Zwintscher, der ihn am nachhaltigsten beeinflußte, und Herm. Prell, dessen Meisterschüler er wurde. Nachdem er am Weltkrieg teilgenommen und 3 Jahre in Rußland — mit der Möglichkeit künstler. Betätigung — zugebracht hatte, ließ er sich 1919 in Bautzen nieder und arbeitete besonders als Landschafter und Porträtist. Mitglied des Lausitzer Künstlerbundes.

Kat. d. Sonderausstellg G. H. im Bautzener Kstverein, 19. 10.—9. 11. 1919 (m. Abb.) — Oberlaus. Heimatzeitg, II (1921) 14; III (1922) 137. — Kunstwanderer, III (1921—22) 423. — Kunstchronik, N. F. XXXIII (1921—22) 559. *Bruger.*

Heine, G u s t a v , Architekt, geb. 8. 5. 1802 in Dresden als Sohn des Joh. Aug. H. (s. d.), † 8. 1. 1880 ebenda. Besuchte seit 1816 die Dresdner Akad. und wurde 1825 Hilfslehrer, 1827 Zeichenmeister an der Akademie (der Bauschule). 1832—69 Lehrer der Bauwissenschaften, 1850 im akademischen Rat, 1857—79 mit der Studien- u. Disziplinaraufsicht über die Zöglinge der Akad. betraut. — H. hat weniger als frei schaffender Künstler — nur ein Werk, das alte Polytechnikum am Antonsplatze in Dresden (1844—46 nach seinem Entwurfe im Renaissancestil erbaut), ist von ihm bekannt —, desto mehr als Lehrer und Berater gewirkt (z. B. gehörte er der städt. Baupolizeideputation Dresdens an), auch als Schriftsteller („Kurzer Unterricht in der bürgerl. und ländl. Baukunst", 1836). Unter den architekton. Zeichnungen, die er von Zeit zu Zeit in Dresden ausstellte, seien 3 Entwürfe zu einem Künstler-Vereinsgebäude für Dresden (1862) genannt. Ein kleines Aquarell von H., Johanniskirche mit Friedhof, im Dresdner Stadtmus.

Dresdner Akten (Kunstakad., Ratsarchiv, Sächs. Kstverein). — Katal. akadem. Kstausst. Dresden 1820—1881, (1880 p. 3 u. 1881 p. 3 f. Nekrolog). — L i n d n e r , Taschenb. f. Kst u. Liter. im Kgr. Sachsen, II (1828) 18. — Erwähnungen in Jul. Schnorrs v. C. Tagebüchern 1857—61, vgl. Dresdn. Geschichtsbl. II—III (1899—1903); IV (1906) 97. — W i e ß n e r , Akad. der bild. Kste zu Dresden, 1864 p. 94, 97. — Kstchronik, XV (1880) 241 f. (Nekrolog). — G. A. K i e t z , Rich. Wagner in den J. 1842 ff., ² 1907 p. 78. — L u d w. R i c h t e r , Lebenserinn. eines dtschen Malers (illustr. Volksausg. des Dürerbundes, 1909) 403 f. *Ernst Sigismund.*

Heine, J o h a n n A d a l b e r t , Landschaftsmaler in München. Malte 1885/6 mit Jos. Krieger die Landschaft zu Piglheins Panorama der Kreuzigung Christi und stellte 1890 in der Münchner Jahresausst. aus („Partie am Seekofel"). Zwei Arbeiten in der Gemäldesamml. der Stadt Bautzen („Bockmusik", „Auf der Alm", Kat. 1912 No 70 f.).

F. v. B ö t t i c h e r , Malerwerke des 19. Jahrh., I 2 (1895). — M. V. S a t t l e r , Führer d. das Panorama der Kreuzigung Christi, o. O., o. J. — Kst f. Alle, II (1887); V (1890). — Jahrb. der Bilder- u. Kstblätterpreise, II (Wien 1911); III (1912).

Heine, J o h a n n A u g u s t , Architekt, geb. 22. 6. 1769 in Leipzig, † 1831 in Dresden. Studierte in Rom. Vater des Gustav. Seit 1797 in Dresden; wurde „Hofkondukteur" beim Ziviloberbauamt. Von ihm bekannt einige architekt. und ornamentale Blätter. Zeigte auf den akadem. Ausstell. in Dresden bis 1821 wiederholt Risse zu gotischen Kirchen, Gartengebäuden, Badehäusern u. a. Zeichnete mehrere Ansichten Dresdner Bauwerke, Bilder von

miniaturartiger Feinheit, die Frenzel und Hammer in Dresden, J. F. Schröter in Leipzig u. a. in Kupfer stachen (3 Bl. im Dresdner Stadtmus.). Lieferte auch 2 Zeichn. nach Antiken für Beckers Augusteum, III. Bd (1811).

Dresdn. Adreßb. 1797—1831. — Katal. akadem. Kstausst. Dresden 1805—21. — H a y m a n n , Dresdens Schriftst. u. Kstler, 1809 p. 121, 149, 409. — L i n d n e r , Taschenb. f. Kst u. Liter. im Kgr. Sachsen, I (1825) 34 f.; II (1828) 18. — F r . L a u n , Memoiren, I (1837) 159, 167. — K l o p f e r , Weinlig u. seine Zeit, p. 39 u. Anm. *Ernst Sigismund.*

Heine, J o h n , engl. Miniaturmaler, † 1771. Tätig in London.

F i o r i l l o , Gesch. der zeichn. Kste, V (1808).

Heine, K l a u s , Maler in Lübeck, wo er Ende 1499 ein Haus besaß. Errichtete 20. 2. 1511 sein Testament. 1512 wird das Haus seiner Witwe Brigitte, einer Tochter des Malers und Bildschnitzers Wilhelm Klover, 1513 deren zweitem Ehemann, Hans Witte, zugeschrieben. Ein Tafelbild: Messe des hl. Gregor, das sich früher an einem Pfeiler der Lübecker Jakobikirche befand, war vermutlich von H. begonnen und von Hans Witte vollendet worden, wie aus ihrer Namensnennung in der darauf angebrachten Unterschrift („Biddet Got vor Clawes Heinen unde Hans Witten sele . .") zu schließen ist. Wenn diese im Text des Inventarisationswerks ausgesprochene Annahme richtig sein soll, so müßte der 2. Ehemann der Brigitte H. ebenfalls Maler gewesen sein, da der bisher bekannte Maler Hans Witte bereits 1500 verstorben war (s. N. St. B. 2. 7. 1500; Mitteil. R. Struck).

Bau- u. Kstdenkm. der St. Lübeck, III T. 2 (1921). — Notiz von C. G. Heise.

Heine, L u d w i g (Friedrich L.), Bildnismaler u. Lithograph in Berlin. Schüler der Berl. Akad., stellte daselbst 1816—34 hauptsächlich Zeichnungen in schwarzer Kreide (Kopien, Selbstbildnis u. a.) und Ölbildnisse aus. Für das Berliner Galeriewerk (o. J., um 1827) zeichnete er Gemälde von Licinio gen. Pordenone, Flinck, v. Dyck, Rembrandt u. a. Nach Nagler ein korrekter Zeichner, dessen Lithographien sehr sauber und genau ausgeführt sind. Von letzteren zu nennen: Schadow, nach Buchhorn 1830; C. F. Zelter, nach Ölbild von C. Begas, von Goethe lobend erwähnt: Kunst und Alterthum VII 307. A. F. Schultheiß hat nach H. ein Bildnis Schleiermachers gestochen (Exempl. in der Maillinger-Samml. im Münchner Stadtmus.).

N a g l e r , Kstlerlex., VI. — Kat. Akad.-Ausst. Berlin, 1816 p. 59; 1818 p. 40; 1820 p. 40; 1822 p. 26; 1824 p. 103; 1828 p. 104; 1830 p. 20, 94; 1832 p. 18; 1834 p. 23. — Kat. der Slg Kippenberg, Leipzig 1913. — M a i l l i n g e r , Bilderchronik . . Stadt München (Maillinger-Samml.), III (1876); cf. H e i t z m a n n , Portraitscatalog, München 1858 p. 235. *B. C. K.*

Heine, T h o m a s T h e o d o r , Maler u. Illustrator in München, geb. 28. 2. 1867 in

Leipzig, Schüler der Düsseldorfer Akad. unter Janssen. Seit 1889 in München ansässig. Machte sich zuerst als Maler durch seine Landschaften, Porträts und symbolischen Figurenkompositionen („Vor Sonnenaufgang", „Blume des Bösen") bekannt, in denen er schon bisweilen die Grenzen der Karikatur streifte: „Frühlings Erwachen" (2 junge Damen mit bekränztem Stier), „Dichterling". Wandte sich dann fast ausschließlich der Illustration und Gebrauchsgraphik zu, und zwar zuerst als Zeichner für die „Fliegenden Blätter" und die „Jugend", seit Begründung des „Simplizissimus" (1896) für diesen. Mit Vorliebe die Geißel der sozialen Satire schwingend, hat H. das Beamten- und Philistertum, die Auswüchse des Korpsstudententreibens, die Mißstände im Offizierstand, Polizeistaat und Strafvollzug in seinen Zeichnungen an den Pranger gestellt; am überzeugendsten aber wird seine Sprache, wenn er mit versteckter Anklage wider die Halbkultur der modernen Gesellschaft das Elend des Proletariertums, Trunksucht, Prostitution und Verbrechertum aller Art bloßstellt. Dazwischen schieben sich als liebenswürdigere Bilder lyrisch-empfindsame Empire-Erinnerungen voll preziöser Grazie. Der geistvolle Charakter seiner Linie kommt am glücklichsten zum Ausdruck, wenn er sich auf die Schwarz-Weiß-Konturzeichnung beschränkt; hier entwickelt er bisweilen eine an Beardsley erinnernde arabeskenhafte Stilisierung von außerordentlicher Pikanterie; so die zur Einfachheit von ornamentalen Schnörkeln umstilisierten „Barrisons" oder „Serpentintänzerin" (in der „Insel" erschienen). Ausgezeichnet sind auch seine bekannten Plakate der Berliner Sezession (Malweibchen mit Bär, d. h. Muse, die Berolina küssend, und des „Simplizissimus" (Bulldogge, ihre Kette sprengend). Neben seinen Illustrationen hat H. Buchschmuck aller Art geschaffen, sich mit Entwerfen von Gobelins, Möbeln usw. beschäftigt und sich gelegentlich auch als Plastiker versucht (groteske Bronzestatuette eines Teufels; Gegenstück: Engel). Der Schwerpunkt seiner, neben der zeichnerischen Tätigkeit übrigens immer weiter gepflegten malerischen Tätigkeit liegt entschieden in den frühen 1890er Jahren, als jene feinen impressionistischen Landschaften entstanden, deren figürliche Staffage (Holzfäller, Angler) auf jede geistreichelnde Legende noch völlig verzichtete. (Mehrere dieser frühen Bilder in der Galerie Knorr in München.) Die malerische Umsetzung seiner Illustrationen in das lebensgroße Figurenformat, unter Beibehaltung der in dem Druck geforderten Reduktion auf ganz wenige Farben, wie H. das später gelegentlich liebte, wirkte in ihrer rohen plakatmäßigen Wirkung meist ziemlich stillos. Bei Brakl in München fand 1909 eine Kollektivausstell. der Gemälde H.s statt. Von seinen

graphischen Publikationen (sämtlich bei A. Langen in München ersch.) seien genannt: „Bilder aus dem Familienleben", „Thorheiten" (30 Bl. in mehrfarb. Druck), „Die bösen Buben" (Text von Ludw. Thoma), „Das große Malheur im Juni 1903" (desgl.). Eine bei H. v. Weber in München ersch. Ausgabe der Hebbel'schen Judith (10 Vollbilder) hat er auch buchkünstlerisch (Vignetten, Einband usw.) ausgestattet. Zu H.s jüngsten graph. Arbeiten zählen die 32 Orig.-Lithogr. zu Thomas Mann's „Wälsungenblut" (Phantasus-Verlag München, 1921).

H. Esswein, Th. Th. H. („Moderne Illustratoren, Bd I), München 1904. — L. Corinth in Kunst u. Künstler, IV (1906) 143/56. — H. Eick in Österr. Rundschau, XIX (1909) 52/58. — G. J. Wolf, Th. Th. H.s Gemälde in Die Kunst, XXXIII (1916) 285/94; ders., Gobelinentwürfe von Th. Th. H., ebenda, XXXVIII (1918) 137/44. — H. Konsbrück, Der Maler Th. Th. H., in Süddeutsche Monatsh., VII, 1. T. (1910) 292/5. — Alfred Mayer in „Nord u. Süd", Febr.-H. 1912 p. 334/7. — The Artist, 1900, März-No p. 353 ff. — Cicerone, I (1909) 741; XIV (1922) 389. — O. Bie, Th. Th. H. als Illustrator, in „Wieland", III (1917) Heft 5 p. 9 f. — J. Popp in „Das Plakat" VIII (1917) 265/71. — Meier-Graefe, Entwickelungsgesch. d. mod. Kst, 1904, II 712 ff. — Kat. d. Glaspal.-Ausst. München, 1891—99, 1913, 1921; Sezession 1893, 1912—15; Neue Sez. 1916, 1920; Berl. Sez. 1900 ff.; Freie Sez. 1920. — Jahrb. d. Bilder- u. Kstblätterpreise, Wien 1911 ff., II—V/VI.
H. Vollmer.

Heine, Wilhelm (Peter Bernhard W.), Landschafts- u. Architekturmaler, geb. in Dresden 30. 1. 1827, † in der Lößnitz bei Dresden 5. 10. 1885. Besuchte die Dresdner Akad. und war 1848/9 Architekturmaler am Dresdner Hoftheater. 1849 ging er nach Amerika, bereiste 1851 Mittelamerika, begleitete 1851—56 als Zeichner die Perry'sche Expedition nach Japan und schloß 1859 der preuß. Expedition nach Ostasien an. Bei Ausbruch des amer. Bürgerkriegs trat er 1861 in die Unionsarmee, in der er 1864 zum General befördert wurde. Nach dem Kriege lebte H. als amer. Konsul in Paris, Liverpool und zuletzt in Dresden. Seine Reisen, über die er zahlreiche Werke veröffentlichte, boten ihm die Motive zu seinen Bildern u. Skizzen.

Seubert, Kstlerlex., 1882. — Singer, Kstlerlex., II (1896). — F. v. Bötticher, Malerwerke des 19. Jahrh., I 2 (1895). — Kat. Glaspal.-Ausst. München 1883.

Heine, Wilhelm Joseph, Maler, geb. zu Düsseldorf 18. 4. 1813, † ebenda 29. 6. 1839, Schüler der dort. Akad. (1827—35) unter Th. Hildebrandt, besuchte 1838 München, lebte in Düsseldorf. Ein früher Tod hinderte die Entwicklung dieses starken, vielversprechenden Talentes, dessen wenige Arbeiten eine sehr selbständige Note innerhalb der Düsseld. Malerei seiner Zeit tragen. Zwar macht er die namentlich durch Karl Hübner zuerst eingeschlagene Richtung der sozialen Tendenzmalerei mit, aber die zarte, feine Koloristik, die tiefe

Beseelung und die das Karikaturenhafte doch glücklich vermeidende physiognomische Charakterisierung sind sein besonderes Eigentum. Er malte die „Enterbten der Gesellschaft", Schmuggler, Wilddiebe, Landstreicher, Verbrecher. Charakteristisch für ihn ist die durch den Schauspieler Ellmenreich bezeugte enge Freundschaft, die ihn mit dem unglücklichen Dichter Grabbe verband, den H. auch gezeichnet hat; das Original dieser Zeichnung ist verschollen und nur in einer mangelhaften lithograph. Reproduktion W. Severin's im 2., dem Gedächtnis Grabbes gewidmeten Jahrg. des „Rheinischen Odeon" (Düsseld. 1838) erhalten. Zu H.s interessantesten Bildern, das alle Vorzüge seiner Art vereinigt, gehört das „W. Heine 1837" bez. Bild „Verbrecher in der Kirche" im Leipziger Mus. (Abb. im Katal. 1917; Lithogr. von Fr. Hanfstaengl f. d. Leipz. Kstvereinsblatt 1838); Wiederholung in gleichen Maßen („W. Heine 1838") in der Berl. Nat.-Gal. (Kat. 1907; fehlt in den späteren Katal.). Sein in der Berl. Akad. 1834 ausgestelltes Bild „Wilddiebe" wurde vom Hannov. Kstver. angekauft, ein 1838 in Brüssel ausgest. Bild „Der Brillenhändler" wurde dort verkauft. Sein Bildnis, von C. Vogel v. Vogelstein gezeichnet, wird im Dresdner Kupferstichkab. bewahrt.

N a g l e r , Kstlerlex., VI. — W. M ü l l e r v. K ö n i g s w i n t e r , Düsseld. Kstler, Lpzg 1854. — R a c z y n s k i , Gesch. d. neueren deutsch. Kst. — Fr. F a b e r , Convers.-Lex. f. bild. Kst, Lpzg 1845 ff., III 300. — W i e g m a n n , Kgl. Kstakad. zu Düsseldorf, 1856 p. 299. — Allg. Deutsche Biogr., L 135. — A d. R o s e n b e r g , Gesch. d. mod. Kst, ³ 1894 II 442. — F. v. B o e t t i c h e r , Malerwerke d. 19. Jahrh., I 2 (1895). — S c h a a r s c h m i d t , Zur Gesch. d. Düsseld. Kst, 1902. — Zeitschr. für Bücherfreunde, N. F. XIV (1922) 130 f. (A. B e r g m a n n). — Jahrb. d. Bilder- etc. Preise, I (Wien 1910). *H. Vollmer.*

Heinecke (Heinicke, Heineke, Hennecke), A n d r e a s , Glockengießer in Lüneburg. 1589 Bürger; 1590 Nachfolger des Grapengießers Hans Meyer, † Ende 1600 oder Anfang 1601. H. nennt sich als Verfertiger von Glocken in Beetzendorf bei Lüneburg (1591), Rätzlingen bei Oldenstadt (1592), Ebstorf bei Medingen (1593), der Schelle des alten Nikolaiturms in Lüneburg (1597), der Viertelstundenglocke der dortigen Johanniskirche, usw.

M i t h o f f , Mittelalt. Kstler etc. Niedersachsens, 1885 (Heincken). — W a l t e r , Glockenkunde, 1913 p. 761 f. (ausführl. m. Lit.). — Kstdenkm. Prov. Hannover III, Reg.-Bez. Lüneburg 2/3 Stadt Lüneburg, 1906.

Heinecke, C. G., falsch für *Heinicke,* Joh. Chr.

Heinecken, C a r l F r i e d r i c h v o n , Kupferstecher u. Radierer (Dilettant), Sohn des Carl Heinrich v. H. (s. d.) Sächsisch.-polnischer Kammerherr. Von ihm radiert sein eigenes Bildnis (Brustbild in Medaillon) und das seiner Mutter (desgl., beide 1770, nach A. de Saint-Aubin) sowie einige „artige" Blättchen nach Boucher (Amoretten mit Fisch- u. Vogelfang beschäftigt) und Dietrich (Musizierendes Schäferpaar).

F ü ß l i , Kstlerlex., 2. T., 1806 ff. — N a g l e r , Kstlerlex., VI. — H e l l e r - A n d r e s e n , Handb. f. Kupferst.-Sammler, I (1870). — C. H. v. H e i n e c k e n , Dict. des artistes, 1778 ff. (Ms. im Dresdner Kupferstichkab.).

Heinecken, C a r l H e i n r i c h v o n , Kunst-Schriftsteller u. -Dilettant, geb. in Lübeck 24. 12. 1707, † 24. 1. 1791 in Altdöbern. Sohn des Malers Paul H. u. der Malerin Catharina Elisabeth, geb. Oesterreich, Vater des Carl Friedrich, studierte in Leipzig, wurde Hofmeister der Söhne vornehmer Familien in Dresden, schließlich Bibliothekar des Ministers Graf Brühl und später auch dessen Güterdirektor u. Vertrauter. In dieser Stellung brachte er es zu Ansehen u. Reichtum und wurde 1748 in den Adelsstand erhoben. 1749 wurde der Reichsadel in Sachsen anerkannt „für den kursächs. Oberamtsrat Carl Heinrich Heinicke mit dem Namen Heinecken" (Gritzner, Standeserhebungen u. Gnadenakte deutscher Landesfürsten während der letzten 3 Jahrh., Görlitz 1877 ff., II 711). 1746 ernannte ihn der Kurfürst zum Leiter der Dresdner Gemäldegal. und des Kupferstichkab. Nach Brühls Tode 1763 wurde H. wegen angebl. Unterschleife verhaftet, aber wieder freigelassen, doch aus Dresden verbannt. Die Jahre seines Alters seit Brühls Tode brachte er meist auf seinem Landsitz Altdöbern zu. — Schon durch seine Herkunft auf die Beschäftigung mit der Kunst hingewiesen, hat er seine ganze Muße gewidmet, selbständig künstlerisch aber wohl wenig tätig, da nur ein Stich sich aus der Literatur als Zeugnis seiner Liebhaberei nachweisen läßt: Kopf eines Alten mit Bart. H. pflegte auch „Croquien seiner Gedanken beim Bau, bei Garten-Anlagen" seinen Schönzeichnern zu geben. Außerordentlich wertvoll sind seine kunstgeschichtl. Arbeiten: 1768/69 Nachrichten von Künstlern u. Kunstsachen; 1786 Neue Nachrichten von Kstlern u. Kstsachen, 1. Teil; 1778—90 Dict. des artistes, nur 4 Bände erschienen, der Rest als Ms. in 18 Foliobänden im Besitz des Dresdner Kupferstichkab.; 1771, Idée gén. d'une coll. d'estampes. Avec une dissertation sur l'origine de la grav. etc. — 1754 gab H. heraus: „Recueil d'estampes grav. d'aprez les tableaux de la Galerie et du Cabinet de S. E. M. le Comte de Bruhl ..", I. Teil, 50 Bl.; 1753—57 auf eigene Kosten das Dresdner Galeriewerk: „Recueil d'estampes .. de la Gal. roy. de Dresde", deren Platten gegen eine Leibrente später vom Kurfürsten übernommen wurden, zugleich mit einem Teil der Kunstsammlungen H.s. Seine Samml. gestochener Porträts ging 1790 in den Besitz der Kgl. preuß. Hofkupferstich-Offizin über. Ein Bildnis H.s, 1754 in Paris von Descourt (wohl Michel Hubert-Descours) gemalt, in Familienbesitz (Niederjahna bei Meißen, Baronin von Bischoffshausen; Abb. bei O. E. Schmidt), ein 2. (wohl 1761) in Paris von Latinville gemalt, im Besitz des Grafen Pourtalès in Lübben (Niederlausitz); ferner bekannt ein Stich, von A. de St. Aubin nach dem Leben gez., um 1770 gestochen.

Schlichtegroll, Nekrolog auf das Jahr 1791, I. Teil (Gotha 1792) 294 ff.; C. F. v. Heinecken ebenda, II. Teil (Gotha 1793) 382 ff. — Meusel's Mus., 13. Stück (1791) 91. — Weigel's Kstcatal., 1838—66, II 11 820. — Portalis-Béraldi, Graveurs du 18e siècle, II (1881). — O. E. Schmidt, Minister Graf Brühl u. C. H. v. Heinecken 1921.
W. L. v. Lütgendorff.

Heinecken, Catharina Elisabeth, geb. *Oesterreich,* Malerin, geb. 1683 in Lübeck, † am Tage der Schlacht von Roßbach (5. 11. 1757) in Lützen, wie ihr Sohn Carl Heinrich schreibt, bei dem sie sich damals aufhielt. Sie war die Tochter des Malers Franz Oesterreich, Stieftochter des Contrafeiers Karl Krieg, und heiratete den Maler Paul H. Sie scheint auch kunstgewerblich tätig gewesen zu sein, da sie sog. „Kröhnchens und Cräntzchen" anfertigte, die sie mit behördlicher Erlaubnis zu Hochzeiten und Gastereien vermietete. Von ihr das Bildnis ihres Sohnes Christian Heinrich, des berühmten Lübecker Wunderkindes, das als Vorlage diente für den Stich von Christ. Fritzsch (vgl. Artikel Paul Heinecken). Im St. Annen-Museum in Lübeck befindet sich ihr grau in grau gemaltes Wappen, das wahrscheinlich eine Arbeit ihrer Hand ist. Ihr Enkel Carl Friedrich v. H. berichtet, daß sie es in der Malerei, besonders in „Blumen- u. Fruchtstücken" zu ziemlicher Vollkommenheit gebracht" habe; „statt weiblicher Arbeit liebte sie die Alchimie bis zur Wuth, und bis zum Nachtheil ihres Vermögens". Ein „vorzügl. großes" Bildnis der Cath. Elis. (gemalt von B. Denner) im Besitz der Familie (Freifrau v. Bischoffshausen auf Bollensdorf).

C. H. v. Heinecken, Dict. des artistes, 1778 ff. u. Suppl. (Ms. Kupferstichkab. Dresden). — C. F. v. Heinecken in Schlichtegroll, Nekrol. auf das Jahr 1791, II (Gotha 1793) 383 f. — O. E. Schmidt, Minister Graf Brühl u. C. H. v. Heinecken. 1921. *W. L. v. Lütgendorff.*

Heinecken, Paul, Maler, geb. 1680 in Rehna i. M., † 1746 in Lübeck, Vater des Carl Heinrich von H. Wahrscheinlich Sohn eines gleichnamigen Malers, der von 1669 —1674 in Lübeck bei Meister Jochim Dencker das Malerhandwerk erlernt hatte und, da er nicht als Freimeister zugelassen wurde, nach Rehna ging, wo er die Stelle eines Küsters erhielt. Der jüngere H. wird zunächst bei seinem Vater gelernt haben und in der Fremde erst zum Künstler geworden sein. Sein Sohn Carl Heinrich schreibt, daß er in Rom gewesen und dann nach Lübeck gekommen sei. Am 10. 5. 1707 wurde er hier als Contrafeier u.

Kunstmaler Bürger u. heiratete die Malerin Cathar. Elisab. Oesterreich. Das Maleramt machte ihm (wie allen Contrafeiern) allerlei Schwierigkeiten, er setzte es daher durch, vom Rat der Stadt Lübeck als Freimeister zugelassen zu werden. Von seinen Arbeiten ist bisher in Lübeck nichts nachgewiesen, doch ließ er in Augsburg ein größeres Perspektiv-Werk erscheinen unter dem Titel: „Lucidum Prospectivae Speculum, d. i.: Ein heller Spiegel der Perspektive . . Wozu noch beygefügt sind 18 Plafonds . . Von Paul Heineken . . in Lübeck . . Augspurg. In Verlag Jerem. Wolffs. Seel. Erben. An. 1727" (G. D. Nessenthaler sculps. .), Titelkupfer u. 95 Bl. Die Zeichnungen geben bildmäßig ausgeführte Beispiele zeitgenöss. Architekturen in perspekt. Konstruktion (auch Beichtstühle, Kanzeln, Altäre, Grabmäler usw.) und lassen ein anerkennenswertes Können sehen. Trotzdem er auf dem Titel als weitberühmter Maler bezeichnet wird, scheint er in Lübeck nicht hinlänglich beschäftigt worden zu sein, so daß er eine Kaffeeschenke nebenbei errichten mußte. H. wird auch als Miniatur- u. Emailmaler bezeichnet und scheint darin Ruf gehabt zu haben, da Ismael Mengs u. Joh. Harper 1709—1712 die Miniaturmalerei bei ihm erlernten und, wie C. H. v. Heinecken berichtet, bei H. Gelegenheit fanden, „sonderlich die Art der Emaille-Mahlerey desto besser herauszukünsteln, da in diesem Hause die Chimie sehr stark getrieben ward". Harper malte 1724 H.s jüngeren Sohn, Christian Heinrich (geb. 6. 2. 1721 in Lübeck, † ebenda 27. 6. 1725), das sog. Lübecker Wunderkind. Für die Lebensbeschreibung des Kindes (von Christ. v. Schöneich) lieferte H., nach dem von seiner Gattin gemalten Bildnis, die Vorlage zu dem Kupferstich (Christ. Fritzsch sculps. Hamburg 1726). Im Hamburger Staatsarch. v. H. ein Plan von Hamburg (um 1721) und ein Prospekt von der Alster aus (Feder und Tusche), entstanden 1726/27. [Rump nennt den Stich einer Hamburg. Gesamtansicht von Süden (um 1730) mit der Unterschrift: G. (!) Heineken del., G. B. Probst exc.] Aus diesen Blättern darf auf einen Aufenthalt H.s in Hamburg geschlossen werden, wo er übrigens Verwandte besaß.

[C. H. v. Heinecken], Nachrichten v. Kstlern u. Kunstsachen, 1768 p. 52 f. (vgl. Woermann in Ztschr. f. bild. Kst., N. F., V 11); ders., Dict. des artistes, 1778 ff. u. Suppl. (Ms. Kupferstichkab. Dresden). — C. F. v. Heinecken in Schlichtegroll, Nekrol. auf d. Jahr 1791, II (Gotha 1793) 383. — Hirsching, Histor. literar. Handb., III 1. Teil, 1797 p. 62. — Rump, Lex. d. bild. Kstler Hamburgs, 1912. — Handschr. Kat. Samml. Tesdorpf (Hambg, Mus. f. Hambg. Gesch.), p. 9. — Kat. Ornamentstichsamml. Berlin, 1894. — W. L. v. Lütgendorff in Vaterstädt. Blätter, Lübeck, 1920 No 9. — O. E. Schmidt, Minister Graf Brühl u. C. H. v. Heinecken, 1921. — Mit Not. v. V. Dirksen. *W. L. v. Lütgendorff.*

Heinefetter, Johann Baptist, Maler, geb. 1815 zu Mainz (jüngster Bruder der 3 bekannten Sängerinnen), † Okt. 1902 in Baden-Baden. Schüler des Schlachtenmalers D. Monten in München, bereiste Tirol, die Schweiz, Italien u. Südfrankreich und hat sich als Genre-, Landschafts- u. Schlachtenmaler einen Namen gemacht. Mit J. Götzenberger malte er 1844 die Loggia der Trinkhalle in Baden-Baden aus; auf seinen Anteil kommen besonders die Landschaften. Für die Friedhofskapelle in Baden-Baden malte er eine „Auferstehung Christi", für das dort. Konversationshaus 4 große Deckengemälde. Öffentl. Ausstell. hat er selten beschickt. In München stellte er 1836 ein Gemälde aus: Reisende, von Wölfen verfolgt; in der Gr. Berl. K.-A. 1893 zwei Landschaften: „Pinienwäldchen bei Cannes" und „Im Etschtal zwischen Bozen u. Meran". Auch hat er zahlreiche Architekturveduten in Aquarell und bewegte Genreszenen gemalt. Die Gemäldesammlg in Mainz bewahrt von ihm 2 Aquarelle (Burgruine in Abendbeleuchtung u. Gosausee mit d. Dachstein) u. 2 Ölgem.: Bergfeste in Tirol u. Bucht von Toulon (Verz. 1911 No 615/18).

Nagler, Kstlerlex., VI. — Die Kunst, VII (1903) 173. — Beringer, Bad. Malerei im 19. Jahrh., 1913; 2. Aufl. 1922. — Verz. d. künstler. Nachlasses v. J. B. Heinefetter. Aukt. Rud. Bangel Frankf. a. M. 1904 (14. u. 15. 6.), mit 13 Lichtdr.-Taf.

Heineken, siehe *Heinecken.*

Heinel, Eduard, Genre- und Landschaftsmaler, geb. 1835 in München als Sohn des Joh. Phil., † daselbst 14. 5. 1895. Lebte 1869 bis 70 in Rom und stellte zuerst 1866 in München aus. Malte anfangs Szenen aus dem Volksleben in der Art seines Vaters, das Leben auf der Alm, Bauernstuben, Jäger, nudelbackende Weiber, Obsthökerinnen u. dgl., später mit landschaftl. Hintergrund, der bei ihm immer mehr die Oberhand gewann. Seine Bilder erfreuen durch treue Schilderung und stimmungsvolle Wiedergabe der Natur. Neben Motiven aus Griechenland (1873) malte er den Ponte Filippetto bei Sorrent (1880), Motive aus Nymphenburg, vom Bodensee („Partie bei Friedrichshafen" 1870), aus der fränkischen Schweiz, Tirol und Oberbayern. Einen feinen Humor bewies er in der Schilderung der offenen Landstraße mit ihrer Staffage.

H. Holland in Allg. dtsche Biogr., L (1904) 141 f. — F. v. Bötticher, Malerwerke des 19. Jahrh., I 2 (1895). — Kat. Glaspal.-Ausst. München, 1891 (ill. Ausg.) p. 40. — Kat. Verst. Residenzschloß Stuttgart 27.—29. 11. 1919 Nr 58 (Abb.). — Notiz Fr. Noack.

Heinel, Philipp (Johann Ph.), Maler, Radierer u. Lithograph, geb. 21. 10. 1800 in Bayreuth, † 29. 7. 1843 in München. Vater des Eduard. Besuchte seit 1818 die Nürnberger Zeichnungsschule, malte nebenbei Dosen und kleine Bildnisse in Öl und bezog 1820 mit einem kgl. Stipendium die Akad., wo er unter Langer sein erstes Historienbild (Ossian und Malwina) malte. Seit 1826 malte er fast ausschließlich Genrebilder aus dem Volksleben und Landschaften mit Staffage, zu denen ihm Tirol und Oberbayern sowie Franken, wo er in den 30er Jahren vorübergehend tätig war, die Stoffe lieferten. Seine Bilder fanden wegen ihrer sorgfältigen Ausführung und frischen poetischen Auffassung vielen Beifall. Wir nennen: Die Braut, Familienszene, Dudelsackpfeifer (1835 radiert, 1836 Öl), Anbetung der Hirten (1838). Die in späteren Jahren entstandenen, nicht zahlreichen Radierungen sind „mit sicherer Nadel, mit Fleiß und Liebe behandelt; zugleich wahr und getreu in der Auffassung" (Andresen). Zum Radierwerk ist nachzutragen: Bauern vor einer holländ. Dorfschenke, nach einem Bilde A. van Ostade's für das Musel'sche Galeriewerk radiert. Die Lithographien (9 Bl.) gehören zu den „XII Ansichten der vorzüglichsten Landschafts-Parthien aus Franken, auf Stein gezeichnet und herausgeg. von Ph. H." (Bayreuth 1839). Das Städt. Mus. in Braunschweig (Führer 1908) besitzt von H. 3 Gemälde: Szene am Brunnen, 1833; Tiroler mit seiner Geliebten, 1833; Aus dem bayerischen Hochlande, 1835; das Stadt-Mus. zu Danzig (handschriftl. Kat. p. 23) sein Bild: Ave Maria.

Andresen, Die dtsch. Maler-Radierer, I (1878); dazu: Die Graph. Kste, XXX (1907) Beilage p. 40. — Allg. dtsche Biogr., XI (1880) 366 (H. Holland). — A. v. Schaden, Artist. München im Jahre 1835, Mchn 1836. — Kstblatt, 1826, 1829, 1830. — Kat. Akad.-Ausst. Berlin, 1834 p. 23; 1826 p. 25. — Verz. Ausst. Kstverein Leipzig, 1837 p. 19; 41 p. 14; 43 p. 40.

Heinemann, Berend, s. *Heynemann,* B.

Heinemann, Christoph, Architekt aus Dingelstedt, tätig in Heiligenstadt (Eichsfeld, ehem. Erzbist. Mainz) und Umgebung. Arbeiten in Heiligenstadt: 1. Schloß (1736, jetzt Sitz mehrerer Behörden): 3 geschossiges Hauptgebäude, 2 geschossige Seitenflügel in Sandsteinquadern, kräftiger Mittelbau mit Rundgiebel, 2 Balkons auf starken Konsolen, stattliche Einfahrt und hohes Mansardendach. Inneres, z. T. verbaut, mit Stuckdekorationen. 2. ehemal. Jesuitenkolleg, jetzt Gymnasium (1739, geplante Kirchenanlage an der Südseite, nicht ausgeführt): 3 geschoss. Gebäude mit Mansardendach, schlichte Fassaden, reichgegliedertes Portal. Beachtenswert das Treppenhaus mit bemaltem Stuckgewölbe. 3. Rathaus (1739): 2 geschoss. Westfront mit Portal, Freitreppe u. Balkons auf Konsolen, 2 weitere Portale an der Nordfassade. Dach modern. 4. Schloß in Bischofstein: stattlicher Barockbau mit Flügelanbauten u. Torgebäude, an letzterem Jahreszahl 1747. H.s Einzelformen sind solide, die Dekoration macht dagegen einen etwas schwächlichen Eindruck. Das

Schloß in Rusteberg soll ebenfalls von ihm herrühren.

Beschr. Darstell. Bau- u. Kstdenkm. Prov. Sachsen, XXVIII (1909) 31, 195, 204, 290, 311. — Heimatland, XI (1914) 36 f. *B. C. K.*

Heinemann, D a v i d , Bildnis- u. Genremaler, geb. in Schlipsheim in Schwaben 11. 7. 1819, † in München 1. 3. 1902. Schüler von Joh. Geyer in Augsburg und der Münchner Akad. unter H. Anschütz u. H. v. Hess. Malte anfangs biblische Historien u. klassischmytholog. Genre, beschränkte sich aber später auf das bürgerliche Genre- und Bildnisfach und erhielt zahlreiche Bildnisaufträge aus Deutschland, Österreich und der Schweiz. Zwischendurch schuf er wieder größere Kompositionen, wie die „Schmückung der Braut", ein figurenreiches Bild, das seinen Namen auch ins Ausland trug. In München begründete er 1872 die bekannte Kunsthandlung mit Zweiggeschäft in Nizza, die von seinen Söhnen fortgeführt wurde und durch internationale Sonderausstell. das Kunstleben förderte.

H. H o l l a n d in Bettelheim's Biogr. Jahrb., VII (1903) 159 f.

Heinemann, E r n s t , Holzschneider, geb. in Braunschweig 10. 2. 1848, † in Staten Island 11. 3. 1912. Seit 1872 in New York tätig. Schüler von A. Closs, Brend'amour u. der Art Students League in New York. Arbeitete in Tonstichmanier für illustrierte Blätter, nach Ribot, Rembrandt u. a. sowie nach eigener Erfindung.

S i n g e r , Kstlerlex. Nachtr., 1906. — Amer. Art Annual, X (1913) 77. — Kat. Glaspal.-Ausst. München, 1883; 1888 p. 209; Intern. Kstausst. Berlin 1891; Panama-Pacific Expos. S. Francisco 1915; Cat. de luxe, II 402.

Heinemann, F r i t z , Bildhauer, geb. in Altena (Westfalen) 1. 1. 1864, lebt in Dahlem bei Berlin. Besuchte die Nürnberger Kunstschule (1883—86) u. die Berliner Akad. (1886 bis 89) und stellte dort zuerst 1888 aus. Seine erste größere figürl. Arbeit, die Marmorgruppe „Mutter und Kind" wurde 1891 auf der Intern. Kstausst. zu Berlin vom Prinzen Albrecht von Preußen angekauft. H. setzte dann seine Studien je ein Jahr in Paris und bes. in Rom (1891/2) fort und erhielt 1897 für seine bekannte Gruppe „Heimkehr vom Felde" (Mus. zu Dessau) in Berlin die goldene Medaille. Er schuf zahlreiche Denk- u. Grabmäler, Porträtbüsten, Genrefiguren, Studienköpfe allegor. Charakters, Kleinbronzen usw. Arbeiten: Denkmäler Kaiser Wilhelm I. in Schneidemühl und Czarnikau; Standbilder Kaiser Wilhelm I. und Karl der Große am Rathaus in Duisburg; Luther, Melanchthon u. Bugenhagen, Kolossalfig. in Kalkstein am Melanchthonhaus zu Bretten; Jähnsdenkmal in Berlin; Danckelmanndenkmal zu Eberswalde; Brandenburger Bürger aus der Hussitenzeit, Bronze im Niederbarnimschen Kreishaus (Berlin); Bogenschütze (Bronze) in Königsberg; Fechter (Bronze), Park

von Sanssouci; Anmut, weibl. Marmorfigur, von Kaiser Wilhelm II. für das Achilleion auf Korfu angekauft; Milchmädchen (Mus. Dessau). Ferner: Moltke (Bronzestatuette); Porträtbüsten Ad. Lasson, Fritz Laske, Herzogin von Anhalt, Graf von Schwerin-Löwitz; Kain (Kolossalfig., Bronze); Tänzerin, Bronzestatuette; „Auf der Düne" u. Berliner Blumenfee (lebensgr. Holzfig.); Die Kinder des Künstlers (Marmorbüsten).

D r e s s l e r , Ksthandb. 1906, 1908—13, 1921 II. — J a n s a , Dtsche Bild. Kstler, 1912. — A r t h u r   S c h u l z , Deutsche Skulpturen der Neuzeit, o. J. — The Studio, XLIII (1908) 255 (Abb.). — Blätter f. Münzfreunde, LII (1917) 230, 237. — Zentralbl. der Bauverwaltung, XXXVII (1917) 91. — Kat. Gr. Kstausst. Berlin, 1893 p. 119; 1894 p. 107; 1895 p. 116; 1897 p. 114; 1898 p. 78; 1899 p. 86; 1900 p. 95; 1901 p. 108; 1903 p. 79; 1904; 1905 p. 84; 1906—16; 1917 (in Düssel.) p. 25; 1917 (in Berlin); 1918 (Düsseld.) p. 28; 1918 (Berlin); z. T. m. Abb. — Kat. Glaspal.-Ausst. München, 1892 p. 118 (Abb.); 1904 p. 143; 1908 p. 142; 1912; 1914. — Kat. dtsch.-nat. Kstausst. Düsseldorf 1902; 1907 p. 124; Gr. Kstausst. ebda, 1911 p. 133. — Kat. Gr. Kstausst. Dresden 1912 p. 60.

Heinemann, J o s e p h , Historienmaler, geb. in Hüfingen (Amtsbez. Donaueschingen) 29. 12. 1825, † daselbst 2. 4. 1901. Schüler von Luzian Reich d. ä. in Hüfingen und von J. Schnorr u. A. Strähuber in München (bis 1848). Vorübergehend in Frankfurt a. M., später dauernd in seiner Vaterstadt tätig. „Seine Zeichnungen geben sich völlig rein, anspruchslos und in einem klaren Wohllaut der Linien und Formen". (Kugler, Kl. Schriften, III 736.) Bekannt sind „Ruhe auf der Flucht nach Ägypten", V. Schertle lith.; „Christus auf dem Meere und Petrus", J. Allgeyer gest. gr. fol. (Meyer, Kstlerlex. I 490 Sp. 2 Nr 1); „Graf Heinrich zu Fürstenberg nach der Schlacht bei Dürnkrut 1278 auf seine Burg Fürstenberg zurückkehrend", Kohlezeichn. Gemäldesamml. Donaueschingen (s. Kat. ³ 1921 m. biogr. Angaben).

Heinemann, M a r g a r e t h e   v o n , Landschaftsmalerin, geb. 1856, lebt in Stift Steterburg bei Braunschweig. Stellte 1907 im Münchner Kunstverein aus. Das Städt. Mus. in Braunschweig besitzt ihr Ölbild „Capri".

D r e s s l e r , Ksthandb. 1913; 1921 II. — Die christl. Kst, III (1906—7), Beilage zu H. 6 p. V.

Heinemann, M a x   v o n , Landschaftsmaler aus Braunschweig. Tätig in München. Stellte 1895—99 in Berlin u. München aus (Motive von Bornholm).

Almanach f. bild. Kst usw., 1901. — Kat. Gr. Kstausst. Berlin, 1895 p. 38; 1897 p. 34; 1899 p. 24. — Kat. Glaspal.-Ausst. München, 1898 p. 42.

Heinemann (Heynemann), W e i m a r (auch Wimer, Wauer), Bildhauer in Braunschweig, † ebenda 11. 7. 1598 an der Pest, 1581 als Bürger aufgenommen, Lehrer von Fr. J. Döteber. H.s Tätigkeit und Kunstweise lassen sich aus einer kleinen Gruppe von Werken, die teils unmittelbar für ihn gesichert sind, teils nur stilkritisch für ihn gewonnen werden konnten, erkennen. Aus ihnen ergibt sich, daß H. keine ein künstler. Durchschnittsmaß überragende Kraft war. Er wurzelt vielmehr in den Überlieferungen seiner Zeit, zeigt sich als Anhänger der nord. Spätrenaiss. (Stilkreis des Cornelis Floris, Hans Vredeman de Vries), verrät aber auch individuelle Züge. Erhaltene gesicherte Werke sind Epitaph der Armgard von Bortfeld (Braunschweig, Katharinenkirche) und der (stark abgetretene) Grabstein des 1586 † Abtes Johannes Lorbeer (Riddagshausen, Klosterkirche). Das Epitaph ist aus buntfarbig bemaltem Elmkalkstein gefertigt, 1586 dat. und auf seiner linken Wange mit dem Monogramm des Meisters, einem verschlungenen W und H, bezeichnet. Mitteltafel mit aufrechtstehender Gestalt der Verstorbenen, unten Schriftkartusche, seitliche Ornamentfortsätze, Aufsatz mit Himmelfahrtsrelief, reiche ornamentale Details von Rollwerk, Figuren, Köpfen und Fruchtschnüren. Die Stilmerkmale dieses Epitaphs wiederholen sich fast sämtlich an einem Grabstein in der Kirche von Scheppau bei Königslutter für das Ehepaar Garssenbüttel, der laut Sterbedatum um 1589 entstanden sein wird. H.s Werkstatt entstammen ferner 3 Portale von 1584, 1591 und gegen 1595 (Braunschweig, Haus Poll, Gördelingerstraße 43; heutige Schule, Südklint 15; Apotheke, Hagemarkt 20), die in Anlage und Einzelheiten dem erwähnten Bortfeld-Epitaph ähneln, trotz deutlicher, im Schaffen H.s sonst fehlender Entwicklung zum Barock. — Außer einigen nur urkundlich überlieferten Arbeiten sei noch H.s Mitarbeit an der 1592/95 gänzlich umgestalteten Martinsschule (heute Wittekoppsches Haus, Bankplatz 1 in Braunschweig) erwähnt, die aus den Akten zu belegen ist, jedoch nur im Zusammenhang mit mehr handwerksmäßigen Arbeiten.

Braunschw. Quellen: Neubürgerbuch, Bd Neustadt 1575—1605 p. 126; Kirchenbuch d. Katharinenkirche, Bd LX; Rechnungsbücher d. Martinikirche. — Mithoff, Mittelalt. Kstler u. Werkmstr Niedersachs. u. Westf., ² 1883. — Bau- u. Kstdenkm. Herzogt. Braunschweig, II (1900) 169. — Meier u. Steinacker, Bau- u. Kstdenkm. d. St. Braunschweig, 1906.

Mechtild Scherer.

Heinemann, W i l h e l m , Porzellanmaler in Stockholm, Lehrer des 1851 † G. R. Asel; von ihm ein Miniaturbildnis König Oskars I. von Schweden in der ehem. Slg Hammer zu Stockholm (Auktionskat. 1894 V. No 1258).

L e m b e r g e r , Bildnis-Miniatur in Skandinavien, I (1912) 98. *

Heinen, H a n s , Maler u. Gemälderestaurator, geb. in Krefeld 15. 7. 1860, seit 1890 in München ansässig, hat sich besonders durch seine stimmungsvoll behandelten Motive vom Ostersee und der Benediktenwand bekanntgemacht. Beschickte 1908 u. 1917 den Glas-

palast, 1911 und 1916 die „Juryfreie K.-A." in München.

Ausst.-Katal. — Dressler's Ksthandbuch, 1921.

Heiner, A n d r e a s (Endres), Glockengießer, nennt sich als Verfertiger von Glocken in Mielesdorf, Schleiz (1484; umgegossen), Weißbach in Schwarzburg-Rudolstadt (1492) und auf Schloß Fröhliche Wiederkunft in Sa.-Altenburg.

W a l t e r , Glockenkunde, 1913 p. 762.

Heiner, L u d w i g , gen. *Heiner I (Heiner d. ält.),* Porzelanmaler in Berlin. Schüler von Taubert, tätig als Figurenmaler an der dortig. Manufaktur. Unter seinen 1802—30 in der Berliner Akad. ausgest. Arbeiten befanden sich außer bemalten Tellern (Jupiter und Jo, Bacchanal, militärische Sujets) auch Porzellangemälde nach Dähling (Troubadour), Domenichino, Mengs, Vasen, eine Schale mit Zarenbildnissen als Gemmen, Tischplatte mit Genien zwischen Weinranken, u. a.

N a g l e r , Kstlerlex., VI. — Kat. Akad.-Ausst. Berlin 1802 p. 91; 1804 p. 73; 1806 p. 123; 1810 p. 39; 1812 p. 45 f., 49; 1816 p. 66 (2×); 1822 p. 107; 1826 p. 87 (2×); 1828 p. 113 f.; 1830 p. 129.

Heinicke, G e o r g B e r n h a r d , Medailleur, geb. in Cassel 2. 7. 1837. Hofgraveur daselbst, Teilhaber der Firma *Schuchardt u. Heinicke.* Arbeiten: 1. Erinnerungsmedaille der hessischen Veteranen 1863 (zusammen mit Chr. Schuchardt). 2. Med. auf die projektierte 22. hessische Gewerbe-Ausst. 1866. 3. Med. auf die Freimaurer-Loge zu Cassel 1866. 4. Med. auf das Jubiläum des hl. Sturm von Fulda 1879. 5. Kabinettssiegel des letzten Kurfürsten Friedrich Wilhelm I. von Hessen.

H o f f m e i s t e r - P r i o r , Kstler u. Ksthandwerker in Hessen, 1885. — F o r r e r , Dict. of Medall., II (1904).

Heinicke, G e o r g Karl, Maler und Graphiker, geb. 15. 11. 1888 in Bautzen, lernte als Lithograph in der Anstalt von Gebrüder Weigang-Bautzen, studierte dann 1909—11 auf der Dresdener Kunstgewerbeschule unter Herrmann und Goller, bildete sich weiter in Wien, Budapest und München. Nachdem er 1914—16 am Weltkrieg teilgenommen hatte, ließ er sich zunächst in Leipzig, 1917 in Bautzen nieder, wo er seit 1919 regelmäßig im Kunstverein ausstellte. Der überquellend produktive und leichtschaffende Künstler knüpft an den Expressionismus eines Kokoschka, Nolde und Heckel an und ist in der Hauptsache auf Farbe eingestellt, ohne aber die Fühlung mit reiner Gegenständlichkeit zu verlieren. Im Grunde ist er ein Neuromantiker mit starker Fähigkeit, sich in die spukhafte Märchenstimmung verträumter Lausitzer Landschaften einzufühlen. Seine reifsten Leistungen liegen auf dem Gebiete des Holzschnitts: Holzschnittmappe „Bautzen", Verlag Beutelspacher-Dresden, 1922.

Oberlaus. Heimatzeitung, I (1920) 393; III (1922) 261 f. — Sächs. Heimat, V (1922) 365,

373, 386 f. — B i e h l , Bautzen, im Archiv „Deutschlands Städtebau", 1922 p. 35 u. 55. — Cicerone, XIV (1922) 950. — Kunstwanderer, 1922/23 p. 270. *Biehl.*

Heinicke, J o h a n n C h r i s t i a n , Bildnismaler, geb. in Waltersberg in Anhalt (?), tätig in Berlin. Schüler von Friedr. Erhard Wagner daselbst. Stellte 1787—97 in der Berl. Akad. Zeichnungen u. Miniaturgemälde aus. Nach ihm gestochen: Bildnisse J. W. von Archenholtz u. G. L. Graßmann (beide von S. Halle 1790); Königin Fried. Louise v. Preußen (von Funke, Akademieschüler, wohl Joh. Heinr. F.).

C. H. v. H e i n e c k e n , Dict. des Art. etc. 1778 ff., Ms. im Dresdner Kupferstichkab. (Suppl.). — Kat. Akad.-Ausst. Berlin, 1787 p. 33; 1788 p. 40 f. (Heinecke); 1793 p. 33 (C. G. Heineke); 1794 p. 36; 1797 p. 35. — D u p l e s s i s , Cat. Portr. frç. etc. Bibl. Nat. Paris, 1896 ff. I 1490/3; IV 19104.

Heinicke, R o b e r t (Friedrich Arno R.), Maler, geb. 10. 12. 1878 in Hamburg, † 24. 10. 1914 ebenda, malte historische Bilder, so „Angriff der Brandenburger auf die span. Silberflotte 1681" (Berlin, Gr. Kstausst. 1897; München, Glaspal. 1898), „Zur Zeit d. Inquisition" (München, Glaspal. 1904), u. a.

R u m p , Lex. bild. Kstler Hamburgs, 1912. *D.*

Heinig, A., Medailleur u. Kupferstecher aus Freiberg i. S., arbeitete in Sachsen u. Hamburg 1699—1711. Med. auf August II. u. Gemahlin 1699; auf die Krönung Karls VI., 1711, geschlagen im Auftrag der St. Hamburg, u. a. Von H. ist bekannt ein Bildnisstich „Jean Franck" (vermutl. der Arzt Joh. Wolfgang Franck, geb. in Hamburg 1640).

B o l z e n t h a l , Skizzen z. Kunstgesch. d. mod. Medailleurarbeit, 1840 p. 255. — F o r r e r , Dict. of Medall., II (1904). — L a n g e r m a n n , Hamburg. Münz- u. Med. Vergnügen, 1753 p. 106. — M e n a d i e r , Schaumünzen der Hohenzollern, 1901 Nr 597. — J o s e p h v. F e l l n e r , Münzen u. Med. von Frankf. a. M., 1896 Nr 673. *Jesse.*

Heinig, J o h a n n T r a u g o t t , Architekt, geb. 6. 5. 1796 in Göppersdorf bei Burgstädt in Sachsen, † 10. 6. 1841 in Chemnitz. Ausgebildet an den Akad. zu Dresden u. München als Mitschüler Carl Peschel's, G. F. Ziebland's u. a. (Aquarelle u. Zeichnungen seiner Mitschüler von ca 1820 in seinem Akademiker-Stammbuch im Bes. der Fam. Kurzwelly-Leipzig, ebenda auch Selbstbildniszeichn. H.s u. ein 1822 von Ferd. Berthold [s. d.] in Dresden gezeichn. Brustbild H.s u. seiner Jugendgeliebten, sowie ein Rheinreisebericht H.s von 1823 an seinen Chemnitzer Schwager, Kantor August Chr. Fr. Kurzwelly. Wirkte seit 1823 in Meiningen u. schließlich in Chemnitz, wo er im klassizist. Zeitstile das alte Stadttheater (vollendet 1838), die 1. Bürgerschule, die „Predigerhäuser" u. das „Casino" baute (letzt. jetzt abgebr.). Abb. seiner Bauten in Farbenlithograph. von 1838—40 im Bes. der Fam. Kurzwelly. Die Leipz. „Deutsche Gesellschaft zur Erforsch. vaterländ. Altertümer" ernannte ihn durch Urk. vom 5. 4. 1837 zu ihrem Mitglied. — Sein Bruder J o h. D a v i d war Kupferstecher in Chemnitz.

Nekrologe in Chemnitzer Tageszeitungen vom Juni 1841. — N a g l e r , Kstlerlex., VI (fälschlich „Heinrich Traugott H."). *Joh. Kurzwelly.*

Heinigke, O t t o , amer. Glasmaler, Illustrator u. Schriftsteller, geb. in Brooklyn 1851, † in Bay Ridge, Long Island, N. Y., 1. 7. 1915. Zuerst Teppichzeichner, widmete sich später dem Entwurf u. der Ausführung von Glasfenstern. Unter seinen zahlreichen Arbeiten dieser Art befinden sich die Fenster der Kongreßbibliothek in Washington, des Federal Building in Indianopolis sowie viele Kirchenfenster. Ein tüchtiger Kolorist, erstrebte er durch linearen Stil dekorative Wirkung.

Amer. Art Annual, XII (1915) 259. — Bullet. of the Metrop. Mus. of Art, XII (New York 1917) p. 9, 10.

Heinisch, J o h a n n , Historienmaler in Prag, von dem das 1674 gem. Hochaltarbild der Pfarrkirche zu Ungarisch-Hradisch (Mähren) herrührt. Wohl ein Verwandter des Malers Joh. Georg Hanisch, der laut Dlabacž 30. 8. 1704 in Prag-Kleinseite getraut wurde.

P r o k o p , Markgrafschaft Mähren, IV (1910). — D l a b a c ž , Kstlerlex. f. Böhmen, 1815 Sp. 558.

Heinisch, K a r l Adam, Landschaftsmaler, geb. in Neustadt in Oberschlesien 28. 3. (nicht 28. 5.) 1847, lebt seit 1870 in München. 1879—1913 auf den Münchner Jahresausstell. fast alljährlich mit Motiven aus Oberbayern und vom Bodensee vertreten. Die Kunsthütte zu Chemnitz (handschr. Kat. 1915) besitzt sein Ölbild „Aus dem Zillertal"; Zeichnungen in der Maillinger-Samml. des Münchner Stadtmus.

D r e s s l e r , Ksthandb., 1921 II. — F. v. B ö t t i c h e r , Malerwerke des 19. Jahrh., I 2 (1895). — F. P e c h t , Gesch. der Münchener Kst, 1888. — Kat. Glaspal.-Ausst. München 1879—1913, passim. — Kat. Akad.-Ausst. Berlin, 1886 p. 34; Intern. Kstausst. 1891; 1896; Gr. Kstausst. 1894 p. 34; 1897 p. 34; 1900 p. 30; 1901 p. 29. — Kat. Dtschnat. Kstausst. Düsseldorf 1902. — Jahrb. der Bilder- u. Kstblätterpreise, Wien 1911 ff., II; III; V/VI. — J. M a i l l i n g e r , Bilderchronik . . Stadt München, III (1876).

Heinischek, M a t h i a s , s. *Heynitschek,* M.

Heinitz von Heinzenthal, I g n a z , Maler in Wien, geb. 1657, † 28. 5. 1742, Kammermaler und Hofadjunkt, erscheint regelmäßig als Hofbediensteter und erhält überdies Zahlungen für dem Hof gelieferte Arbeiten (1723 für Malereien in der Hof- und Kammerkapelle der Hofburg, 1725 für Malereien indianischer Gewächse u. a.). Dekorative Malereien (Vögel, Blumen) von ihm waren sehr beliebt. Im Mus. zu Hermannstadt (Führer Gem.-Gal. 1909 m. Facs. der Sign.) zwei „J. D. Heinitz" bez. Stilleben, eins davon dat. 1733. In Wien: Gardekirche z. hl. Kreuz, bez. Himmelfahrt eines Heiligen; Franziskanerkirche, H. zugeschr., Gemälde am Magdalenenaltar; früher im oberen Belvedere (Kat. Gem.-Gal. v. Engert, 1864) über der Tür im „Goldenen Cabinet" bez.

Blumenstück. Auch im Kunstbesitz des Prinzen Eugen v. Savoyen zu Schloßhof war H. vertreten.

S c h l a g e r , Materialien z. österr. Kstgesch., S. A. aus Arch. f. österr. Gesch., II (1850) p. 728. — C. v. W u r z b a c h , Biogr. Lex. d. Kaiserth. Österr., VIII (1862). — Jahrb. d. Ksthistor. Sammlgn d. allerh. Kaiserhauses, XVI ; XXIV ; XXIX. — I l g , Prinz Eugen als Kunstfreund, 1889 p. 36. — F r i m m e l , Kl. Galeriestudien, N. F. I (1894) ; Galeriestud., I 2 (1898) 196 ; I 3 (1899) ; d e r s., Stud. u. Skizzen z. Gem.-Kde, VI (1921/2) 16 f. *H. Tietze.*

Heinke, T h e o p h i l , Landschaftsmaler, geb. 24. 12. 1876 in Oberneukirch (Sa.), † 27. 11. 1913 in Pillnitz b. Dresden. 1898 bis 1905 Schüler der Dresdner Akad. unter L. Pohle, Fr. Preller und E. Bracht, lebte darauf längere Zeit in Papperitz b. Dresden. Obgleich H. größere In- u. Ausland-Reisen unternommen hatte, blieb er doch recht eigentlich der Maler des Dresdner Elbgeländes. Er stellte dieses mit Vorliebe im Herbst oder Winter dar: Lustschloß Pillnitz im Herbst, 1903 ; Herbst im Steinbruch, 1909 ; Sächs. Dorf im Winter (Wehlen a. E., 1904, Stadtmus. Dresden) ; Wintertag in Sachsen: Blick vom Gönnsdorfer Turm auf das Erzgebirge, 1906 ; Schneeteich, 1909 u. a. Seine Bilder befinden sich größtenteils in Privatsamml. in England, am Rhein, in Dresden u. Umgeb. ; im Neuen Rathaus zu Dresden ein großes, dreiteiliges Ölgemälde: Blick auf Pillnitz und das Elbgelände (1907).

Matrikel der Dresdn. Kstakad. — J a n s a , Dtsche bild. Kstler in Wort u. Bild, 1912 p. 252 mit Bildn. — B e t t e l h e i m , Dtscher Nekrolog, XVIII (1917), Totenliste 1913 Sp. 95*, mit Lit. — Dresdn. Anzeiger 1913 vom 28. 11. p. 11. — Katal.: Kstausst. Dresden (Sächs. 1903 mit Abb., 1906 ; Große 1901 ; I. Kstlerhaus 1909 ; Mod. Kstwerke aus Privatbes., Sächs. Kstver., 1912) ; Hannover, 1912, u. München (Glaspal.). *Ernst Sigismund.*

Heinlein, H e i n r i c h , Landschaftsmaler, geb. in Weilburg (Nassau) 3. 12. 1803, † in München 8. 12. 1885. Entstammte väterlicherseits einer Mannheimer Familie ; seine Mutter, eine geb. Riedel, war eine Schwester des Bayreuther Archit. u. Malers K. Chr. Riedel und malte selbst Pastellbildnisse. H. widmete sich zuerst als Schüler Dyckerhoff's der Baukunst, begann seine Laufbahn als Baukondukteur in Mannheim und arbeitete bei seinem Oheim K. Chr. Riedel in Bayreuth, indem er sich nebenbei seiner Liebhaberei für die Malerei überließ, Franken und Böhmen durchstreifend. Im Herbst 1822 kam er mit s. Vetter, dem Maler August Riedel, nach München, wo er bei Gärtner an der Akad. studierte, der ihm riet, seiner Neigung zur Malerei zu folgen. Da einige von H. gemalte Bilder mit Motiven aus den bayr. Alpen auf den akad. Ausstell. den Beifall der Kritik fanden, ging er ganz zur Malerei über. Infolge eines Konflikts mit der Polizei wandte sich H. nach Mannheim, von wo aus er die Karlsruher Kunstausst. mit

seinen Bildern beschickte, wo sie auch Käufer fanden. Von dem Erlös unternahm er eine Reise durch die Schweiz und Oberitalien und kehrte durch Südtirol nach München zurück. Da aber hier seines Bleibens nicht war, fuhr er auf einem Floß die Donau hinab nach Wien, wo er an der Erzherzogin Karl, einer geb. Prinzessin von Nassau-Weilburg, eine Gönnerin fand und ein Jahr blieb. Für die Richtung seines Talents sind die Motive zweier dort entstandenen Bilder bezeichnend: „Bergsee, der einen von Raubvögeln umflatterten Leichnam ausgeworfen", und „Hochalpental im Spätabendlicht mit einem Begräbnis als Staffage". Nachdem seine Mittel erschöpft waren, wanderte er im Herbst 1826 nach Mannheim und blieb mehrere Jahre im Elternhaus, von hier aus Fußreisen (Schwarzwald, Vogesen, Rheinlande) unternehmend. Nachdem er 1829 wiederum die Schweiz und Tirol bereist hatte, kam er im Herbst nach München, wo er mit glücklichem Erfolg seine Tätigkeit begann und sich schon im nächsten Jahre allgemein anerkannt sah. Seit dem Tode seiner Eltern (1832) lebte er dann dauernd in München, wo er seit 1830 regelmäßig im Kunstverein ausstellte. Ehrenmitglied der Akad. von München (1846) und Wien. — Neben Rottmann und Ch. Morgenstern zählt H. zu den hervorragendsten Vertretern der älteren Münchner Landschaftsmalerei ; besonders galt er in der Schilderung der Naturgewalt als unerreicht. Seine meist großen Bilder behandeln gewöhnlich Motive aus den bayr. und tiroler Alpen und dem Salzkammergut, entlegene Alpentäler mit tiefen Schluchten und düsteren Bergseen, rauschende Wasserfälle und sonnige Gipfel. H.s Malweise ist kräftig, seine Auffassung poetisch ; er arbeitet mit starken Beleuchtungsgegensätzen und einem eigentümlichen bräunlich-gelben Gesamtton. In seinen späteren Jahren blieb er von der Opposition nicht verschont, die an seinen Bildern eine allzu breite Malweise und die unruhige Häufung der Vordergrundmotive auszusetzen fand. Nach seinem Tode geriet er in eine unverdiente Vergessenheit und hat erst neuerdings auf Ausstell. wieder mehr Beachtung gefunden. Ein Maler und Dichter zugleich, hat H. der Hochgebirgsnatur ihre Geheimnisse abgelauscht und sie mit feinem Stilempfinden geschildert. Von seinen Hauptwerken seien erwähnt: Wasserfall bei Hohenschwangau ; Gegend von Pieve di Cadore (Lith. von Fr. Hohe im König-Ludwig-Album) ; Via Mala (Lith. von Hohe) ; Nach dem Gewitter (Wiener Akad.). Weitere Gemälde H.s befinden sich in folg. öffentl. Sammlungen: *Braunschweig,* Städt. Mus. ; *Breslau; Chemnitz; Hannover,* Prov.-Mus. ; *Karlsruhe; Leipzig* („Gebirgslandschaft aus Graubünden") ; *Mainz; Mannheim; München,* N. Pinak. („Hochgebirgslandschaft Ortlergruppe"); *Prag*, Rudolfinum („Wasserfall im Suldnertal, Tirol") und *Stuttgart*. Eine Tochter H.s heiratete seinen Schüler Caesar Metz. E. Neureuther zeichnete H. als Jörg Frundsberg auf dem Münchner Kstlerfest 1840; sein lebensgr. Kostümbild, von W. v. Kaulbach, in der N. Pinak. Ein von Ad. Mende gem. Bildnis H.s ist abgebildet bei R. Oldenbourg, Münchner Malerei im 19. Jahrh., 1922.

H. Holland in Allg. deutsche Biogr., L (1904) 103/7, m. Lit. — Nekrologe: Regnet in Kst f. Alle, 1886 u. Kstchronik, XXII (1885) 219 f.; Bericht des Kstver. München, 1885 p. 72 f. — F. v. Bötticher, Malerwerke des 19. Jahrh., I 2 (1895). — C. A. Regnet, Münchener Kstlerbilder, I (1871). — Söltl, Bild. Kst in München, 1842. — Dioskuren, 1856, 1860—62. — Kstchronik, IX (1874) 238; XXII (1887) 53; N. F. XXVIII (1917) 106. — Die Kunst, XXXIX (1918/9) 312, 314 (Abb.); XXXXIII (1921) 326 (Abb. 311). — Cicerone, VIII (1916) 471, 474. — Kat. der gen. Slgn. — Kat. Jahrh.-Ausst. dtsch. Kst, Berlin ² 1906. — Kat. Ausst. Münchn. Mal. unter Ludwig I., München 1921 (Abb. p. 73). — Kat. Glaspal.-Ausst. München, 1898 p. 43.

Heinmann, Hans Richard, Landschaftsmaler, geb. in Gardelegen (Prov. Sachsen) 12. 5. 1875. Tätig in Altenberg im Erzgebirge. Besuchte 1893—1900 die Kunstgewerbeschule u. die Akad. zu Dresden (Meisteratelier Fr. Preller). In anspruchslosen Ölbildern und Aquarellen, die einen feinen Farbensinn verraten, behandelt er entweder stilisierte Motive aus dem Erzgebirge und der Umgebung von Dresden oder sorgfältig beobachtete ländliche Innenräume in naturalistischer Durchführung. Im Weltkrieg wandte sich H. entschieden der Landschaft zu, arbeitete Sommer 1919 im Allgäu und verbrachte die folgenden Sommer in Tirol und den Dolomiten. Dort fand er die Motive für seine in Komposition und Technik gleich schlichten Alpenbilder, in denen er in lyrischer Auffassung und leuchtenden Farben die menschenferne Einsamkeit und Erhabenheit der Schneeregion schildert. Die Kunsthütte zu Chemnitz besitzt sein Pastell „Winzerhäuschen", bez. H. R. H. (handschriftl. Kat. 1915).

Dressler, Kstjahrb. 1906, 1908—13. — Westermanns Monatshefte, LXVII (1923/4) 119—28 (F. u. W. Adler). — Singer, Kstlerlex., Nachtr. 1906. — Kat. Intern. Kstausst. Dresden 1901, 04; Gr. Kstausst. 1908, 12; Aquar.-Ausst. 1909, 11, 13; Kstlervereinig. 1. Ausst. 1916; Kstgenossenschaft 1917 p. 13, 28. — Kat. Gr. Kstausst. Berlin 1903, 06, 11 (Abb.). — Kat. Glaspal. - Ausst. München 1908 p. 119. Kat. Jahresausst. Leipzig 1911. — Cat. Espos. internaz. d'arte, Venedig 1904.

Heino, August Emil Theodor Gotthard, Landschaftsmaler und Zeichner, geb. 2. 7. 1847 als Sohn eines Horndrechslers in Bautzen, † ebenda 14. 6. 1917, studierte auf der Dresdner Akad. und war Atelierschüler Ludw. Richters, der ihn nachhaltig beeinflußte. Nach Studienreisen durch Frankreich, Italien, Spanien,

(Schweiz?) ließ er sich in Bautzen nieder. Die Lausitz und Böhmen lieferten ihm von da an die Motive für seine Arbeiten. (Zeichn. u. Skizzen im Graph. Kab. des Bautzner Stadtmus. und in der Samml. Rudolf Weigang, Bautzen.) Von Haus aus ein starkes Talent, das die Anschauungsweise L. Richters in glücklichster Weise mit Anregungen verschmolz, die ihm der heroische Stil Prellers vermittelte (vgl. das Ölbild „Napoleonskiefer bei Niedergurig", Stadtmus. Bautzen), und das auf eigene Faust zu interessanten, impressionist. Freilichtversuchen kam (Ölbild „Eierschieben am Proitschenberg"; Stadtmus. Bautzen). Von 1871—90 stellte er regelmäßig in Dresden aus, 1873 erhielt er dort die große silb. Medaille. Unter dem Druck widriger persönlicher Verhältnisse versandete aber seine Begabung allmählich, — er produzierte schließlich fast gar nichts mehr und starb in völliger Vergessenheit als vereinsamter Sonderling. Seine Liebhaberei in späteren Jahren war die Prähistorie, in der er sich auch schriftstellerisch betätigte.

F. v. Boetticher, Malerwerke d. 19. Jahrh., I 2 (1895) p. 486. — Roch, Führer durch das Stadtmus. Bautzen (1913) p. 68, 70. — Katal. der Ausst. Bautzener und Lausitzer Künstler der Vergangenheit, Stadtmus. Bautzen, 1921 p. 8 ff., m. Abb. — Biehl, Bautzen, im Archiv „Deutschlands Städtebau", 1922 p. 35, 55, m. Abb. *Bruger.*

Heino (Heinrich), Glockengießer aus Gießen, von dem eine Glocke von 1485 in der evang. Kirche zu Biedenkopf a. d. Lahn herrührt (bez. „Heino Kangeser von Gesen"). In dems. Jahre goß er eine Glocke für die Kirche in Offenbach bei Herborn (Dill-Kreis).

Walter, Glockenkunde, 1913.

Heinrich, Priester, Schreiber u. Buchmaler, Anfang 13. Jahrh. Schrieb u. illuminierte ein Evangeliar (Sign. XV) des Stiftes Seitenstetten (Niederösterr.), enthaltend 6 ganzseitige Miniaturen: Pfingstwunder, Maria thronend zwischen der hl. Kunigunde und dem Schreiber (am Rande sein Name: Heinricus Prespiter), den 4 Evangelisten, Kanonestafeln und mit vielen in Gold und Farben gemalten figürl. Initialen.

Nestlehner, Das Seitenstettener Evangeliarum, 1882 — (nicht benutzt). — Ill. Katal. Austell. kirchl. Kstgegenstände, k. k. öst. Mus. f. Kst u. Ind., Wien 1887 p. 3 Nr 12.

Heinrich, Architekt in Aachen, erbaute 1267 lt Inschrift das Stadthaus (Grashaus) an der Stelle des jetzigen Archivgebäudes. Erhalten der Vorderbau mit Sandsteinfassade; über dem Sims 3 Spitzenbogenfenster (Maßwerk modern). Standbilder der 7 Kurfürsten in Blendarkaden (Kopien, Orig. im Mus.).

Dehio, Handb. d. dtsch. Kstdenkm., V (1912) 10. — Repert. f. Kstwiss., II (1879) 160 f.

Heinrich, Maler in Meran, 1291 urkundl. genannt, ist vermutlich Verfertiger der Malereien der Pankratiuskap. der Burg Tirol.

Schönherr, Die österr.- ung. Monarchie, 1893, Band Tirol p. 454; ders., Gesammelte Schriften, I 6. — Atz, Kstgesch. von Tirol,

1909 p. 365. — Jahrb. der ksthistor. Sammlgn d. allerh. Kaiserhauses, I, 1. Teil p. 182 f. *H. H.*

Heinrich, Zisterziensermönch und Architekt, 1298 als Werkmeister (magister operis) der Doberaner Klosterkirche genannt.

Kst- u. Geschichtsdenkm. des Großherzt. Mecklenb.-Schwerin, ²III (1900) 561, m. Lit.

Heinrich, Glockengießer, Ende 13. oder Anfang 14. Jahrh., nennt sich als Verfertiger („Henricus filius Tiderici me fecit") auf anscheinend schmucklosen Glocken in Dorfkirchen des Freistaats und der Prov. Sachsen.

Bau- u. Kstdenkm. Königr. Sachsen, XIV (1890) 10; XV (1891) 82; XVI (1894) 4, 38. — W a l t e r, Glockenkunde, 1913 p. 762. — Thüringer Kalender, 1921 p. 28.

Heinrich, Glockengießer, nennt sich als Verfertiger der Läuteglocke von 1317 der St. Sixtikirche in Northeim, Prov. Hannover („Henricus me fecit").

M i t h o f f, Mittelalt. Kstler etc. Niedersachs., 1885 p. 139. — W a l t e r, Glockenkunde, 1913 p. 767. — Denkmalpflege, XI (1909) 88.

Heinrich, Bronzegießer, von dem ein 1321 dat. Taufbecken im Salzburger Dom herrührt. Das von 4 liegenden Löwen getragene runde Becken ist an der Außenfläche mit 16 ornamentierten Pilastern geschmückt, zwischen denen heilige Bischöfe stehen, deren Namen auf Spruchbändern in der Form von Rundbögen verzeichnet sind. Am oberen Rande bez.: „M. Heĩrĩc' me fecit Anno MCCCXXI".

Österr. Ksttopogr., IX (1912) 35, m. Taf.

Heinrich, Architekt in Bozen, übernahm 24. 3. 1376 (Urk.) die Ausführung des obersten Stockwerkes in Achteckform am Glockenturm der dort. Franziskanerkirche.

K. A t z, Kstgesch. von Tirol u. Vorarlberg, ² 1909 p. 182.

Heinrich *d. Ä.*, Baumeister am Münster in Ulm (Grundsteinlegung 1377), in den Baurechnungen von 1387 als † erwähnt. Seine Nachfolger waren die Meister Michael und H e i n r i c h *d. J.* (1387—91). In Beziehung auf einen 1897 im nördl. Seitenschiff aufgefundenen Grabstein, den sogen. Parlerstein (cf. Dehio [s. Lit.] 546), hat man die Meister H. d. Ä., Michael und H. d. J. mit der berühmten Architektenfamilie Parler (s. d.) in Verbindung gebracht. Sie errichteten die unteren Teile des Chors und seiner Türme. Das von ihnen begonnene Langhaus scheint, nach den Abmessungen des Chors zu urteilen, kleiner und niedriger gewesen zu sein als das jetzige. 1383 wurde der Chor als Interimskirche mit Notdach geweiht (Dehio). — Pfeiffer's kühne Hypothese — er nennt H. d. Ä. den „Münsterentwerfer" und schreibt ihm die „riesenhafte Erweiterung des alten Münsters" zu — findet in den Urkunden keinen Anhalt.

H a s s l e r, Ulms Kstgesch., 1864 p. 98; d e r s. in Verhandl. des Ver. f. Kst u. Alterth. in Ulm, Neue Reihe H. 2 p. 12. — J. N e u w i r t h, Münster zu Ulm (Die Baukst hrsg. von R. Borrmann u. R. Graul H. 12), o. J. p. 12 f. — C. G u r l i t t, Hist. Städtebilder, Ser. II H. 1 (Ulm),

1904 p. 5 f. — D e h i o, Handb. der dtschen Kstdenkm., ²III (1920), 540, 546. — Kstchronik, N. F. VIII (1897) 338. — B. P f e i f f e r in Kst- u. Altert.-Denkm. im Königr. Württ., Donaukr. I (1914) 6.

Heinrich, Glockengießer, Anfang 15. Jahrh. Arbeiten: Glocke in Dykhausen (Kr. Wittmund, Ostfriesland), bez. „1405 heinricus me fecit", got. Minuskeln; Taufkessel in Kirchwistedt (Kr. Bremervörde) 1402.

Uppstalsboom-Blätter, IX (1919/20) 11.

Heinrich, Glockengießer, nennt sich als Verfertiger einer Glocke von 1409 in der Pfarrkirche zu Derichsweiler (Kr. Düren).

Kstdenkm. d. Rheinprov., IX 48.

Heinrich, Buchmaler 1415, falsch für *Helmich*.

Heinrich, Architekt, 1422 als Nachfolger des Erhard Kindelin an den Münsterbau in Schlettstadt berufen, wo er wahrscheinlich an Chor u. Turm (unvoll.) weiterbaute.

K r a u s, Kst u. Alterth. in Els.-Lothr., I (1876) 276, m. Lit.

Heinrich, württemb. Architekt. Erbaute, laut Bauinschrift, 1439 den Westturm der Kirche in Echterdingen (O.-A. Stuttgart); edler gotischer Bau; „Chor von trefflichen, schlanken Verhältnissen mit schönen Fischblasen-Maßwerkfenstern".

Kst- u. Altert.-Denkmale im Königr. Württ., Neckarkreis, 1889 p. 456.

Heinrich, Goldschmied in Brixen (Tirol). Von seinen Arbeiten haben sich die Silberbüste des hl. Ingenuin (urkdl. 1504) im Domschatz zu Brixen und eine gotische Monstranz ebenda erhalten. 1501 erhält er Zahlungen für Armreliquiare der hl. Andreas u. Kassian u. a. Die Ingenuin-Büste, H.s Hauptwerk, ist reine Treibarbeit (45 cm h., 30 cm br.). Der Kopf porträtartig individualisiert, die Haarlocken perückenartig. Die Mitra für sich besonders gearbeitet, trägt auf der Vorderseite in flachem Relief in getriebener Arbeit den englischen Gruß, die Rückseite ist reich graviert, die Zierbesätze an Mitra u. Kasel mit Perlen und Steinen besetzt. — Die Monstranz enthält so viele ungleiche Teile, daß hier vielleicht nur eine Zusammensetzung schon vorhanden gewesener Stücke angenommen werden darf.

M. R o s e n b e r g, Goldschmiede Merkzeichen, ² 1911 p. 794. — Jahrb. der ksthist. Slgn des allerh. Kaiserh., XXXII T. 2 (1915) p. XLI, m. Abb. — Kunstfreund, N. F. XXI (Innsbruck 1905) 35 f., m. Abb.

Heinrich, deutscher Miniaturist in Lissabon, Anfang 16. Jahrh., s. *Arriet*.

Heinrich, Goldschmied in Jever, fertigte 9. 12. 1607 das Jeversche Gerichtssiegel. *G. Sello.*

Hinrich, Maler in Hamburg, 1633 in den Akten des dort. Waisenhauses erwähnt: Mester Hinrich der Contrafayer vor die zwee felder an der Orgel betzalet 32 ₰.

Hambg. Kstlerlex., 1854 (Ex. d. Staatsarch. Hambg). *D.*

Heinrich, Frater, Augustiner-Laienbruder und Kupferstecher in Prag. Tätig 1643—77. Stach z. T. künstlerisch wertvolle Marien- und

Heiligenbilder, Titelkupfer, Bildnisse, Embleme und Veduten; darunter: Leben des hl. Wenzel, 32 Bl. zu dem in lateinischer, deutscher und böhmischer Sprache erschienenen Büchlein: D. Wenceslav Bohemorum duci ac Martyri inclyto Sertum ortus, vitae, necis e duabus supra triginta Iconibus ... contextum etc., 1643; Hl. Anna mit Ansicht der Stadt Plan in Böhmen. Frater Henricus sculp. 1645; 9 Kupfer zu der Freitagsandacht in der Kapelle des hl. Grabes bei St. Wenzel in der Neustadt Prag. F. H. fecit 1652; 8 Kupfer zu der brevis et succincta narratio Martyrii F. Alypii .., 1656; Titelblatt zu Georg Weis S. J. Aristoteles ex Euripo emersus, 1672. F. F. H.; hl. Rosalie, 1677; Bildnis des Erzbischofs von Prag, Kardinals Grafen von Harrach, 1654; das kurbayrische Wappen; Castrum doloris Ferdinand III.; Ansicht von Karlsbad (selten); Aigentliche Delineation der Belagerung von der Alt- und Nevenstadt, Prag 1648. Cyrillus Geer delineavit F. Henricus fecit.

Dlabacž, Kstler-Lex. für Böhmen, 1815 Sp. 592f., 611f. — P. Bergner, Beiträge usw. zu Dlabacž.., 1913 p. 12, cf. p. 13 (unter Geer). — Nagler, Kstlerlex., VI; Monogr. II.

Heinrich, Goldschmied in Pest, † ebenda März 1851. Von ihm der Gold- u. Silberbeschlag des Einbandes d. Ehrendiploms für d. Feldherrn Radetzky, vom Municipium Pest 1852 diesem gewidmet.

Der Spiegel, Pest, 1851 p. 278; 1852 p. 330.
K. Lyka.

Heinrich v o n A c h e n h e i m, gen. *H. von Hitenheim,* elsäss. Architekt, begann (laut Inschrift an der Außenseite des Chors) 1335 mit Klaus Schorlin den Bau der Kapelle in Hochfelden, Unterelsaß. (Wohl der jetzige einfache gotische Bau.)

F. X. K r a u s, Kst u. Alterth. in Elsaß-Lothr., I (1876) 96.

Heinrich v o n A m s t e r d a m, siehe *Heinrich,* Gerhard.

Heinrich v o n A n d e r n a c h, Metallgießer, fertigte 1502 nach einem Holzmodell von Laurent Weins den kupfergetriebenen flandrischen Löwen für den Belfried in Brügge (nicht erhalten).

D u c l o s, Bruges, 1910 p. 399, 439.

Heinrich, A u g u s t (Johann A.), Landschaftsmaler, geb. 17. 8. 1794 in Dresden, † 27. 9. 1822 in Innsbruck. Trat 1810 als Zeichenschüler bei dem Unterlehrer an der Dresdner Kunstakad. Chr. A. Lindner ein. Aus dieser Zeit ist ein in Kreide gezeichneter Christuskopf (wohl Kopie) von ihm bekannt. Juni 1812 reiste H. nach Wien. Hier verkehrte er mit Friedr. v. Olivier und trat dadurch auch in Beziehungen zu der Schnorrschen Familie. Sein Lehrer ward der Landschaftsmaler und -kupferstecher Jos. Moesmer. So entschied sich auch H. für dieses Fach. Einer in Sepia getuschten, „schön componirten" Landschaft von ihm erkannte die Wiener Akad.

einen Preis zu. (Diese Zeichnung, wie auch ein kleines Ölbild einer niederösterreich. Gegend, erwarb Bischof D. Schneider in Dresden, aus dessen Nachlasse beide Stücke 1820 versteigert wurden; eine „prachtvolle Partie aus dem Prater", Aquarell, war bis 1854 in einer Dresdner Samml.). Krankheit und Vermögensverfall nötigten H. noch vor dem Abschlusse seines Studiums nach Dresden zurückzukehren, wo er 1818 wieder in die Akad. eintrat, enge Beziehungen zu C. D. Friedrich aufnahm und auch zu Dahl, der im Sept. 1818 nach Dresden kam. Er brachte zahlreiche gemalte und gezeichnete Entwürfe mit, darunter jene Waldpartie vom 11. 6. 1816 (Blei und Tusche), die 1908 aus der Samml. Cichorius mit anderen Blättern in das Dresdner Kupferstichkab. gelangte; ferner ein kleines Ölbild (Gegend bei Wien), das H. im Aug. 1818 auf der akadem. Kunstausstellung in Dresden zeigte. Ludw. Richter schildert den tiefen Eindruck, den die äußerst sorgfältigen Arbeiten H.s auf die jugendlichen Akademiker machten; Richter pflegte, als er 1836 Professor an der Dresdner Akad. geworden war, „Zeichnungen von H. als Vorlageblätter für die jungen Landschaftsmaler zu benutzen". Der Generaldirektor der Akad., Graf Vitzthum von Eckstädt, bezeigte lebhaften Anteil an H. und verschaffte ihm mannigfache Unterstützung, Friedrich nahm ihn als Schüler an. Dessen Einfluß zeigen H.s Arbeiten der nächsten Jahre, unter denen sich neben Ansichten aus den Gründen der Sächs. Schweiz ein „Kirchhof zu Loschwitz" befindet. (Das Thema „An der Kirchhofspforte" hat H. mehrmals auch als Zeichnung behandelt.) Friedrich führte auch Cornelius bei dessen Besuch in Dresden (April 1820) zu H. Für die Ausstell. 1820 malte H. eine große Landschaft aus dem Uttewalder Grunde. Noch vor Eröffnung dieser Ausstellung (Ende Juni) verließ er mit E. Oehme Dresden und wanderte nach Salzburg, um Studien zu machen. Der sächs. König gewährte ihm auf Vitzthums Empfehlung nachträglich eine Reiseunterstützung, damit er auch Italien besuchen könne. Aber die Beschwerden der langen Fußwanderung und eine kümmerliche Lebensweise warfen H. auf ein monatelanges Schmerzenslager. Kaum genesen, bat er seinen Landesherrn um erneute Unterstützung. Diesem Gesuch vom 29. 6. 1822 war ein kleines Ölbild „Aussicht vom Kapuzinerberge aus dem Klostergarten über die Stadt Salzburg hinaus" nebst genauer Beschreibung beigefügt. In Innsbruck erreichte ihn noch die Gabe des Königs. — Eine kleine Sondergruppe auf der Dresdner akadem. Kunstausst. von 1823 vereinigte 5 hinterlassene Bilder H.s: Darstell. aus der Sächs. Schweiz, aus dem Salzburgischen und aus Steiermark in Öl, Wasserfarben und Bleistift. Blätter von H. besaßen die angesehensten Dresdner Privatsamml. des 19. Jahrh. (wie

Darnstedt, Dahl, Klengel, L. Richter, v. Rumohr). Nur wenige dieser Darstell. aber sind näher bestimmt, z. B. „Prospekt von Radeck"; „Im Innern der Ruinen Guttenstein" (Samml. Darnstedt, jetzt in Kristiania?); „Gebirgsgegend bei Salzburg" — sämtlich Bleistiftzeichn.; „Das Reichenauer Schloß", leicht in Wasserfarben; „Der Watzmann", Skizze in Aquarell; „Landschaftsstudie aus den Alpen", Aquarell; aber auch sächs. Ansichten waren darunter, wie der „Hohlweg oberhalb Ryssels Weinberg", Blei und Tusche; Partien aus dem Uttewalder und dem Raben-Grunde u. a. Alle diese Blätter sind seitdem in andere Hände übergegangen. In öffentl. Samml. ist H. am reichsten in den Handzeichnungenkab. zu Dresden und zu Kristiania vertreten; dort auch H.s Tagebuch, neben seinen Zeichnungen das wertvollste Zeugnis für die Schärfe und Energie seiner eigentlich ganz unromantischen Naturbeobachtung. H.s früher Tod hat eine Entwicklung abgeschnitten, die ihn neben Friedrich zu entscheidender Bedeutung für die deutsche Landschaftsmalerei hätte führen können.

Dresdner Akten (Hauptstaatsarch., Kstakad., Ratsarch., Kirchenb.). — Katal. akad. Kstausst. Dresden 1812—1825. — Kstblatt, 1820 p. 386. — Wegweiser im Gebiete der Kste u. Wissensch., 1820 No 41. — Artist. Notizenbl., 1823 No 17, p. 68. — L. Förster, Biograph. u. literar. Skizzen, 1846 p. 157 f., 172. — Jul. Schnorr v. C., Briefe aus Italien, 1886 p. 49, 55, 182. — L. Richter, Lebenserinn. ein. dtschen Malers, [8] I (1895) 44, 101. — Katal. Ausst. Dtscher Kst 1775—1875 (Berlin 1906), Zeichn., p. 56 f. — Aubert in Kunst u. Kstler, VI (1908) 319 ff., 381 ff., mit zahlr. Abb. u. Auszügen aus H.s Tagebuch. — Sponsel, Handzeichn. dtscher Kstler des 19. Jahrh. aus der Samml. Cichorius im Kupferstichkab. Dresden, 1911, Bl. 12, u. Textband. *Ernst Sigismund.*

Heinrich, B., Maler, 1827—1830 in Pest u. Ofen tätig. Nach seiner Zeichnung stach Rahl eine Judith, ersch. als Beilage im Almanach Aurora, Pest 1830. Von ihm ein Familienbildnis auf der Ausstell. zu Pest 1829. Im selben Jahr malte er den Dichter Ferenc Kazinczy, dem er den Vorschlag machte, gemeinsam ein lithogr. Porträtwerk herauszugeben. Zur selben Zeit sah Kazinczy bei ihm das Porträt des Grafen Brunswick (als „Ede Heinrich" in der ungar. Biedermeier-Ausst., Budapest 1913, ausgestellt u. laut Katalog p. 30 von 1850 dat., aus d. Sammlg Figdor-Wien). H. wohnte damals im Hause des Grafen in Ofen. Das Porträt erschien sign.: „B. Heinrich pinx. A. Ehrenreich sc." u. mit dem Vermerk: nach der Natur gemalt, in Ehrenreichs Tafelwerk „Icones Principum etc." (1823 ff.) — Er ist vermutlich identisch mit dem von Nagler erwähnten Bonifacius H., der, 1800 in Wien geb., seit 1831 in München tätig gewesen sein soll, „wo er durch seine Bildnisse in Aquarell Aufmerksamkeit erregte". — Von einem dieser beiden

stammen wohl die Bildnisse (Kreidezeichn.) der 3 Schwestern Fröhlich im Hist. Mus. in Wien (vgl. Katalog 1888 p. 220 f.).

J. A. Dorffinger, Wegweiser f. Fremde u. Einheimische durch d. kgl. ung. Freystadt Pest, 1827 p. 370. — Hasznos Mulatságok, Pest, II 313. — Der Spiegel, Pest, 1829 p. 405. — Kazinczy Ferenc Levelezése, ed. J. Váczy, Budapest, 1911, XXI 81, 142, 162, 419. — Lyka, A táblabíró-világ művészete 1800—1850, Budapest 1922, IV 117. *K. Lyka.*

Heinrich von Böhmen, Architekt („Magister et lapicida"), 1314 als Hüttenmeister der Mainzer Liebfrauenkirche (1807 abgerissen) angestellt; 1323—32 tätig. Abschrift des Vertrags v. 14. 10. 1314 in der Würzburger Univ.-Bibl.

Dehio, Handb. der dtsch. Kstdenkm., IV (1911). — Kirchenschmuck (Diöz. Rottenburg), XXIV (1868) 54 f. — Back, Mittelrhein. Kst, 1910 p. 8.

Heinrich, Bonifacius, siehe im Artikel *Heinrich,* B.

Heinrich von Bremen, Ratsmaurermeister in Wismar, übernimmt 1381 die Fertigstellung des damals bereits begonnenen neuen Chors der St. Nikolai-Kirche in Wismar (Chor und Hochaltar 1403 geweiht).

Kst- etc. Denkmäler Mecklenb.-Schwerin, [2] II (1899) 129.

Heinrich von Brunsbergh, siehe *Brunsbergh,* H.

Heinrich, C., Hofmaler des Herzogs von Kurland, 17. oder 18. Jahrh., als dessen Arbeiten die Stationsbilder der Kirche zu Pelizzano im Val di Sole (Südtirol) bezeichnet sind: „Pictor Dñi Curlandie et Sinigallie (Sinigallia = Semgallen).

Mitt. der K. K. Centr.-Comm. f. Denkmalpflege, N. F. XXIII (1897) 194.

Heinrich von Coblenz, rheinischer Glockengießer, goß 1589 die größte Glocke der Pfarrkirche Ransbach bei Montabaur.

Bau- u. Kstdenkm. des Reg.-Bez. Wiesbaden, V (1914) 25. — Otte, Glockenkunde, 1884 p. 185.

Heinrich von Cues (a. d. Mosel), Glockengießer. Arbeiten: Glocke in Mayschoß (Kr. Ahrweiler [„Heynrich van cyus"]); Glocke in Bremm (Kr. Cochem), bez. „Heinrich van Cossen".

Bau- u. Kstdenkm. d. Rheinprov., I (1866), Reg.-Bez. Coblenz, p. 67.

Heinrich von Danzig, Glockengießer in Magdeburg, goß eine Glocke für die Johanniskirche in Magdeburg (zerstört) und 1468 die größte Domglocke, an der er 1½ Jahr gearbeitet hatte.

Wolff, Die Glocken der Prov. Brandenburg, 1920 p. 157 f. — Geschichtsbl. f. Stadt und Land Magdeburg, XLV (1910) 336; LI/LII (1916/17) 133.

Heinrich von Deventer, Architekt in Braunschweig, leitete 1577 den Bau des mit dem Hagen-Rathaus verbundenen Gewandhauses (abgerissen).

Mithoff, Mittelalt. Kstler etc. Niedersachsens, 1885 p. 152 (Hinrick v. D.).

Heinrich von Duderstadt, Mönch (und Maler?), galt seit Engelhard (s. Lit.) allgemein als der Verfertiger des 1424 für die Paulinerkirche in Göttingen gemalten Flügelaltars, dessen einzelne Teile sich jetzt im Welfenmus. zu Hannover befinden. Das Mittelbild enthält eine Darstellung der Kreuzigung mit je 3 kleinen Seitenbildern übereinander: unten je 2 Passionsszenen, darüber r. Drachenkampf des hl. Georg, l. Stigmatisation des hl. Franz. Das innere Flügelpaar enthält innen je 6 Szenen aus dem Marienleben, außen je 3 Apostelfig.; die äußeren Flügel zeigen innen 6 weitere Apostelfig., außen je 2 ikonographisch interessante Darstellungen, r. ein Pestbild und eine Pietà, l. der 12 jährige Christus im Tempel und die Anbetung der Hirten. Das Mittelbild der Kreuzigung enthält 2 am Fuße des Kreuzes kniende Mönchsfiguren, von denen die eine (r.) lt Inschrift (fr̄ hē dud'stat) H. darstellt. Nachdem schon Mithoff gegen Engelhard's allgemein angenommene Zuschreibung Einspruch erhoben hatte, da in jener Inschrift das übliche „me fecit" fehle, vertritt Heise neuerdings die Hypothese, daß es sich um die Figur eines zweiten Stifters handle, wie aus ihrer engen Beziehung zur Figur des ersten Stifters (Abt Luthelmus) und der symmetrischen Anordnung beider ergebe. Heise schlägt daher für den unbekannten Urheber des Werkes den R. Hülfsnamen „Meister von Göttingen" vor.

R. Engelhard, Beiträge z. Kstgesch. Niedersachsens (Gymn.-Progr. Duderstadt Nr 324), Göttingen 1891 p. 8 ff. — C. G. Heise, Norddeutsche Malerei, 1918 p. 145 f. m. Lit. — Franziskan. Studien, V (1918) 26 f., m. Abb.

Heinrich von Düsseldorf, Architekt. Vollendete um 1485 den Umbau des Schlosses Burg a. d. Wupper, wo wahrscheinlich die neuerdings wiederhergestellten Fachwerkbauten über dem Palas von ihm herrühren.

Kstdenkm. der Rheinprov., III (1894) 208.

Heinrich, Ede (Eduard), ung. Maler, geb. in Budapest 1819, † in Mailand 26. 1. 1885. Lernte anfangs in Wien, stellte daselbst u. in Pest (1841) Porträts u. Genrebilder aus (Belauschte Liebeserklärung u. a.), malte dazwischen wohl auch Ladenschilder. 1844 ging er nach Rom, wo er jahrelang lebte. Von dort sandte er auf die Pester Ausstell. u. a. den Antiquitätensammler (Mus. Budapest), die Lautenschlägerin, den Krieger (alle 1846). Nach 1852 scheint er in Wien, dann in Budapest gewirkt zu haben. 1854 stellte er in Wien die Vier Jahreszeiten aus. 1867 malte er den König Franz Josef am Krönungshügel, vom König angekauft. Eine Reihe Bilder malte er für den Erzhg. Maximilian für dessen Lustschloß Miramar (bei Triest). Auch versuchte er sich mit histor. Kompositionen; so malte

er den wenig gelungenen Mathias Hunyadi, welcher auch in Lith. erschien (1847). Wenig beschäftigt (hauptsächlich mit Porträtaufträgen), lebte er später in kümmerlichen Verhältnissen.

Der Spiegel, Pest, 1841, p. 823. — Pesti Hirlap, Pest, 1841, p. 448. — Frankl's Sonntagsblatt, Wien, 1846, p. 886. — C. v. Wurzbach, Biogr. Lex. d. Kaisert. Österr., VIII (1862) 231. — Vasárnapi Ujság, Pest, 1865 p. 476; 1885 p. 86. — Századok, Budapest, 1874 p. 84. — T. Szana, A magyar művészet századunkban, Budapest 1890 p. 60, 62; ders., Száz év a magyar művészet történetéből, Bud. 1901 p. 53, 54 (Abb.), 55, 76, 87. — Noack, Deutsches Leben in Rom, 1907 p. 237, 437. — Művészet (Budapest), VI (1907) 137. — Österr. Kunst-Topogr., II (Wien 1908) 395. — Az Orsz. Magy. Szépművészeti Múzeum Kiadványai, XXVI. A modern képtár katalógusa, Bud. 1913, p 19. — v. Krücken u. Parlagi, Das geist. Ungarn, I (1918) 476. — K. Lyka, A táblabiró-világ művészete 1800—1850, Bud. 1922, I 51, 56, 59; II 92, 95, 96; IV 103, 105, 137.
K. Lyka.

Heinrich, Ernst, Pfarrer und Dechant zu Bisenz. Eine von ihm gefertigte Silhouette, darstellend eine Gräfin Salm mit 3 Enkeln (um 1780), in Wiener Privatbes.

Kat. Spitzen- u. Porträt-Ausst. Wien 1906.

Heinrich der Felzer, siehe *Dietfelder, Heinrich.*

Heinrich, Franz, Aquarellmaler, geb. 30. 9. 1802 zu Nachod in Böhmen, † 7. 3. 1890 in Brunn a. G. bei Wien. Schüler der Wiener Akad. (1819—30) unter Lampi, Redl, Caucig, Ender und Kupelwieser. Lebte seit 1836 in Wien. Er wurde hauptsächlich bekannt durch seine Aquarelle (Veduten und architekt. Innenansichten), die wegen ihrer technisch feinen und sorgfältigen Ausführung sehr geschätzt wurden. Ölbilder sind nur 3 von ihm bekannt (sämtlich 1836 gemalt). Stellte in den 50 er Jahren vor allem im Neuen Österr. Kstver. aus. Seine Studienreisen führten ihn nach der Schweiz, Italien, Holland, Belgien und 1852 nach Amerika. Die österr. Staatsgal. besitzt von ihm mehrere Aquarelle: Vesperkapelle in St. Peter in Rom, 1870, Audienzsaal im Dogenpalast zu Venedig, 1873, Zimmer aus Schloß Schönbrunn, Saal in Laxenburg und Selbstporträt mit der Samtkappe, 1875 (Führer d. die Gem.-Gal., III Mod. Meister, 1907 p. 208, 22, 23).

C. v. Wurzbach, Biogr. Lex. Österr., VIII (1862). — F. v. Bötticher, Malerwerke des 19. Jahrh., I/2 (1895). — Rep. f. Kstw., XX (1897) 134 f. (Nachlaßausst.). — Kat. hist. Ausst. Wien 1877; Congreßausst. Wien 1896; Erzherzog Carl-Ausst. Wien 1909. *H. Leporini.*

Heinrich von Gengenbach, Architekt in Bern. Begann Sommer 1406 den Bau des neuen Rathauses; bald darauf †.

Brun, Schweiz. Kstlerlex., I (1905) 562.

Heinrich von Geresheim (Gerresheim), rhein. Glockengießer; nennt sich als Verfertiger von Glocken in Holzheim (Kr. Neuß), bez. Henricus de Gerresheim, 1399; Odenkirchen (Kr. Gladbach) 1399, und Erpel (Kr. Neuwied).

Bau- u. Kstdenkm. der Rheinprov., I (1886), Reg.-Bez. Coblenz, p. 492. — Kstdenkm. der Rheinprov., III (1898) 333, 515.

Heinrich, G e r h a r d, Bildhauer aus Amsterdam, † um 1615. Sohn des Gerrit Hendricksz. (s. d.). Bis 1587 anscheinend auf Reisen in Frankreich, Italien und Deutschland, wurde 1587 Breslauer Bürger und heiratete 4. 6. 1590 die Witwe des Stadtbaumeisters Friedr. Gross. 12. 10. 1589 war er in Danzig (Cuny). 15. 2. 1616 heiratet seine Witwe wieder. H.s Hauptwerk ist das großartige Marmordenkmal des österr. Feldmarschalls Melchior von Redern (geb. Breslau 1555, † 1600), in der Dekanatskirche zu Friedland in Böhmen, das ihm 1610 von seiner Gemahlin Katharina, geb. Gräfin Schlick, in einer Kapelle am Altar errichtet wurde. H. hat sein Werk, das im 30jähr. Krieg schwer beschädigt wurde, in einem Büchlein (Kurtze Beschreibung des Herrlichen Monumenti und Begräbnueß . . ., Breslau 1610; Exemplar im Städt. Mus. Friedland) genau beschrieben. Das Denkmal besteht aus einem ziemlich schwächlichen, 3 teiligen Säulenaufbau in 3 Geschossen mit verkröpftem Gebälk und enthält in Nischen die lebensgroßen, vortrefflich entworfenen und ziselierten Figuren des Toten, seiner Gemahlin und seines Sohnes Christoph in Zeittracht. Der sonstige Schmuck besteht aus 3 metallnen, vergoldeten Schlachtenreliefs (Einnahme von Pápa, Schlacht bei Sissegg und Belagerung von Großwardein), von denen 2 jetzt auf dem unteren Plattsims aufgestellt sind, sowie einem prunkvollen Wappen als Bekrönung, flankiert von den Figuren des Erlösers, Josuas und der zu Roß streitenden Gideon und Judas Makkabäus, 2 fliegenden Marmorengeln, metallnen Engels- und Löwenköpfen usw. Das Material ist grüner, roter und weißer Marmor, die kupfervergoldeten Zieraten fehlen jetzt z. T. — Ein zweites Werk H.s, die Kanzel der Schloßkirche in Öls (1605), ist nicht mehr vorhanden.

A. S c h u l t z, Gerhard Heinrich von Amsterdam, Bildh. in Breslau, m. 2 Buntdrucktaf., Bresl. 1880; d e r s. in Anzeiger f. Kde der dtschen Vorzeit, N. F. XXVII (1880) 302 ff. — Mitt. des Vereins f. Heimatkde des Jeschkenu. Isergaues, IX, Reichenberg i. B. 1915 p. 3—9, m. Tafel. — G. C u n y, Danzig u. s. Bauten im 16. u. 17. Jahrh., 1910 p. 74.   *B. C. K.*

Heinrich v o n G u r k, Maler, 1191—1226 zu Gurk in Kärnthen urkundl. erwähnt als „Heinricus pictor de G.", als „fidelis Ecclesiae Gurcensis" u. als Lehnsmann Bischof Dietrichs I. von Gurk, des Vollenders des dort Dombaus, in dessen Vorhalle u. Nonnenchor H. gemeinsam mit den Gurker Malern Dietrich, Heinrich Rüdiger (Sohn Dietrich's) u. Hiltpold die im Übergangsstil von der Romanik zur Gotik gehaltenen und ebenda noch vor-handenen Wandbilder aus dem Alten u. Neuen Testament (Apokalypse) gemalt haben dürfte.

J. K u k u l j e v i č S a k c i n s k i, Slovnik umjetn. jugoslavenskih, Agram 1868 (Deutsche Übers. 1868 II 1—3, mit ält. Lit.).   *

Heinrich v o n H a g e n a u, elsäß. Glockengießer, nennt sich als Verfertiger der 1268 gegossenen ältesten Glocke von St. Georg in Hagenau („Magister Henricus de Hagen. fudit me . .") und einer kleineren Glocke ebenda (1268).

K r a u s, Kst u. Alterthum in Elsaß-Lothr., I (1876) 83 f. — G é r a r d, Artistes de l'Alsace, 1872 II 149 ff.

Heinrich v o n H a g e n a u, elsäß. Bildhauer. Arbeitete 1519 das Chorgestühl der Kollegiatkirche in Zabern (zerstört).

F. X. K r a u s, Kst u. Alterth. in Elsaß-Lothr., I (1876) 640.

Heinrich v o n H e s s e r o d e, hessischer Architekt und 4. Werkmeister der Pfarrkirche in Homberg (Reg.-Bez. Kassel), deren stattlichen, 4 eckigen Turm er 1374 errichtete. Der Turm enthält eine Halle mit Kreuzgewölbe, aus der im Westen ein reiches Doppelportal mit 11 Baldachinen und Eselsrücken-Wimperg in das Mittelschiff führt. Die Turmstrebepfeiler enden im 3. Geschoß in Fialen mit geschweiften Giebeln, die 3 oberen Geschosse, mit 2 teiligen Fenstern, sind im übrigen schmucklos. Galerie und Aufbau aus der Zopfzeit.

L o t z im Anzeiger f. Kde der dtschen Vorzeit, 1858 Sp. 371 ff. — D e h n - R o t f e l s e r u. L o t z, Baudenkm. im Reg.-Bez. Cassel, 1870 p. 115. — D e h i o, Handb. der dtschen Kstdenkm., ² I (1914). — H. N e u b e r, Ludwig Juppe von Marburg (Beitr. z. Kstgesch. Hessens, IV), 1915 p. 5 Anm. 1.

Heinrich v a n H o f, falsch für *Funhof*, Heinrich.

Heinrich v o n H o m b e r g, hessischer Glockengießer, 15. Jahrh. Goß die Glocke der Dorfkirche in Allendorf bei Kirchheim, lt Inschrift: „Hinrich von hombergk".

D e h n - R o t f e l s e r u. L o t z, Baudenkm. im Reg.-Bez. Cassel, 1870 p. 329.

Hinrich v a n K a m p e n, Lübecker Glockengießer, † Ende 1521 oder Anfang 1522 ebenda. Höchstwahrscheinlich ein Verwandter des Gerhard de Wou und nicht aus Lübeck gebürtig. 1512 tritt er als Hausbesitzer in Lübeck auf, doch hat er schon seit 1508 für Lübeck gearbeitet; 1508—10 lieferte er z. B. das Glockenspiel für St. Marien. Seine Glocken zeigen manche Verwandtschaft mit denen Gerhards de Wou. Vortrefflich sind seine Plastiken auf den Glocken. Es sind 60 Glocken von ihm bekannt. Seine älteste bekannte Arbeit ist eine Glocke in Gr. Peterkau in Westpreußen (1505), die jüngste eine solche zu Naestved auf Seeland in Dänemark (1521). Zu seinen schönsten Stücken gehören folgende Glocken: Lübeck (St. Marien 1510), Halberstadt (St. Martin 1511, Dom 1514), Mölln (1514), Schwerin (Schelfkirche 1517), Perleberg

(1518). Von 1507—17 goß er auch Geschütze für die Herzöge von Mecklenburg.

T h. H a c h , Lübecker Glockenkunde, 1913, p. 198 ff. — U l d a l l , Danmarks Kirkeklokker, 1906 p. 249; d e r s . , Nederlandsche Kerkklokken, 1900 p. 20. — M i t h o f f , Mittelalt. Kstler etc. Niedersachsens.., 1885 p. 178 ff. — W a l t e r , Glockenkunde, 1913 p. 762, 773. — F. W o l f f , Glocken d. Prov. Brandenburg, 1920 p. 162. — D e h i o , Handb. d. deutsch. Kstdenkm., ² II (1922), Reg. unter Kampen. — Zeitschr. d. Gesellsch. f. niedersächs. Kirchengesch., XXV (1920) 86, 90. — H e r m . W r e d e , Die Glocken d. St. Lüneburg (Lüneburger Museumsbl., Heft 1 [1904] ; H. 5 [1908] ; H. 6 [1909]). *Warncke.*

Heinrich, K a r l , Fayencier in Frankfurt a. O. In einer Eingabe vom 27. 6. 1763 bittet er als Bürger und Fayencefabrikant zu Frankf. a. O., nachdem er 8 Jahre in der Berliner Porzellanmanufaktur gearbeitet hatte, um die Konzessionierung einer Fayencefabrik, doch werden seine Pläne und der dazu ausersehene Bauplatz „nach dem Damm" erst am 13. 6. 1764 gebilligt. Bald darauf ging die Fabrik in Flammen auf, und 1766 lag der Betrieb wegen Mangel an Geldmitteln still. 1771 war die Fabrik in höchstem Schwunge. Am 26. 10. dieses Jahres wurde H. bekanntgegeben, daß er seine Waren mit einem eingebrannten „F" zu bezeichnen habe. H. starb vor 1785, am 19. 3. beklagt sich seine Witwe über die Konkurrenz eines ehemal. Gesellen der Fabrik. In einer Eingabe vom 27. 5. 1788 bitten die Geschwister Heinrich, K a r l E m i l und seine Schwestern, die Kinder H.s, den Magistrat, ihnen den Alleinverkauf ihrer Waren sicherzustellen und um Schutz vor Anlage einer neuen Fayencefabrik, die der Fabrikleiter Albrecht errichten wollte. Sie weigern sich auch, diesen als Teilhaber in ihre Fabrik aufzunehmen. 1798 scheint die Fabrik nicht mehr bestanden zu haben. Der Hauptartikel waren zylindrische Bierkrüge mit feinem Streublumendekor in rechteckigen, oben und unten abgesetzt halbrund geschlossenen, durch schmale Gitterstreifen getrennten Feldern. Daneben kommen auch Figuren zwischen Palmbäumen vor. Bei allen Stücken werden die Scharffeuerfarben Manganviolett, Schieferblau, hell Kobaltblau, Grün und Olivbraun verwendet.

A. S t ö h r , Dtsche Fayencen (Bibl. f. Kstu. Antiquitätensammler 20), o. J. (1920). — O. R i e s e b i e t e r , Dtsche Fayencen des 17. u. 18. Jahrh., 1921. — Kstwanderer, IV (1922/3) 4 (hier „Joh. Karl H."). — Kstchronik, N. F. XXXIV (1922/3) 14.

Heinrich v o n K ö l n (Hinrich von Collen, Cöln), mehrere gleichnamige Angehörige einer rhein., vielleicht zur Familie der Heinrich von Overath (s. d.) gehörigen Glockengießerfamilie, von denen zahlreiche Glocken in rhein. und westfäl. Kirchen aus den Jahren 1512—92 erhalten sind.

W a l t e r , Glockenkunde, 1913 p. 762 f. — M e r l o , Köln. Kstler, Ausg. 1895. — Bau- u. Kstdenkm. der Rheinprov., I (1886), Reg.-Bez.

Coblenz, p. 48, 119, 429. — Bau- u. Kunstdenkm. Westfalen, Kreis Hörde, 1895 p. 46. — Bau- u. Kstdenkm. Reg.-Bez. Wiesbaden, V (1914) 42. — Rhein. Verein f. Denkmalpflege, XII (1918) 72.

Heinrich v o n K ö l n (Köllen, Kollen, Cöln, Cöllen), Goldschmied in Riga. 1676 Bürger, 1679 Meister, zuletzt 1692 erwähnt; 1694 wird seine Witwe genannt. Die Gesellschaft der Schwarzhäupter zu Riga besitzt von ihm eine ovale getriebene Schüssel mit biblischer Darstell. (Ruth), Wappen u. Inschrift von 1684.

W. N e u m a n n , Baltische Goldschmiede, Sitzungsber. der Gesellsch. f. Gesch. usw. der Ostseeprov. Rußlands, 1905 p. 176. — M. R o s e n b e r g , Goldschmiede Merkzeichen, ² 1911. — Mitt. Erzherz.-Rainer Mus., XXXI 180.

Heinrich v o n M a g d e b u r g (Hinrick de Magdeborg, Heinrich von Braunschweig), Gelbgießer. Sohn des Ludolf von Braunschweig (s. d.), mit dem zusammen er 1430 in Magdeburg den Taufkessel für die Liebfrauenkirche in Halle goß. Der von H. für die Petrikirche in Berlin 1434 verfertigte messingene Taufkessel, mit den Figuren Josephs, Marias und der Apostel, ist nicht erhalten.

M i t h o f f , Mittelalt. Kstler etc. Niedersachsens, 1885 p. 153. — M u n d t , Erztaufen Norddeutschlands, 1908 p. 81. — B o r r m a n n , Bau- u. Kstdenkm. von Berlin, 1893. — Jahrb. f. brandenburg. Kirchengesch., XIV (1916) 68; XVI (1918) 83. — Geschichtsbl. f. Stadt u. Land Magdeburg, XLV (1910) 336, 339; LI/LII (1916/7) 130.

Heinrich v o n M a i n z („Henricus lapicida de Moguntia"), Bildhauer u. Architekt, leitete 1358—61 während der Abwesenheit seines Bruders Jakob den Bau der St. Viktorskirche in Xanten, wo er das nördl. äußere Seitenchörchen als Kapitelhaus errichtete (zerstört). Beissel schreibt ihm auch die 4 Steinfigürchen an den Chorschranken neben dem nördl. Choreingang zu (Hl. Johannes d. T., Katharina, Caecilia, ein hl. Bischof); derbe Steinmetzarbeiten ohne besonderen Kunstwert (Inventar, mit Abb.).

S t. B e i s s e l , Bauführung des Mittelalt.: Stud. über die Kirche des hl. Viktor zu Xanten I—III Erg.-Hefte XXII, XXIV, XXVII, XXXVII (1883, 1884, 1887) zu den Stimmen aus Maria-Laach, Register unter Mainz.

Heinrich, M e l c h i o r , Maler aus Freiberg (in Sachsen?), tätig in Glogau in Schlesien, nennt sich als Verfertiger der tüchtigen Malereien an der Kanzel der Dorfkirche zu Diebau bei Steinau in Schlesien, Christus und die 4 Evangelisten darstellend (1595 dat.).

Verz. der Kstdenkm. der Prov. Schlesien, II (1889) 637. — Anzeiger f. Kunde der dtschen Vorzeit, N. F. XXVI (1879) 77. — Mitt. des Freib. Altertumsvereins, XVII 21.

Heinrich, O t t o , Landschaftsmaler u. Lithograph, geb. in Berlin 23. 1. 1891. Schüler von Philipp Franck u. Kallmorgen an der Berliner Akad. Stellte zuerst 1912 im Münchner Glaspalast aus. In seinen Ölbildern, Aquarellen u. Zeichnungen behandelt er mit Vorliebe Motive aus Alt-Berlin: „Weihnachtsmarkt an der Petrikirche", „Platz am Opernhaus" (Ölbilder); „Die alte Inselbrücke" (Lith.).

Kat. Gr. Kstausst. Berlin, 1912—14, 1916, 1918 (Sept.-Nov.), 1919/20. — Kat. Aquar.-Ausst. Dresden, 1913. — Cat. Espos. intern. d'arte, Venedig 1914. — Der Tag, Ausg. B v. 26. 7. 1903. — Neuigk. des dtsch. Ksthandels, 1908 p. 69. — Westermanns Monatshefte, Bd 122 II (1917) 760, m. Abb.

Heinrich von Overath (Overrode, Overroide, Overraet, Overade, Aferade, Werroid), mehrere gleichnamige Angehörige einer Glockengießerfamilie, die mit zahlreichen Glocken in den Kirchen der Rheinlande (1434—1538) vertreten sind.

Walter, Glockenkunde, 1913 p. 763, passim.

Heinrich von Prüm (proim, prom, prum: Prüm in der Eifel), mehrere gleichnamige Angehörige einer rhein. Glockengießerfamilie, von denen z. T. künstlerisch wertvolle Glocken in den Landkreisen Cochem, Neuwied, in der ev. Kirche zu Dillenburg und in der Pfarrkirche zu Weilburg a. d. Lahn (1403—1560) vorhanden sind.

Walter, Glockenkunde, 1913 p. 763, passim.

Heinrich, Samuel, Bildnismaler um 1705 in Selmecbánya oder Besztercebánya (Ungarn).

Századok, Budapest, 1874 p. 286. *K. Lyka.*

Heinrich von Speier, Bildhauer und Werkmann des Domkapitels von Speier, führte 1509—11, zusammen mit Lorenz von Mainz, den von Hans von Heilbronn entworfenen Ölberg an der Südseite des Doms aus (1820 abgetragen, Unterbau erhalten).

A. Schwartzenberger, Ölbergz. Speyer, 1886 p. 11. — Dehio, Handb. der dtsch. Kstdenkm., IV (1911) 379.

Heinrich, Thugut, Wiener Maler. Stellte 1859 im Wiener Kunstverein ein Ölbild: „Dolce far niente", und in der Akad.-Ausst. ebenda eine Bleistiftzeichnung: „Elegie auf den Tod des hl. Sebastian" aus.

C. v. Wurzbach, Biogr. Lex. des Kaiserth. Österr., VIII (1862) 231.

Heinrich, Vitus, Maler aus Elbing, von dem sich im Dom zu Frauenburg mehrere Arbeiten erhalten haben. Die Predella am Altar der Himmelfahrt Mariä, 4. Pfeiler der nördl. Reihe, enthält ein miniaturartig fein ausgeführtes Bild: Speisung der 5000 in der Wüste, bez. V. H. IOS. 1643. Darüber eine Himmelfahrt Mariä, bez. V. H. I. F. ELB. 1644, Juny 6. Auch die Predella des Matthäus-Altars am Choreingang, enthaltend eine Auferweckung des Lazarus, ist eine gute Arbeit H.s (1642 dat.). — In der Pfarrkirche zu Braunsberg von ihm ein Jüngstes Gericht (1649, übermalt).

Bau- u. Kstdenkm. d. Prov. Ostpreußen, IV Ermland, 1894 p. 56, 93f. — Zeitschr. f. die Gesch. u. Altertumskde Ermlands, XVIII (1913) 622 f., 625; X (1919) 524.

Heinrich, Werner's Sohn, Architekt in Braunschweig. Erhielt 1412 den Auftrag zur Errichtung der erst 1422 z. T. und nach verändertem Plan ausgeführten Pfarrbücherei (Liberei) zu St. Andreas, des einzigen mittelalterl. Backsteinbaus der Stadt. Die Formgebung des zierlichen, mit einem Tonplattenfries mit Löwen sowie mit Wappen geschmückten Staffelgiebels erinnert an fremde Vorbilder (Wismar).

P. J. Meier u. K. Steinacker, Bau- u. Kstdenkm. der Stadt Braunschweig, 1906 p. 45. — Blätter f. Archit. u. Ksthandwerk, XX (1907) T. 67 u. Text p. 27.

Heinrich Ferdinand, Erzherzog von Österreich, Landschaftsmaler und Radierer, geb. in Salzburg 13. 2. 1878 als jüngster Sohn des Großherzogs Ferdinand IV. von Toskana. Lebt in München. Widmete sich neben seiner militärischen auch der künstler. Ausbildung unter Anleitung von Militär-Zeichenlehrern und des Radierers W. Unger. In seinen Aquarellen und Radierungen schildert er mit feinem Empfinden schlichte Ausschnitte aus der Natur.

Die graph. Kste, XXVI (1903) 116; XXX (1907) 96. — Donauland, I (1917) 895 f., m. Abb. — Gothaischer Kalender 1923.

Heinrich Julius, Herzog von Braunschweig-Wolfenbüttel, Liebhaber-Maler, geb. 15. 10. 1564, † 30. 7. 1613, seit 1589 regierender Herzog. Kleine Landschaft ohne künstlerischen Wert früher im Herzogl., jetzt im Vaterländ. Museum, mit dem gekrönten Monogramm aus H(einrich) J(ulius) B(raunschweig) L(üneburg), hinten mit alter Inschrift, nach der der Herzog das Bild „mitt eigenen Händen gemahlet Anno 1592 alls Joachim Nolte s. f. G. Hofmahler gewesen".

Riegel, Verz. Gem. Slg Braunschweig 1900. — Allg. Dtsche Biogr., XI. *P. J. Meier.*

Heinricher, Niklaus, Tischler in Biel, fertigte 1552 die Kanzel der dort. Kirche.

Brun, Schweizer. Kstlerlex., Suppl. (1917).

Heinrichs, Maler; von ihm ein Porträt des preuß. Geheimrats A. L. Reinhart in Wernigerode von 1725 im Freundschaftstempel im Gleimhause zu Halberstadt (Katal. 1911, No 10).

Heinrichs, Fritz, Bildhauer, geb. 12. 5. 1873 in Elbing, studierte an der Berliner Akad. unter G. Janensch, P. Breuer und E. Herter, ging 1906 auf längere Zeit nach Italien, ließ sich dann in Berlin, neuerdings in Templin (Uckermark) nieder; zeigte u. a. Porträtbüsten, „Kugelspieler", „Speerwerfer" usw. in der Berl. Gr. Kunstausst. (Katal. 1904, 1905, 1910). Von ihm im Magdeburger Justizgebäude die Porträtbüsten der Juristen K. G. Suarez († 1798) und O. Küntzel.

Elbinger Zeitung u. Elb. Anzeiger No 225 vom 24. 9. 1908. — Dressler's Ksthandbuch, 1921 II.

Heinrichsdorff, Wilhelm, Maler, Zeichenlehrer in Düsseldorf, geb. 6. 5. 1864 in Stolp i. Pommern, Schüler der Kunstschule und Techn. Hochschule in Berlin und von Warthmüller, H. v. Hayeck und Fr. Fehr, malt Bildnisse und Landschaften (Katal. Gr. Kunstausst. Düsseldorf 1911, 1920, Frühjahrsausst.

Düsseld. Kstler 1912); Verfasser von „Erziehung zum bewußten Sehen" usw., Bielefeld o. J., und „Der Zeichenunterricht", Freiburg 1917. ˙
J a n s a , Dtsche bild. Kstler in Wort u. Bild, 1912. — D r e s s l e r 's Ksthandbuch, 1921 II.
Heinrici, J o h a n n M a r t i n , Porzellan- u. Miniatur-Maler, auch Kupferstecher, geb. 1711 in Lindau am Bodensee, † 21. 4. 1786 in Meißen. Kam 1741 an die Porzellanmanuf. in Meißen, wo er als Maler Anstellung fand und zugleich in seiner Kunst unterrichtete. 1751 schlug ihn Kändler zum Vorsteher des Farbenlaboratoriums vor, später aber fühlte sich H. durch Kändler zurückgesetzt und flüchtete (1757). Doch gelang es 1761 nach vielen Bemühungen, den tüchtigen Künstler zurückzugewinnen. Er leistete namentlich Hervorragendes in „mit Gold und Perlmutter eingelegten Tabatièren", hatte aber auch als Bildnismaler Ruf. Da die aus der Manufaktur hervorgehenden Werke nicht bezeichnet werden durften, sind uns nur noch 2 solcher Miniaturgemälde H.s auf Porzellan sicher bekannt: die Bildnisse des sächs. Kurfürsten Friedrich August II. und seiner Gemahlin Maria Josepha vom J. 1756 (im Besitze der ehemal. sächs. Königsfamilie). Ein derartiges Bildchen aus der alten kurfürstl. Sammlung: Der heil. Franziskus in einer Landschaft (Schmelzmalerei auf Porzellan, jetzt in der Gemäldegal. Dresden) wird nach alter Überlieferung H. zugeschrieben; ein 2. Stück 1898 in ital. Privatbes. H. stach auch für Balth. Renkewitz' „Nachrichten von Scharfenberg" (b. Meißen), Leipz. 1745, Joh. Bergers Riß über die dortigen Gruben- und Tage-Gebäude vom J. 1688 in Kupfer (Sächs. Landesbibl.).
A d e l u n g , Krit. Verz. der Landkarten, 1796 p. 114 f. — Mitteil. des Ver. f. Gesch. der Stadt Meißen, II 2 (1888) 239 u. Anm. 44. — B e r l i n g , Meißner Porzellan, 1900 p. 112, 132, 204. — Katal. III. Dtsche Kstgewerbeausst. Dresden 1906, das alte Ksthandwerk, p. 161; Ausst. Kst u. Kstler unter den sächs. Kurfürsten, Dresden 1908, p. 72; Gemäldegal. Dresden 1908; Mostra „Arte Sacra", Turin, 1898 p. 190 No 12. — L e m b e r g e r , Bildnis-Miniatur in Dtschland, 1910.   *Ernst Sigismund.*
Heinrici, siehe auch *Henrici.*
Heinricus, siehe *Heinrich.*
Heinrigs, J o h a n n , Kalligraph in Köln, geb. 24. 2. 1781 in Krefeld, † 26. 8. 1861 in Köln, gab eine große Anzahl von mustergültigen, weitverbreiteten Schriftwerken (Alphabete, Titulaturen, Schulvorschriften usw.) und Kunstblättern (Vaterunser, 10 Gebote, Erinnerungsblätter, Schriftgemälde) heraus. In seinem Atelier arbeiteten seine Söhne, die Kupferstecher F r i e d r i c h (geb. um 1815, † in Köln 14. 4. 1840, stach mehrere religiöse Darstell. nach Carlo Dolci, Leonardo, Rubens, Bendemann für kalligraph. Blätter seines Vaters, auch dessen Adreßkarte) und G e r h a r d .
M e r l o , Köln. Kstler, Ausg. 1895. — N a g l e r , Kstlerlex., VI. — R o w i n s k y , Russ. Portraitlex., 1886 ff. (russ.) II 1366 No 85; III

1489 No 6. — Katal. Akad.-Ausstell. Berlin, 1820 p. 49; 1826 p. 102; 1830 p. 133 u. V.
Heins, A r m a n d Jean, Maler und Graphiker, geb. in Gent 1. 8. 1856, Sohn eines Steindruckers und der Schwester des Malers L. de Maertelaere, Schüler von J. Th. Canneel und der Genter Akad., 1876 (mit seiner ersten Lithogr.) schon Mitarbeiter der Pariser Zeitschrift „Illustration", studierte 1879 in Paris, war dann tätig an der Redaktion der belg. „Illustration Nationale", ließ sich nach einer italien. Studienreise dauernd in Gent nieder. Malt Landschaften in Öl und Aquarell und zeigte seit 1883 („Das alte Fleischhaus in Gent") in den Ausstellgn des Salon Triennal vorzugsweise Bilder mit Motiven aus Flandern. Das Mus. in Gent (Kat. 1909) besitzt eine Aquarell-Landschaft. Auch auf dekorativem Gebiet tätig, malte H. für den „Cercle des Nobles" in Gent mehrere Paneele im Watteau-Stil und für die Börse in Brüssel Darstell. aus der Geschichte der Verkehrsmittel. Vor allem ist H. jedoch Graphiker; Illustrator zahlreicher Werke (von P. Bergmans, P. Claeys, H. de Cock, A. Gittée, C. Lemonnier, A. Wauters, A. Geresia, V. Vander Hoeghen, D. Wattez, E. Cattier, G. Meunier usw.), Mitarbeiter des „Monde illustré". Geschichtlich interessiert (Vorstandsmitglied des Genter „Vereins zur Erhaltung alter Monumente"), gab H. 1886 ein Album mit 36 Bl. „Cortège histor. des moyens de transport à l'occasion du cinquantenaire des chemins de fer belges" heraus, 1898 (2. Serie 1901) eine große lithogr. Folge „Les vieux coins de Gand"; ferner unter dem Gesamttitel „Contribution à l'histoire de l'habitation privée en Belgique", 1908 ein Album mit 50 Tafeln: „Anciennes façades d'Ypre et d'après Böhm et d'après nature", 1914 den 4. Bd (100 Taf.) desselben, inzwischen auf Denkmäler des ganzen Landes ausgedehnten Werkes. 25 Lithogr. enthält das 1912 ersch. Werk „En Hollande au fil de l'eau et sur les calmes rives". H. zählt auch zu den besten belg. Radierern (P. Bergmans verzeichnet 168 Bl. für den Zeitraum von 1884/89), war Mitbegründer der „Société des aquafortistes belges" (1887) und ist in deren Album fast alljährlich vertreten. Zu seinen besten Radier. gehören „Allegorie der Fruchtbarkeit", nach dem Gemälde von J. Jordaens im Brüsseler Mus., und 2 Serien (jede zu 10 Bl.) Tierstudien.
Journal d. B.-Arts, Brüssel 1883 p. 149; 1887 p. 174. — P. B e r g m a n s , Catal. somm. des eaux-fortes de A. Heins 1884/89, 2. Aufl. Gent 1900. — P o l d e M o n t in Die Graph. Kste, XXIII (1900) 17 ff. — D u j a r d i n , L'art flamand, VI. — D u c l o s , Bruges, 1910 p. 316/9 (Abb.). — H y m a n s , Etudes et notices relat. à l'hist. de l'art dans les Pays-Bas, I (Gravure) 1920.   *L. Hissette.*
Heins, D., Bildnismaler u. Kupferstecher deutscher Herkunft. Vater des John Theod. Tätig um 1725—56 in Norwich (England),

wo er hauptsächlich Geistliche und sonst hervorragende Personen malte. Sein 1802 von Blake gestoch. kleines Bildnis der Mutter des Dichters Cowper, das 1868 auf der Londoner Porträt-Ausst. war, inspirierte Cowper zu seinem Gedicht „On the receipt of my mother's picture out of Norfolk". Nelsons Mutter (Catherine Suckling) ließ sich von H. als Mädchen im Alter von 18 Jahren 1743 porträtieren. H. hinterließ auch 3 (unbedeutende) Schabblätter, das eine 1741 dat.; eine seltene Radierung: „The hospital founder" (o. J.), Karikatur des Thomas Gray, im Londoner Brit. Mus. — Bildnisse H.s wurden von Vertue und Houbraken in Linienmanier, sowie von Hodges, Pelham und Robins in Schabmanier gestochen.

Dict. Nat. Biogr., XXV. — J. Strutt, Biogr. Dict. of Painters, 1786. — Dodd's Mss. Brit. Mus. Add. Ms. 133 401. — Bryan's Dict. of Painters-Engravers. — G. Chaloner Smith, Brit. Mezzotint Portraits, II. — J. Johnson, Norfolk and Norwich Portraits, 1911. — Walter Rye, Cat. of Portr. in Free Library, Norwich, 1908. — E. Farrer, Portraits in Suffolk Houses, 1908. — J. G. Foster, Brit. Miniat. Painters, 1898. — G. C. Williamson, Hist. of Portrait Miniatures, 1904. — Cat. of Engr. Brit. Portraits . . Brit. Mus., I 251 f., 325 (2 ×), 507; II 403 (2 ×), 579, 706; IV 210, 251, 387, 407. — Duplessis, Cat. des Portraits Bibl. Nat. Paris, 1896 ff. 6868. *M. W. H.*

Heins, George Lewis, Architekt, geb. 24. 5. 1860 in Philadelphia, † 25. 9. 1907 in Lake Mohegan, N. Y., lernte in Boston (Massach. Institute of Technology) und Minneapolis, ließ sich nach 2 jähr. Aufenthalt in St. Paul in New York nieder, wo er für den Maler John La Farge zahlreiche Zeichnungen ausführte, gemeinsam mit dessen Sohn, Christopher Grant, mit dem er sich 1886 assoziierte, später auch verschwägerte. Er baute (seit 1899 in staatl. Auftrag) viele Kirchen, so die Johanneskathedr., Umbauten von Grace Church usw. in New York, ebenda die Bauten des Zoolog. Gartens.

American Art Annual, 1907/8 p. 109.

Heins, Hans Mortensen, s. *Heintze*, H. M.

Heins, Joh. Martin, s. unter *Heintze*, Fam.

Heins, John Theodore, Maler, Zeichner und Radierer, geb. in Norwich 1732, † in Chelsea (London) 1771. Schüler und Nachahmer seines Vaters D. Heins. Stellte in der Londoner Soc. of Artists 1770 zwei Miniaturen und 1767 in der Free Soc. ein männl. Bildnis aus. Mehr Erfolg hatte er aber als Zeichner: „Inneres der Kathedrale von Ely" (1768, Soc. of Artists). Eine von ihm veröffentlichte Folge von Ansichten u. Denkmälern jenes Gotteshauses, für James Bentham's History of the Cathedral Church of Ely, wurde von P. S. Lamborn gestochen. H. hinterließ eine Anzahl Bildnisrad. sowie gestochene Genredarstell. in Worlidge's Art; 2 Schabblätter nach J. Collet.

Redgrave, Dict. of Art., 1878. — Dict. of Nat. Biogr. XXV. — J. Strutt, Dict. of Engravers, 1786. — Dodd's Memoirs of Engl. En-

gravers. Brit. Mus. Add. Ms. 133 401. — J. G. Foster, Brit. Miniature Painters, 1898. — Graves, Soc. of Artists, 1907. — Cat. of Engr. Brit. Portr. Brit. Mus., II 347 (2 ×). *M. W. H.*

Heins, W. C., Kupferstecher, Mitte 17. Jahrh., soll hauptsächlich Porträts gestochen haben, war Mitarbeiter an einer der späteren Ausgaben von J. J. Boissard's „Icones virorum illustrium".

v. Heinecken, Dict. des Art. etc., 1778 ff., Suppl. (Ms. im Kupferstichkab. Dresden).

Heinsch, Joh. Georg, s. *Heintsch*, J. G.

Heinsius, Johann Ernst, Porträtmaler (auch Miniaturist), geb. 1740, laut Meusel in Hildburghausen, laut Sterbeakte, und auch sonst häufig, in Weimar, † 19. 5. 1812 in Orléans. Machte seine Lehrzeit vermutlich in Holland durch, wo er 1767 in der Confrerie im Haag erscheint (Obreen's Archief, V 161; Oud-Holland, 1901). Von 1763 datiert sein (verschollene) Bildnis des Admirals Willem Crul, nach dem R. Muys einen Stich fertigte, und nach dem C. van Cuylenburg 1801 eine im Amsterdamer Rijksmus. bewahrte Kopie (Katalog 1920 No 739) malte. In der Zwischenzeit wohl wieder längere Zeit in Deutschland. Um 1765/66 (Oulmont: „avant 1770") entstanden offenbar die weiter unten erwähnten Gemälde im ehem. fürstl. Residenzschloß („Heidecksburg") in Rudolstadt. Später ging H. nach Utrecht. 1771 ist er in Lille. Der Zeitpunkt seiner Rückkehr nach Deutschland ist nicht bekannt. 1772 wird er in Nachfolge des in diesem Jahr (6. 3.) † Joh. Fr. Loeber, „fürstl. Kabinettsmaler" in Weimar und Konservator der Großherz. Gemälde-Galerie. Bis 1775 hielt H. sich nachweislich in Weimar auf; doch wird sein Aufenthalt hier wieder unterbrochen durch Reisen nach Nord-Frankreich (Douai u. Lille 1774). 1779 kam er nach Paris, wo er in diesem Jahre im Salon de la Correspondance ein Bildnis des Reiseschriftstellers Faujas de Saint-Fond, 1782 Bildnisse der Familie d'Espagnac ausstellte. In Paris wurde er Hofmaler der Töchter Ludwigs XV. („Mesdames de France"): Im Mus. zu Versailles von ihm ein Ganzfigur-Bildnis der Prinzessin Adélaïde, bez. u. dat. 1785, im Louvre ein „Heinsius pinxit 1786" bez. Bildnis (Kniestück) der Prinzessin Victoire (Notice d. Tabl..., 2 me partie, Ec. allem., flam. etc., No 196; im neuen Katalog von Demonts, Ec. flam. etc., 1922, nicht verzeichnet). Noch vor Ausbruch der Revolution muß H. nach Deutschland zurückgekehrt sein: 1788 stellt er in der Berliner Akad. als „Hoffmahler zu Weimar" ein Bildnis des Weimarer Legationsrates J. J. C. Bode aus (Kat. No 186). Von dem Großherzog Carl August, dem Freunde Goethes, protegiert, scheint er sich doch nicht lange in Weimar aufgehalten zu haben und bald wieder nach Paris zurückgekehrt zu sein. Nach einer Nachricht Bellier's hat er sich 1793 — höchst wahrscheinlich aber bereits

1790 — aus Paris nach Orléans geflüchtet, wo er mehrere Jahre ansässig gewesen sein muß, mit zahlreichen Bildnisaufträgen beschäftigt. 1811 vorübergehend wieder in Paris, ging er im Sept. 1811 nach Orléans zurück. Die biograph. Einzelheiten seines bewegten Wanderlebens hat auch Oulmont nicht restlos aufzuklären vermocht. Jedenfalls sind seine meisten Arbeiten auf französ. Boden entstanden; Oulmont hat einen chronolog. geordneten Katalog seiner Werke (130 Nummern) aufgestellt; die meisten befinden sich in Pariser Privatbesitz; im Mus. zu Versailles das schon erwähnte Bildnis der Prinzessin Adélaïde und das anmutige Ovalbildnis der Mme Roland (1792); im Pariser Musée Carnavalet ein Bildnis des Generals Augereau. Weitere Bildnisarbeiten H.s in den Museen zu Abbeville (Kat. 1908 No 96), Douai, Nancy, Orléans, Rouen (Kat. 1911 No 571, 572) und Troyes (Kat. 1907 No 144). In Deutschland findet man Arbeiten H.s u. a. in der ehem. Großherz. Bibliothek in Weimar (Bibliothekar Schnauß, dat. 1775), in der Bibliothek zu Rudolstadt (vgl. Parthey), im Freundschaftstempel des Gleimhauses zu Halberstadt (Bildnis Wielands, bez. „E. Heinsius pinx. 1775"), beim ehem. Herzog von Sachsen-Altenburg (Bildnisse des dän. Generals Eugen, Prinzen von Hildburghausen, und der Ernestine, Herzogin von Hildburgh.), beim ehem. Großherz. v. Hessen (Bildnis Carl Augusts v. Sachs.-Weimar, bez. J. E. Heinsius pinx.); ein zweites Bildnis Carl Augusts in der Bildnissammlg der Universität Jena. Im Schlosse zu Rudolstadt schmückte H. den sog. Grünen Saal mit sechs Supraporten in typisch französ. Geschmack, doch ziemlich steif in der Bewegung der Figuren — dargestellt sind Versammlungen vornehmer Damen u. Herren als Versinnbildlichung der Künste —, trocken im Ausdruck und unbeholfen in der Komposition; offenbar frühe Arbeiten (s. o.). Ebenda 2 lebensgroße Bildnisse des Fürsten Joh. Friedr. von Schwarzburg-Rudolstadt und seiner Gemahlin und 3 weitere Bildnisse ders. fürstl. Familie, dat. 1765 u. 1766. In seinen späteren Bildnisarbeiten, besonders also denen aus der Zeit seines Aufenthaltes in Frankreich, entwickelt H. dagegen oft sehr feine koloristische, zeichnerische u. psychologische Qualitäten. Meusel, der eine ausführliche Charakteristik seiner Kunst gibt, rühmt an seinen Arbeiten das „lebhafte Colorit" und die „frische, helle und muntere Fleischfarbe" und hebt ganz besonders ihre Bildnisähnlichkeit hervor. „Die Gewänder und besonders den Sammet und die weiße Leinwand mit Spitzen wußte er sehr gut zu behandeln, sowohl in der Farbe als in der Zeichnung; denn er zeichnete keine schlechten Falten. Die durchbrochenen Brabanter Spitzen, welche zu jener Zeit an großen Manschetten sehr in der Mode waren,

sind ganz natürlich und täuschend . . . Auch die seidenen Gewänder und Kleidungen malte er sehr schön . ." (Meusel). — Welches Ansehen H. am Pariser Hofe genossen hat, beweist, daß seine Witwe noch 1824 eine königl. Pension bezog. — Sein S o h n (unbekannten Vornamens) war in Orléans als Porträtminiaturmaler tätig.

C h. O u l m o n t, J.-E. Heinsius, 1740—1812, Peintre de Mesdames de France, Paris 1913 (mit 88 Taf., darunter 5 farb.); cf. Chron. d. arts, 1913 p. 126. — M e u s e l, Neue Miscellaneen artist. Inhalts, 9. Stück, Lpzg 1799 p. 99/101; d e r s., Teutsches Kstlerlex., 2. Ausg., Lemgo 1808/14, III 98. — P a r t h e y, Deutscher Bildersaal, I (1863). — Réun. d. Soc. d. B.-Arts, XXIII (1899) 704, 732 (H e r l u i s o n u. L e r o y). — B é n éz i t, Dict. d. peintres etc., II (1913). — Revue univers. d. arts, XX (1865) 325 (B e l l i e r). — Les Arts, 1905 No 45 p. 6 (Abb.); 1906 No 55 p. 23 (Abb.). — Die Kunst, XXIX (1914) 43 (Abb.). — N o l h a c et P é r a t é, Musée Nat. de Versailles, 1896. — [C. B e c k e r], Der Freundschaftstempel im Gleimhause zu Halberstadt, [1911] No 48 u. 58. — [B i e r m a n n u. B r i n c k m a n n], Miniaturen-Sammlg d. . . Großherz. Ernst Ludwig v. Hessen, o. J. — Catal. d. Miniatures etc. Expos. d'oeuvres d'art du XVIIIe siècle . ., Paris 1906, No u. 578. — L e m b e r g e r, Bildnisminiatur in Deutschland von 1550—1850, München o. J. — B o u c h o t, Miniat. franç., 1907. — P f i s t e r, Hist. de Nancy, III (1908) 679 (Abb.). — Die alten Rektoren- u. Professoren-Bildnisse i. d. Univers.-Gebäude zu Jena, 1911 p. 17. — Amtl. Katal. d. Jahrh.-Ausst. Deutscher Kst 1650—1850, Ausg. B, Darmstadt 1914 p. 78; cf. B i e r m a n n, Deutsches Barock u. Rokoko, Lpzg 1914, II. — U h d e - B e r n a y s, Ein unbekanntes Bildnis Karl Augusts v. Sa.-Weimar. Festschr. z. 25 jähr. Reg.-Jubil. d. Großherz. v. Hessen, 1917 (m. Abb.); auch abgedruckt im Archiv f. Waffen- u. Uniformkunde, I (1918) 41 ff. — M i r e u r, Dict. d. ventes d'art, III (1911). — Jahrb. d. Bilder- etc. Preise, III (Wien 1913). — Versteig.-Kat. (Lepke Berlin) der Sammlg A. Jaffé-Hamburg, I. Teil No 41, mit Abb.   *H. Vollmer.*

Heinsohn, A l f r e d, Maler, geb. 10. 2. 1875 in Hamburg. Nach erster Ausbildung auf der Hamburger Gewerbeschule unter Herm. Stuhr, besuchte er die Kunstgew.-Schule in Karlsruhe unter Franz Sales Meyer, dann die Düsseldorfer Kunstgew.-Schule unter Fritz Neuhaus, schließlich in Weimar bei Th. Hagen und Chr. Rohlfs, dem er wesentliche Anregungen verdankt. Arbeitete dann in Rostock und an der mecklenburg. Küste. 1909—11 Reise durch die West-Schweiz, Frankreich bis nach Süd-Amerika. Nahm am Weltkrieg teil und lebt seitdem, vornehmlich als Landschafter tätig, in Hamburg.

Jahresber. IV Ver. Nordwestd. Kstler, 1910. — Mitt. d. Künstlers.   *D.*

Heintsch (Heinsch, in der Lit. auch Hainsch, Heimsch, Heinrich), J o h a n n G e o r g, Maler, geb. vermutlich 1647, † 1713 in Prag, wohin er (aus Schlesien stammend, in d. Jugend angeblich Jesuit od. Augustiner) 1678 kam und wo er 1704 heiratete; gilt als Schüler und ist jedenfalls Nachahmer Screta's, malte zahlreiche Altarbilder, so für die Prager Kirchen: St. Heinrich, Hochaltarblatt m. hl. Heinrich u. hl. Kunigunde; St. Ignaz, Hochaltarbl. m. hl. Ignaz und Kruzifixus in der Totenkapelle; Karlshofer Kirche, Madonna (1696); St. Apollinarius, Madonna; St. Peter a. d. Poržicž, Grab d. hl. Katharina und „Arme Seelen"; Minoritenkirche, hl. Familie; Kreuzherrenstift, mehrere Bilder in Kapellen und im Kreuzgang; Katharinenkirche, Seitenaltarbilder; ferner: für die Dekanatskirche in Bidschow das Hochaltarblatt (hl. Laurentius 1683); Liebeschitz i. B., Altarblatt v. 1686 im Pestkirchlein; Böhm.-Leipa, Altarblätter der Augustinerkirche; Pfarrkirche in Ungar.-Hradisch, Hochaltarbl. (hl. Franz Xaver); Turas bei Brünn, hl. Familie; Sluha (Bez. Karolinenthal, vgl. Topogr. Böhmen, XV [1903]), hl. Adalbert, aus der Kirche in Winternitz b. Saaz, nach einem Screta'schen Bild in der Prager Teinkirche. Parthey nennt „Christus von Engeln bedient", „Geburt und Begräbnis d. hl. Adalbert" und „hl. Agnes" in Kloster Strahow und 2 Studienköpfe in der Samml. Müller v. Nordegg in Prag, wo H. auch in der 1723 verkauften gräfl. Wrschowetz'schen Samml. vertreten war (Repert. f. Kunstw., X [1887] 15) und wo die Samml. Chlumetzky (Katal. 1863 p. 52) den Kopf eines Mönchs besitzt. 16 Gemälde H.s aus aufgehob. Kirchen und Klöstern befanden sich 1845 in der Prager „Galerie patriotischer Kunstfreunde", u. a. ein großes Bild der Überführung der Leiche des hl. Wenzel von Bunzlau nach Prag, dat. 1692, jetzt an der Seitenwand des Presbyteriums in der Teinkirche zu Prag. — Nach H. hat G. de Groos eine Anzahl Blätter gestochen (Verzeichn. bei Dlabacz, vgl. Bergner), u. a. Titelbl. zu „Sepulchrum gloriosum sue D. Catharina" usw., Prag 1685; Hl. Bonifaz mit 2 and. Hlgn, 1685; Porträt der Gräfin v. Méggan; Illustrationen für Nivard-Burian's „Ursprung des Cisterzienserordens", Prag 1679; laut Heinecken (Dict.) ein Thesenblatt für Kloster Ossegg i. B.; laut Nagler (Monogr.) Titelblätter zu Fischer's Oeconomia Suburbana, Prag 1647 (offenbar Druckfehler), bez. „J. G. H. del." und „J. G. H. Henchs". Auch B. Kilian stach nach H. ein großes Thesenblatt, Jeremias Kilian laut Heinecken (Nachr.) Blätter zu Lebensbeschreib. der Märtyrer und der Jesuiten, und B. v. Westerhout die Porträts des Prager Rechtsgelehrten J. Chr. Schambogen (1699) und des sel. Minoriten Joseph de Copertino.

[Heinecken], Nachrichten v. Kstlern, I (1768); ders., Dict. d. art etc., 1778 ff. u. Suppl. (Ms. im Kupferstichkab. Dresden). — Füßli, Kstlerlex., 1779 u. 2. Teil, 1806/21. — Dlabacz, Kstlerlex. f. Böhmen, I (1815) u. Bergner, Beiträge zu Dlabacz etc., 1913. — Tschischka, Kst u. Alterth. i. österr. Kaiserstaat, 1836. — Hawlik, Zur Gesch. d. Baukst etc. im Markgr. Mähren, 1838. — Nagler, Kstlerlex., VI; ders., Monogr., III. — Parthey, Dtscher

Bildersaal, I (1863). — Allgem. dtsche Biogr., XI 660. — Mitteil. d. Ver. f. Gesch. d. Dtschen in Böhmen, XXXIX (1901) 103. — Mitteil. a. d. Erzherz. Rainer-Mus. Brünn, 1914 p. 166 f. — Mitteil. d. Zentralkomm. f. Denkmalpflege, XIV (1915) 280.

Heintz u. **Heinz** sind wegen wechselnder Schreibweise dieser Namen hier durcheinander geordnet.

Heintz, Gießerfamilie in Trier, 18. Jahrh. Johann Matthias nennt sich auf etwa 26 Glocken des Trierer Bezirks um 1726/61, erhält 1754 das ausschließl. Recht, für das Kurfürstentum Glocken und Kanonen zu gießen. Von ihm u. a. das Dreigeläut in der Stadtpfarrkirche zu Prüm i. d. Eifel von 1756. — Sein Sohn Franciscus goß Glocken für Brand (Landkr. Aachen) 1763, Esch (Landkr. Köln) 1766, Euskirchen, kath. Pfarrk. 1769, mit Christian Schmitt für Pommern (Kr. Kochem) 1774. — J. M. Heintz von Ehrenbreitstein (der obige?) goß 1708 und 1755 je eine Glocke für Ehrenthal und Filsen (beide Kr. St. Goarshausen).

Kstdenkm. d. Rheinprov., IV (1897); IX, Teil II (1912) 35. — Walter, Glockenkunde, 1913 p. 764. — Trierische Chronik, N. F. XII (1916) 192. — Trierer Jahresberichte, N. F. X/XI (1917/8) 52, 59 ff. — Bau- u. Kstdenkm. Reg.-Bez. Wiesbaden, VI (1921) 155.

Heinz (Heintz), Goldschmied in Linz, lieferte für das Stift St. Florian 1709 12 Tafelleuchter, 1721 einen großen „spanischen" Aufsatz, 1731 einen silb. Tafelaufsatz nach Modell von L. Sattler; in der Schatzkammer des Benediktinerstifts Lambach von ihm ein prächtiges silb. Meßbuch (1714).

Czerny, Kst u. Kstgew. im Stifte St. Florian, 1886 p. 17, 18, 177, 216. — Guby, Benediktiner-Stift Lambach (Oesterr. Kstbücher VI) p. 10.

Heinz, Andreas, Goldschmied in Braunsberg (Ostpreußen), um 1568. Lieferte Schmuckgegenstände. Sein Zeichen (AH ligiert) an einem Reliquienkreuz der Pfarrkirche zu Braunsberg.

v. Czihak, Edelschmiedekst früherer Zeiten in Preußen, I (1903).

Heinz, Bernhard, Stuckator aus Bonndorf (Baden), fertigte 1761 (nach einem Vorbild in Zwiefalten) das Grottenwerk (Chor mit Altar, Chorbogen und Seitenaltäre aus verschied. Mineralien) in der Magdalenenkapelle (sogen. Spitzkirchlein im Konventgarten) zu Kloster Rheinau.

Rothenhäusler, Baugesch. d. Klosters Rheinau, Zürcher Diss. 1902.

Heinz, Bruno (Albert Kurt B.), Maler und Zeichner, geb. zu Oberneukirch i. d. sächs. Oberlausitz am 2. 9. 1890, † ebenda am 5. 1. 1922. 1907—17 Schüler der Akad. in Dresden unter H. Prell, Richard Müller, O. Schindler, O. Zwintscher und G. Treu. Unter harten Entbehrungen, die er seinem schwächlichen Körper auferlegte, bildete er sich auf Reisen nach Holland und zu fürstl. u. andern Gönnern (Großherzog von Hessen,

Prinzessin Solms-Braunfels zu Hungen [Oberhessen], Apotheker Weber zu Lich [Oberhessen]) weiter. Bei Ausbruch des Weltkrieges stand er einige Wochen im Heeresdienst, was die Veranlassung zu einem tödlichen Brustleiden wurde. H. war ein tüchtiger Maler kirchlicher Richtung, dessen meiste Bilder die Person Christi verherrlichen. Er muß als ein nachgeborener Nazarener, d. h. als Gedankenmaler von hohem pathetischem Schwung bezeichnet werden. In groß angelegten, zeichnerischen Kompositionen gelangen ihm öfters Würfe von herber Innerlichkeit und tiefer Durchgeistigung — Menschenschicksal, Herzenssehnsucht und Lebensziel werden mit immer neuer Vertiefung behandelt. — Eine von ihm in Dresden Mai 1921 veranstaltete Ausstellung hatte nicht den erhofften Erfolg; die Nachlaßausstellung fand im Stadtmuseum Bautzen Mai/Juni 1922 statt. Sein Hauptwerk ist eine Folge von Kartons, die das Thema „Versenkung in Gott" behandeln. Technisch am gelungensten sind seine Federzeichnungen, von denen das Dresdner Kupferstichkab. ein Selbstbildnis und das Bautzner Stadtmus. eine Porträtstudie besitzt. Sein Künstlernachlaß und umfangreicher Briefwechsel werden von J. E. Hirschfeld in Dresden - Neustadt verwaltet und zur Veröffentlichung vorbereitet.

N i e r i c h in Oberlausitzer Heimatzeitung, III (1922) 102. — Bautzener Nachrichten No' 122 vom 27. 5. 1922. — Dresdner Nachrichten vom 27. 4. 1921. — Mitt. des Grafen Kuno Hardenberg in Darmstadt, des Stadtmus. Bautzen (Dr. W. Biehl), der Dresdner Stadtbibliothek (Dr. G. H. Müller), des Pfarrers Dillner in Oberneukirch, der Braut J. E. Hirschfeld in Dresden-Neustadt.

Georg Müller.

Heintz (Heinz), D a n i e l I, Baumeister und Bildhauer, um 1550 in Basel eingewandert (gebürtig aus „Reissmäl", auch „Brismael, jetzt Alanga" genannt, wahrscheinlich in Tirol, nach anderer Angabe aus Italien), † zwischen 12. 6. und 1. 12. 1596 vermutlich in Bern, Vater von Daniel II (s. unten) und Joseph I (s. d.); seine Tochter Salome heiratete 1581 den Maler H. J. Plepp. H. führte im (1571 erhalt.) Auftrag des Rats von Bern die teilweise Einwölbung des Münsters (Mittelschiff 1573 und Turmjoch, mit schönen Schlußsteinen) und den Bau des Lettners (1574, in Renaissanceformen, 1864 beseitigt, Abb. in Jahresber. d. Münsterbauvereins 1905) ebenda aus. Sein Zeichen mit d. Jahreszahl 1575 findet sich am Gewölbe des nördl. Hauptportals des Münsters und an dem von ihm gefertigten, an Stelle einer älteren unbekannten Figur am Mittelpfeiler des Portals angebrachten Standbild der Justitia. (H. erneuerte gleichzeitig die Bemalung der übrigen Portal-Skulpturen.) 1575 war H. wieder in Basel, wo er 1581 im Rathaus die steinerne Wendeltreppe, die vom Vorsaal des heut. Regierungsratszimmers zur Ratsdienerwohnung

führt, baute und mit einer Figur der Justitia schmückte. In den folg. Jahren wiederholt in Bern, 1581 kurze Zeit, offenbar als Kandidat für den Posten des Münsterbaumeisters, den aber Andr. Gorius erhielt. Nach dessen Tode traten die Berner wieder in Unterhandlungen mit H., der 1588 als Stadtwerkmeister in Bern arbeitete (aus dieser Zeit Bau des Turmachtecks mit abschließend. Sterngewölbe), endgültig erst 1591 (Geschenk des Bürgerrechts) dorthin übersiedelte und mit dem Turmausbau beauftragt wurde, welcher jedoch über die Pläne und Zurichtung der Werkstücke nicht hinauskam. — H.s Sohn D a n i e l II, geb. 20. 8. 1574 in Bern, † Anfang 1633, 1596 in Straßburg i. E. nachweisbar, wurde in dems. Jahr als Nachfolger seines Vaters Stadtwerkmeister von Bern, tauschte 1602 mit dem Kirch- und Turmbaumeister Thüring das Amt und übernahm nach dessen Tode 1612 beide Ämter; hat am Turme wohl nicht mehr gebaut, nur 1611 die große Glocke aufgehängt. Lieferte 1599 „Visierungen" für den Neubau des vord. Teils des Kaufhauses und leitete den Bau bis 1603. Baute Kirchen in Nidau (Umbau 1609), Schangnau 1618, Habkern 1621, Renan in St. Immertal 1627 und in Eggiwil 1631, wohl auch die in Därstetten und Wynigen (beide um 1610) und war vielleicht Baumeister des 1626 erneuerten Schlosses Landshut.

B r u n, Schweizer. Kstlerlex., II (1908); IV (1917). — Anzeiger f. schweiz. Altertumskde, N. F. XIII (1911) 182 f.; XVIII 68. — Jahresber. d. Bern. Münsterbauvereins, 1896 p. 7; 1905 p. 14 ff. — Blätter f. Bern. Gesch., XII (1916) 40; XV (1919) 31 ff., 185 ff., 190 ff.; XVII (1921) 27 ff., Abb. Taf. XVIII (nach p. 276).

Heintz, D a n i e l III, siehe unter *Heintz, Joseph d. J.*

Heintz, F r a n c i s c u s, siehe unter *Heintz, Familie.*

Heintz (Heinz), G e o r g (Anton G.), Bildhauer aus Olmütz, fertigte 1729/43 mit dem Bildh. Severin Tischler die ca 23 m. hohe, reich mit Figuren geschmückte Gedenksäule in Mährisch-Neustadt; arbeitete auch für Kloster Hradisch (1731 u. a. an der Fassade der Heiligenberg-Kirche, 1773 Figuren der 4 Jahreszeiten).

P r o k o p, Markgrafsch. Mähren, IV (1904) 1241, 1247, 1248 m. Abb. (Fehler im Reg.).

Heintz, G e o r g e, Maler, malte 1584 die damals in schlichter Renaissance erbaute Laurentiuskirche zu Loburg aus; außer den zahlreichen Wappen und wenigem Blumen- und Rankenwerk nichts unversehrt geblieben.

Gesch.-Bl. für Magdeburg, 1879 p. 34.

Heintz (Ens, Enzo), J o h a n n (Giovanni), Maler in Mailand, dem die Mailänder Guiden seit Latuada in der Kap. S. Nicola da Tolentino in San Marco ebenda Fresken aus dem Leben des Hl. zuschreiben (Geburt, Tod), laut Mongeri von H. nur die Quadraturen; Zani gibt für H. das Datum 1656. — Vielleicht identisch mit dem g l e i c h n a m. Zeichner der mit dem Monogramm I H od. I H E (z. T. datiert Rom 1611 od. 1612) oder auch J. Heintz bez. Zeichnungen der Stadtbibliothek Leipzig. Auf einem Blatt, getuschte Federzeichn. mit Blick über den Tiber auf Engelsburg u. St. Peter, steht die Widmung eines Chiliano Fabritio an Giovanni Heinz, dat. Rom 7. 12. 1612; ein Blatt (Opferung Isaaks) ist bez. Heintz inv. Venetia, eine Landschaft: Heintz in Rom 1611. Auf Grund dieser bez. Blätter können H. zahlreiche unsignierte Zeichn., meist große Aktstudien oder sauber ausgeführte Landschaften, in der Leipz. Stadtbiblioth. zugewiesen werden.

L a t u a d a, Descriz. di Milano, V (1738) 278. — M o n g e r i, L'Arte in Milano, 1872 p. 91. — V e r g a, N e b b i a, M a r z o r a t i, Guida di Milano, 1906 p. 436. — Z a n i, Encicl. met., X. — L a n z i, Storia pitt., ⁶, III (1834) 200. — N a g l e r, Monogr. III. — B e r t o l o t t i in Il Buonarotti, S. III 2 (1884) p. 93 (Giov. Ensio). — Ztsch. f. bild. Kst, N. F. XXV (1914) 120 ff. (Ernst K r o k e r). *R. A. Peltzer.*

Heintz, J o h a n n C h r i s t o p h, Maler in Linz, liefert 1727 und 1730 für das Stift St. Florian Stoffmalereien zu Wand- und Möbelbezügen (auf Leinwand gemalte „Spalier" noch vorhanden im sog. Stiegenzimmer neben dem Landeshauptmannzimmer).

C z e r n y, Kst u. Kstgew. im Stifte St. Florian, 1886 p. 150, 200, 258.

Heintz, Joh. Ernst, siehe Heinsius, J. E.

Heintz, J o h. M a t t h., siehe unter *Heintz,* Familie.

Heintz (Hainz, Heinz), J o s e f, d. Ä., Maler u. Architekt, geb. in Basel 11. 6. 1564 als Sohn des Baumeisters Daniel I, † in Prag 15. 10. 1609. Bruder des Daniel II u. Vater des Joseph H. d. J. Ausgebildet wahrscheinlich in der Werkstatt des Malers Hans Bock d. Ä. und unter dem Einfluß der Werke des jüngeren Holbein (Zeichnungen nach Holbein aus d. J. 1581—83 in Basel, Dessau u. Berlin), kam H. bereits 1584 nach Rom (Zeichn. aus d. J. 1584—87 im Münchner Kunsthandel, Darmstadt u. Wiener Albertina), wo er nach van Mander durch H. von Aachen in der Technik des Malens weiter unterrichtet wurde. Am 1. 1. 1591 wurde H. zum Kammermaler des Kaisers Rudolf II. in Prag ernannt, durch wessen Vermittlung, wissen wir nicht. Er fand dort H. v. Aachen u. Spranger als die führenden Meister der sog. rudolfinischen Kunst vor. In kaiserlichem Auftrag weilte H. 1593 wieder in Italien, beschäftigt mit der Aufnahme antiker Bildwerke. Damals muß die von Egidius Sadeler gestochene Hl. Familie mit Elisabeth u. Johannes und die Grablegung („Romae anno 1593") entstanden sein. 1598 heiratete H. Regina Grezinger in Augsburg. Hier hielt er sich auch später oft auf, so 1604 u. 1607. 1603 u. 1604 machte er für den Kaiser Reisen nach Graz, bzw. Innsbruck. Unter seinen in Prag entstanden Ölgemälden mytholog. Inhalts sind an erster

Stelle zu nennen: Satyrn mit Nymphen von 1599 (München, Pinak.), Raub der Proserpina (Dresden, gest. 1605 von Lukas Kilian), Diana u. Aktäon (Wien, Wiederholungen in Hermannstadt, Karlsruhe u. Venedig, gest. v. E. Sadeler), Venus u. Adonis (Wien), kleine, auf vorwiegend grüne u. braune Töne reizvoll abgestimmte, glatt u. sorgfältig ausgeführte Bilder, deren (an Correggio, Parmigianino u. die Venezianer sich anlehnende) kompositionelle Gestaltung Erfindungsgabe und Geschick verrät. Das feine Bildchen in Dresden „Loth u. s. Töchter" wird neuerdings von H. Voss dem A. Turchi, gen. Orbetto zugeschrieben. Im Landschaftlichen geht H. ähnliche Wege wie die gleichzeitigen Niederländer. In späteren religiösen Gemälden größeren Umfanges, wie dem Gang nach Emmaus von 1598 (Laxenburg b. Wien) und der Himmelfahrt des Elias von 1607 (Augsburg, Annakirche; ebenda eine Vision Ezechiels) oder in der von L. Kilian gest. Anbetung der Hirten (1600) und der Kreuzabnahme (1608) herrscht ein forciertes Pathos, das schon ganz barock anmutet. Als Porträtmaler zeigt H. wenig Selbständigkeit, doch sind die Gruppenbildnisse, in denen er sich mit seiner Familie porträtiert hat, von 1596 (Bern; Wiederholung Darmstadt) und in Zürich (Wiederh. in Pommersfelden; ein anderes mit 5 Kindern war 1776 in Salzdahlum) lebendig aufgefaßt. Weitere gesicherte Bilder in Augsburg, Basel, Dresden, Graz u. namentlich in Wien. Neben Rottenhammer war H. auch für den Fürsten Ernst von Schaumburg tätig; das Jüngste Gericht in Bückeburg ist jedoch kaum von seiner Hand. Zeichnungen außerdem in Berlin, Braunschweig, München und Wien. L. Kilian hat außer den angegebenen noch 8 Kompositionen nach H. gestochen: 1603, „Allegorie der Justitia für Daniel Heintz", 1606 Auferstehung sowie Johannes d. T., Hieronymus und Andreas, 1607 Venus mit Amor und Bildnis des Bischofs Wolfgang von Regensburg, 1610 hl. Hieronymus; ferner um 1603 Bildnis des Arztes Ferdinandus Mathiolus und o. J. Satyr mit Nymphe u. Amor. Franz Aspruck stach 1601 den „widerspänstigen Amor", E. Sadeler das Porträt des Malers Martin de Vos u. eine Magdalena. — Seiner Abstammung aus einer alten Baumeisterfamilie verdankte H. wohl die Fähigkeit, sich auch als „Dekorateurarchitekt" (Hauttmann) zu betätigen. Die Pläne der Jesuitenkirche in Neuburg a. d. Donau (1607), der Pfarrkirche von Haunsheim in Schwaben (1608), der Besitzung des Z. Geizkofler, für den H. auch sonst tätig war, der Plan der Jesuitenkirche in Dillingen (1608) werden ihm von der heutigen Forschung zugeschrieben. In Augsburg entwarf er die Fassade des 1605 von Elias Holl erbauten Siegelhauses. Wie diese Bauten durch die glückliche Verbindung der

Formen ital. Hochrenaissance mit der heimischen Spätgotik etwas Neues darstellen, so weist auch in H.s malerischem Schaffen manches über den Manierismus hinaus in eine spätere Zeit. Sein früher Tod und die bald darauf eintretende Auflösung des Prager Kunstzentrums hat die weitere Entwicklung der rudolfinischen Kunst verhindert.

Quellen u. Zusammenfassendes: H a e n d k e , Josef Heinz, in Jahrb. d. ksthist. Slg. d. allerh. Kaiserh., XV, 1. T. 55 ff. (Abb.); ebenda, I, 1. T. 134 ff.; V, 1. T. 78; VII, 2. T. Register; X, 2. T. Reg.; XV, 2. T. Reg.; XXV, 2. T. Reg.; XXVI, 2. T. Reg.; XXIX, 2. T. Reg.; XXX, 1. T. 110 A. 2, 111 A. 5, 115, 138 ff., 156 f. u. Taf. XIX, Abb. 72 u. 73 (Peltzer); XXXI, 1. u. 2. T. Reg.; XXXIII Reg.; XXXV H. 3 p. 139, p. 170 Nr 29, p. 171 Nr 49. — v a n M a n d e r , Leben d. niederl. u. dtsch. Maler, übers. v. Floerke, 1906, II 77, 286, 293. — S a n d r a r t , Teutsche Academie, 1675, T. 2 p. 77 u. 286. — H a i n h o f e r ' s Korresp., Quellenschr. f. Kstgesch., N. F. VI (1894) 1, 14 f., 20, 30, 40, 60, 80, 94, 154, 218. — S i t t e , Ksthist. Regesten a. d. Haushaltungsb. d. Geizkofler, 1908 p. 40. — Repert. f. Kstw., XIX (1896) 34. — G r a n b e r g , Om Kejsar Rudolf II s. Konstkammare, Stockholm 1902 p. 70 ff. — v. S t e t t e n , Kstgesch. d. R.-St. Augsburg, 1779 p. 281 u. 2. T. (1788) 188. — Zeitschr. d. hist. Ver. f. Schwaben u. Neuburg, VIII 115; XIV 225⁵; XIX 22. — B o r n , Jos. Heintz, in Berner Kstdenkmäler, IV Lief. 4. — B r u n , Schweiz. Kstlerlex., II (1908). — C h y t i l , Kunst in Prag, 24 u. 67 A. 21. — N. Archiv f. sächs. Gesch., XXIII (1902) 287. — F r i m m e l , Blätter f. Gemäldekde, VII (1911) 17 ff., m. Abb. (P e l t z e r); d e r s., Stud. u. Skizz. z. Gemäldekde, 1913 p. 50; d e r s., Neue Blätter f. Gemäldekde I (1922) 42. — B r u c k , Ernst zu Schaumburg, 1917 p. 42, 47, 65 (Abb.). — F r ö h l i c h - B u m , Parmigianino, 1921 p. 156, 158, Abb. 173.

Einzelne Bilder: P a r t h e y , Dtscher Bildersaal, I (1863). — [C h r. N. E b e r l e i n], Cat. Tabl. Gal. Duc. à Salsthalen, 1776. — M i r e u r , Dict. d. ventes d'art, III (1911). — F r i m m e l , Kl. Galeriestud., Lief. 1/2 (1891/2); N. F. 1. Lief. (1894) 288; 2. L. (1895); d e r s., Gesch. d. Wiener Gemäldesamml., 1899 p. 608. — Hessenland, XXIX (1915) 307. — S u i d a , Oesterr. Kstschätze, I (1911) Taf. 43 u. Text. — Oesterr. Ksttopographie, III 296. — Die Entwickl. d. Kst in der Schweiz, St. Gallen 1914 p. 279, Abb. — H. V o s s in Mitt. a. d. sächs. Kstslg., III (1912) 68, Abb. — Mitt. d. Erzh. Rainer-Mus. Brünn, 1914 p. 165. — Richesse d'art de la Bohème, I (1913) 5, Taf. 7. — S t a e h l i n , Basler Portraits, 1921, Taf. 6 u. Text. — B a s s e r m a n n - J o r d a n , Unveröff. Gem. alt. Meist. a. d. Bes. d. bayr. Staates, III (1910), Abb. — Prag, Ausst. Rudolf II., 1912, No 4, 7, 8, 18, 39, 41, 98. — *Katal. d. Samml.:* Augsburg 1912, Basel 1910, Bern 1915, Burghausen, Darmstadt 1914, Dijon 1883 p. 43, Dresden 1915, Hermannstadt 1909, Lützschena b. Leipzig (Speck v. Sternburg) 1889, München 1922, Pommersfelden, Venedig (Accad.), Wien, Ksthist. Mus., Gal. Liechtenstein u. Harrach.

Zeichnungen: M e d e r , Handz. alter Meister a. d. Albertina, (2 Taf.); d e r s., Die Handzeichnung, 1919 p. 31, 243, 273. — F r i e d l ä n d e r , Zeichn. alter Meister in Dessau, 1914, Taf. 40. — F r i e d l ä n d e r , Zeichn. alter Meister im Berl. Kupferstichkab., E. B o c k , Deutsche Meister, I (1921) 45, 187 u. 374. —

W o e r m a n n , Handz. alter Meister in Dresden, Taf. 19. — G a n z , Handzeich. Schweizer Meister, III.

H. als Architekt: B r a u n , Kirchenbauten d. dtsch. Jesuiten, I (1908) 219; II (1910) 185. — Die christl. Kunst, II (1905/6) 209. — B a u m , Bauwerke des Elias Holl (Stud. z. dtsch. Kstgesch. 93), 1908 p. 54. — Jahrb. d. hist. Ver. Dillingen a. D., XXX (1917) 123, 133 ff., 136. — D e h i o , Handb. d. dtschn Kstdenkm., III ² (1920) 192, 342. — H a u t t m a n n , Gesch. d. kirchl. Baukst in Bayern, 1922 p. 36 f., 39, 116, 119.

R. A. Peltzer.

Heintz (Enz, Enzo, Heintius, Heinz, Henz), J o s e p h , *d. J.*, Maler, geb. als Sohn Joseph H.s d. Ä. wahrscheinl. in Augsburg um 1600, † wohl erst nach 1678, vermutlich in Venedig; war 1617 in Augsburg bei seinem Stiefvater Matthäus Gundelach in der Lehre, 1625 (nach der Aufschrift auf einer Zeichnung der Albertina) bereits in Venedig tätig, wo er namentlich in den 50 er u. 60 er Jahren häufig erwähnt wird. Machte sich in Italien bekannt durch Bilder mit phantastischen Szenen und höllischen Spukgestalten in der Art der Bosch u. Brueghel. „Il più capricioso" nennt ihn 1660 Boschini. Urban VIII. fand solchen Gefallen an H.s bizarren Erfindungen, daß er ihm die Ritterwürde verlieh. Ein derartiges Bild aus d. J. 1674 hat Frimmel kürzlich in Wiener Privatbesitz aufgefunden. Von den zahlreichen Gemälden, die H. für venezian. Kirchen geliefert hat, sind nur noch 3 nachweisbar: großes Jüngstes Gericht von 1661 in S. Antonio, Wunder des hl. Antonius von 1670 (sehr verdorben) in SS. Giovanni e Paolo und Madonna mit Heiligen in S. Fantino. Es sind Arbeiten von Durchschnitts-Bedeutung, die, bei einer gewissen nordischen Befangenheit im Kompositionellen, in der Farbe die Schule der Rudolfiner wie den Einfluß Correggios, des Palma giovane u. Tintorettos erkennen lassen. Eine Radierung, die Madonna von Loretto erscheint überfallenen Wanderern, wird ihm zugeschrieben. Von ihm ist wohl auch das Porträt des Henisius, das Raphael Custos 1634 gestochen hat. — H.s Sohn, D a n i e l III, arbeitete als Maler in Venedig (ebenso eine Tochter H.s, R e g i n a). Mai 1678 wurde beschlossen, den sottocoro der Kirche S. Bernardo zu Murano durch ihn ausmalen zu lassen. 1688/93 erscheint sein Name in den Zunftlisten neben einem A m a d i o E n z. Im Inventar der Dresdner Gem.-Gal. v. 1754 wurden ihm fälschlich die (von J. Spillenberger herrührenden) Figuren auf dem Dresdner Bilde v. K. Ruthart „Kirke u. Odysseus" zugeschrieben (vgl. Katal. 1908). In Sta Sofia in Venedig von ihm eine Taufe Christi.

F r i m m e l , Bemerkungen über den jüng. Heinz, in Neue Blätter f. Gemäldekde, I (1922) 36 ff.; d e r s., Gesch. d. Wiener Gemäldeslg, I (1899) 608 ff. — R i d o l f i , Maraviglie dell' arte, ed. H a d e l n , I 399, A. 2. — B o s c h i n i , Carta del navigar pitt., Venezia 1660 p. 62, 534,

535, 556, 569, 604 u. Abb. 605; d e r s., Minere della pittura, 1664 p. 125, 136, 193, 560. — B o - s c h i n i, Descriz. di Venezia, 1733 p. 391. — M o s c h i n i, Guida di Venezia, 1815 I 87, 88, 162, 620; II 327, 329, 376; d e r s., Nuova Guida di Venezia, 1847 p. 70. — L a n z i, Storia pitt., ⁵ III (1834) 212. — G u a l a n d i, Nuova Raccolta di Lettere, III (1856) 187, 197. — L e v i, Collezione veneziane, 1900, I 152. — S a n d r a r t, Teutsche Acad., 1675, T. 2, p. 286. — Ateneo Veneto, Serie XIV, Vol. II (1890) 750. — Vgl. auch die Lit. über Jos. Heintz d. Ä.   *R. A. Peltzer.*

Heinz v o n L ü t t e r, siehe *Lütter, H. v.*

Heinz, M a t t h i a s, falsch für *Ensinger,* Matthäus.

Heintz, T o b i a s, Kunsttischler in Mitau, geb. um 1590, als Hoftischler 1617 in herzogl. kurländ. Diensten. Von ihm ein reich ausgestattetes, mit 4 bibl. Szenen und seinem Porträt in Intarsia geschmücktes Betpult, 1617 für die Trinitatiskirche geliefert, jetzt im Mus. zu Mitau; vermutlich auch die Brüstungen der östl. Emporen (1616) in ders. Kirche.

W. N e u m a n n, Grundriß einer Gesch. d. bild. Kste in Liv-, Est- u. Kurland, 1887 p. 161; d e r s., Lex. balt. Kstler, 1908.

Heintz (Heinz), siehe auch *Haintz* u. *Hainz.*

Heintzberger, K o n r a d, Stuckgießer in Frankfurt a. M., 1373 als 1. Büchsenmeister der Stadt angenommen, † vor 1378; goß vermutlich die große Büchse, die 1386 der Stadt Mainz geliehen wurde.

H ü s g e n, Artist. Magaz., 1790 p. 3. — W. B ö h e i m, Waffenkunde, 1890 p. 647.   *St.*

Heintze und **Heinze** sind wegen wechselnder Schreibweise dieser Namen hier durcheinander geordnet.

Heintze (Heinze, Hinze, Heintz, Hins usw.), Glockengießer - Familie, 17. u. 18. Jahrh. in Spandau, Perleberg, Berlin u. Leipzig. C h r i s t i a n I, in Spandau, gießt 1619/51 Glocken für Kirchen der Mark Brandenburg, u. a. 1619 u. 1620 für die Stadtkirche in Cöpenick, Kr. Teltow. Sein Sohn M a r t i n I (Michael Martin), † 1698 in Berlin, bis 1669 in Perleberg, führte nach dem Tode s. Vaters gemeinsam mit s. älteren Bruder Johann Christian (s. u.) bis 1673 das väterl. Geschäft in Spandau fort, ging dann als kurfürstl. Stückgießer nach Berlin, wo er bis 1692 wirkte; lehnte 1697 wegen zu hohen Alters den Guß der Reiterstatue des Gr. Kurfürsten in Berlin ab.   Goß, z. T. gemeinsam mit s. Bruder J o h a n n C h r i s t i a n (vgl. oben, bis 1698 ebenfalls in Berlin tätig), zahlreiche Dorfkirchenglocken in der Mark Brandenburg, einige auch in Mecklenburg-Schwerin und Pommern; 1679 die Stundenglocke (mit reichen Ornamenten, Masken und Wappen) im Dom zu Brandenburg; 1682 und 1691 je eine Glocke für den Dom zu Stendal; 1689 eine für St. Nikolai in Treuenbrietzen. — Ein sonst nicht genannter J o h a n n M a r t i n H e i n s von Hamburg bezeichnete 1680 ein 4 pfünd. Bronzerohr mit Zepterwappen und Inschrift (im Artilleriemus. des Berl. Zeughauses,

vgl. Führer 1910). — Söhne von Martin I sind C h r i s t i a n II (Glocken von 1690/97 u. a. in Jänickendorf und Trebus [beide Kr. Lebus]. Gr. Luckow bei Prenzlau, Kudow [Kr. Ruppin], Gr. Lübbichow [Kr. Weststernberg]) u. G e o r g (Glocke von 1697 zu Deibow, Westprignitz), beide in Berlin. — Ebenda sind tätig und auf zahlreichen Glocken der Mark Brandenburg, auf einigen in Mecklenburg-Schwerin genannt: C h r i s t i a n III (1718/47), M a r t i n II (1716/58, u. a. auf einer Glocke in Hakenberg bei Fehrbellin gen.; ist nach Wolff identisch mit Martin III [s. u.]) und C h r i s t i a n D a n i e l (1740/78). — Vermutlich ein Verwandter der märk. Familie ist M a r t i n III in Leipzig, dessen Name 1723/63 auf zahlreichen Glocken in Dorfkirchen bei Leipzig (Eutritzsch), in den Amtshauptmannschaften Auerbach, Borna, Döbeln, Grimma, Rochlitz, Schwarzenberg, Zwickau, der Kreise Dessau, Cöthen, Zerbst, Eckartsberga, Merseburg, Querfurt, Weißenfels, Zeitz usw. nachgewiesen ist, auch in der Nikolaikirche zu Eisleben (1734) u. Neumarktskirche zu Merseburg (1748). Nach Wolff hat Martin III 1716/54 auch Glocken für Kirchen der Mark Brandenburg geliefert.

Kstdenkm. Prov. Brandenburg, 1907 ff., I. Teil 1/3; II. Teil 1/3; III. Teil 1; V. Teil 1; VI. Teil 1, 3, 6. — Bau- u. Kstdenkm. Prov. Pommern, I 2. Teil (1900) 285. — Kst- u. Gesch.-Denkm. Mecklenb.-Schw., 2. Aufl. 1900 ff., I/V, Reg. in Bd V. — Kst- u. Gesch.-Denkm. Mecklenb.-Strelitz, I (1921) 1. Heft p. 58, 77, 181. — Bau- u. Kstdenkm. Kgr. Sachsen, VIII (1887) ; IX; XII; XIV/XV; XVIII/XX; XXV. — Bau- u. Kstdenkm. Prov. Sachsen, VIII p. 47, 55, 57, 61, 158, 180 f., 256, 276, 340 f., 343 f. — Anhalts Bau- u. Kstdenkm., 1892 p. 303, 356, 392, 523. — Otte, Glockenkunde, 1884 p. 192 f. — W a l t e r, Glockenkunde, 1913 p. 764 (mit Irrtümern!) — Jahrb. f. Brandenb. Kirchengesch., XV (1917) 118 ff.; XVI (1918) 82 f. — W o l f f, Glocken d. Prov. Brandenb., 1920 p. 158 f.

Heinze, A l b e r t, Kupferstecher in Berlin, geb. 1826 in Gersdorf bei Crossen a. O., Schüler von G. Lüderitz, stellte 1846, 48, 56 u. 70 in der Berl. Akad. aus (vgl. Ausst.-Katal.). Von ihm Blätter in Linienstich und Mezzotinto: Hl. Nacht nach Correggio; Immaculata n. Murillo; Violinspieler n. „Raffael" (Kopie n. Felsing); „Blumenmädchen" n. Helbig, usw.

H e l l e r - A n d r e s e n, Handbuch f. Kupferstichsamml., I (1870). — W e i g e l's Kstcatal., Leipzig 1838/66, V (Reg.).

Heintze, C h r i s t i a n, s. im Art. *Heintze,* Gottfried.

Heintze (Heinze, Heyntze), G o t t f r i e d, Goldschmied in Breslau, geb. um 1643 in Pitschen (Oberschlesien), wird 1673 Bürger u. Meister in Breslau, † 6. 10. 1707 als Zunftältester. Einer der fruchtbarsten Goldschmiede der späteren Barockzeit in Breslau. Von ihm zahlreiche Kelche, Ampeln, Altarleuchter, Humpen usw. (Verz. bei Hintze). — Sein Sohn C h r i s t i a n, Goldschmied, geb. um 1675 in

Breslau, † 10. 6. 1732 ebenda, wird 1701 Bürger u. Meister. Zu seinen besten Arbeiten (vgl. Hintze) zählt ein Willkommpokal der Breslauer Geislerfleischer von 1710, jetzt im Kstgew.-Mus. Breslau.

E. H i n t z e, Breslauer Goldschmiede, 1906. — M. R o s e n b e r g, Goldschmiede Merkzeichen, ² 1911. — Schlesiens Vorzeit in Bild u. Schrift, N. F. VI (1912) 198 (mit Abb.). — Verst.-Kat. Lepke d. Samml. Kolasinski-Warschau, I (1917) No 450, 461.

Heintze (Heins, Heintz), H a n s M o r t e n s e n, Architekt in Bergen (Norw.), wurde nach dem Brande von 1702 von dem aus Kopenhagen berufenen Architekten J. C. Ernst besonders mit dem Wiederaufbau der öffentl. Gebäude betraut. H. stellte auch die Domkirche und 1712 die (damals ebenfalls beschädigte) Kreuzkirche wieder her. H. war königl. Architekt für die Festungen im südl. Norwegen.

W e i l b a c h, Nyt Dansk Kunstnerlex., I (1896) 412. — H i l d e b r a n d M e y r, Samlinger til Bergens Beskrivelse 1764 (Bergen 1904) p. 167, 198 ff. — S o g e n o g F o s s, Bergens Beskr. 1824 p. 375, 380. — Bergens hist. Foren. Skr., XVIII (1912) II 5, 7, 10 f., 13, 20. *C. W. Schnitler.*

Heintze, J o h a n n G e o r g, Porzellanmaler in Meißen, geb. 1707, kam 1720 zu J. G. Herold in die Lehre, arbeitete in der Meißner Manufaktur, als deren bester Maler er neben A. Dietze 1739 bezeichnet wird. 1748 kam er mit J. G. Mehlhorn ins Gefängnis auf dem Königstein. Beide wurden dort mit Porzellanmalen beschäftigt, entflohen 26. 4. 1749 nach Prag, hielten sich dann in Wien, Hollitsch in Ungarn und in Breslau auf. Ihr Gnadengesuch wurde in Meißen angenommen, sie kehrten aber nicht zurück, sondern sollen nach Berlin gegangen sein. H. malte Landschaften und Figuren. Eine Tasse (mit Reiterschlacht) von 1748/9 mit H.s Zeichen erwarb 1916 das Österr. Mus. f. Kst u. Ind. in Wien.

B e r l i n g, Meißner Porzellan etc., 1900 p. 46, 111, 118. — G r o l l i e r, Manuel de l'amateur de porcel., 1914 p. 100. — Kst u. Ksthandwerk, XXIV (1921) 241.

Heintze, M a t t h i a s, Maler in Breslau, † ebenda 29. 3. 1622, 1590 Meister, malte 1596 das Wappen des Friedr. v. Schliewitz in 5, von diesem der Bibliothek der Breslauer Maria Magdalenenkirche gestiftete „türkische" Handschriften (erh. in der Stadtbibl.). 1611 arbeitet H.s Werkstatt mit am Triumphbogen für König Matthias; 1617 führt er einige Arbeiten für die Ehrenpforte Ferdinands II. aus. Mehrere seiner Söhne sind als Maler urkundl. erwähnt.

S c h u l t z, Untersuchungen zur Gesch. d. Schles. Maler, 1882.

Heintze, Z a c h a r i a s, siehe *Heince,* Z.

Heintzel, J o h. F e r d., siehe *Hainzel,* J. F.

Heintzelmann, Konrad, s. *Heinzelmann,* K.

Heintzmann, F., Architekt, lieferte 1750 für ein (nicht ausgeführtes) Lusthaus im Lustgarten von Schloß Wernigerode a. H. Pläne, die in der fürstl. Bibliothek ebenda bewahrt werden.

Bau- u. Kstdenkm. Prov. Sachsen, Heft XXXII (1913) 262, 264 (Abb.); im Register fälschlich Huntzmann.

Heinz und **Heinze**, unter *Heintz* und *Heintze* eingeordnet.

Heinzelmann (Hainzelmann, Heintzelmann [oder Heinrichsmann?]), K o n r a d, Baumeister, wahrscheinlich aus Dettwang bei Rothenburg o. T., † 1454 (zwischen dem 25. 3. und 23. 4.); wurde 1429 von Ulm aus an den 1427 beschlossenen Neubau der St. Georgskirche zu Nördlingen berufen. Ob H. am Nördlinger Kirchenbau eine leitende Stellung eingenommen oder nur das Amt eines Parliers bekleidet hat (Mayer), ist noch nicht ermittelt; möglicherweise war er der Schöpfer des (im ganzen einheitlich durchgeführten) Planes. In Nördlingen scheint er bis 1438 tätig gewesen zu sein, von dort ging er nach Rothenburg o. T. als städt. Werkmeister am Bau der St. Jakobskirche. Am 8. 4. 1439 bewarb er sich, indes vergeblich, um eine Parlierstelle beim Bau der Frauenkirche zu Eßlingen. Am 18. 5. 1439 wandte sich der Rat der Stadt Nürnberg wegen eines von ihm geplanten „merklichen" Baues nach Rothenburg mit der Bitte, ihm über Meister K o n r a d, Parlier, Werkmeister, daselbst, Auskunft zu erteilen. Gemeint mit diesem „merklichen" Bau ist der Neubau des Chores von St. Lorenz, mit welchem laut Inschrift am St. Simon- u. Judastag (= 28. 10.) 1439 begonnen wurde. Dieser Meister Konrad ist nun offenbar eine Person mit H., der in einem Bestallungsbrief Hanns Paurs von Ochsenfurt vom 17. 5. 1458 als Parlier bei St. Lorenz bezeichnet wird; in diesem Schreiben heißt es, daß vom „meister Conradten Heintzelmann seligen" der Bau des Chores und der Kirche von St. Lorenz „einsteils angefenngt, aufgeführt und angesehen ist worden". Mit dieser Aussage ist die alte, zuletzt von Hoffmann und Rée noch wiederholte Nachricht widerlegt, laut der Konrad Roritzer von Regensburg die Pläne zum Neubau des St. Lorenzer Ostchores geliefert, und H. 1445—48 unter Roritzers Leitung den Bau ausgeführt habe. Vielmehr erscheint Roritzers Name, wie Gümbel festgestellt hat, urkundlich überhaupt erst seit 1456 in Verbindung mit dem St. Lorenzer Chorbau. Gümbel nimmt demnach, gewiß mit Recht, an, daß Roritzer unmittelbar nach dem Tode H.s die erledigte Stelle eines Werkmeisters bei St. Lorenz übernommen habe, daß H. aber als einziger verantwortlicher Baumeister nach eigenen Plänen den Bau 1439 (nicht erst 1445!) begonnen und bis zu seinem Tode 1454 (nicht bis 1448/49) geleitet habe. Damit stimmten die auch von Hoffmann erkannten engen stilist. Zusammenhänge zwischen dem Chor von St. Lorenz und den

Eigentümlichkeiten der schwäbischen, speziell Nördlinger Schule gut überein. Für das Ansehen, das H. weithin genoß, spricht u. a. die Tatsache, daß die Stadt Amberg 1446 seinen Rat bezüglich des Baues der St. Martinskirche daselbst einholte. Die Zuweisung des Baues der geräumigen Gottesackerkirche in Mundelsheim von 1455 an H. durch Dehio verbietet sich aus chronolog. Gründen; jedenfalls könnte H. den Bau nicht mehr selbst ausgeführt haben. Das hier am Schiff erscheinende h-förmige Steinmetzzeichen kommt auch am oberen Turmeingang der Kirche zu Beihingen am Neckar (h mit zerstörter Inschrift: h . . . . mann) und am Turmeingang der Kirche zu Thamm vor; letztere bemerkenswert durch großartige Choranlage.

A l b. G ü m b e l, Rechnungen u. Aktenstücke zur Gesch. d. Chorbaus von St. Lorenz in Nürnbg unter d. Leitung K. H.s, in Rep. f. Kstwiss., XXXII (1909) 1—30, 132—59 (hier die gesamte ält. Lit. zitiert u. verarbeitet). — C h r. M a y e r, Die Stadt Nördlingen, ihr Leben u. ihre Kunst, 1877 p. 124. — Kst- u. Altert.-Denkm. Kgr. Württembg, Neckarkr., I (1889) 375; cf. p. 339 u. 393 (ohne Nennung des Namens H.s). — A. W e y e r m a n n, Nachr. von Gel. u. Kstlern aus Ulm, Fortsetzg, 1829 p. 161. — K l e m m, Württ. Baum. u. Bildh . . ., 1882. — H o f f m a n n, Die Nürnberger Kirchen (Heft 12 d. 2. Serie „Die Baukunst", herausg. von Borrmann & Graul) p. 12 ff. — D e h i o, Handbuch d. deutsch. Kstdenkm., ² III, 1920. — P. J. R é e, Nürnberg (Ber. Kststätten No 5), Lpzg 1907; 5. Aufl. 1922.
H. Vollmer.

Heinzelmann, siehe auch *Hainzelmann*.

Heinzemann, J o h a n n G e o r g H e i n r i c h, Porzellanmaler in der Ludwigsburger Manufaktur, 1760, 65, 71, 73, 89 erwähnt. Bezeichnet H, HE u. ähnl. In der Sammlg Krüger in Stuttgart eine Wahrsagergruppe, die seinen vollen Namen trägt.

W a n n e r - B r a n d t, Album d. Manuf. Alt-Ludwigsburg, 1906 p. 6. — B a l e t, Ludwigsburger Porzellan, 1911 p. 45.

Heinzenberger, M e d a r d (Dardi, Tardi), auch *Dardi Müller* gen., Baumeister in Ragaz, † vor Sept. 1551, baute 1512 die sog. untere Rheinbrücke oberhalb Ragaz, nach H. später Tardisbrücke gen.

B r u n, Schweizer. Kstler-Lex., II (1908).

Heinzlmann, A n t o n, Architekturzeichner, geb. 1798, † 1829, lebte seit ca 1820 in Frankfurt a. M. Gwinner zählt aus eigenem Besitz 5 Federzeichn. auf, Frankfurter Ansichten, dat. 1827/29, und kannte mehrere ähnliche. H. Bebi stach nach H. eine Ansicht vom Frankf. Leonhardtstor nach der alten Brücke hin und eine Ansicht des Mainzer Doms, bez. „Nach der Natur gezeichnet von A Heinzlmann. In Aquintata gesetzt von H. Bebi". Eine Ansicht der Frankf. Katharinenkirche mit der Hauptwache stach C. H. Wolf. Das Städt. Mus. zu Salzburg besitzt mehrere Bleistift- u. Tuschzeichn. H.s, darunter 4 zu einem „orientalischen Badehaus" (1817), Umrisse nach Bildern von Reni und Antiken (die meisten

dat. aus den 20 er Jahren) und eine lav. Tuschzeichn. von „Freisaal", laut Jahresbericht von 1849 in diesem Jahre dem Mus. von H.s Bruder, Franz, geschenkt.

G w i n n e r, Zusätze u. Berichtig. zu Kst u. Kstler in Frankf. a. M., 1867 p. 30. — K a u t z s c h - N e e b, Dom zu Mainz (Kstdenkm. i. Freistaat Hessen, II 1), 1919 p. 14. — Österr. Ksttopogr., XVI (1919) 198.

Heinzmann, C a r l F r i e d r i c h, Maler, Lithograph und Radierer, geb. 2. 12. 1795 in Stuttgart, † 9. 7. 1846 in München, in Stuttgart Schüler von J. B. Seele, nahm 1814/15 als Freiwilliger, bald Offizier, am Kriege gegen Frankreich teil, bildete sich dann, vom König v. Württemberg unterstützt, unter W. v. Kobell in München in der Landschaftsmalerei aus, entfaltete auch eine reiche Tätigkeit als Lithograph; gab 1822 eine Folge lith. Ansichten aus Südbayern heraus. Im gleichen Jahr wurde er an der Nymphenburger Manufaktur (nachdem Verhandlungen H.s mit der Ludwigsburger Fabrik sich anscheinend zerschlagen hatten) als Porzellanmaler für das Landschaftsfach angestellt, mit der Bewilligung, sich mit der Schwester des Malers F. X. Nachtmann zu verheiraten. — H. bevorzugt heitere, friedliche Motive aus den bayer. Tiroler und Schweizer Alpen und Italien (1843 Reise nach Oberitalien), mit figürl. Staffage. Seine außerordentliche technische Gewandtheit befähigte ihn besonders für die minutiöse Porzellanmalerei, die er aber wegen Überanstrengung seiner Augen zeitweise unterbrechen und 1840 ganz aufgeben mußte. Von seinen Ölbildern besitzt die Gemäldesamml. in Bamberg (Katal. 1909) eine Gebirgslandschaft; die Freih. Speck. v. Sternburg'sche Samml. in Lützschena bei Leipzig (Katal. 1889) 2 ebensolche (Gegend bei Murnau i. Oberbayern, 1828, und Festung Kufstein, 1834); die Gemäldesamml. in Stuttgart (Katal. 1907) „Hafen von Torbole am Gardasee", 1846. Zahlreiche Porzellanmalereien, Kopien nach Niederländern, Claude Lorrain, Poussin u. a. (auf Tellern und Platten), lieferte H. für die 1809 von Kronprinz Ludwig v. Bayern angeregte Sammlung von Porzellangemälden (Kopien nach Bildern der Münchner Galerie), jetzt in der Residenz, ehem. in der N. Pinakothek (Katal. 1914, Anhang, p. 189 f.). Besonders gerühmt wurde eine von H. mit Darstell. sämtlicher Waffengattungen der bayer. Armee geschmückte Prunkvase, ein Geschenk des Kronprinzen an den Sultan. Eine Porzellantafel mit verschied. Ansichten überreichte die Stadt München dem König Otto v. Griechenland. Das Bayer. Nationalmus. München besitzt: 2 Prunktassen mit Landschaftsbildern aus der Gegend von Ribeauvillé (bez. C. H., eine dat. 1825); 1 Prunkvase (Arabesken u. Ornamente entworfen von F. Gärtner) mit ital. Landschaft (erleuchtete Kapelle), deren bei Nagler erwähntes Gegenstück (Villa bei Terracina) sich in Münchner Privatbes. befindet; eine 1910 erworbene Prunkvase (1822) mit Darstell. von Kronprinz Ludwigs Reise in Italien. — Aus der großen Anzahl von H.s Lithographien seien genannt: Ansicht von Westerhofen am Schliersee, 2 verschied. von Tegernsee (sämtlich 1818), Bärenhöhle bei Oberammergau (1820), Straßenidyll in Partenkirchen (1821), 2 Ansichten von München (1821 u. 1838), Bayer. Reitereipiquet (1822), Teufelsbrücke auf dem St. Gotthard (1824), Bauer aus Eschenlohe, Bäuerin aus der Jachenau (beide 1827), Ottokapelle bei Kiefersfelden (1837); ferner für den Atlas zu Raczynski's Geschichte der neueren deutschen Kunst (1840) die „Walhalla" nach L. v. Klenze, der „Einzug Kaiser Ludwigs v. Bayern" nach W. Neher und „Verbrecher aus verlorner Ehre" nach W. Kaulbach; nach Klenze dessen Glyptothek und Konstitutions-Denkmal bei Gaybach i. Franken; nach J. Metivier dessen König-Max-Denkmal in Kreuth; „Rückzug aus Rußland" n. A. Adam; 4 Ansichten von Heidelberg n. E. Fries; „Die Palikaren" und „Ruhende Maultiertreiber" (Münchner Kunstver.-Bl. 1826) n. P. Hess; „Ave Maria" n. H. Kaufmann; „König Max. Joseph gibt die Verfassung" (1818) n. D. Monten; Alexanderbad bei Wunsiedel und Gr. Höhle ebenda n. G. Seeberger; Kapelle auf dem Rothenberg (Württemb. Kunstver.-Bl. 1830) n. G. Steinkopf. — H. radierte: 3 Soldaten in Landschaft, 1816; Russische Kürassiere, 1817; Bayer. Landleute, 1834; Münchner Christmarkt; Partie am Gardasee (die beiden letzten von 1843 im Album des Münchner Radiererklubs). Nach P. Hess stach H. „Abruzzische Bauern vor der Schenke". — Nach H. lithographierte L. Ekemann-Allesson „Agatharied", E. Emminger „Schloß Auer bei Meran", Th. Hellmuth „Partenkirchen". Das Münchner Stadtmus. besitzt 9 Zeichnungen H.s und sein von E. Neureuther gezeichn. Porträt.

Kstblatt, 1820/22; 1825/27; 1829/31; 1837; 1846 p. 184 (Nekrolog). — N a g l e r , Kstlerlex., VI ; d e r s . , Monogr., II u. III. — S ö l t l , Bild. Kst in München, 1842 p. 347. — Ber. d. Kstver. München, 1846 p. 58 f. (Nekrolog). — Allg. dtsche Biogr., XI 664 (H. H o l l a n d). — W e i g e l ' s Kstcatal., Leipzig 1838/66, V (Reg.). — H e l l e r - A n d r e s e n , Handbuch f. Kupferstichsamml., I (1870). — Verzeichn. d. Porzell.-Gem.-Slg N. Pinak. München, 1872 Nr 61/72, 116, 127/30, 133/4. — M a i l l i n g e r , Bilderchronik d. St. München (Stadtmus.), III (1876); IV (1886). — F. v. B o e t t i c h e r , Malerwerke 19. Jahrh., I 2 (1895). — F r . H o f m a n n , Europ. Porzellan d. Bayr. Nat.-Mus. München, 1908; d e r s ., Gesch. d. Porz.-Manuf. Nymphenburg, 1921/2 p. 360 f. — Bibliotheca Bavarica (Lagerkat. Lentner, München) 1911 No 4431, 5856, 6033, 6058, 6059, 8008, 8595, 9576, 10404, 10699, 10700/01, 11299, 11348, 11357, 11414, 11548, 11740, 12295/310, 13300, 13712, 13745, 14184, 14328, 14834, 15059, 15990, 16099, 16338, 16607/8, 16815. — Münchner Jahrbuch d. bild. Kst, 1911 p. 137 (Abb.). —

Bayerland, XXVI (1914) 69, m. Abb. — Die Kst, XXXIX (1918/9) 307 (Abb.). — Katal. Ausst. Münchner Malerei um 1800 (Gal. Heinemann), München 1920.

Heinzmann (Heintzmann), J o h a n n G e o r g , Bildhauer, geb. 1736 in Littau (Kanton Luzern), † nach verschied. Angaben 19. 11. 1769, 21. 12. 1754, 1776 od. 1777; ging 17 jähr. in die Fremde; hielt sich, zunächst als einfacher Steinmetz, 20 Jahre in Berlin, hier laut Brun bei Bildhauer Mayer (W. C. Meyer?), und arbeitete an der „Marmorornamentik königlicher und fürstlicher Paläste", auch „Büsten und Zierstatuen". Von ihm 2 Terrakotta-Statuetten (Madonna, phrygischer Arzt), bis 1900 in der Bürgerbibliothek, jetzt in der Kunstsammlg des Rathauses zu Luzern.

B r u n , Schweizer. Kstlerlex., II (1908).

Heios. Der Name erscheint auf einigen Gemmen modernen Ursprungs. Eine Glaspaste mit Darstellung der Artemis und dem Namen ist gleichfalls modern, jedoch scheint die Göttin selbst nach einer antiken Gemme kopiert zu sein. Offenkundig ist der Name nach dem aus Ciceros Verrinen bekannten Kunstliebhaber Heius von Messana erfunden und soll die gefälschten Steine als einst in dessen Kunstbesitz befindlich gewesen bezeichnen, ist also wohl gar nicht als Künstlersignatur von den Fälschern gemeint.

Jahrb. d. K. D. archäol. Inst., IV 70 fg. *Pernice.*

Heis, L., Lithograph in Cöln, Anf. 19. Jahrh. Von ihm 2 Porträts: Joh. Gottfr. Müller, Pastor an Sta Maria im Capitol, und J. Fr. Peipers, Dr. med.; ferner Ansicht des Münsters zu Bonn und 2 Bl.: Trauerverzierung im Sterbehause von Prof. Wallraf (in dessen 1825 ersch. Biographie von W. Smets).

M e r l o , Köln. Kstler, Ausgabe 1895.

Heische, G e o r g , Maler in Hamburg. Malte 1682 für die Kirche St. Marien Magdalenen (zerstört) ein Gemälde des Jüngsten Gerichts. — Vermutlich ident. mit Georg Hainz (s. d.).

Fortsetzung der Tratziger - Chronik im Besitz von J. F. Hagen (Hamb. Staatsarch.) z. J. 1682.

Heise, A l b e r t , Tiermaler in Berlin, 1889, 1890, 1892 in der Akad.-Ausstell., 1894 in der Gr. Kst-Ausstell. vertreten (vgl. Kataloge).

Heise, J o h a n n e s , Maler und Illustrator, geb. 31. 1. 1871 in Cöthen (Anhalt), † 3. 12. 1902 in Berlin, Schüler der Akad. zu Dresden, Weimar, München und der Acad. Julian zu Paris, lebte in München, seit 1900 in Berlin. Von ihm Landschaften und Buchillustrationen.

K u t s c h m a n n , Gesch. d. dtschen Illustr. 1899 p. 400, 411 (Abb.). — S i n g e r , Kstlerlex., Nachtrag 1906. — H i r t h , 3000 Jugend-Kstblätter, 1916. — Kat. Glaspalast-Ausst. München, 1899 p. 106.

Heise, J o s e f , Bildhauer in Weimar, geb. in Münster i. W. 31. 2. 1885 als Sohn eines Bildhauers, der in Warburg ein Atelier für christl. Kunst eröffnete, in das der Knabe mit 13 Jahren als Lehrling eintrat. Besuchte dann die Kasseler Akad., die er, vom Akademiebetrieb unbefriedigt, vor dem 20. Jahre verließ, um seiner Militärpflicht zu genügen. In den nächsten Jahren arbeitete er für den Broterwerb in Kassel und Berlin, da der Vater, der mit seinem idealen Streben nicht einverstanden war, ihm jede Unterstützung entzogen hatte. Seit 1909 Meisterschüler Ad. Brütt's an der Weimarer Akad., machte sich nach dessen Fortgang nach Berlin (1910) in Weimar selbständig. Als Kombattant im Weltkrieg machte er allerlei Kleinplastik und wurde mit der Ausführung eines Denkmals für die Gefallenen der 10. Ersatzkompagnie auf dem Friedhof Thiaucourt betraut. Im Mai 1917 in der Champagne schwer verwundet und in die Heimat entlassen. Zu H.s besten Arbeiten gehören die monumentalen Figuren des Parks in Holzdorf bei Weimar, die er für dessen Besitzer, einen Mannheimer Großkaufmann und Kunstfreund, ausführte. Während der „Knabe mit Ruderstange" und das „Mädchen mit Schläger und Ball" bei aller Anmut und liebevoller Durchbildung des Körpers noch etwas unselbständig und schülerhaft wirken, lassen die schönen bronzenen Nacktfiguren „Knabe mit Reifen" und „Mädchen mit Stab" in der glücklichen Wahl des Motivs, der natürlichen Haltung, dem Spiel der Muskeln einen bedeutenden Fortschritt erkennen. Im „Stierbändiger", Kolossalgruppe des Parks, ist das dramatische Bewegungsmotiv nicht recht bewältigt, dagegen bringen die reifen Schöpfungen „Mann" und „Weib" (Liegefiguren, Stein) Rhythmus und Gegensatz der sinnbildlichen Beziehung ganz rein zum Ausdruck. Tiefes Empfinden und Reinheit der Form spricht auch aus den Grabfiguren des Weimarer Friedhofes: „Trauernde" und „Wanderer", während eine tief religiöse Stimmung dem Relief „Abschied" und der Figur „Heldenglaube" in der dort. Gedächtnishalle innewohnt.

F. Düsel in Westermann's Monatshefte, LXVII (1923—4) 177—85, mit 16 Textabb. u. 2 Einschaltbildern.

Heishaupt, D a n i e l, falsch für *Weishaupt*, D.

Heisig, F r a n z C a r l, siehe *Heissig*, F. C.

Heising, B e r n h a r d, Bildhauer, geb. in Wiedenbrück (Westfalen), jung † um 1909, Schüler von G. Janensch in Berlin, wo er mit seiner Bronzegruppe „Der verlorene Sohn" (ausgestellt in Berlin, Gr. Kst-A. 1897 [Abb. i. Katal.], Paris, Expos. déc. 1900 [Cat. Oeuvres d'Art p. 281], Dresden, Internat. K.-A. 1901 [Abb. i. Katal.]; angekauft von der Stadt Dresden) 1896 den Staatspreis der Akad. errang. Nach längerem Aufenthalt in Italien (Winter 1896/97 in Rom) ließ sich H. in Berlin nieder, zeigte ebenda 1898 in der Gr. Kst-A. eine „weibliche Büste" (Bronze), 1902 und 03 „Lotse" und „Wächter" in der Ausst. der Sezession.

Für Münster i. Westf. schuf H. das Schorlemer-Denkmal vor dem Landeshaus, für Wiedenbrück den Marktbrunnen, „Betender Arbeitsmann" (Bronze).

Kst f. Alle, XI (1896); Die Kunst, III (1901); V (1902). — Jahrbuch d. bild. Kst, 1902 p. 19 (Abb.). — Münsterland, VIII (1921) 194 f. — Mitteil. v. Fr. Noack.

Heisinger, J u l i u s, siehe *Heysinger*, J.

Heiska, J o n a s, finn. Maler, geb. 13. 10. 1873 in Jyväskylä, lebt daselbst. Ausgebildet in den Zeichenschulen des Kunstvereins u. an der Universität zu Helsingfors; studierte 1908—9 in Paris und Italien. Erntete Anerkennung mit seinen stimmungsvollen Schilderungen des Volkslebens und der Natur seiner Heimat, in denen er selbständig die Eindrücke wiedergibt, die er vom Pointillismus erhalten hat.

Otava, Helsinki 1914. — Maailma, Hämeenlinna 1922.   *L. W.*

Heiss, E l i a s Christoph, Maler, Kupferstecher und Kupferstichverleger, geb. als Sohn des ev. Superintendenten Johann Georg H. am 17. 8. 1660 in Memmingen, † 1731 auf s. Landgut Trunkelsberg bei Memmingen. Großneffe des Malers Johann Heiss, bei dem er in Augsburg eine Lehrzeit in der Malerei durchmachte. Auf diesem Gebiet scheinen seine Leistungen nicht wesentlich und nur vorübergehend gewesen zu sein. Der Katalog der Gemäldesamml. Dufresne (München 1769) nennt unter den Nummern 421—423 drei Arbeiten von ihm. Die dort genannten „Schatzgräber" doch wohl von Johann Heiss, denn nach einem verwandten Bild von diesem fertigte J. J. Ridinger ein Schabkunstblatt. Ferner wird ihm zugeschrieben in der Brukenthal-Gal. in Hermannstadt ein Gemälde (Hl. Familie beim Mahle; Kat. 1909 Nr 551). — Seine Hauptbedeutung liegt unstreitig auf dem Gebiet der Schabkunst. Er gehört zu den frühesten Schabkünstlern in Süddeutschland, die es zu vollkommener Beherrschung und Ausnützung der malerischen Mittel in der damals noch jungen Technik brachten. Mit H. beginnt die Blütezeit der Schabkunst im 18. Jahrh. in Augsburg. Wahrscheinlich bestehen Schülerbeziehungen zu dem ältesten in Augsburg ansässigen Schabkünstler, Georg Andreas Wolfgang d. Ä. aus Chemnitz. In Wien soll H. sich weiter ausgebildet haben. 1704 wurde er vom preuß. König nach Berlin berufen, wo er zus. mit Johann Georg Wolfgang tätig war, kehrte aber bald wieder nach Augsburg zurück. Mit seinem Schwiegersohn, dem Schabkünstler Bernhard Vogel, der sich in Augsburg niedergelassen hatte und der Heiss künstlerisch entschieden überlegen ist, gründete er für seine Blätter einen eigenen Verlag. Dieser gelangte zu hoher Blüte und trug seinem Inhaber solchen Nutzen ein, daß H. sich eine Gemäldesammlung anlegte. 1729 übertrug er seinen Augsburger Verlag und sein dortiges Haus seinem Schwiegersohn Vogel und zog sich ganz auf das erworbene Landgut Trunkelsberg bei Memmingen zurück. — Sein sehr wirkungsvolles, technisch vollendetes Schabkunst-Porträt aus d. J. 1708 stammt von seinem Schwiegersohn Vogel. — H. pflegte hauptsächlich das Porträt und die in seinem Verlag erschienenen, weit über Augsburg hinaus gesuchten großformatigen, sogenannten Thesenblätter. Es sind dies Heiligengeschichten, Allegorien u. ä., z. T. in dekorativer Aufmachung, auf welche die Thesen für Disputationen an den verschiedenen Fakultäten der Hochschulen gesetzt wurden. Unter seinen Bildnissen befinden sich deutsche Fürstlichkeiten, Adelige, angesehene Bürger der süddeutschen Reichsstädte Augsburg, Nürnberg, Regensburg, Frankfurt, nach eigener und fremder Vorzeichnung, bzw. nach zeitgenöss. Gemälden, wie von Merian, Kneller, Roos, den Augsburgern Fisches, Beyschlag u. a. Gewählt ist durchweg das Brustformat in ovalem oder rundem Felde, oft auf Inschriftsockeln mit Wappen oder Schriftkartuschen. Die mehr oder minder reiche dekorative Umrahmung (Vorhänge, Laub- und Fruchtfestons) und die Haarbehandlung der Perücken zeigen großes, technisches Können und geschmackvolle Flächenfüllung. Dagegen gelingt ihm selten eine geistig vertiefte Erfassung und Wiedergabe vom Wesen und Ausdruck der Persönlichkeiten, denen in seiner Darstellung in der Regel ein trockener, nüchtern-hausbackener Zug anhaftet. Das Verzeichnis seiner Stiche bei Le Blanc umfaßt 39 Bl., ist aber bei weitem nicht vollständig und durch Blätter zu ergänzen, wie die Bildnisse Max. Emanuel v. Bayern (nach J. Rieger), Andreas Gaiblinger, Er. Sig. Alkofer, Anna v. England (nach Kneller), Bender v. Bienenthal (nach M. Merian) usw. Zu nennen sind auch noch die allegor. Huldigungsblätter auf die Kaiser Leopold I. und Joseph I.

von Stetten, Erläuter. der in Kupfer gest. Vorstell. etc., Augsburg 1765 p. 224; ders., Kstgesch. von Augsburg, I (1779) 421, 423. — Füßli, Kstlerlex., 1779; 2. Teil, 1806/21. — Lipowsky, Bayr. Kstlerlex., 1810. — Nagler, Kstlerlex., VI. — Le Blanc, Manuel, II. — Baumann, Gesch. des Allgäus, III 599/600. — Allgem. Deutsche Biographie, XI. — Rowinsky, Russ. Porträtlex., 1886/89, IV 645. — Hutten-Czapsky, Poln. Porträtlex., 1901. — Nicolai, Nachr. von Künstlern etc., Berlin 1786. — von Schad, Versuch einer Brandenb. Pinac., 1792 p. 52, 59, 87, 174. — Heller-Andresen, Handbuch f. Kpferstichsammler, I (1870). — J. Leisching, Die Schabkunst, 1913 p. 15. — Dufresne, Catal. d. tableaux, München 1769. — Maillinger, Bilderchronik von München, 1876, I 677, 718, 877, 1415/16. — Weigel's Kunstkatalog, Leipzig 1838/66, V. — Großwald, Kupferstich des 18. Jahrh. in Augsburg u. Nürnberg. Dissert. München 1912 p. 15, 45/46. — Friedländer, Zeichn. des Berl. Kupferstichkab., Bd I, E. Bock: Die deutschen Meister No 10476/77 p. 188/89. — Hans Müller, Kgl. Akad. d. Künste zu Berlin 1696—1896, Berl. 1896. — Kunstdenkm. Bayerns, II 9 p. 109; III

8 p. 131. — Catal. of Engr. Brit. Portr., Brit. Mus. London, I (1908) 58; II (1910) 293, 319; III (1912) 165/66. — Memminger Geschichtsblätter, V (1919) No 1 p. 3. — Katalog XI des Bayer. Nat. Mus. „Wittelsbacensia", 900, 1434/35. — Kat. der hist. Ausst. Wien 1873 p. 119. — Duplessis, Catal. d. Portr. etc. Bibl. Nat. Paris, 1896 ff., I—VII, passim. *Muchall-Viebrook.*

Heiss, Gottlieb I, Schabkunststecher, geb. 3. 8. 1684 in Memmingen, † 7. 3. 1740 in Augsburg. Gilt als Neffe des Elias Christ. Heiss, bei dem er in Augsburg die Schabkunst erlernte. Auch er fertigte Porträts (Friedr. d. Gr., L. R. Cadensky [nach Spizel], Chr. Kholhofer [1711]) und Thesenblätter, sowie Nachstiche nach religiösen Bildern in Schabkunst. Den Verlag seines Onkels und Bernhard Vogels erwarb er nach des letzteren Tode käuflich. Stetten schreibt ihm die Erfindung eines Apparates, des „Grundwerkes" zur Aufrauhung der Platte zu. — Von einem gleichnam. Stecher, Gottlieb II, wahrscheinlich Sohn des Obigen, besitzt die graph. Samml. München 4 Schabkunstbl., einen Kruzifix und 3 kirchl.-satir. Bl., letztere nach Gemälden von Bergmüller 1773, bez. „Gottlieb Heiss fil.".

von Stetten, Kunstgesch. von Augsburg, I (1779) 423. — Füßli, Künstlerlex., 1779; 2. Teil 1806/21, II. — Nagler, Kstlerlex., VI. — Lipowsky, Bayr. Künstlerlex., 1810. — Topogr. der hist. und Kunstdenkm. von Böhmen, Bez. Mühlhausen, 1901 p. 63, 71. — J. Leisching, Schabkunst, 1913 p. 17. — Kst- u. Altert.-Denkm. Württemb., Donaukr., I (1914) O.-A. Biberach, p. 197 (fälschl. „Huss"); — Lützow, Gesch. der Akad. der bild. Kste Wien, 1877 p. 141. — Diözesanarchiv von Schwaben, XIV (1896) 100; XXI (1903) 98. — Duplessis, Catal. des Portraits etc. Paris Bibl. Nat., 1896 ff., II 7652; IV 16649/123; V 24184. *Muchall-Viebrook.*

Heiss, Johann, Maler, geb. 19. 6. 1640 in Memmingen als Sohn des kais. Notars Johann Heiss und der Anna Maria Hägg, † 1704 in Augsburg, wo er sich 1677 niederließ Schüler des Memminger Malers Joh. Friedr. Sichelbein und des Heinr. Schönfeld. Sein Selbstbildnis stach 1773 G. C. Kilian. Tätig in Augsburg, im bayr. und württemberg. Oberschwaben, wo er mehrfach Bildaufträge für die gegen Ende des 17. Jahrh. neu entstehenden Klosterkirchen erhielt. Das Stoffgebiet seiner Bilder umfaßt das religiöse, hist. und mytholog. Gebiet. In der Komposition seiner religiösen Werke pflegt er einen klassizist.-akad. Stil, mit stark realistischer Schilderung und Betonung des Beiwerks. Frimmel nennt ihn den „deutschen Sebastian Bourdon". — An folgenden Orten u. a. heute Bilder von ihm: *Amberg,* Gefangenenanstalt: Anbetung der Könige (Bayr. Gemäldeinventar 2077); ebenda (früher St. Georg Altarbild): Hl. Georg (gleichzeitige Nachzeichnung in Cod. germ. 2643 I Fol. 47, Staatsbibl. München). — *Augsburg,* St. Annakirche: Geburt und Auferstehung Christi; Barfüßerkirche: Verkündigung (berühmt die Maria als blondes Bürgermädchen), Geburt Christi, Taufe Christi, Verklärung Christi, Christus und die Kinder, Hochzeit zu Kana. Evangel. Hlg-Kreuz: Taufe Christi. St. Moritz: Geburt Christi, Anbetung der Könige. Evangel. St. Ulrich: Einsetzung des Abendmahls u. kleine Variante zur Verkündigung der Barfüßerkirche. — *Bamberg*, Städt. Gal.: Verkündigung, Christus bei Maria und Martha. — *Braunschweig*, Gal.: Allucius vor Scipio, dat. 1679; Aktsaal mit weiblichem Modell. — *Dessau*, Herzog von Anhalt: Venus an der Leiche des Anchises. Amalienstiftung: Lehrer mit Schülern im Aktsaal. — *Dresden*, Gal.: Auszug der Israeliten aus Ägypten, dat. 1677. — *Eggolsheim* bei Forchheim i. Fr., Pfarrkirche: Kreuzabnahme (Bayr. Gemäldeinventar 2081). — *Eichstätt*, Spitalkirche: Bilder an zwei Seitenaltären. — *Garsten* (Oberösterr.), Kirche: Gertrudis. — *Hamburg*, ehemal. Samml. Weber: Neptun und Amphitrite. — *Hermannstadt*, Gal. Brukenthal: Schmiede Vulkans, 1675. — *Isny*, Pfarrkirche: Hochaltar, Kreuzigung, 1690. — *Ludwigsburg*, Schloß (Konferenzzimmer): Ignaz Loyola. — *Mannheim*, Kunsthalle: Ital. Landschaft. — *München*, Pinak. (Depot): Neptun als Greis (Bayr. Inv. No 2075). — *Mittelbuch* (Oberschwaben): St. Josef mit Christkind, 1672 gemalt für Steinhausen a. Rottum. — *Neuburg* a. Donau, Studienseminar: 4 Evangelisten (Bayr. Gemäldeinventar 2071—2074). — *Obermarchtal*, Klosterkirche: Hochaltar, Madonna mit Petrus und Paulus, 1696. — *Ochsenhausen* bei Biberach, Vordere Sakristei: 10 Passionsbilder (kopiert 1723 von Talheimer für Ottobeuren; mehrere, von H. 1672—76 für Ochsenhausen gelieferte Arbeiten zugrunde gegangen). — *St. Petersburg*: Joseph von seinen Brüdern verkauft. — *Pommersfelden*, Gal.: Brand Trojas, Mädchentanz. — *Prag*, Gal. Nostitz: Sturz des Phaeton, 1678. — *Regensburg*, St. Egid: Kreuzabnahme. — *Rot* a. Rot, O. A. Leutkirch, Klosterkirche: Hochaltar, Anbetung der Hirten, 1694; 2 Seitenaltäre: Geißelung, Dornenkrönung. — *Rotenburg* o. T., Protest. Kirche: Anbetung der Hirten (Bayr. Invent. 2080). — *Schleißheim* (Depot): Herkules am Scheidewege (Inv. 2076). — *Ulm*, Wengenkirche: Christus am Kreuz, 1682 (gemalt für St. Peter in Weißenau bei Ravensburg). — *Unterbalzheim* bei Laupheim: Abendmahl, 1683. — *Wien*, Gal. Liechtenstein: Vulkan führt das von ihm verfertigte Weib in den Olymp; Götterversammlung. Schottenstift: 4 Bilder vom Verlorenen Sohn. — *Wiesbaden*, Mus.: Die Jahreszeiten.

Seine beiden Söhne Hieronymus Philipp (geb. 1693) und Johann Gottfried (geb. 1698) waren gleichfalls Maler.

S a n d r a r t, Teutsche Acad. 1675, Teil II, 3. Buch, p. 339. — v o n S t e t t e n, Erläuter. der in Kupfer gestoch. Vorstell. etc., Augsburg 1765 p. 178/79; d e r s., Kunstgesch. von Augsburg, I (1779) 307; II (1788) 197. — F ü ß l i, Kstlerlex., 1779; 2. Teil, 1806/21. — N a g l e r, Kstlerlex., VI. — L i p o w s k y, Bayr. Künstlerlex., 1810. — P a r t h e y, Deutsch. Bildersaal, I (1863). — F r i m m e l, Gesch. d. Wiener Gemäldesamml., I (1899) 70; d e r s., Studien und Skizzen zur Gemäldekunde, II (1916) 142; IV (1918) 51; d e r s., Lex. d. Wiener Gemäldesamml., I (1913) 172. — v o n M a n n l i c h, Beschreibung der churfürstl. Gemäldesamml., 1805, I 201; II No 275 u. 364. — K i c k u n d P f e i f f e r, Barock, Rokoko und Louis XVI in Oberschwaben etc. — B a s s e r m a n n - J o r d a n, Unveröffentl. Gemälde alter Meister etc., II „Bamberg", 1908 p. 9. — Eichstätts Kunst (Festschrift), 1901 p. 97. — Kunstdenkm. Bayerns, II 16 p. 32. — Kunstdenkm. Württemb. Donaukr., I (1914); Einleitg p. 30; O. A. Biberach, p. 14, 15, 178, 182, 189, 223; O. A. Ehingen, p. 142; II (1922); O. A. Laupheim, p. 10, 16, 133. — K e p p l e r, Württemb. kirchl. Kunstaltertümer, 1888 p. 77, 200. — Memminger Geschichts-Bl., V (1919) No 1 p. 3. — Ber. u. Mitteil. des Altert.-Ver. Wien, XLI (1916) 60. — Jahrb. der Bilder- u. Kunstblätterpreise, II (Wien 1911). — Archiv für christl. Kunst, XXXVI (1918) 47, 48. — Württemb. Vierteljahrsh. f. Landesgesch., N. F. XII (1903) 31, 45, 60/61. — Die christl. Kunst, XI (1914/15) 167. — D e h i o, Handbuch d. deutsch. Kstdenkm., III, 2. Aufl. (Reg. unter Haiß u. Heiß). — *Kataloge*: Bamberg, Städt. Samml., 1909 No 324/25; Braunschweig, 1900 389; Dessau, Amalienstiftung, 1913 No 126; Dresden, 1912; Hermannstadt, Brukenthalmus., 1909 No 552; Mannheim, Kunsthalle, 1900 p. 11; Pommersfelden, 1894 No 234/35; Prag, Gal. Nostiz, 1905 p. 24; Wien, Liechtenstein, 1873 No 611 u. 615; Wiesbaden, 1902 Nr 85. — B e l s c h n e r, Führer d. Ludwigsburg, 1912 p. 40. — B i e r m a n n, Deutsches Barock u. Rokoko, Lpzg 1914.   *Muchall-Viebrook.*

Heiß, J o s e p h, Maurermeister in Salzburg, † ebenda 19. 8. 1797 im 90. Lebensjahr, baute 1756 den damals wegen Einsturzgefahr abgebroch. Turm der Stiftskirche St. Peter unter Beibehaltung der roman. Grundform neu (und höher); war 1758 ff. an Umbau und Erneuerung der Kuppel, des Langhauses und der Altäre ders. Kirche, auch an anderen Stiftsbauten (neue Bibliothek) tätig; führte 1767/76 die Erneuerung von St. Michael aus. Sein Meisterstück, Architekturzeichnung von 1747, im Städt. Mus. zu Salzburg.

L. H ü b n e r, Beschreib. v. Salzburg, 1794 p. 415. — Österr. Ksttopogr., XII (1913); XIII (1914) 156; XVI (1919) 212.

Heissig, F r a n z C a r l, Kupferstecher u. Verleger in Augsburg um 1770, geb. in Wien. Stach u. verlegte ein Serienwerk (enthaltend Bauteile, Möbel usw.) u. Einzelblätter, wie einen Straßburger Gesellenbrief (mit Ansicht von Straßburg). War für die Buchillustr. tätig: Titelvignette zu „Unpartheyische Abhandlung von dem Staate des hohen Erzstifts Salzburg u. dessen Grundverfassung etc.", 1770. Von seinen Porträtstichen (in Punktiermanier) sind zu nennen: Graf C. J. Enzenberg, engl. Politiker John Wilkes nach J. Dixon, Woiwode Potocki nach J. Fesinger.

P. v. S t e t t e n , Kst- etc. Gesch. Augsburgs, 1779. — Kat. der Ornamentstichsamml. d. Kstgew.-Mus. Berlin, 1894. — F. R e i b e r , Iconogr. Alsat., 1896. — Bibl. Bavar. (Lagerkatal. Lentner München), 1911 No 2667. — D u p l e s s i s , Catal. Portraits Bibl. Nat. Paris, 1896 ff. III 14602. — Catal. of Engr. Brit. Portraits, Brit. Mus. London, IV (1914) 471. — H u t t e n - C z a p s k i , Kat. einer Samml. poln. Porträt-stiche, Krakau 1901 (polnisch).

Heister, A u g . , Maler, nur bekannt durch ein so sign. und 1737 dat. Stilleben (Illusions-malerei; ein Stich mit Darstellung des Harfe spielenden Königs Saul ist an eine gelbe Holz-tür geheftet), das 1917 in Augsburg bei Kunst-händler Flessa war.

Heister, F r a n z , Lithograph in Frank-furt a. M., geb. ebenda 1813, † 1873, Schüler des Städel'schen Instituts 1827/39, dann einige Zeit in Paris, später Retuschierer bei einem Frankf. Photographen. Blätter von ihm (z. T. nach Gemälden des Städel'schen Instit.): männl. Bildnis nach Quentin Massys; Wirtshausszene nach J. Steen; Kinderbildnis nach Corn. de Vos; Ezzelin im Gefängnis nach Lessing; andere nach Wouwerman, K. Morgenstern, K. Engel; 1842 Ferdinand I. von Österr. nach Ed. Heuss.

W e i z s ä c k e r - D e s s o f f , Kst u. Kstler in Frankf. a. M., II 1909. — W e i g e l ' s Kstcatal., Leipzig 1838—66, V Reg. — D u p l e s s i s , Cat. Portr. Bibl. Nat. Paris, 1896 ff., III 15546/11.

Heit, F r i t z , Bildhauer, geb. 11. 11. 1870 in Hohn (Kr. Rendsburg). Ausgebildet in der Flensburger Schnitzschule unter Heinr. Sauer-mann. Tätig als Fachlehrer an der dort. Kst-gewerbl. Fachschule. Von seinen Arbeiten zu nennen: Gang nach Emmaus, Eichenholzgruppe.

Schleswig - Holst. Kstkalender 1913, Bilder-anhang p. III, XXI. — Die Kunst, XXX (1914) 321, 324.

Heitener, H a n s , Architekt, laut Inschrift 1594 Meister des Emporeneinbaues der Kirche zu Helsa (Hessen).

Bau- u. Kstdenkm. Reg. Bez. Cassel, IV (Cassel-Land) 1910.

Heithecke, P e t e r , Stein- und Bildhauer in Danzig. Wird Bürger vor 1594 und ist 1608 als Ältermann des Gewerks erwähnt. Unter Antony von Obbergen mittätig bei Er-richtung der Giebel der Peinkammer Anfang der 90 er Jahre. Von ihm die Giebel auf Herrengrebin, einem Gut und ehemal. Ordens-sitz bei Danzig.

C u n y , Danzigs Kunst und Kultur im 16. und 17. Jahrh., I (1910) 57, 126.

Heithecker, F r i e d r i c h W i l h e l m , Historien- und Bildnismaler aus Paderborn, 1828—35 Schüler von W. Schadow an der Düsseldorfer Akad. Von seinen Arbeiten werden genannt: außer Altarbildern der Acker-bau, Surporte im Regierungsgeb. zu Aachen (1829), David mit der Harfe (1830) und verkleinerte Kopien nach Bendemanns Trau-ernden Juden und Jeremias. Selbstbildnis u. a. in Paderborner Privatbes.

N a g l e r , Kstlerlex., VI (Heidegger u. Heit-hecken). — W i e g m a n n , Kstakad. zu Düssel-dorf, 1856. — Kat. Akad.-Ausst. Berlin, 1834 p. 24 (Heitecken); 1836 p. 25 (Heidecker). — F. v. B ö t t i c h e r , Malerwerke d. 19. Jahrh., I 2 (1895). — Kat. Kst-Ausst. Paderborn, 1913 p. 62.

Heitland, I v y , engl. Illustratorin und Ma-lerin, geb. 10. 4. 1875, † 4. 1. 1895, Schülerin ihres Vaters, des sonst unbekannten Malers H. E. Heitland, und von James Linton. Ein Aquarell „Through the wood" im Victoria-and Albert-Mus. zu London (Kat. Teil II [1908]).

S h a w - S p a r r o w , Women Painters, 1905 (Abb.).

Heitland, L., holl. Porträtmaler Mitte 19. Jahrh., nach dem Brend'amour folgende Bildnisse vervielfältigte: Prinz Hendrik der Niederl. in Admiralsuniform (in: Eigen Haard 1875); der Mediziner F. C. Donders, lith. von H. Uhlrich (ebenda); der Historiker Groen van Prinsterer (ebenda 1876).

S o m e r e n , Catal. van Portr., II (1890) p. 80 Nr 1004, p. 228 Nr 1475, p. 295 Nr 2126.

Heitland, L u d w i g , Kupferstecher in Düs-seldorf, lieferte zahlreiche Blätter für den „Düsseldorfer Verein zur Verbreitung religiöser Bilder" (Lief. 1857—65) nach Molitor, Mintrop, Settegast, Overbeck; Führich u. a.

Almanach f. bild. Kst u. Kstgew., 1903. — W e i g e l ' s Kstcatal., Leipzig 1838—66, V Reg. — Kstdenkm. d. Rheinprov., III (1894) 61.

Heitmann, G e o r g J o h a n n (Jegor, russ. Sign.: Е. Гейтманъ), Kupferstecher u. Litho-graph, geb. 1798 (in St. Petersburg?) als Sohn eines deutschen Steinmetzen, † 1862 ebenda; 1811/20 Schüler der dort. Akad. u. Th. Wrigth's, der 1823 die Platte des 1821 von H. nach G. Dawe's Gemälde gestoch. Bildnisses Graf L. L. Benningsen's für Colnaghi's Lon-doner Verlag überarbeitete. Neben Buchvignet-ten, Almanachillustrat. usw. stach H. auch weiterhin vorzugsweise Bildnisse in Punktier-manier, darunter mehrere des Dichters Puschkin (für dessen „Кавказскій Лѣюнникъ" von 1822, Abb. bei Rowinsky, u. für den „Njewsky Almanach" von 1829, der von ihm auch ein Bildnis der Zarin Maria Feodorowna enthält). Eine Reihe weiterer Bildnisse hat er litho-graphiert, so die der „Zarin Elisabeth Alexe-jewna in Taganrog", des Malers P. P. Sswinjin, des Historikers N. M. Karamsin u. des Baron Schilling (Abb. bei Adarjukoff p. 32/33 u. vor p. 25), wie auch verschied. Russen-Bildnisse nach G. Dawe zur 1826/7 in London publ. „Kriegsgallerie 1812". — Ein F j o d o r (Fried-rich Ferdinand) H., geb. 1800, † 1846, besuchte seit 1810 die Stecherklasse d. Petersb. Akad., war 1818/22 bei der Akademiedruckerei ange-stellt, erhielt 1823 das Akad.-Diplom.

P e t r o f f , St. Petersb. Akad.-Protok., 1864 ff. (russ.) II 8 u. 192. — R o w i n s k y , Russ. Stecherlex., 1895 (russ.) p. 227 ff. (m. Abb.); Russ. Portr.-Lex., 1886 ff., IV 645 (Reg.). —

W. A d a r j u k o f f in russ. Zeitschr. „Apollon",
1912 I 30. — Russ. Biograph. Lex., Bd Га—Ге
(1914) p. 368 f. — N. K o n d a k o w , Jubil.-Hand-
buch d. Petersb. Kstakad. 1764—1914, II 428. — E.
T e w j a s c h o f f , Beschreib. einiger Gravüren,
1903 p. 82. — A. M o r o s o f f , Katal. meiner
Samml. russ. Portraits, 1913. — Mit Notizen von
P. Ettinger-Moskau.   *

Heitmann (Heidtmann), J ü r g e n , d. Ä.,
Bildhauer, 1605 Bürger in Wilster, † um 1645.
Von ihm wahrscheinlich die nicht mehr vorhandene Taufe u. der Taufdeckel in Wilster
(1634), sowie das ebenfalls verschollene Chorgitter (1637), ferner die früher in Barlt in
Dithm., jetzt in Teilen im Thaulowmus. zu
Kiel befindliche Kanzel von 1620, das Gestühl
zu Borsfleth (um 1638) und der Altar der
alten Kirche zu St. Margarethen (1639/40),
dessen Hauptstücke noch fast völlig erhalten
sind, vielleicht auch die Kanzel zu Borsfleth
(1638).

Bau- u. Kstdenkm. d. Prov. Schlesw.-Holst.
III 12. — G. B r a n d t in Unsere meerumschl.
Nordmark II 210; d e r s. in Führer d. d. Samml.
d. Thaulow-Mus. in Kiel, p. 42. — J e n s e n in
Schriften d. Ver. f. schlesw.-holst. Kirchengesch., 2. Reihe, 6. Bd (1917) 415 ff. — R. W i e -
b a l c k , Jürgen Heitmann d. Ä. u. d. Jüng. usw.,
in „Nordelbingen", Beiträge zur Heimatforschung
in Schlesw.-Holst., Hamburg u. Lübeck, I (1923)
37 ff.   *Harry Schmidt.*

Heitmann (Heidtmann), J ü r g e n , d. J.,
Bildhauer, Sohn des Vorigen, Bruder des Bildhauers Peter in Glückstadt; 1646 im Zerten-
protokoll zu Wilster erwähnt. War seit 1640
in Heide ansässig. Von ihm die Taufe zu
Heide (1640/41). 1658 in Otterndorf im Lande
Hadeln ansässig, lieferte 1663 einen Altar für
die Kirche zu Oberndorf, 1665 einen andern
für die Kirche zu Lüdingworth und 1670 den
der Kirche zu Dorum (an ihm Name, Geburtsort und Meisterzeichen). Alle weisen in
ihrem Aufbau gute Verhältnisse auf, indessen
ist das Figürliche völlig manieriert. Im Stil
und Schnitt offensichtliche Verwandtschaft mit
der Taufe zu Heide.

R. W i e b a l c k , Jürgen Heitmann d. Ält. u.
d. Jüng. usw., in „Nordelbingen", Beiträge zur
Heimatforschung in Schleswig-Holst., Hamburg
u. Lübeck, I (1923) 37 ff.   *Harry Schmidt.*

Heitmüller, A u g u s t , Maler u. Graphiker
in Hannover, geb. 15. 6. 1873 in Gummer bei
Hannover, Schüler der Kunstgewerbeschule
Hannover, der Münchner Akad. unter Gysis
und Stuck u. von L. Corinth in Berlin; Studienreisen in Frankreich, England, Spanien und
Holland; von seinen Arbeiten hervorzuheben
charakteristische Porträts und farbige Holzschnitte.
— In den Ausstell. der Kestner-Gesellschaft
Hannover ist mit H. auch dessen Gattin vertreten, L e n i Z i m m e r m a n n - H e i t m ü l -
l e r , Landschafts- u. Stillebenmalerin, geb.
28. 8. 1879 (Studium: Kunstschule Berlin; bei
Walter Thor und Azbe-Schule München;
Corinth Berlin).

Die Kst, XXXIII (1915/16) 357, 359 (Abb.), 361,
363 (Abb.). — Cicerone, IX (1917) 290; XIV
(1922) 88. — Original u. Reproduktion, II [1913]
Heft 10 p. 135 f. — Ausstell.-Katal.: *Berlin,*
Schwarz-Weiß-A. Freie Secess. 1916; Freie Secess.
1918 p. 72; 1919 p. 45. *Bremen,* Dtsch. Kstlerbund 1912 (Abb.). *Cassel,* Dtsche Kst-A. 1913
(Abb.). *Chemnitz,* 4. Graph. A. Dtsch. Kstlerbund
1912. *Dresden,* Gr. Aquarell-A. 1909. *Hannover,*
7. A. Hannov. Kstler, Kestner-Gesellsch. 20. 5.
bis 15. 6. 1917 (Abb.); 23. A. ebenda 9. 3.—6. 4.
1919; Hannoversche Secession, Kestner-Gesellsch.
1918 (Abb.). *Leipzig,* Internat. A. f. Buchgew. etc.,
Abt. „Zeitgen. Graphik" 1914. *Mannheim,* Dtsch.
Kstlerbund, 1913 p. 15. *München,* Glaspal. 1900
p. 45; Frühjahrs-A. Secess. 1910 p. 23, 58; Secess.
1916 p. 38; Kstler-Porträt-A. 1913 (Selbstporträt).

Heitz, H e i n r i c h , Holzschneider in Basel,
geb. ebenda 1750, † ebenda 1835, wahrscheinlich Schüler von H. v. d. Finck, später beeinflußt durch die Bewick'sche Holzstich-Technik.
Hauptwerk: Nachschnitte der Holbein'schen
Randzeichnungen zum „Lob der Narrheit" des
Erasmus von Rotterdam (dtsche u. französ.
Ausg. bei J. J. Thurneysen, Basel 1780; Separatausg. ohne Text v. Wilh. Haas, Basel
1829).   Andere Arbeiten: Titelvignette zur
Ausg. des Basler Totentanzes von Gebr. Mechel
1796; Bilder des von der Decker'schen Buch-
handl. edierten Kalenders „Der Basler Hinkende
Bott" usw. H. war ein tüchtiger Zeichner
und arbeitete wohl oft nach eigenen Entwürfen; auch kleine Aquarell-Landschaften sind
von ihm erhalten.

B r u n , Schweizer. Kstlerlex. II (1908).

Heitzenberger, J o s e p h , Büchsenmacher,
Graveur, 17. Jahrh. in Neustadt. Gewehre in
Turin, Tower-London, Darmstadt, Aukt. Szir-
may.

D i l l o n , Guide Tower London, 1910 p. 54.

Heitzenperger, F., Büchsenmacher u. Eisen-
schneider, Mitte 18. Jahrh. Schön geschnittenes
Gewehrschloß einer 1749 dat. Flinte in der
Sammlg Clemens, München.   *St.*

Heitzinger, J a c o b , siehe *Heiczinger,* J.

Heizler, H i p p o l y t e , Tierbildhauer in
Paris, geb. ebenda 19. 4. 1828, † ebenda 20. 10.
1871, Schüler von Lequien, stellte seit 1846
im Salon aus, wo 1872 noch 2 Gruppen von
ihm, Kampf eines Elefanten mit einem Tiger
und Kampf eines Auerochsen mit einem Bären,
gezeigt wurden. 1867 modellierte er eine für
die Kaiserin Eugénie bestimmte Gruppe von
Hunden aus dem Besitz des Zaren. An der
Ausschmückung des Louvre, der Tuilerien
und der Oper war H. anonym beteiligt, indem er öfters für befreundete Künstler eintrat.

L a m i , Dict. des Sculpt., Ec. Franç., 19e s.,
III (1919).

Hekataios, griech. Bildhauer unbestimmter
Zeit, wird zweimal von Plinius (Nat. Historia
XXXIII 156 u. XXXIV 85) erwähnt als caela-
tor argenti; nach letzterer Stelle ist er vielleicht
auch Bronzebildner gewesen.

Hekatodoros, siehe *Hypatodoros.*

Hekaton, Sohn des Hekaton, rhodischer Bildhauer hellenist. Zeit. Eine in Lindos gefundene Basis trägt seine Künstlersignatur: Ἑκάτων B Κρυασσεὺς ἐποίησε.

Bulletin Academ. de Danemark, 1907 p. 23 (B l i n k e n b e r g u. K i n c h). — P a u l y - W i s s o w a, Realencyclop., VII 2797 (P f u h l).

Hekking, Willem, Maler in Amsterdam, geb. ebenda 1796, † ebenda 20. 5. 1862, Schüler von A. v. d. Bosch, zeigte Frucht- und Blumenstücke in den Ausstell. zu Amsterdam 1813—38.

v. E y n d e n en v. d. W i l l i g e n, Geschied. d. Vaderl. Schilderkst, III (1820) u. Anhang 1840. — I m m e r z e e l, Levens en Werken, 1842. — K r a m m, Levens en Werken, Anhang 1864. — Oud Holland, I (1883).

Hektor, siehe *Hector*.

Hektoridas, griech. Bildhauer, im 1. Viertel des 4. Jahrh. v. Chr. in Epidauros tätig. Über seine Mitarbeit am Skulpturenschmuck des dort. Asklepiostempels unterrichtet uns die Rechnungsurkunde Inscriptiones Graecae IV 1484. H. übernahm (Zeile 89) „κερκίδα τοῦ αἰετοῦ ἐργάσασθαί‟ und erhielt dafür 1610 Drachmen. Zeile 111 erhält er 1400 Dr. „ἐναιετίων τᾶς ἀτέρας κερκίδος‟. Κερκίδες („Keile‟) kann nur die keilförmigen Hälften eines Giebelfeldes bedeuten. H. hätte demnach die Skulpturen in einem der Giebel ausgearbeitet. Bestätigt wird diese Deutung dadurch, daß ein Bildhauer, dessen Namen verloren ist, für die Gruppen des anderen Giebels 3010 Dr. erhält (Zeile 98); das entspricht genau der Summe der dem H. für beide Hälften des einen Giebels gezahlten Beträge. Da die Arbeit in Hälften vergeben wird, ist wohl mit Recht angenommen worden, daß es sich nur um das Aushauen der Figuren, nicht um den künstler. Entwurf handelt. Ob letzterer freilich, wie seit der blendenden, aber unbewiesenen Interpretation von Z. 36 der gleichen Inschrift durch Foucart (Bulletin de correspond. hellén., XIV [1890] 90) allgemein angenommen wird, auf Timotheos zurückgeht, bleibt fraglich. H. erhält in derselben Inschrift noch 54 Dr. für eine unbekannte Arbeit (Z. 104) und 16 Dr. für ein Modell für die Bemalung eines Löwenkopfes. H. war auch als selbständiger Bildhauer tätig, wie durch die Künstlersignatur einer in dems. Heiligtum gefundenen Basis derselben Zeit hervorgeht (Inscr. Graecae IV 1477).

P a u l y - W i s s o w a, Realencyclop., VII 2817 (P f u h l). — E b e r t, Fachausdrücke des griech. Bauhandwerks, Würzb. Diss. 1910 p. 34. — Bull. de Correspond. hellén., XXXVI (1912) 226—29 (V a l l o i s). *R.*

Hel, A b r a h a m d e l, siehe *Hele*, A. del.

Heland, Martin Rudolf, schwed. Kupferstecher, geb. 1765 in Björkviks (Södermanland), † 1814 in Stockholm. Erhielt seine erste Ausbildung bei J. F. Martin, der ihn mit den neuen graph. techn. Fortschritten (Aquatinta u. Punktiermanier) bekannt machte; dann bei Louis Masreliez. 1793 erhielt er den Auftrag, die durch den Tod Jac. Gillbergs unterbrochene Ausgabe der „Medaljhistoria‟ König Gustafs III. (Stockh. 1780 ff.) weiterzuführen. 1802/6 hielt er sich mit Staatsunterstützung in Paris auf, wo er die Staatsmed. für d. Kupferstich erhielt. Seine meisten Blätter sind in Aquatinta ausgeführt und behandeln teils Genreszenen (darunter Kaffeebeschlagnahme nach P. Nordquist, Schlitten-Wettrennen auf der Eisbahn bei Haga, nach eigener Zeichnung), teils Landschaften, darunter eine Anzahl Bl. nach E. Martin. Unter seinen übrigen Arbeiten befinden sich zahlreiche Bl. in A. F. Skjöldebrands „Voyage pittor. au Cap Nord‟ und in der schwed. Ausg. der „Écrits polit., littér. et dramat. de Gustave III‟. H. hat auch einige Aquarelle hinterlassen, darunter eine Serie Stockh. Veduten in Miniaturformat (Sammlg Hj. Wicander-Stockh.). Er verbrachte die letzten Jahre in Geistesumnachtung.

F ü ß l i, Kstlerlex., 2. Teil, 1806/21. — N a g l e r, Kstlerlex., VI. — Schorn's Kstblatt, IV (1823) 395. — Nord. Familjebok. — L e B l a n c, Manuel, II. — B o y e, Målare Lex., 1833. — H o f b e r g, Svenskt Biogr. Handlex., [2] I (1906). — L o o s t r ö m, Den svensk Konstakademien, 1887. — C o h e n, Livres à grav. du 18me siècle, [6] 1912. *G. M. S—e.*

Helander, S v e n V i c t o r, Maler, geb. 12. 8. 1839 in Göteborg, † 12. 9. 1901 in Düsseldorf. Nach Studien an der Stockh. Akad. ging H. in den 1860er Jahren nach Düsseldorf, wo er Schüler von B. Vautier wurde. Malte Genrebilder u. Porträts (Öl u. Aquarell), auch Architekturbilder.

N o r d e n s v a n, Svensk Konst och Svenska Konstnärer, 1892. — Nordisk Familjebok, [2] XI (1909). — A. A h n f e l d s, Europas Konstnärer, 1887. — B e t t e l h e i m, Biogr. Jahrb., VI 44. *G. M. S—e.*

Helant (Heland), A., Porträtmaler in Amsterdam, von dem Kramm in der Ausstell. im Haag 1819 u. a. ein Porträt König Wilhelms I. sah. Aus Haager Privatbesitz waren 1910 in der Ausstell. von Porträtminiaturen zu Rotterdam (Kat. p. 30, 128 u. 2 Abb.) 3 Miniaturbildnisse, bez. helant, eins davon dat. 1792. H.s Bildnis (auf einem Blatt mit dem des A. L. Zeelander) ist im „studie-prentwerk‟ des J. E. Marcus, Amsterd. 1807/16. Wahrscheinlich ist H. identisch mit dem Maler H é l a n t (Schüler der Akad. zu Lille, wo er 1776/82 ausstellte), von dem das Mus. Wicar zu Lille (Kat. 1889) ein Miniaturbildnis des Liller Malers L. J. Gueret besitzt.

K r a m m, Levens en Werken, III (1859).

Hélart, siehe *Hellart*.

Helbach, K., Maler, nur bekannt durch ein so bez. Bild „Partie aus Klagenfurt‟ im Joanneum in Graz.

98. Jahresber. des steierm. Landesmus. Joanneum, 1910 p. 53. *B. Binder.*

Helbe, L o r e n z, Büchsenmacher, † vor 1685 in Straßburg, wird dort 1653 Bürger, 1677 Obermeister des Handwerks. 2 Gewehre von 1666 in der Gewehr-Gal. Dresden, ferner auf Schloß Dyck u. im Musée de l'armée Paris (von 1665). — Sein Sohn H a n s N i c o l a u s , Büchsenmacher, geb. 1659, † 28. 12. 1713 in Straßburg, übernimmt 1685 das väterliche Geschäft. Von ihm 4 Gewehre auf Schloß Dyck.

E h r e n t a l , Waffenslg d. Fürsten Salm-Reifferscheidt, M.-Gladbach, 1906 p. 199. — Führer d. d. K. Gewehr-Gal. Dresden, 1900 p. 30.

Helber, G u s t a v , s. unter *Theiler*, Hans.

Helberger, A l f r e d Hermann, Maler und Graphiker, geb. 23. 5. 1871 in Frankfurt a. M., 1889—90 Schüler des Städel'schen Instituts ebenda, 1890—96 der Akad. zu Karlsruhe unter Schönleber, Schurth und Grethe, tätig in Frankf., seit 1900 in Berlin, unternahm 1892 bis 98 alljährlich und 1901 längere Studienreisen nach Norwegen, 1899, 1900 und 1903 nach Italien. Begann als Landschafter in der Art Schönleber's, um dann unter Einfluß der norweg. Landschaft und wohl auch der Kunst Hodlers, Van Goghs und Munchs eine das Herbe und Großzügige betonende Stilrichtung einzuschlagen. Malt auch Blumenstücke und Porträts und gab unter dem Titel „Handdrucke und Rhythmen" eine Mappe mit Gedichten und 15 z. T. mehrfarb. Lithographien (Landschaften) heraus (Leipzig, F. Eckardt Verlag). Von ihm 3 Wandgemälde im Kreishause zu Zerbst (1902) und die Wandgemälde im Treppenhause des Albert-Schumann-Theaters zu Frankf. a. M.

W e i z s ä c k e r - D e s s o f f , Kst u. Kstler in Frankfurt a. M., II (1909). — J a n s a , Dtsche bild. Kstler in Wort u. Bild, 1912. — Kst u. Kstler, VIII (1910) 179; XIV 616. — Cicerone, IV (1912) 936. — Neuigkeiten d. dtschen Ksthandels, 1912 p. 184, 190, 210. — Kstwelt, III (1913/14) 2. Bd nach 300 (Abb.), 301 (Abb.). — Dtsche Kst u. Dekoration, XLIII (1918/19) 230 ff. m. Abb. — Kstchronik, N. F. XXVIII (1916/17) 449; XXXIII 365. — Ausstell.-Katal.: *Berlin*, Gr. K.-A. 1899, 1901, 1905 p. 27 u. 130, 1906 p. 36 u. 164, 1908, 1910—20 (z. T. m. Abb.); 29. A. Secess. 1916; Frühjahrs-A. Secess. 1917; Kriegsbilder-A. Akad. 1916. *Cassel*, Dtsche K.-A. 1913. *Frankfurt a. M.*, Jahres-A. Frankfurter Kstler. *Leipzig*, Internat. A. f. Buchgew. etc., Abt. „Zeitgen. Graphik" 1914. *Mannheim*, Dtsch. Kstlerbund 1913. *München*, Glaspal. 1895, 1899, 1912; Secess. März/April 1914 u. Mai/Okt. 1914.

Helbig, A l b e r t , Bildhauer in Berlin, wo er 1868 im Atelier von Siemering arbeitete und 1868, 76, 84, 86 u. 92 in der Akad. ausstellte (Marmorbüsten, eine Gruppe „Amor und Nymphe"). 1878 war er in Rom und stellte März—April 1879 im Pal. Caffarelli die Büste einer Albanerin aus. 1894—1903 wirkte er als Assistent in der Bildhauerklasse der Karlsruher Akad., deren Schüler er gewesen.

O e c h e l h ä u s e r , Gesch. d. Gr. Bad. Akad. d. bild. Kste, 1904 p. 104, 111. — Kataloge der gen. Berliner Akad.-Ausstell.; Kat. der Glaspalast-A. München 1879. — Mitt. von Fr. Noack.

Helbig, E r n s t , Landschaftsmaler, geb. 10. 1. 1802 zu Stolberg a/Harz, Schüler der Dresdner Akad., gefördert durch L. Richter, bildete sich im Atelier von J. Ch. Cl. Dahl, ließ sich um 1830 in Wernigerode nieder und malte Harzlandschaften. Von ihm vermutlich zwei 1842 dat. „Jagdbilder am Inselsberg" in der Schloßgal. Gotha, Friedenstein (Handschriftl. Katal. 1911).

K e s s l i n , Nachr. von Schriftst. u. Kstlern d. Grafsch. Wernigerode, 1856.

Helbig, F r i e d r i c h Traugott, Bildhauer, geb. 16. 4. 1859 in Blasewitz b. Dresden, † 10. 11. 1886 ebenda. Trat 1877 in die Dresdner Akad. ein und rückte Nov. 78 in das Meisteratelier Joh. Schillings auf. Hier erhielt er 1880 für eine Gipsgruppe „Ismael und Hagar in der Wüste" die kleine silb. Med., 1881 für seine Konkurrenzarbeit, die kolossale Gipsfigur „Prometheus, mit dem geraubten Feuer zur Erde niedersteigend", das akadem. Reisestipendium auf 2 Jahre. Er setzte seine Studien seit Dez. 1881 in Rom fort (bis Frühling 1885). 1885 stellte er in Dresden zum letzten Male aus (Pythia). H.s letzte größere Arbeit war das Denkmal des Kapellmeisters der dtsch. Oper in New York Damrosch (New York). Einige Bildnisbüsten H.s sind bekannt. Seine Bronzestatuette einer tanzenden Bacchantin mit Ziegenbock in der Dresdner Skulpturensamml.

Matrikel der Dresdn. Kstakad. — Katal. akad. Kstausst. Dresden 1877—85 (bes. 1880 p. 6; 1881 p. 5). — Kstchronik XVI (1881) 473; XXII (1886) 107 (Nekrolog); XXIII 144, 598. — Kunst f. Alle, II (1887). *Ernst Sigismund.*

Helbig (Helbick, Helbigk, Helwig), H i n r i c h , Maler aus Crempe, erwarb 1696 in Glückstadt das Bürgerrecht. Ein 1690 dat. Epitaph der Kirche in Borsfleth enthält von ihm ein Bild der Kreuzigung, viele Figuren, gut komponiert, kräftiges Helldunkel, durch Übermalung verdorben (bez.). Ein großes Pastorenbild (verdorben) in der Kirche von Süderau (Kr. Steinburg) ist bez. „M. Helbigk pinxit Crempe 1725". Ein glatt gemaltes Bild: Jesus und die Sünderin, wurde lt Inschrift 1726 von H. der Glückstädter Kirche gestiftet. (= Helbigk, Jacob Heinrich?)

B a u - u. Kstdenkm. Prov. Schlesw.-Holst., 1887—89 II 444, 463, 517; III (B i e r n a t z k i , Übersicht der Meister p. 20).

Helbig, J u l e s Chrétien Charles Joseph Henri, Kunsthistoriker, Maler und Radierer in Lüttich, geb. ebenda 8. 3. 1821, † ebenda 15. 2. 1906, Schüler der Düsseld. Akad., malte und restaurierte, von Baron Jean Béthune beeinflußt, in mittelalterl. Stil für Kirchen, z. B. in Lüttich: Ausmalung der Sakramentskapelle in der Paulskirche; des Chors in der Jakobskirche; des Chors in der Martinskirche; in Brügge: Wandmalereien in der Basiliuskirche; in Tournai u. a. Gemälde des von J. Béthune entworfenen Hochaltars der Jakobskirche; in Orléans: Hochaltar der Seminarkapelle. H. radierte „Empfang der Seele im Himmel" (1851), ein großes Blatt „Pater Noster" und Illustrationen der Balladen von V. Hugo (Brüssel 1857). Seit 1883 war H. Herausgeber der Revue de l'art chrétien. Sein kunsthistor. Hauptwerk ist „Peinture au Pays de Liège", 1871.

Beffroi, III (1866/70). — H i p p e r t u. L i n n i g , Peintre-Grav. holl. et belge XIXe siècle, 1879. — Onze Kst, 1904 I p. 127 f. — Chron. des Arts, 1906 p. 110 (Nekrol.). — Revue de l'Art chrétien, 1906 Heft 2 (C l o q u e t). — Gilde de Saint-Thomas et de Saint-Luc. Bulletin, XIX (1906, ersch. 1911) 28 ff. — W e a l e , Bruges et ses envir., 1884 p. 164. — C l o q u e t , Tournai et Tournaisis, 1884 p. 285, 288 f. — Guide illustré de Liège, o. J. p. 88, 97, 103, 110, 117, 121 f., 129, 146. — Cat. Expos. d. B.-Arts, Brüssel 1851. — W e i g e l 's Kstcatal., Leipzig 1838—66, V 21957, 22847.

Helbig, P e t e r , Büchsenmacher, nachweisbar 1643 bis 1672 in Dresden. Radschloßbüchse von 1643 in der Leibrüstkammer Stockholm.

Führer d. d. K. Gewehr-Gal. Dresden, 1900 p. 101. — Vägledning i Lifrustkamaren, Stockholm 1917. *St.*

Helbig, P e t e r , Maler, geb. am 16. 10. 1841 in Dürkheim, bayr. Pfalz, † 4. 6. 1896 in Hamburg. Malte Waldlandschaften im Stil Ch. Fr. Daubignys. In der Sammlg Schuldt befanden sich 2 Landschaften von 1882 u. 92. H. zeigte 1872 u. 76 in der Gr. Kstausst. Hamburg Waldlandschaften, 1895 auch im Hamb. Kstver.

Cat. Gal. A. Ph. Schuldt-Hamburg, versteigert 1893 in Hamburg (durch J. M. Heberle) Nr 36, 37. — R u m p , Lex. bild. Kstler Hambgs, 1912. *D.*

Helbig, S i m o n , Büchsenmacher, nachweisbar 1616—1643 in Dresden. Gewehre von 1616 in St. Petersburg, 1630 in der Rüstkammer Emden, 1634 in d. Gewehr-Gal. Dresden, 1639 im Histor. Mus. Dresden, 1643 in d. Leibrüstkammer Stockholm und im Zeughaus Berlin. Naglers Zuschreibung einer Büchse von 1571 ist falsch.

N a g l e r , Monogr., V. — Führer d. d. K. Gewehr-Gal. Dresden, 1910 p. 101. — Führer d. d. Histor. Mus. Dresden, 1899 p. 130, 263. — Vägledning i Lifrustkamaren, Stockholm 1917. — P o t i e r , Zeugh. Emden, 1903 p. 59, 62. *Stöcklein.*

Helbigk (Helwick), J a c o b H e i n r i c h , Maler, † 12. 8. 1746 in Hamburg, wird 1737 Bürger, am 25. 7. Maleramtsmeister. In einer Hamburg. Gemäldeauktion 18. 8. 1789 2 Bauernstücke nach Ostade. (= Helbig, Hinrich ?)

L a p p e n b e r g , Beitr. z. ält. Kstgesch. Hambgs, S. A. aus der Ztschr. d. Ver. f. Hambg. Gesch., 1864. — Hamburg. Kstlerlex., 1854 (Exemplar d. Staatsarch. mit hdschriftl. Zus.). — R u m p , Lex. d. bild. Kstler Hambgs, 1912. *D.*

Helbing, F e r e n c (Franz), ung. Graphiker u. Maler, geb. in Érsekujvár am 25. 12. 1870. Arbeitete anfangs in einer lithogr. Anstalt, lernte dann in der Gewerbezeichenschule u. in der Kunstgewerbeschule in Budapest, leitete später mehrere Druckereien, ward 1906 Fachlehrer an der Hauptstädt. Gewerbezeichenschule und 1910 Professor an der kgl. Kunstgewerbeschule in Budapest. H. war einer der ersten in Budapest, die das lithogr. Gewerbe in

modern-künstler. Richtung lenkten. Für seine dekorat.-graphischen Arbeiten erhielt er 1906 in Mailand das Ehrendiplom u. gold. Medaille.

v. K r ü c k e n u. P a r l a g i , Das geist. Ungarn, I (Budapest 1918) p. 478. — A Nemzeti Szalon Almanachja, Budapest 1912, p. 172. — Magyar Iparművészet, 1913 p. 264/66. — Die Graph. Künste, Beilage, Wien 1909, p. 79. — Mitteil. d. Künstlers. *K. Lyka.*

Helbling, A d o l f , Architekt in Baden, geb. 15. 9. 1824 in Buchen, † 14. 8. 1897 in Karlsruhe, Schüler Eisenlohrs, 1848/49 der Münchner Bauakad.; 1855 als Stipendiat in Italien, dann in Karlsruhe, Pforzheim, Heidelberg und Mosbach bei der Hochbauinspektion tätig. Von seinen Bauten hervorzuheben das Gebäude der Generaldirektion der bad. Staatsbahnen in Karlsruhe (1872).

R o s e n b e r g , Gesch. d. mod. Kst, ² 1894, III. — W e e c h - K r i e g e r , Badische Biogr., V (1906).

Helbling, F r . T h a d d ä u s , Maler; von ihm ein bez. Ölporträt, Mozart als Knabe, im Mozartmus. zu Salzburg und ein bez. und 1776 dat. Kinderporträt der Grafen Carl und Joseph v. Firmian in Schloß Leopoldskron bei Salzburg. — Wahrscheinlich identisch mit dem gleichzeitigen Maler T. H e l b l i n g in Wien, nach dem J. Mansfeld ein Porträt des k. k. Leibarztes Ferd. Leber stach.

H e i n e c k e n , Dict. d. Art., 1778 ff. (Ms. im Kupferstichkab. Dresden). — D r u g u l i n , Portrait-Katal., Lpzg 1859 No 11520. — D u p l e s s i s , Cat. Portr. Bibl. Nat. Paris, 1896 ff., VI 26378. — Österr. Ksttopogr., XI (1916) 331; XVI (1919) 128 („Hebling").

Helbling, J o s e p h , Maler; von ihm das bez. und 1758 dat. Altarblatt (Tod des hl. Benedikt) eines aus Kloster Niedernburg in Passau stammenden Seitenaltars, jetzt in der Achatiuskirche zu Hals, Bez.-A. Passau.

Kstdenkm. Bayern, IV Heft 4 (1920) 103.

Helbling, U l r i c h , Baumeister in Wien, wo er seit 1399 nachweisbar ist und nach 1426 †. Dombaumeister von St. Stefan. Die Zuweisung bestimmter Teile des Domes an ihn (rechtes Querhaus, Katharinenkapelle) kann vorläufig nur als hypothetisch gelten.

Jahrb. d. ksthist. Samml. des allerh. Kaiserhauses, XVI, II. Teil. — Dombauvereinsblatt, II. Ser. p. 61. *H. Tietze.*

Helblinger, J o h a n n , Goldschmied aus Rapperswil, Anf. 18. Jahrh. Mitglied der Lukasbruderschaft in Beromünster. Im Schatze des Stifts ebenda von ihm ein Kelch mit dreifachem Pelikan als Nodus (vor 1712) und ein Kelch mit dem Wappen Zurgilgen (vor 1710).

B r u n , Schweizer. Kstlerlex., II (1908).

Helchis (Helchs, Helkis), J a k o b u s , Arkanist und Porzellanmaler, aus Triest, 1. Hälfte 18. Jahrh., zuerst in der Porzellanfabrik in Turin beschäftigt, wo er jedoch durch fehlerhaftes Farbenbereiten und unrichtiges Einschmelzen Schaden anrichtete und entlassen wurde. Nach Chaffers (Marks and Monograms, 1908 p. 462) wäre H. auch in Venedig gewesen. Er war dann längere Zeit in Wien unter Du Paquier tätig, wohnte in der Porzellanfabrik. 1747 wird er mit 2 anderen Wiener Fabrikanten durch Vermittlung der Münchner Handelsfirma Egger, die Beziehungen zu Wien hatte, nach München an die neugegründete Fabrik in Neudeck berufen, wo er Brennmeister und Werkmeister wird und der Fabrik 1749 einen größeren Posten Wiener Porzellanstücke als Muster verschafft. Mißerfolge führen 1749 zur Entlassung sämtlicher Fabrikanten, doch wird H. in dems. Jahre, wenn auch mit gekürzten Bezügen, wieder aufgenommen und hat neben F. J. Niedermayer die techn. Leitung des Unternehmens, das aber nicht glückt, so daß H. Juni 1750 endgültig entlassen, und der Betrieb zunächst eingestellt wird. Über H.s weitere Schicksale ist nichts bekannt. Er war einer der besten Maler der Wiener Manuf. (nach Folnesics p. 15 ist Braun geneigt, ihn als Schüler oder Fortsetzer von Bottengruber anzusehen). Einige seiner Arbeiten sind signiert: In der Franks Coll. (Brit. Mus. London) eine flache, 2 henklige Deckelterrine mit Schwarzlotmalerei (in Landschaft Putto als Heracles und hornblasender Putto) auf dem Deckel, bez. „Jacobus Helchs fecit"; eine ähnl. Terrine, bez. „Jacobus Helchis fecit" nach Chaffers (a. a. O.) bei Mrs. Beresford Melville (beide Terrinen früher in der Reynolds Coll.); ein Stück aus einem Tafelservice mit Jagddarstell. i. Bes. d. Fürsten Joh. v. Liechtenstein (Wien); andere Stücke in Wiener Privatbes. und im Bethnal-Green Mus. in London. Zugeschrieben werden ihm daraufhin eine Reihe von Wiener Porzellanen mit spielenden oder jagenden Knaben in Landschaft; eine J. H. bez. Schüssel mit Jagdscenen gehört zu einer Gruppe ähnl. Arbeiten, darunter das Speiseservice des Fürsten Liechtenstein in Feldsberg, eine Terrine im Troppauer Kaiser Franz Joseph-Mus. und ein 8 seit. Teller mit niederbrechendem Hirsch und Laub- und Bandelwerk im Erzherz. Rainer-Mus. in Brünn.

Kst u. Ksthandwerk, XVI (1903) 251. — Folnesics u. Braun, Gesch. d. Wiener Porzellanmanuf., 1907 p. 12, 24 ff., 33, 61 (Abb.). — Auktionskatal. d. Slg Lanna (Versteig. bei Lepke-Berlin 21./28. 3. 1911), II No 964, 965 (Abb.). — Leisching, Erzherz. Rainer-Mus. f. Kst u. Gew. in Brünn, 1913 Taf. XLIII. — Folnesics, Wiener Porzell.-Slg K. Mayer, 1914 p. 15, 17. — Fr. H. Hofmann, Gesch. der Porzell.-Manuf. Nymphenburg, 1921/22 p. 15 f., 19, 29 ff., 35 (Abb.), 234, 337 f. — Cicerone, XV (1923) 116.

Helcké, Arnold, Marine- und Landschaftsmaler in Guernsay, zeigte 1865/98 meist Ansichten von der englischen und französ. Küste in London (Royal Acad., Suffolk Street und a. a. O.), 1894/98 auch im Pariser Salon Soc. des Artistes Franç. Das Victoria and Albert-Mus. zu London besitzt ein bez. und 1882 dat. Küstenbild. (Kat. Teil I [1907]).

Graves, Dict. of Art., 1895; ders., Roy. Acad., IV (1906); ders., Loan Exhib., IV (1914). — Roy. Acad. Pictures, 1891, 92, 95 (Abb.). — Salonkataloge.

Held, Stadtbaumeister in Danzig, erbaute daselbst 1798—1801 das Schauspielhaus; schlichter klassizist. Bau mit dorischer Vorhalle in schweren, lastenden Formen; über dem Zuschauerraum flache Kuppel. — Er ist vielleicht identisch mit dem gleichnam. Berliner Hofbauinspektor, der zusammen mit Boumann d. j. nach dem Entwurf von C. G. Langhans den baufällig gewordenen Turm der Marienkirche in Berlin (voll. 1790) wieder aufführte.

Dehio, Handbuch d. deutsch. Kunstdenkmäler, II, 2. Aufl., 1922. — Th. Hinrichs, C. G. Langhans, Straßbg 1909 p. 60. — P. Klopfer, Von Palladio bis Schinkel (Gesch. d. neuer. Baukst, Bd 9), Esslingen 1911 p. 77 (nur Abb. d. Danz. Theaters).

Held (Heldt), Andreas, Maler in Nürnberg, geb. ebenda 1661, † ebenda 1745. Sein Selbstbildnis, Miniatur-Ölbild auf Leinwand, in Münchner Privatbesitz (Abb. Festschr. des Münchner Altertumsver., 1914 Taf. I neben p. 168). — Vielleicht identisch mit A. Heldt, von dem die Braunschweiger Gemäldesamml. (Kat. 1900 u. 1910) drei aus Salzdahlum stammende Jagdstilleben besitzt, eins davon bez. „A. Heldt 1712", von dem Parthey (dtscher Bildersaal, I [1863]) zwei „A. Heldt 1722" bez. Vogelstilleben bei Hertel in Nürnberg anführt, und von dem (nach Notiz von K. Lilienfeld) ein an Biltius erinnerndes, doch deutsch anmutendes, voll bez. und 1680 dat. Geflügelstück 1917 im Münchner Kunsthandel war.

Kat. Miniat.-Ausst. München 1912. — Cicerone, VII (1915) 397. *W. Fries.*

Held, Carl Ehrenfried, Landschaftsmaler, geb. 6. 3. 1782 in Dresden, † 6. 11. 1839 ebenda. Sohn (und anfangs Schüler) des Joh. Ehrenfr., besuchte seit 1801 die Dresdner Akad., wo er besonders bei Joh. El. Schenau studierte. Dann kopierte er in der Galerie Landschaften und Tierstücke (nach Ruisdael, Berghem, Both, Dietrich, van de Velde u. a.). Regelmäßig zeigte er auf den Dresdner Kunstausstell. Ölbildnisse, Landschaften aus der Umgebung Dresdens (dem Plauenschen, Loschwitzer und Zschoner Grunde, Tharandt, Radeberg usw.). Bekannt sind die Aquarelle: Prospekt aus dem Plauenschen Grunde, 1804, und Ansicht eines Städtchens, 1819, im Bes. des Unterzeichneten; Auf den Döltzschener Höhen, 1812, in Samml. Bienert Plauen-Dresden und eine Miniaturansicht Dresdens von Norden her, im Dresdn. Stadtmus. 1817 bemühte sich H. vergeblich um die Stelle eines Pensionärs an der Kunstakad.

Dresdner Akten (Kstakad., Kirchenb.). — Allgem. Literar. Anzeiger, 1799 Sp. 631. — Otto, Lex. der oberlaus. Schriftst. u. Kstler, II 1 (1802) 79 f. — Katal. akad. Kstausst. Dresden 1802—34. — Haymann, Dresdens Schriftst. u. Kstler, 1809 p. 375. — Kunstblatt, 1820 p. 386. — Lindn e r , Taschenb. f. Kst u. Liter. im Kgr. Sachsen, II (1828) 18. — v. B i e d e r m a n n , Goethe und Dresden, 1875 p. 114, 116, 150. *Ernst Sigismund.*

Held, F r i g y e s (Friedrich), Bildhauer, erwarb 1778 das Bürgerrecht zu Ofen und restaurierte 1792 die Dreifaltigkeitssäule. 1811 Ofner Wahlbürger u. 1822 noch als bekannter Bildh. erwähnt.

F r . S c h a m s , Vollst. Beschr. d. kgl. freyen Hauptst. Ofen, 1822 p. 386. — L. S c h m a l l , Adalékok Budapest történetéhez, II (1899) 270. — S. M e l l e r , Ferenczy István élete és müvei, 1906 p. 148. — Magyar Iparművészet, 1908 p. 328. — A. S c h o e n , A budavári Szentháromságszobor emlék, 1918 p. 13. — L. S i k - l ó s s y in Pesti Napló, 17. 9. 1918. — K.L y k a , A táblabiró - világ művészete 1800—1850, IV (1922) 88. *K. Lyka.*

Held (Heldt), G e o r g , Maler und Stecher, tätig in Nürnberg um 1710, und noch 1756. Einige Schwarzkunstblätter, Porträts, stach er gemeinsam mit P. Decker d. J.: J. W. Haller v. Hallerstein nach Hirschmann; H. O. v. Stutterheim, sächs. Amtshauptmann; Georg Wilhelm, Markgraf zu Brandenburg; nach Gemälde desselben Decker stach er das Porträt Augusts III. v. Sachsen. Von seinen Gemälden ist nur ein Tierstück, Kopie nach Jan Fyt, bekannt, im Schloß zu Ansbach (Katal. d. Gem.-Gal. 1902 p. 2); dagegen sind die zahlreichen Küchen-, Blumen- u. Tierstücke der Nürnberger Sammlungen des 18. Jahrh. (Hofrat Hagen, Birknersches Kabinett, Ebner'sches Museum u. a.) verschollen. Eines der beiden Küchengerät-Stilleben bei Hofrat Hagen, Oberbürg bei Nürnberg, war 1756 datiert, die meisten sind als Ölbilder bezeichnet. Im Bes. des Herrn Barclay Squire, London, ein „G. Held fec" bez. Stilleben in holl. Manier (nach freundl. Mitteil. d. Bes.).

M u r r , Beschreib. d. vornehmsten Merkwürdigk. . . , Nbg 1778 p. 448, 503, 545, 547. — H e i n e c k e n , Dict. d. Art. etc., IV (1790) 562. — v. S c h a d , Versuch einer Brandenb. Pinacothek, 1793 p. 39, 174. — W e i g e l ' s Kunstcat., Lpzg 1888—66, I 6248. — A n d r e - s e n , Nürnb. Kstler (Ms. Bibl. U. Thieme-Leipzig) fol. 76. *W. Fries.*

Held, H e r m a n n , Medailleur in Magdeburg, durch folgende Medaillen bekannt: Auf die 50. Naturforscherversammlung in Leipzig 1872; auf das Marburger Turnerfest 1877; auf das 50jähr. Regierungsjubil. d. Herz. Wilhelm zu Braunschweig - Lüneburg 1881, und auf dessen Tod 1884, beide in Zinn; auf Froebels 100. Geburtstag 1882.

H o f f m e i s t e r - P r i o r , Kstler usw. in Hessen, 1885. — F o r r e r , Dict. of Medall., II (1904). — F i a l a , Münzen u. Med. der Welf. Lande, das neue Haus Braunschweig zu Wolfenbüttel, II (Bevern) 1909 p. 440, 441.

Held, J o h a n n E h r e n f r i e d , Miniatur-Porträt- und Landschaftsmaler, geb. 3. 6. 1752 in Zittau (Sa.), † nach 1828 in Dresden, Vater des Carl Ehrenfried. Nachdem er schon in seiner Jugend Anleitung im Zeichnen gehabt hatte, gewann er während eines dreijähr. philo-

sophisch-jurist. Studiums in Leipzig solche Liebe zur Kunst, daß er Zeichenunterricht nahm und schließlich ganz zur Malerei überging. 1777 kam er nach Dresden, wo er sich selbständig weiterbildete. Er malte Bildnisse in Miniatur, Landschaften, Blumenstücke und Historienbilder in Pastell oder einer eigenen Aquarelltechnik. Für Ronnenbergs „Abbildung der kursächs. Armee-Uniformen" (Dresd. 1789/1802) zeichnete er die Figuren und Vignetten, die von Schreyer und Stölzel in Kupfer gestochen wurden. Gegen 1800 gab H. seine Kunsttätigkeit auf und widmete sich als „Agent" nur noch künstler. Vermittelungsgeschäften.

K e l l e r , Nachr. v. allen in Dresden leb. Kstlern, 1788 p. 67 f., 162. — H a s c h e , Magazin der sächs. Gesch., V (1788) 244. — M e u s e l , Teutsches Kstlerlex., II (1789) 75; I ^{2} (1808) 375; d e r s., Neues Mus., II (1794) 235. — K l ä b e , Neuestes gelehrtes Dresden, 1796 p. 60 f., 194. — Dresdner Adreßb., 1797 ff. — O t t o , Lex. der oberlaus. Schriftst. u. Kstler, II 1 (1802) 79 f. — H a y m a n n , Dresdens Schriftst. u. Kstler, 1809 p. 211 f., 375, 465. — L i n d n e r , Taschenb. f. Kst u. Liter. im Kgr. Sachsen, II (1828) 18. — L e m b e r g e r , Bildnis-Miniatur in Dtschland 1550—1850, (1910) p. 178, 198, 200.
Ernst Sigismund.

Held, J o h a n n G o t t f r i e d , Medailleur und Stempelschneider in Breslau, † ebenda 1769, an der Breslauer Münze gleichzeitig tätig mit seinem g l e i c h n a m i g e n Sohn und Schüler, geb. 18. 7. 1734 in Heidelberg, † 17. 10. 1808 in Kreuzburg, 1756 Assistent, seit 1764 Medailleur der Breslauer Münze. Dem Vater werden zugeschrieben eine große Medaille auf Burg und eine auf den Entsatz von Breslau. Dem Sohn die folgenden: Bombardement von Breslau 1760; Friedrich d. Gr. zu Pferde 1763; Vermählung des Herzogs Friedr. Aug. v. Braunschweig-Öls 1768; Jubiläum der Brandenburg.-Piastischen Regierungsfolge 1775; 2 Jetons auf die Huldigung Friedr. Wilhelms und den Tod Friedr. II. (1786); Tod der Herzogin v. Braunschweig-Öls; Erwerbung von Südpreußen 1796; Königl. Preuß. Regierungs-Jubiläum 1801; Winkler von Sternheim in Brieg (1771); C. L. Ludovici in Brieg; General Favrat; Tod von Chr. Garve; Erbprinz v. Hohenlohe; Minister Graf v. Haym (mehrere); 80. Geburtstag und Tod des Generals v. Tauentzien; Hönicke; Weger; Carl Gustav Graf von Tessin; Jubiläum der Breslauer Gesellschaft der Zwölfer; Tod Katharinas II. von Rußland; Krönung Pauls II. v. Rußl.; Graf Bestusheff-Rjumin. Die Medaillen sind z. T. bezeichnet: H., J. G. H. oder J. G. H. F.

M e u s e l , Teutsches Kstlerlex., I (1808). — L u c h s , Bild. Kstler in Schlesien, 1863. — N a g l e r , Monogr., III (falsche Todesdaten). — I w e r s e n , Lex. Russ. Med. (russ.), 1874 p. 40. — Schlesiens Vorzeit, VII (1899) 57. — F o r r e r , Dict. of Medall., II (1904). — F i a l a , Münzen u. Med. der Welf. Lande, das neue Haus Braunschweig zu Wolfenbüttel, II (Bevern) 1909 p. 414.

Held, J u a n T e ó f i l o, Miniaturmaler aus Sachsen in Madrid u. Aranjuez, 1798/9 festbesoldeter Hofporträtmaler der Königin Marie Luise von Spanien. Ein Miniaturbildnis der Marie Luise, 1914 im Besitz der Infantin Isabella, wird H. willkürlich zugeschrieben.

Arte Español, III (1914) 93.

Held, L u d w i g (August L.), Medailleur und Bildhauer in Berlin, geb. 1805, † 17. 9. 1839 (kam nach Forrer aus Altenburg, stammte nach Hoffmeister-Prior wahrscheinlich aus Schmalkalden), arbeitete für die Loos'sche Medaillen-Münze in Berlin, fertigte auch Reliefs in Bronze und andere plastische Arbeiten, modellierte in Wachs (Miniaturbildnisse) und Ton. 1828—39 stellte er in der Berl. Akad. aus. Er bezeichnete L. H. Von ihm Medaillen und Denkmünzen auf: Errichtung der Statue Friedr. Wilhelms I. in Gumbinnen; Dr. Gabr. Riesser in Hamburg; Amtsjubiläum des General-Postdirektors Freiherr v. Vrints-Berberich in Frankf. a. M. (1835); Amtsjubiläum des Superintendenten Küster in Berlin; Staatsrat Dr. Kielmeyer in Stuttgart; Erbhuldigung und Krönung Ferdinands I. in Prag; Tod des Bürgermeisters Sillem in Hamburg; Jubiläum von Übersetzung und Druck der Bibel; Vermählung des Herzogs von Anhalt-Bernburg; Silberhochzeit des Grafen zu Stolberg-Wernigerode; Russisch-Preuß. Lager bei Kalisch (2 verschied.); Fürst Metternich (1835, zwei verschied.); Lombardische Königskrönung Ferdinands I. zu Mailand (mit C. Pfeuffer); Tod des Bürgermeisters Dr. Kühl in Stralsund; Jubiläum der Stadt Elbing; Jubil. des Superintendenten Droysen in Stralsund; Jubil. des Generals v. Borstell; Jubil. der Schmalkaldener Artikel; Schleiermacher; Impfung in Preußen; Ehrengeschenk der Großherzogin Marie von Mecklenburg-Strelitz an Offiziere einer Deputation des Preuß. Garde-Korps am Grabe des Herzogs Carl; Prämie des Gymnasiums zu Stralsund; Eröffnung der Eisenbahn nach Zarskoje Sselo.

N a g l e r , Kstlerlex.; d e r s . , Monogr., IV. — F o r r e r , Dict. of Medall., II (1904). — I w e r s e n , Lex. Russ. Med. (russ.) [1874] 40. — H o f f m e i s t e r - P r i o r , Kstler usw. in Hessen, 1885. — Katal. Akad.-Ausstell. Berlin, 1828 p. 60, 61; 1830 p. 131; 1832 p. 67; 1834 p. 85; 1836 p. 84, 87/88; 1838 p. 73, 81/82; 1839 p. 72/73.

Held, M. v o n , Miniaturporträtmaler 1. Hälfte 19. Jahrh. Von ihm in ehem. Großherz. Oldenburg. Besitz 2 Miniaturbildnisse: Nicol. Friedr. Peter, Großh. v. Oldenburg, als Kind, bez. M. v. Held f. 1832, und Herzogin Amalie, Herz. Friederike und Erbprinz Nic. Fr. Peter, bez. ebenso. Aus Mannheimer Privatbes. waren in der dortigen Jubiläumsausstell. 1909 (Katal. „Werke der Kleinporträtkunst" p. 89) 2 Miniaturbildnisse eines Mannheimer Ehepaars, beide bez. und 1833 dat.

Verzeichn. der zum Fidei-Kommiss gehör.

Kstwerke i. d. Großherz. Gebäuden zu Oldenburg, 1912 p. 33 f. — Der Spiegel, Ofen 1836 p. 732.

Held (Heldt, Helth), N i c k e l , auch *Nickel Straßburger* gen., Steinmetz und Baumeister aus Straßburg, in Rochlitz nachweisbar 1573 bis 80, † 1595, baute den Kirchturm zu Waldenburg 1580, führte 1588—89 Umbauten am Waldheimer und Rochlitzer Schloß aus, übernahm auch Aufträge für das Rochlitzer Amt.

Bau- u. Kstdenkm. Königr. Sachsen, XIII (1890) 36; XXV (1903) 245 f. — Repert. f. Kstwiss., XVIII (1895) 168 f.

Held, N i k o l a u s , Maler, tätig in Nürnberg 2. Hälfte d. 18. Jahrh. Murr erwähnt von ihm im Zimmer der oberen Galerie des Nürnb. Rathauses „verschiedene Vögel", darunter war auch sein Probestück, „ein Stück von allerhand Wildvögeln".

M u r r , Beschreib. d. vornehmsten Merkwürdigk. . . . , Nbg 1778 p. 402. — M u m m e n - h o f f , Rathaus von Nürnberg, 1891 p. 293.
W. Fries.

Held, P e t e r , Steinmetz und Baumeister in Ulm; am 4. 12. 1622 übertrug ihm der Magistrat das Portal am Frauentor, mußte ihn aber stark zur Arbeit treiben; 14. 4. 1623 entlief H. heimlich, wurde dann am Rathaus zu Basel angeschlagen. In der Furtenbach'schen Kunstkammer befand sich von ihm eine Zeichnung der Kirche zu Schorndorf.

W e y e r m a n n , Nachrichten von Gelehrten u. Kstlern usw. aus Ulm, 1829.

Held, W i l i b o l d , Baudilettant, Prälat der Prämonstratenser-Abtei in Rot (Württ.), O. A. Leutkirch, aus Erolzheim, geb. 1724, † 1789, entwarf den Plan zu Vierung und Langhaus (erbaut 1783/84, geweiht 1786) der Klosterkirche St. Verena in Rot unter Zuhilfenahme der Risse der Obermarchtaler Kirche und mit Unterstützung von Klostergenossen. Ein Porträt H.s mit Zirkel und Bauriß in der Kirche.

Kst- u. Altertumsdenkm. Württembergs, Donaukr., 1914. — Die christl. Kst, XI (1914/15) 161.

Heldebaut, P i e r r e , siehe *Hellebaut*, P.

Helderberg (Helderbergh, Helderenberg, Heydelbergh, urkundlich auch Elderbergh, Hilderberghe usw.), v a n , Bildhauer- u. Bildschnitzerfamilie in Gent, 17./18. Jahrh.: G e r y , nach Immerzeel aus Lüttich stammend, nach Zani (Enc. met. X) tätig 1650, ist urkundlich nicht nachgewiesen, seine ganze Existenz daher ziemlich zweifelhaft. Eine Reihe der Arbeiten, die ihm die ält. Lit. seit Descamps zuweist, stammt jedenfalls von dem Descamps überhaupt nicht bekannt gewordenen, urkundlich aber mehrfach belegten Jan Baptista (s. u.). Aus chronolog. Gründen scheidet als Arbeit des Letztgenannten aus nur das Grabmal des 1665 † Bischofs van den Bosch (Marmor, Freifig., der vom hl. Karl Borromäus empfohlene Bischof kniet vor Christus) im Chor von St. Bavo, wenn es wirklich bereits zu Lebzeiten des Bestellers ausgeführt worden sein sollte

(Bull. d. Maatsch. van Gesch.- en Oudheid-kunde, Gent, XVIII [1910] 434). Über die übrigen in der ält. Lit. dem Gery zugewiesenen Arbeiten s. u. bei Jan Baptista. — Ein sonst bisher nicht nachgewiesener N. Helder-berch, „Biltsnyder", wird erwähnt in den Rechnungen der Michaelskirche als Verfertiger des Altars von 1689 in der Sakramentskapelle. — Jan Baptista, geb. in Antwerpen um 1651 (Sohn eines Adriaen), † in Gent 1734 (begr. 19. 7. in St. Bavo), 83 Jahre alt. 1684 Bürger, bis 1693 städt. Bildhauer in Gent, ver-schwägert mit den Bildhauern P. de Sutter und P. A. Verschaffelt; Schüler von J. Boek-sent; angeblich Lehrer von L. Delvaux. Werke: St. Bavo, Kapelle „Notre Dame aux Rayons", am Grabmal des Bischofs P. E. van der Noot (nach Entwurf von L. Cnudde) die Figur des auf dem Sarkophag ruhenden Bischofs, der künstlerisch wertvollste Teil dieses (von Heyl-brouck gestoch.) Monuments, für welches P. de Sutter den großen Engel, J. Boeksent die Gruppe der Geißelung Christi meißelte; 1696 holzgeschnitzter Altar in der Fleischhalle (mit den Hl. Hubertus und Antonius); 1696, die (1794 zerstörte) Kanzel in der Michaeliskirche; ebenda (erhalten) 2 Marmorreliefs, jedes mit Darstell. der Hl. Familie, beide Altarantependien, das eine in der Marienkapelle (am Altar von 1813), das andere in der Annakapelle; in der Peterskirche, zus. mit J. B. Gillis, Figuren der Apostel und Kirchenväter in den 16 Nischen an den die Kuppel und die Querschiffsgewölbe tragenden Pfeilern; 1722/23 zwei Faunmasken, Eichenholz, von den Türen des „Pakhuis" stammend, jetzt im archäolog. Mus. Gent; 1724, sechs Heiligenfig. (Benedikt, Magdalena u. a.) für die Abteikirche zu Eename bei Aude-narde; 1731, Kanzel aus Eichenholz (Doppel-treppe, Figuren [Glaube, Liebe, Hoffnung], Re-liefs) in der Genter Kirche des kleinen Be-ginenhofes (Notre Dame ter Hoye), gemeinsam mit seinem Sohn Lieven Jan (geb. 11. 8. 1686, erst 1734 in der Gilde, 1755 noch er-wähnt). 1717 restaurierte Jan Bapt. die 1792 zerstörte Statue Karls V. von J. Picq, die auf dem Freitagsmarkt stand. Urkundl. genannt wird ein Tabernakel (um 1696) für die Mar-tinskirche, 1691 „een steenen kind" und 1693 eine Marmorschranke, beides für den Trinitäts-altar der Jakobskirche. Zugeschrieben wird Jan Bapt. die Kolossalfigur des Neptun von 1690 (1872 durch Brand zerstört, ersetzt durch eine neue Figur von K. de Kesel) am Portikus des Fischmarkts (Restaurierungen der Skulp-turen ebenda durch H. 1696 und 1721 urkundl.).

Descamps, Voyage pittor. de la Flandre, Ausg. 1838 p. 215, 222. — Immerzeel, Le-vens en Werken, II (1843). — Annales de la Soc. roy. des B.-Arts etc. de Gand, II (1846/7) 339 f.; VII (1857/8) 89; XII (1869/72) 309; XIII (1873/77) 403. — Kervyn de Volkaers-beke, Églises de Gand, 1857 f., I u. II. — E.

de Busscher, Recherches sur les peintres gantois, 1859 p. 179. — Siret in Biogr. Nat. de Belg., VIII (1883/6). — Marchal, Sculpt. etc. belges, ²1895. — Bull. d. Maatsch. van Gesch.-Oudheidkunde, VIII (1900) 135, 136; IX (1901) 56. — Invent. archéol. de Gand, II (1897) 18; XVIII (1900) 178, 179, 180 (Abb.); XXII 218 (Abb.); XXIV 239 (Abb.); XXXV 345 (Abb.); XXXVII 366. — v. d. Haeghen, Corpor. des Peintres etc. de Gand, 1906. — Rousseau, Sculpt. aux XVIIe et XVIIIe siè-cles, 1911.   D. St.

Heldmann, Ignaz, Maler aus Bayern, ur-sprünglich Schlosser. Tätig in Prag; 1736—51 in Rom nachweisbar, † ebenda 23. 8. 1751 im Krankenhaus der Benefratelli; wohnte 1739—44 im Gasthaus Schlosser am Spanischen Platz, 1745 in Via Vittoria. Malte Landschaften für die Häuser Borghese u. Colonna, für Kardinal Passionei in Camaldoli. Sein Bildnis von P. L. Ghezzi gez. Im Rudolfinum in Prag von ihm zwei kleine Landschaften, Gegenstücke, bez. „Ig: Heldmann" (Kat. 1889 No 362, 363; Führer 1913 No 329, 330). Parthey erwähnt von „Heldmann" eine Landschaft im Stift Strahow, Prag.

Pfarrb. S. Lorenzo in Lucina, Rom. — Gabi-netto Stampe, ebenda. — Vatic. Ottobon. 3115, 3118. — Vatic. Lat. 7956. — Rosini, Pittura Ital., VII 107. — Parthey, Deutscher Bilder-saal, I (1863).   Fr. Noack.

Heldobler, J., siehe *Helldöbler,* J.

Heldricus, Buchmaler, seit 989 Abt des Klosters St. Martin in Auxerre, † 1010, malte die unbedeutenden Miniaturen in dem Hesekiel-Kommentar des Haymon der Bibl. Nat. in Paris (Ms. lat. 12302): „Hoc pater Heldricus quod pinxerat ipse volumen Summo pontificum Germano rite dicavit".

Woltmann-Woermann, Gesch. d. Ma-lerei, I (1879) 263. — Labarte, Hist. des arts industr. au moyen-âge, II (1865). — Des-lisle, Cabinet des Manuscr., 1881, II 40.

Heldt, A., s. im Art. *Held,* Andreas.

Heldt, Hinrich, „ein frembt Geselle", er-hält am 17. Juni 1648 die Erlaubnis, in Lübeck „auff eine Zeit lang" von den hiesigen Maler-meistern ungehindert, sich durch Bildnismalen („conterfeyen") und andere Ölgemälde sein Brot zu verdienen (Wettebuch 1648, Ms. im Lüb. Staats-Arch.).

Heldt, Johan Peter, Bildhauer in Kopen-hagen, wo er Bildschnitzer an „Holmen" (Schiffswerften der kgl. Marine) war; seit 1818 (vielleicht schon früher) Schüler der Akad. Stellte 1822—26 in Charlottenborg aus (Cäsars Tod, Relief; Amor).

Reitzel, Fortegnelse over Danske Kunst-neres Arb., 1883. — Kat. der Charlottenborg-Ausst.

Heldt, siehe auch *Held.*

Heldwein, István (Stefan), Maler, † in Pest Mai 1852. Tätig in Pest, wo er von 1838 an auch in der Zeichenschule wirkte. 1841 stellte er ein Gemälde: „Genius unseres Vater-landes" aus.

Pesti Hirlap, 1841 p. 448. — Der Spiegel, 1852

Pest, p. 491. — Rajzoktatás, 1906 p. 120. —
L y k a , A táblabiró-világ művészete 1800—1850,
1922, II 13. *K. Lyka.*

Heldwein (Heldvein), K á r o l y (Karl),
Maler in Ofen, † 25. 8. 1848. Zeichenlehrer
an der Ofner Zeichenschule, welche er von
1839 an leitete. 1820—39 Zeichenlehrer in
Nagyvárad (Großwardein).

Der Spiegel, Pest, 1848 p. 280. — L. S c h m a l l ,
Adalékok Budapest történetéhez, II (1899) 302.
— L y k a , Táblabiró-világ müvészete 1800—1850,
1922 II 12; III 60. *K. Lyka.*

Hele (Hel, Hell, Delhel), A b r a h a m d e l ,
Maler, geb. 1534 zu Antwerpen (?), † 5. 11.
1598 zu Augsburg, angeblich Bruder des Izaak
(s. d.). Tätig zumeist in Augsburg als Bildnis-
und Historienmaler, auch als Kopist und handwerklicher Anstreicher. 1561 porträtierte er die
1. Frau des Dr. Hieron. Fröschel, 1576 zu
Regensburg die kaiserliche Familie. Zwei Bilder im Vorrat der bayer. Staatsgemälde-
samml.: Penelope mit ihren Frauen, bez.
Abraham del Hele F. 1563, und Die 7 freien
Künste. Nach W. Schmidt ferner von ihm
eine hl. Familie mit dem kl. Johannes und
der hl. Elisabeth, Besitz des Grafen Preysing
in Moos bei Plattling (Niederbayern).

N a g l e r , Monogr., I. — L i p o w s k y ,
Baier. Kstlerlex., 1810. — A. v. W u r z b a c h ,
Niederl. Kstlerlex., I (1906). — D a n i e l
P r a s c h , Epitaphia Augustana, 1624, II. Teil
p. 45. — P. v. S t e t t e n , Kunst- etc. Gesch.
Augsburgs, 1779. — Jahrb. d. ksthist. Samml. d.
allerh. Kaiserh., XIV 2. Teil, Nr 10 292. — Rep.
f. Kstw., XXXI (1908) 245 f. (W. S c h m i d t).
— G. L i l l , Hans Fugger und die Kunst (Studien z. Fuggergesch., Heft 2), 1908. — Gemälde-
katalog Schleißheim, 1885. *B. H. R.*

Hele (Helle), I z a a k d e l , fläm. Maler, geb.
um 1536 in Antwerpen, laut Bryan's ungen.
Gewährsmann Sohn eines Antwerp. Bildhauers
Y s b r a n t d e l H. u. jüng. Bruder des Abra-
ham del H. (s. d.); malte seit 1562 in Toledo
Wandbilder im Kreuzgang der dort. Kathe-
drale (im 18. Jahrh. ersetzt durch Fresken Fr.
Bayeu y Subias' u. M. Maella's), erhielt 1568
Zahlung für ein Altarbild des heil. Bischofs
Nicasius v. Reims (von Cean Bermudez mit
einem um 1800 in der Domsakristei befindl.
Gemälde identifiziert, das von Ponz [Viage de
España I, ed. 1787 p. 105] dem Al. Berruguete
zugeschr. wurde) und übernahm 1568 auch die
Bemalung und Vergoldung des Seitenaltares
Johannes d. T. in der Turmkap. des Domes.
Der michangeleske Stilcharakter des Nicasius-
Bildes ließ Cean Bermudez vermuten, daß H.
seine Ausbildung in Italien erhalten habe. Seit
1571 soll H. wieder in Antwerpen geweilt
haben, wo er 1573 noch lebte.

C e a n B e r m u d e z , Dicc. de B. Artes en
España, 1800 II 256 f. (Helle). — B r y a n , Dict.
of Paint. etc., ed. 1903 II 40 („De la Hèle"). —
A. v. W u r z b a c h , Niederländ. Kstler-Lex.,
I (1906). *

Helene, Tochter des Timon aus Ägypten,
lebte nach einer nicht ganz einwandfreien

Nachricht zur Zeit Alexanders d. Gr. und
malte ein Bild der Schlacht von Issos, das
unter Vespasian nach Rom gebracht und dort
auf dem Friedensforum aufgestellt wurde. Das
Bild der H. ist mehrfach als Vorbild des
pompejanischen Alexandermosaiks angesehen
worden. Jedoch geht dieses Mosaik wahrscheinlich auf Philoxenos von Eretria zurück.

F. W i n t e r , Alexandermosaik aus Pompeji,
p. 8. — P f u h l , Malerei u. Zeichnung d. Griechen, II (1923) 765. *Pernice.*

Helenius, E s t e r , finn. Malerin u. Lithographin, geb. 16. 5. 1875 in Lappträsk in Ny-
land, ausgebildet in der Kunstvereins-Zeichen-
schule zu Helsingfors; Studienreisen nach Paris
1900, 1912, 1920—22. Malt Genrebilder, Por-
träte und Landschaften, die die Einwirkung
der modernen franzős. Kunst erkennen lassen.
Sie hat zwei Serien Lithographien veröffentlicht: „La Rotonde" und „Reges mundi", die
franzős. Typen darstellen.

Ö h q u i s t , Suomen taiteen hist., 1912. *L.W.*

Helfenrieder, C h r i s t o f , Maler, † (an
der Pest) 26. 10. 1635 in Meran. Anf. des
17. Jahrhunderts Hofmaler in München, flüchtete,
nachdem er einen Liebhaber seiner Gattin aus
Eifersucht getötet, nach Tirol und hielt sich
im Kartäuserkloster Allerengelsberg (Schnalser-
tal) bis ca 1618 verborgen, wurde dann Bürger
in Meran. Erzherzog Leopold V. gab ihm
1630 den Auftrag, den Herzog Alfonso von
Modena in Franziskanertracht zu malen, und
bestellte bei ihm 1631 ein Altarbild für das
Kelleramtsgebäude in Meran (Madonna mit
hl. Joh. u. Leopold, später in der landesfürstl.
Burg Meran, jetzt Kapelle auf dem Vigiljoch;
Zeichnungen hierzu im Ferdinandeum, Inns-
bruck). Andere Altarbilder: Kartaus (Vintsch-
gau), Annakirche, hl. Familie, Bruno u.
Franziskus (um 1613); Meran, Pfarrkirche,
Dreifaltigkeit mit hl. Fabian, Sebastian, Rochus;
Lana, Pfarrkirche, Himmelfahrt Mariä; Kuens,
Pfarrkirche, hl. Mauritius; Stuls (Passeier), hl.
Familie.

[L e m m e n], Tirol. Kstlerlex., 1830 p. 87. —
N a g l e r , Kstlerlex., VI. — Bote f. Tirol,
1823 p. 168. — S c h ö n h e r r , Ges. Schriften,
I 700. — (Über die Altäre des Kelleramtes) Ms.
Innsbruck, Ferdinandeum No 3622, mit Skizzen. —
S c h w a r z , Beitr. zur Gesch. des Malers Chr. H.,
in Tiroler Stimmen, 1898 No 89. — A t z und
S c h a t z , Der deutsche Anteil der Diözese Trient,
II 47; IV 24, 183; V 30, 144. — Kstfreund, 1901
p. 57; 1907 p. 13, 33. — Katal. tirol.-vorarlb. Kst-
ausst., Innsb. 1879 p. 13. *H. Hammer.*

Helfer, C h r i s t o p h , Bildhauer, fertigte
das prächtige Nußbaum-Gehäuse für die 1780
in der Stiftskirche Klosterneuburg (Österr.)
aufgestellte Orgel.

D r e x l e r , Stift Klosterneuburg, 1894.

Helferich, H e r m a n n , Pseudonym des
Heilbut, Emil.

Helff, J o s e f , Maler aus Latsch (Tirol),
studierte zuerst an der Akad. in Bologna, dann
mit Landesstipendium (verliehen 1843) an der

Akad. in Wien, war 1845/49 Mitglied des Deutschen Kstler-Vereins in Rom. Malte Genrebilder und Landschaften; auf der Kstausstell. Bozen 1864 (Katal. No 56, 91) „Römerin" und „Pifferari"; auf der Ausstell. Innsbruck 1882 (Katal. p. 5) eine „Landschaft". Das Ferdinandeum, Innsbruck, besitzt 23 Aquarelle (Trachtenbilder).

Landtagsprotokolle, Ms. Innsbr., Ferdinandeum W 3322 z. 17. 5. 1843. — Selbstbiographie des Malers Karl Blaas 1815/76, her. von A. W o l f, 1876 p. 46. — Mitt. von Fr. Noack. *H. Hammer.*

Helfferich, J u d i t h B a r b a r a, Zeichnerin, wohl Dilettantin; von ihr im Münchner Stadtmus. (Maillinger, Bilderchronik, 1876, I No 298) ein Prospekt der Residenz in München, vom Hofgarten aus, Bleistiftzeichn. auf Pergament, bez.: Juditha Barbara Helfferichin geborne Wolffin fecit Aug. Vind. A. 1728 den 30. Julii.

Helfft, J u l i u s Eduard Wilhelm, Maler in Berlin, geb. ebenda 6. 4. 1818, † ebenda 28. 3. 1894, Schüler der Akad. unter F. W. Schirmer, zeigte in den Ausstell. der Akad. seit 1836 Landschaften und Architekturansichten, zunächst aus der Mark, aus Sachsen, Böhmen, Schlesien, dann aus Italien, wo er sich 1843 bis 47 (Florenz, Rom, Neapel, Genua) und später noch mehrmals aufhielt. Arbeitete wiederholt im Auftrag Friedrich Wilhelms IV. In seiner letzten Lebenszeit war H. durch ein Augenleiden am Malen verhindert. Er vermachte der Berliner Akad. seine zahlreichen Studien u. Skizzen und eine Summe zur Gründung eines Stipendiums für Landschaftsmaler. Die Berliner Nationalgal. (Kat. 1907, I. Abt. No 116, 117, 556, 557) besitzt von ihm „Sizilianischer Klosterhof" (1847), „Dogenpalast in Venedig" (1856), 2 andere Gemälde mit venezian. Motiven von 1860 und eine Zeichnung (Kat. d. Handzeichn., 1902); das Stadtmus. in Danzig (Handschriftl. Gem.-Verz. 1902) „Ansicht von Venedig" (1854); das Städt. Mus. in Halle a/S. (Führer 1913 p. 16) „Sizilianischer Klosterhof" (1847); das Mus. in Lübeck (Führer 1899 p. 65) „Kloster San Giorgio zu Venedig". Aus dem Stadtschloß zu Potsdam war „Venedig" (1849) in der deutsch. Jahrh.-Ausst. Berlin 1906 (Kat. 2. Aufl.).

F. v. B o e t t i c h e r , Malerwerke 19. Jahrh., I 2 (1895). — Dtsches Kstblatt, 1851 p. 223. — Zeitschr. f. bild. Kst, VI (1871) 178. — Kstchronik, N. F. V (1894) 334. — Kst f. Alle, IX (1894); X. — Die Rheinlande, II (1901/2) Mai-Heft p. 63. — Jahrbuch d. Bilder- u. Kstblätterpreise, Wien 1911 ff. V—VI. — Ausstell.-Kataloge Berl. Akad., 1836, 38, 39, 40, 42, 44, 46, 48, 56, 60, 62, 64, 66, 68, 70. — Mitteil. v. Fr. Noack nach: Preuß. Paßregister Florenz u. Rom; Akten d. dtsch. Kstlerver. Rom; S t a h r , Ein Jahr in Italien, II 438; S c h a d o w , Kstwerke u. Kstansichten p. 353.

Helfricht, E m i l , Stempelschneider, † in Gotha 1908. Sohn des Ferdinand. Verbrachte den größten Teil seines Lebens in London als Angestellter der Münzanstalt von Wyon, für die er zahlreiche Medaillen (unsigniert) schuf. Auf eigene Rechnung verfertigte er 2 Plaketten auf die Orientalisten Max Müller in Oxford und Wilhelm Pertsch in Gotha und eine 1883 in der Londoner Royal Acad. ausgestellte Medaille auf den amer. Schriftsteller Bayard Taylor, der eine Zeitlang Gesandter in Berlin war und eine Tochter des Gothaer Astronomen Hansen geheiratet hatte. Andere Arbeiten: Bronzemedaillon mit dem Doppelbildnis der Eltern H.s (1878). Porträtmedaille des Herzogs Alfred von Sachsen-Coburg und Gotha. Modelle für Medaillen des Herzogs Carl Eduard (nicht ausgeführt). — Sein letztes Lebensjahr verbrachte H. in Gotha.

B. P i c k , Die Arbeiten des Gothaer Stempelschneiders Ferd. Helfricht, Gotha 1916 p. 7. — F o r r e r , Dict. of Med., II (1904). — G r a v e s , Roy. Acad., IV (1906).

Helfricht, F e r d i n a n d (Friedrich Ferd.), Stempelschneider, geb. in Zella St. Blasii 8. 5. 1809, † in Gotha 16. 5. 1892. Vater des Emil. Die treffliche Arbeit einer Medaille auf den Minister Bernhard von Lindenau, die er 1827 als Angestellter der Gothaer Münze schnitt, bewog den Herzog, ihn zu G. Schadow nach Berlin zu schicken, wo er eine Zeitlang für die Medaillen-Anstalt von Loos beschäftigt war. Nach seiner Rückkehr wurde H. als Hofgraveur an der Gothaer Münze angestellt. Er schnitt nicht nur die Stempel für Münzen, Medaillen und Petschafte, sondern auch großenteils die Medaillen der vier ernestinischen Staaten und fast sämtliche offiziellen Ehrenzeichen. H.s Stärke ist das Porträt, dem sein Studium der Antike und die liebevolle individuelle Durchbildung im einzelnen zugute kommen (Medaillen auf berühmte Philologen). H.s Arbeiten fanden die Anerkennung seiner Zeitgenossen und verschafften ihm viele Aufträge weit über die Grenzen des Herzogtums hinaus, sowohl bei Jubiläen, Versammlungen und Ausstellungen als für Logen und Schützenfeste. Der Berliner Stempelschneider Joh. Karl Fischer ließ gern die Stempel seiner Medaillen durch H. ausführen, während die Medailleurin Angelika Facius in Weimar ihm Modelle für Vorderseiten lieferte. Seine ersten Arbeiten sind ganz frei mit der Hand graviert, seit Ende der 40er Jahre benutzte er als einer der ersten deutschen Stempelschneider eine Reduktionsmaschine, was aber der Güte seiner Arbeiten keinen Eintrag tat. Eine fast vollzählige Sammlung von H.s Arbeiten, nebst Wachsmodellen u. Studien, besitzt das Gothaer Münzkabinett; dem Verzeichnis bei Pick (170 Nrn) sind hinzuzufügen: Medaille auf Dr. Karl Friedrich von Kielmeyer in Stuttgart (lt Forrer); Bronzemedaille auf die Königin Viktoria und den Prinzgemahl Albert von 1845 (bei Fiala, s. Lit.). — *Arbeiten* (in Auswahl): 1835, Medaille zur Konfirmation der Prinzen Ernst und Albert von Sachsen-Coburg und Gotha. 1840, Med. auf die Vermählung des Prinzen Albert mit der Königin Viktoria von England. 1842, Med. auf die Vermählung des Erbprinzen Ernst mit Prinzessin Alexandrine von Baden. 1845, Med. auf den Tod des Herzogs Ernst I. 1846, Med. auf das 25 jähr. Regierungsjubiläum des Herzogs Bernhard von Sachsen-Meiningen. 1850, Med. auf die Vermählung des Erbprinzen Georg von Sachsen-Meiningen mit der Prinzessin Charlotte von Preußen. 1854, Preismed. der Universität Jena. 1857, Med. zur Feier des 100. Geburtstages Carl Augusts. 1858, Med. auf die Jubelfeier zum 300 jähr. Bestehen der Universität Jena. 1859, Schiller-Med. 1861, Med. auf das 1. deutsche Schützenfest in Gotha. 1887, Med. auf das 50 jähr. Regierungsjubiläum der Königin Viktoria, nach Modell von Clemens Emptmeyer. 1892, Med. der Gothaer Freimaurerloge zur gold. Hochzeit des Herzogspaares. Friedrich Jacobs, Altertumsforscher in Gotha. Friedr. Aug. Wolf, Philologe, Med. für die Philologen-Versammlung in Gotha 1840. Carl Otfried Müller, Philologe, Med. für die Philologen-Versamml. in Bonn 1841. B. G. Niebuhr, Philologe, Med. für die Philologen-Versamml. in Ulm 1842. Carl Morgenstern, Prof. der Philologie in Dorpat († 1852), 1856. Joachim Marquardt, Altertumsforscher, Direktor des Gymnasiums in Gotha (1883).

B. Pick, Die Arbeiten des Gothaer Stempelschneiders F. H., Gotha 1916, m. 2 Taf. Vorher ersch. in Mitt. der Vereinig. f. Gothaische Gesch. u. Altertumskde, 1915/6. — Allg. dtsche Biogr., L (1905). — Forrer, Dict. of Medall., II (1904), m. Lit. — Dioskuren, IV (1859) 195. — Binder, Württ. Münz- u. Medaillenkunde, 1846 p. 582 Nr 67ᵃ, 615 Nr 80, 618 Nr 80. — Fiala, Münzen u. Med. der Welfischen Lande. Das neue Haus Lüneburg in England, 1917 p. 123 Nr 1106, 128 Nr 1142. — Bonner Jahrbücher, CXXV (1919) 4, m. Abb. (Niebuhr-Medaille).

Heliades, syrischer Architekt, errichtet laut Inschrift im Jahre 399 einen christl. Grabbau in Deir Sanbil.

De Vogué, Syrie centrale, 1865 p. 109.

Heliás, böhm. Architekt, errichtete 1518 den mit 4 Ecktürmchen verzierten Helm des Turmes der Kirche zu Lounech in Böhmen.

Richesse d'art de la Bohême, I (1913) 10.

Hélie, Georges Delphin Charles, Maler in Paris, geb. ebenda, Schüler von Courbet und Corot, stellte 1870/95 im Salon (Soc. d. Art. Franç.) aus, anfangs Landschaften und Figurenbilder, seit 1881 Tierbilder (Pferde und Gänse). Von ihm im Mus. zu Neuchâtel, „Eichen und Birken in Fontainebleau".

Bellier-Auvray, Dict. génér., I (1882) u. Suppl. — Portfolio, 1891 p. 136 (Abb.). — Salon-Katal. (meist mit Abb.).

Helikon, Sohn des Akesas, nach der besten Überlieferung von Salamis auf Cypern, berühmter Kunstwirker, dessen Lebenszeit allerdings nicht feststeht. Die Nachricht, daß er, zus. mit Akesas, den ersten Peplos für die Athena Parthenos gewebt habe, ist eine antike Erfindung, und die weitere Überlieferung, daß Alex. d. Gr. in der Schlacht von Issos ein von „dem alten H." gewebtes Prachtstück, ein Ehrengeschenk der Rhodier, getragen habe, gibt für seine Lebenszeit ebensowenig Anhalt als ein Epigramm, das man in Delphi auf einem Werk des H. lesen konnte. Aber da die cyprische Kunstweberei augenscheinlich ihren höchsten Ruf in der Frühzeit hatte, liegt es nahe, ihr auch die bedeutendsten Meister dieser Kunst zuzuschreiben. Der Versuch, Akesas sowohl wie H. aus der Etymologie ihrer Namen als mythische Gestalten zu erweisen, ist nicht gelungen.

E. Buschor, Beitr. z. Gesch. der griech. Textilkunde, München 1912 p. 47 ff., mit weiterer Lit. *Pernice.*

Hélin, Pierre, Architekt in Paris, geb. 1730 in Versailles, † 1785, Schüler Loriot's an der Pariser Akad., die ihn 1751 u. 52 mit Preisen, 1754 mit dem 1. Preise auszeichnete (für den Entwurf „Un Salon des Arts"). 1756—59 war er als königl. Pensionär an der Akad. in Rom. In Paris baute er die ehem. Kirche de la Visitation des Dames de Sainte-Marie (rue du Bac), deren Grundstein am 30. 10. 1775 gelegt wurde. Es gibt von H. mehrere Folgen von Ornamentstichen: Compositions Diverses d'Architecture (6 Bl. und Titel, Triumphbögen); IIIᵉ Cahier d'Etudes de Croisées, faites à Rome et dans l'Italie (4 Bl., Portale, Fenster); eine andere Folge von 4 Bl., alle bei J. F. Chereau, Paris. Auch lieferte er Zeichnungen für J. F. Blondel's „Cours d'Architecture", 1771/77.

Lance, Dict. des archit., I (1872). — Bauchal, Dict. des archit., 1887. — Delaire, Archit. Elèves etc., 1907. — Archiv. de l'art franç., Docum. V (1857/8) 296. — Gazette des B.-Arts, 1870 II 278; 1872 I 176. — Nouv. Archiv. de l'art franç., 2. Série I (1879) 370. — Guilmard, Maitres Ornemanistes, 1881. — Katal. der Berliner Ornamentstichslg, 1894.

Helinand, Kalligraph (Miniaturist?), Mönch in der Zisterzienserabtei Lützel i. Oberelsaß, schrieb ein in einem Briefe des Abtes von 1196 als kürzlich vollendet und besonders schön erwähntes Missale.

Gérard, Artistes de l'Alsace etc., I (1872).

Heliodoros. 1. Griech. Bildhauer unbestimmter Zeit. Plinius zählt (Nat. Hist. XXXIV 91) 26 Bildhauer namentlich auf, als deren Werke er „athletas et armatos et venatores sacrificantesque" angibt, darunter einen H. — 2. Im Tempel des Juppiter innerhalb der Porticus Octavia sah Plinius (Nat. Hist. XXXVI 35) das „symplegma nobile" eines H.: Pana et Olympum luctantes. Die Verbindung von Pan und Olympos muß auf einem Irrtum des Plinius oder seiner Quelle beruhen. Eine Identifizierung der Gruppe mit einer in Kopien erhaltenen ist demnach nur nach Änderung des

Textes möglich, muß also ungewiß bleiben. Man hat H. mit dem Vorhergen. gleichsetzen wollen, auch in ihm den Vater der rhodischen Bildhauer Demetrios und Plutarchos, die im 1. Viertel des 1. Jahrh. v. Chr. tätig waren (Emman. Löwy, Inschr. griech. Bildhauer Nr 193—195 = Inscriptiones Graecae XII, 1 Nr 48, 108, 769, 844), endlich auch den H., Sohn eines Heliodoros, in einer Inschrift aus Halikarnass (Löwy Nr 403) sehen wollen. Doch ist keineswegs sicher, daß der Vater der rhod. Bildhauer auch Künstler war, ebensowenig, ob die halikarnassische Inschrift eine Künstlerinschrift ist. Bei der Häufigkeit des Namens ist es ausgeschlossen, auch nur die Möglichkeit einer solchen Gleichsetzung zu erweisen.

Pauly-Wissowa, Realencyclop., VIII 42 (Pfuhl). — Jahreshefte des österr. archäol. Instituts, XIX/XX (1919) 260 ff. (Klein). — Wilh. Klein, Vom antiken Rokoko, Wien 1921 p. 60. *R.*

Heliodoros, Astronom und Mechaniker in Byzanz, 1. Hälfte 8. Jahrh., errichtet unter Leo d. Isaurier eine kolossale eherne Windfahne (Anemodoulion) mit reichem Figurenschmuck (d. 12 Winde), zu dem 4 große Erzbildwerke aus Dyrrhachium benutzt wurden.

Unger, Quellen der byz. Kunstgesch., 1888 (Quellenschr. z. Kunstgesch. XII).

Héliot, Berthelot, Goldschmied (und Elfenbeinschnitzer?) in Paris, 1387—99 mit Zahlungen erwähnt, valet du chambre des Herzogs von Burgund, verkauft 1393 an Philipp den Kühnen, für die Kartause von Champmol, 2 große Elfenbeintafeln mit Darstell. der Passion und der Geschichte Joh. des Täufers, der Tradition nach unter dem Namen „Oratoire des duchesses" zu Cluny-Mus. zu Paris erhalten (Catal. Sommerard, 1883, No 1079 und 1080); diese Tafeln sind jedoch Arbeiten der Embriachi-Schule, so daß H. nicht Verfertiger, sondern nur Verkäufer gewesen wäre.

R. Koechlin in Archives de l'Art Franç. (Mélanges offerts à H. Lemonnier), 1913 p. 18 ff., 35.

Hell, deutscher Miniaturmaler, arbeitete 1796 in Cadiz; in der Wiener Miniat.-Ausstell. 1905 (Kat. No 742) war ein Bildnis der 1. Gemahlin des Herzogs v. Zweibrücken, nachmal. Königs Maximilian Josef von Bayern, Auguste, geb. Prinzessin von Hessen-Darmstadt, der Hell 1797; in der Berliner Miniat.-Ausst. 1912 (bei Reuß u. Pollack, Kat. No 30) ein Offiziersporträt, bez. Hell.

Arte español, III (1914) 93.

Hell, Abraham del, siehe *Hele,* A. del.

Hell, Friedrich, Maler zu Uderns im Zillertal in Tirol, geb. ebenda 10. 11. 1869, Schüler von J. Herterich und W. v. Diez in München, bildete sich dann daheim autodidaktisch weiter. Anfangs unter der Einwirkung Böcklin'scher Motive, fand er bald den Weg aus der Romantik zu einem selbständigen poetischen Sehen und Gestalten der Bergland-

schaft seiner Heimat. Er versteht vor allem, die herbe Stimmung u. den steinernen Bau der Tiroler Natur durch die Komposition und durch die klare Härte der Farbe wiederzugeben. Die wenigen Figuren, Hirtenbuben u. Älpler, die er in die kristallischen Felsen, träumend, wie verzaubert oder versteinert hineinsetzt, werden die unaufdringlichen Träger einer geheimnisvollen, oft unheimlichen Stimmung. Benennungen wie „Wolken über dem Tal", „Rauschen der Berge", „Bergeinsamkeit", „Rastender Hirte", „Blick in die Tiefe" bezeichnen den Stimmungs- und Stoffkreis, der mitunter durch das Aufgreifen einer tirol. Bergsage erweitert ist. Vielfach verzichtet H. auch auf Zuhilfenahme der menschl. Figur und gibt die Berge wie einen halbfertigen oder halbzerfallenen zyklopischen Bau, an dem unheimliche Hände unsichtbar schaffen, wieder. Er malt auch reizvolle, ganz einfache Stilleben, meist nur eine Frucht auf einem Teller, oder eine Blume in einem Glase. Für Uderns schuf er als Kriegerdenkmal ein figurales Triptychon. Er stellte aus in München, Glaspalast (Katal. 1891, 1897, 1901) und Sezession (Kat. 1895, 1896, 1900, 1902, Frühjahr 1914 [Abb.] 1914, 1915), in Innsbruck (Katal. K. A. 1903 Nr 27/30) und in Kufstein 1922.

Kstchronik, N. F. XII (1901). — Die Kunst, VII (1903); XXIX (1914). — München-Augsburger Abendzeitung, 1914 No 62. *J. Garber.*

Hell, Johann, siehe *Heel,* Joh. Wilh.

Hell, Johannes, Baumeister, nach einer jetzt nicht mehr lesbaren Inschrift Erbauer des Pfarrhauses zu Rod a. d. Weil 1522.

Bau- u. Kstdenkm. Reg.-Bez. Wiesbaden II (östl. Taunus) 1905 p. 196.

Hell, Josef, Bildhauer, geb. 23. 8. 1789 zu Vomp (Unterinntal), † 22. 5. 1832 auf Schloß Tirol. In Völs bei Innsbruck, wo sein Vater 1805 ein Bauerngut erwarb, begann er, durch Weihnachtskrippen angeregt, ohne Schulung kleine Schnitzarbeiten. Das entscheidende Vorbild wurden ihm die Reliefs Alex. Colins am Maximiliansgrabe in Innsbruck, in deren Format und Kompositionsweise er Landschaften mit kleinen Figuren und Tieren in Birnholz schnitzte. Mit Unterstützung des Ferdinandeums ging er 1824 an die Akad. in München zu Andr. Seidl, erwarb sich durch 2 nach Bildern P. Altmutters geschnitzte Reliefs (Tiroler Bauernschießen, Dorftanz) die Förderung König Max Josefs von Bayern und ging nun zu figurenreicheren Kompositionen über: Rückkehr der hl. Genoveva (1824/25), Hochkreuz bei der Ruine Godesberg a. Rh. (1826—27), beide im Ferdinandeum, Innsbruck. 1828 als Schloßwächter auf Burg Tirol bestellt, schnitzte er noch einen „Martertod des hl. Johannes v. Nepomuk" (für Bischof Tschiderer), eine „Landschaft mit Bauernhaus" (für Erzh. Maria Luise von Parma) und begann ein mehrteil. Schnitzwerk „Einzug der Jungfrau von Orleans in Reims" (Fragmente im Ferdinandeum), erkrankte dann auf einer abenteuerlichen Reise nach Wien, an deren Folgen er starb. Seine Reliefs, im Stile der Romantik gehalten, sind mehr als techn. Kunststücke und als Zeugnisse der alteingewurzelten tirol. Volksbegabung für Schnitzerei interessant, denn als Kunstwerke wertvoll. — H. wird von Schidlof, Bildnisminiatur in Frankreich 1911, unbegründeterweise mit dem schon 1796 tätigen Miniaturmaler Hell (s. d.) zusammengeworfen.

Tirol. Kstlerlex., 1830 p. 88. — G l a u s e n, J. H. und seine Schnitzwerke, Zeitschr. des Ferdinandeums 1835 p. 1 ff. (mit Porträt). — C. v. W u r z b a c h, Biogr. Lex. Oesterr., 1856 ff. VIII. — Bote f. Tirol, 1826 p. 132, 136, 140; 1827 p. 328, 332; 1837 p. 372; 1838 p. 236, 240. — Tiroler Stimmen, 1902 No 26 Beil. — Katal. tirol.-vorarlb. Kstausst. Innsbruck, 1879 p. 6. — Katal. plast. Kstgegenst. im Ferdinandeum Innsbr., 1875 p. 18; Führer d. d. Ferdinandeum, 1912 p. 23.

H. Hammer.

Hell, W i l l y t e r, Landschaftsmaler in Berlin, geb. 3. 12. 1883 zu Norden in Ostfriesland, lernte in Berlin zunächst bei einem Theatermaler, war dann Schüler von H. Harder ebenda und 1906/10 an der Dresdner Akad. von E. Bracht, von dem er jedoch wenig beeinflußt erscheint. Seine ausdrucksvollen Landschaften (Motive aus der Mark, aus Westpreußen, Hessen, Rhön, Harz, Riesengebirge und Schwarzwald, seit 1921 vereinzelt aus dem Hochgebirge), ohne jede Staffage, behandeln mit Vorliebe Fernblicke und vermitteln eine intime, oft feierliche Stimmung. H. beschickt seit 1906 Berliner u. andere Ausstell. „Märkischer See" (1912) wurde in Berlin mit dem Hefftpreis, in München 1913 mit der Gold. Medaille ausgezeichnet. Die Stadt Berlin erwarb 1914 „Märkische Landschaft", die Berl. Nationalgal. besitzt „Hessische Landschaft" (ausgest. im ehemal. Kronprinzen-Palais). Von ihm auch farbige Steinzeichnungen.

Kstwelt, I (1911/12) Bd II 566 (Abb.). — Neuigkeiten d. dtschen Ksthandels, 1911 p. 115; 1912 p. 165. — Jahrbuch der Bilder- u. Kstblätterpreise, 1911 ff. V—VI. — Dtsche Kst u. Dekoration, XXXIV (1914) 393. — Ber. d. städt. Kstdeputation, Berlin 1914. — Der Tag, Nr 10 v. 13. 1. 1914; Nr 108 v. 9. 5. 1914; Nr 295 v. 17. 12. 1917 (Abb.). — Westermann's Monatshefte, 131. Bd, 1. Teil (1921) 207; 133. Bd 1. Teil (1922) 54 ff. reich illustr., vgl. p. 205 (G.J. K e r n). — Kstchronik, N. F. XXXIII (1921/22) 140. — Ausstell.-Kataloge: Berlin, Gr. K.-A. 1906—20; Frühjahrs-A. Akad. 1922; Buenos Aires, Expos. de arte alemán 1913; Cassel, Dtsche K.-A. 1913; Düsseldorf, Gr. K.-A. 1913, 1920; München, Glaspalast 1911, 1912; Paderborn, 1913; Potsdamer Kstsommer, 1921; Wien, Jahres-A. 1914.

Helladios, A l e x a n d r o s, griech. Zeichner u. Schriftsteller, ansässig in Altdorf b. Nürnberg, zeichnete für sein ebenda 1714 erschienenes Buch „Status praesens Ecclesiae Graecae" nach J. Kupeczky's Gemälde von 1711 (bzw. nach einer der vielen Stichwiedergaben desselben) das Bildnis Zar Peters d. Gr., das der Nürn-

berger A. Chr. Fleischmann für das gen. Buch in Kupfer stach.

R o w i n s k y, Russ. Portr.-Lex., 1886 ff. (russ.) III 1562 No 109. — Biogr. Univ. anc. et mod., XX (Paris Michaud, 1817). *

Helland, Henrik August, norweg. Landschafts- und Bildnismaler, geb. in Bergen 17. 10. 1827 oder 1828, † in Antwerpen 1855. Kam mit seinen Eltern 1839 nach Stettin und bildete sich auf der Berliner Akad. zu einem tüchtigen Zeichner. Nachdem er 1846 auf Rügen Landschaften gemalt hatte und 1848 die Berliner Akad.-Ausst. beschickt hatte, studierte er 1851—2 auf der Akad. Antwerpen, von wo er eine „Marktszene" auf die Bergener Kunstausst. schickte. Ging 1854 nach Paris, wo er im nächsten Jahre auf der Weltausst. mit einer „Versailler Parkszene" mit histor. Genrefiguren Beifall fand. Eine Skizze zu jenem Bilde, die sich nebst einigen Bildnissen von seiner Hand in der Bergener Gal. befindet, zeigt ein starkes Farbengefühl und einen franzöz.-romantischen Einschlag. Er erkrankte in Paris, wo er als Bildniszeichner lebte, und starb auf der Heimreise nach Stettin im Antwerpener Krankenhaus.

J o h. B ö g h, Bergens Kunstforening, 1838 —1888, p. 102. — O. P. H a n s e n B a l l i n g, Erindringer fra et langt Liv, Kristiania 1905 p. 52—4. — J. T h i i s, Norske Malere og Billedhuggere, II, Bergen 1907 p. 330. — Kat. Norweg. Jubil.-Ausst. Kristiania 1914, m. Bildnis u. Abb.

C. W. Schnitler.

Hellanus, J o a n n e s A n t o n i u s, Frater, Maler aus Padua, bezeichnete 1663 zusammen mit Franciscus Maria de Mutina (nicht erhaltene) Prospektmalereien im Langhaus von S. Francesco in Ravenna.

Rassegna d'Arte, VIII (XXI) 1921 p. 314.

Hellart (Hélard, Hélart, Hellard), Malerfamilie in Reims, Paris und Versailles 17.—18. Jahrh., deren Mitglieder in chronol. Folge sind: J e a n, geb. in Reims 1618, † ebenda 12. 1. 1685, Schüler von Jean Harmant, wurde 1637 Meister, war vielleicht vorher in Rom, wahrscheinlicher aber erst 1642, als der mit ihm befreundete Lebrun in Rom war. Er heiratete eine Schwester des Malers Claude Thierry, war bekannt mit La Fontaine, der ihn wahrscheinlich in einem seiner Contes, „Les Rémois", geschildert hat. 1670 erhielt er den Titel eines Stadtmalers, 1677 gründete er mit dem Bildhauer Isaac de Lacroix eine Akad. für Malerei und Skulptur in Reims (beide wurden aus diesem Anlaß in die königl. Akad. aufgenommen). H. malte im Refektorium des Jesuiten-Collegs (jetzt Hôpital général) Szenen aus der Geschichte der hl. Ignaz und Franz Xaver und schuf die umfangreiche Dekoration der Schloßgalerie zu Etoges (Marne) mit vielen Porträts, Devisen, Emblemen, Wappen, Darstellungen aus der antiken und neueren Geschichte. Von seinen zahlreichen Gemälden für die Kirchen von Reims und Umgebung sind im Mus. zu

Reims (Kat. 1909) Bestrafung des Ananias (beeinflußt von Raffaels Karton), Petrus mit Andreas (im Kat. von Loriquet 1881 dem Nic. Harmant zugeschrieben) und Predigt Petri (von Loriquet der Marie Bona [s. u.] zugeschrieben). Der Kat. von 1881 nannte noch die Schlüsselübergabe, Befreiung Petri, Nikolaus V. am Leichnam des hl. Franz (jetzt im Rathaus, bzw. in der Kathedrale) und 3 Porträts, während der Kat. von 1909 diese Bilder unter den anonymen aufführt. Nach Demaison sind von H. auch ein Paulus auf dem Wege nach Damaskus und eine hl. Anna mit Maria in der Kathedrale. Die Begegnung Chlodwigs mit dem hl. Remigius in Saint-Rémy wird ihm ebenfalls zugeschrieben. J. Colin stach nach H. die Bildnisse von Michel Larcher, marquis d'Olizy und André Coquebert (gem. 1664, gest. 1668), laut Füßli (Kstlerlex. 2. Teil 1806 ff.) auch von Dr. Peter Routiers und von Canonicus Jac. Thuret, und „Feu de joie faict à Reims devant l'Hôtel de Ville pour la paix gén. de 1679". Die Charakteristik von M. Sutaine (Trav. acad., 1846 p. 236) bezeichnet H.s Kompositionen als unselbständig, lobt aber sein Kolorit, die Lichtbehandlung und die Anmut seiner Frauendarstellungen. — Als Gehilfe H.s wird sein Bruder J a c q u e s genannt. — 3 von H.s Kindern waren künstlerisch tätig: M a r i e, verehel. *Bona*, geb. 24. 3. 1656 in Reims, † 1740 ebenda, Schülerin ihres Vaters, nach dessen Tode Mitarbeiterin ihres Bruders Claude; über das ihr früher zugeschr. Bild im Reimser Mus. s. oben. Es gibt von ihr mehrere bez. Bilder, darunter eine Kreuzabnahme nach Lebrun in Saint-Rémy in Reims, andere in der Kirche in Chigny. — C l a u d e, geb. 13. 7. 1660 in Reims, † 9. 10. 1719, Mitarbeiter seiner Schwester im Hause seiner Mutter, erst 1709 Meister. Im Mus. zu Reims (Kat. 1909) ein rückseitig Hellart bez. Bild, Johannes d. T. in der Wüste; in der Kirche zu La Neuville-au-Larris ein bez. und 1707 dat. Bild: Christus erscheint der Magdalena. — J a c q u e s, geb. 10. 6. 1664 in Reims, † 17. 6. 1719 in Paris, bildete sich zunächst im Atelier seines Vaters und seiner Schwester, ging dann wahrscheinlich nach Rom, malte 1688 zwei Bilder für seine Vaterstadt (Loriquet's Katal. nennt als ihm zugeschr. „Jesus und die Kindlein", jetzt in der Kathedrale), war 1691 in Paris, wo er der Beerdigung seiner Schwiegermutter, der Witwe des Malers Justus van Egmont, beiwohnte, wurde „peintre du roi" und „peintre du duc de Bourgogne", lebte zeitweise in Versailles, lieferte zahlreiche Kopien, u. a. 1711 „Le Silence" nach Le Brun, 1712 das Porträt des Königs nach Rigaud (für das appartement der Herzogin von Vantadour im Versailler Schloß) für den König. Sein Bildnis des Herzogs von Burgund ist von Edelinck gestochen, das des H. A. A. Fauvel 1716 von E. Jeaurat.

— 2 Söhne von Jacques waren Maler in Paris, L o u i s C h a r l e s, geb. in Versailles 8. 3. 1696, und L o u i s, geb. in Versailles 7. 3. 1699, † vor dem 5. 4. 1757 (s. unten), königl. Kabinettsmaler, 1756 Hofmaler der Königin, für deren Gemächer in Versailles er 1750 ein Bild der hl. Rosa von Peru malte. 5. 4. 1757 erhalten seine Erben Zahlung für 3 im vorhergehenden Jahre für den König gelieferte Gemälde (2 Porträts des Königs und ein hl. Ludwig). 1754 hatte er ein Porträt des Infanten Don Philipp kopiert.

Archives de l'art franç., Docum. I (1851/52) 369, 399; VI 385. — La Galerie d'Etoges, peinte par J. Hélart de Reims, d'après un manuscrit etc., Paris 1871. — J a l, Dict crit., 1872 (kennt Jean H. nicht, daher Verwechselung mit Jacques). — Gaz. des B.-Arts, 1876 II 96. — M o n t a i g - l o n, Procès-Verbaux de l'Acad. Roy., II (1878) 100, 103, 104, 108; IV 218 f. — B e l l i e r - A u v r a y, Dict. génér., I (1882). — Réun. d. Soc. d. B.-Arts, XVIII (1894) 1109; XXXII (1908) 42. — Nouv. Arch. de l'art franç., 1896 p. 150. — D u p l e s s i s, Cat. Portr. Bibl. Nat. Paris, 1896 ff., II 6053/61; III 10607, 15385. — E n g e r a n d, Invent. des Tabl. du Roy, 1900 (Druckfehler 1857 statt 1757). — G u i f f r e y, Comptes des Bâtim. du roi, V (1901). — D e - m a i s o n, Cathédrale de Reims, p. 121. — M i r e u r, Dict. d. ventes d'art, III (1911). — Cat. Tentoonstell. oude Kunst, Haarlem Juni/Juli 1915 p. 20.   *D. St.*

Hellbrunn, J o h a n n G e o r g, Ratsbaumeister in Altenburg, † 1753, baute in Altenburg 1725 das Landschaftshaus (jetzt Amtshaus), Burgstr.; 1727—29 das alte Gymnasium (jetzt Ostflügel der Realschule); von ihm oder ihm zugeschrieben ferner zahlreiche Privathäuser, vor allem das stattliche v. Seckendorff'sche Haus (1724) am Brühl; andere: v. Pöllnitz, früher v. Zech, Johannisstr.; Schonherr, jetzt Zetzsche, Moritzstr.; v. Beust, jetzt Brauer, Johannisstr. 7; v. Meusebach, jetzt Pierer, Burgstr.; Zinkeisen, jetzt Jäger, Brüdergasse; Brauer, jetzt Stadt Gotha, Johannisstr.; Rothe, jetzt Bachmann, Johannisstr.; Schwarzer Bär, Markt; Arnoldt, Markt; Rosenleger, Markt; Lorenz, jetzt Bonde, Burgstr.; Pistorius, jetzt Melcher, Burgstr.; Hofmann, jetzt Fahr, Topfmarkt; Elben, Obermarkt; Schmidt, Johannisstr. 31; Hager, jetzt Th. Köhler, Johannisgasse; Müller, dann Lots, Pauritzer Gasse. H.s Bauten zeigen den Übergang vom Barock- zum Régence-Stil unter Einfluß von G. Bähr und andern sächs. Architekten. Gliederung und Raumverteilung sind meist recht geschickt, die dekorativen Teile dagegen wenig künstlerisch behandelt.

Bau- u. Kst-Denkm. Thüringens, Herzogt. Sachsen-Altenburg I (1895) 11, 40 (Abb.), 73 (Abb.), 74.

Helldobler (Heldobler), J., Maler in München, um 1840 in der Porzellan-Manufaktur tätig. Von ihm im Münchner Stadtmus. (vgl. Maillinger's Bilderchronik, 1876 III) 5 Aquarelle mit Münchner Ansichten: Kosttor von innen, 1833; bürgerl. Zeughaus am Anger; alter Stadtturm am Viktualienmarkt, 1836; Marktplatz an der Salvatorkirche, 1840; schmerzhafte Kapelle, 1842; ferner 2 Zeichnungen: Grundriß und Fassade der neuen Maximilians-Getreidehalle; alter Turm am Einlaß.

Raczynski, Gesch. d. neueren deutschen Kst, II (1840).

Helle, Albert van der, s. *Hoelle,* A. v. d.

Hellé, André, Maler und Kunstgewerbler in Paris, geb. ebenda, Spezialist für die Kunst der Kinderstube, zeigt seit 1905 im Salon der Soc. Nat., auch im Salon d. Artist. Indépend. und im Salon d'Automne, Spielsachen, Entwürfe zu solchen, Kindermöbel- und ganze Einrichtungen, Wandfriese und Buchillustrationen in originellem, anmutig-humorvollem Stil bei strenger Formen-Vereinfachung. Das Unterrichtsministerium bestellte bei ihm instruktive Bilder und Wandschmuck für Schulen. Von ihm auch Theaterdekorationen und Illustrationen für Zeitschriften (Rire, Cri de Paris, Graphic).

Art et Décoration, XXIII (1908); XXV; XXVIII; XXX. — Kst u. Ksthandwerk, XVII (1914) 25. — Studio, Year-book of decorat. art, 1914 p. 145 ff. — L'Art et les Artistes, N. S. I (1920) 337—46 (G. Kahn). — Salon-Kataloge: Soc. Nat. 1905—12, 14, 20, 21; Art. Indépend. 1907; d'Automne 1910, 11, 13, 21. — Kat. Ausstell. Das Schwedische Ballett, Berlin (Flechtheim) 1922.

Helle, Henri van der, Bildhauer, mitbeschäftigt an der Herstellung der Reliefs für das 1448—64 erbaute Rathaus zu Löwen.

Marchal, Sculpture etc. belges, 1895 p. 214.

Helle, Jean, siehe *Heylem,* J.

Hellé, Jean-Bapt., Maler in Genf, geb. 15. 10. 1876 in Vevey, besuchte die Kunstschule in Genf, zeigt Landschaften (Öl und Aquarell) seit 1898 in zahlreichen Schweizer Ausstell.

Brun, Schweizer. Kstlerlex., II (1908). — Chronique des Arts, 1904 p. 257.

Helle, Johann, Bildhauer, fertigte die Tonreliefs in den Metopen des 1808 von Christoph Schulz erbauten Grabmals du Bois auf dem Friedhof der S. Annen-Kirche in Elbing.

Dehio, Handbuch d. dtschen Kstdenkm., II (2. Aufl. 1922).

Helle, Izaak del, s. *Hele,* I. del.

Helle, Viktor zur, Maler, geb. 1839 in Mähren, † 1904 in Graz, Schüler von A. Böcklin, später von Hans von Marées beeinflußt. Tätig in Florenz und Rom. Auf der Berliner Jahrh.-Ausst. 1906 sah man von ihm eine von Böcklin beeinflußte ital. Landschaft (aus Grazer Privatbesitz) in seltsamen violetten und rötlichen Farbtönen.

Ausst. deutscher Kst a. d. Zeit von 1775—1875 . . ., Berlin 1906. Ill. Katal. d. Gemälde, München 1906, II. — Kstchronik, N. F. XVIII 37.

Hellebaut (Helbaut, Heldebaut), Pierre, Maler, geb. in Tournai, 1472 Schüler von Jehan le Quien, 1478 dort Meister (4 Schüler von ihm werden genannt), malte 1486 die Flügel des Altars der Kirche von Ramegnies; bemalte und vergoldete 1492 einen Schnitzaltar (Georgslegende) für Artus de Cordes; fertigte den Entwurf einer Figur für den Beffroi; malte Blumen nach der Natur.

Grange et Cloquet, L'Art à Tournai, 1889 II 71, 77, 78, 120, 150, 242.

Hellebronth, Gizella, verehel. *Imre Légrády,* Malerin in Budapest, geb. in Csákvár (Com. Temes, Ungarn) 19. 9. 1881, lernte auf der Akad. zu Budapest, wo sie 1904 das Zeichenlehrer-Diplom erhielt. Seit 1911 stellt sie in Budapester Ausstell. aus.

A Nemzeti Szalon Almanachja, Budapest 1912, p. 187 (sub Légrády). *K. Lyka.*

Hellebuyck, Paulus, Maler im Haag, 1654—82 erwähnt (1662 mit einer Landschaft, 1663 mit einem Genrebild), 1696 heißt seine Frau Witwe; 1681 bedenkt ihn der Maler Joh. Dalens in seinem Testament. Wohl identisch mit dem H., von dem mehrere Bilder in dem 1647 beginnenden Register von Bilderverkäufen aus dem Besitz von Mitgliedern der Haager Lukasgilde (Ms. im Haager Gemeindearchiv) genannt werden. — H.s Bruder Pieter, Maler, wird 1648 und 1650 in Leiden erwähnt, dessen gleichnamiger Sohn ist 1703 in der Leidener Lukasgilde. Ein „P. Hellenbuyk" bez. Stilleben, tote Vögel, wurde 1736 in Delft verkauft (Kat. von J. van Loon No 44).

Kramm, Levens en Werken, Suppl. 1864. — Obreen's Archief, III (1880—81); IV; V. — Oud Holland, 1904. — Bredius, Künstlerinventare, II 1916 (in Quellenstud. z. holländ. Kstgesch. her. v. Hofstede de Groot VI) 504; IV 1917 (Quellenstud. X) 1416 ff.; VI 1919 (Quellenstud. XII) 2208. — Mitteil. von A. Bredius.

Hellechin, C., französ. Graveur 18. Jahrh. Ein so bezeichn. Nautilus-Becher im Louvre (Slg Sauvageot) mit gravierter Darstell. von Silen mit Bacchus auf einer, Toilette der Venus auf der anderen Seite.

Blondel, Hist. des éventails, 1875.

Hellek, Johann, falsch f. *Heel,* Joh. Wilh.

Hellemans, K. A., holländ. Schabkünstler Ende 17. Jahrh. Von ihm 2 Bl., Bildnisse von Gualterus Boudaan, Pfarrer in Amsterdam, eins davon nach N. Maes (Abzug auf Atlas im Reichsmus. Amsterdam, Kat. 1920).

Someren, Catal. v. Portr., II (1890) 149.

Hellemans, Pierre Jean, Landschaftsmaler in Brüssel, geb. ebenda 21. 11. 1787, † ebenda 13. 8. 1845, Schüler von J. B. Rubens und J. B. de Roy, stellte 1815/30 im Brüsseler Salon aus (Motive meist aus der Umgebung von Brüssel, auch Moselgegend), galt für eine der stärksten malerischen Begabungen unter den belg. Landschaftern seiner Zeit. Auf einigen seiner Bilder malte E. Verboeckhoven die Tier-Staffage (Brüsseler Salon 1830; ebenda auch ein in Gemeinschaft mit C. Brias gemaltes Bild, vgl. Kunstblatt 1830). Das

Mod. Mus. Brüssel (Katal. 1908) besitzt „Lisière de la forêt de Soignes", bez. und dat. 1830; die Hamburger Kunsthalle 2 Landschaften mit Jägern und Hunden, beide von H. und von E. Verboekhoven bez. (Katal. 1910; fehlen im Kat. 1922); das Städt. Mus. Leipzig (Katal. 1887, nicht mehr im Kat. 1917) „Waldlandschaft", bez. und dat. 1829. H.s Bildnis, nach Zeichn. J. J. Eeckhout's lithogr. von G. P. van den Burggraaf, in „Collections de portraits d'artistes mod. nés dans le royaume des Pays-Bas" (Brüssel 1822). — H.s Gattin und Schülerin M a r i e J o s é p h i n e (Jeanne M. J.), Stillebenmalerin, geb. in Brüssel 1796, † ebenda 1. 10. 1837, zeigte 1827 ein Frucht- und Blumenstück im Brüsseler Salon.

I m m e r z e e l , Levens en Werken, II (1843). — K r a m m , Levens en Werken, III (1859). — A l v i n in Biogr. Nat. de Belg., VIII (1886). — J. d u J a r d i n , L'art flamand, Bd III p. 160. — Kstblatt, 1828; 1830. *L. Hissette.*

Hellemont, siehe *Helmont.*

Hellen, angeblich antiker Gemmenschneider. Der Name ist jedoch erst seit der Renaissancezeit bekannt und bezeichnet auf den drei Gemmen, die ihn tragen, eine Erklärung des dargestellten Jünglings als des mythischen Heros Hellen. Als angeblich antiker Künstlername erscheint H. erst auf antikisierenden Gemmen des 18. Jhdts. *Pernice.*

Hellen, C a r l v o n d e r , Landschaftsmaler, geb. 10. 5. 1843 in Bremen, † 11. 4. 1902 in Düsseldorf, 1859—63 Schüler von O. Achenbach in Düsseldorf, 1864/68 an der Karlsruher Akad. unter Gude, 1869 in Paris, 1870 in Rom, seit 1871 ansässig in Düsseldorf. Er zeigte deutsche und italien. Landschaften u. a. in Wien (3. allg. dtsche K.-A. 1868), den Ausstell. der Berliner Akad. 1874, 79—81, 84 u. 86, der Berl. Gr. K.-A. 1893, 94, 97 u. 99, im Münchner Glaspalast 1869 u. 1883. Im Landesmus. zu Münster i. W. (Kat. von Koch, o. J.) „Westfälische Landschaft"; in ehemal. Großherz. Besitz zu Oldenburg (Verzeichn. der z. Fideikommiß gehör. Kunstwerke usw. 1912) „Buchenwald".

F. v. B o e t t i c h e r , Malerwerke d. 19. Jahrh., 1891 I ₂ (1895). — Kstchronik, XX (1885) 269; N. F. XIII 407. — Die Kunst, V (1902). — Jahrbuch d. Bilder- u. Kstblätterpreise, Wien 1911 ff. I.

Hellenbuyk, P., s. im Art. *Hellebuyck,* Paulus.

Hellenos, Beischrift (in den Genitiv gesetzt) auf einer in Topas geschnittenen Gemme des Luigi Pichler (1773—1854). Einen Künstler dieses Namens aus antiker Zeit gibt es nicht. *P.*

Hellenraet, E m o n d , Baumeister in Zutfen (Holl.), nach dessen Entwurf 1616/19 das dortige Weinhaus (1863 abgebr.) gebaut wurde. Galland (Gesch. d. holl. Baukst, 1890) nennt als Architekten des Weinhauses Joh. Schut, der wohl nur für die Ausführung in Betracht kommt. 1644 war H. Stadtmaurermeister.

Oud Holland, X (1892). — Voorloopige Lijst der Nederl. Monum. van Geschied. en Kst, IV (1917).

Heller, A d o l f , Maler, geb. 3. 6. 1874 in Hamburg, † 16. 2. 1914 in Berlin, Schüler der Düsseldorfer Akad. unter P. Janssen, bildete sich in München und Paris, lebte in München, seit 1912 in Berlin, pflegte das Damenporträt (zuweilen in altertümlicher Tracht und altmeisterlicher Aufmachung) und das Innenstück, malte auch Stilleben; stellte aus in Düsseldorf (Dtschnat. K.-A. 1902 u. 1907, Intern. K.-A 1904, Gr. K.-A. 1909), München (Glaspal. 1896, 1900, 01, 04, 06/9, 11, 12), Berlin (Gr. K.-A. 1897, 1900, 1903 [Abb.], 1904/5, 1907/8, 1911 [Abb.], 1913), Dresden (Gr. K.-A. 1908). Mitarbeiter der „Jugend", für die er viele Titelblätter geschaffen hat. Für das Foyer des Deutschen Schauspielhauses in Hamburg malte er mehrere Porträts von Bühnenkünstlern.

S c h a a r s c h m i d t , Gesch. d. Düsseld. Kst, 1902. — Kstchronik, N. F. VIII (1897) 188; XV 10. — Kst für Alle, XII (1897); Die Kunst, III (1901); VII; IX; XI. — P i c a , Arte Mondiale alla IV. Espos. di Venezia, 1901 p. 138, 139 (Abb.). — H i r t h , 3000 Jugend-Kstblätter, 1916. — Berl. Lokal-Anzeiger, Nr 87 v. 17. 2. 1914. — Hamburger Fremdenbl., 22. 2. 1914.

Heller, A n t o n , Miniaturmaler. Von ihm ein Miniaturbild, Halbfigur der Madonna, Öl auf Porzellan, rückwärts bez. „Ant. Heller 828 fecit", im Superioratsgebäude zu Maria Plain (Ger. Bez. Salzburg).

Österreich. Ksttopogr., XI (1916) 373.

Heller, D a v i d , Bronzegießer, Anf. 17. Jahrh. Im Mus. Aug. Riedinger-Augsburg (Versteig.-Kat. 1894 No 348) war eine bronzene Untersatzschüssel, mit 3 Delphinköpfen als Füßen, in durchbrochener Arbeit, mit Ornamentwerk und der Inschrift: Rosina Neidhar. David Heller Fecit Mihi 1629.

Heller, F l o r e n t A n t o i n e , Bildhauer, Medailleur, Edelsteinschneider, Silberschmied und Maler, geb. in Zabern (Elsaß), † 1904 in Paris, wuchs in Paris auf, lernte das Wappen- und Siegelstechen, kam durch Vermittlung des Pariser Münzdirektors, Baron de Bussières, als Pensionär von Zabern zum Besuch der Ecole des B.-Arts, wo er unter Laemlein, Farochon, Baudry und besonders J. L. Gérôme studierte. 1864 stellte er eine Zeichnung im Salon aus, in der Folge ebenda fast alljährlich Skulpturen, Medaillen, Kameen, vereinzelt Gemälde (Porträt, auch Genre). 1871 ging H. für mehrere Jahre nach New York, wo er für Tiffany arbeitete, u. a. das mit der gold. Medaille ausgezeichnete, vom Prinzen v. Wales angekaufte Tafelservice „Olympia". Er war mehrmals in Amerika, arbeitete auch für die Firma Gorham & Co. mehrere silb. Tafelservice, u. a. das Muster „Mythology", das im Luxembourg-Mus. ausgestellt wurde. Neben Porträtmedaillen schuf H. zahlreiche Kameen, meist mit mytholog. Darstellungen (Hercules und Hebe; Melpomene;

Neptun als Kind), Medaillen und Plaketten (auf die amerikan. Zentenarfeier 1876; Apotheose Carnots; Schlacht von Fröschweiler; Medea; Zabern; Herodias; Montmartre; Calvarienberg; Fahrt des Columbus, usw.). 1875 stellte er im Salon 2 Gipsmodelle der Gruppen „L'Alsace esclave" und „Le temps et les saisons" aus, die letztere bestimmt für die landwirtschaftl. Gesellschaft in Rhode Island; 1879 die Wachsgruppen „Le roi des prairies" und „Un spadassin"; 1883 Figuren und Friese in histor. Stilarten und dekorative Füllungen (für das Weiße Haus in Washington). Eine Sammlung von 19 seiner Medaillen und Plaketten schenkte H. dem Kunstgew. (Hohenlohe)-Mus. in Straßburg. Bénédite charakterisiert ihn als Medailleur: beweglich bis zum Stürmischen, unausgeglichen, von stark romantischem, oft herbem Geschmack.

Ménard, Art en Alsace-Lorr., 1876 p. 160 f. — Gaz. d. B.-Arts, 1878 II 731. — Bellier-Auvray, Dict. génér., I (1882). — Kstchronik, N. F. VI (1895) 471. — L. Bénédite in Art et Décor., VI (1899) 52. — Illustr. Elsäss. Rundschau, IV (1902) Chronik p. 54. — Forrer, Dict. of Medall., II (1904). — Lami, Dict. des sculpt. franç. 19e siècle, III (1919). — Bouilhet, Orfévrerie franç., III (1912) 122. — Salonkataloge (Soc. des Art. Franç.). — Cat. Musée Luxembourg, 1898. — Ausstell.-Katal.: München, Glaspalast 1869; Berlin, Gr. K.-A. 1895 p. 116; Paris, Expos. décennale, 1900 p. 269.

Heller, ... h a r t, Baumeister in Gebweiler, baute, laut Inschrift am Erker, 1514 das dort. Rathaus in spätgot. Stil.

Kraus, Kunst u. Altert. in Els.-Lothr., II 117.

Heller, H e r m a n n, Maler u. Bildhauer in Wien, geb. ebenda 22. 8. 1866. Studierte zuerst Medizin (Dr. med. u. Prof. f. Anatomie a. d. Akad.), dann Schüler der Wiener Akad. unter Hellmer u. Bitterlich. Für den Obelisk in Trautenau führte er das Relief „Armeeführer Gablenz" aus, für die Sparkasse in Czernowitz die Attikagruppe. Im Städt. Mus. in Wien von ihm das gezeichn. Bildnis des Anatomen Hyrtl auf dem Totenbette.

Dressler's Ksthandbuch, 1921 II.

Heller, J. v., Maler, 2. Hälfte 17. Jahrh., nur Heinecken bekannt durch 2 Porträtstiche nach ihm: Andreas Christoph Schubart (Pfarrer in Halle), gest. von C. Romstedt, „J. v. Heller pinxit"; Joh. Christian Roth, gest. von J. C. Boecklin.

Heinecken, Dict. des artist., 1778 ff. (Ms. u. Suppl. im Kupferstichkab. Dresden).

Heller, Ö d ö n (Edmund), ung. Maler, lernte seit 1906 in der Künstlerkolonie Nagybánya (Ungarn), beschickte seit 1907 die Ausstell. in Budapest. Wirkte zumeist in Szeged, wo er 1921 einem Morde zum Opfer fiel.

Nemzeti Szalon Almanachja, Budapest, 1912 p. 172. — Kat. d. Kstver.-Ausst. Budapest, 1915, p. 49, 50, 60.   *K. Lyka.*

Heller, R u p r e c h t, Maler, nur bekannt

durch ein so bez. u. 1529 dat. Schlachtenbild im Nationalmus. zu Stockholm (Kat. 1893, mit Faksimile d. Signatur), Kampf zwischen Deutschen und Franzosen, das in der Malweise an Altdorfer erinnern soll.

Heller-Ostersetzer, H e r m i n e, Malerin und Graphikerin, geb. 23. 7. 1874 zu Wien, † 8. 3. 1909 in Grimmenstein, N.-Ö., Schülerin der Wiener Kunstgewerbeschule unter Fel. v. Myrbach und Carl Karger, dann von Kalckreuth in Stuttgart. In ihren Genrebildern, in welchen Kinderszenen bevorzugt werden, kommt die Tendenz einer realistischen, dem modernen Empfinden für soziales Elend entgegenkommenden Darstellung zum Ausdruck. Von ihren graph. Arbeiten fand der Zyklus „Das Leben der Armen" Beachtung.

Die Kunst, XIX (1909). — Die Graph. Kste, XXXII (1909) 60. — Studio, XXXVIII (1906) 174, 175 (Abb.); XLII (1908) 241, 245 (Abb.).
                    H. Leporini.

Hellesen, A d o l f Bernth, Dekorationsmaler, geb. in Kopenhagen 25. 12. 1831, † 1. 8. 1890 ebenda, seit 1847 Schüler der dort. Akad. als Dekorationsmaler unter G. Ch. Hilker; 1858 trat er auch in die Modellklasse ein. 1861/62 Auslandsreise, besonders nach Italien, ließ sich darauf in Kopenhagen nieder und führte dekorative Arbeiten für Kirchen und Herrenhöfe aus. 1858—72 zeigte er solche Entwürfe in Charlottenborg.

Weilbach, Nyt Dansk Kunstnerlex., 1896. — Reitzel, Fortegnelse over Danske Kunstneres Arb., 1883.

Hellesen, J o h a n n e (Hanne), Malerin, geb. 20. 1. 1801 in Kopenhagen, † 9. 5. 1844 ebenda, bildete sich unter J. L. Jensen zur Blumenmalerin und erhielt 1827 ein gutes Zeugnis der Akad. 1834 ging sie nach Deutschland, wo sie besonders in der Dresdner Galerie kopierte, z. B. nach J. van Huysum. Stellte 1825—44 in Charlottenborg aus, Blumenstücke, Frucht- u. Blumenstilleben; mehrere Bilder wurden für die Kgl. Gemäldesamml. erworben.

Weilbach, Nyt Dansk Kunstnerlex., 1896. — Reitzel, Fortegnelse over Danske Kunstneres Arb., 1883.

Hellesen, J u l i u s (Lars J. August), Maler u. Lithograph, geb. in Kopenhagen 17. 7. 1823, † 10. 7. 1877, war seit 1836 Schüler der dort. Akad., seit 1843 in der Modellklasse, wandte sich unter H. Buntzen der Landschaftsmalerei zu. In Charlottenborg zeigte er 1840 bis 46 einige Landschaften. Später arbeitete er als Lithograph bei Em. Baerentzen & Co. und zeigte 1860 in Charlottenborg eine Farbenlithogr. „Schloß Rosenborg".

Weilbach, Nyt Dansk Kunstnerlex., 1896. — Reitzel, Fortegnelse over Danske Kunstneres Arb., 1883.

Helleu, P a u l César François, Maler und Graphiker, geb. 1859 in Vannes, kam mit 15 Jahren an die Akad. zu Paris unter Gérôme und erlernte dann bei Deck das keramische

Gewerbe. Mit 20 Jahren stellte er Pastelle, meist Frauenbildnisse, aus, die seine älteren, schon berühmten Kollegen, darunter J. S. Sargent, so begeisterten, daß sie deren kauften. Dann wandte sich H. der Kaltnadelradierung zu, mit beispiellosem Erfolg. Er hat innerhalb weniger Jahre an die 1500 Bildnisse eleganter Damen und Kinder (wenige Herren) in Frankreich, England, Deutschland und Amerika geschaffen. Seine besten Modelle waren seine Frau Alice, die er mit 14 Jahren zum erstenmal pastellierte und mit 16 heiratete, und seine Kinder. H. arbeitet mit dem Diamant auf dem blanken Kupfer und entfaltet einen erstaunlich schönen Linienfluß sowie hervorragend gelungene Stofflichkeit. Manchmal druckte er in zwei und drei Farben (Einplattendrucke). Zu seinen besten Radierungen gehören: „La cigarette", „Les Watteaus au Louvre", „Die Herzogin von Marlborough im Hut", „Am Kamin", „La dame à la toque", „Les Lionnes" und „Maternité". — H. hat auch viele Steindrucke geschaffen, gewöhnlich in Schwarz und Rot mit Tonplatte, um auf allgemeinen Wunsch dem Watteau-Zeichenstil nahezukommen. Seine Malerei, meist in Pastell, zeichnet sich durch Zartheit der Empfindung und der Farbengebung aus; man kann an eine Annäherung an Whistler'sche Ideale denken. Neben Bildnissen, Interieurs u. Stilleben treten hier landschaftliche Studien stark hervor. H.s Kunst ist nicht nur äußerlich vornehm und elegant. Es ist bemerkenswert, daß er nicht eigentlich zum Modekünstler verflachte. Wenn festzustellen ist, daß er sein Glück bei der Bildnisradierung gründlich ausgenutzt hat, so ist doch auch zu bedenken, daß jede Platte in dieser Technik nur sehr wenig Abzüge hergab. H. war lange Zeit der einzige ausländische Aussteller bei den Londoner Painter-etchers und wohl ihr erstes auswärtiges Mitglied. Sein Bildnis malte Boldini. Das Luxembourg und die Gal. zu Sydney besitzen Gemälde, alle größeren Kabinette Graphiken von H.

R. de Montesquiou, Helleu, peintre et graveur, 1913. — E. de Goncourt, Cat. des pointes sèches de H., 1898. — Singer, Mod. Graphik, Lpzg 1914 (m. Abb.). — F. Wedmore, Helleu, A Gallery of portraits reprod. from etchings (24 Bl.), London o. J.; ders., Etching in England, 1895 (m. Abb.). — Die Kunst unsrer Zeit (Singer), 1896 p. 11 (m. Abb.). — Art et Décoration, XIII (1903 I) 77—86, mit Abb. (Henri Bouchot). — L'Art décoratif, 1904 I, p. 1—9, m. Abb. (Cam. Mauclair). — L'Art et les Artistes, IV (1906/7) p. 263—71 (O. Uzanne); XIX p. 159 (m. Abb.). — Die graph. Künste, XXVI p. 49—54, m. Abb. (Clément-Janin). —Bénédite, Luxembourg-Mus. Paris, 1915 p. 40 (m. Abb.).
H. W. S.

Helleweg, Wilhelm, Eisenschmied in Neisse, † ebenda 1695, seit 1677 bischöfl. Münzwerkmeister und Hofschlosser; seit 1681 Vorsteher des kaiserl. Zeughauses; fertigte das schöne schmiedeeiserne Gehäuse des Brunnens in der Breslauer Straße zu Neisse (zylindr. Aufbau, bekrönt von Doppeladler) mit Inschr. auf dem mittl. Eisenreif: „Ao 1686 aus Belieben eines löblichen Magistrates machte mich Wilhelm Helleweg Zeugwarter".

Kstdenkm. Schlesiens, IV (1894) 118. — Lüer-Creutz, Gesch. d. Metallkst, I (1904) 145. — Konwiarz, Alt-Schlesien, o. J., p. XII, 132 (Abb.).

Hellewetter (Hällewetter, Hellenwetter), Augustin, Zinngießer in Dresden, 14. 10. 1599 Meister, 1623 noch erwähnt. Von ihm eine Taufschüssel aus der Kirche von Grünberg, jetzt in der Schule zu Kunnersdorf bei Radeberg; Rand außen 8 eckig, innen rund, graviert mit 2 Wappen und 1607.

Hintze, Sächs. Zinngießer, I (1921). — Bau- u. Kstdenkm. Königr. Sachsen, XXVI (1904) 10, m. Abb. der Wappen.

Hellewich, Laurens Mauritsz., Maler in Amsterdam, geb. in Mecklenburg um 1593, bis 1628 erwähnt, 2½ Jahre (vor 1615) Schüler des Joh. Tengnagel in Amsterdam, heiratet 1621, zum 2. Mal 1627. 1620 will er eine Schuld im Wirtshaus mit einem Bilde (König Belsazar) bezahlen, das er dann infolge eines Zanks zerschneidet. Er malte auch Landschaften, u. a. zum Schmuck von Clavecimbeln. 1623/24 ist er Zeuge und Bevollmächtigter in Sachen des Malers Michiel v. d. Sande, dem er laut Bredius 1624 mehrere Bilder liefert.

Oud Holland, IV (1886). — Bredius, Kstlerinventare, V (Quellenstud. zur holländ. Kstgesch. XI) 1918 p. 1486 f. — Mitteil. von A. Bredius.

Hellgrewe, Rudolf, Maler und Illustrator in Berlin, geb. 6. 10. 1860 in Hammerstein i. Westpr., Schüler der Berl. Akad. unter C. Wilberg und E. Bracht, reiste 1885 nach Deutsch-Ostafrika und malte seitdem zahlreiche Kolonialbilder, zeigte solche neben Landschaften aus dem Riesengebirge und aus Norddeutschland in den Berl. Akad.-Ausst. (Kat. 1887 m. Abb., 1889, 1892 p. 26, 84, Internat. K.-A. 1891) und der Gr. Kunstausstell. (1893 u. 94). Mitarbeiter an Dioramen und Panoramen (Kaiser-Diorama mit Darstell. aus Afrika in der Jubiläumskunstausstell. zu Berlin 1886, H. Petersen's Panorama „Einfahrt des Norddeutschen Lloyddampfers ‚Lahn' in den Hafen von New York" in der Bremer Gewerbe- und Industrie-Ausst. 1890). Landschaften von ihm sah man u. a. in der Kolonialabteilung der Berl. Gewerbe-Ausstell. 1896, den Zyklus von 12 Zeichnungen „Afrikanischer Totentanz" in einer Sonderausstell. im Berl. Kunstsalon „Ribera" Dez. 1899. Koloniale Dioramen und Bilder (auch Kampfszenen) H.s befinden sich im Kolonial-Mus. und in der Dtschen Kolonialgesellschaft in Berlin, im Handelsmus. in Bremen, in der Universität Jena (Totentanz); ein Gemälde „Abend" im Schweriner Mus. Er lieferte zahlreiche Illustrationen für die Werke von Wissmann, Peters, Morgen usw. und gab mit

338

A. Wünsche die kolonialen Anschauungsbilder für Schulen heraus.

F. v. Boetticher, Malerwerke des 19.Jahrh., I 2 (1895). — Jansa, Dtsche bild. Kstler in Wort u. Bild, 1912. — Zeitschr. f. bild. Kst, XXI (1886) 207; XXIII 44. — Kstchronik, N. F. I (1890) 482; XI 137. — Kst für Alle, V (1890). — Jahrbuch der Bilder- u. Kstblätterpreise, Wien 1911 ff., IV, V/VI.

Hellhof, Heinrich, Maler in Berlin, geb. 30. 4. 1868 in Pritzwalk (Kr. Ostpriegnitz), gefallen im Weltkrieg 28. 8. 1914. Schüler der Berl. Akad. unter Wold. Friedrich und Saltzmann, machte sich durch flott gemalte Repräsentationsbildnisse (besonders höherer Offiziere, Aristokraten, Künstler) bekannt, zeigte solche neben einigen Figurenbildern seit 1895 in der Gr. Kunstausstell. Berlin (Kataloge meist mit Abb.), mehrmals auch im Glaspalast München (1898, 99, 1905). Zu nennen die Porträts: Generalfeldmarschall v. Mackensen, Graf v. Schwerin-Zinzow, Architekt A. Balcke, die Maler O. Antoine, Rummelspacher, Saltzmann, O. Seeck, Kupferstecher Hans Meyer, Opernsänger Knüpfer usw. Im Schweriner Landesmus. (Führer von Josephi: Die Prunkräume usw., 1922 p. 29) Bildnis des Großherzogs Friedr. Franz IV. (1913); in der Schloßgal. Friedenstein in Gotha (handschriftl. Katal. 1911) Bildnisse des Herzogs Carl Eduard und seiner Gem.; im Berl. Reichstagsgeb. Porträt des früheren Reichstagspräs. Grafen v. Schwerin-Löwitz; ein Bildnis Kaiser Wilhelms II. malte H. für das Oberlandesgericht zu Kolmar i. Els.

Kstchronik, N. F. VII (1896) 91. — Der Tag, 6. 9. 1914. — Jahresber. 1914 der Gesellsch. f. Dtsche Kst im Ausland. — Katal.: Dtschnat. K.-A. Düsseldorf 1907; Ausst. von Bildnissen etc. Kstver. Leipzig Okt.-Dez. 1916.

Hellich, Joseph Adalbert, Historien- u. Porträtmaler und Lithograph, geb. 1810 (1807?) in Choltitz (Böhmen), † 22. 1. 1880 in Prag, besuchte die Prager Akad. unter J. Bergler, war 1832—34 in Wien (stellte hier 1834 in der Akad.-Ausst. 2 Madonnenbilder aus), ging dann nach München u. bereiste 1836—39 die Schweiz, Italien, Frankreich u. England. 1837/39 ist er in Rom (1837 an der Ausst. im Pal. Venezia beteiligt; sein Bildnis von unbekannter Hand im Album des dtschen Kstlerver.). Nach Prag zurückgekehrt, wurde er Kustos der archäol. Samml. d. böhm. Museums. Da er sich bei einer Neuordnung der Prager Akad. benachteiligt fühlte, ging er 1847 nach Wien, kehrte aber 1848 schon wieder nach Prag zurück. 1850 gründete er den Verein bildender Künstler in Prag. Von den zahlreichen Altarbildern, die er für böhmische Kirchen schuf, sind zu nennen: die Bilder des neugotischen Hochaltars in der Schloßkirche zu Rychnow (1842; auch die Skizzen für Altar u. Taufstein von ihm), Hochaltarbild in der Kirche zu Lubeneck (1845; auch die Entwürfe für Altäre, Kanzel, Taufstein u. Gestühl von ihm),

Altarbilder für den Lukasaltar der Prager Teinkirche (1846), Altarbilder für die Kirche zu Repinshe (1850), die Magdalenenkap. zu Brünn (1851), die Kirche zu Čestin (1861), Fresken u. Altäre in der Kirche des Zisterzienserstiftes Marienstern (1854). Von seinen Lithogr. seien genannt: 2 Bl. mit den Porträts des Offizierskorps des Husarenregim. König v. Württemberg, 1833; Porträt des böhm. Geschichtsschreibers Franz Palacký, 1843; „Gruppe böhm. Geschichtsschreiber" u. mehrere Darstell. aus der böhm. Gesch., 1847; Folio-Blatt „Gruppe der Herzöge u. Könige von Böhmen", 1848; „Slavenkongreß in Prag" u. „Österreichs Volksstämme", 1849; „Die Heerführer des Kaisertums Österreich", „Grundsteinlegung der Veitskirche in Prag", 1850, u. a. (Erweiterung d. Verz. seiner Werke bei Wurzbach durch Topogr. Böhmens.) Im Rudolfinum Prag eine Tuschzeichn., Titelbild f. ein gesch. Werk über Böhmen, im Kupferstichkab. Dresden Zeichn., Porträt Führichs.

Raczynski, Gesch. d. neueren dtschen Kst, II (1840) 592. — C. v. Wurzbach, Biogr. Lex. Österreichs, VIII (1862). — Österr.-Ungar. Kstchronik, III (1880) 154 (Nekr.). — F. v. Böttticher, Malerwerke d. 19. Jahrh., I/2 (1895). — Jiřik, Entw. d. tschech. Malerei im 19. Jahrh., 1909 (tschech.). — Topogr. d. hist. u. Kstdenkm. Böhmens, VII (1905); XV (1903); XXXV (1912); XXXVI (1911). — Führer d. d. Rudolfinum Prag, 1913 p. 95. — Kat. Bildniszeichn. d. Kupferstichkab. zu Dresden, 1911 No 252. — Not. Fr. Noack.

Hellinck, Nicolas, fläm. Teppichwirker, von dem eine aus 8 Stücken bestehende Folge von Teppichen erwähnt wird, die sich unter dem von den Spaniern bei der Einnahme Antwerpens 1576 geraubten Kunstgut befand.

Donnet, Tapiss. etc. pendant la Furie espagnole (S. A. a. d. Annales de la Soc. d'Archéol. de Bruxelles, VIII 4) p. 11, m. Faks. der Marke.

Helling, (Hellingh, Hellings), rhein. Glockengießer-Familie, 17. Jahrh.: Johannes (Bertram Joh.), ansässig in Wipperfürth (hier hatte er 1627 schon über 70 Glocken gegossen); von ihm bez. folgende Glocken: 1608 in Müllenbach, Kr. Gummersbach; 1609 je eine (mit Peter Trier von Ach) in Meddersheim, Reg.-Bez. Coblenz, und Lötzbeuren, ebenda; 1623 (mit seinem Sohne Simon) in Sieglar, Siegkr.; ebenso in Troisdorf, R.-Bez. Cöln; 1625 in Orsoy, Kr. Moers; 1627 (mit Simon) je eine in Lindlar, Kr. Wipperfürth, und in Hohkeppel, ebenda; 1630 große und mittlere Glocke im Hauptturm der Abteikirche zu Brauweiler; 1631 zwei (eine mit seinen Söhnen Simon und Matthias, eine mit Matthias) in Kaster, Kr. Bergheim. — Simon, ält. Sohn des Joh., goß mit diesem die gen. Glocken und außerdem folgende, auf denen er sich meist „von Calkar" nennt: 1629 in Sonsbeck, Kr. Moers (Reliefs: Madonna und Kruzifixus); 1630 in Veen, Kr. Moers; 1632 in Borth, Kr.

Moers und in Wallach, ebenda; 1633 in Praest, Kr. Rees; 1634 in der Viktorskirche zu Xanten. — M a t t h i a s , Sohn des Joh., goß gemeinsam mit seinem Vater und Bruder (vgl. oben), außerdem mit seinem Sohne (?) Gottfried die Glocken: 1648 und 1652 je eine in Hamm a. d. Sieg; 1658 in Homberg, Kr. Düsseldorf; 1669 in Dattenfeld, Kr. Waldbroel; 1669 (?) in Hoisten, Kr. Grevenbroich. — G o t t f r i e d (Godert), „von Wipperfürth", wohl Sohn des Matthias, goß gemeinsam mit diesem die gen. Glocken, allein: 1672 in Holpe, Kr. Waldbroel; 1677 in Winterscheid, Siegkr.; 1684 in Waldbroel.

Kstdenkm. d. Rheinprov., 1891 ff. I/V. — Rhein. Ver. f. Denkmalpflege, Mitteil. XII (1918) 66 f. — Bau- u. Kstdenkm. Reg.-Bez. Wiesbaden, Nachlese, VI (1921) 155. — W a l t e r , Glockenkunde, 1913 p. 765.

Helling, S. J., Maler, nur bekannt durch das so bez. und 1783 dat. Porträt eines jungen Mädchens, Anna Zorn v. Bulach, das 1910 in der Ausstell. alter elsäss. Porträts in Straßburg war (Katal. No 731).

Hellingrath, B e r t h o l d , Maler und Radierer, geb. in Elbing 27. 10. 1877, Schüler der Dresdner Akad. unter Bantzer und G. Kühl, ansässig in Dresden, neuerdings in Danzig-Langfuhr. Radierte zahlreiche Blätter mit Danziger Architektur-Motiven, die durch die Wahl des Ausschnitts, die Auffassung und z. T. auch durch die Strichführung zu den besten neueren deutschen Leistungen auf diesem Gebiet gehören. Er zeigte Radierungen in den Ausstell. zu Allenstein 1910, Dresden (Kstlervereinig. 1910 u. Herbst 1917, Gr. Aquarell-A. 1911, Gr. K.-A. 1912), Berlin (Gr. K.-A. 1911/14), München (Glaspalast 1912, 16, 17), Düsseldorf (Gr. Kst-A. 1911), Chemnitz (Dtsch. Kstlerbund 1912) und Leipzig (Intern. A. f. Buchgew. usw., Kat. „Zeitgen. Graphik"). Der Kalender „In und um Greifswald", 1914, enthält 30 Strichätzungen nach Zeichnungen H.s.

H. W. S i n g e r in Kstwelt, I (1911/12) 159 ff.; d e r s., Mod. Graphik, 1914. — Neue Kst in Altpreußen, I (1912/13), Orig.-Rad. vor p. 119. — L i n d n e r , Danzig (Berühmte Kststätten 19), 1913 p. 31 Abb. — Türmer, XXI 2. Bd. (1919) 266. — Neuigkeiten d. dtschen Ksthandels, 1910 p. 65; 1911 p. 17, 224. — Katal. der gen. Ausstellgn.

Hellingrath, F r i t z v o n , Landschaftsmaler und Radierer, geb. in München 29. 5. 1866, Schüler von A. Fink und Meyer-Basel in München, ansässig ebenda, seit 1906 in Augsburg, zeigt seit 1901 im Münchner Glaspalast (1901, 04, 06/14, 16, 20, 21), in Berlin, Gr. Kst-Ausst. (1903/06, 08), Düsseldorf, Dtschnat. Kst-A. (1907), Dresden, Gr. Aquar.-A. (1909), Stuttgart, Gr. Kst.-A. (1913) meist Aquarelle, Zeichnungen, vor allem Radierungen mit süddeutschen Motiven (Umgebung von München, Augsburg, vom Bodensee usw.).

Kataloge der gen. Ausstellungen.

Hellinx, S e r v a i s , Goldschmied in Lüttich;

von ihm in der Sakristei der Kirche Saint-Pholien in Lüttich 2 Reliquiare und 1 Navicula aus Silber von 1669 aus dem Besitz der Lohgerbergilde.

[B r a s s i n n e], Liège, Guide ill., p. 147.

Hellmer, E d m u n d v o n , Bildhauer in Wien, geb. ebenda 12. (laut Taufschein 17.) 11. 1850, besuchte zunächst das Wiener Polytechnikum, um sich zum Archit. auszubilden, wandte sich aber bald der Bildhauerei zu und kam zu seinem Oheim, dem Bildh. Jos. Schönfeld in die Lehre. 1866 bezog er die Wiener Akad. als Schüler Franz Bauer's. Gleichzeitig arbeitete er im Atelier Hans Gasser's. 1869 trat er zuerst mit einer selbständigen Arbeit, „Der sterbende Achill", in der Münchner Internat. Kstausst. vor die Öffentlichkeit. Es folgte ein großes figurenreiches Relief aus der Prometheus-Sage, das ihm ein Staatsstipendium auf 2 Jahre zum Zwecke einer Studienreise nach Italien eintrug. In Rom (1869/70) vollendete er eine lebensgroße „Gefesselte Andromeda", die bei ihrer Ausstell. im Wiener Künstlerhause 1871 das Gefallen eines böhmischen Gutsbesitzers (Heidl in Klattau) erregte, für die H. diese noch ziemlich streng klassizistische Figur in Marmor ausführte. Gleichzeitig entstand eine große Gruppe „Diana und Endymion". Für die Wiener Weltausst. 1873 schuf H. die allegor. Statuen der Austria und Hungaria am Südportal der Industriehalle, für die 1874 erbaute „Komische Oper" (später Ringtheater, 1881 abgebrannt) die Giebelgruppe. 1875 erhielt er den Auftrag zur Ausführung der Statue der Austria für die Fassade des Wiener Justizpalastes und zweier Gruppen für das kunsthist. Museum. Nach Rückkehr von einer Studienreise durch Deutschland u. Frankreich beteiligte er sich an der Konkurrenz für das Wiener Grillparzer-Denkmal und führte ein Denkmal (Marmor) für den Park des Herrn Angerer in Arco, 2 Grabdenkmale für Reichenberg, das Mozart-Denkmal (Bronzebüste) für den Kapuzinerberg bei Salzburg und dekorative Fig. für das Palais Panfili in Triest aus. 1877 erhielt er die Ausführung von 4 Fig. für das Rathaus und 2 Gruppen „Theologie" u. „Philosophie" für die Universität in Auftrag und gewann die Konkurrenz zur Ausschmückung des Frontgiebels des Reichsratsgebäudes; erst 1888 vollendete er diese aus Laaser Marmor hergestellte vielfigurige Tympanondekoration, die die Verleihung der Verfassung durch Kaiser Franz Joseph I. zur Darstellung hat. 1882 erhielt H. den 1. Preis in der Konkurrenz für ein Siegesdenkmal zur Erinnerung an die Befreiung Wiens von den Türken (1683), das 1894 in der Erdgeschoßhalle des Stephansturmes Aufstellung fand. Mit diesem mächtigen, vielfigurigen Tabernakel geht H. mit fliegenden Fahnen aus dem Lager der klassischen Antike in das des Barock über. Die schon in diesem echten Wiener Prunkstück ausgeprägten Genreelemente bildet H. in den Werken seiner späteren Zeit immer stärker aus. Das Denkmal des Malers Schindler im Stadtpark (1895), das Goethe-Denkmal am Opernring (1900), die Standbilder der Kaiserin Elisabeth in Salzburg und des Bürgermeisters Frank im Stadtpark in Graz sind die bezeichnenden Hauptbeispiele dieser, allem Repräsentativen aus dem Wege gehenden realistischen Denkmalplastik H.s, die in dem (nicht ausgeführten) Entwurf zum Wiener Mozart-Denkmal (der Komponist in offener Säulenhalle am Spinett sitzend) das genremäßige Moment bis zur Stillosigkeit übertreibt. Aus neuester Zeit seien genannt der im Stil strengere Kastalia-Brunnen im Hof der Universität, der Monumentalbrunnen (zur Rechten) an der nach dem Michaeler-Platz zu gelegenen Fassade der Hofburg, Österreichs Landmacht symbolisierend, und das in der plastischen Form völlig zerfließende Denkmal des Walzerkönigs Johann Strauß im Wiener Stadtpark. Ganz Ausgezeichnetes hat H. in seinen Bildnisbüsten (Bronzebüste des Vaters) und in einigen kleinplast. Entwürfen (Diana auf galoppierendem Pferde) geleistet. — Eine eklektisch-schmiegsame Natur, hat H. das Heiter-Sinnliche des Wiener Lokaltons vorzüglich getroffen, was seiner Kunst eine Popularität verschafft hat, die ihre spezifisch formalen Qualitäten nicht ganz rechtfertigen. 1900 veröffentlichte er eine Schrift „Lehrjahre in der Plastik", die sich mit der Reform des bildhauer. Unterrichts auf der Basis solider handwerklicher Erziehung beschäftigt. 1912 wurde H. in den Ritterstand erhoben.

B o d e n s t e i n , 100 Jahre Kunstgesch. Wiens, 1888 p. LVIII u. 83 f. — M a r t i n e z , Wiener Ateliers, I (1893) 1. Folge, p. 35—43. — K o s e l , Deutsch-Österr. Kstler- etc. Lex., I (1902). — H e v e s i , Österr. Kst im 19. Jahrh., Lpzg 1903; d e r s . , Altkunst-Neukunst, Wien 1909 p. 345 ff. (H.s Goethe-Denkm.); 8 Jahre Sezession, 1906. — Allgem. Kunst-Chronik (herausg. von Lauser), VIII (1884) p. 3; IX (1885) 481 ff. — Deutsche Revue, IX (1884) 182 ff. (K. v. Z e l a u). — Zeitschr. f. bild. Kst, N. F. I 266; III 94; VI 336. — Deutsche Kst u. Dekoration, 1900 I 277 ff. (Abb.); 1900 II 411. — Die Kunst, XVII (1908) 145/66 (ausführl. mit zahlr. Abbildgn); cf. Kunst f. Alle, III (1888); VI; IX; X; XII; XIII; Die Kunst, III (1901); XI (1905). — Der Architekt, XI (1905) 3 f.; XIV (1908) 15. — Die Plastik, VI (München 1916) Taf. 66 (Mozart-Statue im Mozartheim). — Donauland, 2. Jahrg. II. Sem., 1918 p. 789—97, mit Abbildgn (E. K a p r a l i k). — G u g l i a , Wien (Führer), 1908 p. CXII, 7, 69, 70, 85, 101, 121, 138. — H. T i e t z e , Wien (Ber. Kststätten Bd 67), Lpzg 1918. — Neue Freie Presse Wien, No 15586 vom 12. 1. 1908 (R a o u l A u e r n h e i m e r , Das Walzermonument). *H. Vollmer.*

Hellmert, A n d r e a s , Holzschnitzer, fertigte 1617 den Altaraufbau in der Marienkirche zu Marienberg i. Sa.

Bau- u. Kstdenkm. Kgr. Sachsen, V (1885).

Hellmuth, Stukkatoren in Unterfranken, wohl alle derselben Familie angehörend: J o h a n n , arbeitete um 1736 unter A. Bossi in der Würzburger Residenz. P e t e r , von Eltmann, stukkierte die 1765/66 erbaute Kirche zu Windheim, ferner Chor (u. vielleicht auch Langhaus) der Kirche zu Bergrheinfeld, 1780. S i m o n , von Geldersheim, erhielt 1766 die (großenteils beseitigten) Stukkaturen der Kirche zu Egonhausen in Auftrag u. ist wohl auch der Meister des guten Rokokomuschelwerks in der Pfarrkirche zu Geldersheim (um 1760/70). J o h a n n P e t e r , bemühte sich, 1787 die Arbeiten in der Schloßkirche zu Castell (Unterfr.) in Auftrag zu erhalten.

Kstdenkm. Bayerns, III, Heft 12 (1915) p. 417; Heft 14 (1915) p. 156; Heft 17 (1917) p. 89, 108, 136, 304. — Bayerland, XXVII (1916) 308.

Hellmuth, Maler an der Königl. Porzellanmanuf. in Berlin; 1800/1810 wurden mehrere von ihm mit figürl. Darstell. bemalte Teller in der Berl. Akad. ausgestellt (Kat. 1800 p. 89; 1802 p. 91; 1806 p. 123; 1810 p. 39).

Hellmuth, B e r n h a r d , Stukkator aus Untereßfeld (nach and. Angabe aus Alsleben) bei Königshofen (Unterfranken), erwähnt 1748/56 in den Baurechnungen der Kirche von Ipthausen, B.-A. Königshofen (Stuckierung mit reichem Muschelwerk als Umrahmung der Deckenbilder, am Chorbogen Wappen in Kartuschen). 1752 und 58 arbeitete er im „unteren Saale", also wohl im Hauptsaal, des Schlosses zu Rentweinsdorf, B.-A. Ebern (Wandfüllungen, Supraporten und Bilderrahmen mit feinem Muschelwerkdekor, Deckenstück mit Efeu- und Muschelmotiven), vielleicht z. T. nach Entwürfen des Bamberger Ingenieurhauptmanns Küchel; 1773/75 in Schloß Birkenfeld, B.-A. Hofheim, wo er unter Leitung und wahrscheinlich nach den Rissen des Malers J. F. Gout die Stuckierung der Räume des 2. Obergeschosses („Saal" und 7 Gemächer), des Treppenhauses und der Vestibüle in den 2 Obergeschossen, auch von je 3 Zimmern zu seiten des „Freskenzimmers" im 1. Obergeschoß ausführte, seit 1774 unter Mitarbeit des Stukkators Mich. Krieger von Königshofen. Hervorzuheben die reiche Spiegeldecke im „Saal" mit Symbolen der 4 Elemente in den Eckkartuschen, Chinoiserien im Chines. Zimmer des 2. Obergeschosses, ebenda über den Flügeltüren zu den Zimmern Supraporten mit Kinderszenen. Stilistisch eng verwandt sind den Arbeiten in Birkenfeld die etwa gleichzeitigen Stuckierungen im Hauptsaal und Turmzimmer des Schlosses zu Waltershausen, B.-A. Königshofen, die „zu den feinsten Schöpfungen des fränkischen Rokoko gehören", ebenso die in Vestibül und Saal von Schloß Lebenhan, B.-A. Neustadt a. S.

Kstdenkm. Bayern, III (1911 ff.) Heft 5 p. 20 ff.; 13 p. 47, 165; 15 p. 210; 22 p. 94.

Hellmuth, C., Zeichner und Lithograph (Dilettant), preuß. Offizier, lithographierte 46 Bl. „Der Todtentanz oder der Triumph des Todes. Nach den Original-Holzschnitten des H. Holbein", Magdeburg 1835; dies sind jedoch lithogr. Kopien der Nachschnitte des J. de Negker nach Holbein's Schnitten (mit den deutschen Versen der 1. Ausg., Augsburg 1544); als Ergänzung 8 Darstellungen aus der v. Mechel'schen Ausg. des Totentanzes, Basel 1780. Für das vom Halle'schen Kunstverein herausg. Heft „Erinnerung an die Kunst-Ausstell. zu Magdeburg, Halberstadt und Halle im J. 1846" zeichnete H. die 3 (in Umrissen tachigr.) Bl. nach 3 Gemälden von Schön, Metz und Teichs.

N a g l e r , Monogr., II. — W e i g e l ' s Kstcatal., Leipzig 1838/66, I 3625; III 17383.

Hellmuth, L e o n h a r d , Kunstgewerbler, geb. 6. 5. 1859 in Neuses bei Ansbach, Schüler der Münchner Kunstgewerbeschule, seit 1901 in Ansbach tätig. Lieferte Entwürfe für Teppiche, Möbelstoffe, Füllungen usw., auch für Buchschmuck und gab mehrere Vorlagenwerke heraus, z. B. „Moderne Pflanzenornamente", „Moderne Flachornamente"; (Seemann u. Co. in Leipzig), „Neue Vorbilder" (C. Koch, Nürnberg).

Dtsche Kst u. Dekor., VII (1900/01). — Kst u. Handwerk, LII (1901/02) 275/79, Abbn p. 270 ff.

Hellmuth, T h e o d o r (Peter Th.), Lithograph und Kupferstecher aus Nürnberg, seit 1826 tätig, Schüler der Nürnb. Kunstschule unter Gabler und Reindl. Von ihm folgende Lithogr.: Ansichten der Stadt Salzburg u. Umgeb. nach Zeichn. von E. Adam, 3 Hefte, jedes zu 6 Lith., München 1837; Partenkirchen nach C. F. Heinzmann; mit G. Wenig Blätter für eine von E. Krug gez. Musterslg für Bautischler; hl. Familie nach J. Schlothauer; Schild des Achilles nach Schwanthaler; 12 Bl. nach Schwanthaler's Standbildern der Ahnen des bayr. Königshauses, gez. von R. Leemann.

N a g l e r , Kstlerlex., VI. — W e i g e l ' s Kstcatal., Leipzig 1838/66, V (Reg.). — M a i l l i n g e r , Bilderchronik München (Slg im Stadtmus.), III (1876); IV (1886).

Hellot, J e a n , Pariser Chemiker, geb. 1685, † 1766, irrtümlich seit Fiorillo (Gesch. der zeichn. Kste, III 1805) in der Literatur öfters als Porzellanmaler genannt, war als Chemiker für die Manufakt. in Vincennes und Sèvres tätig und erfand mehrere Farben („rose", „bleu céleste"), verfaßte auch für den König 1753 ein Manuskript über die „procédés de la porcelaine tendre" (teilweise excerpiert bei G. Vogt, „La porcelaine", 1893).

Biogr. univ. anc. et mod. (Michaud), XX (1817). — Gaz. d. B.-Arts, 1884 II 455 f. — Jahrb. d. Preuß. Kstsammlgn, XIV (1893) 141, 144 f.

Hellouin, X é n o p h o n , Maler, geb. 1820 in Aunay-sur-Odon (Calvados), † 1895, Schüler von H. Flandrin, seit 1880 Konservator des Mus. zu Caen, stellte seit 1847 im Pariser Salon aus (Verzeichnis bei Bellier, dazu noch Cat. Soc. des Art. Franç. 1890), bis 1866 fast ausschließlich Tierstilleben, dann auch Landschaften, Porträts, 1870 „Funérailles aux bords de la Seine" (Gaule préhistor.), mehrfach Kohlezeichnungen. Zeichnete eine Folge von Initialen mit Totentanz-Motiven für Le Métayer-Masselin's „Collection de Dalles Tumulaires de la Normandie", Paris 1862. Im Mus. Caen (Cat. 1907) Stilleben; im Mus. Vire (Cat. 1909) normann. Landschaft (1854) und 2 Stilleben, in der Thomaskirche ebenda Kruzifixus, bez. X. Hellouin de Vire, 1854; im Mus. La Rochelle (Cat. 1900) „Faune chasseur".

Gaz. d.-B.-Arts, XII (1862) 564. — B e l l i e r - A u v r a y , Dict génér., I (1882). — Nouv. Arch. de l'art franç., 3. série III (1887).

Hellqvist, C a r l G u s t a f , schwed. Historienu. Genremaler, geb. 15. 12. 1851 in Kungsör am Mälarsee, † 19. 11. 1890 in München. Kam 1863 nach Stockholm, wo er nach 2 jähr. Studium bei F. Ahlgrenson in die Akad. aufgenommen wurde. 1875 erhielt er die kgl. Medaille für sein großes Gemälde: Gustaf Vasa klagt Peder Sunnanväder des Hochverrats an (Schloß Tullgarn). In dems. Jahre ging er nach Paris und 1877 nach Deutschland. Für mehrere Jahre nahm er in München Aufenthalt, der nur durch Reisen nach Paris (1882) u. Schweden unterbrochen wurde. Ein Versuch, in die Schule Pilotys aufgenommen zu werden, mißlang. 1883 wurde er Vizeprofessor an d. Akad. in Stockholm, 1886 wurde er als Lehrer an die Berliner Akad. berufen. Durch einen Unfall beim Eislaufen im Februar 1886 zog er sich eine Gehirnerschütterung zu, die ihn 1888 zur Aufgabe seines Berl. Lehramtes zwang. Er ging zur Erholung nach Berchtesgaden, wo noch zahlreiche Aquarelle entstanden. März 1889 verschlimmerte sich sein Leiden derart, daß er in eine Anstalt gebracht werden mußte, in der er im darauffolgenden Jahre starb. — Während seiner akad. Lehrjahre empfing H. starke Eindrücke durch Georg v. Rosen, den vornehmsten Vertreter der Geschichtsmalerei in Schweden zu damaliger Zeit. 20 jährig (1871) stellte H. sein erstes Bild aus: „Ebba Brahe am Fenster". Seine nächste bedeutende Arbeit (1872) war: „Soldaten finden die Leiche Gustav Adolfs". Belobigungen seitens der Akad. erntete er mit den 2 Bildern: „Asa Thor verwundet unerkannt seinen Sohn Svade" und „Aussetzung des kleinen Moses". Die Beeinflussung durch Rosen zeigt zuerst das schon erwähnte Bild: Gustaf Vasa klagt Sunnanväder an. In Visby auf Gotland entstand 1875 die Skizze zu dem später bekannten Bild: „Brandschatzung Visbys". Während des ersten Pariser Aufenthaltes malte er die ergreifende, düstere Szene: „Ludwig XI. in seinem Lustgarten" (Mus. Gotenburg). In München erhielt sein Geschmack für pompöse Arrangements und realistische Treue Nahrung durch die Bekanntschaft mit Piloty's Kunst. Hier entstanden: 1879 sein erstes Freilichtbild, das bei seiner Ausstellg im Glaspalast bedeutendes Aufsehen erregte: „Der schimpfliche Einzug Peder Sunnanväders in Stockholm" (Metrop. Mus. New York; vgl. Katal. 1914 p. 111), 1880 eines seiner berühmtesten Werke: „Sten Sture's Tod auf dem Eise des Mälarsees" (Nat.-Mus. Stockholm), 1881: „Brandschatzung Visbys durch Waldemar Atterdag", wofür er auf der Internat. Ausst. in Wien 1881 durch die große gold. Med. ausgezeichnet wurde (Nat.-Mus. Stockh.). 1882/3 malte er „Luthers Ankunft auf der Wartburg" und „Disputation zwischen Olaus Pedri u. Peder Galle im Beisein Gustaf Vasa's", 1884 ein großes Schneebild (Mädchen mit ihrem Kinde kniet in tief verschneiter Landschaft vor einem Kruzifix), das 1890 für die Berl. Nat.-Gal. erworben wurde (Katal. 1907 p. 233 No 614, fehlt in den neueren Katalogen); 1885 die „Einschiffung der Leiche Gustav Adolfs im Hafen zu Wolgast am 15. 6. 1633" (Stockholm Schloß). 1887 vollendete er in Berlin sein letztes größeres Bild: „Sancta Simplicitas" (Huß' Gang zum Scheiterhaufen). — Infolge seines langjährigen Aufenthalts in Deutschland und wegen seines engen Anschlusses an die Strömungen in der zeitgenöss. deutschen Malerei gehört H. ganz der deutschen Kunst an. Seine intime Kenntnis der franzöz. Freilichtmalerei hat ebenfalls deutliche Spuren in seiner Malerei hinterlassen; besonders die Skizzen haben häufig eine Frische und Luftigkeit, die nicht in dem München Pilotys ihre Heimat haben. Seit 1879 beschickte H. wiederholt die Münchner Glaspalast-Ausst., seit 1881 auch die Berl. Akad.-Ausst. und 1882—85 den Pariser Salon. — Sein Selbstbildnis (1888) in den Uffizien in Florenz (Katal. 1906 p. 26). Eine Sammlg von 22 Aquarellen (meist Landschaften u. Architekturen) in der Berl. Nat.-Gal.

Heinr. Wilke, Biographie des Malers Karl Gustaf H., Berlin 1891. — Nordensvan, Svensk Konst och svenska Konstnärer, 1892; ders., Schwed. Kst d. 19. Jahrh. (Gesch. d. mod. Kst, Bd 5), Lpzg 1904. — Rechenschafts-Bericht d. Kstvereines München f. d. Jahr 1890, p. 73 ff. (ausführl. Nekrol.). — F. v. Boetticher, Malerwerke d. 19. Jahrh., I 2 (1895) u. Nachtr. zu Bd I. — Fr. Pecht, Gesch. d. Münchener Kst im 19. Jahrh., 1888. — Muther, Gesch. d. Mal. im 19. Jahrh., 1894, III 276 f. — Allg. Deutsche Biogr., L (1905) 168 ff. — Nord. Familjebok, [2] XI (1909). — Kunst f. Alle, II (1887) bis VI (1891). — Kataloge: Glaspal. München, 1879, 83, 88, 89, 90, 97; Akad.-Ausst. Berlin, 1881, 83, 84, 88; Salon Paris, 1882/85 (m. Abb.); Göteborgs Mus., 1909; Nat.-Mus. Stockh., 1897; Handzeichn. etc. Nat.-Gal. Berlin, 1902; Ausst. Münchener Mal. 1860—80 i. d. Gal. Heinemann-München, 1915; cf. Die Kunst, XXXIII (1915/16) 129 (Abb.). *Gunnar Mascott Silfverstolpe.*

Hellrath, Emil, Landschaftsmaler, geb. 18. 7. 1838 zu Rees (Reg.-Bez. Düsseldorf).

1859/61 Schüler der Düsseld. Akad. unter O. Achenbach, lebte in München, Dresden und Amsterdam, dann dauernd in München, zeigte stimmungsvolle Landschaften, z. T. mit Staffage (Waldweg mit Schafherde, Abgebrannte Mühle mit Schmugglern), meist aus der Voralpengegend, in Münchner, Wiener, Dresdner u. a. Ausst. (vgl. Bilderliste bei Boetticher, außerdem Kat. der Münchner Glaspalast-Ausstell. 1869, 71, 79, 83, 88, 90, 97—1901, der Berl. Akad.-A. 1886 und Gr. K.-A. 1901 ebenda). Die Neue Pinak. München (Kat. X. Aufl.) besitzt „Klostersee" (1897).

Pecht, Gesch. d. Münchner Kst, 1888. — F. v. Boetticher, Malerwerke d. 19. Jahrh., I 2 (1895). — Dioskuren, 1862. — Kstchronik, III (1868) 190; IV 6; VII 171, 365; XII 75, 260, 549, 630; XIII 99; XVI 685; XVII 481; N. F. I (1890) 498.

Hellwag, Hans, Maler u. Illustrator in München, geb. 7. 11. 1871 in Wien, † April 1918 in München, langjähriger Mitarbeiter der „Fliegenden Blätter" und „Meggendorfer's Blätter", auch der „Jugend".

Hirth, 3000 Jugend-Kstblätter, 1909. — Münchner N. Nachr. Nr 209 v. 26. 4. 1918.

Hellwag, Hans, s. auch im Artikel *Hellwig,* Jakob.

Hellwag, Rudolf, Marine- u. Landschaftsmaler, geb. 14. 9. 1867 in Innsbruck, Schüler der Akad. zu Karlsruhe unter F. Keller u. G. Schönleber, dessen Meisterschüler er 1890 bis 95 war. In den 90 er Jahren machte er häufige Studienreisen an die Nord- u. Ostseeküste, nach Schweden u. Norwegen, nach New York u. Archangelsk, aber auch nach Italien u. immer wieder an die engl. Küste. Seit 1900 langdauernde Studienaufenthalte in St. Yves in Cornwall, seit 1903 in London. Während des Weltkrieges in engl. Gefangenschaft. Bevorzugt vor allem Strandmotive, daneben schlichte engl. Landschaftsmotive, engl. Gärten u. Parks (Ansichten aus dem Hydepark u. aus Hampton Court), in der letzten Zeit Motive vom Bodensee. Seine künstler. Entwicklung läßt sich mit Beringer u. Widmer dahin zusammenfassen, daß er ausgehend von der auf das gegenständlich Interessante u. die liebevolle Behandlung des Details eingestellten Art Schönlebers (Werke der 90 er Jahre) zu koloristischer Vereinfachung (nach 1900) und schließlich zu einer auf der Grundlage impressionistischer Naturwiedergabe aufbauenden, kraftvollen Stilisierung fortschreitet (Parkbilder nach 1910). H. stellte 1891—1914 im Münchner Glaspalast aus, 1894—1914 auf der Gr. K.-A. Berlin, ferner in Darmstadt, Dresden, Stuttgart, Düsseldorf usw., 1921/22 in der Berliner Sezession. Werke in der Ksthalle Karlsruhe (Bogliasco an der Riviera u. das weiße Segel; Katal. 1910); in ehemal. großherz. Besitz Oldenburg (Venedig, 1894, Rivieraküste; Verz. d. z. Fideikommiß gehör. Kstwerke in den großherz. Gebäuden zu Oldenburg, 1912); Kaiser-Friedrich-Mus. Magdeburg (Abend im Fischerhafen, 1896; vgl. Beringer in Seemanns „Meister der Farbe", 1918 Heft IV No 8003); Ksthalle Mannheim (Morgen auf der Themse, 1907; Verz. 1911); Augusteum Oldenburg; Gall. mod. Rom. Wandgem. in der Kunsthalle, dem Bezirksamt, dem großherz. Palais, der Techn. Hochschule in Karlsruhe u. in der Universitätsbibl. Heidelberg.

J a n s a , Deutsche bild. Kstler in Wort u. Bild, 1912. — W. S c h ä f e r , Bildhauer u. Maler in den Ländern am Rhein, 1913. — B e r i n g e r , Bad. Malerei im 19. Jahrh., ² 1922. — K. W i d - m e r in Deutsche Monatshefte, 1911 p. 397—400 (mit Abb.).´ — Deutsche Kst u. Dekor., XXXI (1912/13); XXXIII (1913/14); XXXIV (1914). — Die Kstwelt, I/2 (1912) 514, 530; III/1 (1913/14) 233. — Studio, XXXVIII 243, 356; XLI 189. — Cicerone, IV (1912) 399; XV (1923) 118.

Hellweger, F r a n z , Maler, geb. 7. 9. 1812 in St. Lorenzen (Pustertal), † 15. 2. 1880 in Bruneck, lernte zuerst 3 Jahre bei einem Landmaler in Mühlen (Tauferertal), seit 1832 an der Akad. in München unter Cl. Zimmermann und Heinr. Heß, welcher ihn auf die streng kirchliche Richtung hinlenkte. Nachdem er schon 1837 ein Altarblatt (Vermähl. der hl. Katharina) für Aufhofen bei Bruneck geliefert, arbeitete er 1838/40 als Gehilfe von P. Cornelius an den Fresken der Ludwigskirche in München, 1843 unter Steinle an den Chorfresken (bes. den Engelgestalten) im Kölner Dom, für den er später auch die 2 von König Ludwig I. gestifteten großen Glasfenster (Predigt Johannis, Tod des hl. Stefan) entwarf. Mit den beiden Schraudolph reiste er 1844 nach Italien, bes. Rom, wo er 5 Monate weilte. Die Mitarbeit an den 1846 von Schraudolph begonnenen Fresken im Speyrer Dom mußte er wegen Kränklichkeit aufgeben und wandte sich seither ganz der Tafelmalerei zu. Anfänglich in München, seit 1851 in verschiedenen Orten Tirols (Bruneck, Hall, Absam, seit 1853 Innsbruck) unermüdlich arbeitend, hat er eine große Zahl von Altar- und Andachtsbildern, außerdem einzelne Porträts gemalt. H. ist, seiner weichen Natur folgend, weniger der kühnen Konzeption Cornelius' als der gefühlvollen Zartheit Heß' gefolgt; dramatischer Schwung ist ihm fremd, er ist vielmehr der „Maler stiller Kontemplation". Mit der sanften, reinen, peruginesk-raffaelischen Formengebung vereinigt er eine relativ satte Färbung, verfällt aber auch ins Süßliche. Manchmal spricht er durch eine an Führich reichende sinnig-poetische Auffassung an. — Altarbilder: *Innsbruck*, Pfarrkirche, hl. Anna (1849); Dreiheiligenkirche, Taufe Christi, Madonna mit hl. Alexius (1875); Karmeliterkirche (hl. Therese); Hauskapelle der Jesuiten, Herz Jesu (1869); *Hall*, Franziskanerkirche, Verleihung des Portiuncula-Ablasses (1880), Turnfeld, hl. Aloysius; *Absam,* Krippach, hl. Anna mit Maria, Erz-

engel Michael; *Mils* bei Imst, hl. Sebastian (1861); *Silz,* Madonna mit Dominicus, Petrus und Paulus (1850—53); *Inzing,* Schlüsselübergabe (1871); *Bruneck,* Pfarrkirche, Tod Mariä (1866), Tod des hl. Josef (1860), Mutter Anna, hl. Sebastian (1861); *Reischach* bei Bruneck, Skapulierfest (1874), Herz Jesu (1872); *Taufers,* Rosenkranzbild; *Mühlwald,* Maria mit Kind und Engeln (1856), hl. Anton von Padua; *St. Jakob* im Ahrntal, Marter des hl. Jakob (1853); *Niederndorf* (Pustertal), Herz Jesu, Herz Mariä (1853); *Sexten,* hl. Veit; *Terenten,* Herz Jesu, Herz Mariä (Mensabilder); *Bozen,* Kapuzinerkirche, Fürbitte des hl. Josef (1877), Franz v. Assisi, hl. Elisabeth und Ludwig; *Weißenbach,* hl. Sebastian; Kirche der Dominikanerinnen i. Steinach bei *Algund,* Mater dolorosa (1862); *Salzburg,* Spitalkirche, Maria als Trösterin der Betrübten; *Ischl,* Mariä Himmelfahrt mit 3 Pestheiligen, 4 Kirchenväter an der Kanzel; *Coblenz,* Predigt Joh. des Täufers (1840). — In Sammlungen: *Innsbruck,* Ferdinandeum: Ruhe auf der Flucht (1842); Magdalena; Kopf eines Alten. *Bruneck,* Samml. Vintler: hl. Katharina (1860). Porträt des Grafen Klemens Brandes (1846) im Landhaus zu Innsbruck.

Nekrologe: Ztschr. des Ferdinandeums, 1881 p. 99 ff. (V i n t l e r) ; Bote f. Tirol, 1880 Beil. p. 305; Innsbrucker Nachrichten, 1880 p. 488; Tiroler Stimmen, 1880 No 41, 53; Ztschr. f. bild. Kst, 1880 Beil. p. 371; American Art Review I (1880) 275. — *Zusammenfassendes:* C. v. W u r z - b a c h , Biogr. Lex. Österr., 1856 ff., VIII. — Festgabe d. Ver. f. christl. Kst in München, 1910 p. 79. — Progr. Gymn. Hall, 1895 p. 23. — *Über einzelne Bilder:* Bote f. Tirol und Vorarlb., 1838 p. 52, 104; 1843 p. 56; 1846 p. 251; 1850 p. 540, 601, 2061; 1852 p. 447; 1853 p. 108, 112; 1855 p. 311, 407; 1856 p. 1095; 1857 p. 5, 240; 1858 p. 106; 1860 p. 543, 1227; 1861 p. 460, 478; 1862 p. 151; 1871 p. 740; 1875 p. 540. — Tiroler Stimmen, 1861 p. 212, 241; 1865 p. 84; 1866 p. 460; 1871 No 244; 1881 No 225; 1901 No 177. — Innsbrucker Tagblatt, 1853 p. 51; 1855 p. 332; 1856 p. 1441, 1930. — Tiroler Schützenzeitg, 1851 p. 119; 1855 No 22 Beil. — Kathol. Blätter, 1848 p. 1085; 1853 p. 117. — Sendbote des H. Jesu, Innsbr. 1869 p. 318. — Phönix, Innsbr. 1850 p. 170; 1852 p. 135. — Kstfreund, 1885 p. 39; 1899 p. 35. — Kirchenfreund, I 134. — Kirchenschmuck, X (1861) 46. — Kstchronik, I (1866) 61; XII (1877) 445. — Mitt. der K. K. Zentralkomm., 1894 p. 262. — T i n k - h a u s e r , Beschr. der Diözese Brixen, I 395; II 104; III 36, 207, 488. — A t z u. S c h a t z , Der deutsche Anteil der Diözese Trient, I 63; IV 357. — W e i n g a r t n e r , Kirchen Innsbrucks, 1921 p. 20, 44; d e r s., Kstdenkm. Südtirols, 1923 I u. II. — Katal. tirol-vorarlb. Kstausst. 1879 p. 38. — Katal. Ferdinandeum Innsbr. (1899) p. 29. — *Abbildungen:* Publ. des Kstvereins f. Tirol, 5. Serie (1895) ; 13. Serie (1903). — Kstfreund, 1902 p. 4, 69, 89. — Tiroler Kalender, 1880 p. 35. — Hellweger-Album (mit Vorwort von F. v. R a p p), Innsbr. 1881. *H. Hammer.*

Hellwig (Helwig), hess. Miniaturmaler, geb. um 1673 zu Spangenberg, † 1715 zu Cassel als Hofmaler, 42 jährig. In Rom ausgebildet auf Kosten des Landgrafen Karl. Heinecken (Dict. d. Artistes, 1778 ff., Ms. im Dresdner Kupferstichkab.), der ihn „I. G. Helbig ou Helwig" nennt u. als Geburtsjahr 1670 angibt, identifiziert ihn, gewiß irrtümlich, mit J. G. Hellwig (s. d.).

Hoffmeister-Prior, Nachr. über Kstler etc. in Hessen, 1885 p. 43. — Nagler, Kstlerlex., VI 81. — Lemberger, Bildnis-Miniatur in Deutschld, 1909, p. 155.

Hellwig, Architekt, nach dessen Plänen 1784/86 in Mülheim a. Rh. die ev. Kirche (Zentralbau, Formen klassizistisch) unter Aufsicht des Hofbaurats Roth in Bonn erbaut wurde. Möglicherweise kommt H. auch für die Mülheimer Häuser Bertoldi und Andreae und das Portal zum „Goldenen Lämmchen" ebenda in Betracht, ist vielleicht auch 1755 am Schloß Benrath (Kr. Düsseldorf) unter Pigage tätig gewesen.

Kstdenkm. der Rheinprov., V (1900) Kr. Mülheim, p. 242. — H. Vogts in Mitteil. des Rhein. Ver. für Denkmalpflege u. Heimatschutz, VIII (1914). — Klapheck, Baukst am Niederrhein, II (1919) 218.

Hellwig, Hans, Kupferstecher, wahrscheinlich in Nürnberg; von ihm ein bez. und 1582 dat. Kupferstich: das Wappen des Blasius Hellwig († 1599 in Nürnberg).

Andresen, Deutscher Peintre-Grav., II (1865) 110 f. — Ritter, Kat. Wiener Ornamentstichsamml., 1919 (Abb. p. 197). *W. Fries.*

Hellwig, Jakob, Steinmetz, in der Chronik von A. D. Richter als einer der 3 Meister genannt, die an den Emporen der Annaberger Kirche 1518—22 tätig waren. Da aber die sämtlichen Emporenreliefs auf den Bildh. Franz Maidburg zurückzuführen sind, und da H. in den Annaberger Urkunden nicht vorkommt, ist er wahrscheinlich nur ein untergeordneter Steinmetz gewesen, vielleicht einer von denen, die die Hütte dem Franz Maidburg für den Emporenschmuck zur Verfügung stellte. Auch der Versuch, in H. den Baumeister Jakob von Schweinfurt, der J. H. siegelte, zu erkennen, ist mißlungen, da als Familienname des letzteren Heilmann (s. d.) nachgewiesen worden ist. — Ein Sohn des Jakob H. soll — laut Klemm — der am Neubau des Rathauses in Rotenburg o. T. (1572 ff.) erscheinende Baumeister Hans von Annaberg, alias Hans Hellwag (sic!) sein. (Vgl. Klemm in Württ. Vierteljahrsh. f. Landesgesch., VIII [1885] 196, 242.)

A. D. Richter, Chronica von St. Annaberg, 1776. — Bau- u. Kunstdenkm. Kgr. Sachsen, IV (Steche); XL (Gurlitt).

Walter Hentschel.

Hellwig, Theodor, Maler u. Lithograph in Berlin, geb. 1815 in Halberstadt, seit 1834 in Berlin Schüler von Menzel, F. Krüger und Magnus; zeigte Genrebilder (öfters in Rokokokostüm) und Porträts in den Ausstell. der Berl. Akad. (Kat. 1838, 40, 42, 44, 46, 48, 56, 60, 62, 64, 70 [p. 22, 84]). Mit F. Krüger malte er das Bildnis des Generalfeldmarsch. Grafen Wrangel, bez. F. Krüger u. T. Hellwig 1856/57, im Bes. der Berl. Nationalgal. (Kat. 1907 1. Abt. No 642), lithogr. von Feckert. Im Städt. Mus. Braunschweig (Führer 1908 p. 66) „Guitarrespielerin" (1853). Sein „Strickendes Mädchen" hat H. selbst lithographiert, er ist beteiligt am Album des jüng. Künstler-Vereins zu Berlin, 1. Heft (Orig.-Lith. u. Rad.) 1852, und ist wohl auch identisch mit dem bei Weigel gen. Helwig, der nach H. Kretschmer („Brüderchen und Schwesterchen") und 2 Jagdbilder nach Jul. Schulz lithographierte. Von H.s Bildern wurden gestochen: „Das Signal" von H. Eichens (Mezzotinto); „Fischermädchen" von Oldermann; „Italienerin" von H. Sagert (Mezzotinto); „Mittagsmahl" von M. Schwind; 2 Bl. für den Halleschen Kunstverein: 1854 „Orangenverkäuferin" und 1857 „Mandolinspielerin" (Mezzotinto), beide von M. Voigt. Sein Porträt des Kronprinzen Friedr. Wilh. von Preußen lithographierte P. Rohrbach. Das Album Berliner Künstler 1860 reproduzierte H.s Rokokogenrebild „Im Park".

Becker, Dtsche Maler, 1888. — F. v. Boetticher, Malerwerke d. 19. Jahrh., I 2 (1895). — Dioskuren, 1860; 1861. — Weigel's Kstcatal., Leipzig 1838/66 II; IV; V.

Hellwig, siehe auch *Helwig*.

Helm, Hendrik van den, Marinemaler (Dilettant), geb. in Rotterdam 19. 6. 1811, Schüler von G. de Meyer und J. C. Schotel, 1839 Mitglied der Amsterdamer Akad. Von ihm eine Tuschzeichnung, bez. H. v. d. Helm, im Mus. Teyler, Haarlem (Kat. 1904).

Immerzeel, Levens en Werken, II (1843).

Helm, Joseph, Teppichwirker, wahrscheinlich Schüler des Andreas Pirot und zuerst als dessen Gehilfe in der für die Würzburger Residenz arbeitenden Gobelinmanufaktur tätig; seit Juli 1764 als Pirots Nachfolger mit selbständigen Aufträgen vom Hof bedacht, so auch am 20. 7. 1765 mit Anfertigung von 6 Dutzend gestickter Sessel, die aber, wie es scheint, nur z. T. ausgeführt wurden. 1765—80 als Tapetenwirker im Hof- und Staatskalender genannt, Ende 1766 als Hoftapetenwirker erwähnt. 1767 wurden 1 Kanapee und eine größere Anzahl Sessel für die Bamberger Residenz bei ihm bestellt. Beständig in wirtschaftl. Not, begann er mit der ihm anvertrauten Seide usw. Handel zu treiben, was 1776 entdeckt wurde und zu seiner Verurteilung zum Arbeitshaus führte. 1779 war er noch in Arrest. Beglaubigte Werke H.s sind u. a. einige Sessel mit eingewirkten Blumen in der Würzburger Residenz. Ein nicht datiertes Gobelinverzeichnis von seiner Hand liegt bei den Akten des Residenzbaus von 1733.

H. Göbel im Cicerone, XII (1920) 851 f. — Kstdenkm. Bayern, U.-Franken, XII, St. Würzburg, 1915 p. 418. — R. Sedlmair u. R. Pfister, Residenz zu Würzburg, 1923. — Notizen v. G. H. Lockner. *L. Bruhns.*

Helm (Helma), J o s e f , Maler in Ofen u.
Pest. Von ihm das Bildnis (Kniebild) des
Grafen Lajos Rhédey aus d. J. 1807 (Hist.
Gal. Budapest). 1822 als Dekorations- u.
Freskomaler in Ofen, 1827 in Pest genannt.

F r. S c h a m s , Vollst. Beschr. d. kgl. freyen
Hauptst. Ofen, 1822 p. 386. — J. A. D o r f -
f i n g e r , Wegweiser f. Fremde .. durch die kgl.
Freystadt Pest, 1827 p. 368. — A Történelmi
Képcsarnok műtárgyainak leiró lajstroma, Budapest 1907, p. 120. — K. L y k a , A táblabiró-világ
művészete 1800—1850, 1922 IV 101.   *K. Lyka.*

Helm, M a r g a r e t h e , Kupferstecherin in
Nürnberg um 1725, gab im Verlage von Chr.
Weigel ein Näh- und Stickbuch: „Kunst- und
Fleißübende Nadel-Ergötzungen" (Titel, 52 Bl.,
Text; Fortsetzung mit 47 Bl.) mit Vorlagen
für Kreuz- und Plattstich heraus.

G u i l m a r d , Maitres ornem., 1881 p. 449. —
Katal. d. Ornamentstichsamml. Berlin, 1894.
W. Fries.

Helm, W i l l e m v a n d e r , Stadtarchitekt
von Leiden, um 1660/71 tätig, vielleicht Schüler
von P. Post (1657 lieferte er Entwürfe für die
Fassade der 1658 von P. Post erbauten Wage
in Leiden); baute 1662 die unvollendet abgebr.
Waard-Kirche (Langbau mit Zentralcharakter,
Grundriß und Ansicht bei Galland p. 281, 283),
dann mehrere monumentale Festungstore (nach
Berger schon 1660 das Wittevrouwen-Tor):
1664 Mare-Tor (abgebr. 1864, Reste im Städt.
Mus. Leiden); 1667 Zyl-Tor (erhalten, die
Skulpturen von R. Verhulst); 1669 Turm vom
Hoogewoerd-Tor (abgebr. 1876, Reste im
Mus.); im selben Jahr Morsch-Tor (erhalten);
1671 Koe-Tor (abgebr. 1864). H.s Werk sind
auch die beiden an die Südwand des Schiffes
der Hoogeland'schen Kirche angebauten Accise-
häuschen von 1665 (durch Gemeinderatsbeschluß
vor dem für 1909 geplanten Abbruch bewahrt);
sein Einfluß ist noch an mehreren Bauten Lei-
dens wahrnehmbar, so dem Tribunalgericht
und dem ehem. Hl. Geisthaus von 1689 (die
Backsteinfront jetzt im Hof des Polytechn. zu
Delft aufgestellt). H. ist der eigenartigste
unter den in Leiden tätigen Baumeistern der
Spätrenaiss., er wendet klassizistische Formen
an, doch mit bewußter Anknüpfung an die
nationale Bauart zur Zeit H. de Keyzers, durch
die Verbindung von Haustein mit dem Back-
stein und die kräftigen Proportionen sich auch
an L. de Key anschließend. In seinen vornehm und malerisch wirkenden Torbauten hat
er die gleiche Aufgabe unter Anwendung des
üblichen Kuppelturms immer frisch und phan-
tasievoll gelöst; das Morsch-Tor trägt einen
8 seit. Kuppelturm mit Glockentürmchen, der
obere Abschluß der einstöck. Seitenflügel war
ursprünglich leicht geschweift, der ganze Mittelbau ist in derber Ziegelhausteinmanier ausgeführt, während an dem klassizistischen Zyl-
Tor nur Portale und Kuppelturm aus Haustein
sind. H.s originelle Wiederaufnahme der

holländ. Tradition hat keine Nachfolge gefunden.

K r a m m , Levens en Werken, III (1859). —
Nederlandsche Spectator, 1867 p. 139. — G a l -
l a n d , Gesch. der holl. Baukst etc., Frankf.
a. M. 1890. — Bull., uitg. d. d. Nederl. Oudheidk. Bond, VIII (1907) 74; II. Ser. 2. Jg.
(1909) 29 f. (Abb.), 138. — De Opmerker, 1908
p. 3, 13. — K. J. B e r g e r , Der holländ. Stadt-
tor-Bau, Münchner Diss. 1908 p. 66 ff. (Abb.),
mit mehreren von der übrigen Lit. abweichenden Datierungen. — C. H. P e e t e r s , Pieter
Post, im Jahrbuch „Die Haghe" 1908 p. 191. —
W e i s s m a n , Gesch. der Nederl. Bouwkunst,
1912. — Voorloop. Lijst der Nederl. Monum.
van Gesch. en Kunst, III (1915). — W a c k e r -
n a g e l , Baukst d. 17. u. 18. Jahrh., II (Germ.
Länder) o. J. (Burger's Handbuch der Kstwiss.).

Helman, I s i d o r e S t a n i s l a s Henri,
Kupferstecher u. Verleger in Paris, geb. 1743
in Lille, † in Paris, laut Vienne und Béraldi:
1806, laut Bellier: 15. 1. 1809, laut Houdoy:
1810. Schüler der Zeichenschule zu Lille und
ebenda von L. J. Gueret und L. Watteau,
dann in Paris von J. P. Lebas. 1770 erhielt
er als Dank für die Widmung seines ersten
Stiches vom Magistrat von Lille eine Gratifikation. Alljährlich nahm er an den Ausst.
seiner Vaterstadt teil, zeigte 1773 „Les Pêcheurs
fortunés" (nach Vernet) und „Tivoli" (nach H.
Robert). Schon 1779 führte er den Titel „graveur
de Mgr le duc de Chartres". 1787 überreichte er
dem Magistrat von Lille ein Album mit einer Auswahl seiner Hauptwerke (jetzt in der Städt. Bibliothek), wofür ihm abermals mit einer Gratifi-
tion gedankt wurde. Zu seinen frühsten Arbeiten gehören Vignetten und Illustrationen in den
Büchern: Ovide, Metamorphoses, Paris 1767/71;
Voltaire, Oeuvres, Genf 1768/74; Le Feste
d'Apollo, Parma 1769 (mit Baquoy nach P. A.
Martini); Arioste, Orlando furioso, Birmingham 1773; Colardeau, Le temple de Gnide,
Paris 1773 (nach Monnet); Marmontel, Chefs-
d'oeuvre dramat., Paris 1773 (nach Eisen); Molière, Oeuvres, Paris 1773 (nach Moreau le
Jeune); Levayer de Boutigny, Tarsis et Zélie,
Paris 1774 (nach Eisen); A. Richer, Théâtre
du monde, Paris 1775 (nach Moreau und Ma-
rillier). Im Atelier von Le Bas mit Moreau
bekannt geworden, stach er für dessen „Seconde Suite d'estampes pour servir à l'histoire
des modes et du costume en France pendant
le XVIIIe siècle" (1776) die Blätter „N'ayez pas
peur, ma bonne amie", „Délices de la maternité", „L'Accord parfait" und „Souper fin";
die beiden letzten gehören zu seinen besten
Arbeiten. Es folgen „Charlatan français" und
„Charlatan allemand" nach Zeichn. von Duplessi-Bertaux, beide Gueret gewidmet „par son
élève et ami Helman, graveur du duc de Chartres", 1778 ein Hauptblatt, Le jardinier galant,
nach Baudouin. 1. 5. 1779 wurde H. Mitglied der Akad. von Lille. Nach Watteau de
Lille (Louis W.) stach er den Ballonaufstieg
Blanchards in Lille und den Einzug Blanchards

mit dem Chevalier de Lépinard ebenda, später noch „Banquet civique de Lille", 1790, und „Fédération des Départements du Nord, Lille, le 14 juillet". 1783 beendete er die „Batailles de Chine", Reduktionen der interessanten, nie in den Handel gekommenen Stiche größten Formats, die unter Leitung von Cochin 1765/74 durch L. J. Masquelier, J. Aliamet, J. P. Le Bas, A. de Saint-Aubin, F. de Née, B. L. Prévost, P. P. Choffard und N. de Launay nach den Zeichnungen (im Auftrag des Kaisers von China) der Patres und Missionare J. D. Attiret, J. J. Damascenus, J. Castiglione und Ign. Sichelbarth gestochen wurden (16 Bl.), Szenen aus dem vom chines. Kaiser Kien-Long 1754/59 geführten Kriege darstellend (vgl. Art. Attiret). Ähnliche Motive behandeln die 1788 im Selbstverlag herausgeg. „Faits mémorables des Empereurs de la Chine etc." (24 Stiche). „Chez l'Auteur et chez M. Ponce, graveur" erschien 1788 „Abrégé historique des principaux traits de la vie de Confucius" (Titelbl. und 24 Bl. nach den aus China von dem Jesuitenpater Amiot, Verfasser der Vie de Confucius [vgl. Biogr. univ. anc. et mod. II 1811], gesandten Zeichn.). Nach Zeichn. seines Freundes Monnet stach H. eines seiner bekanntesten Werke (in etwas trockener Manier), die Folge „Quinze jours de la Révolution" (Selbstverlag), dann zu Ehren Napoleons (mit Choffard nach einem Gemälde von St.-Aubin) dessen Porträt (gr. allegor. Bl.). Der Dudelsackpfeifer nach Teniers für das Musée Français (ed. v. Robillard-Péronville, 1803/09) war eine seiner letzten Arbeiten. 1791 und 1793 stellte er im Salon aus. Zu nennen sind noch das feine Porträt der Comtesse de Provence („C. Monet inv. Ludovicus Le Brun effigiem pinxit"); Porträt der Familie des Duc de Chartres, mit Saint-Aubin nach Le Peintre, 1779; Ludwig XVI. nach Monnet; Confucius, wohl aus dem oben gen. Buch; Tod Menschikoffs nach Moreau; ferner nach Duplessi-Bertaux „Fanfan et Colas"; nach Lavreince „Le roman dangereux" (1781); 5 Bl. nach Le Prince; 3 nach Lagrenée; 2 nach Charles de la Fosse; „Allégories sur la Constitution" nach Monnet; „Les chaumières en Saxe" nach J. G. Wagner; zahlreiche Vignetten, z. B. für den Voyage pittoresque des Abbé de Saint-Non, 1781/86, Voltaire's Henriade, 1789 usw. (vgl. Cohen und Verzeichn. bei Portalis-Béraldi); italien. Landschaften aus einer Folge nach C. J. Vernet; Blätter in Zurlauben's „Tabl. topogr., pittor. etc. de la Suisse", Paris 1780/88. Das von Le Blanc genannte Porträt: Amyot nach Panzij, von Portalis-Béraldi nicht aufgenommen, stellt den oben (Vie de Confucius) gen. Pater Amiot (1718—94) dar, portr. von dem in China lebenden italien. Maler und Jesuiten Giuseppe Panzi. — H. zählt zu den begabtesten Stechern seines Kreises. Oft recht schwerfällig wirkend,

hat er zuweilen auch sehr geschickt interpretiert; besonders werden seine Arbeiten nach Baudouin und Moreau gerühmt.

B a s a n , Dict. des Graveurs, [2]1789. — M e u s e l , Neue Miscell. artist. Inhalts, IV (1797) 406 ff. — H u b e r u. R o s t , Handbuch, VIII (1804) 291. — Biogr. univ. anc. et mod., LXVII (1840) 34. — B o n n a r d o t , Hist. de la grav. en France, 1849. — L e B l a n c , Manuel, II. — R e n o u v i e r , Hist. de l'Art pendant la révolution, 1863. — H. V i e n n e in Revue univ. des Arts, XX (1865) 263 ff. — H o u d o y , Etudes artist., 1877 p. 102 f. — P o r t a l i s , Dessinat. d'Illustr., 1877. — G o n c o u r t , L'Art du XVIIIe siècle, [3] I (1880) 213, 467; II 43, 251, 258, 467. — P o r t a l i s - B é r a l d i , Graveurs du XVIIIe siècle, II (1881). — B e l l i e r - A u v r a y , Dict. génér., I (1882). — R o w i n s k y , Russ. Portr.-Lex. (russ.) 1886 ff. III 1277 N. 32. — D u p l e s s i s , Cat. Portr. Bibl. Nat., 1896 ff. I 951; III 10414/13; VI 28363/366. — L a w r e n c e - D i g h t o n , French line-engravers, 1910 p. 32. — D e v i l l e , Index du Mercure de France, 1910 p. 110. — G i l l e t , Nomenclat. des ouvrages ... se rapport. à l'hist. de Paris, 1911. — D e l t e i l , Manuel de l'amateur d'estampes XVIIIe siècle. — C o h e n , Livres à grav. XVIIIe siècle, [6] 1912. — Arch. de l'Art Franç., 1915 p. 321. — M i r e u r , Dict. des Ventes d'Art, III (1911). — Jahrbuch der Bilder- u. Kstblätter-preise, Wien 1911 ff. I—VI. *D. St.*

Helman, M. B. J., Gelbgießer, bezeichnete den großen 4 arm. Kronleuchter (1704) in der Kirche zu Altendorf in Braunschweig.

Bau- und Kstdenkm. Herzogt. Braunschweig, IV Kr. Holzminden (1907) 6.

Helmbeck, Maler Anf. 19. Jahrh., nur bekannt durch das Miniaturbildnis einer unbekannten jugendl. Prinzessin im Bayer. Nat.-Mus. zu München (Katal. der Miniaturbilder, 1911 No 637); Aquarell auf Elfenbein; rückseitig bez. (wohl Kopie einer ält. Inschr.): Helmbeck pinx. 1812.

Helmbreker (Helmbreecker, Elembrech), D i r k (Theodoor, Teodoro), Maler, geb. in Haarlem 1633, † in Rom Frühsommer 1696. Sohn des Organisten an St. Bavo u. Komponisten Cornelis H. (Nieuw Biogr. Woordenboek I). Seine Eltern waren katholisch. Er war Schüler des Pieter de Grebber und wurde schon 1652 als Meister in die Gilde zu Haarlem aufgenommen. 1653 reiste er nach Italien zusammen mit Corn. Bega, W. Dubois u. V. van der Vinne. Zu Venedig fand er Unterkunft im Palast des Dogen Loredan und arbeitete dort 4 Monate. In Rom, Herbst 1654, angekommen, wohnte er bei dem Kardinal Carlo dei Medici, in dessen Villa auf dem Monte Pincio. Er befreundete sich mit Jan Wils und reiste mit diesem nach Holland zurück, erkrankte aber zu Lyon und blieb dort 2 Jahre. In seiner Heimat hielt er sich nicht lange auf, denn 1668 ist er wieder in Rom ansässig. Dort heiratete er (1. 5. ds. J.) eine Römerin, Anna Petronilla Belardini, die bald †. In seiner Trauer schloß er sich den Jesuiten an, ohne jedoch Geistlicher zu werden.

Er wohnte in einem Hause neben dem Oratorium des hl. Franz Xaver (Oratorio del padre Caravita) und malte dort verschiedene Bilder, die jetzt verschwunden sind, bis auf ein nicht großes Gemälde, den Tod des Heil. darstellend. 2. 3. 1669 wurde er Mitglied der Bruderschaft S. Maria in Campo Santo. 1672 reiste er nach Neapel und arbeitete al fresco 2¹/₂ Jahre im Ordenshaus der Jesuiten. Auch diese Malereien sind nicht erhalten. 1675 kehrte er nach Haarlem zurück, um seine Mutter zu pflegen, reiste nach deren Tode Anfang 1677 wieder nach Rom ab. Dort heiratete er in 2. Ehe Laura Caterina de Santi, die 20 Jahre jünger war als er, und bezog im Vicolo Mancino eine eigene Wohnung. H. war kein Bentvogel, doch mit verschiedenen Genossen befreundet, u. a. mit Abr. Genoels. Ende 1678 zog er über Paris, wo er mit Fred. Moucheron arbeitete, wieder nach Holland, auf der Rückreise malte er 1681 in Turin für den Herzog von Savoyen die beiden Hauptbilder, die noch 1859—61 im Kunsthandel waren: „Speisung von Armen an einer Klosterpforte" und „Quacksalber, der seine Mittel ausschreit". (Näheres Oud-Holland, 1913 p. 35 f.) — In Italien kam H. weiter zu großen Ehren, er fand Gönner unter Kardinälen und Edelleuten und wurde 8. 10. 1684 Mitglied der Accad. di S. Luca. Auch war er Mitglied der „Virtuosi al Pantheon". In Florenz hat er um diese Zeit ebenfalls mit Erfolg gearbeitet. Seit 1686 wohnte er in Rom an der Piazza di Spagna in einem vornehmen Hause, das sein Eigentum wurde. 4. 2. 1697 verheiratete seine Witwe sich wieder. — Hauptsächlich malte H. Volksszenen mit zahlreichen kleinen Figuren, aber auch Bilder mit religiösen Darstell. Baldinucci beschreibt zu Lebzeiten des Meisters (1694) mehrere Werke ausführlich und nennt die Besitzer, darunter H.s Freund und Nachbar, den Abbate Marucelli, der nicht weniger als 16 Gemälde H.s besaß. Der Herzog Sforza Cesarini besaß deren 12 und der Graf Anguisciola 20. Letzterer schenkte der Kirche S. Maria della Pace ein großes Gemälde, die H. Familie darstellend, das er bei H. 1694 bestellt hatte, und das sich bis vor kurzem noch über einem der Altäre — ziemlich vernachlässigt — befand. 1695 vollendete H. im Auftrage des Nic. van Haringhen das Bild für den Hochaltar in S. Giuliano dei Fiamminghi, das sich noch an Ort und Stelle befindet: „Der hl. Julian bereut seine Missetat". — In der Gall. Colonna befanden sich um 1890 noch 4 Marktbilder H.s; jetzt verschwunden. Das Bild auf Kupfer, „Bauern an einem Brunnen", aus der Gall. Torlonia, jetzt im Mus. Naz. in Rom, kann nicht länger H. zugeschrieben werden, seit beglaubigte Frühbilder wiederholt im italien. Kunsthandel vorgekommen sind, die dem Pieter van Laer

sowie den südniederländ. Bentvögeln wie Genoels und Goubau näher stehen. Die Karnevalszene in den Uffizien zu Florenz (Depot) hat mit H. nichts zu tun. Bezeichnete Bilder finden sich in der Gal. zu Lucca (1681) und auf Keddleston Hall (1685), mit dem Vornamen T e o d o r o signiert; weiter im Mus. zu Nantes (Gegenstücke) und in der Samml. Redin zu Stockholm. Diese Stücke gehören zu der Gattung der „Bambocciate"; eine bez. Verkündigung Mariae besitzt die Samml. Lind zu Stockholm, signiert D. Helmbreecker, ohne Jahreszahl. — Ein jugendliches Selbstbildnis wurde 1772 von C. van Noorde nach einer Zeichnung gestochen. Wie andere von H. gezeichnete Porträts (u. a. das des Malers C. Bega [Versteig. Klinkosch, Wien 1889]) zeigt es einen merkwürdigen Einfluß des Frans Hals. Oeuvreverz. mit Aufzählung auch der verschollenen Werke und der Zeichnungen: Hoogewerff (s. Lit.). Zu ergänzen durch ein Bild im Mus. zu Nancy und eine „Bambocciata" in der Samml. Herbert in Kirchbichl (von Frimmel, Lex. d. Wiener Gemälde-Samml., I [1913] 308 dem H. zugeschrieben).

B a l d i n u c c i, Not. dei prof. del disegno, ed. R a n a l l i, V. — N i c c o l ò P i o, Ms. Bibl. Vat. Cod. Vat. Caponn. 257 (unzuverlässig). — O r l a n di, Abeced., 1719. — A. v. W u r z b a c h, Niederl. Kstlerlex., I (1906), m. Lit. — B e r t o l o t t i, Giunte agli art. belgi ed olandesi, in: Il Buonarroti, Ser. 3 II (1885) 104. — O r b a a n, Bescheiden in Italië, I (1911); d e r s. im Repert. f. Kstwiss., XXXVII (1915) 47. — H o o g e w e r f f in Oud-Holland, XXXI (1913) 30—38, ausführl. u. grundlegend mit Verwendung archival. Nachrichten. *G. J. Hoogewerff.*

Helmer, F r a n z, Büchsenmacher, um 1730 in Wien. Gewehre in d. Gewehr-Gal. Dresden und bei Fürst E. Batthyany Strattmann.

Führer d. d. K. Gewehr - Gal. Dresden, 1900 p. 101. — S z e n d r e i, Ungar. Kriegsgesch. Denkm., Budapest 1896 p. 765. *St.*

Helmer, H e r m a n n, Architekt in Wien, geb. in Harburg 13. 7. 1849, † in Wien 2. 4. 1919, Teilhaber der besonders durch ihre zahlreichen Theaterbauten bekannt gewordenen Wiener Architektenfirma *Fellner u. Helmer.* Schüler von Rud. Gottgetreu in München, trat dann in Wien bei Ferd. Fellner d. Ä., dem Erbauer des von Heinr. Laube gegründeten Wiener Stadttheaters (1871/72) ein und verband sich nach dem Tode des älteren Fellner 1872 mit dessen gleichnamigem Sohn zu einer Arbeitsgemeinschaft, die durch 43 Jahre ununterbrochen dauerte, so daß schwer der Anteil jedes einzelnen an den vielen von der Firma geschaffenen Bauten festzustellen ist. In diesem Zeitraum von 1872—1915 erbauten sie in Österreich-Ungarn, im Deutschen Reich und in den Balkanländern zusammen 48 Theater, so daß in den meisten größeren Städten Mitteleuropas von Hamburg bis Odessa ein Werk von Fellner u. Helmer anzutreffen ist. Unter

Zugrundelegung der Formensprache der ital. Renaissance u. des Barock arbeiteten sie in ihren Theaterbauten vor allem an der stetigen Verbesserung des Grundrisses und an einer Vervollkommnung von Raumgestaltung und Raumausnutzung. Von der altitalien. Logenhaus-Anlage ausgehend, entfernten sie sich doch im Verlaufe ihres Schaffens immer mehr von diesem Vorbilde, indem sie die Anzahl der Ränge einschränkten und große amphitheatralische Galerien einrichteten, die nur für wenige Logen Platz ließen. Mit dem 1887/89 von ihnen erbauten Deutschen Volkstheater in Wien schufen sie zuerst diesen neuen Typus, der dann viele Nachahmungen fand. Als mit Beginn des 20. Jahrh. in Deutschland die dem antiken Amphitheater als Vorbild folgende Grundrißform aufkam, näherten sich auch Fellner u. H. diesem neuen Typus, ohne sich ihm doch ganz anzuschließen. — Die hauptsächlichsten Theaterbauten der Firma sind: Neues Deutsches Th. in Prag, Metropolth. und Th. Unter den Linden in Berlin, Deutsches Schauspielhaus in Hamburg, Volksth. in Budapest, Stadtth. in Zürich und Nationalth. in Agram. Neben dieser ihrer Spezialität hat die Firma auch andere Bauaufgaben gepflegt, so das Konzerthaus (Tonhalle in Zürich, Konzerthaus in Wien), den Hotelbau (auf dem Schneeberg und auf dem Semmering bei Wien), das Warenhaus (Wien, Graz, Brünn), das Stadtpalais, das Zinshaus, das Landschloß und Landhaus. In Karlsbad bauten sie das Kaiserbad und die Sprudelkolonnade, in Agram die Kunsthalle, in Wien die Sternwarte (an der Türkenschanze), das „Eiserne Haus" (Kärntnerstraße), das Thonetsche Haus (Stephansplatz), die Palais de Castries (Rotenturmstr.), Lanckoroński (Jacquingasse), Wessely (Alleegasse) und Schenk (Theresianumgasse). — Vgl. auch Artikel Ferd. Fellner.

Der Architekt, XXII (Wien 1919/20) Beiblatt p. I (Nekrolog mit Verz. sämtl. Bauten). — Zentralbl. der Bauverwaltung, XXXIX (1919) 207 (Nachruf von J. D e i n i n g e r). — Deutsche Bauzeitung, XLVIII (1914) 89 ff., 97 ff. (Wiener Konzerthaus u. Akad. f. Musik). — S t r e i t, Das Theater, Wien 1903 p. 160 ff. — M a r t i n P a u l, Techn. Führer d. Wien, 1910, Reg. p. 613. — G u g l i a, Wien (Führer), 1908; Reg. unter Fellner. — Zeitschr. f. bild. Kst, XXI 303 f., 307; N. F. I 51 (D. Volkstheater Wien); Kstchronik, XIII 266 ff.; XXIII 233 ff., 415 ff.; XXIV 234; N. F. IV 11 ff. (Th. „Unter den Linden" Berlin); V 324; VII 61. — Vgl. auch die Lit. bei Ferd. Fellner (Bd XI 375). *H. Vollmer.*

Helmer, P h i l i p p, Maler, geb. 26. 5. 1846 in Trippstadt (Rheinpfalz), † 18. 5. 1912 in Olching bei München. Ging 1864 zum Studium der Bildhauerkunst nach München und half sich als Handlanger in verschiedenen Bildhauerateliers durch. Erst eine Unterstützung König Ludwigs I. ermöglichte den Besuch der Akad. (1867) bei H. Anschütz und besonders Alex. Wagner. Die persön-

liche Zugehörigkeit H.s zum Kreise Leibls ist nicht erwiesen, die Abhängigkeit und nahe Beziehung der frühen Arbeiten augenfällig. H. schloß sich Lindenschmit an und besuchte (1875) sogar kurze Zeit dessen Schule. In den folgenden Jahren zog sich H. immer mehr zurück und übersiedelte 1892 nach Olching. Gelegentlich beschickte er den Glaspalast, häufiger den Münchner Kunstverein. H.s ausgezeichnete Begabung war durch das Studium Leibls (und Courbets?) auf der Münchner Ausst. 1869 auf den richtigen Weg geleitet. Die realistische Klarheit seiner ersten Bildnisse — so das bekannte auch von Leibl gemalte Sicherer-Modell — wird durch einen flotten, zum Impasto geneigten Pinselstrich persönlich und fortschrittlich zum Ausdruck gebracht. Dann fördert der Einfluß Lindenschmits eine vom Leibl- und Trübnerkreise abgelehnte virtuose Steigerung und effektvolle Tonigkeit. Diese Mischung läßt H.s Malweise sogleich erkennen. Die Werke um 1875 ganz unter Lindenschmits Lehre. Die Bildnisse wurden später aufgegeben. Verschiedenen größeren Genrebildern (Morraspieler, Schlosserwerkstatt) schließen sich anspruchslose, aber sehr feine und selbständige Interieurs und Architekturstudien, gelegentlich Landschaften und sogar zierliche Stilleben an, welche die Tradition im Sinne Schuchs lebendig weiterführen und bis zu einem freilich immer dekorativ bewußten Naturalismus vorschreiten. Die Bedeutung dieser Arbeiten ist 1915 bei der Ausstell. Thannhauser-München deutlich geworden. Hier rückte H. in die Reihe jener Münchner Maler der 1870er Jahre ein, die wie Spring, Mayr-Graz oder Schachinger mehr äußerlich und technisch als positiv überzeugt dem Leiblkreise nahestehen.

Dtsche Kst u. Dekor., XXV (1909/10) 189. — Zeitschr. f. bild. Kst, N. F. XXV (1913/14) 309 ff. (Abb.); Kstchronik, N. F. XXVII (1916) 58, 302. — M e i e r - G r a e f e, Entwicklungsgesch. d. mod. Kst, ² II [1914] 310. — Kst u. Kstler, XII (1914) 164 Abb. (Frauenkopf, wahrscheinlich von H.); XIV 105 f., 261 ff., 594. — Cicerone, VII (1915) 411; VIII 30. — Die Kst, XXXIII (1915/16) 317 ff. (Abb.). — Seemann's „Meister der Farbe", 1917 Heft 3 (A. L. M a y e r). — G r a v e s, Loan Exhib., IV (1914). — Ausstell.-Kataloge: Glaspalast München, 1889, 91, 92; Mod. Gal. Thannhauser, München, Okt. 1915, Sonder-A. (mit Einleit. von H. U h d e - B e r n a y s, reich illustr., vgl. auch Münchn. N. N. 21. 10. 1915 [F. v. O s t i n i] u. Augsb. Abendzeitg 27. 10. 1915 [G. J. W o l f]); ebenda 1916 (und Nachträge I—III); A. aus Privatbes. Ksthütte Chemnitz, 1918; Münchner Malerei 1850/80 (Gal. Heinemann), München 1922. *H. U.-B.*

Helmersen (russ. Гельмерсенъ), W a s s i l i j W a s s i l j e w i t s c h, russ. Silhouettist, stellt seit 1900 auf den Schwarzweiß-Ausstell. der Petersb. Akad. aus (Katal. 1908, 1910, 1912 u. 1915—16). Von ihm Illustrationen in Silhouettenmanier zu Werken von Puschkin, Tolstój u. a.; einzelne Silhouetten H.s wurden auf Erzeugnissen der staatl. Porzellan-Manuf. Petersburg reproduziert. *P. E.*

Helmes, B r a n t , niedersächs. Glockengießer, goß 1537 die mit 3 Reliefs (Kruzifixus, Auferstehung, Madonna) geschmückte Vorschlagglocke der Andreaskirche zu Hildesheim; von ihm auch die (1735 zersprungene) Glocke von 1526 in Schlewecke (Braunschweig) und die von 1527 in Esbeck (Hannover, A. Lauenstein).

M i t h o f f , Mittelalterl. Kstler u. Werkmstr Niedersachs. u. Westf., 1885. — Bau- u. Kstdenkm. Herzogt. Braunschweig, V (Kr. Gandersheim) 1910 p. 407. — Kstdenkm. d. Prov. Hannover, II 4 (Stadt Hildesheim) 1911 p. 164.

Helmhack, A b r a h a m , Glasermeister, Schmelzmaler und Kupferstecher in Nürnberg, geb. 29. 3. 1654 zu Regensburg, † 25. 5. 1724 zu Nürnberg; 1668 Lehrling, 1672 freigesprochen; trat 1673 zu Nürnberg bei F. Waldt in Arbeit, dessen Tochter er später heiratete; 1678 Meister, 1680 Nürnberger Bürger, 1688, 1695, 1707 Geschworener der Zunft. Er gehört mit Joh. Schaper, dem Monogrammisten W. R. u. a. zu jenen Nürnberger Glas- und Emaillemalern, die sich der Fayence zuwandten, als die Fabriken zu Frankfurt und Hanau in Gang gekommen waren. Während von Glasmalereien nur ein Glasgemälde (Privatbes. München; bez.) bekannt ist, haben sich zahlreiche, mit seinen Initialen bez. Fayencearbeiten erhalten, die, vorzüglich in der Qualität, meist in bunten und hellen Muffelfarben gehalten sind. Landschaften mit Staffage, Schäferszenen biblischen oder profanen Charakters von reichem Blumen- oder Blattrankenwerk eingefaßt, so auf einem Enghalskrug im Würzburger Luitpoldmuseum (Führer 1913 p. 67) oder auf einem breitrandigen Teller im Germ. Nat.-Mus. zu Nürnberg (beide abgeb. bei Stoehr). Weitere Arbeiten in den Kstgew.-Museen zu Hamburg (J. Brinckmann, Führer, 1894), Berlin, Köln, Frankf. a. M. (siehe die Katal.) u. in der Slg Clemens in Köln. Als Kupferstecher hat H. eine Anzahl kolorierter Ornamentstiche bei Weigel in Nürnberg erscheinen lassen („Vor unterschiedl. Professionen dienliches Laubwerk" usw. u. „Unterschiedl. Einfassungen von Laubwerk" usw.). Nagler erwähnt außerdem von ihm „ein sehr mittelmäßiges" radiertes Porträt seines Meisters Ferdinand Waldt (bez. 1679) und eine Vignette mit Glaserwerkzeugen (1709), Andresen kennt noch das Stichporträt des Pfarrers Melchior Rüdel.

A n d r e s e n , Nürnb. Kstler, Ms. Bibl. U. Thieme, Leipzig, fol. 271. — N a g l e r , Monogr., I. — A u g. S t o e h r , Deutsche Fayencen (Bibl. f. Kst- u. Antiquitätensammler, Bd 20), 1920. — J. L. F i s c h e r , Handbuch der Glasmal. (Hiersemanns Handbücher Bd VIII), 1914. — Neujahrsbl. d. Ges. f. fränk. Gesch., XIV p. 46. — Cicerone, XIV (1922) 420. — Kat. d. Ornamentstichsamml. d. Kstgew.-Mus. Berlin, 1894. *L. Bruhns.*

Helmholt (Helmhold, Helmholtz), Glockengießer-Familie in Braunschweig, 17./18. Jahrh., mehrere Mitglieder mit z. T. noch erh. Glocken bekannt: F r i e d r i c h , erwähnt 1691; G. C. (Glocke von 1734 in Seboldshausen, von 1748 in Sievershausen); H e i n r i c h C h r i s t i a n , 1718 Geselle in Lübeck, 1751 in Braunschweig; H. O. (Glocke in Benzingerode); S t a t z H e i n r i c h C h r i s t i a n (Glocke von 1733 in Volkersheim); S. M. C. (Glocke von 1776 der ehem. Kapelle zu Sophienthal bei Braunschweig). — Friedrich ist wohl identisch mit dem g l e i c h n a m . Gießer der beiden Messingkronen (1660 u. 1680) in der Katharinenkirche in Braunschweig.

M e i e r u. S t e i n a c k e r , Bau- u. Kstdenkmäler d. Stadt Braunschweig, 1906 p. 38. — Bau- u. Kstdenkmäler d. Herzogt. Braunschweig, V (1910); VI/1 (1922) 5. — Zeitschr. d. Ges. f. niedersächs. Kirchengesch., XXV (1920) 90, 92.

Helmich, Kalligraph (u. Buchmaler?), Mönch im Kloster Marienborn bei Arnheim (Holland), „broeder helmich die lewe". Vollendete 1415 ein für die Herzogin Maria v. Geldern geschriebenes niederdeutsches Gebetbuch (Berlin, Staatsbibl. Ms. germ. 42), das im Stil seiner zahlreichen Miniaturen die Einwirkung kölnischer Malerei zeigt. Aus der Eintragung (fol. 410) läßt sich nicht feststellen, ob H. auch der Maler ist.

W a a g e n im Dtsch. Kstblatt, 1850 p. 307. — S c h n a a s e , Gesch. d. bild. Kste, ², IV (1874) 409. — Kunstbode, 1874 p. 19. — J. S p r i n g e r im Jahrb. d. preuß. Kstsamml., XI (1890) 60; hier Heinrich! — A l d e n h o v e n , Gesch. d. Kölner Malerschule, 1902.

Helmick, H o w a r d , Genremaler, Radierer und Illustrator, geb. 1845 in Zanesville (Ohio, V. St. A.), † 28. 4. 1907 in Georgetown, Washington, studierte in Paris unter Cabanel; dann in London, wo er 1872/87 häufig ausstellte, u. a. in der Royal Acad. (Mitglied der Roy. Soc. of Brit. Art. und der Roy. Soc. of Painter-Etchers), und wirkte schließlich an der Georgetown-Universität, Washington. Im Mus. zu Sheffield (Kat. 1908) 3 Genrebilder.

Acad. Notes, London, 1878/81, 1883. — Zeitschr. f. bild. Kst, XXIV (1889) 78 ff. (Abb., im Text Heinz H. gen.). — G r a v e s , Dict. of Art., 1895; d e r s., Roy. Acad., IV (1906); d e r s., Loan Exhib., IV (1914). — Americ. Art Ann., 1907/8 p. 110. — Art Journal, 1908 p. 286 (Tafelabb.).

Helmigh, E l z e n e r u s , Zeichner und Maler (besonders Miniaturbildnisse), geb. 1776 zu Goor in Holland, taubstumm, Schüler von G. de San in Groningen, 1801 Akad.-Preisträger, 2 bis 3 Jahre in Paris gebildet, lebte dann in Leiden, seit 1818 in London.

v. E y n d e n en v. d. W i l l i g e n , Geschied. d... Schilderkst, III (1820). — I m m e r z e e l , Levens en Werken, II (1843).

Helmle, L o r e n z (geb. 1783, † 1849) und A n d r e a s († 15. 2. 1849), Glasmaler in Freiburg i. Br., Brüder, beide aus Breitnau i. Schwarzwald, dort als Maler von Uhrenzifferblättern in der väterl. Werkstatt tätig, kamen um 1822 nach Freiburg, wurden bei ihren Versuchen und Studien zur Wiederbelebung der Glasmalerei durch ihren ehemal. Komtur des Deutschordens, Grafen v. Rheinach, unterstützt, der von ihnen mehrere Fenster für das Freiburger Münster ausführen ließ (im südl. Seitenschiff mit den Evangelisten, in der Abendmahls- und Grablegungskap. mit der Passion nach Dürer), deren Gelingen ihnen viele Aufträge eintrug. 1837 fertigten sie das mittlere Fenster (Kreuzigung und Auferstehung) im Westchor des Mainzer Doms, das 1857 bei der Pulverexplosion zerstört wurde (Reste im Südflügel des Kreuzganges). Genannt werden u. a. Fenster in den Kirchen zu Sigmaringen, Mühlhausen (O. A. Tuttlingen) und Bergheim bei Köln, auch sollen Arbeiten nach der Schweiz, Frankreich, England gegangen sein. In Fürstl. Metternich'schem Besitz (Kat. der Wiener Congreß-Ausstell. 1896) ein Bildnis (ganze Fig.) des Fürsten Clemens v. Metternich von 1824. — Lorenz' Söhne, F e r d i n a n d und H e i n r i c h, führten das Atelier des Vaters fort.

Kstblatt, 1830. — G e s s e r t, Gesch. d. Glasmal., 1839 p. 295. — F ü ß l i, Zürich u. die wichtigsten Städte am Rhein, 1842 p. 278, 406. — Neuer Nekrol. der Dtschen, XXVII, 1849 (1851) p. 172 ff. — K u g l e r, Kl. Schriften u. Stud. z. Kstgesch., III (1854) 496. — H. A. M ü l l e r, Museen u. Kstwerke Dtschlands, 1857. — Oberamtsbeschreib. von Tuttlingen, p. 360. — Mitteil. d. k. k. Oesterr. Mus. f. Kst u. Ind., N. F. VI, Jahrg. XI (1896) 118. — K a u t z s c h - N e e b, Dom zu Mainz (Kstdenkm. Hessen, St. Mainz II/1), 1919 p. 168. — Kat. Ausstell. Christl. Kst, Mainz 1892 p. 22.

Helmle (Helmlin), S e b a s t i a n, Miniaturmaler, geb. 19. 1. 1799 zu Breitnau im Schwarzwald, in seiner Jugend als Uhrenschildmaler tätig, machte einige Jahre Studien als Kupferstecher (Landsch.), widmete sich dann der Miniatur-Porträtmalerei. 1827 in Frankfurt a. M., dann in Mainz, Darmstadt, Mannheim, Wiesbaden, auch in Westfalen, seit 1836 dauernd in Frankfurt, malte vorwiegend Kinderporträts. Das Porträt eines Herrn, bez. „Helmle 1829" war in der Berliner Miniaturen-Ausstell. bei Friedmann u. Weber 1906 (Kat. No 41). In der Jubil.-Ausstell. des Mannh. Altert.-Ver. 1909 (Kat. Werke der Kleinporträtkunst) waren 3 Miniaturen: Senator Forsboom, Frankfurt a. M., bez. „Helmle 1841"; dessen Frau Anna, geb. Bolongaro, bez. ebenso; unbekannte Dame, um 1830, bez. „Helmle". In der Miniaturen-Ausstell. bei Reuß u. Pollack, Berlin 1912 (Kat. No 256), sah man das Bildnis einer jungen Frau, bez. „Helmle 1839".

W e i z s ä c k e r - D e s s o f f, Kst u. Kstler in Frankfurt a. M., II (1909).

Helmlehner, M. G., Lithograph, im Königl. Lithogr. Instit. Berlin; druckte 1827 eine Ansicht von Mainz, lith. von F. A. Schmidt nach

Zeichn. von L. v. Zalesky, die 1879 in der Ausstell. von Darstell. der Stadt Mainz (Kat. No 262) war. Er bezeichnete folgende Bl.: Porträt Friedr. Wilh. III. von Preußen; Pferdestall nach J. A. Klein; Heimsuchung nach Raffael.

W e i g e l ' s Kstcatal., Leipzig 1838/66, II 12. Abt. p. 25. — D u p l e s s i s, Cat. Portr. Bibl. Nat. Paris, 1896 ff., IV 16 651/66. — Arte e Storia, 1911 p. 258.

Helmolt (Helmuth), C a r l G u s t a v, Goldschmied in St. Petersburg, 1744—57 Meister seiner Gilde; seine Marke „G HM" fand sich mit der Petersburger Kontrollmarke von 1773 auf einer silb. Schreibzeugschale im Kais. Winterpalais.

F ö l k e r s a m, Lex. St. Petersb. Goldschm. 1907 (russ.) p. 16 (Гельмолтъ); d e r s., Silberinventar der Kais. Pal. St. Petersburg, 1907 (russ.) I 74, II 527. *

Helmolt, H e i n r i c h, Steinmetz aus Göttingen, baute 1490 in der Oberkirche S. Cyriacus in Duderstadt das Sterngewölbe im nördl. Seitenschiff und die reichen Netzgewölbe mit figurierten Schlußsteinen im Mittelschiff.

Blätter f. Archit. u. Ksthandwerk, XXIII (1910) 31, Taf. 78 f.

Helmont, A n t h o n y v a n, Bildhauer aus Antwerpen, nach Urkunde von 1569 an der Kanzel der Kathedrale in Herzogenbusch tätig, sein Anteil an den z. T. bedeutenden Schnitzarbeiten nicht bestimmbar. Sein Name erwähnt bei den Versuchen zur Feststellung der Person des 1558 am Heidelberger Schloß arbeitenden Bildhauers Anthoni (s. d., vgl. auch Mitt. z. Gesch. der Heidelb. Schlosses, III [1893] 139).

G a l l a n d, Gesch. d. holl. Baukst etc., 1890 p. 151. — L'Émulation, 1899 p. 123.

Helmont, G a s p a r v a n, siehe im Artikel *Helmont*, Mattheus van.

Helmont, J a n v a n, Maler, geb. zu Antwerpen 14. 2. 1650, † nach 1714, Sohn u. Schüler des Mattheus. Wurde 1675/76 Meister der Lukasgilde und meldete zwischen 1682 u. 1697 sieben Lehrlinge an. Am 26. 8. 1679 verheiratete er sich mit Isabella de Rousseau, von der er 4 Kinder, darunter den Maler Zeger Jacob (s. d.) bekam. Erhielt wiederholt von der Stadtverwaltung Bildnis-Aufträge. Heute nachweisbar sind nur wenige Arbeiten seiner Hand, so ein Gruppenbild von 12 Nonnen im Kloster der schwarzen Schwestern zu Antwerpen (bez.); v. d. Branden sah von ihm bei Baron Borrekens in Antwerpen ein bez., 1714 dat. Bildnis der Frau Isabella Goubau. Nach H. stach J. Houbraken die Bildnisse des Herrn van Borssele und des Bürgermeisters Bruno van der Dussen.

R o m b o u t s - L e r i u s, Liggeren, II. — W e y e r m a n, Levens-Beschryvingen, IV (1759) p. 56. — v. d. B r a n d e n, Gesch. der Antw. Schilderschool, 1883. — E. W. M o e s, Iconographia Batava, I (1897) Nr 904, 2188. *Z. v. M.*

Helmont, Johann Franz van, Bildhauer aus den Niederlanden, zuerst 1715 als in Cöln ansässig genannt. In diesem Jahre bewirbt er sich bei dem Rat um die Meisterschaft, die auf Betreiben der Zünfte zunächst abgelehnt, erst 1718 gewährt wurde. Über die dauernden Schwierigkeiten, die ihm der Neid der Cölner Zunftmeister bereitete, vgl. Rathgens. Seit 1728 bei den Arbeiten in Schloß Brühl bei Cöln beschäftigt, wurde H. 1730 zum Hofbildh. (des Kurfürsten Clemens August) ernannt; bis 1739 erwähnen ihn die Schloßbaurechnungen. Sein Todesdatum ist nicht bekannt, 1756 wird er in einem Schreiben des Bildh. B. Derichs als † erwähnt. Nach alter Überlieferung arbeitete er (wohl bald nach 1715) mit seinem Schüler Johann van Rick die Holzverkleidung der Außenwände der Loretokapelle in St. Maria in der Kupfergasse, mit Flachreliefs zwischen den die Flächen gliedernden Pilastern. Dargestellt sind auf den Längsseiten Anbetung der Hirten und Anbetung der Könige; über den 4 Türen Mariä Tempelgang, Vermählung, Verkündigung und Heimsuchung; auf der Schmalseite die Madonna auf Wolken, hinter ihr Engel mit dem Haus von Loreto, zu ihren Füßen kniend hl. Franz Xaver und hl. Ignatius v. Loyola, über ihr unter dem Gebälk Doppelwappen der Stifter (Graf J. v. Oxenstierna und Gräfin A. E. v. Limburg-Styrum). Verwandten Charakters, vielleicht auch ein Werk H.s oder seiner Werkstatt, sind die beiden um die gleiche Zeit entstandenen reichgeschnitzten Beichtstühle in ders. Kirche. 1717 vollendete H. sein Hauptwerk, den (vom Kommissar des Machabäerklosters, J. G. Molitor) der Machabäerkirche geschenkten großen, aus Eichenholz geschnitzten Altar (nach Abbruch der Kirche 1808 im südl. Querschiff der Andreaskirche aufgestellt; 1883 durch Brand beschädigt, 1892 restauriert); der Altar birgt den 1504 gestifteten Reliquienschrein der Machabäer. Bemerkenswert die selbständige Lösung der Aufgabe, die Mutter mit ihren 7 Söhnen darzustellen, durch die Verteilung der Figuren auf die Nische und die seitlichen Teile des Altars, ferner die wirkungsvolle Steigerung der Bewegung von den ruhigen Seitenfiguren zur zentralen Gruppe und darüber hinaus zu den Darstellungen im Aufsatz. 1717 arbeitete H. (laut Urkunde) für das Hochaltar-Tabernakel in St. Columba 2 kniende fackelhaltende Engel (wohl die auf der Altarbrüstung knienden Figuren). Der übrige H.sche Tabernakelschmuck, durch das jetzige Tabernakel (von 1776) ersetzt, nur teilweise erh. (in einem Schrank auf der westl. Empore): Miniaturfiguren von Kaiser und Kaiserin, Weltkugel, Wolken und mehrere Engel. Wahrscheinlich rührt auch der architekton. Aufbau des Altars (schwarzer und weißer Marmor, nach dem [modifizierten] Vorbilde des Hochaltars von C. Fontana in

S. M. Traspontina zu Rom) von H. her (in seinen schlanken Verhältnissen gut dem Raume angepaßt). 1719 führte er die „Krone auf dem hohen Altar sambt Engeln und im Abriß befindlichen Zierrath" aus. Die Figuren sind aus Holz, ursprünglich versilbert, seit 1786 weiß übermalt. Die marmorne Kommunionbank vor dem Altar (Balustrade und Füllungen mit Kelch- und Opferlamm-Motiven) fertigte H. 1727 ff. Ihm zugeschrieben wird der reichgeschnitzte Beichtstuhl in ders. Kirche; doch scheint das Datum" (1711) für H.s Cölner Tätigkeit zu früh. Die prächtige, in Eichenholz geschnitzte, um 1720 entstandene Kanzel in St. Johann Baptist bezeichnete H. mit vollem Namen in der Kehle unter der Brüstung. (Auf den Brüstungsfeldern in Relief Johannes d. T., Verkündigung, Geburt Christi, Kreuzigung und Auferstehung, dazwischen hermenartig Jesaias, Jeremias, Ezechiel und Daniel, auf der Rückwand Sündenfall. An der Schweifung des Korbes Kirchenväter, hl. Antonina, Evangelistensymbole.) Der Schalldeckel in reichstem barockem Überschwang (Gottvater, Taube, von der die 7 Gaben des hl. Geistes ausstrahlen, Posaune blasende Engel), der Rand ganz in Wolken aufgelöst. Ein zur Kanzel gehöriger sich windender Drache auf dem Boden der Küsterwohnung. H.s Anteil an den 1728/39 ausgeführten Arbeiten für die (von Fr. Cuvilliès angegebene, von M. Leveilly geleitete) Innenausstattung von Schloß Brühl bei Cöln ist schwer zu bestimmen. Den Rechnungen nach arbeitete er mit an der Vertäfelung des Speisezimmers (1728/29), fertigte auch 12 Konsolen unter dem Balkon an der Südfassade. Merlo wußte von manchen Arbeiten H.s, die der Zerstörung der Barockplastik in den Cölner Kirchen zum Opfer gefallen oder verschleppt worden sind, darunter ein Denkmal aus schwarzem und weißem Marmor, dem 1724 † Domdechanten Herzog Phil. Heinr. v. Croy im Dome in der Grabkapelle des Erzbischofs Konrad v. Hochstaden errichtet. 1730 lieferte er den Altar, nach Merlo auch die Kanzel (beide nicht erh.) für die ehemal. Mering'sche Familienkirche zu Kreuzberg, Kr. Wipperfürth. Merlo kannte mehrere kleine Alabasterreliefs mit bibl. Darstell., z. T. am unteren Rande bez. J. V. H. oder J. F. V. H. Das Wallraf-Richartz-Mus. in Cöln besitzt 4 (J: F: Van Helmont bez.) Zeichnungen: Ceres, Silen, Pandora, Bacchant als Karyatiden. — H. ist erfindungsreich in der Komposition und technisch auf der Höhe der Zeit; seine Figuren sind maßvoll in der Bewegung, oft von großer Schönheit und edler Haltung (so besonders die Gestalten der 4 älteren Brüder am Machabäeraltar). Die Frage nach der Herkunft seines Stils, der auf Ausbildung in den flandr. Niederlanden weist (Rathgens), würde eine Untersuchung lohnen.

Merlo, Köln. Kstler, Ausg. 1895. — Kstdenkmäler d. Rheinprov., IV (1897) 81; VII/1 (Köln II/1) 1911 p. 114 ff. (Abb.), 280 ff. (Abb.); VI/4 (Köln I/4) 1916 p. 53 (Abb.), 209 ff. (Abb.), 215. — Rathgens in Mitteil. d. Rhein. Vereins f. Denkmalpflege u. Heimatschutz, V (1911) 64/81 (Abb.). — Abb. auch bei Reiners, Kölner Kirchen, 1911 p. 45, 68, 110, 160 f. und Klapheck, Baukst am Niederrhein, II (1919) 234 ff.   *D. St.*

Helmont, Lucas van, siehe *Gassel,* L.

Helmont (Hellemont), Mattheus van, Genremaler, geb. zu Antwerpen 1623 (getauft 24. 7), † vermutlich zu Brüssel nach 1679, Sohn eines Mattheus v. H. Wurde 1645/46 in Antwerpen Meister u. heiratete dort 17. 8. 1649 Margaretha Verstockt; von seinen 4 Kindern wurden Maler: Jan (s. d.) und Gaspar (geb. 12. 6. 1656 in Antwerpen, 1679 als Porträtmaler in der Gilde). Später zog er nach Brüssel, wo er 16. 9. 1674 als Meister eingetragen wurde. Malte Bauerninterieurs, Alchimistenwerkstätten, Marktbilder u. dgl. in der Art der späten Brouwer-Schule. Einige dieser Bilder zeigen unverkennbar den Einfluß des Teniers; doch ist die oft behauptete Schülerschaft nicht zu belegen. Die Mehrzahl von H.s Bildern und darunter die besten weisen aber auf Beziehungen zu Joos van Craesbeeck und Aegidius van Tilborgh hin. Man findet Arbeiten von ihm in den Gal. zu Aachen, Augsburg, Bergues (bez.), Braunschweig (bez.), Budapest (bez.), Courtrai, Darmstadt, Douai (bez.), Dünkirchen, Gent (bez.), Köln, Kopenhagen (bez.), Lille (bez.), Madrid, Mailand, Mus. Poldi Pezzoli (bez.), Mannheim (bez.), Quimper (bez.), Stockholm (bez.), Tournai. Auch in Privatsamml. kommt er häufig vor, so in den Samml. Herzog von Arenberg in Brüssel, v. Bissing in München, Cremer in Dortmund, Baron v. Geymüller auf Schloß Hollenburg, Fürst von Lobkowitz auf Schloß Raudnitz, Hoschek in Prag (verst. 24. 3. 09), Dr. Lilienfeld in Wien, Graf Schönborn in Wien, Graf von Hallwyl in Stockholm u. a.

Urkunden, Zusammenfassendes: Rombouts-Lerius, Liggeren, II. — Nagler, Kstlerlex., VI (1838) 77. — Michiels, Hist. de la peint. flam., ² X (1876) 404 ff. — J. v. d. Branden, Gesch. d. Antw. Schilderschool, 1883. — *Über einzelne Bilder:* H. Riegel, Beiträge z. niederl. Kstgesch., 1882, II 118. — Th. v. Frimmel, Kl. Gal.-Stud., I (1892); N. F., III (1896); ders., Lex. der Wiener Gem.-Samml., I (1913) 64, 78, 147, 186. — G. Glück, Niederl. Gemälde ... der Slg Lilienfeld in Wien, 1917 p. 6, 7, 11, 63. — Waagen, Treas. of Art in Gr. Britain, III (1854). — Oesterr. Ksttop. I 178. — Topogr. von Böhmen, XXVII (1910). — Repert. f.Kstwiss., VII (1884) 481; XIII (1890) 293 f.; XIV (1891) 56 f., 60. — Münchner Jahrb. der bild. Kst, I (1910) 112. — Kstchronik, N. F. III (1892) 587. — Blätter für Gemäldekunde, VI (1911) 54, 57. — Oud Holland, XXIII (1905). — Kat. der gen. Slgn.   *K. Zoege von Manteuffel.*

Helmont, Zeger Jacob van, Maler, geb. zu Antwerpen 17. 4. 1683, † zu Brüssel 21. 8. 1726, Sohn des Jan. Wurde 1711 in Brüssel Meister und arbeitete seitdem dort als Historien- u. Porträtmaler und besonders als Tapetenzeichner für die Brüsseler Webereien. Für die Kirchen Brüssels u. Umgebung malte er zahlreiche Altarbilder und für die nach der Beschießung von 1695 neuerbauten Gildenhäuser am Markt eine Menge historischer u. religiöser Darstellungen. Von alledem hat sich kaum etwas erhalten; nur im Genter Mus. befindet sich eine Kreuzigung, in S. Nicolas zu Brüssel das Hochaltarbild (Jesus u. das kananäische Weib). Ein Bildnis des Kanonikus Andreas van Kruft von 1724 im Darmstädter Landesmus. wird H. zugeschrieben. In der Albertina zu Wien mehrere Zeichnungen von ihm. Häufig findet man unter seinem Namen kleinfigurige Bauernbilder; doch scheint es sich bei diesen Bestimmungen um Verwechslung mit Mattheus v. H. zu handeln.

Weyerman, Levens-Beschryvingen, IV (1759). — Descamps, Voyage pittor. de la Flandre etc., éd. Rhoen, 1838, p. 30, 52, 72 f., 82 f., 85 ff., 90. — A. Michiels, Hist. de la Peint. flam., ² X (1876) 408 ff. — M. Rooses, Gesch. der Antw. Schilderschool, 1879. — J. v. d. Branden, Gesch. des Antw. Schilderschool, 1883. — A. v. Wurzbach, Niederl. Kstlerlex., I (1906). — Rich. d'Art de la France, Prov., Mon. civ., VIII. — Repert. f. Kstwiss., XX (1897) 249. — Parthey, Dtscher Bildersaal, I (1863).   *Z. v. M.*

Helmsauer, Carl August, Zeichner, Radierer und Lithograph (Dilettant), geb. 12. 10. 1789 in Heidelberg, † um 1844 in München, studierte Medizin in Heidelberg, Würzburg und Landshut; wurde 1812 Leutnant in einem Freiwilligenkorps, später Beamter in München und Eichstätt, lebte seit 1832 in München. Von ihm radiert: Buchenwald bei Bamberg, um 1807; Adam und Eva finden den erschlagenen Abel, 1807; Gruppe von 3 Bäumen, 1807; Ansicht von Seefeld, 1815; Selbstbildnis ("nat. 1789, ipse f. 1825"); Gegend am Starnberger See, 1825; ein Känguruh neben einem Baumstumpf; 4 Seelandschaften mit Staffage. Er lithographierte: Porträt des Schloßverwalters in Schwetzingen, Carl Lechner, 1815; Selbstporträt; Kopie (Venus und Amor) nach Goltzius. Nagler (Künstlerlex.) nennt, ohne Angabe der Technik, ein Panorama des Rheins von Cöln bis Mainz (Frankf. 1830) und die Porträts für das von Holzschuher u. a. herausg. Denkmal der bayer. Ständeversammlung von 1831, 3 Bändchen mit kleinen Brustbildern der Deputierten. Aus diesem Werk (oder im Zusammenhang mit ihm entstanden) wohl die zahlreichen teils rad., teils lithogr. Bildnisse H.s von bayr. Ministern, Abgeordneten und Kammermitgliedern, z. T. 1831 dat., im Münchner Stadtmus. (vgl. Maillinger). Nach Stieler stach und lithogr. H. das Porträt des Ministers Freih. v. Zentner, nach Hanfstängl das des Ministers Graf v. Armansperg, stach nach dems. das des Ministers E. v. Schenk. Genannt seien noch die lithogr. Porträts des Kaufmanns Angelo Sabbadini (1834), des Fabrikanten J. C. Schnetter (1836), des Reg.- u. Steuer-Direkt. W. M. Ilg (1839) und des Oberbergrats B. Stölzl (1844).

J ä c k , Kstler Bambergs, 1821. — N a g l e r , Kstlerlex., VI; Monogr., I u. III. — M a i l l i n g e r , Bilderchronik der Stadt München, III (1876); IV (1886). — Bibl. Bavarica (Lagerkatal. Lentner, München) 1911.

Helmsdorf, F r i e d r i c h (Johann Fr.), Landschaftsmaler u. Radierer, geb. 1. 9. 1783 in Magdeburg, † 28. 1. 1852 in Karlsruhe. Ließ sich 1809 in Straßburg nieder. Entnahm seine Motive dem Schwarzwald u. den Vogesen. 1816 reiste er nach Rom (angeblich seine 2. Italienreise) u. blieb bis 1820 dort. Freundschaft verband ihn mit C. Fohr, mit dem zusammen er für Frau von Humboldt Rom u. die Campagna, von S. Onofrio aus, malte. Zurückgekehrt, war er nacheinander in Straßburg, Mannheim u. Karlsruhe ansässig u. wandte sich wieder, neben der Verarbeitung von römischen Motiven, Darstellungen aus dem Schwarzwald u. vom Oberrhein zu: Ansicht von Burg Eberstein bei Baden (Ksthalle Mannheim; Verz. d. Gem. 1900), Ruine Hochbaden, 1832 (Kstmus. Straßburg, Kat. 1909), Burgruine Zähringen u. Triberger Wasserfall (Ksthalle Karlsruhe, Kat. 1910; dort auch ital. Ansichten), Neuweiler (Mus. zu Nantes; Catal. 1913). Bildnisse von ihm in der Städt. Samml. Heidelberg (von Fohr gez.) u. im Kupferstichkab. Dresden (von C. Vogel von Vogelstein). H.s Landschaften „sind bei großer Schlichtheit der Auffassung u. Trockenheit der Pinselführung, bei großer Verleugnung koloristischer Reize gegenüber den farbig gehaltenen ital. Werken doch sympathisch u. anziehend durch die liebevolle Vertiefung in den heimatlichen Stoff u. durch dessen fast sachlich einfache Ausgestaltung. Zweifellos hat er das Verdienst, eine Brücke zu den später so wirkungsvoll aufgenommenen Schwarzwalddarstell. zu sein" (Beringer). Von Radierungen H.s ist bekannt eine Folge von 4 Bl. Landschaften, datiert 1824—26 (Neuausgabe mit Text von Schricker, Straßburg 1872); weitere 4 Bl. sollen sich in der Samml. Quandt in Dresden befunden haben.

N a g l e r , Kstlerlex., VI; Monogr., II. — F. v. B ö t t i c h e r , Malerwerke des 19. Jahrh., I 2 (1895), fälschlich auch unter Hermsdorf. — B e r i n g e r , Bad. Malerei, ² 1922. — F r . N o a c k , Deutsches Leben in Rom, 1907. — Kstblatt, 1820; 24; 27. — Ztschr. f. bild. Kst, V (1870) 163. — Kunstwanderer, II (1920/21) 113. — Kat. d. Bildniszeichn. d. Kupferstichkab. Dresden, 1911 p. 36. — Cat. Exp. „Les Dessinateurs alsac.", Straßb. 1921. — Kat. Akad.-Ausst. Berlin, 1820 p. 67, 70; 1824 p. 16; 1826 p. V; 1828 p. 103. — Weigels Kstcatal., Leipzig, 1838—66 I 4029.

Helmsen (Helmes), W i l h e l m , Stadtbaumeister zu Danzig. Wird 1535 in Lüneburg

für Befestigungsbauten in Danzig gewonnen, und am 17. 7. 1536 schließt der Rat einen Vertrag mit ihm, wodurch H. verpflichtet wird, die Südwestseite der Vorstadt mit Wällen, Rondellen, Brustwehren, Mauern und anderen Befestigungen zu versehen, u. a. auch eine Wasserkunst anzulegen, die wahrscheinlich zur Ableitung des Radaunewassers in die Vorstadt dienen sollte. Im Verlauf seiner Tätigkeit errichtete er u. a. das vorstädt. Rondell u. eine steinerne Brücke am neuen Tor. Im Winter 1536 trat eine Pause in den Befestigungsbauten ein, während die H. vorübergehend nach seiner Heimat geht. 1539 wird der Vertrag mit H. auf Lebenszeit erneuert mit der Maßgabe, daß er auch alle sonstigen Bauten der Stadt zu übernehmen habe. Während der Festungsbau in den nächsten Jahren stockte, wird H. u. a. an den Weichseldammbauten beschäftigt. 1542 erbittet sich ihn Herzog Philipp von Pommern zum Bau des Schlosses Wolgast. In diesem Jahre ist H. in Danzig zuletzt nachweisbar.

C u n y , Danzigs Kunst und Kultur im 16. u. 17. Jahrh., I (1910) 9. — S i m s o n , Gesch. d. Stadt Danzig, II (1918) 164, 166. — E h r e n b e r g , Kunst am Hofe der Herzöge von Preußen, 1899 p. 9, 158. — Mitteil. d. Stadtmus. Danzig.

Helmshausen, J o h a n n G ü n t h e r , siehe *Günther, Johann.*

Helmshoysen, R o m a n , Maler, nur bekannt durch das so und „Pinxit Ao: 1716" bez. Porträt des Prälaten Gottfried Bessel in der Gemälde-Slg zu Schloß Göttweig.

Österr. Ksttopogr., I (Bez. Krems) 1907 p. 508, mit Facs. d. Sign.

Helmstede (Helmestede), H e i n r i c h , Architekt, als Lübecker Ratsbaumeister 1462, 66 u. 72 urkundl. erwähnt. Unter seiner Leitung ist das 1466/78 ausgeführte, noch vorhandene Holstentor erbaut; auch vollendete er 1461 den von seinem Vorgänger Rodewold begonnenen Blauen Turm an der Trave unterhalb der Beckergrube (1853 abgebrochen).

B r e h m e r , Beiträge zu einer Baugesch. Lübecks, in Zeitschr. d. Ver. f. Lüb. Gesch. u. Altertumskunde, VII (1898) 374. — D e h i o , Hdb. d. dtschen Kstdenkm., II ² (1922) 303.

Helmut, M a t h e s , Entwurfzeichner (u. Gießer?) in Nürnberg, lieferte 1607 den Entwurf für einen Messingkronleuchter mit Engeln im Chor der Stiftskirche zu Aschaffenburg.

Kstdenkmäler Bayern, III, Heft 19 (1918).

Helmuth, F r i e d r i c h W i l h e l m , Maler, geb. zu Vorsfelde (Braunschw.) um 1700, Schüler von K. W. Hauschka in der Holzmindener Zeichenschule, studierte dann in Helmstedt Theologie, war meist auf Reisen, soll vorwiegend Miniaturbildnisse gemalt haben. Von ihm im Bildersaal der Burg zu Nürnberg (Mummenhoff, Führer 1913 p. 58): Raucher in einer Schenke. Karl Schroeder stach 1794 nach H. das Bildnis des Braunschw. Theologen Joh. Heinr. Helmuth.

M e u s e l , Teutsches Kstlerlex., I ² (1808).

Helpidius, Sohn des Xiphidius, Architekt, geht 363 n. Chr. von Antiocheia nach Konstantinopel, um hier eine Wasseranlage zu bauen. Bekannt nur durch ein Empfehlungsschreiben des Libanius (Epistolae No 739).

Pauly-Wissowa, Realencycl., VIII 208, No 5 (Fabricius). *S.*

Helsbeccius, Johannes, Kalligraph und Ätzer; von ihm eine geätzte Kalenderplatte aus Solnhofener Stein (47 cm hoch), deren Fläche eine reiche Bandverschlingung umgibt (Kstgew.-Mus. in Hamburg), bez. unten: M(agister?) Joh. Helsbeccius 1590 R. F. Nach Brinckmann vermutl. süddeutscher Herkunft.

Brinckmann, Jahresber. d. Hamb. Mus. f. Kst u. Gew., 1905 p. 56, Abb. p. 57. *D.*

Helsby, Alfredo, chilen. Maler, geb. in Santiago de Chile, Schüler Alfr. Valenzuela Puelma's, gleich dem er in Paris weiterstudierte (1889—1900 mehrfach prämiiert) und mit dem er 1908 eine Sonderausst. chilenischer Landschaftsgemälde in der Brook-street Art Gall. zu London veranstaltete, nachdem er 1907 eine Gruppe solcher Bilder („Valparaiso am Abend" usw.) im Pariser Salon der Soc. des Art. Indép. gezeigt hatte. In der Weltausst. zu S. Francisco 1915 war er mit zwei „Aufziehenden Gewitter in den Anden" u. einer „Chilen. Hacienda im Frühling" vertreten (Cat. de Luxe, II 263 No 269 f.).

Lira, Dicc. de Pint., Santiago de Chile 1902, p. 547. — Londoner „Daily Chronicle" v. 20. 1. 1908. *

Helst, J. C., holl. Maler, nur bekannt durch ein so bez. und 1707 dat. Blumen- u. Früchtestilleben, das mit der Sammlg Wedewer am 1. 5. 1899 in Cöln zur Versteigerung gelangte (No 106).

Helst (Elst, Verelst, Verhelst), Bartholomeus (Bartelmeus, Bartelt) van der, holl. Bildnismaler, geb. 1613 in Haarlem, begr. 16. 12. 1670 in Amsterdam. Enkel des aus Flandern (Brügge?) nach Haarlem zugezogenen Seidenhändlers Lowys Jansz. v. d. H. u. Sohn des seit 1606 daselbst erwähnten Kaufmanns u. Gastwirts Lodewyk Lowys v. d. H. u. dessen 2. Gattin Aeltgen Bartels. Ein jüngerer Bruder B.s, Lodewyk, wird als „syreder" u. „sieckentrooster" in Brasilien erwähnt. Irgendeine Verwandtschaft mit der Familie des Jeronimus v. d. H. bisher nicht nachgewiesen. — Das väterliche Geschäft, die Herberge „de gecroonde Ooyevaer" in der „Groote Houtstraat", ging nicht gut u. mußte 1629 mit der ganzen Fahrhabe verpfändet werden. Das bei diesem Anlaß aufgenommene Inventar erwähnt u. a. 80 Bilder von verschiedenen Meistern, deren Anblick gewiß nicht ohne Einfluß auf den jungen v. d. H. gewesen sein wird. Die erste urkundl. Erwähnung v. d. H.s datiert vom 16. 4. 1636 im Trauregister der Nieuwe Kerk in Amsterdam. Am 4. 5. heiratet er 24jährig, aus Haarlem stammend, aber in A. wohnend,

Anna du Pire, eine 18jährige Waise aus guter Familie. Eines der 5 Kinder aus ihrer Ehe ist der Maler Lodewyk. Über v. d. H. sind nur ganz wenig dokumentierte biograph. Nachrichten erhalten, die nicht erlauben, uns ein abgerundetes Bild seiner Persönlichkeit zu machen; meist betreffen sie Prozesse — vor allem um Geldforderungen —, die jedoch nach dem Maßstab jener Zeiten zu beurteilen sind. (Anderes ausführlich in des Unterzeichneten Monographie des Meisters.) Allem Anschein nach hat sich v. d. H. rasch zum angesehenen Bürger emporgearbeitet u. ist bald ein bevorzugter Bildnismaler in den Kreisen der Amsterd. Ratsgeschlechter u. Behörden geworden. Gelehrte hat er, im Gegensatz zu Frans Hals, nur selten porträtiert, im übrigen aber kaum weniger umfangreiche Aufträge als jener erhalten: 7 große Regenten- u. Schützenstücke, heute noch alle in Amsterdam; ferner wenigstens 8 große Familienbildnisse (von 1652 bis zu seinem Tode). V. d. H. muß vom Ertrag seiner Kunst eine auskömmliche Existenz gehabt haben. Schätzungen von Bildern zu seinen Lebzeiten, eine Notiz im Journal des van Goens usw. beweisen, daß die Angaben, die Jan van Dijk 1758 über Preise macht, die v. d. H. bezahlt worden seien, auf keinem bloßen Gerücht beruhten. Bei alledem scheint er aber nicht reich geworden zu sein; denn wenn er auch seiner Tochter eine ansehnliche Mitgift zu geben vermöchte, so konnte er einige Jahre später wiederum kaum seine Hausmiete bezahlen u. blieb einen Teil davon sogar zeitlebens schuldig. Seine Witwe überlebte ihn 9 Jahre in äußerst bescheidenen Verhältnissen, u. der Rahmenmacher H. Doomer hatte eine stets unbezahlt gebliebene Rechnung von fl. 200 von ihm zu fordern. Es steht noch nicht fest, ob finanzielle Schwierigkeiten oder aber Raumnot beim Malen seiner z. T. enorm umfangreichen Schützenstücke ihn zu mehrfachem Wohnungswechsel veranlaßt haben. So wohnte er seit 1663 am Nieuw Markt in einem großen Hause; die Aussicht von dort auf den Platz u. die Anthonis Wage malte er 1666 auf dem Bilde der Gemüsefrau mit den Kindern (St. Petersburg). — Mehrfach vergab v. d. H. gewisse Partien seiner Bilder an andere Meister zur Vollendung. L. Backhuysen u. W. v. d. Velde, die bei Bildnissen von Seehelden u. deren Frauen die Hafenansichten u. Marinen malten, taten dies wahrscheinlich zufolge spezieller Wünsche der Auftraggeber. J. B. Weenix hat in einigen Bildern v. d. H.s die Landschaften gemalt u. mit ihnen zusammen signiert. Die Theorbe-Spielerin von 1662 (New York), wo die Landschaft gleichfalls noch an den Stil des Weenix erinnert, ist aber erst einige Jahre nach dessen Tode von v. d. H. gemalt worden, der ja auch Weenix porträtiert hat (Stichrepr. bei Houbraken). Berühmt ist v. d. H.s Bildnis des Paulus Potter (Haag), das erst nach dessen Tod vollendet worden sein soll. Gelegentlich wird v. d. H. erwähnt in Gesellschaft mit den Malern D. Decker (1653), P. Hennekijn (1652, 1654), Th. de Keyzer (1642), J. M. Molenaer (1654), H. Sanders (1642), J. Wils (1666). Im Verein mit N. de Helt Stocade, dem Stecher J. Meurs u. dem Kunsthändler M. Kretzer hat er 1653 die Errichtung einer neuen Malergilde veranlaßt, die am 21. 10. 1654 in den S. Jorisdoelen festlich gefeiert wurde. Auch finden wir ihn mit andern Kollegen einmal als Experten für die Echtheit einer Landschaft des P. Bril. Er selber besaß eine Sammlung von Bildern anderer Meister, die 1671 seine Witwe mittels Inserat in der Haarlemer Zeitung zum Kauf bot. Das Inventar seines Sohnes Lodewijk (1687) erwähnt u. a. eine Studie von Backer u. einige Skizzen von Rembrandt, Erinnerungen an die Zeit um 1640, als v. d. H. den Auftrag für ein großes Bild in den Kloveniersdoelen erhielt, u. seine Werke viele Reminiszenzen an Rembrandt aufweisen, dem er damals häufig begegnet sein muß. — Weshalb v. d. H., obwohl gebürtiger Haarlemer, nicht Schüler des F. Hals wurde, sondern nach Amsterdam als Lehrling kam, wissen wir nicht. Denn obwohl Waagen u. Bode vermutet haben, v. d. H. müsse bei F. Hals in der Lehre gewesen sein, weist doch alles bei v. d. H.s frühesten Werken u. bei seinem ersten großen Schützenbilde auf N. Elias als denjenigen, in dessen Atelier er sich ausgebildet haben muß. Im ersten Gruppenbilde von 1637, den Regenten des wallonischen Waisenhauses (Amsterdam, ebendort), hat Elias' Regentenstück von 1628, u. in v. d. H.s Kompagnie des Hauptmanns Bicker (1642) wiederum Elias' Schützenmahlzeit von 1637 (alle in Amsterdam) sowohl für die Gesamtkomposition wie für Einzelgruppen u. für die malerische Behandlung u. Typisierung als Vorbild gedient. Aber auch Elias selbst ist stark von F. Hals beeinflußt u. ebenso hat v. d. H. in seiner Bicker-Kompagnie sich dem Eindruck nicht entziehen können, den auch ihm die persönliche Betrachtung von Hals' Schützenstück von 1627 gemacht haben muß. F. Hals war 1643 v. d. H.s Vorbild für farbige Gruppierung u. Anordnung der Figuren, ja sogar für die Typisierung gewisser Modelle. Die Beeinflussung kann durch Vermittlung des N. Elias sowie auf direktem Wege vor sich gegangen sein, ohne daß also ein eigentliches Schülerverhältnis v. d. H.s zu Hals angenommen werden müßte. — Ein Werk aus seiner Lehrzeit ist bisher nicht nachgewiesen. Zwar hat Kronig (Oude Kunst II 215) ein Damenbildnis in Stuttgart als solches bezeichnet, was jedoch noch näheren Beweises bedarf. Mit dem Regentenstück von 1637 tritt v. d. H. erstmals hervor, u. zwar bereits als fertiger Meister mit einer durch lange Schulung erworbenen Technik. Nicht nur Einflüsse von

N. Elias u. F. Hals sind bemerkbar, sondern auch von Rembrandt. Diese 3 Meister sind auch bei den großen Schützenstücken von 1643 u. 1648 sein Vorbild. Die verschiedenen Entlehnungen sind zwar zu etwas Eigenem umgearbeitet, aber keines der beiden Stücke ist dermaßen eine Einheit geworden, wie die Regenten von 1637. Das Bild von 1643, das umfangreichste Werk v. d. H.s überhaupt, ist feiner nuanciert u. kontrastreicher in Farbe u. Bewegung, wärmer in der Malweise als dasjenige von 1648. Die Schützenmahlzeit von 1648 zeigt den inneren Wandel seiner Anschauungen: Das Seelisch - Charakteristische seiner Modelle interessiert ihn weit weniger als die bloße Naturnachahmung. Die technische Vollendung ist noch gesteigert, aber alles spontane Leben fehlt. Kurz nach 1643 nimmt auch Rembrandts Einfluß auf v. d. H. stark ab, dessen Kunst dann durchaus als seine persönliche zu betrachten ist. Seine teilweise hervorragend schönen Einzelbildnisse, wie etwa das des Samuel van Lansbergen u. dessen Frau von 1646 (Amsterdam), zeichnen sich durch guten Bau, kräftig aber fein modellierte Formen u. harmonisches Kolorit aus. Um 1650 verändert er, dem Zeitstil entsprechend, seine Kunst ins Konventionelle u. Steife; seine Palette wird tonig, u. da, wo er noch Farben geben will, wirken sie bunt u. ärmlich. Seine Malweise wird glatter, die Modellierung härter, die Schatten schwerer. — V. d. H.s Gruppenbilder verteilen sich über seine ganze Schaffenszeit; meist enthalten sie lebensgroße Figuren. Bei 4 davon, deren definitiver Standort dies erforderte, hat er bei der Stellung u. Beleuchtung der einzelnen Figuren die speziellen Lichtverhältnisse der betreffenden Räume von Anfang an zu größerer plastischer Wirkung mit in Rechnung gezogen. Dies kennzeichnet v. d. H.s Realismus. Abweichend, u. dann nicht eben ursprünglich, zeigt er sich in seiner späteren Zeit bei der Behandlung klassischer Aktfiguren und Allegorien. — Unter v. d. H.s Zeitgenossen in Amsterdam hat es keiner besser verstanden als er, seine Bewunderung für die soziale Gliederung seiner Zeit in den Bildnissen seiner Mitbürger widerzuspiegeln. Verglichen mit flämischen Beispielen des Rubens u. van Dyck, deren Vorbild auch in der Komposition bei v. d. H. einen gewissen Niederschlag gefunden hat, erweist sich sein Oeuvre von typisch holländ. Geist durchdrungen. Gewisse Schüler Rembrandts richteten sich seit 1642 namentlich nach v. d. H.s mehr farbig-kontrastreicher Malweise. So vor allem auch später G. Flinck. V. d. H.s Erfolge dürften auch F. Bol beeinflußt haben. — Als seine Schüler sind nur zwei bezeugt: 1652 ein gewisser Marcus Waltusz u. dann sein Sohn u. wahrscheinlich auch Mitarbeiter Lodewyk (s. d.), dessen frühe Werke infolge ihrer analogen Behandlung u.

Auffassung sehr oft als von seinem Vater stammend angesehen werden. Von Nachahmern schließt sich A. v. d. Tempel am engsten an v. d. H. an (vgl. seine Kopie [Amsterdam] nach v. d. H.s Frauenporträt von 1646 in Rotterdam). Die Komposition von v. d. H.s „Vorstellung der Braut" (St. Petersburg) hat 1660 J. Jacobson für sein Familienbild des M. A. de Ruyter (Amsterdam) übernommen. N. de Helt Stocade hat viele Stileigentümlichkeiten mit v. d. H. gemein, auch manche Bildnisse von C. Janson van Ceulen, P. Hennekijn, L. Vallé u. J. de Veer gleichen den seinen. — V. d. H. hat nicht radiert u. wenig gezeichnet. Nur eine Zeichn. in Ölfarbe auf Papier in der Slg Six (Amsterdam) kann ihm mit einiger Wahrscheinlichkeit zugeschrieben werden. — Selbstbildnisse: vermutlich schon auf dem Schützenbilde von 1643; Hamburg (1662); Florenz u. St. Petersburg (1667), wonach Blotelings Mezzotintoblatt.

Ausführl. Oeuvre-Verzeichnis nebst der einschlägigen Spezial-Lit. enthält de Gelders Monographie über B. v. d. H., p. 157 ff. Übersicht über v. d. H.s wichtigste Werke (nur wenig mehr als 100 echt bez. und zuverlässige sind jetzt bekannt): Vgl. die im Text gen. Bilder; ferner in Amsterdam (Reichsmus. u. Städt. Armenhaus); Basel (Slg A. P. Vischer-Boelger); Berlin (K. Friedr. Mus. u. Slg P. v. Schwabach); Brüssel (Mus. u. Hzg v. Arenberg); Budapest (Mus. u. Slg Rath); Cassel; Dresden; Dublin; Frankfurt a. M.; Geysteren (Baron de Weichs de Wenne); Haag (Mus., Baron W. v. Ittersum, Slg P. J. A. Schermer); Hamburg (Mus. u. Slg Glitza); Heemstede (Slg J. D. Waller); Karlsruhe; Kopenhagen; London (Nat. Gall., Wallace Coll., Lord Lansdowne); Leufsta (Slg Baron de Geer); Lille; Lützschena (Slg Speck v. Sternburg); Lyon; Montreal (Slg Forget); München; Paris (Louvre, Slgn Potocki u. Schloß); Pau; St. Petersburg; Philadelphia (Slg Johnson); Pommersfelden; Reims; Rotterdam; Utrecht; Warnsveld (Slg VerLoren v. Themaat); Weimar; Wien (Slg Czernin). Nach v. d. H. gestochen, radiert usw. haben: S. Altmann, J. C. d'Arnaud Gerkens, J. C. Bendorp, A. Bloteling, Brandmüller, Chapun, C. L. Dake, G. F. Eilbracht, G. Eilers, Fischer, Frank, Gaillard, F. van Goor, C. Gregori, A. Gusman, F. Hanfstaengl, J. Houbraken, F. Huygens, J. Jacquemart, J. W. Kaiser, G. C. Kilian, A. Krüger, Lavieille, P. E. Lerat, C. Lastman, B. T. van Loo, Th. Matham, J. H. Matthijsen, Maurin, C. von Mechel, F. Molenaar, H. Nargeois, C. Normand, G. dall'Ollio, Oortman, J. B. Patas, A. H. Payne, J. Regnier, A. Reveil, J. van Somer, C. Spruyt, C. E. Taurel, C. Ulmer, W. Unger, J. van Vilsteren, L. Visscher, F. H. Weissenbruch, H. J. Zimmermann.

Die gesamte ältere u. neuere Literatur verarbeitet u. in Fußnoten zitiert bei J. J. de Gelder, Barth. van der Helst, Rotterdam 1921 (mit Urkundenanh., Oeuvrekat. [957 Berichte über Gemälde, 53 Zeichn.; Forschungen Mai 1919 abgeschlossen] u. 40 Tafeln). — Die wichtigste ältere Lit. auch zitiert bei A. v. Wurzbach, Niederländ. Kstlerlex., I (1906) u. III, Nachtr. (1911), mit nach Aufbewahrungsorten angeordn. unzuverläss. Oeuvrekatal. — An dieser Stelle seien nur aufgeführt: Scheltema, van der Helst, 1857 (S.-A. aus Revue Univers. d. Arts, V [1857] 193—209). — Kramm, Levens en Werken, II (1859) 666/69.

— D. C. Meijer in Oud Holland, 1886 p. 225 ff. — J. Six, Een teekening van B. v. d. H., ebenda 1909 p. 142 ff. — A. Bredius, Meisterwerke d. Rijksmus. Amsterdam, München 1888 p. 40; ders., Künstler-Inventare (Quellenschr. z. holl. Kstgesch.), 1915—1922, s. Reg. — Cicerone, VII (1915) 138, Abb. p. 136 (Bildnis d. Sammlg Czartoryski in Dresden); VIII 6, Abb. p. 3 (Offiziersbildnis d. Sammlg W. v. Horne in Montreal); XIII (1921) 568, m. Abb. (Bildnis d. ehem. Sammlg Liphart). — Kunstmuseets Aarsskrift, I (Kopenhagen 1914); IV (1917). — Revue de l'art anc. et mod., XXIV (1908) 139 ff., m. Tafel („Venus triumphans" in Lille). — Wiener Jahrb. f. bild. Kst, V (1922) 89 ff., m. Abb. (Frauenbildnis d. ehem. Sammlg Fairfax Murray, jetzt i. d. Wiener Gal.). — Mus. of Fine Arts Bull., XV (Boston 1917) 19, 22 (Abb.; neuerworb. Bildnis: Gattin des Bürgermeisters). *J. J. de Gelder.*

Helst, Jeronimus van der, holl. Maler von Winterlandschaften, geb. um 1629 in Amsterdam. Sohn des aus Sluis in Seeländ. Flandern stammenden Guilliam v. d. H., der 1610 aus Middelburg nach Amsterdam kam, wo er 1647 als Makler starb. War wahrscheinlich das zweitjüngste der 7 oder 8 Kinder aus Guilliams 2. Ehe mit Cecilia Hesters. J.s ältester Bruder, Jacob, war Kastellan der Handboogdoelen; der jüngste, David, vermachte J. 1655 alle seine Bilder. Als J. 1671 als 42 jähriger die 23 jähr. Geertruy Jansdr. de Roy aus Amersfoort heiratete, lebten seine Eltern u. Brüder nicht mehr. Er war damals „verfverkooper". Dez. 1671 machten die Eheleute ein Testament. — Die Vermutung von Bredius, J. sei identisch mit jenem Jeronimus v. d. H., der 1644 (unser J. müßte damals nicht älter als etwa 16 Jahre gewesen sein) in vielen Amsterdamer Notariatsakten vorkommt u. 1703 im Haag begraben wurde, bedarf näherer Begründung. — V. d. H.s Bilder sind bisher nur aus Erwähnungen in Versteigerungskatalogen u. Amsterdamer Inventaren bekannt. Es sind sämtlich Winterlandschaften in kleinerem Format; nur das magistrale Bild der Versteig. J. Danser Numan, 16. 7. 1797 in Amsterdam, war etwa 1×2 m groß.

A. Bredius, Künstler-Inventare (Quellenstud. z. holl. Kstgesch.), p. 421, 1304, 2036. — Handschriftl. Notizen von A. D. de Vries im Kupferstichkab. Leiden. *de G.*

Helst (Elst), Lodewyk van der, holl. Bildnismaler, getauft 2. 2. 1642 in Amsterdam. Sohn des Bartholomeus v. d. H. Die Behauptung von D. C. Meijer (Oud Holland II 239), daß B. noch einen zweiten Sohn Lodewyk gehabt habe, wird durch Angaben in Bredius' Künstlerinventaren widerlegt, welche beide ein u. dieselbe Person betreffen: p. 406 (1667 etwa 25 Jahre alt) u. p. 417 G-4 (1677 32 jährig). Nach dem Tode seines Vaters wohnt L. im Hause seiner Mutter Anna du Pire u. läßt vorher (8. 1. 1671) ein Inventar seines Besitzes aufnehmen. 1674 schließen Mutter u. Sohn eine Übereinkunft ab, wonach L. diese unterhalten soll. 1676 verpfändet sie ihm ihre

Möbel u. verändert ihr Testament zu seinem Vorteil, so daß 1680 nach ihrem Tode ein Erbprozeß zwischen v. d. H. u. seinem Schwager entstand, der 1681 in einem Vergleich endete. Ein anderer Prozeß, in den er verwickelt war, nahm eine unerwartete Wendung: 1676 hatte er ein Bild einer nackten Venus gemalt, worüber Gertruid de Haes sehr ungehalten war, da sie — ob zu Recht oder Unrecht bleibe dahingestellt — sich darin in einer entwürdigenden Art abgebildet zu sehen glaubte. Überdies hatte v. d. H. sich beleidigend über sie geäußert u. ihr Anträge gemacht. Die Aussöhnung der Parteien geschah durch Heirat im Januar 1677. V. d. H. gab damals sein Alter auf 32 Jahre, das seiner Frau auf 24 Jahre an. Jan. 1680 wurde ihm ein Sohn geboren. 1682 ist er krank u. bittet die städt. Regierung von Amsterdam, 12 Bilder, die er 1681 gemalt, öffentl. versteigern zu dürfen, um aus dem Erlös seine Schulden zu bezahlen. Hiernach ist keine direkte Nachricht mehr über ihn erhalten. 1684 scheint er tot oder von Amsterdam verzogen zu sein. — Houbraken sagt von v. d. H., er sei ein Nachfolger seines Vaters, jedoch ein zu schwacher, um ihn eingehend zu würdigen. Jedenfalls muß er dessen Schüler gewesen sein. Wir möchten annehmen, v. d. H. habe in den Jahren nach 1660 an einigen Bildnissen mitgearbeitet, die mit der Signatur seines Vaters versehen, damals aus dessen Atelier hervorgegangen sind. Die Modellierung der Gesichter u. die Pinselführung in einigen dieser Bilder erinnern an sichere Bildnisse Lodewyks, wie etwa das der Adriana Hinloopen (Amsterdam 1667). Das Herrenporträt in St. Petersburg (Abb. in Starye Gody 1909 p. 251) wird Barth. zugeschrieben, könnte jedoch von Lodew. sein. Das Brustbild einer jungen Frau, Haag (No 545), wird L. zugeschr., kann aber ebenso gut von B. oder überhaupt von anderer Hand stammen. — L.s Bilder zeigen eine glanzlose, kalte u. stark violette Tönung u. schwere Schatten. Seine Zeichnung ist fest u. verrät auch durch die kraus bewegte Linie den Einfluß seines Vorbildes. Auch die Haltung der Figuren u. die Komposition ist dieselbe wie beim Vater, nur haben L.s Figuren etwas mehr Raum um sich. Von seinem Oeuvre, das nicht groß gewesen sein dürfte, ist wenig bekannt. Hauptwerke in Amsterdam: Bildnisse von Admiral Auke Stellingwerf (1670), Adriana Hinloopen (1667), W. v. d. Velde d. J., sowie (ibid., Akad. v. Beeldende Kunsten) das des Malers u. Glockenisten M. S. Nuyts oder Nouts (1670). Ferner in Budapest (Slg Pálffy im Mus.) Lucia Wybrands (1666); in Utrecht Bildnis einer alten Dame. In Wiesbaden sah A. Bredius bei O. Jourdan ein Stilleben mit Krebs u. Südfrüchten (1669). Letzteres u. das Stellingwerf-Porträt sind voll bezeichnet, die andern gen. Damenbildnisse mit dem Monogramm L V H versehen. L. scheint den Admiral St. nochmals gemalt zu haben, was sich aus einem Stich von A. Bloteling ableiten läßt. Einige wenige Bilder L.s kommen auch in Auktionen vor: 21. 8. 1799 in Amsterdam das lebensgroße Bildnis eines jungen Mannes u. eines Mädchens, in einem Garten sitzend dargestellt; 3. 9. 1867 Coll. Stokbroo in Hoorn ein Offizier von „B. van der Helst de Zoon"; 14. 3. 1882 Coll. Methorst in Amsterdam ein voll bez. Bildnis eines Herrn in gelbem Kostüm; 28. 10. 1902 Coll. Westenberg in Amsterdam das Porträt eines Jünglings mit Hund (Abb. im Kat.), das 10. 2. 1904 mit der Slg Lutzen van Voort in Berlin (Lepke) wiederum versteigert wurde. — Eine kleine Zeichnung L.s von 1663 im Stammbuch des Jacobus Heiblocq, eines Verwandten seiner Mutter (Kgl. Bibl. im Haag). A. Bloteling stach nach L., Braedt van Überfeldt machte eine Lithographie nach L. — Ein Bildnis des L. als kleiner Knabe wurde 1643 von seinem Vater gemalt (Lille). — Ein 1673/74 in die Antwerpener Gilde aufgenommener Maler Ludovicus van der Elst, der um 1690/91 †, da in diesem Jahre das Totengeld für ihn an die Gilde gezahlt wird (vgl. Rombouts u. Lerius, Liggeren), steht in keinerlei verwandtschaftl. Verhältnis zu Lod. v. d. H.

Jan Sysmus, um 1669 (Oud Holland XII [1894] 163). — Houbraken, Groote Schouburgh, 1718—29, II 10. — Weyerman, Nederland. Konstschilders, 1729 II 123. — v. d. Eynden u. v. d. Willigen, Geschied. der Vaderl. Schilderkunst, 1816—42, I 398. — Kramm, Levens en Werken, 1857—64 p. 669. — A. v. Wurzbach, Niederländ. Kstlerlex., I (1906). — Oud Holland, IV 1886 p. 239 f.; XI 1893 p. 34. — Bredius, Künstler-Inventare, Reg. — Muller, Catal. van Portretten, 1853 No 5148. — v. Someren, Catal. van gegrav. Portretten, 1888—91 No 5727. — Frimmel, Kl. Galeriestudien, 1. Folge (Bamberg 1891) p. 189.

J. J. de Gelder.

Helsted, Axel Theofilus, Maler, geb. in Kopenhagen 11. 4. 1847, † ebenda 17. 2. 1907, Sohn u. Schüler des Fred. Ferd., besuchte 1861 die dort. Akad., gewann 1864 die kleine silb. Medaille. 1865 stellte er in Charlottenborg einen großen Karton aus „Uffos Kampf mit den Sachsen", womit er um den Neuhausen-Preis konkurrierte, ging 1869 nach Paris und arbeitete unter Bonnat, wandte sich aber wegen des deutsch-franz. Krieges nach Italien, wo er 1872 eine Reiseunterstützung der Akad. für 2 Jahre erhielt. 1874 nur zu kurzem Besuch in der Heimat, kehrte er erst 1879 endgültig nach Kopenhagen zurück. 1887 reiste er in Holland und Belgien, 1890 in Palästina. 1882 erhielt er in Kopenhagen die Ausstellungsmedaille für sein Bild „Vater und Sohn", wurde 1887 in den Rat der Akad. gewählt, später auch in die Ausstellungskommission, der er bis 1895 angehörte. — Nach dem Uffo-Karton zeigte er in Charlottenborg zunächst Porträts, erregte dann Interesse mit Genrebildern, die er aus Italien sandte und deren meist humorvolle Motive er dem dort. Volks- u. Klosterleben entnahm. Als feiner Psychologe bewährte er sich in dem vortrefflichen Bilde „Vater und Sohn" (Kopenhagen, Kunstmus.; Abb. Madsen, p. 377), während ihm spätere Stücke wie „Der Magistrat" (1884, Hamburg, Kunsthalle), „Vorlesung vor Damen" (1888), „Eine Deputation" (1892, Mus. Lübeck) trotz feiner satirischer Einzelzüge zu trocken gerieten und durch übergroßes Format in ihrer Wirkung geschädigt werden. Eine Palästinareise regte ihn zu religiösen Bildern an, wie „Wehe euch Pharisäern" (Kopenhagen, Kunstmus.), „Der Mondsüchtige" u. a., deren Innerlichkeit eine gequälte malerische Behandlung beeinträchtigt. Ein Bild dieser Art auf dem Hochaltar der Christus-Kirche in Kopenhagen „Heilige Nacht" (1903). Auch als Porträtist ist H. hervorgetreten; gelobt werden „Alb. Küchler" (1878, Ausstellungsgebäude, Abb. Madsen, p. 241) und das Selbstporträt „Ein Grübler" (Kopenh. Kunstmus.). — H. erschien außer in Kopenhagen häufig auf Ausstell. in Wien (1872, 82, 89), Berlin (1886, 91), München (1891, 92, 94, 1901), Paris (1889, 1900), Hamburg (1887), London (1907) usw. In öffentl. Besitz finden sich noch folg. Bilder: *Kopenhagen*, Ny Carlsberg Glypt., „Die Uhr wird gestellt" (1877); Gal. Hirschsprung (Cat. 1911), Italien. Genrebild (1872). *Frederiksborg*, außer mehreren Kopien ein Bildnis v. J. P. Jacobsen (Pastell), bez. 7. 7. 1884 (Cat. 1919).

Sigurd Müller, Nyere Dansk Malerkunst, 1884 p. 151 ff., Abb. — Weilbach, Nyt Dansk Kunstnerlex., 1896. — Dahl-Engelstoft, Dansk biogr. Haandleks., II (1921), mit Lit. (Andrup). — Reitzel, Fortegnelse over Danske Kunstneres Arb., 1883. — Madsen, Kunstens Hist. i Danmark, 1901/07 p. 376 f., 481, Abb. — Hannover, Dän. Kst d. 19. Jahrh., 1907, Abb. — Dän. Maler von Jens Juel bis zur Gegenwart (Langewiesche, Blaue Bücher) 1911, Taf. 58. — Muther, Gesch. d. Mal. d. 19. Jahrh., 1893, Abb. — Trap, Danmark, 1899—1906, I. — v. Bötticher, Malerwerke d. 19. Jahrh., I 2 (1895). — Kunst für Alle, VI (1891), Abb.; VIII (1893); Die Kunst, XVI (1901), Abb. — Graves, Loan Exhib., 1913. — Statens Mus. Kopenhagen. Fortegn. Danske … Malerier og Skulpt., 1921. — Kataloge der angef. Museen u. Ausstell.

Helsted, Frederik Ferdinand, Maler u. Lithograph, geb. in Kopenhagen 18. 3. 1809, † 10. 12. 1875 ebenda, Vater des Axel; anfangs bei einem Stubenmaler in der Lehre, kam er 1828 auf die Akad., blieb aber zunächst Malergeselle, und half seinem Vater, der Schuhmacher war, in dessen Handwerk. 1834 erhielt er die kleine silb. Medaille. 1837 eine Geldprämie u. die große silb. Medaille. Seit 1833 stellte er in Charlottenborg aus: Porträts, Kinderbilder, Aktzeichnungen. 1841 suchte er vergeblich bei der Akad. um eine Reiseunter-

stützung nach, ging, in der Hoffnung, sie im folg. Jahre zu erhalten, nach Düsseldorf. Trotzdem er in dieser Hoffnung getäuscht wurde, blieb er 2 Jahre in Düsseldorf, verdiente als Porträtmaler, kam nach Nizza, Florenz, Rom und kehrte Ende 1844 oder Anfang 1845 nach Kopenhagen zurück. Hier eröffnete er 1845 eine Zeichenschule (wozu ihm die Akad. Abgüsse lieh), die zu einer guten Vorschule für zahlreiche Künstler wurde. H. leitete sie bis kurz vor seinem Tode. In Charlottenborg stellte er nur bis 1849 aus, da die Schule und die Vorzeichnungswerke, die er herausgab, seine Kräfte ganz in Anspruch nahmen. — Für die Lithographie lieferte er einzelne Vorlagen, so für die Bildnisse von A. P. Lunddahl (1851), L. Løvenskjold, J. N. Madvig, S. A. W. Stein, E. Ch. Tryde u. a.; auch hat er selbst lithographiert, z. B. das Bildnis des J. Ch. W. Wendt. Unter den Schauspielerporträts im Nationaltheater in Kopenhagen von ihm ein gemaltes Bildnis des Mich. Wiehe (Charlottenborg-Ausst. 1847). In der Porträtsamml. zu Frederiksborg Bildnis des Chemikers W. Chr. Zeise († 1849), ferner Familiengruppe, bez. u. 1837 dat. (Cat. 1919).

Weilbach, Nyt Dansk Kunstnerlex., 1896. — Reitzel, Fortegnelse over Danske Kunstneres Arb., 1883. — Strunk, Cat. over Portr. af Danske, Norske og Holstener, 1865 No 1707, 1753, 1767 b, 1768, 2769, 3086, 3199. — Trap, Danmark, 1899—1906, I.

Helsted, Viggo Lauritz, Maler, geb. in Kopenhagen 15. 9. 1861, Schüler der dort. Akad. 1879—83, bildete sich zum Marinemaler aus. Seit 1884 zeigt er seine Bilder in Charlottenborg. 1890, 1892 u. 1901 erhielt er Reiseunterstützungen der Akad. 1892 und 1901 erschien er auch im Münchener Glaspalast.

Weilbach, Nyt Dansk Kunstnerlex., 1896. — Ausst.-Kataloge.

Helt, Franz Anton, Maler, schuf die (1888 übertünchten) Fresken (Gesch. d. hl. Joseph) in der 1717/19 erbauten ehemal. Paulaner-Kirche zu Amberg. Naglers Vermutung einer Identität mit dem Stilleben-Maler A. Heldt ist gänzlich unbegründet.

Lipowsky, Baier. Kstler-Lex., 1810. — Nagler, Kstlerlex., VI. — Kstdenkmäler Bayern, II, Heft XVI (1909) 103.

Helt, J. van der, holl. Landschaftsmaler des 17. Jhrh., über dessen Lebensumstände nichts bekannt ist. Ein so bez. Werk von ihm: Landschaft mit Milchvieh findet sich im Rijksmus. zu Amsterdam (Kat. 1912 No 2258 unter dem Namen Stocade [Nic. de Helt]; Kat. 1920 No 1154 b [unter Helt, van der]). Ein ebenfalls voll bez., 1660 dat. italienisierendes Pastorale ist im Besitz von Jhr. P. B. J. Vegelin van Claerbergen in Joure (Prov. Friesland). In alten Auktionskatalogen werden vereinzelt Landschaften als Werke des Nic. de Helt (Stocade) erwähnt, die vermutlich unsrem Künstler zuzuschreiben sind. Vielleicht auch das Küstenbild mit Kriegsschiff, das mit der Bezeichnung J. Heltius in der Verst. Lord Ravensworth u. a. am 8. 4. 1921 in London vorkam. Mit ihm dürfte identisch sein der A l b e r t v a n H e l t S t o c a d e, den Bryan (Dict. of Painters etc. ed. Williamson, III, 1904) — ohne eine Quelle anzugeben — als Bruder des Nicolaes und als Landschaftsmaler im Stile Berchems aufführt.

C. Hofstede de Groot.

Helt, N i c o l a e s d e, alias *Stocade*, Maler, Radierer u. Kupferstecher, geb. 1614, laut Moes 1615, zu Nymwegen, begraben 26. 11. 1669 zu Amsterdam. Sein Lehrer ist unbekannt; Weyermans Angabe, daß sein Verwandter David Ryckaert sein Lehrer gewesen sei, ist nicht bestätigt. De Bie berichtet in seiner nichts neues bringenden Paraphrase der Angaben unter dem Selbstbildnis Stocade's aus dem Recueil Meyssens', die vermutlich auf Mitteilungen des Künstlers selbst beruhen (Hofst. de Gr., Arn. Houbr., Qu. St. I 230), daß H. sich in Rom, Venedig und längere Zeit in Frankreich aufgehalten habe, wo er Hofmaler König Ludwigs XIII. geworden sei. In Rom wurde er Mitglied der Schilders-Bent und erhielt den Beinamen S t o c a d e, dessen er sich von da an vorzugsweise in seinen Bildsignaturen bedient. Auch die Signaturen N. v. Helt alias Stockade u. Helt Le Stocade kommen vor. 1645 heiratete er in Lyon Johanna, Tochter des Kaufmanns David Houwaert und der Catharina van Gestel. Er wurde dadurch der Schwager Jan Asselijns. In Lyon wohnte er mit Laurens Frank, dem Vetter des Abr. Genoels, mit dem Bildh. Artus Quellinus und Jan Asselijn zusammen. 1646 wird er Mitglied der Antwerpener Gilde. Am 29. 1. 1646 wird ihm dort ein Sohn Jeremias geboren, der am 21. 9. 1646 getauft wird. Am 1. 7. 1647 wird H. noch als in Antwerpen wohnhaft erwähnt und unterschreibt dort eine Erbschaftsurkunde. 1649 erhält er den Auftrag, für das Jagdschloß Dieren des Prinzen von Oranien für fl. 400.— zu malen. 1652 erwirbt er das Bürgerrecht in Amsterdam und ist 1654 bei der Gründung der Amsterdamer Malergilde beteiligt. 1655 führt er für fl. 600.— ein allegorisches Deckengemälde und 1656 ein Kaminstück (Joseph in Ägypten Korn verteilend) für das ehemal. Amsterdamer Rathaus (jetzt königl. Palais) aus, die durch die Dichter Vondel und Vos besungen wurden. 1658 bezeugt er zusammen mit Willem Fredericksen Mandt die Aussage des Barth. v. d. Helst, daß das Gemälde „Diana" von v. d. Helst eigenhändig gemalt sei. Seine frühen Werke sind meist kleine Landschaften mit nackten mytholog. Frauen oder biblischen Motiven in der Art der Utrechter Schule. Die großen dekorativen Stücke aus den 50er und 60er Jahren, Kaminstücke, Plafondgemälde, zeigen die italienisierende akademische Richtung, wie sie in der Ausschmückung des Amsterdamer

Rathauses über Rembrandts Weise triumphierte. Größere Dekorationen malte er für das Wohnhaus der Brüder Trip, jetzt Sitz der Kgl. Akad. der Wissenschaften (größtenteils noch dort erhalten), die ausführlich von J. Vos beschrieben und besungen worden sind. Nach Houbrakens mißverstandener Entlehnung de Bie's (Hofst. de Gr., Qu. St. 25, 257/8) soll er auch für die Königin Christine von Schweden tätig gewesen sein. Seine großen Stücke zeigen, daß er als italienisierender Akademiker die großen dekorativen Aufgaben zu bewältigen verstand, doch überwiegt auch bei ihm oft die nüchterne Sachlichkeit, die die Dekorationen seiner Zeitgenossen Caesar van Everdingen, Jan van Bronchorst, Jac. van Loo, P. de Grebber, Sal. de Bray u. a. kennzeichnet. Aus seinen letzten Jahren stammen die zwei großen historischen Gemälde, die er 1665 für das Rathaus in Nymwegen malte. Seine späten Porträts reicher holländ. Bürger in prächtiger Tracht erinnern an die gleiche Bildnisauffassung des Abr. v. d. Tempel. Das große Gruppenbild im Warschauer Museum in flämisch-italien. Auffassung, etwa in der Art des Gonzales Coques, zeigt die Personen an einem Tische vor einem bewegt drapierten, silbergrünen Vorhang, der rechts einen Ausblick auf eine Landschaft in goldgelber Färbung offen läßt. Er porträtierte den Amsterdamer Baumeister Simon Bosboom (vor 1649 entstanden, gestochen von Pieter de Jode in Meyssens' Recueil), den Bildh. Artus Quellinus, den Bürgermeister von Nymwegen, Johan Michiel Roukens (gest. von J. Lamsvelt), Gerard Schaep und seine Frau, den Advokaten Jan Swaen (1649, Museum von Arnheim), ferner den bayrischen Bildhauer und Baumeister Georg Pfründ (Katal. d. ält. Pinakoth. München 1891, No 362; gest. von G. C. Eimart), den Stecher Stefano della Bella (gest. von W. Hollar), François de Bonne, Duc de Lesdiguières, von H. selbst gestochen. Seine Werke kommen im Handel nicht grade häufig u. meist unter v. d. Helsts Namen vor. Es befinden sich Arbeiten H.s in: Amsterdam, Palais (1655); Arnheim, Mus. (1649); Boo (Schweden), Slg Baron Hamilton (Joseph erzählt Jacob seine Träume, 1655); Forsmark (Schweden), Slg Ugglas (Schlafende Nymphe); Leipzig, Mus. (Susanna, bez., früher Sammlg G. Winkler, Leipzig, Kat. 1768 No 361); München; Nymwegen, Mus. (Selbstbildnis) und Rathaus, Trauzimmer (1664); Paris, Louvre (H. Hueck u. seine Frau, eins der besten Bilder H.s [No 2397], früher B. v. d. Helst zugeschr.); Prag, Rudolfinum (Bildnis eines jungen Mannes, 1637); Schloß Zuylen bei Utrecht (Venus umarmt den Adonis); Warschau, Mus. (Familienbildnis). Ein anderes großes Familienbild war früher in der Sammlg Hainauer in Berlin. — 1907 (26. 11.) und 1908 (28. 4.) kam auf einer Amsterd. Versteigerung ein bez. u. 1654 dat. Stück „Venus u. Adonis" (das Bild aus Schloß Zuylen?) vor. Eine Diana als Jägerin, dat. 1654, war als Nr 68 am 7. 7. 1903 auf der Amsterdamer Verst. R. della Faille van Waerloos. Hoet erwähnt „een zeer plaisant muziekstuk" auf der Verst. Warmenhuizen am 25. 7. 1719 im Haag, ein Motiv, daß außergewöhnlich für H.s sonst gewählte mythol., bibl. oder Porträtdarstellungen ist. — H. hat auch radiert (Selbstbildnis) und nach eigenen und anderen Gemälden gestochen. — Ein Sohn H.s, unbekannten Vornamens, scheint laut alten Inventarnotizen ebenfalls Maler gewesen zu sein.

C. de B i e , Het gulden cabinet, 1662 p. 312, 560. — B a l t h. d e M o n c o n y s , Journal des voyages, 1666. — H o o g s t r a t e n , Inleyding, 1678 p. 257. — H o u b r a k e n , Groote Schouburgh, I (1718) 294, 366; III (1721) 64, 330. — J. C. W e y e r m a n , Levens en werken, II (1729) 109. — J a n W a g e n a a r , Amsterdam in zijne opkomst, II (1765) 23. — K r a m m , Levens en werken, V (1861) 1575.— R o m b o u t s u.v. L e r i u s , Liggeren II 178, 181. — v. d. B r a n d e n , Antwerp. schilderschool, 1883 p. 871.— v. d. K e l l e n , Peintre graveur holl. et flamand. — Obreen's Archief, VII (1888—90) 186, 187. — H o f s t e d e d e G r o o t , Quellenstudien z. holl. Kstgesch., I (1893) 41, 52 f., 131, 216, 230, 240, 257, 330, 423. — A. v. W u r z b a c h , Niederländ. Kstlerlex., I (1906). — B r e d i u s , Künstlerinventare, II (1916) 401; d e r s., Meisterwerke d. Rijksmus. (o. J.).— B r y a n , Dict. of painters, ed. Williamson, III (1904) 31. — O. G r a n b e r g , Trésors d'Art en Suède, II (1911) Taf. 50. — Les Arts 1908 No 74 p. 32, m. Abb. des Louvre-Bildes (B r e d i u s). — Zeitschr. f. b. Kst, N. F. XXI (1916) 260 (Abb. des Warschauer Bildes). — Oud Holland, 1890 p. 304; 1907 p. 6, 72, 78. — M o e s in Amsterdamsch Jaarboekje, 1902 p. 69—105. — Kunstchronijk, N. S. II (1861) 40. — S c h e v i c h a v e n in Nieuw Nederlandsch Biogr. Woordenboek, III 568. — J. J. d e G e l d e r , B. v. d. Helst, 1921 passim. — Bull. Oudheidkundigen Bond, II. Ser., I (1908) 100. *Heinrich Wichmann.*

Helt Stocade, A l b e r t v a n , siehe im Art. *Helt,* J. v. d.

Helterhof (Hölterhof), P h i l i p p (Johann Ph.), Maler, geb. um 1725 in Cham (Bayern), † 1807 in München, Schüler des Malers und Stukkators Johann Zimmermann in München, mit dem er das Innere der Münchener Peterskirche und der Klosterkirche zu Bergandechs ausmalte; dann selbständig, malte er u. a. 1763 die Decke des Billardzimmers im Neuen Schloß zu Schleißheim (Grisaille), 2 Deckenbilder in der Moritzkirche zu Ingolstadt, in hohem Alter noch das Innere der Kirche zu München-Bogenhausen. In 2 Ratszimmern der ehem. Regierungskanzlei zu Amberg wurden 1755 große, von H. gemalte Bildnisse des Kurfürsten Maximilian Joseph aufgehängt.

L i p o w s k y , Baier. Kstler-Lex., 1810. — Kstdenkm. Bayern, I 2 (1902) 1013; II, Heft XVI (1909) p. 128.

Heltner, S e r v a t i u s , Goldschmied, um 1559 in Medgyes (Mediasch), Siebenbürgen. Rosenberg vermutet in ihm den Träger des

aus den Initialen S H (Monogramm) gebildeten Zeichens, das auf einem 1570 dat. teilvergold. Hostienkästchen in Hausform mit Gravierungen in der ev. Kirche in Mediasch vorkommt.

B. K ö v é r , Régi ötvösmüvek jelző bélyegeinek megfejtése, in Archaeologiai Értesitő, uj folyam, X 19. — M. R o s e n b e r g , Goldschm. Merkzeichen, ² 1911. *K. Lyka.*

Helvig, L., Lithograph; von ihm „Scenen aus dem Leben eines jungen Geistlichen", 12 Bl., Tübingen 1835.

N a g l e r , Kstlerlex., VI.

Helvin (Helvinus) d e B a r a l l e , Buchbinder, erhält 1377—78 Zahlungen für Arbeiten an Büchern im Bes. der Kathedrale von Cambrai.

D e h a i s n e s , L'Art de la Flandre etc., 1886, Texte 294; documents 554. *L. Baer.*

Helvis, Kupferstecher, arbeitete mit an dem von L. F. Cassas herausgeg. Tafelwerk „Voyage pittor. de la Syrie etc.", Paris 1799 ff.; vgl. über dieses Reisewerk: Cohen, Livres à Grav. du 18ᵐᵉ s., ⁶ 1912 Sp. 294 f.

N a g l e r , Kstlerlex., VI.

Helwig, J o h a n n D a v i d , Büchsenmacher und Graveur, 18. Jahrh. in Reval. Graviertes Schloß eines Gewehrs der Slg v. Donop.

Aukt.-Kat. Hugo Frhr v. Donop, Köln 1896 No 639. *St.*

Helwig (Hellwig), J o h a n n G e o r g , Kupferstecher, Ende 17. Jahrh. zu Königsberg i. Pr.; von ihm folgende Porträts (in Kongehl's „Cypressen-Hayn", Königsberg): Joh. E. v. Wallenrodt, Amtshauptmann in Insterburg; Heinr. v. Kalnein, Landrat und Oberstlt.; G. v. Müllenheim, poln. Kammerherr und Oberjägermeister; Wladislaus v. Müllenheim, poln. Hofjägermeister; J. E. Grabe aus Königsberg, Theol. zu Oxford; Dan. Erasmus, Prediger; Andr. Concius, Schulrektor; Joh. Quandt, Schatzmeister u. Senator; Joh. Tilgner, Hofgerichtsadvokat; Heinr. Witte, Jurist in Kneiphof; Gabr. Goltz, Kurfürstl. Kornmesser. Stach auch ein Porträt des Gr. Kurfürsten. Heinecken (Dict. d. Artistes, 1778 ff., Ms. im Dresdner Kupferstichkab.) verwechselt H. mit dem Casseler Miniaturmaler Hellwig (s. d.)

F ü ß l i , Kstlerlex., 2. Teil, 1806/21 (Helbig). — A n d r e s e n , Nürnberger Kstler, Ms. Bibl. Thieme, Leipzig, fol. 591. — Altpreuß. Monatsschrift, XVI (1879) 541 f. — D u p l e s s i s , Cat. Portr. Bibl. Nat. Paris, 1896 ff., II 6384/43. — H u t t e n - C z a p s k i , Poln. Portr.-Stiche (poln.) 1901.

Helwig, M i c h a e l , Bildhauer in Helmstedt, geb. 1663, † 1738 (beigesetzt am 11. 5.) „im Alter von 75 Jahren weniger 14 Tagen" (Helmstedter Kirchenbuch). Geburtsdatum danach auf den 18. 5. 1663 festzulegen. Mit barocken Werken in Stein (Alabaster) und Holz vertreten in Helmstedt, Königslutter und verschiedenen Dörfern der Helmstedt benachbarten Kreise Neuhaldensleben, Wolmirstedt und Wanzleben sowie in Stendal. Genannt seien das Grabmal Kaiser Lothars, der Kaiserin Richenza u. Herzog Heinrichs des Stolzen i. d.

Stiftskirche zu Königslutter, die Epitaphien Gebh. v. Alvensleben (1708) und Friederike v. A. in der Kirche zu Eichenbarleben, Epitaph v. d. Schulenburg (1720) in der Kirche zu Emden, Kr. Neuhaldensleben, Epitaph v. Veltheim (1709) in Groß-Rottmersleben, Mobiliar der Kirche zu Langenweddingen. Zugeschrieben werden ihm u. a. der Kanzelaltar der Kirche zu Morsleben (mit d. 4 Evangelisten) und Kanzelaltar u. Orgelgehäuse (mit zahlr. Fig.) in Hötensleben (1691).

F ü ß l i , Kstlerlex., 1779. — N a g l e r , KstlerLex., VI. — D e h i o , Handb. d. dtschen Kstdenkm., V. — Bau- u. Kstdenkm. i. Herzogt. Braunschw., I 82, 219; III, 2. Teil p. 165.
P. J. Meier.

Helwig, siehe auch *Hellwig.*

Hely (eigentlich *Kronenbitter*), W i l h e l m , Landschaftsmaler, geb. 18. 8. 1863 in München, lebt in Rosenheim, zeigte Öl- und TemperaLandschaften (Voralpengegend) in der 2. Juryfreien Kunstausstell. München (Kat. 1911). Mitarbeiter der „Jugend".

H i r t h , 3000 Jugend-Kstblätter, 1909. — Kat. Kst-Ausstell. Paderborn, 1913.—Jahrb. der Bilderu. Kstblätterpreise, Wien 1911 ff., IV.

Hem, C a r e l v a n d e r , Kupferstecher, in Amsterdam Anf. 18. Jahrh. für Buchhändler tätig; von ihm Blätter im Groot Schilderboek des G. v. Lairesse, Amsterd. 1707 ff., und in der Ausg. des Flavius Josephus bei Oosterwyk, Amsterd. 1722.

K r a m m , Levens en Werken, III (1859).

Hem, H e n d r i k v a n d e r , siehe im Art. *Hem,* Hermann v. d.

Hem, H e n r i d e , Pseudonym des *Montaut,* H. de.

Hem, Hermann van der, holländ. Zeichner, † 2. 7. 1649 in Bordeaux; von ihm eine Folge von Landschaftszeichn. aus der Umgebung von Bordeaux, mit Daten von 1638/46, im Band Aquitania IV des Atlas von Blaeu in der Hofbibl. zu Wien (veröffentl. in Hist. de Bordeaux von C. Jullian 1895) und ein für die Geschichte von Bordeaux und Umgebung interessantes Skizzenbuch (mit Daten um 1638) in der Pariser Bibl. Nat., das außer zahlreichen Städte- und Landschaftsansichten Zeichn. nach den 1792 zerstörten Grabdenkmälern für François de Foix-Candale, Bisch. v. Aire (im Augustinerkloster zu Bordeaux), für den Herzog v. Epernon in Cadilac (beide von P. Biard) und für den Marschall d'Ornano in der Kapelle des Klosters de la Merci in Bordeaux enthält. — Ein H e n d r i k v a n d e r H. (von Wurzbach, Niederl. Kstlerlex., I 1906, für den Autor des Skizzenbuchs gehalten) erscheint 1666 in der Confrerie im Haag (Obreen's Archief, IV).

K r a m m , Levens en Werken, Anh. (1864). — Réun. des Soc. des B.-Arts, XXVI (1902) 405 ff., m. Abb. (C. B r a q u e h a y e).

Hem, J e a n d u , Goldschmied in Paris, erhielt 1354 vom Kapitel von Notre-Dame in Cambrai einen großen Heiligenschrein in Auftrag. 1361/62 bezahlte ihm dasselbe Kapitel einen Kandelaber.

D e h a i s n e s , Hist. de l'art dans la Flandre etc., 1886 p. 380, 439 (Duhem).

Hem, L o u i s e Marie Antoinette d e , Malerin, geb. in Ypern 10. 12. 1866, † in Forest bei Brüssel 22. 11. 1922, studierte in Ypern bei Th. Cériez, dann an der Pariser Acad. des B.-Arts bei A. Stevens, J. Lefèbvre und B. Constant; stellte zuerst 1886 in Gent aus, 1888—1911 im Pariser Salon (Soc. des Art. Franç., vgl. Katal.), zunächst Stilleben, dann auch Genre- und Landschaftsbilder und Porträts (häufig in Pastell). Mit „La poupée japonaise" erhielt sie 1904 im Salon die gold. Medaille; mehrere Bilder wurden vom belg. Staat angekauft. Im Auftrag der Stadt Ostende malte sie das Porträt des Bürgermeisters Janssens, im Auftrag der Stadt Ypern die Porträts der Bürgermeister Baron Surmont de Volsberghe und Colaert. Werke in den Museen: *Ypern,* „Le Sacristain" u. Stilleben; *Gent* (Katal. 1909 p. 114), Stilleben; *Courtrai* (Katal. 1912 p. 100), „Les croque-morts" u. Stilleben; *Narbonne,* „Feuillet d'Automne"; *Rouen* (Katal. 1912 p. 36), „L'encensoir"; *Toulon,* „Enfant de la Terre". *Lausanne,* „Chimère".

L'Art, LVII (1894) 152 f. (Abb.). — D u j a r d i n , l'Art flamand, VI 179. — H i r s c h , Bild. Kstlerinnen d. Neuzeit, 1905 (Abb.). — Ausstell.Katal.: Internat. K.-A. Berlin, 1891 p. 129; Glaspal. München, 1897 p. 72; Expos. internat. univ. Paris, 1900, II 311; Salon Triennal Brüssel, 1914 p. 29. *L. Hissette.*

Hem, P i e t e r v a n d e r , Maler u. Lithograph, geb. zu Wirdum (Holl. Friesland) 1885. Kam 1902 nach Amsterdam. Schüler der dort. Kstgewerbeschule, ein Jahr Akademie unter v. d. Waay und Allebé (1907). Dann nach Paris 1908, Rom 1910, London, Moskau, St. Petersburg und 1914 nach Madrid. Überraschte gleich bei seinem ersten Auftreten durch eine ungewöhnlich geschickte Zeichnung und frische, breite Pinselführung, auch stofflich durch seine damals für Holland ungewöhnlichen Themen aus dem mondänen und demimondänen Großstadtleben. Ohne über besondere Tiefe zu verfügen, hat er doch einen dekorativen Stil entwickelt, von dem eine suggestive Kraft ausgeht. Unter Einfluß der internat. Ausstell. in Amsterdam 1911, hat er sich dann mehr an den Spaniern Zuloaga und de Zubiaurre inspiriert (monumentaler Aufbau, Figuren groß gegen einen weiten Himmel abgesetzt; „Frauen in den Dünen"). Der Aufenthalt in Spanien regte ihn zu einigen umfangreichen, tüchtigen Stierkampfbildern an. Später sucht er modernere Formen und Farben, in Zusammenhang mit der Amsterdamer Gruppe um Jan Sluyters (Motive aus dem Volendamer Fischerleben). Auch Porträts, mondän, jedoch nicht vornehm. 1922 entsteht das große Gruppenporträt des Ministeriums Cort van der Linden (im Gebäude der II. Kammer im Haag). Er hat auch illustriert und Plakate, politische Spottbilder u. Kriegskarikaturen (Nieuwe Amsterdamer Courant) gezeichnet. Von seinen Werken seien genannt: 2 große Triptychen: Roma (als Leihgabe im Sted. Mus. Amsterd.) und Moskau (Bilder aus dem Großstadtleben), — Nachtcafé (Mus. Boymans, Rotterdam), — Stierkampf (Sammlg Nolet, Nymwegen), — Volendamer Fischer (Mus. f. Mod. Kst, Haag). — H. ist Mitglied des Senefelder Clubs und der Amsterd. Künstlervereinig. „Arti et Amicitiae", „De Hollandsche Kunstenaarskring" und „Pulchri Studio", deren Ausst. er regelmäßig beschickt.

Onze Kunst, 1910 I 65; 1912 II 126; 1914 I 33; 1916 I 133. — Elsevier's geïll. maandschr., 1911 II 154 ff. (Abb.). — De Amsterdammer, No vom 5. 5. u. 19. 5. 1912 (P l a s s c h a e r t). — Cicerone (Haag) I (1918) 350 (Abb.). — Die Graph. Kste, XXXVII (Wien 1914) 92 (Abb.). — Zeitschr. f. Bücherfreunde, N. F. VII, 1915, 2. Hälfte Abb. p. 207, 209, 215. — Kunstchronik, N. F. XXIV 608; XXVI 483. — Kunst und Künstler, XIV 168, 170. — The Studio LXVIII, 63 ff. (mit Abb.). — Katal.: Mus. Boymans Rotterdam, 1921 p. 180; Sted. Mus. Amsterdam, 1922; Tweede Tentoonstell. P. v. d. Hem, Haag 1913 (mit Abb.). *Knuttel.*

Heman, E r w i n , Architekt, Illustrator u. Exlibriszeichner in Basel, geb. ebenda 17. 5. 1876, studierte in München bei F. v. Thiersch, arbeitete in Karlsruhe, ließ sich 1903 in Basel nieder, beteiligte sich an vielen Wettbewerben, u. a. für das Kunsthaus in Zürich, die Börse in Basel usw. Ausgeführte Bauten u. a.: Waldsanatorium in Arosa; Dreihäusergruppe im Bruderholzquartier, Basel; Ev. Pfarrhaus und Schule in Freiburg; ferner zahlreiche Einfamilienhäuser und Bebauungspläne für Baseler Terrains. Sein Projekt (in Zusammenarbeit mit dem Kunsthistoriker H. Kienzle) für eine Gemäldegal. in Verbindung mit dem Histor. Mus. zu Basel kam nicht zur Ausführung. Mit dem Bildh. Hünerwadel schuf er das Grabmal der Familie Schwarzenbach in Zürich. 1904 gab er eine Mappe heraus mit 12 Architekturzeichn. „Altes und Neues aus Basel" (Lith. v. Gebr. Lips, Basel). Zeichnete auch Illustrationen für Zeitschriften und zahlreiche Exlibris.

B r u n , Schweizer. Kstlerlex., II (1908); IV, Suppl. (1917) 536.

Hembsen (Hemessen, Hemssen), H a n s v o n , Maler, geb. im letzten Viertel des 16. Jahrh. in Lübeck, † vor 1673 in Reval, Schüler von Phil. Röseler in Lübeck, arbeitete dann in Königsberg und Danzig; sein Gesuch an den Lübecker Rat um Zulassung als Freimeister (1616) wurde abgeschlagen. 1618 wurde „Hans von Hemißen Conterfeyer" Bürger. Ein 2. Gesuch (1625) unter Vorzeigung eines Gemäldes (Audienzsaal im Lübecker Rathaus vor der Erneuerung von 1573 mit Sitzung des Obergerichts; gelangte in die Hörkammer des Lübecker Rathauses) wurde bedingungsweise genehmigt. Von ihm in der Marienkirche zu Lübeck am Epitaph des 1634 † Bürgermeisters Lorenz Möller auf Kupfer gem. dessen Porträt, im Aufsatz Auferstehung, im Mittelfeld Kreuzigung, bez. Hans V. Hembsen 1630. Seit 1637 ist er in Reval ansässig, wo aber mit Sicherheit keine Werke nachzuweisen sind (vielleicht von ihm die Auferstehung mit Stifterporträts im Mittelfeld des Epitaphs des Bugislaus v. Rosen in der Nikolaikirche). — Sein Sohn A l b r e c h t , geb. um 1625 in Lübeck, † 1657 an der Pest in Reval, Schüler seines Vaters, mit dem er um 1637 nach Reval kam, soll hier viele Mitglieder des Adels porträtiert haben; malte auch Tafeln für eine Kanzel (wahrscheinlich der Domkirche) und das Epitaph des Obersten Rechenberg (beide Werke vermutlich 1684 beim Brand der Domkirche zerstört).

N e u m a n n , Lex. balt. Kstler, 1908, mit Lit.; d e r s., Riga und Reval (Ber. Kststätten, Bd 42), Lpzg 1908 p. 111. — Bau- u. Kstdenkmäler Lübeck, II (1906) 352 f. (Abb.).

Heme, Lowijs, Maler in Courtrai, Schüler von P. Ulerick († 1581), nach v. Mander „wel de best te Cortrijk in onse Const" und seinem Lehrer sehr nahe kommend, bes. in der Darstellung von Gebäuden und perspekt. Fernsichten. Werke nicht bekannt; vielleicht von ihm ein hl. Martin in der Martinskirche zu Courtrai.

C. van M a n d e r , Het Leven etc., Ausg. Hymans, I (1884) u. Floerke, I (1906) 395.

Hemeling, F r i e d r i c h , wohl deutscher Maler, der mit einem Londoner Kunsthändler 1714 in Amsterdam einen Kontrakt macht. Er geht mit nach London, um für ihn zu malen und zu kopieren, was ihm belieben wird. *A. B.*

Hemeling (Hemelingh, Hemmeling), J o h a n n C a r l , Architekt und Ingenieur, 1. Hälfte 18. Jahrh., Erbauer des Groß-Ramsteinerhofes (Rittergasse) zu Basel (erh. Originalpläne von 1730, „J. Carl Hemeling" bez.). Von ihm auch folg. Planaufnahmen: Schlößchen- und Gartenanlage bei der Karlsburg zu Durlach (Archit. Th. Lefebure), dat. 1723 „mesuré et dessiné par Jean Charles Hemelingh, étud. en philos. et mathém."; Markgräfler Hof (Hebelstr.) in Basel, diese beiden im General-Landes-Archiv zu Karlsruhe; Kleinhüniger Bann, dat. 1728, im Staatsarchiv Basel.

B r u n , Schweizer. Kstlerlex., IV Suppl. (1917) 212. — R o t t , Kst u. Kstler am Baden-Durlacher Hof, Karlsruhe 1917 (Abb.). — W a c k e r n a g e l , Basel (Ber. Kststätten, Bd 57), Lpzg (1912), m. Abb.

Hemelraet, siehe *Immenraet.*

Hemelryck, J e a n L o u i s v a n , Maler und Lithograph in Brüssel, zeigte 1830 im Brüsseler Salon 4 Bilder: „Letzte Unterredung Egmonts mit Wilhelm v. Oranien", „Verwundeter Kürassier", eine militär. Szene und 1 Porträt. Bekannter als durch seine Gemälde ist H. durch seine Lithogr. geworden. Seit 1825 war er Mitarbeiter an J. B. Madou's 1850 voll. „Recueil de Costumes belg. anciens et mod. etc.", gab auch mit P. Lauters mehrere Blätter mit uniformgeschichtl. Darstell. heraus in der Art von Madou's 1832/3 ersch. „Collection de costumes de l'armée belge"; illustrierte 1829 das merkwürdige und seltene Werk „Les Rencontres du Roi Guillaume" mit Darstell. aus dem Leben dieses Monarchen. Als Illustrator zeitgeschichtl. Ereignisse vielfach tätig, war H. Mitarbeiter am „Journal de la Belgique", „Industriel" und „Manneken" und zeichnete nach 1830 für ein im lithogr. Verlag von J. B. Jobord ersch. Album Darstell. der Hauptereignisse der Septembertage.

Kstblatt, 1831. — N a g l e r , Kstlerlex., VI.
L. Hissette.

Hemerlein, C a r l Johann Nepomuk, Maler, geb. 7. 3. 1807 in Mainz, † 31. 1. 1884 in Wien als Fürstl. Metternich'scher Archivar und Bibliotheksvorstand; erzogen in Paris, ebenda seit 1835 Schüler von P. Delaroche. 1837 in Mainz Bekanntschaft mit Fürst Metternich, in dessen Hause er in Wien H. 4 Jahre wohnte. 1842 vom Fürsten nach Rom geschickt (Audienz beim Papst), Studienreise nach Paris, dann ansässig in Wien, malte vorwiegend Altarbilder, für Kirchen in Österr.-Ungarn, auch in Cairo, Alexandrien, Nazareth, Bethlehem usw., ferner in Paris (St. Josephskirche) und Trouville i. d. Normandie. In der Gemälde-Gal. der Akad. zu Wien (Kat. v. Lützow 1889): Leopold der Heilige als Landespatron (Allegorie), bez. und 1842 dat.; in Wien ferner: in der Laurenziuskirche auf dem Schottenfelde bez. Seitenaltarbild; in der Piaristenkirche „Maria Treu" bez. Himmelfahrt des hl. Joh. Nepomuk; nach Wurzbach ein großes Stiftungsbild im Servitenkloster; im Presbyterium der Gruftkirche zu Plaß (Böhmen), seit 1826 Metternich'sche Familiengruft, hl. Wenzeslaus (1844) und hl. Klemens (1849); in der Städt. Gemälde-Slg Mainz (Kat. 1911 Nr 494) Selbstbildnis mit seiner Frau, 1858; im Kaisersaal des Römers zu Frankfurt a. M. das von einem Verein patriot. Mainzer Bürger gestiftete Bildnis Kaiser Rudolfs II. Das im Wiener Kunstverein 1850 ausgestellte Bild: „Ein Astrolog weissagt Rudolf v. Habsburg" wurde für die k. k. Galerie in Wien angekauft. H. malte auch verschiedene Ansichten von Rheinstädten. Seine Bilder wurden mehrfach reproduziert, so ein Bildnis des jungen Kaisers Franz Joseph I. von Wenzel Daniel lithogr., einige Genrebilder von Will. French gestochen.

C. v. W u r z b a c h , Biogr. Lex. Österr., VIII (1862); XXVIII (1874), Nachtr. — P a t u z z i , Gesch. Oesterr., II (1863). — Berliner Dtsche Schaubühne, 1865 Heft 7. — F. v. B o e t t i c h e r ,

Malerwerke 19. Jahrh., I 2 (1895). — Baudenkm. in Frankf. a. M., II (1897) 177. — Topogr. v. Böhmen, XXXVII (1916). — Th. v. F r i m m e l , Studien u. Skizzen zur Gemäldekunde, II (1915/16) 123; VI (1921/22) 37, 46.

Hemersam (Hemerscham, Hemmersem und ähnl.), Zinngießer- u. Goldarbeiterfamilie in Nürnberg. M i c h e l , d. Ä., † in Nürnberg 21. 4. 1626, Schüler von J. Christan gen. Hutter 1578/82. Meister 1594. Seine Arbeiten sind nicht genau zu trennen von denen seines Sohnes M i c h e l , d. J., geb. 1596 in Nürnberg, † ebenda 18. 1. 1658, Meister 1624, liefert 1650 Zinngeschirr nach Schloß Nachod. Oeuvre - Verzeichnis bei Hintze, Nürnberger Zinngießer, Leipzig 1921 Nr 178 u. 224 ff. Aus den Werkstätten von Michel Vater und Sohn gingen u. a. Abgüsse der von Caspar Enderlein 1611 geschn. Temperantiaschüssel nebst Kanne hervor. — B a r t h o l o m ä u s , geb. in Nürnb. 1632, † ebenda Ende August 1679, Schüler von Fr. Pfister, 1655 Meister. Von ihm ein Teller mit Reliefgußverzierung im Mus. Vaterl. Altert. Stuttgart (Auferstehung, Abguß eines Modells von Georg Seger). — J o b s t , geb. 1623 in Nbg, † 3. 2. 1696, Meister 1647. Von ihm Teller mit Reliefs, Abguß eines Modells von Caspar Enderlein, im Maximiliansmus. Augsburg.

Nürnb. Stadtarchiv, U. Z. V. 1182 (Michel u. Jobst „Goldarbeiter" 1646) U. Z. V. 1189 (Jobst „Goldarbeiter" u. Michel 1652). — H i n t z e , Nürnberger Zinn, Leipzig 1921 Taf. 69, 70 (Abb. v. Werken des Michel). — P a n z e r , Verzeichn. v. Nürnb. Portr., 1790 p. 100. *W. Fries.*

Hemert, J a n v., Maler, nur bekannt durch das so und „fc. 1645" bez. Bildnis des Dirck Hendrik Meulenaer im Reichsmus. zu Amsterdam (Kat. 1920 mit Facs. der Sign.).

Hémery, Stecherfamilie in Paris. A n t o i n e F r a n c o i s , auch Verleger, geb. 1751, nach Heinecken Schüler von C. D. Jardinier, stach nach verschiedenen Meistern, u. a. „Création d'Eve" (1782) nach Procaccini, Errichtung der Statue Ludwigs XV. (1787) nach de Machy, Selbstbildnisse von Dou und Netscher, ferner nach Borel, Caresme, C. Cignani, J. B. Deshayes, F. Drouais, Lagrenée, Lebel, Lépicié, Quéverdo (Ludwig XVI. und Marie-Antoinette vor der Büste Heinr. IV.), Touzé. Verzeichnisse bei Le Blanc und Portalis-Béraldi. Heinecken nennt außerdem „Römische Gebirgslandschaft" nach Fr. Foschi und „Chariot de Flandre" nach A. v. d. Velde, Heller-Andresen „Le mot à l'oreille" (Venus und Amor) nach C. Lotti. Buchillustrationen stach H. für Basan's „Cabinet Poullain", 1781; Cauvet's „Recueil d'Ornemens à l'usage des jeunes artistes" etc., 1777; „Considérations philos. etc.", 1787 (Titelbl. nach Quéverdo); Moreau's „Figures de l'hist. de France", 1785 ff.; Ponce's „Description des Bains de Titus", 1786; Rosset's „L'Agriculture", 1774/82; D'Ussieux's „Nouvelles françoises", 1783; Decremps' „Magie blanche dévoilée", 1784 (nach Quéverdo); Fallet's

„Aventures de Chéréas et de Callirhoë", 1775. — Ein H. le Jeune ist nur bekannt durch die Signatur eines Blattes nach A. Grimou: „Petit Pèlerin". — 2 Schwestern des Ant. Fr. waren Stecherinnen: Marguerite, Gattin des Stechers Ponce, und Thérèse Eléonore, Gattin des Stechers C. L. Lingée (s. unter ihren Frauennamen). — Vielleicht eine 3. Schwester war L o u i s e R o s a l i e, die 2 Bl. nach Greuze (Tête d'enfant qui rit und Tête de jeune fille qui pleurt), das Bildnis des Barons Duménil (Büste nach E. Aubry) und das Bildnis eines Bettlers (gez. in Rom von A. Masson) gestochen hat.

H e i n e c k e n, Dict. des artistes etc., 1778 ff. (Ms. u. Suppl. im Kupferstichkab. Dresden). — B a s a n, Dict. d. grav., I (1789). — H u b e r u. R o s t, Handbuch, VIII (1804). — N a g l e r, Kstlerlex., VI. — R e n o u v i e r, Hist. de l'Art pend. la révolution, 1863. — H e l l e r - A n d r e s e n, Handbuch f. Kupferstichsammler, I (1870). — H e r l u i s o n, Actes d'état-civil d'art. franç., 1873. — L e B l a n c, Manuel, II. — G o n c o u r t, l'Art au XVIIIe siècle, ³ I (1880) 359. — P o r t a l i s - B é r a l d i, Grav. du XVIIIe siècle, II (1881). - D u p l e s s i s, Cat. Portr. Bibl. Nat. Paris, 1896 ff., III 13646. — D e v i l l e, Index du Mercure de France, 1910 p. 110. — M i r e u r, Dict. d. Ventes d'Art, III (1911). — C o h e n, Livres à Grav. du 18me s., ⁶ 1912. — Kat. d. Berl. Ornamentstichsammlg, 1894.

Hémery, M a r g u e r i t e, siehe im Art. *Ponce,* Nicolas.

Hémery, T h é r è s e E l é o n o r e, siehe im Art. *Lingée,* Charles Louis.

Hemessen, J a n v a n, eigentlich *Jan Sanders,* Antwerpener Maler, nach seinem Geburtsort in der Nähe Antwerpens H. genannt, geb. um 1500, da er 1519 als Lehrling bei H. van Cleef in Antwerpen eintrat und 1524 Freimeister wurde. Guicciardini erwähnt ihn 1566 als †. Diese Angabe des sonst sehr zuverlässigen Geschichtschreibers ist aber vielleicht irrtümlich, weil H. zu jener Zeit nicht mehr in Antwerpen weilte. 1550 und 1551 hatte er sein Hab und Gut veräußert, um nach Haarlem zu ziehen, und als Haarlemer kennt ihn bezeichnenderweise auch Carel van Mander. Ein Bild mit der Ehebrecherin vor Christus, das seit vielen Jahrzehnten im Kunsthandel ist (u. a. Slg Binder-Berlin u. Ausst. in Utrecht 1913), ist glaubwürdig bez. und 1575 dat. Der Zeitpunkt seiner Übersiedlung steht nicht genau fest. Noch oder wieder um 1554/5 muß sich H. in Antwerpen aufgehalten haben. Aus seinem Leben ist sonst wenig bekannt. 1523 und 1528 wird er in den Listen der Gilde geführt, 1548 war er deren Dekan. Sein unehelicher Sohn ist P i e t e r, ein sonst nicht bekannter Maler, 1555, wahrscheinlich in Antwerpen, geb. Ferner hatte er 2 Töchter, von denen Katharina (s. d.) Malerin wurde. — H. ist in den letzten Jahren häufig mit dem Braunschweiger Monogrammisten (s. Bd IV 552), in dem Jan van Amstel (s. d.) vermutet wird, identifi-

ziert worden. Seitdem kleinfigurige Bilder H.s aufgetaucht sind (Budapest), darf behauptet werden, daß die Frage, über die noch vor wenigen Jahren die Meinungen geteilt waren, der Lösung entscheidend nahegebracht worden ist. Der Unterzeichnete steht auf dem Standpunkt, der hier nicht begründet werden kann, daß der Großfigurenmaler H. mit dem „Braunschweiger Monogrammisten" nichts zu tun hat. Für die dem Anonymus zugeschriebenen kleinfigurigen Bilder muß deshalb auf die genannten Artikel (von Glück) verwiesen werden. Auch wenn das „Werk" des Monogrammisten ausgeschieden wird, bleiben zumindest gegen 40 Bilder übrig, die H. zugeschrieben werden können. Dieser Umfang entspricht dem einer ganzen Reihe von niederländ. Werkstätten des 15. u. 16. Jahrh. Die Bilderliste in der Monographie von Graefe (s. u.), der die beiden Künstler noch identifiziert, führt höchstens die Hälfte der tatsächlich existierenden Werke auf. Das hier gegebene Verz. wird annähernd vollständig sein.

H. scheint unter den Antwerpener Künstlern des 2. Viertels das meistbeschäftigte Atelier besessen zu haben. Er war in diesem Zeitraum dort neben dem „Meister des verlorenen Sohnes" (Wien) der wichtigste Vertreter der Figurenmalerei großen Stils, wie sie die seit dem Beginn des Jahrh. sich ausbreitende romanistische Strömung hervorgerufen hatte, und trat zu einer Zeit in Tätigkeit, als die Niederländer im Tafelbilde dem monumentalen Stil der Italiener noch nicht gewachsen waren. Durch das ital. Vorbild wurde H. völlig aus der Bahn geworfen. Er ist eine durch und durch problematische Natur, das eindrücklichste Beispiel der Entartung eines im kleinen sehr begabten Malers. Entwicklungsgeschichtlich ist er von kaum zu überschätzender Bedeutung. Durch seine Wirksamkeit wird das Sittenbild der romanistischen Richtung gewonnen, so daß er der Begründer des flämischen (im Gegensatz zum holländischen) Sittenbildes des 17. Jh. wird. Er ist der Vorläufer von Aertsen und Jordaens. Aber das laute Artistentum, dem er wie die meisten Zeitgenossen verfallen war, vernichtet gewöhnlich die Feinheiten. Die meisten Bilder lassen auf den ersten Blick erkennen, um welcher ästhetischen Probleme willen sie gemalt sind. So beutet er das Schema des großen Knie- und Halbfigurenbildes mit starken Überschneidungen und Verkürzungen aus, das die Darstellung greifbar naherückt. In ihnen verfolgt er die Wiedergabe der Mimik mit derselben Einseitigkeit wie die plastisch-räumliche Bildung. Mit solchen Stücken, wie z. B. den „Wechslern" in München (später durch Hinzufügen eines Christus zu einer „Berufung des Matthäus" ergänzt, 1536) und den „Steinschneidern" im Prado, ist er am bekanntesten geworden, zumal er verschiedene mehrmals, etwas verändert wiederholt hat, so die Berufung des Matthäus (3 mal in Wien) und den verlorenen Sohn (Brüssel [1536] und Karlsruhe). Überhaupt ist die häufige Wiederkehr derselben Sujets für ihn sehr charakteristisch. Wie damals Spezialisten der Landschaft und des Sittenbildes aufkamen, so ist er Spezialist der Darstellung des Christus als Schmerzensmann (Linz von 1540, Schleißheim von 1544 [Abb. Bassermann-Jordan, Tafelbilder aus bayr. Staatsbesitz, III (1910)]), des hl. Hieronymus (Aukt. Weniger-Strache in Wien von 1534, Hampton Court von 1545, Petersburg von 1549 und Genua, Pal. Rosso), des Segens Isaaks (München u. Österby von 1551) und der Madonna bzw. der hl. Familie in ganzer Figur (Erlangen u. Stockholm von 1544; Donaueschingen, Köln, Madrid; ehem. Slgn Dolfus-Paris; Hoschek-Prag; Wedewer-Wiesbaden). Fälschlich geht überall eine häufig vorkommende Berufung des Matthäus (z. B. in Antwerpen, Gent) unter H.s Namen, ein Werk des M. van Roymerswaele. Trotz des banalen Kraftmeiertums vieler seiner Bilder ist er ein nicht uninteressanter Künstler. Die Stellungen seiner kleinen Figuren in den Hintergründen strömen ein natürliches Pathos aus, und in dem einzigen bekannten Bilde mit nur kleinen Figuren, dem Opfer zu Lystra (Budapest), bewährt er sich im klaren Aufbau zahlreicher Figuren, in zündendem Vortrag, in schlichten eleganten Architekturen, denen sich die Figuren schön einschmiegen. — Die ersten 10 Jahre von H.s Tätigkeit liegen im Dunkel. Er ist wahrscheinlich damals in Italien gewesen, wenn auch der eklektische Grundzug seines Wesens ihm ermöglichte, die Anregungen so unmerklich zu verarbeiten wie die der niederländ. Maler Massys, Marinus, Gossaert, an die er fortwährend erinnert. Auf einen Aufenthalt in Florenz scheint eine H. wohl mit Recht zugeschriebene Caritas nach A. de Sarto's Fresko in den Scalzi (Florenz) hinzudeuten (Abb. im Katalog d. Auktion Bossi - Wien 1886). Das frühest datierte Bild H.s, der Hieronymus (1534) der Auktion Weniger-Strache, wirkt in der primitiven Schlichtheit, mit der aller Ausdruck in den Blick gelegt ist, wie das Lallen eines seiner Zunge noch nicht Herr Gewordenen, zumal im Hinblick auf seine anderen Darstell. des Heiligen. Als früh gelten auch die beiden weibl. Halbfiguren, die Goldwägerin (Berlin) und die Spinettspielerin (ehem. Molinari-Mailand, dann Cardon-Brüssel), die engen Anschluß an den Meister der weibl. Halbfiguren und an Gossaert bekunden. Sie tragen jedoch schon die meisten Merkmale von H.s Stil rein ausgeprägt. Wohl sicher ist die Madonna in ganzer Figur der ehem. Smlg Dolfus-Paris (Nr 112), die sich an Gossaert anlehnt, ein sehr frühes Werk H.s. Die im Stile des Herri met de Bles, der erst 1535 Meister wird, gemalte Land-

schaft ist für diesen Maler wichtig, da das Bild gewiß früher entstand. Um 1536, dem Entstehungsjahr der Bilder in München und Brüssel, ist H. im Besitz seines Stils, der nun häufig in einer krassen Routine widerlichen Effekten dienstbar gemacht wird. Erfreulich sind die Madonnen unter dem Baume, stattliche Gestalten in kraftvoller Malweise (Madrid und Stockholm von 1544). Bildnisse H.s sind bisher nicht festgestellt, doch muß H. nach den Stiftern des Rockoxtriptychons von 1537 (Antwerpen, St. Jacques) ein trefflicher Porträtist gewesen sein. — Außer den 29 bisher genannten Bildern rühren die folgenden sicher von H. her: *Antwerpen,* St. Jacques: Kopie nach Raphaels Mad. Franz' I. — *Berlin,* Ksthdlg van Diemen: Tript. m. hl. Sebastian. — Angeblich *London,* Victoria and Alb. Mus.: Anbetg d. Könige, bez. u. 1534. — *Madrid,* Slg Navas: Susanna m. d. beiden Alten (falsch [?] sign. u. 1543). — *Mainz:* Beweinung Chr. — *München,* Aukt. Großmann (Helbing): Ecce homo. — *Nancy:* Vertreib. d. Händler aus dem Tempel (bez. u. 1556 [1566?]). — *Paris:* Tobias heilt s. Vater (bez. u. 1555). — *St. Petersburg,* Gräfin Schuwalow: Tript. m. d. Kalvarienberg (Abb. Monatsh. f. Kunstw., 1909 p. 171). — *Soestdijck,* Schloß: Kreuztrag. (Abb. im Werk über die Ausstell. Hertogenbosch, 1913 u. bei Martin-Moes, Altholl. Malerei 1912 Taf. 65.) — Unter H.s Namen gehen die Bilder des „Meisters des Augsburger Ecce homo" (Nr 2426), der seine Manier ins Wilde, Furiose steigert, in Wirklichkeit ein schwacher, trivialer Imitator ist. Von ihm rühren u. a. das Opfer Abrahams in Nürnberg (Germ. Mus.) und die vielfigurige Kreuztrag. d. ehemal. Slg Lanyi (Aukt.-Kat., Heilbron-Berlin, 10.—12. 12. 1912, Nr 19) her. Auf ihn geht wohl auch der häufig vorkommende, H. zugeschriebene, nackte Hieronymus in Halbfigur (bestes Exemplar in Salzburg; Österr. Kunsttopogr., XVI [1919] Abb. 205) zurück.

Zu der unkritischen u. fehlerhaften Monographie von F. G r a e f e , Jan Sanders van H. u. s. Identifikation mit d. Braunschw. Monogrammisten, Lpzg 1909 (vgl. Rezens. von H a b e r - d i t z l in Kstgesch. Anzeigen, 1909 p. 90 ff.), müssen noch immer verglichen werden die Geschichtswerke der Antwerpener Malerschule von v a n d e n B r a n d e n (1883) u. R o o s e s (1889), die Ausgabe des van Mander von H y - m a n s (1884) u. Niederld. Kstlerlex. von A. v. W u r z b a c h , I (1906). — Einzelne Beiträge außerdem bei: G u i c c i a r d i n i , Descr. di tutti i paesi bassi, 1567. — S a n d r a r t , Teutsche Acad., 1675, Teil II 216. — K r a m m , Levens en Werken, III (1859). — Kstgesch. Jahrb. d. Zentralkomm., XI (1917) 6 f., Abb. (B a l d a s s). — Rep. f. Kstw., VII (1884) 209 (E i s e n - m a n n , Identif. m. d. Braunschweiger Monogrammisten). — Oud Holland, 1893; 1901. — F r i m - m e l , Kl. Galeriestudien, I (1891) 22, 85; d e r s., Lex. d. Wiener Gemälde-Smlgen, I (1913) 204; II (1921) 117 f. — Zeitschr. f. bild. Kst, IV (1869) 165. — Kunstchronik, XXIII (1888) 302.

— Mededeel. van Nederl. Histor. Instituut te Rome, I (1921) 28, 30 (Hl. Familie in Landschaft bei N. d'Atri in Rom). — G r a n b e r g , Trésors d'art en Suède, I (1911) Taf. 16—18. — Archiv f. Kstgesch., I (1914) .Taf. 76. — M i r e u r , Dict. d. ventes d'art, III (1911). — Kataloge der angef. Sammlungen u. Ausstellg. *Winkler.*

Hemessen, K a t h a r i n a v a n , Antwerpener Bildnismalerin, Tochter des Jan van H., geb. 1527 oder 1528, wurde mit ihrem Manne später von der Königin Maria von Ungarn nach Spanien mitgenommen. Dies sowie der Umstand, daß sie eine Reihe übrigens ziemlich schwächlicher Bildnisse, vornehmlich Frauen, bezeichnet und datiert hat, haben ihren Namen bekannt gemacht. Von 1548: in Amsterdam, Köln und St. Petersburg (Ssomoff); von 1552: in London (Nat.-Gall.). Das Petersburger ist bez. „Ego Caterina de Hemessen me pinxi 1548", darunter steht: „Aetatis suae 20". Außerdem sind noch bezeichnete Werke in Brüssel (Ehepaar) und Barnard Castle (Frau). Andere Zuschreibungen, über die das Literaturverzeichnis Aufschluß gibt, ließen sich nicht kontrollieren.

A. v. W u r z b a c h , Niederl. Kstlerlex., I (1906) u. III (1911). — G r a e f e , J. Sanders v. Hemessen, 1909 p. 62. — Oud Holland, 1901. — Zeitschr. f. bild. Kst, N. F. XXIII (1912) 101; XXVIII (1917) 71, Abb. — A. S s o m o f f in Staryje Gody, I (1907) 53 ff., Abb. — Cat. Fitzwilliam Mus. Cambridge, 1902, Abb. — Cat. Exp. de la Toison d'Or à Bruges, 1907 p. 65. — Kat. d. Kunstw. ausgest. i. Mus. Valenciennes, 1918. — C u s t , Notes on Pict. in the Roy. Coll., 1911 p. 42. — Kataloge der angef. Museen. *Winkler.*

Hemessen, P i e t e r v a n , siehe im Art. *Hemessen,* Jan van.

Heming, A r t h u r , kanadischer Maler u. Illustrator, geb. in Paris (Ontario, Canada) 17. 1. 1870, lebt in Toronto (Canada). Schüler von Frank Brangwyn und Frank V. Du Mond. Arbeiten in der Canadian Nat. Gall. zu Montreal und im Royal Ontario Mus. zu Toronto.

Amer. Art Annual, XVIII (1921) 449.

Heming, G e o r g e , siehe im Art. *Heming,* Thomas.

Heming, M a t i l d a (Mrs.), geb. *Lowry,* engl. Aquarellmalerin, Tochter des Stechers Wilson Lowry († 1824). Stellte 1808 — 55, zuerst unter ihrem Mädchennamen, in der Royal Acad. Bildnisminiaturen aus. Im Print Room des Brit. Mus. befinden sich von ihr 3 Aquarelle (Landschaftsmotive aus Weymouth und Derby) und ein Aquarellbildnis der Schriftstellerin Mrs. Somerville. Nach ihr gestochen: Bildnis Robert Owen's, von C. Pye, Bildnis Wilson Lowry's, von Mrs. D. Turner und J. Thomson.

G r a v e s , Royal Acad., IV (1906); V (1906), unter Lowry. — Cat. of Drawings by Brit. Art. Brit. Mus., II (1900). — S. S p a r r o w , Women Painters, 1905 (Abb.). — Cat. of engr. Brit. Portr., Brit. Mus., III (1912) 100, 390.

Heming (Hemming), T h o m a s , Goldschmied in London, 1745 in der Gilde; bis

1780 dat., in engl. Privatb. befindliche Arbeiten bei Cripps genannt. In Trinity Church, New York, eine Almosenschale von 1766 (Geschenk des Königs von England, mit Wappen und Initialen). — G e o r g e H., Goldschmied in London (Marke gemeinsam mit W i l l i a m C h a w n e r), wird 1773, 74 u. 81 erwähnt. Der Generalkonsul Banter in London schloß mit den Königl. Silberschmieden Heming und Chawner, welche er als die besten Meister im Königreich bezeichnet, einen Kontrakt für die Lieferung von 2 Tischservicen und 2 Dessertservicen im Laufe des Jahres 1775, wozu 400 Arbeiter engagiert wurden; diese Geräte waren für das sogen. Orloff-Service Katharinas II. bestimmt. In den ehemal. Kaiserl. russ. Pälasten befanden sich Arbeiten von Thomas und George in folgenden Servicen: Tula-Service 1776 (unter Mitarbeit versch. Londoner Meister); 10 Tabletts und ovale Schüsseln von George (mit W. Chawner), 38 Leuchter von Thomas; Jaroslaw-Service: 7 Schalen von George (mit W. Chawner); Teeservice (Schloß Oranienbaum) 1745/58: vergold. Zuckerdose von Thomas. Rosenberg nennt eine vergold. Vase mit Deckel und Inschrift in der Ermitage in St. Petersburg.

C h a f f e r s , Gilda Aurifabr., London 1883, p. 184, 190, 195. — C r i p p s , Old Engl. Plate, 1894 p. 218, 397, 400, 401, 402, 420. — F ö l k e r - s a m , Silberinvent. d. Kais. Pal. St. Petersburg (russ.), 1907 II 98, 248, 252 ff., 453; I Taf. 49. — M. R o s e n b e r g , Goldschmiede Merkzeichen, ² 1911. — Burlington Mag., XXXVIII (1920/1), Abb. p. 116. — Kst u. Ksthandwerk, I (1898), Abb. p. 317 (irrtüml. T. Henning).

Hemken, E r n s t , geb. 21. 4. 1834 zu Jever (Freistaat Oldenburg), † zu Dresden 11. 7. 1911, Historien- und Porträtmaler, auch Kopist. Anfangs Seemann, wurde er 1852 von Fr. Preller d. Ä. in Weimar als Schüler und zugleich als Pensionär in die Familie aufgenommen, schloß auch mit dessen Sohne Friedrich Freundschaft. 1855 zog er mit A. Donndorf nach Dresden, wo er sich an den Galeriedirektor Julius Schnorr von Carolsfeld und seinen Kreis anschloß, das Porträtfach pflegte (z. B. Wagnersänger Ludwig Schnorr von Carolsfeld, Otto Roquette), sich auf Schnorrs Anregung auch mit biblischen Szenen versuchte. Damals entstand das Ölgemälde: Adam und Eva finden die Leiche Abels (1857), Potiphars Weib klagt Joseph an. Der Erlös dieser Arbeiten ermöglichte es H., sich Fr. Preller d. Ä. anzuschließen, als dieser 1859 mit seinem Sohne nach Italien ging, um seine Studien für die Odysseebilder zu machen. Der Weg führte über die Schweiz, Genua, Florenz, Livorno nach Rom, wo die Gesellschaft am 29. 10. ankam, und wo nach kurzem Aufenthalt in Olevano der Winter verbracht wurde. Durch Grosse wurde H. in den Deutschen Künstlerverein eingeführt. Im Sommer war er wieder in Olevano (H.s Bildnis im Fremdenbuch der Casa Baldi). Aus Schnorrs Tagebuch erfahren wir einiges über H.s Studien; ein Skizzenbuch aus dieser Zeit ist in Oldenburg (im Besitz der Familie) erhalten. Auch begann H. damals ein Gemälde für die Kirche von Brake in Oldenburg, das er später in Weimar unter Prellers und Genellis Aufsicht vollendete. Als Preller d. Ä. nach Deutschland zurückkehrte, blieb H. mit Fr. Preller d. J. noch in Rom, erkrankte und reiste erst am 5. 8. 1861 von Rom über Genua nach Deutschland. Zunächst nach Jever, wo er mehrere Porträts und sein Selbstbildnis malte, auch Kopien von Graf Wedelschen Familienbildern für das Schloß Neustadt-Gödens in Ostfriesland schuf. Dann ging er zu seinem Bruder nach London u. malte 3 Jahre nur Bildnisse. Einem Rufe Prellers d. Ä., die Predellen seiner Odyssee mit Eduard Kranoldt zusammen auf die Wand zu übertragen, folgte er mit großer Freude. Seit 1869 lebte H. dauernd in Dresden, hauptsächlich als Bildnismaler tätig; damals entstanden die Bildnisse des Pastors Oster (1879) und des Geheimrates Roßmann (1880). Mehr und mehr wandte er sich dem Kopieren von Gemälden der Dresdner Galerie zu (Tizian, Palma vecchio, Correggio). Ein Bildnis H.s (gemalt von Kießling) in der Dresdner Gal.; Ludwig Otto malte H. als Jünger auf dem Selingstädter Altarbilde.

Das geistige Deutschland, I (1898). — v o n B ö t t i c h e r , Malerw. des 19. Jahrh., I 2 (1895). — O. R o q u e t t e , Friedrich Preller, 1882. — M. J o r d a n , Friedrich Preller d. J., Tagebücher, 1904. — Aus Julius von Schnorrs Tagebüchern, in: Dresdner Geschichtsbl., 1898 p. 77 u. ö.; 1900 p. 237; 1901 p. 11, 48 b. — Arch. des deutsch. Kstler-Vereins in Rom. — Kat. von Originalwerken dtsch. Kstler. Eine Ehrengabe der dtsch. Kstler an die dtsch. Heere .. ausgest. Glaspalast München, 1871 p. 28. — G e o r g M ü l l e r , Jeversche Maler im Dienste der Heimatkunst, in Jeversches Wochenblatt, 2. 11. 1920; d e r s ., Maler E. Hemken, in Dresdner Geschichtsbl. 1921, No 3/4. *Georg Müller.*

Hemm, J. P., engl. Kalligraph, veröffentlichte um 1830 Bildnisse Georgs IV., Wilhelms IV. und der kgl. Prinzen, bei denen nur die Köpfe punktiert sind, während der Rumpf aus feinen Federschnörkeln besteht. *H. M. H.*

Hemmer, J o h a n n S e b a s t i a n B e r n h a r d , Maler, Zeichenlehrer und Kunstsammler in Coburg, geb. ebenda 20. 8. 1745, 1801 noch am Leben, war 4 Jahre Lehrling, dann 9 Jahre Gehilfe bei J. A. B. Nothnagel in Frankfurt a. M. Arbeitete in verschied. Techniken, soll auch Miniaturen gemalt haben. Werke bisher nicht nachgewiesen.

M e u s e l , Neue Miscell. artist. Inh., XIII (1802) 614 ff.; d e r s ., Teutsches Kstlerlex., I (1808). — N a g l e r , Kstlerlex., VI.

Hemmerich, C o r n e l i u s H e i n r i c h , Kupferstecher aus Nürnberg, seit etwa 1750 in London tätig, arbeitete besonders im natur-

histor. Fach und für Buchhändler. Von ihm eine Sammlg merkwürdiger Insekten, 13 Bl. mit Titel nach Roesel v. Rosenhof; 6 Bl. mit Blumen, Früchten und Insekten, nach R. Petty; 6 Blumensträuße „nach Heckel"; ebenso nach D. Dodd; Titel u. 37 Bl. in Laurent Natter's „Traité de la méthode antique de graver en pierres fines etc.", London 1754.

A n d r e s e n , Nürnb. Kstler, Ms. Bibl. U. Thieme, fol. 273. — N a g l e r , Kstlerlex., VI. — Katal. Ornamentstich-Sammlung Berlin, 1894. — C o h e n , Livres à grav. du 18me siècle, ⁶ 1912.

Hemmerlein, C a r l , s. *Hemerlein,* C.

Hemmersdorfer, H a n s , Bildhauer in München, geb. 7. 10. 1870 in Merzig a. d. Saar, studierte an der Kunstgew.-Schule Karlsruhe, der Münchner Akad. und in Paris, stellte aus in Düsseldorf (Kat. Dtschnat. Kst-Ausst. 1902; 1907), auch in Berlin (Kat. Gr. Kst-A. 1906, 1908/12) und München (Kat. Glaspalast 1904, 1908/9, 1912 [Abb.], 13, 19), neben Arbeiten wie „Sterbender Jüngling", „Kassandra", „Kentaur und Nymphe" zahlreiche Porträtbüsten, u. a. von Felix Mottl und Max. Schmidt, gen. Waldschmidt (bayer. Volksdichter). Sein Denkmal für den Geographen Dr. Wilh. Götz (Bronzerelief) wurde 1913 im Münchner Luitpoldpark aufgestellt.

Christl. Kst, V (1908/09) 28 (Abb.); IX (1912/13) 20, 21, 26 (Abb.), 207, 308; XVII (1920/21) Beibl. p. 59.

Hemmet, F r i e d r i c h N i k l a u s , Zinngießer aus Buchsweiler (Elsaß), ließ sich in Biel (Schweiz) nieder, wo er 1775 Bürger wurde. Von ihm Kanne in der Samml. Bossard (Zug). Marke bei Bossard, Zinngießer der Schweiz, I No 579.

Blätter f. Bernische Gesch., XVII (1921) 290.

Hemming, G e o r g e u. T h o m a s , siehe *Heming,* Thomas.

Hemminghusen (Hemminckhusen), B r u n , Glockengießer, wahrscheinlich in Lübeck, goß folgende, z. T. reich ornamentierte Glocken: 1578 in Schlagsdorf (gemeinsam mit Paßmann) und in Ratzeburg, Stadtkirche; 1585 2 in Garding (Kr. Eiderstedt); 1588 in Tempzin (Meckl.-Schwerin); 1592 in Ahrensböck und in Barkau (Kr. Plön); 1594 in Gr.-Salitz (Meckl.-Schwerin).

Kst- u. Gesch.-Denkmäler Mecklenburg-Schwerin, II (1899) 516; III (1900) 415. — H a c h , Lübecker Glockenkunde (Veröffentl. zur Gesch. .... Lübeck, II [1913]) 220.

Hémon, J e a n M a r i e , Landschaftsmaler in Paris um 1800, Schüler von J. F. Hue, zeigte 1797 und 1800 Bilder mit Tierstaffage im Salon. Von ihm 5 Gemälde im Mus. zu Blois.

F ü ß l i , Kstlerlex., 2. Teil, 1806/21. — B e l l i e r - A u v r a y , Dict. gén., I (1882).

Hemony (Hemoni), Glockengießer-Familie des 17. Jahrh., in Holland und Deutschland tätig: P e t e r I , lieferte 1620 die Glocke für Naensen in Braunschweig (Kr. Gandersheim) mit Reliefs und seiner Meistermarke (Glocke-

Hempel

zwischen P und H) und goß mit seinem
Bruder B l a s i u s (vermutlich dem unten gen.
Blaise; beide kamen aus Levécourt in Lothr.)
und 2 andern Gießern 1624 zu Braunschweig
die große Glocke „Adler" (gen. nach dem
Reichsadler, der sie ziert), für die Martinikirche,
eine andere für die dort. Andreaskirche. Die
bekanntesten Mitglieder der Familie sind die
beiden Brüder F r a n s und P i e t e r II, geb.
1609, bzw. 1619 in Levécourt (wo ihr Vater
B l a i s e eine Glockengießerei hatte), † beide in
Amsterdam: Frans 1667 (begr. 24. 5.), Pieter
17. 2. 1680. Sollen sich um 1640 in Zutfen
(Holl.) niedergelassen haben (das Datum der
Glocke der Barbarakirche zu Culemborg „F. et P.
Hemony me fecit Zutphaniae A. D. 1633 [Bull.
v. d. Ned. Oudheidk. Bond, 2. Ser. I 130] Lese-
oder Druckfehler?); hier erhielt Frans 10. 2. 1647
das Bürgerrecht. Um 1657 zogen die Brüder
nach Amsterdam, wo Frans und nach dessen
Tode Pieter als städt. Glocken- und Geschützgießer angestellt wurde. Ihren Ruf verdankten
sie besonders der Kunst, die Glocken (nach
eigenem Verfahren) auf den gewünschten Ton
abzustimmen, sie brachten die Glockenspiele
zu einer weder vor noch nach ihnen erreichten
Vollkommenheit und europäischen Berühmtheit.
Erstaunlich groß ist die Zahl ihrer Güsse;
fast alle größeren und viele kleinere Städte
Hollands und Belgiens besaßen (und besitzen
z. T. noch) Glockenspiele ihrer Werkstatt,
Amsterdam allein 5 verschiedene (u. a. auf der
Börse und dem Turm der Oude Kerk), ferner
z. B. Rotterdam, Enkhuijzen, Den Briel, Haarlem,
Utrecht (Jakobikirche), Amersfoort, Arnheim,
Deventer, Doesburg, Groningen, Kampen,
Maastricht, Delft, Herzogenbusch (Rathaus),
Weesp, Zalt-Bommel, Zutfen; in Belgien:
Antwerpen, Averbode, Diest, Gent, Mecheln,
Ostende, Tongerloo; nach Deutschland lieferte
P. 1670 das Glockenspiel im Residenzschloß zu
Darmstadt. Von den zahlreichen einzelnen
Glocken (außerhalb Hollands und Belgiens)
seien genannt: für das Rathaus zu Stirling (Schott-
land) und für Kirchen in Westfalen (Münster
[1675, kleinere Glocken in der Minoritenkirche,
jetzt alte ev. K.], Westerkappeln, Tecklenburg,
Bünde, Herford [Johanniskirche]), Hannover
(Gildehaus bei Bentheim) und Rheinprov.
(Düsseldorf [Lambertuskirche und Jesuitenkirche],
Krefeld [ev. K.], Hemmerden [1632, von Frans,
mit Peter, wohl d. ä.], Repelen [1636], Alde-
kerk, Fischeln, Hüls, Kalkum, Kapellen, Lank,
Mörmter, Vettweiss, Wankum). Die Glocken
sind von Frans oder Pieter oder von beiden
bez. Sie sind z. T. reich ornamentiert mit
Girlanden, Engelsköpfen, hübschen Friesen
musizierender Kinder. Außer Glocken lieferte
die H.sche Werkstatt u. a. fein verzierte Mörser,
von denen noch mehrere in Apotheken (z. B.
in Amersfoort) erhalten sind (die von Frans bez.
sämtlich 1661, die von Pieter 1675 dat.). Frans

goß auch wahrscheinlich (1663/65) die 6 Giebel-
statuen (Atlas, Mäßigkeit usw.) von A. Quellinus
am Amsterdamer Rathaus. Pieter gab eine
Schrift heraus „De onnoodsakelijkheid en on-
dienstigheid van Cis en Dis in de bassen der
klokken" usw., Delft, bei Oosterhout, 1678.
Das Städt. Mus. in Leiden (Kat. 1914) besitzt
eine von Frans bez. und 1662 dat. Glocke aus
der früheren Waard-Kirche.

K r a m m , Levens en Werken, III (1859). —
Vlaamsche School, 1865 p. 162 ff.; 1866 p. 144 ff.
— Kstbode, 1880 p. 81 ff. — Oud Holland, I
(1883); V; X; XIII; XVI; XXX; XXXV;
XXXVIII. — G a l l a n d , Gesch. d. holl. Baukst,
1890. — Invent. archéol. de Gand, IV (1897) 38;
V 48 f. — Bull. uitg. v. d. Nederl. Oudheidk.
Bond, VI (1905) 104; VII 185; VIII 109 ff., 135;
2. Serie, I (1908) 130 f.; IX (1916) 148. — Voor-
loopige Lijst der Nederl. Monum., I (1908) 9,
31, 40, 57; III; IV; V 1. — W a l t e r , Glocken-
kunde, 1913 p. 765 ff. — Oude Kst, 1915/16 p.
137 ff. (Abb.), 177 ff. — Buiten, 1916 Nr 27
p. 321 f. — Katal. Histor. Tentoonstell. Amsterdam 1876. — Kstdenkm. d. Rheinprov., I (1891);
III; IX 1 (Kr. Düren) 325. — Bau- u. Kstdenkm.
Westfalen, Kr. Tecklenburg, 1907 p. 100, 112;
Kr. Herford, 1908 p. 9, 46. — Bau- u. Kstdenkm.
Herzogt. Braunschw., IV (1907) 68 („Blasius
Heimundt"); V 468. — Bau- u. Kstdenkm. Reg.-
Bez. Wiesbaden, VI (1921) 155 („Hermony"). —
Rhein. Ver. f. Denkmalpflege, Mitteil. XII (1918)
67. — Münsterland, VI (1919) 178, 180. — Zeitschr.
d. Gesellsch. f. niedersächs. Kirchengesch., XXV
(1920) 87, 99, 103 (Abb.). *D. St.*

Hempel (Hampel), A n d r e a s , d. Ä., Maler
in Breslau, † ebenda 10. 11. 1627 im 46. Jahr,
geb. in Brieg, 1610 Meister in Breslau, arbeitete
1611 unter G. Hayer an dem Triumphbogen
für König Matthias, 1617 an der Ehrenpforte
für Ferdinand II. (deren perspektiv. Ansicht er
mit D. Heidenreich zeichnete, Original im
Kunstgewerbemus. Breslau; gestochen in Prag),
1620 an der Ehrenpforte für den Winterkönig
Friedrich. Ein von ihm gemaltes Blatt vom
27. 9. 1625 (Aeneas und Anchises) im Stammbuch des Zach. Allert in der Breslauer Stadtbibliothek, auf Grund dessen ihm Masner
zahlreiche andere Malereien in dem genannten
und in anderen Breslauer Stammbüchern
zuschreibt. — Nur urkundl. bekannt sind seine
3 Söhne, die Maler G o t t f r i e d (geb. in Breslau 1611, † in Kopenhagen), A n d r e a s , d. J.
(geb. 1613) und H a n s (geb. in Breslau 1617,
† 1633).

S c h u l t z , Untersuch. z. Gesch. d. schles.
Maler, 1882. — Schlesiens Vorzeit in Bild u.
Schrift, N. F. III (1904) 117; IV (1907) 137 ff.,
m. Abb. (K. M a s n e r.)

Hempel, C u r t , Architekt in Danzig, vordem in Dresden, schuf u. a. die Fassade der
1903/05 erbauten Landesversicherungsanstalt
und die des Provinziallandschaftsgebäudes
(1904/05) in Danzig, erstere im Stile niederländ. Renaissance, letztere in Anlehnung an
die Ordensgotik; ferner Villen in Danzig-
Langfuhr.

Danzig u. s. Bauten. Herausgeg. v. Westpreuß.

Archit.- u. Ing.-Ver. zu Danzig, 1908 p. 140f. — Neue Kunst in Altpreußen, I (1911) 146/52. — Deutsche Bauztg, XLII (1908) 49f. — Archit. d. XX. Jahrh., IX (1909) Taf. 36f.

Hempel, G., Maler in Berlin, † vor 1786 (als † aufgeführt im Kat. der Akad.-Ausstell. 1786), gehörte zu dem Berl. Freundeskreise des Dichters Gleim, wird in dessen Briefwechsel erwähnt, heiratete in 2. Ehe die Tochter der Anna Luise Karschin, Caroline (nach ihrer Scheidung von H. Frau v. Klenke). 1745/48 porträtierte er Gleim (in jüngeren Jahren, mit der Flöte, gleich den folgenden Bildern im Gleimhause zu Halberstadt [Kat. „Der Freundschaftstempel" usw., 1911]) und malte für Gleim die Bildnisse der Dichter Ramler, E. v. Kleist, des Juristen L. F. Langemack (diese drei 1749), des Komponisten C. G. Krause (bez. G. Hempel pinxit 1752 [?]) und C. F. Gellerts (1752). Im Berl. Schloß ein Reiterbildnis des Prinzen Heinrich v. Preußen. In der Berl. Akad.-Ausst. 1786 von ihm eine „Große Landschaft mit Kolonaden und Kaskaden" (Katal. p. 28). H.s Porträt Friedrichs d. Gr. wurde 1750 (und wiederholt) von J. E. Gericke, 1762 und 1763 von J. F. Bause gestochen.

P a r t h e y , Dtscher Bildersaal, I (1863). — Hohenzollernjahrb., VI (1902) 15 (Abb. des Bildn. Heinr. v. Preußen). — J u l . M e y e r , Kstlerlex., III (1885) 162 No 125 u. 126.

Hempel, H. C., Maler in Düsseldorf, geb. 13. 4. 1848 in Stralsund, † 26. 9. 1921 in Düsseldorf. Schüler E. G. Dückers an der Düsseld. Akad. Trat mit Waldlandschaften intimen Charakters hervor. Bekannt wurde er als Leiter der Städt. Kunsthalle in Düsseldorf (1883—1920) u. Direktor der Städt. Galerie (bis 1913). Seine künstler. Tätigkeit hat er früh aufgegeben.

D r e ß l e r 's Ksthandbuch, 1921 II. — Kstchronik, N. F. XXXII (1920/21) 88; XXXIII (1921/22) 64 (Nekr.). — Cicerone, XIII (1921) 634.

Hempel, J a k o b , poln. Baumeister u. Stecher, geb. 1758, † 10. 5. 1831 (in Lublin?). Über seine Abstammung und Studiengang ist nichts bekannt. Anfänglich Generalbaumeister auf den Gütern des Fürsten Czartoryski in Puławy; 1788/89 in Rom, wo er am 25. 5. 1789 einen Preis der Accad. S. Luca für den Entwurf eines Theaters am Corso erhielt. Von ihm u. nach seinen Entwürfen wurden die Kirche in Magnuszewo (um 1787) u. das Palais des Fürsten Alexander Lubomirski in Warschau erbaut. 1821—31 war er Kreisbaumeister in Lublin. Hat sich auch als Stecher versucht.

S t a n i s ł a w Ł o z a , Słownik architektów etc., Warschau 1917 p. 73; hierzu Suppl. 1918 p. 23. — I. J. K r a s z e w s k i , Catal. d'une Collection iconogr. polon., Dresden 1865 p. 118. — Arch. S. Luca Rom. — Chracas, 1789 No 1504. — Mit Notizen Fr. Noack. *L. Lepsxy.*

Hempel, J o s e p h Ritter v o n , Maler und Lithograph, geb. 9. 2. 1800 in Wien, württemb. Abkunft, 1862 noch am Leben. Schüler der Wiener Akad. unter Redl, 1821/25 in Rom, ansässig in Wien bis 1848, dann in Klagenfurt, 4 Jahre in Bozen, dann in Graz, seit 1859 auf seinen Gütern in Kroatien. H.s Erstlingswerk, ein Altarbild (hl. Abendmahl) für die Kapuzinerkirche in Wiener Neustadt, ist durch Feuersbrunst zerstört. In Rom schloß er sich Overbeck an (1827 Übertritt zur kathol. Kirche) und zeichnete mit Tunner und Kupelwieser nach Fiesole u. a.; mit Kupelwieser gab er 1829 in Wien in 3 Heften (je 4 Bl.) „Werke des Fiesole und Aluno (!) auf Stein gez." heraus. 1822 zeigte er in Wien „Christus mit der Samariterin" (im Atelier Overbeck's gem.), ebenda 1824 „Grablegung Christi", dasselbe Bild Mai 1825 in der Dtschen Ausstell. in Rom (ebenda zeigte zugleich Lotsch eine Büste H.s). Widmete sich ganz der religiösen Malerei im Stil der Nazarener; charakteristisch für ihn die Anlehnung an den Jugendstil Raffaels. Er hat (ohne Entgelt, da er wohlhabend war) eine außerordentlich große Anzahl von Altarbildern geschaffen, mit wenigen Ausnahmen (u. a. Madonna und hl. Veronika für die Kirche in Philippopel) für österreich. Kirchen. Aus dem (nicht vollständigen, aber die Hauptwerke umfassenden) Verzeichnis bei Wurzbach seien genannt die Bilder für: Wien, Redemptoristinnenkirche am Rennweg (Erlösung), Minoritenkirche in der Alservorstadt (Dreifaltigkeit, 1826), Paulanerkloster auf der Wieden (Schutzengel), Stephansdom (hl. Thekla unter den Löwen, hl. Paulus, Maria mit dem Schlangen tötenden Jesuskind), Erzbischöfl. Alumnat (hl. Joseph, hl. Aloysius); Klosterneuburg Mechitharistenkirche (Abschied des Apostels Jacobus von Maria); Eggenburg, Niederösterr., 3 Altarbilder (in der Ksttopogr. 1911 nicht gen.); Kattau, Bez. Horn, Niederösterr. (Maria mit Engeln, 1837); Graz, Kloster der Sacré-Coeur-Schwestern (hl. Joseph, hl. Aloysius); St. Paul i. Lavanttal, Kärnthen (mehrere Altarbilder); Bozen, Kapelle der Sträflinge und Inquisiten (Verlorener Sohn), ebenda für Kinderbewahranstalt, Elisabethinum und Heinriceum; ferner für die Tiroler Kirchen zu Bruneck, Laas und Margarethen; für die Kirche in Marienbad (Himmelfahrt Mariä); mehrere für die Kirche in H.s kroatischer Besitzung Verhovec.

B ö c k h , Wiens leb. Schriftsteller etc., 1822 p. 257. — K e l l e r , Elenco di tutti i pittori, 1824. — Kstblatt, 1825. — W. S t i e r , Hesperische Blätter, 1857 p. 65, 91. — W e i g e l 's Kstcatal., Leipzig 1838/66, I 1788. — C. v. W u r z b a c h , Biogr. Lex. Österr., VIII (1862) 465 ff. — S c h n o r r v. C a r o l s f e l d , Briefe aus Italien, Gotha 1886 p. 408, 469, 485 f., 489. — Ksttopogr. d. Herzogt. Kärnthen, 1888 p. 264. — A. L. R i c h t e r , Lebenserinnerungen, 1890 p. 171, 192. — Österreich. Ksttopogr., V (1911), irrtüml. „Julius". — F r i m m e l , Studien u. Skizzen zur Gemäldekunde, VI (1921/22) 43. — Mitteil. von Fr. Noack.

Hempel, O s w i n (Franz O.), Architekt, geb. 13. 2. 1876 in Oberlützschena b. Döbeln i. Sa., erlernte in Roßwein praktisch das Maurer- und Zimmerhandwerk, besuchte die Baugewerkschule in Dresden, später die Techn. Hochschule ebenda. Schüler von W. Kreis, 1897—1901 im Meisteratelier von P. Wallot; wirkt jetzt als ordentl. Professor an der Techn. Hochschule zu Dresden. Seine Bauten sind durchaus von dem Gesichtspunkte der Zweckmäßigkeit und Materialechtheit bestimmt. Außer einigen Bauten in der Umgegend Dresdens (Einfamilienhaus für die Villenkolonie Kemnitz 1906, Haus Wolf in Coßmannsdorf 1916) seien das Ärztehaus für Mannheim 1910 und ein Wohnhaus für Hannover 1912 hervorgehoben. Geschmackvolle Zeugnisse angewandter Kunst sind seine Entwürfe für Innenräume, Säle und Einzelzimmer, die z. T. von den Dresdner Werkstätten für Handwerkskunst ausgeführt wurden, und bei denen Künstler wie Pechstein, Rößler u. a. die farbige Ausschmückung übernahmen. Erwähnt sei noch sein Entwurf für einen Salonwagen der Sächs. Staatsbahn. 1909 lieferte H. für das Dresdner Hoftheater die Entwürfe zur szenischen Ausstattung für „Tantris d. Narr". Ferner schuf H. das Denkmal in Ehrenfriedersdorf u. eine Anzahl Grab- und neuerdings Kriegerdenkmäler, deren einige der Bildh. Selmar Werner ausgeführt hat, für dessen Dresdner Schillerdenkmal H. das Architektonische entwarf. Auf der Internat. Baufachausstell. in Leipzig 1913 war Dresden durch das nach H.s Plane errichtete „Dresdner Haus" vertreten.

Akten der Dresdn. Kstakad. — Die Kunst X (1904); XIV; XVII; XX; XXIV; XXX; XXXIV; XL (1919), sämtlich mit zahlr. Abb. — Der Architekt, XV (1909) Taf. 51. — Architekton. Rundschau, XXVIII (1912) Taf. 167; XXIX Taf. 102. — Profanbau, 1911 p. 645, 648 ff. (Dresdner Hygiene-Ausst.). — Dtsche Bauzeitg, LI (1917) 321 f. — S c h u m a n n , Dresden, 1919 p. 305. — Dresdner Kalender 1914 p. 261. — Jahrb. f. bild. Kst, 1909/10 p. 15. — Katal. III. Dtsche Kstgewerbeausst. Dresden 1906; Kstausst. Dresden 1906 (Sächs.), 1908 u. 1912 (Große); Kstlervereinigung Dresden 1910. *Ernst Sigismund.*

Hempf, W o l f g a n g , Bildhauer von Eger, fertigte 1584 die Landsknechtsfigur des 1524 errichteten oberen Marktbrunnens vor dem dort. Rathaus.

K. S i e g l , Führer durch... Eger, 1908 p. 61.

Hempfing, W i l h e l m , Maler u. Graphiker, geb. 15. 7. 1886 in Schönau bei Heidelberg, Schüler der Kstgew.-Schule u. der Akad. in Karlsruhe, Meisterschüler Fr. Fehrs. Studienreisen nach Holland, Italien, Paris, Bretagne. Zeigt impressionistisch aufgefaßte, virtuos gemalte Landschaften, Akte, Figurenbilder seit 1911 im Glaspalast München (Katal. 1916 mit Abb.), 1912 in Hannover, 1912 u. 22 in Baden-Baden, 1913 u. 14 auf der Gr. K.-A. Berlin, 1913 im Künstlerhaus Wien, 1914 im

Ksthaus Zürich usw. Ist auch mit Radierungen u. Steinzeichnungen hervorgetreten.

D r e ß l e r s Ksthandbuch, 1921 II. — Original u. Reprod., II Heft 10 p. 87 (Abb.), 135. — Neuigkeiten des deutschen Ksthandels, 1912, 14, 16. — Badische Heimat, III (1916) 147. — B e r i n g e r , Bad. Malerei, ² 1922 (mit Abb.).

Hemskerk, siehe *Heemskerck.*

Hemsley, W i l l i a m , engl. Genremaler, geb. in London 1819 als Sohn eines Architekten. Folgte zunächst dem väterl. Beruf, bildete sich dann autodidaktisch in der Malerei und unternahm Studienreisen nach Frankreich u. Holland. Beschickte 1848—93 häufig die Ausst. der Royal Acad., British Instit. und der Soc. of Brit. Artists, deren Vizepräsident er war. In seinen geistvollen und sorgfältig ausgeführten Ölbildern und Aquarellen schildert er mit feinem Humor die kleinen Vorfälle des Alltagslebens mit frisch behandeltem landschaftl. Hintergrund oder kleinbürgerliche Interieurs. Dazu gehören: Eine Prise aus Großvaters Dose, der ländliche Künstler, ein gefährlicher Spielkamerad (1864), Vogelfänger (1866), Garnelenfänger (1868), der Brief des Auswanderers u. a.

O t t l e y , Dict. of Painters etc., 1875. — C l e m e n t and H u t t o n , Artists of the 19th Century, ⁶ 1879. — G r a v e s , Dict. of Artists, 1895; Royal Acad., IV (1906); Brit. Inst., 1908; Loan Exhib., 1913f. II; IV. — Art Journal, 1853 p. 85; 1866 p. 178 (Stich nach H.).

Hemssen, siehe *Hembsen.*

Hemsterhuys, F r a n ç o i s , holl. Philosoph, geb. im Haag 1720, † ebenda 7. 7. 1790. Zeichnete für seine 1769 in Amsterdam gedruckte „Lettre sur la sculpture" an Theod. van Smeth die von J. v. d. Schley gestoch. Vignetten; auch die Ausgaben seiner Werke von 1792 und 1809 (Paris) enthalten Vignetten nach seinem Entwurf. Nach seiner Zeichnung ist eine Medaille mit dem Porträt des Leidener Anatomen u. Naturforschers P. Camper geschnitten und ein Porträt des Philos. F. H. Jacobi 1781 (anonym) gestochen.

Biogr. univ. anc. et mod. (Paris, Michaud), XX (1817). — v. E i j n d e n en v. d. W i l l i g e n , Geschied. d. Vaderl. Schilderkst, II (1817). — I m m e r z e e l , Levens en Werken, II (1843). — K r a m m , Levens en Werken, III (1859). — D u p l e s s i s , Cat. Portr. Bibl. Nat. Paris, 1896 ff., V 23038/2. — F o r r e r , Dict. of Medall., II (1904). — De Gids (Amsterd.), August 1912 p. 238—318 (J. d e B o e r).

Hemy, C h a r l e s N a p i e r , Genre- u. Marinemaler, geb. in Newcastle-on-Tyne 25. 5. 1841, † in Falmouth 1917. Bruder des Thomas. Machte schon als Kind mit s. Eltern, die 2 Jahre in Melbourne lebten, eine Weltreise (1850/2), besuchte die Kunstschule seiner Vaterstadt und unternahm mit der Absicht, Seemann zu werden, 2 Fahrten ins Mittelmeer. Mit 19 Jahren trat er in das Dominikanerkloster von Newcastle und studierte 2 Jahre im Ordenskloster zu Lyon, entsagte aber mit 21 Jahren der Kutte, um sich der Kunst zu widmen. Seit

1863 stellte er seine ersten, unter dem Einfluß der Präraffaeliten entstandenen Bilder in London aus und studierte 18 Monate an der Akad. Antwerpen und einige Zeit bei Leys, worauf er sich 1870 in London niederließ. Unter dem Einfluß von Leys entstand eine Reihe Kostümbilder aus dem 16. Jahrh., meist religiösen Charakters, die 1878 auf der Pariser Weltausst. und 1879 in der Londoner Royal Acad. ausgestellt waren. H. ging dann ganz zum Marinefach über und arbeitete einige Sommer an der unteren Themse, bis er sich 1883 in Falmouth, wo er bis zuletzt lebte, niederließ. Gewöhnlich verbrachte er einige Monate des Jahres an Bord seiner Jacht, die er sich als schwimmendes Atelier eingerichtet hatte. Entstand dort ein großer Teil seiner Arbeiten aus unmittelbarer Anschauung, so gingen seine größeren Leinwandbilder aus zahllosen Skizzen hervor, die er jahrelang sammelte, um sie zu einem geeigneten Zeitpunkt, „wenn sein Blick frisch war", wieder hervorzuholen und zu verarbeiten. Einer der tüchtigsten Marinemaler der modernen engl. Schule, beobachtet er gewissenhaft den Fischfang, das Treiben im Hafen und das Leben der Seeleute am Lande. Er hat aber auch eine ausgesprochene Vorliebe für die unruhig bewegte See und schildert höchst stimmungsvoll den Aufruhr der Elemente, wenn die sturmgepeitschten Wogen des Atlantischen Ozeans gegen die Klippen der kornischen Küste branden, Wracks hilflos treiben und Leichen Schiffbrüchiger ans Land gespült werden. (Bild in Leeds.) — H. stellte seit 1865 fast alljährlich in der Londoner Royal Acad. aus und wurde 1897 zum außerordentl., 1901 zum ordentl. Mitglied gewählt. Daneben war er auch häufig in der Soc. of Brit. Artists, auf den Ausstell. der New Water-Colour Soc., der er vorübergehend als Mitglied angehörte, der Brit. Institution usw. vertreten. Die Londoner Tate Gall. besitzt seine Ölbilder „Pilchards" und „London River"; weitere Arbeiten in den Gal. von *Birmingham; Bristol* (2 Bilder); *Leeds* („Birds of prey"); *Liverpool* („A German birthday in 1575", „Grey Venice", „Under the walls of Maastricht" u. a.); *London*, Guildhall; *Manchester* („Old Putney Bridge"); *Melbourne (Austr.)* und *Sheffield*.

Champlin & Perkins, Cyclop. of Painters etc., 1888 III.—Bénézit, Dict. des Peintres etc., II (1913). — The Art Journal, 1881 p. 225—7. —The Studio, LXXII (1918) 73 (Nekrol.). — Graves, Dict. of Artists, 1895; R. Acad., IV (1906); Brit. Inst., 1908; Cent. of Loan Exhib., 1913 f. II; IV 1960 f. — Cat. R. Acad. Exhib., 1905—17. — Kat. Ausst. Sezess. München 1896. — Cat. Expos. décenn. des B.-Arts, Paris 1900 p. 300.— Kat. der gen. Slgn. — Poynter, Nat. Gall. of Brit. Art, 1900 II. — Daily Mail v. 26. 1. 1909. — *Abb.:* The Art Journal 1901 f., 05, 07. — R. Acad. Pictures, 1894—1903, 06—08, 10—15. — Brit. Marine Painting. Studio Spec. No 1919. *B.C.K.*

Hemy, Thomas Marie Madawaska, Marinemaler in North Shields, Bruder des Charles Napier, studierte in Newcastle und unter Verlat in Antwerpen, stellt seit 1873 in London aus, häufig in der Royal Acad., bevorzugt Darstell. von Schiffskatastrophen. In der Art Gall. Sunderland (Kat. 1908 p. 11) ein Aquarell „River Wear", in der Art Gall. zu Kapstadt, Südafrika (Kat. 1903 p. 39) „Wreck of the Birkenhead".

Graves, Dict. of Art., 1895; ders., Roy. Acad., IV (1906); ders., Loan Exhib., II, IV. — Roy. Acad. Pictures, 1892 p. 116 (Abb.). — Cat. Exhib. Roy. Acad. London, 1911/13. — Pictures of the year 1914, Roy. Acad. etc. (Publ. at the „Graphic") p. 10, 167.

Hen, Catharina de, s. *Knibbergen,* C.

Hénaff, Alphonse (François A.), Maler, geb. 1821 in Guingamp, † vor 1900, Schüler von A. Devéria, P. Delaroche und C. Gleyre in Paris seit 1840, malte religiöse Bilder, 1845 in staatl. Auftrag „Sacré-Coeur", 1846 „Rosaire", 1848 eine „Taufe Christi" für seine Vaterstadt, die ihn dann mit dem Schmuck der Totenkapelle ihrer Kirche Notre-Dame beauftragte. Die 3 Hauptgemälde dieser Folge, Auferstehung, Fegefeuer und Hölle, zeigte H. 1853 im Pariser Salon, die übrigen ebenda 1855. In der Eustachius-Kapelle der Pariser Kirche gleichen Namens malte er in Wachsfarben (einer von ihm gepflegten Technik) Berufung und Taufe des hl. Eustachius (1852 in Auftrag gegeben), später (1865) in der Pariser Kirche St. Etienne-du-Mont (Josephskapelle) 2 Szenen aus dem Leben des hl. Hilarius. Andere Wandmalereien in: Rouen, Apsis von Saint-Godard; Nantes, Fries und Zwickel der Kuppel von Notre-Dame-de-Bon-Port (voll. 1862) und ebenda Dekoration der Apsis; Rennes, Kathedrale.

Gaz. des B.-Arts, X (1861) 269; XI 377 f.; XVIII 344, 352/56 (Abb.); XXII 58. — Revue de Bretagne et de Vendée, Sept. 1865 (C. Marionneau); Janv. 1877 (L. de Kerjean), nicht benutzt. — Invent. gén. d. Oeuvres d'Art, Ville de Paris, Ed. rel., IV (1886) 478. — Maillard, L'Art à Nantes au XIXᵉ siècle, (o. J.) 239 f.

Hénard, Antoine Julien, Architekt in Paris, geb. 11. 1. 1812 in Fontainebleau, † 1887, Schüler der Ecole des B.-Arts unter Huyot und L. H. Lebas, erhielt 1837 den 2. Rompreis für einen Pantheon-Entwurf, zeigte seit 1840 im Salon Entwürfe, u. a. für die Grand Opéra (1861) und für zahlreiche von der Commiss. d. monum. hist. ausgeführte Restaurierungen. Von ihm in Paris: 1873 Wiederaufbau der 1871 abgebrannten Kirche Notre-Dame de Bercy (auch Kanzel und Chorgestühl nach seinem Entwurf); 1874/77 Mairie des XII. Arrondiss.; 1887 Kaserne Pont-Royal; ferner Schulen, Hotels, Privathäuser, Grabdenkmäler (für General Durosnel 1849 in Paris, für General Lepic 1848 in Andresy [Seine-et-Oise]). — 2 Söhne H.s waren ebenfalls Architekten, Schüler ihres Vaters: Gaston Charles Eugène, geb.

in Paris 1843, † 1897 (stellte aus im Salon 1868, 69, 72, 80), und E u g è n e   A l f r e d , geb. in Paris 1849; von beiden u. a. Schulgebäude in Paris.

Gaz. d. B.-Arts, III (1854) 32, 186; XI 191. — Arch. de l'art franç., docum. V (1857/8) 324. — B e l l i e r - A u v r a y , Dict. gén., I (1882); Suppl. — Revue gén. de l'archit., 1861 Taf. 43 u. 45; 1882 Taf. 3/6; 1883 Taf. 8/11. — Courrier de l'art, 1887 p. 320 (Nekrol.). — C h a m p i e r - S a n d o z , Palais Royal, 1900 II p. 206. — D e - l a i r e , Archit. Elèves, 1907. — Invent. gén. d. oeuvres d'art, Ville de Paris, Ed. civ. I (1878); Ed. rel. III (1884). — Rich. d'art, Paris Mon. civ., II (1889); Mon. rel., III (1901). — Kataloge: Expos. univ. Paris 1889, B.-Arts 1789 bis 1889 p. 54; Salon (Soc. d. Art. Franç.) 1921 p. XXXVIII.

Hénard, C., franzö̈s. Miniaturmaler und Radierer. Tätig in London (1785, 1798/9) und Paris (1806, 1808, 1810, 1812). Beschickte in diesen Jahren die Royal Acad. und den Pariser Salon. Seine Bildnisse verewigen hauptsächlich Schauspielerinnen und Sängerinnen. Ein reizendes Bildnis der Mlle Dauberval (Rad.) ist bez. C. Henard. J. Ward und H. Meyer haben nach ihm je ein Bildnis der Sängerin Chevalier (1799) und eines Mr. John Parish in Schabmanier gestochen. Ein Miniaturbildnis, Junge Dame mit Rosengirlande, Deckel einer Pariser Golddose, bez. henard, war 1918 in Hannover aus Privatbes. ausgestellt. Ein Bildnis des Dichters Jacques Delille wurde von Th. Chelsman gestochen.

Graves, Royal Acad., IV (1906). — B e l l i e r - A u v r a y , Dict. gén., I (1882). — G i l l e t , Nomenclat. des ouvr. . . de Paris, 1911. — P o r t a l i s   e t   B é r a l d i , Graveurs 18e siècle, III, 737. — M i r e u r , Dict. des Ventes d'art, 1901 ff. III. — Kat. Ausst. Bildnismin. Hannover, 1918. — Cat. of engr. Brit. Portr. Brit. Mus. I (1908) 426; II (1910) 408. — D u p l e s s i s , Cat. Portr. etc. Bibl. Nat. Paris, 1896 ff. III 12172$_{12}$.

Hénault, Miniaturmaler, siehe *Hainault* (Bd XV p. 487 u. Nachtrag).

Hénault, A n t o i n e , Maler in Paris, geb. 26. 12. 1810 in Lyon, Schüler der Ecole des Beaux-Arts ebenda, dann in Paris von Ingres, zeigte Porträts und Stilleben, auch einige Genrebilder in Lyon seit 1833, im Pariser Salon 1842/48, 1857, 59, 63/65, 67. — H.s Gattin S t é p h a n i e , geb. *Séron,* Porträtmalerin, geb. in Amiens, Schülerin von Hersent, stellte 1844/46 und 1857 im Salon aus.

B e l l i e r - A u v r a y , Dict. gén., I (1882). — B é n é z i t , Dict. des Peintres etc., II (1913).

Hénault, L o u i s   C a s i m i r , Porträtmaler und Lithograph in Paris, geb. 1. 11. 1836 in Rouen, seit 1855 Schüler der Pariser Ecole des B.-Arts und von L. Cogniet, stellte 1861/85 häufig im Salon (Art. Franç.) aus.

B e l l i e r - A u v r a y , Dict. gén., I (1882). — B é n é z i t , Dict. des Peintres etc., II (1913).

Hénault, L u c i e n   A m b r o i s e , Architekt, in Paris und Chile tätig, geb. 1823 in Bazoches, Schüler der Pariser École des Beaux-Arts unter

L. H. Lebas; von ihm zahlreiche Bauten in Santiago (Deput.- und Senatoren-Kammer, naturhist. Mus., Theater usw.), in Valparaiso (französ. Kloster) und La Serena (Lyceum).

D e l a i r e , Archit. Elèves, 1907.

Hénault, S t é p h a n i e , siehe im Artikel *Hénault,* Antoine.

Henchman, D a n i e l , amer. Silberschmied, geb. in Lynn, Mass., 1730, † in Boston 1775. Kanne, Marke Henchman in Rechteck, im Besitz der First Congregational Soc. (Unitarian) in Quincy, Mass.; Punschbowle im Dartmouth College.

J o n e s , Old Silver Amer. Churches, 1913 p. 396. — B i g e l o w , Historic Silver, 1917 p. 50, 420. — Burlington Mag., IV (1906) 422.
F. H. Bigelow.

Henchoz, J. P., Schweizer Porträtmaler, Mitte 18. Jahrh., malte u. a. in Neuchâtel die Bildnisse J. F. Osterwald (gestochen 1744 von G. F. Schmidt) und Dr. J. A. d'Ivernois.

B r u n , Schweizer. Kstlerlex., II (1908).

Henck, J o h a n n   C h r i s t i a n , Goldschmied in Riga, 1750 Meister. Von ihm eine silbervergold. Patene im Dom zu Riga; im Dommus. silb. Deckelpokal mit Inschr. von 1764 (früher i. Bes. der Rigaschen Stadtgarde) und Tabaksdose mit Darstell. des Einzuges des Kaisers Paul in Riga 1797; i. Bes. der Drechslergesellschaft Riga silb. Deckelbecher mit Inschr. von 1756; i. Bes. der Fleischergesellensch. Riga 2 silb. Becher mit Inschr., der kleinere von 1775; i. Bes. der Maurergesellensch. Riga silb. Becher mit Deckel und eingelegten Münzen von 1670/1716, Inschr. und 1755, und 2 silb. Löffel mit Inschr. und 1769; i. Bes. der Schlosser- und Büchsenschmiedegesellensch. Riga silb. Löffel mit Inschr. von 1752. Andere Arbeiten in Rigaer und Petersburger Privatbes.

N e u m a n n , Verzeichn. balt. Goldschmiede, S. A. aus Sitzungsber. d. Gesellsch. f. Gesch. u. Altertumskunde der Ostseeprov. etc., 1905 No 360; d e r s . , Dom zu St. Marien in Riga, 1912 p. 122. — M. R o s e n b e r g , Goldschmiede Merkzeichen, ^{2} 1911.

Henck, S o f i e   Ernestine, Malerin, geb. in Kopenhagen 3. 4. 1822, † 8. 2. 1893 im Kloster Christiansdal (Amt Praestø, Seeland), Schülerin von J. L. Jensen und O. D. Ottesen, 1848 in Dresden, 1857/58 (Winter) in Paris; 1858—76 zeigte sie in Charlottenborg Blumenstücke, Frucht- u. Blumen-Stilleben, auch Kopien nach Blumenbildern älterer Meister. Im Mus. in Aalborg Kopie nach J. van Huysum.

W e i l b a c h , Nyt Dansk Kunstnerlex., 1896. — R e i t z e l , Fortegnelse over Danske Kunstneres Arb., 1883.

Hencke, P e t e r , Bildhauer u. Elfenbeinschnitzer, † 1777 in Mainz als Lehrer an der Kurfürstl. Kunstschule; Bruder des Mainzer Hofstukkators A n d r e a s H., mit dem er um 1763 unter dem Archit. F. J. Stengel am Innenausbau des

Residenzschlosses zu Usingen u. 1769 an dem des Schlosses zu Mainz als Holzbildhauer tätig war. Für die Mainzer St. Peterskirche lieferte er die Kanzel (Holz, weiß und gold, „von prickelnder Lebendigkeit" [Dehio, Handbuch d. dtschen Kstdenkmäler, IV, 1911]) u. die Statuen der Apostel Petrus u. Paulus. Von seinen Elfenbeinarbeiten sah Nothnagel um 1775 einen 10 Zoll hohen Kruzifixus in der Bognerschen Slg zu Frankfurt a. M. Mit vollem Namen bezeichnete er ein großes Elfenbein-Relief der Himmelfahrt Mariä (Privatbes., Abb. in Scherer's Studien) und das Gegenstück, Himmelfahrt Christi (versteig. bei Lepke-Berlin; Abb. im Auktionskatal. 1162 No 56), mit seinem Monogramm folgende Reliefs in öffentl. Besitz: Braunschweig, Landesmus., Maria mit dem Kinde, hl. Familie (Vorlage ein Stich von F. Poilly nach L. Baugin), trunkener Bauer, Bettler (diese beiden nach Stichen von P. Quast), spielende Putten (Kopie eines Reliefs von L. Fayd'herbe im Bayer. Nat.-Mus. München); Dresden, Grünes Gewölbe (Katal. 1906 p. 4, cf. 1915 p. 30) Replik des Braunschw. Bettler-Reliefs; Schwerin i. M., Landesmus. (Führer v. Josephi, Die Prunkräume etc., 1922 p. 45, 46) Madonna, Judith; Amsterdam, Nederl. Mus. (Katal. 1915 p. 73 No 258), Gruppe nackter Kämpfer. Charakteristisch für diese Arbeiten sind nach Scherer die lebendige und maßvoll realistische Darstellungsweise, unruhige Gewandbehandlung, Übertreibung in Ausdruck und Gebärden und auffällige Verstöße gegen die Zeichnung.

N o t h n a g e l, Raison. Verz. der Bognerischen Kstsammlg zu Frankf. a. M., 1778 N. 1092; F ü ß l i, Kstlerlex., 1806 ff. u. N a g l e r, Bd VI („Henck"). — C h r. S c h e r e r, Studien z. Elfenbeinplastik d. Barockzeit, Straßbg 1897 p. 63—68 (m. Abb.) u. Taf. 8; d e r s., Elfenbeinplastik seit d. Renaiss., Leipzig p. 106 (m. Abb.). — E. Z a i s in Zeitschr. d. Vereins z. Erforschg Rhein. Gesch., III (Mainz 1887); IV 397; cf. Mainzer Zeitschr., X 1915 p. 36. — H. V o g t s, Mainzer Wohnhaus i. 18. Jhdt, 1910 p. 55, 88. — K. L o h m e y e r, F. J. Stengel, Düsseld. 1911 p. 67. — Jahrb. d. ksthistor. Samml. d. allerh. Kaiserh., XXXV Heft 3 (1920) p. 155. *

Henckel, C a r l, Maler und Illustrator in Berlin, geb. 27. 3. 1862 ebenda, studierte zuerst an der Dresdner Akad., dann in München und Stuttgart, wo er Schlachtenbilder malte. Ausgedehnte Reisen führten ihn bis nach Amerika, wo er anläßlich der Weltausstell. in Chicago 1893 als Illustrator für ausländ. Zeitungen tätig war. Dadurch kam er auf die Darstell. der Naturvölker (Siouxindianer) und schließlich zur Kostümkunde. Sein bedeutendstes Werk ist der große „Armeeatlas der deutschen Armee, Marine und Schutztruppen" (1898); ähnlich stellte er die schweizer. und die ital. Heeresmacht dar (1903). Auch durch plastische Arbeiten — selbst Spielzeug, wie er es für die Dresdner Werkstätten für Handwerkskunst entwarf — sucht H. Interesse am

Militärwesen zu erwecken. Seine für die Dresdner Städteausstell. 1903 gefertigten großen Anschauungstafeln bewahrt das Schulmus. ebenda; Gedenkblätter von seiner Hand besitzen viele Regimenter (3 die Kartensamml. der Sächs. Landesbibl. zu Dresden); andere Arbeiten in der Armeesamml. zu Dresden. H. ist als Hilfsarbeiter im Reichskriegsmus. zu Berlin tätig.

B r. V o l g e r, Sachsens Gelehrte, Kstler, 1907/8 p. 51 f., mit Abb. — Katal. akadem. Kstausst. Dresden, 1883. — Die Kunst, XVIII (1908) 143, Abb. — Dressler's Ksthandb., 1921 II.
Ernst Sigismund.

Henckel, C a r l Frederik Theodor, Lithograph, geb. 15. 4. 1801 in Aalborg, † in Kopenhagen 5. 3. 1853, bezog 1814 die Kadettenschule in Kopenhagen und erhielt 1842 seinen Abschied mit dem Range eines Stabskapitäns. Lithograph im Stabe des Generalquartiermeisters, errichtete H. nach 3 jähr. Auslandsreise 1827 in Kopenhagen eine Steindruckerei, die nicht nur Gebrauchsgraphik lieferte, sondern auch Bildnisse u. Kunstblätter aller Art. Seine Anstalt genoß im Wettstreit mit der Kgl. Steindruckerei bedeutendes Ansehen. 1831 zeigte er Arbeiten in der Akad., 1838—40 in Charlottenborg, z. B. 1840 „Gefängnisszene in Rom" nach Marstrand. Asmus Kaufmann war als Lithograph sein Schüler. 1848 gab er sein Unternehmen auf und zog als Freiwilliger in den Krieg. — Von seinen Bildnislithogr. seien genannt: Sophia Fried. Christiane Brun, Dichterin, nach Heuer; J. L. Heiberg, nach C. Plötz; J. P. Købke, nach Chr. Købke; Graf A. W. Moltke, nach dem Gemälde von Aumont; Schauspieler N. P. Nielsen; ferner, Joh. d. T. nach Thorvaldsen (Frauenkirche), dänischer Kunstverein Kopenhagen, 1838, usw.

W e i l b a c h, Nyt Dansk Kunstnerlex., 1896. — S t r u n k, Cat. ov. Portr. af Danske, Norske og Holstener, 1865, No 457 b, 1061 a, 1575, 1869, 2025 b. — Weigels Kunstcatalog, 1838—66, II No 9656.

Henckels (Henkel), J o h a n n A b r a h a m, Schwertfeger, Vergolder und Ätzer in Solingen. Schön geätzte und vergoldete Säbelklingen, darunter eine 1747 dat. u. mit vollem Namen bezeichnete, im Armee - Mus. München und Nat.-Mus. München. *St.*

Hencz, A n t a l (Anton), ung. Architekt, geb. 14. 1. 1839 in Csikvánd (Com. Győr). Schüler von Friedr. Schmidt in Wien. Zuerst in Budapest ansässig, wo er in Verbindung mit dem Archit. Bergh eine Reihe Zinshäuser baute. Von Mitte der 60 er Jahre an wirkte er in Győr, auch literarisch tätig. Aufsehen erregte seine Polemik mit d. Kunstkritiker u. Archäologen Henszlmann über eine gesunde Stilentwicklung in der Architektur gegenüber der gotisierenden Propaganda seines Gegners.

I p o l y F e h é r, Győr megye és város egyetemes leirása, Budapest 1874 p. 635. — Archaeologiai Értesitő, V (1871) 161. — Vasárnapi

Ujság, 1860 p. 624; 1861 p. 91; 1862 p. 232; 1864 p. 115. *K. Lyka.*

Hende, falsch für *Eynde,* Norbert van den (Sohn des Hubrecht).

Hende, A m a n d   J o s e p h   v a n   d e n, Stecher, Maler und Architekt, Akad.-Professor in Oudenaarde, geb. ebenda 2. 3. 1754, † ebenda 2. 5. 1843; von Kramm (ohne Angabe von Werken) in die neueren Lexika übernommen.
K r a m m, Levens en Werken, Aanhang (1864).

Hende, L o u i s   v a n, Holzbildhauer in Brügge, 1520—33 erwähnt, schnitzte (Vertrag von 1522) einen Altar nach gegebener Vorlage.
Beffroi, III (1866/70) 299.

Hende, V i n c e, ung. Maler u. Kunstgewerbler, geb. in Kecskemét 17. 4. 1892. Tätig in Budapest, wo er 1906—12 die Kunstgewerbeschule besuchte. Im Anschluß an die vielseitige künstl. Tätigkeit seines Freundes Aladár Körösfői-Kriesch widmete er sich hauptsächlich der dekor. Wandmalerei, Glasmalerei u. allen jenen Techniken, welche sich der architekt. Gestaltung anschließen, und wurde Mitbegründer des Künstlerbundes „Cennini-Társaság". Seine von 1912 an in Budapest ausgest. (meist Tempera-) Malereien behandeln zumeist Vorwürfe aus Dichtungen u. Musik, so „Die Nacht des schwarzen Mondes" von Ady, Dante's „Vita Nuova" (1914, später in der Budap. Dante-Ausstellg wiederum ausgest.). 1915 erhielt er den Ipolyi-Preis in Budapest für das Gemälde „Vision des Palestrina". Eine Reihe fein stilisierter Kartons für Glasgemälde (alle ausgef. im Badepalais Gellértfürdő u. in Budap. Privatbauten) mit Vorwürfen aus Grillparzer-Dramen, der Tristan-Sage, der Odyssee u. aus Arany's Dichtung „Szilágyi Erzsébet". Seine Fresken u. Sgraffitti schmücken das Sparkassengebäude in Szombathely. Außer Gobelins beschäftigen ihn z. Z. Bühnendekorationen zu Wagners Parsifal.
A Műbarát, II (1922) 154. — Mitteil. des Künstlers. *K. Lyka.*

Hendel (Händel, Hendell), Glockengießerfamilie in Zwickau, 17. Jahrh.: L o r e n z goß 1617 die Schlagglocke der Kirche zu Bernsdorf; ferner gemeinsam mit Steff. Buchheim Glocken in Oelsnitz (1616, Kreuzigungsrelief), Thurm (1618), Waldkirchen (1622), Niederschindmaass (1624), Kloschwitz, Langenleuba-Oberhain und Netzschkau. — H a n s lieferte Glocken für Hundshübel (1644), Niederplanitz (1644), Neundorf b. Burgk (1651), Stelzen (1662), Brünlos (1665) und Chemnitz, Joh.-Kirche (1668); gemeinsam mit Simon Brock für Hirschfeld (1650, Reliefbildnis Luthers); gemeinsam mit dems. und Georg Schesler für Zwickau, Marienkirche (1650) und Weidensdorf (1650, Kreuzigung und Lutherbildnis). — J o h a n n (identisch mit Hans?), † 1677, goß 1676 je eine Glocke für Rodersdorf und Mülsen St. Niclas. — Sein Sohn D a n i e l (Joh. Daniel Heinrich) lieferte Glocken für Grün-

städtel (1655 u. 59), Schneeberg, Wolfgangskirche (1680 Umguß der ehemal. Bergglocke), Chemnitz, Rathaus (1686), Bärenstein (1687), Straßberg (1688), Niederplanitz (1688 u. 95), Zwickau, Moritzkirche (1690 u. 92), Zschorlau (1698), Eibenstock, Kloschwitz und Waldkirchen.
Bau- u. Kstdenkmäler Kgr. Sachsen, IV (1885); VII; VIII; IX; XI; XII; XIII; XIV. — W a l t e r, Glockenkde, 1913 p. 767. — Vogtland, II (1913/14) 112 f. — Roland, XIX (1918) 15. — 26. u. 27. Jahresber. u. Mitt. d. Ver. f. Greizer Gesch., 1920 p. 23.

Hendel (Hendl), J o s e p h, Maler in Wien um 1820; von ihm das Hochaltarbild (St. Laurenz) in der Pfarrkirche von Simmering, bez. „J. Hendel p. 1819"; vermutlich von ihm im Bes. des Ministeriums für Kultus und Unterricht in Wien das Gemälde „Großmutter" (Verzeichn. der in der Landesgal. Linz a. D. ausgest. Bilder [ca 1900] p. 11).
B ö c k h, Wiens leb. Schriftsteller etc., 1822 p. 257. — Österr. Ksttopogr., II (1908) 12.

Hendel (Hahndel), M i c h a e l   E u s e b i u s, Goldschmied in Lőcse (Leutschau), Ungarn, dort von 1733 an als Meister wirkend. 1760 wird seine Witwe erwähnt. — Sein Sohn, J o h a n n e s   D a v i d, 1760 Mitglied der Innung. Von ihm eine silb. Kanne mit der Inschrift: Curavit Comunitas Evangelica Kesmarkiensis . . . Anno 1774. Fecit J. D. Hahndel Leutschoviae" in der ev. Kirche zu Késmárk.
Archaeol. Értesítő uj folyam, Budapest, XXII 285, 286; XXVI 60, 61. — K. D i v a l d, Szepesvármegye művészeti emlékei, III (Bud. 1907) 83 (Abb. p. 81). *K. Lyka.*

Hendel (Händel), P e t e r   A n d r e a s, Goldschmied in Königsberg i. Pr., 1671 Meister, erwähnt bis 1699; von ihm u. a. ein getriebener Apostelkrug (Abb. bei Czihak) in der Tragheimer Kirche in Königsberg; ebenda in der Neurossgärter Kirche und in der Burgkirche, ferner in den ostpreuß. Kirchen zu Heiligenbeil, Laptau, Lichtenhagen, Lyck, Medenau, Neuendorf, Neuhausen, Schippenbeil kirchl. Gebrauchsgegenstände; i. Bes. von Graf Dönhoff-Friedrichstein ein reichverzierter Pokal, sogen. „Hansje-in-de-Kelder", von 1697 (Abb. bei Czihak).
v. C z i h a k, Edelschmiedekst früherer Zeiten in Preußen, I (1903). — M. R o s e n b e r g, Goldschmiede Merkzeichen, [2] 1911.

Hendel, Z y g m u n t, Architekt u. Architekturschriftsteller in Krakau, geb. ebenda 25. 4. 1862, Schüler der Techn. Hochschule, dann der Akad. der bild. Künste in Wien. Nach Krakau zurückgekehrt, arbeitete er längere Zeit bei dem Archit. Thad. Stryjeński und beteiligte sich an der Ausführung des neuen Universitätsbauten, des Palastes des Fürsten Dom. Radziwill in Balice, an Konkurrenzausschreibungen für ein fürstl. Lubomirski'sches Knabenheim usw. Mit dreijähr. Stipendium ging er 1889 zunächst nach Paris, wurde dort Schüler J. Pascal's und arbeitete bei den Archit. J. Suffit, Leroux u. Bittner. Besuchte gleichzeitig die École des Beaux-Arts und die École des Arts décor. Selbständig entwarf er damals die Pläne für ein Gymnasium in Baudevillier und eine land-wirtschaftl. Schule in Cernier. 1891 unternahm H. eine Studienreise durch Frankreich, Belgien, Holland, Deutschland und Norditalien. Nach der Heimkehr erhielt er einen Lehrerposten an der Kunstgewerbeschule des Barons Hirsch; gleichzeitig entwickelte er eine intensive prak-tische Bautätigkeit, betrieb daneben eifrig architekturgeschichtl. Forschungen und betätigte sich auch schriftstellerisch (Monographie des Schlosses Tenczyn, Untersuchungen über den Ölberg bei der Barbarakirche, St. Aegidius-kirche in Krakau u. a.). Als mustergültig er-scheinen seine Restaurierungsarbeiten, wie z. B. die Wiederherstellungen des mittelalterl. Diö-zesan-Museumsgeb. am Wawel, der hl. Kreuz-kirche, hl. Andreaskirche, des Dominikaner-klosters, der alten Synagoge in Krakau, des Schlosses Rzemień und vieler Kirchen in der Provinz. In seinen Restaurierungsarbeiten wie auch in den Rekonstruktionsprojekten bewährt H. ein sicheres Ergreifen und Hervorheben der Charakteristik der Baudenkmäler. 1904 wurde H. zum Direktor der höheren Gewerbeschule in Lemberg ernannt, 1905 übernahm er die Leitung der Restaurierungsarbeiten des kgl. Schlosses am Wawel, von welchem Posten er aus Gesundheitsrücksichten während des Welt-krieges zurücktrat.

Swieykowski, Pamietnik Tow. sztuk piek. w Krakowie, 1905 p. 226, 344. — Wielka Encyklop. ilustr., 1901, Bd 28 p. 678. — Lepszy, Krakau (Berühmte Kunststätten No 36) Lpzg 1906. — Teka konserwatorów, Galicyi zachodniej, I—IV. — Architekt (Verlag d. techn. Vereins Krakau), 1900 p. 45, 152, 187, Tafel II—IV; 1901 p. 119, 128; 1902 p. 50, 53, 56, 99, 102, 132, Tafel XX, XXV, XXVI, XLIX, LI, LII; 1903 p. 51, 57, Tafel X, XXVII, XXVIII; 1905 p. 134, 143, 186, 190, Tafel XLIII, XLIV; 1907 p. 58.

Leonard Lepszy.

Hendericks und **Henderix**, unter *Hendricks* eingeordnet.

Henderson, A n d r e w , schott. Bildnismaler u. Radierer, geb. in Cleish bei Kinross 1783, † 1835. Sohn eines Gärtners bei einem hohen Beamten, war H. zuerst Gärtner, dann Kauf-mann und kam März 1809 nach London, wo er 3 oder 4 Jahre an der Royal Acad. studierte, kehrte 1813 nach Schottland zurück, wo er ungefähr 20 Jahre als Bildnismaler in Glasgow tätig war. Stellte 1828—30 in der Edinburgher Akad. aus und veröffentlichte 1832 die „Scottish Proverbs" mit eigenhänd. Radierungen (2. Aufl. London 1876, ohne Rad.). „The Laird of Logan. Anecdotes and Tales illustrative of the Wit and Humours of Scotland", gemein-sam mit W. Motherwell und John Donald Carrick, posthum ersch. 1841, enthält viele

biogr. Einzelheiten über H. und in der Vorrede die Biographien der 3 Freunde. Ein Selbst-bildnis H.s war 1835 in Glasgow aus Privat-bes. ausgestellt. Er war Gründer-Mitglied der Glasgower Soc. of Dilettanti (1825).

Dict. Nat. Biogr., XXV (1891) 396.

Henderson, C h a r l e s C o o p e r , engl. Pferdemaler u. Radierer, geb. in Abbey House, Chertsey, 14. 1. 1803, † in Lower-Halliford-on Thames, jüng. Sohn des Malerdilettanten John I (s. d.) u. Bruder des gleichnam. Kunstsammlers u. Archäologen (John II). Machte sich durch seine Sportbilder und -zeichnungen einen Namen. Als geschickter Pferdedarsteller hat er zahlreiche Bilder mit Postkutschen, Szenen von der Land-straße u. dgl. gemalt, von denen viele in Stichnachbildungen bei Messrs. Fores, Piccadilly, erschienen, und einige auch von ihm selbst radiert wurden. In jüngeren Jahren hat er auch einige ital. Veduten radiert. In der Win-terausstellung der Londoner Grosvenor Gallery 1890 waren von H. fünf Ölbilder aus engl. Privatbesitz ausgestellt.

Dict. Nat. Biogr., XXV (1891) 396. — Gra-ves, Royal Acad., IV (1906); Cent. of Loan Exhib., 1913 f. II.

Henderson, G e o r g i a n a J a n e , siehe im Art. *Henderson,* John (I).

Henderson, J o h n , engl. Schauspieler, Zeichner u. Radierer, getauft in London 8. 3. 1746/7, † das. 25. 11. 1785. Schüler des Daniel Fournier, für dessen „Theory and Practice of Perspective" (1764) er die Platten radierte. Erhielt 1767 für eine Zeichnung einen Preis der Society of Arts and Sciences. Betrat zuerst 1772 in Bath die Bühne (als Hamlet); erstes Auftreten in London, als Shylock, 1777. Galt als Nebenbuhler Garricks (gen. der Roscius von Bath). Sein von Gains-borough gemaltes Bildnis befand sich vor ca 20 Jahren im Besitz eines Nachkommen H.s und war einer öffentl. Kunstsamml. zugedacht. Andere, von Reynolds und Stewart gemalte Bildnisse H.s gehören dem Londoner Garrick-Club.

Dict. Nat. Biogr., XXV, mit ält. Lit.

Henderson, J o h n , schott. Theater- und Landschaftsmaler, geb. in Glasgow 1754, † in Dublin, 91 Jahre alt, 17. 6. 1845. Kam um dieselbe Zeit wie der Italiener Marinari nach Irland und malte mit ihm die Deko-rationen des Crow Street-Theaters in Dublin. Später schuf er zus. mit dem Theatermaler William Phillipps († 2. 2. 1848) die Dekorationen des Theaters in Hawkins Street. Stellte 1811 in der Dublin Soc., sowie 1830—45 in der Dubliner Akad. Landschaften aus. Außerdem malte er Fruchtstilleben und betätigte sich als Buchillustrator. — Sein Sohn E d w a r d , Kopist und Miniaturmaler, † 20jährig, bevor er ein ihm übertragenes Deckenbild in Castletown (Grafschaft Kildare) hatte vollenden können.

W. G. S t r i c k l a n d , Dict. of Irish Artists, 1913 I.

Henderson, J o h n (I), engl. Zeichner, Aquarellmaler u. Radierer (Dilettant), geb. 1764, † 1834; Gatte der Georgiana Jane Keate (s. u.), Vater der John II (s. u.) und Charles Cooper (s. d.). Einer der frühen Gönner Th. Girtin's und J. M. W. Turner's, die in seinem Londoner Hause häufig verkehrten. Zahlreiche Zeichnungen u. Aquarelle H.s gelangten aus dem Nachlaß seines Sohnes John in das Brit. Mus. (Printroom), u. a. ein Bildnis des Kunstsammlers Dr. Th. Munro (getuschte Federzeichn.), Aquarellkopien nach Girtin (2 Bl.), Ansichten von Dover (2 Bl. Bleistiftkopien nach Zeichn. Turner's aus der ehem. Slg Munro, früher fälschlich diesem zugeschr., vgl. Burlington Mag. IX [1906] 191 ff.; 1 Bl. davon auch von H. 1794 radiert), sowie ein Album mit ital. Veduten. — H.s Gattin G e o r g i a n a J a n e , Tochter des George Keate (s. d.), geb. 1770, † 8. 1. 1850, Genre- u. Bildnismalerin, stellte 1791 in der Soc. of Artists unter ihrem Mädchennamen 4 Arbeiten aus. Für ihres Vaters „Account of the Pelew Islands" (1788) zeichnete sie das Bildnis des Lee Boo, 15 Monate nach seinem Tode. Ihr von Angelica Kauffmann 1779 gem. Bildnis und ein anderes, 1792 von John Russell gemalt, befinden sich im Besitz ihres Enkels (vgl. über sie Dict. Nat. Biogr., XXX [1892] 271, unter George Keate, und Graves, Soc. of Artists etc., 1907). — J o h n (II), geb. 1797, † 1878, Kunstsammler u. Archäologe, angeblich auch Kunstdilettant („excellent artist", Dict. Nat. Biogr. XXV 403 f.). Seine bedeutenden Sammlungen vermachte er teils dem Brit. Mus. (griech. u. röm. Vasen, ägypt. Altertümer, Aquarelle von Canaletto, Turner, Girtin, Cozens u. a.), teils der Nat. Gall. (Aquarelle von G. Cattermole u. P. de Wint, Ölgemälde alter Meister).

Cat. of Drawings by Brit. Artists, Brit. Mus., II (1900) u. die im Text zit. Lit.

Henderson, J o h n , schott. Architekt, geb. in Brechin 14. 6. 1804, † in Edinburgh 27. 6. 1862. Begann als Gehilfe des Thomas Hamilton und machte sich dann in Edinburgh selbständig. Lieferte die Pläne für das Museum in Montrose (1836) und errichtete zahlreiche Kirchen im neugotischen Stil, u. a. in Edinburgh, Leith, Newhaven, Stirling, Glasgow und Montrose. Als sein Hauptwerk gilt die Kirche des Trinity College in Glenalmond (Perthshire). In normannischem Stil ist die St. Baldredskirche in North Bewick gehalten (1861—2, 1865 erweitert).

R e d g r a v e , Dict. of Art., 1878. — Dict. Nat. Biogr., XXV (1891) 402.

Henderson, J o h n , schott. Landschafts- und Bildnismaler in Glasgow. Sohn und Schüler des Joseph, Bruder des Jos. Morris. Tätig in Edinburgh und Glasgow, wo er z. B. 1902 im Royal Institute of Fine Arts ein Ölbildnis seines Vaters ausstellte. In Deutschland sah man seine Arbeiten 1891 bis 1912 ziemlich häufig auf den Münchner Jahresausstell. (1896 auch in der dort. Sezession). Auf der Berliner Gr. Kunstausst. 1894 zeigte H. das Bildnis einer Dame zu Pferde. Er liebt sommerliche Motive aus der Ebene oder dem Hügelland, blumige Auen mit stillen Gewässern, einsame Dörfer u. dgl. Das Prager Rudolfinum besitzt seine Landschaft „Im Hochsommer" (Führer usw. 1913), die Münchner Neue Pinak. ein Stilleben (Kat. 9. Aufl. o. J., z. Zt nicht ausgestellt).

J. L. C a w , Scott. Painting, 1905. — Art Journal, 1901 p. 102 Abb. — The Studio, XXV (1902) 207, mit Abb. — Kat. Glaspal.-Ausst. München, 1891, 95, 98, 1904, 6, 7, 8, 11, 12. — Cat. Espos. intern. d'Arte Venedig 1903.

Henderson, J o s e p h , schott. Genre-, Bildnis- und Marinemaler, geb. in Stanley (Perthshire) 10. 6. 1832, † in Ballantrae (Ayrshire) 17. 7. 1908, Vater der John und Joseph Morris. Studierte 1849—52 an der Edinburgher Akad. und kam 1852 als Gehilfe Robert Scott Lauder's nach Glasgow, wo er seitdem als ältestes und angesehenstes Mitglied der dort. Künstlerschaft ansässig war und im Royal Glasgow Institute regelmäßig ausstellte. Daneben war er mit seinen Ölbildern und Aquarellen 1871 bis 86 auch in der Londoner Royal Acad. und in den 90er Jahren besonders auf deutschen Ausstell. (München, Berlin) vertreten. In seiner Frühzeit malte H. unter Lauder's Einfluß und im Anschluß an die Tradition der schott. Schule gefühlvolle Genreszenen, ländliche Interieurs oder — seltener — Landschaften mit figürl. Staffage. Zu den besten Arbeiten dieser Art, die sich durch intime Beobachtung, korrekte Zeichnung und feinen Farbensinn auszeichnen, gehören „The Ballad" (1858); „The Sick Child" (1860) und „An Old Highland Kitchen" (1870). Im Bildnisfach sicherte ihm sein gefälliger Vortrag viele Aufträge. Das Genre trat dagegen bei ihm ganz in den Hintergrund, nachdem er Anfang der 70er Jahre seine Liebe für das Meer entdeckt hatte, dessen Darstellung er seitdem fast ganz seine Tätigkeit widmete. An Vielseitigkeit in der Auffassung des Meeres unter den Schotten wohl unerreicht, beschränkte er sich immer mehr auf die Wiedergabe der stillen See mit Motiven von den schott. Küsten. Die Figurenstaffage, die zuerst noch eine beträchtliche Rolle spielt, wird immer mehr Nebensache, verschwindet schließlich ganz oder beschränkt sich auf ein Segelboot, einen Netzfischer u. dgl., die als Stimmungsakzente und winzige Farbenflecke in der unendlichen Wasserfläche auftauchen. Die dunklen Farben seiner Palette hellen sich immer stärker auf, und die anfangs noch spröde Maltechnik wird immer frischer und flüssiger. Am liebsten sind ihm Meeresstimmungen, wo eine frische Brise die Wellen kräuselt und graue Regenwolken am Horizont hängen. In dieser Hinsicht gehört „Das Kommen der Flut" („The Flowing Tide", 1897) in der Glasgower Gal. zu seinen besten Arbeiten. H.s Hauptschaffen fällt in die letzten 15 Jahre seines Lebens. Die Glasgower Gal. besitzt von seiner Hand ferner 3 lebensgroße Porträts, darunter 2 Bürgermeister, und einige Seestücke. H. war auch Mitglied der Royal Scott. Water-Colour Soc. H.s von seinem Sohn John gemaltes Bildnis befindet sich in dessen Besitz; ein anderes, von W. Mc Taggart gemalt, besitzt die Witwe. Eine Doppelmedaille H.s und seiner 3. Gattin hat John Mossman geschaffen. Nach H.s Tod veranstaltete die Royal Glasgow Instit. ihm zu Ehren eine Gedächtnisausst., während 1901 im dortigen Künstlerklub eine Kollektivausst. seiner Werke stattfand.

Dict. Nat. Biogr., 2ᵈ Suppl. — J. L. C a w , Scott. Painting, 1908. — The Art Journal, 1898 p. 370 (Abb.), 371. — G r a v e s , Dict. of Artists, 1895; Royal Acad., IV (1906); Loan Exhib., 1913 f. II; IV.

Henderson, J o s e p h M o r r i s , schott. Landschaftsmaler, geb. in Glasgow 1863, lebt daselbst. Bruder des John, Sohn und Schüler des Joseph, setzte er seine Studien bei Robert Greenlees an der Glasgower Kunstschule fort. 1892/3 und 1908 in der Londoner Royal Acad. und wiederholt im Pariser Salon (Soc. Artistes franç.), in Deutschland 1894—1912 häufig auf den Münchner Jahresausstell. vertreten: Sonderausstell. bei Schulte in Berlin. Bevorzugt namentlich „weite und vegetationsreiche Vordergrundmotive, mit Weiden und Binsen bewachsene stille Flußufer oder sanftwelliges Vorgelände aus den schott. Hochlanden mit wild zwischen grauen Granitblöcken talein stürzenden Gebirgsbächen" (Fr. W. Gibson). Die Glasgower Gal. besitzt sein Gemälde „In the Meadow"; das Prager Rudolfinum „Waldbach" (Führer usw. 1913 p. 66).

J. L. C a w , Scott. Painting, 1905. — Art Journal, 1909 p. 153, Abb. — Seemann's „Meister der Farbe", X (1913) 666 (G i b s o n). — G r a v e s , Dict. of Artists, 1895 (nennt ihn irrtümlich John Morris H.). — Cat. Exhib. Royal Acad. 1908. — Cat. Salon Soc. Art. frç. Paris 1895, m. Abb.; 1905. — Kat. Glaspal.-Ausst. München, 1894/8, 1900, 1906—8, 1911—2.

Henderson, P., Bildnis-, Blumen- und Genremaler in London. Stellte 1799—1829 in der Royal Acad., Brit. Instit. und Soc. of Brit. Artists (Suffolk Street Gall.) hauptsächlich Bildnisminiaturen aus. Nach ihm haben T. Illman ein Bildnis der Prinzessin von Wales, J. Godby ein solches der Schauspielerin O'Neill gestochen.

G r a v e s , Dict. of Art., 1895; Royal Acad., IV (1906); Brit. Inst., 1908. — Cat. of engr. Brit. Portr. Brit. Mus., I (1908) 414; IV (1914) 551.

Henderson, R o b e r t , Bildhauer in London, zeigte 1820/30 in der Royal Acad. Tierplastik (Pferde), meist Bronzen, Reiterstatuen der Könige Georg III. und Georg IV., Statue des Herzogs von York und Porträtbüsten.

G r a v e s , Dict. of Art., 1895; d e r s., Roy. Acad., IV (1906); Brit. Instit., 1908.

Henderson, R o b e r t , Miniaturmaler in London, geb. 1826 in Dumfries, † 19. 10. 1904, zeigte 1883/93 in der Royal Acad. zahlreiche Bildnisse, porträtierte viele engl. Aristokraten. Über seine sorgfältige, der Art von Sir Will. Ross nacheifernde Technik hat er sich gegen J. J. Foster (Chats on old miniatures, 1908 p. 57 ff.) ausführlich geäußert.

G r a v e s , Roy. Acad., IV (1906). — Art Journal, 1904 p. 381. — S c h i d l o f , Bildnisminiatur in Frankreich, 1911.

Henderson, W. S. P., Genremaler in London, stellte 1836/74 in der Royal Acad., Suffolk Street und bes. häufig in der Brit. Instit. aus.

G r a v e s , Dict. of Art., 1895; d e r s., Roy. Acad., IV (1906); Brit. Instit., 1908.

Henderson, W i l l i a m , Maler in London, stellte 1817/48 in der Royal Acad. und der Soc. of Brit. Art. aus (Richard III., Stilleben, Akt usw.). W. T. Fry stach nach ihm das Porträt des Pfarrers J. B. Holroyd. — H.s Gattin zeigte in der Roy. Acad., Brit. Instit. u. Soc. of Brit. Art. 1816/41 bibl. u. histor. Gemälde.

G r a v e s , Dict. of Art., 1895; d e r s., Roy. Acad., IV (1906); Brit. Instit., 1908. — D u p l e s s i s , Cat. Portr. Bibl. Nat. Paris, 1896 ff., V 22 031.

Henderson, W i l l i a m P e n h a l l o w , amer. Maler, geb. in Medford, Mass., Schüler Tarbell's an der Boston Museum School. Malt hauptsächlich Figurenbilder aus Neumexiko, Indianer, Cowboys u. dgl. — Arbeiten im Art Instit. zu Chicago („The green Cloak"; Pastelle mit Indianertänzen) und im Mus. zu Denver.

Amer. Art Annual, XVIII (1921) 449. — Amer. Art News, XXI (1922) Nr 6 p. 1, m. Abb., Nr 7 p. 2.

Hendl (Hennel), M i c h a e l , Bildhauer in Gurk, 17. Jahrh., fertigte den Hochaltar in der (1672 erneuerten) Kirche St. Maria in der Wüste bei St. Lorenzen (Steiermark).

Kirchenschmuck, XXX (1899) 49.

Hendler (Händler), Modelleur an der Fürstenberger Porzellanfabrik, zuerst in Meißen als Bossierer tätig; dort mit andern Fabrikanten 1769 entlassen, ging er zunächst nach Wien, später nach Fürstenberg, wo er anscheinend 1780—85 gearbeitet hat. Von seinen damals in Fürstenberg entstandenen Modellen verdienen besonders vermerkt zu werden eine aus drei Figuren gebildete, ziemlich große Rundgruppe, die sog. Weinkügergruppe, ferner die Gruppe der Verwandlung der Dryope, und endlich die ihr kompositionell verwandte Gruppe des Prometheus als Menschenbildner, beide nach Stichen Le Grands bzw. Longueils gearbeitet.

B e r l i n g , Meißner Porzellan, 1900 p. 174 Anm. 319. — F o l n e s i c s u. B r a u n , Gesch. d. Wiener Porzell. Manuf., 1907 p. 182. — C h r . S c h e r e r , Das Fürstenberger Porzellan, 1909.

Chr. Scherer.

Hendrecy, M a r t i n , siehe *Hendricy,* M.

Hendrich, A n t a l (Anton), Maler in Budapest, geb. in Cegléd 15. 5. 1878, lernte auf der Akad. in Budapest u. wurde Zeichenlehrer. Seit 1905 beschickt er die Ausstell. in Budapest u. ist auch illustrativ tätig.

A Nemzeti Szalon Almanachja, Budapest 1912, p. 172. *K. Lyka.*

Hendrich, H e r m a n n , Maler u. Lithograph, geb. 31. 10. 1856 in Heringen a. Harz, zunächst bei einem Lithographen in Nordhausen in der Lehre, ging nach Aufenthalten in Hannover und Berlin zur Bühne (Detmolder Hoftheater und Düsseldorfer Stadttheater), widmete sich dann auf Studienreisen in Norwegen, Berlin, Amsterdam und Amerika der Malerei; studierte 1886/89 bei Wenglein in München und Bracht in Berlin, wo er sich niederließ. Der Eindruck der Tondramen Rich. Wagners und der norweg. Natur, dabei ein Hang zum Mystizismus regten H. zur Ausbildung seiner Spezialität an: nordische, oft Seelandschaften in Verbindung mit Gestalten der german. Mythologie. Neben den heroischen (Beowulf, Fafner, der Nibelungen Fluch, Walkürenritt, schlafende Brünhilde, Gralsburg usw.) behandelt er auch spuk- und gespensterhafte Themen (das zweite Gesicht). Seine Begabung für das Landschaftliche, die sich in Aquarellstudien und in den weniger anspruchsvollen Bildern ohne Staffage aus dem Riesengebirge und dem Harz am erfreulichsten äußert, und seine oft durch Vorbilder (Böcklin) geleitete Phantasie bewahren seine Werke nur selten vor dem manchmal auch durch die Farbenwahl gesteigerten Eindruck des Sensationellen, sogar Opernhaften. In Sonderausstellungen häufig gezeigt, fanden sie um 1890 durch den Gegensatz zur naturalist. Malerei viel Aufmerksamkeit. Mehrere seiner Bilder (u. a. „Atlantis") gelangten in kaiserl., „Siegfrieds Tod" und „Fliegender Holländer" in großherzogl. oldenburg. Besitz (Verzeichn. der z. Fideikomm. gehör. Kstwerke, Oldenburg 1912), „Seesturm" in das Krefelder Mus. (Bericht d. Kaiser-Wilh.-Mus., 1899 p. 28), andere in die Slgn in Schwerin, Elberfeld, Metz. Die „Walpurgishalle" im Harz (Hexentanzplatz) und die „Sagenhalle" im Riesengebirge (Schreiberhau) enthalten ausschließlich Gemälde H.s, Kiel besitzt im Kehdenhaus einen „Hendrich-Saal"; 12 durch Wagner's „Ring des Nibelungen" angeregte Bilder wurden für die Wagner-Gedenkhalle (1913) in Königswinter a. Rh. bestimmt. Einige seiner Bilder hat H. lithographiert.

F. v. B o e t t i c h e r , Malerwerke d. 19. Jahrh., I 2 (1895). — Der Hendrichsaal in Kiel (W. S c h ö l e r m a n n); Mein Leben und Schaffen (H. H.), Kiel 1906. — H. H., eine Dtsche Kstgabe, mit Geleitwort von G. H o l s t e i n , Berlin 1921. — A. K o e p p e n , H. H. u. seine Tempelkunst, in Westermann's Monatshefte, CIII (1908) 651 ff. (Abb.). — J a n s a , Dtsche bild. Kstler

in Wort u. Bild, 1912. — Zeitschr. f. bild. Kst, N. F. I (1890) 331; V 97; Kstchronik, XXII (1887) 586; XXIV 476; N. F. I 74, 276; IV 164; V 258; VI 237. — Kst für Alle, III (1888); IV; VI—XII; XVI (Die Kst III, 1901). — Kstwelt, II (1912/13) 535; Kstnachrichten, Beibl. z. Kstwelt, II 57. —Ausstellungskataloge: Berlin, Akad., 1886, 88/89, 90 (Abb.), 92 (Abb.), Gr. K.-A. 1893 (Abb.), 94/95, 97/98 (Abb.), 1903/16, 1918/20; Dresden, Aquar.-A. 1887; München, Glaspalast 1888, 1898/1900, 1904, 06, 08, 1917; Düsseldorf, Dtschnat. K.-A. 1902, Internat. K.-A. 1904.

Hendric d e S c h i l d e r e , Maler in Oudenarde. Malte 1476/7 das Stadtbanner, Schilde und Wimpel für die Miliz und bekam 1478/9 den Auftrag auf ein großes Gemälde des Jüngsten Gerichtes für die Schöffenkammer.

D e L a b o r d e , Ducs de Bourgogne, 2e Partie, II (1851) 397.

Hendrick v o n U t r e c h t , holl. Eisenschmied, fertigte die mit reichen geometrischen Mustern in durchbrochener Arbeit verzierten Türbeschläge in der Sakristei der Abtei S. Martino in Neapel, voll bez. u. dat. 1598.

Napoli Nob., X (1901) 171.

Hendrick, s. auch *Henricus.*

Hendricks, H e n d r i c k s z . , H e n d r i c x , H e n d r i k s usw., sämtlich hier eingeordnet.

Hendricks, A h a s u e r u s , amer. Silberschmied, geb. in Albany, N. Y., um 1640, † in New York 1727. Hoher zylindrischer Becher, dat. 1678, Marke *A*ʰ in Kreis, in der First Reformed Church zu Albany.

J o n e s , Old Silver Amer. Churches 1913 p. 2. — B i g e l o w , Historic Silver, 1917 p. 72. *F. H. Bigelow.*

Hendricksz., A n t h o n y , holl. Maler, von dem die 1630 dat. Malereien an einer Zimmerdecke im Hause Westhaven 65 in Gouda, mit Girlanden u. Vögeln, herrühren.

Bullet. v. d. Nederl. Oudheidk. Bond, Ser. II Bd 3 (1910). — Voorloopige Lijst der Nederl. Monum., III (1915) 83.

Hendricksz. (Henricksen), C o r n e l i s , s. unter *Vroom,* Familie.

Hendriks, D a m i a e n , Holzbildhauer in Haarlem. Erhielt 1535 Zahlung für Arbeiten am oberen Teil der Orgel in der St. Bavokirche und verfertigte in dems. Jahre die schönen Chorschranken von Eichenholz ebendort, deren Renaissance-Bekrönung noch ganz im Geist der Gotik empfunden ist.

A. v. d. W i l l i g e n , Artistes de Harlem, 1870 p. 56 (Damiaen). — A. W. W e i s s m a n , Geschied. der nederl. Bouwkunst, 1912 p. 213. — Voorloopige Lijst der Nederl. Monum., V/1 (1921) 126.

Hendricksz. (Heyndricsx), D i r c k , gen. *Errico* oder *Teodoro* (*d'Errico*) *Fiammingo,* niederländ. Maler, begraben in Amsterdam 20. 11. 1618. Aus Amsterdamer Urkunden geht hervor, daß er dort Brüder hatte und 1596 in Neapel ansässig war. Vielleicht ist er ein Verwandter (Sohn?) jenes Malers Errico von Mecheln, der sich 24. 1. 1567 zur Fortführung der von G. B. Lama in S. Gaudioso in Neapel beg. Arbeiten verpflichtete (Filangieri, II 35). 14. 2. 1574 erscheint H. in Neapel, als Trauzeuge des Malers Cornelis Smets. Vermutlich ist er auch mit jenem Teodoro Gerrico identisch, der zu jenen Malern gehörte, deren 6. 9. 1594 erfolgte Wahl zu Konsuln der Zunft 14. 6. 1595 bestätigt wurde (Rolfs). Nach Dominici soll H. ein Schüler des Ribera gewesen und später zu Guido Reni nach Bologna gegangen sein. Die ihm von Malvasia zugeschriebenen, von Lanzi gelobten Malereien in der dortigen Kirche S. Barbaziano sind nicht erhalten. Dominici unterscheidet von H. einen vielleicht von ihm erfundenen Errico Fiammingo, den er zu einem Schüler des G. Imparato macht und um 1630 jung sterben läßt. In Notariatsurkunden werden folgende Arbeiten H.s erwähnt (bis auf das Bild in Lettere [s. u.] sämtlich verschollen): 1578, Großes Altarbild für die Nonnen von S. Gaudioso in Neapel: Madonna mit dem Kinde zwischen den hl. Dominikus, Stefan, Petrus und einem König (r.), Katharina, Justina u. Katharina von Siena (l.); Predigt des hl. Dominikus mit Papst, König, Kardinälen u. and. Personen in der Predella. 1580, Altarbild für S. Maria della Grazia in Quindici bei Nola mit den Geheimnissen des Rosenkranzes. 1581, Große Altartafel für Ascanio von Capua, darstellend die Himmelfahrt Mariä mit den 12 Aposteln, nach dem Muster eines Bildes in S. Maria della Grazia bei S. Agnello. Altartafel für S. Cosma e Damiano in Terranova (Kalabrien): Maria mit dem Kind zwischen den hl. Dominikus und Kosmas (r.), Katharina von Siena und Damian (l.), Gottvater mit Engeln (oben) und Predigt des hl. Dominikus mit Kaiser, Papst, Kardinälen usw. in der Predella. 1591 bestellt ein gewisser Tafuri bei H. eine „Kreuzigung". 1592 vollendet er ein von Cornelis Smets unfertig gelassenes Rosenkranzbild für eine Kirche in Monteleone (Kalabrien). 1602: Christusbild für Capua. Von dem 1579 vom Augustinerkloster in Lettere bei Gragnano in Auftrag gegebenen Altarbild hat sich nur die „Verkündigung" in übermaltem Zustand in einem Betraum des Klosters erhalten (die in der Bestellungsurkunde erwähnten Seitenbilder, hl. Nikolaus von Toledo und Augustin, die Predella mit den Aposteln und das obere Halbrund mit einem Gottvater verschwunden). Das in den älteren Guiden dem H. zugeschriebene, berühmte Altarbild der Madonna della Purità in S. Paolo Maggiore (1. Kap. l.) wird von Rolfs sehr abfällig beurteilt („ein in nordische Kühle getauchter Manierismus der Nachklassiker"); die noch 1892 in S. Anna ai Lancieri (oberer Betraum) vorhanden gewesene „Heimsuchung" ist inzwischen mit der Kirche verschwunden. Die von H. in Öl auf Holz gemalten Decken in S. Maria di Donnaromita und S. Gregorio Armeno werden von Celano (1694) genau

beschrieben. Jene besteht aus 2 rechteckigen Gemälden und einem ovalen in der Mitte, enthaltend Maria in der Glorie mit Gottvater und an den Seiten Geißelung Christi und hl. Benedikt mit dem König Totila, zahlreichen kleinen Gemälden verschiedenster Form mit Engeln, Ornamenten usw., sowie einem breiten, friesartigen Rahmen, enthaltend Medaillons mit Halbfig. von Heiligen. Von den Deckenbildern in S. Gregorio Armeno (die Kirche um 1575 im Bau) bestehen die größeren aus 3 Rechtecken in länglichen Rahmenfeldern, enthaltend den hl. Gregor mit den hl. Placidus und Maurus, der Heilige 2 Frauen segnend, und die Enthauptung Joh. des Täufers (nur das dritte Gemälde von Rolfs als eigenhändig anerkannt). — Auf Grund der Angabe Dominici's, daß H. ein Schüler des Ribera gewesen sei, wurden ihm Arbeiten eines Ribera-Nachahmers in ital. Privatsamml. zugeschrieben, die sich von den Arbeiten dieses Meisters durch die Härte der Zeichnung und ein noch stärkeres Helldunkel unterscheiden, ihm aber im übrigen durch den Realismus der Auffassung und den Charakter der Figuren verwandt sind. Dazu gehören der hl. Andreas, wie er ans Kreuz gebunden wird, im Mus. civico Filangieri in Neapel, eine „Heilung des Tobias" in der 1909 in Rom versteigerten Slg Tesorone in Neapel und ein ähnliches Bild in röm. Privatbesitz.

De Dominici, Vite de' pittori etc. Nap., II (1743) 248; III (1745) 23. — Filangieri, Indice degli artefici etc. Nap., 1891 II 4 f.; cf. 84 (Gerrico). — W. Rolfs, Gesch. der Malerei Neapels, 1910 p. 241, 244 ff., 247, 278, 281 Anm. 1, 326. — Oud Holland, III (1885) 149. — Napoli Nob., VI (1897) 125 (Ceci); X (1901) 153 (Cosenza); XIII (1914) 18 (Salazar). — Arch. stor. p. le prov. Nap., XXXVIII (1918) 61 (d'Addosio). — Celano, Notizie del Bello etc., ed. Chiarini, III 234, 648 f., 761 f.; IV 285. — Sigismondo, Descr. di Napoli, 1788, I 218; II 52, 96. — L. Catalani, Chiese di Napoli, I (1845) 100. — Galante, Guida di Napoli, 1872 p. 177, 225, 322. — [Malvasia,] Guida di Bologna, ⁷ 1782 p. 486. — Lanzi, Storia pitt. dell' Italia, ⁵ V (1834) 101. — G. Ceci, Ricordi della vecchia Napoli, Estratto dall' Arch. st. p. le prov. Nap. 1890—92, Neapel 1892 p. 61. — Cat. Mus. civ. Filangieri, I (1880) 396. — Cicerone, I (1909) 283, m. Abb. (L. Ozzola). — Mitteil. A. Bredius aus Amsterdamer Archiven. B. C. K.

Hendricksz., Dirck, holl. Landschaftsmaler, tätig in Amsterdam. Reiste 4 Jahre in Frankreich, † 1637 in Amsterdam an der Pest. — Nicht identisch mit dem gleichnamigen in Neapel tätigen Maler (entgegen Wurzbach).

Kramm, Levens en Werken, Suppl. 1864. — A. v. Wurzbach, Niederl. Kstlerlex., I (1906).

Hendrickx, Ernest (Jean E.), Architekt, geb. 11. 4. 1844 in Saint Josse ten Noode bei Brüssel, † in Brüssel 30. 8. 1892, Schüler an der Zeichenschule in Saint Josse, die H.s Vater, L. Henri, leitete, der ihn 1864 als Lehrer an dieser Schule aufnahm. 1866 in Paris unter

Viollet-le-Duc, 1869 Zeichenlehrer an der École industr. in Brüssel, 1873 außerordentl. Prof. für Zeichnen, Architektur und Architekturgeschichte an der polytechn. Schule, die der Univ. libre in Brüssel angegliedert war, 1880 ordentl. Prof.—Bauten: École modèle in Brüssel (1875; Fassadenentwurf 1905 ausgest. in der Expos. rétrosp. de l'art belge, Cat. p. 37), die für zahlreiche Brüsseler Schulbauten Vorbild wurde; dann die Maisons de secours ebenda (Verwaltungsgebäude der Brüsseler Krankenhäuser), Erweiterungsbau der Univ. libre, u. a. Ferner Entwürfe zu Grabmälern, so für Eugène van Bemmel und die Familie De Rongé.

L'Emulation, XVI (1891) Taf. 29/43; Text p. 289 f.; XVII (1892) 144 u. 157 (Nekrol.). — Revue Encycl., 1892. — Revue univ. des arts, XXII (1865) 204. — Gaz. d. B.-Arts, 1868, I p. 50 ff., 54 f.

Hendriks, F r e d e r i k H e n d r i k , Maler u. Zeichner, geb. 17. 1. 1808 in Arnhem, † ebenda 4. 4. 1865, Schüler von H. J. van Amerom in Arnhem, ansässig ebenda, aber von Zeit zu Zeit immer einige Monate in Amsterdam; lebte dann in Oosterbeek bei Arnhem, in den letzten Lebensjahren in Arnhem, wo er die städt. Zeichenschule leitete. Vater der Sara Frederika. H. malte Landschaften, deren Motive er dem Gelderland entnahm (auch Winterlandschaften), mit Vorliebe Wolfshetzen. Außer in Holland zeigte er seine Bilder, die er F. H. Hendriks, auch F. Hendriks signierte, auch in Lübeck (1867) u. Bremen (1860, 62). Im Reichsmus. in *Amsterdam* (Kat. 1920) eine Waldlandschaft, im Städt. Mus. ebenda (Kat. 1922) Wolfshetze, im Prov. Mus. in *Hannover* (Kat. 1905) Winterlandschaft; die *Hamburger* Ksthalle besaß eine Geldern'sche Landschaft (noch im Kat. v. 1910, seitdem verkauft). Nagler (Monogr. III No 1028) verwechselt H. mit L. Henri Hendrickx.

J. J. C r e m e r , F. H. H. de schilder van Wolfhezen etc., ², Arnhem, 1865. — De Nederlandsche Spectator, 1865. — Kunstkronijk, 1866 p. 40. — I m m e r z e e l , Levens en Werken, II (1843).— Dioskuren, 1860 p. 165; 1862 p. 153, 178.

Hendricksz. (Heinrichs), G e r r i t (Gerard), Bildhauer aus Amsterdam, † in Danzig 1585. Vater des Gerhard Heinrich und vielleicht Bruder des Frederik Hendricksz. Vroom (s. d.). Trat in den holländ. Heeresdienst im Kriege gegen die Spanier und geriet in deren Gefangenschaft, aus der er durch Schwimmen entkam. Um 1572 kam er nach Holstein, lebte 6 Jahre in Kiel und ließ sich dann in Danzig nieder. Diese Daten lassen sich einem Hochzeitsgedicht für Gerhard Heinrich (Breslau, Stadtbibliothek) entnehmen. Seine Frau hieß Margarethe Wilms (Willemsdr.).

A. S c h u l t z in Anzeiger f. Kunde dtscher Vorzeit, N. F. XXVII (1880) 302 ff. — Kunstbode, 1880 p. 405 f. — Amsterdamsch Jaarboekje, 1890 p. 38. — Amsterdamsche Bijzonderheden, III (1898) 38. — G. C u n y , Danzigs Kst u. Kultur im 16. u. 17. Jahrh., I (1910) 25, 74.

Henricksz., J a n , Stadtzimmermann in Utrecht. Lieferte 1644 zus. mit dem Architekten Henrick Aertsz. Struys die Holzarbeit für einen Betraum im Dom, von der sich die Reste eines reichgeschnitzten Lesepults mit Wappen u. Jahreszahl 1644 im dortig. Mus. van Oudheiden erhalten haben.

S. M u l l e r F z., Catalogus Mus. van Oudheiden, Utrecht 1878.

Henderix, J e a n , Goldschmied in Mecheln, 2. Hälfte 18. Jahrh.; von ihm in der Kirche Notre-Dame du Lac in Tirlemont 4 kleine Altarleuchter im Louis XVI-Stil von 1786.

Catal. Expos. des anc. métiers d'Art etc., Malines 1911 No 1361, 1381/83.

Hendericks, L., niederl. Ornamentzeichner. Man kennt von ihm eine Folge Kleinornamente unter dem Titel: Liber tractans de diúerses artibús et eisdem preceptis omnibús . . Mense Septembri 1664, 6 Bl., bez. l. Hendericks Inuent: .

Kat. der Berl. Ornamentst.-Slg, 1894. — G u i l - m a r d , Maitres ornem., 1881.

Hendrickx, L. H e n r i , Historienmaler, Illustrator und Graphiker in Brüssel, geb. ebenda 13. 1. 1817, † 9 6. 1894 in der Brüsseler Vorstadt Saint Josse ten Noode, wo er als Zeichenlehrer, zuletzt Direktor an der Akad. wirkte; Vater des Ernest. Zeigte 1839 im Brüsseler Salon 2 Gemälde: „Lecture de Kats" und „Siesta". Von seinen späteren Bildern zu nennen: „Les Macédoniens anéantis par Belgius"; „Bataille de Presles"; Arrivée des Croisés devant Jérusalem"; „Sardanapal". Hauptsächlich aber als Illustrator tätig. Die frühesten Holzschnitte nach seinen Zeichnungen enthält Mignet's „Histoire de la Révolution franç.", Paris 1838. Es folgten Illustrationen für: „Les Belges peints par eux - mêmes", her. von E. de Friedberg (mit De Keyser, Madou u. a.; in Holz geschn. von J. C. Beneworth, H. Brown u. a.), Brüssel 1840 ff.; „Histoire et Aventures etc. de Munchhausen", Brüssel 1841; „Les Splendeurs de l'Art en Belg." von H. G. Moke und E. Fétis (mit F. Stroobant; Stahlstiche u. Holzschnitte von E. Vermorcken, Lacoste, H. u. W. Braun u. a.), Brüssel 1844, 45 u. 48; „La Belgique monumentale, hist. et pittor." von H. G. Moke, V. Joly u. a., Brüssel 1844; „Catéchisme de Malines", her. von Kardinal Sterckx (nach Rubens u. and. Meistern; Holzschn. u. Chromo-Lithogr.), Brüssel 1845; „Les rois contemporains", Brüssel 1845; 94 Bl. (von 120) für eine bei Muquardt in Brüssel ersch. Geschichte Belgiens; „25. Anniversaire de l'Inauguration du Roi (Leopold I.)", von L. Hymans, Brüssel 1856; „Histoire de Saint-Josse-ten-Noode", von E. v. Bemmel, 1869. 1848 entwarf H. den Brabanter und den belg. Wagen für den histor. Festzug, 1880 im Auftrag der Regierung für den Festzug anläßlich der belg. Unabhängigkeitsfeier den belg. Wagen und die Wagen: Schiffahrt und Handel, Eisenbahn, Presse, Buchdrucker-kunst, wie auch den Wagen König Leopolds I. 1855 zeichnete H. im Auftrag des Herzogs von Brabant histor. Uniformen für eine bei Muquardt ersch. Sammlg (Titel u. 4 Bl.). Für die Zeitschrift „La Renaissance" lieferte er Tausende von Vignetten. Zeichnete auch im Auftrag der Banque Nat. de Belg. eine 1915 in Umlauf gesetzte Fünffrankennote. H. Brown stach nach ihm ein Porträt König Leopolds I. und fertigte einen Holzschnitt, „Hiob", nach H.s Zeichnung. H. publizierte: „Le Dessin mis à la portée de tous", Brüssel 1862 (u. später) und „L'Ecriture sur les Principes du Dessin", Brüssel 1862.

La Renaissance, III (1841/2) 79, mit Taf. gegen p. 76; X (1848/9) 75 f. — J o l y , Les B.-Arts en Belg., 1857 p. 79 ff. — Vlaamsche School, IV (1848) 9 (Abb.), 10. — N a g l e r , Monogr., III 1028 (verwechselt H. mit Frederik Hendrik Hendriks). — H i p p e r t et L i n n i g Peintre - Grav. holl. et belge du XIXme siècle, 1879. — D u p l e s s i s , Catal. Portr. Bibl. Nat. Paris, 1896 ff., VI 27114/12. — H y m a n s , Etudes et notices etc. hist. de l'art dans les Pays-Bas, I (Gravure), 1920. — Univ. Catal. of Books on Art, London, South Kensington Mus. 1870.   *L. Hissette.*

Hendrix, L o u i s (J. L.), Maler, geb. zu Peer (Limburg) 1827, † in Antwerpen 22. 9. 1888, Schüler der Akad. in Antwerpen, malte fast nur religiöse Gemälde für Kirchen und Klöster, selten Bildnisse. Zu seinen frühen Arbeiten gehören die Kreuzstationen in der Kirche zu Groningen, die 11. Station in St. André in Antwerpen und das Bildnis des Dekan Janssens im Seminar in Rysenburg. Später unterlag er dem Einfluß des H. Leys, mit dem er die Bewunderung für die heimischen Maler des 15. Jahrh. teilte, die seiner Kunst dann das Gepräge gab. Zu H.s besten Arbeiten werden gerechnet die Kreuzstationen in der Sakramentskapelle des Domes in Antwerpen (1865/67; Station 4 des 8 von F. H. Vinck) und in der Josefskapelle ebenda die Altarflügel: „Philipp IV. v. Spanien weiht Belgien dem Schutz des hl. Josef" u. „Pius IX. stellt die Kathol. Kirche unter den Schutz des Hl.". Für die Glasfenster der 4. Kapelle des Chorumganges ebenda lieferte H. die Entwürfe. Von H.s Bildern seien noch genannt: Kreuzstationen (Wandgemälde) in der Josefskirche, Kreuzstationen in Notre-Dame de Grace, und der hl. Alfons von Liguori (1872) in der Kirche der Redemptoristen, sämtlich in Antwerpen. Zahlreiche Bilder in Privatbesitz. H. stellte häufig in Antwerpen u. Brüssel aus, auch im Ausland, z. B. 1869 in München (Glaspalast).

Vlaemsche School, 1872 p. 7; 1888 p. 160; 1889 p. 87, ausführl. Nekrol. — Journ. d. B.-Arts, 1885 p. 107. — K i n t s s c h o t s , Anvers et ses faubourgs (Guide), [o. J.], 154, 156, 158, 189, 203 f., 212 f.

Hendricksz., M a g n u s , holl. Buchbinder,

getauft in Amsterdam 26. 12. 1610, begraben ebenda 2. 5. 1674. Vater des Hendrick Magnusz. (s. u.); 28. 4. 1635 Mitglied der Buchhändlergilde. 1657 u. 1660 mit Zahlungen in den Stadtrechnungen genannt (Oud Holland 1906). Werkstattinventar und Bücher H.s wurden 1674 durch seinen Sohn versteigert (gedruckter Katal.). v. Someren schrieb ihnen eine Reihe schöner Ledereinbände mit Spitzenmuster („à petit fer") in franzöz. Geschmack zu, die sich damals (1883) in Haager und Amsterdamer Bibliotheken und Museen, sowie im Londoner und Amsterdamer Antiquariatsbuchhandel befanden. Die für jene Einbände verwendeten Stempel dienten nämlich zum Schmuck eines Elzevier'schen Vergil (1676, 12⁰), der als Geschenk für den Dauphin bestimmt war, und von dessen Einband als einer Arbeit des „Magnus" in einem Briefe des Daniel Elzevier die Rede ist. Eines der in dem erwähnt. Versteig.-Kat. aufgeführten Bücher (Huygens, Korenbloemen, 2. Ausg. 1672) hat v. Someren in der Bibl. der Kgl. Akad. der Wissenschaften zu Amsterdam wiedergefunden. — H e n d r i c k M a g n u s z., getauft in Amsterdam 24. 7. 1639; Mitglied der Buchhändlergilde 17. 12. 1663. Febr. 1688 Erwähnung der Witwe, die das Geschäft noch 1690 gehabt zu haben scheint.

J. F. v a n S o m e r e n in Oud Holland, I (1883), mit Farbentafel.

Hendriksz., M i c h a e l , s. *Heynricksz,* M.

Henricz, P i e t e r , Buchbinder, 1. Hälfte 16. Jahrh., wahrscheinlich in Amsterdam tätig. Von seiner Hand ist ein sehr schöner, 1540 dat., gepreßter Plattenband eines in Paris gedruckten Martial mit einem Hahn in der Mitte des Deckels, der Devise Karls V., dem Wappen von Amsterdam und dem des Buchbinders (Samml. L. Gruel, Paris).

G r u e l , Manuel hist. et bibliogr. de l'amateur de reliures, II (1905) 92.   *L. Baer.*

Henricksz., R y c h a r d (Ryck), Bildschnitzer in Utrecht. Lieferte 1544/45 Schnitzereien an der Orgel der Buurkerk in Utrecht (zerstört) und verfertigte 1562 die überlebensgroße, bemalte Holzfigur Kaiser Heinrichs IV., die einst auf dem Chordach der St. Mariakerk stand und sich jetzt in ziemlich beschädigtem Zustand (ein Teil des Gesichts und der rechte Arm fehlen) im Rijksmus. zu Amsterdam befindet. Mit Rücksicht auf den hohen Standort ist die Arbeit der Figur flüchtig und dekorativ. Die zugehörige Krone (lt Inschrift 1781 restauriert?), das Kreuz vom Reichsapfel und das Schwert (Eisen) im Utrechter Mus. van Oudheiden.

K r a m m , Levens en Werken, III (1859). — S. M u l l e r Fz., Catalogus Mus. van Oudheiden, Utrecht 1878. — G. G a l l a n d , Gesch. der holl. Baukst. 1890.

Hendriks, S a r a Frederika, Malerin, geb. 28. 6. 1846 in Oosterbeek, Tochter u. Schülerin des Frederik Hendrik H., auch gebildet

Hendricks (Hendricksz., Hendricx, Hendriks usw.)

unter Sohn in Düsseldorf, lebte lange in Oosterbeek, siedelte später nach dem Haag über. Sie malte Fruchtstilleben nach Art der Holländer des 17. Jahrh. Stellte auch im Ausland aus, so 1883 im Münchener Glaspalast. Im Reichsmus. in Amsterdam ein Fruchtstück (Kat. 1920), im Mus. in Utrecht (Kat. 1885 p. 116) desgl. (dat. 1880).

A. v. W u r z b a c h , Niederl. Kstlerlex., I (1906). — Kataloge der Smlg. u. Ausst.

Hendricksz., S i m o n , Maler in Amersfoort, im Mitgliederverzeichnis der dort. St. Lucasgilde 1627 als † erwähnt. In der Amsterdamer Slg Jhr Mr. C. H. Backer befanden sich 1905 4 von ihm gemalte Kopien von Bildnissen Amsterdamer Bürgermeister und Schöffen des 16. Jahrh.

O b r e e n , Archief voor Nederl. Kunstgesch., VI (1884—87). — E. W. M o e s , Iconogr. Batava, 1905 II Nr 6103, 6842², 6827, 8556.

Hendriks, W y b r a n d , Maler, Zeichner u. Radierer in Haarlem, geb in Amsterdam 24. 6. 1744, † in Haarlem 28. 1. 1831. Schüler der Städt. Zeichenakad. in Amsterdam; arbeitete an der Fabrik gemalter Wandtapeten des Joh. Remmers (seinen Landschaften fügte W. J. Laquy die Figuren hinzu). Machte eine Reise nach England. Heiratete in Amsterdam 21. 5. 1775 die Witwe des Malers A. Palthe (ihr von H. gezeichnetes Bildnis, 1773, im Haarlemer Stadtarchiv) und ließ sich in Haarlem nieder. 1776 wurde er Mitglied der dortigen Malerzunft. Wohnte u. arbeitete einige Jahre im Dorfe Ede (Gelderland). Aus dieser Zeit hauptsächlich Landschaften u. Bauerninterieurs. Kehrte 1786 nach Haarlem zurück. Wurde 1786 in Nachfolge des Vincent v. d. Vinne Kastellan der Teylerschen Stiftung u. Konservator des Kunstkab. (bis 1819); wohnte im Hause der Stiftung (dort noch ein Kaminstück, 1794). Malte 1786 die lebensgroße Gruppe der 6 Regenten des ebenfalls von Teyler gestifteten Heims für alte Leute (noch im Vorstandszimmer vorhanden); 1788 die 3 Regenten u. die Aufseherin des St. Antonis-Stifts, dessen Mitvorsteher er 1787—1830 war (noch vorhanden). 1789 entstand eine Folge von Bildnissen in schwarzer Kreide u. Rötel der damals in Haarlem tätigen Künstler (6 dieser Folge im dort. Stadtarchiv, die anderen zerstreut). 1795 malte er ein Kaminstück, Allegorie auf die franz.-holl. Allianz für den Trèves-Saal (Haag). Nach dem Tode seiner Frau heiratete er 1804 nochmals. 1819 nimmt er seine Entlassung als Kastellan der Teylerschen Stiftung. Er war auch Vorsteher der Haarlemer städt. Zeichenakad. Sein Nachlaß wurde in Amsterdam 27. 2. 1832 versteigert. — H. aquarellierte, zeichnete und malte Bildnisgruppen im Interieur, lebensgroße u. kleine Einzelbildnisse, Landschaften, Stadtansichten, Blumen- u. Wildstilleben, Bauernszenen usw. und machte auch Zeichnungen nach bekannten Gemälden für Sammler. Es sind auch 3 Radierungen von ihm bekannt. In jedem seiner Themen läßt sich das Vorbild älterer, meist Haarlemer Meister erkennen. Seine Malart ist fein u. gepflegt, aber nicht pedantisch; die Farbe kühl, fein, silbern, mit stark-schwarzen Schatten. Körperproportionen u. Perspektive oft fehlerhaft; Typisierung fast immer geistvoll, später bisweilen karikaturhaft. Seine besten Arbeiten aus der Zeit um 1795, vorher oft starre Zeichnung u. zu schwarze Farbe, nachher oft übertriebene Linienbeweglichkeit, verzerrte Figuren u., als Folge des mißlungenen Versuchs, sich dem veränderten Zeitgeschmack anzupassen, grelle Farben. Trotz seiner Schwächen ist H. vielleicht der anziehendste holl. Künstler der Epoche. Er war ein witziger u. liebenswürdiger Charakter u. besonders befreundet mit einem einflußreichen Haarlemer Kreis wohlhabender u. kunstliebender Literaten, die er fast alle porträtiert hat, z. B. den Kunsthistoriker A. v. d. Willigen. Seine Gemälde meist im Besitz der Nachkommen Alt-Haarlemer bürgerlicher Geschlechter und in den Museen in *Haarlem* (Frans Hals-Mus.: Selbstbildnis, Bildnis des v. d. Willigen, Szene auf dem Marktplatz, u. a.; Teyler-Mus.: 2 Stilleben u. Genrebild), *Amsterdam* (Reichsmus.: Bildnisse; die Regentengruppe der „Walen" wird ihm mit Recht zugeschrieben), *Brighton* (Genrebild). Zeichnungen in *Haarlem* (Teyler-Mus. u. Städt. Archiv), *Amsterdam* (Kpfstkab. u. Mus. Fodor), *London* (British Mus.), *Wien* (Albertina). Bildnisse H.s im Haarlemer Mus. (Selbstbildnis 1807, und von A. de Lelie 1810, beide Öl) und im dort. Städt. Archiv (2 Selbstbildnisse, Zeichn., die eine von 1814); im Kpfstkab. *Leiden* (Zeichn. von H. W. Caspari u. J. Reekers).

v. E y n d e n u. v. d. W i l l i g e n , Geschied. der Vaderl. Schilderkunst, III (1820) u. Anh. (1840). — N a g l e r , Kstlerlex., VI. — I m m e r - z e e l , Levens en Werken, II (1843). — K r a m m , Levens en Werken, III (1859) u. Anh. (1864). — A. v. d. W i l l i g e n , Haarl. Schilders, 1866 p. 34. — v. d. A a , Biogr. Woordenb. der Nederl., VIII (1867). — A. v. W u r z b a c h , Niederl. Kstlerlex., I (1906). — Oud-Holland, XIX (1901) 248; XXXII (1922) 70 f. (Abb.). — M o e s u. v. B i e m a , De Nat. Konst-Gallerij e. h. Kon. Mus., 1909 p. 23. — M a r i u s , Holl. Schilderkunst in de XIX^{de} Eeuw, ² 1920, mit Abb. — Kunstchronik, N. F. XXXII (1921) 881. — Mededeel. Dienst voor K. en W., Haag, III (1921) No 2 p. 91, 97 (Abb.), 102. — Voorloop. Lijst v. Ned. Monum. v. Gesch. en K., V (1921). — Katal.: Reichsmus. Amsterdam, 1920; Frans Hals-Mus., Haarlem (1920) No 160—166, 195; Teyler-Mus. Haarlem, Gemälde (1920) p. 111; Zeichn. (1904) p. 445 No 36—51; Mus. Fodor, Amsterdam, Zeichn. No 407—411. — M o e s , Iconogr. Bat. (1897—1905), Reg. — F. M u l l e r , Beschr. Cat. v. 7000 Portr. v. Nederlanders, 1853, No 2315 bis 2318 u. Reg.; d e r s . , Bered. Beschr. v. Nederl. Hist. Platen, II (1877) No 4789, 4909. — v. S o m e r e n , Cat. v. Portr., 1888—91 No 2395 bis 96 u. Reg. *A. Staring.*

Hendricx, Z y m o n   C l a e s , Maler in Breda, malte 1552 ein Kruzifix im Gerichtssaal des alten Rathauses in Breda.

De Monum. van Gesch. en Kunst in de Prov. Noordbrabant. I: De Monum. . . van Breda (Nederl. Monum. etc. Deel I Stuk I), 1912.

Hendricy (Hendrecy), M a r t i n , Bildhauer, Medailleur, Architekt und Maler in Lyon, geb. 1614 in Lüttich, 1643/62 nachweisbar in Lyon, wo er 1648 zum „sculpteur de la ville" ernannt u. 1659 naturalisiert wurde. Bezeichnete seine gegossenen Medaillen M. Hendricy oder M. H., war nach Rondot ein Nachahmer von Cl. Warin. Arbeitete für Kirchen und längere Zeit für das Rathaus; erhielt 1646 Zahlung für einen Brunnen bei der Eglise des Feuillants, fertigte 1655 das Holzmodell für den Elefantenkopf am Brunnen im Rathaushof.

B a u c h a l , Dict. des archit. franç., 1887. — R o n d o t , Lalyame, Hendricy et Mimerel, sculpt. et médailleurs à Lyon, 1888; d e r s ., Peintres de Lyon, 1888; Médaill. en France, 1904. — F o r r e r , Dict. of Medall., II (1904). — V i a l , M a r c e l , G i r o d i e , Art. décor. du bois, I, 1912. — L a m i , Dict. d. sculpt. de l'éc. franç., moyen âge, 1898.

Hendriks(z.), unter *Hendricks* eingeordnet.

Hendriksen, F r e d e r i k (Rasmus Fr.), Holzschneider, Buchkünstler und Kunstgewerbler, geb. 11. 8. 1847 in Kopenhagen, kam in die Lehre der xylograph. Anstalt der „Illustreret Tidende", besuchte 1863/66 die Akad. und machte sich 1870, nach einem 2jährigen Aufenthalt in London u. Paris, in Kopenhagen selbständig. Lieferte Holzschnitte nach Zeichnungen der bedeutendsten dän. Künstler, teils als Einzelblätter, teils für Bücher. 1877 begründete er die Wochenschrift „Ude og Hjemme", die er anfangs allein, seit 1880 zus. mit O. Borchsenius redigierte, aber 1884 aus Abonnentenmangel eingehen lassen mußte. Sie stellte die höchsten Anforderungen, zog die besten Künstler für den Bildschmuck, die bedeutendsten Schriftsteller für den Text heran. — Mit dem Aufkommen der photomechanischen Vervielfältigungsverfahren wurde der Holzschnitt verdrängt; H. studierte die neuen Methoden in Wien (bei Angerer & Göschl), um sie in seiner Anstalt zu verwenden. Alle Energie widmete er vor allen dem Buchhandwerk, das er zur Kunst emporheben wollte. 1888 begründete er die „Forening for Boghaandvaerk", in der er unermüdlich für die Vertiefung der Buchkultur im Typographischen, im Buchschmuck, im Einband und im verwendeten Material eintrat, und ging mit der Begründung der „Fachschule für Buchhandwerk" (1893) daran, auf die Lernenden unmittelbar einzuwirken. H. vor allem verdankt die dän. Buchkunst ihre Höhe, die sie auch auf der internat. Ausstell. mit Erfolg konkurrieren läßt. — 1877/78 stellte H. in Charlottenborg Holzschnitte aus, 1899 erschien er im Münchener Glaspalast mit einem Buch-

einband; 1891 konnte er in Kopenhagen eine „Internationale Buchausstellung" verwirklichen, 1893 in Chicago, 1894 (Intern. Buchausst.) in Paris mit Auszeichnung auftreten.

W e i l b a c h , Nyt Dansk Kunstnerlex., 1896. — D e n e k e n in Zeitschrift f. Bücherfreunde, II (1898/99), 2. Bd, p. 363 ff. — G. N y g a a r d in Bogvenner, VI (1917) 327 ff., Abb. — G. P h i l i p s e n in Aarbog for Bogvenner, I (1917) 57 ff., Abb. — D a h l - E n g e l s t o f t , Dansk biogr. Haandleks., II (1921), mit Lit.

Hendrix, unter *Hendricks* eingeordnet.

Hendschel, A l b e r t Louis Ulrich, Maler, Zeichner u. Radierer, geb. zu Frankfurt a. M. 8. 6. 1834, † ebenda 22. 10. 1883, Bruder des Ottmar. Schüler des Städelschen Instituts unter Jak. Becker (1851/65). Sein ständiger Aufenthalt in Frankfurt wurde nur durch kürzere Reisen (1861 Paris, 1870 u. 1882 Italien) unterbrochen. Malte Genreszenen („Der Wirtin Töchterlein", „Der Geiger von Gmünd"), hat sich hauptsächlich aber durch seine liebenswürdigen und humorvollen Zeichnungen mit Szenen aus dem Kinder- und Volksleben, die zahlreich (auch als Postkarten) vervielfältigt sind, Popularität erworben. Sie wurden seit 1871 unter den Titeln: „Aus A. Hendschels Skizzenbuch", „Ernst und Scherz", „Lose Blätter", „Allerlei aus A. Hendschels Skizzenmappen" (40 Bl.), anfangs in photograph. Reproduktion, später in Lichtdruck veröffentlicht (Verlag M. Hendschel in Frankf.; die Originale meist im Besitz der Familie). Publikationen jüngsten Datums: „A. Hendschel, Kinder u. Käuze", Stuttgart 1917 (80 Skizzen mit Bildnis u. Lebensabriß) und: „Das kleine Albert Hendschel-Buch", 20 ausgew. Skizzen d. Kstlers m. begleit. Versen v. Frida Schanz u. einer Einltg v. Karl Hobrecker, Berlin-Dahlem, H. Meyer, 1920. Gelegentlich hat sich H. auch mit der Radierung beschäftigt; Orig.-Rad., Hausierer, in Zeitschr. f. b. Kst, VIII. Ein von Hasselhorst gezeichn. Bildnis H.s wird im Städelschen Institut bewahrt.

K a u l e n , Freud' u. Leid im Leben deutsch. Kstler, 1878 p. 117—21. — F. v. B o e t t i c h e r , Malerwerke d. 19. Jahrh., I 2 (1895). — Zeitschr. f. bild. Kst, VII (1873) 81/85 (E. A. S. [e e m a n n]). — Kstchronik, XX (1885) 133 ff. — W e i z s ä c k e r u. D e s s o f f , Kst u. Kstler in Frankf. a. M. im 19. Jahrh., II (1909), mit Lit. — Westermann's Monatshefte, Bd 123, Teil 1 (1917) p. 106/10. *H. V.*

Hendschel, O t t m a r , Maler in Düsseldorf, Bruder von Albert, geb. 9. 3. 1845 in Frankfurt a. M., wurde zunächst Kaufmann (1864 in Manchester), studierte 1876/77 bei W. Simmler in Düsseldorf, malte hauptsächlich Genrebilder, von denen „After you, Sir" 1890 auf der Crystal Palace Exhib. in London ausgezeichnet wurde.

F. v. B o e t t i c h e r , Malerwerke 19. Jahrh., I 2 (1895). — W e i z s ä c k e r - D e s s o f f , Kst u. Kstler in Frankf. a. M., II (1909). — Katal. Gr. K.-A. Berlin 1894, 1897.

Hendtzschel, Gottfried, Maler, tätig in Norwegen 1. Hälfte 17. Jahrh., geb. in Breslau in Schlesien, † nach 1648. Er scheint um 1625 nach Stavanger in Südnorwegen eingewandert und dort bis zu seinem Tode als Kirchen- und Bildnismaler ansässig gewesen zu sein. Er dekorierte Kirchenmöbel teils mit Ornament, teils mit Figuren in ornamentalen Rahmen. 1625 malte er in der Kirche von Orre (Kanzel- und Altarbilder), 1628 in der Kirche von Bore (Galerie- und Altarbilder früheren Datums), 1629 in der Kirche von Röldal eine Altartafel, bez.: „Gotfrid Hendtzschell pinxit a Silesia Wratislaviensis Aº 1629", und 1635 Kanzelmalereien ebendort. In der Kirche von Höle malte H. 1633 das Altarbild, ebenso 1635 in den Kirchen von Talgö und Aardal (Altarbild und Kanzel). Wie aus Urkunden hervorgeht, war er 1634—37 in Stavanger ansässig und arbeitete 1638 und 1643 in den Kirchen des Stifts: Altarbilder und Kanzelmalereien in der Kirche von Ogne und in der Klosterkirche zu Utstein. Aus dem J. 1648 stammen die Pulpiturbilder mit 15 Prophetenfiguren der Kirche von Holme. Die aufgeführten Arbeiten sind sämtlich erhalten; zahlreiche andere dagegen übermalt oder zugrunde gegangen. Auch hat er gute Bildnisse hinterlassen, darunter das Epitaph des Pfarrers M. Pedersön in der Kirche von Jelsa und die Bildnisse des Pfarrers Daniel Jörgensen und Frau in der Kirche von Hjelmeland. — H. war ein tüchtiger Dekorationsmaler im Stil der Hochrenaiss. Sein Vortrag ist breit und sicher, seine Farbe tief und kräftig, die Proportionierung der Figuren jedoch recht unsicher. Figurenstil und Kompositionsmotive zeigen selten selbständige Lösungen, meist Variationen bekannter europäischer Vorbilder. In seinen Kirchenarbeiten hat H. mit verschiedenen einheimischen Schnitzern und Ornamentisten zusammengearbeitet. Infolge ihrer gemeinsamen Tätigkeit für den Kirchenschmuck wurde das Stift Stavanger Sitz einer Lokalschule, die ein bedeutendes Element der Hochrenaissance in Norwegen ist.

A. E. Erichsen, Bidrag til Stavanger's Historie, I (1903) 191, 214; II (1906) 147. — Aarsberetning fra foreningen til norske fortids mindesmerkers bevaring, 1881 p. 36; 1886 p. 144; 1893 p. 15, 32; 1902 p. 193; 1913 p. 42 ff.; 1915 p. 101. — Harry Fett, Norges kirker i det 16de og 17de aarhundrede, Kristiania 1911. — Tidskrift for norsk bokkunst, 1918 p. 59. — Stavanger Aftenblad v. 9. 8. 1913. — C. W. Schnitler, Malerkunsten i Norge i det 18de aarhundre, 1920 p. 21. — Schlesiens Vorzeit in Bild und Schrift, VI (1896) 142.   *C. W. Schnitler.*

Hendu, falsch für *Iffendu.*

Heneberger, Andreas, siehe im Art. *Henneberger,* Familie.

Henecy, Charles, irischer Kupferstecher, † um 1808. Schüler der Dublin Soc. Schools (1782) und des John Duff, nach dessen Tod

(1787) er das Geschäft mit der Witwe (seit 1789 alleiniger Inhaber) fortsetzte. Um 1798 wurde ein gewisser Fitzpatrick sein Kompagnon. H. stach 1789 James Lawson's Plan von Belfast (selten) und 1793—94 einige Platten für die „Anthologia Hibernica", Payne's „Geography" und andere Werke. Außerdem kennt man von ihm 2 Radierungen mit weichem Ätzgrund, Freiwillige der irischen Kavallerie und Infanterie darstellend. Er scheint sich hauptsächlich als Siegelstecher betätigt zu haben. Nach H.s Tod wurde das Geschäft von der Witwe und seinem gleichnamigen Sohn (geb. 1800) fortgesetzt.

W. G. Strickland, Dict. of Irish Artists, 1913 I.

Henes, Heinrich, Architekt, Reg.-Baumeister in Stuttgart, geb. 22. 10. 1876 in Santiago (Chile), Schüler der Techn. Hochschulen in Stuttgart und Berlin; von ihm 1911 das Altertumsmus. in Frankenthal (Pfalz), ebenda Rathaus, Industriebauten und Friedhof-Anlagen, 1912 Kirche und Pfarrhaus in Maxdorf (Pfalz). Die 1912/13 entstandenen, reizvollen Gartenarchitekturen (Pavillons, Terrassen, Gartensaal, Rundtempel) der Villa E. v. Sieglin in Stuttgart „zeigen das vornehme kultivierte Können, den feingeistigen Eklektizismus dieser Begabung".

Baum, Stuttg. Kst d. Gegenw., 1913 p. 255, 296. — Dtsche Kst u. Dekor., XXXIV (1914) 132 ff. (Villa Sieglin). — Mitteil. d. Kstlers.

Henestosa (Enestosa), Pedro de la, Architekt, baute in Valladolid gelegentlich der Erneuerung von San Antonio Abad (1541) eine Kapelle.

Martí y Monsó, Estudios relat. á Valladolid, 1898 ff.

Héneux, Paul Edouard Julien, Architekt und Maler in Paris, geb. 1844 in Bréhal (Manche), Schüler der Archit. Questel und Pascal, der Maler Gérôme und Quesnel, zeigte im Salon 1870/81 Architekturansichten und Entwürfe, u. a. Pläne des von ihm gebauten Rathauses in La-Ferté-sous-Jouarr (1881); „Réédification des monuments de Paris incendiés par la Commune" (frontispice pour le journal d'architecture l'Intime-Club), 1876; Aquarelle (Ansichten aus Granville und Paris).

Bellier-Auvray, Dict. gén., I (1882); Suppl. — Architekt. Rundschau, III (1887) Taf. 96. — Portfolio, 1891 p. 225 (Abb.). — Delaire, Archit. Elèves, 1907.

Henfling, Joseph, Porträt-, Genre- u. Landschaftsmaler in München, geb. 15. 2. 1877 in Auerbach (Oberpfalz), Schüler der Kstgewerbesch. in Nürnberg und der Akad. in München (unter W. v. Diez). Beschickt seit 1911 die Glaspalast-Ausstell.

Die christl. Kst, IX (1912/13) 44 (Abb.). — Singer, Kstlerlex., VI (2. Nachtrag), 1922. — Ausstell.-Katal.

Hengel, Herman Frederik van, Maler, geb. 1705 in Nymwegen, † 1785 in Utrecht, lernte in seiner Vaterstadt, dann in London bei H. v. d. Myn, ließ sich in Utrecht nieder (1735 Dekan des Schilderscollegium), wo er namentlich Porträts, gelegentlich einige Gesellschaftsstücke und Landschaften malte, auch Kunsthandel trieb; seine Bilder behielt er meist selbst, sie wurden 2. 8. 1785 mit seinem übrigen Kunstnachlaß verkauft. Das Reichsmus. Amsterdam (Katal. 1904) besitzt von H. 2 Porträts: der Vlissinger Pastor Justus Tjeenk, bez. H. Fred. van Hengel 1756, und dessen Gattin, Margaretha Leuveling (beide 1916 an die Genootschap der Wetenschappen zu Middelburg abgegeben).

v. G o o l, Nieuwe Schouburg, II (1751) 494. — v. E y n d e n en v. d. W i l l i g e n, Geschied. d. Vaderl. Schilderkst, II (1817). — M u l l e r, Utrechtsche Archieven, 1880. — Versl. omtr. 's Ryks Verzam., XXXIX (1916, gedr. 1917) 19 f.

Hengeler, A d o l f, Maler und Karikaturenzeichner, geb. in Kempten 11. 2. 1863. Fünfzehnjährig kommt er zu einem Lithographen in die Lehre, 1881 tritt er in die Kunstgewerbeschule in München ein, als Schüler von Ferd. Barth. 1885 wird er Schüler der Münchner Akad., zuerst von Raab, dann 2 Jahre von W. v. Diez. Noch während seiner Studienzeit an der Kunstgewerbeschule (1884) liefert er für die „Fliegenden Blätter" die ersten Zeichnungen, deren Zahl im Laufe der Jahre auf einige Tausend angewachsen ist. Für die humorvoll-gütige, niemals bissige Karikatur von Bürgerwehr, Biedermeier, Bauern, antikem u. mittelalterl. Rittervolk hat H. einen ganz eigenen Stil gefunden, der sich von dem inhaltlich verwandten, graphisch präziseren Oberländer deutlich abhebt. Seine Tierdarstellungen sind mit das Beste auf diesem Gebiet. Drastik im Ausdruck, dekorative Rundung und Festigkeit der Form zeichnen seine Blätter aus. Die Verständlichkeit von H.s Zeichnungen gründet sich auf den im guten Sinn naiven, unkomplizierten Vortrag. Die Illustrationen zu seiner Münchner Kinderfibel sind der beste Beweis für seine Einstellungsfähigkeit auf die Fassungsgabe seines „Publikums". Die Kriegsereignisse haben in einem „Kriegstagebuch" (Verlag Braun u. Schneider) ihren Niederschlag gefunden. Erst gegen 1900 beginnt H. zu malen. Erinnerungen aus seiner Lehrzeit bei Diez, Einflüsse des befreundeten Lenbach, von Böcklin, Spitzweg u. Stuck bestimmen die künstler. Ausdrucksweise, z. T. auch das Gegenständliche der nun in rascher Folge entstehenden Bilder. In immer neuen Variationen erzählt H. seine anmutigen Idyllen, deren Inhalt vom Leben des Menschen in der Natur, vom Treiben der Putten und sonstiger Fabelwesen, von Tieren u. a. erzählt, deren treuherzige, unbeschwerte Stimmung ihren Erfolg in breiten Kreisen verständlich macht.

In der farbigen Haltung hat H. eine bestimmte Sprache entwickelt: in warme, braune Töne bettet er mit ausgesprochenem Sinn für schmückende Wirkung die leuchtenden Lokalfarben. Seine starke Begabung für das Dekorative kommt in den Fresken einiger Häuser in Murnau (in Verbindung mit L. Herterich) besonders gut zur Geltung. Auch eine monumentale Aufgabe: die Schmückung des Rathaussaales in Freising, hat H. erfolgreich gelöst. — H. beschickt seit 1893 die Ausst. der Münchner Sezession und die Große Berl. K.-A., häufig auch die Münchner Glaspalast-Ausst. (1888 ff., 97, 1901, 1913), die Ausst. in Dresden, Düsseldorf usw. Man findet Bilder von ihm in folgenden öffentl. Sammlgn: Bremen, Chemnitz (Kunsthütte), Düsseldorf, München (N. Pinak.), Nürnberg (Städt. Kstsammlg), Rom (Gall. Naz.).

Die Kunst, XI (1904/5) [= Kunst f. Alle XX] 241/64 (F. v. O s t i n i, mit zahlr. Abb.); XXVII (1912/13) [= Kst f. A. XXVIII] 241/64 (R i c h. B r a u n g a r t); XXXI (1915) 172/77 („Aus einem Tagebuch 1914 von A. H."). — Deutsche Kst u. Dekoration, XXVII (1910/11) 415/36 (W i l h. M i c h e l); cf. Abb. p. 3 ff.; XXXVI (1915) 225 ff. (W. G e o r g i, H.s Kriegstagebücher); XLIII (1918/19) 119/40 (F. v. O s t i n i, mit zahlr. Abb.). — E. A. Seemann's „Meister der Farbe", III (1906) No 174 (v. O s t i n i). — Velhagen u. Klasings Monatshefte, 1906 (Mai-Heft) p. 249/61 (v. O s t i n i). — Westermann's Monatsh., 1912 (Febr.-Heft) p. 205/18 (W. M i c h e l). — Hengeler-Album, München, Braun u. Schneider 1904. *Hgl.*

Hengerer, K a r l, Architekt in Stuttgart, geb. 4. 4. 1863 in Hessigheim b. Besigheim, studierte 1881/85 an der Stuttg. Techn. Hochschule, dann bei Schreirer in Köln und 1888/89 in Italien. Erbauer zahlreicher Wohn- und Geschäftshäuser, Jugendvereinshäuser usw., der Arbeiterkolonien Ostheim (eine der ersten in Deutschland), Südheim und der Kolonie Birkenhöhe in Stuttgart (z. T. gemeinsam mit den Archit. C. Heim und Katz). Hauptwerk: Plan und Oberleitung der Altstadtsanierung Stuttgart (Straßenverbreiterung unter Beibehaltung der alten Anlage), 1906/9.

Blätter f. Archit. u. Ksthandwerk, VIII (1895) Taf. 41/42 p. 31; XIV (1901) Taf. 29/32. — Der Baumeister, IV (1905/6) 28, 29 (Abb.), 33. — Architekt. Rundschau, 1909 p. 85 ff., Taf. 81/92. — Rheinlande, IX (1909) 1. Teil p. 198 ff. (Abb.). — Architektur d. 20. Jahrh., 1911 Taf. 21. — B a u m, Stuttg. Kst d. Gegenw., 1913 p. 265, 296. — Profanbau, 1914; 1915.

Hengkel, A u g u s t i n, Bildhauer von Schaffhausen, schnitzte 1514/16 mit H. Egenmüller an einer (1577 verbrannten) Tafel für den Chor zu Einsiedeln; erhielt 1515 in Schaffhausen Zahlung für „den Widder am Rathaus".

B r u n, Schweizer. Kstlerlex., II (1908).

Hengsbach, F r a n z, Landschaftsmaler in Düsseldorf, geb. 1814 in Werl (Westfalen), † 25. 2. 1883 in Düsseldorf, 1833—40 Schüler der Düsseld. Akad. unter J. W. Schirmer. Suchte die Vorwürfe zu seinen meist trocken u. nüchtern gemalten Bildern am liebsten in den Tälern Tirols u. des Salzkammergutes. Beschickte die Berliner Akad.-Ausst. (1836, 39, 42, 44, 48, 62, 66, 78), die Kstausst. Lübeck (1850, 52, 54, 78), den Kstverein Leipzig (1837, 41, 43, 45) usw. Werke im Museum Schwerin (Regenwetter im Odenwald, 1840), Städt. Mus. zu Leipzig (Gebirgslandschaft, 1847), Städt. Mus. Danzig (Tal von Aosta, 1854), Mus. zu Kiel (Blick auf den Genfersee), Schles. Mus. Breslau (Wasserfall der Handegg, 1866), Städt. Kstsamml. Rostock (Aus dem Linthtal, 1867).

R. W i e g m a n n, Düsseldorfer Kstakad., 1856. — F. v. B o e t t i c h e r, Malerwerke d. 19. Jahrh., I 2 (1895) 494, 975. — Kstchronik, XVIII (1883) 418 (Nekr.). — Ausst.- u. Mus.-Katal.

Hengst, K o n r a d, Anhalt-Cöthenscher Regierungsbaurat, geb. 9. 9. 1796 zu Durlach in Baden, † 8. 7. 1877 zu Cöthen, Schüler Fr. Weinbrenners, trat 1823 auf Schwanthalers Empfehlung hin in Anhalt-Cöthensche Dienste als „Bauconducteur", leitete seit 1830 die gesamte Bauverwaltung Anhalt-Cöthens, wurde 1834 Oberbauinspektor und Assessor und 1849 Regierungsbaurat. Nach dem Anfall Anhalt-Cöthens an Anhalt-Dessau wurde er übernommen und behielt die Cöthensche Bauverwaltung bei. Am 1. 7. 1876 in den Ruhestand versetzt. Zahlreiche teils klassizistische, teils gotisierende Bauten im ehemal. Cöthener Landesteile sind unter ihm und nach seinen Entwürfen aufgeführt, so die kath. Kirche in Cöthen, deren Bau er nach Bandhauers durch den Einsturz des Turmes bedingter Entlassung seit 1830 fortführte, das 1890 leider „aus Verkehrsrücksichten" wieder abgerissene Magdeburger Tor in Cöthen, ein vornehmer dorischer Bau, sowie die Renovation der gotischen Schloßkirche zu Nienburg a/Saale.

T e i c h m ü l l e r, Architektur des 19. Jahrh. in Anhalt, 1903 (nicht erschienen). — S a l z - m a n n, Die Baulichkeiten des Cöthener Schloßbez. und einige Verbesserungsvorschläge, Braunschw. Dissertation, 1920. *van Kempen.*

Hengst, W i l l e m, Maler, auch Weinhändler in Nymwegen, geb. ebenda Anf. 18. Jahrh., † 1780 oder 1785 in Cuyk a. d. Maas, studierte in Paris, wahrscheinlich bei Rigaud oder Largillière, malte Porträts und Grisaillebilder (Relief-Nachahmungen). Sein 1752 gem. Bildnis des Bürgermeisters von Nymwegen, C. V. Vonck, stach J. Folkema; H.s Selbstbildnis mit seiner Familie von 1753 wurde 10. 8. 1875 aus der Slg Baerken im Haag verkauft.

v. E y n d e n en v. d. W i l l i g e n, Geschied. d. Vaderl. Schilderkst, II (1817). — M o e s, Iconogr. Batava, I (1897) Nr 2242, 3409; II (1905) 8649. — Oud Holland, XVII (1899).

Hengstenberg, G e o r g, Bildhauer in Berlin, geb. 13. 7. 1879 in Meran, Schüler der Münchner Kunstgewerbeschule und der Berl.

Akad., erhielt 1901 einen Rompreis, studierte 2 Jahre in Italien, zeigte auf verschied. Ausstell. (Katal.: Berlin, Gr. K.-A. 1904, 1906 p. 115 u. 195, Secession 1908, 1909, 1911 [XXIII.], 1912 [XXIV.]; Köln, 1907; Düsseldorf, Dtschnat. K.-A. 1907, Gr. K.-A. 1911 p. 134; Dresden, 1912 p. 166) Porträtbüsten, Aktfiguren, einen „Rattenfänger von Hameln" (Bronze), Brunnen, Keramik, 1907 in Wannsee (Zeitschr. f. Bücherfreunde 1907/8 II 416 ff. Abb.) Entwürfe zu einem Kleist-Denkmal. Von ihm „Athlet" (Berlin, Stadion); Freiligrath-Denkmal (Soest); Reliefs am Krematorium und am Alten Gewerbehaus (Bremen); Grabdenkmal Francke (Bremen 1913).

Die Kunst, III (1901); XVII (1907/08), m. Abb. — Kstwelt, I (1911/12) 2. Bd p. 330 (Abb.); II 310 (Abb.); III 426 (Abb.). — D r e s s l e r ' s Ksthandbuch, 1921 II.

Hengstenburgh, siehe *Henstenburgh.*

Heniger, J o h a n n Freiherr v o n, Zeichner, nach dessen Zeichnung („Joh. L. B. de Heniger del. 1802") W. Berger 1803 eine Ansicht von Schloß Mnieschitz in Böhmen stach.

D l a b a c ž, Kstlerlex. f. Böhmen etc., I (1815) 124 (No 41), 610.

Henigh (Hennig, Henning, Henningk), Glockengießer und Büchsenmeister in Magdeburg, stammte aus Peine, lieferte 1442/43 Glocken u. a. für die Nicolai-Kirche in Zerbst, 1456 die 3. Glocke der Gotthardtkirche in Brandenburg a. H., 1464 (nach Wolff 1404!) eine Glocke für Granow b. Arnswalde.

Gesch.-Blätter Magdeburg, XLV 336. — Jahrbuch f. brandenburg. Kirchengesch., XVI (1918) 83. — Kstdenkm. Prov. Brandenb., II, Teil 3 (1912) 30. — W o l f f, Glocken d. Prov. Brandenb., 1920 p. 161.

Henin, A l e x i s, Landschaftsmaler in Paris, geb. 30. 8. 1793 in Chalo-Saint-Mars (Seineet-Oise), Schüler von V. Bertin, stellte 1835, 37, 39, 40 (unter dem Namen *Alexis*) im Salon aus; von ihm 3 Bilder im Mus. zu Etampes.

B e l l i e r - A u v r a y, Dict. gén., I (1882). — B é n é z i t, Dict. des peintres etc., II (1913).

Hénin, N., Zeichner u. Radierer (Amateur) in Paris, um 1750 contrôleur des bâtiments du roi; von ihm folgende Blätter: Frauengruppe, nach Zeichn. von Raffael; vom Rücken gesehene Frau („N H sculp."), nach dems.; Venus und Adonis von Amor gefesselt (mit den Initialen); Quos ego; Landschaft mit 2 Bauern; 1 Bl. aus einer Folge (8 Bl. und Titel) von Modefiguren (gez. u. radiert von Watteau, mit dem Stichel vollendet von S. Thomassin), für welches von Mariette wegen seines abweichenden Charakters eine Vorzeichn. Watteau's bezweifelt wird.

M a r i e t t e, Abecedario, II. — H e i n e c k e n, Dict. des Art. etc., 1778 (Ms. im Kupferstichkab. Dresden). — L e B l a n c, Manuel. — N a g l e r, Monogr., IV.

Heniochos, griech. Bildhauer unbestimmter Zeit. Asinius Pollio besaß von seiner Hand einen Oceanus und einen Juppiter (Plinius, Nat. Hist. XXXVI 33).

Pauly - Wissowa, Realencyclop., VIII 284 (Pfuhl).

Henisch, Hans, Baumeister aus Löbau in Sachsen, baute 1688 die 1781 abgebrochene Pfarre in Hauswalde.

Bau- u. Kstdenkmäler Kgr. Sachsen, XXXV (1912).

Henk, Johann (Jochim) Wilhelm, Maler, † 11. 3. 1811 in Lübeck, 53 Jahre alt, erlangte 1786 das Lübecker Bürgerrecht und heiratete damals die Malerstochter Kath. Elis. Lütgens. Genannt werden von ihm nur handwerkl. Arbeiten, so ein Chronogramm in Goldbuchstaben zur Dekoration des Katheders in der Prima des Gymnasiums gelegentl. der Wahl und Krönung des Kaisers Franz II. (1792), und die Neubemalung (1796) der Orgel in der Ägidienkirche.

Bau- u. Kstdenkm. Lübeck, III 2. Teil, 1921 p. 506. *W. L. v. Lütgendorff.*

Henke, Anton, Maler in Düsseldorf, geb. ebenda 31. 5. 1854, † daselbst 25. 2. 1918, in den letzten 20 Jahren durch Krankheit am Schaffen gehindert. Schüler der Düsseld. Akad. und von C. Kröner, zeigte farbig gut durchgebildete Landschaften, meist mit Tierstaffage, besonders Rotwild, außer in Düsseldorf in Berlin (Katal. Akad.-Ausstell. 1878, 80/81, 84, 86, 90 [Abb.]; Gr. K.-A. 1893/94, 97/98, 1900, 1917 [in Düsseldorf]) und in München (Katal. Glaspalast-A. 1879, 83, 88/89, 92, 94/98). Die Düsseld. Städt. Gemäldeslg (Katal. 1913) besitzt „Spätherbstabend" von 1891.

F. v. Boetticher, Malerwerke 19. Jahrh., I 2 (1895). — Schaarschmidt, Gesch. d. Düsseld. Kst, 1902. — Kst für Alle, VI (1891); IX. — Kstchronik, N. F. V (1894) 195, 355; VI 342. — Rheinlande, I (1900/01) Febr.-Heft p. 8, Juni-Heft p. 5, 7, 9, 11, 20, 25, 36 (Abb.). — Kat. Ausstell. d. Gem. a. d. Privat-Gal. d. Prinzreg. Luitpold v. Bayern, München 1913. — Jahresber. d. Vereins Düsseld. Kstler, 1918 p. 6 (Nekr. v. Ad. Lins).

Henke, Hs., Kupferstecher 18. Jahrh., wahrscheinlich in Amsterdam, stach die Folge „Verzameling van verscheide Tuin-gezigten . . ." nach P. Barbiers.

Kramm, Levens en Werken, III (1859).

Henke, Laurenz, Bildhauer, fertigte laut Vertrag 1736 sämtliche Bildhauerarbeiten (von Eichenholz) für den Marienaltar (Figuren der hl. Clara u. hl. Elisabeth) und für den Antoniusaltar (hl. Bernardin v. Siena und hl. Paschalis Baylon) in der Franziskaner-Klosterkirche zu Geseke (Westfalen).

Didakus Falke, Kloster u. Gymnasium Antonianum der Franziskaner zu Geseke (Franzisk. Studien, Beiheft I) 1915 p. 29, 31.

Henke, Peter, siehe *Hencke*, P.

Henkel (Heckel, Henkl, Henkle), Andreas, Stuckator in Mindelheim (Schwaben), wurde laut Mindelheimer Pfarrmatrikel (woher auch die Namensform „Henkel") geb. in Stetten bei Mindelheim, heiratete 1756 in Mindelheim, wo ihm bis 1760 vier Kinder geboren wurden. Seine Frau starb 1790. Er selbst muß später u. auswärts gestorben sein. Treffliche Stuckaturen von ihm in einem Saal des Pfarrhofes zu Zaisershofen (Schwaben), 1770, u. in der ehemal. Augustinerkirche in Oberndorf a. N. (Württemberg), 1777, im Stil des Spätrokoko. In beiden Fällen arbeitete er neben dem Maler J. B. Enderle.

Dehio, Handbuch der deutschen Kstdenkm., III (²1920) 596. — Archiv f. christl. Kst, XV (1897) 82 f. — Mitt. A. Schröder.

Henkel (Henkell), Johann P[eter], Kupferstecher in Nürnberg, dort 1710/68 nachweisbar. Bürgeraufnahme 17. 3. 1716. Stach für den Verlag von J. Trautner eine Reihe von Handwerksumzügen, eine Fechtübung u. eine Bärenhatz. Seine Blätter führt C. G. Müller in s. Verzeichnis von Nürnb. topograph.-histor. Kupferstichen . . . 1791 p. 165 f. auf (s. ebenda auch p. 118). — Schad nennt einen Nürnberger Kupfer- und Schriftstecher Henkel, der Ende 1790 † und Schüler von Val. Bischoff war.

Nürnberg, Stadtarchiv, Lochner, Norica VI 341 (1710); ebenda, Kreisarchiv, Bürgerbuch 1631—1725 p. 293. — v. Schad, Versuch einer brandenburg. Pinacothek, 1793 p. 175. — Deutsch. Leben d. Vergangenheit in Bildern, II No 1333 (hier fälschl. J. E. H.). — Monogr. z. deutsch. Kulturgesch., X Abb. 85 (hier fälschlich J. F. H.); VIII Abb. 126. *W. Fries.*

Henker, Karl Richard, Architekt und Kunstgewerbler in Berlin, geb. 27. 4. 1873 in Lauenstein (Sachsen), Schüler der Dresdner Akad. unter Lipsius und Wallot, baute zahlreiche Privathäuser in Berlin und Charlottenburg, lieferte Entwürfe für Innendekorationen (Elite-Hotel, Berlin, Ausstellungsräume) und Grabdenkmäler.

Dtschlands etc. Gelehrte, Kstler u. Schriftsteller, ³ 1911. — Kstchronik, N. F. IX (1898) 312. — Innendekoration, XX (1909) 245 ff., 294 ff. (Abb.), 322. — Kstgewerbebl., N. F. XXIII (1912) 10, 237. — Kstwelt, II (1912/13) 80; III 79 (Abb.). — Dtsche Kst u. Dekoration, XXXIII (1913/14) 72 (Abb.), 90.

Henkes, Gerke, Maler, geb. 25. 6. 1844 in Delfshaven, Schüler von J. Spoel in Rotterdam und der Antwerpner Akad., machte Studienreisen nach Deutschland und Paris, ließ sich 1869 im Haag, später in Voorburg nieder; malte, von Israëls und Bosboom beeinflußt, Interieurs und Genrebilder, besonders mit feinem Humor behandelte Kleinstadttypen (alte Jungfern beim Kaffeeklatsch, „Chronique scandaleuse" usw.). Den ersten Erfolg brachte ihm um 1870 seine in Paris und Brüssel gezeigte „Strickschule", angekauft für das Mus. Mesdag im Haag, das noch 5 andere Bilder H.s besitzt (Katal. o. J.). Im Städt. Mus. ebenda (Katal. 1913) „Der Bittsteller"; 4 Bilder im Mus. zu Groningen. H. stellte u. a. häufig im Münchner Glaspalast aus (Katal. 1879, 88, 90/92, 94/95, 97, 1901, 09, 13).

G r a m , Onze Schilders in Pulchri Studio [1880]. — M u t h e r , Gesch. d. Malerei 19. Jahrh., 1893. — F. v. B o e t t i c h e r , Malerwerke 19. Jahrh., I 2 (1895). — G r a v e s , Dict. of Artists, 1895. — R o o s e s , Het Schilderboek, 1898 ff., illustr. Artikel v. d. H a e s . — P l a s s c h a e r t , XIXde Eeuwsche holl. Schilderkst, o. J. — M a r i u s , Holl. Schilderkst in de XIXde Eeuw, 1903. — Gaz. d. B.-Arts, 1877 I 571. — Journal des B.-Arts, 1887 p. 156. — Kst für Alle, III (1888); V; VI. — Kstchronik, N. F. II (1891) 60; IX 252. — Onze Kst, XXVI (1914) 88 f. — Ausstell.-Katal.: Internat. K.-A. Berlin 1896; Expos. déc. des B.-Arts Paris 1900; Internat. Tentoonstell. Stedel. Mus. Amsterdam 1912.

Henle, F r a n z , Kunstschreiner aus Utzmemmingen, fertigte 1725/27 die 3 Altäre (Figuren von einem namentlich nicht bekannten Bildh. aus Oberndorf) in der Kirche zu Buggenhofen, B.-A. Dillingen; ebenda 1729 in Einlegearbeit die Kanzel (Fig. von J. G. Bschorer), Kanzelgang ist in origineller Weise mit dem darunter befindl. Beichtstuhl verbunden; von H. wohl auch die übrigen Beichtstühle, ebenfalls in Einlegearbeit.

Jahrb. d. hist. Ver. Dillingen a. D., XXX (1917) 114 f.

Henle, J o h a n n M i c h a e l , Kunstschreiner aus Mainz, lieferte um 1763 für die 1813 durch Brand zerstörte Kapuziner-Klosterkirche in Aschaffenburg 5 Altäre. An dem 1771/72 errichteten Hochaltar der Stiftskirche ebenda übernahm er die Schreiner- und Bildhauer-Arbeiten.

Kstdenkmäler Bayern, III, Heft 19 (1918).

Henle, P a u l W i l l i a m , Bildhauer, geb. in Hamburg 20. 3. 1887, gebildet bei A. Siebelist, dann als Plastiker bei Lewin-Funcke, Berlin, bei Hans Schwegerle in München u. auf der Akad. ebenda. 1910—13 in Florenz. Nach dem Krieg in Hamburg. Von ihm mehrere Porträtbüsten (u. a. Schauspieler Beneckendorf), Frei- u. Kleinplastik. Grabdenkmäler in Ohlsdorf b. Hamburg: Grabmonument d. Familie Arnstaedt. Grabmal der Familie Victor Schneider in Berlin-Weißensee. Im Mus. Dessau eine Kleinbronze (Mädchen).

R u m p , Lex. bild. Kstler Hambgs, 1912. — Hamburg. Illustr. Ztg, IV (1922) No 47 p. 14. (Selbstanzeige d. Kstl., m. Abb.) — Kataloge: Bremen, Dtscher Kstlerbd-Ausst., 1912 (Abb.). Hamburg, Ausst. Hambg. Kstler (Commeter), 1912. — Mannheim, Dtscher Kstlerbd-Ausst., 1913. — Mitt. des Künstlers. D.

Henlein (Heinlein, Hele, Henlin usw.), P e t e r , Schlosser und Uhrmacher in Nürnberg, geb. ebenda um 1480 (erste Erwähnung 1504), † ebenda 1542, 1509 Meister. 1541 zum erstenmal als „Urhmacher" aufgeführt, als er nach Lichtenau bei Ansbach eine Turmuhr lieferte. Gilt als Erfinder der Taschenuhr; doch haben sich Uhren, die mit Sicherheit als seine Werke anzusehen sind, nicht erhalten. Alle „Peter-Hele"-Signaturen haben sich bisher als apokryph erwiesen. Aus d. Nürnberger Stadt-

rechnungen sind für 1522, 1524 u. 1525 Lieferungen von Taschen-Uhren durch H. bezeugt. Die Erfindung der Federzuguhr ist H. abzusprechen.

Großtotengeläutbuch von S. Sebald Nürnberg, Nbg, Germ. Nat.-Mus. p. 73ª. — Libri litterarum, Nürnberg, Stadtarchiv Nr 33 p. 150; 34 p. 129; 35 p. 24; 41 p. 43; 42 p. 13; 43 p. 37; 52 p. 47. — C o c h l a e u s , Cosmographia Pomp. Melae, Norimb. 1511. — N e u d ö r f e r , ed. Lochner, Quellenschr. X (1888). — D o p p e l m a y r , Nachr. von Nürnb. Mathem. etc., 1730 (handschriftl. ergänztes Exemplar im Germ. Mus. Nbg). — G. Speckhart, Peter Henlein . . ., Nbg 1890. — H a m p e , Nürnberger Ratsverlässe, Quellenschr. N. F. XIII (1904). — B a s s e r m a n n - J o r d a n , Gesch. d. Räderuhr, 1905; vgl. Mitt. a. d. Germ. Nat.-Mus., 1905 p. 87 f. — Bayerland, XXXII (1921) 332 ff. (A. Gümbel). *W. Fries.*

Henley, L i o n e l C h a r l e s , Genremaler in London, geb. ebenda 1843, studierte in Düsseldorf, stellte 1862/93 in London aus (Royal Acad., Brit. Instit., besonders häufig in Suffolk Street). Ein Bild im Mus. zu Leeds.

G r a v e s , Dict. of Artists, 1895; d e r s., Roy. Acad., IV; Brit. Instit., 1908; Loan Exhib., IV (1914). — B é n é z i t , Dict. des peintres etc., II (1913). —

Henn, R u d o l f , Bildhauer in München, Schüler von Waderé. H.s schlichte Kunst versteht es, die plastischen Formen zu Trägern einer überdinglichen, wohlabgewogenen dekorativen Arabeske zu machen. Zusammen mit W. Erb schuf H. das schlichte, stimmungsvolle Luise-Hensel-Denkmal in Paderborn. Stellte aus in Berlin (Gr. K.-A. 1905, 07, 10), Düsseldorf (1911, 13) und München. — Im Münchner Glaspalast 1906: Stiefmutters Fürsorge; Diana. 1907: Märchen (Bronze). 1912: Plakette des Prinzreg. Luitpold. 1914: Bekrönungsgruppe (St. Georg) zu einem Denkmal in Eupen. 1921: Müder Wanderer (Gipsmodell); Brunnenbuberl (Bronze); Architekt. Plastik am Hauptzollamt München.

Die christl. Kunst, VII 59, 61; IX (1912/13) 37. — Die Kunst, XIII 38. — Die Kunstwelt, II (1912/13) 313 (Abb.). — Architekt. Rundschau, XXIX (1913). — Der Baumeister, XVI (1918) 10 f. — Ausstell.-Kataloge. *Hans Kiener.*

Henne, Steinmetz, fertigte 1413 mit Clese Mengoß ein Gehäuse (nach dem Muster eines zu Mainz befindlich gewesenen) für ein Kruzifix mit Opferstock im Dom zu Frankfurt a. M.

G w i n n e r , Kst u. Kstler in Frankf. a. M., 1862 p. 9.

Henne (Zeichner 1692), s. im Art. *Hennin, Adriaen de.*

Henne (Hene, russ. Генне), A l e x a n d e r , Stempelschneider u. Medailleur, geb. 1809 in Petersburg von aus Lübeck (?) stammenden Eltern. Wurde 1837, auf Grund vorgestellter ausgezeichneter Arbeiten (Stempel mit Herkules) in die Petersb. Kunstakad. zur weiteren Ausbildung aufgenommen u. absolvierte solche 1839 mit Medailleur-Diplom.

P e t r o w , Petersb. Akad.-Akten, 1864 II 359.

— N. K o n d a k o w, Jubil.-Handbuch d. Petersb. Kstakad. 1764—1914, II 249. *P. E.*

Henne, A r t u r, Maler und Radierer in Dresden, geb. 13. 2. 1887 ebenda, besuchte die Dresdner Kunstgewerbeschule, 1908—13 das Meisteratelier Eugen Brachts an der Dresdner Akad. Seit 1909 dauernd in Dresden, während der Sommer auf Reisen, bei denen er Thüringen, den Niederrhein und die Mark bevorzugt, seit 1913 ausschließlich als Radierer tätig. Er liefert hauptsächlich Landschaften — besonders in Kaltnadelradierung, selten in Aquatinta u. Vernismou, — gern wählt er Motive am Wasser, daneben kommen Architekturansichten vor (aus Dresden); zahlreich sind die Ex-Libris. Während des Krieges verwendete er vorzugsweise die Strichätzung auf Zink und paßt auch die anderen Verfahren diesem Material an. H.s Blätter erscheinen im Verlag von Emil Richter in Dresden (vgl. den Katal. „Sechs Dresdner Graphiker", 1913, mit Abb.). Die Ex-Libris ausgenommen, besteht sein Werk bereits aus etwa 120 Platten. Die Kabinette in Berlin, Dresden, Paris, London erwarben Blätter H.s, die auch viele Liebhaber unter den engl. Sammlern haben.

Akten der Dresdn. Kstakad. und Mitteil. des Kstlers. — Ex-Libris, XXVI (1916) 170 ff., mit Abb.; XXVII 28. — Deutschland, VII (1916) 581, Kriegsgraphik. — G l a s e r, Graphik d. Neuzeit, 1922. — Neuigkeiten d. dtsch. Kunsthandels, 1915 p. 37 ff. (121 Bl. aufgezählt). — Katal. d. Ausstell.: *Chemnitz,* IV. Graph. des Dtsch. Kstlerbundes, 1912; *Dresden,* Große 1912; Dresdn. Kstlergruppe 1913; Gal. Arnold 1914; Dresdn. Kstlervereinig. 1914; 1915; 1916 Herbst; 1919 Herbst; Dresdn. Kstgenossensch. 1922; *Leipzig,* I. Internat. Graph. 1914; *München,* Glaspal. 1917; *Berlin,* Gr. Kstausst. 1914; 15; 16; 18. *Ernst Sigismund.*

Henne, E b e r h a r d S i e g f r i e d, Kupferstecher, geb. 27. 7. 1759 zu Gunsleben bei Halberstadt, † 5. 12. 1828 in Berlin. Sohn eines protest. Pastors, studierte er erst 1 Jahr Theologie in Halle, ging dann, 1779, an die Leipziger Akad., um unter Oeser im Zeichnen, unter Bause, der ihn aber an Liebe wies, im Radieren sich zu üben. 1781 ging er nach Berlin, trat in Beziehung zu Chodowiecki u. B. Rode u. zeichnete Akt in dem auf D. Bergers Anregung gegründeten Künstlerverein. Bekannt machte er sich durch seinen Stich nach C. Vanloos „Opferung der Iphigenie" (1793 auf der Berl. Akad.-Ausst.). Er stach u. radierte viel nach Chodowiecki (so „Abschied Ludwigs XVI. von seiner Familie" u. die Kupfer in Archenholtz' Taschenbuch des 7 jähr. Krieges) und nach Rode („Tod Friedrichs II." [Platte von H. nur überarbeitet] u. „Christus in Emmaus"). Auf der Akad.-Ausst. 1802 zeigte er 4 illum. Kupferstiche, Ansichten aus Schlesien, 1804 Ansichten aus dem Harz, 1806 zwölf Kupfer zu dem Cotta'schen „Taschenbuch für Damen" Jahrg. 1807, „Der Sonntag von zwei Jahrhunderten", nach Gemälden u.

Zeichn. der Susanne Henry. Der Krieg brachte ihn in bedrängte Lage; er zeichnete Miniaturen, er radierte wohlfeile kleine Bildnisse bekannter zeitgenöss. Persönlichkeiten; als seine Lage sich nicht besserte, ging er 1808 nach Braunschweig u. nach Westerburg zu Verwandten. Dort vollendete er die Platten nach L. Cranachs d. Ä. Flügelaltar d. Jüngsten Gerichtes (Kopie nach H. Bosch; damals als P. Bruegel d. J. bezeichnet); ferner entstanden radierte u. kolorierte Ansichten aus dem Harz, das Blatt „Biwak des Herzogs Friedrich Wilhelm von Braunschweig vor den Toren dieser Stadt" u. das Bildnis des Herzogs (1809). 1809 kehrte er nach Berlin zurück, 1810 radierte er das Blatt „Abschied des Königs u. der kgl. Prinzen von der sterbenden Königin Luise". 1817 wurde er Lehrer u. Inspektor an der Berl. Akad. Ein, wenn auch sehr mangelhaftes Verz. seiner Stiche bei Nagler.

F ü ß l i, Kstlerlex., 2. Teil, 1806 ff. — Berliner Kstblatt, 1828 p. 361—64 (Nekr.). — Neuer Nekr. d. Deutschen, VI. Jahrg., 1828, Ilmenau 1830 p. 823. — N a g l e r, Kstlerlex., VI. — Allg. deutsche Biogr., XI. — L e m b e r g e r, Bildnisminiatur in Deutschland, 1909. — Hohenzollernjahrbuch, II (1898) 129 (Abb.); IX (1905) 116 (Abb.). — Braunschw. Jahrb., 1906 p. 107 f. — Mitt. d. Ver. f. Gesch. Berlins, XXV (1908) 12, 13 (Abb.), 22; XXVI (1909) 81 (Abb.). — G. F. C. S c h a d, Vers. einer Brandenburg. Pinac., 1793. — Jahrb. d. Bilder- u. Kstblätterpreise, IV (Wien 1913). — Kat. d. Berl. Akad.-Ausst., 1793 p. 21, 1794 p. 26, 1802 p. 39, 1804 p. 19, 1806 p. 21, 1808 p. 24, 1818 p. VI, 1830 p. IV. — D u p l e s s i s, Cat. Portr., Bibl. Nat. Paris, 1896 ff., I 875, 3793, 4997, 5175; II 7096/9, 7216, 7847/6, 8687/58; III 11698, 14326, 14762; IV 18487, 18566, 19302, 20387/11; V 23776, 23847, 24004, 24342.

Henne, J o a c h i m, Miniaturmaler, Elfenbeinschneider u. Wachsbossierer in Berlin, 1702 von König Friedrich I. v. Preußen auf Grund eines Miniaturbildnisses des Kronprinzen zum Hofmaler ernannt; im Berliner Adreßkalender 1707 noch als „Hofporträtmaler in Miniaturen" erwähnt. Im Berl. Kaiser-Friedrich-Mus. das Elfenbeinrelief eines am Tisch sitzenden älteren Herrn, auf der Rückseite bez. „Joachim Hennen" und 1663 dat. (Abb. bei Scherer); ebenda ein unbez. Elfenbeinrelief (männl. Bildnis) von derselben Hand. In der ehemal. (schwedischen) Samml. Eichhorn befand sich ein „Henne fecit" bez. Miniaturporträt der Gräfin Märta Creutz, geb. Banér (1672—1736).

N i c o l a i, Nachr. v. Baumeistern usw. in Berlin, 1786. — H. M ü l l e r, Kgl. Akad. d. Kste zu Berlin, 1896. — Kgl. Museen zu Berlin, Beschreib. d. Bildwerke d. christl. Epochen, V ö g e, Elfenbeinbildwerke, 1900 No 202, 205. — S c h e r e r, Elfenbeinplastik seit d. Renaiss. (Monogr. d. Kstgew. Bd VIII). — L e m b e r g e r, Bildnisminiatur in Skandinavien, 1912. *C. F. Foerster.*

Henne (Henner), J o e s t, Architekt in Stockholm, wo er mit Christ. Blume die Sandsteindekorationen an der 1632/34 erbauten

Gustavianischen Gruft am Chor der Riddarholms-kirche ausführte (eine Art Rustika-Pilaster zu seiten der Fenster, Kartuschen unter den Fenstern, Fries unter dem Dachgesims in Knorpelornament, das älteste datierbare Beispiel dieses Stils in Schweden). Um 1640 wird H. als Baumeister am Schloß erwähnt; laut Rechnungen stammt von ihm auch ein Portal am Lusthaus der Königin Christine auf dem Landtmäteribacken in Stockholm.

R o m d a h l - R o o s v a l , Svensk Konsthistoria, 1913 (Abb.). — M. O l s s o n , Riddarholmskyrkan, 1913.

Henne, P i e r r e (Pierart), Maler, † 1422/23 in Mons, 1395 in Roeulx nachweisbar, wo er für die Stadt ein Banner malt, 1412/13 in Mons, von wo er als Gutachter über ein Altarbild für die Kirche in Roeulx dorthin gerufen wird. 1401/02 malt er Banner für den Herzog Albrecht von Bayern, Grafen von Hennegau; 1417/18 läßt Margarete von Burgund, verwitwete Gräfin von Hennegau, von ihm ihr Bildnis malen für die Antoniuskapelle in Barbefosse; am 20. 3. 1423 wird H.s Witwe von Jean IV., Herzog von Brabant u. Limburg, bezahlt für ein Bildnis des Herzogs mit Wappen, das H. für die Antoniuskap. in Barbefosse gemalt hatte.

D e L a b o r d e , Ducs de Bourgogne, I. — P i n c h a r t , Arch. des arts etc., 1860, III. — M o e s , Iconogr. Batava, No 9093/1. — Biogr. Nat. de Belgique, IX (1887) 67.

Hennebelle, L u c a s , Maler in Cambrai, wo er 1436 an einem Gehäuse (custode) einer silb. Madonnenstatue für den Hochaltar der Kathedrale auf kleinen Feldern Szenen aus dem Marienleben malte. 1437 malte er im Auftrag der Gräfin v. Ligny und Guise, Gattin des Grafen von Saint-Paul (châtelain de Lille) Miniaturen in „deux romans contenans les pellerinages de la vie humaine et de l'ame de Jhesu Crist" (in einem [verschollenen] Band zusammengebunden). Der erstgen. Roman wahrscheinlich das Werk des 1295 geb. Mönchs Guillaume de Diguilleville.

H o u d o y , Cathédrale de Cambrai, 1880.

Henneberg, A n d r e a s , siehe im Artikel *Henneberger,* Familie.

Henneberg, H a n s C h r i s t i a n , Holzschneider, geb. in Kopenhagen 7. 9. 1826, † 9. 5. 1893 ebenda; kam früh in die Lehre zu dem Xylographen A. Flinch, besuchte auch die Akad. und ging 1847 bis 49 mit einer Reiseunterstützung nach Dresden, wo er bei dem Holzschneider H. Bürkner arbeitete, dann nach München. H. lieferte damals Holzschnitte für Schnorr's Bilderbibel und für den „Deutschen Jugendkalender für 1847" nach Zeichn. L. Frölichs. Nach seiner Rückkehr arbeitete er in der Werkstatt von Kittendorff u. Aagaard Holzschnitte für Holsts „Felttogene 1848, 49 og 50" und für Fabricius' Geschichte Dänemarks. 1841—79 stellte er in Charlotten-

borg aus. 1858 machte er sich mit J. F. Rosenstand selbständig, arbeitete seit 1862 auch als Photograph. 1884 zog er sich von der Arbeit zurück. H. gilt für Flinch's besten Schüler.

W e i l b a c h , Nyt Dansk Kunstnerlex., 1896. — R e i t z e l , Fortegnelse over Danske Kunstneres Arb., 1883. — H o f f , A. L. Richter, 1877 p. 452. — D a h l - E n g e l s t o f t , Dansk biogr. Haandleks., II (1921).

Henneberg, H u g o , Graphiker in Wien, Dr. phil., geb. ebenda 27. 7. 1863, † ebenda 12. 7. 1918, einer der bekanntesten Techniker der „künstlerischen" Photographie (Gummidruck), arbeitete seit 1898 als Radierer, seit 1903 als Holzschneider. Von seinen 73 z. T. mehrfarb. Holz- bzw. Linoleumschnitten zu nennen: Markt am Hof, Markt in Steyr, Schönbrunn, Kapistrankanzel, Wachau-Mappe (7 Bl., unvoll., 12 Bl. projekt.), Dürnstein-Mappe (8 Bl., besonders hervorzuheben).

Ver Sacrum, VI (1903) Bl. 349/59 (ohne Text). — H. W. S i n g e r , Mod. Graphik, 1914. — Die Graph. Kste, Beilage, XLII (1919) 44; XLIV (1921) 69. — Kataloge: Dresden, Gr. K.-A. 1904; Berlin, Gr. K.-A. 1905, 1907. — Mitteil. v. Karl Nickmann (Wien).

Henneberg, R u d o l f Friedrich August, Maler, geb. in Braunschweig 13. 9. 1826, † ebenda 14. 9. 1876. Studierte zuerst die Rechte in Göttingen und Heidelberg (1845/48), arbeitete 1 Jahr bei dem Herz. Kreisgericht in Braunschweig, ging dann zur Malerei über und bezog Frühjahr 1850 die Akad. zu Antwerpen. Von dort begab er sich nach 1½ jährigem Aufenthalt, doch ohne eine Einwirkung durch die belg. Kunst erfahren zu haben, nach Paris in das Atelier Th. Couture's, das er aber nach 3 Monaten wieder verließ, um selbständig weiter zu arbeiten. Bis 1861 weilte er in Paris, wo die junge romantische Schule, besonders Decamps, Diaz, Delacroix und Couture maßgebenden Einfluß auf ihn gewannen. Während dieser Pariser Jahre entstanden u. a. das ihn zuerst bekannt machende, 1856 dat. Bild „Der wilde Jäger" (nach Bürgers Ballade) in der Berl. Nat.-Gal. (im Graph. Kabinet ebenda an 30 Skizzen dazu), das schöne, auf der Berl. Jahrh.-Ausst. 1906 gezeigte Bild des Darmstädter Mus.: An der Furt (Landsknechte zu Fuß u. zu Pferde mit Marketenderinnen und Bagagewagen beim Überschreiten eines Flusses; dat. 1857) und das 1860 gemalte, früher in der Berl. Nat.-Gal. (vgl. Katal. 1907 No 424), jetzt in der Kieler Kunsthalle bewahrte Bild: „Verbrecher aus verlorener Ehre" (nach Schillers Novelle). Von Paris ging H. 1861 nach Italien, wo er fast 2 Jahre abwechselnd in Rom (Okt. 1861 wird er dort als Mitglied des Deutsch. Künstler-Ver. eingeführt), Neapel, Florenz und Venedig, teils mit selbständigen Arbeiten, teils mit Kopieren nach alten Meistern (Ermordung des Petrus Martyr, nach Tizian, im Landesmus. Braunschweig) beschäftigt, zubrachte. Arbeiten dieser römischen Zeit sind die Skizze der Berl. Nat.-Gal.: Reiter u. Reiterinnen i. d. Campagna (Katal. 1908 No 923), das ehemals in der Samml. seines Freundes, des Bildh. Jos. v. Kopf, befindliche Bild: Kopf, Passini u. Henneberg i. d. Campagna reitend, und die 2 kleinen Landschaften in der Sammlg W. v. Bode. Aus Italien zurückgekehrt, machte H. sich zunächst in München, seit 1866 in Berlin ansässig. Hier entstand sein 1868 vollend. Hauptwerk, das seinen Namen berühmt gemacht hat: Die Jagd nach dem Glück (Berl. Nat.-Gal., nebst zahlreichen farb. Skizzen dazu), dessen erste Konzeption bis in die röm. Jahre zurückreicht. In seiner harten, gläsernen Farbe steht das Bild in koloristischer Beziehung weit hinter dem „Wilden Jäger" zurück, dessen bräunlicher Grundton die düstere Stimmung der Szene viel passender akkordiert als die hellen und kalten Lokaltöne die romantisch-phantastische Stimmung hier; kompositionell aber krönt es die 2jährige mühevolle Arbeit, die H. auf das Bild verwandt hat, und von der zahlreiche Vorstudien, die auf der großen Nachlaßausstell. von 1877 in der Nationalgal. zu sehen waren, Zeugnis ablegen. Ein Denkmal dem siegreichen deutsch-franz. Kriege setzte H. in seinem Zyklus von 8 Wandgemälden in der Villa Warschauer in Charlottenburg, der die in das Kostüm der alten Ritterzeit gekleidete Liebesgeschichte eines Jägers, Abschied von der Geliebten, Heimkehr aus dem Felde und Heimführung der Braut schildert. (Entwürfe i. d. Berl. Nat.-Gal.) Anfang 1873 ging H., damals bereits kränkelnd, von neuem nach Italien, traf im Spätherbst in Rom ein, kehrte Ostern 1875 nach Braunschweig zurück, verbrachte den folgenden Winter wieder in Rom, von wo er Mai 1876 schwerkrank in die Heimat abzureisen gezwungen war. — Am besten in der Berl. Nat.-Gal. (über 100 Skizzen) und im Städt. Mus. in Braunschweig kennenzulernen, ist H. außerdem vertreten im Landesmus. in Darmstadt, in der Kunsthalle in Kiel, im Städt. Mus. in Halle a. S. (röm. Landschaft, Landsknechte), in der Schack-Gal. in München (verkleinerte Wiederholung des „Wilden Jägers", dat. 1857), im Rudolphinum in Prag (Vagabunden und berittener Gendarm, Aquarell, 1870) und im Schles. Mus. in Breslau („Märchen"). Das große, unvollendete Gemälde: Überfall eines Postwagens in der Campagna wird im Gutshaus des Rittergutes Lucklum aufbewahrt.

H. Riegel, Kunstgesch. Vorträge u. Aufsätze, Braunschw. 1877 p. 367 ff. — Beibl. d. Zeitschr. f. bild. Kst, XII (1877) 473 f. — F. v. Boetticher, Malerwerke d. 19. Jahrh., I 2 (1895), mit Oeuvre-Liste. — A d. Rosenberg, Gesch. d. mod. Kunst, ² 1894, III 162 ff. — Wilh. Bode in Die Graph. Künste, XVIII (Wien 1895) p. 45—62 (mit zahlr. Textabbild. u.

Taf.); cf. ibidem V 41 f. — Jos. v. Kopf, Lebenserinnerungen eines Bildh., Stuttgt 1899 p. 210 ff., 239, 246 f., 250, 261, 431, 452, 466, 470. — Allgem. Zeitung, 1877 No 62 Beil. — Bau- u. Kstdenkm. des Herzogt. Braunschw., II (1900) 93. — III. Sonder-Ausst. d. Berl. Nat.-Gal., 22. 3.—12. 5. 1877. — Katal. d. angef. Museen. — Katal. d. Handzeichn. etc. i. d. Berl. Nat.-Gal., 1902. — Ausst. deutscher Kst a. d. Zeit von 1775—1875 Berlin 1906, Katal. d. Gemälde, München 1906, I u. II. — Gedenkschrift ... u. Führer d. d. Carl Alexander Gedächtnis-Ausst. Weimar 1918. — Berl. Maler 1860—90 (Ausst. Math. Rabl. Berlin, März/April 1918). *H. Vollmer.*

Henneberger (Hennenberg, Hennenberger), Malerfamilie von Geislingen in Württemberg, als deren Stammvater in der 1. Hälfte d. 16. Jahrh. Georg I erscheint, die sich dann mit seinem Sohn Georg II und dessen Söhnen Georg Rudolph und Joachim fortsetzt, außerdem zu Anfang d. 17. Jahrh. einen Hans Jakob (?) zu den Ihrigen zählt und sich mit Hans Joachim und Hans (?) bis ins 18. Jahrh. hinein verfolgen läßt. Von den meisten Mitgliedern der Familie wissen wir nicht mehr, als was Weyermann schon 1798/1830 über sie berichtet hat.

Klemm in Württemberg. Vierteljahrsh. f. Landesgesch., 1884 p. 121, 208 ff. — Kst- u. Altertums-Denkm. Württembg, Donaukr., I (1914) 682. — Speziallit. folgt unter den einzelnen Artikeln.

Georg (Jörg) I, Maler u. Holzschneider in Geislingen, 1550 noch am Leben, soll mit seinem Monogramm (lat. großes H. mit angehängtem kl. b) einige Holzschnitte biblischen Inhalts bezeichnet haben, die 1518 bei Silvan Othmann zu Augsburg abgedruckt worden seien.

A. Weyermann in Schorns Kunst-Blatt, 1830 p. 267. — Brulliot, Dict. des Monogr. etc., 1832—34, I 978. — Nagler, Künstlerlex., VI.

Georg (Jörg) II, Sohn des vor., Maler, Glasmaler und Holzschneider in Geislingen, schnitt 1575 das Bildnis des Ulmer Superintendenten Dr. Rabus (mit Monogr. bez.), malte 1588/89, zusammen mit seinen beiden Söhnen Georg Rudolf und Joachim (s. unten) und mit Gabriel Bockstorffer v. Constanz, in der Kirche zu Kuchen (O. A. Geislingen) Wappen, Symbole usw. an der Decke, 1589 mit Bockstorffer in der Kirche zu Ueberkingen (O. A. Geislingen); lieferte ferner 1589/90 als Glasmaler Wappenscheiben für den Hof in Stuttgart und malte auch in der 1704 zerstörten Kirche zu Albeck (O. A. Ulm). Wegen seiner kath. Gesinnung hatte er 1593 und 1595 Auseinandersetzungen mit dem protest. Religionsamt in Ulm.

Weyermann, Nachr. v. Gelehrten, Künstlern etc. aus Ulm, 1798 p. 310/11; ders. in Schorns Kunst-Blatt, 1830 p. 267. — L. Balet, Schwäb. Glasmalerei („Kataloge der kgl. Altertümersamml. in Stuttgart II"), 1912 p. 37. — Brulliot, Dict. d. Monogr. etc., 1832/39, I 965. — G. Dehio, Handbuch d. dtsch. Kstdenkm., III (2. Aufl.). — P. K e p p l e r , Württemb. kirchl. Kunstaltertümer, Rottenburg a. N., 1888 p. 117/118. — N a g l e r , Künstlerlex., VI; d e r s., Monogr. III. — P f e i f f e r , Malerei d. Nachrenaiss. in Oberschwaben, Württemb. Vierteljahreshefte f. Landesgesch., N. F. XII (1903) p. 41. — Kst- u. Altert.-Denkm. Württemb., Donaukr., I (1914) 798, 800, 829.

G e o r g (Jörg) R u d o l p h , Sohn des vor., bei dessen Arbeiten in Kuchen er 1588/89 mithalf, dann als Maler und Glasmaler in Würzburg tätig. Hier wurde er 1597 in die Zunft und 1598 in die Bürgerschaft aufgenommen, 1599, 1605, 1606 stellte er Lehrlinge vor; 1605 war er geschworener Meister. Er malte die Ansichten des Juliusspitals und der Universität, nach denen Joh. Leipold seine Stiche herstellte, u. 1602/03 mit Christoph Friedr. Klöpfer 2 Altarbilder, u. a. für die Klosterkirche Oberzell. Am 21. 6. 1606 unterzeichnete er einen überaus ausführlichen Vertrag über die Renovierung, richtiger Neuherstellung, des Hochaltars in der Stiftskirche zu Aschaffenburg und zweier Stiftergräber ebenda, wobei jedoch der Hauptteil der Arbeit dem Bildhauer Hans Juncker zufiel. 1609 scheint er gest. zu sein; keines seiner Werke scheint sich erhalten zu haben.

L. B r u h n s , Würzburger Bildh. d. Renaiss. u. des werdenden Barock, München 1923. — Kstdenkm. Bayerns, III Heft 19, p. 30—32. — L a s t e y r i e , Les Peintres-Verriers, 1880 p. 8, 98. — N i e d e r m a y e r , Kunstgesch. d. St. Würzburg, 1860 p. 269. — B. P f e i f f e r in d. Württemberg. Vierteljahrsh. für Landesgesch., N. F. XII (1903) 41. — K. G. S c h a r o l d , Würzburg u. s. Umgebung, 1836 p. 174. — W e y e r m a n n in Schorns Kunst-Blatt, 1830 p. 267. — Mit Notizen von G. H. L o c k n e r , Würzburg.

H a n s (?; nur d. Anfangsbuchstabe des Vornamens durch Monogramm gesichert), stach das von dem Ulmer Maler Jonas Arnold d. Jüng. gezeichnete Titelblatt des Ulmer Quartkalenders der Jahre 1711—16.

Diözesanarchiv von Schwaben, XIV (1896) 102. — N a g l e r , Künstlerlex., VI. — P f e i f f e r , Württemb. Vierteljahresh. für Landesgesch., N. F. XII 41. — W e y e r m a n n , Nachrichten von Gelehrten, Künstlern etc. aus Ulm (Fortsetzung 1829) p. 169.

H a n s J a k o b , Maler zu Geislingen, wird von Weyermann als Schöpfer der 1622 gemalten Taufe Christi (nicht erhalten), ehemals über dem Sakristeieingang in der Geislinger Stadtkirche, genannt, während Pfeiffer dieses Werk und ein 1634 gemaltes Epitaph (Steinigung des Stephanus) in Ueberkingen (O. A. Geislingen) dem J o a c h i m gibt, der von den älteren Schriftstellern als jüngster Sohn des Georg II und sonst unbekannter Maler von Altarbildern 1589—1622 erwähnt wird. Joachim half seinem Vater bei dessen Arbeiten in Kuchen, 1588/89 (vgl. den Art. Georg II.)

B r u l l i o t , Dict. des Monogr. etc., I 984 b, 2326. — N a g l e r , Künstlerlex., VI. — P f e i f f e r in d. Württemb. Vierteljahresh. f. Landesgesch.,

N. F. XII (1903) 41. — W e y e r m a n n , Nachrichten etc., 1798 p. 310/11; d e r s. in Schorns Kunst-Blatt, 1830 p. 267. — Kst- u. Altert.-Denkm. Württemb., Donaukr., I (1914) 688 f., 707, 822.

H a n s (Johann) J o a c h i m , † 18. Juli 1707 in Wiesensteig als Stadtpfleger, bemalt die frühere hölzerne Decke der dortigen Stiftskirche und fertigt 1679 das Rechbergische Stammbüchlein im Schlosse Donzdorf.

N a g l e r a. a. O. — P f e i f f e r a. a. O. — W e y e r m a n n , Nachr. etc., Fortsetzung 1829 p. 169. — Kst- u. Altert.-Denkm. Württemb., Donaukr., I (1914) 756, 761.

Vermutet wird die Zugehörigkeit zur Geislinger Malerfamilie bei dem Flach- u. Glasmaler A n d r e a s H e n e b e r g e r , der in Geislingen gelernt, 1584 (nach Nagler bereits 1575) nach München kam und dort großen Zulauf von Lehrjungen hatte. Nach dem Tode des Malers Hans Ostendorfer d. jüng. (um 1587) heiratete er dessen Witwe, wurde jedoch vorerst wegen seines Meisterstückes von der Zunft abgewiesen. 1587 ca wurde er Hofmaler in München, und 1589 als Meister im Zunftbuch geführt. Er malte Bildnisse der herzogl. Familie und soll um 1599 † sein. Nagler fand sein Monogramm aus A. u. H. auf einer Tuschzeichn. mit Darstell. einer Szene a. d. röm. Geschichte.

N a g l e r , Kstlerlex., VI 97 („Heneberger"); Monogr., I No 661. — Zeitschr. f. alte u. neue Glasmal., 1913 p. 112 (J. L. F [i s c h e r]).

Schließlich erscheint in Geislingen ein vor 1636 † Schreiner D a n i e l H., der Anteil hat an der laut Inschrift von B. H. und D. H. gefertigten Kanzel der dort. Stadtkirche.

Kst- u. Altert.-Denkm. Württemb., Donaukr., I 685, 688. *L. Bruhns.*

Henneberger, A u g u s t , Bildhauer, geb. 15. 1. 1873 zu Kötzting im bayr. Wald, Schüler von Eberle und Bradl in München. Lehrer an der Kunstgewerbeschule in Altona für dekorative und freie Plastik; arbeitet bes. in Holz: Dekorative Stücke (Supraporten, Treppenpfosten), aber auch Rundplastisches (Statuetten) usw.

S a u e r m a n n , Schlesw. Holst. Kunstkal., 1911 p. 55, 78, 79 (Abb.); 1912 p. 55 (Abb.) — Dtsche Kunst u. Dekorat., XVIII (1906) 770, Abb. *D.*

Henneberger, C., Maler, nennt sich als Verfertiger auf einem Altarbilde (Schutzmantelmadonna) von ca 1770 in Pfändhausen (B.-A. Schweinfurt).

Kstdenkm. Bayerns, III Heft 17 p. 235.

Henneberger, D o r o t h e a , Hofmalerin in München, um 1590, malte Bildnisse in Öl u. Aquarell.

L. W e s t e n r i e d e r , Beiträge z. vaterländ. Historie, III 113.

Henneberger, H a n s , Hofmaler Herzog Albrechts von Preußen in Königsberg. Malte 1522 bei einer Begegnung seines Herrn mit dessen Bruder Markgraf Georg v. Brandenburg-Ansbach in Heilsbronn das vorzügliche Porträt des letzteren, welches sich noch heute in Kloster Heilsbronn (b. Ansbach) befindet. Ebenda die Kopie eines Bildnisses von Albrecht als Hochmeister des deutschen Ordens. Geringer das Doppelporträt des Markgrafen Kasimir von Ansbach u. seiner Gemahlin ebenda, das gleichfalls auf ihn zurückgehen dürfte. Er wird von Hofmann mit dem Folgenden verwechselt.

Fr. H. Hofmann, Kunst am Hofe der Markgrafen v. Brandenburg (Studien z. deutsch. Kstgesch.), Straßburg 1901 p. 78/79; ders. im Hohenzollernjahrb., IX (1905) 71, 72 (mit Abb.). — Stillfried, Heilsbronn, Taf. 39, 40, 42 (Abb.).
L. Bruhns.

Henneberger (Hennenberger), H a n s, Maler, geb. zu Mühlhausen in Preußen, † 31. 12. 1601, Schüler des Ansbacher Hofmalers Thomas Bitterer. Am 27. 11. 1593 zum herzogl. preuß. Hofmaler in Nachfolge Adam Langes ernannt. Beendigte als solcher die Ausmalung des Moskowitersaales im Königsberger Schloß mit Wappen u. Porträts. Er lieferte auch sonst Bildnisse hochgestellter Personen (König Stephan Bathory von Polen, König Sigismund III. nebst Gemahlin), beschäftigte sich aber hauptsächlich mit heraldisch-genealogischen Arbeiten und befriedigte besonders die Bedürfnisse der preuß. Ritterschaft nach schön gemalten Adelsbriefen. In der Wallenrodt'schen Bibliothek zu Königsberg befindet sich ein Querfolioband mit Stammbäumen ostpreuß. Adelsfamilien, die von H. gemalt sind; auch einige flott gemalte u. individuell behandelte Bildnisse finden sich darin. Auch für das Ausstaffieren der Schaugerichte bei Festlichkeiten wurde H. in hervorragendem Maße herangezogen. Im allgemeinen trägt sein Schaffen den Stempel mehr handwerklicher Betätigung.

Ehrenberg, Kst am Hofe der Herzöge v. Preußen, 1899. — Bau- u. Kstdenkm. d. Prov. Ostpreußen, Heft VII (1897) 341.

Hennebicq, A n d r é , Maler, geb. 13. 2. 1836 in Tournai, † 31. 3. 1904 in Saint-Gilles (Brüssel), Schüler von Stablaert in Tournai, dann von Portaels an der Brüsseler Akad., erhielt 1865 den Rompreis und war mehrere Jahre in Italien; 1870/79 Direktor der Akad. in Mons. H.s Schaffen spiegelt das Nachleben der klassisch orientierten Historienmalerei wider, weist aber auch bereits Züge des Naturalismus auf. Thema und Auffassung seiner „Arbeiter in der Campagna" erregten durch ihre Realistik Aufsehen; das Bild teilt mit H.s großen histor. Gemälden, deren Einzelheiten oft aus sehr verschiedenen Quellen geschöpft sind, die Klarheit in Aufbau und Zeichnung und die Gewandtheit der Komposition. H. malte auch Landschaften, religiöse und Genrebilder. Von zahlreichen tüchtigen Porträts seien genannt das Selbstbildnis und „Partie de carte" (beide i. Bes. d. Familie H.s in Brüssel) und das des Archit. Naert (im Bes. der Stadt Brügge). Dekorative Gemälde mit lokalgeschichtl. Dar-

stell. führte H. für das Regier.-Gebäude zu Mons und die Rathäuser zu Löwen (Catal. des Tableaux etc. 1898) und Tournai aus. Im mod. Mus. Brüssel (Katal. 1908): „Arbeiter in der Campagna" (1870) und „Chapelle Saint-Isidore"; Mus. Mons: „Messaline insultée par le peuple"; Mus. Namur: „Le doge Foscari"; Mus. Tournai: „Lamentations de Jérémie" und ein Porträt.

Devillers, Passé art. de la ville de Mons, 1885 p. 71, 124. — Lemonnier, Ecole Belge de Peint., 1906. — Hymans, Belg. Kst d. 19. Jahrh. (Gesch. der mod. Kst VI, Seemann Leipzig), 1906 p. 166 f. (Abb.). — Lambotte, Peintres de portr., 1913 p. 60 f. (Abb.), 124. — Gaz. d. B.-Arts, 1875 II 356 f., 364. — Journal d. B.-Arts, 1877 p. 88; 1878 p. 131; 1881 p. 138; 1883 p. 83; 1885 p. 75; 1886 p. 182. — Kstchronik, VII (1873) 10; N. F. IX (1897) 5; XV 364. — Fédération artist., 1904 p. 210 f., 218 f. (nicht benutzt). — Catal. de l'Art Belge, Brüssel 1905 p. 37 u. Abb.

Hennecart (Hennequart, Hannequart), J e a n , niederländ. Buchmaler, der 1454—75 für die burgund. Herzöge Philipp den Guten und Karl den Kühnen tätig gewesen ist. Sein Aufenthaltsort ist unbekannt. Sein frühestes nachweisbares Werk, das ihm nach seinem Stil zugeschrieben werden kann, ist der 1462 dat. „Miroir de l'humilité" für Philippe de Croy in der Madrider Staatsbibliothek. Er enthält 5 Grisaillen, die mit Gold gehöht sind und einen vortrefflichen, sicheren Zeichner verraten. In denselben Jahren muß das vorzügliche Widmungsblatt einer Handschrift für Philipp den Guten in Brüssel entstanden sein, das häufig reproduziert u. besprochen worden ist (ms. 9017, Composition de la Ste Écriture des D. Aubert von 1462), das bedeutendste Werk H.s, das bisher bekannt ist. Etwas schwächer ist das beglaubigte Werk H.s in der Bibl. de l'arsenal in Paris (ms. 5104): „Instruction d'un jeune prince", für Karl den Kühnen (zwischen 1465 u. 68). Es enthält 3 Bilder in Deckfarben (Abb. bei Martin). Außerdem wird ihm von Durrieu ein Xenophon (traité de la Tyrannie) der ehemal. Slg Philipps-Cheltenham zugeschrieben. — H.s Bedeutung ist noch sehr unklar. Er ist einerseits mit einer der schönsten Gruppen von Werken der burgund. Hofkunst in engem Zusammenhang zu denken, der Werkstatt, die die Chronik von Hennegau (Brüssel), die Chronik von Jerusalem und den Roman des Girart von Roussillon (beide in Wien) um die Mitte des Jahrh. ausgeführt hat, und er ist selbst ein Realist und Dekorator, wie um diese Zeit wenige am burgund. Hofe tätig waren. Anderseits sind die Handschriften in Paris und Madrid bzw. Brüssel sehr ungleich, und die Urkunden zeigen ihn hauptsächlich mit untergeordneten Arbeiten beschäftigt, wie Entwürfe für Goldschmiedarbeiten und Münzen, Banner- und Wappenmalereien. Vielleicht ist er nur Agent und Organisator nach Art moderner Impresarios gewesen. Ihm wurden z. B. zus. mit Pierre Coustain die Dekorationsarbeiten für die Hochzeit Karls des Kühnen in Bausch und Bogen übertragen, wozu auch die Auswahl der Künstler gehörte. Hiergegen spricht die Qualität der Madrid-Brüsseler Arbeiten und seine hohe Stellung als Hofmaler, die jener des Jan van Eyck entsprach. Auch Tafelbilder in seinem Stil werden sich voraussichtlich noch nachweisen lassen. Wahrscheinl. gehört ihm die Tafel mit dem hl. Nikolaus von Bari in Dublin.

L a b o r d e , Ducs de Bourgogne, 1849—52, I; II. — Gaz. des B.-Arts, 1917 p. 155—72, Abb. (Martin). — D u r r i e u , La miniat. flam., 1921 p. 22 u. Taf. 28—30. — Eigene Notizen.
Winkler.

Hennecke (Henneke, Hennicke), **G e o r g** und **T.**, Brüder, Bildhauer. Offenbar identisch mit den von Nicolai genannten „Henning" d. ält. und d. j., „zwey Bildhauer aus Berlin gebürtig und Schüler Ebenhechts", die „in Potsdam an den dortigen Königl. u. andern Gebäuden viele Figuren gemacht" haben. Unter den am Bau des Neuen Palais bei Potsdam (1763/69) beschäftigten Figurenbildhauern nennt Manger als am Statuenschmuck des Hauptgebäudes beteiligt die „Gebrüder T. u. Georg Hennecke", unter den Bildhauern der 1766 begonnenen „Communs" nur einen „Hennicke" und unter denen der Gontardschen Kolonnade (1767—1769) „Hennekens Wittwe", deren Name noch einmal unter den Bildhauern des Belvedere (1770) wiederkehrt. — In dem zwischen 1767 u. 1769 ausgestatteten Grottensaal des Neuen Palais sind 2 von den 4 marmornen Brunnengruppen von Putten u. Delphinen nach Mangers Angabe von „Hennicke, oder vielmehr dessen Wittwe ließ es beendigen". Es sind augenscheinlich die beiden mittleren Gruppen, die von der gleichen Hand sind und sich deutlich im Stil von den beiden äußeren unterscheiden. Diese gehören 2 verschiedenen Bildhauern, Zeuner und Schneck an, denen Oesterreich (Description et explication des Groupes, Statues ... de S. M. Le Roi de Prusse, 1774, p. 39) ebenso wie Nicolai (Beschreibung von Berlin u. Potsdam, 1786, III 1234) fälschlich je 2 dieser 4 Gruppen zuschrieben. — Nach Nicolai „arbeitete der jüngere H. auch sehr fein in Elfenbein u. Hirschhorn".

N i c o l a i , Nachr. v. Baumeistern usw. in Berlin, 1786 p. 144. — M a n g e r , Baugesch. v. Potsdam, 1789/90 p. 324, 327, 332, 334 f., 341.
C. F. Foerster.

Hennecke, J. F., Blaumaler in der Fürstenberger Porzellan-Manufaktur um 1767; von ihm oder dem seit 1759 in Fürstenberg tätigen T o b i a s H e n n i c k e l aus Memmingen verschiedene Geschirre mit der Malermarke H.

S c h e r e r , Fürstenb. Porzellan, 1909. — S t ö h r , Dtsche Fayencen, 1920 (Bibl. f. Kst- u. Antiq.-Sammler, XX).

Hennefrère, J a c q u e s , Gießer und Kunstschmied in Tournai, † 1538, fertigte 1537 die Schließen und Metall-Verzierungen eines großen, im dort. Stadtarchiv bewahrten Pergamentbandes.

G r a n g e et C l o q u e t , L'Art à Tournai, 1889 I p. 290, 369.

Hennekens, C. J a c o b u s , Fayencier an der Fabrik in Bailleul (fläm. Belle), nur bekannt durch ein Stück dieser Fabrik im Cluny-Mus. zu Paris: Suppenschüssel, reich verziert mit Wappen, Legenden und Emblemen, mit den Namen von Franciscus Wynneel u. Mary Johanna Noel (Anhängern Karls VI.), bez. „ghemaeckt tot Belle" und „C. Jacobus Hennekens anno 1717"; auf der Innenseite des Deckels C J H und „Belle".

J a e n n i c k e , Grundriß der Keramik, 1879 p. 493. — Catal. Mus. Cluny, Paris 1883 p. 304. — G a r n i e r , Dict. de la Céramique, o. J. p. 16.

Hennekyn, P a u l u s , Maler in Amsterdam, geb. 1611 oder 1614 (wird 1636 bei seiner Heirat als 25 jährig bezeichnet, 1664 gibt er an, 50 Jahre alt zu sein), † 1672 (begr. 15. 4. in Amsterdam), malte Porträts und Stilleben, die z. T. unter anderen Namen (besonders des H. befreundeten B. v. d. Helst, an den sie jedoch nicht heranreichen) gehen. Im Reichsmus. Amsterdam (Katal. 1920) die Porträts des Jan de Hooghe, Schwiegervater des Marinemalers L. Backhuysen, bez. u. dat. 1658, und dessen Frau, Anna v. d. Does, bez. u. dat. 1642; in der Slg Ihr. H. Camberlyn d'Amougies in Puttenbergh bei Pepinghem (Belgien) ein 1640 dat. weibl. Porträt; in der Ksthalle Hamburg (Katal. d. alten Meister, 1921) ein bez. Stilleben. Andere Stilleben H.s werden erwähnt in einem Inventar (1666) von Malgerät und Bildern, die er, vielleicht wegen drohender Pfändung, seinem Sohne David (s. u.) schenkte. Kramm kannte ein 1665 dat. Porträt einer Dame mit Uhr in der Hand. Bredius nennt ein besonders schönes Bildnis, ehemals bei Ihr. Beels van Heemstede in Amsterdam, ferner 2 Bildnispaare, die auf verschiedenen Versteigerungen und Ausstell. vorkamen (zuerst zusammen bei Cremer, Amsterdam 21. 6. 1887), und zu denen das Porträt eines de Bruyn (Moes Nr 1207) gehörte. In alten Inventaren erwähnt: Okt. 1664 Inv. Joachim v. Aras, Amsterd., ein vielmehr von B. v. d. Helst herrührendes Bildnis des Joach. v. Aras mit Frau und Tochter; 1682 Inv. Claude du Hamel, Amsterdam, 2 Stilleben (nach Bredius vielleicht von David H.); 1802 Katalog A. van der Mieden, Haag, Bildnis einer alten Dame, dat. 1649. Wahrscheinlich im Sommer 1654 brachte H. mit J. M. Molenaer und B. v. d. Helst einige Tage auf dem Landsitz des letztgen. zu, mit Malereien (Gartendekorationen?) beschäftigt. H.s Porträt befindet sich auf B. v. d. Helst's „Bankett zur Feier des Westfäl. Friedens im St. Joris Doelen, 18. 6. 1648". — H.s Sohn D a v i d , Maler in Amsterdam, wohnhaft im Hause seines Vaters, dessen oben erwähnte Schenkung durch den David befreundeten Maler Marcus Kemp bestätigt wird, malte Stilleben, wie aus einem Inventar von 1667, bestätigt durch den Maler H. van Someren, hervorgeht; wird 1668 als Zeuge erwähnt; über 2 Stilleben im Inv. du Hamel vgl. oben.

K r a m m , Levens en Werken, Anh. (1864). — Oud Holland, III (1885) 149; X (1889); XXXIII (1915). — O b r e e n 's Archief, VII (1888/90). — M o e s , Iconogr. Batava, I (1897) Nr 1207. — B r e d i u s , Kstler-Inventaren, II (Quellenstud. z. holl. Kstgesch., VI, 1916) 401; IV (Quellenstud. X 1917) 1105 ff. — D e G e l d e r , B. v. d. Helst, Rotterdam 1921.

Hennell, Londoner Goldschmiedefamilie des 18. Jahrh.: D a v i d I, 1736—41; Arbeiten (Punschlöffel) im Bes. der Corporation von Oswestry u. im Holburne Mus. zu Bath. D a v i d II und R o b e r t (vielleicht die Söhne des David I) arbeiten 1763—97 zusammen. Von ihnen je ein Salzfaß im Mus. f. Kst u. Gew. in Hamburg u. in engl. Privatbes. (1764), 6 Salzfässer (1771/72) im Trinity College, Cambridge, eine Fischschüssel in engl. Privatbes. Von Robert allein ist eine Zuckerschale in Berkeley Castle (1791). Um 1802 tritt zu ihnen noch S a m u e l. Eine Teekanne von 1802 mit ihrer Marke erwähnt Cripps. Mehrere Werke mit der Marke Roberts u. Samuels u. Samuels allein in den ehemal. kaiserl. Palästen in St. Petersburg.

W. C h a f f e r s , Gilda Aurifabrorum, 1883 p. 156, 161, 175, 190, 195. — W. J. C r i p p s , Old Engl. Plate, 1894 p. 399, 403, 404. — J a c k s o n , Engl. Goldsmiths, 1905 p. 90, 182, 195. — Jahrb. der Hamb. wissensch. Anstalten, XXII (1905) 29 (fälschl. Hannell). — A. de F o e l k e r s a m , Inv. de l'Argent. des Palais Imp. etc., Petersburg 1907, II 559 f., 703. — G. L e h n e r t , Ill. Gesch. d. Kstgew., II.

Hennemann, K a r l , Landschaftsmaler und Graphiker in Berlin, geb. 24. 8. 1884 in Waren i. Meckl., Schüler der Akad. in Berlin und München, stellte aus in der Berl. Gr. Kst-A. (Katal. 1919/20) und im Münchner Glaspal. (Katal. 1920/21). Im Städt. Mus. Rostock „Februarsonne"; im Landesmus. Schwerin i. M. „Winterlandschaft".

D r e s s l e r 's Ksthandbuch, 1921 II.

Hennemann, L., Maler in Mannheim um 1840, nur bekannt durch ein „L. Hennemann Mannheim" bez. Miniaturporträt eines Herrn, das 1909 (aus der Slg Leonhard-Mannheim) in der Jubil.-Ausstell. des Mannh. Altertumsver. war (Katal. Nr 533).

Hennen, J o a c h i m , siehe *Henne, J.*

Hennenberger, siehe *Henneberger.*

Hennequart, J e a n , siehe *Hennecart, J.*

Hennequin (Hannequin) d' A n v e r s , Holzbildhauer, arbeitete 1467/69 mit am Chorgestühl und Bischofsstuhl der Kathedrale zu Rouen; vielleicht identisch mit dem 1482/84 in Lyon nachweisb. fläm. Bildh. H e n n e q u i n.

C h a m p e a u x - G a u c h e r y , Travaux d'Art . . . . pour le duc de Berry, 1894, p. 41. — L a m i , Dict. des Sculpt., moyen âge, 1898.

Hennequin d e B o i s - l e - D u c , siehe *Jean* de Prindale.

Hennequin d e B r u g e s , s. *Bondol*, Jean de.

Hennequin (Hannequin), C é s a r , lothr. Bildhauer, 1689 in Metz, arbeitet 1700 in Nancy in der Eglise des Cordeliers am Katafalk Herzog Karls V., 1703 an den Schlössern zu Lunéville und Einville, 1712 am Schlosse zu Nancy.

L a m i , Dict. des sculpt., Louis XIV, 1906 (mit Lit.).

Hennequin, G u s t a v e N i c o l a s , Bildhauer und Maler in Paris, geb. 22. 1. 1834 in Metz, Schüler von Rouillard und G. Jacquot, stellte 1869/94 und 1904 im Salon (Soc. d. Art. Franç.) aus, meist Porträt-Medaillons und -Büsten. Werke von ihm in der Skulpt.-Samml. im ehem. Landhaus des Botan. Gartens zu Metz und im Mus. zu Mülhausen i. Els.

B e l l i e r - A u v r a y , Dict. gén., I (1882) u. Suppl. — R u p p e l , Lothr. u. s. Hauptstadt, 1913 p. 494. — Salonkatal.

Hennequin (Hannequin) d e H a c h t , Goldschmied, lieferte 1394 das Diadem für die Muttergottesstatue an der Kartause zu Dijon und die Brille für den Propheten Jeremias am Mosesbrunnen von Claus Sluter ebenda.

H u m b e r t , Sculpt. sous les ducs de Bourgogne, 1913.

Hennequin (Henequin), J., Büchsenmacher und Stecher in Metz, Anf. 17. Jahrh.; von ihm eine Folge von 6 Stichen, Vorlagen für Gewehrschlösser; im Bayer. Nat.-Mus. München eine von 1621 dat. Radschloßbüchse (Notiz von Stöcklein, München).

G u i l m a r d , Maitres Ornemanistes, 1881. — G a r d n e r , Ironwork, 1896 Bd II 146 f. (Abb.).

Hennequin d e M a l i n e s , siehe *Broeck*, Hendrick van der.

Hennequin, P h i l i p p e A u g u s t e , Maler, Radierer u. Lithogr., geb. in Lyon 20. 4. (laut Rondot 30. 8.) 1762, † in Leuze bei Tournai 12. 5. 1833. Schüler von Nonnotte an der Akad. in Lyon, wo er speziell die Blumenmalerei studierte, ging dann nach Paris, wo er nacheinander bei H. Taraval, bei dem Bildh. E. P. A. Gois, bei Brenet u. J. L. David studierte. Er arbeitete als Pensionär der Acad. de France in Rom, als die Revolution ausbrach, in deren Strudel er sich hineinziehen ließ, so daß er aus Italien flüchten mußte und nach Paris zurückkehrte. Hier entstand als sein malerisches Bekenntnis zur Revolution die „Fédération du 14me juillet". Er wandte sich dann nach Lyon, wo ihm die Stadtverwaltung ein Gemälde für den Festsaal des Rathauses in Auftrag gab; binnen 6 Monaten war die Skizze fertiggestellt. Die Vollendung des Gemäldes aber verhinderte die nach dem 9. Thermidor (27. 7. 1794) einsetzende politische Reaktion, im Verlaufe welcher H. ins Gefängnis geworfen wurde; es gelang ihm zu entfliehen und nach Paris zu entkommen, wo ihn dasselbe Schicksal ereilt hätte, wenn sich der Minister de Neufchâteau nicht für ihn ins Mittel gelegt hätte. Von da ab hielt sich H.

von revolutionären Umtrieben fern, doch ohne seine politische Überzeugung zu ändern, die ihn nach Rückkehr der Bourbonen 1815 zwang, außer Landes zu gehen und seinem Lehrer David in das Exil nach Belgien zu folgen; er machte sich nacheinander in Brüssel, Antwerpen, Lüttich, schließlich in Tournai ansässig, wo er als Lehrer an der Akad. bis zu seinem Tode wirkte. — H. hat im Stile Davids eine Anzahl histor., mytholog., religiöser u. allegor. Kompositionen, Landschaften u. Porträts gemalt. Den Pariser Salon hat er nur 6 mal beschickt, darunter 1798 mit dem Bilde: Paris reißt sich aus den Armen Helenas, um den Kampf mit Menelaos zu bestehen, 1799 mit einer Glorifikation der Revolution: Triumph des französ. Volkes (10. August 1792, Tag der Erstürmung der Bastille), deren Skizze das Mus. zu Rouen bewahrt, 1800 mit dem damals ungeheures Aufsehen erregenden, riesigen Bilde: Die Gewissensbisse des von den Furien verfolgten Orest, das bis 1874 im Louvre hing, dann dem Mus. zu Saint-Pol überlassen wurde, in dessen Magazinen es seitdem modert (Radier. von Quéverdo u. Pigeot). 1804 stellte er eine Schlacht bei Quiberon (Mus. Toulouse), 1806 Schlacht bei den Pyramiden (Mus. Versailles) aus, 1814 schließlich neben dem erwähnten Orest-Bilde eine Grablegung Christi und ein Genrestück: Die Strickschaukel oder die Liebe lauert hinter Rosen. In seinem Exil in Belgien malte er u. a. das Kolossalgemälde: Treue der 300 Bürger von Franchimont, die für die Verteidigung ihrer Stadt ihr Leben opferten, nach dem er selbst eine Radierung fertigte, und das Hochaltarbild für St.-Jean-L'Évangeliste in Lüttich: Johannes auf Patmos. 1825 beschickte er die Ausstell. in Lille mit einem Sokrates unter seinen Schülern (Mus. Lille) und einer heroischen Landschaft. Zu seinen letzten Arbeiten gehören ein hl. Hubertus in der Kirche St. Piat in Tournai (1830) und das Altarbild (Kalvarienberg mit den hl. Vincenz de Paula und Karl Borromäus) in dem Hospice des Incurables ebenda. Nach seinem Orest-Bilde fertigte er 1820 eine große Lithogr.; außerdem kennt man einige sehr kraftvoll behandelte eigenhändige Radier. von H. (vgl. Béraldi). 1825 erschien ein „Recueil d'esquisses et de fragments de composition de M. H., lithogr. par lui". — Außer in den bereits genannten Sammlungen ist H. mit Gemälden vertreten im Museen zu Angers (vgl. Kat. 1881, No 82—85), Brüssel (2 Herrenbildnisse), Caen, Le Mans, Lüttich, Lyon, Orléans, Rouen, St. Etienne und Tournai. Zeichnungen in verschied. Provinzmus. (Bagnères de Bigorre, Rochefort) und im Louvre. Sein Bildnis, von L. Vitet gemalt, wurde von Tardieu gestochen.

A d. S i r e t in Biogr. Nat. de Belg., IX (1887). — I m m e r z e e l , Levens en Werken etc., II

(1843). — N a g l e r , Kstlerlex., VI. — R e n o u v i e r , Hist. de l'Art pend. la Révolution, 1863. — B e l l i e r - A u v r a y , Dict. gén., I (1882). — R o n d o t , Peintres de Lyon, 1888 No 968. — B é r a l d i , Graveurs du 19me s., VIII (1889). — Inv. gén. d. Rich. d'Art de la France, Prov., Mon. civ. I; III; VIII. — Bull. de la Soc. de l'Hist. de l'Art franç., IV (1878) 210; 1913 p. 144/51 (C h. S a u n i e r über die „Remords d'Oreste"). — B é n é z i t , Dict. d. Peintres etc., II (1913). — Revue des Études Napoléoniennes, Jan.-Févr. 1917 (C h. S a u n i e r : Ph. A. H. et les „Remords d'Oreste"). — M i r e u r , Dict. d. Ventes d'art, III (1911). — Gal. histor. du Palais de Versailles, 1842 No 765 u. 868. — C l o q u e t , Tournai et Tournaisis, 1884 p. 114, 127, 268. — Liége. Guide illustré [par Jos. B r a s s i n n e], o. J. p. 137, 180 f. (m. Abb.), 184. — G u i f f r e y u. M a r c e l , Inv. gén. ill. d. dessins du Louvre, 1906 ff., VI. — Katal. d. angef. Museen.

H. Vollmer.

Hennequin d e T o u r n a i , Bildhauer, arbeitete 1444/45 in Troyes an dem von Haquinet de Tournai vollendeten Reliquientabernakel für die Kathedrale.

L a m i , Dict. des sculpt., moyen âge, 1898 (mit Lit.).

Hennequin, siehe auch *Jean.*

Henner, G e o r g , Kunsttischler, Jesuitenpater; von ihm ein Aufsatzschrank mit Schreibpult, weiß lackiert, mit vergold., geschnitzten Ornamenten und Randleisten, reich bemalt (Medaillonporträt Kaiser Josefs, Darstell. der 4 Weltteile), bez. „Invenit, pinxit, deauravit totumque confecit P. Georgius Henner e. S. J. Anno 1788" im Österr. Mus. f. Kunst u. Ind. zu Wien.

Kst u. Ksthandwerk, XIX (1916) 181, 210, 215 (Abb.).

Henner, J e a n J a c q u e s , Maler, geb. 5. 3. 1829 in Bernweiler (Ober-Elsaß), † 23. 7. 1905 in Paris. Sohn eines kleinen Bauern, der volles Verständnis für seine Künstlerbestimmung hatte, erlernte er seit 1841 die Anfangsgründe des Zeichnens bei Ch. Goutzwiller in Altkirch, kam 1844 nach Straßburg in die Malschule des Gabriel Christ. Guérin, Herbst 1846 nach Paris an die Ecole d. B.-Arts als Schüler des Michael Martin Drolling. 1855—57 hielt er sich in Bernweiler auf, mit Bildnisaufträgen beschäftigt; zahlreiche Beispiele dieser frühen Porträtkunst H.s findet man im Sundgauer Mus. in Altkirch, darunter Bildnisse seiner Mutter, seines Bruders Séraphin und seines 1. Lehrers Goutzwiller. 1857 trat er in das Atelier Picot's ein. 1858 erhielt er den Rompreis mit dem in der Pariser Ecole d. B.-Arts bewahrten Bilde: Adam u. Eva finden die Leiche Abels; daran schloß sich 5jähriger Aufenthalt in der Villa Medici in Rom (1859—65), wo u. a. die büßende Magdalena des Mus. zu Colmar und die ihn im Vollbesitz seiner künstler. Mittel zeigende Susanna des Pariser Luxembourg-Mus. entstanden. Correggio u. die Venezianer wurden ihm die stärksten Anreger. Frühe Jugendeindrücke von dem Christus Holbeins in Basel reflektiert die in Rom 1860 gemalte Aktstudie des Mus. zu Mülhausen, aus dessen Motiv später der „Christus im Grabe" des Mus. zu Lille entstand. 1863 beschickte er erstmalig den Salon mit dem jungen Schläfer des Mus. zu Colmar und einem Bildnis von Schnetz, damal. Direktor der röm. Acad. de France. Seitdem erschien H. 4 Jahrzehnte hindurch, bis 1903, fast alljährlich im Salon, mit Ehrenbezeugungen aller Art überhäuft. (1889 Mitglied des Institut.) Seine an dem Studium Correggios herangebildete Meisterschaft in der Behandlung des Hell-Dunkels und die feine Art, mit der er Landschaft u. nackte weibliche Figur zu einer Stimmungsidylle zusammenzustimmen weiß (Nymphe Biblis, Mus. zu Dijon, 1867; Najade, Luxembourg), in seinen Porträts die noble, zurückhaltende und doch besonders in seinen Frauenbildnissen tief dringende Charakteristik und distinguierte Haltung haben ihn zu einem der erfolgreichsten Maler des letzten Drittels des 19. Jahrh. in Frankreich gemacht. Allerdings hat H. im Laufe seiner langen, erfolggekrönten Laufbahn das Thema der nackten Frau in idealer Landschaft dann in endlosen Variationen wiederholt und mit dieser reichlich geschäftlich anmutenden Produktivität in manchen Kreisen schon zu Lebzeiten viel von seinem alten Ruhm eingebüßt. Am besten kennenzulernen ist H. im Luxembourg-Mus. (9 Bilder) und in der „Salle Henner" des Pariser Palais des Beaux-Arts (31 Bilder). Ein Selbstbildnis von 1877 in den Uffizien in Florenz, ein Bildnis des Archit. Ach. Joyau von 1863 im Louvre; in d. Sammlg Chauchard ebenda: Leserin. Liste der übrigen Museen bei Bénézit; zu ergänzen durch: Brooklyn Institute (3); New York, Metrop. Mus. (2); Minneapolis, Walker Art Coll. (2); Art Instit. Chicago (2). Die Familie H.s hat 1921 in der Pariser Avenue de Villiers das „Hôtel de Guillaume Dubufe" erworben, um dort unter dem Namen „Musée Henner" eine Sammlung von Hauptwerken H.s zur Aufstellung zu bringen.

J. C l a r e t i e, Peintres et Sculpt. contemp., 2me série, 1884 p. 81/104. — H. D e v i l l e r s, J. J. H., in „Grands peintres franç. et étr.", 1885. — Ch. G r a d, J. J. Henner, Nancy, 1887. — G. S é a i l l e s in Revue de l'art anc. et mod., II (1897) 49—61. — F r e d. L e e s in The Studio, XVIII (1900) 77/82. — A. S o u b i e s, J. J. H. .. Notes biogr., 1905. — R o g e r P e y r e in L'Art et les Artistes, I (1905) 215/20. — S. R o c h e - b l a v e in Revue de l'art anc. et mod., XIX (1906) 161/75, 273/90 („La Jeunesse d'Henner"). — L. B é n é d i t e in Gaz. d. B.-Arts, 1906 I 39/48; 1906 II 393/406; 1907 II 315/32, 408/23; 1908 I 35/58, 237/64; 1908 II 137/66. — J. B e n n e r, En mémoire de J. J. Henner. Notes intimes, 1906. — *Nekrologe* in Bull. de l'art anc. et mod., 1905 p. 222 f., 228 f. (A. Girodie); Chron. d. arts, 1905 p. 222 f.; Les Arts, 1906 No 49 p. 20 ff.; L'Art décoratif, 1906 I 1/8; Revue univers., 1905

p. 448 ff.; Revue alsac. ill., VII, Chron. d' Alsace-Lorr., p. 46 f. (G i r o d i e); Die christl. Kst, II, Beil. H. 2 p. II f.; Kstchronik, N. F. XVI 504 f. — G. V a r e n n e in L'Art, LXVII (1907) 178/82 („J. J. H. Portraitiste"). — S. R o c h e - b l a v e in Revue alsac. ill., XIII (1911) 65/96. — L. B é n é d i t e in Gaz. d. B.-Arts, 1911 I 34 ff. („Réveil de l'enfant"). — L o u i s L o v i o t, J. J. Henner et son oeuvre, Paris 1912. — B é n é - z i t, Dict. d. Peintres etc., II (1913). — Bull. de l'art anc. et mod., 1921 p. 44. — Chron. d. arts, 1914/16 p. 219; 1922 p. 66. — B é n é d i t e, Luxembourg-Mus., 1913. — G r a v e s, Cent. of Loan Exhib., II (1913).   *H. Vollmer.*

Henner, J o h a n n, Uhrmacher, aus Wasserburg a. Bodensee gebürtig, 1. 12. 1709 als Meister in die Würzburger Zunft der Schlosser, Büchsen- und Uhrmacher aufgenommen, später Hofuhrmacher, 1753 mit seinem Schwiegersohn Trauner assoziiert, † 18. 2. 1756, der hervorragendste Würzburger Meister seines Faches. Das Würzb. Luitpoldmus. besitzt eine Reihe signierter silberner u. goldner Taschenuhren von ihm, die nicht nur technisch vorzüglich gearbeitet, sondern auch durch die prachtvoll gravierten Gehäuse künstlerisch wertvoll sind. Manchmal hat Trauner seinen Namen dem H.s beigesellt, so auf einer Uhr, die 1888 mit der Würzburger Sammlg Adelmann versteigert wurde und mit einem Liebespaar in reicher Rocaillekartusche verziert war. Eine Tischuhr H.s aus Messing befindet sich im Kölner Kunstgew.-Mus.; eine Reiseuhr, vergoldet u. versilbert, war in der Slg Lanna; eine kl. Standuhr in schwarzem Gehäuse 1918 (oder 19) im Würzburger Kunsthandel.

S t o e h r in Monatsh. f. Kstwiss., XII (1919), 237 ff. — Kat. d. 1888 bei Heberle (Köln) versteig. Kunstsammlung Leofr. Adelmann (Würzburg), Nr 773. — Auktionskatalog Lanna, I Nr 297. — Führer d. d. Kstgew.-Mus. Köln, ² 1902 p. 55. — Führer d. d. Fränk. Luitpoldmus. in Würzburg, p. 16. — Notizen v. G. H. Lockner, Würzburg.   *L. Bruhns.*

Hennert, C a r l W i l h e l m, Architekt, geb. 3. 1. 1739 in Berlin, † 21. 4. 1800. Studierte Militär- u. Zivil-Baukunst bei Major Abr. Humbert u. trat 1757 in das Preuß. Heer ein. 1762 Artillerie-Leutnant, nach dem Hubertusburger Frieden (1763) Lehrer der Ingenieurkunst beim Regiment des Prinzen Heinrich. 1767 krankheitshalber verabschiedet, trat H. 1768 als Ingenieur und Architekt in die Dienste des Prinzen Heinrich in Rheinsberg. Seit 1785 kgl. Oberforst-Bauinspektor in Charlottenburg, 1795 Geh. Forstrat und Direktor der Forstkartenkammer. — H.s künstler. Tätigkeit dürfte sich im wesentlichen auf Rheinsberg beschränkt haben, wo er das Reithaus, den Neuen Flügel des Kavalierhauses und das Theater (1774) baute (Abb. d. Zuschauerraums bei Schmitz, p. 110) und im Schloß den „Neuen Saal" nach Entwürfen von C. G. Langhans 1769 ausführte (Abb. bei Schmitz p. 87). Im Rheinsberger Park schuf H. verschiedene Anlagen im engl. u. chines. Stil und eine Anzahl heute verschwundener dekorativer Bauten. — Außer kriegsgeschichtl. und forstwissenschaftl. Schriften veröffentlichte H. mehrfach Aufsätze über Bau- und Gartenkunst (Berlinische Monatsschrift 1786, 1787, 1788) u. eine „Beschreibung des Lustschlosses und Gartens S. K. H. des Prinzen Heinrichs zu Reinsberg" (Berlin, Nicolai, 1778), mit einem nach H. von G. W. Wolff gestoch. Plan des Parks nebst Ansichten der wichtigsten Gebäude. Ein nach H. 1772 gestochener „Plan des Jardins et Environs de Rheinsberg" erschien mit den Ekelschen „Vues du Chateau, du jardin et de la Ville de R." — H.s Bildnis im 54. Teil der Krünitz'schen Oekonom. Enzyklopaedie.

Nicolai, Beschr. v. Berlin u. Potsdam, 1786. — Schmidt u. Mehring, Neuestes gelehrtes Berlin, 1795, p. 184. — Meusel, Teutsches Kstlerlex., [2] III (1814) 98. — Hinrichs, C. G. Langhans, 1909 p. 16. — Schmitz, Berliner Baumeister v. Ausgang d. 18. Jahrh., 1914 p. 334 f. *C. F. Foerster.*

Hennessy, William J., Landschafts- u. Genremaler, geb. in Thomastown (Irland) 1839. Kam 1849 mit seiner Familie nach New York, wurde 1856 Schüler der Nat. Acad.; 1862 Associate, 1863 ordentl. Mitglied. Seit 1870 in London ansässig, wo er bis 1893 in der Royal Acad., Grosvenor und Dudley Gall. usw. ausstellte. Die meiste Zeit des Jahres verbrachte er in der Normandie, wo er die Motive seiner zahlreichen Bilder aus dem Leben der Fischer und Bauern fand. In amer. Privatbesitz befanden sich: „In Memoriam"; „The Wanderers"; „On the Sands"; „A By-Path in the Normandy" (Aquarell) u. a.; in die engl. Zeit H.s gehören dagegen: „Autumn — the New England Hills"; „The Sea Belle"; „On the Way to the Fête"; „Les Bons Amis"; „An Evening on the Thames"; „New England's Barberry-Pickers"; „An Artist's Holiday"; „The Votive offering" u. a. Die New Yorker Public Library-Gall. besitzt sein Ölbild: „Getting himself up" (Cat. 1912 Nr 65).

Champlin u. Perkins, Cyclop. of Painters etc., 1888 II. — Clement and Hutton, Artists of the 19th Cent., [6] 1879. — Graves, Dict. of Artists, 1895; Royal Acad., IV (1906); Cent. of Loan Exhib., 1913 f., II. — Henry Blackburn, Acad. Notes, 1875 p. 32; 1876 p. 36, 48; 1877.

Hennet, Alphonse Pierre, Historienmaler in Paris, geb. ebenda 11. 5. 1815, seit 1834 Schüler der Ecole des B.-Arts unter Ingres, stellte 1837/61 häufig im Salon aus. Das Mus. von Bourges besitzt von ihm „Ste Cécile et St. Valérien".

Bellier-Auvray, Dict. gén., I (1882). — Bénézit, Dict. des peintres etc., II (1913).

Hennevogel (Hennevogl), Marmorierer-Familie, aus Bayern stammend, im 18. Jahrh. in der Niederlausitz, Berlin, Potsdam und in Böhmen tätig. Johann Wilhelm, † in Leitmeritz 17. 1. 1754, geb. in Franken, verließ Anf. d. 18. Jahrh. Bayern und ging nach der Niederlausitz, wo er 1727/41 in Neuzelle tätig war: Hauptaltar und 6 Seitenaltäre, auch innere Marmorierung des Portals in der Konventskirche Neuzelle; Altar in der Pfarrkirche ebenda; Renovierung und Stuckarbeiten in der Kirche des Dorfes Seitwann bei Guben. 1740 zum Königl. Preuß. Hofmarmorierer ernannt. 1743 wurde er vom Magistrat von Leitmeritz zwecks Neuerrichtung des durch Brand zerstörten Hochaltars in der Stadtkirche Allerheiligen dorthin berufen, übersiedelte 1744 und arbeitete für die Stadtkirche außer dem Hochaltar: 1746, Brünner Muttergottesaltar; 1747, Altar der 14 Nothelfer; 1750 (Mitarbeit seines sonst nicht gen. Bruders und Sohnes), auf eigene Kosten Altar der Karlshofer Muttergottes, errichtete dort auch seine Familiengruft, mit noch erhalt. Inschrift: „Altare istud ex voto erexit Joannes Guililmus Hennevogel"; um 1750 Kanzel (vermutlich auch die in der Jesuitenkirche). Für die 1735/39 erbaute Kirche in Lobositz lieferte H. den Hochaltar und 2 Seitenaltäre. 1748/49 war er mit seinem Sohne Johann (s. unten) in Berlin und Potsdam und arbeitete in Schloß Sanssouci. — Sein Sohn Johann, geb. 1727 in Neuzelle, † 26. 1. 1790 in Prag, wo er später lebte, wurde 1780 mit seinem Bruder Martin (s. u.) von Kaiser Joseph II. geadelt (mit dem Prädikat „von Ebenburg"). Von ihm Marmorierung der Nikolauskirche in Prag (Kanzel und 11 Altäre); 2 Altäre im Stift Seelau bei Iglau; Arbeiten in der Stiftskirche zu Geras; 2 Altäre (Mutter Gottes von Altbunzlau u. hl. Joh. v. Nepomuk), 1762/63, und vielleicht noch anderes in der Stadtkirche zu Raudnitz; Kanzel in der Eligiuskirche zu Ředhošt; ferner nach Dlabač (der nur Johann kennt): Marmorierung der Prämonstratenser Kirche zu Jassow i. Ungarn; Seitenaltäre der Stiftskirche zu Tepl i. Böhmen; Seitenaltäre in der Stadtkirche zu Leitmeritz; Marmorierung der Loretokirche auf dem Hradschin in Prag, der Kirche zu St. Johann v. Nepomuk zu Kuttenberg und der sogen. latein. Kapelle im Kollegium zu St. Klemens, auch verschied. Säle, Zimmer und Hauskapellen in Böhmen, Mähren, Schlesien, Österreich u. Ungarn. Im Kunstgewerbemus. Prag ein Konsoltisch aus künstlichem Marmor (mit Darstell. aus der italien. Komödie; Hintergrund Architektur mit Hafen, ringsum zerstreute Spielkarten), bez. „Johann Henne (vogl) fecit .. 60". — Johann's Bruder Martin (geadelt, vgl. oben), geb. 3. 2. 1734 in Neuzelle, † 14. 7. 1803 in Leitmeritz, wo er 1761 Bürger wurde, marmorierte 1765 den Kreuzaltar der Stadtkirche ebenda, 1768 den Hochaltar der Pfarrkirche in Plan, 1769 Hochaltar und Kanzel der Planer St. Anna-Kirche. — Christoph, Marmorierer aus Leitmeritz (Sohn eines Caspar), † 43 jährig 14. 5. 1765 in Prag.

Dlabacž, Kstlerlex. f. Böhmen, I (1815).
— Topogr. v. Böhmen, IV (Bez. Raudnitz), 1900.
— Mitteil. d. Ver. f. Gesch. d. Deutschen in
Böhmen, XLIV (1906) 114 ff. — Jahrb. d. K. K.
Zentral-Komm., IV (1910) Beibl. p. 114.

Hennick, Christoph, Goldschmied in
Künzelsau (Württ.), fertigte **1726** mit Joh.
Breinniger die aus Kupfer getriebene und vergold. Kolossalfig. der Madonna auf dem First
des Chors der Zisterzienserkirche zu Schönthal
i. Württ.

Keppler, Württemb. kirchl. Kstalterthümer,
1888.

Hennicke (Hönnicke), Georg, Grottierer,
Stukkator, Werk- und Baumeister in Mainz,
† ebenda **1739**. Der Name deutet auf niederdeutsche Herkunft. Nachweisbar seit 1718;
Hauptarbeitszeit 1720—1730. Tätig in Franken
und am Mittelrhein. Neben den gleichzeitigen
Stukkatoren Vogel (in Bamberg) und Daniel
Schenck (in Mainz) der bedeutendste Vertreter
des Bandwerkstils in Franken. Beschäftigt von
Dientzenhofer, Welsch und Ritter von Grünstein,
besonders auch mit Rissezeichnen beauftragt,
rückt er später in den Rang eines Baumeisters
wie andere seines Berufes (Gallasini, Jäger).
Im Ornament zeigt er, wohl beeinflußt von
Ritter von Grünstein, starke Beziehungen zum
Westen. — Um 1718/19 zugleich für Schloß
Pommersfelden (bei Bamberg) und das Kloster
Ebrach tätig. 1718 ein unausgeführtes Projekt
für die Schönbornkapelle am Würzburger
Dom, deutlich als Werk eines Stukkators
kenntlich. In dieselbe Zeit fallen die Ausführung der Stuckdekoration der großen Aula
(Kaisersaal) im Kloster zu Ebrach, sowie einige
Zeichnungen für dieses Kloster und für die
Curia und Wallfahrtskirche des zu Ebrach gehörigen Burgwindheim (ob nach eigenen Ideen?).
1719 Arbeit am Grottenwerk der Pommers-
feldener Sala Terrena, 1722 in Ebrach, 1722/3
Vollend. d. Pommersf. Sala Terrena, 1723/4
Ausstattung der Curia in Burgwindheim. 1721
fertigt er in Würzburg unter Leitung Neumanns und Dientzenhofers Vorlagen für eine
geplante Stichfolge der Würzburger Residenz,
im Sommer 1723 unter Leitung Ritters Grund-
riß- und Maßaufnahmen von Pommersfelden,
1727 solche vom Schloß in Gaibach an.
1724—29 folgt die dekorative Ausschmückung
der Walldürner Kirche, daneben arbeitet H.
1725 in Wiesentheid im „Neuen Bau" und
entwirft einen Riß für das dortige Springwerk.
1726 führt er die Stukkierung der Kapelle in
der von Ritter erbauten Jägersburg (bei Forchheim) aus. In die 2. Hälfte dieses Jahrzehntes
ist wohl auch seine Tätigkeit als Werkmeister
beim Bau des Wormser Bischofshofes, wiederum
um unter Ritters Leitung, zu setzen. Ab 1730
wird H. in den Mainzer Bauakten als Bau-
und Werkmeister geführt. 1731 erhält er die
Aufforderung für den Römer in Frankfurt; er
führt diese Arbeit, die außer der Hohlkehle der

Wahlstube den Kuppelvorraum u. die Bürger-
meisterzimmer im „Goldnen Schwan" umfaßte,
1732 bis Anfg 1733 aus. Für das Mainzer Peter-
stift baut er 1737 das Haus Margarethengasse 19.
1739 ist von ihm ein Entwurf für die Fassade
der Kirche in Kronach erhalten, außerdem ist er
mit der Ausführung von Nischen im runden Saal
des Biebricher Schlosses beauftragt. — Neben diesen gesicherten Arbeiten wird H. die Stuckdecke
des Refektoriums im Kloster Eberbach im Rheingau (1738) zugeschrieben. Stilistisch stehen
ihm sehr nahe die Stukkaturen der Domkustorei,
des Stadionerhofes und des Deutschordens-
hauses in Mainz, sowie des Ritter'schen Schlosses
in Kiedrich (Rheingau).

Kunstdenkm. des Großherz. Baden, IV (Kreis
Mosbach), Teil 3, p. 109/10, 116. — Baudenkm.
von Frankf. a. M., II 161, 193, 248. — Bau- und
Kunstdenkm. des Reg.-Bez. Wiesbaden, II (östl.
Taunus) 1905, p. 103. — W. Boll, Schönborn-
kap. am Würzburger Dom (Manuskript), p. 97 ff.
— H. Keil, Mainzer Ornamentik. Die Stil-
wandlung im 18. Jahrh., Beitr. z. Kunstgesch.
Hessens, II (Marburg 1918) p. 47, 59, 60 f. —
E. Kranzbühler, Verschwundene Wormser
Bauten, 1905 p. 124. — K. Lohmeyer, F. J.
Stengel, Düsseld. 1911. — K. Lohmeyer, Die
Briefe B. Neumanns an Friedr. Karl von Schön-
born, Saarbrücken 1921, p. 238 f. — A. Mainz,
Stuckdekorationen in Frankf. a. M. u. im Main-
gau (Manuskript) p. 144 f. — E. Neeb, Verz.
der Kunstdenkm. der St. Mainz, 1905, p. 70. —
H. Schrohe, Aufsätze u. Nachweise z. Mainzer
Kunstgesch., Mainz 1912, p. 132. — H. Vogts,
Das Mainzer Wohnhaus im 18. Jahrh., Mainz
1910, p. 52, 72, 110. — O. Weigmann, Eine
Bamberger Baumeisterfamilie um die Wende des
17. Jahrh. (Studien z. deutschen Kunstgesch.
Heft 34), Straßburg 1902, p. 75, 149, 154, 161, 177.
W. Boll.

Hennicke, Julius, Architekt, geb. 1832
in Berlin, † 14. 10. 1892 in Konstanz, Schüler
von Hitzig in Berlin, dem er beim Bau der
Börse half. Seit ca 1862 baute er in Geschäftsverbindung mit Herm. von der Hude
zahlreiche Villen und Wohnhäuser in Berlin,
darunter das Markwald'sche Haus in der Tier-
gartenstr., das Gerson'sche Haus in der Victoria-
str., die Villa Seeger am Carlsbad u. das Suß-
mann'sche Haus in der Hohenzollernstr. Unter
den Monumentalbauten H.s u. v. d. Hude's
sind vor allem zu nennen das Schlachthaus in
Budapest (1870/72), das Hotel Kaiserhof (1872
bis 75), das Central-Hotel (1878/80) u. das
Hotel Habsburger Hof am Askanischen Platz
in Berlin (1889), das Berliner Lessing-Theater
(1887/88), „ein Musterbau in Bezug auf be-
queme Anordnung der Innenräume bei gefälliger
Komposition der Fassaden" (Ad. Rosenberg),
und der Umbau der Neuen Kirche auf dem
Gendarmenmarkt (1881/82). Ihr Projekt für
das Berliner Reichstagsgebäude (vgl. die 2 Tafeln
in Zeitschr. f. bild. Kst, VII [1872] vor p. 309)
wurde als einer der besten unter d. eingelie-
ferten Entwürfen bezeichnet. Die stärkere künstler. Potenz von beiden war übrigens v. d. Hude,

dem zumeist die künstler. Gestaltung der Aufgaben oblag.

A. W o l t m a n n , Baugesch. Berlins, 1872. — Ad. R o s e n b e r g , Gesch. d. mod. Kst, ² 1894, III 364. — Zeitschr. f. bild. Kst, VII 310; X 215; XI 126; N. F. I 291, 319; Kstchronik, III 202; VI 73 f., 111 f.; X 743; XIX 513; N. F. IV 40 (Nekrol.). — Berlin u. s. Bauten, 1896 (Reg. unter H. und „v. d. Hude u. H."). — Deutsche Bauzeitung, XXII (1888) 65/7 (Lessingtheater). — Kat. d. Berl. Akad.-Ausst. 1878 p. 95; 1880 p. 180; Jub.-Ausst. Akad. 1886. *H. V.*

Hennickel, T o b i a s , siehe im Art. *Hennecke,* J. F.

Hennig, A r t u r Bruno Kurt, Maler und Lithograph, geb. 19. 3. 1880 in Dresden, lebt in Meißen. Erlernte die Porzellanmalerei, besuchte dann die Kunstgewerbeschule in Dresden und gehörte 1918—20 als Atelierschüler L. v. Hofmanns der Dresdner Akad. an. Seine Stoffe entnimmt er mit Vorliebe der Bibel, gelegentlich auch der antiken Mythologie. Vorwürfe wie die Sintflut, Szenen aus dem Leben Christi (Ruhe auf der Flucht, Anbetung, Sturm auf dem See, Grablegung, Auferstehung) und der ersten Christengemeinde (Ausgießung des hl. Geistes) hat er in Zeichn. u. Gemälden dargestellt und ist damit einer der Bahnbrecher expressionist. religiöser Malerei geworden. Eine Kohlezeichnung zu seinen „Niobiden" im Kupferstichkab. Dresden, ebenda seine Folge von 10 Steindrucken „Die Bedrängten" (Kunstblatt, I [1917] 335, Abb.).

Akten der Dresdn. Kstakad. — Dtsche Kst u. Dekoration, XVIII (1915) 391, Abb. — Beeldende Kst, V (1917/18) 45 ff., Taf. 31. — Kunstblatt, IV (1920) 340. — Die Kunst, XLI (1920) 50, Abb. — Katal. d. Ausst.: *Dresden,* Gr. Aquarell 1911 u. 1913; Kriegsgraphik, Kupferstichkab. 1916; Kstlervereinig. Dresden 1917—19; Neue relig. Kst, Gal. Arnold 1918; *Leipzig,* I. Internat. Graph. 1914 p. 49; *München,* Sezession, 1916; *Berlin,* Gr. Kstausst., 1914, 1915 (Abb.), 16, 17. *Ernst Sigismund.*

Hennig, C a r l , Maler in Dachau bei München, geb. 28. 2. 1871 in Dresden, Schüler der Akad. in Dresden und in München unter H. Zügel, zeigte Tierbilder und Landschaften in der Internat. Kstausst. Dresden 1901, der Gr. K.-A. Düsseldorf 1911 und im Münchner Glaspal. (Kat. 1909, 1911 (Abb.), 1912/14, 16, 19/21). In der N. Pinak. München (Katal. 1914) „Tot verbellt"; in der Gal. Dachau „Palsweiser Moor".

D r e s s l e r ' s Ksthandbuch, 1921 II. — Jahrb. d. Bilder- u. Kstblätterpreise, Wien 1911 ff., III.

Hennig, C a r l Hermann, Maler, geb. am 12. 7. 1806 in Dresden, besuchte 1822—28 die dort. Akad., wo er sich unter C. A. Richter zunächst der Landschaftszeichnung widmete. Privatunterricht bei dem damals in Dresden lebenden Pastellmaler Milde führte ihn dann (seit 1825) zum Porträt. Er hielt sich an verschiedenen Orten auf, um 1849 wieder in Dresden. 3 Familienbildnisse von seiner Hand aus d. J. 1849 im Bes. des Unterzeichneten.

Matrikel der Dresdn. Kstakad. — Katal. akad. Kstausst. Dresden 1822—28. — Dresdn. Adreßbücher. *Ernst Sigismund.*

Hennig, E r i c h , Maler und Illustrator in Charlottenburg, geb. 2. 11. 1875 in Landsberg a. d. Warthe, Schüler der Berl. Kunst- und Kunstgewerbeschule und 1894/99 der Münchner Akad. (unter G. v. Hackl, P. Höcker und L. Herterich); stellte 1905/15 in der Berl. Gr. Kunstausst., 1907, 1911/12, 1914 (Katal. z. T. m. Abb.) im Münchner Glaspalast aus, häufig Kinder-Genrebilder. Von ihm Entwürfe für Wandgemälde im Elberfelder Ratskeller und das Porträt Dr. Köpke in der Aula des Landsberger Gymnasiums.

J a n s a , Dtsche bild. Kstler in Wort u. Bild, 1912.

Hennig, G u s t a v A d o l p h , Historien-, Genre-, Porträt- u. Miniaturmaler, Radierer u. Lithograph, geb. 14. 6. 1797 zu Dresden, † 15. 1. 1869 zu Leipzig, seit 1840 Lehrer an der Akad. daselbst. Bildete sich zuerst unter Einfluß von Chr. Leberecht Vogel, seit 1810 auf der Dresdner Akad. unter Schubert u. Matthäi aus. 1814 war er in Großenhain, seit 1816 in Leipzig, 1820 u. 21 in Halle, Schkeuditz, Wehlitz u. Umgegend als Porträtmaler beschäftigt. 1820 war er wieder an der Dresdener Akad., wo er für das zu der Kunstausst. 1821 eingereichte Ölg. „Sitzendes Mädchen mit einem Knaben nach der Natur" (jetzt bei Herrn Prof. Heinr. Taeschner-Leipzig; lebensgr., koloristisch sehr reizvolles Bildnis mit landschaftl. Hintergrund) eine Gratifikation erhielt. Ein Lutherbild, ehemals in der Kirche, jetzt im Pfarrhaus von Probstheida, soll auch aus dieser frühen Zeit H.s stammen. Mit dem Stipendium, der Hilfe eines Leipziger Mäzens, des Besitzers der Engelapotheke, Heinr. Taeschner, u. weiteren königl. Pensionen im Febr. 1823 u. 24 bestritt er einen Aufenthalt in Italien. 25. 8. 22 wanderte er mit dem Kupferstecher Stölzel u. a. über München, Salzburg, Brennerstraße nach Verona, von da nach Mantua, Florenz und Rom, wo er am 21. 10. 22 eintraf u. mit Stölzel, Flor aus Hamburg u. J. A. Koch zusammenwohnte. Ende Juni bis 8. 11. 23 lebte er in Perugia, Assisi u. Orvieto, wo er viel kopierte u. die richtunggebenden künstler. Eindrücke empfing. 1825 unternahm er mit Stölzel eine Reise nach Neapel, war Anfg Sept. wieder in Rom, das er im April 1826 zur Rückwanderung, mit längerem Aufenthalt in Florenz, über Venedig, Mailand verließ, um über Zürich, Stuttgart, Frankfurt 28. 8. 26 wieder in Leipzig einzutreffen. — 1823 beschickte er die Dresdener Ausst. mit seinem ersten in Italien entstandenen Ölgemälde. „Rom 1823" ist auch eine kl. Madonna mit Kind dat. (sign. m. d. Monogr. G. A. H.), die sich jetzt bei Herrn H. Taeschner-Leipzig befindet. Die Leuchtkraft der Farbe u. sanfte Schönheit erinnern an Overbecks Werke (Ölstudie des Christusknaben im Bes. des Prinzen Joh. Georg Herzog zu Sachsen). Gleiche Sign. u. Ortsbez., dat. 1826, trägt das größere Ölg. „Lasset die Kindlein zu Mir kommen!", das rechts die Bildnisse v. Hennig selbst und von Taeschner zeigt (jetzt bei Herrn Apotheker Albrecht Hennig i. Lauchhammer i. S.). Die sorgfältige Vorbereitung dafür erweisen die hauptsächlich in der Landschaft abweichende Ölskizze u. der Karton (bei Herrn H. Taeschner-Leipzig). Ferner seien erwähnt aus dieser Zeit: Halbfig. einer kleinen lesenden Madonna, Ölg., Mus. d. b. K. zu Leipzig; Flucht nach Ägypten, kl. Ölg., nach Aussage der Nachkommen ungefähr 1882 nach Frankfurt a. M. verkauft; Sabinerweib, ihren Knaben vor einem Hunde schützend, kl. Genregemälde von 1829 in Schloß Rüdigsdorf b. Kohren; Tobias, 1829, in Schloß Zerbst; Verkündigung, Ölg. im Leipz. Mus. d. b. K. 1830. Ob die Bildskizzen bei dem Enkel Dr. med. Gustav Hennig-Annaberg, etwa aus den Jahren 1823/24, Ausführung gefunden haben, ist bisher nicht nachgewiesen. Es sind: Anbetung der Hirten, Kreuzabnahme, Abraham u. Isaak u. Rahel am Brunnen (letzteres mit anderen Motiven als Skizzen zu neuen Werken in einem Brief 16. 10. 23 aus Perugia erwähnt). Alle diese Werke charakterisiert eine gewisse Befangenheit in der Bewegung, vor allem der Hände, aber auch ein persönlicher künstler. Stil u. innere Empfindung bei aller Anpassung an die allgemeine nazarenische Zeitrichtung. Die nachweisbaren Porträts dieser Periode sind im Kat. d. Leipz. Bildnisausst. 1912 aufgeführt; das große Familienbild seines Gönners Taeschner, um 1819, zeigt in der Unbeholfenheit, daß die Aufgabe H.s Kräfte überstieg; in den Kinderbildern von 1818 macht sich die Anregung durch Chr. L. Vogel geltend. Neu hinzugefügt sei: Wilhelm Taeschner mit Vogelbauer, Ölg. bei Hern Felix Taeschner-Breslau, um 1820. Von den drei Selbstbildnissen von 1818 bis etwa 1822 ist das mit der Malerkappe in Annaberg bei Dr. med. G. Hennig das bebedeutendste. 1827 hielt H. sich bei Oberamtmann Rausch in Wilhelmshöhe bei Cassel auf. Ein Brief vom 6. 4. 1832 nach München bezeugt seine 2. Reise nach Italien, die hauptsächlich Florenz, galt, wo er im Hause des Kunstsammlers Giov. Metzger wohnte; Ende 1833 Rückkehr nach Deutschland. 1834 heiratete er Theodore Wilhelmina Albanus, die Nichte u. Pflegetochter seines Gönners Taeschner, deren reizvolles Bildnis aus dieser Zeit im Besitz v. Apotheker Hennig-Lauchhammer ist. 1833 malte er in Italien für die Kirche in Schkeuditz Christus in Gethsemane; nach der Rückkehr Glaube, Liebe, Hoffnung, die Menschenliebe übers Meer geleitend (soll sich in Jenaer Privatbesitz befinden). Skizzenbücher u. Zeichnungen aus der Zeit von 1820 an u. vom ersten und zweiten ital. Aufenthalt, Land-

schaften, Figuren- u. Porträtstudien (wie z. B. der Sohn des Giov. Metzger) in zarter Linienführung oder weicher Kreidemodellierung befinden sich im Leipz. Mus. d. b. K., bei den Enkeln Hennig in Annaberg u. Lauchhammer, bei Rechtsanwalt Max Heilpern, Frau Dr. König, Maler Liebsch in Leipzig, im German. Mus. i. Nürnberg u. bei Prinz Joh. Georg Herzog zu Sachsen. — Zwischen 1835 u. 37 arbeitete H. an der Ausmalung des Musiksalons im Garten des Schlosses Rüdigsdorf bei Kohren im Auftrag des Dr. Wilh. Leberecht Crusius. Die Wandbilder (Entwürfe im Mus. Leipzig) nicht von ihm, sondern von Schwind ausgeführt. Nur das Rundbild der von Wagner ornamental gegliederten Decke, „Amor führt Psyche zum Olymp empor", von H. in Tempera ausgeführt. Lithogr. in „Eros & Psyche" von Clodius (Leipzig 1838). Die Bildnisse Ende der 20er u. der 30er Jahre zeichnen sich durch klare Sicherheit der Umrißführung u. Leuchtkraft der Farbe aus. Außer den im Kat. d. Leipz. Bildnisausst. 1912 genannten: Frau Prof. Clodius geb. Witthauer, um 1828; Dr. Wilh. Crusius, 1829, in Schloß Sahlis bei Kohren; Christ. Friedr. Härtel, 1829, Leipz. Privatbes.; Buchhändler Hermann als Jäger in Landschaft, 1831, ebenda; Wilhelmine Weigel, geb. Schlegel, um 1830, bei Frau Weigel-Leipzig; Familie Brendel, 1833, bei Frl. Marie Brendel, Wien; Ölskizze im Leipz. Mus. d. b. K., Graph. Slg; Frau Advokat Ludwig, kleines Ölbildnis, 1838, im Stadtgesch. Mus. Leipzig. 1835 wurde ein Saltarello-Tanz, jetzt im Mus. d. b. K. zu Leipzig, 1837 das Ölg. „Christi Einzug in Jerusalem" vollendet (Bleistiftskizzen dazu bei Dr. Hennig-Annaberg), 1846 das große Ölg. „Wiedersehen Josephs u. Jacobs" bei Dr. Hennig-Annaberg (Federskizze im Mus. d. b. K. Leipzig); Vertreibung der Wechsler, 1849, im Leipz. Mus. d. bild. K. Eine Heilige Familie, für eine russ. Großfürstin gemalt, befindet sich in Petersburg, vielleicht identisch mit der Komposition der Zeichng bei Dr. Hennig-Annaberg von 1853, oder mit der Skizze im Leipz. Mus. d. b. K.; Findung Mosis, jetzt im Mus. in Plauen, Karton u. Skizze dazu bei Apotheker Albrecht Hennig-Lauchhammer, Ölskizze, von wärmerer Wirkung als die Ausführung, in der Graph. Slg des Leipz. Mus. d. b. K.; Begegnung Don Manuels mit Beatrice, aus der „Braut von Messina", 1855, Ölstudie dazu im Bes. der Nachkommen. Ein großes Ölg., Abendmahl, bei Prof. Taeschner-Leipzig (Skizze im Mus. d. b. K. zu Leipzig). Ein Hauptwerk ist die monumentale Grablegung bei Herrn Max Singewald-Zuckelhausen bei Leipzig, von 1859, von gesteigerter Ausdruckskraft, die gegenüber den histor. Gemälden bis 1830 gesunken schien, während die technische Sicherheit zugenommen hatte. (Wohl das 1862 in Gent ausgestellte Bild „Christ au tombeau".) — Die Bildnisse der 40er Jahre halten sich auf gleicher Höhe wie die der 30er. Die Doppelbildnisse der Kinder im Besitz des Dr. med. Hennig-Annaberg u. das Bildnis „Die Schwestern" v. 1851, jetzt bei Herrn M. Singewald-Zuckelhausen, erfüllt nazarenische Würde des Stils. Als neu sei das Bildnis einer alten Dame in Haube und Schal v. 1845 bei Fabrikbesitzer Hagen in Leipzig hinzugefügt, sowie die Bildnisse bei den Familien Semmel, Weißpflog und Schwenker in Jena, bei Frau Geh. Rat Weise-Dresden u. Dr. Schlömilch-Leipzig. In den Werken der letzten Jahre überwiegt photographische Treue u. technische Solidität öfters die künstler. Qualität, das Inkarnat nimmt eine branstige rötliche Färbung an. Die reizvollen Porträtzeichn. in Buntstift oder aquarelliert, auch in Aquarell u. Guasch werden dann gleichfalls oft handwerksmäßiger. Besonders schöne Stücke dieser Art sind u. a. die Bildnisse der Tochter Margarethe, des Mr. Duncan u. des Frl. Dumesnil um 1860 in d. Graph. Slg des Mus. d. b. K. zu Leipzig, das kl. Doppelbildnis der Frau Constanze v. Falkenstein u. Frau Laura Gruner, 1841, in Schloß Frohburg. Auch Porträt - Silberstiftzeichn. kommen vor, so in Schloß Sahlis bei Kohren: Amanda Witthauer, 1828. Von den Elfenbeinminiaturen, die H., alten Aufzeichnungen zufolge, in großer Zahl bis in seine späten Jahre gemalt hat, ließen sich außer Nr 1065—1068, 1071, 1074 u. 1632 (fälschl. als unbek. bez.) des Kat. d. Leipz. Porträtausst. 1912 nur die zum Armband vereinigten Köpfchen der Kinder Crusius bei Frau Pfarrer Jentsch-Leipzig bisher für H. in Anspruch nehmen, wenn sie auch nicht durch Signatur gesichert sind. Lithographien H.s nach Gemälden anderer Meister, Radierungen nur nach Zeichn. histor. Inhalts von 1848 sind nachgewiesen (wohl zu einem Geschichtswerk), letztere in der Graph. Slg in Leipzig.

N a g l e r , Kstlerlex., VI 102 (ohne Vornamen); d e r s., Monogr., I u. II. — F. v. B ö t t i c h e r, Malerwerke des 19. Jahrh., I 2 (1895). — R e b e r , Gesch. d. neueren dtsch. Kst, 1876. — G e y s e r, Leipz. Künstler-Album, 1858 p. 1, 3. — B e c k e r , Deutsche Maler, 1888 p. 130, 173. — Leipz. Tagebl., 1. Beil. zu Nr 58, 27. 2. 1869, Nachdr. aus d. Deutschen Allg. Ztg. — K e l l e r , Elenco di pittori etc. in Roma, 1824 p. 32. — Verz. Ausst. Kstverein Leipzig 1837, p. 20, 52; 1841, p. 14; 1843, p. 15. — C l a e y s , Expos. d'Art à Gand 1792—1892. — Weigels Kstlagerkat., Leipzig 1838—66, V. — G r o ß e , D. Kstausst. München, 1858, p. 58. — Kat. Glaspal.-Ausst. München 1869. — Kat. Sonderausst. Leipz. Bildnismal., Leipzig 1912 p. 43—52, 114—115 u. Taf. 18. — A. K u r z w e l l y u. a., Bildnis in Leipzig, 1912 p. 58—61, Taf. 151—158. — Jahrb. d. Bilder- u. Kunstblätterpreise, IV (1913). — Kat. hist. Ausst. Breslau 1913, p. 466, Raum 52 Nr 28. — Kat. Städt. Mus. der b. K. Leipzig, Schenkg Leipz. Kunstfreunde 1913, 2. — Ausst. d. Graph. Slg: Leipz. Meister v. 1800—50, Nr 32—113. — Akad.-Ausst. Leipzig 1914, p. 8. — Kat. Ausst. Dtsch.

Kst des 19. Jahrh. aus Privatbesitz, Leipzig Kstverein Sept.—Nov. 1915 p. 20 Nr 64—72; Nov.—Dez. 1915 p. 35 Nr 166 u. 167, p. 90, p. 107, Nr 125, p. 109, Nr 141 u. 142, p. 135, Nr 524. — Kat. Ausst. v. Bildnissen etc. Kstverein Leipzig Okt.—Mitte Dez. 1916, Nr 63. — Kat. d. Mus. d. b. K., Leipzig 1903 Nr 410, 462, 664, 704; 1921 Nr 664, 704, 965, 1086 (410 u. 462 fehlen, weil bei Abfassung des Kat. nicht ausgestellt, 410 neuerdings wieder ausgehängt, 462 an das Neue Rathaus 1919 abgegeben). — Kat. d. Dresdener Gemäldegal. 1902 Nr 2215 u. 1912, p. 324, Nr 2220. — Kat. d. Bildniszeichn. d. Kupferstichkab. Dresden 1911, Nr 352, 502, 912. — Kat. d. Gal. Speck v. Sternburg, Lützschena b. Leipzig 1889, p. 103. — Die Kstakad. u. Kstgew.-Schule Leipzig, Bericht 1881, p. 22, 23. — Bau- u. Kstdenkm. Sachsen, XVII 249, 411. — Kstblatt 1825, p. 51, 203. — Berl. Kstblatt 1829, p. 242. — Zeitschr. f. bild. Kst, N. F. XXV, Tafel vor p. 137 u. p. 140 ff.; XXVII 27. — Kstchronik, IV 105; IX 715; N. F. V 323. — Die Kunst, XXXVII (1917—18) 192 (Abb.). — Cicerone, IV (1912) 600, m. Abb. p. 601. — E. A. Seemann's „Meister der Farbe", XVI (1919) Taf. 8071. — K a r l R o b. L a n g e w i e s c h e , Der Blumenkorb, 1921 p. 29. — Mit Notizen von Fr. Noack. *H. Heyne.*

Hennig, J o h a n n F r i e d r i c h , Landschaftsmaler und Kupferstecher in Berlin, geb. um 1778, zeigte in der Berl. Akad.-Ausstell. 1802 (Katal. p. 51) „6 Gegenden nach der Natur, in Kupfer gestochen und mit Deckfarben übergemalt" (Ansicht der Residenz Berlin, die Dörfer Stralau, Rixdorf, Britz, Tempelhof und Schöneberg), ebenda 1806 (Katal. p. 39; mit Druckfehler „J. T. Hennig, vgl. Nagler p. 102) zwei gemalte Ansichten (Schloß und Belvedere in Charlottenburg). Stach auch folgende Blätter: Kalkberge bei Rüdersdorf; Gegend bei Frankfurt a. O.; Ruinenberg bei Potsdam; Jagdschloß Grunewald; Angelhaus in Charlottenburg; Teufelsmauer bei Quedlinburg; einige Bl. mit Ansichten aus Sachsen und der Schweiz.

M e u s e l , Teutsches Kstlerlex., I (1808). — N a g l e r , Kstlerlex., VI. — Jahrb. d. Bilder- u. Kstblätterpreise, Wien 1911 ff., III u. IV.

Hennig, O t t o , norweg. Landschaftsmaler, geb. 6. 8. 1871 in Kristiania, † ebenda 30. 7. 1920. Besuchte K. Bergslien's Malschule in Kristiania und die Kgl. Kunst- und Handwerkschule ebendort und studierte 1894—5 bei Kr. Zahrtmann in Kopenhagen, bei dem er sich die Grundlage für seine stilisierende Linienkunst erwarb. Daneben wurde er von den älteren norweg. Vertretern der romantischen Landschaft, J. C. Dahl und Aug. Cappelen, beeinflußt. Nachdem er 1895 in Berlin und München Schwind, Böcklin und die alten Meister der Landschaft kennengelernt hatte, malte er 1895—1900 in Norwegen lyrisch-romantische Berglandschaften erzählenden Charakters mit Betonung von Linie und Komposition. Mit einem Staatsstipendium ging er 1900 nach Italien, wo er in Kunst und Natur für sein Streben nach monumentaler Ausdrucksform Anregungen fand, malte 1901 Landschaften in Dänemark und 1902 wieder Landschaften aus dem norweg. Hochgebirge neben Genrebildern und religiösen Darstellungen. Zuerst 1905 widmete er sich in Paris dem Studium der Impressionisten, wodurch seine Auffassung von Licht und Farbe selbständiger wurde, während sein Kolorit bis dahin trübe und violett gewesen war. Seinen ursprünglichen Linien- und Kompositionsstil mit einem individuellen Farbengefühl zu verbinden, war seitdem das von ihm mit Glück erstrebte Ziel. Später war er in Kristiania ansässig, von wo er Studienreisen ins Hochgebirge unternahm. Außer auf Sonderausstell. in Kristiania war H. auf den staatl. Kunstausstell. ebendort 1894 bis 1908 vertreten und stellte aus in Paris 1900 (Goldmedaille), München (Glaspalast) 1901, Düsseldorf (Internat.) 1904, St. Petersburg 1904, Stockholm 1904, Venedig 1907, Brighton (Norweg. Kunstausst.) 1913, S. Francisco (Panama-Pacific Exhib.) 1915.

A. Aubert, Norweg. Malerei im 19. Jahrh., 1910 p. 78, 96. — J. Thiis, Norske malere og billedhuggere, I (Bergen 1905) 310; II 379, 397.
C. W. Schnitler.

Hennig, s. auch *Henigh*.

Hennigk, Carl Gotthelf, Blumenmaler in Dresden, 1799—1850 nachweisbar, um 1804 Schüler der Caroline Frieder. Friedrich, stellte 1804—50 regelmäßig Blumen- und Fruchtstücke aus (Gouache oder Aquarell). 1819 erhielt er eine Unterstützung aus den akad. Ausstellungsgeldern.

Akten der Dresdn. Kstakad. — Allgem. Literar. Anzeiger, 1799 Sp. 645. — Katal. akad. Kstausst. Dresden, 1804—50. *Ernst Sigismund.*

Hennigk, Isaac, Medailleur und Eisenschneider in Clausthal a. H., bezeichnete 1637 eine Porträtmedaille des Herzogs Friedrich von Braunschweig und Lüneburg, schnitt 1642/43 Stempel zu Glockentalern (Erinnerungsmünzen auf die Evakuierung der Residenz Wolfenbüttel).

Fiala, Münzen u. Med. der Welf. Lande, Teil: Neues Haus Braunschw. zu Wolfenbüttel (1907/8) 23 f.; Teil: Neues Haus Lüneburg zu Hannover, I (1912) 36, 39, 150, 156.

Hennigk, Niklas, siehe *Henningk*, N.

Hennigs, Gösta (Karl Gustaf Albert) von, Maler, geb. 15. 5. 1866 in Rogslösa (Östergötland), Schüler von A. Zorn, der sowohl zeichnerisch als koloristisch großen Einfluß auf ihn in seiner frühen Zeit ausübte, von Richard Bergh und P. Hasselberg. Seine frühsten Arbeiten sind meist Straßenszenen. Seit 1906, als er an den Ausstell. des Künstlerbundes in Uppsala teilzunehmen begann, tritt H. als eigenartiger Künstler von stark persönlicher Stilfärbung hervor. Wie vor ihm Degas sucht H. seine Motive fast ausschließlich auf den Zirkusarenen, Rennbahnen u. in den Kabaretts. Namentlich das Zirkusleben hat einen unermüdlichen Bewunderer in ihm gefunden. In Wiedergabe der momentanen Bewegung ist Degas sein Vorbild, in kompositioneller Hin-

sicht hat er von der japan. Kunst Einflüsse aufgenommen. In seinen großen Figurenkompositionen strebt er nach rhythmischer Flächeneinteilung. Seine Technik ist breit und summarisch, sein Kolorit pastos und ausgesprochen dekorativ, mit Vorliebe für leuchtende rote und gelbe Töne. In den letzten Jahren hat er auch als Aquarellmaler Erfolg gehabt. Seine besten Bilder gehören den schwed. Privatgalerien von Prinz Eugen, Ernest Thiel und Klas Fåhreus in Stockholm an. Im Nationalmus. ist er mit mehreren Gemälden, darunter „Karneval", vertreten, im Mus. zu Gotenburg mit „Spanischer Tanz" (1912) und „Primadonna" (1916), in Kopenhagen mit „Ansicht von der Opernterrasse in Stockholm" (1909), in der Sammlg Fåhreus mit „Der blaue Clown", „Auf der Veranda" u. a. Bildern.

Romdahl u. Roosval, Svensk konsthist., 1913. — Klas Fåhreus in Ord och Bild, Febr. 1912 p. 89/97 (mit 10 Abb.). — Arktos, I (1908/9) 176 (m. Abb.). — Konst och Konstnärer, 1912 p. 89 (m. Abb.), 93; 1913 p. 97, 99 (Abb.), 102. — Kunstchronik, N. F. XXV (1913/14) 116/7 (Wettergren). — Mitteil. d. Künstlers.
G. M. S—e.

Hennigsen, Albert, Bildhauer in Paris, geb. 1860 in Santiago (Chile), wo er die Akad. besuchte und im Mus. mit dem Porträtmedaillon seines Vaters vertreten ist. Stellte 1887 im Pariser Salon, 1889 auf der Weltausstellg aus. Von ihm auch Emailarbeiten in Limousiner Art.

J. Martin, Nos peintres et sculpt. etc., II (1898).

Hennin (Henny), Adriaen de, Landschaftsmaler, tätig im Haag, Amsterdam und England, wo er 1710 †. Zuerst 30. 11. 1664 im Haag nachweisbar, wo er 23. 3. 1665 (gleichzeitig mit seinem Bruder Jacob) den Jahresbeitrag in der Haager St. Lucasgilde und Malerconfrerie bezahlt. 1667 Bürger in Amsterdam; 1675 Bürger im Haag. Siedelte um diese Zeit nach London über, nachdem er sich laut Walpole-Vertue 2 Jahre in Frankreich aufgehalten hatte, und arbeitete viel auf Eythorp, dem Landsitze des Lord Carnarvon. Robert White stach nach seiner Zeichnung ein Titelblatt für die History and Antiquities of University of Oxford (1674). H. ist wohl identisch mit jenem Henne, nach dessen Vorlage R. White das Bildnis des Thomas Barlow, Bischofs von Lincoln (Titelbild 1692), gestochen hat. H. malte hauptsächlich Landschaften mit biblischer oder mytholog. Staffage in der Art Poussin's und Hackaert's. Bez. Arbeiten kamen in alten Inventaren und modernen Versteigerungen in Amsterdam und Paris vor und befinden sich außerdem in Hamptoncourt (Landschaft mit 4 kleinen Figuren) und in der Slg Bruckl in Wien-Döbling (hügelige Baumlandschaft mit Venus und Adonis im Vordergrunde, rötlichbrauner Gesamtton). „Römische Grabstätte" (Grotte mit Sarkophagen, Brunnen und einer Wasser holenden Frau) in der Slg Fredrik Lundgren, Stockholm.

A. v. W u r z b a c h , Niederl. Kstlerlex. I (1906), m. Lit. — A. B r e d i u s , Kstler-Inventare, Register (Hofstede de Groot, Quellenstud. z. holl. Kstgesch. XIV), 1922. — Österr. Ksttopogr., II (1908), m. Abb. — O. G r a n b e r g , Trésors d'art en Suède, II (1912). — H. H. C o l l i n s B a k e r , Lely and the Stuart Painters, 1912 [nicht benutzt]. — Cat. of engr. Brit. Portr. Brit. Mus., I 121 (Henne). — Mitteil. H. M. Hake.
B. C. K.

Hennin, J a c o b d e , Maler, geb. 1629, tätig in Amsterdam und im Haag, wo er 25. 7. 1688 zuletzt nachweisbar ist. Bruder des Adriaen. Scheint das Malen frühzeitig aufgegeben zu haben. Seine eigene Lebensbeschreibung findet sich in dem von ihm verfaßten, ebenso merkwürdigen wie seltenen Buche: De zinrijke Gedachten, toegepast of de vijf Sinnen . . verhaalende veele wonderbaare Geschiedenissen . . (Amsterdam 1681), das auch eine eingehende Beschreibung des Haag und der umliegenden Ortschaften und Schlösser enthält. Er rühmt sich seiner angeblichen edlen Herkunft von George de Bossu, Graf de Hennin, und beklagt sich bitter über seine 2. Frau, die ihn ruiniert habe und mit seinem letzten Gelde durchgegangen sei, während er jetzt (1681) unglücklich in Leeuwarden sitze. — H. mietet 18. 11. 1655 im Haag ein Haus, tritt 1655 das Amt eines Gerichtsvollziehers an, bezahlt 23. 3. 1665 (gleichzeitig mit seinem Bruder) den Jahresbeitrag in der Haager St. Lucasgilde und Malerconfrerie. 1669 verheiratet er sich nach eigener Angabe in Loosduynen zum 2. Male mit einer Witwe (4. 8. 1669 werden beide als Eheleute in Amsterdam eingeschrieben). 1677 Jagdaufseher des Prinzen Willem III. auf Schloß Soestdijck. In einem nach dem Tode seiner 1. Frau 1669 aufgenommenen Inventar seines Hausrats werden u. a. auch Gemälde seines Bruders Adriaen aufgeführt.

A. B r e d i u s , Kstler-Inventare, Register (Stud. z. holl. Kstgesch. hrsg. von Hofstede de Groot, XIV), 1922. — Obreen's Archief, IV (1881 bis 1882). — De Navorscher, XXIII (1873).

Hennin, P i e r r e M i c h e l , Radierer (Amateur) in Paris, geb. 30. 8. 1728, † 5. 7. 1807 in Paris, bezeichnete P M H. folg. Blätter: Einspänn. Wagen mit 3 Fässern; Schiebkarren, nach P. G. Berthault; Karren, nach dems. (1760); 2 spänn. Fuhrwerk, nach dems.; Landschaft mit Fluß und Kähnen, nach F. E. Weirotter; Landschaft, nach Stef. della Bella; Landschaft mit Kaskade, nach C. Echard (1774).

L e B l a n c , Manuel, II. — N a g l e r , Monogr., IV.

Hennin v o n S t r a ß b u r g , s. *Gremp*, Hans.

Henning, Steinmetz, arbeitete 1405/7 zu Bremen an den Steinfig. zwischen den Fenstern des Rathauses, wohl als ausführender Meister unter Johannes von Bremen.

M i t h o f f , Mittelalt. Kstler etc. Niedersachs.

u. Westf., 1885 (Hennyngh). — F o c k e , Brem. Werkmeister, 1890. — Jahrb. d. brem. Sammlgn, I (1908) 2. Halbbd p 9 f.; V (1912) 8.

Henning, Stückgießer, 1411—1419 in Braunschweig. Gießt 1411 das berühmte Riesengeschütz: „Die faule Mette", das 1786 umgeschmolzen wurde.

E s s e n w e i n , Quellen z. Gesch. d. Feuerwaffen, Lpzg 1872/77, Taf. A. 21. — J. v. R e i t z e n - s t e i n , Geschützwesen und Artill. v. Braunschweig, Leipzig 1896 p. 35, 40. — Zeitschr. für histor. Waffenkunde, VIII 169.
St.

Henning, Glockengießer, 15. Jahrh., s. *Henigh*.

Henning d. ält. u. d. j., s. *Hennecke,* Georg u. T.

Henning, A. S., Genremaler in London, wo er 1825/34 in der Royal Acad., der Brit. Instit. und in Suffolk Street ausstellte.

G r a v e s , Dict. of Art., 1895; d e r s ., Roy. Acad., IV (1906); d e r s ., Brit. Instit., 1908.

Henning, A d o l f (Carl Ad.), Maler, geb. 28. 2. 1809 in Berlin als Sohn des kgl. Kapellmeisters Wilhelm H., † 25. 3. 1900 ebenda. An der Ausbildung seines musikal. Talentes hinderte ihn ein kleiner Schaden an der Hand. Seine Begabung für die Malerei trat so früh hervor, daß er schon mit 12 Jahren die Vorklasse der Akad., mit 14 Jahren die Mal- u. Zeichenschule von K. W. Wach besuchte, der 9 Jahre lang sein Lehrer blieb. 1833 ging er — nach 3 monatigem Aufenthalt in Düsseldorf — mit dem ihm befreundeten Heinr. Mücke nach Rom (25. 10. 1833 Ankunft), Juli 1834 weiter nach Neapel u. Sizilien, Okt. 1835 von Rom nach Oberitalien u. Frankreich. 1838 war er wieder in Berlin, wo er in diesem Jahre das Familienbildnis Raczynski malte, das seinen Namen zuerst bekannt machte. 1839 wurde er Mitglied der Akad. und erhielt mehrere Aufträge für das Kgl. Schloß (Kapelle u. Weißer Saal) u. das Neue Museum (Niobidensaal). Seine Haupttätigkeit aber gehörte der Porträtmalerei, als deren vorzüglichstem Vertreter in Berlin um die Mitte des Jahrh. ihm neben Fr. Krüger der Platz gebührt. 1899 konnte er — ein bis dahin einziger Fall — das 60 jährige Jubiläum eines Mitgliedes der Akad. feiern. 91 jährig starb er im darauffolgenden Jahre. — Schon während seiner Lehrzeit bei Wach beschickte H. (seit 1826) regelmäßig die Akad.-Ausst., meist mit Bildern biblischen oder mytholog. Inhalts (Rebekka am Brunnen, Ödipus u. Antigone, u. a.), von denen der König zwei erwarb, aber auch mit Bildnissen (Fanny u. Therese Elßler, 1832; lithogr. von C. Wildt). In Rom entstanden 1835: Thetis bei dem zürnenden Achill (beim Schloßbrand in Braunschweig 1865 vernichtet; Ölskizze bei Dr. Fr. Noack in Freibg i. Br.), David (Seitenstück zu einer Bathseba von Mücke), Porträts, ital. Volkstypen u. Landschaftsstudien. Von 1838 datieren das Mädchen von Frascati im Festschmuck (Berlin Nat.-Gal., vgl. Katal. 1907 No 119, fehlt in

405

d. späteren Katal.) und das erwähnte Familienbild Raczynski (ganze Fig. in Lebensgr.), das
er auf der Akad.-Ausst. 1839 zeigte, die ihn
(mit einer Unterbrechung 1866—1884) bis 1892
zu ihren regelmäßigen Ausstellern zählte.
1893 beschickte er die Gr. Berl. K.-A. zum
letztenmal. Schon Raczynski stellte unter den
Arbeiten H.s seine Bildnisse am höchsten,
die zu Unrecht heute fast völlig in Vergessenheit geraten sind, wie H. denn auch auf der
Berl. Jahrhundert-Ausstell. nicht vertreten war.
Lorenz hat zuerst wieder auf diesen trefflichen
Biedermeier-Porträtisten nachdrücklich hingewiesen, den wenige öffentl. Sammlungen
kennenzulernen Gelegenheit bieten. Die Berl.
Nat.-Gal. bewahrt von ihm ein kleines Bildnis der Frau Therese Albrecht („A. Henning Berlin 1842"), das Hohenzollern-Mus. ein
Bildnis der Fürstin Liegnitz, 2. Gemahlin
Friedr. Wilh. III., die Berl. Akad. 5 Bildnisse
(darunter die der Gattin H.s mit ihrem Söhnchen u. des Marinemalers Wilh. Krause), die
auf der Bildnis-Ausst. der Akad. April/Mai
1920 (vgl. Katal. No 70—74) ausgestellt waren,
das Mus. zu Erfurt ein Jugendbildnis des Malers
Fr. Nerly d. J. (1856), das Thorwaldsen-Mus.
in Kopenhagen das Brustbild einer Italienerin
(das berühmte Modell Fortunata Segatori; vgl.
Verz. 1907 No 119), das Mus. zu Posen (Ra-
czynski-Samml.) die Brustbilder des Peter Cornelius, Chr. D. Rauch, K. W. Wach u. W. v.
Kaulbach, sämtlich von 1847 (Führer Kaiser-
Friedr.-Mus. Posen, 1911 p. 81). In den besten
seiner Bildnisarbeiten, wie in dem höchst an-
mutvollen Doppelbildnis der Gattin des Künstlers mit ihrem Söhnchen (Abb. bei Lorenz
p. 565), erreicht H. nahezu die Höhe der Porträtkunst Krügers. Seine allegor. Malereien
(Kolossalfig. der 8 preuß. Provinzen) im Weißen
Saale des Kgl. Schlosses mußten bei dessen
Umbau entfernt werden; erhalten dagegen die
Evangel. Lucas u. Johannes (al Fresko) in der
Schloßkapelle und die stereochromen Wand-
malereien im Niobidensaal des Neuen Museums
mit Darstell. a. d. antiken Mythologie.
Raczynski, Gesch. der neueren deutsch.
Kst, II (1841) 44 ff. — Nagler, Kstlerlex., VI;
ders., Monogr., I. — F. v. Boetticher,
Malerwerke d. 19. Jahrh., I 2 (1895). — A d.
Rosenberg, Gesch. d. mod. Kst, ² 1894, II
454 f. — Chronik d. kgl. Akad. d. Künste zu
Berlin, 1900 p. 99 (Nachruf). — Die Kunst, I
(1900) 357 (Nachruf). — Fel. Lorenz in Die
Kunstwelt, Jahrg. II, Bd 3 (1913) p. 561/68 (m.
7 Abb. u. 1 farb. Tafel). — Hannov. Geschichtsbl., XVIII (1915) 323, 401 (m. Abb. einer Lith.
nach H.s Bildnis des Generals v. Berger). —
Katal. d. Berl. Akad.-Ausst. 1826 p. 24; 1828 p. 77;
1830 p. 21; 1832 p. 18; 1836 p. 26; 1838 p. 22;
1839 p. V, 20; 1840 p. 18; 1842 p. 23; 1844 p. 32;
1846 p. 25; 1848 p. 28; 1856 p. 129; 1862 p. 31 ff.;
1864 p. 24; 1866 p. 29; 1884 p. 50; 1886 p. 35,
185; 1889 p. 53; 1892 p. 26. — Katal. d. angef.
Ausst. u. Museen. — Preuß. Paßregister Rom. —
Arch. d. deutsch. Kstler-Ver. Rom. — Notizen
von Fr. Noack. *H. Vollmer.*

Henning, A l b e r t , Bildhauer in Königsberg i. Pr., geb. ebenda um 1860, † 17. 9. 1894
durch Selbstmord in Berlin, wo er seit 1890
lebte. Zeigte mytholog. Genre (Amor die
Eule der Athene neckend, Ganymed vom Adler
entführt) und Tierplastik (Löwen) in den Berl.
Akad.-Ausst. (1889, 90, 92) und der Internat.
K.-A. Berlin 1891; arbeitete mit an den Tierfig.
des Washington - Denkmals für Philadelphia
von Siemering.
Kst für Alle, V (1890). — Singer, Kstlerlex., II 1 (1896).

Henning, C h r i s t i a n , Maler, Radierer u.
Kunsthändler, geb. in Erfurt 20. 8. 1741, † in
Zeist (Holland) 2. 8. 1822, leitete in Hoorn
mit s. Bruder G o d f r i e d (1773 in der Haar-
lemer Gilde) eine Tapetenfabrik, lebte dann
in Haarlem (1777 ebenda in der Gilde, war
auch an der Zeichenakad. tätig), zuletzt in
Zeist, wo er der Herrnhutergemeinde angehörte.
Malte und zeichnete vorwiegend Vögel in
Landschaft, arbeitete auch für das Theater in
Amsterdam; radierte 6 Bl. Ansichten des Ver-
gnügungsortes Biljoen bei Arnheim. In dem
Hause Groote Dost 53 zu Hoorn eine von
Christ. und Godfr. gemalte Tapete (8 Fach
mit arkad. Landschaften); im Haarlemer Teyler-
Mus. (Catal. des dessins 1904) 2 Zeichn., Geflügel in Landschaft, von 1791 und 1809,
beide bez. „Christian Henning fec.".
v. Eynden en v. d. Willigen, Geschied.
der Vaderl. Schilderkst, III (1820) ; Aanh. (1840).
— v. d. Willigen, Artistes de Harlem, 1870
p. 34, 35. — Moes-Sluyterman, Nederl.
Kasteelen, I (1912) 122 (Abb.), 124. — Voorloop.
Lijst d. nederl. Monum. van Geschied. etc., V 1
(1921). — Weigel's Kstcatal., Leipzig 1838/66
I 1181.

Henning, C h r i s t o p h D a n i e l , Miniaturmaler, Kupferstecher, Verleger und Kunsthändler in Nürnberg, geb. ebenda 1734, † ebenda
1795, vielleicht Sohn von Veit Balthasar H. (s.
d.). Stach eine Folge von 19 Nürnb. Ansichten
(1 kolor. Bl., Grundriß der Stadt während der
Überschwemmung i. J. 1784, vgl. Katal. der
Histor. Ausstell. der Stadt N., 1906 Nr 1479);
Ansichten von Allmoshof bei Nürnberg und
von Schloß Erlenstegen (Mi.-Franken); Abb.
eines 1775 zu Nürnberg geschlachteten Ochsen;
Blätter in dem 1776 in H.s Verlage erschienen
Werk „Die 3 Reiche der Natur, Pflanzenreichs
1. Ausgabe"; eine Karte der Gegend von Fürth
„C. D. Henning sc. Nürnberg" in Schnitzlein's
„Historisch - diplomatische Abhandlung . . .
über Fürth", Ansbach 1771; Darstell. einer 11. 8.
1774 zu Reichelsdorf gehaltenen Hirschjagd;
ferner in Silhouettenart nach Zeichn. von J. S.
Vigitill „Diego und Leonore" (5. Aufzug, 5.,
6., 7. und 8. Auftritt, aufgeführt in Nürnberg
auf der freundschaftl. Privatbühne August 1782);
Papst Pius VI., Vigitillische Familiengruppe,
Kaiser Joseph II., Ynkle und Yariko, sämtlich
nach Vigitill; „Un écuyer maraude"; in Kupfer
gestochene Porträtsilhouetten (laut Schad ent-

halten in „Henning's Silhouettensammlung", von welcher 9 Teile zitiert werden): Sein eigenes Porträt (bez. mit dem Monogr.) und das seiner Gattin; Markgraf Christ. Friedr. C. A. zu Ansbach-Bayreuth; dessen 1. Gemahlin Friederika Carolina; C. F. R. Freih. v. Gemmingen, Ansbach-Kulmbachscher Staatsminister; Baronesse v. Waldenfels; D. Zenker, Pfarrer in Schwanningen; Joh. Chr. Zenker, Pfarrer in Dornhausen; Joh. Friedr. Zenker, Pfarrer in Wassermungenau; N. N. Zenker in Ansbach; C. F. Elsasser, Jurist in Erlangen; J. M. Georg, Jurist in Bayreuth; J. A. Simonn, Jurist; B. C. Vogel, Mediziner in Altdorf; J. G. Feder, Philos.-Prof. in Göttingen; J. Brand in Ansbach; C. F. G. Knab in Münchberg; Frau Birkner geb. Kleinknecht in Ansbach; Maria Enslin in Gunzenhausen; Maria Meermann in Bayreuth. In der Miniaturen-Ausstell. im Troppauer Landesmus. (Katal. 1905 Nr 360) war die Silhouette (aus Gold ausgeschnitten, auf schwarzem Grund) eines Fräulein Karoline v. Fürer, bez. „C. D. Henning fec. d. 24. Dec. 1784". Zu nennen außerdem das 1773 gest. Porträt von Gaspard Kindtswatter und das in H.s Verlag erschienene von Georg Michael Gruber (1692—1773). Eine Folge von 7 Bl. (nach Guilmard 8 Bl.) Muschelwerk mit Figuren ist bez. „C. D. Henning, Junior inv. del. et excud. Nürnb.". Guilmard (Verwechslung der Biogr. mit Christian H.) nennt noch eine Folge von 6 Bl. mit Rokoko-Kartuschen.

M u r r , Beschreib. d. vornehmsten Merkwürdigk...., Nbg 1778 p. 551. — P a n z e r , Verzeichn. v. Nürnb. topogr. histor. Kupferstichen ...; 1791 p. 66. — v. S c h a d , Versuch einer Brandenburg. Pinacothek, 1793 p. 29, 31, 49, 56, 70 ff., 74, 80, 82, 86 f., 89 f., 103, 132, 175. — M e u s e l , Teutsches Kstlerlex., I ² (1808). — L i p o w s k y , Baier. Kstler-Lex., 1810. — N a g l e r , Monogr., I u. II. — G u i l m a r d , Maîtres Orneman., 1881 p. 454. — Katal. Ornamentstich-Slg Berlin, 1894. — D u - p l e s s i s , Cat. Portr. Bibl. Nat. Paris, 1896 ff., IV 19517; V 24250. — Monogr. z. dtschen Kulturgesch., II (S t e i n h a u s e n) p. 122, Abb. 129. — Dtsches Leben d. Vergangenheit in Bildern, Jena 1908, Bd II Abb. 1760. — Bibliotheca Bavarica (Lagerkatal. Lentner, München) 1911 Nr 6069, 7703, 9237. — Bayer. Hefte für Volkskunde, III (1916) 161 m. Abb.   *W. Fries.*

Henning, G o d f r i e d , siehe unter *Henning,* Christian.

Henning, J o h a n , Holzbildhauer, in Heide (Schlesw.-Holst.), nachweisbar 1639, † zwischen 1659 und 63, fertigte 1626 die Taufe in Lunden; 1651 die Kanzel (reich geschnitzt, mit Apostelfig., Moses als Kanzelträger, feinen Ornamenten) in Hennstedt. Ihm zugeschrieben der Altar von 1652 in Delve (1851 durch Lackierung verdorben, Fig.: Evangelisten, Moses, Johannes, Christus mit dem Kreuz); die Orgel in Heide (um 1640, um 1880 zerstört, Fragmente auf dem Kirchboden erh., andere angebl. nach England verkauft); Engelsköpfe und Rahmenfüllungen einer dem modernen Ge-

stühl im Chor (Nordseite) eingefügten barocken Scheidewand in Hemme.

Bau- u. Kstdenkm. Prov. Schlesw.-Holst., I (1887) 73, 80, 87, 89, 94; III (1889), Meister-Verzeichn. p. 13.

Henning, J o h a n n H e i n r i c h , Maler, führte in dem 1764/66 neugebauten Schloß Stösitz bei Oschatz mit G. Th. Frischauff Wandmalereien aus. Vielleicht identisch mit dem Maler H e n n i n g , der in der Michaeliskirche zu Ohrdruf das Deckenstück (1781 vorhanden, übertüncht) malte.

Bau- u. Kstdenkm. Kgr. Sachsen, XXVII/XXVIII (1905). — Bau- u. Kstdenkm. Thüringens, Sachsen-Coburg u. Gotha, II (1898) 62.

Henning, J o h n I , schott. Bildhauer und Modelleur, geb. in Paisley bei Glasgow 2. 5. 1771, † in London 8. 4. 1851. Begann in der Lehre seines Vaters, eines Zimmermanns und Möbeltischlers, Büsten und Medaillons in Wachs nach dem Leben zu modellieren, erhielt 1800 in Glasgow derartige Aufträge und kam 1801 nach Edinburgh, wo er unter John Graham an der Trustee's Acad. studierte. Während seines dortigen Aufenthalts entstanden zahlreiche, meist in Biskuitporzellan ausgeführte Medaillonbildnisse bekannter Persönlichkeiten (s. u.), darunter ein solches der Schauspielerin Sarah Siddons (1808). H. kam 1811 nach London, wo er in den Samml. des Marquis Lansdowne und des Earl Grey, sowie im Burlington House nach den dort vorübergehend untergebrachten Elgin Marbles zeichnete. 1812 erhielt er Aufträge von der Prinzessin von Wales (s. u.) und der Prinzessin Charlotte, die bei ihm eine verkleinerte Elfenbeinnachbildung einer Gruppe des Parthenonfrieses bestellte. Nachdem er ähnliche Aufträge für den Herzog von Devonshire, Marquis Lansdowne u. a. ausgeführt hatte, nahm er sein Hauptwerk, eine verkleinerte Modellkopie des Frieses in Angriff, eine Arbeit, die ihn 11 Jahre beschäftigte. Während er damit bei Künstlern wie Canova und Flaxman Beifall fand, bemängelten die Gelehrten seine ziemlich willkürlichen Ergänzungen. H. gehörte zu den Gründer-Mitgliedern der Society of Artists; außerdem stellte er bis 1828 in der Royal Acad. und British Instit. aus. Mit Hilfe seines gleichnamigen Sohnes (s. u.) verfertigte er Intagliokopien des Frieses von Phigalia, der Raffael'schen Teppich-Kartons und der Transfiguration, die Friese am Tor des Hyde Park und für das Haus des Athenaeum Club (Prozessionsszenen), u. a. Eine Stichpublikation seines Modells des Parthenonfrieses, die er 1846 zus. mit dem Stecher Freebairn (s. d.) zu veröffentlichen begann, blieb nach dessen Tode unvollendet. Anläßlich eines Besuches in der Heimat (1846) wurde er Ehrenbürger seiner Vaterstadt. H. war auch Ehrenmitglied der Edinburgher Kunstakad. Die Sorgfalt und Genauigkeit seiner Arbeiten, deren viele durch die Galvanoplastik weite Verbreitung fanden, wurde allgemein bewundert. — *Arbeiten*: 1. *Medaillonbildnisse: Edinburgh*, Scott. Nat. Portrait Gall.: Rev. Alexander Carlyle; Lord Chief Baron Robert Dundas; Sir William Forbes (1802). Abgüsse (*ebenda*, Originale in Edinburgher Privatbes.): Lord Frederic Campbell; Prinzessin Karoline von Wales; Dr. E. D. Clarke; James Earl of Lauderdale; Sir Walter Scott (1809); James Watt; . Selbstbildnis H.s. Museum of Science and Arts *(ebenda)*: Prof. Dugald Stewart; Mrs. Dugald Stewart. 2. *Medaillen*: Herzog von Clarence (nachmal. König Wilhelm IV.); Herzog v. Wellington; Abraham Lincoln, u. a. — Sein Sohn J o h n II, Bildhauer, stellte 1817—52 in London (Brit. Instit. und Royal Acad.) Entwürfe, Reliefs usw. (historisches und allegor. Genre) aus. — S a m u e l, wohl Sohn bezw. Bruder der vor. (gleiche Londoner Adresse!), Gemmenschneider, stellte 1823—31 in der Royal Acad. Intaglien mit figürl. Darstell. aus. — Weitere g l e i c h n a m i g e Künstler, wohl Verwandte der vor., bei Graves (s. Lit.).

Dict. Nat. Biogr., XXV. — N a g l e r, Kstlerlex., VI. — R e d g r a v e, Dict. of Artists, 1878. — Art Journal, 1849 p. 112/4; 1851 p. 212 (Nekrolog). — The Portfolio, 1871 p. 103. — F o r r e r, Dict. of Medall., II (1904). — G r a v e s, Dict. of Art., 1895; Royal Acad., IV (1906); Loan Exhib., 1913 f. IV. — Cat. Scott. Nat. Port. Gall., [3] Edinburgh 1889.

Henning, J u l i u s (C. J.), Landschaftsmaler in Berlin, Vetter von Adolph H., Schüler von Schirmer, malte und zeichnete aus Architektur-Ansichten (Studienreisen in Böhmen, Mähren, Ost- u. Westpreußen), stellte 1836—42 in der Berl. Akad. aus (vgl. Katal.).

Henning, M a r k u s A n d r e a s, Lübecker Goldschmied, wurde 1722 Bürger und Meister. Seit 1746 Ältermann. 1757 gab er sein Geschäft auf. Von ihm eine silberne Schüssel in St. Jakobi zu Lübeck und 2 Abendmahlskannen zu Schlagsdorf bei Ratzeburg.

Bau- u. Kunstdenkm. Lübeck, III (1921) 438.

Henning, P e t e r, Goldschmied in Stockholm, 1689 Meister, † 1714, Sohn eines Goldschmiedes P e t r i (Pettersson), der 1657—1703 in Nyköping vorkommt, und von dem zahlreiche Arbeiten erhalten sind. Von Peter: 1695 (wie bei den folgenden Werken das Datum des Jahresbuchstabens) vergold. Kanne mit eingelass. Münzen (Wallace Coll. London); 1699 teilvergold. Sammelbüchse; 1709 vergold. Weinkanne; 1713 vergold. Kelch, diese 3 im Histor. Mus. Stockholm; 1716 Zunftpokal mit getrieb. Engelsköpfen und Reben, Namen und 1730 im Nord. Mus. Stockholm; 1727 ovale Platte und Schüssel in Stockholmer Privatbes. — H.s Witwe führte das Geschäft bis 1735; sein Bruder C h r i s t i a n wird als Goldschmied in Stockholm gen. 1697—1716, ebenso seine Söhne G e r t 1731/56 und P e t e r d. j ü n g. 1735/55.

M. R o s e n b e r g, Goldschm. Merkzeichen, [2] 1911. *G. Upmark.*

Henning, S a m u e l, s. u. *Henning*, John.

Henning, V e i t B a l t h a s a r, Kupferstecher und Kunsthändler in Nürnberg, geb. ebenda 1707, † ebenda 10. 3. 1762, nach Andresen Vater des Christ. Daniel; nur bekannt durch sein von G. Lichtensteger nach Zeichn. von J. E. Ihle gestoch. Bildnis. Nach Andresen sind Stiche von H. selten und scheinen sich in Büchern aus den Gebieten der Mechanik und Mathematik zu befinden.

P a n z e r, Verzeichn. v. Nürnb. Portraiten, 1790 p. 100. — F ü ß l i, Kstlerlex., 2. Teil 1806/21. — A n d r e s e n, Nürnb. Kstler (Ms. Bibl. U. Thieme-Leipzig) fol. 275. — M u l l e r, Cat. rais. de Portr. etc., 1877 Nr 5 p. 41. *W. Fries.*

Henningk (Hennigk), N i k l a s, Goldschmied in Elbing, † vor dem 14. 10. 1665. Arbeitet 1640/41 in Danzig bei Peter von der Rennen. 1652—1662 als Münzmeister in Elbing genannt. Werke: Deckel des Kramerzunftwillkomms des Bastian Heine (nicht „B. Hennigk", wie Rosenberg) im städt. Mus. in Elbing; 2 Kelche von 1650 u. 1657, u. Deckelkanne von 1657 in der Marienkirche in Elbing; Kelch von 1652 in Marienau (bei Marienburg).

V o ß b e r g, Elbinger Münze, p. 96. — K i r m i s, Einleitg i. d. poln. Münzk., p. 409. — E. v. C z i h a k, Edelschmiedekunst, II (1908) 160, 164, Taf. 20. — M. R o s e n b e r g, Goldschm. Merkzeichen, [2] 1911 No 1242. — Bau- u. Kstdenkm. Prov. Westpreußen, IV (1919) 166. *Cy.*

Hennings (Hennyges), Töpferfamilie in Hamburg, 17.—18. Jahrh. Urkundl. werden erwähnt 1662 und 1697 J ü r g e n, 1697 H e i n r i c h; 1697 ist H e n n i n g D e t l e f Meister; von ihm wahrscheinlich der älteste der Hamburger Fayence-Öfen (auf den Kacheln Blaumalereien: Landschaften mit mytholog. Figuren) im Hamb. Kunstgewerbemus., der auf einer Kachel neben einem Satyr eine Vase mit dem aus H. D. Hs. gebild. Monogramm zeigt. Ein g l e i c h n a m. Meister ist 1730 Bürger, 1752 Ältermann des Hamb. Töpferamtes und nennt sich als Verfertiger des von C. M. Möller mit neutestamentl. Bildern nach Stichen von Goltzius gemalten Ofens im Hamb. Kunstgewerbemus., bez. auf dem Zwickel der Kuppel rechts „H. D. Hennings Fabricirt 1749" (H.s Name wiederholt auf einer Kachel mit der Verspottung Christi). Brinckmann denkt an den älteren Henning Detlef als Verfertiger eines Fayence-Henkeltopfs (mit Blaumalerei) im Hamb. Kunstgew.-Mus. und an ein weibl. Mitglied ders. Familie bei einer G. C. H. 1751 bez. Teebüchse ebenda.

J. B r i n c k m a n n, Das Hamburg. Mus. f. Kst u. Gew., 1894. — Jahrb. d. Hamb. wissensch. Anstalten, V 1887 (ersch. 1888) p. XXVIII f.

Hennings, F r i e d r i c h (Fritz), Architekt in Berlin, geb. 8. 7. 1872 in Schwerin in Mecklenburg, Schüler der Techn. Hochschule in Charlottenburg (1892/96), dann lange Jahre beim Städt. Hochbauamt Berlin unter Ludw.

Hoffmann beschäftigt. Führte gemeinsam mit s. Bruder W i l h e l m (geb. 5. 7. 1874 in Schwerin, Schüler der Techn. Hochsch. Charlottenbg, dann im Atelier Ende u. Böckmann u. beim Städt. Hochbauamt Berlin) Nutzbauten aus, wie das Arndtgymnasium in Dahlem bei Berlin, das Realgymnasium in Lankwitz b. Berlin, Höhere Mädchenschule zu Hirschberg i. Schles., und ging aus zahlreichen öffentl. Wettbewerben mit s. Bruder als Sieger hervor: Synagoge zu Dortmund, Kirchen zu Großlichterfelde (3. Preis), zu Poppelsdorf bei Bonn (2. Pr.), in Grunewald (2. Pr.) u. Münster am Stein (angek.); Rathäuser zu Oberschönweide (angek.), zu Wilmersdorf (3. Pr.); Bankgeb. zu Tilsit (2. Pr.); Ministerial- u. Landtagsgeb. zu Oldenburg (2. u. 3. Pr.); Knabenschule in Schwerin (1. Pr.) usw.

J a n s a , Deutsche bild. Kstler in Wort u. Bild, 1912. — Der Baumeister, V (1907) 119 ff.; VI 105. — Deutsche Konkurrenzen, VI Heft 9; XI Heft 3; XXIII Heft 12. — Berl. Architekturwelt, XI (1909) 186/98.

Hennings, H a n s , Goldschmied in Meldorf; von ihm im Hamburger Kunstgewerbemus. ein silb. Becher von 1623 mit dem Beschauzeichen Meldorf und dem Meisterzeichen H H.

Schleswig-Holst. Jahrbuch, her. v. E. Sauermann, 1923 p. 100, 127 u. Taf. 10 oben.

Hennings, H e n n i n g D e t l e f , siehe unter *Hennings,* Familie.

Hennings, J o h a n n F r i e d r i c h , Maler, geb. 16. 10. 1838 in Bremen, † 29. 6. 1899 in München, wo er seit 1861 lebte; Schüler O. Achenbach's in Düsseldorf, machte Studienreisen in Italien, malte ital. und süddeutsche Landschaften und Architekturansichten, meist mit genremäßiger Staffage (oft Kostüme des 18. Jahrh.), und mit Beleuchtungseffekten, z. B. „Mondnacht in Verona", „Salzburg bei Nacht", „Aufbruch zur Jagd auf Schloß Solitüde", „Abendpromenade im Nymphenburger Park" (Bilderliste bei Boetticher). Stellte außer im Münchner und Bremer Kunstverein u. a. häufig in der Dresdner akad. Kst.-A. aus, auch im Münchner Glaspal. (1871, 79, 83, 88, 91, 97, 98) und in der Berl. Akad. (1874, 80, 84). In öffentl. Besitz: Baden-Baden, Gemäldegal. (Katal. 1905): „Obersee"; Bamberg, Städt. Slg (Katal. 1909): „Heimkehr von der Christmette"; Donaueschingen, Fürstl. Gemäldeslg (Katal. 1909): „Lesendes Mädchen"; New York, Metropol. Mus. (Katal. 1900 p. 73): „Heidelberg bei Mondschein". Das Stadtmus. München besitzt eine Zeichnung von H., der auch ein Bl. lithographierte (Waldpartie bei Mondschein mit heimziehender Schafherde). Mehrere seiner Bilder wurden als Holzschnitte in illustr. Zeitschriften reproduziert.

P e c h t , Gesch. d. Münchner Kst im 19. Jahrh., 1888. — F. v. B o e t t i c h e r , Malerwerke d. 19. Jahrh., I 2 (1895). — Kstchronik, V (1870) 68, 123; VI 118, 149; IX 646, 834; X 812; XI 60, 531; XII 353, 368, 549, 708; XIII 246, 715;

XV 659; XVI 186, 331, 444, 555, 685; XVII 306, 444; XVIII 88, 308, 466, 496, 546; XIX 550; XXI 604; XXIII 477. — Kst für Alle, XIV (1899). — M a i l l i n g e r , Bilderchronik d. St. München (Stadtmus.) III (1876); IV (1886). — Ausstell.-Kataloge: Schwarz u. Weiß-A. Wien, 1887 p. 30; A. d. Gem. a. d. Privatgal. d. Prinzreg. Luitpold v. Bayern, München 1913; A. Münchner Malerei 1850/80, München 1922; Glaspal. (1891 mit Abb.), usw.

Hennings, N i k l a s , siehe *Henningk, N.*

Hennings, W i l h e l m , siehe unter *Hennings,* Friedr.

Henningsen, E r i k , siehe unter *Henningsen,* Frants.

Henningsen, F r a n t s Peter Didrik, Maler, geb. in Kopenhagen 22. 6. 1850, † 20. 3. 1908 ebenda, besuchte 1870—77 die Akad., ging 1877 nach Paris, wo er Schüler L. Bonnats wurde, dann nach Spanien, um in den Galerien zu kopieren, begann 1875 in Charlottenborg Porträts auszustellen und wandte sich bald der Genremalerei zu. 1883 erhielt er die Ausstellungsmedaille für sein Bild „Ein Begräbnis" (Kopenh. Kunstmus., Abb. Madsen p. 382), wurde 1887 Mitglied des Rates der Akad. und erhielt 1890 nach dem Tode C. Blochs dessen Professur an der Akad. Repräsentativ und für die Kunstinteressen Dänemarks eifrig tätig, hat er bei offiziellen künstler. Veranstaltungen eine bedeutungsvolle Rolle gespielt. — Wie sein Bruder Erik (s. u.) entnahm er seine Bildstoffe dem Leben der Kopenh. kleinen Leute, doch sind seine Vorwürfe humorvoller und weniger sentimental als die Eriks. Beider „Rolle in der Kunst hat darin bestanden, eine Art malerischen Reportertums, namentlich aus der Hauptstadt zu vertreten, und sie haben das mit einem Geschick, das groß, und mit einem Talent, das keineswegs gering war, ausgeführt" (Hannover). Beide sind typische Vertreter der naturalistischen Genremalerei der 1880 er Jahre. — Neben solchen Bildern hat Frants auch Landschaften gemalt, z. B. Strandpartie bei Hornbaek (1883, Gal. Hirschsprung) und Szenen aus dem Landleben, z. B. Heuernte (1881); gelobt werden seine Bildnisse, z. B. Graf Danneskjold-Samsø (Gisselfeld [Amt Sorø]), Elis. Adelg. v. Bülow (1890, Samml. Graf Thott auf Gaunø) und deren Sohn Baron Otto Reedtz-Thott (v. 1889, ebenda), Generalleutnant J. Ph. A. F. Wörrishöffer (1893, Frederiksborg), König Friedrich VIII. (ebenda). In der Gal. Hirschsprung „Auf Fußtour" (1877), im Schloß Amalienborg (Rotes Zimmer) „Wachtparade auf dem Amalienborg-Platz". — H. hat sich auch als Illustrator betätigt. — Außer in Kopenhagen stellte H. 1886 u. 91 in Berlin aus. H.s jüngerer Bruder

E r i k Ludvig, geb. in Kopenhagen 29. 8. 1855, Schüler von A. Hellesen u. C. V. Nielsen, 1873—77 an der Akad. in Kopenhagen, begann 1879 in Charlottenborg auszustellen, ging 1880 auf einige Monate nach Paris, reiste 1882 in Deutschland, erhielt 1887 die Jahresmedaille, gewann 1889 das Anckersche Legat zu einer Reise ins Ausland, 1890 wiederum die Jahresmedaille und war 1893—1902 Mitglied des Rates der Akad. — Im Kunstmus. in Kopenhagen „Infanterie-Wachtparade" (1888), „Ausgesetzt" (1892), „Verwundeter Arbeiter" (1895). 1896 malte er in der Aula der Universität in der Reihe der dort. Wandbilder „Der nordische Naturforschertag 1847 in Roskilde" (als Tafelbild auch in Frederiksborg), in der Universität ferner „Madvig überreicht den Studenten den Bürgerbrief". In Frederiksborg „Schröder spricht in der Volkshochschule zu Askov" (1903), und „J. P. Jacobsen liest aus seinen Dichtungen in der Sitzung einer literarischen Gesellschaft" (Zeichnung). In der Gal. Hirschsprung in Kopenhagen (Kat. 1911): „Summun jus, summa injuria" (1886), im Nat.-Mus in Stockholm (Kat. 1893): „Nytorv", Straßenbild aus Kopenhagen, nach dem Regen. — Außer in Kopenhagen zeigte er seine Bilder häufig in München (Glaspalast, 1891, 92, 99, 1901, 1907, 1909; Sezession 1899), Berlin (1891, 96), London, 1914 in Malmö (Balt. Ausst.), usw. — H. war auch als Plakatzeichner und Illustrator tätig.

Weilbach, Nyt Dansk Kunstnerlex., 1896. — Dahl-Engelstoft, Dansk biogr. Haandleks., II, 1921 (Andrup). — Reitzel, Fortegnelse over Danske Kunstneres Arb., 1883. — Sigurd Müller, Nyere Dansk Malerkunst, 1884, Abb. — Trap, Danmark, 1899 bis 1906, I. — Madsen, Kunstens Hist. i Danmark, 1901/07 p. 381 f., Abb. auch p. 367. — E. Hannover, Dän. Kunst d. 19. Jahrh., 1907, Abb. — v. Bötticher, Malerwerke d. 19. Jahrh., I 2 (1895). — Dän. Maler von Jens Juel bis zur Gegenwart (Langewiesche, Blaue Bücher), 1911 Taf. 74. — Illustr. Tidende, 1908, No. 27 u. 28, To Breve fra † Frants H. til Nicolai Bögh 1878 (mit Zeichn. H.s aus Spanien). — Verdenspejlet, 1908 No 26, Nekrolog. — Politiken, Kopenhagen 21. 3. 1908, Nekrolog. — Graves, Roy. Acad., IV; Loan Exhib., 1913. — [Madsen-Andrup], Fortegnelse over Baroniet Gaunøs Malerier.. samt Portraetsaml., 1914 p. 101, 136. — Andrup, Kat. Portr. Frederiksborg, 1919. — Illustr. Führer Nat.-Mus. Frederiksborg, 1913 p. 96 f., 113, 116, Abb. — Statens Mus. Kopenhagen. Fortegn. Danske .. Malerier og Skulpt., 1921. — Katal. der angef. Samml. u. Ausstell.

Henningsen, Hans, Maler, geb. 14. 6. 1889, tätig in Kopenhagen. Von ihm in der Bildnissamml. auf Schloß Frederiksborg Porträt Generalmajor H. W. T. Gerstenberg; auf der Baltischen Ausst. in Malmö 1914 zeigte er ein Interieur bei Abendstimmung. Seine realistischen, vortrefflich gemalten Bildnisse (Kronprinz [1923], Graf Moltke, Baron O. Reedtz-Thott) haben großen Erfolg gehabt.

Andrup, Kat. Portr. Frederiksborg, 1919. — Balt. Utställn. i Malmö 1914, Konstavdel.

Henningsen, Isak, Maler u. Kupferstecher dän. Abkunft, † im Herbst 1759 in Paris; anfangs Goldschmied, wandte sich in Antwerpen der Malerei zu und erbat von dort aus 1755 die Unterstützung der Akad. in Kopenhagen zur Fortsetzung seiner Studien. Dem

Gesuch war eine Erklärung seines Lehrers N. van der Bergh beigefügt, der H. sehr lobt und zum Beweise dessen mitteilt, er habe unter ein Bild H.s, „une conversation", seinen eigenen Namen gesetzt, weil es so gut gemalt sei. — Von Antwerpen ging H. nach Paris und bildete sich als Kupferstecher; bereits 1756 stach er einen Bacchus (nach dem Stich des J. Saenredam nach H. Goltzius), 1758 legte Konferenzrat Wasserschlebe der Akad. einen Kupferstich H.s vor, den dieser in Parrocels Art in Crayonmanier (Röthel) ausgeführt hatte. Die Akad. ernannte H. dafür zum Ehrenmitglied. H. erhielt nun ein Stipendium von 200 Reichstalern dän. Cour. jährlich. — Von Blättern H.s werden noch erwähnt: „männliche Aktfigur, die sich den einen Fuß wäscht" nach Vanloo, „männlicher Akt auf der Erde sitzend, stützt sich mit der einen Hand" nach Boucher, beide in Crayonmanier: ferner „Frau im Lehnstuhl".

Weilbach, Nyt Dansk Kunstnerlex., 1896. — Nagler, Kstlerlex., VI. — Rombouts-Lerius, Liggeren, II 804.

Henningsen, Pram (Christian P.), Maler, geb. in Kopenhagen 19. 11. 1846, † in München 24. 5. 1892, anfangs Schüler von F. F. Helsted, ging 1865—71 auf Empfehlung Marstrands an die Akad. in Kopenhagen. In Charlottenborg zeigte er 1871—83 anfangs Bildnisse, dann Genrebilder u. Landschaften. 1883 ließ er sich in München nieder, stellte dort, in Berlin, Brüssel u. Antwerpen aus und kehrte nur vorübergehend in die Heimat zurück. — H. war vermählt mit der Blumenmalerin Johanne Larsen, geb. 23. 6. 1845 auf Langeland, † in München 6. 10. 1892.

Weilbach, Nyt Danks Kunstnerlex., 1896. — Reitzel, Fortegnelse over Danske Kunstneres Arb., 1883.

Hennion, Maler; von ihm ein „Hennion invenit, 1751" bez. Bild (Taufe Sigebert's) in der Kirche zu Frélinghien (Canton Armentières).

Dehaisnes, Notices descript. etc. Arrondiss. de Lille, 1894 p. 32.

Hennocq, Antoine, Kunsttischler, arbeitete 1641 in Montdidier (Somme) mit Pierre Blassel und Rob. Fissier am Altar der Marienkap. der Kirche St. Pierre.

Vial, Marcel, Girodie, Artist. décorat. du bois, I (1912).

Hennon - Dubois, Denis François, Maler in Paris, geb. 19. 2. 1791 in Elincourt-Sainte-Marguerite (Oise), Schüler von J. P. Granger und Abel de Pujol, seit 1818 in der Pariser Ecole des Beaux-Arts, zeigte 1835/46 Porträts im Salon. — Sein Bruder, Romulus Antoine, Maler und Lithograph in Paris, geb. 26. 5. 1799 in Elincourt-Sainte-Marguerite, Schüler von J. P. Granger, seit 1823 in der Pariser Ecole des Beaux-Arts, zeigte 1833/44 im Salon Porträts, Historien- und Genrebilder (Mort de Jacques d'Armagnac, Thomas Morus en prison, Baigneuse usw.);

lithographierte 1829 die Porträts der Generäle André Masséna und M. Ney, auch ein Bl. (Aminth und Sylvia) nach J. Albrier.

Gabet, Dict. des art. etc., 1831 p. 8. — Guyot de Fère, Annuaire statist., Paris 1836. — Bellier-Auvray, Dict. gén., I (1882). — Soullié, Ventes de Tableaux etc., 1896. — Duplessis, Cat. Portr. Bibl. Nat. Paris, 1896 ff., III 14845/35; VI 25506/39.

Hennss (Hennß), Nicolaus, Bildhauer aus Mariazell (Steiermark), bei den Vorbereitungen für den Einzug Kaiser Leopolds I. in Graz im Jahre 1660 beteiligt.

E. Kümmel, Kunst und Künstler in ihrer Förderung durch die steir. Landschaft vom 16.—18. Jahrh. (Beitr. zur Kunde steierm. Geschichtsquellen, Graz 1879, XVI 101.) — J. Wastler, Steir. Kstler-Lex., Graz 1883. *Bruno Binder.*

Hennus, Abraham, Maler im Haag, 1646 in die Lukasgilde aufgenommen; mehrere Bilder von ihm, darunter eine Marine, werden genannt in dem 1647 beginnenden Register von Bilderverkäufen aus dem Besitz von Mitgliedern der Haager Lukasgilde (Ms. im Haager Gemeindearchiv).

Bredius, Künstler-Inventare, II (1916), in Quellenstud. z. holl. Kstgesch., VI p. 458, 460, 487 ff., 492 f., 495.

Henny, Adriaen de, s. *Hennin*, A. de.

Hénon, Antoine, Architekt und Maler, geb. in Paris, tätig in Nantes 1745/88, Schüler der Pariser Akad. Seine Tätigkeit als Archit. nur belegt durch einen Vertrag von 1756, nach dem er den Altar für die Chapelle de la Madeleine in Nantes lieferte (der von H. bez. Entwurf in den Archives de la Loire-Infér.). Im Dienste der Stadt („Architecte et Dessinateur de la ville et Communauté") war er mit Wappenmalereien und mit Arbeiten (Vignetten u. a.) für das nicht erh. „Livre doré" der Mairie beschäftigt. Erhalten sind von ihm zahlreiche, z. T. kolorierte, gegenständliche und der Ausführung wegen interessante Zeichn., Architekturansichten von Nantes und von dort abgehaltenen Festlichkeiten, im Besitz des Mus. archéol. zu Nantes (Catal. 1903 p. 298 ff.), der Soc. archéol. und der Soc. des B.-Arts ebenda. Mehrere dieser Blätter wurden gestochen, so die 1769 dat. „Chambre des comptes de Bretagne" 1775 von N. Ransonnette, „Place Graslin" von C. M. Descourtis, „Feu d'Artifice" von H. F. de La Bertonnière, „St. Sulpice" (Paris) von Cl. Lucas (laut Heinecken), andere anonym.

Heinecken, Dict. d. art. etc., 1778 ff. (Ms. im Kupferstichkab. Dresden). — Nouv. Arch. de l'art franç., 1874 p. 322; 1898 p. 261 ff. — Port, Art. Angevins, 1881.

Henoul, Philippe, Büchsenmacher, 18. Jahrh. Gewehre und Pistolen in Schloß Ambras, Zeughaus Berlin, Armee-Mus. München, Schloß Schwarzburg, Darmstadt usw.

Kataloge der gen. Samml. *St.*

Henrard, Georges, Landschaftsmaler in Spa, † 1877, Schüler der dort. Zeichenschule,

stellte 1869 in Brüssel aus. (Catal. Expos. gén. d. B.-Arts, p. 68).

Siret, Dict. d. Peintres, [2]I (1883).

Henrard, Henri Joseph, Porträt- u. Landschaftsmaler, geb in Lüttich, tätig ebenda und in Paris um 1827, in welchem Jahre er in der Galerie Lebrun Landschaften (Umgebung von Lüttich, Italien) zeigte. Unterrichtete in Paris noch 1831. Eine Zeichnung (Papeterie des Polets bei Lüttich) war 1881 in der Expos. de l'art anc. in Lüttich (Catal. Sect. II p. 9).

Gabet, Dict. des artistes, 1831.

Henrard, Robert Arnold, gen. *Frère Robert* oder *Frère chartreux*, Bildhauer in Lüttich, geb. in Dinant 8. 4. 1617, † in Lüttich 18. 9. 1676, lernte in Lüttich, dann in Rom unter F. Duquesnoy, nach dessen Tode (1642) er nach Lüttich zurückkam und Kartäusermönch wurde. Nach anderer Angabe war er zuerst Benediktiner und verdankte Fürstbisch. Maximilian Heinrich v. Bayern seine Ernennung zum Abt eines bayr. Klosters. Für den Chor der (zerstörten) Kathedrale Saint-Lambert in Lüttich lieferte er unter 1659 u. a. einen Marmor-Altar mit einem Relief, Marter des hl. Lambert, eine stehende Madonna mit dem Kinde hinter dems. Altar, plast. Schmuck und Bronze-Kapitelle am Hauptaltar; für den Lettner 2 Rundbilder (Christus u. Maria) aus Marmor. Die Marmorstatue einer Madonna mit dem Kinde (dies das einzige erhaltene der gen. Werke), früher neben einer der Türen zur Chorherrenwohnung, jetzt in einer Kapelle der Kathedrale Saint-Paul. In der Kirche Ste Croix (am Choreingang) erhalten die Marmorstatuen der hl. Helena u. des Kaisers Constantin (Abb. Helbig Taf. XXIII). Nicht erhalten: zahlreiche Statuen von Ordensheiligen für das Lütticher Kartäuserkloster und eine Madonna im Tympanon des Portals, die als H.s bestes Werk galt; über dem Portal der Conceptionistinnen-Kirche im Vorort Amercoeur eine Madonnenstatue. 3 Zeichnungen, bez. „Robertus Henrard", besitzt die Akad. in Lüttich. — H.s Vorbild für seine Madonnen war die hl. Susanna seines Lehrers Duquesnoy. Seine Formbehandlung ist etwas schwerfällig, die Statue der hl. Helena zeichnet sich durch gute Proportionierung und feine Beseelung aus. Besonders gerühmt wurden H.s Relief-Arbeiten. Sein Schüler war Jean Delcour.

Helbig, Sculpt. etc. au pays de Liége, [2]1890 p. 161 f. — [Brassinne,] Liége, Guide illustré, o. J. p. 89, 109. — Catal. Expos. de l'art ancien, Liége 1881, Sect. I p. 75.

Henri, Buchmaler, einer der ältesten unter den franzöns. Miniaturisten, die Laien waren, scheint nicht in Paris tätig gewesen zu sein, da sein Name in der Einwohnerrolle von 1292 nicht vorkommt. Er bezeichnet 1285 einen Kalender aus der Champagne (Paris, Bibl. Nat. Ms. franç. 412): „Henris ot non l'enlumineur.

Dex le gardie de deshouneur. Si fu fais l'an M. CC. IIII^{XX} et V.".

D e l i s l e , Cab. des Manuscrits, III (1881) 301. — L a b a r t e , Hist. des arts industr., III (1865). — H. M a r t i n , Les Miniaturistes franç., 1906. — Mém. de la Soc. des Antiquaires de France, 7. Série, VII (1907) 26 (F. d e M é l y).

Henri, Architekt und Werkmeister der Kathedrale von Troyes 1293—97.

B a u c h a l , Dict. des archit. franç., 1887.

Henri, Stadtarchitekt in Dünkirchen (Dunkerque), † 40 Jahre alt 1847. Lieferte 1837 die Pläne für das dortige Stadttheater.

B a u c h a l , Dict. des archit. franç., 1887 p. 667. — G u y o t d e F è r e , Annuaire statist. des beaux-arts, 1836 p. 300.

Henri de B o u v i g n e s = *Bles,* Herri met de.

Henri de C o l o g n e , Bildhauer in Tournai. Meißelte 1424 zwei Engel mit dem kgl. Wappen für die Kapelle der Halle des Doyens und ein Marienbild für die „Simple couple" ebendort (zerstört).

G r a n g e et C l o q u e t , L'Art à Tournai, 1889 p. 181.

Henri d'E n t r e s q u e s (Dantresque, d'Antresque), Maler in Bourges, Hofmaler des Herzogs von Berry und des Königs von Frankreich. In den Hofrechnungen 1419—22 mit handwerkl. Arbeiten erwähnt.

J a l , Dict. crit., ^{2}1872 (Dentresque). — Nouv. Arch. de l'art franç., 1878 p. 181 ff.

Henri de L i b b e e k , Mönch und Kalligraph. Schreiber eines Kartulars der Abtei Parc (Brabant) aus dem Jahre 1266, das sich in der dortig. Klosterbibl. befindet und mit schönen Initialen geschmückt ist.

v. E v e n , Ecole de peint. de Louvain, 1870.

Henri de L o u v a i n , Architekt und Werkmeister der Lütticher Kathedrale, † 1200 (?), erwähnt im Totenbuch der Kirche St. Michel in Lüttich.

J. H e l b i g , Peint. etc. de Liège, ^{2}1903.

Henri de M o n t r i c h a r t , Bildhauer und Architekt in Amboise. Errichtete 1479 mit Jehannot Le Pelletier ein Stadttor, das an der Flußseite mit dem von 2 Engeln gehaltenen königl. Wappen geschmückt war.

L a m i , Dict. des sculpt. etc. moyen âge, 1898, unter Montrichart.

Henri de N a r b o n n e , s. 3. Art. *Henricus.*

Henri d'O r q u e v a u l x , französ. Miniaturmaler des 15. Jahrh., gebürtig in Orquevaulx (Dep. Haute-Marne). Malte den aus 85 Miniaturen bestehenden Buchschmuck einer für einen Metzer Schöffen 1440 verfertigten Abschrift der französ. Livius-Übersetzung des Pierre Bersuire. Die Handschrift (ehem. Slg Sir Thomas Phillipps in Cheltenham) enthält auf der letzten Seite H.s Selbstbildnis. Durrieu schrieb ihm aus stilistischen Gründen ein kleines, mit 22 Miniaturen geschmücktes Livre d'heures Metzer Herkunft zu.

D u r r i e u im Bullet. de la Soc. des Anti-

quaires de France, 1888 p. 301 ff.; d e r s. in Michel, Hist. de l'Art franç., IV (1909) 754.

Henri, P., lothring. Glockengießer, goß 1624, zus. mit seinen Landsleuten Blaise Hemony und Nic. Gomon, eine Glocke der Andreaskirche in Braunschweig (erhalten).

P. J. M e i e r u. H. S t e i n a c k e r , Bau- u. Kstdenkm. der Stadt Braunschweig, 1906 p. 44.

Henri, R o b e r t , amer. Genre-, Landschafts- und Bildnismaler, geb. in Cincinnati (Ohio) 24. 6. 1865. Lebt in New York. Studierte 1886—88 auf der Kunstakad. in Philadelphia, 1889—90 auf der Acad. Julian und der Ecole des Beaux-Arts in Paris und arbeitete jahrelang selbständig in Frankreich, Spanien und Italien. H. gilt als der bedeutendste Vertreter der sogen. New Yorker Schule, einer wesentlich national gerichteten Künstlergruppe, die sich von europäischen Einflüssen emanzipiert hat und ihr Heil in einer kraftvollen, vereinfachten Technik unter Negierung aller Ausführlichkeit im Stofflichen erblickt. Als temperamentvoller Verkünder einer eigenen Kunstphilosophie bildet H. den geistigen Mittelpunkt eines Kreises begeisterter Anhänger, mit denen er Studienreisen nach Spanien und anderen Ländern unternommen hat. Indem er die Philosophie des Lebens in seinen Gestalten zum Ausdruck bringen will, arbeitet er vor allem auf starke Charakteristik hin und hat sich für diesen Zweck eine breite, an Velazquez geschulte, glänzende Technik geschaffen, die aber nicht einen unveränderlichen, gleichmäßigen Bestand seiner Kunst bildet, sondern, der Verschiedenartigkeit der Aufgabe entsprechend, immer neue Modulationen annimmt. Seine Landschaften, besonders Städtebilder, und Figurenbilder sowie seine in satten Farbenharmonien schwelgenden, lebensgroßen Frauenbildnisse haben in der farbigen Gesamthaltung alle etwas Düsteres, und seine im allgemeinen wenig sympathischen Modelle interessieren immer in erster Linie als Exponenten einer auf schärfste Charakteristik ausgehenden Technik, die den wie im Fieber heruntergemalten Bildern von Fischverkäufern, Zigeunerinnen, Tänzerinnen und seinen lachenden Kinderköpfen eine gewisse Großzügigkeit verleiht, aber auch die Gefahr einer manierierten Derbheit mit sich bringt. — H. ist Mitglied der Nat. Acad. of Design in New York (1906), des Nat. Institute of Arts and Letters, der Nat. Association of Portrait Painters in New York, der Soc. of Independent Artists usw. *Auszeichnungen:* Silb. Medaille, Pan-Amerika-Ausst. Buffalo 1901; Silb. Med. Ausst. St. Louis, 1904; Harris-Preis (500 $), Art Institute Chicago, 1905; Goldene Med., Philadelphia Art Club, 1909; Silb. Med., Ausst. Buenos Aires 1910; Beck-Medaille, Pennsylvania Acad. of Fine Arts, Philadelphia, 1914; Silb. Med., Panama-Pacific-Ausst., San Francisco, 1915. *Werke:* „La Neige", Mus. Luxembourg, Paris; „Junge Dame in Schwarz", Art Institute, Chicago; „The Equestrian", Carnegie Institute, Pittsburgh; „Mädchen mit rotem Hut", Gal. Spartanburg, S. C.; „Happy Hollander", Art Association, Dallas, Texas; „Tänzerin mit gelbem Shawl", Gall. of Fine Arts, Columbus, Ohio; „Spanisches Zigeunermädchen", Art Association, New Orleans; „Lachendes Mädchen" und „Landschaft", Brooklyn Institute Mus.; „Mädchen mit Fächer", Pennsylvania Acad., Philadelphia; „Mädchen aus Toledo", Carolina Art Association, Charleston, S. C.; „Das blaue Halsband", Art Institute Kansas City; „Lillian", San Francisco Institute of Art; „Spanische Zigeunerin", Metrop. Mus. New York; „Knabenbildnis", Minneapolis Institute of Arts; „Tam Gan", Fine Arts Acad., Buffalo; „Spanisches Zigeunermädchen", Oberlin (Ohio) College Art Gallery; „Diegito Roybal", Mus. of Art and Archaeology, Santa Fé, New Mexico; „Achille Girl", Memphis (Tennessee) Museum.

Amer. Art Annual, XVIII (1921) 449. — W. H. K. Yarrow, R. H., the Man and his Works, 1921. — N. Pousette-Dart, R. H., 1923. — S. Hartmann, Hist. of American Art, 1902 II 256/9. — Arts and Decoration, 1912 II 213/5, 230. — Critic, IL (1906) 130 f. — Current literature, LII (1912) 464/8. — Fine Arts Journal, XXVII (1912) 463/6. — Independant, LXVI (1908) part 2, p. 1427—32. — Internat. Studio, XXX (1906) 102 f. — Amer. Mag. of Art, VII (1916) 473/9. — Craftsman, XXVII (1915) 459—69. — The Studio, XXXIX (1907) 182 f.; LXV (1915) 239 ff. — Gaz. des beaux-arts, 1909 II 333 f. — Art in America, X (1922) 132 f. — Bullet. Metrop. Mus. New York, IX (1914) 166. — Kat. Ausst. Amer. Kst, Berlin 1910. — Panama-Pacific Expos. S. Francisco 1915. Cat. de luxe, II 323. — Cat. Salon Nat. Paris, 1896, 7, 9. — Cat. Espos. internaz. d'arte, Venedig 1909; 1920, m. Abb. — Kat. von Kollektiv-Ausstell. in den Mus. von Brooklyn, 1902; Penna. Acad. of Fine Arts, 1908; Buffalo, 1919; Detroit, 1920.

Henri de **Tournai**, Bildhauer, errichtete 1247 die Grabdenkmäler des Roger de Mortagne in der Abtei Flines und in der Abtei St. Martin (zerstört).

Dehaisnes, Documents etc. hist. de l'art dans la Flandre, 1886. — Grange et Cloquet, L'art à Tournai, 1889 p. 89, 109. — Marchal, La Sculpture etc. belges, ² 1895.

Henri, s. auch *Heinrich, Henricus* u. *Henry.*

Henriance, Pierre, genannt *Juliance* (Julience), Holzbildhauer in Paris, aus der Provence gebürtig, † in Paris 21. 9. 1741. 1716 wird er für Täfelwerk im Pariser Hotel des Herzogs von LaForce bezahlt. In Notre-Dame in Paris von ihm ein Chorpult (Holz) in Form eines Adlers, mit 3 Reliefs u. 3 Statuetten (ehemals in der Kirche der Karthäuser in Paris).

Lami, Dict. des Sculpt. etc. du XVIIIᵉ S., I (1910) 403; II (1911) 10. — Vial, Marcel, Girodie, Artistes déc. du Bois, I (1912).

Henricard, Pierre, Maler und Glasmaler in Lyon, 1550—61, stellte die von den Reformierten zerstörten Glasfenster in Saint-Etienne in Lyon wieder her.

L. Bégule, Les vitraux ... dans la région lyonnaise, 1911 p. 18.

Henrich, Kalligraph (und Buchmaler?), 1147 Benediktinermönch im Kloster Prüfening, schrieb (und illuminierte?) zus. mit dem Mönch Ebrordus ein Evangeliar (Univ.-Bibl. München, Ms. 28, aus Kloster Biburg) laut Vermerk: „Monachi binis scripsere, vocabula quorum hec sunt, Ebrordus priuingensis et Henrich .. Scriptum est 1147". Die wenigen Bildinitialen (schreibender Mönch, Der Herr erscheint dem Moses u. a.) in Deckfarbenmalerei, die einfachen Initialen rot gezeichnet.

B. Riehl, Bayerns Donautal, 1912 p. 66. — Kstdenkm. Bayern, II Heft 20 p. 216.

Henrich, Glockengießer, nennt sich auf einer Glocke von 1429 in Allarth (Kreis Grevenbroich, Rheinprov.). — Ein „Henrich van proem" (Prüm i. d. Eifel) ist bekannt aus der Inschrift einer Glocke von 1299 in Allenz (Kreis Mayen, Rheinprov.).

Walter, Glockenkunde, 1913. — Kstdenkm. d. Rheinprov., III (1894) 611.

Henrich, Gaspar, falsch für *Heuvick*, Kaspar.

Henrich, Gerhard Adolf, Bildhauer u. Bildschnitzer, taubstumm, geb. 12. 5. 1824 in Sachsenhausen, † 9. 10. 1879 in Frankfurt a. M. Schüler E. Schmidts v. d. Launitz (1842—49) u. J. Dielmanns (1849—52) am Städelschen Institut, dann im Atelier Fr. Sickingers in München u. an der Münchner Akad., 1857 wieder in Frankfurt, wo er sich besonders an A. v. Nordheim anschloß. Schuf Porträtbüsten (Direktor Kosel), statuarische Werke („Bacchus auf Panther", „Bacchus auf Delphin"), ein Hochrelief „Musizierende Kinder", eine „Gnomenszene" (in Holz).

Weizsäcker u. Dessoff, Kst u. Kstler in Frankfurt a. M., II (1909).

Henrich, Juan, siehe *Enrich, J.*

Henrichs, Wilhelm, deutscher Maler in Schweden. Arbeitet 1654 in Diensten des Graf Magnus de la Gardie auf Schloß Jacobsdal. In einem Schreiben an diesen erklärt er sich als bewandert in „Landschaften, Historien und Conterfeyen und wenn es so begehrt wird, auch Sachen zu stoffieren, wiewohl ich solches am wenigstens gebräucht habe".

A. Hahr, Konst .. vid Magnus de la Gardies Hof. Skrifter utgifna af K. Humanistiska Vetenskaps-Samfundet i Uppsala, IX 4, o. J. (1905).

Henrichsen, Axel Thorsten, Maler, geb. in Naerum 9. 9. 1857, Sohn des Carsten, anfangs Figuren- u. Dekorationsmaler an der Kgl. Porzellanmanuf. in Kopenhagen, 1873—78 Schüler der dort. Akad., dann Porträtmaler (Bildnis 1878 in Charlottenborg ausgestellt). War später genötigt, als Zeichenlehrer seinen Unterhalt zu verdienen.

Weilbach, Nyt Dansk Kunstnerlex., 1896. — Reitzel, Fortegnelse over Danske Kunstneres Arb., 1883.

Henrichsen, C a r s t e n (Frederik C.), dän. Maler, geb. in Kopenhagen 23. 9. 1824, † ebenda 30. 4. 1897, Vater des Axel. Besuchte mit Unterstützung des Barons Løvenskjold, des Grafen A. v. Moltke und des engl. Botschafters Wynn 1840—43 die Kopenh. Akad. und zeichnete später noch 4 Jahre bei F. F. Helsted. Als die Unterstützung aufhörte, war er eine Zeitlang Zeichenlehrer, konnte sich aber dann mit der Landschaftsmalerei ernähren. Seit 1847 stellte er regelmäßig in Charlottenborg aus. 1855 erhielt er den Neuhausen-Preis für sein Bild „Partie aus dem Tiergarten", einige Jahre später suchte er um ein Reisestipendium ins Ausland nach, erhielt aber nur 300 Reichstaler für eine Inlandsreise. — In Frederiksborg „Ansicht von Roskilde mit dem Dom", bez. (Monogramm) u. 1857 datiert.

W e i l b a c h , Nyt Dansk Kunstnerlex., 1896.— R e i t z e l , Fortegnelse over Danske Kunstneres Arb., 1883.

Henrichsen, J o h a n n G e o r g , schwed. Kupferstecher u. Emailmaler, geb. 1707, † in Stockholm 1779, Mitglied der Stockh. Akad. 1773, in dems. Jahr auch Hofemailmaler. War längere Jahre der einzige Emailmaler in Schweden und führte als solcher teils Porträts aus (darunter Adolf Fredrik und Gustaf III. nach Ölbildnissen von G. Lundberg), teils figürl. Szenen, z. B. Venus u. Adonis (Sammlg der Stockh. Akad.) und wahrscheinlich auch Landschaften. Im Stockh. Nat.-Mus. von ihm 2 Arbeiten: Amorette mit Leopard und Bildnis der Königin Lovisa Ulrika. Sein Schüler war der Miniaturmaler Erik Gust. Beron. Unter H.s graph. Arbeiten ist zu erwähnen ein Bildnis des Bildh. Burchard Precht. — Seine Gattin S u s a n n a D o r o t h e a , geb. *Hunger*, Tochter des Emailmalers Chr. Conr. Hunger, † in Stockholm vor 1769, war ebenfalls eine geschickte Emailmalerin.

L o o s t r ö m , Kgl. akademiens för de fria konsternas saml., 1913 p. 84/85 (Taf. 36). — L e m b e r g e r , Bildnisminiatur in Skandinavien, 1912. — A s p l u n d in Konsthist. Sällskap Publ. 1916 p. 61, 64, 80 (mit Abb.). — H o f b e r g , Svenskt Biogr. Handlex.², 1906. — Nordisk Familjebok, ² XI (1909). — *Kataloge:* Förteckning Oljefärgstaflor Nat. Mus. Stockholm, 1908; Rococo Utställn. Stockh. 1911 p. 29 No 137; Utställn. af Svensk Kunst, 18. Aarh., Kopenhagen 1921. — K. A s p l u n d , Hjalmar Wicander's Miniatyrsamling, 1920.   *G. M. S—e.*

Henrichsen, L a u r i t s Edvard Theodor, Maler, geb. 8. 11. 1830 in Gunnerød bei Frederiksborg, † 7. 7. 1892 (in Kopenhagen?), Bruder des Carsten H., Schüler der Akad. in Kopenhagen, erhielt 1849 die kl. silb. Medaille, malte und zeichnete Bildnisse; seit 1858 genötigt, als Retuscheur für Photographen seinen Unterhalt zu verdienen.

W e i l b a c h , Nyt Dansk Kunstnerlex., 1896. — R e i t z e l , Fortegnelse over Danske Kunstneres Arb., 1883.

Henrichsen, M a t h i a s Møller, Miniatur-

maler, taubstumm, geb. 11. 12. 1768 in Nysted auf Laaland, † in Kopenhagen 25. 3. 1807, Schüler der dort. Akad., gewann 1788 die kl. silb. Medaille, tätig als Porträt- u. Miniaturmaler, 1806 Schreib- u. Zeichenlehrer an der Castbergschen Taubstummenschule in Kopenhagen. Weilbach erwähnt mehrere, in Kopenhag. Privatbesitz erhaltene Miniaturbildnisse. — Für das von H. Lips gestoch. Bildnis des Komponisten Fr. L. Æ. Kunzen lieferte H. die Vorlage.

W e i l b a c h , Nyt Dansk Kunstnerlex., 1896. — S t r u n k , Cat. over Portr. af Danske, Norske og Holstener, 1865 No 1572.

Henrichsen (russ. Генрихсенъ), R o m a n (Romeo) R o m a n o w i t s c h , russ. Architekt, † 1883, 1839 von der Petersburger Kunstakad. diplomiert, 1852 zum agrégé und 1876 zu deren „freiem Ehrenmitglied" ernannt. Auf der „Allruss. Ausstellung 1882" zu Moskau (Katal. p. 58, 70) zeigte H. die Pläne der von ihm erbauten Krenholmschen Manufaktur in Narva, der Gummi-Manufaktur in Petersburg und der Villa Knoop bei Bremen.

N. K o n d a k o w , Jubil.-Handbuch d. Petersb. Kstakad. 1764—1914 II 314.   *P. E.*

Henrichsen Bremsen, C h a r l e s Alfred Emanuel, Maler, geb. in Kopenhagen 27. 7. 1854, Porzellanmalerlehrling bei Bing & Gröndahl, wo er bis 1874 arbeitete, besuchte dann die Akad. bis 1880, arbeitete zugleich als Theatermaler unter Fr. Ahlgrensson und hielt sich als solcher 1877/78 in Stockholm auf, machte 1880 eine Reise ans nördl. Eismeer, um Marinen zu malen, und lebte dann bis 1884 wieder als Theatermaler, wandte sich schließlich endgültig der Landschaftsmalerei zu und besuchte 1885/87 die Kunstschule unter K. Zahrtmann. Seitdem stellt er häufig in Charlottenborg aus, meist Motive aus dem Jaegersborg-Tiergarten und Kopenhagens näherer Umgebung. 1895 zeigte er eine „Winterlandschaft mit alten Weiden".

W e i l b a c h , Nyt Dansk Kunstnerlex., 1896.

Henrichszon, A d r i a n , Kupferschläger zu Utrecht. Fertigte 1554/55 das messingne Taufbecken für die Marienkirche in Danzig nach einem Modell von Heinrich Willemszon.

S i m s o n , Gesch. der St. Danzig, II (1918). — D e h i o , Handbuch d. dtsch. Kunstdenkmäler, ² II (1922).

Henrici, Architekt in Wien, † 1799, restaurierte angeblich die Hl. Kreuzkirche auf der Laimgrube in Wien (1749), doch scheint nur richtig zu sein, daß er 1772 deren schönen Turm „mit dem originellen, reich vergoldeten Kupferdach" erbaute. Ihm wird die Stuckdekoration im Hauptsaal des Palais Roffrano zugeschrieben, die nach 1777 entstanden ist, „als bereits Joh. Adam und sein Neffe Karl, Fürsten von Auersperg, in den Besitz des Hauses gelangt waren". Für das ehem. gräfl. Czerninsche Palais in der Wallnerstraße in Wien lieferte H. Entwürfe zu Stukkaturen,

Spiegelrahmen, Kamin und zu den seidenen Wandbespannungen (um 1795). In Kis-Marton (Eisenstadt, Ungarn) wurde „das neu errichtete Stall- u. Hauptwachgebäude 1793 unter dem Fürsten Anton Esterházy nach dem Entwurfe des H. durch den fürstl. Baumeister Joseph Rieger erbaut".

Böckh, Wiens lebende Schriftsteller etc., 1822 p. 506. — C. v. Szepesházy u. J. C. v. Thiele, Merkwürdigk. d. Kgr. Ungern, I (1825) 51. — Ilg, Fischer von Erlach, I (1895). — Kst u. Ksthandwerk, XVIII (1915) 328 f., Abb. — Guglia, Wien, 1908. — Mit Notiz von K. Lyka.

Henrici, Benedikt, Bildhauer in Wien, arbeitete 1775 am skulpturalen Schmuck der Gloriette zu Schönbrunn, ferner Figuren im Park ebenda nach W. Beyer's Modellen; am Hochaltar der Wiener Michaeliskirche (1781) die ornamentalen Teile (schönes Bronzedetail, Leuchter); von ihm auch die Innenausstattung der Pfarrkirche in Göllersdorf (1784).

Tschischka, Kst u. Alterth. i. österr. Kaiserst., 1836. — Dernjac, Gesch. v. Schönbrunn, 1885 p. 30, 34. — Ilg, Fischer v. Erlach, I (1895). — Mitteil. d. Ver. f. Gesch. d. Stadt Wien, I (1920) 54. *H. Tietze.*

Henrici, Conradus, Buchbinder des 16. Jahrh. Sein Name findet sich auf einem blindgepreßten Lederband mit einer Imperatorenbordüre.

Verst.-Kat. Bourgois frères, Köln 1904, I Nr 1337. *L. Baer.*

Henrici (Henrizi), Johann Josef Karl, Maler, geb. 15. 1. 1737 in Schweidnitz (Schlesien), † 27. 10. 1823 in Bozen. Zuerst von seinem Vater Johann, einem Porträtmaler, unterrichtet. Um der Aushebung für das preuß. Heer zu entgehen, flüchtete H. vor Ausbruch des 7jähr. Krieges nach Böhmen, arbeitete dort eine Zeitlang bei einem Theatermaler (7. 12. 1756 bis 7. 1. 1757 verzeichnet ihn das Spital der Barmherz. Brüder in Prag als Kranken), wandert dann nach Wien, Graz, Laibach, Agram, Triest und Venedig, wo er, den Lebensunterhalt durch Miniaturenmalen verdienend, die venezian. Meister studiert; endlich findet er in Bozen beim Kopisten Twinger (Zwinger) Beschäftigung, heiratet dessen Tochter, erwirbt das Bürgerrecht und bleibt nun — nach einer nochmal. kurzen Lehre bei Gianbettino Cignaroli in Verona und F. Boscaratti in Brescia — ständig in Bozen. Er malte Fresken, Altarblätter, Andachtsbilder (besond. Madonnen), aber auch Konversationsstücke, Maskeraden, allegor. und satir. Stücke. Sein Alter war durch Schicksalsschläge in der Familie und durch fast völlige Erblindung verdüstert. H., in dessen Kunst sich das Vorbild Correggio's mit venezian. und bolognes. Einflüssen mischt, zeigt in seinen früheren Werken noch eine etwas gezierte Rokokograzie, flotte, oft flüchtige Zeichnung, kecke Breite des Farbenauftrages und feine Farbenwirkungen; gelegentlich neigt er zu tenebrosen Helldunkelkontrasten; später zeigt sich (bes. in den Madonnen) klassizist. Einfluß in sorgfältigeren Typen, aber auch glatter, blasser Malweise. — Fresken: *Bozen,* Pfarrkirche, Gnadenkap. hinter dem Hochaltar und im Orgelchor (1793); Propstei, Saal (4 allegor. Medaillons); Menz'sches Haus; *Campenn,* Pfarrkirche; *Oberbozen,* Magdalenakap. im Zallingerschen Hause; *Tiers,* Pfarrkirche, St. Georg vor dem Richter; *Steinegg,* Kirche, Heiligengestalten (um 1800); *Meran,* Kapelle der engl. Fräulein, Mariä Opferung (1904 zerstört, Ölskizze in Mus. Meran); *Trient,* Casa Salvadori. — Altarbilder: *Aldein* bei Neumarkt, 2 Seitenaltäre; *St. Katharina* auf dem Laiener Ried, Maria mit Kind, hl. Urban und Michael; *Pfalzen,* Pfarrkirche, Martyrium des hl. Cyriakus; *Spinges,* Pfarrkirche, Maria mit Kind, hl. Wolfgang und Bartholomäus; *Taufers* (Ahrntal), Pfarrkirche, Mariä Himmelfahrt; *Strassen* (Pustertal), Seitenaltäre (Tod der Hl. Franz Xaver u. Josef); *Taisten,* Seitenaltäre (Sterben der hl. Josef, hl. Antonius); *Neustift* im Stubai, Pfarrkirche, 5 Altarblätter. Im Ferdinandeum, Innsbruck (Katal. Gem.-Slg 1899): Apotheose Josefs II.; Maria mit Kind; Zeichnender Knabe (Sohn des Künstlers?). Parthey (Dtscher Bildersaal, I [1863]) nennt „Satirisches Gemälde" und „Allegorisches Eigenbildnis", beide im Ferdinandeum, Innsbruck (nicht im Katal. 1890 u. 1899). Im Landesmus. Graz: Maskenball.

Bote f. Tirol, 1824 No 85—87. — Zeitschr. des Ferdinandeums, 1825 p. 192. — Tirol. Kstlerlex., 1830 p. 89. — C. v. Wurzbach, Biogr. Lex. Österr., 1856 ff. VIII. — Atzu.Schatz, Der deutsche Anteil der Diözese Trient, I 28, 71, 99, 163. — Tinkhauser, Diözese Brixen, I 289, 367, 394; II 65. — Mitt. der Zentralkomm., 1856 p. 203; 1905 p. 121. — Kstgesch. Jahrb. der Zentralkommission, 1910 Beibl. p. 111. — Kstfreund, 1908 p. 11. — Ilg, Fischer von Erlach, 1895 p. 792. — Innsbr. Nachrichten, 1905 No 42. — Semper, Wanderungen und Kststudien in Tirol, 1894 p. 70,107. — Suida, Österr. Kstschätze, I (1911) Taf. 48. — Hammer, Deckenmalerei in Tirol, 1912. — Weingartner, Kstdenkm. Südtirols, 1923 I 46, 187, 226, 354; II 297, 346. — Kataloge: Kstausstell. Bozen, 1864 p. 6, 8; Tirol.-vorarlb. Kstausstell., Innsbruck 1879 p. 24. *H. Hammer.*

Henrici, Joh. Martin, falsch für *Heinrici,* J. M.

Henrici, Karl Friedrich Wilhelm, Architekt, geb. 12. 5. 1842 in Harste bei Göttingen, studierte 1859—64 an der techn. Hochschule in Hannover, dann bis 1869 Ateliergehilfe und Bauführer von C. W. Hase, 1870 in Italien (bis August, im Februar in Rom), 1870/75 Stadtbaumeister in Harburg a. E., dann Prof. für Architektur an der techn. Hochschule in Aachen, wo er noch lebt. — H. gehörte zu den Führern der Bewegung, die eine künstler. Durchdringung des modernen Städtebaues anstrebte. In Vorträgen und Zeitschriften-Aufsätzen ist er unermüdlich für die Befreiung der Bebauungspläne von dem mechanischen „Reißschienenwerk" eingetreten, das mit den geradlinig durchgeführten Straßenzügen, spitzwinklig zugeschnittenen Baublöcken, und den öden zentralen Platzanlagen jede künstler. Wirkung ertötete und dabei nicht einmal den Bedürfnissen modernen Straßenverkehrs gerecht wurde. Er fühlte sich darin ganz als Schüler Camillo Sittes, dem er seine Sammlung: „Beiträge zur praktischen Ästhetik im Städtebau", 1904, widmete. Seine Grundsätze, die ihre stärkste Kraft aus dem Vorbild alter Stadtanlagen zogen, konnte er für seine vielfach preisgekrönten Wettbewerbsentwürfe für Stadterweiterungen fruchtbar machen, so für Köln (1880), München (1893 auch im Druck erschienen), Dessau (1890 erschienen), Brünn, Leer, Trier, Jena, Hannover, u. a. H.s eigentliche Bedeutung liegt auf diesem Gebiet; seine Tätigkeit als ausführender Architekt rückt demgegenüber in zweite Linie. Von seinen Bauten seien genannt: Rathaus in Leer (1889), Rathaus in Neunkirchen, zahlreiche Wohnhausbauten in Aachen, Düsseldorf, Villa Saxer in Goslar am Harz, Villa Dreyer in Wiesbaden u. a.

Architekt. Rundschau, V (1889) Taf. 53 u. 55; VII Taf. 38. — Kunstchronik, N. F. I (1889/90) 426. — Der Architekt, VII (1901) 46f. — Deutsche Konkurrenzen, I Heft 6. — Dtsche Bauzeitg, 1912 p. 370. — Der Baumeister, X (1912) Beil. p. 241. — Zentralblatt d. Bauverwaltg, XLII (1922) 266. — Das geistige Deutschland, 1898. — Gurlitt, Dtsche Kst d. 19. Jahrh., 1899. — Rheinlande, VI (1906) 2. T. p. 112 ff.

Henricksz., unter *Hendricks* eingeordnet.

Henrico F i a m e n g o (Teutonico), Goldschmied niederländ. (deutscher?) Herkunft in Genua, wo er zugleich im Söldnerdienst der Republik stand. 1691/92 bekam er von Ferrante Gonzaga, der damals in Genua weilte, Auftrag auf ein silbernes Becken („braxeriam unam argenti"). Gleichzeitig lieferte er dem Fürsten Gio. Andrea Doria 2 Silberbüfetts („bufetti") mit Reliefdarstell. aus dem Leben des Andrea Doria und der Herkuleslegende und einen silb. Sessel („cathedram"). Ferner 1593 eine goldene Schüssel u. Kanne mit reichem Reliefschmuck. 1595 bestellten die Jesuiten von S. Ambrogio bei ihm 2 silberne Leuchter, die er für den Malteserritter Tommaso Grasso wiederholen sollte.

A l i z e r i , Not. dei prof. del dis., 1870 ff., VI 362, 367—79.

Henricus, toskan. Bildhauer, dessen Tätigkeit etwa in die 2. Hälfte des 12. Jahrh. fällt. Meißelte lt Inschrift („MAGISTER ENRICUS ME FECIT") die äußerst rohen, aber ikonographisch höchst merkwürdigen Reliefs an den Kapitellen des Hauptportals von S. Andrea in Pistoia, dessen Architravschmuck von den Brüdern Adeodatus und Gruamons (s. d.) herrührt. Dargestellt sind von H.s Hand die Szenen der Verkündigung und der Weissagung des Engels an Zacharias. Frey schreibt ihm noch weitere Skulpturen am Portal zu.

M o r r o n a , Pisa illustrata, 1793 II 42. — C i a m p i , Notizie ined. della sagrestia Pistoiese, 1810 p. 82. — V a s a r i , Vite, ed. Milanesi, I (1878) 325. — V e n t u r i , Storia dell' arte ital., III (1904) 940, 943, m. Abb. — O. H. G i g l i o l i , Pistoia, 1904 p. 21. — V a s a r i , ed. F r e y , I (1911) 501.   *B. C. K.*

Henricus, ital. Architekt, errichtete 1252, zus. mit den Meistern Petrus und Andreas von Rieti (s. d.), laut Inschrift den Glockenturm des Domes von Rieti.

P r o m i s , Notizie epigraf., 1836 p. 13f. — G u a r d a b a s s i , Indice-guida dei monum. . . dell' Umbria, 1872 p. 255, 366.— M o t h e s , Gesch. der Baukst des Mittelalt. in Italien, o. J. p. 708.

Henricus (Enrique), gen. *Henri de Narbonne,* katalan. (?) Architekt. Übernahm laut urkdl. Nachricht v. 29. 4. 1312 die Ausführung des erst 1316 begonnenen gotischen Chorbaus der Kathedrale von Gerona, dessen nach dem Muster der Choranlage der Kathedrale in Narbonne (Südfrankr.) gestaltete Pläne ihm von einigen Autoren zugeschrieben werden. Über seine von französ. Forschern vermutete Tätigkeit in der Narbonner Bauhütte ist nichts bekannt. Der Nachfolger H.s, den Viñaza wohl mit Recht für einen Katalanen hält, war Jaime Fabré (s. d.). Am 5. 2. 1321 war H. nicht mehr am Leben.

V i ñ a z a , Adiciones al Dicc. de Cean Bermudez, I (1889) 107. — V i o l l e t - l e - D u c , Dict. rais. de l'archit. franç., I (1885) 112 (Urkde). — L a m p é r e z y R o m e a , Hist. de la arquit. española en la edad media, II (1909) 371. — H. S t e i n , Les Architectes des cathédr. gothiques, Paris o. J. p. 101.   *B. C. K.*

Henricus B (e) l a d i n i (oder Baladini), Goldschmied in Aachen, fertigte 1369 das Armreliquiar des hl. Zeno, das sich seit 1370 in der Sakristei des Doms von Pistoia befindet, laut gotischer Inschrift: Anno Domini MCCCLXVIIII fecit fieri Luquetus de Tebertellis de Pistoya istud bracchium . . et fuit factum Aquis per manus magistri Henrici B . . ladini. Venturi, der den Künstler, wohl irrtümlich, für einen Toskaner hält, interpretiert den Vatersnamen als „Orlandini", offenbar falsch.

P è l e o B a c c i , Docum. toscani per la storia dell' arte, I (1910) 121, A. 1. — A. V e n t u r i , Storia dell' arte ital., IV (1906) 917.

Henricus d e C o l o n i a , Bronzegießer des 13. Jahrh. Verfertigte laut Inschrift die bronzene Tumba des Bonifaz von Savoyen, Bischofs von Canterbury († 18. 7. 1270 „apud S. Helenam"), in der Abteikirche Hautecombe in Savoyen (zerstört).

[M a r t è n e e t D u r a n d ,] Voyage littéraire par deux religieux Bénédictains, Paris 1717 I 240.

Henricus v a n M e c h e l n , siehe *Broeck,* Hendrick van der.

Henricus, siehe auch *Arrigo, Enrico, Enrique, Heinrich, Hendrick, Henri, Henrico* und *Jansen,* Hendricus.

Henricz, unter *Hendricks* eingeordnet.

Henrie (Henry), F r a n ç o i s, Maler, 1684 in der Antwerpener Lukasgilde Schüler des Peter von Lint; von Houbraken als Mitglied der Gilde in Rom (Bentname: Exter) erwähnt.

H o u b r a k e n, Groote Schouburgh, II 356. — R o m b o u t s - L e r i u s, Liggeren, II.

Henriet (Henriette), Künstlerfamilie aus Châlons-sur-Marne stammend, über deren Mitglieder in der Liter. zahlreiche Irrtümer.

C l a u d e I, Glasmaler, geb. um 1510 in Châlons, † ebenda vor 1578; führte vielleicht für die dort. Kathedrale Glasgemälde aus, die dann beim Brande der Kirche 1668 zugrunde gegangen wären; am 9. 11. 1549 verheiratet er eine Tochter. — In St. Étienne du Mont in Paris werden H., ohne gesicherten Grund, Glasfenster im Chor zugeschrieben, die um 1520 gemalt sein sollen: der Auferstandene erscheint Magdalena und den Jüngern v. Emmaus; in St. Germain l'Auxerrois (südl. Querschiff) eine Himmelfahrt Mariae. (1919/20 ausgestellt in der Expos. „Vitraux et Tableaux des Églises Paris." im Petit Palais in Paris.)

J a c q u e s, Maler, Sohn des Claude I, geb. um 1533 in Châlons, † ebenda nach 1585, erscheint 1578 neben Claude II und einer Schwester Françoise als Erbe eines Hauses in Châlons „sur le pont de Nau". 16. 8. 1581 macht er, ungefähr 48 jährig, Testament, hinterläßt seine Habe: „tous et chascuns les portraicts, figures, livres, marbres, pierres à broyer, outils et ustensiles et toutes aultres choses servant à l'art de la peinture" den Kindern seines Bruders Claude II. 1585 macht H. Vertrag mit einem Nicolas Cuisotte über die Besorgung von „six arquebuse façon d'Allemagne et quatre autres façon de Metz", wohl für die städt. Armbrustschützenkompagnie.

C l a u d e II, Maler, jüngerer Bruder des Jacques, Vater des Israël (s. d.), geb. um 1540 in Châlons, † Ende 1603 oder Anfang 1604 in Nancy, ging früh nach Paris (schon 1578 als „bourgeois de Paris" bezeichnet). Dort soll sich H. besonders durch Kopien von Bildern älterer Meister hervorgetan haben, von denen Félibien eine nach A. del Sartos hl. Familie mit Joh. nennt. Seit ungefähr 1586 in Nancy ansässig, arbeitete er für Karl III. von Lothringen; 1586 Zahlung „pour plusieurs peinctures qu'il a faictes de l'ordonnance de son Altesse", 1590 für den Marquis de Pont, Sohn Karls III., „pourtraictz de princes", 1587 für den Herzog „six cartes peintes de la description des duchés, terres et seigneuries de son Altesse". 1591 erhielt H., außer seinem laufenden Gehalt, einen Bauplatz zum Geschenk. 1600 mit R. Constant u. Moysé Bougault beteiligt an der Wiederherstellung der Gemälde in der Gal. d. cerfs des herzogl. Schlosses, 1601 bezahlt für Wiederherstellung eines Gemäldes, das von der Stadt dem „procureur général" Nicolas Remy ge-

schenkt worden war. 1591 ist H. in Châlons, wohl zur Ordnung des Nachlasses seines Bruders; er soll auch in Rom gewesen sein. — Im Mus. zu Reims (Cat. 1909, hier noch fälschlich Claude-Israel gen.) wird ihm ein Gemälde zugeschrieben, „David als Besieger des Goliath".

F é l i b i e n, Entretiens, 1666. — M e a u m e, Rech. sur quelques Art. Lorr., 1852. — Nouv. Arch. de l'art franç., 1886 p. 154 f. — Réunion d. Soc. d. B.-Arts, XXIII (1899) 456, 501; XXXIII (1909) 269. — G r i g n o n, Art. Chalonnais, 1889 p. 9/15. — Inv. gén. d. Rich. d'art, Paris, Mon. rel., I. — Gaz. d. B.-Arts, 1920, I 27, 28.

Henriet, C h a r l e s, Maler in Paris, zeigte im Salon 1835 u. 1836 Landschaften.

B e l l i e r - A u v r a y, Dict. gén., I (1882).

Henriet, C h a r l e s L o u i s d', Glasmaler, Radierer u. Lithograph, geb. in Lons le Saulnier (Jura) 28. 9. 1829, hielt sich seit 1851 mehrere Jahre in Riga auf, wo er sich als Glasmaler betätigte und Versuche unternahm, den ungünstigen Eindruck der Bleifassung dadurch zu beseitigen, daß er das Glas durch Leinwand ersetzte und auf diese mit transluziden Farben malte. Einer Kirche in Riga schenkte er ein großes Bild dieser Art, Jesus segnet Petrus und Johannes. Seit 1859 (bis 1868) zeigt er, wieder in Paris lebend, im Salon Radierungen und Lithographien (Landschaften, darunter mehrfach Motive aus Rußland, Bildnisse und Wiedergaben von Gemälden, so Delacroix' Dantebarke [1861, Rad.], der geschlachtete Ochse nach Rembrandt [1868, Zeichnung]). Verzeichnis s. Blätter bei Béraldi.

Renaissance (Brüssel), XV (1853/54) 92. — B e l l i e r - A u v r a y, Dict. génér., I (1882). — B é r a l d i, Graveurs du 19 me siècle, VIII (1889). — B r u n e, Dict. d. art. de la Franche-Comté, 1912.

Henriet, C l a u d e, s. 1. Art. *Henriet.*

Henriet, C l a u d e I s r a e l, falsch für *Henriet,* Claude II.

Henriet, F r é d é r i c (Charles F.), Maler, Radierer, Kunstschriftsteller, geb. in Château-Thierry 6. 9. 1826, † ebenda 24. 4. 1918, ursprünglich Jurist, seit 1851 in kaiserl. Museumsdienst in Paris, 1854—59 Sekretär des „Surintendant des B.-Arts", des Grafen Nieuwerkerke, dann 1861/63 beteiligt an der Leitung des Salon (und Redakteur der Kataloge), wurde er nun erst zu eigener malerischer Tätigkeit (als Schüler Daubignys) geführt. 1865—70 u. 1874—90 zeigte er im Salon meist Landschaften in der Art Daubignys und Landschaftsradier. (Verzeichnis bei Béraldi). — Als Kunstschriftsteller hat er zu seines Freundes Daubigny „Voyage en bateau" (1862, 15 Bl. Rad.) das Vorwort beigesteuert und einen Katalog der Rad. Daubignys herausgegeben (Gaz. d. B.-Arts, 1874 I 465—75); 1875 erschien „Daubigny et son oeuvre", 1876 „Le Paysagiste aux champs", mit Rad. v. Corot, Daubigny, Desbrosses, Lalanne, Lhermite u. a.

1891 „Campagnes d'un paysagiste", mit 115 Zeichn. H.s, 1859 eine Studie „Le peintre Chintreuil"; H. war mit Fizelière u. Champfleury beteiligt an dem Werke „La vie et les oeuvres de Chintreuil" (1874), 1880 schrieb er über J. A. Desbrosses. Zahlreiche Artikel gab H. für Zeitschriften, besonders für das Bull. de la Soc. hist. et archéol. de Château-Thierry, aber auch für die Gaz. d. B.-Arts, l'Art, l'Artiste u. a. H. war Begründer u. Konservator des Mus. in Château-Thierry, dessen Kataloge er verfaßt hat. Gemälde H.s in folg. Museen: *Château-Thierry* (Cat. 1900, Suppl. 1905): Le Hameau des Montgoins (Salon 1867); Les bords de la Meuse (1881); Le Donjon de Vic sur Aisne (Aquarell, 1883); Château d'Armentières (1883). *Laon:* Iles de Mary sur Marne (1869). *Pont de Vaux:* Étang de Péreuse (1870). *Reims* (Cat. 1909): Château de Montmort (Aquarell, 1888). *St. Quentin:* La Marne à Mont Saint Père (1878). *Vire:* La Marne à Tancrou (1868).

Moreau-Nélaton, Mon bon ami H., 1914 (mit Bildnis u. Zeichn. H.s). — Bellier-Auvray, Dict. gén., I (1882). — Curinier, Dict. d. Contemp., II (1906) 54. — L'Art, LIII (1892) 189 f., Abb. — Chron. d. arts, 1917/19 p. 116. — Salonkataloge, 1885—89 mit Abb.

Henriet, Jacques, s. 1. Art. *Henriet.*

Henriet, Israël, Maler u. Radierer, geb. um 1590 in Nancy, † 1661 (beigesetzt am 25. 4.) in Paris, Sohn des Claude II, dem er später als Glasmaler geholfen haben soll, und bei dem er mit Callot und Ruet den ersten Unterricht erhielt. Noch jung studierte er zu Rom unter Tempesta mit Ruet weiter. Über Nancy, wo er 1621 (15. 8.) als Taufpate seines Neffen Israël Silvestre erscheint, kam er dann 1622 nach Paris, wo er unter Duchesne arbeitete. H. zeichnete und radierte in Callots Manier, befaßte sich aber bald nur noch mit dem Verlag von Callots Werken. Als Callot 1629 in Paris weilte, wohnten beide zusammen. H.s Verlag erbte sein Neffe Israël Silvestre. Meaume kennt nur eine Folge von 9 Landschaften und zwei Folgen von „Bourgeoises" (4 und 7 Blatt) von ihm; nicht ganz sicher sind die von anderen genannten Bl.: Ansicht von Toul, Bildnis Callots, die Folge vom verlorenen Sohn (gewöhnlich Callot zugeschrieben) und Martertod des Hl. Lorenz (gewöhnlich als Callot, M. 1000, geführt).

E. Meaume, Recherches sur quelques art. Lorrains, Nancy, 1852 p. 10. — Grignon, Artistes Chalonnais, 1889 p. 9—15. — Meaume, J. Callot, Paris 1860, II 519. — Herluison, Actes d'état civ. d'Artistes franç., 1873. — Archives de l'art franç., Docum., I 225; Nouv. Arch. etc., 1886 p. 155 f. — Félibien, Entretiens, éd. 1688, II 173. — Füßli, Kstlerlex., 2. Teil, 1806/21 p. 533. — Huber und Rost, Handbuch, VII 133. — Fontenai, Dict. d'Art., I (1776). — Renouvier, Des types ... des graveurs, IV (1856) 228, 235, 238, 250 u. 277. *H. W. S.*

Henriet, Louis, Maler, † in Paris 10. 10. 1758, wohl hauptsächlich (laut Nachlaßinventar) als Bilderrestaurator tätig; seine Witwe heiratete den Architekten Cl. L. d'Aviler. H. war Mitglied der Acad. de St. Luc u. Schwiegersohn des Malers Fr. Le Roi, mit dem er bis zu dessen Tode († 1746) zusammenwohnte.

Nouv. Arch. de l'art franç., 1884 p. 88 ff., 269 ff., 336; Arch. etc., 1915 p. 321.

Henriet de Nivelle, Glasmaler, lieferte 1393 die Medaillons mit Szenen aus dem Leben Joh. d. T. u. des hl. Stephanus in der Fassadenrose der Kathedrale zu Lyon.

Bégule, Cathédr. de Lyon (Pet. Monogr. d. Gr. Édif. de la France), p. 17, 83; ders., Les vitraux .. dans la région lyonn., 1911 p. 10, 61.

Henriet, Paul, Bildhauer in Paris, zeigte im Salon 1800 zwei ovale Bronzereliefs: „Vogel verteidigt seine Jungen gegen eine Schlange", u. „Die Tauben der Venus unter der Fackel des Hymen".

Lami, Dict. d. sculpt. 19me siècle, III (1919).

Henriksson, Peter, finn. Maler, von dem die 1470 vollendeten Wandmalereien in der Kirche zu Uudenkirko herrühren.

N. Roehrich, Die ältesten finn. Kirchen, in Staryje Gody, 1908 p. 83. — Öhquist, Suomen Taiteen Hist., 1912 p. 46. *P. E.*

Henrion, Kunsttischler, lieferte 1802 die Glorie für den Hochaltar von St. Loup in Châlons-sur-Marne.

Vial, Marcel, Girodie, Art. décor. du bois, I (1912).

Henrion, Adrien Jos., s. *Anrion,* A. J.

Henrion, Claude, Bildhauer in Paris, Hofbildh. des Königs v. Schweden, arbeitete an der Innenausstattung des Kgl. Schlosses in Stockholm, wo er am 14. 8. 1698 in den Rechnungen erscheint, doch muß er bereits lange vordem nach Stockholm gekommen sein, da beim Schloßbrande von 1697 Arbeiten von ihm teils beschädigt, teils zerstört wurden. Erhalten sind davon die geschnitzten Eichentüren der „Salle du Conseil", Stukkaturen der Decke im „Salon de Psyché" u. im Schlafzimmer Gustavs III. (hier auch die Eichentüren), Galerie Karls XI. (geschnitzte Eichentüren), „Salon de Svea" (Eichentüren), desgl. im „Salon dit de Don Quichotte". Am 5. 6. 1736 ist er wieder in Paris nachweisbar. Seine Frau (damals Witwe?) macht am 24. 12. 1742 Testament.

Nouv. Arch. de l'art franç., 1883 p. 322; Arch. etc., 1915 p. 321. — P. Lespinasse, L'Art franç. et la Suède, in Bull. de la Soc. de l'hist. de l'art franç., 1911 p. 59, 64, 67, 69, 79. — Romdahl-Roosvaal, Svensk Konsthistorie, 1913. — Guide Château Roy. de Stockholm, 1911 p. 38, 41, 44 f., 52, 56, 63. — G. Upmark, Archit. d. Renaiss. in Schweden, 1893 p. 119 (mit Abb.). — John Böttiger, Studies rörande Stockholms slott, II. En kronika om den Tessinska slottkyrkan 1693—97, Stockh. 1918.

Henrion, Jacques, Bildhauer, † in Paris Februar 1767, seit 23. 9. 1743 Mitglied d.

Acad. de St. Luc, macht am 17. 2. 1764 Testament; Bruder des M a r c , ebenfalls Bildhauer, † in Paris 23. 1. 1764.

Nouv. Arch. de l'art franç., 1884 p. 328 f.; Arch. etc., 1915 p. 321.

Henrion, J e a n , Porzellanmaler in Sèvres 1770—84, Blumenmaler, seine Marke: *jh.*

N a g l e r , Monogr., III. — L e c h e v a l - l i e r - C h e v i g n a r d , Manuf. de porcel. de Sèvres, 1908, II 133. — P e y r e , Céram. Franç., [1910] p. 298, 300.

Henrion, N i c o l a s , Bildhauer u. Stukkator, um 1530 beschäftigt an der Innenausstattung des Schlosses Fontainebleau; 1531 Zahlung für Stukkaturen im Zimmer der Königin.

L a m i , Dict. d. sculpt. etc. Moyen-âge, 1898.

Henrionnet, Medailleur in Paris, Mitarbeiter an A. P. Durands „Series numismatica universalis virorum illustrium" u. an „Galerie métallique des grands hommes français"; Medaillen von H : Christian Huygens, 1821; René Descartes, 1822; Debuire-du-Bas, 1851; Concordia du Nord, 1861; Ludwig XVIII., u. a.

F o r r e r , Dict. of Medall., II (1904).

Henriot, Pseudonym des *Maigrot,* Henri.

Henriot, C a m i l l e , Malerin in Paris, Schülerin von J. Lefebvre, T. Robert-Fleury und von Saintpierre, zeigte im Salon der Soc. Art. Franç. 1898—1905 Figurenbilder (Salome, Circe usw.), in der Expos. décen. 1900 auch Miniaturbildnisse.

B é n é z i t , Dict. d. peintres etc., II (1913). — Cat. Expos. décen. Paris, 1900 p. 253. — Salonkataloge (1900 u. 1901 m. Abb.).

Henrique, siehe *Enrique.*

Henriquel (gen. *Henriquel Dupont*), L o u i s P i e r r e , Maler u. Graphiker, geb. 13. 6. 1797 in Paris, † 20. 1. 1892 das., wurde 1812 Schüler der dort. Akad. unter P. Guérin, und, nachdem er zum Stich übergegangen war, unter C. C. Balvay (Bervic). Obwohl er zweimal bei dem Rompreis durchfiel, wurde er bald so berühmt, daß er schon mit 20 Jahren eine eigene Schule eröffnen konnte. Seit 1819 stellte er aus, mehrere Jahre lang unter dem Namen Dupont (den schon sein Vater, von einer Tante her, geführt hatte). 1849 wurde er Mitglied des Institut, 1863 Professor an der Akad., an der er bis zu seinem Tode wirkte, 1876 der erste Graphiker, der je zum Kommandeur der Ehrenlegion ernannt worden war. H. ist einer der bedeutendsten Stecher seines Jahrhunderts. Er fand den Linienstich in die leblose, erkünstelte Manier verfahren vor, die Stauffer als geschlechtslose Drohnenarbeit gegeißelt hat, und belebte sie, indem er unter Anlehnung an G. Audran, wohl auch Van Dyck, der Radiernadel das Übergewicht bei seiner Arbeit einräumte. Durch die Leichtigkeit seiner Stichelführung ist er der unmittelbare Vorläufer eines neuen Stils, der dann mit F. Gaillard auftrat, geworden. Leider hat er auf das Drucken seiner Platten selbst nie Einfluß geübt, und hat sich mit zunehmendem

Alter, als Kind seiner Zeit, der reinen Zeichnung, dem Wert der malerischen Originalradierung verschlossen, so daß er allmählich zur Stütze des reaktionären Gesinnung wurde. Abgesehen von einigen Jugendarbeiten, hat H. 45 Jahre lang nur Platten nach lebenden Meistern geschaffen, erst im hohen Alter ein paar nach Renaissancemalern. Seine Hauptwerke sind nach Hersent (Wasa 1831), Delaroche (Cromwell, Vernet, Pastoret 1838, Lord Strafford, das große Halbrundbild in der Pariser Kunstschule auf 3 Platten, Moses 1856), Gérard (Louis Philippe 1837), Scheffer (Christus 1842), Ingres (Bertin, Tardieu), Correggio (hl. Katharina 1867), Veronese (Emmaus 1869). Bis 1889 verzeichnete Béraldi 115 Platten. Außer Stichen schuf H. einige Radierungen, ein paar Steindruckbildnisse und Pastellbildnisse. Der Louvre besitzt eine Zeichnung (Bruchstück aus Delaroches Halbrundbild kopiert, „Rubens mit 3 Schülern") von ihm. Sein Bildnis stachen A. Louis (nach Delaroche), A. François und Bellay.

B e l l i e r - A u v r a y , Dict. gén., I (1882) 757. — G. D u p l e s s i s , Notice sur ... Henriquel-Dupont, 1892. — A. J a c q u e t , Notice sur Henriquel-Dupont, 1893. — B é r a l d i , Graveurs du 19me siècle, VIII (1889), mit Verzeichnis. — L'Artiste, 1881 (F e u i l l e t d e C o n c h e s). — L'Art, XLV (1888) 54; LII (1892) 125 ff., m. Abb. (G. N o ë l). — Revue Encyclop., 1892 Sp. 329/31 (Nekrolog). — Revue de l'art anc. et mod., XXVIII 340, m. Abb. — Chron. des Arts, 1892 p. 29. — The Portfolio (Chronicle) 1892 p. VI. — Amtl. Berichte a. d. preuß. Kstsmlgn. XXXVIII (1916/17) 68 f. — G u i f f r e y - M a r c e l, Inventaire .. dessins du Louvre, 1906 ff., VI.

H. W. S.

Henriques, eingeordnet unter *Henriquez.*

Henriquez, B e n o î t L o u i s , Kupferstecher, geb. 1732 in Paris, † 1806 ebenda, Schüler von C. Dupuis, ging um 1771 nach St. Petersburg, wo er an der Akad. lehrte u. 1773 das Blatt nach Terborch (s. u.) ausstellte. Erhielt den Titel eines kaiserl. Graveurs. Sein Stich nach dem Kolossalkopf zum Denkmal Peters d. Gr. von Marie Anne Collot (Falconet) ist datiert: Petropoli 1772. Von den Blättern, die er nach Gemälden der Ermitage stach, ist das nach Terborch's „La bonne nouvelle" (der Brief) à Petersbourg 1773, das nach Metsu's „La Malade et le Médecin" 1774 datiert. 1777 ist H. wieder in Paris nachweisbar, am 2. 3. 1782 bewirbt er sich als „agréé" der Acad. Roy. um die Aufnahme, am 1. 6. 1782 werden ihm als Aufnahmestücke zwei Bildnisse der Akademiker Pierre u. Pigalle aufgetragen, doch ist er in die Akad. nicht aufgenommen worden. Daß schon die Zeitgenossen sein Können nicht besonders hoch einschätzten (d'Angiviller sagt: un artiste ayant talent, sinon du premier ordre), beweist die Tatsache, daß, als H. 1785 eine Reihe von Gemälden aus der französ. Geschichte (Besitz des Königs) stechen wollte, die akadem. Künstler, die sie gemalt hatten, die Erlaubnis zur Reproduktion verweigerten. 1790 erscheint sein Name unter der Protestkundgebung an die Akad. 1795 erhält H. vom Konvent ein „encouragement" von 1500 livres. — H., ein mäßiger Reproduktionsstecher, stach nach holländ., ital., span. älteren Meistern, nach Künstlern seiner Zeit wie Boucher, Fragonard, Greuze, Moreau le jeune, Nattier, Rigaud, J. E. Schenau usw., auch eine Anzahl von Bildnissen. Bei Nagler, Le Blanc (30 Bl.) und Rowinsky unvollständige Verzeichnisse seiner Blätter. H. stach u. a. für folgende Werke: Horaz, Carmina, Birmingham 1770; Tasso, Gerusalemme liberata, Paris 1771; Restout, Gal. Françoise, ou Portr. des Hommes et Femmes célèbres . ., Paris 1771/72; Ariost, Orlando Furioso, Birmingham 1775; Godard d'Aucourt, Mémoires Turcs . ., Amsterdam 1776; Heptaméron français, Les Nouvelles de Marguerite, reine de Navarra, Bern 1780/81; Saint-Non, Voyage pittor. . . de Naples, Paris 1781/86; M. Bayeux, Traduction des Fastes d'Ovide, Rouen u. Paris, 1783/88; Couché, Gal. du Pal. Royal, Paris 1786/1808; Mouradja d'Ohsson, Tableau génér. de l'Empire Ottoman, Paris 1787; Musée Français, Paris 1803/09 (nur für Bd I u. II).

Arch. de l'art franç. Doc., I 399; II 162, 215 f.; Nouv. arch. etc., XXII (1906). — Procès-verbaux de l'Acad. roy., Table, 1909. — D e v i l l e , Index du Mercure de France, 1910. — G i l l e t , Nomenclat. de Paris, 1911. — N a g l e r , Kstlerlex., VI. — Le Blanc, Manuel, II. — R o w i n s k y , Russ. Stecherlex., 1895 p. 1108 ff., Abbn; d e r s . , Russ. Portr. Lex., 1886 ff., IV 646. — H e l l e r - A n d r e s e n , Handb. f. Kupferstichsammler, I (1870). — S c h n e e v o g t , Cat. des estampes d'après Rubens, 1873. — S l a t e r , Engravings and their value, 1900. — C o h e n , Livres à Grav. 18me siècle, 1912. — Gaz. d. B.-Arts, 1866 I 167. — L'Art, XII (1878) 126. — Revue univ. d. arts, XIV (1861) 229. — G o n c o u r t , L'Art du 18me siècle, 1880 I 199, 354; II 32. — L o c q u i n , Peint. d'Hist. en France, 1912. — D u p l e s s i s , Cat. Portr. Bibl. Nat. Paris, 1896 ff., I 592/17; II 5771, 6143, 7654, 8905/69; III 12708/23, 15513/82, 12507; IV 16566/17, 19134; V 21211; VI 26483, 28360/369, 28363/368.

Henriques d e C a s t r o , D a n i e l , jüdischer Glasgraveur in Amsterdam, † ebenda 1863, arbeitete meist „Gelegenheitsbecher" mit holländ., hebräischen und anderen Aufschriften, Widmungen oder Versen; wenig ornamentaler oder figürlicher Schmuck. Im Besitz des Sohnes befanden sich 1883 zwölf bezeichnete Gläser (dat. 1833—63).

Oud Holland, I (1883) 287 ff.

Henriquez, D i e g o , Kupferstecher in Madrid, stach 1641 das Titelblatt zu Ant. de Leon Pinelo's „Velos antiguos y modern. en los rostros de las mugeres . . ."

C e a n B e r m u d e z , Diccion. Hist., 1800, II.

Henriques (Anriquez), F i l i p p e , Architekt und Werkmeister, arbeitete 1517 unter João de Castilho am Bau des Klosters Dos Jeronymos

in Belem; wahrscheinlich identisch mit dem g l e i c h n a m i g e n Sohn des Matheus Fernandes d. Ält., unter dem er 1515 am Bau des Klosters Batalha, auch wohl mit einem dritten Werkmeister g l e i c h e n N a m e n s , der zus. mit P e r o H e n r i q u e s 1504—1517 als Unternehmer mit Wiederherstellungsarbeiten an der Kathedrale in Guarda beschäftigt ist.

S o u s a V i t e r b o , Diccion. dos Archit. Portug., I (1899) 184, 840 f.; II (1904) 2, 6 f.

Henriques (Anriquez), F r a n c i s c o , Maler, † 1518 oder 1519 in Lissabon, nach Pessanha spanischer, nach Sousa Viterbo jedoch fläm. Abkunft, zuerst 1509 in Portugal nachweisbar, in Diensten des Königs Dom Manuel I., in dessen Auftrag er Gemälde für S. Francisco in Evora malte; aus einem Brief Dom Manuels vom 26. 7. 1510 geht hervor, daß sich darunter ein Bildnis des hl. Franziskus befand. Kurz vor 1518 begann H. eine Folge von Gemälden für den kgl. Gerichtshof in Lissabon. H. verschrieb 7 Gehilfen für seine Arbeit aus Flandern. Als die Pest in der Stadt ausbrach, verpflichtete ihn der König zu bleiben und versprach, für H.s Familie zu sorgen, wenn er sterben sollte. H. und seine 7 Gehilfen wurden hingerafft. Zum Nachfolger bestellte der König den Garcia Fernandes, der die Gemälde vollendete und eine der zurückgelassenen Töchter heiraten mußte. — Nicht identisch (nach Pessanha) mit H. ist ein Glasmaler g l e i c h e n N a m e n s , der 1510 Glasmalereien für das Bergkloster Dos Jeronymos auf der Pena bei Cintra lieferte.

R a c z y n s k i , Les Arts en Portugal, 1846 p. 198, 212 f.; d e r s . , Dict. hist.-artist. du Portugal, 1847 p. 131. — S o u s a V i t e r b o , Not. de Pintores Portug., 1903 ff., I 94 f. — H a u p t , Baukunst d. Renaiss. in Portugal, I (1890).

Henriques d e C a s t r o , G a b r i e l , Maler, geb. 1808 in Amsterdam, Schüler von A. Bloemers, malte hauptsächlich Blumenstücke, auch Frucht- u. Wildstilleben, die er auf d. Ausstell. in Amsterdam, aber auch in Deutschland zeigte (1838, 39 in Karlsruhe). 1835 wurde H. Mitglied d. Kunstakad. Amsterdam.

N a g l e r , Monogr., II. — I m m e r z e e l , Levens en Werken, I (1842), unter Castro. — Kunstblatt, 1839 p. 27, 350; 1840 p. 50; 1848 p. 204; 1850 p. 311.

Henriquez, L e o n a r d o , Maler aus Córdoba. Schüler des Pablo de Céspedes. Schätzte 1581 die Malereien des César Arbasía in der Kathedrale von Málaga und übernahm 1592 gemeinsam mit Alonso de Ribera die Bemalung u. Vergoldung des Retabels des hl. Sebastian in der Kathedrale von Córdoba (bis auf die Skulpturen zerstört). Ein großes Bild, das er 1596—98 für den Santuario Nuestra Señora de Fuensanta in Córdoba malte, darstellend die Geschichte des dort aufbewahrten wundertätigen Marienbildes, hat sich in stark beschnittenem u. übermaltem Zustand in der Vorhalle daselbst erhalten.

Cean Bermudez, Dicc. .. de las bellas artes etc., 1800 I 43. — Viñaza, Adiciones al Dicc. di Cean Bermudez, 1889 IV 121. — R. Ramirez de Arellano, Dicc. de Art. de Córdoba (Colecc. de doc. ined. para la hist. de España CVII), Madrid 1893 p. 158 f. u. Bol. de la Soc. españ. de excurs., X (1902) 138, 158 f.

Henriques, Manuel, Maler, geb. 1593 in der Umgebung von Nogueira, † 29. 12. 1653 in der Kirche Nossa Senhora da Lapa (zugehörig zum Jesuitenkloster Coimbra), die er mit Malereien ausgeschmückt hatte. 1618 trat H. in die Gesellschaft Jesu ein und soll für mehrere ihrer Kirchen zahlreiche Gemälde geliefert haben.

J. da Cunha Taborda, Regras da Arte da Pint., 1815 p. 195. — Raczynski, Dict. hist.-artist. du Portugal, 1847 p. 130 f.

Henriques da Silva, Marciano, Maler, geb. 5. 6. 1831 in Ponta Delgada auf S. Miguel (Azoren), † im August 1867 in Lissabon, empfing 1847 kurze Zeit Unterricht durch den engl. Maler Charles Martin, ging dann nach Lissabon, war Schüler der Akad., darauf in Paris des Ary Scheffer, reiste in England u. Italien, wurde nach seiner Rückkehr Direktor der Kgl. Gemäldegal. im Schloß Ajuda, später auch Prof. an der Akad. in Lissabon. Malte Historienbilder. Im Museu Nac. in Lissabon (Cat. 1883): „Kardinal Henrique empfängt die Nachricht vom Tode des Don Sebastiano"; in der Gal. zu Ajuda (Cat. 1869): „Tasso's Todesabend in S. Onofrio" u. 4 andere Bilder.

Henriques, Marie, Malerin u. Lithographin, geb. 26. 6. 1866 in Petershøj (Klampenborg), Nichte des Sally u. d. Nathan, Schülerin von Fr. Henningsen, ging 1888 auf 6 Monate nach Paris und arbeitete dort unter Alfred Stevens, Okt. 1888 Schülerin von Viggo Johansen an der Akad. in Kopenhagen, die sie 1893 verließ. — Seit 1889 stellte sie in Charlottenborg aus. 1904—08 auch in der Herbstausstell. Sie bereiste Italien, Griechenland und Ägypten. Malte Landschaften, Figurenbilder, Porträts und lieferte auch Farbenlithogr.; bekannt wurde sie durch ihre Aquarelle nach den archaischen Skulpturen im Akropolis-Mus. zu Athen, zu welchem Zweck sie 1910 eine Studienreise mit Unterstützung des Carlsberg-Fonds unternahm. Im Auftrag des griech. Kultusministeriums lieferte sie 1911 eine Reihe solcher Aquarelle für die archäolog. Ausst. in Rom. — Aquarelle von ihr im Archäolog. Institut der Universität Kopenhagen, in der Kgl. Abguß-Samml. ebenda, im Mus. in Ribe, im Goethe-Mus. in Weimar, in den Museen zu Wien und Kassel. — Auf der Intern. Ausst. f. Buchgewerbe in Leipzig zeigte sie Lithographien, in der Baltischen Ausst. in Malmö 1914 ebenfalls Graphik.

Weilbach, Nyt Dansk Kunstnerlex., 1896. — Dahl-Engelstoft, Dansk biogr. Haandleks., II (1921). — Ausst.-Katal.

Henriques, Nathan Ruben, Maler u. Lithograph, geb. in Kopenhagen 25. 10. 1820, † ebenda 28. 10. 1846, Bruder des Sally u. Samuel, besuchte 14jährig schon die Kopenh. Akad. und wurde 1841 Schüler der Modellklasse, stellte 1841—45 in Charlottenborg aus, z. B. „Fackelzug der Studenten beim Einzug der Kronprinzessin Caroline Charlotte Marianne" (1842, Schloß Frederiksborg; Kat. 1919), „Schloß Rosenborg in bengalischer Beleuchtung" (1843). Man kennt von H. auch einige lithograph. Bildnisse: Salomon Abraham Gedalia, lithogr. nach einem Gemälde H.s, L. J. Kalisch; H. lieferte auch Vorlagen für Lithogr., z. B. Bonaparte Borgen, L. Fr. Brock, usw.

Weilbach, Nyt Dansk Kunstnerlex., 1896. — Reitzel, Fortegnelse over Danske Kunstneres Arb., 1883. — Strunk, Cat. over Portr. af Danske, Norske og Holst., 1865 No 326, 418, 868c, 1427.

Henriques, Pero, s. unt. *Henriques,* Filippe.

Henriques, Sally (Salomon Ruben), Maler, geb. 14. 11. 1815 in Kopenhagen, † 29. 4. 1886, Bruder des Nathan u. Samuel, seit 1836 Schüler der dort. Akad., 1837 in der Modellklasse, später in den privaten Malschulen von J. L. Lund u. Ch. V. Eckersberg. Zeigte in Charlottenborg 1840—45 Landschaften u. Architekturstücke. Im Depot des Kopenh. Kunstmus. „Højbro-Platz". — H. wurde später Dekorationsmaler, seit 1849 Antiquitätenhändler.

Weilbach, Nyt Dansk Kunstnerlex., 1896. — Reitzel, Fortegnelse over Danske Kunstneres Arb., 1883.

Henriques, Samuel Ruben, Maler u. Lithograph, geb. 27. 12. 1821, † in Kopenhagen 2. 6. 1893, Bruder des Nathan u. Sally, besuchte mit diesen zusammen die Akad. und war 1842 Schüler der Modellklasse, zeigte 1841—47 in Charlottenborg Porträts u. Genrebilder, von Vesterberg lithogr. „Ein Hausierer legt Karten im Dorfkrug"; H. lieferte Vorlagen für Lithographien, z. B. Bildnis H. P. H. Hansen, H. Wolff, und lithographierte auch selbst, z. B. Bischof H. L. Martensen.

Weilbach, Nyt Dansk Kunstnerlex., 1896. — Reitzel, Fortegnelse over Danske Kunstneres Arb., 1883. — Strunk, Cat. over Portr. af Danske, Norske og Holstener, 1865 No 1002, 1808.

Henrotin, Marie, siehe *Collart,* M.

Henry, Miniaturmaler, 1773 zum Mitglied der Akad. von Bordeaux gewählt. Sein Aufnahmebild, das er 1774 dort ausstellte, war ein auf Marmor gemaltes Miniaturbildnis eines Professors an der Universität Bordeaux. Seit 1776 wird er im Mitgliederverzeichnis der Akad. als auswärtiges Mitglied geführt, er war damals in Paris, wo er in der Ausst. des Colisée Bildnisminiaturen u. a. (Greis mit Kindern, Schlafendes Kind, von einem Hund bewacht) zeigte. 1777 hielt er sich wieder in Bordeaux, 1779 anscheinend in Paris auf, wo er im Salon de la Correspondance verschiedene Arbeiten ausstellte. 1790 verschwindet er aus den Verzeichnissen der Akad. Bordeaux. Die Angabe, daß er noch 1799—1801 im Pariser Salon ausstellte, beruht auf einer Verwechselung mit dem Maler Bon Thomas Henry (s. d.).

Marionneau, Les Salons Bordelais etc., in Mélanges de la Soc. de Bibliophiles de Guyenne, III, o. J. — Rev. univ. des arts, XX (1865) 325 (mit Jean Henry aus Arles vermengt). — Parrocel, Annales de la peint. provençale, 1862, Reg., („Henri de Toulouse").

Henry, Fayencier in Rouen 1780. Das Mus. in Sèvres besitzt von ihm einen Ofen in Palmbaumform, weiß emailliert, mit 2 auf Blumensockeln stehenden Kinderfiguren.

Ed. Garnier, Cat. du Mus. céram. Mus. Nat. de Sèvres, Fasc. IV Série D 1897 p. 205 Nr 631. — Gaz. des beaux-arts, 1879 II 84.

Henry, Kupferstecher in Paris, Anfang 19. Jahrh. Arbeiten (nach Nagler): 1. Bildnis Napoleons; 2. Bildnis der Marie Louise; 3. Statue des Marschalls Lannes, nach Cortot, für die Galerie de sculpture de l'école française, Paris 1824; 4—6. Die 3 theologischen Tugenden, nach Raffaels Predella zur Grablegung im Vatikan (1806, Punktiermanier).

Nagler, Kstlerlex., VI (1838) 109. — Passavant, Raphael d'Urbin, II (1860) 62.

Henry, Mme, Bildhauerin, geb. in Paris. Tochter und Schülerin des Fr. Aug. Caunois († 1859). Stellte 1865, 1870 und 1880 im Salon Bildnismedaillons in Marmor und Bronze aus.

Bellier-Auvray, Dict. gén., I (1882).

Henry d'Anvers, fläm. Bildhauer, verfertigte 1672 das Chorgestühl der Abteikirche Averbode (erhalten).

Acad. Royale d'archéol. Bulletin, 1913 p. 234 Anm. 4.

Henry, Bon Thomas, französ. Maler, geb. in Cherbourg 2. 3. 1766, † in Paris 7. 1. 1836. Schüler von Landon und Regnault. Stellte 1798—1801 im Pariser Salon Bildnisse aus. Unternahm 1793—1812 aus Liebhaberei für den Kunsthandel Studienreisen ins Ausland und wurde 1816 als Commissaire expert am Musée Royal angestellt. In dieser Eigenschaft begutachtete er mit zwei seiner Kollegen die Gemälde, die der Krone gehörten und die entweder für das Musée Royal oder für die kgl. Schlösser bestimmt waren. H. war auch Gründer und Konservator des Museums seiner Vaterstadt; Verfasser der „Notice des tableaux composant le musée de Cherbourg", 1835.

Bellier-Auvray, Dict. gén., I (1882), m. Lit.

Henry de Bruxelles (Bruisselles), fläm. Architekt. Tätig in Troyes. Übernahm 28. 10. 1382, zus. mit dem Pariser Archit. Henri Soudan, die Ausführung des Lettners in der Kathedrale, nach eigenem Entwurf; als Ersatz für einen anderen, der seit 3 Monaten nach Plänen Jehan Thierry's und Michelin Hardiot's im Bau war. Grundsteinlegung 22. 4. 1385; von H. allein 1388 vollendet (Wendeltreppe

später hinzugefügt, das Werk H.s 1793 zerstört). 1384 heiratet H. in Troyes, 1394 übernimmt er mit and. die Pflasterung der Kathedrale.

Bauchal, Dict. des archit. franç., 1887 p. 81, m. Lit.

Henry, Charles Léopold Élie, Architekt, geb. in Paris 1797, † 1885. Schüler von Vaudoyer. Architekt des Kaiserl. Hauses und des Ministeriums der öffentl. Arbeiten. Baute 1841 an der von E. E. Labarre 1804 begonn. Säule der Großen Armee in Boulognesur-Mer.

Delaire, Archit. élèves etc., ² 1907.

Henry, Mlle Clara, französ. Malerin, geb. in Paris. Stellte 1842—63 im Salon Bildnisse, romantische und religiöse Genrebilder aus.

Bellier-Auvray, Dict. gén., I (1882).

Henry, Eduard Lamson, amer. Historien- und Genremaler, geb. in Charleston (Süd-Karolina) 12. 1. 1841, lebt in New York. Studierte in New York, Philadelphia, in der Schweiz, bei Gleyre u. bei Courbet in Paris und kehrte nach 5 jähr. Studienaufenthalt in Europa (England, Italien) nach Amerika zurück. Stellte als Mitglied der New Yorker Nat. Acad. of Design (1870) jahrelang seine kleinen Bilder aus dem amerikan. Leben der 1. Hälfte des 19. Jahrh. aus. Seine liebenswürdigen, anspruchslosen Arbeiten, Straßenansichten und Innenräume, Bahnhöfe und Szenen aus dem Pflanzerleben fanden wegen ihrer Feinheit in der Ausführung Beifall und dürfen wegen der historischen Treue in der Wiedergabe des topograph. Milieus und der Zeitmode auch ein gewisses kulturhistor. Interesse beanspruchen. Arbeiten: Schlacht von Germantown 1777 (New York, Privatbes.); Begegnung zwischen Washington und Rochambeau; Empfang Lafayette's; Die erste amer. Eisenbahn: Albany Historical Society; „The Old Westower Mansion": Corcoran Gall., Washington; „The Old North Dutch Church": Metrop. Mus., New York; „Election Day 1844": San Francisco.

Amer. Art Annual, XII (1915) 394. — Clement u. Hutton, Artists of the 19th Cent., ⁶ 1879. — S. Isham, Amer. Painting, 1905. — Graves, R. Acad., IV (1906). — Bull. Metrop. Mus. New York, X (1915) 63 (Abb.), 67.

Henry, Mlle Elise Victorine, franz. Genre- und Bildnismalerin, geb. in Moskau. Tätig in Paris. Stellte 1822 und 1824 im Salon 3 Herrenbildnisse aus, sowie 1827 ein großes Gemälde: Gelübde des hl. Ludwig, das sich in der Pariser Kirche St. Philippe du Roule befindet. Ferner kopierte sie ein Doppelbildnis: Karl X. und der Herzog von Berry, nach Gérard.

Gabet, Dict. des Art., 1831. — Inv. gén. Richess. d'art etc. Paris, Mon. relig. I.

Henry, Eugénie, siehe *Latil*, E.

Henry, Felix, Architekt, geb. in Breslau 12. 7. 1857, † ebenda Febr. 1920. Schüler der Berliner Bauakad. (1877) und von Friedr. Schmidt in Wien (1879—81), vollendete seine praktische Lehrzeit bei Hartel in Leipzig (1881) und bei A. Rinklake in Braunschweig (1882/3) und kehrte 1884 in seine Vaterstadt zurück, wo er auf dem Gebiete des schlesischen Schloß- und Kirchenbaues eine ausgedehnte Tätigkeit entfaltete. Bei zahlreichen Umbauten von Schlössern hat er sich als geschmackvoller Kenner historischer Stilarten bewährt. Auch erfolgreich an öffentl. Wettbewerben beteiligt: Marktbrunnen in Weißenfels, Kriegerdenkmal in Essen, gemeinsam mit dem Bildhauer Ernst Seeger; Matthäuskirche in Basel, 1889, 1. Preis u. Ausführung; Entwürfe für die Garnisonkirchen in Dresden und Breslau. Von seinen sonstigen Kirchenbauten seien genannt: evang. Heilandskirche (mit Pfarrhaus) in Puschkau; Kirche für Antonienhütte, Oberschlesien; Kirche in Rackschütz; Pfarrhaus St. Elisabeth und Diakonissenhaus in Breslau; Wiederherstellung von St. Bernhard in Breslau; Parkkapelle in Muhrau. H. errichtete ferner das Schloß in Klein-Bresa bei Breslau, die Synagoge in Oppeln, eine Reihe öffentl. Gebäude, Villen, Geschäftshäuser usw.

D r e s s l e r ' s Kstjahrbuch, 1906, 1908—13. — Spemann's Gold. Buch vom eigenen Heim. — Kirchenbau des Protestantismus, 1893. — Kstchronik, N. F. XXXI (1920) 423.

Henry, F e r d i n a n d (u s), Historienmaler des 18. Jahrh. (?), von dem Guardabassi in der Kirche S. Lorenzo in Toffia bei Todi (Umbrien) ein Bild: Marter des hl. Saturnin, bez. „Ferdinandus Henry invenit et pinxit", sah.

G u a r d a b a s s i , Guida - indice dei monum. dell' Umbria, 1872 p. 339.

Henry, G e o r g e , schottischer Landschafts-, Genre- und Bildnismaler, geb. in Ayrshire 1859. Lebt in London. War zuerst als Zeichner für den Holzschnitt, für Reklame aller Art und mit Entwürfen für Glasmalerei tätig, besuchte dann die Kunstschule in Glasgow und studierte in den Hochlanden und Berwickshire, wo u. a. die Staffagelandschaften „Waldesdunkel" und „Novembertag" entstanden, mit denen er 1881 zuerst an die Öffentlichkeit trat. Es folgten Landschaften wie „Die Spitze des Holy Loch", „Straße in Eyemouth" und „Around the Farm", mit denen er sich zum malerischen Naturalismus der älteren schott. Schule bekannte. Dagegen wurden für H.s weitere künstler. Entwicklung die Eindrücke mit entscheidend, die er von den französ. Impressionisten (Monticelli) und den Präraphaeliten aus zweiter Hand auf Ausstell. in Glasgow empfing. Ende der 80 er Jahre vollzieht sich dann eine völlige Wandlung in seiner Kunst, indem er zu einer mehr dekorativen Auffassung von Mensch und Natur, in Linie und Form, und zu einer freieren Gestaltung der Bildkomposition gelangte. Die ersten Arbeiten H.s und seiner Freunde, die diese neue Richtung

vertraten, erschienen seit 1890 zuerst auf Glasgower, dann auf Londoner Ausstell. und erregten z. T. heftigen Widerspruch, da sie die übliche Valeurmalerei und das der älteren schott. Schule eigene intime Naturgefühl gänzlich zu vernachlässigen schienen. Dagegen erschien H. auf den Ausstell. des Kontinents (München, Berlin, Dresden, Wien, Brüssel) und in Amerika als der hervorragendste Vertreter der Glasgower Schule. Die naturfeindliche Tendenz, die die Natur nur noch als die Vermittlerin dekorativer Farbenwerte und einfacher, zur dekorativen Füllung der Bildfläche geeigneter Formen gelten ließ, erschien nämlich bei ihm wesentlich gemildert durch die für die Schotten so charakteristische farbenreiche, tieftonige Palette. Landschaften mit Staffage (Figuren und Vieh) wie „Mittag" und Bilder mit Figuren in Landschaft („Der Heckenschneider") mit ihren scharf kontrastierten Licht- und Schattenpartien lassen ein eifriges Naturstudium und ein intimes Verständnis für ländliche Typen erkennen. Zunächst behielt allerdings die rein dekorative Tendenz in H.s Arbeiten die Oberhand. Sein erstes Gemälde dieser Art, das die Gemüter so hochgradig erregte, war die 1889 entstandene „Galloway-Landschaft" (Glasgower Ausst. 1890), in der er mit den einfachsten Mitteln „die üppige Fruchtbarkeit der Natur" schildern wollte. Dargestellt war ein herbstliches Wiesental mit sonnigen, von saftigem Gras und braunem Farnkraut bedeckten Abhängen, mit weidenden Kühen und schwimmenden Wolken; das ganze ungemein reich in den Lokaltönen, aber ohne Luftperspektive behandelt. Es folgten als Kompagniearbeiten der Freunde H. und Hornel zwei große, farbenreiche Bilder: „Die Druiden", eine Phantasielandschaft mit der Prozession des heiligen Mistelzweigs, und der „Stern im Osten". In den Arbeiten der nächsten Jahre, wie „Der Strohhut" — Mädchen im Schatten vor heller Laubwand —, der „Ayrshire-Landschaft" und „Mademoiselle", dem Bild einer eleganten jungen Dame im Straßenkostüm, näherte sich H. dagegen wieder mehr seiner früheren naturalist. Malweise. Neue Eindrücke und wesentliche Förderung gewann er für seine Kunst auf einer Reise nach Japan, die er nach Genesung von schwerer Krankheit 1893—95 mit Hornel unternahm. In Japan fand er zunächst die Motive für zahlreiche Figurenbilder (in Öl, Aquarell und Pastell) aus dem Volksleben, von denen nur „A Japanese Belle" und „Der blaue Kimono" genannt seien. Nachhaltiger aber war die Wirkung, die die Farbenkunst der Japaner mit ihren zarten reinen Tonskalen auf ihn ausübte, und die als wesensverwandtes Element in seiner Malerei aufging. Seit H.s Rückkehr aus Japan kommt das Streben nach Einfachheit, Schlichtheit und rein malerischer Ausdrucksweise immer stärker in seinen Arbeiten zur Geltung. Dazu gehören Bilder wie „Federboa", „Vogelbeeren" — eine Gruppe Kinder, die mit großen Zweigen der roten Frucht beladen sind —, „Goldfisch", junge Dame in leichtem Kleid mit Goldfischglas in den Händen, „Symphonie", das ganz in gold-braunen und roten Tönen gehaltene Bild einer jungen Dame am Klavier, u. a. H.s reifste Arbeiten liegen aber auf dem Gebiete des Porträts, dem er sich seit Mitte der 90er Jahre fast ausschließlich zugewandt hat. Während seine früheren Bildnisse („Dr. Campbell", „Die Kinder des Herrn T. G. Arthur") noch verhältnismäßig reich in der Farbe sind, wird die Vortragsweise und die farbige Gesamt-haltung allmählich immer einfacher und „deko-rativer". Die ungezwungene natürliche Haltung seiner Modelle, die er entweder in ein stilvolles Interieur versetzt oder vor einen lichten, ein-fachen Hintergrund bringt, die gefällige Charakteristik und die geschmackvolle Zu-sammenstellung zarter, gebrochener Farben und tiefer Farbenharmonien — das alles verbindet sich bei ihm zu einem Ganzen von ungemein reizvoller Wirkung. — Die Glasgower Gal. besitzt von H. zwei Bildnisse von Mitgliedern der Stadtverwaltung; andere Arbeiten H.s befinden sich in den Museen von Edinburgh („Der graue Hut"), Kapstadt („Das blaue Kleid") und Montreal, Canada. H. ist ordentl. bzw. außerord. Mitglied der Royal Scottish Acad. und der Londoner Royal Acad.

Who's who, 1922. — B é n é z i t, Dict. des peintres etc., II (1913). — D. M a r t i n, Glasgow School of painting, 1902. — J. L. C a w, Scottish Painting, 1908 p. 350 ff. u. die Reg.-Stellen. — M u t h e r, Gesch. der Malerei im 19. Jahrh., 1893 III 578 f.; d e r s., Gesch. der engl. Malerei, 1903. — A. D a y o t, Peint. Anglaise, 1908, m. Abb. — The Studio, XXIV 117; XXXI 3 ff.; LXVIII 73 ff.; LXVIII 95 ff.; LXXXIII 33. — The Art Journal, 1904—7, 1909. — World's Work, Dez. 1906. — Athenaeum, 21. 3. 1920 p. 677. — E. A. Seemann's „Meister der Farbe", II (1905). — G r a v e s, Dict. of Art., 1895; d e r s., Royal Acad., IV (1906); Loan Exhib., 1913 f. II; IV 1962. — Cat. Exhib. R. Acad. London, 1905—21. — Cat. Salon Soc. des Art. franç. Paris 1890; Soc. Nat., 1905, 1909. — Kat. Glaspal.-Ausst. München, 1890 p. 16; 1897. — Kat. Sezess.-Ausst. München, 1895/6, 1900 p. 18; 1903 p. 16 (Abb.). — Cat. Espos. intern. d'arte, Venedig 1903, Abb. p. 56; 1909. — R. Acad. Pictures, 1910—15 (Abb.). — Kat. der gen. Slgn.

Henry, G u i l l a u m e, französ. Architekt, geb. 1785, tätig in Vincennes. Stellte 1849 im Pariser Salon einen Riß der Kapelle des Schlosses von Vincennes aus und vollendete 1845 die von E. E. de Labarre 1804 begon-nene Säule der Großen Armee in Boulogne-sur-Mer.

B e l l i e r - A u v r a y, Dict. gén., I (1882). — D e l a i r e, Architectes élèves etc., ² 1907.

Henry, G u i s l a i n J o s e p h, belg. Archi-tekt, geb. in Dinant 20. 5. 1754, † in Brüssel 8. 2. 1820. Studierte in Rom, wo er 1779 den 1. Architekturpreis der Accad. S. Luca errang, und begab sich von dort nach Frank-reich, wo ihm Ludwig XVI. den Titel eines „architecte honoraire du roi" verlieh. Zus. mit Crucy (s. d.) soll er laut Immerzeel das Theater und das Waisenhaus in Nantes erbaut haben. Nach seiner Rückkehr nach Belgien errichtete H. 1786 das Schloß Duras bei St. Trond, dessen Fassade in kleineren Verhält-nissen diejenige des Schlosses Laeken wieder-holt. Die Ausführung von Plänen für ein Theater und ein Schloß in Brüssel, im Auftrag des Prinzen Karl von Lothringen, wurde durch die Revolution vereitelt. Auf Befehl Napoleons leitete H. 1802 die Wiederherstellung des Schlosses Laeken, dem er unter der Re-gierung Wilhelms I. das Theater und die Orangerie hinzufügte. Außerdem lieferte er die Pläne für die Nebengebäude des Schlosses Wespelaer und den größten Teil des dortigen Parks und begann den nach seinem Tode von Suys fortgeführten Bau des Schlosses in Brüssel. In Löwen errichtete er ein Wohn-haus der Rue des Recollets, mit stattlicher Palladio-Fassade.

I m m e r z e e l, Levens en Werken, II (1843). — P i o t in Biogr. Nat. de Belg., IX 221 f., m. Lit.

Henry, H i p p o l y t e F r a n ç o i s, Maler, geb. in Paris. Schüler von Lethière u. Lafon. Tätig in Paris. Stellte 1833—38 im Salon Landschaften aus Trouville und Fontainebleau sowie Bildnisse aus. In den Salons von 1864 u. 1866 war er mit Pastell-Landschaften ver-treten.

B e l l i e r - A u v r a y, Dict. gén., I (1882).

Henry, J a m e s L., Landschaftsmaler, geb. in London 1855. Lebt daselbst. Schüler von J. Buxton Knight, Bouguereau und Fleury in Paris und H. v. d. Hecht in Brüssel. Stellt seit 1877 regelmäßig auf Londoner Ausstell. (Royal Acad., Soc. of British Artists, New Eng-lish Art Club usw.) aus. Seine fein empfundenen, kraftvoll gemalten Bilder schildern haupt-sächlich Frühlings- und Herbststimmungen sowie Motive aus Yorkshire, Cornwall, Holland, Flandern und Normandie. Arbeiten in den Gal. von Manchester („Wensley Dale") und Rochester (Kat. 1913 No 90).

G r a v e s, Dict. of Artists, 1895; Royal Acad., IV (1906); A Century of Loan Exhib., 1913 II. — The Studio, XLIV (1908) 36; Art in 1898 Studio Extra Number. — Athenaeum 1920 I 375. — Cat. Exhib. R. Acad. 1905—21. — Kat. Gr. Kstausst. Düsseldorf 1913 No 459—61. — Man-chester City Art Gall. Handbook to the permanent collect., 1910, mit biogr. Daten.

Henry, J e a n, französ. Marine- und Land-schaftsmaler, geb. in Arles 14. 9. 1734, † in Marseille 14. 9. 1784. Kam als Kapeller's Schüler nach Marseille, wo er mit 19 Jahren die 1753 begründete Akad. bezog und Joseph Vernet's Schüler wurde, dessen Manier er sich so sehr zu eigen machte, daß man ihm den Spitznamen „Vernet's Affe" gab. Ein Gönner, in dessen Hause er die Dekoration malte, schickte ihn nach Rom, wo er 2 Jahre studierte. Nach seiner Rückkehr wurde H. 1755 Agréé, 1756 ordentl. Mitglied der Marseiller Akad., an der er als Zirio's Nachfolger seit 1776 eine Professur innehatte. Von zahlreichen Kunstliebhabern bekam er Aufträge auf Staffeleibilder und Wandmalereien, und als der Herzog von Chaulnes auf der Rückkehr aus Ägypten Marseille berührte, beauftragte er H. mit der Ausarbeitung seiner zahlreichen, von dort mitgebrachten Skizzen und Zeichnungen von Kunstdenkmälern. Zu H.s besten Arbeiten gehört das kleine Bild „Seesturm" des Marseiller Museums; andere Bilder in den Gal. von Aix, Havre und Toulon.

A c h a r d , Dict. des hommes illustres de Provence (nicht benutzt). — E. P a r r o c e l , Annales de la peint., 1862 p. 398 ff. — B e l l i e r - A u v r a y , Dict. gén., I (1882). — B é n é z i t , Dict. des peintres etc., II (1913). — Revue univ. des arts, VI (1857) 294; XX (1865) 325. — Cat. Mus. d'Aix, 2e partie, 1900.

Henry, J e a n - B a p t i s t e , Pariser Bildnis- und Miniaturmaler. 1695 Mitglied der Acad. St. Luc. Sein Selbstbildnis, auf dem er ein anderes Bildnis in Händen hält, wurde 1709 von J. B. Canel radiert (gr. fol.). Ein J. B. Henry 1724 bez. Bildnis des François Chaudière, Brustbild in ovaler Umrahmung, wurde von einem Unbekannten gestochen.

Archives de l'art franç., 1915 p. 322. — T a r d i e u , Iconogr. des Parisiens, 1879. — D u p l e s s i s , Cat. Portr. etc. Bibl. Nat. Paris, 1896 ff. II 9316. — H e i n e c k e n , Dict. des Art., 1778 ff., Ms. im Dresdner Kupferstichkab.

Henry, J e a n L o u i s , s. unt. *Henry*, Marc.

Henry, J é r ô m e (Jérônyme), Goldschmied und Medailleur in Lyon 1503—39; Sohn des Goldschmieds P i e r r e H e n r y . War 9mal Deputierter der Goldschmiede-Innung und arbeitete für das Konsulat (Medaillen und kostbares Tischgerät als Geschenke für hohe Beamte). 1504 wurde er für eine Medaille auf Philibert II. von Savoyen bezahlt (erhalten, wahrscheinlich Replik einer verschollenen Arbeit des Jean Marende). Rondot und Foville schreiben ihm u. a. vier 1518 dat. Medaillen, davon 3 auf Lyoner Persönlichkeiten, zu, in denen sich niederländ. Einfluß geltend macht.

N. R o n d o t , Jérônyme Henry, orfèvre et médailleur à Lyon, 1892; d e r s. in Nouv. Archiv. de l'art franç., 1888. — F o r r e r , Dict. of Medall., II (1904) m. weit. Lit. — J. d e F o v i l l e in Michel, Hist. de l'art, IV 1909) 689. — Miscell. di storia ital., 3. Serie XV (1912) 263, 274, 283.

Henry, L o u i s e , geb. *Claude*, Malerin, geb. in Berlin 5. 4. 1798, † ebenda 15. 7. 1839, seit 1. 3. 1833 Ehrenmitglied der Berl. Akad., verheiratet mit dem Prediger der französ. Gemeinde der Friedrichstadt, Paul Emil Henry (geb. 1792, † 1853). Schülerin des Kupferstechers Joh. Fr. Bolt und der Porträtmalerin Felicitas Robert geb. Tassaert (1812), laut Nagler, der einige lobende Worte für sie hat, auch Schadows.

Beschickte zwischen 1812 u. 1839 (bis 1826 unter ihrem Mädchennamen) regelmäßig die Berl. Akad.-Ausst., anfänglich besonders mit weibl. Pastellbildnissen, Kopien (nach van Dyck, Murillo, Amberger u. a.) und Zeichnungen, 1824 mit einem Bildnis der Königin Luise nach der Büste von Rauch und einem Bilde von Grassi, 1828 mit einer Genrekomposition eigener Erfindung: Clotilde bei ihrem schlafenden Kinde, 1830 mit: „Boas findet Ruth Ähren lesend" und mehreren Ölbildnissen, in der Folge dann hauptsächl. mit häuslichen Genreszenen u. Porträts, 1839 mit ihrem Selbstbildnis. In der Berl. Jahrh.-Ausst. 1906 sah man von ihr ein reizendes, echten Biedermeiergeist atmendes Bildchen: Mädchen in ganzer Figur, aus dem Fenster auf die Landschaft herausblickend (Rieckchen Grade), im Besitz Dr. Wichern Wiesbaden (1835; Abb. in „Der stille Garten" Deutsche Maler der 1. Hälfte d. 19. Jahrh. [Verlag Rob. Langewiesche] und in dem Katalog der Gemälde Ausst. deutscher Kst 1775 bis 1875 Berlin 1906, Bd II).

N a g l e r , Kstlerlex., II 564; VI 108. — Kunstblatt, 1823 p. 266; 1826 p. 375; 1827 p. 122. — Katal. d. Berl. Akad.-Ausst., 1812 p. 65; 1816 p. 32; 1818 p. 19; 1820 p. 23; 1822 p. 22; 1824 p. 12; 1826 p. 32, 114; 1828 p. 26; 1830 p. 21; 1832 p. 19; 1834 p. VI, 24; 1836 p. 27; 1838 p. 23; 1839 p. IV (Nekrol.), 97. *H. V.*

Henry, M a r c (Jacques M.), Emailmaler, geb. in Genf 12. 8. 1782, † ebenda 24. 5. 1845. Schüler des Malers Vaucher, widmete sich unter Leitung des Abraham Lissignol der Emailmalerei, kopierte in Paris nach Bildern berühmter Meister und pflegte nach seiner Rückkehr besonders das Porträt. H. stellte 1827 Kopien nach Gemälden der Sammlung Tronchin und 1837 solche nach Tizian, Raffael, Wouwerman und Lawrence aus. Ein Bildnis des Herrn Du Pan-Sarasin, nach Saint-Ours, das er 1839, zus. mit einem Bildnis des Grafen de Sellon, nach J. Hornung, ausstellte, verschaffte ihm einen Preis der Société des Arts. H. eröffnete eine Schule für Emailmalerei, aus der tüchtige Künstler hervorgingen. Das Genfer Musée Rath besitzt die von ihm gemalten Bildnisse H. B. de Saussure's, nach Saint-Ours, und A. P. de Candolle's, nach J. Hornung. — J e a n L o u i s H., Bruder des vor., Maler, geb. in Genf 5. 7. 1767, † ebenda 17. 1. 1841, stellte 1832 drei Bilder aus: Tells Befreiung, Geßler's Tod und: Sturm auf dem Thuner See.

B r u n , Schweiz. Kstlerlex., IV (1917) 212. — Kat. Ksthist. Ausst. Basel, 1912. — Nos Anciens et leurs oeuvres, 1917 p. 76 (Abb. p. 74). — Cat. Mus. Rath, Genf 1906.

Henry, M i c h e l , Bildnis- und Miniaturmaler, geb. in Nancy. Schüler von Lenfant. Tätig in Paris, wo er 1874—80 im Salon mit Bildnisminiaturen vertreten war. — Seine Tochter u. Schülerin, P a u l i n e , stellte 1878—79 im Salon Bildnisminiaturen aus.

B e l l i e r - A u v r a y , Dict. gén., I (1882).

Henry, N i c o l a s, gen. *Henry de Gray
(père),* französ. Historien- und Landschaftsmaler, geb. in Gray (Dep. Haute-Saône) 19. 12.
1822. Tätig in Paris. Debütierte 1842 im
Pariser Salon mit einer Szene aus Chateau-
briand's „Martyrs" und stellte ebenda, in Bordeaux und Lons-le-Sannier (Dep. Jura) aus:
Druidenopfer; Jesus und die Schriftgelehrten;
Markttag in Pouldavid (Dep. Finistère); Landschaft aus der Gegend von Tournus (Dep.
Saône et Loire), Fort St. Nicolas in Marseille;
ferner dekorative Entwürfe für Wandmalereien:
Die 4 Zeitalter; die 4 Jahreszeiten. Solche
führte er u. a. aus in den Hotels des Marquis
du Talhouet, des Herzogs von Morny, in der
Präfektur zu Versailles u. a. O. — H.s g l e i c h -
n a m i g e r Sohn, geb. in Paris, ebenfalls
Maler. 1866 Mitglied der Soc. des Artistes franç.
  B e l l i e r - A u v r a y, Dict. gén., I (1882),
unter Gray u. Henry de Gray. — B r u n e, Dict.
des Art., Franche-Comté, 1912. — B é n é z i t,
Dict. des Peintres etc., II (1913).

Henry, P a u l E d m o n d, Landschafts-
maler u. Lithograph, geb. in Paris. Schüler
von J. Ouvrié. Tätig in Paris und Courseulles
(Dep. Calvados). Stellte 1874—89 im Pariser
Salon (Soc. Art. franç.) Landschaften, z. T.
Aquarelle, mit Motiven aus dem Dep. Seine-et-
Oise, der Sologne, Brügge, Paris, von der
Küste der Normandie und der Gironde aus.
  B e l l i e r - A u v r a y, Dict. gén., I (1882)
u. Suppl., 1887. — Cat. Salon Soc. Art. frç. Paris,
1880/2, Mai 83, 88, 89; Soc. Nat., 1901 p. XXXI
(P. Henry). — Cat. Mus. Caen 1907 („Fumeur",
Lith.).

Henry, P a u l i n e, s. unter *Henry,* Michel.

Henry, P é r o n e t, s. *Lamy* (Maler 15. Jahrh.).

Henry, S u s a n n e (eigentl. Susette), geb.
Chodowiecka, Malerin, geb. 26. 7. 1763 in
Berlin als das 2. Kind des Daniel Nik. Chodo-
wiecki, † ebenda 27. 3. 1819; Schwester der
Jeannette Papin, der Henriette Lecoq u. des
L. Wilh. Chodowiecki, mit denen zusammen
sie auf der berühmten Radierung ihres Vaters
von 1771 „Le Cabinet d'un peintre" erscheint.
Vermählt seit 1785 mit dem damal. Prediger
der reform. französ. Gemeinde in Brandenburg,
späteren kgl. Bibliothekar u. Aufseher des Berl.
Antiken- u. Münzkabinetts, Jean Henry.
Schülerin ihres Vaters und von Anton Graff.
Ansässig in Brandenburg, seit 1787 in Potsdam, seit 1795 in Berlin. Stellte zum 1. Mal
1786 in der Berl. Akad. aus: Selbstbildnis
(Pastell), 2 weitere Porträts u. Kopien. Seitdem
erschien sie bis 1818 regelmäßig in den Ausst.
der Akad., zu deren Mitglied sie 1789 erwählt
wurde. Sie war hauptsächlich als Porträtistin
tätig, und zwar in Öl, Pastell u. Miniatur
(1794 stellte sie 2 Bildnisse der Prinzessin
[Friederike?] v. Preußen aus), doch malte sie
auch Genreszenen, bes. Kinderbilder. 1800
zeigte sie eine Folge von 8 Gemälden, die die
Erziehung der Töchter darstellte, und zwar 4

Bilder die vernünftige Erziehung, 4 Bilder, als
Gegenstück dazu, die schlechte Erziehung illu-
strierend; 1802, in Fortsetzung dieser Serie,
einen Zyklus von 8 Gemälden: Die Folgen
der glücklichen und die der unglücklichen
Ehe; 1804 drei Gemälde: die Freuden des
Volkes, des Mittelstandes und der großen
Gesellschaft; 1806 eine von E. S. Henne für
das Cotta'sche „Taschenbuch für Damen",
Jahrg. 1807, gestoch. Folge von 12 Kompo-
sitionen (8 als Ölgemälde ausgeführt): Sonn-
tägliche Beschäftigungen im Anfang des 18.
und — als Gegenstück — solche im Anfang
des 19. Jahrh.; 1810 vier Bilder, die die
Lebensweise des verheirateten Mannes und die
des Junggesellen schilderten; 1812 drei Gemälde
mit Szenen aus Wielands „Oberon". Auf der
Berl. Jahrh.-Ausst. 1906 sah man von ihr ein
Selbstbildnis (um 1805) und ein Bildnis ihrer
Enkelin, der Frau Julie Rosenberger, geb. du
Bois-Reymond (1818 oder 1819). Im Städt.
Mus. zu Danzig von ihr eine hl. Elisabeth
(Sammlg Aug. Kabrun), im Berliner Münz-
kabinett ein Brustbildnis ihres Gatten Jean
Henry (Abb. in „Berliner Museen", Ber. a. d.
preuß. Kstsammlgn, XLIII [1922] 123).
  F ü ß l i, Kstlerlex., 2. Teil, 1806/21 p. 534.
— N a g l e r, Kstlerlex., VI. — M. B a c h,
Stuttgarter Kst 1794—1860, Stuttg 1900. —
Katal. d. Berl. Akad.-Ausst. 1786 p. 39; 1787
p. 23; 1788 p. 36; 1789 p. 38; 1791 p. 29; 1793
p. 15, 59; 1794 p. 22; 1795 p. 25; 1797 p. 79;
1798 p. 15; 1800 p. 37; 1802 p. 31; 1804 p. 14, 92;
1806 p. 9; 1808 p. 16; 1810 p. 9; 1812 p. 7; 1814
p. 3, 30; 1816 p. 8; 1818 p. 6. — Kat. d. Ausst.
Deutscher Kst . . 1775—1875, Gem. u. Skulpt.,
Berlin 1906, 2. Aufl. No 707/9.   *H. V.*

Henry, W i l l i a m, falsch für *Henry,*
Eduard L.

Henry, W i l l i a m, Pseudonym des *Haines,*
W. H.

Henry, siehe auch *Heinrich* u. *Henri.*

Henry-Baudot, E d o u a r d L o u i s, Genre-,
Tier- u. Landschaftsmaler, geb. in Nancy.
Lebt in Paris. Stellte im Pariser Salon
1899—1914 Figurenbilder und dekorative Pan-
neaux („Femme aux cygnes"; „Baigneuses"),
Landschaften mit pflügenden Bauern u. Tier-
bilder („Kämpfende Pferde") aus.
  Livre d'or des peintres expos., [8] 1914. —
B é n é z i t, Dict. des peintres etc., II (1913). —
Cat. Salon Soc. Nat. Paris, 1899, 1901—14 (Abt.
„Peinture" u. „Dessins"), mit Abb.; Soc. Art. frç.
1895.

Henry de Gray, N i c o l a s, siehe *Henry,*
Nicolas.

Henryet, Glasmaler in Troyes, stellte 1469
für die Kirche St. Urban u. die Kathedrale
Glasfenster wieder her und lieferte 1479 mit
Claude Piqueret Scheiben für die Neue Bibliothek.
  A. A s s i e r, Les Arts et les Artistes dans
l'anc. Cap. de la Champagne, 1876 p. 21.

Hens, A b r a h a m d e, falsch für *Heusch,*
A. de.

Hens, F r a n s , Maler und Radierer in Antwerpen, geb. ebenda 1. 8. 1856. Schüler der Antw. Akad. unter J. Jacobs, hauptsächlich aber autodidaktisch gebildet und durch Einfluß des ihm befreundeten Th. Verstraete; zeigte Landschaften und Marinen seit 1875 (Expos. triennale, Brüssel) in Brüsseler, Genter und Antw. Ausstell. Seine Kunst kam zur vollen Reife während eines Aufenthaltes am Kongo 1886/88 (wo er auch ernsthafte botanische Studien trieb). Mitbegründer der Künstlervereinigung „De Dertienen" 1891, zeigte er in deren Ausstell. zu Antwerpen und in mehreren Sonderausstell. (1894, 1897 [Salle Verlat], März 1918), auch in Paris (Salon Soc. d. Art. Franç. 1893, 1898; Soc. Nat. 1892, 1903/4; Expos. univ. 1900), Berlin (Gr. K.-A. 1912, Katal. m .Abb.), München (Glaspalast 1891, 1909, 1913), Düsseldorf (Internat. K.-A. 1904, Gr. K.-A. 1913), Wien (Jubil.-A. Kstlerhaus 1898) seine koloristisch fein durchgebildeten Marinen, die ihn zu den besten neueren fläm. Marinemalern zählen lassen. „Stille und Einsamkeit scheinen den größten Zauber auf ihn auszuüben. Das Träumerische eines schüchternen Mondscheins über dem in Nebeln eingehüllten Scheldefluß; das allmähliche Aufdämmern der Morgenröte über dem sanft wogenden Meere; das leise Schaukeln der Boote . . ., das schläfrige Hin- und Herwogen eines Kutters, der in geheimnisvoller Nacht in der Mitte des Stromes vor Anker liegt, das sind seine liebsten Motive. Und er findet auf seiner Palette ganz zarte, violette oder muschelfarbene Töne und in seinem Inneren eine liebliche, oft fast weibliche Poesie, um diese an sich so bescheidenen Motive reizvoll und sogar interessant zu machen" (Pol de Mont). Als Radierer behandelt er ähnliche Motive von der See und den Ufern der Schelde. 1894 gab er 10 Bl. in Mappe heraus und veröffentlichte einzelne Blätter im Album der Soc. des aquafortistes belges 1905, 1906, 1912. In den letzten 10 Jahren hat er sich als Radierer nicht betätigt. Gemälde H.s in den Museen: Antwerpen, „Unter-Schelde", 1901 (Katal. Mod. Meister, 1905 p. 45; eine Zeichn. p. 128); Brüssel „Abend" (Kat. Mus. mod. 1908); Gent, „September" (Kat. 1909); andere in kgl. belg. u. kgl. schwed. Besitz.

De Vlaamsche School, 1891 p. 46; 1893 p. 47; 1894 p. 95, 103, 127; 1897 p. 330 ff. (P o l d e M o n t); 1901 p. 122 f. — Die Graph. Kste, XXIII (1900) 24 ff. (ill. Art. v. P o l d e M o n t). — G. V a n z y p e , Nos Peintres, 3me série; A. Ciamberlani ... Fr. Hens etc., Brüssel 1905. — L e m o n n i e r , Ecole Belge de peint., 1906. — J. d u J a r d i n , L'art flamand, Bd VI p. 157. — Onze Kst, 1907 I 276 (Abb.), II 32; 1912 I 66, 156; 1914 I 77, 180 ff. (Abb.), II 72; 1915 II 97. — Studio, XXII (1901) 136; XXIV 291 (Abb.). — Kstwelt, I. Jahrg. (1911/12), Bd II p. 556 (Abb.). *L. Hissette.*

Hens, J a n v a n , holländ. Maler des 17. Jahrh., vielleicht aus Haarlem, nur bekannt durch ein so bezeichnetes Bild in der Gemäldesamml. zu Nivaagard (No 27): Spielleute vor einer Dorfschenke; in der Art des Isak van Ostade.

M a d s e n , Fortegnelse over Malerisamlingen paa Nivaagaard, Kopenhagen 1913 p. 29.

Hensailer (Henseiller, Henseuler, Henstiller, Herstiller), H a n s , Maler, † in Prag März 1618, erscheint 1603 als Maler des Erzherzogs Mathias, seit 1612 als Kais. Maj. Kammermaler; erhielt 1603 100 fl. „umb dass er Irer Majestet ain erhebtes werkh (Hautrelief) der Belegerung Ofen unndt Pesst Präsentirt".

S c h l a g e r , Material. z. österr. Kstgesch., in Arch. f. oesterr. Gesch., II (1850) Heft 3 u. 4. — Jahrb. d. ksthist. Sammlg d. allerh. Kaiserh., X (1892); XX, 2. Teil; XXIX, 2. T.; XXX, 1. T. p. 141. — Oud Holland, 1905.

Hensberg, G e r h a r d , Verleger in Cöln 1550, vielleicht auch Formschneider, da das Monogramm auf dem Titelblatt der von ihm verlegten: Joachimi Fortij Ringelbergii Andouerpiani Sphaera, Cöln 1550, sich in seinen Namen auflösen läßt.

M e r l o , Köln. Kstler, ² 1895. — N a g l e r , Monogr., II.

Hensbergen, H i e r o n y m u s v o n , Stecher, zwischen 1660/90 in Hamburg tätig, wird 1680 Bürger. Seine Blätter sind mit dem Monogr. H. V. H bez. Er lieferte mehrere Illustrationen, u. a. mehrere Blätter in E. W. Happelius' „Des histor. Kerns der sogen. kurzen Chronica ander Theil", Hambg 1690, topograph. Aufnahmen der Stadt, Karten und eine Reihe von Bildnissen, u. a. Pastor Petkum nach Gerd Dittmers, Pastor Frank Simon sen. nach Elias Galli, Bildnis nach Joach. Luhn. Eine Anzahl seiner Arbeiten im Hambg. Künstlerlex. genannt. Sein gestoch. Selbstbildnis mit einer Unterschrift von Philipp von Zesen im Staatsarchiv, wo auch die meisten seiner Stiche sind.

Hambg. Kstlerlex., 1854 (Ex. d. Staatsarch. m. hdschriftl. Zus.). — R u m p , Lex. d. bild. Kstler Hambgs, 1912. — S t r u n k , Cat. over Portr. af Danske, Norske og Holstener, 1865 p. 350. — D u p l e s s i s , Cat. Portr. Bibl. Nat. Paris, 1896 ff., V 24378. — L i c h t w a r k , Bildnis in Hambg, I (1898) 104, 110, 112. *D.*

Hensch, G o t t h i l f F r i e d r i c h , Maler, geb. 2. 4. 1732 in St. Andreasberg (Oberharz), † gemäß Nagler um 1785, anfangs in Blankenburg tätig, dann bis 1755 in Braunschweig, darauf in Halberstadt, Quedlinburg u. Blankenburg, seit 1758 wieder in Braunschweig, von wo er (nach Meusel) Reisen nach Hamburg, Leipzig, Dresden und Holland unternahm. H. war vorzugsweise Miniaturmaler, doch werden auch Porträts in Öl, historische und Konversationsstücke genannt. Sein Bildnis des Herzogs Karl Wilh. Ferdinand von Braunschweig (1735—1806) in einem anonymen Stich erhalten.

M e u s e l , Teutsches Kstlerlex., ² I (1808). — N a g l e r , Kstlerlex. VI — D u p l e s s i s , Cat. Portr. Bibl. Nat. Paris, 1896 ff. II 7096/10.

Henschel, hessische Rot-, Stück- u. Glockengießerfamilie, ursprünglich in Gießen ansässig.
Doch ist für die einzelnen Mitglieder vom 16.
bis zum frühen 18. Jahrh. der verwandtschaftliche Zusammenhang noch nicht untersucht.
Schon 1534 wird ein Stückgießer H a n s genannt. Von einem Glockengießer H a n s
Glocken von 1660 in Groß-Buseck (Kr. Gießen)
u. von 1662 in Eichelsdorf (Kr. Schotten), von
einem J o h a n n e s (auch Henssel) in Gießen
eine Glocke von 1683 in Heuchelheim (Kr.
Büdingen), von 1707 in Hattenrod (Kr. Gießen).
Von einem J o h. A n d r e a s in Gießen
Glocken in Steinfurth 1722 (Kr. Friedberg),
Zwingenberg 1722 (Kr. Bensheim), Trais-Münzen-
berg 1734 (Kr. Friedberg) u. a. O. P h i l i p p
L u d w i g war in Nauheim tätig; Glocken
von 1735 in Schwalheim, 1738 in Dorheim
(Kr. Friedberg) u. a. a. O.
C a r l (Georg Christian C.), geb. in Gießen
24. 4. 1759, † in Cassel 2. 6. 1835, kam 1777
nach Cassel u. wurde zuerst Gehilfe, dann
Schwiegersohn, schließlich Nachfolger des fürstl.
Stückgießers Storck. Er nennt sich zusammen
mit Storck auf einer Glocke von 1791 in Hohen-
gandern (Kr. Heiligenstadt), unter der Schrift
d. hl. Bartholomäus (Relief), auf Glocken von
1797 in Grifte (Kr. Fritzlar), von 1803 in Dorle
(ebenda), 1818 auf der großen Glocke der Martinskirche in Cassel, zusammen mit seinem
Sohne Werner, der den plastischen Schmuck
(Relief: Engel) dieser und vieler anderer Glocken
in Cassel u. Umgebung geliefert hatte. Außerdem betrieb Carl den Kanonenguß, auch
unter westfäl. Herrschaft, doch mußte er 1810
nach einem Streit mit dem Artilleriechef das
nun königl. Gießhaus räumen, und richtete
sich mit Hilfe seines Sohnes Werner in
seinem daneben gelegenen Privathause eine
eigene Gießerei u. Maschinenfabrik ein. Die
Hauptarbeit leistete dabei Werner, so daß
dieser mit dem Gründungsjahr 1810 der
eigentliche Begründer der späteren Firma
Henschel & Sohn (seit 1830) genannt werden
darf, wenn auch Werners älterer Bruder Carl
Anton (1780—1861) die Fabrik erst zur Blüte
gebracht hat.
W e r n e r (Johann W.), Bildhauer, geb. in
Cassel 14. 2. 1782, † in Rom 15. 8. 1850, genoß als Patenkind des Porträtmalers u. Hof-
Dessinateurs J. W. Kobold († 1803) dessen
Unterricht im Zeichnen u. Malen und lernte
Modellieren u. Steinhauen bei dem Hofbildh.
L. D. Heyd († 1801) an der Akad. in Cassel.
Damals arbeitete er mit an den von Heyd für
die Treppenwangen des südwestl. Flügels des
Schlosses in Wilhelmshöhe gelieferten Sand-
steinlöwen, ebenso an den Nischenfiguren
(Luna u. Hesperus) dieses Flügels. Daneben
aber mußte er, zum Stück- u. Glockengießer
bestimmt, seine Ausbildung darin betreiben
und wurde am 3. 4. 1799 zünftig als Meisters-

sohn zum Gesellen dieser Profession angenommen. Schon 1794 erscheint H. in den
Listen der Akad. als Schüler der Architektur-
abteilung, seit 1802 als Schüler von Heyd;
nach dessen Tode bildete er sich bei Böttner,
Nahl u. Sussow weiter. 1801 u. 1802 wurde
er auf den Akad.-Ausst. mit der großen silb.
Medaille ausgezeichnet, 1803 erhielt er die
große gold. Med., nebst Reisestipendium, für
eine Gruppe „Frühling durch Flora bekränzt".
Das Stipendium wurde am 7. 10. 1803 auf
3 Jahre bewilligt, doch hielt ein Auftrag des
Kurfürsten auf eine Statue des Herkules mit
der Keule (9 Fuß hoch, Gips; z. T. erhalten
in der Murhardschen Bibl. in Cassel) H. bis
1805 zurück. Am 31. 8. 1805 kam er in
Paris an und suchte Jacob Grimm auf, der
mit Savigny damals in Paris weilte. Die Beziehungen zu den Brüdern Grimm hatten
schon in Cassel begonnen, wurden durch die
Bekanntschaft mit Jacob befestigt und haben
in der Freundschaft mit Ludwig, dem Maler
und späteren Casseler Kollegen an der Akad.,
bis zu H.s Tode gedauert. Seit 1807 verkehrte
er viel mit dem Maler L. Hummel. H. war
als Schüler bei J. L. David eingetreten (nicht
bei David d'Angers), zeichnete unter seiner
Leitung Akt, modellierte und malte. David
erwirkte für H. durch eine Empfehlung an
Jérôme eine Verdoppelung des Stipendiums.
(In Davids Krönungsbild diente H. als
Kostümmodell für die Figur des Eugène
Beauharnais.) H. besuchte auch häufig die
kaiserl. Gießereien, um sich dort im
Bronzeguß gesammelten Erfahrungen für die
väterliche Gießerei Nutzen zu ziehen. In der
Pariser Zeit entstanden an plastischen Arbeiten
nur ein kleines Relief „Die Schule" und eine
in der Auffassung ganz romantische Madonna
mit dem Kinde, von 2 knienden Engeln an-
gebetet. Durch Davids Vermittlung erhielt H.
von Jérôme den Auftrag für ein Denkmal
Napoleons in Cassel. Dies veranlaßte H.s Rückkehr in die Heimat (Juli 1810). Er plante ein
Bronzestandbild, lieferte auch ein Modell, doch
verlangte man die Enthüllung des Denkmals
so bald, daß ein Guß in so kurzer Zeit nicht
möglich war, und eine fertige Marmorfigur
(von A. D. Chaudet) in Paris gekauft u. am
12. 11. 1812 enthüllt wurde. (Bis 1813 auf
dem Königsplatz, heute Landesmus. Cassel.)
Die Neueinrichtung der väterlichen Gießerei
(s. oben) ließ ihm nicht Zeit zu künstlerischer
Arbeit; noch viele Jahre später klagte er bitter:
„ich mußte in meinen besten Jahren Kanonen
gießen". Die Wiedereinsetzung des Vaters in
das Gießhaus nach der Flucht Jérômes (26. 10.
1813) brachte nur technische Aufgaben, vor
allem den Guß von Kanonen (für das kur-
hessische Armeekorps), zu denen Wilh. Grimm
die Inschriften lieferte. Von künstler. Arbeiten
dieser Jahre sei die Büste Lichtenbergs (voll.

1816) genannt. Der Eintritt seines Bruders Carl Anton in die Fabrik (1817) befreite H. von der eigentlichen technischen Arbeit, dafür lieferte er Entwürfe für Öfen, Leuchter, Gitter, Vasen, Glockenschmuck usw. (Zeichnungen im Archiv der Firma Henschel & Sohn). Erhalten 2 Öfen in Bronzeguß mit figürl. Schmuck in Schloß Wilhelmshöhe. Für die Kurprinzessin Auguste führte er eine lebensgr. Gruppe der Caritas aus (Gips, voll. 1816), und Büsten ihrer Kinder, von denen die der Prinzessin Karoline besonders gelungen ist. 1818 hielt sich in Cassel die Akensche Menagerie auf; H. benutzte die Gelegenheit zu Tierstudien nach dem Leben. Er modellierte einen liegenden Löwen, einen stehenden, eine Löwin u. einen liegenden Tiger. Sie zeigen ein bemerkenswertes Verständnis für das Tier und sein Wesen und Ansätze zu einem gesunden Naturalismus, die H. später verlorengingen. 1822 erhielt er vom Kurfürsten (seit 1821 Wilhelm II.) Auftrag für das Grabmal des Grafen Wilh. v. Reichenbach, seines natürlichen Sohnes (Cassel, Alter städt. Totenhof), Marmorsarkophag auf Postament, umgeben von neugotischem Gitter (Gußeisen), auf den Eckpfosten 4 kniende Kinderengel (Marmorreplik [in Rom gearbeitet] des einen der Engel im Bes. v. Dr. Wilh. Koch, Berlin). 1827 suchte er durch Vermittlung des befreundeten P. Cornelius den Auftrag für das Dürerdenkmal in Nürnberg zu erhalten, doch war die Arbeit schon an Rauch vergeben. 1828 unternahm er zusammen mit Ludwig Grimm die Reise nach Nürnberg zur Grundsteinlegung dieses Denkmals und zum Dürerfest. (Reisetagebuch Grimms im Henschelschen Familienarchiv). Die Rückreise ging über Meiningen und Fulda, wo H. die ersten Besprechungen wegen des Bonifatius-Denkmals hatte. Von den Arbeiten dieser Jahre seien genannt die Wiege für den Erbprinzen von Meiningen (späteren Georg II.): Mahagoni mit Perlmuttereinlagen (1826), Dekor in Goldbronze, am Kopfende eine Lyra über 2 knienden Engeln (Meiningen, Schloß; Congreßausst. Wien 1896, Kat. No 264). Zu seinen besten Arbeiten gehören wohl die Büsten seiner Eltern, zu deren goldener Hochzeit 1829 ausgeführt. Schon 1818 war H. Mitglied der Casseler Akad. geworden, am 14. 5. 1832 wurde er als Professor für Bildhauerkunst angestellt. 1829 lieferte H. den ersten, wenig geglückten Entwurf für das Bonifatius-Denkmal, am 29. 9. 1830 wurde der Vertrag abgeschlossen, in dem H. sich verpflichtete, das Denkmal, in Bronze gegossen (12 Fuß hoch), bis Mitte August 1831 abzuliefern. Die Vollendung verzögerte sich bis zum Juli 1839 (enthüllt 1842). Die Zeitgenossen nannten es „ein Meisterwerk der monumentalen Kunst", auch heute wird man dem Denkmal Größe der Auffassung, Würde u. Kraft zu-

erkennen dürfen, wenngleich die klassizistische Mäßigung in der Gestalt dieses Mannes mit dem Zeushaupt aus dem eifervollen, willensstarken Glaubensmann mehr einen Philosophen macht (4 Reliefs für den Sockel mit Darstell. aus der Geschichte des Heiligen konnten aus Mangel an Mitteln nicht ausgeführt werden). Von den Arbeiten dieser Jahre sei neben mehreren gelungenen Medaillen das Grabmal für Lotte Hassenpflug, geb. Grimm († 1833) genannt, das die Brüder Grimm ihrer Schwester setzen ließen. (Aufgestellt 1843, Totenhof Cassel.) 1839 hatte H. das Modell zu einer Brunnengruppe vollendet, das durch Vermittlung der Prinz. Karoline v. Hessen nach Berlin kam. Friedr. Wilh. IV. beschloß die Ausführung in carrarischem Marmor und erwirkte für H. Urlaub dazu nach Italien. H. kam im Dezember 1843 nach Rom, wo dann die Gruppe vollendet wurde (Juni 1846). April 1847 war sie in der Rotunde des alten Museums in Berlin ausgestellt und erhielt ihren endgültigen Platz in den römischen Bädern des Schlosses Charlottenhof bei Potsdam. Der Berichterstatter der Allg. Preuß. Zeitg (13. 4. 1847) empfand stark den Gegensatz gegenüber den antiken Figuren der Rotunde, die Gruppe trägt für ihn „in ihrer Idee die ganze Romantik der christl. Kunst zur Schau". Die Ausführung findet er glücklicher, lobt sogar die Figur des Mädchens, während er die Stellung des Jünglings, der sich unter ihr Tragejoch gebückt hat, um ihr die Last zur Hälfte abzunehmen, ängstlich, ruhelos, ja unangenehm nennt. Dies Urteil blieb vereinzelt, H. fand durchaus den Beifall der Zeit, die der Nachahmung der Antike müde geworden war. Für H.s römischen Aufenthalt war ihm der Urlaub mehrfach verlängert worden. Anfang 1846 wurde eine neue Verlängerung abgelehnt. H. bat um seine Entlassung u. erhielt sie am 17. 12. 46 mit der Ernennung zum Hofbildhauer. 1844 beschäftigte ihn eine Kindergruppe „Leid u. Freud", zu der wohl Thorvaldsens Amor u. Psyche die Anregung gab; blieb unvollendet u. wurde von anderer Hand zu Ende geführt (Prov.-Mus. Hannover). Die Tiberüberschwemmung (Dez. 1846) setzte H.s Werkstatt unter Wasser und zerstörte u. a. die fertigen Tonmodelle für die 4 Tageszeiten (davon 3 kleine von seinem Schüler H. Gerhardt wiederhergestellte Tonmodelle in der Murhardschen Bibl. in Cassel). Von den mancherlei Entwürfen u. Modellen der römischen Zeit mag ein wenig erfreulicher auferstandener Christus genannt werden und das gute Modell eines Sockels für einen Taufstein mit den 4 Evangelisten (Entwurfzeichnung im Henschel'schen Familienarchiv). Ausgeführt wurde ein Toilettentisch in weißem Marmor mit 2 Putten, ein Geschenk für die Herzogin v. Meiningen (Residenzschloß Meiningen). Die erhofften Aufträge blieben auch in Rom aus, im Juni 1848 wurde H. an die Akad. nach Cassel zurückberufen u. beschloß seine Rückkehr für Sommer 1850; das unruhige Jahr 1848 lähmte die Arbeitskraft des leidenden Künstlers, die Belagerung Roms (1849) durch die Franzosen nötigte ihn zeitweilig zur Flucht nach Neapel. Im Frühjahr 1850 erkrankte er schwer, der Tod vereitelte die Heimkehr nach Cassel. Auf dem Friedhof an der Pyramide des Cestius ist er begraben. — Die umfangreiche Sammlung seiner Originalmodelle ist durch Vermächtnis der Nichte H.s, der Malerin Emilie v. d. Embde († in Cassel 1904), an die Murhardsche Bibl. in Cassel gekommen, anderes im Besitz der Familie Henschel, reichen Aufschluß gibt deren Familienarchiv. Ein Porträt H.s (1819; Öl) von der Hand seines Schwagers A. v. d. Embde war im Besitz der Nichte; auf L. Grimms Radierung der Dürerhuldigungsfeier von 1828 in Nürnberg ist H. ganz rechts am Blattrande dargestellt, vor ihm Grimm selbst im Pelzmantel. Im Kupferstichkabinett Dresden ein Bildnis, gezeichnet v. G. F. Bolte.

Neuer Nekrolog d. Deutschen, XXVIII. Jahrg. 1850, I (1852) 489—536 (zahlreiche Irrtümer, in der Beurteilung des Menschen offensichtlich Falsches). — O. Gerland, W. Henschel, Ein Bildh. a. d. Zeit d. Romantik, 1898 (reichliche Abb., mit Benutzung der Selbstbiogr., des Familienarchivs, Abdruck vieler Briefe; unkritisch und in den Einzelheiten nicht immer zuverlässig; Literaturverzeichnis). — L. E. Grimm, Lebenserinnerungen, Lpzg 1911. — Hoffmeister-Prior, Kstler u. Ksthandw. in Hessen .., 1885. — Gerland, Grundlage zu einer hess. Gelehrten... Gesch., 1863. — Knackfuß, Gesch. d. kgl. Kst-Akad. zu Cassel, 1908 p. 106 ff., 162 ff., 170, 197, 206. — Kunstchronik, X (1875) 829; XVII 409; XXIV 157. — Kunstblatt, 1822 p. 378; 1829 p. 391. — Kat. Berl. Akad.-Ausst., 1824 p. 97; 1828 p. 104. — Kat. Bildniszeichn. Kupferstichkab. Dresden, 1911. — Weigels Kstcatalog, Leipzig, 1838—66, IV 19 174; V p. 169. — Hessenland, XXIX (1915) 89. — Hohenzollernjahrbuch, 1916. — P. Heidelbach, Cassel (Stätten d. Kultur) 1920 p. 201, 216, 227, 246 f., 253. — Walter, Glockenkunde, 1913. — Kunstdenkm. Großherzogt. Hessen, Kr. Bensheim, 1914 p. 288. — Bau- u. Kstdenkm. Reg.-Bez. Cassel, Bd IV (Cassel-Land) 1910. — Bau- u. Kstdenkm. Reg.-Bez. Wiesbaden, VI (Nachlese), 1921 p. 155. — Bau- u. Kstdenkm. Prov. Sachsen, XXVIII (Kr. Heiligenstadt) 1909. — Rhein. Ver. f. Denkmalpflege, Mitt. XII (1918) 67. — Mitt. d. Murhardschen Bibl. in Cassel. *R.*

Henschel, Gebrüder, Kupferstecher, Pastell- u. Miniaturmaler in Berlin, später in Breslau: Wilhelm, geb. 1781 in Trachenberg, Schlesien, † 27. 6. 1865 in Breslau; arbeitete mit Moritz u. F. zusammen. 1804—18 erscheinen sie auf den Berl. Akad.-Ausst. Von ihnen sind 5 Bl. „Die kaiserl. franz. Garde", von 1807; eine Folge „Ifflands Mimische Darstell. für Schauspieler u. Zeichner", 1808 begonnen, 1819 auf 20 Hefte angewachsen; „Szenen aus Goethes Leben", 1. Heft 1819

erschienen, in lithogr. Farbendrucken; Folge von „Darstell. der vorzügl. in Berlin aufgeführten Ballets"; „Begebenheiten aus dem heiligen Krieg"; ferner Einzelblätter u. Porträtstiche: Der König an Blüchers Krankenbette, „nach der Natur gezeichnet u. in Kupfer verfertigt von den Herausgebern Gebrüder Henschel in Berlin u. Breslau 1821"; Porträt Blüchers nach Zeichn. der Prinzessin Wilhelm v. Preußen (farb. Kupferstich), Brustbild Seegebarths (1817), Fußbote der kaufmännischen Stadtpost in Berlin um 1800. In Breslauer Privatbes. von ihnen ein Skizzenbuch mit vielen gezeichneten Miniaturporträts (so Fichtes). Von Wilh. waren 2 Miniaturen (Porträt des Grafen N. A. W. v. Burghauss [1803] u. der Sängerin Catalani) aus Privatbes. auf der Miniaturenausst. im Schles. Mus. Breslau, 1903.

Nagler, Kstlerlex., VI. — Schlesiens Vorzeit in Bild u. Schrift, N. F. III (1904) 148, 157 (E. Hintze). — Lemberger, Bildnisminiatur in Deutschland, 1909 (mit Abbn). — Kat. Akad.-Ausst. Berlin, 1804 p. 27; 1806 p. 37; 1810 p. 15; 1818 p. 17. — Kat. d. Hist. Ausst. Breslau 1913. — S. Kirchstein, Jüdische Graphiker aus der Zeit von 1625—1825, 1918 p. 41—71 (nicht benutzt). — Mit Notizen von E. Hintze (Breslau).

Henschel, Gallus Emil, Maler, geb. 16. 10. 1865 in Berlin, gebildet an der Kunstschule ebenda und an der Akad. unter Max Koner, Vorsteher des Aktsaales des Vereins Berliner Künstler, zeigt seit 1894 in der Gr. Kunstausst. Landschaften (vielfach in Aquarell), Bildnisse und Marinen.

Dressler's Kunsthandbuch, 1921 II. — Ausst.-Kataloge.

Henschel (Henschael, Henschell), Hans, Glockengießer in Mainz. Glocke von 1600 in Wenschdorf (B.-A. Miltenberg), zusammen mit Christ. Klapperbach; von 1631 in der Abteikirche zu Amorbach, am Mantel Rundplakette mit der Anbetung d. Hirten; von 1629 im Stadthaus zu Bingen; wohl von H. auch die Glocke in der Dorfkapelle zu Tringenstein (Dillkreis) mit der Inschrift: Hans Henschele von Maintz goß mich 1636.

Walter, Glockenkunde, 1913. — Bau- u. Kstdenkm. Reg.-Bez. Wiesbaden, IV (1910) 99. — Kstdenkm. Bayerns, III, Heft XVIII p. 50, 326.

Henschel, Moritz, s. im 2. Art. *Henschel.*

Henschel, Paul, Maler in Düsseldorf, geb. zu Hagen i. W. am 14. 7. 1889. Schüler der Düsseld. Akad. (seit 1908), pflegt besonders die Figurenmalerei (Figur in Verbindung mit Landschaft) u. das Stilleben. Mitglied der Düsseld. Künstlergruppe „Eiland"; vertreten in der Düsseld. Städt. Gemäldesammlg.

Mitteil. d. Künstlers. — Notizen W. Cohen.

Henschel, Werner, s. im 1. Art. *Henschel.*

Henschel, Wilhelm, s. im 2. Art. *Henschel.*

Henschke, Johann Gottlob, Landschaftszeichner u. -stecher, geb. 8. 9. 1771 in Dresden, † 18. 9. 1850 ebenda. Trat 1784 als Zeichenschüler in die Dresdner Akad. ein und kam Juli 1786 in Adr. Zinggs Schule. H. hat hauptsächlich Motive aus der Umgebung Dresdens (Sepia oder Tusche) gezeichnet (3 frühe Arbeiten, von 1786—88, Tusche, im Bes. des Unterzeichn.; Ansicht des Dorfes Trachau b. Dresden, Tusche, 1790, u. des Wasserschlößchens im Plauenschen Grunde b. Dresden, Aquar., 1797, im Stadtmus. zu Dresden; 3 Tuschzeichn., darunter 2 Partien aus dem Loschwitzer Grunde, im Mus. zu Gotha u. a.); besonders aber hat er viele Kupferstiche mit Motiven dieser Art nach eigenen Zeichn. gefertigt. Doch kommen auch Bildnisse vor, z. B. Joh. Seb. Bach, König Ferdinand VII. v. Spanien, Pietro Aretino (nach Tizian), ferner ein Stich mit der Unterschrift „Fürst Poniatowski's Tod im Elsterflusse bei Leipzig am 19. 10. 1813 etc.", u. a. 9 Ansichten sächs. Städte — eine nach Canaletto — lieferte er für Aug. Schumanns Post- u. Zeitungslexikon 1815—30; andere im Stadtmus. und in der Landesbibliothek zu Dresden, in der Samml. des Vereins f. Gesch. der St. Meißen, usw.

Dresdn. Akten (Kirchenb., Kstakad.) u. Adreßb. 1797—1850. — K e l l e r , Nachr. v. allen in Dresd. leb. Kstlern, 1788 p. 211 (Hänschchen!). — Neue Dresdn. Merkwürdigk., 1792 p. 110. — Allgem. Lit. Anz., 1799 Sp. 635. — Dtsche Kstblätter, II 1 (1801) 57. — H a y m a n n , Dresd. Schriftst. u. Kstler, 1809 p. 388. — Katal. akad. Kstausst. Dresden 1801—1814; Berlin 1834 p. 21 (J. G. Häntsch!). — L i n d n e r , Taschenb. f. Kst u. Lit. im Kgr. Sachsen, II (1828) 17. — D u p l e s s i s , Cat. Port. Bibl. Nat. Paris, 1896 ff., I 1541/22, 2325/8; III 15560/27. — H u t t e n - C z a p s k i , Poln. Portr.-Stiche, Krakau 1901 (poln.). *Ernst Sigismund.*

Hense, B e r n h a r d , Bildhauer aus Rüthen, verpflichtet sich 1729, für Ostern 1730 die Figuren Joh. d. T. und des hl. Franz „von ganz trucken Holz, ein jedes Bild 6 Fuß hoch ohntadelhaft sauber, fein und ganz ausgearbeitet in aller Proportion in der Länge und Dicke" für die Kirche des FranziskanerKlosters Geseke zu arbeiten. Die Figuren am Hauptaltar erhalten.

Bau- u. Kstdenkm. Westfalen, Kr. Lippstadt, 1912. — D i d a k u s F a l k e , Kloster u. Gymnasium Antonianum d. Franzisk. z. Geseke (Franzisk. Studien, Beiheft I) 1915 p. 29.

Hensel, C a r l , Hofsteinschneider in Warmbrunn im Riesengeb., geb. 18. 2. 1789, † 24. 9. 1864, dessen Arbeiten von vollendeter Schönheit sind. Er hat viel für die preuß. Königs- u. die russ. Kaiserfamilie gearbeitet, hat 4mal das große preuß. Staatswappen mit 52 Feldern geschnitten. Seine Söhne u. Enkel, von denen sein Sohn R o b e r t (geb. 19. 4. 1822, † 12. 7. 1890) u. Roberts Sohn R i c h a r d (1857—89) genannt seien, betätigten sich ebenfalls als Siegel- u. Steinschneider.

Schlesiens Vorzeit, N. F. VII (1919) 259. — Kunstwanderer, IV (1922) 149. — R. S c h m i d t , Das Glas (Handbücher der Berliner Museen).

Hensel, G e o r g H., Miniaturmaler u. Lithograph, geb. um 1800 in Celle, † nach 1832

(gemäß Nagler). Schüler der Berliner Akad., zeigte 1822, 26, 28 u. 30 Miniaturen u. Lithographien auf deren Ausstell.

N a g l e r , Kstlerlex., VI. — Kataloge der Berl. Akad.-Ausst.

Hensel, H a n s , Goldschmied u. Kupferstecher aus Sagan, tätig vermutlich in Nürnberg. Von ihm Folgen von Schwarzblättern mit Ornamenten für Goldschmiede, Grotesken u. dgl. Neben den Monogrammen H. H., I. H. u. I. H. F. auch die Aufschrift: Hans Hensel Vonn Sagan Inventor fecit und die Daten 1599 u. 1601. Die Adresse lautet Baltasar Caimox excudit od. P. Ew. exc., was auf Nürnberg deutet. — Nagler vermutet in H. nach den vorkommenden Monogrammen den Stecher von Blättern mit Städteansichten in Daniel Meisner's Thesaurus Philo-Politicus, 1620—28 Frankfurt a. M. bei Eberhard Kieser.

N a g l e r , Monogr., III. — B r u l l i o t , Dict. des Monogr. App. II No 139 u. 161. — R i s - P a q u o t , Dict. encycl. des Marques et Monogr. — Burl. Mag., VIII (1905/06) 130. — Kat. Ornamentstichsamml. Berlin, 1894.

Hensel, W i l h e l m , Bildnis- und Historienmaler und Radierer, geb. 6. 7. 1794 in Trebbin (Mark Brandenburg) als Sohn eines protest. Geistlichen, † 26. 11. 1861 in Berlin. Von der Mutter hatte H. ebenso wie seine Schwester Luise, die bekannte lyrische Dichterin, ein starkes poetisches Talent geerbt. Aber ebenso früh zeigte sich schon bei dem Knaben eine ausgesprochene Begabung für die Malerei. Seinem Lieblingswunsch, sich ganz dieser Kunst zu widmen, mußte er infolge der Kriegsnöte der Jahre nach 1806 und besonderer Bedrängnisse der Familie entsagen und widmete sich nach dem Willen seines Vaters dem Bergfach. Erst nach des Vaters Tod (1809) konnte er mit Unterstützung eines Gönners die Berliner Akad. beziehen, studierte unter Frisch Anatomie und Perspektive und zeichnete nach der Antike und dem lebenden Modell, daneben arbeitete er, um sich und den Seinen Brot zu verschaffen, an Illustrationen zu Taschenbüchern und Almanachen, versuchte sich auch in Radierungen. Ein Ölgemälde (Christus auf dem Ölberg), ein Selbstbildnis und Skizzen erwarben ihm 1812 auf der ersten Berliner Kunstausstell. eine Gratifikation. Als 1813 der „Aufruf des Königs" erfolgte, eilte H. als einer der ersten freiwillig zu den Fahnen, wurde dreimal verwundet, machte die Schlachten von Lützen, Bautzen und Leipzig mit, von der patriotischen Begeisterung seiner Schwester Luise getragen, die ihm damals eine Reihe ihrer schönsten Lieder widmete. Zweimal, 1813 und 1815, zog er mit in Paris ein, wo er nach dem Friedensschluß, Kunststudien halber, noch einige Zeit blieb. Nach Berlin zurückgekehrt, erhielt er bald ehrenvolle Aufträge, malte z. B. im Konzertsaal des Berliner Schauspielhauses mit Kolbe, Dähling, Schadow, Tieck u. a. Darstellungen aus den Tragikern aller Zeiten, wobei er dem vor der Prinzessin knienden Tasso die Züge Ed. Devrients verlieh. Durch glänzende gesellschaftl. Gaben wurde er rasch in den Berliner Salons und literarischen Kreisen beliebt, so im Hause des Kriminalrats Hitzig im Verkehr mit la Motte-Fouqué, Houwald, Chamisso, Helmine v. Chézy, E. T. A. Hoffmann (in dessen „Brautwahl" er als Maler Lehsen eine Rolle spielt) und bei Stägemanns, dem Treffpunkt „der ersten Geister und besten Gestalten Berlins", wo Brentano, Wilh. Müller, die Brüder Gerlach, Amalie v. Helvig, Ferd. v. Bülow, Schenkendorf, Gneisenau u. a. verkehrten. Der Aufmunterung seiner Freunde Tieck, Arnim, Chamisso, Brentano, mit denen er sich in lyrischen Wettkämpfen maß, sich der Dichtkunst zu widmen, widerstand er aus stärkerer Neigung zur Malerei und aus Rücksicht auf den notwendigen Verdienst. Radierungen zu Arndtschen Märchen, Zeichnungen zu Tiecks Genoveva u. Phantasus entstanden damals. Als 1821 zur Feier des Besuches des russ. Thronfolgerpaares in Berlin ein Hoffest stattfand, bei dem lebende Bilder nach Thomas Moores Gedicht „Lalla Rookh" gestellt wurden, wobei Schinkel die Herstellung der Dekorationen besorgte, fiel H. die künstierische Leitung zu. Sie gelang so gut, daß der König ihn beauftragte, die Bildnisse aller Mitwirkenden in orientalischem Kostüm für die Großfürstin zu malen. Die 12 Aquarelle wurden, ehe sie nach Petersburg abgingen, einige Tage von H. im Atelier ausgestellt; bei dieser Gelegenheit lernte er seine spätere Gattin Fanny, die schöne u. hochbegabte Schwester Felix Mendelssohns, kennen. Die Lalla Rookh-Aufführung brachte H. ein Reisestipendium des Königs nach Rom für 5 Jahre ein mit dem Auftrag, eine Kopie von Raffaels Transfiguration zu malen, die er während seines röm. Aufenthaltes (1823—28) vollendete (Schloß Sanssouci). In Rom gab er sich dem Studium der alten ital. Meister hin, die von starkem Einfluß auf seine religiösen Bilder wurden, verkehrte viel mit Schnorr v. Carolsfeld, Cornelius, Ludwig Richter, Thorvaldsen, Schinkel, Rauch, Lepsius, Ranke, Stackelberg, Kestner, Kopisch, Platen, Waiblinger u. v. a., von denen er die meisten in vortrefflicher Charakteristik mit dem Stifte festhielt. Bei seinem Verkehr in der Casa Bartholdy und bei den Empfängen des Gesandten Bunsen entstanden viele Blätter seiner berühmten, durch einen Zeitraum von über 40 Jahren fortgesetzten Sammlung von Porträtzeichnungen, die er schon in Berlin begonnen hatte. Von seiner feinen Beobachtungsgabe zeugen zahlreiche, rasch hingeworfene Skizzen mit landschaftl. Eindrücken, ländlichen Trachten und Studien von Zeremonien und Nationalfesten. In Rom schuf er von größeren Werken noch „Christus und die Samariterin" (1827, lithogr. von Oldermann u. Tempeltei,

abgeb. Kugler, Hdbch d. Kunstg. Atlas Taf. 124, ausgestellt 1855 in Paris, jetzt in Schloß Bellevue in Berlin). Okt. 1828 nach Berlin zurückgekehrt, wurde er zum Hofmaler ernannt und schuf 1829/30 das Ölgemälde „Vittoria v. Albano am Brunnen, ihren Freundinnen den Entschluß mitteilend, ins Kloster zu gehen", und die „Genzanerin mit dem Tambourin". 1831 wurde er Professor der Berl. Akad. für Historienmalerei und malte in den nächsten Jahren (1834) „Christus vor Pilatus", sein bedeutendstes Gemälde, „vortrefflich in Zeichnung, Farbe und Ausdruck der Gesichtszüge" (Raczynski; gest. von Gavard, auf der Berl. Kunstausst. 1834, in Paris 1855, jetzt als Altarbild in der Garnisonkirche in Berlin), „Mirjams Lobgesang nach dem Durchzug durchs Rote Meer" (1836), gest. von H. Bourne, das in den Besitz des engl. Königshauses überging (Beschreibung u. Würdigung bei Nagler, und Beil. Berl. Nachr. 1836 Nr 255), „Christus in der Wüste" (1837 bis 38), ein Kolossalbild, das König Friedr. Wilh. IV. ankaufte, „Der Herzog von Braunschweig auf dem Ball in Brüssel vor dem Treffen von Quatrebras" (1839), nach Byrons Childe Harold III 21—28, von Lord Egerton bestellt und in engl. Privatbesitz, „Israelitische Hirtin, im Lande Gosen, leierspielend" (1839), von der Herzogin v. Sutherland angekauft, „Kaiser Wenzel" (1844) im Kaisersaal des Römer in Frankfurt a. M., „Römische Frauen am Brunnen" (1845), „Betende Römerinnen" (1845) im Mendelssohnschen Besitz, „Biwak des Herzogs von Braunschweig" (1845, unvollend. Kolossalbild für d. Braunschw. Thronsaal). Gelegentliche Reisen führten H. 1835 zum Kölner Musikfest, nach Paris, Boulogne, Belgien, 1838 nach London, wo er an der Krönungsfeier der Königin Viktoria teilnahm, die er mit ihrem Gemahl und Sohn porträtierte, 1839—1840 mit Frau und s. Sohn Sebastian (Verfasser der „Familie Mendelssohn" und einer Selbstbiographie „Ein Lebensbild aus Deutschlands Lehrjahren") nach Rom, wo er Verkehr namentlich mit den Künstlern der französ. Akad., Ingres, Gounod u. a. pflegte. 1843 wieder in England, Winter 1844/45 in Rom. Der plötzliche Tod seiner Frau (14. 5. 1847) zertrümmerte sein Lebensglück und lähmte seine künstler. Kraft. Sein Atelier verödete, er suchte Trost und Zerstreuung in publizistischer und literarischer Tätigkeit. Die Märztage 1848 sahen ihn in Waffen; er trat an die Spitze des Künstler- und Studentenkorps. 1848 reiste er im Gefolge seines Königs nach Köln zur Domsäkularfeier, 1852 wurde er Senatsmitglied der Kunstakad. 1860 hielt er die Ehrenwache bei Friedr. Wilh. IV. und zeichnete sein Totenbild. 1861 zog er sich bei einem Akt der Nächstenliebe, durch Rettung eines Kindes vom Überfahrenwerden, einen tödlichen Unfall zu, dem er am 26. 11. erlag. Sehr schön sagt

Fontane von seinen letzten Lebensjahren, nach 1848: „Es kehrten ihm nun ruhigere Tage zurück, und an dieselbe Wand, an der die Büchse des freiwilligen Jägers und die Palette des Malers bereits hingen, hing er nun auch das Rüstzeug des Parteikämpfers ... Er war nun ganz das geworden, was man die „Figur" nennt. Jeder kannte ihn, jeder wußte dies und das von ihm zu erzählen: Guttaten, Schwänke, Bonmots und Impromptus. Er war in gewissem Grade „der alte Wrangel in Civil" ... Er gehörte ganz zu jener Gruppe märkischer Männer, an deren Spitze, als ausgeprägtester Typus, der alte Schadow stand, Naturen, die man als doppellebig, als eine Verquickung von Derbheit und Schönheit, von Gamaschentum und Faltenwurf, von preußischem Militarismus und klassischem Idealismus ansehen kann, die Seele griechisch, der Geist altenfritzisch, der Charakter märkisch."

H. wird als Maler „ungemeine Gewandtheit und Leichtigkeit der Erfindung, reiche Phantasie und ein außerordentliches Talent für Komposition" nachgerühmt (Nagler), an seinen Bildern das kräftige Kolorit und dramatische Bewegung hervorgehoben. — Seine Hauptbedeutung liegt in seinen Porträts, mit denen er seinen Zeitgenossen Begas übertraf. Außer den etwa 400 Bildnissen in Öl, unter denen mehrere von Felix Mendelssohn (1829, gest. von J. Caspar, 1845 Kniestück), Prinz von Wales (1843, im Besitz des engl. Königshauses), Thorvaldsen (um 1840, im Besitz von Generalkonsul Hansen in Kopenhagen) hervorragen, sind namentlich seine Porträtzeichnungen (s. oben) hervorzuheben, die an Ingres' Art erinnern. Außer zahlreichen, in alle Welt zerstreuten Blättern befindet sich eine in 47 Jahresmappen geordnete, von 1815—1860 reichende Sammlung von 1027 Köpfen in Familienbesitz, die öfters von Zeitgenossen gerühmt wird (siehe Therese Devrients Jugenderinnerungen, Stuttgart 1905 p. 267 f.). Theodor Fontane, der die beste Charakteristik von H.s Persönlichkeit gegeben hat, sagt von dieser Sammlung: „alles, oder doch fast alles, was in diesem langen Zeitabschnitt in ganz Mitteleuropa zu Ruhm und Ansehn gelangte, das gibt sich hier ein Rendez-vous" und prophezeit ihr eine einstige Bedeutung, ähnlich den mittelalterlichen Bilderhandschriften, aus denen oft Städte, Stände, Persönlichkeiten allein noch zu uns sprechen. „Die Mappen W. Hensels werden dann ein Bibliothekenschatz sein ... und der Name des Predigersohnes aus Trebbin wird zu neuen Ehren erblühen". H.s Sohn, der einen Katalog der Zeichnungen seines Vaters anfertigte, spricht (1880) von „dieser unvergleichlichen Sammlung, die noch dermaleinst ein hohes, historisches Interesse bekommen wird". Die Veröffentlichung dieser Porträtsammlung, des eigentlichen Lebenswerkes H.s, durch den Verf. dieses Artikels ist im Erscheinen.

Nagler, Künstlerlex., VI; ders., Monogr., III 1672; V 1695. — Verzeichn. der Akad.-Ausst. Berlin 1862 p. V (Nekrolog). — Raczynski, Gesch. der neueren deutsch. Kunst (1838, übers. von v. Hagen), III 48—51. — Ad. Rosenberg, Gesch. d. mod. Kst, 2. Ausg. 1894, II. — Hagen, Deutsche Kunst in uns. Jahrh. (1857), I 248. — Reber, Gesch. der neueren deutschen Kunst, 1876. — F. v. Bötticher, Malerwerke des 19. Jahrh., I 2 (1895). — Allgem. Deutsche Biogr., XII. — Seb. Hensel, „Familie Mendelssohn", Lpzg 1923 II 87 ff., 137; ders., „Ein Lebensbild aus Deutschlands Lehrjahren" (1903) p. 60 f., 328 ff. — Th. Fontane, Wanderungen durch d. Mark Brandenburg, IV 435 ff.; ders., Von Zwanzig bis Dreißig (Ges. W. hsg. v. Scherenberg III 150 ff.). — F. Binder, Luise Hensel, ein Lebensbild, Freiburg 1904, 2. Aufl. — Cardauns, Aus L. Hensels Jugendzeit, 1918 p. 1 ff. — Therese Devrient, Jugenderinnerungen, 1905. — Tagebuch von Varnhagen. — H. v. Olfers (hsg. von Abeken, 1914). — Noack, Deutsches Leben in Rom, 1907. — Aus Schinkels Nachlaß, I 262, 265; II 33, 39, 40, 46. — Dioskuren, I (1856) 6, 105; VI (1861) 26, 223, 235, 415; VII (1862) 46, 292. — Kstchronik, XVII 693; XXI, 165; N. F. XVIII 552. — Mitt. d. Ver. f. Gesch. Berlins, XXIII (1906) 43 (Abb.). — Cicerone, VII (1915) 397. — Kataloge: Akad.-Ausst. Berlin, 1812 p. 25; 1816 p. 24; 1818 p. 22; 1820 p. 68; 1822 p. 114, 119; 1824 p. 77; 1828 p. 26; 1830 p. III u. 22; 1832 p. IX u. 19; 1834 p. 24; 1836 p. 28; 1842 p. XIV u. 24; 1844 p. 32; 1846 p. 138; 1862 p. V; 1886 p. 184. Schubert-Ausst. Wien 1897 No 254/5. Bildniszeichn., Kupferstichkab. Dresden 1911 No 44. Handzeichnungen i. d. Berl. Nat.-Gal., 1902. Hist. Ausst. Breslau, 1913. Führer Hohenzollern-Mus. Berlin, 1906 p. 28. Führer d. d. Jahrh.-Ausst. Dortmund 1913, No 350. Sonderausst. Hausbibl. S. M. des Kaisers auf d. Intern. Ausstlg für Buchgew. Lpzig 1914, p. 118 Nr 127. Bildnisausst. Akad. Berlin 1920 p. 15. Amsler u. Ruthardt, Aukt.-Kat. Okt. 1913 p. 29. — Bildnis H.s von August Grahl (in Lemberger, Meisterminiat., Taf. 65) in d. Sammlg Ostermayer. — Schriften H.s: Essay sur la majolique, in Annales de la Soc. libre des B.-Arts, 1836; Bundesblüten, Berlin 1816 (s. Voss. Zeitg 18. 8. 1894 „Das Buch d. Fünf" v. L. Geiger) zus. mit Friedr. Graf Kalckreuth, Studnitz, Blankensee; Müllners Almanach 1818; Fouqués Frauentaschenbuch, 1817—18, u. a. Die meisten Gedichte H.s sind noch unveröffentlicht. Einiges bei F. u. J. Weege, Portr. aus der Romantiker- u. Biedermeierzeit, aus dem unveröffentl. Lebenswerk W. H.'s, Berlin 1923.   *Fritz Weege.*

Henseler, Ernst, Maler, geb. 27. 9. 1852 in Wepritz bei Landsberg a. d. Warthe, gebildet an den Kunstschulen in Berlin (1870/71) und Weimar (1871/77) unter Karl Gussow, Albert Bauer und A. H. Brendel, seit 1881 Lehrer an der Unterrichtsanstalt des Kunstgewerbemus. in Berlin und später auch Dozent an der techn. Hochschule (Aktzeichnen). Lebt in Zehlendorf bei Berlin. — Schildert mit Vorliebe das Landleben seiner engeren Heimat, in die er alle Sommer zurückkehrt, pflegt daneben das historische Genre (Schlacht von Rezonville), das Historienbild (Bismarck in der Reichstagssitzung vom 6. 2. 1888 [1901], Mus. in Erfurt) und das Porträt. Seine Genrebilder verfallen niemals in die platte Anekdote, wie sie in den 70er—90er Jahren beliebt war. H. lernte bei Gussow ein vortreffliches Handwerk, das sich glücklich verbindet mit einem feinen Empfinden für Tonigkeit und einem ehrlichen Realismus, aus dem eine liebevolle Achtung für die Natur spricht, und der stets neue Nahrung zog aus der Arbeit im Freilicht. H.s Bilder aus den 70er u. 80er Jahren, besonders die Landschaften und feingestimmten Interieurs (z. B. die Motive aus Tirol), verdienen es, geschätzt zu werden; später ist H. trocken und nüchtern geworden, doch begegnet man auch hier Stücken, die jene gute Schule nicht verleugnen. Auf der Berl. Jahrhundertausst. 1906 war er mit 3 guten Stücken vertreten, in der Aust. der Gal. Arnold 1918 (Deutsche Malerei im 19. Jahrh.) mit 1 Bilde. — H. stellte aus: in der Berliner Akad. 1877—92, in der Gr. Kunstausst. in Berlin seit 1893, noch 1920; im Münchener Glaspalast 1879—1917, ferner gelegentlich in Dresden (Aquarellausst. 1887), Düsseldorf (1902, 1904, 1907, 1918), Wien (Schwarz-Weiß-Ausst. 1887, Künstlerhaus 1894), Paris (1900), London (1889 u. 94) usw. In öffentl. Besitz befinden sich noch außer den genannten Bildern: *Berlin,* Bildnissammlung der Nat. Gal., Porträt A. H. Hoffmann von Fallersleben (1893); *Bukarest,* Mus. Simu, Knappenbauer; *Darmstadt,* Landesmus., Wirtshausszene (1877); *Erfurt,* Städt. Mus., Niederdeutsche Wirtsstube (1875), In den Ferien (1899).

v. Bötticher, Malerwerke des 19. Jahrh., I 2 (1895). — Jansa, Deutsche bild. Kstler in Wort u. Bild, 1912. — Seemann's Meister der Farbe, VI (1909); XV (1918) No 8010, 8020, 8022. — Cicerone, V (1913) 846. — Kataloge der angef. Ausstellungen u. Museen; Kat. mit Abb.: Berlin, Akad.-Ausst., 1880, 1883, 1884, 1888, 1890, 1892; Gr. Kunst-Ausst., 1894, 1896, 1897, 1899, 1900, 1901, 1903, 1911, 1912. — Kat. Kst-Ausst. Lübeck, 1894 p. 38; Kunstsalon Mathilde Rabl in Berlin, Berl. Maler 1870—90 (1917); Berl. Maler 1860—90 (1918); Gal. E. Arnold, Dresden, Deutsche Malerei im 19. Jahrh., 1918. — Deutsche Jahrh.-Ausst. Berlin 1906, Bd I u. II.

Henselin von Straßburg (de Stratzeborch), Maler in Lübeck und Hamburg, 1383, 1386, 1393—1411 in Lübeck nachweisbar, wo er 1393 das Haus seines Schwiegervaters, des um 1391 † Malers Johann von Brüssel, als Mitgift seiner Frau, erhält. Wird 1387 mit Arnold von Cöln Meister im Amt in Hamburg; hier „Johannes de Stratzeborch pictor" genannt, gewöhnlich nur Meister Henselin. 1395 (18. 3.) macht er Testament; zu Testamentsvollstreckern setzt er den Maler Beynter (= Benedictus Westerarhusen, dictus de Benthen) und den Maler Meynard (= Meynard Hoenstorp) ein. 1402, 1407 u. 1411 erwirbt er Häuser in Lübeck. Dann erst wieder 1424—29 in Hamburg nachweisbar; Palmarum 1429 wird seine Witwe Berta erwähnt, deren Vormund der Maler Konrad von Vechta ist. 1430 verkaufen die Vollstrecker seines Testamentes das 1407 von „Henselinus Stratze

borch" in der Johannisgasse zu Lübeck (No 15) erworbene Haus. — In neuester Zeit hat Heise Henselin mit Meister Francke (s. d.) identifizieren wollen, ebenso Reincke und Dehio. Demnach wäre der Name Francke durch einen Lesefehler in der Hdschr. des 16. Jahrh. entstanden, die allein den Kontrakt über den Englandsfahrer-Altar von 1424 enthält. Die süddeutsche Herkunft würde gut zur Kunst des Meisters Francke stimmen, ebenso ließe sich mit der Identifizierung erklären, daß wir noch heute Werke Franckes in den Ostseeländern finden, wohin Lübeck den Export von Kunstwerken damals besorgte. Doch geht aus dem Testament H.s nicht hervor, daß er außerhalb Lübecks geboren ist. Auch erscheint es nicht ausgeschlossen, daß es sich um zwei verschiedene Meister gleichen Namens handelt, von denen der eine in Lübeck, der andere in Hamburg tätig gewesen wäre.

Mithoff, Mittelalt. Kstler u. Werkmstr. .., 1885 p. 139. — H. Reincke, Beitr. z. mittelalt. Gesch. d. Mal. in Hamburg, in Ztschr. d. Ver. f. Hambg. Gesch., XXI (1916) 116. — Biernatzki, Urkdl. Nachr. z. Gesch. Kst u. Kstgew. in Hambg (Ms. im Mus. f. Kst u. Gew.), II. — C. G. Heise, Norddeutsche Malerei, 1918 p. 95, 97. — Dehio, Gesch. d. dtsch. Kst, II (1921) 193. 			*R. Struck u. V. Dirksen.*

Henshall, Henry (John Henry), engl. Genre- u. Bildnismaler, geb. in Manchester 1856. Schüler der Londoner South Kensington-Schule und Royal Acad., wo er zuerst 1879 ausstellte. Außerdem mit Arbeiten (Ölbilder, Aquarelle) in der Old Water-Colour Soc. u. Soc. of Artists sowie wiederholt im Ausland (Weltausst. Chicago 1893, München Glaspal. 1896, Pariser Salon 1900, Wiener Jahresausstell. 1888, 1894) vertreten. Seit 1883 Mitglied der Royal Water-Colour Soc. Arbeiten in den Museen von Cardiff („Mädchen mit Tamburin", u. a.), Hull („Faither an' Mither an' A'", Aquarell), Leeds („Die Waise") u. London, Victoria and Albert Mus. („Ägypt. Maultiertreiber", Aquarell).

Who's who, 1922. — Bénézit, Dict. des Peintres etc., II (1913). — Graves, Dict. of Artists, 1895; R. Acad., IV (1906); Loan Exhib., 1913 II. — Cat. Exhib. R. Acad. London, 1908—10, 1912—20. — Abb. in The Art Journal, 1894, 1895, 1897; R. Acad. Pictures, 1897, 1901, 1904 f., 1908, 1910, 1912 ff. — Mus.- u. Ausst.-Kat.

Henshaw, Frederick Henry, engl. Landschaftsmaler, geb. in Birmingham 11. 12. 1807, † ebenda 12. 10. 1891. Schüler von J. V. Barber. Bildete sich hauptsächlich durch das Studium der großen engl. Landschafter, bes. Turner's, und bereiste 1837—40 Frankreich, die Schweiz und Italien, wo er die Stoffe für viele seiner Bilder fand. Vornehmlich aber malte er Landschaften aus England, Schottland und Wales. Stellte 1829—64 in London (Royal Acad., Brit. Instit., Soc. of Brit. Artists) aus. Arbeiten in der Corporation Art. Gall. zu Birmingham (Ardennenlandschaft; Tivoli;

Rhônetal u. a.) und in der Glasgower Art Gall. (Genfersee mit Montblanc).

Bénézit, Dict. des peintres etc., II (1913). — The Portfolio 1891, Art Chronicle p. XXIV. — Graves, Dict. of Art., 1895; Royal Acad., IV (1906); Brit. Inst., 1908. — Kat. der gen. Slgn.

Henshaw, William, engl. Maler u. Radierer, Schüler von F. Bartolozzi. Stellte 1775 in der Londoner Royal Acad. eine Bildniszeichnung nach Bartolozzi aus. Außerdem kennt man von ihm eine Rad., Bildnis des Dichters Thomas Gray, Kopie nach Watson, sowie zahlreiche Exlibris, die er, z. T. nach eigener Erfindung, meist selbst gestochen hat.

Graves, R. Acad., IV. — Strutt, Dict. of Engravers, 1785f. II. — Cat. of engr. Brit. Portr. Brit. Mus., II 376. — Fincham, Artists and Engravers of . . Bookplates, 1891.

Hensky (Henszky), Joachim Christian I, Zinngießer, geb. 18. 9. 1738 in Röbel (Mecklenburg), † 10. 5. 1802 ebenda, Meister 1763. Werke (Leuchter, Kelche, Kannen, Deckel) bei Hintze. — Sein Sohn, Joachim Christian II, Zinngießer in Plau (Mecklenburg), geb. 9. 10. 1766 in Röbel, wird 1791 Meister. Arbeiten (Leuchter, Krankenkelch, Willkommpokal) bei Hintze genannt.

E. Hintze, Norddeutsche Zinngießer, 1923.

Hensler, Arnold, Bildhauer in Wiesbaden, geb. ebenda 23. 7. 1891. Besuchte 1910—12 die Kunstgewerbeschule zu Mainz, arbeitete 1912—14 unter Hoetgers Einfluß in Darmstadt und bis zur Einberufung 1915 selbständig in Berlin. Während des Weltkrieges in Brüssel, Frankreich, Rußland, seitdem in Wiesbaden und Hamburg. Von ihm zahlreiche Porträtbüsten in groß stilisierter, vereinfachter Gestaltung dès Wesentlichen, Ausschmückung der Kuppelhalle des neuen Museums zu Wiesbaden, Ehrenmal der dort. Loge Plato, Denkmäler für die Gefallenen in Marienberg (Westerwald), St. Goarshausen, Hallgarten (Rheingau) u. a. Grabanlagen, Ausschmückung des Musiksaales Fehling in Hamburg, Brunnen- und Gartenfiguren sowie Freiplastiken. Beschickt seit 1915 die Ausstell. in Wiesbaden u. die Berliner Sezession.

Cicerone, XII (1920) 66 (m. Abb.). — Deutsche Kst u. Dekoration, XLV (1919/20) 141, 146f. (Abb.); XLIX (1921/22) 265, 272 (Abb.). — Feuer, II (1920/1) 422ff. (m. Abb.).

Henstenburgh (Hengstenburgh), Herman, Maler u. Zeichner, geb. in Hoorn 9. 10. 1667, † ebenda 30. 10. 1726, fertigte anfangs Aquarelle (meist Vögel u. Landschaften) nach Stichen von Pieter Holstein. 1683 kam er zu Joh. Bronkhorst in Hoorn in die Lehre, der eigentlich Pastetenbäcker war, und besonders Darstell. von allerhand Vögeln in Wasserfarben malte. H. lernte beide „Künste" von ihm. H. malte Blumen- u. Fruchtstücke (meist auf Pergament) in sehr lebhaften Farben, als Beiwerk Vögel, Schmetterlinge, Käfer, Eidechsen, Schlangen, alles mit großer Natur-

treue, meist auf dunklem Grund. Sein Bildnis, gezeichnet von N. Verkolje (gest. v. Houbraken), befand sich in dem Stammbuch der Joh. Koerten, der Gattin des Adriaen Blok. H. betrieb sein Geschäft als Pastetenbäcker und malte nur aus Liebhaberei. Seine Blätter sollen nach van Gool besonders von den engl. Sammlern bevorzugt worden sein. Im Mus. Teyler in Haarlem 5 Blatt aquarellierte Zeichnungen, Insekten, Blumen, Früchte. — H.s Sohn und Schüler Anton übernahm dessen Pastetenbäckerei. Von ihm im Mus. in Braunschweig eine aquarellierte Zeichnung, 3 Muscheln.

J. van Gool, Nieuwe Schouburg, I (1750) 248/56. — Musée Teyler, Cat. rais. des Dessins, 1904. — A. v. Wurzbach, Niederl. Kstlerlex., I (1906). — Mireur, Dict. d. Ventes d'Art, III (1911). — Mit Not. v. O. Hirschmann.

Henthoos, Bildh. d. 16. Jahrh.; von ihm der Taufstein in Neukirchen (Kr. Hünfeld, R.-B. Cassel), dat. 1588.

Dehio, Handb. d. deutsch. Kstdenkm., I², 1914. *Gr.*

Hentia, Sava, Maler und Zeichenlehrer in Bukarest, geb. 1. 2. 1848 zu Sibişel, Siebenbürgen, † in Bukarest 1903. 1865/70 besuchte er die Bukarester Kunstschule; 1871, nach einer kurzen italien. Studienreise, arbeitete er als Schüler von Cabanel an der Ecole des Beaux-Arts zu Paris, wo er 1873 sein Erstlingswerk „Psyche von Amor verlassen" im Salon ausstellte. 1874 kehrte er mit dem Bilde „Aurora" heim, begleitete dann als Kriegsmaler den rumän. Generalstab während des russ.-rumän.-türk. Krieges 1877/78; die Kriegsbilder wurden größtenteils vom Landesfürsten Carol von Hohenzollern angekauft. 1881 entstand H.s zweites Hauptgemälde: „Einzug Trajan's in Sarmisegetusa". Seine fernere Tätigkeit bewegt sich auf den Gebieten der mytholog., Genre- u. Porträtmalerei (mehrere Werke im Mus. Simu zu Bukarest); der romantischen Richtung angehörend, zeichnen sich seine Bilder durch zartes Empfinden und solide Technik aus. — H.s Sohn Alexandru ist in Bukarest und München als Kirchenmaler tätig.

Juliu Roşca, Sava H., 1890. — Revista Literara, 1889. — Revista Familia, 1893. — Bénézit, Dict. des peintres etc., II (1913). *Tzigara-Samurcaş.*

Henton, George Moore, Maler in Leicester, zeigt seit 1884 in der Royal Acad. in London, auch in der Water-Colour Soc., Architekturansichten.

Graves, Dict. of Art., 1905; Roy. Acad., IV. — Cat. Exh. Roy. Acad. London, 1905, 1906, 1909, 1912, 1918.

Hentschel, Benjamin, Silberarbeiter in Breslau, wird 1732 Bürger u. Meister, † 13. (oder 14.) 4. 1774, fast 73 Jahre alt. Seine Arbeiten, von denen besonders ein Willkommpokal der Tuchmachergesellen von 1733 im

Schles. Mus. f. Kstgew. u. Altert. genannt sei, bei Hintze u. Rosenberg. Arbeitet erst im Laub- u. Bandelwerk-, dann im Rokoko-Stil.

E. H i n t z e, Breslauer Goldschmiede, 1906. — M. R o s e n b e r g, Goldschmiede Merkzeichen, [2]1911.

Hentschel, J o h a n n T o b i a s, Zinngießer in Kamenz, geb. ebenda, getauft 26. 11. 1704, † 1. 3. 1774 in Kamenz. Lernt bei Tobias Empf ebenda u. J. G. Müssiggang in Bautzen, wird 1730 Meister. Werke (Altarleuchter, Willkommpokal, Kelch) bei Hintze.

E. H i n t z e, Sächs. Zinngießer, 1921.

Hentschel, K o n r a d (Julius K.), Bildhauer, Bruder des Rudolf, geb. 3. 6. 1872 in Meißen, † ebenda 9. 7. 1907, zuerst an der Fachschule der Porzellanmanuf. in Meißen ausgebildet, 1891—93 an der Akad. in München unter Rümann, 1899—1900 an der Akad. in Dresden unter Diez, 1896 Aufenthalt in Italien, tätig in Meißen. H. zeigte (Gr. Kst-Ausst. in Berlin 1895, 97, 98, 1901, 1903; München, Glaspal. 1896) Bildnisbüsten und Genrestatuetten in Gips und Bronze, in der Deutschnat. Kst-Ausst. in Düsseldorf 1907 Porzellanfiguren. Von seiner Porzellanplastik ist besonders bekannt geworden die Statuette einer Dame im Hut und zahlreiche Kinderfiguren. In der Johanneskirche in Meißen Kreuzigungsgruppe in gebranntem Ton und Wandreliefs.

Kunstchronik, N. F. IX (1897/98) 327; XVIII 518. — Kunst, X (1904). — Deutsche Kst u. Dekoration, XVIII (1906) 714 ff. (Abb.). — Studio, XL 55, 57. — B e t t e l h e i m, Biogr. Jahrb., XII (1907/09) p. 36*. — Ausst.-Kataloge. — Mitt. d. Bruders des Künstlers.

Hentschel, R u d o l f (Hans R.), Porzellanmaler, geb. 21. 10. 1869 in Meißen, Bruder des Konrad, zuerst an der Fachschule der Porzellanmanuf. in Meißen ausgebildet, besuchte 1889—93 die Akad. in München, bis 1891 unter Gysis und Löfftz, bis 1893 unter Höcker, ging 1894 nach Paris (Acad. Julian), 1895 in Etaples. Lehrer an der Porzellanmanuf. in Meißen. Auch zeigt er in den Ausstell. Landschaften, Figurenbilder und häufig Radierungen (Berlin Gr. Kst-Ausst. 1896, 1907, Chemnitz, 4. Graph. Ausst. des Dtschen Kstlerbundes 1912; Dresden, Gr. Kst-Ausst. 1901, 1904, 1912; Kstgenossenschaft, 1917; Hannover 1912; München, Glaspalast, 1908, 1912).

B o r r m a n n, Moderne Keramik (Monogr. d. Kstgew., V), p. 97 — Kunst, XXVIII (1912/13) 475, 76, 77 (Abb.). — Kunstwelt, I (1911/12) 805, 808, Abb. — Deutsche Kst u. Dekoration, I (1897/98) u. II. — Ausstellungskatal. — Mitt. d. Künstlers.

Hentz, Salzburger Zinngießerfamilie des 15. u. 16. Jahrh.: L o r e n z, 1563 in den Bürgerbüchern genannt, † 1596. Mit seiner Marke (faksimiliert in Kst u. Ksthandw.) versehen ist eine Zinnschüssel für Wolfgang Haberl, Bergpastor in Thalgau von 1596, mit schönen Gravierungen; Schüsselchen (1591) u. Teller (1590) mit gravierten Wappen des Stifts Nonnberg u.

der Äbtissin Anna Pütterich, in Stift Nonnberg. — Seine Werkstätte übernahm 1600 sein Sohn W o l f, von dem ein Lavabo in der Kirche zu Holzhausen, 2 Leuchter in der Kirche zu Kirchgöming u. eine Zinnflasche in der Kirche zu Nußdorf stammen. 1634 übernimmt Georg, ein Enkel des Wolf, die Werkstätte (1634—63). Von ihm 2 Zinnleuchter in der Schloßkap. zu Sighartstein u. ein Weihwassereimer von 1642 in Salzburger Privatbes.

Kst u. Ksthandwerk, XII (1909) 524 f. (mit Abb.). — Österr. Ksttopogr., VII (1911); X (1913); XVI (1919).

Hentz, C a s p a r, Goldschmied in Augsburg, † 1635, erwähnt 1593, Geschaumeister 1618. Von ihm wahrscheinlich Stücke mit Marke CH, z. B. antikes Glasgefäß in vergoldeter u. emaillierter Fassung (Florenz, Museo Naz.).

M. R o s e n b e r g, Der Goldschm. Merkzeichen, [2] 1911.

Hentze, G u d m u n d Herman Peter, Maler, Illustrator, Graphiker, Kunstgewerbler, geb. in Naestved 1. 6. 1875, kam von der Techn. Schule in Kopenhagen auf die dort. Akad. (1893—94), wurde Schüler von K. Zahrtmann und reiste 1900/01 in Italien und Deutschland, lebte 1911 bis 13 in München. Seit 1905 Mitglied der „Frie Udstilling" in Kopenh. Stellte 1898, 1903/04 in Charlottenborg aus; auch in München (Glaspalast u. Sezession), in Berlin, Hamburg, Frankfurt a. M. u. Stockholm. — H., ein ausgesprochen dekoratives Talent, hat außer in Ölgemälden, Pastellen und Zeichnungen (auch Ex-libris) sich auf den verschiedensten Gebieten des Kunstgewerbes mit Entwürfen betätigt, für Buchschmuck (Verlag Gyldendal) und Illustration (für J. P. Jacobsens „Frau Marie Grubbe", illustr. Boccaccio-Ausg. in der Art italien. Miniaturen des 14. Jahrh. [ausgest. München Sezession, Frühjahr 1909], für H. C. Andersens Werke [Verlag Diederichs, Jena], Münchener Jugend, usw.) gearbeitet, auch Miniaturbildnisse, besonders von Damen und Kindern gemalt, mit denen er viel Erfolg hatte. Als Graphiker hat er sich der Radierung und des Holzschnittes bedient; war auch als Kunstschriftsteller tätig (Politiken, Kopenhagen, 1907 No 127, 168; 1908 No 73).

D a h l - E n g e l s t o f t, Dansk biogr. Haandleks., II (1921), mit Lit. — Juleroser, 1906. — A s p l u n d in Saisonen, 1918 p. 154 „En modern Miniatyr-Maler". — H i r t h, 3000 Kstblätter der Jugend, München 1909 u. 1912, Abb. — Ausstell.-Katal.

Hentze, L o r e n z, Steinmetz u. Baumeister aus Sayda, erhält am 18. 4. 1507 Auftrag für Chor, Altar und Sakramentshäuschen der Kirche zu Berthelsdorf bei Freiberg.

K n e b e l, Künstler u. Gewerken in Freiberg, Mitt. des Freiberger Altert.-Ver., Heft 34 (1897) p. 7.

Hentzschel (Hänzschel), C h r i s t i a n G o t t l i e b, Porzellanmaler an der Manufaktur in

Meißen, † 14. 11. 1761, stammte aus Krummen-
hennersdorf, heiratet in Meißen 1737, wird 1739
als Staffiermaler erwähnt, arbeitete bis 1744 im
Stücklohn, bezieht dann Gehalt als Malervor-
steher, um andere Maler das Staffieren zu
lehren. H. wurde zu den besten Malern der
Manufaktur in damaliger Zeit gerechnet.

B e r l i n g , Meißener Porzellan, 1900 p. 111 f.,
114, 132. — Mitt. d. Ver. für Gesch. d. Stadt
Meißen, II (1891) 239. — K n e b e l in Mitt. d.
Freiberger Altert.-Ver., Heft 36 (1899) p. 112 f.

Henz, G i u s e p p e , siehe *Heintz,* Josef.

Henz (Hentz), H e i n r i c h , Bildhauer aus
Bern, tätig in Aarau, arbeitete 1643 das Standbild der Justitia (in Stein) auf dem Marktbrunnen.

B r u n , Schweizer. Kstlerlex., II (1908).

Henze, M., Silhouettenmaler in Dresden,
Anfang des 19. Jahrh., nur bekannt durch
eine „auf Kreidegrund gemalte Glassilhouette",
ausgestellt in der Mannheimer Jubiläums-
ausst. 1909.

L e m b e r g e r , Bildnisminiatur in Dtschld,
1909.

Henze, R o b e r t Eduard, Bildhauer, geb.
8. 7. 1827 in Dresden, † ebenda 3. 4. 1906,
anfangs Schlosser, konnte er erst 1855 in die
Dresdner Akad. eintreten. 1858 nahm ihn
E. Rietschel in sein Atelier auf; nach dessen
Tode arbeitete H. noch bei Joh. Schilling und
E. Hähnel. Eine Studienreise nach Italien
1866/67 schloß seine künstler. Ausbildung ab.
1881 Ehrenmitglied der Dresdner Akad.
— Schon 1863 beginnt die lange Reihe seiner
Denkmäler. Es sind teils Brunnenfiguren
(König Heinrich I., für Meißen, 1863; Fürst
Wolfgang von Anhalt, für Bernburg, 1880;
Barbara Uttmann, für Annaberg, 1884; Spinnerin, für Krimmitschau, 1876; wandernder Müller-
bursche, für Dresden-Plauen, seine letzte größere
Arbeit, 1903), teils Standbilder (Kurfürstin Anna
von Sachsen, für Dresden — ebenfalls ursprünglich Brunnenfigur, 1869; Abt Vogler,
für Darmstadt, 1889). Auch zahlreiche Bildnisbüsten, z. B. die des Rechenmeisters Adam
Riese für dessen Denkmal zu Annaberg i. Sa.,
1893, des Hofmühlenbesitzers Traug. Bienert
für Dresden-Plauen, 1902. H.s Hauptwerk ist
das im Sept. 1880 enthüllte Siegesdenkmal (Alt-
markt, Dresden) zu Ehren der 1870/71 gefallenen Dresdner, eine 4,25 m hohe Germania,
mit den 4 allegor. Figuren Kunst, Wissenschaft,
Wehrkraft, Frieden. Während H.s Denkmäler
sonst fast durchgängig in Bronze gegossen
sind, wurden die Figuren des Siegesdenkmals
aus karrar. Marmor in Florenz gemeißelt.
Drei monumentale Statuen (in Kupfer getrieben,
vergoldet) schuf er für das Dresdner Kunst-
akademiegebäude (Phantasus und Eros, um
1890), für die Kuppel des benachbarten Aus-
stellungsgebäudes eine 5 m hohe Nike. Ferner:
weibliche Figur, am Kreuze sitzend (1882,
Marmor), in der Kapelle des alten Annenkirch-

hofs zu Dresden; Grabdenkmal Tr. Bienerts
(1897, Figuren u. Reliefs) auf dem Kirchhof
zu Dresden-Plauen; Marmorfigur des anklopfen-
den Pilgers an der Gruft des 1905 † Landschaftsmalers Ed. Leonhardi (Friedhof zu Loschwitz). Im Parke zu Sibyllenort b. Breslau ein
Gedenkkreuz mit Bronzerelief (errichtet 18. 6.
1903 zur Erinnerung an den 1902 † König
Albert). Zahlreiche Grabmäler auf den Friedhöfen Dresdens und seiner Umgebung tragen
Medaillonbildnisse der Verstorbenen von H.s
Hand (bes. lebendig das des Malers Dav. Simon-
son † 1896, Eliasfriedhof, Dresden); ferner A. W.
Königsheim-Waldpark Blasewitz; Ludw. Rich-
ter-Loschwitz; Rektor Klee-Vorhalle der Kreuz-
schule, 1905. H.s eigenes Grabdenkmal (Bronze,
1893, Annenfriedh.) zeigt die entschwebende
Psyche über einem Totenkopfe. H.s Selbstbildnis
in einer Bronzeplakette (1902) im Dresdner Stadtmus., das noch mehrere Porträtbüsten H.s bewahrt. Andere Bildnisse H.s im Kupferstichkab. Dresden und im Besitze der Familie.

Akten der Dresdn. Kstakad. — Christl. Kstblatt, 1863 u. 1869. — Dresdner Anzeiger vom
1. 9. 1880 (Biogr.) — J. G r o s s e , E. J. Hähnels
Literar. Reliquien, 1893 p 42 f., 57 Anm. — Das
geist. Dtschland, I (1898) 288. — O. R i c h t e r ,
Gesch. Dresdens 1871—1902, ² 1904 p. 10 f., 17 f.,
154 f. — M. J o r d a n , Friedr. Preller d. j., 1904
p. 211. — L ü e r - C r e u t z , Gesch. d. Metallkunst, I (1904). — Dtsches Zeitgen.-Lex., 1905
Sp. 576. — Dresdn. Geschichtsbl., IV (1905/7)
12 u. 136. — B e u t e l , Bildnisse hervorrag.
Dresdner, I (1908) Nr. 34 u. 39. — P. S c h u-
m a n n , Dresden, 1909 p. 268, 292/94. —
[O. R i c h t e r,] Führer Stadtmus. Dresden, 1911
p. 43 u. 57. — [H. W. S i n g e r,] Katal. Bildniszeichn. Kupferstichkab. Dresden, 1911 p. 37. —
H o r n i g , Führer Mus. Meißen, 1915 p. 7, No 34
u. Titelbild. — Zeitschr. f. bild. Kst, VI (1871)
182, 310; Kunstchronik, VI (1871) 175; VII 4 ff.,
193 ff.; XI 465; XIII 348; XV 349, 608 ff.; XX 60;
XXII 92; XXIV 267; N. F. XVII (1906) 330
(Nekrol.). — Bau- u. Kstdenkm.: Kgr. Sachsen,
XXII 582; Thüringen, Sachsen-Mein., II (Hild-
burghausen) p.131. — *Kataloge :* Kstausst. Dresden
(Akad. 1860—94, Deutsche 1899, Internat. 1901,
Große 1904); Berlin (Akad. 1870, 78, 80, 83, 86);
München (Glaspal.1871,79,88). — S i g i s m u n d ,
Katal. Mus. Friedrich-August-Seminar Dresden-
Strehlen, 1912 p. 11. *Ernst Sigismund.*

Henzelin v o n S t r a ß b u r g , s. *Henselin* v. St.

Henzell, I s a a c , Maler in London, zeigte
1854—75 in der Roy. Acad. und in Suffolk
Street Landschaften u. Genrebilder. Vertreten
in den Mus. in Reading (Cat. 1903), Sheffield
(Cat. 1908) und York (Cat. 1907; hier neben
einer Genreszene von 1862 eine andere, die H.
zusammen mit H. Bright 1858 signiert hat).

The Art Journal, 1859 p. 141, 142, 143. —
G r a v e s , Roy. Acad., IV; d e r s., Brit. Instit.,
1908; Dict. of Art., 1895.

Henzi (Hensi), Bildhauer, um 1700 in Berlin
tätig, wo er 1713 unter den Ehrenmitgliedern
d. Akad. d. Kste genannt wird. Im Berl.
Adreßbuch von 1726 nicht mehr aufgeführt. —
Nach Heinecken und Nicolai hat H. neben
P. Backert, Brückner, Herfort u. Joh. S. Nahl

d. Ä. an den Modellen zu den 4 Sklaven an Schlüters Reiterdenkmal des Großen Kurfürsten mitgearbeitet, die 1709 vollendet und am Sockel des schon 1703 enthüllten Standbildes angebracht wurden. Nach Heinecken hat H. „auch andere Stücke in dieser Stadt verfertiget", über die näheres bisher nicht ermittelt ist.

[Heinecken,] Nachr. von Künstlern etc., 1768 p. 54. — N i c o l a i , Beschr. v. Berlin u. Potsdam, 1786, I 69; d e r s., Nachr. v. Baumeistern usw. in Berlin, 1786. *C. F. Foerster.*

Henzi (Hentzi, Hentzy), R u d o l f , Zeichner (Dilettant), geb. 1731 in Bern, † im Haag 1803. Gab 1785 in Paris die Folge heraus: „Vues remarquables des montagnes de la Suisse, gravées sous la direction de Monsieur Vernet, Peintre du Roi", 42 Taf., z. T. nach H.s Vorlagen unter Mitwirkung von Janinet von Ch. M. Descourtis gestochen. H. arbeitete auch Vorlagen für Porträts. Seine „Promenade pittoresque dans l'Évêché de Bâle" erschien erst 1820.

B r u n , Schweizer. Kstlerlex., II (1908). — D e l t e i l , Manuel de l'Amateur d'Estampes du 18me siècle. — S o m e r e n , Cat. van Portr., III (1891) 675.

Heortios, Bildhauer in Athen um die Mitte des 3. Jahrh. v. Chr., arbeitete zus. mit Persaios eine Statue, die ein Dioskurides seinem Vater, dem Agonotheten Theophanes, im Bezirk des Dionysostheaters setzte. Erhalten nur die Basis mit der Künstlersignatur. Theophanes war Agonothet unter dem Archontat des Sosistratos, dessen Jahr zwar nicht feststeht, aber in das 2. Viertel des 3. Jahrh., jedenfalls nach 274/3, fällt (Inscr. Graecae II, III ed. min. 4, 1 p. 16), was auch die Schriftformen bestätigen.

Athen. Mitt. XX (1895) 220 (M ü n z e r). — Inscriptiones Graecae, II 5 p. 308 Nr 1402 b. — P a u l y - W i s s o w a , Realencyclop., VIII 289 (P f u h l).

Hepburn-Edmunds, N e l l i e M a r y , Miniaturmalerin, geb. in West-Norwood bei London, lebt ebenda, gebildet in London, Mitglied der Roy. Soc. of. Min. Painters, veranstaltete 1918 in London eine Koll.-Ausstell. ihrer Miniaturbildnisse (meist Mädchen-Bildnisse). Zeigte ihre lebendig aufgefaßten Arbeiten u. a. 1914 im Salon Triennal in Brüssel, 1918 in der Roy. Acad. in London, 1921 im Pariser Salon (Soc. Art. Franç.).

Studio, XLIV (1908) 177, 179 (farb. Abb.); LXXII 77.

Hephaistion, Sohn des Myron aus Athen, Bildhauer, tätig in Delos in der 2. Hälfte des 2. Jahrh. v. Chr. Sieben Basen von Ehren- und Weihstatuen sind auf Delos gefunden, die alle die volle Signatur mit Vaternamen und Ethnikon tragen: 1. Bulletin de coresp. hellén., XVI (1892) 152 Nr 4. 2. ebenda p. 482. 3. Löwy, Inschriften griech. Bildh., Nr 252. 4. ebda Nr 253. 5. ebda Nr 254. 6. Bull. corr. hell., XI (1887) 256 Nr 8. 7. ebda p. 262

Nr 22. Zwei davon sind durch Beamten-bzw. Priesternamen datiert: 1. 124/3, 2. 123/2.

Bull. de corresp. hellén., XVI (1892) 482—84 (H o m o l l e). — K i r c h n e r , Prosopographia Attica, Nr 6553. — P a u l y - W i s s o w a , Realencyclop., VIII 310 (Pfuhl).

Hephaistion, Mosaikkünstler des 2. Jhdts v. Chr. Wir besitzen von ihm Fragmente eines ungewöhnlich schönen Fußbodens, der einst in einem Zimmer des pergamenischen Königspalastes eingelassen war. Besonders fein ist ein schwarzer Streifen mit wundervoll freibewegtem Rankenwerk nebst Blumen und Früchten, zwischen denen sich Eroten, Heuschrecken und andere Flügelwesen tummeln. Das Mittelfeld war übersät mit Zweigen und Früchten (vgl. Sosos und Heraklitos), zwischen denen eine Karte mit dem Namen des Mosaikkünstlers, mittels rohen Wachses auf dem Fußboden angeklebt, dargestellt ist.

Führer durch das Pergamon-Museum, 47 fg. — P f u h l , Malerei u. Zeichnung d. Griechen, II 808, 818, 865. *Pernice.*

Hepner (Heptner), J a k o b , Kunstschreiner und Ebenist in Nürnberg, † ebenda 5. 11. 1649. Schwiegersohn des Kunstschreiners Hans Schwanhard, von dem er das „geflammte hobeln in holtzarbeiten" übernommen hat. Er stand besonders wegen seiner Arbeiten aus Ebenholz (Kästchen, Rahmen usw.) in Ansehen. Die handschriftl. Ergänzung von Doppelmayr, Histor. Nachr. (Exempl. im German. Nat.-Mus. Nürnberg) zu p. 298 gibt an, daß H. 1635 für Doppelmayrs Großvater einen Gliedermann aus Cypressenholz geschnitten habe, der (1730) noch in des Enkels Besitz war.

D o p p e l m a y r , Nachr. v. d. Nürnb. Mathem. u. Kstlern, 1730, 2. Reg. — J o h. N e u d ö r f e r's ... Nachrichten (ed. Lochner), Quellenschr. f. Kstgesch. X (1888) 213. — S c h e r e r , Technik u. Gesch. d. Intarsia, 1891. — Mitteil. a. d. Germ. Nationalmus. 1908 p. 150. *W. Fries.*

Hepp, D i e b o l d , Maler in Bern, † wohl Anfang 1473, erwähnt seit 1468, malte für den Schultheißen Petermann von Wabern eine Kapelle bei den Barfüßern in Bern. Wird vom Rat der Stadt Bern 1470 gegenüber dem Bischof von Konstanz als „ein bewerter meister" bezeichnet. — 1468 wird sein Bruder H a n s , ebenfalls als Maler, erwähnt.

B r u n , Schweizer. Kstlerlex., II (1908).

Hepp, E s a i a s , Künstler in Schildpatt, Elfenbein, Silber, Stroh und Ebenholz, vielleicht auch Miniaturmaler, kam 1660 in kurfürstl. Brandenburg. Dienste und war in Berlin tätig; doch ist nichts Näheres über ihn und seine Tätigkeit bekannt.

N i c o l a i , Nachrichten von Künstlern in Berlin, 1786, Anhang p. 48. — F. S a r r e , Berliner Goldschmiedezunft, 1895 p. 80. — C h r. S c h e r e r , Elfenbeinplastik seit d. Renaiss. (Monogr. d. Kstgew. VIII). — L e m b e r g e r , Meisterminiaturen, 1911. *Chr. Scherer.*

Hepp, K a r l , Schriftsteller u. Zeichner-Dilettant, geb. 28. 3. 1841 in Coblenz, † 23. 5.

1912 (in Darmstadt?), schrieb eine große Anzahl Gedichte, Novellen, Satiren, Dramen, z. T. unter dem Pseudonym Pater Profundus. Das Stadtmus. in Leipzig besitzt von ihm mehrere Aquarelle mit Leipziger Stadtansichten (um 1880).

Brunner, Dichterlexikon, ⁶ III 159. — Not. von Friedr. Schulze (Leipzig).

Hepp, Sebastian, Maler, Anfang 17. Jahrh. In Stichen von L. Kilian erhalten: Bildnisse Philipps II., Herzogs v. Pommern († 1618), und seiner Gemahlin Sophie von Schleswig-Holstein, beide Blätter von 1613.

Heinecken, Dict. des artistes, 1778 ff. (Ms. Kupferstichkab. Dresden). — Drugulin, Porträt-Katalog, 1859. — Strunk, Cat. over Portraiter af det Danske Kongehuus, 1882, No 1184.

Heppener, Johannes Jacobus, Maler, geb. im Haag 31. 10. 1826, † ebenda 1. 3. 1898, zeigte 1869 auf der Expos. génér. in Brüssel eine Ansicht von Delft; H. entnahm gewöhnlich die Motive für seine Landschaften der Umgebung des Haag und pflegte daneben die malerische Stadtansicht, besonders der alten Straßen u. Plätze seiner Vaterstadt. Im Gemeente Mus. des Haag (Kat. 1913) 2 Landschaften und 2 Stadtbilder.

A. v. Wurzbach, Niederl. Kstlerlex., I (1906).

Hepplewhite, George, engl. Möbelzeichner und Kunsttischler, † 1786 in London, wo er wahrscheinlich schon um 1775 tätig war. Nach H.s Tode wurde das vermutlich noch ein Jahrzehnt und länger bestehende Geschäft von seiner Witwe Alice unter der Firma *A. Hepplewhite and Co.* fortgeführt. Der unter dem Titel „The Cabinet Maker's and Upholsterer's Guide" 1788, 1789 und 1794 in 3 Auflagen (Neudruck London 1897) erschienene Geschäftskatalog enthält auf 128 Tafeln annähernd 300, von verschiedenen Künstlern ausgeführte Zeichnungen, von denen die meisten von Shearer (s. d.), der anscheinend der Firma angehörte, herrühren dürften. Für die 2. Aufl. seines zuerst 1788 veröffentlichten Preiskatalogs (1792) hat Shearer wiederum 6 „Hepplewhite" bez. Entwürfe verwendet. Man bezeichnet mit dem Namen Hepplewhite einen ausgesprochen englischen Stil, der erst längere Zeit nach dem Tode seines vermutlichen Begründers seinen Höhepunkt erreichte und der den Sieg der Leichtigkeit und Eleganz über das schwerfällige Chippendale-Möbel auf der ganzen Linie verkündete. Offenbar handelt es sich aber um verschiedene Werkstätten, für die dieselben Möbelzeichner und Dekorationskünstler tätig waren, und deren Erzeugnisse unter dem Namen H.s als der ältesten und führenden Firma ihren Absatz fanden. Die Herausgeber des Guide erheben keine Ansprüche auf Originalität, sondern wollen ihre Entwürfe als Musterbeispiele des künstlerischen Schaffens der damals tätigen Kunsttischler, die

für Provinz und Ausland von vorbildlicher Bedeutung sein sollten, angesehen wissen. Die zuerst stark von Adam und Chippendale abhängige Werkstatt H.s, die unter dem französ. Einfluß des Louis XV- und Louis XVI-Stils allmählich zu einem eigenen Stil gelangte, hat besonders in Stühlen, Tischen aller Art, Sofas, Polsterbänken, Kredenzen, sowie Arbeits- und Schlafzimmermöbeln Hervorragendes geleistet, während sie sich auf anderen Gebieten, wie Bücherschränken und Rahmen, von Nachfolgern wie Shearer und Sheraton aus dem Felde schlagen ließ. Während Shearer bei seinen Entwürfen vor allem den praktischen Zweck im Auge hatte, legte H. den Hauptnachdruck auf reiche und elegante Dekoration. Sheraton, der eigentliche Nachfolger H.s und Hauptmeister am Ende des Jahrh., hat dann diese Tendenzen fortgesetzt und in seinen Entwürfen vereinigt. Dagegen sind die Arbeiten H.s in der geschmackvollen Behandlung des Hartholzes, bes. Mahagoni und Satinholz, der Sorgfalt und Dauerhaftigkeit der Arbeit unerreicht geblieben. Besonders bestimmte die Werkstatt mit ihren Entwürfen von Stühlen aller Art den herrschenden Geschmack. Ihre ersten Stühle, mit elegant gebogenen Armlehnen und Beinen zeigen noch ganz die franz. Art; die Vorderlinien der Sitze sind geschweift, die Rücklehnen haben in der Regel schild- und herzförmige, daneben auch runde, ovale, viereckige und Lyrenform. Als Dekoration werden Ährenbüschel mit flatternden Draperien, die Straußenfedern aus dem Wappen des Prinzen von Wales — der zu den Kunden der Firma gehörte —, spitze Blattornamente, Kränze und andere Zierformen verwendet. Die Kredenzen, die später in den reichsten Formen vorkommen, entzücken durch die elegante Ausführung; berühmt waren ihre Postamente und Urnen, die als Messerbehälter dienten. Die Möbel H.s zeigen entweder fein profilierte Schnitzarbeit, schöne Intarsien — doch kommen beide Schmuckweisen nicht in Verbindung miteinander vor — oder die im „Guide" als „japanisch" bezeichnete Bemalung, hauptsächlich Bandornamente, Blumenmedaillons und monochrome Figuren im klassischen Geschmack in Goldmalerei auf schwarzem Grund. Fühlt sich der Kenner zuweilen bemüßigt, an den Arbeiten H.s die im Übermaß angewendete Dekoration, aber auch den im Gegensatz zu Chippendale so auffälligen Mangel der Erfindungsgabe und die Schwächen der Komposition im einzelnen zu tadeln, so hat doch keine andere Schule des 18. Jahrh. in England eine solche Nachfolge und so viele Nachahmer, nicht nur in der Provinz, sondern auch auf dem Kontinent, bes. in Flandern und Holland, gefunden. Ist doch der Hepplewhite-Stil noch in den Stuhlformen des späten 19. Jahrh. zu neuem Leben erwacht!

R. S. C l o u s t o n, Chippendale Period of engl. Furniture, 1897; d e r s. in The Connoisseur, X (1904) 13/7; XI (1905) 91/7, 221/6 u. in Burlington Mag., V—VII; IX (Register). — C. S i - m o n, Engl. Furniture Designers of the 18th Cent., 1907. — P. M a c q u o i d, Hist. of engl. Furniture, IV (1908). — F. L i t c h f i e l d, Ill. Hist. of Furniture, 1899. — G. M. E l l w o o d, Möbel und Raumkst in England, ² Stuttgart 1911, p. XI u. Abb. p. 119 f., 144—55, 159, 178₁, 179₁, 181₁. — Kst u. Kstler, IV (1906) 372—80 (S i - m o n). — The Connoisseur, XXXI (1911) 31 (Abb.). — J. H. P o l l e n, Ancient and mod. Furniture etc., S. Kensington Mus. London, 1874 p. CLVI, CCXXIV. *B. C. K.*

Her, T h e o d o r, Maler, geb. 30. 7. 1838 in Roth (Württemb.), † 10. 5. 1892 in München; gebildet an der Kunstschule in Stuttgart unter Neher, ging 1868 nach Paris und ließ sich 1870 in München nieder, wo er noch unter Ramberg studierte. Im Sommer 1890 in Rom und Olevano, wo er bereits in den 70er Jahren geweilt hatte. Er bevorzugte die Stimmungslandschaft und zeigte seine Bilder in den 70er u. 80er Jahren im Münchener Kunstverein, mehrfach auch in Stuttgart, 1878 in der Kst-Ausst. in Lübeck, 1879 u. 83 im Münchener Glaspalast, 1886 in der Akad.-Ausst. in Berlin. Motive seiner Bilder: Ein erster Frühlingstag (München, 1873), Sommerabend in Oberschwaben (Stuttgart, 1877), Motiv aus dem Dorf Hohenstaufen (Stuttgart, 1878), Mondnacht an der Via Appia, usw.

v. B ö t t i c h e r, Malerwerke d. 19. Jahrh., I 2 (1895). — P e c h t, Gesch. der Münchener Kst, 1888. — W i n t t e r l i n, Württemb. Kstler, 1895. — M a i l l i n g e r, Bilderchronik München, III (1876). — Kunstchronik, VIII 291; X 539; XII 353, 710; XIII 339; XIX 466. — Ausst.-Kataloge. — Notiz Fr. Noack.

Heräus, J a c o b, Lithograph; zeichnete die Ansicht v. Cassel für die Apell'sche Schrift: Cassel u. d. umliegende Gegend, 1823 u. 1825.

H o f f m e i s t e r - P r i o r, Kstler u. Kst-handw. in Hessen, 1885.

Herail, J e a n - B a p t i s t e, Miniaturmaler in Marseille, 1. Hälfte 19. Jahrh. In der Expos. des Maréchaux war ein Porträt des Marschalls Berthier (1753—1815) aus Pariser Privatbesitz (M. Bern. Franck); in der Samml. Dr. Brouillon zu Marseille das Min.-Bildnis einer jungen Dame (versteigert 1910).

P a r r o c e l, Ann. de la Peint. Prov., 1862. — S c h i d l o f, Bildnismin. in Frankreich, 1911. — Cat. Expos. des Maréchaux de France, 1922 II p. 25.

Hérain, F r a n ç o i s de, Radierer, Maler, Bildhauer, geb. in Paris 10. 11. 1877, tätig ebenda, Enkel der Malerin Herminie Dehérain, ursprünglich Arzt, als solcher amtlich tätig 1902 bis 1906. Erst 1905 begann er zu zeichnen, skizzierte die Fahrgäste der Métropolitain und die Kranken seines Hospitals, lernte das Radieren bei A. Delâtre und übte ausschließlich diese Kunst bis 1907, wandte sich dann zur Bildhauerei und malte zwischendurch Landschaften. 1912 nahm er das Zeichnen wieder auf und

widmete sich ganz dem Porträt. Im Weltkrieg als Arzt eingezogen, geriet er im August 1914 in deutsche Gefangenschaft und verbrachte 10 Monate im Lager zu Halle, wo er neben seiner ärztlichen Tätigkeit zeichnete und radierte, u. a. das Porträt des Popen Niemetsky (1915, Kaltnadel). Gegenwärtig bevorzugt er für seine lebendigen Bildnisse die Kaltnadelradierung auf Zink. Febr. 1920 veranstaltete er eine Kollektivausstell. seiner Radier. in der Gal. Georges Petit.

Revue de l'art anc. et mod., XL (1921) 256—62, mit Abb. u. Orig.-Rad.

Hérain, J e a n M a r i e, Bildhauer in Brüssel, geb. in Löwen 24. 10. 1853, Schüler von van der Linden, der Acad. in Brüssel u. der École d. B.-Arts in Paris, zeigt in Paris (Salon Soc. Art. Franç. 1882—84), Berlin (Gr. Kst.-Ausst. 1891), München (Glaspalast, 1892, 97, 1901), Ostende (Salon d. B.-Arts, 1907), Venedig (Esp. intern. 1907), Charleroi (Expos. Art anc. et mod. 1911), Brüssel (Salon Triennal 1914) usw. Statuen, Büsten, Medaillons, Statuetten. — Im Mus. in Antwerpen (Kat. 1905 No 1267): Der Gefangene (Marmor); im Stadthaus in Löwen (Kat. 1898): Mutterschaft (Bronze).

W i t t e, La médaille en Belgique au 19ᵐᵉ siècle, 1905. — Ausst.-Kataloge.

Herakleidas, Münzstempelschneider in der griech. Stadt Katana (heute Catania) auf Sizilien, signiert mit seinem vollen Namen im Nominativ zwei Vorderseiten-Stempel zu höchst kostbaren und seltenen Vierdrachmenstücken dieser Stadt aus der Blütezeit griech. Münzglyptik, und zwar aus dem Jahrzehnt von 413 bis 403, d. h. zwischen der sizil. Expedition der Athener und der Versklavung der Stadt durch den Tyrannen Dionysios den Ält. Die beiden Stempel zeigen den Kopf des Apollon von vorn mit Lorbeerkranz, die Signatur steht rechts daneben im Halbbogen. Auf dem einen Stempel, A, ist er leicht ins Dreiviertelprofil gestellt, das Haar lebhaft gelockt, der Halsabschnitt mehrfach stark eingebuchtet, die Lippen leicht geschwungen, die Augen etwas leer; das Ganze ist wohl eine nicht ganz ebenbürtige Nachahmung des berühmten Arethusakopfes von vorn des etwa gleichzeitigen Syrakusaner Stempelschneiders Kimon, doch ohne dessen köstliche Drehung des Kopfes gegen den Hals. Der andere Stempel, B, ist zwar selbständiger, aber minder schwungvoll: der Kopf steht hier in ganz starrer, fast brutaler Vorderansicht, das ungemein dichte Haar zeigt mehr strähnige Locken, der Halsabschnitt ist weniger eingebuchtet, die Augen größer und starrer, die Lippen gerader u. schwellender; die Signatur steht näher am Haar und ist auf vielen Exemplaren nur unvollkommen oder gar nicht lesbar. Die drei Rückseitenstempel α, β, γ, die in den Kombinationen A α (in etwa 12 Exemplaren bekannt), A β (6 Ex.), B β (nur 1 Exemplar bekannt), B γ (13 Ex.) mit den beiden Vorderseiten vorkommen, sind zwar nicht signiert, mindestens α und γ werden aber wohl gleichfalls von Herakleidas' Hand sein. Sie zeigen, wie in Sizilien üblich, ein bei α und γ linkshin, bei β rechtshin galoppierendes Viergespann vor dem Rennwagen, dessen langbekleidetem Lenker die auf ihn zufliegende Nike die Siegeszeichen bringt; Nike ist bei α aufrecht, bei β und γ mehr wagerecht fliegend dargestellt; ihre Attribute sind bei α ein Kranz und ein bebänderter Botenstab, bei β ein in beiden Händen gehaltenes Laubgewinde, bei γ ein Kranz und eine Siegerbinde; unter der Bodenlinie steht der Name der Einwohner der Stadt im Gen. plur., Katanaiōn, darunter noch ein Beizeichen, und zwar bei α und γ ein Fisch, bei β eine Garnele (Gambero), jener das Tier des bei der Stadt ins Meer mündenden Flüßchens Amenanos, diese das des Meeres selbst; auf β ist im Hintergrunde die Zielsäule des Hippodroms in Gestalt einer ionischen Säule hinzugefügt. — Der Stempel β erscheint auch als Rückseite eines von einem Konkurrenten des Herakleidas, Choirion (s. d.), signierten Vorderseitenstempels, der einen in Ausdruck und Ausstattung stark abweichenden Apollonkopf von vorn führt, so daß es immerhin ebensowohl möglich ist, daß wenigstens β von Choirions Hand ist. — Diesem Choirion gehört nun, wie ich a. a. O. festgestellt habe, auch die Rückseite einer Drachme von Katana gleicher Periode (mit dem fast vorwärts gewendeten Kopfe des Flußgottes Amenanos und der Signatur „Choi" darunter auf der Vorderseite), auf der bei dem schlecht erhaltenen Londoner Exemplar die früheren Forscher (Poole, Weil, Holm, Forrer, Head, Mirone) rechts vor dem Viergespanne „Herakleidas" statt „Katanaiōn" und unten den Rest des Einwohnernamens statt „Choirion" gelesen haben; die richtigen Lesungen boten ein Berliner Exemplar und je eins der Sammlungen Jameson Taf. XXVII 552, Rothschild (versteigert London Mai 1900 Taf. II 91) und einer bei Dr. Hirsch versteig. Smlg, München 1905, Taf. IV 169; die angebliche Drachme des Herakleidas ist also aus seinem Werke zu streichen. — Auch der Anfangsbuchstabe H auf gewissen Vierdrachmenstücken von Katana der gleichen Periode unter der Abschnittleiste des (hier noch die Vorderseite einnehmenden) Viergespannes, deren Rückseite ein ins Profil linkshin gesetzter Kopf des Flußgottes mit deutlich nassem Haar, einmal mit der Garnele dahinter, schmückt (Imhoof-Blumer, Monnaies grecques, 1883 p. 16 Taf. A 17, 18; Salinas [Taf. XIX 14], Weil, Holm, Forrer, Mirone, a. u. a. O.), wird gewiß mit Recht auf Herakleidas bezogen, da der Stil des Wagens wie des Kopfes zu den voll signierten Stücken paßt. — Endlich hat Evans, Numismatic Chronicle 1896, 134 Taf. IX 7 u. X eine unsignierte Bundesdrachme von Katana

mit Leontinoi um 404 v. Chr. dem Herakleidas aus beachtenswerten Stilgründen zugewiesen, und hat Hill p. 132 Taf. IX 3 vermutungsweise auch eine unsignierte Art katanäischer Vierdrachmenstücke gleicher Periode mit einem weichen, knabenhaften Apollonkopfe im Profil rechtshin und einer dem Stempel γ nahestehenden Wagenseite dem Herakleidas zugeteilt; doch gibt Mirone p. 231—235 sie gerade dem Konkurrenten Choirion.

Salinas, Monete di Sicilia, 1867 Taf. XIX 17, 18, 20. — v. Sallet, Künstlerinschriften auf griech. Münzen, 1871 p. 26. — Poole, Brit. Mus. Catal. greek coins, Sicily, 1876, Catana No 31—33. — Weil, Künstlerinschriften der sicil. Münzen, 1884 p. 16. — Holm, Gesch. Siciliens, III (1898) 629. — L. Forrer, Signatures de grav. sur les monn. gr., 1904 p. 160—164; ders., Biogr. Dict. of Medallists, II (1904) 480. — Head, Historia numorum, [2] 1911 p. 133. — Hill, Coins of ancient Sicily, 1903 p. 132. — Mirone, Monete dell' antica Catana, in Rivista ital. di numismatica, XXX (1917) 224—231 (unvollständig und mehrfach ungenau). — Regling in Zeitschr. f. Numismatik, XXXIV (1923).
Kurt Regling.

Herakleidas, Stempelschneider. Seine Künstlerinschrift findet sich auf der Platte eines goldenen Ringes im Museo Naz. zu Neapel, in die ein meisterhaft ausgeführter Porträtkopf eines Römers vertieft eingeschnitten ist. Nach der dorischen Namensform stammte H. vermutlich aus Unteritalien oder Sizilien, nach dem Charakter der Schrift und dem Stil des Kopfes lebte er im 2. Jahrh. v. Chr.

Furtwängler, Antike Gemmen, I 163; II 162, 15; III Taf. XXXIII, 15. — Pauly-Wissowa, Real-Encyklop., VIII 457. *Pernice.*

Herakleidas von Soloi auf Cypern, Bildhauer hellenist. Zeit, tätig in Lindos auf Rhodos; zwei dort gefundene Basen tragen seine Signatur.

Bulletin de l'Acad. de Danemark, 1907 p. 24 (Blinkenberg u. Kinch). — Pauly-Wissowa, Realencyclop., VIII 467 (Pfuhl).

Herakleides von Tarent, Architekt, war mit Arbeiten an der Stadtmauer Tarents betraut und hatte die Verfügung über die Torschlüssel, mußte aber bald unter dem Verdacht des Landesverrates fliehen (Polybios XIII 4, 6). Später spielte er bei König Philipp V. von Makedonien, gegen Ende des 3. Jahrh. v. Chr., eine bedeutende, keineswegs sympathische Rolle, worüber das Wichtigste bei Polybios und Livius steht. Nach Athenaios XIV, 634 B, hat H. die Belagerungsmaschine Sambyke erfunden.

Brunn, Gesch. d. griech. Künstler, II 356. — Niese, Gesch. der griech. und makedon. Staaten, II 569 ff. — Pauly-Wissowa, Realencycl., VIII 497 No 63 (Fabricius). *S.*

Herakleides, des Satyriskos Sohn von Byzanz, Bildhauer, Mitte des 2. Jahrh. v. Chr. Seine Signatur erhalten auf der in Troia gefundenen Rundbasis der Ehrenstatue des Sohnes eines Antiochos.

Dörpfeld, Troia und Ilion, II 469, Nr 51 (Brückner). — Pauly-Wissowa, Realencycl., Suppl. III, Sp. 909 (Lippold).

Herakleides, griech., aus Mazedonien gebürtiger Maler, um die Mitte des 2. Jhdts v. Chr., tätig in Athen, wohin er sich nach dem Sturz des Mazedonierkönigs Perseus begeben hatte. Plinius d. Ä. zählt ihn zu den namhaften Künstlern, schreibt ihm jedoch eine führende Bedeutung nicht zu. Wie von Protogenes, so wird auch von ihm berichtet, daß er zuerst Schiffsanstreicher gewesen sei.

Brunn, Gesch. d. gr. Kstler, II 294. — Pfuhl, Malerei u. Zeichnung d. Griechen, II 829, 831. *Pernice.*

Herakleides, Architekt. Zwei Inschriften, die eine in den Granitbrüchen des Mons Claudianus (Gebel Fatireh) im östl. Ägypten, die andere in Rom gefunden, nennen einen Ἡρακλείδης ἀρχιτέκτων, der offenbar mit der Lieferung von Werkstücken von Ägypten nach Rom beauftragt war. Flavische oder trajanische Zeit.

CIG 4713d, I. G. XIV 2421,2. — Brunn, Gesch. der griech. Künstler, II 357. — Pauly-Wissowa, Realencycl., VIII 498, No 64. *S.*

Herakleides, des Agauos Sohn aus Ephesos, Bildhauer des 2. Jahrh. n. Chr. Arbeitete zus. mit Harmatios eine Marmorstatue, die sich jetzt, als Ares ergänzt, im Louvre befindet. Am Baumstamm als Stütze die Signatur: Ἡρα[κλεί]δης Ἀγα[ύ]ου Ἐφέσιος καὶ Ἀρ[μά]τιος ἐποίουν. Die Statue, ein nackter stehender Mann mit erhobenem rechtem Arm, einen Mantel um Oberschenkel und linke Schulter geschlagen, ist ein üblicher Typus für Ehrenstandbilder von konventioneller Arbeit. Nach der Stilisierung der Mantelfalten ist die Statue in trajanische oder hadrianische Zeit zu setzen, wofür auch der Schriftcharakter spricht.

Clarac, Musée de Sculpt., III Taf. 313 Nr 1439. — Löwy, Inschriften griech. Bildhauer, Nr 293. — Pauly-Wissowa, Realencyclop., VII 2373; VIII 497 (Pfuhl). *R.*

Herakleides von Phokaia, Bildhauer unbestimmter Zeit, von Diogenes Laertios V 94 erwähnt.

Herakleitos, des Thoas Sohn, Bildhauer des 2./1. Jahrh. v. Chr. Seine Signatur erhalten auf der aus Iasos in Karien stammenden, jetzt in Konstantinopel befindl. Basis für die von einem Phormion dem Apollon Stephanephoros geweihte Statue seines Vaters Exegestos.

Revue des Études grecques, VI (1893) 186 Nr 30 (Th. Reinach). — Michel, Recueil d'inscriptions grecques, Nr 1202. — Pauly-Wissowa, Realencyclop., Suppl. III, Sp. 909 (Lippold).

Heraklitos, Verfertiger eines jetzt im Lateran aufbewahrten Mosaiks, das im Anfang des 19. Jahrh. zu Rom auf dem Aventin gefunden wurde. Das Mosaik stellt eine Nachahmung von Sosos' (s. d.) οἶκος ἀσάρωτος dar, d. h. eines Festsaales, auf dessen Boden der Zustand des

Zimmers nach einer Gasterei in Mosaik wiedergegeben war.

Brunn, Gesch. d. gr. Kstler, II 312. — Inscriptiones Graecae, XIV 1245 (Kaibel). — Nogara, Mosaici, Taf. 5—7. — Pfuhl, Malerei u. Zeichnung d. Griechen, II 864, 866. *Pernice.*

Héran, Henri, Pseudonym des *Herrmann*, Paul.

Hérard (Herrard, Errard), Gérard Léonard, fläm. Bildhauer u. Medailleur, geb. in Lüttich um 1630 oder um 1637, † in Paris 8. 11. 1675, laut Liste der Akademiker bei seinem Tode 45 Jahre, laut Sterbeakte 38 Jahre alt. War 1670 (16. 10.) Mitglied der Pariser Akad., seit 1671 (4. 9.) Inhaber einer Werkstatt im Louvre. Arbeitete unter Warin an der Münze. Seine Aufnahmearbeit für die Akad. war ein Marmormedaillon mit dem Kopf des hl. Jacobus maior, jetzt in der Chap. St. Pierre in Notre-Dame zu Versailles. Im Louvre von ihm eine Marmorbüste des Kanzlers Séguier (1671). Er war besonders für Schloß und Park in Versailles mit dekorativen Statuen und Reliefs beschäftigt; seine Statue einer Schäferin mit Hirtenflöte für das Parterre du Nord wurde nach s. Tode von Pierre Granier vollendet (gestoch. von G. Edelinck in Thomassin's Recueil de figures etc. du Parc de Versailles, 1694 p. 109). 1672 erhielt er eine größere Summe für gelieferte Silberjetons; in den Protokollen des Pariser Münzkabinetts werden mehrere Bildnismedaillen von seiner Hand genannt: Leonardo da Vinci (1669, Exemplar im Mus. zu Toulouse), Michelangelo (1673, desgl.), Ludwig XV. Eine treffliche, 1670 dat., „Hérard" bez. Medaille mit dem Bildnis des Fürstbischofs von Lüttich, Lambert de Liverlo, ist bei Forrer abgebildet. Zusammen mit Ph. de Buyster schuf er für Versailles eine Bacchus- u. Ceres-Gruppe.

Lami, Dict. d. Sculpt. . . . Louis XIV, 1906; mit Lit. — Jal, Dict. crit., ² 1872. — Marchal, Sculpt. . . belges, ² 1895, p. 462f. — Forrer, Dict. of Medall., II (1904). — [Roschach], Musées de Toulouse, Antiquités, Musée des Augustins, 1864 (Katalog), No 1308 u. 1332. — Steinmann, Michel Angelo-Porträts, p. 53, Taf. 52 („Errard"). — G. Brière, Château de Versailles, 1910 p. 5. *H. V.*

Hérard, Louis Pierre, Architekt, geb. 15. 1. 1815 in Vaugirard (Paris), † 15. 9. 1899, Schüler der École d. B.-Arts, schuf zahlreiche Nutzbauten (Schulen, Gefängnisse, Gerichtsgebäude); als Architekt der Commission d. mon. hist. leitete er die Wiederherstellung alter Baudenkmale; auf dem Friedhof Montmartre von ihm das Grabmal des Komponisten Charles Maury. Im Salon 1849, 50, 52, 53, 55, 57 Pläne.

Vapereau, Dict. d. Contemp., ⁶ 1893. — Bellier-Auvray, Dict. génér., I (1882). — Chron. d. Arts, 1899 p. 287.

Herardi, Alessio, Maler ital. Abkunft aus Malta, 17. Jahrh., nach Heinecken nachweisbar durch ein nur aus dem Stich des A. van

Westerhout bekanntes Gemälde: die 3 Märtyrer Eustachius, Eustachia u. Fermine.

Heinecken, Dict. des Artistes, 1778 ff. u. Suppl. (Ms. Kupferstichkab. Dresden).

Heras, Gaspar de las, Holzbildhauer, Anfang 17. Jahrh., in Valencia, wo er, zus. mit einem Francisco Huguet, das Chorgestühl im Colegio de Corpus Christi ausführte.

Viñaza, Adicion. al Diccion . . de Cean Bermudez, II (1889).

Hérault, Künstlerfamilie in Paris, 17. u. 18. Jahrh.; Mitglieder in chronol. Ordnung:

Antoine, Maler, wohnte 1631 in der rue des Petits-Champs und war damals schon verheiratet mit Madeleine Bruiant, die ihm seit 1630 mindestens 12 Kinder schenkte. 12. 4. 1661 erscheint er als Taufpate seines Enkels, des späteren Malers u. Stechers Ant. Coypel, Sohnes des Malers Noël Coypel. Am 4. 5. 1676 starb H.s Witwe im Hause dieses Schwiegersohnes. Von H.s Arbeiten nichts mehr nachweisbar; im Stich erhalten das Bildnis des Kardinals Pierre de Berulle († 1629) mit der Adresse: A. Hérault pinxit. C. Errard deligneavit. H. Bachot sculpsit. Ein Stich nach Raffaels Vision des Ezechiel nach einer Vorlage von C. Errard hat die Adresse: A. Héraut exc. — Cum Priuil. Regis. — Der Landschaftsmaler Fr. Dutillieu wird neben den Söhnen u. Töchtern H.s als sein Schüler u. Mitarbeiter genannt. — Über H.s Tochter Madeleine, die den Maler N. Coypel heiratete, vgl. Bd VIII, 31.

Jal, Dict. crit., ²1872. — Herluison, Actes d'état-civ. d'art. franç., 1873. — Nouv. arch. de l'art franç., 1887, 1889, 1898; Arch. de l'art franç., 1915. — Marcel, Peint. franç. 1690—1721 [o.J.].

Antoinette, Miniaturmalerin, Tochter des Antoine, geb. 13. 7. 1642 in Paris, † 7. 8. 1695 (laut Jal p. 246, l. Sp.) ebenda. Heiratete gegen 1667 in 1. Ehe den Stecher Guill. Chasteau († 1683), 6. 12. 1686 in 2. Ehe den Maler Jean-Bapt. Bonnart, 12. 7. 1694 erscheint sie als Taufpatin bei einem Sohn ihres Neffen, des Malers Ant. Coypel. Sie malte für den König die Familie des Darius nach Le Brun, ferner 2 Bilder für das Oratorium der Dauphine und mehrere für Mlle de Montpensier. Reiset führt eine Zeichnung von ihr im Louvre an, doch fehlt diese in dem neusten Inventaire von Guiffrey u. Marcel.

Reiset, Notice des Dessins du Louvre, I (1866) p. XCV.

Charles Antoine, Maler, Sohn des Antoine, geb. in Paris 1. 1. 1644, † ebenda 19. 7. 1718, ging mit seinem Schwager Noël Coypel, der 1673—75 Direktor der Acad. de France war, 1672 nach Rom und studierte besonders Poussin u. S. Rosa, kehrte mit Coypel nach Paris zurück und heiratete 17. 9. 1676 Marie Geneviève de Lens, Tochter des Goldschmiedes Jean de Lens. Am 25. 1. 1670 wurde er mit einer Landschaft in die Pariser Acad. Roy. aufgenommen. 1683 erscheint er in der Deputation, die Le Brun die Stellung als Akademiedirektor

anbot. 1684 wird H. die Erlaubnis erteilt, seine Bilder zum Verkauf „à ses fenêtres" auszustellen, 1687 wird diese Erlaubnis und auch grundsätzlich als mit der Würde der Akad. unverträglich zurückgenommen. 1715 wird H. Prof. Adjoint à Recteur und nimmt noch am 28. 5. 1718 an einer Akad.-Sitzung teil. — 1689 schenkte H. der Akad. ein Porträt des Ministers Louvois, von H. nach L. Elle, gen. Ferdinand le Vieux, kopiert; jetzt im Mus. zu Versailles (No 2186 des Kat. von Soullié), wenn auch durch spätere Restaurierung verdorben. — H. war Landschaftsmaler; noch im 18. Jahrh. werden in den Gemäldeinventaren des Kgl. Hauses eine Mondscheinlandschaft u. eine Landschaft mit Amor auf einer Wolke angeführt. Seine Tätigkeit für den Hof begann schon früh, die Rechnungen des Hofbauamtes führen auf: 1671 Zahlungen an N. Coypel u. H. für Malereien „dans la chambre de la Reyne au vieil chasteau de Versailles", 1679 an H. für Landschaften im „Appartement du Roy", 1680 an H. für Gemälde in das „grand appartement du Roy". Seit 1681 erscheint H. in den Rechnungen als marchand de tableaux und erwirbt für den Hof Bilder von G. Romano, Guercino, A. Carracci, Poussin u. P. Fr. Mola, Stücke, die heute sämtlich im Louvre sind (vgl. Bailly). 1688 letzte Zahlung in den Hofrechnungen. Im Salon 1699 u. 1704 zeigte H. Landschaften. Im Mus. in Nantes (Cat. 1913) wird ein großes Gemälde bewahrt: Dido empfängt Aeneas u. Achates im Tempel (v. 1716), gehört zu einer Folge von 12 Szenen aus der Aeneis, die vom Herzog v. Orléans bei A. Coypel als Vorlage für Teppiche bestellt wurde, und wird als Kopie von H. nach Coypel angesehen. — Heinecken kennt folgende Stiche nach H.: Vincenz v. Paula, gest. v. J. Grignon, 4 große Landschaften, gest. v. G. Scotin d. Ält. u. J. B. Scotin d. J. (1714; Le Blanc No 8). F. de Troy malte H.s Bildnis, gest. v. A. Bouys (1704). — Charles hatte 3 Söhne:

Jacques, Maler, getauft 4. 12. 1679, unterzeichnet 1718 mit seinen Brüdern Charles u. Antoine Nicolas (get. 21. 8. 1693), ebenfalls Malern, die Eintragung über die Beisetzung seines Vaters. Von Jacques ist in einem Stich des L. Desplaces ein Bildnis des Malers Ch. Fr. Silvestre (geb. 1667, † 1738) erhalten mit der Unterschrift „J. Herault pinxit 1710", die mehrfach fälschlich auf einen Jean gedeutet wird. — Von Charles' 6 Töchtern sagt Ch. L. Chéron in seinen Erinnerungen „toutes belles et sachant habilement manier le pinceau". Die älteste

Marie Catherine, getauft 6. 10. 1680, † in Dresden 17. 10. 1743, heiratete 7. 1. 1704 den Maler Louis Silvestre le jeune, mit dem sie 1716 nach Dresden übersiedelte. Sie soll bei ihrem Vater das Malen erlernt, die bei Silvestre bestellten Kopien seiner eigenen Arbeiten ausgeführt und auch die Miniaturtechnik mit Geschick geübt haben. — C a t h e r i n e , geb. um 1691, heiratete 18. 7. 1715 J. Ch. Roëttiers, „graveur des médailles du Roy". — M a d e l e i n e , geb. 2. 3. 1682, heiratete 1707 den Maler Jean Bérain d. J. — A n n e A u g u s t e , Malerin, geb. um 1690, † in Paris 16. 2. 1771, wurde 1. 7. 1721 in die Acad. de S. Luc aufgenommen, war vermählt mit Fr. Hutin „peintre du Roi de Pologne"; Chéron sagt von ihr: „sa femme la rétablit (sc. fortune) par son opiniâtreté au travail, dans l'exercice de peinture". — G e n e v i è v e - C a t h e r i n e , † in Paris 17. 3. 1755, heiratete 19. 1. 1712 den Maler Pierre Dulin (vgl. auch Herluison p. 83).

Ein vielleicht zu derselben Familie gehörender Maler L o u i s H e n r y H. (von Jal fälschlich Jacques Louis Henry gen. u. mit Jacques zusammengeworfen) ging 1672 mit Charles nach Rom. Er heiratete vermutlich bald nach seiner Rückkehr Denise, eine Tochter des Bildhauers Jacques Houzeau, die 8. 3. 1680 im Wochenbett †. In 2. Ehe vermählt mit Marie Lecuillier, die ihm einen Sohn schenkte (get. 13. 9. 1681, Taufpate Noël Coypel).

J a l , Dict. crit., ² 1872. — H e r l u i s o n , Actes d'Etat-civil, 1873. — Arch. de l'art franç., Doc. I, 366; II 372; IV 312. — Nouv. arch. de l'art franç., X (1883) 260; XII (1885) Reg. unter Hutin; 3. Série I (1886) Reg.; 1915 p. 322. — G u i f f r e y , Comptes d. Bâtiments du Roi, I (1881); II (1887); III (1891). — Table d. Procès-Verbaux de l'Acad. Roy., 1909. — Réunion d. Soc. d. B.-Arts, XI (1887) 349 f. (Chéron). — M o n t a i g l o n , Correspond. d. Directeurs de l'Acad. de France à Rome, 1887—98, I 39. — B a i l l y , Invent. des Tableaux du Roy, 1899. — E n g e r a n d , Invent. d. Tabl. du Roy, 1900. — F o n t a i n e , Coll. de l'Acad. Roy., 1910. — B e l l i e r - A u v r a y , Dict. génér., I (1882). — F ü ß l i , Kstlerlex., 1779. — H e i n e c k e n , Dict. d. artistes, 1778 ff. (Ms. Kupferstichkab. Dresden). — G. O. M ü l l e r , Vergessene u. halbverg. Dresdner Künstler, 1895. — D u p l e s s i s , Cat. Portr. Bibl. Nat. Paris, 1896 ff. V 21241. — M a l v a s i a , Felsina Pittrice, 1678, Ausg. v. 1841, I 391; II 126. (Herò). *Wgt.*

Hérault, Bildhauer in Paris, Schüler der Akad., wurde 1777 durch 2 Medaillen ausgezeichnet und konkurrierte um den grand prix 1777, 79 u. 81. Erwähnt wird eine Bronzegruppe von 5 Figuren, die 1796 in der Werkstatt des citoyen H. zum Verkauf stand.

L a m i , Dict. d. sculpt. 18me siècle, I (1910).

Herault, A n t o i n e , Holzschnitzer aus Paris, arbeitete für Schiffsdekorationen, 1668 in Toulon unter Gabr. Levray, 1672 mit Denis Payen nach Entwürfen von P. Puget.

L a m i , Dict. des sculpt. (Louis XIV), 1906. — V i a l , M a r c e l , G i r o d i e , Artistes décor. du bois, I 1912.

Herbach, C a s p a r , sächs. Alchimist, Goldschmied, Mechaniker, Stein- und Münzschneider, gen. *Kunst Caspar*, † 1. 10. 1664, wohl in Kopenhagen, hatte bereits 22 Jahre als Alchimist, Goldschmied usw. in Lichtenberg (bei Freiberg i. Sa.?) gelebt, als er ungefähr 50 jährig

1642 von Christian IV. nach Dänemark berufen und als Mechaniker und Goldschmied, bald darauf auch als Chemiker verwendet wurde. 1646 richtete der König ein besonderes Schmelzhaus ein zum Ausschmelzen norweg. Golderze, ein Unternehmen, das ihn sehr beschäftigte, und wozu er H. als Helfer heranzog. 1648 arbeitete H. die Krone, die Sophie Amalie bei der Krönung trug. Schon damals wohnte H. in Lyngby, wo er ein Gut besaß, hielt sich aber oft in Kopenhagen auf. 1649 besaß er eine Wohnung im Destillierhaus im „Kongens Have" vor der Stadt. Auch unter Frederik III. (1648 bis 70) blieb H. in Gunst. 1650 erwarb er eine Wassermühle in Lyngby. 1655 erhielt er Befehl, eine Wasserleitung anzulegen (Emdrup See — Kopenhagener Schloß), außerdem war er dem König behilflich bei dessen alchimistischen Studien. 1656 in königl. Auftrag in Amsterdam zu Verhandlungen mit dem Chemiker J. R. Glauber († 1668) über verschiedene „chemische Künste". Nach seiner Rückkehr ordnete H. die königl. Kunstkammer. Um 1660 wurde er Eigentümer eines Anwesens auf Kristianshavn, 1661 erhielt er ein Privileg für eine Bierbrauerei in seinem Besitztum in Lyngby, und auch dafür, eine Walkmühle in Kopenhagen einzurichten. 1663 erwarb er Grund und Boden in der Hauptstadt und wurde zum Münzmeister ernannt. In Dänemark hat er zweimal geheiratet, seine 2. Frau Anna Holtschard überlebte ihn. — Im Grünen Gewölbe in Dresden (Kat. 1915 p. 127) wird ihm ein reichgeschmücktes, goldenes Jagd- u. Trinkhorn zugeschrieben mit dem Wappen der Magdalena Sibylle (1647 Witwe nach dem Prinzen Christian v. Dänemark, 1652 wieder vermählt mit Herzog Friedr. Wilh. II. v. Altenburg, † 1668). Von H. in der Ambraser-Sammlg in Wien (Führer 1879 p. 90) Kristallkugel auf reichemailliertem Ständer, innen Orpheus mit den Tieren auf einem Berge (signiert?). Nagler erwähnt (wohl irrtümlich) eine Metallbüste Christians IV. von H. in der Kopenhag. Kunstkammer; als H.s Zeichen als Münzmeister gibt er das Monogramm C. H. an, aber auch F. C. H., das H. wie sein Sohn F r i e d r i c h C a s p a r geführt habe. Doch kennt weder die deutsche noch die dänische Lit. diesen Sohn.

D a h l - E n g e l s t o f t , Dansk biogr. Haandleks., II (1921), mit Lit. — N a g l e r , Kstlerlex., VI; d e r s., Monogr., II. — F o r r e r , Dict. of Medall., II (1904). — v. S e i d l i t z , Kunst in Dresden, IV (1922) 462, 553.

Herbach, M e l c h i o r , siehe *Harbach*, M.

Herbault, L o u i s A n t o i n e , Goldschmied in Paris, 1725 zuerst erwähnt, bis 1758 nachweisbar, arbeitet für den Hof, hauptsächlich Tabaksdosen in Gold mit Emails; 1756/57 gingen als Geschenke des Königs mehrere kostbare Stücke an den Hof in St. Petersburg.

M a z e - S e n c i e r , Livre des Collectionn.,

1885 p. 71, 154. — F ö l k e r s a m in Staryje Gody, 1908 p. 242, 244.

Herbays, J u l e s , Bildhauer, geb. in Brüssel-Ixelles 25. 3. 1866, Schüler der Akad. Antwerpen, stellte regelmäßig in Brüssel aus, so 1914 „Vers la lumière" (Marmor; Expos. Trienn.), 1902 auch in Paris (Soc. Nat.) „Éternelle étreinte" (Gipsgruppe).

B é n é z i t , Dict. d. peintres, II (1913). — Ausstell.-Kataloge.

Herbé, C h a r l e s A u g u s t e , Maler und Kunstschriftsteller, geb. in Reims 7. 8. 1801, † ebenda 1884, seit 1828 Schüler von A. J. Gros an der École d. B.-Arts in Paris, zeigte im Salon 1833—41 Historien u. Genrebilder. 1840 bis 70 Lehrer an der École mun. de dessin in Reims, mehrmals Italienreisen, befreundet mit N. T. Charlet u. D. A. M. Raffet. Veröffentlichte „Costumes franç. civils, milit., relig. . . . depuis les Gaulois jusqu'à 1834 dessinés . . . et publiés par H.", Paris 1834; 1840 erschien „Traité physiognomique de la Tête . . . .", Paris, ferner „Histoire d. B.-Arts en France, . . . depuis la Domination Romaine jusqu'à l'époque de la Renaissance", Paris 1842. — Im Mus. in Reims (Cat. 1909) „Der sterbende Mazarin stellt Ludwig XIV. Colbert vor" (Salon 1835), „Erzbischof Thomas v. Beaumetz u. die Ältesten v. Reims vor Ludwig d. Heiligen" (Salon 1837), „Mädchen mit Hund", ferner Selbstbildnis u. Porträts seiner Eltern.

G u y o t d e F è r e , Statist. d. B.-Arts, 1835 u. 1836. — R é u n i o n d. Soc. d. B.-Arts, XVIII 1132. — B e l l i e r - A u v r a y , Dict. génér., I (1882).

Herbel, C h a r l e s , Maler, geb. zu Nancy um 1656, † ebenda 1702, beigesetzt in der Kapelle der Deruet in der Karmeliterkirche, Sohn des Simon Herbel, „gruyer de Chatenois et Neufchâteau"; 1671 vermählt mit Marguerite Deruet, † 1693 in Nancy, 54 Jahre alt. H. wurde 1687 membre de la Congrégation. Er begleitete Herzog Karl V. von Lothr. auf seinen Feldzügen, war dann am Hofe Kaiser Leopolds I. beschäftigt und wurde 1698 nach seiner Rückkehr nach Nancy zum héraut d'armes de Lorraine ernannt. — Die bedeutendsten seiner Werke waren die Schlachtenbilder, die die Siege und Heldentaten Karls V. von Lothr. verherrlichten. Diese vielfigurigen, reichbewegten Darstellungen, 1698 beim feierl. Einzug Herzog Leopolds und seiner Gemahlin Elisabeth Charlotte von Orléans in Nancy zum Schmucke der Triumphbogen verwendet, dienten einer Folge von Bildwirkereien als Vorlagen, die heute Ritterstube und Trabantensaal der alten Hofburg in Wien schmücken. Sie wurden in der von Herzog Leopold († 1729), dem Vater Kaiser Franz' I., in Malgrange bei Nancy gegründeten, von Ch. Mitté geleiteten Tapisserie-Werkstätte 1705—25 gewirkt und tragen die verbundenen Wappenschilde Lothringen und Orléans. Die Kartons

nach den Originalen H.s wurden, wie die erhaltenen Dokumente über die Ablieferung der fertigen Stücke bezeugen, von den Malern Martin und J. L. Guyon unter Mithilfe der Maler Du Rup und Cl. Jacquard ausgeführt. — Auch als Porträtmaler hat sich H. hervorgetan: Bildnisse Herzog Karls V. und seiner Gemahlin Eleonora (von E. Hainzelmann gest.) u. Porträts der Generale, die unter Karl V. gedient hatten. — Einige seiner Werke, darunter der Triumph Karls V. über die Türken und eine Passion, die sich einst in der Chap. de la Congrégation des Hommes in der Jesuitenkirche zu Nancy befand, angeblich im Musée hist. lorr. in Nancy, andere in Privatsamml. ebenda. Die Bilder mit den Schlachten Karls V., die den Tapisserien als Vorlage gedient haben, sind **1719** beim Brande des Schlosses von Lunéville zugrunde gegangen. — H.s Sohn, H e n r y - J o s e p h , † in Nancy 22. 10. 1681, 37 jährig, wird Historienmaler genannt.

L e p a g e , Palais de Nancy, 1852 p. 123; d e r s . , Quelq. notes sur des peintres lorr. des XVe, XVIe et XVIIe siècles, in Bull. de la Soc. d'Archéol. Lorr., IV (1853) 77, 98; d e r s . , Ch. Herbel, Peintre et héraut d'armes de Lorraine, in Journ. de la Soc. d'Archéol. et du Comité du Musée Lorrain, IV (1855) 95. — C h e n n e - v i è r e s , Rech. sur la vie et les ouvrages de quelq. peintres provinc. de l'anc. France, II 337/38. — N o ë l , Cat. des Coll. Lorr., 1850/51, I No 2392, 2393; II No 5522, 5523. — D u s s i e u x , Les artistes franç. à l'étr., 1876. — M ü n t z , La Tapisserie, p. 334. — G u i f f r e y , M ü n t z , P i n c h a r t , Hist. génér. de la Tapiss., 1878 bis 1885, France, p. 153. — M ü n t z , Les Fabriques de Tapiss. de Nancy, in Mém. de la Soc. d'Archéol. Lorr., 3e série, IX (1883) 202; vgl. Chron. des Arts, 1883 p. 105, 160. — Jahrb. d. Kstsamml. d. Allerh. Kaiserh., I (2. Teil) p. 217, 222. — G u i f f r e y , Hist. de la Tapiss., Tours 1886 p. 400. — Essai de Répert. des art. Lorr., in Réun. des Soc. des B.-Arts, XXIII (1899) 456 f. — T h o m s o n , Hist. of Tapestry, 1906 p. 420. — R o s s i , Arte dell' Arazzo (Manuale Hoepli) 1907 p. 84. — P f i s t e r , Hist. de Nancy, III (1908) 213, 232, 239. — A. d e M a h n e t , Journaliers de la Famille de Marcol, in Mém. de la Soc. d'Archéol. lorr., LIX (4e série. 9. vol.), 1909 p. 358, 377. — D r e g e r , Baugesch. d. Hofburg Wien, Oesterr. Kunst-Topogr., XIV (1914) 290. — H e r m . S c h m i t z , Bildteppiche, p. 315.
Betty Kurth.

Herbelin, J e a n n e M a t h i l d e , geb. *Habert,* Miniaturmalerin, geb. 24. 8. 1820 in Brunoy, † Anfang April 1904 in Paris, Schülerin ihres Oheims J. H. Belloc, zeigte im Salon 1840—77 Porträtminiaturen auf Elfenbein (auch in Sepia), daneben Kopien en miniature nach alten Meistern (Velazquez, Rembrandt, van Dyck u. a.), eigene Kompositionen wie „Bergère bourguignonne", „la Prière", „un Souvenir" u. a., auch Zeichnungen u. Studien. Nachdem sie alle Auszeichnungen erhalten, die der Salon zu vergeben hat, wurden ihre Arbeiten 1853 (Moniteur v. 27. 7.) für juryfrei erklärt. In ihrem Salon trafen sich die besten Köpfe der Glanzzeit des 2. Kaiserreiches, und nicht wenige davon hat sie gemalt, z. B. Mlle Zulmé Maspéro, de Thorigny, Guizot, Isabey, Rosa Bonheur, Dumas père, Dumas fils, E. Delacroix, Rossini u. a. Besonders gerühmt werden die Miniaturen nach der Kaiserin Eugénie und dem Prinzen Loulou (Abb. A. Dayot, Le Second Empire). Im Luxembourg-Mus. (Kat. 1898 p. 105) ein Miniaturbildnis der Mme Andryane, bez.: Mme Herbelin 1848.

Bellier-Auvray, Dict. génér., I (1882). — Vapereau, Dict. d. Contemp., 6 1893. — Gaz. d. B.-Arts, 1895 II 139 ff. (Bouchot). — Chron. des Arts, 1904 p. 136 f. (M. Proust). — Mireur, Dict. d. Ventes d'art, III (1911). — Schidlof, Bildnisminiatur in Frankreich, 1911. — Kataloge: Min.-Ausst. Berlin 1906 (Friedmann & Weber); 1912 (Reuss & Pollack); Sammlg A. Ph. Schuldt Hamburg (Versteig. J. M. Heberle 3.—5. 5. 1893) Abb. — Journal de Eug. Delacroix, 1893/95.

Herber, hess. Bildhauer-, Bildschnitzer- u. Steinmetzenfamilie des 16. u. 17. Jahrh. Hauptvertreter **Andreas**, geb. um 1530, begr. 12. 5. 1614 in Cassel, viell. Nachkomme des Meisters **Johann H.**, der 1463 vom Landgrafen Ludwig als Werkmeister u. Zimmermann angenommen wurde. Andreas wird zuerst 1551 als Bildschnitzer genannt. Aus der ersten von drei Ehen hatte er eine große Kinderzahl, darunter die beiden Söhne, mit denen er wahrscheinlich seine umfangreiche Werkstatt betrieb: **Antonius** (geb. 1558, begr. 24. 10. 1635) und **Jorge** (get. 18. 10. 1565, begr. 1. 7. 1611). Sehr zahlreich sind von Andreas und s. Söhnen erhalten Grabdenkmäler, darunter voll bezeichnet („Andres Herber, Bildhawer in Cassel") eins in der Kirche in Netze, unterhalb Burg Waldeck, woselbst noch 2 andere Grabmäler, alle von waldeckischen Grafen; ein viertes Grabmal von H. für ein Mitglied desselben Geschlechts in der Kirche zu Niederwildungen. Mit dem Monogramm A. B. („Andreas Bildschnitzer") bezeichnete Grabdenkmäler an der luth. Kirche in Cassel (früher alter Totenhof), sowie in den Kirchen von Kirchberg (Kr. Fritzlar), Trendelburg, Oldendorf (Gr. Schaumburg) u. Frischborn. Aus stilkritischen Gründen lassen sich danach der Werkstatt zahlreiche ähnliche Monumente in Lauterbach, Schlitz, Frischborn, Büdingen u. a. O., bes. auch 2 Epitaphe in der Brüderkirche in Cassel zuweisen. Die Todesdaten weisen diese Arbeiten alle in das letzte Drittel des 16. Jahrh. Von anderen dekorativen Arbeiten sind durch Monogramm gesichert die Wappen am Treppenturm der Burg Waldeck (1577) und das Renaissanceportal des Hochzeitshauses zu Fritzlar (1590). Zuzuweisen sind ihm u. a. das Wappen am Zeughaus in Cassel nebst Büste des Landgrafen Wilhelm IV. in Nische mit Karyatiden (1583), das Wappen am Elisabethhospital ebendort (1587), die Wappentafel vom ehemal. Stadtbau Cassel (jetzt Landesmus.), das Tor des Friedhofes von Naumburg

bei Cassel mit 5 Wappen. — Urkundlich gesichert, aber nicht erhalten ein Brustbild für die Ratsstube d. Altstädter Rathauses in Cassel (1572). Ferner lieferte Andreas Holzmodelle für Ofenplatten, die in d. landgräfl. Eisenhütte zu Lippoldsberg gegossen wurden. — Von seinen Nachkommen werden **Peter** (get. 8. 9. 1586, begr. 17. 11. 1625), **Hans George** (get. 12. 5. 1605, begr. 6. 4. 1671), Söhne von Antonius, und **Johann Rudolf** (get. 3. 3. 1650, begr. 6. 10. 1693), Sohn von Hans George, als Bildhauer urkundlich genannt.

C. Knetsch, Die Casseler Bildhauerfamilie H., in Hessenkunst, herausgeg. von Chr. Rauch, Marburg 1923, p. 40 ff. (mit 3 Abb.). — Bau- u. Kunstdenkmäler im Reg.-Bez. Cassel, II (Fritzlar), 129 u. 175, Tafel 170 u. 208; III (Grafsch. Schaumburg) 93 u. Tafel 120; VI (Cassel-Stadt) 27, 468 u. 487. *Gr.*

Herberg, Caspar, s. unter *Karinger*, Joh. Adam.

Herberholz, Wilhelm, Maler u. Graphiker in Düsseldorf, geb. 1. 2. 1881 in Schwerte in Westfalen, Schüler der Akad. zu Cassel u. Düsseldorf. Zeigt gemalte u. radierte Landschaften u. Porträts auf verschiedenen deutschen Ausst. (Gr. K.-A. Berlin 1910, 14; Gr. K.-A. Düsseldorf 1911, 20; Kst-A. Cassel 1913; Stuttgart 1914; Jahresausst. Kstlerv. „Niederrhein", Düsseldorf 1921).

Dresslers Ksthandbuch, 1921 II. — W. Schäfer, Bildhauer u. Maler in den Ländern am Rhein, 1913. — Deutsche Monatshefte, 1914 (Rheinlande, XIV), 237 (Abb.). — Velhagen u. Klasings Monatshefte, XXXVI. Jahrg., Sept. 1921 p. 32 f.

Herbert, Alfred, engl. Marinemaler, † in London Anfang 1861. Bildete sich als Autodidakt u. stellte 1844—5 in der Soc. of Brit. Artists und 1847—60 in der Royal Acad. Aquarelle mit Motiven von der unteren Themse, Strandszenen mit Fischerbooten u. figürl. Staffage, aus. In der Soc. of Brit. Art. war er 1855 auch mit einem Ölbild vertreten. Arbeiten im Londoner Vict. and Albert Mus. (2 Aquar.) u. in der Gal. in Liverpool.

Redgrave, Dict. of Artists, 1878. — Dict. of Nat. Biogr., XXV (1891) 168. — Art Journal, 1861 p. 56 (Nekrol.).

Herbert, Arthur John, s. unter *Herbert*, Cyril W.

Herbert, Cyril Wiseman, Landschaftsmaler, geb. in London 30. 9. 1847, † daselbst 2. 7. 1882. Genoß mit seinen Brüdern (s. u.) den Unterricht seines Vaters John Rogers und studierte 1868 in Italien, wo er in der Gegend von Olevano Landschaftsskizzen nach der Natur malte. Stellte 1870—5 in der R. Acad. aus (1882 Kurator der Gipssamml.). Die Liverpooler Gal. besitzt sein Gemälde: Rückkehr zum Stall. — Arthur John, Bruder des vor., Historien- u. Landschaftsmaler, geb. 1834, † 18. 9. 1856 in der Auvergne (Frankr.), Schüler seines Vaters, stellte 1855/6 in der

Royal Acad. 2 Arbeiten aus (Don Quijote und: Philipp IV. im Atelier des Velazquez). Das Londoner Victoria and Albert Mus. besitzt von ihm ein Aquarell („Barnstaple, Devon"). — **Wilfrid Vincent**, Bruder des vor., Historien-, Landschafts- u. Bildnismaler. Schüler seines Vaters, Reisen in Italien, Griechenland und im Orient. Stellte 1863—91 in der Royal Acad. aus (Orientbilder, Hl. Martin, Sokrates u. Xanthippe, In der Arena, Bildnis J. R. Herbert u. a.). Hervorgehoben wurden die geistvolle Komposition, die breite Malweise und scharfe Charakterisierung seiner Bilder, während man seine Farbe zu kalt fand. Das Londoner Victoria and Albert Mus. besitzt sein Ölbild: Karawane in der Wüste (1863).

Dict. Nat. Biogr., XXVI (1891) 172 (C. W.); 203 (unter J. R. Herbert). — Art Journal, 1882 p. 256 (C. W., Nekrol.). — H. Ottley, Dict. of Painters, 1915 (A. J.). — Redgrave, Dict. of Artists, 1878 (A. J.). — Graves, R. Acad., IV (1906); Cent. of Loan Exhib., 1913 f. II. — F. v. Bötticher, Malerwerke 19. Jahrh., I 2 (1895), fälschlich Herbert, W. G. — Kat. der gen. Slgn.

Herbert, Elias Franz, Maler, geb. 1708 in Fulnek (Mähren), † 1771 in Ungarisch Hradisch. Von ihm auf dem Hochaltar der Dreifaltigkeitskirche in Neutitschein in Bild der hl. Dreifaltigkeit um 1756, Christus als Knabe auf der Weltkugel stehend, in der erhobenen Rechten sein Herz haltend, Maria anbetend vor ihm knieend, rechts davon Gott Vater auf Wolkenthron, darüber die Taube. Andere Altarbilder H.s in Neutitschein in der Pfarrkirche und in der Andreas-Kapelle, in den Pfarrkirchen in Ostrawitza u. Wolmersdorf, in der Franziskanerkirche in Ungarisch-Hradisch.

J. Ullrich im Neutitscheiner Volkskalender für 1909 (Gesch. d. Malerei u. Bildhauerei im Kuhländchen); ders. in Mitt. Erzherz.-Rainer-Mus. in Brünn, XXXI (1913) 83.

Herbert, Henry, Earl of Pembroke, Architekt, Mathematiker und Kunstsammler (Dilettant), geb. als 3. Sohn des Thomas, 8. Earl of Pembroke, 29. 9. 1693, † in London 9. 6. 1751. Oberkammerherr Georgs II., Generalleutnant und Mitglied des Regentschaftsrats 1740, 1743 und 1748. Erbte den Kunstsinn seines Vaters. Walpole nennt ihn einen zweiten Inigo Jones und rühmt den reinen Stil seiner Bauten, von denen der Neubau des Familiensitzes Wilton House, der Mittelbau von White Lodge in Richmond Park, Marble Hill (Countess of Suffolk House) bei Twickenham und das „Waterhouse" des Lord Orford in Houghton am bekanntesten sind. Wichtiger aber ist H.s Wirksamkeit als Mäzen der Baukunst. Er nahm bedeutenden Anteil am Bau der (alten) Westminsterbrücke in London, deren Grundstein von ihm 1739 unter großen Feierlichkeiten gelegt wurde (Schlußsteinlegung 1750). Er setzte gegen Hawksmoor und Batty Langley die Annahme der Pläne des Schweizers Labeyle durch und erwarb sich durch sein entschlossenes Eintreten für einen Ausländer einen Namen in der Gesch. der engl. Architektur.

Dict. of Nat. Biogr., XXVI (1891) 194, m. Lit. — B. Chancellor, The Lives of the Brit. Archit., 1909 p. 75, 222—4, 302.

Herbert, James Dowling, eigentlich *Dowling* (Bühnenname *Herbert*), irischer Bildnismaler, Schauspieler und Kunsthändler, geb. in Dublin 1762 oder 1763, † auf Insel Jersey April 1837. Schüler der Dublin Society's Schools und R. Home's, machte sich nach Beendigung seiner Lehrzeit als Bildnismaler in Dublin selbständig. Auf einer Reise nach Kells erhielt er vom Landadel gut bezahlte Aufträge und betrat bei dieser Gelegenheit zum 1. Male die Liebhaberbühne. Auf einer Reise nach Kilkenny, Limerick und Cork abermals mit Bildnisaufträgen geradezu überhäuft, spielte er zugleich auf Privatbühnen und faßte den Entschluß, auf der Londoner Bühne sein Glück zu versuchen. Auf Bitten seiner Angehörigen übernahm er aber das väterl. Geschäft in Dublin, nach dessen Auflösung er 5 Jahre später in Bath als Bildnismaler tätig war. Seine Spezialität waren kleine Vollfigurenbildnisse (Aquarelle), die er mit dem Bleistift überarbeitete. Wir finden ihn 1798 wieder in Dublin, wo er zahlreiche aus der Zeitgeschichte bekannte Iren und die Verhaftung des Lord Fitzgerald (s. u.) malte. Da aber die Kundschaft ausblieb, wandte er sich wieder der Bühne zu, in der Absicht, daneben auch weiter das Malhandwerk auszuüben. Im Jan. 1799 trat er zum 1. Male in Dublin öffentlich auf; 1800 spielte er in Belfast, 1801 war er wieder in Dublin, wo er eine Ausst. mit Ölbildern und Zeichnungen, unter denen sich ein Bildnis seines Freundes, des Dichters Tom Moore befand, beschickte. In den folgenden Jahren lebte H. abwechselnd in Dublin und London, wo er aber auf der Bühne nur geringen Beifall fand. Nachdem er sich 1811 auch auf den Kunsthandel verlegt hatte, beschickte er 1811—21 die Ausstell. der Dubliner Society of Artists 4 mal mit Bildnisarbeiten. Aus der Folgezeit sind die Nachrichten über ihn überaus spärlich; jedenfalls ist er 1832 und 1834 in London nachweisbar, wo er in der Royal Acad. ausstellte und 1835—6 in Dublin, wo er die Ausst. der Royal Hibernian Acad. beschickte. 1836 veröffentlichte er in London seine „Irish Varieties for the last 50 years" (Lebenserinnerungen; die geplante Fortsetzung nicht mehr ersch.). Noch kurz vor seinem Tode feierte er in derselben Glanzrolle, die er einst in Belfast gespielt hatte, Triumphe. — Von H.s Arbeiten scheinen sich nur 2 Bildniszeichn. in der Dubliner Nat.-Gall. im Original erhalten zu haben; die beiden Historienbilder „Verhaftung des Lord Fitzgerald" und „Landung Georgs IV. in Howth" sind längst verschollen. Ein Knabenbildnis mit Hund in Landschaft (Öl) wurde 23. 2. 1905 bei Christie's in London versteigert. Ein Ölbildnis Arthur O'Connor's wurde von W. Ward 1798 in Schabmanier gestochen; aus dems. Jahre datiert auch das von H. Brocas gest. Bildnis des Lord Mountjoy. 2 weitere Bildnisse hat T. W. Huffam nach H.s Zeichnungen für Madden's „United Irishmen" gestochen. H.s, von seinem Mitschüler Shee gemaltes Bildnis war 1805 in der Londoner Royal Acad. ausgestellt; als Schauspieler hatte ihn sein Freund Tom Moore in einem mit H.s Bildnis geschmückten Aufsatz des „Hibernian Magazine" (Febr. 1799) gefeiert.

W. G. S t r i c k l a n d , Dict. of Irish Artists, 1913 I, mit Oeuvreverz. — G r a v e s , Royal Acad., IV (1906).

Herbert, J o h a n n M a r t i n , Maler aus Aschaffenburg, in der Kirche in Stralsbach (B.-A. Kissingen) ein Gemälde Abendmahl, voll bez. u. 1792 dat., in der Kap. zu Erlach (B.-A. Lohr) ein Altarbild Joh. d. T., bez. M. Herbert pinxit 1796; in der Michaelskap. in Neustadt (B.-A. Lohr), heutige Friedhofskap., linker Seitenaltar (Übergabe des Klosters an die Mönche), bez. M. H. Pinxit 1791, wahrscheinlich von H.

Kstdenkm. Bayerns, III, Heft 9 (B.-A. Lohr) 10, 83; Heft 10 (B.-A. Kissingen) 224.

Herbert, J o h n R o g e r s , engl. Historien-, Bildnis-, Landschaftsmaler u. Graphiker, geb. in Maldon (Essex) 23. 1. 1810, † in Kilburn (London) 17. 3. 1890. Vater der Arthur John, Wilfrid Vincent u. Cyril Wiseman. Studierte 1826—28 an der Royal Acad. und malte zuerst Bildnisse, mit denen er sich bei der vornehmen Welt beliebt machte, und die er seit 1830 in der R. Acad. ausstellte. Er wandte sich dann dem romantischen Genre zu und malte als erstes dieser Bilder das „Rendezvous" (Szene Venedig), das in Stichreproduktionen (von J. C. Bromley u. von Ch. Roll für „Keepsake" 1835) seinen Namen bekanntmachte. Nach einem Besuch Italiens erweiterte H. sein Stoffgebiet durch Bilder aus der ital. Geschichte und malte u. a. den „Loskauf der Gefangenen" (1836); „Desdemona's Fürbitte für Cassio" (1837); „Haidee" (1838, aus Byron's „Don Juan", von Lumb Stocks zusammen mit „The Lady Ida" für „Keepsake" 1841 gestochen); „Venezianische Bräute von 1528" (1839); Bilder, mit denen er meist in der Brit. Instit. vertreten war. Nachdem er um 1840 in Venedig unter dem Einfluß des Architekten Pugin, mit dem er die Schwärmerei für das Mittelalter teilte, zur kathol. Kirche übergetreten war, wandte er sich immer mehr dem religiösen Genre zu; 1841 wurde er Associate, 1846 ordentl. Mitglied der Akad. Seine Arbeiten aus diesen Jahren sind vielfach gestochen worden; dazu gehören: Istrische Piraten rauben die venezian. Bräute aus der Kathedrale von Olivolo (mit and. Dar-

stell. für Roscoe's Legends of Venice 1841 gestochen); Einführung des Christentums in Britannien (1842); Bildnis des späteren Kardinals Dr. Wiseman (1842); Christus und die Samariterin (1843, Kohlezeichn. im Victoria and Albert Mus., Stich von S. Bellin); Thomas Moore und seine Tochter sehen der Hinrichtung von Mönchen zu (1844, früher Slg Vernon, Stich von John Outrim); Freispruch der 7 Bischöfe unter Jakob II. (1844, Stich von S. W. Reynolds); Gregor der Große unterrichtet Knaben im Gesang (Diploma Work anläßlich der Wahl in die Akad.); Bildnis A. W. Pugin (1845); Christus seinen Eltern untertan (1847); Johannes der T. tadelt Herodes (1848), sowie die von S. Bellin gestochene „Verkündigung der Gewissensfreiheit durch die Independenten auf der Theologenversammlung zu Westminster 1644". Während die Natur die Grundlage seines Schaffens blieb, suchte H. in einer, der heutigen Geschmacksrichtung allerdings wenig zusagenden Weise, jüdisch-christl. Symbolik mit klassischer Formensprache und venezian. Kolorit zu vereinigen. Man bewunderte das Edle seiner Gestalten, die Klarheit der Zeichnung, die breite, solide Malweise, die südliche Glut seiner Landschaften und die höchst sorgfältige Ausführung im einzelnen. Die Parlamentskommission beauftragte ihn 1846 und später mit der Ausführung von Fresken in verschiedenen Räumen des Oberhauses. Geplant waren Szenen aus Shakespeare's „Lear" für die Dichterhalle und 9 alttestamentl. Darstell. (Gesetz und Gericht) im Peer's Robing Room. Von diesen Kompositionen, von denen viele Teilstudien in der R. Acad. ausgestellt waren, hat H. in jahrelanger, gewissenhafter Arbeit nur das Fresko: Lear verstößt seine Tochter Cordelia, sowie den überlebensgroßen Moses mit den Gesetztafeln (in monochromer Technik 1865 voll., jetzt fast zerstört) vollendet. Eine Ölreplik des Moses, der als H.s Hauptwerk galt, befand sich neben einer solchen des „Lear" früher in der Schwabestiftung der Hamburger Kunsthalle (Aquarellreplik in der Melbourne Gall.); Kohlestudien zum „Lear" und „Moses" im Victoria and Albert Mus. In späteren Jahren malte H. neben Landschaften (Windsor, Wales, Griechenland, Sinai) besonders Bilder aus dem Leben der Magdalena. Nachdem schon Mitte der 70 er Jahre die zunehmende Schwäche seiner künstler. Leistungen Proteste gegen seine Zulassung zu den Akad.-Ausstell. veranlaßt hatte, trat H. 1886 aus den Reihen der ordentl. Mitglieder aus, gehörte der Akad. aber weiterhin als Ehrenmitglied an. Gemälde H.s (außer den obengen.) befinden sich in der Londoner Guildhall Gall. („Die Jugend unsres Herrn", R. Acad. 1869); in Preston, Corporation Art Gall. („Urteil Daniels"), Salford („Kongreß der Liga zur Bekämpfung der Korngesetze in Manchester 1847", Stich von S. Bellin) und in der Hamburger Kunsthalle („Ägyptisches Mädchen"). Bildniszeichnungen (2 Darstell. auf 1 Bl.: Kopfstudien nach W. White und F. Tatham) im Printroom des Brit. Mus. Das Bildnis seines Freundes Pugin hat H. eigenhändig radiert und in Schabmanier gestochen (selten), während G. R. Ward das Bildnis des Kardinals Wiseman und G. T. Payne dasjenige des Samuel Wilderspin (in Schabmanier) nach ihm gestochen haben.

Dict. Nat. Biogr., XXVI (1891) 203 f. — W. S a n d b y , Hist. of the R. Acad., 1862 II. — H. O t t l e y , Dict. of Painters, 1875. — T h . S m i t h , Recollections of the Brit. Instit., 1860. — R. u. S. R e d g r a v e , Cent. of Painters etc., 1866 II. — Art Journal, 1865 p. 162; Stiche ebda 1864, 1866. — G r a v e s , Dict. of Art., 1895; R. Acad., IV (1906); Brit. Inst., 1908; Cent. of Loan Exhib., 1913 f. II; IV 1962; Index . . . to W a a g e n , 1912. — Cat. of engr. Brit. Portraits, Brit. Mus., II (1910) 108; III (1912) 523; IV (1914) 349, 471, 521. — Cat. of Drawings by Brit. Artists, Brit. Mus., II (1900). — H e l l e r - A n d r e s e n , Handb. f. Kupferst.-Sammler, 1870 I. — Kat. der gen. Slgn. — H. T h. S c h u l t z , Gemälde der Schwabe-Stiftung in der Hamburger Kunsthalle, Hamb. 1888; cf. Verz. der . . Schwabe-Stiftg, 1886. — F. v. B ö t t i c h e r , Malerwerke des 19. Jahrh., I 2 (1895). — Shakespeare in Pictorial Art. Spec. Spring Nr of The Studio, 1916, mit Abb. — Kat. Handzeichn. Nat.-Gal. Berlin 1902.

Herbert, S y d n e y , engl. Landschafts- und Marinemaler, geb. in Worcestershire 1854 (nach and. Angabe 1847), † 22. 4. 1914 auf einer Omnibusfahrt, während er von einem Malausflug zurückkehrte. Studierte in London u. Paris. Tätig in Cheltenham, wo er 23 Jahre als Lehrer am Ladies College wirkte. Stellte 1865—87 in der Londoner Soc. of. Brit. Artists und New Water-Col. Soc. aus. Seine durch poetische Empfindung ausgezeichneten Arbeiten fanden nur wenig Abnehmer. Die Städt. Gal. in Leeds besitzt sein Ölbild „A Dream of ancient Athens" (Cat. of paint. etc., ⁷ 1909, mit biogr. Angaben).

G r a v e s , Dict. of Artists, 1895. — Notes & Queries, 11. Ser. IX (1914 I) 380.

Herbert, W i l f r i d V i n c e n t , siehe unter *Herbert*, Cyril W.

Herberth, C., Lithograph in Wien, von ihm bekannt ein lith. Bildnis der Sängerin Jenny Ney (bez. u. 1852 dat.) und Bildnis eines Herrn im Straßenkostüm (Zeichnung, laviert, bez. u. 1850 dat.) in der Albertina in Wien.

Kstchronik, N. F. XXIII (1912) 59. — Die Meister der Wiener Porträtlithogr. (Kat. Gilhofer u. Ranschburg), Wien 1906 p. 9. — Jahrb. d. Bilder- u. Kstblätterpreise, II (1912).

Herberts, Maler, nur bekannt nach Kramm, der ein lebensgroßes Herrenporträt von ihm sah, bez.: Herberts fecit 1657.

K r a m m , Levens en Werken, III (1859).

Herbès, F r a n ç o i s d', Maler, geb. 1805, † 1877, zeigte im Salon 1837—43 Architekturansichten u. Kircheninterieurs; vertreten in den Museen Le Havre u. Rouen.

B e l l i e r - A u v r a y , Dict. génér., I (1882). — B é n é z i t , Dict. d. peintres etc., II (1913). — R u m p , Lex. bild. Kstler Hamburgs, 1912.

Herbig, W i l h e l m (Friedrich W. Heinrich), Maler, geb. 22. 4. 1787 in Potsdam, † 5. 7. 1861 in Berlin, Schüler der Berl. Akad., seit 1823 deren Mitglied, 1829 Lehrer der 3. Zeichenklasse, 1831 der 2. Zeichenklasse, 1833 der Malklasse, 1838 Mitgl. d. Senats. 1845 Vizedirektor d. Akad. unter G. Schadow, übernahm er nach dessen Tode in gleicher Eigenschaft die Leitung der Akademiegeschäfte. — 1813 meldete er sich begeistert zu den Fahnen, wurde als zu schwächlich zurückgewiesen, erlangte aber durch eine Audienz beim König die Erlaubnis, ins Heer einzutreten. Als freiwilliger Jäger machte er die Schlacht bei Kulm mit, erkrankte aber bald danach und wurde entlassen. Eine Szene aus dieser Schlacht (29. 8. 1813) malte er für den König. Später malte er noch andere ähnliche Darstell., daneben Porträts, z. B. die Heerführer der Freiheitskriege: Feldmarschall Graf Kleist v. Nollendorf (Akad. 1822; 1913 auf der Jahrh.-Ausst. in Breslau aus dem Besitz des Freih. v. Eckhardstein in Reichwalde); Fürst Blücher zu Pferde; Bildnis Friedrich Wilh. III. in ganzer Figur (Akad. 1828; wohl das von Nagler als im Besitz des Herzogs v. Wellington in London genannte Stück). 1826 stellte H. in der Akad. ein Madonnenbild aus, das von Schorn gelobt wurde (Kunstblatt 1827 p. 122). 1840 zeigte er ebenda ein mehrteiliges Gemälde, das der Säkularfeier der Buchdruckerkunst gewidmet war, 1842 „Der alte Fritz u. d. Berliner Jugend" (1843 auch im Leipziger Kst-Ver. ausgest.). Im Schloß Bellevue befanden sich die 3 Grazien (Akad. 1832) und die Spinnerin (Akad. 1836). Von 1804—1862 erscheint er fast auf jeder Ausstellg der Berl. Akad. Sein Bildnis (1858 v. J. Schrader gemalt) in der Akad. Rosenberg nennt ihn „faustfertig", auch Raczynski lobt ihn nicht.

N a g l e r , Kstlerlex., VI. — Dioskuren, 1861 p. 249 f. (Nekrolog). — R a c z y n s k i , Gesch. d. mod. Kst, III (1838) 50 f. — R e b e r , Gesch. d. neueren dtsch. Kst, 1876. — A d. R o s e n b e r g , Berliner Malerschule, 1879. — F. v. B o e t t i c h e r , Malerwerke des 19. Jahrh., I 2 (1895), Bilderliste. — D u p l e s s i s , Cat. Portr. Bibl. Nat. Paris, 1896 ff., V 22 309. — Kataloge: Berliner Akad.-Ausst. 1804—1862, 1862 p. III f. Nekrolog; Hist. Ausst. Breslau 1913; Bildnis-Ausst. Akad. Berlin 1920 p. 39; Gr. Kst-Ausst. Berlin 1906 (retrosp. Abt.).

Herbig, W i l h e l m E., Maler in Berlin, Schüler von E. Daege an der Akad., 1854—56 Studienaufenthalt in Italien (Rom, Neapel, Florenz), zeigte 1846—74 in der Berl. Akad. hauptsächlich Porträts, 1856 Motive aus Italien, 1862 „Die Erwartung" (mit Benutzung eines Entwurfes des Wilh. Herbig).

Katal. der Berl. Akad.-Ausst., 1846, 48, 56, 62, 68, 74. — Notiz Fr. Noack.

Herbin, Maler, von de Marolles († 1681)

erwähnt als nach 1600 lebend, nur bekannt
durch ein Bildnis des Kardinals J. D. Duperron († 1618), gestochen von Ingouf jr; vielleicht identisch mit dem 1658 in Paris nachweisbaren Maler G i r a r d H.

M. de M a r o l l e s , Livre des Peintres . .,
ed. Duplessis, 1855. — Cat. Portr. Bibl. Nat.
Paris, 1896 ff. III 13 764/8, 14. — H e r l u i s o n ,
Actes d'état-civil, 1873. — N a g l e r , Kstlerlex. VI.

Herbin, A u g u s t e , Maler in Paris, geb.
29. 4. 1882 in Quiévy (östl. Cambrai), erschien zuerst 1907 u. 1909 im Salon Soc. Art.
Indép. mit Porträts, Stilleben u. Landschaften,
sein Selbstporträt von 1909 wurde auch in
Deutschland bekannt. H. ist dann unter dem
Einfluß von Picasso zum Kubismus übergegangen, den er malerisch auf sein Stoffgebiet anwendet (vgl. die Abb. Beeldende
Kunst, IV [1916/17] Taf. 80; V Taf. 94), in
abstrakte Form erweitert in „Flachdekora-
tionen, die durch eine Bemalung in geometrischen Formen ornamentiert sind", um schließlich zu einer Art Plastik überzugehen, indem
er Holzkörper mathematischer Form in den
Grundfarben bemalt und zusammenbaut. H.
zeigte seine Arbeiten mehrfach auch in
Deutschland, so Dez. 1907, Gal. Schulte, Berlin; 1912 in: Berlin, Sezess., Cöln, Sonderbund-
Ausst., Leipzig, Jahres-Ausst.; 1919 in Hannover, 27.—28. Sonder-Ausst. d. Kestner-Ges.;
ferner 1914 in der 74. Jahresausst. d. Kstver.
f. Böhmen in Prag.

S a l m o n , La jeune peint. franç., 1912 p. 57,
95. — G r a u t o f f , Franz. Malerei seit 1914
(1921). — Kunstwelt, I (1911/12) 586 Abb. —
M a h l b e r g , Beitr. z. Kunst des 19. Jahrh.
(Eröffnungskat. Gal. Flechtheim, Düsseldorf)
1913 p. 19 Abb. — Apollon, 1912 III 24 (russ.). —
Cicerone, VI (1914) 170; XIII (1921) 125. —
Konst och Konstnärer, 1913 p. 44 (Abb.). —
Frankf. Nachr. v. 8. 2. 1912. — Kunstblatt, VI
(1922) 14, 25 Abb.

Herbo, L é o n , Maler, geb. in Templeuve
bei Tournai 7. 10. 1850, † in Ixelles bei
Brüssel im Juni 1907, gebildet an der Akad.
in Tournai unter L. Legendre, später an der
Akad. in Brüssel, konkurrierte dort 1873 vergeblich um den Prix de Rome und erscheint
zuerst 1875 auf den Ausst. in Brüssel, wo er
sich nach Reisen in Frankreich, Holland u.
Deutschland niederließ. H. begann mit Genrebildern und historischen Szenen (dergleichen in
Mons u. Tournai) und wandte sich dann ausschließlich dem Porträt zu. Als bevorzugter
Bildnismaler porträtierte H. mit großer und
oberflächlicher Leichtigkeit alle Zelebritäten,
mehr Bildnisfabrikant als Künstler. Die Zahl
der von ihm gemalten Porträts soll 1000 beträchtlich überschreiten. Eine Photographie
genügte ihm häufig als Vorlage; so wurde er
zum gesuchten Porträtisten Verstorbener. Als
künstlerisch wertvoll werden die Bildnisse seiner
Eltern genannt. — Außer in Brüssel er-

schienen seine Bildnisse regelmäßig 1879—1905
im Pariser Salon Soc. Art. Franç., 1883—94 im
Münchener Glaspalast, 1886, 91 u. 96 auch in
Berlin (Akad.-Ausst. u. Gr. Kst-Ausst.). — H.
ist vertreten in den Museen v. Brüssel (Kat.
1908 No 185), Tournai (Psyche), Ypern
u. Courtrai (Genrebild v. 1872, Kat. 1912).

Journal d. B.-Arts, 1883 p. 10/11, 141; 1884 p.
10. — Revue tournais., 1907 p. 142 ff. — Globe
ill. et Illustr. europ., 1907 p. 404. — T o m b u ,
Peintres et Sculpt. belges . . ., 1907 p. 1 ff. —
L a m b o t t e , Les Peintres de Portraits, 1913 p.
73 ff. — Ausst.- u. Mus.-Kataloge.

Herborth, A u g u s t , Keramiker, geb. in
Bremen, 1905/1918 Fachlehrer an der Kunstgewerbeschule in Straßburg. Verließ 1919
Straßburg zur Übernahme keramischer Indu-
strien in Rio de Janeiro.

Kstgewerbeblatt, N. F. XVIII (1907). — Die
Kunst, XXII (1910) 584, Abb. — Kunst u. Handwerk, 1921 p. 51.

Herbst, A d e l g u n d e E m i l i e , siehe
Vogt, A. E.

Herbst, D a n i e l , Zinngießer in Dresden,
lernt bei Val. Trähner, wird 1670 Meister, † um
1686. Von ihm Willkommpokal der Dresdener
Fischerinnung im Stadtmus. Dresden.

E. H i n t z e , Sächs. Zinngießer, 1921.

Herbst (Herbster), H a n s , Maler in Basel,
geb. 1468 in Straßburg i. E., † Nov. 1550 in
Basel. Christiana, die älteste Tochter H.s, mit
dem Kürschner L. Zwinger vermählt, war die
Mutter des Basler Arztes Th. Zwinger I, der
in seinem „Theatrum humanae vitae" einen
Lebensabriß seines Großvaters einschaltete; außerdem hat Jociscus H.s Jugendgeschichte ausführlich erzählt. Nachdem H. die damals berühmtesten Malerwerkstätten in Deutschland
aufgesucht hatte, ließ er sich in Basel nieder,
wo er 1492 in die Malerzunft zum Himmel
als Meister eintrat und sich in 2. Ehe (nach
1501) mit Barbara Lupfart vermählte. Seine
1. Frau, Anna, hatte er offenbar vor 1497 geheiratet, denn in diesem Jahr zahlt er, an der
Freien Straße wohnhaft, die Reichssteuer bereits „selbander". Der 2. Ehe entstammen
3 Töchter und 2 Söhne, darunter als jüngster
der 1507 geb. Johannes, später unter dem gräzi-
sierten Namen Oporinus als Professor und
Buchdrucker bekannt. Für 1496 wurde H.
einer der beiden Stubenmeister seiner Zunft,
desgleichen 1507, 1514 und 1521. 1501 kaufte
er das Haus „Zum grünen Haus" am Spalenberg (heute Nr 5), das er bis 1535 behielt.
In einem Streit mit einem Malerknecht
Hemmerly, der vielleicht bei Caspar Koch in
Dienst stand, wird H. 1502 erwähnt. 1512
Teilnahme des bereits 44 jährigen im Basler
Kontingent (aber nicht als Hauptmann) an
dem Siegeszug der Eidgenossen durch das
Herzogtum Mailand. Noch einmal 1515 war
H. beim Auszug der Eidgenossen, die dem
Herzog von Mailand gegen Franz I. zu Hilfe
eilten; 1520 nahm er an dem Auszug der

Basler im Pfäffigerhandel teil. — Von 1516 datiert das schöne Brustbildnis von H., das Ambrosius Holbein gemalt hat (Basel, Kstsmlg), der 1516 in geselligem Verkehr mit H. erwähnt wird. Von 1518 Vertrag über H.s Mitarbeit an einem Altar des Maria Magdalenen-Klosters. Später Bezahlungen für öffentl. Malerarbeiten, so 1523, 1526 und 1528; His berichtet sogar, daß H. in den Ratsrechnungen bis gegen oder in die 1540 er Jahre vorkomme. Solche Aufträge werden handwerklicher Art gewesen sein. Zeichen abwärtsgehender Verhältnisse sind 1525 die erfolgreiche Bewerbung um das Sin-Schreiber-Amt (Aichamt) als Nebenerwerb, 1526 das Unvermögen, den bisherigen jährlichen Hypothekarzins von 5 fl. zu entrichten. — Juni 1530 erklärte H., der damals zu den Sechsern (Vorgesetzten) seiner Zunft gehörte, einer geistlichen Untersuchungskommission ausdrücklich, daß er sich mit dem Abendmahl neuer Ordnung nicht vergleichen wolle, und versuchte eine vorbereitete Begründungsschrift anzubringen: Sehr bezeichnend im Rückblick auf den grüblerischen, schwerfällig ehrlichen Ausdruck seines Basler Bildnisses. Bei seinen Bekenntnissen angeblich schmähend, wurde er ins Gefängnis geworfen, aus dem er, bedroht durch das Schwert, nur gegen öffentliche demütigende Abbitte befreit wurde. Solche Erlebnisse neben seiner sowieso zerstörten Existenz als Kirchenmaler mochten ihm die Arbeit ganz verleiden, was die Familientradition wohl versöhnlicher so darstellt, er habe, zur neuen Lehre bekehrt, sich des Malens gänzlich enthalten, um den Bilderdienst nicht zu fördern. Noch einmal begegnet H.s Name 1533 als Senior seiner Zunft. Kindesdankbarkeit seines Sohnes Oporinus hat ihm dann einen langen stillen Lebensabend bereitet. Nach einer Notiz von P. Ganz hätte H. in Basel auch zu den Freunden des bekannten Rechtsgelehrten und Kunstsammlers Bonifazius Amerbach gezählt.

Die äußere Erscheinung H.s ist durch das Bildnis von 1516 bekannt, das als Erbstück der Zwinger'schen Familie noch 1713 von Joh. Rudolf Huber in Aquarell (ohne die Einrahmung mit ihren Inschriften) für das Ahnen-Album des Prof. Theod. Zwinger II in Basel kopiert wurde. Das später von Basel weggekommene Bild wurde 1898 aus der Northbrook Gal. zurückerworben. Das durch Inschrift auf der Brüstung: „Joannes Herbster Pictor Oporini Pater" (die vermutlich Th. Zwinger I anbringen ließ) beglaubigte Porträt galt früher als Werk H. Holbeins d. J.; Zahns Taufe (1873) auf Ambrosius Holbein ist seit H. A. Schmid und His (1898) vorwiegend angenommen, neuerdings will M. J. Friedländer das Bild Hans d. J. zurückgeben. — Als Selbstbildnis des jugendlichen H. galt längere Zeit ein aus dem Besitz des Malers Stückelberg 1917 in die

Basler Kstsmlg gelangtes Brustbild, das zum erstenmal auf der Ausstell. alter Basler Kunst 1885 (Blätter der Erinnerung) als mutmaßliches Selbstporträt H.s auftrat. Darauf hat es D. Burckhardt als Bildnis H.s um 1490 (wahrscheinlich Selbstbildnis) in die Literatur eingeführt; das Bildnis sei durch eine alte Inschrift und die angeblich in die Augen springende Identität der Persönlichkeit mit dem echten Holbein'schen H.-Bildnis beglaubigt. Aber die Inschrift auf der Rückseite der Tafel, in Zügen des 18. Jahrh., glaubt ein Selbstbildnis Holbeins zu bekunden, lautend: „von Holbein, und Ihn selbßenn", und die Identität wurde nach Janitschek's Vorgang von den neueren Beurteilern fallen gelassen. Ob diesem bisher als Kernwerk H.s angesehenen Bilde je ein Schimmer echter Tradition anhaftete, läßt sich nicht mehr feststellen. — Ein Männerbildnis (Nr 75, Katalog Zürcher Leihausstell., 1921) ebenfalls als Selbstbildnis H.s angegeben, ist jetzt als Strigel bestimmt und stellt nicht den H. vor. In dem Basler Armorial des Berliner Zeughauses kommt H.s Wappen vor: im wagrecht geteilten, unten schwarzen Schild schreitet oben ein Löwe nach heraldisch links, ein Löwen-Vorderleib ist Helmzier. Auch der Drucker Oporin führt dies Wappen im Siegel.

Unter den in der Literatur H. bisher zugeschriebenen Werken sind folgende ohne weiteres zu streichen: Fresken in der Muttenzer Kirche (Pupikofer); Fahne von 1508 mit der Straßburger Madonna (Passavant); Porträt, Zürcher Ausstell. 1921, Nr 75; die 2 Männerbildnisse von 1511 und 1513 in der Basler Kstsmlg (Kat. 1910 Nr 21 u. 22): das echte Holbein'sche Herbster Porträt in der Basler Kstsmlg (No 293; W. Hes); Buchschmuck zu Grüningers Ptolemäus 1522; Illustrationen zu Geylers Passion um 1510; das Frobensche Titelblatt mit Scävola; Titelblatt mit den Schutzheiligen von Freiburg (alles Nagler). — Nicht nachprüfbar waren mir: Bildnis einer alten Frau und Bildnis des Hans Leisner (?), Nr 3 und 5 des Kat. der Ausstell. alter Meister, Basel 1891. Für ein großes Altarwerk, das in der Peterskirche in Basel gewesen sein soll (Blätter der Erinnerung), ist keine urkundliche Nachricht vorhanden. — Die Zuschreibung der „1508 h h" bezeichneten Altarflügel in Oberehnheim (Abb. Schricker, Tfl. 51 c. b) hat wenig Wahrscheinliches (Müntz). In Frage könnte kommen die „1511 HH" (Datum sicher, Monogramm nicht völlig) bezeichn. kleine Geburt Christi in St. Paul in Kärnten. Das Bild stammt mit größter Wahrscheinlichkeit aus St. Blasien oder wohl gar aus dem St. Blasier Hof in Basel. — Sicher sind allein einige nur noch durch Urkunden belegbare Arbeiten H.s. Am interessantesten ist der von His (Schweiz. Kstlerlex.) publizierte ausführliche Vertrag von 1518 über einen Altar der Kirche des Maria Magdalenen-

Klosters an den Steinen in Basel; H. hatte an diesem von anderer Hand geschnitzten Altarwerk nicht nur die farbige „Fassung" zu besorgen, sondern auch 2 Flügel mit 4 Darstell. aus dem Leben der M. Magdalena, zwei Blindflügel mit Einzelheiligen und die Staffel mit der Grablegung selbständig zu malen. 1523 bemalte H. das Haus zum Falken um 9 Pfund, 1526 den Turm bei Sanct Blesin (Bläsitor) um 52 Pfund, August 1528 einen Turm im Klingentaler Garten um 7 Pfund. Dem Preis nach könnte es sich höchstens beim Bläsitor um eine größere, vielleicht künstler. Bemalung gehandelt haben. — Cherler, Pantaleon und das Berliner Armorial sprechen von H. als „Maler" schlechtweg, Zwinger und Jociscus sagen, daß er nicht zu den letzten Malern seiner Zeit gezählt wurde („non postremus haberetur"), allein Thomas Plater nennt ihn einen „verriempten Maler". In der neueren Lit. sind diese Urteile, ohne Kenntnis von Werken, immer runder und voller geworden, wo durchschnittlich von dem gefeiertsten, vorzüglichsten Maler, dem ersten Künstler in Basel vor Holbein, geschrieben wird.

Weitreichender als für sich selbst interessiert H. wegen seines Verhältnisses zu Ambrosius und Hans Holbein d. J. Ein Gerichtsprotokoll vom Sommer 1516, aus dem hervorgeht, daß Ambrosius mit andern Künstlern und Gesellen in H.s Hause einen Abend beim Wein verbringen wollte, ferner das Bildnis H.s von 1516 haben His veranlaßt anzunehmen, daß beide Holbein im Anfang ihres Basler Aufenthaltes als Gesellen in H.'s Werkstatt tätig gewesen sein möchten, eine Vermutung, die seither allgemein geteilt wird. Wie weit war der Werkstattmeister auch Lehrer für die künstlerische Entwicklung? Die einen haben mangels sicherer Werke H.s auf die Beantwortung dieser dringenden Frage verzichtet. Andere haben einfach behauptet, H. sei der Lehrer und Vorläufer von Hans und Ambrosius gewesen (Brun). C. Glaser hat, von der H H 1515 bezeichn., Hans Holbein d. J. zugeschriebenen Kreuztragung in Karlsruhe ausgehend, „die alles was der Vater Holbein geschaffen hat, für immer verneint", mit Glück abgeleitet, daß der junge Holbein die für sein Karlsruher Kreuztragungsbild entscheidenden Anregungen erst in Basel empfangen habe, woraus Rückschlüsse auf seinen vermutlichen Lehrer H. zu ziehen seien.

Ich halte unter stetem Vergleich mit dem ganz sicheren Züricher Tisch und mit den frühesten Holzschnitten die Karlsruher Kreuztragung überhaupt für kein Holbeinsches Werk, sondern für das Gemälde eines weniger geschmackvollen Malers von schwererer Hand, gleichzeitig aber von sehr starkem Temperament und einer die Fähigkeiten eines knapp 18 jährigen Anfängers weit überragenden Erfahrung im Disponieren der Massen einer Komposition, und zwar für das Werk gerade des Meisters, der dem jungen Holbein wichtige Impulse in Basel gegeben hat. Da die Kreuztragung wahrscheinlich aus Basel stammt und mit der für echt befundenen Signatur HH 1515 bezeichnet ist, so gibt das für die Herbster-Hypothese einen guten Boden. Sofort fällt dann die dritte Hand unter den Randzeichnern im Basler „Lob der Narrheit", der sogen. derbe Schweizermeister, dem gleichen Künstler zu; ferner das von H. A. Schmid ein für allemal richtig mit der Karlsruher Kreuztragung verknüpfte Männerbildnis bei Czartoryski (Holbein, Klassiker d. Kst, Anhang). Ebenso wird hierher gehören die Basler Zeichnung U. 2. 35 mit dem ideal bewegten Kopf etwa eines Apostels, einst in des alten Holbein Skizzenbuch eingeklebt und von Hans Hug Kluber mit seinem Besitzer-Monogramm versehen, das vielleicht auch aus einem alten H H. ergänzt ist. Ohne das Amerbach'sche Verzeichnis würde ich auch die gemalten Köpfe eines jugendl. Heiligen und einer hl. Jungfrau in Basel hierher rechnen, aber da sie das Verzeichnis ganz bestimmt als Holbeins erste Arbeit beschreibt, so möchte ich das nicht leichtfertig beiseiteschieben; man wird dann eben in diesen sehr verwandten Malwerken den Einfluß des Meisters der Karlsruher Kreuztragung auf den jugendl. Holbein erkennen müssen. Auch im Basler Holzschnitt kommt der Meister der genannten Gruppe vor, besonders in Gengenbachschen Schriften und Drucken wie dem gestrypft Schwitzer Baur (Weller 2077) und der Novella (Geschichte vom Geist, Pfarrer und Murner), vor allem in dem unter Holbeins Namen gehenden Flugblatt von Luther als dem germanischen Herkules (Abb. Basler Zeitschrift IV, 1905). Eine andere Gruppe von Holzschnitten und eine oder die andere Zeichnung stehen nicht weit ab, wenn sie vielleicht auch nicht ganz gleichhändig sind, so der Basler, als Holbein geltende, mit HH. bezeichnete Scheibenriß von 1518 mit den 3 Bauern, das Gengenbachsche Flugblatt vom neuen Bockspiel in Gotha (Weller 1186), die nach Urs Graf umgezeichneten Illustrationen zur Postilla Guillermi Th. Wolffs von 1520 und verschiedene Holzschnitte in Ad. Petris Altem Testament 1523/24 folio, z. B. Isaaks Opferung, die 5 erhängten Könige und noch verschiedene ähnliche Holzschnitte, das meiste gelegentlich schon Holbein selbst oder seinem Umkreis zugeschrieben. — Schwieriger ist die Durchdringung Hans Holbeins und des hier skizzierten Meisters in der Basler Passionsfolge auf Leinwand. Von diesem Meister zwar noch angeregt, aber vollkommen echt von Holbein, und zwar bestimmend wichtig, ist dagegen die Basler Helldunkelzeichnung der Kreuztragung Christi.

Urkunden des Basler Staatsarchives: Deutschland, Reichssteuerbücher B. 62, fol. 3 (1497); Histor. Grundbuch, Spalenberg N. Nr 5 (1501 bis 1535); Himmelszunft, Handbuch I fol. 2 h, 4 (1492—1533); Himmelszunft 3, Rotes Buch, fol. 35, 211 (1492—1512); Himmelszunft 11, Rechnungsbuch I fol. 37, 39, 40, 40 h., 41 h. (1496—1521); Ratsbücher N. 11, Ratsstrafen etc., fol. 79 h. (1502); Ratsbücher O. 4, Urfehdenbuch IV fol. 129 (1530); Ratsbücher N. 9, Unzüchterbuch, fol. 104 (1531); Politisches M. 1, Nr 361 (1515); Politisches M. 3 (1520); Gerichtsarchiv A. 50, Urteilsbuch (1516); Gerichtsarchiv, Kundschaften D. 22 (1516); Klosterarchiv St. Maria Magdalena, 795, 800 (1518, 1519); Finanzakten G. 14, Wochenausgabenbuch fol. 302, 702, 945, 965 (1523—1528); Jahresrechnungen, siehe: B. Harms, Der Stadthaushalt Basels I 3, 1913 p. 386 (1528); Öffnungsbuch VII fol. 208 (1525). [Die Mitteilung von drei interessanten Urkunden verdanke ich Herrn Dr. E. Major.]

Quellen: Th. Z w i n g e r, Theatrum humanae vitae, novem volum., Basel 1586, Vol. 20, Lib. 3 p. 3701. — J o c i s c u s, Oratio de ortu, vita etc. Joannis Oporini, Straßburg 1569, Blatt A 4 u. A 5. — C h e r l e r, Epistola de vita etc. Johannis Oporini, o. O., 1568. — P a n t a l e o n, Prosopographiae heroum Germaniae, Basel 1565, III 420; d e r s., Heldenbuch 1570, III 411. — P l a t e r, siehe H. B o o s, Thomas und Felix Plater, 1878 p. 89. — R ü t i n e r, Diarium 1529—1539, siehe Th. v. L i e b e n a u in der Basler Zeitschr. f. Gesch. etc., 1905 p. 49. — Basler Armorial Saec. XVI. (Berlin Zeughaus) p. 800.

Neuere Lit.: Blätter der Erinnerung an die Basler Ausstell. 1885, herausg. vom Kunstverein, mit Beilage: Neueste artist. Publik. des Kunstver., 1885. — D. B u r c k h a r d t, Schule Schongauers etc., 1888 p. 115, 117. — L. A. B u r c k h a r d t, Not. über Kunst u. Künstler zu Basel, 1841 p. 16, 27, 42. — C h a m b e r l a i n, Holbein, 1913, I p. 39 f., 58, 60. — M. J. F r i e d l ä n d e r, Leihausstell. in Zürich, in Kunstchronik, N. F. XXXIII (1921) 123 f. — G l a s e r, Zwei Jahrh. deutscher Malerei, 1916 p. 295. — H a e n d c k e, Schweizer Mal. im 16. Jhd., 1893 p. 8 ff., 373 f. — H e s, Ambrosius Holbein, 1911 p. 8, 20, 146. — E d. H i s, Beitr. z. Schweiz. Kunstgesch. I, in Anzeig. f. Kunde d. deutsch. Vorzeit, N. F. XIII (1866) 273 f.; d e r s., Basler Archive über Holbein, in Zahns Jahrb., III (1870) 116 f., 120, 216; d e r s., Holbeins Verhältnis z. Reformation, in Repert. f. Kstw., II (1879) 157 ff.; d e r s., Einige Gedanken über Lehrjahre Holbeins, in Jahrb. d. Preuß. Kunsts., XII (1891) 60 f.; d e r s., Ambr. Holbein als Maler, ebenda, XXIV (1903) 245 f.; d e r s., Hans Herbst, in Brun's Schweiz. Künstlerlex., II (1908). — Jahresber. d. Kunstsamml. in Basel, N. F. XIV (1919) 10, 14. — J a n i t s c h e k, Gesch. d. deutsch. Malerei, 1890. — Kat. der Ausst. alter Meister aus Basler Privatbes., 1891 Nr 3, 4, 5. — Kat. d. öffentl. Kunsts. in Basel, 1897 p. 49; 1908 p. 66. — K o e g l e r, Das Werk des Ambrosius Holbein, in Sonntagsbl. d. Basler Nachrichten, 1922 Nr 40 p. 159. — E. M ü n t z, Aus dem Elsaß, in Zeitschr. f. bild. Kunst, V (1870) 92. — H. A. S c h m i d, Holbeins d. J. Entwicklung 1515—1526, I (1892) 31 f.; d e r s., Monogrammist H. F. etc., in Jahrb. d. Preuß. Kunsts., XIX (1898) 64. — S c h r i c k e r, Kunstschätze in Elsaß-Lothr., 1896 Taf. 51 c b. — W a r t m a n n, Ausführl. Kat. der Züricher Ausst. 1430—1530, 1921 p. 18 Nr 74 u. 75.

Beiläufige Erwähnungen: B e c k, Ausg. von Wursteisens Basler Chronik 1757 p. 186. — B r u n, Bericht über die Gottfr. Keller-Stiftung, 1899 p. 9 f.; ebenda, 1917 p. 8. — D. B u r c k h a r d t, Die öff. Kunsts., in: Die Stadt Basel und ihre Umgebung, 1898 p. 159. — D a v i e s, Holbein, 1903 p. 40, 99. — F r ö l i c h e r, Porträtkunst Holbeins etc., 1909 p. 77. — P. G a n z, Entstehung des Amerbachschen Kabinetts etc., 1907 p. 10; d e r s., Holbein, Klassiker d. Kst, 1912. — G é r a r d, Artistes de l'Alsace, 1873 II 182 f. — G r ü n e i s e n, Nicl. Manuel, 1837 p. 64. — H e g n e r, Holbein, 1827 p. 63, 240. — I s e l i n s Lex., 1742, V 454. — K r a u s, Kunst u. Altert. in Elsaß-Lothr., 1876 I 211. — A. L e h m a n n, Bildnis bei d. altdeutschen etc., 1900 p. 129 f. — M a n t z, Holbein, 1879 p. 26. — N a g l e r, Monogr. III. — O c h s, Gesch. v. Basel, 1821 V 650. — P a s s a v a n t, Beitr. z. Kenntnis d. alten Malersch. Deutschlands (Försters Kunstbl. 1846 p. 187). — P u p i k o f e r u. andere, Entwickl. d. Kunst in d. Schweiz, 1914 p. 213. — R a h n, Gesch. d. bild. Künste in d. Schweiz, 1876 p. 741. — S c h u e t t e, Schwäb. Schnitzaltar, 1907 p. 75 f. — S t r e u b e r, Neue Beitr. z. Basler Buchdruckergesch., in Beitr. z. vaterländ. Gesch. Basel, 1846 p. 69 f. — M. W a c k e r n a g e l, Basel (Ber. Kunststätten, No. 57), 1912 p. 104 f., 161. — W o l t m a n n, Holbein u. s. Zeit, 1. Aufl. 1866, I 204, II 460; 2. Aufl. 1874, I 132 f., II 137 f. *Hans Koegler.*

Herbst, J o h a n n A n d r e a s, Zinngießer in Nürnberg, lernt dort 1782—86, wird 1795 Meister, ist 1811—19 Geschworener. Von ihm Nürnberger Bratwurstdose um 1800 im Maxim.-Mus. Augsburg.

E. H i n t z e, Nürnb. Zinngießer, 1911 (m. Abb.).

Herbst, J o h a n n B a p t i s t, Maler und Stecher, nach Heinecken um 1730 in Leipzig tätig. Bernigeroth stach nach ihm ein Bildnis der Dichterin Christiane Maria Zieglerin geb. Romanus.

H e i n e c k e n, Dict. des artistes, 1778 ff. II 610 u. Ms. Kupferstichkab. Dresden, nebst Suppl. — N a g l e r, Kstlerlex., VI.

Herbst, J o h a n n B a r t h o l o m ä u s, Goldschmied u. Stecher, geb. in Augsburg, tätig in London, entwarf u. stach die Vorlagen für das 1710 erschienene „Book of Several Juwelers work" (enthaltend Schmuckstücke u. Zierflächen). — Über weitere nur urkundl. bekannte Mitglieder der Familie vgl. Werner.

P. v. S t e t t e n, Erläut. der gest. Vorst. etc. Augsburgs, 1765; d e r s., Kst- etc. Gesch. Augsburgs, 1779. — Kat. d. Ornamentstichsamml. des Kstgew.-Mus. Berlin, 1894. — A. W e r n e r, Augsburger Goldschmiede, 1913.

Herbst, P a u l F r a n z, Maler, geb. in Wien 11. 9. 1751, † ebenda 3. 2. 1825, wohnt 1822 auf der Wieden und wird Landschaftsmaler genannt, stellte 1788 in der Akad. 2 Landschaften aus.

B o d e n s t e i n, 100 Jahre Kstgesch. Wiens, 1888 p. 84. — B ö c k h, Wiens lebende Schriftsteller, Künstler, 1822 p. 257.

Herbst, T h o m a s Ludwig, Maler, geb. 27. 7. 1848 in Hamburg, † ebenda 19. 1. 1915. Bezog 17jährig das Städelsche Institut in Frankf. a. M. (Lehrer Jakob Becker), lernte 1866—69 im Atelier von Steffeck in Berlin, wo er mit Liebermann zusammentraf, folgte diesem nach Weimar und arbeitete dort bis 1874 unter Verlat, ging dann nach Düsseldorf Seibels wegen, der jedoch in Italien war. H. verkehrte viel mit Burnier, dessen Vorliebe für die Neuholländer er teilte. Mit Liebermann siedelte H. nach Paris über, wo er 1 Jahr blieb, und verkehrte hier mit Munkácsy, von Páal und Eugen Jettel. In den folgenden Jahren waren H. u. Liebermann in München, bis H. sich 1884 in Hamburg niederließ. — Neben Delacroix waren es besonders die Meister von Fontainebleau, vor allem Corot, denen er nacheiferte. Auch Troyon wurde ihm kurze Zeit Vorbild, aber was er von ihnen gelernt hat, wußte er stets in seine eigene Form umzuschmelzen. Bis Ende der 80er Jahre zeigen besonders seine Studien (auf Papier gemalt und an den Rändern meist stark beschädigt) eine ganz geschlossene, tonige, dunkelgestimmte Harmonie. In dem folgenden Jahrzehnt hellte er seine Palette bedeutend auf, so daß sich diese Arbeiten zu den älteren etwa verhalten wie der späte Trübner zu dem jungen, als er noch der Genosse Leibls war. Denn die neue, von Monet, Pissarro und Sisley beeinflußte Hamburger Künstlergruppe (Illies, Eitner, Schaper usw.) scharte sich um ihn und riß den Koloristen in ihm durch ihre jugendliche Begeisterung mit. Der andere große Wert seiner Kunst dagegen blieb unberührt, die Fähigkeit, seine Fläche glänzend aufzuteilen, mit feinstem Gefühl für Proportionen die Massen von Wiese, Baum, Tier, Strohdach, Wasser oder Luft gegeneinander abzuwägen, kurz, die Komposition im alten, europäischen Sinne. Er trennte seine Arbeiten streng in Studie und Bild. Das Bild wurde im Atelier gemalt und zeigte gewöhnlich Kühe und Kälber auf der Weide oder in sonnendurchblitzten Hohlwegen, Pferde in der Schwemme, Gespanne auf der Dorfstraße, Schafe, die in den Stall getrieben werden, auch Landschaften mit einzelnen Figuren oder Tieren. Sie sind fast alle direkt von der Staffelei in Hamburger Bürgerhäuser gegangen, wo übrigens Herbst wegen seines lebhaften, amüsanten, leicht boshaften Geistes ein gern gesehener Gast war. Er stellte fast niemals aus, da er nicht den geringsten äußeren Ehrgeiz hatte und auch, weil seine Ansprüche an sich selbst so hoch waren, daß er sie nie für erfüllt hielt. Nach seinem Tode sind zahlreiche seiner Studien im Handel erschienen, z. T. stark ergänzt und fast stets mit gefälschter Signatur. Seit etwa 1900 malte er häufig auf 2 aneinandergesetzte Pappen ein Motiv. Die Stücke sieht man jetzt oft einzeln, wodurch natürlich die Verteilung der Massen unverständlich, ja oft sinnlos wird. Seine Motive holte er aus den Elbmarschen, Holstein und Mecklenburg. Er liebte diese heimatlichen Gegenden mit starker Ausschließlichkeit, wurde

aber nie ein „Heimatkünstler" im beschränkenden Sinne dieses Worts, ebensowenig wie er ein Tierspezialist war. Die Weite und Reife seiner Künstlernatur, welcher eine tiefe und echte Kultur harmonische Ausgewogenheit verlieh, machen ihn zu einem der feinsten Maler seiner Zeit, nur verhindert die Festlegung seiner Bilder im hamb. Privatbes. eine Wirkung seines Lebenswerkes im weiteren Kreise. — H. hat sich auch, allerdings nur selten, der Radierung und Steinzeichnung bedient. Die Kunsthalle in Hamburg (Kat. 1922) besitzt 18 Ölbilder u. Gouaches. Zeichnungen und 2 Lithogr. im dort. Kupferst.-Kab.

R u m p , Lex. d. bild. Kstler Hamb., 1912. — L i c h t w a r k , D. Bildnis in Hamburg, 1898 II 200. — H. W. S i n g e r , Mod. Graphik, 1914. — Kunst u. Kstler, XIV (1916) 3—14, mit zahlr. Abb. (A h l e r s - H e s t e r m a n n); XVI 77. — Kunstchronik, N. F., XXIX (1918) 30 (Ausst.); XXX 431. — Westermanns Mon.-Hefte, 62. Jahrg., 124. Bd, Teil I (1918) p. 119 ff. (R o s e n - h a g e n).— Deutsche Jahrb.-Ausst. Berlin 1906, II. — Kataloge: Hamburg, Ausst. neuerer Gem. aus Privatbes., 1879. — Hdschr. Kat. Slg Tesdorpf im Mus. f. Hamburg. Gesch., p. 191.

F. Ahlers-Hestermann.

Herbst, U l r i c h , Steinmetz aus Königsberg i. Pr., arbeitet 1705—12 für den Bau der Wallfahrtskirche in Heiligelinde Säulen, Kapitelle u. Architekturstücke der Hauptfront, wahrscheinlich auch die Steinarbeit des Hauptportals und der Seitenportale, die er vielleicht auch entworfen hat. Arbeitete auch für das Kneiphöfsche Rathaus in Königsberg (1704/05).

U l b r i c h , Wallfahrtskirche in Heiligelinde (Stud. z. dtsch. Kstgesch. H. 29), Straßburg, 1901, p. 34, 66, 68 ff. — v. C z i h a k u. S i m o n , Königsberger Stuckdecken, 1899 p. 14.

Herbster, H a n s , siehe *Herbst,* H.

Herbsthoffer, K a r l (Peter Rudolf K.), Maler, geb. 17. 4. 1821 in Preßburg, † 1. 6. 1876 in Waidhofen a. d. Thaya (Niederösterreich), Schüler der Wiener Akad. und Fr. v. Amerling's, stellte schon 1841 in Budapest ein Historienbild aus: „Palatin Gara beschützt die beiden Königinnen gegen die Angriffe der Kroaten" (Pesti Hirlap, 1841 p. 449; Der Schmetterling, 1841 p. 479) und trat in Wien 1842 mit einem größeren Stück hervor: „Erwählung Arpads zum Herzog der Magyaren". Um 1845 beteiligte er sich an einem Preisausschreiben der Wiener Akad. mit dem Bilde: „Diomedes tauscht seine Rüstung mit Glaukos", doch erhielt er den Preis nicht, da „ein Tiroler an der Reihe war". H. zeigte in diesen Jahren neben Historien wie: „Tasso liest der Herzogin v. Ferrara vor" (Wien, 1843), auch schon Genrebilder historischen Inhalts (Mummenschanz zu Worms im 16. Jahrh., ebenda), ein Gebiet, das er auch später bevorzugte; 1844 zeigt er in Pest „Der Numismatiker" (Schmetterling, 1844 p. 58). In dem 1845 erschienenen „Album der Künstler Wiens in eigenhändigen Zeichnungen" (Lithogr.) erscheint H. mit einem Blatt „Die Zecher". Die anfangs günstige Kritik seiner Arbeiten wandelte sich z. B. in einem Urteil Eitelbergers zu schroffer Ablehnung. Vielleicht war dies für H. die Veranlassung, 1846 nach Paris überzusiedeln, wo er Schüler von E. Isabey wurde. Angeblich ließ er sich naturalisieren. Im Salon erscheint er zuerst 1846 mit einem Bilde: Episode aus dem Bildersturm in Holland; bis 1868 stellt er regelmäßig aus, meist Genrebilder und errang nicht nur beim Publikum damit Erfolg, sondern gewann auch das Lob Th. Gautiers (Moniteur univ., 1861 No 180). Nicht wenige Bilder gingen in den Besitz des französ. Staates über, und öffentl. Aufträge blieben nicht aus, z. B. 1856 für ein Gemälde in die Kap. d. hl. Susanna in Saint Roch zu Paris, wo es noch bewahrt wird, „die hl. Susanna bei den Ungläubigen". Solche religiöse Stücke großen Formates sind Ausnahmen, z. B. Auferweckung des Lazarus (Salon 1855), Daniel in der Löwengrube (Salon 1850), heute in St. Pierre du Gros Caillou in Paris. Zahlreiche seiner Genrebilder kleinen Formates und sorgfältigster Ausführung gingen in Pariser Privatbesitz über. 1853 hielt sich H. in Manchester auf, von wo aus er in der Roy. Acad. in London ein Stück: „Der Bilderstürmer" zeigte. In seiner Heimat erschienen Bilder H.s nur 1852 in Budapest, „Schottisches Zechgelage", und 1861 in Wien „Le Cabaret" u. „Une mauvaise Compagnie". 1870 kam er wieder nach Wien und kehrte nur noch einmal, 1875, zu kürzerem Besuch nach Paris zurück, wo er jedoch 1876 im Salon noch 2 Genrebilder zeigte. Außer in den angeführten Galerien finden sich in öffentl. Besitz: *Baltimore*, Peabody Inst. (Cat. 1910), Atelierfest; *Dieppe*, Mus., Beim Waffenschmied, bez. u. 1861 dat.; *Nantes,* Mus. (Cat. 1913), Feldwache in den Bergen, bez. u. 1859 dat.; *Schwerin,* Gal. (Cat. 1884), Ungar. Räuber im Hinterhalt, bez. u. 1843 dat. — Zahlreiche Bilder befinden sich in Wiener Privatbesitz. Seit seiner Rückkehr nach Wien war H. auf d. dort. Ausstell. regelmäßig vertreten. In der Wiener histor. Ausst. von 1877 wurden 3 Bilder gezeigt (Kat. p. 305), in der Jubil.-Ausst. von 1898 (Kat. II No 529) „Eine Szene der Verzückung am Friedhof St. Médard in Paris" (Salon 1876).

C. v. W u r z b a c h, Biogr. Lex. Kaiserth. Oesterreich, VIII (1862). — R a n z o n i, Malerei in Wien, 1873 p. 133; d e r s. in Neue Freie Presse v. 3. 6. 1876. — Zeitschr. f. bild. Kst, VI (1871) 215; XXIII 206; Kunstchronik, V (1870) 189. — B e l l i e r - A u v r a y, Dict. gén. I (1882). — v. B o e t t i c h e r, Malerwerke d. 19. Jahrh., I 2 (1895). — Inv. gén. Rich. d'art, Paris, Mon. rel., I, II; Prov., Mon. civ., II. — G r a v e s, Roy. Acad., IV. — W e i g e l 's Kunstcatal., Leipzig, 1838—66, III 13 345. — Mit Notizen von K. Lyka und H. Uhde-Bernays. *R.*

Herburger, D a v i d, Bildnismaler in Nürnberg, † 31. 1. 1725, wohnte an der steiner. Brücke.

A n d r e s e n, Nürnb. Kstler (Ms. Bibl. Thieme, Leipzig) fol. 279.

Herburger, H a n s, Kupferschmied, erhielt 24. 3. 1597 nach Ravensburg Auftrag für einen metallenen Altartisch (1757 abgebrochen) für die Schloßkirche in Heiligenberg; von ihm eine kupferne Wappenschüssel von 1611 mit der Umschrift: „Die Schüssel verehrt Hans Herburger Kupferschmid in Nürnberg seinem lieben Schwager Hans Locher und Anna Herburgerin seiner Hausfrau".

K r a u s, Kstdenkm. Badens, I (Kr. Konstanz) 1887 p. 427. — Archiv f. christl. Kst, XI (1893) 27. — Kat. Hist. Ausst. Nürnberg, 1906 p. 203.

Herburger, M e l c h i o r, Hafner in Nürnberg, 2. Hälfte 17. Jahrh. Das österr. Mus. f. Kunst u. Industrie in Wien bewahrt von ihm ein bez. Ofenmodell, hergestellt unter Verwendung der Apostelfiguren des Kaspar Vest.

Kstgewerbeblatt, IV (1888) 37. — Kst und Ksthandwerk, XVI (1913) 98 (Abb.). *W. Fries.*

Herchenröder, siehe *Hergenröder.*

Herck (Arckens), M e l c h i o r (Jacobus M.), Blumenmaler in Antwerpen, Schüler und später Schwiegersohn des G. P. Verbruggen, tritt 1691 in die Lukasgilde ein, wird 1694 Meister, hat 1698 Cornelis Maniaert zum Schüler, ist in der Zeit von 1720—1735 6 mal Dekan der Lukasgilde. — Ein Maler G u i l e l m u s ist 1694 Meister, er wird in der Literatur mit Guilliam van Herp (s. d.) vermengt. Ein Maler J o n a s wird 1653 Schüler der Lukasgilde, 1661 Meister, um 1683 †.

R o m b o u t s - L e r i u s, Liggeren, II. — D o n n e t, Jonstich Versaem d. Violieren, 1907. — Kermisfeesten v. Antwerpen, 1864 p. 196. — N a g l e r, Monogr. III.

Hercule, B e n o î t L u c i e n, Bildhauer, geb. Juli 1846 in Toulon, † in Paris 6. 11. 1913, gebildet an der École d. B.-Arts in Paris unter F. Jouffroy, zeigte im Salon Soc. Art. Franç. von 1874—1913 Porträtbüsten, -Figuren u. -Medaillons, Statuen u. Statuetten in genreartiger Auffassung, erhielt mehrfach Aufträge des Staates der Stadt Paris. Im Mus. in Toulon die Statuen „Genius" u. „Charon" (Studien, Gips), an der Fontaine du Buveur in Toulon Bronzerelief des Buveur (1880), im Mus. naval ebenda Bronzemedaillon Napoleons I., im Mus. in Draguignan (Cat. 1904 p. 85) Kinderkopf (Marmor, 1874), im Hôtel de Ville in Paris „Turenne enfant" (Bronze, 1891), ebenda (nördl. Hof) Statue d. Pierre Charron (Stein, 1882). Auf dem Père Lachaise Grabmal G. H. Roger (Bronzebüste, 1882).

B e l l i e r - A u v r a y, Dict. génér., I (1882) u. Suppl. — Inv. génér. Rich. d'art de la France, Prov. Mon. civ., VI (1892); Paris, Mon. civ., III (1902). — Nouv. arch. de l'art franç., 1897. — L a m i, Dict. d. sculpt. franç., 19me siècle, III (1919). — Salonkataloge (1892 u. 94 mit Abb.).

Hercules, Maler, schloß 8. 5. 1568 mit Bischof Herm. Graf v. Schaumburg Vertrag über Malerarbeiten im bischöfl. Hofe zu Minden, darunter über „eine Stube und Kammer mit feinen Historien zu bemalen".

Staatsarchiv Münster, Schaumb. Urk. No 168 (Not. Firmenich-Richartz).

Hercules, Jeremias, Stempelschneider deutscher Abkunft, in Kopenhagen tätig unter Christian V., schnitt 1675 für den dänischen Reichskanzler Grafen Peter Griffenfeldt (1635 bis 1699, 1676 in Ungnade gefallen) Wappen in Halbedelsteine, Signete u. Siegel. Ein Porträt H.s, gemalt v. Henrich Dittmers, in der Porträtsamml. d. Grafen Thott in Gaunø.

Fortegnelse over Baroniet Gaunøs Malerier .. samt Portraetsaml., 1914 p. 112. — Kunstmuseets Aarsskrift, III (1916) 151.

Hercules, siehe auch *Ercole.*

Hercz, Artúr, Baumeister, in der Bácska in Ungarn um 1866 geb., studierte seit 1885 in Wien, wo er 1888 das Kunstgewerbe-Journal gründete, welches bald einging. Später setzte er seine Studien in Deutschland fort, wurde hier künstler. Leiter einer Möbelfabrik, ging aber schon 1892 nach Chicago, wo er sich bei Entwurf u. Ausführung des Deves-Palais betätigte. Auch baute er u. a. am Michigan-See eine Villa in ländlich-ungar. Art. 1898 gewann er, gemeinsam mit dem Bildhauer Max Mauch, den 1. Preis beim Wettbewerb des von den Verein. Staaten für Frankreich bestimmten Lafayette-Monuments.

Uj Idők, II (Budapest 1898) 481 (Abb.).
K. Lyka.

Herczog, Georg, siehe *Herzog,* G.

Herd, Ignaz, Maler in Schleißheim bei München, nur aus Lipowsky u. Nagler bekannt, laut denen er ein Sohn eines Roquelieurs am kurfürstl. Hof war und 1767 oder 68 in Schleißheim starb. Er soll sich in Rom und Venedig gebildet u. Historienstücke in niederländ. Geschmack gemalt haben. Lipowsky erwähnt von ihm eine Auferstehung Christi in der Residenz zu München u. ein Selbstporträt beim Galeriedirektor J. Dorner, Nagler religiöse Bilder in Schloß Schleißheim.

Lipowsky, Baier. Kstlerlex., 1810. — Nagler, Kstlerlex., VI.

Herd, Maximiliana, Malerin; von ihr eine hübsche Marktszene, voll bezeichnet u. 1777 dat., 1917 im Nürnberger Kunsthandel (Beck u. Pfeiffer).

Herdegen von Culm, Maler, laut Nagler † vor 1746 u. Hofmaler des Herzogs Joh. Theodor v. Bayern, des „Kardinals v. Bayern". Malte 1714 in München mehrere Kinder des Kurfürsten Max II. Emanuel, davon folgende im Bayr. Nat.-Mus. in München, durch Form (Oval) u. Größe als zu einer Reihe gehörend erkennbar: Kurfürst Karl Albert, der spätere Kaiser, 17 jährig (No 162, bez. u. 1714 dat.), Prinz Ferd. Maria, 15 jährig (No 163, bez. u. 1714 dat.), Prinz Philipp Moritz, 16 jährig (No 164, bez. u. 1714 dat.), Herzog Clemens August, der spätere Kurfürst von Cöln, 14 jährig

(No 165, bez. u. 1714 dat.); ferner zu derselben Reihe gehörend, aber nicht bez.: Theresia Kunigunde Karoline, 2. Gemahlin Max Emanuels (No 166), Bildnis einer Prinzessin (No 167), Bildnis einer Fürstin (No 168); schließlich ein Bildnis des Kurfürsten Karl Albert, bez. „Herdegen v. C. pinxit 1714" (No 161; hohes Rechteck). Andere Gemälde H.s sind in Stichen J. A. Zimmermanns erhalten, in dessen Werk: Series Imaginum Augustae Domus Boicae..., München 1773, so: Maximilian Philipp († 1705, 2. Sohn des Kurfürsten Max I.), dessen Gemahlin Mauritia Febronia († 1706), Maria Antonia, 1. Gem. Max' II. Emanuel, Jos. Ferdinand (3. Sohn Max' II. Emanuel), Max Eman. Thomas (11. Sohn Max' II. Eman.).

Nagler, Kstlerlex., VI. — Maillinger, Bilderchronik v. München, IV (1886). — Kat. Bayr. Nat.-Mus. Bd VIII, Gemälde, 1908; Bd XI (1909) Wittelsbacensia.

Herdegen, Mercurius, Goldschmied in Nürnberg, 1528/77 nachweisbar, † zwischen 16. 10. 1577 u. 31. 10. 1579, Mitglied einer im 15. u. 16. Jahrh. urkundl. mit mehreren Gliedern erwähnten Nürnberger Goldschmiede-Familie, kauft 1528 ein Haus von Veit Hirschvogels Witwe, kommt 1552/77 in den Ratsverlässen vor, meist als Agent und Sachwalter der Markgrafen v. Ansbach; ca 1552 für die Äbte des Klosters Heilsbronn tätig (Änderung des Sekretsiegels für Abt Philipp Heberlein) und 1554 (Anfertigung von 10 Trinkbechern „auf Füßlein, wie sie zu vor auch hieher geschickt worden"); der Rat der Stadt Leipzig kaufte 1558 von H. eine silb. Kette, die Gurlitt, ohne übrigens irgendwelche Gründe für diese Konjektur beibringen zu können, mit einer im Leipz. Kstgewerbemus. bewahrten silbervergold. Gürtelkette identifizieren möchte; 1558 lieferte H. Arbeiten für Joh. v. Lobkowitz d. J.

Nürnberg, Stadtarchiv, libri litterarum, 42, 38 (1528) 45, 193 (1534); ebenda, Lochner, Norica IV 267/8; V 165, 512; VI 325 (Zeuge u. „Sigler" 1554—1574). — Zahn's Jahrb. f. Kunstw., I (1868) 247. — Muck, Gesch. v. Kloster Heilsbronn, 1879 I 452, 465. — Mitt. d. Vereins f. Gesch. der St. Nürnberg, VII 57. — Hampe, Nürnb. Ratsverl., Quellenschr. z. Kstgesch., N. F. XIII (1904), mit weiterer Lit. — C. Gurlitt, Bau- u. Kstdenkm. Kgr. Sachsen, XVII (1895) 339 (Hartegen). *W. Fries.*

Herdel, Johann, Maler aus Nürnberg, † 1516 „in Preisen". Sein Porträt zeigt ein Schabkunstblatt in G. Fennitzer's Manier.

Panzer, Verz. v. Nürnb. Portraiten..., 1790 p. 101. — Muller, Cat. rais. d. Portr. etc., Amsterdam 1877 Nr 5. *W. Fries.*

Herdenberg, Wilhelm van, siehe *Ehrenberg,* W. v.

Herder van Gröningen, Maler, geb. um 1550 in Gröningen (laut C. v. Mander), † 1609 ebenda (laut Immerzeel), weilte mit C. van Mander in Rom und war dann in Gröningen Maler des Gouverneurs von Friesland, François

Verdugo. Von Hymans u. Wurzbach vermutete Identifikationen mit Gerard P. Groenning sind unbegründet. Das von Nagler (Monogr. III No 561) ihm zugeschr. Bild aus der Sammlg Wallerstein in Maihingen findet sich laut eingezogener Erkundigungen dort nicht mehr u. ist auch aus alten Katalogen nicht feststellbar. Die ebenfalls von Nagler (Monogr. III No 572) mit ihm in Verbindung gebrachte Zeichn. einer Wochenstube in der graph. Samml. München wird dort als angeblicher Jan Swart von Groningen geführt. Die Signatur „h" scheint nach Mitt. d. Direktion später u. keine Künstlersignatur zu sein.

C. v. M a n d e r , Livre des Peintres, éd. H y m a n s , II (1885); Ausgabe F l o e r k e , 1906. — I m m e r z e e l , Levens en Werken etc., II (1843). — A. v. W u r z b a c h , Niederländ. Kstlerlex., I (1906); II (1900) 301.

Herder, M a t e r n , siehe *Harder,* M.

Herdig (Herding, Herdinck), K a s p a r , Baumeister, gen. *Meister Casp,* tätig in Mährisch-Trübau, unter Ladislaus Welen von Boskowitz († 1520) Hofbaumeister, erscheint urkundlich 1520/21 mit Zahlungen für Arbeiten vermutlich am Rathausturm. 1520 ist er regier. Bürgermeister, 1560 nicht mehr am Leben.

Mitt. K. K. Central-Comm., N. F. X p. CLXXXI. — P r o k o p , Markgrafsch. Mähren, 1904, II 506; III 680. — Mitt. Erzherz.-Rainer-Mus. in Brünn, XXXIV (1916) p. 1.

Herdincg, H e r m a n n A. , Maler, vielleicht aus Braunschweig. Von ihm ein lebensgr. Bildnis des Herzogs Ferd. Albrecht I. (zu Pferde) im Landschaftsgebäude zu Braunschweig, bez. H. A. Herdincg pinxit Romae 1663 (die Vornamen in nicht ganz deutlicher Ligatur); ferner im Landesmus. in Braunschweig Brustbild, laut Inschrift (Rückseite) darstellend: Giochimo Filippo di Ricking aetatis suae 42, natus A° 1621, bez. in denselben Schriftzügen (ebenfalls Rückseite) Hermannus A. Herdincg fecit Romae A° 1663 (A. u. H. in Ligatur). Gutes Bild, aber stark restauriert. P. J. Meier möchte H. das gute Bildnis d. Friedr. Anton Schacht in dessen Epitaph (geb. 1641, † 1656) an der Nordseite des 4. südl. Pfeilers in St. Stephani zu Helmstedt zuschreiben, wegen der stilistischen Verwandtschaft mit oben gen. Reiterbildnis. — Ein Maler H e n d r i k H e r d i n g erscheint unter dem 28. 9. 1735 im Album Studiosorum der Akad. in Leiden.

B i e r m a n n , Deutsches Barock u. Rokoko, 1914, I 82 (Abb.); II p. XXI. — Bau- u. Kst-denkm. Braunschweig, I (1896) p. 69 No 16. — O b r e e n's Archief, V (1882/83). — Mitt. P. J. Meier in Braunschweig.

Herdman, R. D u d d i n g s t o n e , Maler in Edinburgh, † am 9. 6. 1922, Sohn und Schüler des Robert. Zeigte 1888—1901 in der Roy. Acad. in London Porträts u. Genrebilder,

1891 (Soc. Art. Franç.) u. 1895 (Soc. Nat.) in Paris, 1911 im Glaspalast in München.

G r a v e s , Roy. Acad., IV; d e r s., Loan Exhib., IV. — Studio, XLII 64; XLIV 232 (Abb.). — Connoisseur, XXXVIII 72. — The Year's Art, 1923. — Ausst.-Kataloge.

Herdman, R o b e r t , schott. Bildnis-, Historien-, Genre-, Landschafts- u. Blumenmaler, geb. in Rattray (Perthshire) 17. 9. 1829, † in Edinburgh 10. 1. 1888. Vater des R. Duddingstone. Als jüngster Sohn eines Pfarrers schlug er zunächst die geistl. Laufbahn ein und studierte auf der Universität St. Andrews, während er in den Sommermonaten zu Hause malte und zeichnete. Er entschied sich dann für die Kunst und bezog 1847 die Edinburgher Trustee's Acad., wo J. Ballantyne und später R. S. Lauder seine Lehrer wurden. Mehrfach prämiiert, erhielt er 1854 den für das beste, von einem Akademieschüler gemalte Historienbild ausgesetzten Preis. In den Ausstell. der Akad. war er zuerst 1850 mit seinem Gemälde „Excelsior", nach Longfellow's Gedicht, und seitdem (mit einer Ausnahme, 1856) alljährlich vertreten. Daneben beschickte er die Ausstell. der Londoner Royal Acad. (1867—87), der dortigen British Instit. und des Glasgow Art Institute. Nov. 1855 bis Aug. 1856 studierte H. in Italien und stellte nach seiner Rückkehr in der Edinburgher Akad. 9 Aquarellkopien nach alten Meistern aus. Nachdem er 1858 außerordentl., 1863 ord. Mitglied der Royal Scott. Acad. geworden war, weilte er Sept. 1868 bis Mai 1869 zum 2. Male in Italien, wo er Aquarellkopien nach venezian. Meistern malte. — Seiner ganzen Geistesrichtung nach und auch als Kolorist steht H. seinen älteren Zeitgenossen im allgemeinen näher als der mehr fortschrittlich gesinnten Lauder - Schule mit ihrem Realismus, während ihn im besonderen das gegenständliche Interesse in seiner Malerei enger mit Lauder verbindet als einen seiner Mitschüler. Seine besten Leistungen hat H. im Bildnisfach aufzuweisen, und besonders erfreuten sich seine zahlreichen Frauenbildnisse, die Grazie und feine Charakteristik mit einer zarten Farbengebung vereinigen, großer Beliebtheit. Ein schönes Beispiel seiner Bildniskunst ist die „Lady Shand" der Edinburgher Nat. Gall. (1867). Zu seinen Männerbildnissen (darunter viele gestochen) gehören: D. O. Hill (1870; Royal Scott. Acad.); David Llaing (1874; Schott. Antiquar. Gesellsch.); Sir George Harvey; Thomas Carlyle (1875, 2 Repliken); Sir Theodor Martin (1876); Herzog von Sutherland (1877); Sir Noel Paton (1879). Als Historienmaler schöpft H. seine Anregungen aus der schott. Geschichte, Sage u. Dichtung. Die bekanntesten Bilder dieser Art, die — abgesehen von dem patriotischen Stoff — wegen ihrer geistreichen Komposition und flotten Behandlung viel Beifall fanden, sind: Hinrichtung der

Maria Stuart (1867, Gal. Glasgow); Nach der Schlacht, Episode aus der Zeit der Covenanters (1870, Nat. Gall. Edinburgh; Stich von Francis Holl); Verhör eines Covenanter-Predigers (1873); Erste Unterredung zwischen Maria Stuart und John Knox (1875); Prätendent Karl Eduard Stuart sucht Zuflucht im Hause eines Anhängers (1876; Stich von Rob. Anderson); Hl. Columba befreit einen Gefangenen (1883); „His old Flag" (1884); „Landless and homeless" (1887). Ein Leben der Maria erschien in 4 Kabinett-Photogr. 1867—8 im Verlag der Glasgow Art Union; dazu kam 1878 eine ähnliche Folge zu Campbell's Gedichten. Von H.s italien. Genrebildern steht „La Culla", das Aufnahmebild der Royal Scott. Acad. (ebda), an erster Stelle. Anmutig, kokett und dazu ein wenig rührselig wie seine schott. Bauerndirnen geben sich auch jene mehr oder weniger ideal aufgefaßten weibl. Einzelfig., deren mytholog. Namen („Sibylla"; „Penelophon"; „Antigone"; „Tympanistria") durch Klassikerlektüre angeregt sind, und an denen die feine Behandlung des Inkarnats auffällt. Schließlich hat H. auch in farbenfrischen, breit gemalten Landschaften (hauptsächlich Aquarelle) sowie in zarten Blumenstücken Gutes geleistet. In der Glasgower Gal. befinden sich außer der bereits gen. „Hinrichtung der Maria Stuart" noch 4 Bildnisse (Rev. George Stewart Burns, Lord Provost Peter Clouston, Sir William Collins, Sir James Watson, sämtlich aus späteren Jahren) sowie 2 kleine frühe Landschaften. Die Städt. Gal. in Leeds besitzt das Ölbild „Schlaf" (Flußlandschaft mit schlafendem Kind in einem Boot, von Schutzengeln bewacht). Das Bildnis des Gottesgelehrten John Tulloch (Ganzfigur, 1879 nach dem Leben gemalt) ist im Besitz der Univ. St. Andrews (Halbfig.-Replik in der Scott. Nat. Portr. Gall., Edinburgh). Weitere Arbeiten in der Gal. zu Aberdeen (ital. Brunnengruppe; Selbstbildnis, 1883) und in der Nat. Gall. zu Melbourne, Austr. Ein anderes Selbstbildnis H.s ist im Besitz der Familie, zusammen mit einem von R. Duddingstone H. (s. d.) gem. Bildnis H.s und seiner von W. Brodie geschaffenen Büste.

Dict. Nat. Biogr., XXVI (1891) 237 f. — W. D. McKay, Scott. School of Paint., 1906. — J. L. Caw, Scott. Painting, 1908. — Art Journal, 1873 p. 376, mit Taf. — Graves, Dict. of Artists, 1895; Royal Acad., IV (1906); Brit. Inst., 1908; Cent. of Loan Exhib., 1913 f. II; IV 1962 f. — R. Scott. Acad. Studio Spec. Number 1907 p. XLI (Abb.) — Kat. der gen. Slgn. *B. C. K.*

Herdman, W i l l i a m G a w i n, engl. Zeichner u. Landschaftsmaler, geb. in Liverpool 13. 3. 1805, † ebenda 29. 3. 1882. Wurde 1836 Mitglied der Akad. seiner Vaterstadt und erteilte viele Jahre Malunterricht. Wegen seiner Beteiligung an einer gegen die Bevorzugung der Präraffaeliten gerichteten Kundgebung, wurde er 1857 mit seinen Gesinnungsgenossen aus der Akad. ausgeschlossen und gründete als Konkurrenzunternehmen die Institution of Fine Arts, die aber nur kurzen Bestand hatte. H. stellte 1834—61 in der Londoner Royal Acad. und der dortigen Soc. of Brit. Artists aus. Er arbeitete in Öl und Aquarell und machte sich als tüchtiger Zeichner bes. durch seine Liverpooler Ansichten bekannt. Sein Hauptwerk sind die Pictorial Relics of Ancient Liverpool accompanied with descriptions of Antique Buildings, 2 Folgen, 1843 u. 1856, fol. Ferner veröffentlichte er: Views of Fleetwood-on-Wyre, Manchester 1838; Studies from the Folio of W. H., Manchester, 1838, eine Skizzensamml. in Folio; A Treatise of Curvilinear Perspective of Nature, and its Applicability to Art, 1853, sowie die Thoughts on speculative Cosmology and the principles of Art, 1870. Die Liverpool Free Library bewahrt eine reiche Sammlung seiner Zeichnungen; 2 Aquarelle (Liverpooler Veduten) in der dort. Gal. — H.s Sohn W i l l i a m H. H e r d m a n veröffentlichte 1864 eine Art Anhang zu seines Vaters Relics (unbedeutend). In der Liverpooler Gal. ist er durch 1 Aquarell (Ansicht aus Liverpool) vertreten.

Dict. Nat. Biogr., XXVI 238 — M a r i l l i e r, Liverpool School of Paint., 1904 p. 136—42, mit Abb. — G r a v e s, Dict. of Artists, 1895; R. Acad., IV (1906); Cent. of Loan Exhib., 1913 f. IV 1963. — Cat. Walker Art Gall. Liverpool, ed. 1884, Nrs 65, 67, 278.

Herdman, W i l l i a m H., siehe unter *Herdman,* William G.

Herdt, F r i e d r i c h W i l h e l m, Maler, geb. 1790 oder 91 in Berlin, Schüler der dort. Akad., in deren Ausstell. er zuerst 1804 mit einer Schülerarbeit erscheint, und die er bis 1840 regelmäßig beschickt. H. war sehr vielseitig, neben Miniaturgemälden u. Kopien nach alten Meistern zeigte er Schlachtenbilder, Historien, Heiligenbilder, Szenen aus der antiken Mythologie, Genrebilder und vor allem Bildnisse. Aus den Akademie-Katalogen seien genannt: 1812, Mme Schütz als tragische Muse, Bildnis seines Vaters, Bildnis Ifflands (Kreidezeichn.); 1814, Schlacht bei Möckern, Lenore (nach Bürger); 1816, Schlacht an der Katzbach (danach Aquatintablatt v. J. F. Jügel), Mme Catalani; 1820, Urteil d. Paris, hl. Cäcilie (erworben v. d. Fürstin v. Liegnitz), Seesturm; 1824, Äneas rettet Anchises (v. König erworben), Bildnisse Prinz Friedrich v. Preußen (1794 bis 1863), von dessen Gemahlin Luise und Sohn Alexander (1820—1896); 1826, Befreiung Petri aus d. Kerker (Spandau, Nikolaikirche), Friedr. Wilh. III. zu Pferde, der Kopf nach einer Büste v. Rauch; 1828, Amor u. Psyche, Gräfin Brühl, Opernsängerin Roser als Agathe; 1830, Friedr. Wilh. II. zu Pferde, Bildnisse von Mitgliedern des Hoftheaters; 1832, Maria Taglioni, Amalie T., Filippo T.; 1834, Darius nach der Schlacht bei Arbela; 1836, Der Maskenball (v. König erworben), Mme Frege als

Elvira; 1838, Sultanin im Harem (v. König erworben), Kammersängerin Sophie Löwe als Angela; 1839, Amalie Taglioni als Sylphide (Bildnissamml. d. Nat.-Gal., Führer 1913 p. 129; Abb. in Kst u. Dekoration, XXIX [1911/12] 199); 1840, Flora-Fest im Kgl. Schauspielhause am 8. 2. 1840. — Raczynski nennt noch ein Abendmahl mit lebensgr. Figuren für den Dom in Bremen und eine hl. Hedwig für die Hedwigskirche in Berlin. — Ohne durch seine glatten und etwas kraftlosen Bilder kunstgeschichtlich irgend bedeutungsvoll zu sein, verdient H. doch Beachtung als bevorzugter Bildnismaler der damal. Berliner Theaterkreise.

N a g l e r , Kstlerlex., VI. — R a c z y n s k i , Gesch. d. neueren deutschen Kst, III (1841) 52. — Kunstblatt, 1827. — P a r t h e y , Dtscher Bildersaal, I (1863). — v. B ö t t i c h e r , Malerwerke d. 19. Jahrh., I 2 (1895). — Kataloge d. Berl. Akad.-Ausst.

Herdt (Herde, Hert), J a n d e , Maler, 1646/47 als Meister in der Antwerpener Lukasgilde, noch 1648 in Antwerpen nachweisbar, scheint um 1660 in Brescia gewesen zu sein (wo A. Everardi sein Schüler war). Averoldi erwähnt lobend in S. Francesco in Brescia die Halbfigur der hl. Elisabetta Francescana (Giov. da Hertz!), so auch Carboni, Brognoli, Sala, aber nicht mehr Odorici; dagegen Orlandi: „. . Gio. da Hert, nativo d'Anversa. Partito per Vienna, dove dimorava il fratello gioielliero dell' Imperatore Ferdinando III . . .". In der 1670 zu Wien erschienenen „Historia di Leopoldo Cesare" sind mehrere Bildnisse nach Vorlagen H.s gestochen (von F. van Steen u. C. Meyssens). Tätig in Mähren, 1668 vielleicht in Brünn, später vielleicht in Olmütz. Malt in der Art des Pieter van Lint. — 2 Bilder, dat. 1663, in der Ksthalle *Karlsruhe* (Kat. 1881; Kat. 1910 dagegen: 1673), genremäßig aufgefaßte Bildnisse eines Greises u. einer Greisin (Antiquar; Geldzählerin). Im Franzens-Mus. in *Brünn* (Kat. 1899) Bildnis des Charles Ratuit, Grafen de Souches, von 1668. Im Augustinerstift ebenda (nach Wurzbach) 4 Szenen aus Tasso, von 1667 (Hawlik besaß 2 aus Tasso's Gerusal. liber. von 1668). In der Pfarrkirche St. Jakob ebenda befand sich „Der hl. Jakob von Compostela im Kampf mit den Sarazenen", wohl ehemals Hochaltarblatt. In der Stadtbibliothek in *Breslau* Zeichnungen H.s. Laut Nagler wäre H. auch Kupferstecher gewesen, da er nach A. Lublinsky den „hl. Franz Xaver, mit heidnischen Priestern disputierend", gestochen hat (Sign.: D H [in Ligatur] sc.). Nach H. von F. van Steen gestochene Bildnisse: Hieron. Aug. Lubomirski, Georg Seb. Lubomirski, Ferd. Fürst v. Dietrichstein, Louis Ratuit Graf de Souches, Raim. Graf v. Montecuculi, z. T. aus der obengenannten „Historia di Leopoldo Cesare".

A v e r o l d i , Le scelte pitture di Brescia, 1700 p. 94. — [C a r b o n i], Pitture e Scult.

a Brescia, 1760 p. 66. — B r o g n o l i , Nuova guida .. di Brescia, 1826 p. 136. — [A l e s s . S a l a], Pitture di Brescia, 1834 p. 92. — O d o r i c i , Guida di Brescia, 1853. — O r l a n d i , Abeced., 1753 p. 59. — R o m b o u t s - L e r i u s , Liggeren, II 176, 182. — H a w l i k , Zur Gesch. d. Baukst, d. bild. u. zeichn. Kste in Mähren, 1838. — N a g l e r , Kstlerlex., VI 117, 137; d e r s ., Monogr., II. — P a r t h e y , Dtscher Bildersaal, I (1863). — Anzeiger f. Kde d. dtschen Vorzeit, 1877 p. 143. — A. v. W u r z b a c h , Niederl. Kstlerlex., I. — R. O l d e n b o u r g , Fläm. Malerei d. 17. Jahrh. (Handb. d. Berliner Mus.), 1918. — H u t t e n - C z a p s k i , Poln. Portr.-Stiche (poln.), 1901. — D u p l e s s i s , Cat. Portr. Bibl. Nat. Paris, 1896 ff., III 12768; VII 28 493.

Herdtle, E d u a r d (Karl Friedrich E.), Zeichner u. Bildhauer, geb. in Stuttgart 16. 12. 1821, † ebenda 10. 11. 1878, Bruder von Hermann I u. Gustav, Schüler von C. Weitbrecht an der Gewerbeschule, dem späteren Polytechnikum in Stuttgart, 1847 Lehrer an der Zeichenschule in Schwäbisch-Hall, besuchte im Auftrag der württemb. Regierung die Weltausstell. in London (1851) und in Paris (1855), seit 1867 Lehrer an der Zentralstelle für Handel u. Gewerbe in Stuttgart, später Visitator des Zeichenunterrichtes aller Landesschulen. Besonders bekannt geworden durch sein „Wandtafel-Vorlagenwerk für den Elementarunterricht im Freihandzeichnen", 60 Taf. schwarze Umrisse u. 24 Taf. in Farbendruck, das durch zahlreiche Auflagen im In- und Ausland Verbreitung fand. Von seinen plastischen Arbeiten wird ein Medaillonbildnis von Justinus Kerner genannt.

Allg. dtsche Biogr., XII 101. — Kunstchronik, XIV (1879) 179, Nekrolog. — v. B o e t t i c h e r , Malerwerke d. 19. Jahrh., I 2 (1895). — Univers. Catal. of Books on Art, South Kensington Mus., 1870 u. Suppl. 1877.

Herdtle, G u s t a v , Maler, geb. in Stuttgart 20. 9. 1835, Bruder der Hermann I u. Eduard, gebildet 1851—59 an der Kunstschule in Stuttgart unter Neher u. Funk, seit 1862 Zeichenlehrer an der gewerbl. Fortbildungsschule in Cannstatt, seit 1867 am Eberh. Ludwig-Gymn. in Stuttgart; zeigte seine Landschaften auf den Ausst. des württemb. Kunstvereins, Motive aus Tirol und aus seiner Heimat, z. B. aus dem Zillertal (1873), aus dem Pustertal (1879), Kalksteinbrüche unterhalb Cannstatt (1880), Hohenrechberg mit dem Hohenstaufen (1895), Gewitter am Wallenstadter See, Ruine Reußenstein (schwäb. Alb); 1878 im Lübecker Kunstverein „Niederdorf im Pustertal".

v. B o e t t i c h e r , Malerwerke d. 19. Jahrh., I 2 (1895). — Kunstchronik, XIV (1879) 644; XV 123. — Mitt. d. Künstlers.

Herdtle, H e r m a n n I, Maler, geb. 29. 8. 1819 in Stuttgart, † ebenda 5. 7. 1889, Bruder von Eduard u. Gustav, Vater des Hermann II, gebildet an der Kunstschule in Stuttgart unter Steinkopf, Studienreisen in Frankreich, Belgien und der Schweiz, tätig in Stuttgart, zeigte im württemb. Kunstverein Landschaften u. Architekturbilder, z. B. Aussicht vom Mercurius-Berge bei Baden-Baden, Nemi u. d. Nemi-See. 1858 zeigte er in München „Hof eines Renaissance-Gebäudes", 1871 im Glaspalast „Partie bei St. Vittore im Tessin". — In der Gal. in Stuttgart (Kat. 1907 p. 241) „Abziehendes Gewitter" (Motiv aus dem Kochertal) v. 1881, in der Versteigerung im Residenzschloß Stuttgart (27.—29. 11. 1919) „Lugano u. d. Luganer-See".

Schwäbischer Merkur, 1889 p. 1272. — Schwäb. Kronik, 1889 p. 1347. — v. B o e t t i c h e r , Malerwerke d. 19. Jahrh., I 2 (1895). — Kunstchronik, XIII (1878) 148; XIV 59; XV 123; XXIV 630. — Württemb. Vierteljahrshefte f. Landesgesch., N. F. XXIX (1920) 206.

Herdtle, H e r m a n n II, Architekt u. Kunstgewerbler, geb. in Stuttgart 2. 7. 1848, Sohn von Hermann I, anfangs Schüler seines Vaters, 1866—70 an der Technischen Hochschule unter Bäumer, mit dem er nach Wien übersiedelte, arbeitete dort praktisch am Bau des Nordwestbahnhofes und des Palais Haber, 1874/75 in Italien, 1876 bis 1913 Prof. für dekorative Architektur u. Kunstgewerbe an der Kunstgew.-Schule in Wien, 1881—1901 artistischer Inspektor der k. k. gewerbl. Lehranstalten. Von H. der architektonische Teil des Grabmals v. Eitelberger († 1885) auf dem Wiener Zentralfriedhof. H. lieferte zahlreiche Entwürfe für alle Gebiete des Kunstgewerbes, besonders in historischen Stilarten, und hat mehrere Vorlagenwerke über Intarsien, Majoliken, Ornamente, Architekturdetails erscheinen lassen.

Das geistige Deutschland, 1898. — K o s e l , Deutsch-österr. Künstler- .. Lex., I (1902). — Oesterr. Kunstchronik, I (1879) 43. — Zeitschr. f. bild. Kst, XIV (1879) 207; Kunstchronik, XI (1876) 449; XII 703; XVII 93; XIX 253.

Herdtle, R i c h a r d , Maler, geb. in Stuttgart 10. 5. 1866, gebildet an der dort. Akad. 1882/88 unter Grünenwald u. Schraudolph, tätig in Stuttgart, nur selten in Ausstell. vertreten. Malt Tier- und Landschaftsbilder; viel für Illustration tätig, bekannt geworden durch seine Steinzeichnungen (Teubner, Leipzig), z. B. Heimkehr (1907), Vorfrühling (1908) usw. Auf der Ausst. Württemb. Kunst 1891—1916 ein Gemälde: Am Göpel. (Kat. Stuttgart 1916 p. 17, 38.)

B a u m , Stuttgarter Kst d. Gegenwart, 1913 p. 123, 297. — Kat. Intern. Kst-Ausst., Dresden 1901 p. 63.

Herdtzig v o n B r i n , s. *Hertzog* v. Brin.

Héré d e C o r n y , Emmanuel, Architekt, geb. in Nancy 12. (nicht 14.) 10. 1705, † in Lunéville, begraben ebenda 2. 2. 1763, Sohn des Archit. P a u l H é r é („Inspecteur du château" in Lunéville, der 1709 als Bauleiter des neuen Flügels ebenda erscheint, † in Lunéville 16. 7. 1733) u. der Elisabeth Henry aus Nancy. Schüler von Boffrand, hatte es H. zu einer mittleren Hofstellung gebracht und war dem Hofarchitekten des Herzogs Stanis-

laus Leszczynski (1736—66), N. Jennesson, unmittelbar beigeordnet. Als es 1738 zwischen Jennesson und dem Herzog über den Bau des Kiosks im Schloßpark („Bosquets") zu Lunéville zum Bruch kam, übertrug der Herzog H. die Vollendung dieses Baus. H. wurde sogleich „Inspecteur des hôtels et maisons de Sa Majesté" und 1740 Nachfolger Jennessons als Hofarchitekt „en titre". Für den baufreudigen Herzog und König war H. das geniale Instrument zur Ausführung seiner Pläne, die der Verschönerung und Vergrößerung seiner Schlösser und vor allem seiner Residenz Nancy galten. H. war schmiegsam genug, sich den Wünschen des kunstverständigen Stanislaus anzupassen, ohne daß er darum seine eigenen künstlerischen Gedanken hätte zu schädigen brauchen. (Vgl. H.s Widmung an den König im Recueil.) Die Ergebnisse der außerordentlich umfangreichen Tätigkeit H.s brachten ihm viele Beweise des königl. Vertrauens. 1750 wurde er zum „Conseiller et contrôleur général ancien des domaines et bois" ernannt, 1751 erhob Stanislaus ihn als „Seigneur de Corny" in den erblichen Adelsstand, der 1752 von Ludwig XV. anerkannt wurde. 1753 ernannte ihn Ludwig zum Ritter des Ordens vom hl. Michael. Stanislaus schenkte an H. den linken (vom Triumphbogen aus) der Eckpavillons, dort wo die Carrière in den Hémicycle übergeht, als Wohnhaus für ihn und seine zahlreiche Familie. Seit 28. 2. 1729 war er vermählt mit Marguerite Duquesnoy, die ihm 16 Kinder schenkte. Unglückliche Spekulationen brachten ihn (nach 1758) um sein Vermögen, er wurde darüber geisteskrank. In der Karmeliterkirche in Lunéville erhielt er, wie sein Vater, das Grab. — Von H.s baukünstler. Leistungen sind nur Bruchstücke erhalten; einen Überblick gewährt das von ihm herausgeg. Kupferwerk: Recueil Des Plans, Elevations Et Coupes .. Des Châteaux, Jardins, Et Dependances Que le Roy de Pologne occupe en Lorraine, y compris les Bâtiments qu'il a fait elever .., in 2 Teilen, zus. 63 Kupfer. Als 3. Teil: Plans Et Elevations De la Place Royale de Nancy et des autres Edifices qui l'environnent bâtie par les Ordres du Roy de Pologne .. 1753. A Paris chés J C François, 13 Kupfer. Stiche von François, Pasquier, Baquoy u. a. Eine 2. vermehrte Auflage erschien 1762 in Lunéville. — Während H. 1738—41 an der Kirche Notre Dame de Bonsecours in Nancy baut (voll. 1745), entstehen in Lunéville die kleineren Bauten im Schloßpark: Kiosk, Trèfle, Kartause u.a. Schloß Einville wird erneuert u. die Gartengalerie ebenda erbaut. Schloß Malgrange wird anfangs fortgeführt, dann abgebrochen, und ein Neubau begonnen. 1741/44 baut H. in Nancy an der Maison des Missions Royales (für die Jesuiten, heute Séminaire) und im

Park von Lunéville die Menagerie am Ufer der Vezouse, die er reguliert, die Felsszenerie („Le Rocher") und die Kaskade am Ende des großen Kanals; außerdem vergrößert und verschönert er Jolivet, baut den reizenden Pavillon Chanteheux u. vollendet das neue Schloß Malgrange. 1745/47 vollendet er die Kirche St. Remy in Lunéville, die Boffrand unfertig gelassen, durch Hinzufügung der Türme (von H. auch die Uhr und die Orgelbühne) und baut Schloß Commercy um. 1751 beginnt H. die Arbeiten an der Place Royale in Nancy mit den anliegenden Gebäuden u. den damit zusammenhängenden Plätzen, „der herrlichsten Schöpfung der französischen Stadtbaukunst des Rokoko", 1755 vollendet. 1749 entsteht die Brücke von Essey über die Meurthe, 1752 jene in Pont Saint Vincent über die Mosel. — H.s Haupthelfer waren die Archit. Claude Mique, gen. La Douceur, der 1758 an H.s Stelle trat und nach H.s Tode dessen Stellung erhielt, und Jos. Mutlot. Beide arbeiteten nach seinen Plänen an der Place Royal. Zu nennen ist, außer B. Guibal, Girardet u. vielen anderen, noch der Kunstschmied Jean Lamour, von dem u. a. die Gitter ebenda stammen, die wohl auf H.s Entwürfe zurückgehen. Die Universalität der Begabung H.s zeigte sich auch in seinen Arbeiten als Innenarchitekt, in den Schlössern u. in den Hôtels der Place Royale, doch ist nur wenig erhalten. Die Parkanlagen sind mit ihren kleineren Bauten fast alle verschwunden, auch der berühmte „Rocher" des Parkes in Lunéville mit seinen über 100 mechanisch betriebenen Automaten in natürlicher Größe (Schmieden, Wäschereien, Wasser- u. Sägemühlen, Eremitagen usw. mit Nachahmung von Menschen- u. Tierstimmen). Von Chanteheux, Einville u. Jolivet sind nur kümmerliche Reste geblieben. Commercy ist, seiner Parks und Inneneinrichtung beraubt, heute Kaserne, Malgrange war, nach wechselvollem Schicksal und beträchtlich verändert, bis 1906 in geistlichem Besitz. Nur die Kirchen u. öffentl. Gebäude in Lunéville und in Nancy sind, wenn auch nicht unversehrt, erhalten, ebenso wie die Place Royale, die Carrière u. der Hémicycle; von den wichtigsten ihnen anliegenden Bauten seien genannt: Rathaus (Breitseite), Hôtel Alliot, Hôtel des Fermes (Bischöfl. Palast), das Theater (1906 abgebrannt, Fassade erhalten), Hôtel Jacquet, diese alle an der fast quadratischen Place Royale, der heutigen Place Stanislas, in deren Mitte das Denkmal Ludwigs XV. (Sockel von H.) stand (heute ein Denkmal des Stanislaus v. 1831), mit dessen feierlicher Enthüllung am 26. 11. 1755 der König das Werk H.s einweihte. Der Abschluß der Ecken gegenüber dem Rathaus wird von den Amphitrite- u. Neptunbrunnen (B. Guibal)

gebildet, die von der Gitterarchitektur Lamours umfaßt werden. Die „Trottoirs Stanislas" bilden als einstöckige Gebäude (Rue Héré) die Überleitung zum Triumphbogen (Porte Royale, nach dem Vorbild der Triumphpforte Jadots bei Porta San Gallo in Florenz von 1739), dem südl. Abschluß des langen Rechtecks der Place de la Carrière. Der nördl. Abschluß ist das Stadtschloß des Königs, später Regierungspalast an der Langseite des ovalen Platzes (Hémicycle), mit seiner ringsum geführten Kolonnade und den Eckpavillons, mit denen er in die Carrière übergeht. Mit Ausnahme des Hôtel de Craon (heute Justizpalast), das 1715 von Boffrand erbaut wurde, der hier und auch in dem Unterstock des Regierungspalastes die von H. übernommenen Hauptmotive angegeben hatte, beruhen sämtliche Bauten und der Platzschmuck (Gitter von Lamour, Puttengruppen von Söntgen, Mény u. Lépy) auf Entwürfen H.s. Es waren also für H. „die Achse und das Fassadensystem gegeben. Seine Leistung besteht darin, daß er diese Einzelheiten nicht nur vereint, sondern sie so miteinander verbindet, daß alles sich zu einer wie in einem Guß entstandenen rhythmischen Platzfolge vereint, deren Wandung den feinsten Durchbildungen des Raumgedankens willig folgt ... Nichts in dieser Raumfolge bleibt für sich, immer bezieht sich das Nächste auf das Vorhergehende, entwickelt sich aus ihm, setzt es fort und schließt es ab. Dabei doch jedes einzelne Glied sauber in sich vollendet, ohne Verklammerung oder Verschmelzung mit den benachbarten Teilen" (Brinckmann). Auch die östlich gelegene quadratische Place d'Alliance geht auf Entwurf H.s zurück, der mit ihr den schlichteren Mittelpunkt eines neuen Viertels schaffen sollte. Die umgebenden Privatpaläste zeigen einfache Architektur mit sparsamem Schmuck und geben durch ihre Symmetrie dem Platz das Vornehme der Haltung. In der Mitte ein kleiner, reizvoller Brunnen mit Ruhmesfigur auf einem Obelisken, gewidmet der Erinnerung an die Allianz zwischen Frankreich und Habsburg (1756). — Ein Bronzestandbild H.s von A. Jacquot (gegenüber dem Callots, aber auf der Ostseite) seit 1894 nahe dem Triumphbogen in Nancy; 2 gemalte Bildnisse H.s, und eins seiner Gattin im dort. Musée Hist. Lorrain (Cat. 1912). Entwürfe von H. ebenda.

Pr. M o r e y , La vie et les oeuvres de E. H. de C., Nancy 1863 (nicht benutzt) — P f i s t e r , E. H. et la place Stanislas, Paris 1906; d e r s., Histoire de Nancy, III (1908) 466—489 (nicht benutzt). — Réunion d. Soc. d. B.-Arts, IX (1885) 130; XXIII (1899) 457; XXV 321; XXVII 334. — L a n c e , Dict. d. Archit. franç., I (1872). — Inv. gén. d. Richesses d'art, Prov. Mon. civ., IV. — H a l l a y s , Nancy (Villes d'Art cél.), 1908 p. 74 ff., 81 ff., 84, 88, 96 ff., 100, 103, 106, 139, Abbn. — B o y é , Les Châteaux du roi Stanislas, 1911 p. 8, 20, 35, 54, 90, 93, 98 ff., Abbn. — v. G e y -

müller, Baukunst d. Renaiss. in Frankreich, 1898 p. 329 f., 415. — A. E. B r i n c k m a n n , Baukunst d. 17. u. 18. Jahrh., I, Roman. Länder (Burgers Handbuch), o. J., 4. Aufl. [1922]. — R e n a r d , Das neue Schloß zu Benrath, 1913 p. 9 f.

Héreau, J u l e s , Maler u. Radierer, geb. in Paris 29. 8. 1839, † ebenda 26. 6. 1879, zeigt seit 1855 im Salon Tierbilder, Landschaften und Marinen in der Art Troyons. Von einem Aufenthalt in London brachte H. Motive von der Themse mit (Salon 1873/74). Im Glaspalast in München 1869 „Pferde vor einer Schmiede" u. „Feldarbeit". H. war Mitglied der Soc. d. Aquafort., in deren Veröffentlichungen z. T. seine Blätter erschienen. Er radierte nach eigenen Bildern und Entwürfen. Als Anhänger der Commune spielte er bei der Besetzung des Louvre im Mai 1871 eine freilich nur kurze Rolle. Seine Gattin war die Blumenmalerin Louise Darru (s. d.). — In öffentl. Besitz: *Amiens,* Mus. (Cat. 1911), L'approche de l'orage (Salon 1865); *Cherbourg,* Une plage à Villerville (Salon 1878); *Le Havre,* La récolte du varech (Salon 1868); *Löwen,* Mus. Samml. Willems (Cat. 1901), Zeichnung; *Montpellier,* Mus. Fabre (Cat. 1910), Le berger et la mer (Salon 1864); *Rouen,* Mus. (Cat. 1911), La ronde du berger (Salon 1866); *St. Omer,* Mus. (Cat. 1898), Le retour des pêcheurs (Salon 1880); *Périgueux,* Mus., L'Adieu.

Gaz. d. B.-Arts, XIV (1863) 192; XIX 28, 30; 1872 I 214 ff.; 1873 II 58. — L'Art, V (1876) 94 f.; XVII 186 Abb., 188 Abb.; XVIII 24 (Nekrolog). — B e l l i e r - A u v r a y , Dict. génér., I (1882). — B r e t o n , Nos Peintres du Siècle, [o. J.] p. 182, 184. — C l a r e t i e , Peintres et sculpt. contemp., 1873. — B é r a l d i , Graveurs 19me siècle, VIII (1888). — Cat. Salon Soc. Art. Franç. 1855—80. — Mus.-Kataloge.

Herebrat, Steinmetz (?) des 11. Jahrh. in Cöln, nur bekannt aus der Inschrift: HEREBRAT ME FECIT an der nordöstl. Säule der Krypta von St. Georg in Cöln, deren Gründer Erzbischof Anno II. (1056—1075) ist. Die Inschrift wird bald auf einen Steinmetz, der etwa die Kapitäle gearbeitet hätte, gedeutet, bald glaubt man in H. den Erbauer der Krypta u. d. Kirche Annos sehen zu dürfen. Bock vermutet in H. einen Benediktiner von St. Pantaleon.

B o c k , Rheinlands Baudenkm. d. Mittelalters, III No 12 p. 6. — M e r l o , Köln. Kstler. Ausg. 1895. — Kstdenkm. d. Rheinprov., VI, Abt. 4 (1916) 347.

Heredia, P e d r o d e , Bildschnitzer in Sevilla, 1549/71 nachweisbar, arbeitete am Retablo mayor der Kathedrale: 1555 Zahlungen für 2 Pfeilerfiguren an den Seitenteilen des Retablo, 21. 1. 1556 für eine Verklärung Christi ebenda. Cean Bermudez zählt außerdem zu seinen Arbeiten die Speisung der 5000 und mehrere Statuen ebenda. 1562 schätzte H. eine Arbeit des Bildh. Bautista Vázquez ab.

C e a n B e r m u d e z , Diccion. de B. Artes en España, 1800 II 259. — G e s t o s o y P é r e s , Artíf. en Sevilla, 1899 ff., I 186; III 106.

Herel (Hereldt, Herlet), B e t e r (Peter), Glockengießer, Glocken in: Altewalde (Kr. Neiße), Pfarrkirche, 1589; Grüben (Kr. Falkenberg O./S.), Pfarrkirche, 1602; Gr.-Pramsen (Kr. Neustadt, O./S.), Kath. Pfarrkirche, 1598 (Hereldt); Militsch, Glocke v. 1600 (Herlet).

L u t s c h , Kstdenkm. Schlesien, IV (1894) 65, 211, 310. — W a l t e r , Glockenkunde, 1913.

Heren, T h o m a s , Maler aus Emden, in der 2. Hälfte des 16. Jahrh. in Brandenburg a. H.; von ihm das Hauptgemälde im Epitaph (am 6. Pfeiler nördl.) des Bürgermeisters Petrus Weitzke († 1585) in der St. Gotthardtkirche in Brandenburg (Allegorie der evangel. Heilslehre nach L. Cranach), ferner ein Epitaph (am 5. Pfeiler nördl.), Inschrift verloren (gewidmet dem Hans Trebaw u. d. Ursula During), von 1586, der Kruzifixus mit den Stiftern (3 Tafeln, davon eine voll bezeichnet, alle 3 mit dem Monogramm T. HE.), schließlich Epitaph (am 6. Pfeiler südlich) des Pfarrers Christophorus Lybius († 1577). Hauptbild Grablegung in Landschaft, darüber eine Tafel mit dem Bilde Gott-Vaters (Monogramm).

Kstdenkm. Prov. Brandenburg, II. Bd, Teil 3 (1912) p. XC, 22, 25, 122 u. Abb. p. 1, 24.

Herencia y Sánchez, J o r g e , Maler in Toledo, gebildet in Madrid, zeigte dort 1876: Inneres der Kathedrale v. Toledo, ebenda 1878 die Capilla mayor u. die Campana grande der Kathedr. v. Toledo; ein Bildnis König Alfons' XII. im Rathaus in Toledo. 1882 zeigte er in der Wiener intern. Kst-Ausst. die Nachbildung eines flämischen Gobelins, 1883 im Münchener Glaspalast eine Madonna.

O s s o r i o y B e r n a r d , Artistas Esp. del S. XIX (1883/84). — Zeitschr. f. bild. Kst, XVII (1882) 282. — Ausst.-Kataloge.

Herendel, P i e r r e , siehe *Arondel,* P.

Herendorf, J o h. S a m u e l , falsch für *Hoetzendorf,* J. S.

Herenfridus, Steinmetz (?) d. 12. Jahrh. in Soest. An der Deckplatte der 1. Säule der Nordseite in der Petrikirche die Inschrift: HERENFRIDUS ME FECIT, von Lübke auf den Baumeister der alten Petrikirche gedeutet.

L ü b k e , Mittelalt. Kst in Westfalen, 1853 p. 106 f. — Jahrb. d. Ver. von Altertumsfreunden im Rheinlande, Heft 67 (1879) p. 108 f.

Herer, K o n r a d , Maler, † im August 1467, Mitglied der St. Lucas-Zeche in Wien; aus seinem Testament (eröffnet 25. 8. 1467) läßt sich entnehmen, daß er vielleicht als Maler u. Glasmaler an der künstlerischen Ausschmückung der Liebfrauenkirche in Wiener-Neustadt tätig gewesen ist. Mai 1467 erwirbt H. ein Haus im Frauenviertel in der Neugasse ebenda. Hans Ableger (s. d.) war sein Schüler.

Jahrb. d. Kstsamml. d. allerh. Kaiserh., IV (1888) 2. Teil, 3813, 3814, 3845. — Mitt. d. K. K. Central-Comm., N. F. XIV (1888) 23. — Berichte u. Mitt. Altert.-Ver. Wien, XXV (1889) 84 ff. (Maler u. Werke d. Malerkst in Wiener Neustadt im 15. Jahrh., v. W e n d e l i n B o e h e i m , auch als Sonderdruck erschienen).

Héret, L o u i s J e a n A n t o i n e, Architekt, geb. 1821 in Paris, † ebenda 1899, Schüler von L. H. Le Bas an der École d. B.-Arts, baute Schulen, Krankenhäuser, Landsitze usw., ferner die Kirche Notre Dame de la Croix in Paris-Ménilmontant, beg. 1863, infolge des Krieges der Bau verzögert, erst 1880 vollendet. Auch die Kanzel dieser Kirche 1879 nach H.s Entwurf (Pläne u. Risse im Salon 1878).

B e l l i e r - A u v r a y, Dict. génér., I (1882). Inv. génér. Rich. d'art, Paris, Mon. rel. III. — D e l a i r e, Les archit. élèves, 1907.

Herfort, F r i e d r i c h G o t t l i e b, Bildhauer, † 1708. War nach Nicolai „in Italien gewesen, kam 1696 nach Berlin, wo er im Schlosse nach Schlüters Modellen arbeitete". 1702, nach Mich. Döbel's Tode, zum Hofbildhauer ernannt. Auch unter den Bildh., welche die Modelle zu den 4 Sklaven an Schlüter's Reiterdenkmal des Großen Kurfürsten ausführten (1709 vollendet und am Sockel des 1703 enthüllten Standbildes angebracht), wird H. seit Füßli (Kstlerlex., 1779, im Artikel „Backers"!) neben P. Backert, Henzi u. Joh. S. Nahl d. Ä. genannt, jedoch nicht von Nicolai, der an seiner Stelle Brückner nennt.

N i c o l a i, Nachr. v. Baumeistern usw. in Berlin, 1786, p. 92, 99, 105; d e r s., Beschr. v. Berlin u. Potsdam, 1786, I 69. *C. F. Foerster.*

Herfurth, Goldschmied in Dresden, lieferte zwischen 1734 u. 40 die silbervergoldete Fassung eines Straußeneipokals im Grünen Gewölbe.

Führer durch d. Grüne Gew., 1915 p. 104.

Hergarden, B e r n h a r d, Maler u. Radierer in Düsseldorf, geb. 7. 6. 1880 in Geldern, Schüler der Düsseld. Akad., seit 1913 auf den dort. Ausstell. mit Akten, neuerdings auch mit figürl. u. religiösen Kompositionen u. Radierungen vertreten.

W. S c h ä f e r, Bildhauer u. Maler in den Ländern am Rhein, 1913. — Die Kunst, XXVII (1913) 538, 540 (Abb.). — „Gottesehr", I (1919/20) 81, 93 (Abb.). — Ausst.-Katal.

Hergenröder (auch Herchenröder), G e o r g H e i n r i c h, Maler u. Radierer, geb. 1736 in Darmstadt, † um 1794 in Offenbach. Ausgebildet in Darmstadt, tätig wesentlich in Offenbach, wo er eine Zeichenschule gründete, und in Frankfurt. Seine Bilder, stets kleinen Formats, stellen mit Vorliebe Höhlen und Gewölbe dar, die reich mit figürl. Staffage belebt sind, im Geschmack des Malers Cuylenburg; Soldaten, Räuber, Schatzgräber, aber auch badende Nymphen oder Statuen sind in phantastischer Umgebung dargestellt. Bilder dieser Art in den Galerien von Cassel, Dessau (Amalienstiftung, 4), im Städt. Mus. in Frankfurt (Prehn'sches Cabinett) und in Stockholm. Die Würzburger Universitätsgal. bewahrt von H. eine Tallandschaft, wie sie H. nach Gwinner aus der Frankfurter Umgebung vielfach gemalt hat. Auch in Radierungen hat er in der Ma-

nier von Schütz verwandte Motive dargestellt. — Das gleiche berichtet Gwinner über J. M. H e r g e n r ö d e r, vermutlich einen Sohn des Obigen; es ist dies wohl der Künstler, den Goethe bei seinem Besuch in Offenbach 1815 im Hause des Hofrats B. Meyer mit der Wiedergabe seltener Vögel beschäftigt fand; auch eine Schwester dieses H. rühmt Goethe als Pflanzenzeichnerin (Werke, Cotta, Jubil.-Ausgabe 29, p. 286). — Ein sonst nicht näher bekannt gewordener Maler I g n a t z F r a n z H e r c h e n r ö t h e r heiratet 1728 eine Tochter des Baumeisters Joh. Moser in Jauer.

M e u s e l, Miscellaneen, 13. Heft, Erfurt 1782, p. 48; d e r s., Teutsches Kstlerlex., I (Lemgo 1808). — G w i n n e r, Kunst u. Kstler in Frankfurt, 1862 p. 328. — N a g l e r, Kstlerlex., VI 98 („Hengenröder") u. 118. — P a r t h e y, Deutscher Bildersaal, I, 1863 (beschreibt 8 Bilder in Cassel, Frankf. u. Würzburg, Slg v. Hirsch). — Kataloge: Cassel 1888 No 706/7; Dessau, Amalienstiftg 1913 No 346, 349, 395/6, 404/5; Frankfurt, Verzeichn. d. Prehn'schen Gemäldesammlg, o. J.; Stockholm 1893 No 292; Würzburg 1914, No 279 (dazu K n a p p, Münchner Jahrb. d. bild. Kst, VIII [1913] 136). — W e i g e l's Kstlager-Katal., 11. Abt. No 11823. — P a t z a k, Jesuitenkirche zu Glogau . . ., 1922 p. 27 (betr. Ign. Fr. H.). *Gr.*

Herger, E d m u n d, Maler u. Radierer, geb. in Remda 13. 6. 1860, † 1907 in München, gebildet 1880—86 an der Kunstschule in Weimar, 1887—91 an der Akad. in München unter Defregger, lebte seitdem in München. Zeigte in Berlin (Akad.-Ausst. u. Gr. Kst-Ausst.) 1884, 86, 1901, 07, in München (Glaspalast) 1883, 89, 90, 99, 1907 Genrebilder: Landsknechte verteilen Beutestücke, Heiratsvermittler, Faun auf Keilerjagd usw. und auch Landschaften. Wandgemälde im Chor der Kirche seines Geburtsortes von 1882, in der Kirche zu Blankenburg (südwestl. Rudolstadt) 1886, im Schloß Grubhof bei Lofer (1891—1901). Radierungen (Genreszenen) erschienen in den Veröffentl. des Weimar. Radiervereins 1883 u. 85.

v. B o e t t i c h e r, Malerwerke d. 19. Jahrh., I 2 (1895). — Bau- u. Kunstdenkm. Thüringens, Sachsen-Weimar-Eis., Bd I (1893) p. 161; Schwarzburg-Rudolstadt, Bd I (1894) p. 5. — Kunstchronik, XIX (1884) 74; XXI 136. — Ausst.-Kataloge. — D r e s s l e r's Kunstjahrbuch 1911/12.

Hergesel, F r a n t i š e k (Franz), Bildhauer, tätig in Prag, beteiligt 1891/92 an der Wiederherstellung der Mariensäule (von Georg Pacák, geweiht 1751) auf dem Marktplatz in Polička. Von H. am Gebäude des Böhm. Mus. in Prag (voll. 1891) die allegor. Figuren der Numismatik u. Heraldik, in der Modernen Gal. in Prag (Kat. 1907) die Gruppe „Panem nostrum quotidianum" (Bauer führt den von 3 Weibern gezogenen Pflug); erschien zuerst 1896 in der Ausst. des Wiener Kstlerhauses und 1900 in Paris (Expos. décenn.).

Topogr. v. Böhmen, XXII (1909) 104. — Kunstchronik, N. F. VII (1896) 382. — Führer d. d. Mus. d. Kgr. Böhmen in Prag, [o. J.] p. 8.

Herguez, Lithograph in Paris um 1830, gab Serien von kleinen Blättern mit Karikaturen heraus unter dem Titel „Salmigondi".

Grand-Carteret, Les Moeurs et la Caricature en France, 1888 p. 650.

Herhan, Elisabeth G., Kupferstecherin in Paris, Schülerin von G. Fiesinger, neben diesem u. anderen beteiligt an den beiden Folgen von Bildnissen (Punktiermanier) französ. Generäle der Republik, die in den Jahren 6—11 (1797—1803) nach Vorlagen Jean Guérin's erschienen; die 1. Reihe in Folio, die 2. in Oktav. Die Generäle: Bernadotte, Férino, Kléber, Lefebvre (nach Mengelberg), Moreau, Desaix, Bonaparte (Abb. Revue de l'art anc. et mod., XXXV [1914] 131). Verschiedene dieser Bildnisse kommen auch als Einzelblätter vor. Ferner sind bekannt: Bildnis Gutenbergs, Fr. P. G. Guizot, ein Blatt nach Bartolozzi, „Amor u. Psyche", eins der einen 2. Zustand gibt mit dem Titel „l'Amour et la Raison", hinzugefügt sind republikanische Embleme und eine republikanische Inschrift; schließlich nach Guérin „Le plaisir liant les ailes de l'Amour".

Renouvier, Hist. de l'art pend. la Révolution, 1863. — Reiber, Iconogr. alsat., 1896. — Duplessis, Cat. Portr. Bibl. Nat. Paris, 1896 ff., II 9187/45; III 11768/20, 12399/38, 15584/4; IV 19854/19, 19926/28, 29; V 24348/44.

Herholdt, Johan Daniel, Architekt, geb. in Kopenhagen 13. 3. 1818, † ebenda 11. 4. 1902, kam 1832 auf die Kunstakad., 1834 zu einem Zimmermann in die Lehre, wurde 1837 Geselle und arbeitete als solcher praktisch bis 1841. Im Winter zeichnete er teils an der Akad.-Bauschule, teils bei G. F. Hetsch u. bei Bindesbøll. 1843 erhielt er die kleine Silbermedaille, zeigte seit 1845 Entwürfe in Charlottenborg, gewann 1846 die große silberne, 1849 die kl. Goldmedaille für den Entwurf „Et Invalidehôtel". Seit 1841 hatte ihn seine praktische Tätigkeit weiter im Lande herumgeführt, so nach Throndjem, wo er nach dem großen Brande einen Teil der Stadt in Holzbauten neu aufführte, 1843 nach Odense, im Winter darauf nach Hamburg (mehrere Stationsgebäude der Eisenbahnstrecke Kiel—Altona), 1844 nach Kolding. Daneben zeichnete er nach den alten Baudenkmälern, so 1851 nach den mittelalterl. Bauten in Visby. 1851 konkurrierte er ohne Erfolg um die große Goldmedaille, erhielt aber 1852 ein Reisestipendium der Akad. für 2 Jahre. Nach Aufenthalten in Deutschland, Italien und Frankreich kehrte er 1854 in die Heimat zurück. 1857 Sieger im Wettbewerb um den Bau der Universitätsbibliothek in Kopenhagen (1. Preis und Ausführung, voll. 1861), der einen Wendepunkt in der Geschichte der dänischen Architektur des 19. Jahrh. bedeutet. Damit war H.s Erfolg entschieden. 1861 wurde er Mitglied der Akad.; es folgten zahlreiche Ehrungen, so

1879 auch der Ehrendoktor der Philosophie der Universität Kopenhagen. 1860—75 lehrte H. bürgerliche Baukunst am Polytechnikum, 1881—92 war er kgl. Bauinspektor. — H. war der Führer jener Bewegung, die im Kampf gegen den Putzbau das heimische Material, den Ziegel, wieder zu Ehren brachte. Das nötigte ihn, der Herstellung der Ziegel Aufmerksamkeit zuzuwenden, es gelang ihm die Fabrikation guter Formsteine, auch glasierter Ziegel, womit er zugleich der dän. Industrie lebhaften Anstoß gab. Für den Innenbau verwendete er als erster die Eisenkonstruktion, wie er solche im Ausland kennengelernt hatte. In den Stilformen war er beweglich genug, um neben den Vorbildern alter heimischer Bauweise für das Innere u. Äußere der Bibliothek eine Anregung von San Fermo in Verona, für das Gebäude der Studentenvereinigung (1861—63) die ital. Frührenaiss., für die Nationalbank (Rustikasockel in Granit, das übrige Ziegel, 1867—70), die Spätrenaiss. zum Ausgangspunkt zu nehmen. „Originell und selbständig, mit einem ausgeprägten Gefühl für das Gediegene und Würdige in der Architektur, mit einer glücklichen Fähigkeit begabt, dem Unechten und Aufgekleisterten zu entgehen, wurde er der bewunderte Lehrer des jüngeren Geschlechtes" (Andrup). Die besten Architekten der folgenden Generation sind direkt oder indirekt seine Schüler, so H. J. Holm, Storck, Nyrop und Martin Borch. Man darf ihn den Begründer der modernen, auf nationalem Boden weiterbauenden dänischen Backsteinarchitektur nennen, für die Nyrops Kopenhagener Rathaus das am meisten bewunderte Beispiel ist. — Von H.s zahlreichen Bauten seien noch genannt: Das Speicherhaus des Handelsherrn Grøn, der alte Hauptbahnhof (1863—64), der mit seiner weitgespannten Halle in Holzkonstruktion Aufsehen machte, das Botanische Institut, das Polytechnikum (1888—92), die Portale zum Ørstedpark (1879), ferner St. Pouls Kirke in Korsør (1869/71), Rathaus Roskilde (1880), Rathaus in Odense (1881/83 mit Lendorff). Auch als Restaurator hat sich H. vielfach betätigt, so an den Kirchen zu Kalundborg (1870), Nykjøbing (1880 u. 92), an der Peterskirche in Naestved (1883/85), am Kloster Sorø (1883/94) u. a.

Weilbach, Nyt Dansk Kunstnerlex., I (1896). — Reitzel, Fortegn. over Danske Kunstneres Arb., 1883. — Trap, Danmark, 1898—1906, I/IV. — Andrup in Dahl-Engelstoft, Dansk biogr. Haandleks., II (1921) 80, mit Lit. — Hannover, Dänische Kst d. 19. Jahrh., 1907. — Arkitekten, XX (1918) 225 f., Abb. (A. Clemmensen). — Dansk Arkitektforenings Tidsskrift, XI (1918) 67 ff. (Th. Oppermann).

Heribert, Kalligraph oder Buchmaler, Benediktiner-Mönch im Kloster Reichenau, schrieb oder illuminierte zusammen mit Kerald um 980 den sog. Codex Egberti (Trier, Stadtbibliothek), ein Evangelistar, das ursprünglich dem Stifte des hl. Paulinus in Trier gehörte. Auf dem Widmungsblatt der thronende Erzbischof Egbert von Trier (977—993), vor ihm die beiden Mönche, links KERALDUS, aus dessen Händen Egbert das Buch mit seiner Rechten nimmt, rechts H., der stehend ein Buch in Händen hält, über seinem Kopf: HERIBERTUS, beide Namen werden durch das geteilte Wort: AUGIGENSES verbunden, wodurch beide als aus Reichenau (Augia Fausta) stammend bezeichnet werden. Der Schrift nach ist der Codex Arbeit wohl eines Schreibers, die Miniaturen (60) ebenfalls wohl von einer Hand. „Der eine mag der Schreiber, der andere der Urheber der Bilder gewesen sein" (Kraus).

F r. X. K r a u s , Die Miniaturen des Cod. Egb., Freiburg 1884.

Hericke (Herrick), Sir W i l l i a m , engl. Hofgoldschmied, geb. in Leicester 1557, † ebenda 2. 3. 1652 (begraben in St. Martin's Church). Um 1574 Lehrling seines älteren Bruders N i c h o l a s (Vater des Dichters Robert) in London. Goldschmied in Wood Street und einer der reichsten Kaufleute der City. Als Hofgoldschmied der Königin ging er in außerordentlicher Mission an den Hof des Sultans (Schreiben desselben an die Königin abgedruckt Gentleman Mag. 1792 II 1071). Ein Bildnis H.s in türkischer Tracht befand sich ehemals auf seinem von Graf Essex 1594/5 erworbenen Landsitze Baumanor Park, Leicestershire. Parlamentsmitglied für Leicester 1601; Hofgoldschmied Jakobs I. (3. 5. 1603); Erhebung in den Ritterstand 2. 4. 1605. Unter Karl I. fiel er 1625/6 in Ungnade.

Dict. Nat. Biogr., XXVI (1891) 243 f.

Héricourt, Porzellanmaler der Manuf. in Sèvres, geb. 1740, 1755 doreur, 1770—77 als Maler nachweisbar; seine Marke hc kursiv.

L e c h e v a l l i e r - C h e v i g n a r d , Manuf. de porcel. de Sèvres, 1908 II 133. — C h a v a g n a c - G r o l l i e r , Hist. d. manuf. Franç. de porcel., 1906 p. 329.

Héricourt, A n t o i n e , Kunsttischler in Paris, 1773 Meister, nachweisbar bis 1788; eine sign. kl. Kommode aus Rosenholz in der Samml. Gasnault.

V i a l , M a r c e l , G i r o d i e , Art. décor. du bois, I, 1912.

Héricourt (Ericourt), N i c o l a s , Kunsttischler in Paris, nachweisbar 1773 bis 1800, arbeitete auch für den Prinzen v. Condé in Chantilly.

M a c o n , Les Arts dans la maison de Condé, 1903. — V i a l , M a r c e l , G i r o d i e , Art. décor. du bois, I, 1912. — M a z e - S e n c i e r , Livre des collectionneurs, 1885 p. 37.

Herigoyen (Hericoyen, Dirigoien, Tyriquoye, d'Yrigoien), E m m a n u e l J o s e f v o n , Architekt, geb. zu Lissabon 4. 11. 1746, † zu München 27. 7. 1817. Tätig in Landstuhl i. Böhmen, Mainz, Aschaffenburg, Regensburg,

München. Sohn des Truchseß Martin von Herigoyen, Hofmarschalls des portugies. Infanten Emmanuel, und der Anna von Valorsin aus Wien. Das in H.s frühe Jugend fallende Erdbeben von Lissabon (1755) hat einen bleibenden Eindruck auf ihn gemacht, zumal sein väterliches Haus zerstört und er selbst 3 Tage von seiner Familie vermißt wurde. Seinen Jugendunterricht erhielt H. in dem Colleg Nezessidades, im Zeichnen wurde er von einem ital. Architekten, der zum Wiederaufbau von Lissabon berufen war, unterwiesen. 1762 trat er, wahrscheinlich unter dem Schutze seines Taufpaten, des Infanten Emmanuel, in den Dienst der Kriegsmarine und besuchte gelegentlich seiner vielen Reisen 1763 und 1764 zweimal Brasilien. 1767 starb der Infant Emmanuel, und damit verlor H. den Schutz, dessen er zur Marinelaufbahn bedurfte. Er verließ den Dienst und die Heimat und ging zuerst nach Bayonne (Südfrankr.) zu Verwandten, dann nach Paris, und widmete sich zwei Jahre lang dem Studium der Architektur. Um 1770 ging er nach Wien, wo er durch seine Mutter Beziehungen zum Hofe hatte. Hier lernte er den Grafen Wilhelm von Sikkingen kennen, der ihn auf seinen Gütern, bes. in Landstuhl in Böhmen, beschäftigte. Als Sikkingen 1778 Minister des Kurfürsten von Mainz wurde, nahm er H. mit, der als Ingenieuroffizier in Mainzische Dienste trat und in der Folgezeit bis zum Ingenieuroberstleutnant aufrückte. H.s Tätigkeit in diesem Dienstverhältnis war eine zweifache, als Offizier und als Architekt. In erster Eigenschaft machte er 1792 den Feldzug in Frankreich mit. Um sich als Architekt weiterzubilden, unternahm er 1789 eine Studienreise nach den Niederlanden, Holland und England. Als Mainz 1798 französisch wurde, ging H. mit seinem Fürsten, dem Erzbischof Carl Friedrich, als dessen Hofarchitekt nach Aschaffenburg. Als solchen übernahm ihn 1802 Carl Theodor von Dalberg. 1804 siedelte Dalberg nach Regensburg über und mit ihm H., der hier ein ausgedehntes Feld zu baukünstler. Betätigung fand. Bei der Vereinigung Regensburgs mit dem Königr. Bayern trat H. in den bayr. Staatsdienst über und wurde am 10. 12. 1810 zum Oberbaukommissär und Mitglied der Baukommission in München ernannt.

Über den Ausbildungsgang und die Lehrer H.s besitzen wir keinerlei Nachrichten. Auch über seine Arbeiten auf den Gütern des Grafen Sikkingen fehlen uns Angaben; es werden meist Gebäude zu landwirtschaftl. Zwecken gewesen sein, die keine besondere architekt. Bedeutung gehabt haben. Erst aus der Zeit von H.s Aufenthalt in Mainz sind einige Wohnhäuser vorhanden, zu denen er 1789—92 die Entwürfe gemacht hat; es sind dies die Häuser am Weihergarten 11, 16 u. 20, bei denen nach Dorts (s. Lit.) der Ausdruck des Klassizismus noch ganz schüchtern neben der barocken Formenwelt zum Vorschein kommt. Mehr bringen schon die Bauten im Schloßpark „Schönbusch" bei Aschaffenburg, die er noch für den Erzbischof Carl Friedrich errichtete. Aber ganz kann er die Formen der vergangenen Stilperiode nicht abstreifen, so sehr man auch sein Bemühen erkennt. Am Schlößchen sind barocke Elemente mit streng klassizistischen Details eng vermengt, wie z. B. die Balustrade über dem Hauptgesims, die im Mittelteil in eine Attika mit Figurenfries übergeht. Der Speisesaalbau drängt mit seinem über einem Vierpaß errichteten Grundriß und der Strenge seines Äußeren schon mehr nach reinem, klassischem Ausdruck, der in dem Philosophen- und Freundschaftstempel erreicht ist. Die Arbeiten, die H. am Schloß zu Aschaffenburg vornahm, um dieses zum dauernden Aufenthalt des Kurfürsten geeignet zu machen, sind nicht mehr auszuscheiden. Wahrscheinlich wird es sich hier mehr um technische Maßnahmen gehandelt haben, als um eine architekton. Umgestaltung. — Ein reiches Feld der Tätigkeit bot sich für H. in Regensburg. Abgesehen von dem Streben Dalbergs, seinem Hof auch den nötigen äußeren Glanz zu verleihen, machten die Kämpfe des Jahres 1809 sowie die Erweiterung der Stadt eine Reihe von baukünstler. Arbeiten notwendig. So stammen von H. die Entwürfe zum sog. „roten Haus" (dem jetzt umgeänderten Gebäude der Regierungsfinanzkammer), zum „neuen Haus" mit Stadttheater, dem Präsidialpalais am Bismarckplatze, das Dalberg für den franz. Gesandten errichten ließ, ferner zum Keplerdenkmal und dem Taxisobelisken, sowie zum Schlößchen Theresenruhe im jetzigen fürstl. Garten, seinerzeit als Gebäude der botan. Gesellschaft errichtet und verwendet. Von Entwürfen ist noch ein Plan zur Regulierung der Umgebung des Peterstores und zu einem Klosterbau vor der Schottenkirche auf uns gekommen. — H.s Tätigkeit in München war wohl in erster Linie die eines Verwaltungs- und Baupolizeibeamten, aber trotzdem hat er, wenngleich schon in hohem Alter stehend, eine Anzahl guter Bauwerke aufgeführt und verschiedene Projekte bearbeitet. Vorhanden sind hiervon noch das Tor zum alten botanischen Garten (das gleichfalls nach H.s Plänen ausgeführte Gewächshaus mußte 1854 dem Glaspaläste weichen), das ehem. Volkstheater vor dem Isartor, jetzt Leihhaus, der Umbau des Ministeriums des Äußeren, der allerdings nur in der von Metivier veränderten Form auf uns gekommen ist. Ein Speisesaal im Hofe des Ludwigsgymnasiums und ein Nebengebäude beim Krankenhause l. d. Isar sind abgebrochen. Zu einem Projekt, das damals die Mehrzahl

der Münchener Architekten beschäftigte, dem Hoftheater, hat auch H. einen Entwurf angefertigt, der erhalten ist. — In seinem Stil erstrebt H. den strengen, reinen klassischen Ausdruck, zu dem die Pariser Schule schon vor 1789 übergegangen war. Da er aber keineswegs eine Persönlichkeit von überragender künstler. Durchschlagskraft war, machten sich bei seinen Leistungen die verschiedensten Einflüsse bemerkbar. So kamen bei seinen Aschaffenburger und Mainzer Arbeiten noch barocke Elemente zum Durchbruch, was auch noch beim Präsidialpalais in Regensburg der Fall ist. Das sog. „neue Haus" und das rote Haus, wie aus alten Plänen zu ersehen, weisen ein geradezu frostiges, von allem Persönlichen entferntes Pathos auf. Beim Taxisobelisken machen sich romantische Einflüsse, bes. in der Verwendung des Details, geltend. Unstreitig die besten Leistungen H.s sind das Tor zum alten botan. Garten und das Theater vor dem Isartore in München. Sie zeigen neben einer ausgereiften Stilauffassung eine freie schöpferische Phantasie. Das Hoftheaterprojekt H.s kann sich mit dem Karl v. Fischers nicht messen; es fehlen ihm sowohl die klaren großen Verhältnisse, wie die Reinheit und Vornehmheit der Stilauffassung. Aufgaben dieses Formats gingen über die Kraft H.s, der eigentlich erst von seinem 50. Lebensjahre an sich mit Ausübung der Architektur dauernd befaßte. Bei dem Wirken von so hochbedeutenden Künstlerpersönlichkeiten wie Karl v. Fischer und Leo v. Klenze, traten H.s verhältnismäßig bescheidene Leistungen zu wenig in den Vordergrund und übten daher auch auf den jungen Nachwuchs keinen besonderen Einfluß aus. — Die noch vorhandenen Pläne von seiner Hand befinden sich teils im Besitze seiner Nachkommen, teils in der Samml. der Obersten Baubehörde in München, bzw. der Hofbibliothek in Aschaffenburg.

B e h l e n u. M e r k l, Gesch. von Aschaffenburg u. Spessart, 1843 p. 93 ff. — Altfränkische Bilder (Ill. ksthist. Prachtkalender), XX (1914) 14. — Die Denkmalpflege, XIII (1911) 83. — S c h r o h e, Aufsätze u. Nachweise zur Mainzer Kstgesch. (Beitr. z. Gesch. d. St. Mainz, Bd 2), 1912 p. 173 f. — Mainzer Zeitschrift, XII/XIII (1917/18) 110 (D o r t s). — Blätter f. Archit. u. Ksthandwerk, XXVII Taf. 14—18 (Schloß Schönbusch). — München u. seine Bauten, 1912. — R i e h l, Bayerns Donautal, 1912. — D e h i o, Handbuch der deutschen Kunstdenkm., ² III. — D i l l i s, Briefe an Kronprinz Ludwig, Akad.-Berichte 1904. — M a i l l i n g e r, Bilderchronik von München, III (1876). — Katalog der Ausst. d. Akad. der bild. Künste, München 1814. — H e r i g o y e n, Das Keplerdenkmal in Regensburg (in latein. Sprache). *Fritz Neumüller.*

Herimann (Herimannus), siehe *Hermann.*

Hering, A d o l f Emil, Maler, geb. 7. 12. 1863 in Groß-Bosemb bei Gumbinnen, gebildet 1881/85 an der Akad. in Königsberg unter Steffeck, seit 1899 in Berlin lebend, zeigt seit

1888 in der Berl. Akad., später Gr. Kst-Ausst., Historienbilder, Genreszenen u. Porträts, z. B. Psyche am Styx den Charon erwartend (1889), Bildnis Steffecks (1892), Heldentod der 11 Schillschen Offiziere (1899) usw. Altarbilder in den Kirchen in Rauschen und Rössel (Ostpr.), Wandgemälde im gr. Saal des Stadtmissionshauses zu Königsberg; im Mus. of the Brooklyn Institute (Kat. 1910): Strandgut.

J a n s a , Dtsche bild. Kstler, 1912. — D r e s s l e r 's Kunsthandbuch, 1921. — Kat. Akad.-Ausst. Berlin, 1888, 89 (Abb.), 92 (Abb.) ; Gr. Kst-Ausst. Berlin, 1893, 99 (Abb.), 1901 (Abb.), 1903, 04, 05, 06, 10, 14. — Kat. Glaspal. München, 1895, 1904.

Hering, C h r i s t o p h und H e i n r i c h , Steinmetzen in Regensburg, † 1657, bzw. 1664, wahrscheinlich Nachkommen von Georg H., dem nach Regensburg übergesiedelten jüngsten Sohne des Loy H. Das Testament des Christoph im Münchner Reichsarchiv.

M a d e r , Loy Hering, 1905 p. 6.

Hering, G e o r g , Bildhauer, Sohn des Loy aus dessen 2. Ehe, geb. wahrscheinlich nach 1521, wurde 1548 als Bürger in Regensburg aufgenommen, taufte dort am 16. 10. 1552 ein Kind, † vor dem 1. 1. 1554, als sein Vater sein Testament machte. Da einige tüchtige Bildwerke in Regensburg und Landshut in Material — Jurakalkstein — und Stil dem Loy H. sehr nahe stehn, ohne doch von ihm selber herrühren zu können, so hat ihre Zuschreibung an Georg einen hohen Grad von Wahrscheinlichkeit. Es sind dies u. a. ein von der Äbtissin Wendula v. Schaumberg gestifteter, 1540 vollendeter Marienaltar im Obermünster zu Regensburg und ein Kaminrelief sowie 12 Medaillons mit Taten des Herkules v. 1541 und 42 in der Stadtresidenz zu Landshut.

F. M a d e r , Loy Hering, 1905 p. 5, 6, 102 f., 115. — B. R i e h l , Bayerns Donautal, 1912 p. 305.

Hering, G e o r g e E d w a r d s , Landschaftsmaler, geb. in London 1805, † ebenda 18. 12. 1879. Sohn eines angesehenen Londoner Buchbinders, der aus dem braunschweig. Geschlecht der Freih. von Heringen stammte. Studierte 1829 an der Münchner Akad., wo er 1830 im Kunstverein ausstellte und an dem dort lebenden Lord Erskine, mit dem er eine Reise nach Tirol unternahm, einen Gönner fand. Er studierte dann 2 Jahre in Venedig, bereiste Italien und die Levante und kam nach Rom , wo er die Gegensätze zwischen der deutschen und engl. Künstlerkolonie überbrücken half. Dort machte er die Bekanntschaft des engl. Landwirts und Reiseschriftstellers John Paget, den er auf seiner Reise durch Ungarn und Siebenbürgen begleitete und dessen Reisewerk „Hungary and Transilvania" (London 1839, 2 Bde) er illustrierte, während er selbst mit Paget's Erlaubnis die „Sketches on the Danube, in Hungary and

Transylvania etc.", London 1838 (fol.), mit Widmung an den Grafen Ladislaus Szögyényi, veröffentlichte. Nach 7 jähriger Abwesenheit kehrte H. nach London zurück, wo er zuerst 1836 und seitdem alljährlich in der Royal Acad. ausstellte. Daneben beschickte er auch die Ausstell. der Brit. Instit. Seine erste Einsendung war eine Ansicht der Ruinen des Kaiserpalastes (Palatin), der 1837 eine Ansicht von Venedig und 1838 eine Ansicht des Schlosses Hanyad (Siebenbürgen) folgten. Bekannt wurde er zuerst durch sein 1841 auf der Ausst. der Brit. Instit. vom Prinzgemahl angekauftes Gemälde „Amalfi" (Stich von R. Goodall), sowie durch sein illustriertes Werk „The Mountains and Lakes of Switzerland, Tyrol and Italy", 1847 (20 Bl. Lithogr.). Seitdem dauernd in London ansässig; häufige Studienreisen nach den oberital. Seen. Italien lieferte ihm die meisten Motive, daneben hat er aber auch Schweizer, engl. und schott. Landschaften gemalt. Man rühmte seine gewissenhafte Zeichnung, die Reinheit und Leuchtkraft seiner Farbe, mit der er den Charakter der südl. Landschaft, Sonne und Duft der Atmosphäre wiederzugeben wußte. H.s Gemälde: Fernblick auf Capri bei Abendstimmung, wurde (1848) für die Kgl. Samml. angekauft und von R. Brandard für Art Journal 1856 gestochen. Das Londoner Victoria and Albert Mus. besitzt von H. je 2 Ölbilder u. Aquarelle sowie 18 Bleistiftzeichn., die Nat. Gall. in Melbourne (Austr.) ein Ölbild: Druidendenkmäler auf der Insel Arran, Schottland. — H.s G a t t i n , Landschaftsmalerin, stellte 1853 und 1858 in der Londoner Royal Acad. aus.

Dict. Nat. Biogr., XXVI 244. — Art Journal, 1861 p. 73—5; 1880 p. 83 (Nekrol.). — G r a v e s , Dict. of Artists, 1895; R. Acad., IV (1906) ; Brit. Inst., 1908; Cent. of Loan Exhib., 1913 f. II ; IV 1963. — F. v. B ö t t i c h e r , Malerwerke des 19. Jahrh., I 2 (1895). — Kat. der gen. Slgn.

Hering (Haering), H a n s (Johann Georg), Maler, geb. in Eschwege an der Werra, vermutlich Vater des Ludwig. 3 Jahre lang Schüler des Christoph Müller in Cassel, wo er 1587 freigesprochen wurde, ging dann nach Italien, hielt sich mehrere Jahre in Rom auf und war 1620 in Prag Hofmaler. Dlabacž kannte von ihm mehrere Gemälde: 1. Hl. Norbert, bez. HHering, Ao. 1620. — 2. Hl. Evermodus, bez., undat. — 3. Sel. Rudolph aus dem Prämonstratenserorden, bez. — 4. Sel. Rainer a. d. Präm.-Orden, bez. — 5. Sel. Milo aus den Präm.-Orden, bez. — 6. Sel. Gottfried a. d. Präm.-Orden, bez. — 7. Leben des hl. Norbert in 10 großen Bildern, gemalt für das Stift Strahow, später im Langschiff der Stiftskirche Mühlhausen in Böhmen, wo sie sehr beschädigt noch erhalten sind; nach Dlabacž bez.: „Anno 1626 à Johanne Hering", 1748 von Max Guido Puklshaimb restauriert. Die Topogr. nennt für das erste, besser erhaltene

Bild die Inschrift: „Max Guido Puklshaimb renovavit A. D. 1748". Ein 11. Bild, gleichen Formates und gleicher Hand, Grablegung Christi, über der Sakristeitür, ebenda. — 8. Bilder der Hl. Dorothea, Thekla, Juliana u. Agathe, trugen nach Dlab. das Monogramm H. F. 1626. — 9. Von 1626 dat.: Hl. Cäcilie, schmerzhafte Muttergottes u. andere Gemälde. — 10. Himmelfahrt Mariae, Altarblatt, gemalt für die Stiftskirche Strahow, zu Dlabacž' Zeit im „oberen Gang des Stiftes", bez. u. 1635 dat. — 11. Grablegung Christi, bez. H. F. 1635 pinxit, wohl identisch mit dem unter 7. genannten Gemälde der Kirche in Mühlhausen. Nach Dlabacž sind alle diese Bilder für Strahow gemalt worden. — 12. Verklärung Christi (Kopie nach Raffael), um 500 fl. gemalt für die Jesuiten-Salvatorkirche der Altstadt Prag. — Tschischka erwähnt in der Nepomuk-Kap. zu St. Veit in Prag eine „Heimsuchung Mariae". — Offenbar ist H. identisch mit H a n s H a r i n g h „Schilder van Praegh", dem de Bie ein Lobgedicht widmet, in dem er ihn mit Zeuxis vergleicht.

C. d e B i e , Het gulden Cabinet van de . . Schilder-Const, Antw. 1662. — D l a b a c ž , Kstlerlex. f. Böhmen, 1815, mit ält. Lit. — T s c h i s c h k a , Kst u. Altert. im österr. Kaiserstaat, 1836. — N a g l e r , Kstlerlex., VI; d e r s . , Monogr., III. — Topographie . . Böhmen, V (1901) 115.

Hering, H a n s , Steinmetz aus Mittelstadt bei Metzingen, baut 1625/26 das schöne Wendeltreppentürmchen am Turm der Kirche zu Nürtingen (laut Inschrift: „Anno 1625 . 1626 hat Hans Hering Maurer von Mittelstat den Schneckhen gemacht . . . In dieser Zeit kost die Simrie Kern 3 Gulden. Got helf uns") und vor 1624 eine Altane am Schloß (1765 bis 73 abgebrochen).

Kst u. Altert. Denkm. Württemberg, Schwarzwaldkr. I, 1897; Neckarkr. I, 1889.

Hering, H a n s H e i n r i c h , Goldschmied in Augsburg, † 1696, auf den Rosenberg die Marke H H beziehen möchte: Vergoldete Henkelschale, verg. niedere Deckelkanne, Nautilusbecher mit emaill. Wappen des Maximilian Pagl, 1705—1725 Abt des Benediktinerstiftes Lambach (Ausst. Basel).

M. R o s e n b e r g , Goldschmiede Merkzeichen, ² 1911 No 409. — Kat. ksthist. Ausst. Basel, 1912 No 124.

Hering, H e n r y , Bildhauer u. Medailleur, geb. 15. 2. 1874 in New York, gebildet an der Art Student's League in New York u. an der École d. B.-Arts in Paris, Schüler von A. Saint-Gaudens, lebt in New York. Werke: Civil War Memorial in der Yale Univ. New Haven; Rob. Collyer Mem. in der Messias-Kirche, New York; Skulptur im Field Mus. of Natural Hist. in Chicago; ferner Medaillen, z. B. American Inst. of Architects, Scarsdale Golf and Country Club, Panama-Pacific Expos. usw. — Seine Gattin E l s i e W a r d H e r i n g , ge-

bildet in Denver, Color., ebenfalls Schülerin von Saint-Gaudens. Werke: Schermerhorn Memorial Font in der Erlöser-Kap. in Denver.

American Art Annual, XII (1915), Abb. gegen p. 66; XVIII (1921). — Cat. de Luxe, Panama-Pacific Expos. S. Francisco, 1915 Bd I 438. — Cat. of Works of Art of City of New York, II (1920) 99.

Hering, J a k o b , Kupferstecher aus Nürnberg, später in Hannover als Hofkupferstecher tätig, wo er 1774 starb; von ihm ein Bildnis des Arztes Joh. Melch. Verdries († 1736).

F ü ß l i , Kstlerlex., 2. Teil (1806/21). — N a g l e r , Kstlerlex., VI. *W. Fries.*

Hering, L o y (oder Loyen, Abkürzung von Eligius, in den Augsburger Archivalien gewöhnlich mit „Leo" verwechselt), Bildhauer. Geburts- und Todesdatum nicht überliefert; da er aber am 3. Sonntag nach Ostern 1499 von Hans Peuerlin der Augsburger Zunft als Lehrling vorgestellt wurde, so wird man ersteres auf 1484/85 festsetzen dürfen, und da er am 1. 6. 1554 sein Testament machte und seine Produktion ungefähr um dieselbe Zeit versiegt, so läßt sich auch sein Ende annähernd fixieren. Er stammte aus Kaufbeuren und war wahrscheinlich der Sohn des dort. Goldschmieds Michael Hering (s. d.). Außer seiner Lehrzeit bei Peuerlin ist aus seiner Jugendgeschichte nichts bekannt. Erst 1511 und 12 erscheint sein Name wieder in den Augsburger Steuerbüchern; er wohnte damals zusammen mit dem Bildhauer Jakob Murmann. 1513 verließ er Augsburg, um, wie Mader wohl mit Recht vermutet, in Eichstätt für den Bischof Gabriel von Eyb das Denkmal des hl. Willibald im Dom zu errichten. Dieses sein Hauptwerk ist laut Inschrift 1514 vollendet worden, in den Eichstätter Archivalien taucht dagegen sein Name erst 1519 auf, dann aber auch gleich als der eines Ratsherrn, was auf einen längeren Aufenthalt am Orte schließen läßt. Seit dieser Zeit versiegen die Nachrichten über seine bürgerliche Existenz nicht mehr: er blieb in Eichstätt, war hier dauernd Mitglied des Rats, 1523, 1527, 1533, 1540 einer der 4 Bürgermeister, daneben Almosenpfleger, Pfleger des Siechenhauses, kurz, ein hochangesehener Mann. Über seine Familienverhältnisse unterrichtet sein oben schon erwähntes Testament von 1554. Darin nennt er als seine erste Frau eine Anna, als seine zweite eine Magdalena, als Söhne aus 1. Ehe Martin und Thomas (s. d.), als Kinder aus 2. Ehe Georg (s. d.), Walburga und Magdalena. Die 3 Söhne waren ebenfalls Bildhauer. Georg war 1554 schon †, ebenso ein im Testament nicht erwähnter 4. Sohn Wilbolt, der in Urkunden der 30 er Jahre mehrmals als Bewerber von Pfründen vorkommt, also Geistlicher war.

H. ist der fruchtbarste Bildhauer der deutschen Frührenaiss.; die Zahl seiner gesicherten Werke beläuft sich auf mehr als 100. Darunter sind aber nur 5 auch urkundlich beglaubigt: durch Inschrift das Epitaph der Margaretha v. Eltz und ihres Sohnes, des Deutschordensritters Georg, in der Karmeliterkirche zu Boppard von 1519; durch Rechnungen das Grabmal des Bischofs Georg III. Schenk von Limburg, im Bamberger Dom (1518—21); durch eine Notiz des Würzburger Chronisten Fries das Epitaph des Bischofs Konrad v. Thüngen, † 1540, im Dom zu Würzburg; durch einen gleichzeitigen Brief der einfache und jetzt sehr abgetretene Grabstein des Abts Johannes Wirsing († 1552) in der Klosterkirche zu Heilsbronn; endlich durch die Initialen L. und H. mit einem dazwischen angebrachten Fisch ein Relief mit Aktfiguren (Liebesgarten? Achill unter den Töchtern des Lykomedes?), das aus der Pariser Sammlung M. Kann in das Berliner Mus. gekommen ist. Auf dieser sehr schmalen Basis läßt sich aber ein festes Gebäude von Zuschreibungen errichten, weil H. einen so ausgeprägten Stil hat, wie nur wenige Künstler, und auch gewissen Äußerlichkeiten sein Leben lang treu geblieben ist. So hat er fast alle seine Werke aus Eichstätter Jura-Kalkstein (dem sog. Solnhofer Stein) gemeißelt und die marmorähnliche Wirkung dieses Materials durch feine Polituren gesteigert (aus Holz sind nur ein paar Kruzifixe, 2 Engelchen am Wolfsteinaltar in Eichstätt und ein hl. Nikolaus mit Stifter im Berliner Museum). So hat er gewisse einfache Rahmenformen, gewisse Akanthuseinfassungen bei Inschrifttafeln, gewisse Brokatmuster an Gewändern und Hintergrundplatten oft wiederholt; so hat er fast alle seine Reliefs nach Holzschnitten Dürers komponiert und an unzähligen Epitaphien einen eindrucksvollen, sehr edlen Christustypus variiert. Am wenigsten scharf gezogen sind seine Grenzen auf dem Gebiete der höfischen Kleinplastik, doch · hat die neueste Forschung (Habich, Halm) auch hier manche Unklarheit, die zwischen ihm und seinen Nachbarn, besonders Hans Daucher bestand, beseitigt. Außer der bezeichneten Liebesszene in Berlin werden ihm nur noch 2 Reliefporträts — Karl V. in Berlin, Bischof Philipp von Freising im German. Mus. — ferner eine Medaille desselben Freisinger Bischofs und, weniger bestimmt, auch ein ausgesägtes Reliefprofil Karls V. in Wien zuerkannt. Ein zweites erzählendes Relief im Berliner Mus., Parisurteil, stammt ebenfalls aus seiner Werkstatt, ist aber durch die Signatur D. H. als Arbeit eines Schülers (Thomas Hering?) gekennzeichnet. Das eigentliche Reich H.s ist die religiöse Kunst: als Grabplastiker und Bildhauer lebensgroßer Kruzifixe hat er sein Bestes geleistet und den stärksten Einfluß ausgeübt. Zwei monumentale Frühwerke stehen im engen Zusammenhang mit diesen Denkmälern, die der christlichen Idee der Überwindung des Todes dienen: ein lebensgroßer Salvator in der ehem. Taufkapelle zu St. Georg in Augsburg (ca 1512, ursprünglich auf einem Altar) u. das oben erwähnte Denkmal des hl. Willibald im Eichstätter Dom, dessen Hauptbestandteil die überlebensgroße Sitzfigur des hl. Bischofs ist. Auf dem Giebel dieses Denkmalgehäuses stand ursprünglich eine Kreuzigungsgruppe, von der sich der Kruzifixus, ausnahmsweise ein aus Holz geschnitzter, in der Domdechanei erhalten hat. Andre lebensgroße oder überlebensgroße Kruzifixe des Meisters (sämtlich von Mader in die Literatur eingeführt) sind in St. Georg zu Augsburg (Frühwerk, ebenfalls aus Holz), in der kathol. Kirche zu Gunzenhausen (Kopf neu), in der Franziskanerkirche zu Schwaz i. Tirol, auf dem Friedhof und im Mortuarium in Eichstätt. Das letztgenannte gehört zu den großartigsten Darstellungen, die der Gegenstand in der deutschen Kunst gefunden hat. Ihm ebenbürtig an Kraft des Ausdrucks sind manche kleine Kruzifixe an den Grabmälern H.s, so besonders der im Würzburger Dom. Der gekreuzigte Heiland mit einem oder mehreren Adoranten zu seinen Füßen ist das Lieblingsthema des späteren H.schen Epitaphs (von ca 1530 an) und bleibt es, hauptsächlich durch seinen Einfluß, bis zum Ende des 16. Jahrh. für die ganze deutsche Grabplastik. Außer dem Würzburger Bischofsgrabmal, wo der knienden Hauptfigur zwei stehende Begleiter zugesellt sind, gehören besonders folgende Epitaphien diesem Typus an: das kleine, aber besonders fein empfundene der Dorothea v. Wolfstein († 1538) in Crailsheim, das ähnliche des Weihbischofs Braun (ca 1540) in der Gottesackerkirche zu Eichstätt, das stattliche des Albrecht und Friedrich v. Leonrod (ca 1540) in d. Leonrodskap. d. Eichstätter Doms, das ungewöhnlich große der Markgrafen Friedrich u. Georg v. Brandenburg (1538?) in Heilsbronn, das nicht große, aber sehr sorgfältige des Abts Menger in der Klosterkirche zu Kastl, das zarte des Bischofs Moritz v. Hutten u. seines Bruders Philipp († 1546) in Maria-Sondheim bei Arnstein (Unterfr.), das figurenreiche des Herzogs Erich von Braunschweig und seiner beiden Frauen (ca 1530) in Münden, die Deckplatte der Tumba des Grafen Niclas v. Salm († 1530) in der Votivkirche zu Wien (die vielen Schlachtenreliefs an den Seiten sind vielleicht nicht von H.), das nur im Hauptteil erhaltene des Dompropstes Friedrich von Brandenburg († 1536) im Domkreuzgang zu Würzburg; ferner die mehr oder weniger einfachen von Rittern u. Edelfrauen in Altenmuhr (M.-Franken), Breitenbrunn (O.-Pfalz), Burglengenfeld (O.-Pfalz), der Gottesackerkirche zu Eichstätt, in Geyern (M.-Franken), Großkomburg (Württemb. Jagstkr.), Haunshein (Bayr. Schwaben), Hilpoltstein (M.-Franken), in der Minoritenkirche zu Ingolstadt, in Ostheim (M.-Franken), Unterknöringen (Bayer. Schwaben) und solche bürgerlicher Familien in Berching (O.-Pfalz) und Obermässing (M.-Franken). Hin und wieder erscheint an Stelle des gekreuzigten Heilands der Auferstandene oder der Schmerzensmann (so an 2 Denkmälern in Breitenbrunn); an einem Votivrelief zu Kastl betet Abt Menger zu der sehr großen stehenden Muttergottes. Den Übergang von diesen einfachen Kompositionen zu den Epitaphien mit ausführlicher erzählenden Reliefs bilden ein paar, wo nach alter Augsburger Sitte die Adoranten von ihren Schutzpatronen himmlischen Personen empfohlen werden: So sind dargestellt die Eichstätter Domherren Ulrich von Lentersheim, Karl v. Absberg (beide 1521 im Domkreuzgang begraben) und Erkinger v. Rechenberg (ca 1540). Die meisten Gedenktafeln geistlicher Herren sind indessen mit religiösen Historienbildern ausgestattet, für die H. in der Regel Holzschnitte oder Kupferstiche Dürers in seine Sprache übersetzt und durch Adoranten ergänzt hat. Besonders lieb scheint ihm der Holzschnitt B. 122, die Dreifaltigkeit in Wolken von 1511, gewesen zu sein. Diesen hat er schon für das bezeichnete Bopparder Relief benutzt, außerdem aber für das Epitaph eines Stephan v. Mur († 1536) in Bergen (B.-A. Neuburg a. D.), für das Epitaph des Bischofs Moritz v. Hutten, dessen allein erhaltenes Mittelstück aus d. Eichstätter Pfarrkirche ins Dorf Rupertsbach gekommen ist, und für einen Altar desselben Bischofs für Moritzbrunn (1548), der sich heute im Münchner Nationalmus. befindet. Andern Kompositionen aus den Passionen und dem Marienleben begegnet man an folgenden Grabmälern des Doms, Domkreuzgangs und Mortuariums zu Eichstätt: Erhard Truchseß v. Wetzhausen u. Wilhelm v. Seckendorf (um 1520, Christus am Ölberg aus der Kupferstichpassion), Bernhard v. Waldkirch († 1523, Himmelfahrt aus d. kl. Passion), Arnold v. Redwitz († 1532, Pietà aus der kl. Passion), Joh. v. Wirsberg (um 1534, Verkündigung aus der kl. Passion), Martin Gozmann (1536, Höllenfahrt aus der kl. Passion), Kaspar Adelmann (1540, Anbetung der Könige aus d. Marienleben); ferner am Epitaph des Ritters Ludwig v. Eyb in Heilsbronn (1521), wo die Krönung aus dem Marienleben, und an dem des Abts Georg Truchseß v. Wetzhausen (1521) in Auhausen (B.-A. Nördlingen), wo die Auferstehung aus der gr. Passion ziemlich wortgetreu wiedergegeben ist. Der Unterschied zwischen diesen Totendenkmälern, die z. T. die Form eines Triptychons haben, und einigen Altären, die ebenfalls in ihren Inschriften das Andenken bestimmter Personen festhalten, ist gering: der des Bischofs v. Hutten aus Moritzbrunn

(1548) wurde schon erwähnt, der des Dompropstes Joh. von Wolfstein (1519) in der Dompfarrsakristei zu Eichstätt enthält im Hauptrelief wieder die Krönung aus dem Marienleben, während sein halbrunder Aufsatz mit einem Johannes auf Patmos nach Schongauer geschmückt ist. Nicht Verstorbenen gewidmet, sondern bloße Votivreliefs nach Dürerschen Vorlagen sind eine Verkündigung von ca 1523 in Reisenburg (B.-A. Günzburg) und ein Jüngstes Gericht von 1535, das vom Ostfriedhof zu Eichstätt in den dort. Domkreuzgang gebracht worden ist. Endlich enthält ein Sakramentshäuschen in Auhausen eine genaue Nachbildung des Abendmahls aus der gr. Passion. Neben diesen Übersetzungen, denen noch eine Tafel aus Schloß Grünau im Münchner National-Mus. anzureihen wäre, wo Cranachs Hirschjagd, Holzschnitt B. 119, mit mancherlei Abänderungen Stein geworden ist, gibt es auch freiere Kompositionen, bei denen bestimmte Vorbilder nicht nachzuweisen sind, sondern die nur im allgemeinen an Dürer erinnern. So das kleine Denkmal des Gabriel v. Schaumberg (um 1514) im Eichstätter und 3 besonders zarte Grabreliefs im Augsburger Domkreuzgang (Wolfstein 1519, Waldkirch 1523, Waldeck 1524), dann das in 2 Exemplaren — Deutschordenskirche zu Wien und Jakobskirche zu Nürnberg — existierende Triptychonepitaph des Kommenthurs Jobst Truchseß v. Wetzhausen (1524), das ähnlich aufgebaute des Bischofs Albert v. Hohenrechberg (1552) im Eichstätter Dom und eine Verkündigung v. 1545 in der Samml. Boehler zu München. Selbständig erfunden, dafür aber recht einfach, sind dagegen das Triptychonepitaph des Bischofs Christoph v. Pappenheim († 1539) im Mortuarium, das Grabrelief des Domherrn Joh. v. Schaumberg († 1552) im Kreuzgang zu Eichstätt, 2 Reliefs in Ostheim (M.-Franken), ein kleines Madonnenrelief (aus d. Samml. Schlecht zu Freising ins Münchner Nat.-Mus. gelangt), das Georgsaltärchen ebenda und das besonders wohlgelungene Epitaph des Kanonikus Bernhard Arzat († 1525) im Eichstätter Mortuarium, mit Maria, Vitus u. Mauritius. Den meisten durch Gedenktafeln geehrten Geistlichen hat die H.sche Werkstatt gleichzeitig auch Grabsteine gearbeitet — einfache Platten, in der Regel mit Flachreliefbildnissen in ganzer Figur. Solche sind außer in Eichstätt noch in Auhausen und Heilsbronn zu finden. Die monumentalisierte Form dieser primitivsten Gattung des deutschen Grabmals, das Bildnisepitaph mit lebensgroßem Standbild in reichem Gehäuse, erscheint im Oeuvre H.s nur selten, dafür aber mit ein paar Hauptwerken: dem beglaubigten Bamberger Bischofsdenkmal (1518—20) und dem ähnlichen des Gabriel v. Eyb (um 1520) im Eichstätter Dom. Einfachere Exemplare sind die Grabmäler des

Abts Lang in Kastl (um 1525) und des Ritters Melchior v. Stain († 1528) in Jettingen, sowie das innig empfundene Kinderepitaph der Angelika v. Eyb († 1520) in Großenried (B.-A. Feuchtwangen). Reliefporträts in Büstenform kommen an einigen Grabsteinen bürgerlicher Personen in Eichstätt, Greding, Ingolstadt vor. Ihnen verwandt, aber weit stattlicher sind die beiden merkwürdigen Fürstenbildnisse im Eichstätter Domkreuzgang, Kaiser Karl V. u. Herzog Wilhelm IV. v. Bayern darstellend (1530/40). Nicht ganz sicher ist H.s persönliche Mitarbeit bei der schönen Figur Herzog Ludwigs v. Bayern († 1545) auf dessen Tumba in der Seligenthaler Klosterkirche zu Landshut (vielleicht von Georg Hering?), und endgültig auszuscheiden haben aus seinem Lebenswerk die von Mader ihm zugeschriebenen, von Halm aber mit überzeugenden Gründen Adolf Daucher gegebenen berühmten Grabreliefs in der Fuggerkapelle zu St. Anna in Augsburg. — Kunstgewerbliche Arbeiten im Stil der Werkstatt sind nicht allzu häufig. Sakramentshäuschen oder Nischen stehen in Auhausen, Bechtal, der Dominikanerkirche zu Eichstätt und Kottingwörth (sämtlich vor oder bald nach 1520, die frühesten im Renaissancestil, die Deutschland besitzt); 2 interessante Wappentafeln waren früher im alten Bischofsschloß zu Dillingen, mehrere andere schmücken noch heute Eichstätter Gebäude; ein Portal ist aus Schloß Neuburg a. D. in die Münchner Residenz gekommen. Schwerlich von Hering ist eine kürzlich von Fr. Tr. Schulz ihm zugeschriebene schöne Wappentafel v. 1524 in der Egidienkirche zu Nürnberg.

Die unmittelbare Schule H.s beschränkt sich, wie es scheint, auf seine 3 Söhne; die weitere dagegen erstreckt sich über den größten Teil des heutigen Bayern, denn nicht nur die Eichstätter Bildhauer haben bis ins 17. Jahrh. hinein von seinen Formen und Motiven gezehrt, sondern auch die Augsburger und die Würzburger von Peter Dell d. Ä. bis zum Auftreten der niederländ. Romanisten um 1575. Da einzelne Arbeiten H.s bis nach Tirol und Wien, den Mittelrhein und nach Niedersachsen gelangten (für Halle hat er, entgegen älteren Ansichten, nicht gearbeitet), lassen sich Einflüsse seiner Kunst auch in diesen Gegenden feststellen. So am schönen Vis-à-vis des beglaubigten Bopparder Epitaphs, das der Trierer Schule angehört. Wenn H. den geläufigsten Grabmaltypus der deutschen Renaissance, mit knienden Stiftern vor dem Erlöser, auch keineswegs geschaffen hat, so hat er ihm doch die klassische Form gegeben, und als ein Klärer, Beruhiger, Formelbringer erscheint er überhaupt in der deutschen Kunstgeschichte. Er ist der Vollender der Augsburger Bildhauerschule, die schon im gotischen Gewande heimlich dem „griechischen" Geist gedient hatte

und sich deshalb seit 1510 am entschiedensten von allen deutschen der ital. Formensprache hingab. Daß er selber vor 1511 in Italien gewesen sei, ist sicher anzunehmen, denn nicht nur seine Ornamentik schließt sich, ohne irgendwelche Konzessionen an die Gotik, aufs engste der venezian. der Lombardi an (wobei besonders die Inkrustation der Pilaster usw. mit bunten Marmor- oder Kalksinterplättchen nicht aus Stichen gelernt sein kann), sondern auch seine Figuren sind gerade im ersten Jahrzehnt seiner Tätigkeit, vor 1520, ganz besonders „antikisch", werden später mit knittrigen Gewandfalten entschieden wieder nordischer. Zu einem besseren Verständnis der klassisch großen und geschlossenen Form, bei voller Wahrung des seelischen Gehalts, als in der überlebensgroßen Sitzfigur des hl. Willibald von 1514 ist die deutsche Bildhauerkunst der Renaiss. überhaupt nicht gelangt. Später tritt die kleinmeisterliche Gesinnung der Augsburger Schule bei ihm stärker in den Vordergrund. Er verliert sich zwar nie an das Ornament, zieht aber das Grabmal, durch die fast ausschließliche Verwendung geringer Dimensionen, allzusehr in die Sphäre des Kabinettstückes und wird so zu einem charakteristischen Vertreter jener deutschen Neigung, dem Großen am liebsten im Kleinen zu dienen. In einem schöneren Sinne deutsch erscheint der gewaltige Ernst seines religiösen Gefühls. Seine Kruzifixe und der Andachtsausdruck vieler seiner Beter sprechen unmittelbar zu Herzen und lassen ihn als einen ebenso klassischen Repräsentanten des Reformationszeitalters erscheinen, wie ihn sein Verhältnis zur südlichen Form zu einem Vertreter des Humanismus macht.

F. M a d e r, Loy Hering, München 1905 (Hauptwerk); vgl. dazu die ausführl. Besprech. von Th. H a m p e in Repert. f. Kstwiss., XXX (1907) 255/62. — Früheste Erwähnung bei J. H e l l e r, Beschreibung d. bischöfl. Grabdenkm. in d. Domkirche zu Bamberg, 1827 p. 39—45. — Ferner: A b e l e, Dom zu Freising, 1919 p. 35, 45. — St. B e i s s e l, 2 Denkm. d. Karmeliterk. zu Boppard (Zeitschr. f. christl. Kunst, 1900 p. 18 ff.). — W. B o d e, Gesch. d. deutschen Plastik, 1885 p. 230; d e r s. in d. Amtl. Berichten aus d. Berliner Kunstsamml., XXXI (1909) 235. — B r a u n (-Troppau) in Kunst u. Kunsthandwerk, 1919 p. 33. — L. B r u h n s im Archiv d. Hist. Vereins v. Unterfr. u. Aschaffenburg, LV (1913) 108; d e r s., Würzburger Bildhauer d. Renaiss. etc., 1923. — D e h i o, Handb. d. deutsch. Kstdenkm., I (1. u. 2. Aufl.); III; IV. — D e m m l e r, Grabdenkm. d. Württemb. Fürstenhauses (Stud. z. dtschen Kstgesch., Heft 129), 1910. — D o e r i n g in Kunstchronik, N. F. XVIII 41. — H. G r a f in Zeitschr. d. Kstgewerbever. München, 1886 p. 77/78. — G r ö b e r, Schwäb. Skulptur d. Spätgotik (Sammelbde z. Gesch. d. Kst u. d. Kstgew., II), 1922. — C. G u r l i t t, Histor. Städtebilder, I, 2 (Würzburg) p. 19. — G. H a b i c h in Hirths Formenschatz, 1905, 1. Heft; d e r s. in Helbings Monatsber. f. Kunstwiss., III 53; d e r s. im Jahrb. d.

K. preuß. Kunstsamml., 1907 p. 195 f.; d e r s ., Die deutschen Medailleure d. XVI. Jahrh., Halle 1916 p. 16, 20. — P h. M. H a l m in d. Monatsheften f. Kstwiss., 1908, I p. 540 f.; d e r s ., Studien zur Augsb. Bildnerei d. Frühren. (Jahrb. d. pr. Kstsamml., XLI (1920) 262, 327, 338, 343). — H e d i c k e, Cornelis Floris, 1913 p. 160 Anm. 2. — H e n n e r, Altfränk. Bilder (Kunsthist. Kalender), 1899 p. 5; 1900 p. 2—4; 1901 p. 6; 1904 p. 2; 1912 p. 14. — H e r b , M a d e r, S c h l e c h t etc., Eichstätts Kunst, 1901 p. 17 f., 36 ff., 51 f., 90, 96. — F r. H. H o f m a n n, Beiträge zu Loy Hering (Altbayer. Monatsschr., V [1905] Heft 1 u. 2 p. 1—16). — J o s e p h i, Werke plast. Kunst (Katalog d. Germ. Mus. Nürnberg), 1910 p. 36/37. — K e n n e r im Jahrb. d. allerh. Kaiserh., IV, Wien 1886, p. 33, Taf. II. — R. K a u t z s c h u. E. N e e b, Dom zu Mainz (Kstdenkm. Hessens, Stadt Mainz II, 1), 1919 p. 268 Anm. 2. — K. K ö p c h e n, Die figürl. Grabplastik in Württemberg. Franken, 1909 p. 46, 76. — K ö t s c h a u in den Amtl. Ber. aus d. Berliner Kunstsammlgen, XXXIII (1911/12) Sp. 25, 39 f. (Abb.). — K u g l e r, Kleine Schriften, II (Stuttgt 1854) 274. — L e i t s c h u h, Studien u. Quellen zur dtschen Kstgesch., 1912 p. 55 f.; d e r s ., Würzburg (Ber. Kststätten Bd 54), Lpzg 1911; d e r s ., Bamberg (Ber. Kststätten Bd 63), 1914. — M a d e r, Abteikirche zu Kastl (Beilage zur Augsb. Postzeitung, 1897 No 10—12); d e r s. in Die Christliche Kunst, I (1904/5) 69—73 über Unterknöringen; d e r s ., 2 Kruzifixe v. L. H., ebendort, VIII (1911/12) 181 ff.; d e r s ., Holzplastik im Hochstift Eichstätt z. Zt L. H.s (Sammelbl. d. hist. Ver. Eichstätt, 1915 p. 1, 2). — P. R e d l i c h, Cardinal Albrecht v. Brandenburg, 1900. — R e d s l o b, Die fränk. Epitaphien (Mitteilgen aus d. German. Mus., 1907 p. 74). — G. R e i t l e c h n e r in Stud. u. Mitt. z. Gesch. d. Benediktinerordens, N. F. IX (1920) 235. — B. R i e h l, Bayerns Donautal, 1912 p. 249, 254, 273, 276, 305; d e r s ., Kunst an der Brennerstraße, 1908. — R o t t, Ottheinrich in Mitteilgen z. Gesch. d. Heidelb. Schlosses, V Heft 1/2 (1905). — J. S c h l e c h t, Zur Kstgesch. d. St. Eichstätt, 1888 p. 27/28 u. 47/49; d e r s. im Sammelblatt d. Hist. Ver. Eichstätt, VIII (1893) 20; XII (1897) 101—110. — A. S c h m i d in Die Christl. Kunst, 1905 p. 119 f. (Epitaphien im Georgianum z. München). — A. S c h r ö d e r im Jahrb. d. hist. Ver. Dillingen, 1905 p. 102; d e r s ., ebendort, 1917. — F r. T r. S c h u l z in Mitteilgen d. Germ.-Nat.-Mus., 1918/19 (Festschrift für G. v. Bezold) p. 26, 187 ff. — S i g h a r t, Bild. Kste in Bayern, 1862 p. 476, 528. — S t e i c h e l e u. S c h r ö d e r, Bistum Augsburg, VI, Reg.; VIII 89. — V o e g e, Die deutschen Bildwerke (Beschreibg d. Bildwerke d. christl. Epochen, Kgl. Museen zu Berlin, V), 1910 p. 69/71. — Anzeiger des Germ. Nat.-Mus., 1912 p. 58 ff. — Archiv f. d. Gesch. d. Hochstifts Augsburg, IV (1915) 609, 611. — Correspondenz-Blatt d. Gesamtvereins d. dtschen Gesch.- u. Altert.-Vereine, 58. Jg. p. 604. — F ü h r e r d. d. bayer. Nationalmus. München, 1887 p. 58; 1909 p. 101, 103. — Führer d. d. Residenzmus. München, 1921 p. 16. — Führer d. d. Fränk. Luitpold-Mus. in Würzburg, 1913 p. 50. — Kstdenkmäler Bayerns, Bd II (Oberpfalz), Heft 4 p. 44, 250 f.; Heft 5 p. 16, 157; Heft 12 p. 31, 42, 97, 107, 149, 156, 165, 166; Heft 13 p. 21, 47, 48, 161; Heft 17 p. 29, 59 ff., 177, 180, 202, 245, 301 f.; Heft 21 p. 186. Bd III (Unterfranken), Heft 12 (St. Würzburg). Bd IV (Niederbayern), Heft 7 p. 172. — Kst- u. Altert.-Denkm. Württembergs, Jagstkr. I (1907).

L. Bruhns.

Hering (Haering), L u d w i g, Maler, nach Sandrart in Prag geboren und dort noch jung, bald nach 1648 †, vermutlich Sohn des Hans (Joh. Georg). Aus dem mehr komisch als tragisch wirkenden Trauergedicht über seinen frühen Tod (bei Sandrart) scheint hervorzugehen, daß H. ein Gemälde der Pallas mit dem Medusenhaupt auf der Rüstung gemalt hatte. Dlabacž nennt von ihm „Die Apostelgeschichte, die in den Gängen des Stiftes Strahow noch heute zu sehen ist".

S a n d r a r t, Teutsche Acad., 1675, II 317. — D l a b a c ž, Kstlerlex. f. Böhmen, 1815 p. 544 f. — N a g l e r, Kstlerlex., VI.

Hering, M a r t i n, Bildhauer, (ältester?) Sohn des Loy aus dessen 1. Ehe, lieferte 1542 für den Pfalzgrafen Ottheinrich einen steinernen Altar mit einer Kreuzigungsdarstellung für die Neue Kapelle zu Neuburg a. D. (jetzt in der Friedhofshalle daselbst), dessen plumpen Stil Mader an einer steinernen Brunneneinfassung aus ders. Stadt, jetzt im Bayer. Nat.-Mus. zu München, wiedergefunden hat, während das ihm ebenfalls zugeschriebene Epitaph des Dompropstes Moritz v. Hutten, † 1552, im Würzburger Dom allzusehr verrestauriert ist, um ein sicheres Urteil zuzulassen.

B r u h n s, Würzburger Bildhauer d. Renaiss. etc., 1923. — D e h i o, Hdb. d. dtsch. Kstdenkm., I u. III. — F r. H. H o f m a n n in Altbayer. Monatsschrift, V (05) 3 ff. — L e i t s c h u h, Würzburg (Ber. Kststätten, Bd 54), 1911. — M a d e r, Loy Hering, 1905. — Kalender bayer. u. schwäb. Kst, 1918 p. 18, 19 (m. Abb.). — R o t t, Ott Heinrich (Mittlg. zur Gesch. d. Heidelb. Schlosses, V Heft 1/2 [1905]). *L. Bruhns.*

Hering, M i c h a e l, Goldschmied, vermutlich Vater des Loy Hering, erscheint zuerst 1460 in München, wo der Goldschmied Hans Singer der Stadtkammer gegenüber eine Bürgschaft für ihn übernimmt, 1468 u. 73 in Landsberg a. L. als Bürger u. Goldschmied, 1496 in Kaufbeuren im Stadtschuldbuch.

F r a n k e n b u r g e r, Alt-Münchener Goldschmiede, [1912]. — Kunstdenkm. Bayerns, I 1 p. 489 (vgl. Landsberger Geschichtsbl. XVII [1918] 37). — S t e i c h e l e - S c h r ö d e r, Bistum Augsburg, VI. — Mitt. Germ. Nat.-Mus. Nürnberg, 1918/19, Festschrift f. G. v. Bezold 1918 p. 62. — Monatschr. d. hist. Ver. v. Oberbayern, IV (1895) 68.

Hering, T h o m a s, Bildhauer (?), Sohn des Loy aus 1. Ehe, im Testament des Vaters 1554 als noch lebend erwähnt; andere Nachrichten über ihn bisher noch nicht gefunden. Ein Relief aus Jurakalkstein im Berliner Mus., das Urteil des Paris nach Cranachs Holzschnitt von 1508 darstellend, wird ihm wohl mit Recht zugeschrieben, weil es den Stil der Heringschen Werkstatt zeigt und auf einem Täfelchen mit einem Fisch (= Hering) zwischen den Buchstaben D. (= Doman = Thomas) und H. signiert ist. Da Paris und Helena die Züge des Pfalzgrafen Ottheinrich und der Susanna von Bayern tragen, bezieht sich das Relief wohl auf die Vermählung dieses Paares und kann dann nicht vor 1530 entstanden sein.

G r ö b e r , Schwäb. Skulptur d. Spätgotik (Sammelb. zur Gesch. d. Kst u. d. Kstgew. II, 1922). — H a m p e in Rep. f. Kstwiss., XXX 258. — F r . H. H o f m a n n in Altbayer. Monatsschrift, 1905 p. 13 f. — F. M a d e r , Loy Hering, 1905 p. 6. — W. V o e g e , Die deutschen Bildwerke (Beschreibung d. Bildwerke d. christl. Epochen in d. Kgl. Museen zu Berlin), 2. Aufl. 1910 No 140. *L. Bruhns.*

Heringer (Häringer), J o h a n n , Stukkator u. Bildhauer aus Wessobrunn, 1756 in Haid erwähnt, verheiratet mit Mechthild Bader. H. vermutlich ist es, der 1763 von der Nymphenburger Manufaktur für „verfertigte Modelle u. Riss" und „für 2 erdene Figuren" bezahlt wird.

F r . H. H o f m a n n , Nymphenb. Porz.-Fabrik, II (1922) 257. — Cicerone, XIV (1922) 272.

Heringer, J o s e f , Bildhauer in München, 18. Jahrh., heiratete Maria Anna Günther (geb. 27. 1. 1761), Tochter des Bildh. Ignaz Günther. H. ist vermutlich der von Lipowsky erwähnte Bildh., der für die Nonnenkirche St. Jacob am Anger „die Figuren, die Leiden Jesu vorstellend, aus Holz" schnitzte (nicht erhalten).

W e s t e n r i e d e r , Beschreibung v. München, 1783. — L i p o w s k y , Baier. Kstlerlex., 1810. — F e u l n e r , Ignaz Günther, 1920 p. 6.

Heriot, G e o r g e , Goldschmied, geb. in Edinburgh Juni 1563, † 12. 2. 1624 in London, Sohn des Goldschmiedes G e o r g e H. d. Ä., († 1610 in Edinburgh). Seit 1586 mehrmals deacon der Edinburgher Goldschmiedezunft. 1597 zum 1. Male vom Hof beschäftigt, wurde Goldschmied der Königin Anna, 1601 auch ihres Gatten, Jakobs VI. von Schottland; diesem folgte er nach England bei der Thronbesteigung 1603. Besonders als Bankier des Königs gelangte er zu Reichtum und Ansehen. Er ist Stifter von Heriot's Hospital in Edinburgh (bestimmt zur Erziehung armer vaterloser Knaben). Als „Jingling Geordie" erscheint H. in Scotts „Fortunes of Nigel" (1822). — Zugeschrieben wird ihm der goldene Einband eines Gebetbuches der Königin Elisabeth (Brit. Mus.), z. T. in Schwarz u. Weiß emailliert (Rücken u. Inschrift) mit Reliefs, Vorderseite: die eherne Schlange, Rückseite: Urteil Salomonis. Mit mehr Wahrscheinlichkeit werden H. die feinen Emails auf dem Einband (Brit. Mus.) einer Ausgabe der Meditationes Christi (gedruckt 1570) zugeschrieben. — H.s Porträt im Heriot's Hospital von P. van Somer; 1698 von J. Scougall kopiert (ebenda), diese Kopie 1743 von Ch. u. J. Esplens (s. d.) in Schabkunst gestochen.

C h a f f e r s , Gilda aurifabrorum, 1883 p. 53. — J a c k s o n , Engl. Goldsmiths, 1905. — C u s t in Proceedings of the Huguenot Soc. of London, VII (1903) 80. — C r i p p s , Old Engl. Plate, 1894 p. 36, 133, 136. — Portfolio, 1896, Heft 30, p. 36, 38. — Burl. Mag., XXII (1912/13) 332. — Dict. of Nat. Biogr., XXVI 244.

Heriot, G e o r g e , engl. Landschaftszeichner. Generalpostmeister von Nordamerika 1799—1815;

Bruder des Seeoffiziers und Journalisten John H. Stellte 1797 in der Londoner Royal Acad. 3 Zeichnungen aus. Arbeiten: 1. „Travels through the Canada", 1807, 2 Bde, 27 Tafeln, radiert und in Aquatinta gestochen von J. C. Stadler u. P. C. Lewis (es gibt auch eine kolorierte Folio-Ausgabe). Einige Platten in kleinerem Format für das Sammelwerk „A Collection of Modern and Contemporary Travels", 1808, Bd VII, verwendet. — 2. „A Picturesque Tour through the Pyrenean Mountains" (die H. 1817 u. 1820 bereiste), 1824, 4 Tafeln, rad. u. in Aquatinta gest. von W. Read und P. C. Lewis. Künstlerisch unbedeutend, sind H.s Blätter wichtig als Darstellungen eines Augenzeugen. Das Brit. Mus. besitzt von ihm 4 Zeichnungen, darunter 3 mit Motiven aus der Gegend von Salzburg (1818).

Dict. Nat. Biogr., XXVI 246 (unter John Heriot). — Brit. Mus. Cat. of drawings by Brit. Artists, II (1900). — S. T. P r i d e a u x , Aquatint Engraving, 1909. — A. G r a v e s , R. Acad., IV (1906). — W. S m i t h , Hist. of the Post Office in North America, 1920. — Mit Notizen von H. M. Hake.

Hérisset, A n t o i n e , Kupferstecher, † in Paris 9. 4. 1769 im Alter von 84 Jahren, heiratet am 7. 10. 1710 Barbe Louise Prodhomme († vor 1750), Trauzeugen waren u. a. die Kupferstecher Claude Duflos u. G. J. B. Scotin. — H. stach besonders Architekturansichten, Pläne u. Aufrisse, so für: J. B. de Monicart, Versailles immortalisé, 1720/21; J. Bouillart, Hist. de l'Abbaye roy. de St. Germain des Prez, 1724; J. Mariette, L'architect. française, 1727—38, diese Tafeln kehren wieder in Blondel's L'architect. française, 1752/56; Piganiol de la Force, Description histor. de Paris, 1742; G. Boffrand, Livre d'Architecture, 1745; J. A. Meissonier, Oeuvre de J. A. M., Peintre-Sculpt., Archit. et Dessinateur de la chambre du Roy, Paris [o. J.]. Ferner stach er nach Gemälden, so (zusammen mit Scotin) die Folge von Szenen aus dem Leben des hl. Vincenz v. Paula in der (1789 zerstörten) Kirche St. Lazare in Paris, die von J. Fr. de Troy, J. André, Restout, Ferret u. Galloche gemalt waren. Es werden noch erwähnt: Recueil des différents modes du temps à Paris, chez Hérisset graveur (12 Bl.), 1729; Acteurs du Théâtre Italien (6 Bl.), u. a. m. Vielleicht sind die Erisest bez. Tafeln in Fordrin's Nouveau Livre de Serrurerie, Paris 1723, ebenfalls von H. — Sein Sohn, L o u i s A n t o i n e , Stecher, geb. 1717, heiratet 15. 6. 1750 Ang. Cath. Cocatrix († zu Lebzeiten des Louis Ant. 8. 7. 1779); von ihm Stiche in A. J. Dézallier d'Argenville, La Conchyliologie, Paris 1780.

H e r l u i s o n , Actes d'état-civil, 1873. — N a g l e r , Kstlerlex. VI. — L e B l a n c , Manuel II. — P o r t a l i s - B é r a l d i , Graveurs 18e siècle, II (1881). — H e i n e c k e n , Dict. d. artistes, 1778 ff. (Ms. Kupferstichkab. Dresden) u. Suppl. — D e v i l l e , Index du Mercure de France, 1910. — C o h e n , Livres à grav. 18e siècle, 1912. — Kat. Ornamentstichsamml. Berlin, 1894.

Hérisson, J e a n , Maler, lieferte 1635 neben anderen malerischen Arbeiten Porträts Ludwigs XIII. und Annas v. Österreich für das Stadthaus in Compiègne (1792 vernichtet).

Congrès Archéol. de France, Session XLIV (1878) 365.

Hérisson, L o u i s F r a n ç o i s , Maler, geb. 1811 in Paris, † ebenda 2. 8. 1859, zeigte im Salon 1834—1850 Landschaften (z. B. Motive aus dem Wald von Fontainebleau), Genrebilder und Porträts.

B e l l i e r - A u v r a y , Dict. génér., I (1882). — G u y o t d e F è r e , Annuaire statist., 1836.

Herkendell, F r i e d r i c h A u g u s t , Maler u. Graphiker, geb. in Düsseldorf 29. 3. 1876, zuerst an der Akad. ebenda unter P. Janssen u. W. Spatz, 1903 an der Akad. in München unter Herterich, 1907—1912 in Hamburg ansässig. Reisen in Italien u. Holland, 1911 in Paris. Veranstaltete 1911 in der Kunsthalle in Düsseldorf eine Sonderschau von graph. Blättern, Aquarellen u. Ölstudien zus. mit seinem Bruder H a n n s , der mehr zeichnerisch tätig ist und romantische Motive aus Holland, Belgien u. besonders aus Miltenberg a. M. ausstellte, während Fr. A. Szenen des Pariser Lebens zeigte (Barszenen, Chansonette, Motiv a. d. Moulin de la Galette). 1907 u. 1912 (Frühjahrsausst.) stellte er in Düsseldorf neben graph. Blättern Landschaften aus, 1920 als Mitglied der Gruppe „Niederrhein" mit einer Landschaft vertreten. Seit 1913 wieder in Düsseldorf ansässig. In der Hamburger Zeit entstanden u. a. mehrere Porträts.

R u m p , Lex. d. bild. Kstler Hamburgs, 1912. — Hamb. Fremdenblatt, 1908, Nr. 31 v. 5. 6. — Düssel. Gen.-Anz. 1911, No 312 v. 10. 11. — Kat. Ausst. Hamb. Kstler, Gal. Commeter, 1912. — Ex libris, XXVI (1916) 103.

Herkmann, L u d w i g , Maler, von dem sich in der Samml. Förderer in Villingen ein Gemälde befand „Die hl. Ignatius v. Loyola u. Franz Xaver sterbend", bez. „Lud. Herkmann Invenit et Pinxit A° 1789".

Fr. X. K r a u s , Kstdenkm. Badens, Bd II (Kr. Villingen) 1890 p. 154.

Herkomer, H e r m a n G., amer.-engl. Bildnismaler, geb. 1863 in Cleveland (Ohio). Lebt in London. Studierte in New York, London, München und Paris und stellte 1883—1907 in London (Royal Acad., Soc. of Brit. Artists usw.), 1884, 85, 88 u. 1903 im Pariser Salon (Soc. d. Art. franç.), 1895 im Münchner Glaspalast und 1915 in San Francisco (Panama-Pacific-Expos., Cat. de luxe, II 323) aus. Arbeiten: Bildnisse Hubert Herkomer (1887); Lordkanzler Lord Halsbury (1888); Rev. R. W. Randall; Feldmarschall Herzog von Cambridge (1893); Admiral Sir Leopold Heath (1898); Vater des Künstlers (1885); „Ready to Pose", u. a.

G r a v e s , Dict. of Artists, 1895; R. Acad., IV (1906). — The Art Journal, 1888 p. 128. —

Cat. Salon Soc. Art. frç. Paris 1921 p. LVII. — Ausst.-Katal.

Herkomer, H u b e r t v o n , Maler, Graphiker, Holzschnitzer, Bildhauer, Kunstgewerbler, Emailleur, Musiker, Komponist, Dramatiker und Kunstschriftsteller, geb. im bayr. Dorfe Waal bei Landsberg am Lech (Bez.-A. Kaufbeuren) 26. 5. 1849, † in Budleigh Salterton (Devonshire, England) 31. 3. 1914. Sein Vater L o r e n z († 1887 in Bushey) war ein geschickter Holzschnitzer, der 1851 mit den Seinen nach Nordamerika auswanderte, wo er in New York und Cleveland (Ohio) tätig war. Nach seiner Rückkehr nach Europa ließ er sich 1857 in Southampton nieder, wo die Familie in ärmlichen Verhältnissen lebte. H. besuchte mit 14 Jahren die Kunstschule der Stadt und begleitete seinen Vater, der den Auftrag bekam, Kopien von Peter Vischers Apostelfiguren am Nürnberger Sebaldusgrab in Holz zu schnitzen, 1865 nach München, wo er ein halbes Jahr die Vorklasse der Akad. unter Echter besuchte. Nach seiner Rückkehr nach England studierte er 1866 und 1867 je 5 Monate lang auf der Londoner South Kensington Schule, eröffnete an der Kunstschule von Southampton eine Zeichenklasse für Handwerker und malte im Sommer auf dem Lande, in Hythe, Aquarell-Landschaften nach der Natur. Ein Bild Frederick Walker's, das er auf einer Londoner Ausst. sah, und dessen tiefinnerliche Kunst auf ihn den stärksten Eindruck machte, sowie Holzschnitte nach dessen Zeichnungen wurden für seine Entwicklung entscheidend. Er begann für den Holzschnitt zu zeichnen und siedelte, um den Verlegern näher zu sein, nach London über, wo er mit den Holzschneidern Dalziel bekannt wurde. Da aber seine Arbeiten nur geringen Absatz fanden, geriet er in bittere Not und mußte als Maurer und Zitherspieler sein Brot verdienen, als es ihm glückte, dem Verleger des 1869 gegründeten Wochenblatts The Graphic einen Holzschnitt (Zigeuner auf dem Wimbledon Feld) mit der Aussicht auf weitere dauernde Beschäftigung zu verkaufen. Für The Graphic entwarf er auch zuerst die Komposition seines späteren, berühmten Gemäldes „Die letzte Musterung", eine Studie nach zwei Invaliden des Chelsea-Hospitals. H.s weitere Arbeiten für The Graphic, Motive aus dem engl. Volksleben (Korbflechter in der Blindenanstalt, Soldaten in der Wachtstube, Spinnstube u. a.), vereinigen schlichte Auffassung mit scharfer Beobachtung und gehören zu den besten Erzeugnissen des engl. Faksimileschnitts der 60er Jahre. Ein großes Aquarell „Hoeing" (Landleute bei der Hackarbeit) erhielt in der Frühjahrsausst. der Dudley Gall. 1870 einen Ehrenplatz. Sommer 1870 malte H. in einem Fischerdorf der Normandie wieder ein großes Aquarell „Reading the War News at Tréport"

(Fischer, denen ein junges Mädchen die Nachricht von der Kriegserklärung Frankreichs an Preußen vorliest). 1871 wurde er Mitglied des Inst. of Paint. in Water-Col., wo er seitdem häufig ausstellte. Auf Studienreisen, die er in den folgenden Sommern nach Oberbayern und Tirol unternahm, boten ihm Volk und Natur die Stoffe für Genre-Aquarelle wie „The Woodcutters" (Holzfäller im Tannenwald) u. a., die einen frischen Blick verrieten, sowie für sein erstes großes Ölbild „Nach des Tages Mühen" („After the toil of the day"), mit dem er 1872 in der Frühjahrsausst. der Royal Acad. debütierte. Es war ein trotz der oberbayr. Szenerie und Staffage ganz in Walker's Art empfundenes Bild, in der Ausführung skizzenhaft. Durch den Verkauf dieses Bildes besserte sich auch H.s materielle Lage, so daß er ein Haus (Dyreham) in Bushey bei Watford, in der Umgebung von London erwerben konnte. Zu seinen nächsten Arbeiten gehörten Aquarelle wie „Die Verhaftung des Wilddiebes", „Wilderers Schicksal", „An des Todes Tür", „Bittgang" u. a., die in figurenreicher Komposition dramatisch zugespitzte Vorgänge aus dem bayr. Volksleben schilderten. Anfang 1875 gestaltete H. jene Komposition, die er bereits früher als Holzschnitt für The Graphic sowie für ein Aquarell („Chelsea Pensioners in church") verwendet hatte, zu einem großen Ölbild „Die letzte Musterung" („The last Muster"; Gottesdienst der Invaliden des Chelsea-Hospitals), das ihn auf der Ausst. der Roy. Acad. (1875) mit einem Schlage berühmt machte. Mit den einfachsten Mitteln — man beachte die Blickrichtung in der Diagonale — war ein bedeutender Raumeindruck erreicht; eine Menge lebensgroßer, einzeln deutlich sichtbarer Gestalten nötigte zu einer ungewöhnlich breiten, etwas trockenen Behandlung der Köpfe. Mit glücklicher Hand war ein alltäglicher Stoff gestaltet, und ein Ausschnitt aus der Wirklichkeit zu einer tief empfundenen Schilderung von Menschenschicksal ausgedeutet worden. Hatte H. mit diesem Werk seine Befähigung für bildnismäßige Komposition glänzend bewiesen, so begann er sich mit seinen nächsten Arbeiten der Bildnismalerei, die später Mittelpunkt seines Schaffens wurde, zuzuwenden. Anläßlich Richard Wagner's Londoner Aufenthalt (März 1877) entstand aus einer schnell improvisierten Skizze jenes schlichte, ausdrucksvolle Brustbild des Meisters in Wasserfarben, das 1878 in der Berl. Akad. ausgestellt, als eines der ähnlichsten damals vorhandenen Wagnerbildnisse galt. Es folgten die auffallend weich und flüssig behandelten lebensgroßen Aquarellbildnisse (Brustbilder) Ruskin's (1879), Tennyson's (1879), des Lord Stratford de Redcliffe (1880 nach dem Tode gemalt; Cambridge, King's College), sowie das kräftiger modellierte, im monotonen Grau der Khaki-Uniform gehaltene Bildnis des

Kriegskorrespondenten Archibald Forbes (1881). Inzwischen war H. auf der Pariser Weltausst. von 1878 eine Ehrenmedaille als höchste Auszeichnung verliehen worden. Von anderen Arbeiten jener Jahre seien die Genrebilder „Licht, Leben und Melodie" (Tiroler Motiv), „Am Gotteskasten" (God's shrine; Landschaftsmotiv aus der Nähe des Watzmann), sowie das schöne, wenig bekannte Bild „Abendzeit" („Eventide"; Londoner Altweiberasyl) in der Liverpooler Gal. genannt. Als Porträtist erfreute H. sich in den vornehmen Kreisen einer wachsenden Beliebtheit, und seine Tätigkeit als Bildnismaler großen Stils erreichte rasch einen solchen Umfang, daß seine übrigen Arbeiten dagegen zeitweilig ganz in den Hintergrund traten. Bedurfte es doch seiner ganzen, geradezu beispiellosen Energie und einer unermüdlichen Ausdauer, um das von Jahr zu Jahr wachsende Arbeitspensum zu bewältigen. Auf Studienreisen, die er zu Beginn der 80er Jahre im Frühjahr wiederholt nach Nordwales unternahm, entstanden in der wilden Einöde des Lake Idwal eine Reihe heroischer Landschaftsbilder, wie „Heimwärts" („Homeward", 1881), „The Gloom of Idwal", „Gefunden" („Found", 1885; Londoner Tate Gall.) u. a., deren Reiz durch eine romantische Staffage noch erhöht wurde, und die als poetische Schilderungen einer großartigen Gebirgsnatur viel bewundert wurden. Für den Aufenthalt im Freien hatte sich H. ein transportables hölzernes Atelier, das er stets auf Reisen mit sich führte, konstruiert. In das Jahr 1881 fällt auch ein vorübergehender Aufenthalt in Nordamerika, wo zahlreiche lebensgr. Bildnisse in Öl und Aquarell entstanden. Okt. 1883 eröffnete H. zunächst mit 25 Schülern, deren Zahl bald auf mehrere Hundert wuchs, die Herkomer-Schule in Bushey, deren Leitung er bis 1904 behielt, und mit der auch eine Radierschule verbunden war. 1885 erhielt H. eine Berufung auf den Lehrstuhl der Slade School, einer mit der Universität Oxford verbundenen Malschule, an der er Vorlesungen über Themata aus allen Gebieten der Kunst hielt und deren zahlreiche Hörer er durch die Vorführung praktischer Übungen mit den verschiedenen Mal- und Radiertechniken vertraut machte. Von 1884 stammt das große, jetzt im Leipziger Mus. befindliche Gemälde „Der Drang nach dem Westen" („Pressing westwards"; Ankunft der Auswanderer im Hafen von New York), das mit seiner Fülle lebensvoller Episoden und charakteristischer Gestalten den ergreifenden Eindruck schildert, den das Elend dieser Menschenklasse auf H. gemacht hatte, dessen Wirkung aber durch das flaue und kreidige Kolorit beeinträchtigt wird. 1885 erreichte er den Gipfel seines Ruhmes und wohl auch den Höhepunkt seiner künstler. Entwicklung mit dem Bildnis der Miss Katherine Grant, der berühmten Dame in Weiß, das überall, wo es erschien, in London, auf den internat. Ausstell. in Berlin (1886), Wien (1888), München, Paris (Weltausst. 1889) und in Amerika ungeheures Aufsehn erregte, und H. nicht weniger als 4 Goldmedaillen eintrug. Das Bild (Bes. Mr. Hugh Hammersley) war eine koloristische Glanzleistung mit der hell in hell gemalten Figur in natürlichem Glanzlicht, fand aber auch wegen der Tiefe des seelischen Ausdrucks und der vollendeten Anmut der stolzen Mädchengestalt Bewunderung. Heute erscheinen uns die phantastische Kostümierung und die Art der Schaustellung reichlich gesucht. Immerhin behält das Bild seine historische Bedeutung als künstler. Manifest des Idealismus aus den Jahren der impressionist. Bewegung. Dez. 1885 begab H. sich nach New York, wo er infolge Überanstrengung erkrankte. Nachdem er bei Freunden in der Nähe von Boston Heilung gefunden, malte er bis zu seiner Abreise im nächsten Mai 24 lebensgr. Bildnisse, die sämtlich in den Besitz ihrer Besteller übergingen. Eine Ausnahme machte nur die Dame in Schwarz, das Bildnis einer Bostoner Dame (Mrs. Sealbee), das nicht minder berühmte Gegenstück der Dame in Weiß (Gal. zu Leeds). In Boston machte H. auch die Bekanntschaft des Architekten H. H. Richardson, der ihm die Pläne für seine schloßartige Besitzung Lululaund (Bushey) in englisch-normannischem Stil zeichnete, deren gesamte innere Ausstattung mit Schnitzwerk, Intarsien, Gemälden, gewebten Vorhängen usw. von H., seinem Vater und dessen beiden Brüdern Hans und Anton ausgeführt wurde. Eine Reihe bekannter Landschaften und Genrebilder jener Jahre schildern im typisch engl. Geschmack, aber mit intimer Beobachtung Szenen aus dem Proletarierleben, wie „Harte Zeiten" („Hard times"; schneelose Winterlandschaft mit vertriebener Pächterfamilie) in der Gal. zu Manchester oder „Im Streik" („On Strike"; Arbeiterfamilie in der Tür ihrer Behausung), das anläßlich H.s Wahl zum ordentl. Akademiemitglied (1889) entstandene Aufnahmebild (Diploma Gall.). Verspäteten Reminiszenzen an die Walkerzeit begegnen wir in Staffagelandschaften wie „Zurück ins Leben" („Back to life"; Gal. Leeds) und „Unser Dorf" („Our Village", 1890); idyllische Schilderungen aus dem engl. Dorfleben in weicher Abendbeleuchtung und einem etwas süßlichen Gesamtton. — Nach dem Tode seines Vaters (1887), dem er nach eigenem Geständnis unendlich viel verdankt, kam H. im August 1888 nach Landsberg am Lech, wo er bayr. Untertan und Bürger seiner Vaterstadt wurde, um die Schwester seiner † Frau, Miss Margaret Griffith, heiraten zu können. Die Trauung fand dort in dem von H. zum Andenken an seine Mutter errichteten „Mutterturm" statt. Eine

1889 unternommene Italienreise hinterließ Spuren in seiner Kunst höchstens in einigen Ölbildern und Aquarellen („Straße in Florenz" u. a.), die er 1892 in der Londoner New Gall. ausstellte. Inzwischen war aus einem bedeutenden Auftrag, die Kuratoren einer Londoner Erziehungsanstalt in einem Gruppenbild zu verewigen, wieder ein Meisterwerk „Die Kapelle des Charterhouse", („The Chapel of the Charterhouse", 1889) entstanden, das 1892 von der Chantreystiftung angekauft wurde (jetzt in der Londoner Tate Gall.). Der ernste und geschlossene Gesamteindruck wird durch die großen dunklen Tonmassen bestimmt, aus denen die hellbeleuchteten Köpfe der in Schwarz gekleideten Stifter wirkungsvoll auftauchen. Das Bild offenbart die vielleicht stärkste Seite von H.s Begabung und wird „stets die volle Bedeutung eines höchst würdigen und beredten Denkmals des Londoner Großbürgertums gegen Ende des 19. Jahrh. behalten" (Pietsch). Weitere Hauptwerke dieser Art, die man mit Recht moderne Doelenstücke genannt hat, sind die „Direktorensitzung" („A Board of Directors", 1892), „The Council of the Royal Acad. 1907" (1908 gemalt), die „Leiter und Direktoren der Firma Krupp in Essen", und vor allem die großen Wandbilder „Bürgermeister und Magistrat der Stadt Landsberg am Lech" und die „Stadtverordneten" im dort. Rathaussaal („Herkomersaal"), die, als Geschenk H.s für seine Vaterstadt bestimmt, 1894 bzw. 1905 vollendet wurden; das eine mit 12, das andere mit nicht weniger als 32 Fig. in Lebensgröße, die außerordentlich schlicht gestaltet, in monumentaler Größe, sozusagen in leibhaftiger Erscheinung aus der als Fortsetzung der realen Umgebung mit dem Blick auf die Häuser der Stadt gedachten Bildfläche dem Beschauer entgegentreten — „großartige Werke realistischer Kunst von imponierender Kraft und Gesundheit" (Muther). — Seine späteren Einzelbildnisse stehen dagegen an künstler. Bedeutung weit zurück. Angesichts der massenhaften Produktion — 30 bis 40 lebensgr. Bildnisse war die übliche jährliche Durchschnittsleistung — ist es begreiflich, wenn er in der malerischen Behandlung den Wünschen seines Publikums in bezug auf flotte, elegante Vortragsweise in weitgehendem Maße Rechnung trägt. So tritt das eigentliche malerische Problem für ihn ganz in den Hintergrund, und es entspricht seiner eigenen Auffassung, daß jedes seiner Porträts seine persönliche Sympathie für den Dargestellten und dessen Wesen von den besten Seiten zum Ausdruck bringt. So erscheint das Modell bei ihm gewissermaßen in einer allzu günstigen Beleuchtung und einer Aufmachung, bei der van Dyck und die großen Engländer Pate gestanden, und wozu der dunkle Galerieton, der zu den rosigen Fleischfarben einen pikanten Gegensatz bildet, vortrefflich paßt. Die Gleichartigkeit der Aufgabe und die schnelle Arbeitsweise führten schließlich zur schematischen Wiederholung der gleichen Lösung. In dem interessanten Einzelfall aber weiß er durch energische Modellierung intellektuelle wie moralische Eigenschaften überzeugend zum Ausdruck zu bringen. Die Bildnisse offizieller Persönlichkeiten, der Staatsmänner und Politiker, der Bürgermeister, Professoren und hohen kirchlichen Würdenträger behandelt er dagegen für gewöhnlich im Stil des großen Repräsentationsbildes, wo die Personen zu Trägern goldgestickter Uniformen und malerischer Amtstrachten herabsinken. In seinen Damenbildnissen entschädigt er für die meist mangelnde tiefere geistige Auffassung durch glänzende Stoffmalerei. — Über H.s graphische Tätigkeit gibt sein mit zahlreichen Radierproben ausgestattetes Büchlein „Etching and Engraving. Lectures delivered at Oxford" (London 1892) Aufschluß. Er beherrschte nicht nur die verschiedenen Techniken der Aquatinta, der Kaltnadelradierung und der Schabmanier, sondern druckte auch auf eigener Presse und erfand besondere Methoden, die den Arbeitsprozeß abkürzten und dem Künstler das Handwerk erleichterten. Für die Ausführung von Reproduktionen eigener und fremder Arbeiten sowie für Original-Kompositionen (Landschaften, Figuren, Studienköpfe, Dorfszenen, bes. mit bayr. Motiven, allegorisch-symbolische Darstell. als Vignetten zu Einladungskarten und Liedertexte eigener Komposition) verwendete er ausschließlich kleine Maßstäbe. Selbständig erfand er ferner die mit übernommenem Spottnamen von ihm so genannte „Herkotypie", ein schon in den 50 er Jahren in Wien versuchsweise angewendetes Verfahren, das auf der galvanischen Fixierung einer positiven Pinsel-Malerei beruht und bei schneller Arbeitsweise eine breite malerische Farbenbehandlung und feinste Tonabstufungen gestattet („Selbstbildnis", „Brustbild eines Orientalen" u. a.). — Von einem rastlosen Schaffensdrang beseelt, hat sich H. auf fast allen Gebieten künstlerischer Betätigung versucht. Er begann als Holzschnittzeichner u. Aquarellist, wurde dann Ölmaler, Porträtist, Landschafter u. Genremaler und widmete sich nebenbei der Reproduktionskunst. Daneben schnitzte, bildhauerte, modellierte und ziselierte er. Ende der 90 er Jahre beschäftigte er sich eifrig mit der Emailtechnik, in der er neue Entwicklungsmöglichkeiten zu erkennen glaubte, deren Neublüte er heraufführen wollte. Er verwendete sie nicht nur für farbenprächtige symbolische Darstell. in Verbindung mit anderem kostbaren Material („Triumph der Stunde": Silberschild mit Reliefs und Emails; „Altar der Schönheit"), sondern fertigte auch — in seltsamer Verkennung der Materialbedingungen — Emailbildnisse in Lebensgröße (s. u.), ohne es aber zu irgendwie

selbständigen und bedeutenden Leistungen auf diesem Gebiet zu bringen. Daneben verfaßte H. die Texte und Partituren mehrerer Opern („Die Hexe": musikalisch-romant. Fragment; „Das Idyll"), die er Ende der 90 er Jahre in seinem Privattheater in Bushey zur Aufführung brachte. Er entwarf dafür nicht nur die Dekorationen und Kostüme, sondern erfand auch eine neue Art der Bühnenbeleuchtung mit Seitenlicht und wirkte schließlich als Schauspieler selbst mit. Dann widmete er sich mit Leidenschaft dem Sport jeder Art, veranstaltete Automobilrennen (Herkomer-Pokal) und wandte schließlich seine ganze Liebe dem Kino zu, indem er sich mit weittragenden Ideen für eine große Lichtspielbühne trug. — Die Anhänglichkeit an die Heimat, wo er alljährlich die Sommermonate zu verbringen pflegte, ist ein rührender Zug in seinem Charakterbild. Obwohl er durch die Erziehung Engländer geworden war, blieb er seiner Gesinnung nach Deutscher. Ende der 90 er Jahre kam er alljährlich im Winter nach Deutschland, wo er in Berliner Hof- und Gesellschaftskreisen, in Hamburg, München, Frankfurt u. a. O. viele Bildnisaufträge bekam. In seinen letzten Lebensjahren ist H. wenig hervorgetreten, obgleich er bis zu seinem Tode alljährlich in der Royal Acad. ausstellte. Als er starb, war sein Glanzzeit längst vorüber; sein Tod scheint in England ziemlich unbemerkt geblieben zu sein. Hatte ihn kritiklose Bewunderung einst beinahe zum Klassikerrang erhoben, so lautete das Urteil einer jüngeren Generation eher auf schnöde Verdammung — und doch war H. nicht nur der bekannteste Vertreter der engl. Kunst, sondern einer der bedeutendsten Künstler seiner Zeit überhaupt; es wird Aufgabe einer objektiven Kritik sein, einer gerechteren Beurteilung seines Schaffens den Weg zu bahnen. — H. hat es in seinem arbeitsreichen Leben zu glänzenden Erfolgen gebracht. Er war Ehrenmitglied der Akad. von Berlin und Wien, auswärtiges Mitglied der Pariser Academie des beaux-arts, Ritter der franz. Ehrenlegion und mit dem persönlichen Adel verbund. bayr. Maximiliansordens. 1907 wurde er mit dem Titel Sir und Baronet geadelt.

Gemälde in öffentl. Kunstsamml.: Berlin, Nat.-Gal.: „Archit. H. Ende", Email, 1901. — *Bristol:* „Henry M. Stanley", 1887. „The Guard's Cheer", 1898. — *Derby:* „Early lessons". — *Florenz:* Selbstbildnis, 1895. — *Glasgow;* „Sir James Ball", 1896. — *Haag,* Mesdag Mus.: „Bayr. Bauer" (Aquarell). — *Hamburg:* „Valentin Ruths". Zitherabend im Atelier. — *Leeds:* „Back to life" (R. Acad. 1896). „The road mender" (Aquarell). „Dame in Schwarz". — *Leipzig:* „Der Drang nach dem Westen". — *Liverpool:* „Eventide". „Charles Mc Iver". — *London,* Nat. Portr. Gall.: „Sir George Grey" (1881 nach dem Tode gemalt). „Herbert Spencer", 1898. „Herzog von Devonshire" u. a.; Tate Gall.: „Found". „The Charterhouse Chapel". — *Manchester:* „Hard times", 1885. — *Melbourne:* „Königin Victoria", 1891 (nicht nach dem Leben gemalt). „Selbstbildnis". — *München,* Neue Pinak.: „Prinzregent Luitpold von Bayern", 1895. „Sorgen". — *Oxford,* Ashmolean Mus.: „Rev. Liddell". Bildnisstudien (Öl). — *Victoria* (Austr.): „Lord Provost McGrady".

Bildnisse in Öl und Aquarell (außer den bereits gen.): 1877, Cosima Wagner. 1881, Hans Richter; Joseph Joachim. 1886, H. H. Richardson; Lorenz Herkomer. 1887, Bischof von Chester; Briton Rivière. 1888, Rev. W. G. Thompson (Cambridge, Trinity College); J. D. Hookes (London, Linnaean Soc.). 1889, Großherz. Anastasia von Mecklenb.-Schw. 1890, Lord Kitchener; Lady Helen Fergusson („Die Dame in Gelb"). 1892, Lord Kelvin. 1893, Marquis von Salisbury; Briton Rivière (Aquarell). 1894, Prof. Max Müller, Aquarell (Oxford, College of All Souls); Cecil Rhodes; Lord Rosebery; Die Gattin des Künstlers. 1895, Onslow Ford (Aquarell); „The Makers of my house" (Triptychon). 1897, G. F. Watts; General Booth. 1898, Sir Taubmann Goldie; Der Bildh. Jos. v. Kopf. 1900, Herzog von Connaught; Bischof von London (Email). 1901, Kaiser Wilhelm II. (Email auf Kupfer, vergoldet); Herzog von Meiningen. 1912, Lord Avebury. 1913, Sir Julius Wernher; Viscount Morley (Victoria Union, Manchester).

Graphische Arbeiten: a) *Radierungen* (Bildnisse in Schabmanier): Tennyson; Richard Wagner; H. M. Stanley; Arthur Wellesley; Die Eltern des Künstlers (2 Bl.); Selbstbildnis in Kniefigur; Dame in Weiß; Dame in Schwarz; Sheridan, nach Reynolds, u. a. „The dying Monarch"; Brustbild eines oberbayr. Bauern. b) *Lithographien:* „The last Muster"; Admiral Lord Fisher; Selbstbildnis; „A german lithographer"; „Going to church"; Vignetten für Einladungskarten und eigene Kompositionen (Abb. der Lithogr. bei Pietsch [s. Lit.] p. 58, 79, 81, 86—92).

Autobiographisches: „The Herkomers", 2 Bde, 1910. „My School and my gospel", 1908. „A certain phase of lithography", o. J. — *Monographien* von A. L. B a l d r y, 1901, 1905; W. L. C o u r t n e y, Art Annual 1892; L. P i e t s c h in Kstlermonogr., hrsg. v. H. Knackfuß, Band 54, 1901; J. S a x o n M i l l s, Life and letters of Sir H. H. A Study in Struggle and Success, 1923. — *Lexika u. Handbücher:* Who's who, bis 1913. — B é n é z i t, Dict. des peintres etc., II (1913). — R. M u t h e r, Gesch. der mod. Kst, 1893 III; Gesch. der engl. Malerei, 1903. — R o b. d e l a S i z e r a n n e, La peinture anglaise contemp., 1895, dtsche Ausg. 1899. — S p i e l m a n n, Brit. sculpt. of to day, 1901 p. 172. — J o s. P e n n e l l, Pen drawing and pen draughtsmen, p. 45, 141, 163, 293. — *Zeitschriftenaufsätze:* Portfolio, 1879 p. 41; 1880 p. 41 f. (J D a f f o r n e). — Kst für Alle, VI (1891). — Zukunft, VII 319 ff. (A. L a u n d r y). — Dtsche Revue, XX (1895 III) 26—38 (v. Z e d l i t z). — Velhagen u. Klasings Monatshefte, 1892—3 I 33—53, 161—76 (L. P i e t s c h). — Portfolio, 1880 p. 142/7; 173/6 (H. H e r k o m e r, „On landscape painting", mit Orig.-Rad.) — Das Atelier, April 1906 (J. S p r i n g e r, H. H.s neues Schwarz-Weiß-Verfahren). — Der Kunsthandel, 1909 Nr 6 (A. R ö p e r: H. v. H. u. s. graph. Werk). — *Kleinere Beiträge, Notizen u. Abb. in Zeitschriften:* Studio, XXIX (1903) 60, 63; L (1910) 15; LVI (1912) 17. — The Art Journal, 1870 p. 86. — Gaz. des B.-Arts, 1878 I 303 f., 313 f., 640 f., 725, 727; 1879 I 41, 367, 374. — Zeitschr. f. bild. Kst, N. F. (1891) 75; V (1893) 112. — Kstchronik, X (1875) 277; XXIII (1888) 70/2 (H.s Rad. der Miss Grant); XXIV (1889) 548; N. F. IV (1893) 51; XXV (1914)

433. — Kst für Alle, VIII (1893) 64; IX (1894) 54, 244 f., 305 f. — Kst und Kstler, XII (1914) 452. — E. A. Seemann's „Meister der Farbe", III (1906) No 190 (J. V o g e l über das Bild in Leipzig.

Kataloge u. dgl.: G r a v e s, Dict. of art., 1895; R. Acad., IV (1906); Loan Exhib., II (1913); IV 1903; V 2257. — F. v. B ö t t i c h e r, Malerwerke des 19. Jahrh., I 2 (1895). — M i r e u r, Dict. des Ventes d'art, III (1911). — Jahrb. der Bilder- u. Kstblätterpreise, Wien 1910 ff., I—V/VI. — Kat. der gen. Slgn, z. T. m. Abb. — Kat. Gr. Kstausst. Berlin, 1893 f., 1899, 1907, 1910; Regier.-Jubil.-Ausst. Berlin 1903. — Kat. Gr. Kstausst. Düsseldorf 1913. — Cat. Roy. Acad. London, 1905—14. — Kat. Glaspal.-Ausst. München, 1891, 1897, 1900, 1909, 1911; Sezess. ebenda, 1893, 1894 p. 19, 34, 40 f., 1895, 1896 p. 15, 36, 46 f., 1899. — Cat. Salon Soc. Art. Frç. Paris 1879, 1893, 1895 f., 1898; Soc. Nat. 1899. — Expos. univ. Paris 1900. Cat. gén. oeuvres d'art, p. 416. — Cat. Exhib. Carnegie Inst. Pittsburgh, 1901; 1907. — Cat. Espos. int. d'arte, Venedig, 1903: 1909. — Kat. Kstlerhaus Wien, 1894; 1913, u. a. — Roy. Acad. Pict. 1891—93; 1905—8; 1910—14 (Abb.). — Neue Freie Presse, Wien, Nr 15521 (6. 11. 1907). — Mit Notizen von Frank Gibson. *B. C. K.*

Herkomer, L o r e n z, s. unter *Herkomer,* Hubert von.

Herkomer, siehe auch *Herkommer.*

Herkommer, H a n s, Architekt in Stuttgart, geb. 24. 5. 1887 in Schwäb. Gmünd, studierte 1906/10 an der Techn. Hochschule Stuttgart unter Paul Bonatz und Martin Elsässer. 1911/12 Mitglied des Städt. Hochbauamts Dresden unter Erlwein. 1912 Chef des Architekturbureaus von W. Bürger in Chemnitz. 1913/14 bis zum Regierungsbaumeisterexamen in Schwäb. Gmünd. Nach 5 jähr. Felddienst von 1919 ab eigenes Bureau unter der Firma Regierungsbaum. Th. Bulling und Hans Herkommer; seit Nov. 1922 Firma unter eigenem Namen. — *Werke:* In Dresden (als Mitarbeiter von Erlwein): Aussichtsturm, Löwenapotheke, Italien. Pavillon auf der Hygiene-Ausstell. d. J. 1911, Kleinwohnungshäuser und städt. Bauten; Wettbewerbserfolg in Gemeinschaft mit Becker für die Friedhofanlage in Pforzheim und ein Landhaus in Döbeln i./Sa. Während seiner Tätigkeit in Chemnitz erhielt H. den 1. Preis im Wettbewerb für die Schule in Schönau b. Chemnitz. Von Gmünd aus Bau der kath. Kirche in Straßdorf, O./A. Gmünd. Im Felde entstand der Entwurf zu einem kath. Dom für Württemberg. Nach Aufnahme seiner Tätigkeit in Stuttgart baute H. die Kirchen in Wisgoldingen und Hüttlingen, das Säuglingsheim in Schw.-Gmünd, verschiedene Siedlungs- und Wohnhäuser dort, ferner die Silberwarenfabrik Kurtz in Gmünd, das Krankenhaus in Sindelfingen und Lager- u. Verwaltungsgeb. der Zuckerfabrik Münster b. Stuttgart. Außerdem Erfolge und Ankäufe bei den Wettbewerben für das Hygienemus. Dresden und ein Kindererholungsheim der Stadt Stuttgart am Bodensee. Im Bau befinden sich zur Zeit die Heimbachkraftwerke b. Horb i. Schwarzw., eine Ziegelei

b. Isny i. Allgäu und das Kath. Missionshaus St. Paulsheim in Bruchsal. — Während H.s Frühwerke mehr barocke Formen aufweisen, kommt der monumentale Charakter seiner späteren Arbeiten in dem letztgenannten Bau zum reifsten Ausdruck. Dieser spricht sich auch deutlich in seinen modernen Industriebauten aus, denen, wie sämtlichen Bauten H.s und namentlich solchen, bei denen Teile alter Bauten mit in den Plan des Neubaus aufgenommen werden mußten (Wisgoldingen, Säuglingsheim Gmünd, Wohnungseinbauten), die praktische Grundrißlegung u. Raumeinteilung zu gute kommt. Sie macht neben den Vorzügen einer musterhaften Inneneinrichtung das Krankenhaus Sindelfingen zu einem Vorbild für Bauten dieser Art.

Stadtbaukunst Alter u. Neuer Zeit, 1921, 1. Sonderheft. — Bauamt u. Gemeindebau (Hannover), Heft 39/40 vom 23. 9. 1921. — Württbg. Industrie (Stuttgt), XIII No 25 vom 24. 6. 22. — Wasmuths Monatshefte f. Baukunst, VI (1921) 55 f. (Entw. Hygienemus.). — Die christl. Kunst, XII (1915/16) 124 ff. (Kirche in Straßdorf). *Völter.*

Herkommer, Johann Georg, Goldschmied in Augsburg, heiratete 1712, † 1754. Lieferte (laut Vertrag von 1714) zus. mit dem Emailleur F. J. Reischlen von Augsburg eine edelsteinbesetzte Monstranz nach Kloster Ochsenhausen (1800 angeblich nach Augsburg verkauft) u. arbeitete 1728—30 für die Klosterkirche zu Füssen einen gewaltigen Kronleuchter aus Silber u. vergoldetem Kupfer (3 Ztr schwer) mit Darstellung der Marienkrönung, den Fig. der Füssener Schutzheiligen u. zahlreichen Engelsfig. (1796 zur Bestreitung der Kriegslasten eingeschmolzen). Eine silberne Marienstatue von ihm in der St. Anna-Damenstiftskirche in München; Stich danach mit der Unterschrift: „Joh. Geo. Herkommer civis et Aurifaber opus perfecit A. V. et excud. Joh. David Kuriger sculp.". Nach Werner könnte ihm die Meistermarke mit dem Hund gehören (Rosenberg 520), die sich auf mehreren bei Rosenberg angeführten Werken findet.

A. Werner, Augsburger Goldschmiede, 1913 p. XII, 96. — M. Rosenberg, Goldschmiede Merkzeichen, ²1911 No 520. — Kst- u. Altert.-Denkm. in Württemberg, Donaukr., I (1914). — Steichele-Schröder, Bisthum Augsburg, IV (1883).

Herkommer (Herkomer), Johann Jakob, Baumeister, Maler u. Stukkator, geb. 3. 7. 1648 zu Sammeister bei Roßhaupten (Schwaben), † 27. 10. 1717 im Kloster zu Füssen. Ging jung nach Italien, um sich dort auszubilden. 1685 kehrte er von Venedig nach Sammeister zurück u. begann dort den Bau der von seinem Bruder gestifteten Kapelle (1688 vollendet; Kreuzform mit Kuppel u. Laterne). Auch die Fresken in der Kirche von ihm (bez. u. 1692 dat.). 1694 ging er nochmals nach Italien. Zurückgekehrt, wurde er vom Kloster St. Magnus zu Füssen zum Entwurf u. Bau

der Klostergebäude (1701—11) u. der Kirche (1701—17) berufen. Die Kirche, auf den Grundmauern eines romanischen Baues errichtet, zeigt im Aufbau (Halbkugelkuppel über der Vierung, Flachkuppeln im Mittelschiff, Quertonnen in den Seitenschiffen, getragen von eingezogenen, von Durchgängen durchbrochenen Streben) den Anschluß an italien. Vorbilder. Wieder ist er auch als Maler tätig (ein Teil der Langhausfresken von ihm). 1703 u. 1710/11 baute er die Pfarrkirche zu Seeg bei Füssen, 1711 beteiligte er sich neben Thumb und Franz Beer an der Konkurrenz um den Klosterneubau zu Ottobeuren (Schwaben); doch wurde der Entwurf des Klosterarchit. Christoph Vogt vorgezogen. 1716 begann er den Bau der (abgebrochenen) Klosterkirche zu Fultenbach, im gleichen Jahr den Umbau der spätgotischen kath. Hl. Kreuzkirche in Augsburg (erst 1719 nach seinen Plänen vollendet). Durch Umwandlung der spätgotischen Formen in barocke u. geschickte Einfügung einer Halbkugelkuppel mit Laterne u. einer Flachkuppel im Chor entstand ein durchaus einheitlicher Barockraum. Auch die Moritzkirche in Augsburg wohl durch ihn 1714 modernisiert. Nach seinen Plänen wurde ferner die St. Josephskirche in Büchelbach (Tirol), eine kleine Doppelkirche, errichtet.

Steichele-Schröder, Bisthum Augsburg, IV (1883). — Dehio, Handbuch der deutschen Kstdenkm., ²III (1920). — M. Hauttmann, Gesch. d. kirchl. Baukunst in Bayern, Schwaben u. Franken 1550—1780, 1921 (mit Abb.). — Rep. f. Kstwiss., XXII (1899) 304. — Atz, Kstgesch. v. Tirol u. Vorarlberg, ²1909. — Archiv f. Gesch. d. Hochstifts Augsburg, IV (1915) 477. — Jahrbuch des hist. Ver. Dillingen, XXVIII (1915) 263 ff.

Herl (Hörl), Matthäus, Stuck-, Glockengießer u. Zinngießer in Landshut in Bayern, 1477 bis 1491. Glocken von 1477 in Schnaitsee, 1488 in St. Martin in Landshut, 1499 in der Stadtpfarrkirche Wasserburg a. Inn (32 Ztr) und 1491 (umgeschmolzen) in der gleichen Kirche (33 Ztr). 1486 und 1488 goß er zahlreiche Geschütze für den Herzog Georg d. Reichen von Niederbayern. Die Zuweisung von 2 unbezeichneten Glocken von 1514 in der Trausnitzkapelle in Landshut, sowie in der Stiftskirche in Laufen ist unsicher.

Walter, Glockenkunde, Regensburg 1913 p. 768. — Beitr. zur Top. und Statist. d. Erzbist. München, XI (1913) 423. — Hofrechnungen Kreisarch. Landshut. — Bayerland, XXXII (1921) 197. *Stöcklein.*

Herland, Emma, Malerin, geb. in Cherbourg, Schülerin von J. Lefebvre u. B. Constant, lebte anfangs in Brest, später in Concarneau, seit 1911 in Quimper; zeigt seit 1879 im Salon (Soc. Art. Franç.) Genreszenen, deren Motive sie meist dem bretonischen Volksleben entnimmt. Im Mus. in St. Brieuc (Kat. 1906 No 51): „Confidence" (Salon 1890).

Bellier-Auvray, Dict. génér., I (1882).

— Bénézit, Dict. d. peintres, 1911 ff., II. — W. Shaw Sparrow, Women Painters, 1905 (mit Abb.). — Salon-Kat. 1879—1920 (mit Abb.: 1885, 88, 89, 90, 1894—1901, 03, 04, 05, 07, 09, 1910, 11, 20).

Herle, Jakob, Maler aus Erolzheim, nur bekannt durch ein Bildnis des Abtes Mauritius von 1782 im Kloster Rot, O. A. Leutkirch.

B. Pfeiffer in Württemb. Vierteljahrshefte f. Landesgesch., N. F., XII (1903) 57.

Herle, Leonhard, Stuckgießer in Lemberg, 1529—1549. Wahrscheinlich, worauf schon der besonders in Bayern beliebte Name Leonhard hinweist, ein Verwandter (Sohn?) des Matthäus Herl (s. d). Ein Lenart Herle kommt um 1530, ein Leonardus pixidarius 1549 in den Konsulatsakten von Lemberg vor. Jedenfalls sind ihm zuzuweisen ein Bronzegeschütz mit Lemberger Wappen, bezeichnet Leonhard hier, und ein gleiches, bezeichnet Lenhardt hiere, beide im Besitz des Fürsten Radziwill in Nieswiez. Wahrscheinlich auch ein Geschütz von 1529, bezeichnet L. H., und ein solches von 1534, bezeichnet Lenart Hirt, im Museum in Lemberg.

Zeitschr. für hist. Waffenkunde, II 221, 276.
Stöcklein.

Herle, Wilhelm von, siehe *Wilhelm* von Cöln.

Herle, s. auch *Hörl* u. *Hörle.*

Herlein, s. *Herlin* u. *Herrlein.*

Herlen, Friedrich, siehe *Herlin*, Fr.

Herlet, Peter, siehe *Herel*, Beter.

Herlin (Hörlein, Hörlen), Malerfamilie von Nördlingen, über deren vielfach nur urkundl. bekannte Mitglieder große Verwirrung in der Lit. herrscht. Diese sind in chronolog. Folge: H a n s I, 1442—76 gen. — F r i e d r i c h I, wohl Sohn des vor., das weitaus bedeutendste Mitglied (s. d.). — H a n s II, Sohn des Friedrich I, 1505—15 gen., erscheint mit seinen 3 Brüdern u. 5 Schwestern auf dem Herlin'schen Familienaltar von 1488 im Nördlinger Mus. — J ö r g, Sohn des Friedrich I, 1505 zuerst gen. — L u c a s (Laux I), Sohn des Friedrich I, 1503—21 gen. Er malte um 1514 im alten Zeughaus. In der St. Georgskirche in Nördlingen von ihm (oder Jesse I?) ein Jüngstes Gericht, 1503 voll., 1618 durch Simon Metzger erneuert. — J e s s e I, Sohn des Friedrich I, † in Nördlingen 1510 (vielfach mit Lucas zusammengeworfen). Weyermann erwähnt von ihm folgende Arbeiten: 1. Jüngstes Gericht, in der St. Georgskirche in Nördlingen, bez. mit dem Monogramm J H und 1503. 2. Jüngstes Gericht, ebenda, unterhalb der Orgel. 3. Zwei „Conversationsstücke: eines eine stille Szene in einer teutschen ordinären Gaststube. Das andere eine gemeine Familie in ihrem häuslichen Vergnügen"; beide (1829) in d. Sammlg Lausberg in Frankf. a. M. 4. Jüngstes Gericht, Fresko über dem Triumphbogen im Münster zu Ulm, 1471 (1817 übertüncht, 1879 wieder freigelegt, Farben stark verblaßt, Zeichnung leid-

lich erhalten; vgl. Christl. Kstblatt, 1880 p. 129 bis 38). Parthey erwähnt als „angeblich Jesse Herlen" einen Christus am Kreuz i. d. Georgskirche in Nördlingen u. ein Jüngstes Gericht von 1470 in der Stadtbibliothek ebenda. — L a u x II, Sohn des Lucas, Goldschmied, an der Städt. Münze beschäftigt, 1567 urkundl. gen. — J e s s e II, Sohn des Jesse I (oder des Lucas?), geb. um 1500, † 19. 8. 1575. Schüler seines Vaters u. des Hans Schäuffelein. Zuerst 1525 urkundl. gen. Von ihm die Malereien eines Altars, der 1682 aus der Nördl. Georgskirche in die Kirche zu Nähermemmingen im Bayr. Schwaben versetzt wurde (jetzt im Rathaus zu Nördlingen), mit dem Bildnis Jesse's und der Signatur: „M. Jesse Herlin Nordl. pinxit A. Dmi 1568 aet. suae 68". Beyschlag weist ihm irrtümlich die vielmehr von Friedrich I herrührenden Hochaltarflügel der Stadtkirche zu Bopfingen, die 8 Außenflügelbilder des Friedrich Herlin'schen Hochaltars der Nördlinger Georgskirche und den ebenfalls von Friedrich I stammenden Hochaltar der Herrgottskirche zu Nördlingen zu. Er wird zwischen 1528 und 1550 häufig in den Nördlinger Rechnungsbüchern, meist mit handwerkl. Arbeiten genannt (1550 malt er den Adler am Reimlinger Tor, 1563 Malereien am Rathaus). — D a v i d I, Sohn des Jesse II, Maler u. Gastwirt, erscheint 1555—59 in den Steuerbüchern. — J o s e p h, Sohn des Jesse II, † 1606, lieferte Faßmalereien. — J e s s e III, Sohn des Jesse II, † 1606, malte verschiedene Epitaphien und schmückte, zus. mit Jeremias Wechinger, die Rückseite des Rathauses mit Ölgemälden. — F r i e d r i c h II, Sohn des Jesse II, † 1591. — D a v i d II, Sohn des David I, Goldschmied an der Stadtmünze, † 1571.

Beyschlag, Beytr. z. Nördling. Geschlechtshistorie, 2. Teil, Nördl. 1803 p. 229 ff. — J. D. Fiorillo, Gesch. d. zeichn. Künste, I (Hannover 1815) 332 ff. (nach Beyschlag). — A. Weyermann, Nachr. v. Gel. u. Kstlern. aus Ulm, Fortstzg, 1829 p. 172 ff. — N a g l e r, Kstlerlex., VI (nach Fiorillo u. Weyermann); d e r s., Monogr., III No 560 u. 2505 (Jesse I), No 2574 (Jesse II), No 2558 (Hans II), No 563 u. 1197 (Lucas [Laux I]); IV No 1120 (Lucas). — S i g h a r t, Gesch. d. bild. Kste im Kgr. Bayern, 1862 p. 604 ff. — P a r t h e y, Deutscher Bildersaal, I (1863) 581. — C h r i s t. M a y e r, Die Stadt Nördlingen, ihr Leben u. ihre Kst, 1876 f. p. 193, 207. — Kirchenschmuck, XI. Jahrg., XXII. Bd, 1867 p. 32 (Jesse II). — Zeitschr. f. alte u. neue Glasmal., 1913 p. 46 f. (Jesse II). — Allg. Deutsche Biogr., XII 117 (Jesse II). *H. V.*

Herlin, Andreas, Baumeister, 1464 neben Michael Brumann Meister der Bauhütte (magister fabricae) für die Prozessionskapelle an der Marienkirche in Gelnhausen.

Bau- u. Kstdenkm. Reg.-Bez. Cassel, Bd I (Kr. Gelnhausen) 1901 p. 38.

Herlin, Auguste Joseph, Maler, geb. in Lille 18. 8. 1815, † ebenda 13. 12. 1900, Schüler der Akad. in Lille unter Fr. Souchon, einem

Schüler Davids, vollendete seine Ausbildung in Lille; nur ganz vorübergehend in Paris. Bis 1850 an dem kaufmännischen Geschäft seines Bruders beteiligt, um dann, vermögend und unabhängig, ganz der Kunst zu leben. Von E. Reynart, dem Leiter des Mus. in Lille, mit dem H. befreundet war, wurde er häufig bei Bildererwerbungen herangezogen und gewann beim Ausbau der modernen Abteilung entscheidenden Einfluß. Nachdem Reynart 1879 †, und der Nachfolger Houdoy bald darauf zurückgetreten war, übernahm H. 1881 das Amt des Konservators, das ihn von seiner künstler. Tätigkeit abzog, dem Museum jedoch lange Jahre großen Nutzen brachte. — H. hat nur wenig gemalt und aus Rücksicht auf unbemittelte Kollegen seine Bilder nicht verkauft. Das bäuerliche Leben seiner Heimat hat ihn besonders gefesselt; der Niederschlag dieser Neigung liegt am klarsten in der Fülle s. Zeichnungen zutage. In frisch und groß gesehenen Blättern, meist Kohle oder Rötel, hat er seine Eindrücke häufig vor der Natur festgehalten und auch die Schifferbevölkerung der Küste (Boulogne sur Mer) in den Kreis seiner Darstell. gezogen. Zahlreiche reine Landschaftsskizzen sind darunter, in denen er mit einfachen Mitteln Leben und Stimmung der Landschaft zu erfassen weiß (Le coup de vent). Daneben Blätter, in denen er klassischen Erinnerungen nachgibt (Jardin d'amour, Vierge et Martyre) und auch biblische Vorwürfe (Lot u. s. Töchter, Rötel, Mus. Avesnes). Als Maler pflegt H. ein humorvolles und feines Genre, z. B. La Visite au confrère (Paris, Salon 1866), le Jardin de M. le curé (Salon 1867), bringt Szenen aus dem bäuerlichen Leben, deren Schlichtheit u. Wärme noch heute ihre Wirkung tun, greift auch zu größeren Aufgaben wie Le Vendredi-Saint chez les Dominicains (häufig abgeb., wohl sein Hauptwerk, Salon 1875; Lille, Dominikanerkloster) und leistete Vorzügliches in Landschaften und Landschaftsstudien (Herbemont). Daß manche seiner Stücke mit Arbeiten von Diaz verwechselt wurden, sei als charakteristisch erwähnt. H. zeigte seine Arbeiten in den Ausstell. in Lille, selten im Pariser Salon (vgl. Bellier), einmal in Brüssel (1869) und in London. In öffentl. Besitz: *Lille,* La visite au confrère (Cat. 1902); *Tourcoing,* Marine; *Draguignan,* 6 Zeichn. (vgl. Katalog 1904); *Avesnes,* 12 Zeichn.; *Löwen* (Gal. Willems), Zeichnung (Cat. 1901). Die Gedächtnisausst. 1902 in Lille brachte 65 Arbeiten H.s (Cat. bei Quarré-Reybourbon), die meisten a. d. Besitz der Familie.

B e l l i e r - A u v r a y, Dict. génér., I (1882). — L'Art, LVIII (1894) 168 f.; LX (1901) 77 ff.; 467 ff., mit zahlr. Abb.; LXI 38, 243 f., 325 ff. — Q u a r r é - R e y b o u r b o n in Réun. d. Soc. d. B.-Arts, XXX (1906) 320—333, mit Abb. —

Kunstchronik, IX (1874) 771. — Kataloge d. Museen u. Ausst.

Herlin, F r i e d r i c h, Maler in Nördlingen, zuerst nachweisbar 1459, † 1499 oder 1500. Vermutlich Sohn des 1442—76 in Nördlingen nachweisbaren Malers H a n s H ö r l e n (vgl. 1. Artikel Herlin). Geburtsjahr ist unbekannt. Als Geburtsort kommt nur Nördlingen in Betracht. Hier erscheint der Name H.s von 1469 bis 1499 regelmäßig in den Steuerbüchern, abgesehen von d. Jahr 1467, in dem H. in Rothenburg weilt, wo er offenbar für die Dauer von zwei Jahren das Bürgerrecht erwerben muß, um die Hochaltarflügel in S. Jakob zu malen. Verheiratet mit Margareta Berlin, die ihm 5 Töchter und 4 Söhne schenkt. Über seinen Bildungsgang ist nichts bekannt. Schon das früheste Werk zeigt die Einwirkung der Kunst des Rogier van der Weyden. Der niederländ. Einfluß verstärkt sich dauernd. Eine niederländ. Reise muß spätestens nach der Vollendung des Rothenburger Altares angenommen werden.

Werke: 1. Altarflügel der Hergottskirche in Nördlingen, bezeichnet: „December VIIII 1459". Außen Verkündigung, innen thronende Maria, Beschneidung Christi, Anbetung der Könige, Hl. Ottilia. Der r. Flügel im Bayr. Nationalmus. zu München, der l. im Nördlinger Mus. Die Verkündigung abhängig von Rogiers Columbaaltar. — 2. Epitaph der Familie Müller, mit Kreuzgruppe, 1463, Nördlingen, Mus. — 3. Hochaltarflügel u. -staffel in S. Jakob zu Rothenburg (1466/67), bez.: „Dis Werck Hat Gemacht Fridrich Herlein Maler. Sant Jacob . .". (Inschrift 1582 leicht verändert.) Außen Legende des hl. Jacobus d. Ä., und zwar: Predigt und Disputation des Heiligen mit den Irrlehrern in Judäa, Enthauptung des Heiligen, Überführung des Leichnams nach Compostella, und fünf Szenen aus der Legende der Compostellapilger: 1. Der Herbergswirt packt heimlich einen Becher in die Reisetasche eines Pilgers; 2. Der Becher wird bei dem Pilger gefunden; der Sohn läßt sich statt des zu Unrecht überführten Vaters henken; 3. Der Vater findet nach der Rückkehr von Compostella den Sohn noch lebend am Galgen; 4. Man nimmt den Wirt gefangen; 5. Dieser löst den Sohn am Galgen ab. Innen: 1. Verkündigung; 2. Heimsuchung; 3. Geburt Christi; 4. Beschneidung; 5. Anbetung der Könige; 6. Darstellung im Tempel; 7. u. 8. Tod Mariä. Rückseite: 1. Fußwaschung; 2. Abendmahl; 3. Jüngstes Gericht. Auf der Staffel: Christus mit den Aposteln. Der niederländ. Einfluß ist hier noch stärker. Für die Verkündigung kommt eine Komposition Rogiers in Frage, die in Nachbildung im Metropolitan Mus. zu New York erhalten ist; die Darstellung im Tempel geht auf den Columbaaltar zurück. Die 1582 übermalten, 1922 aufgedeckten Bilder aus der

Jakobuslegende scheinen selbständige Erfindung H.s und gehören zu seinen frischesten Arbeiten. — 4. Marienaltar der Fergen, „1467", Rothenburg, S. Jakob. — 5. Epitaph des Hans Genger zu Ulm, mit Verspottung Christi, „1468", mit auf den Tod Gengers bezüglicher, nachträglich zugefügter Inschrift von 1488. — 6. Hochaltarflügel, Schreinrückwand und -staffel der Stadtkirche zu Bopfingen, bez.: „Dis Werck hat gemacht friderich herlein moler zuo Nördlingen 1472". Außen: Gefangennahme und Marter des hl. Blasius; innen: Geburt Christi und Anbetung der Könige; auf der Schreinrückwand: Ölberg, Christus vor Pilatus, Geißelung, Dornenkrönung, Kreuzgruppe, Auferstehung; oben: Schweißtuch Christi; auf der Staffelrückwand: Kreuztragung. An der Arbeit an diesem Altarwerk hat ein selbständiger, wohl in Bayern herangebildeter Geselle starken Anteil. Zugleich sind hier die niederländ. Entlehnungen ungewöhnlich stark: Die Geburt Christi benutzt Einzelheiten des Middelburger Altares Rogiers; die Frau, die vor Blasius kniet, kopiert im Spiegelbild die Kniende in Rogiers Trajansbild im Brüsseler Rathause; im Hintergrunde dieses Bildes eine Ansicht des Rothenburger Marktplatzes, die ziemlich genau mit der gleichen Ansicht auf einem der Rothenburger Jakobusbilder übereinstimmt. — 7. Flügel und Schreinrückwand des 1683 umgebauten Hochaltars der Nördlinger Stadtkirche, gestiftet, nach unverbürgter, von Beyschlag (Nördl. Geschlechtshistorie) übermittelter Nachricht, 1462 von Jakob Fuchshart, 1477/78 noch nicht vollendet; in diesen Jahren bittet der Nördlinger den Nürnberger Rat, er möchte auf Fertigstellung der von H. bei Simon Lainberger bestellten Bildwerke drängen (Flügel jetzt im Nördlinger Mus.). Auf den Flügelinnenseiten: 1. Drachenkampf des hl. Georg, verwandt mit, aber nicht abhängig von dem Stich des Meisters E. S., Lehrs II, 77. 2. Götzensturz. 3. Enthauptung des hl. Georg; der Henker ist aus Rogiers Trajansbild entlehnt. 4. Christus im Hause des Pharisäers. 5. Christus als Gärtner. 6. Hl. Barbara und Dorothea. 7, 8. Stifterbildnisse. Außen: Verkündigung, Heimsuchung, Geburt Christi, Beschneidung, Anbetung der Könige, Darstellung im Tempel, Flucht nach Ägypten, Christus im Tempel lehrend. Hier starke Entlehnungen aus Rogier, in der Verkündigung fast sklavisch aus dem Columbaaltar, in der Geburt aus dem Middelburger Altar, in der Darstellung aus beiden. Rückwand: Jüngstes Gericht, darunter Geißelung, Kreuztragung, Kreuzigung, Auferstehung, von Gesellenhand und übermalt. Buchner möchte, aus stilistischen Erwägungen, die Innenseiten um 1462, die Außenseiten gegen 1477 datieren. — 8. Geburt Christi und Anbetung der Könige, Flügelinnenseiten, unbekannter Herkunft, im Mus. zu

S. Gallen, dem Nördlinger Hochaltar nahe verwandt, schlecht erhalten; die Flügelaußenseiten nicht von H. — 9. Herlins Familienaltar, „1488", Nördlingen, Mus., Triptychon; im breiten Mittelfelde Maria, unter Baldachin vor von Engeln gehaltenem Teppich thronend, zu ihren Seiten, von Heiligen empfohlen, Herlin mit seinen 4 Söhnen, gegenüber die Frau mit 5 Töchtern; nach dem Schema einer Louvrezeichnung nach dem Meister von Flémalle. Auf den Flügeln innen Geburt Christi, im Anschlusse an den Middelburger Altar, und Christus im Tempel lehrend, außen zwei Propheten unter zurückgeschlagenen Vorhängen. Der niederländ. Einfluß zeigt sich in diesem Spätwerke verstärkt.

Herlin nahe stehen: 1. Schloß Lichtenstein, Tod des hl. Franziskus. — 2. Dreikönigsaltar in Emmendingen, „1473". — Wohl von der gleichen Gesellenhand: 3. Baumeisterbild bei Dr. August Burckhardt in Basel, sowie 4. Nikolauswunder, Schloß Maihingen. — 5. Kreuzigung, auf der Vorderseite des Nikolausbildes, Maihingen. — 6. Nördlingen, Mus., Straußisches Epitaph (1469?), den Bopfinger Flügeln verwandt. — An dem Jüngsten Gericht des Rothenburger Altars, sowie den Schreinrückwandbildern in Bopfingen und Nördlingen dürfte Friedrich Walther mitbeteiligt sein.

B e y s c h l a g , Beyträge zur Kunstgesch. der Reichsstadt Nördlingen, I (1798) 60 ff.; d e r s . , Beyträge zur Nördling. Geschlechtshistorie, II 1. Abteilung (1803) 229. — N a g l e r , Künstlerlex., VI (1888) 119 f. — W a a g e n , Kunstwerke und Künstler in Deutschland, I (1843) 347 ff. — S i g h a r t , Gesch. d. bild. Künste in Bayern, 1862 p. 604 ff. — C h r . M a y e r , Stadt Nördlingen, 1876 p. 200; d e r s . , Fr. Herlin, in Allgem. deutsche Biogr., XII 116. — W o l t m a n n - W o e r m a n n , Gesch. der Malerei, II (1882) 112 ff. — R e b e r , Stilentwicklung der schwäb. Malerei, 1894 p. 347, 349, 374. — H a a c k , Fr. Herlin, Straßburg 1900. — G ü m b e l , Der Bildschnitzer Simon Lainberger, im Repert. für Kunstwiss., XXIX (1906) 324. — S t a d l e r , Hans Multscher, 1907 p. 194 f. — S c h ü t t e , Der schwäb. Schnitzaltar, 1907 p. 264. — B o l z e , Altarbilder von Fr. Herlin in S. Gallen, Anzeiger für schweiz. Altertumskunde, 1908 p. 151 ff. — B u r k h a r t , Herlinforschungen, Erlangen 1911. — L o s s n i t z e r , Veit Stoss, 1912 p. 30 f., 181 f., Anhang II 10 f. — W i n k l e r , Der Meister von Flémalle und Rogier van der Weyden, 1913 p. 64, 173. — S c h n e i d e r , Beiträge zur Gesch. des niederländ. Einflusses auf die oberdeutsche Malerei und Graphik, 1915 p. 39, 69. — Zeitschr. f. bild. Kst, N. F. XXXII (1921) 197 f. (P i n d e r). — Burlington Magazine, XXXIX (1921) (m. Tafelabb. des Männerbildnisses a. d. Bes. Dr. Aug. Burckhardt, Basel). — B a u m , Altschwäb. Kunst, Augsb. 1923 p. 31 ff. — B u c h n e r , Die Werke Fr. Herlins, im Münchner Jahrbuch d. bild. Kunst, XIII (1923) 1—51. — Kat. d. Ausst. „Gemälde u. Skulpturen 1430 bis 1530, Schweiz u. angrenzende Gebiete", Sept. bis Nov. 1921, Ksthaus Zürich, No 76—81. *Baum.*

Herlin, L a r s V i l h e l m , schwed. Maler u. Lithograph, geb. 1806 in Schonen, † 22. 11. 1841 in Stockholm, Schüler des Stechers A. A. Arvidson in Lund, dann von L. S. Sparrgren, dessen Kunst der Miniaturmalerei er sich zuwandte. Sein Hauptfeld ist das graph. Gebiet; er hat zahlreiche lithogr. Porträts hinterlassen, u. a. nach Originalen von O. J. Södermark, J. G. Sandberg (Bildnis König Gustaf II. Adolf) usw., und gilt mit Recht als einer der besten Porträtlithogr. Schwedens.

Hofberg, Svenskt Biogr. Handlex., [2]1906, I — Boye, Målare-Lex., 1833. — Lemberger, Bildnisminiatur in Skandinavien, 1912. — Nordisk Familjebok, [2] XI (1909). *G. M. S-e.*

Herlinde, siehe *Relinde.*

Herluison, Edme, Bildhauer u. Stecher, get. 20. 6. 1660 in Troyes, † ebenda 25. 1. 1701. Breban führt 4 Stiche an, davon nur einer signiert: Ed. Herluyson, sculp., 1698: „Un jeune homme nu Le buste s'appuie sur un mur en ruines, le reste du corps est couché à terre". — „Edmundus Herluyson 1698" war ein Inschriftepitaph über dem Grabe des Abbé Beaugrand signiert, das sich ehemals in der Karmeliterkirche in Troyes befand.

Breban, Graveurs Troyens, 1868 p. 87 (vgl. Gaz. d. B.-Arts, 1868 I 501). — Vial, Marcel, Girodie, Artistes décor. du bois, I 1912.

Herluison, Jean, gen. *Herluison-Cheminot,* Kunsttischler in Troyes, erwähnt 1673, arbeitet im Hôtel de Ville ebenda, zusammen mit dem Kunsttischler Jean H., gen. *Herluison-Paynot* († vor 1694), dem Vater des Malers Louis H. und des Holzbildh. Toussaint H.

Vial, Marcel, Girodie, Artistes décor. du bois, I 1912.

Herluison, Louis, Maler, get. 20. 7. 1667 in Troyes (Ste Madeleine), † 11. 2. 1706 in Paris, Sohn des Jean Herluison-Paynot, Schüler von Noël Coypel. In St. Pantaléon in Troyes (Chor) 2 große Gemälde erhalten: Grablegung Christi, bez. „L. Herluyson pinxit" (Stiftung des Kaufmanns Michel Fabvre von 1693) und Anbetung der Könige (nicht bez.), Gegenstücke. Die Anbetung wurde gestochen von J. Sarrabat (Nagler No 1 u. No 3). Andere Arbeiten H.s, der vorwiegend Bildnismaler gewesen zu sein scheint, sind nur in Stichen erhalten. Bildnis der Karmeliterin Elisabeth de Jésus, gest. v. J. Sarrabat (Nagler No 20); Noël Alexandre († 1724), gest. v. Cl. Duflos 1705; Claude de la Forest, Prior des Klosters Saint Nicolas in Troyes, gest. v. Fr. Sorin (Breban No 8); Nicolas Lyon urbis Trecarum Major, 1705 (Le Blanc, Manuel, II 152 No 155). — Im Mus. in Troyes (Cat. 1907 No 466) eine lavierte Federzeichnung: „Deux anges planent sur la ville de Troyes".

Herluison, Actes d'état-civil, 1873. — Invent. génér. Rich. d'art, Prov. Mon. rel. III 415. — Nouv. Arch. de l'art franç., XVIII (1902 [1903]) 177. — Nagler, Kstlerlex., XV 17. — Breban, Les graveurs Troyens, 1868 p. 86. — Duplessis, Cat. Portr. Bibl. Nat. Paris, 1896 ff., I 628; III 14435; VI 25210; VII 28741. — Heinecken, Dict. des artistes, 1778 ff. u. Suppl. (Ms. Kupferstichkab. Dresden).

Herluison, Louis, gen. *Herluison-Cornet,*

Holzbildhauer, geb. in Troyes 10. 4. 1691, † ebenda 17. 2. 1752, Sohn des Edme H., arbeitete 1734 den Hochaltar und das Tabernakel der Kirche in Epineul (Yonne), 1735 das Orgelgehäuse der Kathedrale in Sens, 1741 die Kanzel in St. Jean in Troyes.

Vial, Marcel, Girodie, Les artistes décor. du bois, I 1912.

Herluison, Toussaint, gen. *Herluison-Salomon,* Kunsttischler u. Holzbildhauer, geb. 1671 in Troyes, begraben ebenda 2. 10. 1730, Sohn des Jean Herluison-Paynot, Zeuge der Bestattung seines Bruders Louis in Paris (1706), arbeitete 1702 im Rathaus in Troyes.

Herluison, Actes d'état-civil, 1873. — Vial, Marcel, Girodie, Artistes décor. du bois, I 1912.

Hermaios, Fabrikant attischer Trinkschalen aus dem Ende des 6. Jhdts v. Chr. Erhalten sind vier Schalen von seiner Hand.

Pauly-Wissowa, Real-Encyklop., VIII 712 fg. — Hoppin, Handbook of attic red-figured vases, II 15 ff. — Pfuhl, Malerei u. Zeichnung d. Griechen, I 429. *Pernice.*

Hermaiskos. Der Name begegnet in latein. Schrift auf zwei für echt erklärten Karneolen, jeder mit Darstellung eines rennenden Stiers, ferner auf einem Stein der Samml. Montigny mit Darstellung eines Jünglingskopfes, in griech. Schrift auf einem Karneol des Brit. Museums (Leda mit dem Schwan); dieser Stein wird jedoch für unecht gehalten. Ob H. Name des Besitzers oder Künstlers ist, ist schwer zu entscheiden.

Pauly-Wissowa, Real-Enzyklop., VIII 713. — Furtwängler, Ant. Gemmen, Taf. XXIX, 54. — Catalogue of the antiq. in the collection of the late W. F. Cook (1908) p. 45 Nr 205. *Pernice.*

Herman, unter *Hermann* eingeordnet.

Hermand, Joseph, Bildhauer aus dem Elsaß, arbeitete 1762 die nicht erhaltene Kanzel im Dom zu Sens. In einer Chorkapelle ebenda das Relief eines Martyriums des hl. Savinianus. — Vielleicht identisch mit dem Ornamentbildh. Hermand, der 1770/72 für den Prinzen Condé im Hôtel de Lassay in Paris die Dekoration des Speisesaales arbeitete.

Montaiglon in Gaz. d. B.-Arts, 1880 II 134. — Macon, Les Arts dans la maison de Condé, 1903. — Lami, Dict. d. Sculpt., 18e siècle, I (1910).

Hermanjat, Abraham, siehe *Hermenjat,* A.

Hermann (Herman) und **Herrmann** (Herrman) sind wegen der wechselnden Schreibweise dieser Namen sämtlich hier eingeordnet.

Hermann (Herimannus), Kalligraph u. Buchmaler des 12. Jahrh.; Benediktinermönch im Kloster Ilsenburg i. H., bekannt aus dem Fragment einer Bibel in der Fürstl. Biblioth. in Wernigerode (Za 10). Am Schluß der alttestamentl. Bücher die Notiz „Abbas Martinus. me fieri iussit. Wulferammus me scripsit. et Herimannus me fecit". Ferner an späterer

Stelle: „Martinus. me. fieri. iussit. Herimannus me. scripsit. Amen". Martin war 1105—1129 Abt des Klosters. Ob H. oder W u l f e r a m - m u s der Maler war, bleibt undeutlich. Die Hs. enthält 48 Initialen. In der Schrift unterscheidet man 3 Hände.

D ö r i n g in Zeitschrift f. Bücherfreunde, I (1897/98), Bd 2 p. 348 f. — Bau- u. Kstdenkm. Prov. Sachsen, Heft XXXII (Kr. Wernigerode), 1913 p. 265.

Hermann (Herimannus), Buchmaler des 12. Jahrh., Benediktinermönch im Kloster Helmarshausen an der Diemel, malte bald nach 1173 im Auftrag Heinrichs des Löwen ein Evangeliar, das dieser dem Dom in Braunschweig schenkte, heute im Besitz des Herzogs von Cumberland in Gmunden. Die Widmungsinschrift lautet: „Dicite nunc nati, narrantes posteritati / En Helmwardene Conrado (II°) patre iubente / Devota mente ducis imperium peragente / Petre, tui monachi, liber labor est Herimanni"; Prachthandschrift mit Widmungsbild an Heinrich den Löwen, Hauptwerk der Schule in Helmarshausen. Der Name des H. ist nachweisbar im Liber vitae der Abtei Corvey (im Verbrüderungsbuch), wo unter den Namen der Mönche des Klosters Helmarshausen auch der seine erscheint (Münster, Staatsarchiv Ms. I 133; ausgestellt im Landesmus. ebenda). Da der Liber vitae bald nach 1158, dem Amtsantritt des Abtes Conrad II. gemalt sein muß, ist H. für die Zeit von 1160—1175 nachweisbar. Haseloff hat den Liber vitae der Schule in Helmarshausen zugeschrieben, wegen der nahen Verwandtschaft der Miniaturen mit denen im Evangeliar Heinrichs des Löwen. Da im Liber vitae die dem Kloster Helmarshausen gewidmete Seite mit besonderer Pracht und Sorgfalt gemalt, der Name H.s zudem durch Verzierung aus der Reihe der anderen hervorgehoben wird, hält Philippi auch diese Hs. für eine Arbeit des H. Auch der Psalter Heinrichs des Löwen ist neben anderen Hss. in Helmarshausen gemalt (London, Brit. Mus. Lansdowne 381).

A m b r o s , Der Dom zu Prag, 1857 p. 300 ff. — H a s e l o f f , Eine thüring.-sächsische Malerschule, 1897; d e r s . in D o e r i n g u. V o s s , Meisterwerke d. Kst aus Sachsen u. Thüringen, 1905 p. 93 f. (Abb.) — M. C r e u t z , Die Anfänge d. monum. Stils in Norddeutschld, 1910 p. 39. — F. P h i l i p p i in Abhandl. über Corveyer Geschichtsschreibg, 2. Reihe, Münster i. W. 1906 p. 130 ff. „Die Helmarshauser Kstler Rogger u. Hermann".

Herman, Baumeister (?) des 12. Jahrh. in Maulbronn, dessen Name an der südöstl. Strebe der Klosterkirche (Weihedatum 1178) eingemeißelt ist; auch am Chor soll sich der Name finden. „Sehr zweifelhaft ob Meistername." (Dehio).

Kst- u. Altertsdenkm. in Württemb., Neckarkr., 1889 p. 415, 417, 569. — D e h i o , Handb. d. Bau- u. Kstdenkm., ² III (1920).

Hermann, Goldschmied des 13. Jahrh., tätig

wahrscheinlich in Beckum (Westf.), wo er zus. mit Renfridus u. Sifridus den Reliquien-(Prudentia-)Schrein der Pfarrkirche in Beckum arbeitete, laut Inschrift: „Hoc vas expensis struxit populus Bekemensis | Arteque Renfridus, Hermannus sique Sifridus †", hervorragende Arbeit der 1. Hälfte des 13. Jahrh., in der sich der Einfluß der Aachener Goldschmiedeschule (Karlsschrein, Marienschrein) geltend macht: Holzkern mit getriebenem Silber und vergoldetem Kupfer verkleidet, ringsum 16 Kleeblattarkaden, darinnen in den Langseiten 10 Apostel, thron. Maria mit d. Kinde und der thron. Salvator, an der einen Stirnseite die hl. Fabian u. Sebastian, an der andern Verkündigung. Getriebene Figuren in Hochrelief, die archit. Teile reich mit Filigran überzogen, an dem (stark erneuerten) Satteldach gegossener Rankenkamm (98 cm l., 37 cm br., 69 cm h.).

Kat. Ausst. westfäl. Alterthümer etc., Münster i. W. 1879, No 383. — Münsterland, VIII (1921) 24—27, Abb. — O. v. F a l k e u. H. F r a u - b e r g e r , Deutsche Schmelzarbeiten des Mittelalters, 1904 p. 60 f., Abb. — Bau- u. Kstdenkm. Westf., Kr. Beckum, 1897, Taf. 15 u. 16. — L ü e r - C r e u t z , Gesch. d. Metallkst, II (1909) 175 (Abb.).

Herman, gen. *Clocghetere*, Glockengießer in Lüneburg, wo er 1291 das Bürgerrecht erwarb, goß 1310 das Taufbecken in Ebstorf bei Ülzen (Hannover), 1317 das Taufbecken (Blei) in Siegelsum (Ostfriesland). Sein Schüler u. Nachfolger war Ulrich.

A. M u n d t , Lüneburger Museumsblätter, I 46 f.; V 19 f. — W a l t e r , Glockenkunde, 1913 p. 768. — Upstalsboom-Blätter, IX (1919/20) 7.

Hermann, Maler in Augsburg, malte 1362 Bilder an das Hl. Kreuz- und an das Göppinger Tor, 1391 auch an andere öffentl. Gebäude.

v. S t e t t e n , Kst- u. Handw.-Gesch. Augsburgs, II (1788) 183. — F i o r i l l o , Gesch. d. zeichn. Kste, I (1815) 322. — R. H o f f m a n n , Thore u. Befestig. d. Stadt Augsburg, in Ztschr. d. hist. Ver. f. Schwaben u. Neuburg, XIII (1886) 25, 27.

Herman, Glockengießer in Mecklenburg, mit seinem Lehrer u. Meister Wilkinus aus dem Westen zugewandert. H.s Hauptwerk ist die eherne Fünte in der Marienkirche in Parchim, dat. 1365, im Aufbau ähnlich der Fünte des Wilkinus von 1342 in Wittenburg, aber geschlossener in der Form und reicher in der Dekoration. Das Faß wird von 4 Figuren getragen und hat 3 Zonen, oben in großer got. Majuskel die Inschrift: Leven Lude, wetted dat, Mest Herm gud did Vad, dann eine breite Zone mit got. Spitzbogenarkaden, unter denen Heiligenfiguren stehen; unten große Weinblätter u. Trauben. Über den Bogen innerhalb der 2. breiten Zone das Datum. Von 1350 war die Glocke in Wüllen bei Ahaus (1873 umgegossen); von 1352 ist die große Glocke zu Grotegaste (Ostfriesland), 1373 eine Glocke in der Marienkirche zu Bernburg, eine

Glocke ohne Datum in Ösede bei Iburg (Hannover).

Kst- u. Gesch.-Denkm. Mecklenb.-Schw., IV (1901) 451. — Walter, Glockenkunde, 1913 p. 768; hier weitere Lit.

Herman, Goldschmied, fertigte 1441 eine goldene Halskette mit dem goldenen Vließ für den Herzog von Orléans.

De Laborde, Ducs de Bourgogne, III (1852) 5766, 7412.

Hermann, Maler, tätig um 1450 im Dom in Freising; von ihm über dem heutigen Tonnengewölbe des Mittelschiffs (Westwand) Reste eines Jüngsten Gerichts in Fresko, der Engel mit dem Buch des Lebens, Satan mit dem Schuldbuch.

Mitterwieser im 11. Sammelbl. des hist. Ver. Freising, 1918 p. 85, 89, 91. — Abele, Dom in Freising, 1919 p. 77, Abb.

Hermann, Bildhauer in Marburg, ein vermutlich aus der Fremde kommender Wanderkünstler, liefert 1471 die Tumba Ludwigs I. († 1458) in der Elisabeth-Kirche in Marburg; von Heinrich Kahl das ornamentale Beiwerk u. die Steinmetzarbeit. H. ist vielleicht der Lehrer des Ludwig Juppe.

H. Neuber, Ludw. Juppe v. Marburg, 1915 p. 9, 37, 39, 115.

Hermann, gen. *Teutonicus,* Glasmaler deutscher Abkunft in Rom, lieferte unter Sixtus IV. Glasgemälde für die Vatik. Bibliothek (Zahlungen vom 16. 9. 1475 bis 6. 5. 76); er wurde nach Venedig geschickt, um farbige Gläser zu kaufen. Zwei Deutsche, Konrad und Georg, vollendeten oder restaurierten 1477 u. 1480 die Fenster der Bibliothek.

Müntz, Les Arts à la cour des Papes, III (1882) 119f.

Hermann, Maler u. Bildschnitzer in Jena, liefert 1506 eine „Tafel", d. h. einen Schnitzaltar, für die Kirche in Buchfart bei Weimar.

Zeitschr. d. Vereins f. thüring. Gesch. u. Altertumskde, N. F. IX (1895) p. 698f.

Herman, Bildschnitzer zu Erfurt, lieferte die Modelle für die Grabmäler (Bronzeplatten mit Wappen u. Umschrift) Joh. Friedrichs I., des Großmütigen († 3. 3. 1554) und seiner Gemahlin Magdalene Sibylle († 20. 2. 1554) in der Stadtkirche zu Weimar; die Entwurfzeichnung von Peter Gottlandt.

Bau- u. Kstdenkm. Thüringens, Sachsen-Weimar-Eis., I (Weimar) 1893 p. 351.

Herman, engl. Miniaturmaler; von ihm auf der Londoner Porträtminiat.-Ausst. von 1865 ein so sign. u. 1839 dat. Miniaturbildnis des Fr. A. Molesworth Esq.; von H. vermutlich ein ebenso sign. Miniaturbildnis angeblich eines Herzogs von Kent, das sich ehemals in der Samml. Flesch v. Festau in Wien befand. — Vgl. auch 2. Art. Hermann, Carl.

Cat. Exh. Portr. Min. at S. Kensington Mus., 1865 p. 195. — Cicerone, III (1911) 133. — Mitt. Oberlandesgerichtsrat Flesch v. Festau.

Hermann (Hörmann), Malerfamilie aus Kempten, Mitte 17. bis Anfang 19. Jahrh. in Oberschwaben tätig. Über die Zusammenhänge der einzelnen Glieder untereinander und die Verteilung der Werke unter sie herrschte bisher große Unklarheit, die eine uns freundlichst zur Verfügung gestellte, noch unveröffentlichte Untersuchung F. Schildhauers, auf der dieser Artikel basiert, in allen wesentlichen Punkten behebt. Die einzelnen Mitglieder folgen in zeitlicher Anordnung:

Franz Georg I, † 31. 5. 1735 in Kempten (nach einem Vortrag im Pfarrbuch zu St. Lorenz starb an diesem Tag ein Maler Franz Hermann, womit nur Franz Georg gemeint sein kann). Die erste urkundl. Nachricht bietet die Inschrift auf dem Altarbild des Ablösaltars in der Stiftskirche St. Lorenz zu Kempten: „Diesse Malerey hat nach Jansens kopiert Franz Georg Hörmann 1669." Fürstabt Roman schenkte das in seinem Auftrag von Janssens (Abr. d. j.?) gemalte ursprüngliche Altarbild dem Papst, nachdem H. die genannte vorzügliche Kopie angefertigt hatte. Ein „Franz Hörmann 1683" bez. Bild (Privatbesitz in Kempten, früher in der Kirche zu Schrattenbach), die hl. Dreifaltigkeit darstellend, ist von geringer Qualität u. könnte auch eine frühe Arbeit des Franz Benedikt sein. Dagegen muß das „F. Hermann fecit 1687" bez. Bild der Hl. Alexander u. Theodor mit Maria von Fr. Georg sein, das im Ottobeurer Registrum pictorum atque picturarum mit 2 weiteren, nicht mehr vorhandenen Gemälden als von „Hermann avus" herrührend bezeichnet wird. In der Stiftskirche in Kempten, zu deren Ausschmückung H. sicher nicht nur in dem einen Falle herangezogen wurde, dürfen ihm vielleicht zugeschrieben werden: die Malereien der Seitenfelder im Chorraum, die Engelsfiguren u. die 4 Evangelisten am Gewölbe des Mittelschiffes (1665 vollendet); mit mehr Sicherheit: das große, an ital. Vorbilder erinnernde ehemal. Altarbild mit den Patronen der Kirche (jetzt im Treppenhaus neben der östl. Hauptsakristei); das Bild der 4 Kirchenlehrer im Oberbau des Benediktusaltars, Gott Vater mit der Weltkugel im Oberbau des Kreuzabnahmealtars, die Malereien der Altarschreine auf der Mensa des Ablösaltars, die Altarbilder der Rundkapellen der Stiftskirche, wohl mit den Altären 1705—15 entstanden (nicht erst 1748 durch Franz Georg II).

Franz Benedikt, muß sich kurz vor 1692, in welchem Jahre ihm sein erster Sohn

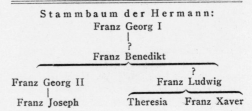
Stammbaum der Hermann:
Franz Georg I
|
?
Franz Benedikt
— Franz Georg II / Franz Ludwig ? —
Franz Georg II | Franz Joseph | Theresia | Franz Xaver

Franz Georg geboren wird, in Kempten selbständig gemacht u. geheiratet haben. Auch Haggenmiller nennt als Beginn seiner Tätigkeit in Kempten die Zeit um 1689. Da er als Vater des im Ottobeurer Registrum als „Hermann filius" bezeichneten Franz Georg II nachzuweisen ist, muß er der 1719 von Abt Rupert von Ottobeuren zur Ausschmückung des Klosters herangezogene, im Registrum als „Hermann pater" aufgeführte Maler u. demnach ein Sohn des „Hermann avus" sein, unter dem Franz Georg I aller Wahrscheinlichkeit nach zu verstehen ist. In Ottobeuren malte er mehrere Ölgemälde für die rote oder Winterabtei (Abt Rupert vor der Heiligsten Dreifaltigkeit, Erzengel Raphael, Erzengel Gabriel, die Liebe zu Gott), die Fresken im Vorplatz der Sommerabtei (der anbrechende Tag vertreibt die Nacht, die 4 Elemente, musizierende Engel). 1734 malte er das Haupt- u. die beiden Nebenaltarbilder in der Benediktuskap. (Gott Vater u. Heiliger Geist, Tod des Hl. Benedikt, Tod der Hl. Scholastika), 1739 Ölgemälde im Kreuzgang (erhalten nur: Boas tröstet Ruth, Jesus tröstet Magdalena). Ihn muß auch Rapp (Beschr. Vorarlbergs) meinen, der mitteilt, daß von Franz Hermann d. Ält. aus Kempten, der von Abt Rupert nach Ottobeuren berufen worden sei, das „Franz Hermann 1740" bezeichn. Hauptaltarbild in der Stadtpfarrkirche zu Bregenz u. die Fresken u. Altarbilder der 1732—38 erbauten Klosterkirche zu Mehrerau herstammten. Die Kirche wurde 1806 abgebrochen, 2 Altäre kamen in die Kirche zu Satteins, einer in die Pfarrkirche St. Johann zu Höchst, 3 Altäre in die Pfarrkirche St. Sebastian zu Schwarzach (diese letzteren Bilder sollen 1744 gemalt sein).

F r a n z   G e o r g   II, geb. 29. 12. 1692 in Kempten, † 25. 11. 1768 ebenda, Sohn des Franz Benedikt u. seiner Ehefrau Kath. Kolerin (Pfarrbuch St. Lorenz). Wird als Schüler A. Pellegrinis in Venedig bezeichnet. 1712/13 war er mit C. D. Asam zusammen in Rom u. erhielt am 23. 5. 1713 von der Accad. S. Luca einen 1. Preis für die Darstellung des Wunders des S. Andrea Avellino. 4. 7. 1718 heiratete er in Kempten Marie Barbara Fälblinger. Um 1720 war er bei Ausmalung der Klosterkirche St. Mang zu Füssen tätig, zu der auch Pellegrini herangezogen worden ist. H. wird eines der Hauptbilder, die Erlegung des Drachen durch den hl. Magnus, zugeschrieben. 1722 lieferte er das Altarbild des hl. Ivo (bezeichnet u. datiert) für die Kollegienkirche in Salzburg. 1725 ernannte ihn Fürstabt Anselm von Reichlin-Meldegg zu seinem Hofmaler. Er übertrug ihm bei Neuausstattung der fürstäbtl. Wohnräume in der Residenz die Malereien, mit denen H. um 1732 begonnen haben dürfte. Es sind (in der Reihenfolge ihrer Entstehung):

Im Schlafzimmer des Fürstabts (jetzt Arbeitszimmer des Landgerichtspräsidenten): Jakob unter der Himmelsleiter (Deckengem.), kleinere Darstellungen; im Vorzimmer: Verherrlichung der Kirche (Deckengem.), Tugenden u. Laster (Ölbilder in Stuckrahmen; eines bezeichnet u. 1734 dat.); im Bibliothekszimmer des Landgerichts: Salomo und die Königin von Saba (Deckengem.), Tugenden u. Laster; Thron- oder Spiegelsaal (jetzt landgerichtl. Sitzungssaal): Geschichte des Klosters (Deckengem.; schon Sayler nennt H. als Meister der Malereien dieses Saales). Gleichzeitig mit diesen Arbeiten entstanden: die ausgedehnten Freskomalereien in der 1733 neu erbauten Pfarrkirche zu Marktoberdorf; das große Deckengemälde im Schiff stellt den Sieg Konstantins über Maxentius, das Kuppelgemälde (bezeichnet u. 1735 dat.) den Triumph des Kreuzes dar; die Deckengemälde im Langhaus der Wallfahrtskirche Hl. Kreuz bei Kempten, Szenen aus dem Leiden Christi (Zuschreibung; das Langhaus ließ Fürstabt Anselm 1732/33 errichten; wie er den Stukkator seiner Residenz, Übelherr, dazu heranzog, so vermutlich auch seinen Hofmaler H.; auch weisen die Fresken Beziehungen zu H.s späteren Werken in Steinbach auf); Altarbild des Rosenkranzaltars in der Pfarrkirche in Diessen, bez. u. 1736 dat. 1737 wird H. von Kloster Münsterschwarzach (Unterfranken) zur Unterstützung J. Holzers bei Ausmalung der (1821—27 abgerissenen) Kirche herangezogen. 1741 schmückte er das Haus des Bürgermeisters Jenisch von Kempten mit Fresken: Sturz des Phaëton, im Treppenhaus; die Stadt Kempten bewirtet die Götter des Olymp, im Festsaal (bez. u. dat.). 1745 folgte die Ausmalung der Pfarrkirche in Stöttwang (Stiftungsrechnung im Pfarramt): Martyrium u. Glorie des hl. Gordianus (z. T. unglücklich restauriert), Krönung des hl. Epimachus, alleg. Darstellungen. 1750: 2 bez. u. dat. Seitenaltarbilder (hl. Franziskus u. hl. Antonius) in der Pfarrkirche zu Lenzfried (vermutlich auch das Hochaltarbild u. das Altarbild der Seitenkap. von ihm). 1753: Deckengemälde in der Kirche zu Winterrieden (bez. u. dat.). Im gleichen Jahre die umfangreichen Fresken in der Klosterkirche Steinbach a. d. Iller (bez.). Das große Deckengemälde im Schiff stellt in symbolischer Gegenüberstellung das Alte u. Neue Testament dar, das Chorkuppelbild den Sieg des Kreuzes über die Hölle, das Deckenbild über dem Hochaltar die Gottesmutter als Fürbitterin vor Gottes Thron. Daneben zahlreiche allegor. Darstellungen (im Ganzen 27 Fresken). Auch die Altarbilder des Hochaltars (Mariä Himmelfahrt) u. des Josephs- u. Annenaltars von ihm. 1755—57 ist er mit seinem Sohn in Schussenried tätig. Seine Hauptarbeit dort, sein bedeutendstes Werk überhaupt, ist das riesige

Deckengemälde im Bibliothekssaal, das in unzähligen allegor. Gruppen, Szenen u. Gestalten den Gedanken versinnbildlicht, daß alle Wissenschaften u. Künste vom Kreuz auf Golgatha Licht u. Nahrung empfangen (bez. u. 1757 dat.). 1756 lieferte er Altarbilder für Reichenbach, 1757 zwei Seitenaltarbilder für die Wallfahrtskirche Heiligkreuz (beide bez., eines dat.). 1760 wurde er seiner Stelle als Hofmaler in Kempten enthoben, unbekannt, aus welchen Gründen. Aus den letzten Jahren sind nur noch Werke geringeren Umfangs erhalten: Geburt Christi in der Pfarrkirche zu Buxach bei Memmingen, 1760 (nach dem Pfarrbuch); Altarbild auf dem Apostelaltar in Ettal, bez. u. 1762 dat.; 8 Ölgemälde in der prot. Pfarrkirche in Steinheim (1764/65 erbaut). Das Deckengem. von ihm in derselben Kirche wurde übertüncht. Von unbedeutenderen Werken sind nachzutragen: 2 Seitenaltarbilder, Tod des hl. Benedikt u. der hl. Scholastika in der Wallfahrtskirche Steinhausen a. d. Rottum (nach der Pfarregistratur „von Mahler Hermann 1742"); Kuppelausmalung in den 2 westl. Rundkapellen der Stiftskirche in Kempten, um 1749 (Zuschreibung); Deckengem. „Hl. Augustin in der Glorie" im Treppenhaus des Pfarrhofs zu Osterzell (bei Stöttwang), zwischen 1747 u. 49 (Zuschreibung); Seitenaltarbilder „Geburt Christi" u. „Anbetung der hl. 3 Könige", beide Rubenskopien, in der Stiftskirche zu Kempten, 1748, Porträts der Fürstäbte für den Fürstensaal der Residenz (bis 1760 waren 20 Bilder vollendet); Altarbild „Hl. Wendelin" in der Kapelle Brennenried bei Weiler, bez. „Franz Hermann 1744" (möglicherweise auch von Franz Benedikt); Deckengemälde (stark beschädigt) in Klosterbeuren, um 1740; Ölgemälde, Judith mit dem Haupt des Holofernes u. David mit dem Haupt Goliaths in Kloster Ottobeuren (nach dem Registrum von Hermann filius); auch sein eigenes Wohnhaus in Kempten (jetzt Waisenhaus) hatte er reich mit Fresken geschmückt (nichts erhalten). Franz Georg II, das bekannteste Mitglied der Familie, war ein außerordentlich gewandter Schnellmaler, der riesige Flächen (Bibliothek in Schussenried) virtuos meistert. Aber seine Werke sind sehr ungleichmäßig, meist flüchtig in der Zeichnung, hart in der Farbengebung, spitzfindig und überladen im Allegorischen.

F r a n z L u d w i g, geb. 1710 in Wangen (oder in Kempten?), † 25. 5. 1791 in Konstanz, wohl Sohn des Franz Benedikt. Kam in den 40er Jahren nach Konstanz, wo er bald darauf Hofmaler des Fürstbischofs F. C. von Rodt wurde. Er war besonders in der Bodenseegegend tätig. Hauptwerke: Altarbild, Marter des hl. Bartholomäus, in der Bartholomäuskap. des Münsters zu Konstanz, 1754 („mit rücksichtsloser Bravour" gemalt); ebendort ein Ölgem. der hl. 3 Könige von 1750. Altarblatt aus d. Freiburger Münster, hl. Nepomuk, bez. u. 1755 dat., im Bes. der Münsterfabrik. Hochaltarbild, Kreuztragung Christi, bez. u. 1758 dat., in der Pfarrkirche zu Lautrach; auch das Seitenaltarbild, hl. Nepomuk, und das Deckengemälde ebenda (z. T. restauriert) wohl von H. Bezeichnet u. urkundlich beglaubigt sind ferner die Fresken in der Pfarrkirche zu Seitingen (O.-A. Tuttlingen) von 1759. Im Chor ist das letzte Abendmahl, im Schiff die Verherrlichung Mariä dargestellt. Eine reiche Tätigkeit entfaltete H. im Kloster St. Peter im Breisgau. Nach Mitt. L. Schneyers (aus seiner Diss. über Kloster St. Peter) sind dort von ihm: 26 Felder in der Bibl., 1751; 55 Bilder der Äbte des Klosters; Zyklus von 52 Bildern aus dem Leben des hl. Benedikt; Deckengem. in der Kreuzkap. 1754. (Nicht erhalten die Deckengem. im großen Speisesaal u. im Stiegenhaus.) Als Werke H.s werden ferner genannt: Altarblätter im Kloster Rheinau, 1750, in der Nepomukkap. des Konstanzer Münsters, in der kath. Pfarrkirche zu Lindau, 1752—53 (bisher irrtümlich Franz Joseph zugewiesen, der damals erst 15 Jahre alt war), in der Pfarrkirche zu Hörbranz, 1764, in der Klosterkirche zu Zwiefalten; Deckengem. in der Schloßkapelle in Mammern, 1749, in der ehem. Franziskanerkirche in Überlingen, 1753, in der ehem. Augustinerkirche in Kreuzlingen (Thurgau), 1765, in der ehem. Propsteikirche in St. Ulrich im Breisgau, 1767, in der Stephanskirche in Konstanz, 1770, im ehemal. Propsteigebäude in Sölden im Breisgau, 1781. Franz Ludwig war das begabteste Glied der Familie u. übertrifft an Sorgfalt der Zeichnung u. Weichheit der Farbengebung auch seinen bekannteren Bruder Franz Georg.

F r a n z J o s e p h, geb. 13. 9. 1738 in Kempten, Sohn u. wohl auch Schüler des Franz Georg II. Er ist vermutlich der Sohn, der 1755—57 Franz Georg in Schussenried half. Seit 1770 in Kempten selbständig tätig. In diesem Jahre wurde er vom Kemptener Fürstabt Honorius Roth von Schreckenstein mit der Ausmalung der Pfarrkirche zu Wiggensbach betraut. 1771 begann er mit den Gemälden der Kuppel, das letzte Bild ist 1777 datiert. Dargestellt sind: Esther vor Ahasver als Fürbitterin, Sieg des Christentums über das Heidentum, alt- u. neutestamentliche Szenen aus dem Leben des hl. Nepomuk u. der Märtyrer Johannes u. Paulus. Diese Wiggensbacher Gemälde sind sein bedeutendstes Werk. Gleichzeitig entstanden 2 Seitenaltarbilder in der Pfarrkirche zu Durach, bez. u. 1771 u. 72 datiert. Von 1789 datiert das bezeichnete Deckengemälde in der Pfarrkirche zu Reicholzried, den Sieg des Christentums über das Heidentum u. die Verherrlichung der Kirchenpatrone Georg u. Florian darstellend.

Auch die übrigen Fresken u. die Seitenaltarbilder wohl von ihm. 1791 vollendet er mit einem Estherzyklus (bez. u. datiert) die von seinem Vater begonnenen Malereien in den Prunkgemächern der fürstäbtlichen Residenz. Von ihm (eher als von Franz Ludwig) wohl auch die Skizze, 2 Szenen aus d. Buche Esther, die aus Münchner Privatbes. dort auf d. Ausst. „Malerei u. Plastik des 18. Jahrh. in Bayern", 1913 (Katalog p. 12), gezeigt wurde. In Kemptener Privatbes. noch 2 Porträts (eines Herrn u. einer Frau Weidle), 1783. Ein Altarbild in der Pfarrkirche zu Isny u. vielleicht auch 2 Deckenbilder in der Kapelle zu Unterkürnach dürften ebenfalls von ihm sein.

T h e r e s i a , Tochter des Franz Ludwig, malte mit ihrem Vater 1752 in der kath. Pfarrkirche zu Lindau, wo ihr das Oberbild des Hochaltars, Mariä Verkündigung, zugeschrieben wird. Eine hl. Familie von 1781 besaß das Kloster Ottobeuren.

F r a n z X a v e r , geb. 1760 in Konstanz, † ebenda 29. 11. 1839, Sohn des Franz Ludwig, malte 1787—98 Dekoration u. Saal des Theaters zu Konstanz, restaurierte 1821 die Deckengemälde in der Kirche zu Kreuzlingen u. war als Porträtminiaturist tätig.

M. E. S a y l e r s Lustreise nach Kempten, 1746 (Ms. Stadtarchiv Kempten). — Abbatiale Registrum pictorum atque picturarum .... in Galleria et Monasterio Ottoburano ..., 1802. — F ü ß l i , Kstlerlex., 2. Teil, 1806—21. — N a g l e r , Kstlerlex., VI. — B r u n , Schweizer. Kstlerlex., II (1908). — H a g g e n m i l l e r , Chronik von Kempten, 1840 II p. 351. — B a u m a n n , Gesch. d. Allgäus, 1880—95 I p. 110; III p. 425, 599. — H a l m , Die Kstlerfamilie der Asam, 1886 p. 3. — Konstanzer Gesch.-Beitr., II (1890) 27 f. (R u p p e r t). — Diözesanarchiv f. Schwaben, XIII (1895) 106; XIV (1896) 149. — Archiv f. christl. Kst, XIII (1895) 105; XXII (1904) 84. — Hist.-polit. Blätter, CII 417. — Württemb. Vierteljahrshefte f. Landesgesch., N. F. XII (1903) 52, 61. — Landsberger Gesch.-Blätter, IX (1910) 14. — Sammelbl. des hist. Ver. Eichstätt, XXV /XXVI (1910/11) 18. — Freiburger Münsterblätter, VII (1911) 38, 41. — Kstdenkm. Bayerns, I; III Heft 2 p. 196. — S t e i c h e l e - S c h r ö d e r , Bistum Augsburg, IV (1883); VII (1896—1904); VII (1906—10). — Kst- u. Altertumsdenkm. in Württ., Schwarzwaldkr., 1897; Donaukr., 1914. — Kstdenkm. Badens, I (1887) 98, 173, 182, 619; VI (1904) 345, 347. — R a p p , Topogr.-hist. Beschr. d. Generalvikariats Vorarlberg, II 477, 545, 560; III 52, 53, 232. — Österr. Ksttopogr., IX (1912) 250. — D e h i o , Handbuch der deutschen Kstdenkm., III (⁵1920). — R o t h e n h ä u s l e r , Baugesch. d. Klosters Rheinau, Freiburg 1902 p. 135. — M. B e r n h a r d , Beschr. d. Klosters u. d. Kirche zu Ottobeuren, ³ 1907 p. 30, 81, 87, 89. — G r ö b e r , Das Konstanzer Münster, o. J. — F. S c h i l d h a u e r , Die Malerfamilie H. in Kempten u. die stiftkemptischen Hofmaler (Ms. ungedruckt). — Notiz Fr. Noack aus Archiv S. Luca in Rom. *J. M.*

Herman, A b r a h a m , Wiener Bildhauer, 17. Jahrh. Von ihm in der Hauptkirche zu Nagyszombat (Tyrnau, Ungarn) das Grabdenkmal des 1620 † Feldherrn György Drugeth de

Homonna aus rotem Marmor mit der fast lebensgr. Gestalt des Toten in Vollfigur. H. verfertigte 1636 in der Jesuiten- (Universitäts-) Kirche ebenda den Hauptaltar, wofür er 1000 Taler erhielt.

V i l m o s F r a n k l , Pázmány Péter és kora, III (1869) 229. — Archaeologiai Értesítő, N. F. X (1890) 261/3. *K. Lyka.*

Hermann, A l b e r t , Maler, 1616 mit der Ausschmückung des Chores der Spitalkirche zu Ochsenfurt beschäftigt (vorwiegend handwerklich).

Kstdenkm. Bayern, III (Unterfranken), Heft I (Bez.-A. Ochsenfurt) p. 158, 292.

Hermann, A l b r e c h t , Zinngießer in Leipzig, lernt dort 1638—42, wird 1651 Meister, ist 1674—85 Obermeister, † 1685. Von ihm Taufbecken mit reicher Gravierung, um 1660, in der Kirche zu Seehausen bei Leipzig, 2 Altarleuchter in der Kirche zu Crostau bei Bautzen, Fassung eines Frankfurter Fayencekruges im Kstgew.-Mus. Leipzig.

E. H i n t z e , Sächs. Zinngießer, 1921.

Herrmann, A l e x a n d e r , Architektur- u. Landschaftsmaler, geb. 12. 5. 1814 in Glauchau, † 29. 10. 1845 in Rom, 1831—35 gebildet an der Bauschule der Akad. in Dresden unter J. Thürmer u. G. Semper, 1838 in München, seit 1839 in Rom, im Mai 1840 in Sizilien, im Sommer 1843 in Olevano; der ital. Aufenthalt wird, wie es scheint, durch vorübergehende Anwesenheit in Dresden (1843 u. 44) unterbrochen. — H. zeigte in der Dresdner akad. Ausst., im Leipziger Kunstverein 1837—45 und in der Berliner Akad. 1842 u. 44 vorwiegend ital. Landschaften, daneben Architekturbilder (Colosseum, Peterskirche in Rom) und Interieurs (S. Zeno in Verona). Im Dresdner Kupferstichkab.: Ruinen v. Pästum, Ölskizze, 1840; Tor u. Hof d. Akad. in Venedig, Aquarell, 1837; Baumstudie aus Villa Borghese (Bleistiftzeichn.), 1845 u. a., im ganzen 17 Bl. Ölskizzen, Aquarele u. Zeichn. In der Kunsthalle Hamburg (Kat. 1910) befand ein Gemälde „Taufkapelle in S. Marco, Venedig" (1839). — H. wird zuweilen mit dem Archit. Woldemar H. verwechselt.

v. B ö t t i c h e r , Malerwerke d. 19. Jahrh., I 2 (1895). — N a g l e r , Kstlerlex., VI. — Kataloge: Leipz. Kstverein 1837 p. 20; 1841 p. 40; 1843 p. 41; 1845 Nachtr. p. 6. Akad.-Ausst. Berlin 1842 p. 25; 1844 p. 158. Ausst. Dresdner Maler u. Zeichner 1800—1850, Dresden 1908 p. 32. — Mit Notizen v. Fr. Noack u. E. Sigismund.

Hermann v o n A l f f t e r , aus Alfter bei Bonn, Glockengießer des 15. Jahrh., in der Rheinprovinz mit zahlreichen Glocken vertreten: *Rosellen* (Kr. Neuß), Pfarrkirche, 1448; zusammen mit einem G e r a r t ebenda 1481. *Benrath* (Kr. Düsseldorf), Pfarrkirche, 14. 8. 1453; ebenda 4. 7. 1454. *Erkrath,* Pfarrkirche, 1454. *Urbach* (Kr. Mülheim a. Rh.), Pfarrkirche, 1457. *Burscheid* (Kr. Solingen), Ev. Pfarrkirche, 1468. *Tetz* (Kr. Jülich), Pfarrkirche, 1472. *München-Gladbach,* Pfarrkirche, 1476. *Nievenheim* (Kr. Neuß), Pfarrkirche, 1478.

W a l t e r, Glockenkunde, 1913. — Kstdenkm. d. Rheinprov., III (1894) ; V (1900) ; VIII (1902).

Hermann, A n t o n i u s, Pseudonym der *Gartner,* Hermine.

Herrmann-Allgäu, A u g u s t, Maler, geb. 1852 in Opfenbach bei Lindau, † 1916 in München, Schüler d. Akad. in Düsseldorf u. München, tätig in München, zeigte im Glaspalast 1901/16 Frucht- u. Tierstilleben, ebenso in der Gr. Berliner Kunstausst. 1903/16, in der Kst-Ausst. in Düsseldorf 1902, 1904 u. 1907.

Christl. Kst, I (1904/05) 94, Abb. — Ausstell.-Kataloge (mit Abb.: München, Glaspalast 1910, 11, 16).

Hermann, B a l t h a s a r, † als Kurfürstl. Hofmaler in München 18. 3. 1661.

v. H e i n e c k e n, Sammelband, Ms. Kupferstichkab. Dresden (Ms. F a s s m a n n, Todten-Bücher U. L. Frauen in München).

Hermann, B a l t h a s a r, Hofschreiner in Bamberg, arbeitet 1772/73 für das Spielzimmer („Grünlackiertes Zimmer") des Schlosses in Würzburg den Fußboden in reicher Holzintarsia (Mittelrosette, radiale Gurtbänder, Rautenfelder); 1774 liefert er dafür 12 Sessel u. Kanapees.

Kstdenkm. Bayerns, III (Unterfranken) Heft 12 (Würzburg), 1915 p. 463 f., mit Abb. — S e d l m a i e r u. P f i s t e r, Residenz zu Würzburg, 1923.

Hermann von B a s e l, Maler, Glasmaler, Miniaturist u. Goldschmied, 1399—1449 in Straßburg i. E. nachweisbar, wahrscheinlich aus Basel eingewandert. In den Rechnungsbüchern des Thomasstiftes und des Frauenhauses in Straßburg 1412—24 mehrfach mit größeren Aufträgen genannt, so z. B. 1415 die Fig. von 3 Antoniermönchen für die Wand des Friedhofs von St. Thomas, 1417 2 Tafeln für den Frohnaltar ebenda. Für das Frauenhaus 1420 ein Marienbild, 1424 2 Miniaturen (Kreuzigungen Christi) für Meßbücher. Auf dem Friedhof der Johanniter-Herren zum Grünen-Wörth war ein auf Pergament gemaltes Jüngstes Gericht. H. war auch als Faßmaler, Vergolder und Restaurator tätig; für das Münster in Straßburg lieferte er ein geschmiedetes u. vergoldetes Eisengitter.

B r u n, Schweizer. Kstlerlex., I (1905) u. IV (1917) p. 21 u. 213. — K r a u s, Kst u. Alterthum in Els.-Lothringen, I (1876), 395, 650. — Rep. f. Kstw., XV (1892) 37, 40 [S e y b o t h]. — H. L e h m a n n, Zur Gesch. d. Glasmalerei i. d. Schweiz, 1906/12 p. 303. — W a c k e r n a g e l, Gesch. d. Stadt Basel, II, 1. Teil (1911) p. 467. — G é r a r d, Artistes de l'Alsace, II 68.

Herrmann (Hermann, Hörmann), B e r n h a r d Johann, Kupferstecher des 18. Jahrh., nach Wastler in Wien geboren, zog dann nach Frankfurt, kam hierauf nach Graz, wo er am 22. 9. 1749 Anna Maria Schaupp heiratete. Geistig umnachtet starb er in Wien. Von ihm

bewahrt das Kupferstichkab. des Joanneums in Graz folgende signierte Stiche: S. Anna. — Bildnis / der Gnaden-reichen Mutter Gottes / zu Lebing bey Hartberg, gezeichnet: Landschauer, — Maria / die Geliebte / und gnaden Reiche Mutter / in Torn zu Preding. — Schmerzhafte Mutter (mit den Marterwerkzeugen, 1. Zustand ohne Jahreszahl, 2. Zustand mit der Jahreszahl 1750). — Wahre Abbildung d. hl. seraph. Vaters Franzisci. — Bildnis d. P. Leonardi, 26. Nov. 1751. — Hl. Expeditus auf einem Gebetblatt, das 1752 bei d. Widmanstätterischen Erben in Graz gedruckt wurde, — hl. Camillus von Lellis. — Gemeinsam mit J. M. Kauperz stach er eine Stigmatisation des hl. Franziscus auf einem dritten Ordensbrief, ferner eine Ansicht des Schlosses Kirchberg a. d. Raab (vgl. Wibiral, Das Werk der Grazer Stecherfamilie Kauperz, Graz 1909 p. 20, No 40).

J. W a s t l e r, Steir. Künstlerlex., 1883 (hier mehrere heute nicht mehr auffindbare Blätter H.s angegeben). *Bruno Binder.*

Hermann, C a r l, Miniaturmaler, wohnt 1822 in Wien Alservorstadt 55; vielleicht von ihm ein „K. Herm. 1823" sign. Miniaturbildnis eines Herrn im blauen Rock, in der Samml. Grein in Salzburg. — Vgl. auch folgenden Artikel.

Oesterr. Ksttopogr., XVI (1919) 23. — B ö c k h, Wiens leb. Schriftsteller ., 1822 p. 257. — L e i s c h i n g, Bildnisminiatur in Oesterr., 1907.

Hermann, C a r l, Maler, geb. 1800 in Dillenburg (Nassau), 1858—69 Zeichenlehrer an der Bergschule ebenda, 1835—1. 7. 1870 am Pädagogium, dem späteren Progymnasium ebenda. Nagler erwähnt Pastelle, die H. als Kopien nach Raffael, Correggio, Sassoferrato, Murillo, G. Dow usw., und zwar nach Kupferstichen oder Lithographien ausgeführt habe. Im Privatbesitz in Dillenburg werden noch Arbeiten H.s bewahrt. Er soll auch Bildnisminiaturen gemalt haben. Auf der Miniaturen-Ausst. in Hannover 1918 (Kestnergesellsch.; Kat. p. 103) war ein Miniaturbildnis der Rosalia Beneve (geb. 1787 zu Avelghen bei Kortryk), das H. mit Vorbehalt zugeschrieben wurde, bez. Hermann 1822, nach alter Notiz auf der Rückseite in Gent gemalt. (Als Autoren könnten aber auch der Wiener Carl H. oder der engl. Miniaturist Herman in Betracht kommen.)

N a g l e r, Kstlerlex., VI 125. — Mitt. Histor. Ver. in Dillenburg. — Mitt. des Enkels, Herrn Archit. Fritz Herrmann, Cöln.

Herrmann, C a r l, s. auch *Herrmann,* Karl.

Herrmann, C a r l Adalbert, Maler, geb. 25. 4. 1791 in Oppeln, † 14. 4. 1845 in Breslau, vermutlich eine Zeitlang Schüler Jos. Berglers d. J. in Prag, dann an der Akad. in Dresden unter Moritz Retzsch, wo er mit den Lehren Wackenroders, Tiecks u. der Brüder Schlegel bekannt wurde, die ihn nachhaltig beeinflußten. 1814 kehrte er zunächst nach Oppeln zurück, stets bemüht, ein Stipendium nach Italien zu erhalten. Vermutlich 1816 ist er an der Berliner Akad., wenigstens nennt ihn der Katalog d. Akad.-Ausst. von 1818 (p. XI) Eleven der Akad.; auf ihre Empfehlung erhielt er auch ein Stipendium nach Rom (vom preuß. Ministerium), am 27. 8. 1817 reiste er von Dresden ab (Ankunft in Rom 6. 10). Hier schloß er sich den Nazarenern eng an. Kopierte nach alten Meistern (Fra Angelico, Francia). Am 29. 4. 1818 nahm er an dem Fest in der Villa Schultheiß teil, 1819 (April) an der Ausst. im Pal. Caffarelli (Kreuztragung, Zeichnung braun in braun). Pius VII. gewährte ihm 2 Sitzungen (11. u. 12. 7. 1819) zu einer Porträtzeichnung (gestochen von Samuel Amsler). Schon hier zeigte sich, daß der Zeichenstift sein eigentliches Ausdrucksmittel war. Am 9. 9. 1819 verließ H. mit Cornelius, Mosler, K. Eberhard, Passavant u. Schnorr v. Carolsfeld Rom zu Ausflügen nach Umbrien u. Toskana. In Florenz kopierte er Raffaels Mad. aus d. Hause Tempi, eine Zeichnung danach sandte er an Niebuhr nach Rom. Im Juli 1820 war er wieder in Oppeln, wurde aber durch Nahrungssorgen veranlaßt, im Aug. 1826 seinen Wohnsitz nach Breslau zu verlegen. Seine Hoffnungen auf eine auskömmliche amtliche Stellung erfüllten sich erst 1834, als er Lehrer am Maria-Magdalena- u. am Elisabeth-Gymnasium wurde. Seit 1831 hielt er auch kunstgesch. Vorlesungen. — Die Zahl der Gemälde H.s ist nicht groß. Sein Gönner, der Graf Schaffgotsch, gab ihm 7 Bilder für die kath. Kirche in Warmbrunn in Auftrag. In der Ausst. des schles. Kstvereins in Breslau konnte er 1821 das erste dieser Bilder zeigen, einen Schutzengel, 1824 die letzten Stücke (alle erhalten an den Pfeilern des Hauptschiffs; die Hl. Joh. d. T., Magdalena, Franziskus, Barbara, Hedwig u. Bernhard v. Cl.). Aus H.s Tagebüchern ergibt sich, daß er vielfach für die schlesischen Magnaten-Familien Gemälde geliefert hat (Graf v. Danckelmann auf Schön-Ellguth, v. Magnis, v. Strachwitz, Frau v. Rothkirch in Peterwitz, v. York in Klein-Oels, v. Sierstorpff in Koppitz, v. Praschma in Tillowitz), meist kirchliche Bilder, deren einige er auch für schlesische Kirchen gemalt hat. Auch die Kataloge der Breslauer Kstausst. (1826, 37, 39, 41, 43) nennen mehrfach solche Stücke. In Schloß Erdmannsdorf ein Gemälde „Gründung d. Klosters Trebnitz" (Abb. „Schlesien", III Taf. 33). Von Bildnissen ist durch die Breslauer Jahrhundertausst. 1913 das Porträt des Feldmarschalls Grafen York (bez. CHR 1824), lebensgroß in Landschaft, im Hintergrund Elbübergang bei Wartenburg, und das seiner Gattin (v.

1825) bekannter geworden. Die Gräfin sitzt auf einem Hügel am Fuße eines Eichbaumes neben dem Grabstein ihrer Kinder. Sehr subtil u. peinlich ausgeführt, dennoch geschlossen in der Wirkung, nach Hintze eines der besten Bildnisse H.s. (Beide Stücke beim Grafen York von Wartenburg in Klein-Oels, Abb. Hintze, Taf. 14 u. 15.) Ein anderes Bild des Feldmarschalls (voll. 15. 12. 1822, 1823 in Breslau ausgest.) malte H. für die Samml. d. Bildnisse berühmter preuß. Feldherrn im Kadettenkorps Groß-Lichterfelde. Die Breslauer Ausstellungskataloge der damaligen Zeit nennen noch mehrere Porträts, darunter 1833 eine Bildnisminiatur (Öl) der Prinzessin Elisa Radziwill. — In der Zeichnung spricht sich H.s Kunst am reinsten aus, er verwendet den harten, sehr fein gespitzten Bleistift, das gibt den Blättern den Eindruck von Silberstiftzeichn.; mit fast pedantischer Sorgfalt geht er der Einzelform nach; treffliches Bildnis s. Vaters von 1823 (Schles. Mus. Breslau; Hintze, Taf. 16). Mehrere Zeichnungen H.s waren 1897 in der Nachlaßausst. d. Breslauer Malers A. Wölfel. — Außer in Breslau zeigte H. seine Arbeiten auch in den Ausst. der Berl. Akad., so 1826 eine Madonna m. Kind, 1832 mehrere religiöse Stücke u. ein Damenbildnis, 1836 das Bild „Oberschles. Landmädchen a. d. Umgeb. v. Oppeln". — Im Breslauer Kstler-Verein ein gemaltes Porträt H.s, im Kupferstichkab. in Dresden 2 gezeichnete Bildnisse H.s (gez. u. H. Naeke u. D. Lindau).

Hintze, Schlesiens Vorzeit in Bild u. Schrift, N. F. VII (1919) 271 ff.; ausführl. Abhandl. mit Benutzung d. Tagebücher. — Nagler, Kstlerlex., VI. — Kunstblatt, 1820 p. 263; 1821 p. 237; 1822 p. 116, 148, 285, 289; 1823 p. 280. — Parthey, Dtscher Bildersaal, I (1863). — Kat. Bildniszeichn. Kupferstichkab. Dresden, 1911. — Notiz v. F. Noack.

Herrmann, Carl August, Zinngießer in Dresden, lernt bei seinem Vater Christian August (1795 in Dresden Meister; von ihm Trinkkrug der Dresdner Fischerinnung von 1805). Wird 1817 Meister. Von ihm ovale Schüssel mit verzierten Griffen von 1836 im Kstgew.-Mus. Dresden.

E. Hintze, Sächs. Zinngießer, 1921.

Herrmann (Hermann), Carl Friedrich, Zinngießer in Dresden, aus Penig, wo er 1732 bis 1736 lernt. Wird 1748 in Dresden Meister. 1774 zuletzt erwähnt. Von ihm reichverziertes Tablett im Kstgew.-Mus. Dresden.

E. Hintze, Sächs. Zinngießer, 1921.

Herrmann, Carl Gustav, Maler, geb. 1857 in Leipzig, Schüler der Akad. ebenda, 1878 an der Akad. in München unter Löfftz, lebt in München. Studienreisen in das oberbayrische Gebirge (Ammer- u. Chiem-See) u. nach Südtirol. Seit 1889 zeigt H. im Glaspalast anfangs Genrebilder, später Fruchtstilleben (Trauben, Pfirsiche gegen Kupfergeschirr), dann, besonders in letzter Zeit, Landschaften und tüchtige Interieurs aus Südtirol. In der Gr. Kst.-Ausst. in Berlin ist H. seit 1893 vertreten, 1897 auch in Halle, 1907 in Düsseldorf. Im Städt. Mus. in Riga (Kat. 1906) eine Dorflandschaft, ein Bild auch im Mus. in Weimar.

Ausstellungskataloge (München, Glaspal. 1906 u. 09 mit Abb.). — Kat. der Sonderausst. in der Kstgenossenschaft München, Febr. 1919, Abb.

Hermann, C a r l Heinrich, Maler, geb. 6. 1. 1802 in Dresden, † 30. 4. 1880 in Berlin, anfangs unter F. Hartmann Schüler der Akad. in Dresden (1820 zeigte H. in der akad. Ausst. ebenda „Christus dankt Gott, der ihn zum Weltheiland bestimmte", ein „würdevolles Christusbild im strengen Stil"); darauf 1822 in München unter Cornelius, dessen Lieblingsschüler er wurde und dessen Kunstweise H. stets treu blieb. Eine der ersten in München entstandenen Arbeiten ist ein kleines Ölbild einer Mad. mit dem Kinde und dem hl. Johannes. Cornelius übertrug H. 1823 die Ausführung der Fresken in der Aula der Universität Bonn (Geschichte der 4 Fakultäten). H. lieferte den Entwurf zur Theologie, den er seit Sommer 1824 auch ausführte, zusammen mit J. Götzenberger u. E. Förster, die H. als Gehilfen beigegeben waren. (Karton dazu ausgestellt Akad.-Ausst. 1826, Berlin, jetzt Kunsthalle Karlsruhe; Kat. 1910.) Noch im September 1825 arbeiteten sie an diesem Fresko, das weniger in der Komposition als in der technischen Ausführung schon den Zeitgenossen Anlaß zur Kritik gab. Ende 1825 folgte H. nach Vollendung der „Theologie" dem Cornelius, der inzwischen die Leitung der Münchener Akad. übernommen hatte, und wurde eine Zeitlang im Göttersaal der Glyptothek neben Schlotthauer u. Zimmermann als ausführender Gehilfe beschäftigt. Da Cornelius mit den Arbeiten in der Glyptothek vollauf beschäftigt war, wurde die neue vom Könige gestellte Aufgabe, Ausmalung der Arkaden im Hofgarten mit Bildern aus der Geschichte der Wittelsbacher, den Schülern des Cornelius übertragen. H. erhielt das Thema: Ludwig der Bayer empfängt Friedrich den Schönen von Österreich auf dem Schlachtfeld bei Ampfing (1322); im Winter 1826/27 wurde die Arbeit im Karton begonnen, im Spätsommer 1829 war die Ausführung al fresco vollendet. (Karton im Städelschen Inst. in Frankfurt a. M., Kat. II [Neuere Meister], 1903 p. 96 f.) Am Dürerfest in Nürnberg (6. 4. 1828) war H. auch künstlerisch beteiligt und lieferte für das Transparent eines der 7 Bilder, „Dürer auf der Totenbahre" (die Folge wurde 1855 in Nürnberg in Stichen veröffentlicht: Erinnerung an A. D.) Das Transparent anläßlich der Feier der Vollendung der Fresken in der Glyptothek (1829) lieferte H. nach Schnorrs Entwurf (gest.

von J. C. Koch). Im Herbst 1830 war H. zusammen mit Rietschel in Rom (wohin er Anfang 1833 mit E. Förster noch einmal zurückkehrte). Dieser röm. Aufenthalt kann nur kurz gewesen sein, da H. im Dez. 1830 bereits den Karton für das Decken-Fresko der Himmelfahrt Christi in der protest. (Matthäus-)Kirche in München (Sonnenstr.) begann (Gehilfe F. A. Schubert), das trotz seiner Größe Anfang Nov. 1831 vollendet wurde; es „gehört trotz seiner Härten zu den edelsten Leistungen, die dem Umkreis des Cornelius entsprangen" (Oldenbourg). Beträchtlich geringer an Qualität sind die 24 Kompositionen aus Wolfram v. Eschenbachs Parzival, die H. 1834 al fresco im Königsbau der Münchener Residenz (Decke im 2. Vorzimmer der Königin) malte (schwer beschädigt). Die Jahre seit 1836 sind ausgefüllt mit H.s Beteiligung an den Fresken der Ludwigskirche. H. arbeitete nach Kartons des Cornelius (Schöpfung, Decke, Chor; Johannes und Lucas im Querschiff, Decke), nach eigenen Kartons (Verbreiter d. Christentums, die hl. Könige u. Jungfrauen, Decke, Querschiff [Bleistiftzeichn. Stadtmus., Maillinger-Samml.]; Auferstehung Christi, Noli me tangere, Querschiff, südl. Wand; Verkündigung, Erzengel Gabriel, Querschiff, nördl. Wand), auch wurden seine Kartons von anderen ausgeführt (die 4 Kirchenväter, Querschiff, Decke). 1841 folgte H. seinem Lehrer nach Berlin und wurde sogleich bei der Ausführung der Fresken nach Schinkels Entwürfen in der Vorhalle des alten Museums (linke Seite) beschäftigt, trat jedoch bald von dieser Arbeit zurück. In der 1842/44 wiederhergestellten Klosterkirche in Berlin malte er im Chor al fresco die Propheten, die Evangelisten und Petrus u. Paulus (14 Bilder), in der 1846/47 erbauten Schloßkapelle in Einzelfig. auf Goldgrund 1852 die 12 Apostel, um diese Zeit auch in der Kirche des Krankenhauses Bethanien das Brustbild Christi in einem Rund von Engelsköpfen (Altarnische, al fresco). Für die nach dem Brande von 1842 wiederhergestellte Ägidienkirche (1846/49) in Oschatz (Sachsen) malte er ein Fresko der Bergpredigt. In den 40 er Jahren finden wir ihn beteiligt an den Bildern der 10 bedeutendsten Ordensgebietiger im Großen Remter der Marienburg (Fensterblenden). — Schon seit 1842, als er 3 Zeichnungen dazu in der Berliner Akad. ausstellte, beschäftigte ihn eine umfangreiche Folge von 15 Bildern, in denen er die Geschichte des deutschen Volkes darstellen wollte, beginnend mit der germanischen Urzeit, endend mit den Freiheitskriegen. Die Ausführung im großen, wofür sie wohl eigentlich gedacht waren, kam nicht zustande; sie erschienen 1854 in Gotha bei Perthes in Stichen (von Thaeter u. a.) nach H.s Zeichnungen mit erläuterndem Text von R. Foss. Seitdem trat H. künstlerisch nicht mehr hervor, abgesehen von der Selbstanzeige (Kreuzzeitung, Mai 1862) eines großen Gemäldes „Das Kommen Christi zum Gericht". Er war ferner mit den Entwürfen für eine Folge von Bildern aus der engl. Geschichte beschäftigt, deren Vollendung ihm kurz vor seinem Tode gelang. — Die Zeitgenossen tadelten an H.s Bildern vor allem die Strenge. „Seine Werke haben eine Steifheit, welche häufig sogar die ältesten Beispiele der Malerei überbietet" (Raczynski). — Die meisten Arbeiten H.s wurden durch Stich u. Lithographie vervielfältigt, so die Theologie, 1834 von J. Keller gestochen; Himmelfahrt Christi lithographiert von J. G. Schreiner u. Engelmann; die Schlacht bei Ampfing in der Folge der Lithogr. nach den Fresken des Hofgartens, lithogr. von Hiltensberger; usw. Ein Bildnis des Peter v. Cornelius nach H. wurde von Carl Gonzenbach gestochen. Eine H. darstellende Zeichnung von A. A. Tischbein befindet sich im Kupferstichkab. Dresden (Kat. d. Bildniszeichn., 1911).

Kunstblatt, 1820 p. 375; 1823 p. 144; 1825 p. 306; 1827 p. 145; 1828 p. 138; 1829 p. 3, 346; 1831 p. 44, 409. — R a c z y n s k i , Gesch. d. neueren deutschen Kst, 1836—41. — N a g l e r , Kstlerlex. VI; Monogr., III. — K u g l e r , Kl. Schriften z. Kstgesch., 1853/54, I; III. — H. A. M ü l l e r , Mus. u. Kstwerke Deutschlands, ², 1857. — S c h a a r s c h m i d t , Zur Gesch. d. Düsseldorfer Kst, 1902. — Dioskuren, 1862 p. 3, 162 f. — Zeitschr. f. bild. Kst, XV (1880) 560, Nekrolog. — H a g e n , Die dtsche Kst in userm Jahrh., 1857 I 199 ff.; II 137. — Allg. dtsche Biogr., XII. — R a u c h - R i e t s c h e l , Briefwechsel, 1890, I 131 f., 138 ff., 150. — E. F ö r s t e r , Cornelius, 1874, II 46 f.; d e r s . , Leben Emma Försters, p. 66. — B o r r m a n n , Bau- u. Kunstdenkm. v. Berlin, 1893. — v. B ö t t i c h e r , Malerwerke d. 19. Jahrh., I 2 (1895). — O l d e n b o u r g , Die Münchner Malerei im 19. Jahrh., I (1922). — *Kataloge:* Berlin, Akad.-Ausst., 1826, 1842, 1844, 1880 p. XVII ff., 1886 p. 103, 185; Leipzig, Ausst. dtscher Kunst, Nov./Dez. 1915; Bayr. Nat.-Mus. München, XI, Wittelsbacensia, 1909 p. 169; M a i l l i n g e r , Bilderchronik v. München, 1876; W e i g e l , Kunstcatal., 1838—66, I 2313; II 8822, 9881, 12. Abt. p. 17, 24; III 14885; IV 19415; V p. 169.   *R.*

Herman, C h a r l e s , Maler, nach dem Kat. des Mus. in Lüttich (1914) 1839 in Brüssel nachweisbar, nur bekannt durch eine Campagna-Landschaft (Skizze) ebenda. — Ein Maler C h a r l e s E t o n J o s e p h H. tritt 1751 bei Th. R. Delmotte in Tournai als Lehrling ein u. wird 1755 Mitglied der Lukasgilde ebenda.

G r a n g e e t C l o q u e t , L'Art à Tournai 1889, II 75, 81, 175.

Herrmann (Hermann), C h r i s t i a n , Werkmeister in Würzburg, baute die Kirche in Bergrheinfeld (B.-A. Schweinfurt, U.-Fr.; Baubeginn 1688), den sog. Petersbau in Würzburg (nach Plänen Petrinis; Baubeginn 1689), Chor u. Langhaus der Kirche in Veitshöchheim (B.-A. Würzburg) 1690—92, Stadtpfarrkirche in Lauda (Kr. Mosbach, Baden) 1694—96, Chor

der Kirche in Thüngersheim (B.-A. Würzburg) um 1696 (mit gotisierender Netzfiguration!), Pfarrkirche in Böttigheim (B.-A. Marktheidenfeld, U.-Fr.) 1701—04, Kirche in Münster (B.-A. Karlstadt, U.-Fr.; Baubeginn 1706). 1708 ff. an Schloß Marienberg in Würzburg tätig. — Wohl nicht identisch mit dem gräfl. Baudirektor H e r m a n n in Hanau, der 1725—33 das Neustädter Rathaus ebenda baute.

Kstdenkm. Bayerns, III, Heft 6 (1912) 138; H. 7 (1913) 14; H. 12 (1915) Reg. p. 703; H. 17 (1917) 89. — Kstdenkm. Badens, IV, Teil II (1898) 104. — D e h i o , Handb. d. dtschen Kstdenkm., I (² 1914).

Hermann, C h r i s t i a n G o t t f r i e d , Zeichner u. Kupferstecher (Dilettant), Dr. jur., Oberhofgerichtsrat u. Bürgermeister in Leipzig, geb. Plauen i. V. 4. 2. 1743, † Leipzig 8. 8. 1813. Jugendfreund Goethes aus der Leipziger Zeit. Im Goethe-Nat.-Mus. in Weimar die Photographie nach der frühesten (verlorenen) Zeichnung (Kreide) Goethes, entstanden zwischen Michaelis 1766 u. Aug. 1768, nach einer nicht erhaltenen Zeichnung H.s: „Eingang in einen Weingarten". Bei Kollegienrat C. Boy in Mitau eine Kreidezeichnung H.s zu H.s sehr seltenem Kupferstich: „Prospect bey der Stunden-Saeule vor Maeckern, Nach Golis und Leipzig zu. Nach der Natur gezeichnet und gestochen von C. G. Hermann. Erster Versuch d. 28. Febr. 1767." Auch diesen Stich hat Goethe nachgezeichnet (G.-N.-M. Weimar). Ebenda eine Folge von 32 Zeichn. (Bildnisköpfe, Figurenstudien u. a.) aus H.s Nachlaß, die Goethe zugeschrieben werden, aber wohl von H. sind, zumal sie mehrfach Notizen in der Handschrift H.s tragen. In der Stadtbibliothek Leipzig ein Bildnis H.s (Öl).

Kat. Universitäts-Jubil.-Ausst. Leipzig 1909, No 311, 333 ff., 354 f., 705. — M a r i e S c h ü t t e in Ztschrift f. bild. Kst, XX (1909) 263. — Ztschrift f. Bücherfreunde, N. F. XI (1919/20) 224. — Ferner Lit. unter Artikel Goethe, Bd XV 316.

Hermann, C h r i s t o p h , Goldschmied in Elbing, geb. 1714, † 1778; von ihm zahlreiche kirchl. Geräte; im städt. Mus. in Elbing 2 weißsilberne Schützenlöffel, deren Marke C H auf H. gedeutet wird.

E. v. C z i h a k , Edelschmiedekst in Preußen, 1903, II 167. — M. R o s e n b e r g , Der Goldschm. Merkzeichen, ² 1911 p. 311. — Mit Notiz v. G. Cuny.

Hermann, C h r i s t o p h F r i e d r i c h , falsch für *Hoermann von Guttenberg,* Chr. Fr.

Hermann v o n C o l b e r g , Maler, Glasmaler u. Bildhauer, Sohn eines Walter, tätig in Lübeck, † vor 1341, aus zahlreichen urkundl. Erwähnungen seit 1305/07 nachweisbar; seine Witwe Alheidis wird zuerst 1341, anläßlich eines Hausverkaufes, erwähnt. H. wird als „pictor et sculptor imaginum" bezeichnet. — Sein Sohn H e r m a n n u s B e l t s n i d e r e , 1329—50 häufig erwähnt, war Goldschmied.

1338 erscheint ein 2. Sohn, W a l t h e r (Woltherus), der Maler war.

A. G o l d s c h m i d t, Lübecker Malerei u. Plastik bis 1530, 1889 p. 33.

Herman d e C o u l o i n g n e (Cologne), Maler, urkundlich vom 13. 2. 1401 bis 24. 6. 1403 als Gehilfe des Jean Malouel in Dijon tätig. H. vergoldete den Hintergrund von 5 Altargemälden und half Malouel bei der Bemalung des Kruzifixus und der Figuren des Mosesbrunnens in der Kartause von Champmol bei Dijon. Ob aus der deutlichen Angabe der Urkunde geschlossen werden darf, H. sei nicht viel mehr als Anstreicher gewesen, ist zweifelhaft. — Firmenich-Richartz hielt es für „höchst wahrscheinlich", daß H. mit Hermann Wynrich von Wesel identisch sei. D. Burckhardt hält es dagegen für „schwer glaubhaft, daß ein reich begüterter Kölner Künstler die Stätte seiner altgewohnten ersprießlichen Tätigkeit verlassen hätte, um im fernen Burgund pure Anstreicherarbeit zu verrichten". Ein Cologne komme auch in Frankreich vor. 1419 war H. für die Königin Isabeau im Hôtel St. Pol in Paris tätig, damit wird die Hypothese hinfällig, da Hermann Wynrich 1414 †.

D e l a b o r d e, Les ducs de Bourgogne, I (1849). — Nouv. Arch. de l'art franç., VI (1878) 180 (Hôtel St. Pol, 1419). — D e h a i s n e s, Doc. conc. l'Hist. de l'art dans la Flandre, II (1886) 797. — Ztschr. f. christl. Kst, VIII (1895) 147. (F i r m e n i c h - R i c h a r t z). — C h a m p e a u x - G a u c h e r y, Travaux d'art pour Jean de Berry, 1894 p. 139. — M e r l o, Köln. Kstler, ² 1895. — Jahrb. d. preuß. Kstsamml., XXVII (1906) 186 (D. B u r c k h a r d t). — A. M i c h e l, Hist. de l'art, III (1907) 150. — H u m b e r t, La Sculpt. s. l. Ducs de Bourgogne, 1913.

Herrmann, C u r t, Maler, geb. 1. 2. 1854 in Merseburg, 1874/77 Schüler von Karl Steffeck in Berlin, dann an der Akad. in München unter Lindenschmit, seit 1893 wieder in Berlin, wo er noch tätig ist. H. begann mit sorgfältig gezeichneten, in der Farbe etwas altmeisterlichen Porträts, die ihn rasch bekannt machten, und ihm zahlreiche Aufträge brachten. Das Bildnis von Rob. Franz (1886) im Mus. in Halle ist ein Beispiel seiner damaligen soliden, wenn auch etwas trockenen Malweise. 1886 entstand ein Bildnis Rich. Muthers. 1889 übernahm er in Prag mehrere Bildnisaufträge. — Mit seiner Übersiedlung nach Berlin beginnt die große Wandlung in seinem Stil; Vorbilder werden Seurat u. Signac; H. wird ein leidenschaftlicher Neo-Impressionist. Das Theoretisch-Abstrakte der neuen Lehre überwand er verhältnismäßig rasch und kam bald von einem mechanischen Pointillismus zu einer wirklich malerischen Form. Die Wandlung spricht sich schon deutlich im Vorwurf aus: Das Bildnis verschwindet zunächst fast ganz, Stilleben u. Landschaft werden sein eigentliches Gebiet. H. hat mit der neuen Methode Bilder von ganz außer-ordentlicher Leuchtkaft der Farbe u. Weiße des Lichts hervorzubringen gewußt. Seine Blumenstücke u. Fruchtstilleben sprechen seine Art vielleicht am reinsten aus. Die Winterlandschaft ist sein anderes Lieblingsmotiv, in dem er das sprühende Licht besonnten Schnees glaubhaft darzustellen versteht. Gelegentlich hat H. seine Grundsätze auch auf das Bildnis angewandt. Allen diesen Arbeiten H.s ist der dekorative Reiz gemeinsam, das ist seine Stärke und zeigt seine Grenzen. Die Berliner Fächerausstellung von 1906 brachte auch von seiner Hand gemalte Fächer, Perlmuttergestell, weiße Seidengaze, bemalt etwa mit dem Bilde eines blühenden Apfelbaumes in den reinen, leuchtenden Farben des Neoimpressionismus. Von van de Velde ließ H. sich sein Haus einrichten; in dem weiß gehaltenen Speisezimmer sind in Rund und Oval Landschaften H.s in die Wandvertäfelung eingelassen und bewähren ihre hohen dekorativen Eigenschaften. Das Haus enthält übrigens eine gewählte Sammlung moderner Franzosen (Manet, van Gogh, Gauguin, Bonnard, Matisse usw.), die für H. Programm und Bekenntnis bedeuten. In der Schrift: „Der Kampf um den Stil", Berlin 1911, hat H. seine künstler. Anschauungen, auch literarisch geschmackvoll, niedergelegt. — Im Mus. in Halle „Knabenakt", in Krefeld 2 Stilleben, in Hagen, Folkwang-Mus. Bleistiftzeichnung, im Kaiser-Friedr.-Mus. in Magdeburg „Stilleben" u. „Wärter", im Städt. Mus. Danzig „Straße im Schnee" (1905). — 1873/92 zeigte H. seine Bilder in d. Akad.-Ausst. in Berlin, bis 97 in der Gr. Kst-Ausst., seit 1893 in der Sezession, seit 1914 in der Freien Sez., 1922 in der Frühjahrsausst. der Berl. Akad.; im Glaspal. in München 1888/99, in der Sez. 1910; vereinzelt erschien H. auch in den Ausst. anderer dtsch. Kunstzentren (Bremen 1912; Cassel 1913; Dresden 1908, Herbst-Ausst. 1917; Düsseldorf 1907, 1913; Köln 1907, 1912; Leipzig 1911; Mannheim 1907, 1913; Wiesbaden 1915), 1907 auch in der Ausst. der Indépendants in Paris.

Kst f. Alle, IV (1889); VII; Die Kunst, VII (1903); XI; XIII; XIV; XV; XXIX; XXXIII. — Kst u. Kstler, VIII (1910); XIV 320 Abb.; XX 146. — Dtsche Kst u. Dekor., XXIX (1911/12); XXXI 137, mit zahlr. Abb.—Cicerone, XII (1920). — Kunstchronik, N. F. I (1890) 156; XXIII 236. — Ztschr. f. bild. Kst, N. F. VIII (1902) 201. — S e e m a n n's „Meister der Farbe", V (1908). — J a n s a, Dtsche bild. Kstler, 1912. — W a e t z o l d, Dtsche Malerei seit 1870 (Aus Natur u. Geisteswelt), 1918. — Vossische Ztg, No 64 v. 5. 2. 1914, Beilage „Zeitbilder" mit Abb. — Saale-Ztg (Halle), 1914 No 116. — Leipz. Tagebl. No 337 v. 8. 12. 1919. — Kataloge der Ausst. u. Museen.

Hermann, D a n i e l, Goldschmied in Elbing, † 1745. Getriebene Fußplatte eines Reliquienkreuzes in der Nicolai-Kirche in Elbing, Sieblöffel mit graviertem Stiel in der ev. Kirche in Thiensdorf. Kelch mit Patene in der kath. Kirche in Thiergart.

v. C z i h a k , Edelschmiedekst früherer Zeiten in Preußen, I (1903) ; II (1908). — Bau- u. Kstdenkm. Prov. Westpreußen, IV (1919) Kr. Marienburg, 324, 328.

Hermann, D a n i e l I, Hafner, getauft 12. 2. 1736 in Langnau, † 4. 4. 1798 ebenda, trat 1763 als Meistergeselle in die Fayence- oder Ofenfabrik der Brüder Frisching in der Lorraine (Loohr) in Bern ein, lieferte Öfen in den Reichensteiner u. in den Wendelstörfer Hof in Basel, und zwar 1767, 1770 u. 1771 schon als Hafner in Langnau, wo er sich inzwischen niedergelassen hatte und Töpferwaren, Ofenkacheln und mit einfachen Ornamenten bemaltes Geschirr verfertigte. Er und sein Sohn D a n i e l II, Hafner, geb. in Langnau 10. 4. 1775, † ebenda 19. 4. 1864, waren die Träger der keramischen Kunstperiode in Langnau.

B r u n , Schweiz. Kstlerlex., II (1908) ; IV Suppl. (1917) 213. — Anzeiger f. schweiz. Altertumskde, N. F. XXIII (1921) 129 ff.

Hermann, D o m i n i k u s J o s e p h , siehe *Hermann,* Jos. I.

Hermann, E g i d , siehe *Gillis,* Herman.

Hermann, E l i s a b e t h , geb. *von Löwenfinken,* verw. *von Wocher,* Malerin (Dilettantin), † in Bern 16. 2. 1806 50 Jahre alt, zeigte 1804 in der Kstausst. in Bern „Drey Pastellköpfe in Lebensgröße" (Füßli).

F ü ß l i , Kstlerlex., 2. Teil 1806 ff. — B r u n , Schweizer. Kstlerlex., IV (1917) Suppl., p. 213.

Herrmann, E r n s t , Architekt, geb. in Dresden 14. 8. 1846, † ebenda 1914 als Oberbaurat, Schüler der dort. Akad. unter H. Nicolai, erhielt 1872 ein Reisestipendium der Akad. (Rom, Neapel, Pompeji, Sizilien, Griechenland), kehrte August 1874 nach Dresden zurück und wurde Leiter des 2. Ateliers für Baukunst an der Akad. Baute zahlreiche Villen, Privathäuser u. Kirchen, in Dresden das Fletchersche Lehrerseminar, in Leipzig das Panorama usw. Erneuerte 1897 Kirche u. Schloß in Zabeltitz.

Bauwelt, 1914, Heft 41 p. 6. — Dtsche Bauzeitung, XLIX (1915) 385, Abb. — Kstdenkm. Kgr. Sachsen, Heft 37 (1913), Amtshptmschft Großenhain-Land, p. 368, 473, 497. — Notiz Fr. Noack.

Herrmann, F r a n k S., Maler, geb. in New York 1866, gebildet 1883/88 an der Akad. in München, dann bis 1891 in Paris, tätig in München, zeigte im Glaspal. 1897 Motive aus Holland (Landschaften u. Genre), 1898 u. 1901 holländ. Landschaften u. Motive aus Italien, 1908 „Holländ. Dorf", 1914 in der Gruppe der „Freien Münchener Kstler" ein Bildnis s. Tochter, 1915 in der „Neuen Sezession" eine Landschaft; 1895 im Salon Soc. Nat. in Paris „Ein Fremder kommt" (Abb. im Kat.).

Almanach f. bild. Kst, 1901. — Dtsche Kst u. Dekor., XXXIV (1914) 414 Abb. — Ausst.-Kataloge.

Herrmann, F r a n z , Maler, geb. 18. 5. 1864

in Graudenz, Schüler der Berliner Akad. unter Hellqvist u. H. Vogel und der Akad. in München; zeigt seit 1892 in der Gr. Berl. Kst-Ausst. Landschaften und hauptsächlich Bildnisse. 1906 lebt er in Roschinno (Prov. Posen) und veranstaltete von dort aus eine Kollektiv-Ausst. im Kaiser-Friedr.-Mus. in Posen; später wieder in Berlin ansässig. Im Schloß in Wernigerode 2 Porträts von 1895.

Kunstchronik, N. F. XVIII (1906) 14. — Die Kunst, XV (1907) 78. — Bau- u. Kstdenkm. Prov. Sachsen, Heft 32 (1913) 253. — Ausst.-Kataloge.

Hermann, F r a n z , siehe auch unter *Hermann,* Malerfamilie.

Hermann, F r a n z A n t o n Christian, Kurfürstl. Hofschreiner u. Baurat, geb. in Wien, begraben in Mainz 27. 10. 1770. Kam 1733 nach Mainz und wurde am 15. 6. 1735 „trotz der bestehenden Diffikultäten" in die Zunft aufgenommen. Bei der Aufnahme bat er, als Meisterstück „nichts Altfränkisches, sondern etwas nach der neusten Façon Eingerichtetes, welches am besten an den Mann zu bringen wäre", z. B. „einen englischen Schreibtisch, ein sogenanntes Contor" arbeiten zu dürfen. H. war vermählt mit Maria Helena Rothe, einer Tochter des Hofschreiners Rothe und durch sie verschwägert mit dem Maler J. G. Hoch. „Wegen seiner Geschicklichkeit in Gebäulichkeiten" wurde H. 1766 zum Baurat ernannt. — H.s Hauptwerk ist das großartige Rokoko-Chorgestühl im Westchor des Domes zu Mainz. 1749 wird vom Domkapitel der Beschluß über ein neues Chorgestühl gefaßt; bereits 18. 12. 1750 lagen H.s Modell u. Riß dem Kapitel vor. 1759 legt H. ein zweites Modell nebst Riß vor, dessen Ausführung beschlossen wird. 5. 1. 1760 wird mit H. und seinem Sohne Ludwig Vertrag gemacht; das Eichenholz lieferte der Kurfürst, der das Unternehmen ebenso wie die Domkapitulare mit Geldspenden unterstützte. Ende 1765 war das Gestühl vollendet und aufgestellt, aber nur im Rohholz. Wegen der Bezahlung des ausbedungenen Preises hatte H. große Schwierigkeiten; ohne die letzte Hand angelegt zu haben starb er. Diese Arbeiten übernahmen seine Erben (Firnissen usw.); erst am 4. 12. 1771 erhalten sie die letzte Zahlung. — Schon bald nach der Aufstellung bestand die Absicht, einzelne Teile des Gestühls zu vergolden, 1785 dachte das Kapitel an einen Anstrich in Grau u. Weiß; doch ist es zu beidem glücklicherweise nicht gekommen, und das Gestühl hat so die Naturfarbe des Eichenholzes behalten. Während der französ. Herrschaft gingen Sitz u. Kniebank des erzbischöfl. Thrones verloren, 1862 wurden die beiden östl. Abschlüsse leider entfernt. „Der Wert liegt nicht in der Ausführung des Details, das man in dieser Zeit manchmal besser sieht, sondern in der echt architektonisch empfundenen Einordnung in die Großarchitektur; die Verbindung von 13. u. 18. Jahrh. führt zu einem Akkord von ganz apartem Klang" (Dehio). — H. wird auch das Chorgestühl in der Peterskirche in Mainz zugeschrieben, ebenso die Tür der Augustinerkirche, ferner ein Hausaltar im Kunstgewerbemus. in Frankfurt a. M., angeblich für den Kurfürsten Karl Philipp von Eltz gearbeitet (im Führer von 1908 nur noch als Mainzer Arbeit um 1730 bezeichnet, Abb.). Ferner arbeitete H. für den Dom in Worms (Chorgestühl?) und 1754 für das kurfürstl. Schloß Favorite in Mainz Vertäfelung, Fenster, Türen u. Fußboden im Speisesaal (auch 1759 ff. u. 1770). — Von H.s Tätigkeit als Architekt ist nichts erhalten, doch vermutet Vogts, daß H. das Haus Flachsmarktstr. 9 erbaut haben könnte (1768 für den Kanzler Freih. Joh. Werner von Vorster), da H. bei dieser Gelegenheit als Sachverständiger u. als Vertreter Vorster's genannt wird. — Daß H. „ein vortrefflicher Geometer u. geschmackvoller Zeichner" war, beweisen mehrere Pläne u. Wappenkalender (bei Schrohe aufgezählt). Besonders hervorzuheben sind: der „Kalender der rheinischen Ritterschaft", entworfen von H., gestochen von H. H. Cöntgen u. von ihm 1753 gedruckt (188 : 92 cm), u. der „Wappenkalender des Trierer Domkapitels", entworfen von H., die Figuren der F. A. von Leidenstorff, 1755 gestochen von H. H. Cöntgen (192 : 92 cm). Man muß aus dem vollendeten architekt. Aufbau dieser beiden Kalender schließen, daß H. auch die Entwürfe für das Chorgestühl selbst erfunden hat. — H.s Sohn L u d w i g (Joh. Heinrich L.) wird am 5. 2. 1755 in die Zunft eingeschrieben, als Meisterstück wird ihm 1759 „Ein schreibtisch in Ein eck für Ihro Churfürstlichen gnaten" aufgegeben. Er ist Mitarbeiter seines Vaters am Chorgestühl. Die Hofschreinerstelle übertrug H. 22. 3. 1759 an Ludwig, der noch 1801 in dem von ihm selbst 1775 erbauten Hause auf der Hinteren Bleiche lebte. Im Kunstgewerbemus. Berlin eine Samml. von 200 Zeichnungen der Mainzer Zunft, darunter eine zu einem Spinett von Ludwigs Hand (dat. 2. 4. 1795).

Z a i s in Ztschr. d. Ver. z. Erforsch. rhein. Gesch...., III (1887) Heft 4. — F r. S c h n e i d e r, Denkschrift zur Herstellung d. kurfürstl. Schlosses in Mainz, 1897; (vgl. Mainzer Zeitschr. X [1915] 55). — H. V o g t s, Das Mainzer Wohnhaus im 18. Jahrh., 1910, Abb. — N e e b, Mainzer Journal, 30. 6. 1910, No 105. — S c h r o h e, Aufsätze u. Nachweise z. Mainzer Kstgesch., 1912, Abb. — Kunstdenkm. im Freistaat Hessen, Stadt Mainz, II 1 (K a u t z s c h - N e e b, Dom zu Mainz), 1919 p. 224 ff., Abb. — D e h i o, Handb. d. dtsch. Kstdenkm., IV. — Alt-Frankfurt, III (1911) 34.

Hermann, F r a n z B e n e d i k t u. F r a n z G e o r g, siehe unter *Hermann*, Malerfamilie.

Herman, F r a n z J o s e p h, Bildhauer aus dem Luzerner Gebiet; scheint die Erneuerung (1665) des Hochaltars in der (1804 zer-

störten) Abteikirche zu Lützel besorgt zu haben; jedenfalls lieferte er 1665 die gemalten Wappen der Gründer für diesen Altar.

K r a u s, Kunst u. Altert. in Els.-Lothr., Bd II, Ober-Elsaß, p. 424.

Hermann, F r a n z J o s e p h, F r a n z L u d w i g u. F r a n z X a v e r, siehe unter *Hermann*, Malerfamilie.

Herrmann, F r i e d r i c h G o t t f r i e d, Zinngießer in Dresden, aus Stösen, lernt in Leipzig, wird 1783 Meister in Dresden. Werke (Abendmahlskanne, Altarleuchter, Teller u. a.) bei Hintze aufgeführt.

E. H i n t z e, Sächs. Zinngießer, 1921.

Hermann t o d e r G a n s, Glockengießer, schulverwandt zu der Werkstatt der Klinge in Bremen. Glocken in Ostfriesland, von 1471 in Groß-Borssum, 1472 in Neermoor, 1475 in Thunum (später in Esens im Hardingerland, 1844 umgegossen), von 1475 in Suurhusen bei Emden (umgegossen).

Repert. f. Kstw., IV (1881) 423. — W a l t e r, Glockenkunde, 1913 p. 769.

Hermann, G e o r g, Maler in Hermannstadt, 17. Jahrh., malte Wandgemälde in dort. Patrizierhäusern (einiges erhalten) und restaurierte das große Kreuzigungsbild des Johannes von Rosenau (von 1445) in der Hermannstädter ev. Pfarrkirche.

V. R o t h, Beitr. zur Kunstgesch. Siebenbürgens, 1914 p. 8.

Herman, G e o r g, s. auch unter *Herman*, Stephan.

Hermann, H a n s, Formschneider, dessen voller Name zuerst 1516 vorkommt auf einem Titel, der bei Schürer in Straßburg erschien: R. Bartholini ad D. Maximilianum de bello Norico Austriados libri XII; vom 14. 3. bis Juni 1521 beteiligt an einem Kriegszuge der Basler nach Italien. Als Formschneider tätig für die Basler Verleger Cratander, Wolff u. Curio, schneidet zahlreiche Entwürfe Hans Holbeins; 1521 trägt er seinen vollen Namen ein auf der 2. Version der Kebes-Tafel; seine Hand ist erkennbar in den Holzschnitten der Cäsar-Ausgabe (Wolff, 1. 1. 1521), in den Holzschnitten Curios (Winter 1521/22), in der letzten Version der Kebes-Tafel, zuletzt in den roheren Schnitten der Apokalypse. „Seine Schnitte sind etwas derb und kommen den Feinheiten holbeinscher Zeichnung nicht nach... Aber wo H. Zeit hatte, ... da tritt die plastische Formensprache des Künstlers als Ganzes kernig, klar und sauber heraus". (H. A. Schmid.) H.s Monogramm (H H in Ligatur) ist irrtümlich aufgelöst worden in Hugo H. u. Hermann Hugo.

F ü ß l i, Kstlerlex., 1779. — N a g l e r, Kstlerlex., VI 254; Monogr. III No 883, 1029, 1032. — N a u m a n n's Archiv f. zeichn. Kste, IV (1858) 93; VI (1860) 153. — Repert. f. Kstw., V (1882) 185 (V ö g e l i n). — B u t s c h, Bücherornamentik der Renaiss., I (1878/81). — Jahrb. der preuß. Kstsmlg., XX (1899) 239, 240, 245 ff.,

254 (H. A. S c h m i d). — R i t t e r, Kat. Wiener
Ornamentstich-Smlg, 1889 p. 88.

Hermann, H a n s, Maler, geb. 6. 11. 1813
in Hamburg, † 15. 4. 1890. Der Kst-Ver.
Hamburg kauft 1887 von H. „Fischerhafen in
Vlissingen."

R u m p, Lex. d. bild. Kstler Hamburgs, 1912.
— Dioskuren, V (1860) 330.

Herrmann, H a n s (Joh. Emil Rudolf),
Maler u. Graphiker, geb. 8. 3. 1858 in Berlin,
Schüler der Berl. Akad. unter Daege, nach der
Umgestaltung in die Hochschule für bild. Kst
(1874/75) Schüler von O. Knille im Zeichnen,
C. Gussow im Malen u. Chr. Wildberg in
der Landschaft. 1880 ging H. nach Düsseldorf zu E. Dücker. Von Düsseldorf aus
machte er seine erste Studienwanderung nach
Holland, zunächst nach Dordrecht. Alljährlich
ist er dann nach Holland (Vlissingen, Katwijk, Aanzee, Volendam, Spakenburg an der
Zuidersee) zurückgekehrt, traf dort mit Gari
Melchers, Hitchcock u. a. zusammen, die wie
H. ihre Studien im Freien malten. 1883 nahm
er seine eigene Werkstatt und machte sich
selbständig, 1886 siedelte er nach Berlin über,
wo er noch tätig ist. Reisen nach Frankreich
und Italien (1888 u. 1894) brachten ihm neue
Motive; sein eigentliches Gebiet blieb jedoch
Holland mit seiner dunstigen Luftstimmung
und dem malerischen Volksleben seiner Hafenstädte. Den ersten großen Erfolg hatte er 1886
auf der Intern. Ausst. in Berlin. 1892 fand er sich
mit Liebermann, Leistikow, L. v. Hofmann,
Mosson, Müller-Kurzwelly, Hugo Vogel u. a. zur
Gruppe der „Elf" zusammen. 1896 wurde er
Mitglied der Berliner Akad. Mehrmals durch
1. Medaillen ausgezeichnet. — Der sehr frucht-
bare Künstler hat in vielen hundert Gemälden
u. Aquarellen die holländ. Straßenszene u.
Landschaft gepflegt und damit einen ungewöhnlichen Erfolg in weitesten Kreisen gehabt.
Neben dem Aquarell (Gouache), das er gelegentlich mit der ausgeführten Bleistiftzeichnung ergänzend verbindet, bevorzugt er das
große Ölbild. Er erstrebt den Gesamteindruck im Sinne eines gemäßigten Impressionismus und bindet das Vielerlei der Erscheinung
gern durch die holländ. feuchte atmosphärische
Stimmung, um seine häufig wiederkehrenden
Farbenstellungen, Gelb, Blau, ein fahles Rot
daraus hervorleuchten zu lassen. In den 80 er
Jahren trockener im Technischen, aber ver-
antwortungsvoll im Künstlerischen, wird die
Pinselführung später leichter und freier, die
Farbe bunter. Seine Farben sind sehr geschmackvoll gegeneinander gestimmt, Süßigkeit
wird dabei nicht immer vermieden. Die Bilder
sind solide gemalt und sicher im Zeichnerischen, in größerer Menge nebeneinander wirken
sie ermüdend, und es tritt dann zutage, wie
wenig an wirklichem inneren Erlebnis sie zu
vermitteln vermögen, weil sie doch nicht mehr

als eine „schöne" Oberfläche der Dinge geben
und über ein konventionelles „Genre" nicht
hinauskommen. — Die holländ. Motive be-
herrschen sein Schaffen, und die beiden Bilder
seines ersten Erfolges, „Fischmarkt in Amsterdam", „Fischerboote im Hafen", kennzeichnen
sein Stoffgebiet, das Feucht-Silbrige aufge-
häufter frischer Fische, regennasses Pflaster,
nebelige Luft, die die Formen vereinfacht und
die Erscheinung zusammenzieht, darinnen die
Menschen in der malerischen Tracht des Landes als eine sonderbar leblose Staffage, oder
die Abendstimmung kurz vor und kurz nach
Sonnenuntergang usw. Daneben finden sich
Motive aus Frankreich (Antibes), aus Italien,
z. B. „Prozession in Venedig" (1888), „Fischmarkt in Chioggia", Motive aus Genua, Brescia,
aus Norddeutschland wie Rostock u. Wismar,
aus der Umgebung von Berlin, auch Straßenszenen. Hat man viele dieser Bilder gesehen,
erkennt man Schematisches im Aufbau und
Flachheit im Räumlichen, trotz überlegter Versuche zu Tiefenwirkung. — Auch als Radierer
und Lithograph hat sich H. betätigt. 1918
gab H.s 60. Geburtstag mit einer Sonderausst. in Berlin (Künstlerhaus) Anlaß zu ach-
tungsvoller Würdigung durch die Kritik. Sein
Bestes hat H. in den frühen Arbeiten der 80 er
Jahre gegeben, mit denen er einen Platz in
der Geschichte des deutschen Impressionismus
behauptet. — Seit 1879 zeigt H. seine Bilder
regelmäßig in Berlin (bis 1892 in der Akad.
Kstausst., seit 1893 in der Gr. Kstausst., die
Katal. seit 1890 stets mit Abb.), seit 1883 im
Münchener Glaspalast, 1893, 94, 95, 96, 99 in
der Sezession ebenda; in Düsseldorf (1885 ff.,
1902, 04, 07, 09, 1911, 13, 20), in Dresden
[1887, 90, 99, 1904, 08, 09 (Aquarellausst.),
1911, 12, 18 (Kstsalon Arnold, Dtsche Mal. im
19. Jahrh.)] und in allen größeren deutschen
Ausstell. Ferner in Wien (1887 [Schwarz-Weiß-
Ausst.], 1888, 93, 94, 96, 98; Aquar. Club 1893
u. 94) und im Auslande: Paris (1885 ff., 1900),
Brüssel (1892, 1912), Antwerpen (1905), Amster-
dam (1886, 1912), Venedig (1897, 1914), Mel-
bourne (1888), Chicago (1893) usw. In öffentl.
Besitz: *Aachen,* Suermondt Mus., Landschaft.
Adelaide, South Austral. Gall., Samstag in
Dordt. *Antwerpen,* Kgl. Mus., Aquarell „No-
vember" (Kat. 1905 p. 128). *Barmen,* „Alter
Hafen in Rotterdam". *Berlin,* Nat. - Gal.,
Fischerdorf a. d. Maas (1902), Judenviertel in
Amsterdam; Zeichnungensammlung Nat. - Gal.
(Kat. 1902), 3 Zeichng., Motive aus Holland.
Braunschweig, Städt. Mus. (Führer 1902),
Fähre bei Dordrecht. *Bremen,* Ksthalle (Kat.
1913), Holl. Landschaft (1882). *Breslau* (Kat.
1908), Fischmarkt in Amsterdam (1887). *Dres-
den* (Kat. 1912), Alte holl. Stadt. *Düren*
(Rheinld), Holl. Fischauktion. *Düsseldorf,* Kst-
halle (Kat. 1913), Blumenmarkt in Holland.
Elberfeld, Fähre bei Dordrecht. *Hamburg,*

Ksthalle (Kat. 1910), 4 Aquarelle, Hamburg. Motive (1890). *Hannover,* Prov. Mus., Am Hafen. *Königsberg i. Pr.,* Städt. Mus. (Kat. o. J.). „Amsterdam". *Leipzig* (Kat. 1910), Milchmarkt in Amsterdam (Gouache). *Magdeburg,* K.-Friedr.-Mus., Fischmarkt in Amsterdam. *Sydney,* Nat.-Gall. (Cat. 1906), „In Vlissingen". *Wiesbaden,* Fischhalle in Amsterdam.

v. B ö t t i c h e r , Malerwerke des 19. Jahrh., I 2 (1895). — Das geistige Deutschland, I 1898. — J a n s a , Dtsche bild. Kstler, 1912. — L. P i e t s c h in Velhagen u. Klasings Monatsheften, XXII (1907/08) p. 7 ff., mit zahlr. farb. Abb. — E. A. Seemann's „Meister der Farbe", 1917, Heft II No 932. — L. P a s t o r in Gartenlaube, 1918 p. 297 ff. — Ztschr. f. bild. Kst, XXII (1887) 32, 45 f.; XXIII 67. — Kunstchronik, XIX (1884) 530; XXII 597; XXIII 205; N. F. I (1890) 324; III 360. — Kst f. Alle, III (1888) 134, Abb.; XII (1897) 163, Abb. — Die Kunst, XVII (1907/08), 174, Abb. — Kstwelt, III (1913/14) 250, 363, Abb. — Cicerone, X (1918) 105. — Ausstell.-Kataloge. *R.*

Hermann, H a n s O t t o , Lithograph, aus Dresden stammend, in Berlin tätig, zeigte in den Akad.-Ausst. 1828, 30, 32, 34 Lithogr. nach J. F. Bause, P. Hess, C. Fr. Schulz, Pistorius, Const. Schröter, Fr. Krüger, D. Quaglio. Nagler gibt ein Verzeichnis dieser Blätter, denen hinzugefügt sei: Christus u. d. Samariterin nach W. Hensel; Ungar. Fuhrwerk nach J. A. Klein; Rheinländ. Besenbinder nach Pistorius; Jäger auf d. Anstand nach C. Fr. Schulz usw. H. wohnte Stallschreibergasse 44.

N a g l e r , Kstlerlex., VI. — Kat. Akad.-Ausst. Berlin. — W e i g e l 's Kstkatal., Leipzig 1838—66, V, Reg. — M a i l l i n g e r , Bilderchronik, IV (1886).

Hermann, H e i n r i c h , Glasmaler, 1487 bis 1509 Kaplan des Kreuzaltars in Beromünster, malt 1466/69 zwei Wappen in die Kirchenfenster von Littau und eines für den Schultheißen zur Sonne in Sursee.

B r u n , Schweiz. Kstlerlex., II (1908).

Hermann, H e i n r i c h , Maler, geb. 17. 5. 1831 in Hamburg, Schüler von G. Gensler, seit 1850 auf der Münchner Akad., daneben vor allem als Landschafter tätig zus. mit Christ. Morgenstern. Kehrte 1854 nach Hamburg zurück. Zeigte z. B. im Hamb. Kstver. 1862 (Mai) eine Herbstlandschaft u. eine „norddeutsche Landschaft bei stürmischem Wetter", 1886 im Lübecker Kstver. eine „Mondscheinlandschaft". Von ihm eine Landschaft mit Bauernhaus, Tuschzeichn. (dat. 1868) in der Hamb. Kunsthalle. — H. scheint 1885 Hamburg verlassen zu haben.

Hamburg. Kstlerlex., 1854. (Exempl. d. Kunsthalle m. hdschriftl. Zus.) — Dioskuren, 1862 p. 147, 154. *D.*

Herrmann, H e i n r i c h G u s t a v , Maler, geb. 8. 6. 1854 in Colditz (Sachsen), Schüler der Akad. in Berlin unter J. Schrader, zeigte in der Akad.-Ausst. in Berlin 1876/79 eine Landschaft u. Genrebilder (Eine alte Zigeunerin unterrichtet ihre Enkelin im Wahrsagen, Zur

Frühmesse am Allerseelentage). 1881 war H. beteiligt an der Ausführung der Fresken A. Fitgers im Treppenhaus der Börse in Bremen.

v. B ö t t i c h e r , Malerwerke d. 19. Jahrh., I 2 (1895). — Kstchronik, XVI (1881) 278. — Kat. d. Berl. Akad.-Ausst.

Herman, H e r m i n e v o n , Malerin, geb. 30. 12. 1857 in Komorn, anfangs in Graz tätig, seit 1891 in Wien, Schülerin von H. Darnaut, zeigte in den Ausst. (Wien 82, 88, München 83, Stuttgart 91) Stimmungslandschaften und Blumenstücke.

v. B ö t t i c h e r , Malerwerke d. 19. Jahrh., I 2 (1895). — Ausst.-Kataloge.

Hermann, H u g o , falsch für *Hermann,* Hans (1. Artikel).

Herman (Hermans?), J. (Jan?), Kupferstecher in Leeuwarden, von ihm die Stiche in De Begrafenis van Ernst Casimir te Leeuwarden. Ao 1634. C. Fontanus exc. (20 Bl.), nach Zeichnungen von J. Reyners, ferner nach demselben Bildnis de Lauder (Lauderus) mit Versen von Jo. Leochäus, bez. J. Hermanni sculpsit. Ein Goldschmied J o h a n n e s H a r m e n s ist 1633 in Leeuwarden nachgewiesen. — Heinecken identifiziert H. mit J o h. II H e r m a n .

H e i n e c k e n , Dict. des artistes, 1778 ff. (Ms. Kupferstichkab. Dresden u. Suppl.). — N a g l e r , Kstlerlex., VI 123. — K r a m m , Levens en Werken, III (1859). — A. v. W u r z b a c h , Niederld. Kstlerlex., I (1906). — O b r e e n 's Archief, II (1879/80) 288, Marke Taf. 2. — D u p l e s s i s , Cat. Portr. Bibl. Nat. Paris, 1896 ff., VI 26137.

Hermann, J. F., Kupferstecher in Coburg; von ihm Ansicht der Veste Coburg im Coburg. Gesangbuch von 1744, stach 1763 eine große Ansicht der Stadt Coburg, die Vorlage dazu nach der Natur gezeichn.

Bau- u. Kstdenkm. Thüringens, Sachsen-Cob.-Gotha, IV (1907) 550.

Herman (Hermen, Harmen), J a k o b , Goldschmied in Danzig, Meister 1603, macht sein Meisterstück bei Daniel Grunau, erwähnt bis 1637. In der Katharinenkirche in Danzig Oblatenkästchen mit eingraviertem Abendmahl.

E. v. C z i h a k , Edelschmiedekst in Preußen, II (1908).

Hermann, J a k o b , Kunsttischler deutscher Abkunft in Rom (hier Giacomo Erman gen.), begraben ebenda 23. 10. 1685, 70 Jahre alt, seit 1655 in Rom urkundlich nachweisbar in Diensten der Päpste Alexanders VII. (1655—67) und Clemens' IX. (—1670). 1662—66 „depositario" der Bruderschaft vom Camposanto Teutonico in Rom, 1670 deren „camerlengo". Aus den Rechnungsnotizen geht hervor, daß H. vom päpstl. Hofe mit umfangreichen Arbeiten betraut wurde, meist reich geschmückten Möbeln aus Ebenholz mit Säulen aus Lapislazuli, Einlagen in Intarsia und Mosaik usw. Im Kunsthist. Mus. in Wien ein Prunkschrank H.s, Geschenk Alexanders VII. an Kaiser Leopold 1663, mit Säulen von Lapislazuli geschmückt, die Türen tragen außen Gemälde mit Szenen aus dem Leben Constantins (z. T. nach Raffael), innen Gouachemalereien mit Ansichten von Rom; ferner Intarsien in Lapislazuli, buntem Marmor und Amethystmutter, im Aufsatz ein kunstvolles Uhrwerk.

B e r t o l o t t i, Artisti Belgi .. a Roma, 1880 p. 246 ff. — Archivio d. Soc. Romana di Storia patria, XXXI (1908) 78/79. — H o o g e w e r f f, Bescheiden in Italië, II (1913) 299, 301, 429, 432.

Herman, J a k o b, Goldschmied in Thorn, lernt 1683—87 bei Nicolaus Brielman ebenda, wird 1695 Meister, bis 1728 erwähnt. Czihak nennt 4 Arbeiten.

E. v. C z i h a k, Edelschmiedekst in Preußen, II (1908).

Herman, J a n, Goldschmied in Brügge, † 1765; Strahlenmonstranz in Gold und Emails von außerordentlicher Kostbarkeit (1725) in Notre-Dame in Brügge.

C r o o y, L'orfèvrerie relig. en Belg., 1911 p. 185, Abb. — M. R o s e n b e r g, Goldschmiede Merkzeichen, ² 1911 p. 676 (Hermans).

Herman, J e a n, siehe unter *Herman*, Michel Joseph.

Hermann, J o h a n n e s, Maler u. Glasmaler in Nürtingen, renovierte 1596 die (nicht erhaltenen) Gewölbemalereien des Daniel Schüchlin (1497) im Chor der Stadtkirche in Blaubeuren; bis 1610 in Nürtingen nachweisbar.

L. B a l e t, Schwäb. Glasmalerei, 1912. — Kst- u. Altert.-Denkm. Württemb., Donaukr. I (1914) 331, 369.

Herman, J o h a n n I, Zeichner, 1. Hälfte 17. Jahrh., vielleicht in Schweinfurt. In der Zeiller-Merian'schen Topographia Franconiae 1648 eine Ansicht der Stadt Schweinfurt von der Mainseite (Vorlage von H., 1646), eine Ansicht aus der Vogelschau: Johann Herman R. V. (=Reichsvogt) delineavit M. Merian fec.; auf einer Ansicht der St. Johanniskirche ebenda: I. H. R. V. deline.

N a g l e r, Monogr., III No 2600. — Kstdenkm. Bayerns, III, Heft 17 (1917) 16. — Bibl. Bavar. (Lagerkat. Lentner München) 1911, No 10481, 82, 83.

Herman (Hermann), J o h a n n II, Kupferstecher in Königsberg i. Pr. (auch in Danzig?) 1641—58 nachweisbar. — 1. Arcus veteris civitatis. Triumphbogen von der Altstadt in Königsberg zu Ehren des Gr. Kurfürsten errichtet. 1641. — 2. Eigentlicher Abriess Hn Georgen Wilhelm Leich-Prozession. Königsberg 1642. Großes, figurenreiches Blatt mit zahlreichen Beischriften, dem Gr. Kurfürsten gewidmet. — 3. Eigentlicher Abriß der solenniter eingeholeten Preußischen Lehns Fahnen zu Königsberg 1649; von gleicher Größe wie No 1. — Bildnisse: 4. Wladislaus IV., bez. „Herman Jo. fecit", in Wassenbergii Everhardi Gestorum gloriosissimi ac invictissimi Wladislai IV Gedani 1641. — 5. Abraham Calovius, aet. 31 1643 (C. wurde 1637 außerord. Prof. d. Theol. in Königsberg). — 6. Friedericus Blechschmidius, bez. M. Czwiczek p. Johann Herman sculps. Regiomonti Borussia 1648 (B.

war auch Bürgermeister u. Syndicus zu Berlin, † 1656). — 7. Udalricus Schönberger † 1649, nach dem Epitaph im Dom; gest. für J. G. Stenpel's „Biblisches Ehrengedächtnis", Königsberg 1649. — 8. Cölestin Myslenta, † 1653, nach dem Bilde im Dom. — 9. Conrad von Burgsdorf, † 1652, gest. nach dem im Auftrage d. Gr. Kurfürsten von M. Czwiczek gemalten Bildnis. — 10. Der Gr. Kurfürst zu Pferd „Friedrich Wilhelm Anno 1656". Gr. Blatt, die Platte im Kupferstichkab. d. Univ. Königsberg. — 11. Joh. Eccard, Komponist, aus Mühlhausen i. Th. — 12. Joh. Stobäus aus Graudenz, Komponist, Schüler des vor., No 11 u. 12 Gegenstücke, 1642, 46, 58 auf Atlas u. Papier gedruckt, enthalten in „Geistl. Lieder durch Joh. Eccardum et Joh. Stobäum" u. in Valentin Thilos „Memoria Stobaea", Königsberg 1646. — 13. Michael Adersbach. — 14. Daniel Beckherus. Dantisc. Med. Prof., nat. Ao 1594 (Joh. Herman F.). — 15. Georg Wilhelm, Markgraf v. Brandenburg. — 16. Graf Dohna (Heinecken). — Rozycki, der im wesentlichen Bersohn ausschreibt, nennt H. irrtümlich Josef, er kennt noch 17. einen gestoch. Plan des Entsatzes von Smolensk durch die Polen 1633 und eine Ansicht von Danzig (Silberstiftzeichnung), ohne deren Bewahrungsort anzugeben. Bei der Eröffnung des Turmknopfes der Steindammer (Polnischen) Kirche am 7. 6. 1841 fand man darin 2 zusammengerollte Kupfertafeln mit langen Inschriften, eine davon wurde 1650 von H. graviert. — Vielleicht ist H. identisch mit J. Herman (s. d.).

A. H a g e n, Königsbergs Kupferstecher u. Formschneider im 16. u. 17. Jh., in Altpreuß. Monatsschrift, XVI (1879) 529 ff. (kennt 9 Bl.). — H e i n e c k e n, Dict. des artistes, 1778 ff. (Ms. Kupferstichkab. Dresden u. Suppl.). — Bau- u. Kstdenkm. Ostpreußen, VII (1897) 121, 228. — H u t t e n - C z a p s k i, Poln. Portr.-Stiche (poln.), Krakau 1901, No 2081. — Hohenzollernjahrb., VII (1903) 55, Abb. — B e r s o h n, Rytownikach Gdańskich, Warschau, 1887 p. 40. — K. v. R o z y c k i, Die Kupferstecher Danzigs, 1893 p. 23. — Mit Not. von H. Lütjens.

Hermann, J o h a n n, Maler in Hermannstadt, schmückte 1670—72 das Fürstenschloß in Weißenburg (heute Karlsburg) mit Wandbildern aus und schuf 1676 die Gemälde für den im Klausenburger Mus. befindl. Altar der ev. Gemeinde Hammersdorf bei Hermannstadt (Hauptbild: Geburt Christi, Bekrönung: Kreuzigung mit Johannes und Maria).

V. R o t h, Beitr. zur Kunstgesch. Siebenbürgens, 1914 p. 54; d e r s., Siebenbürg. Altäre (Stud. z. deutsch. Kstgesch.), Straßburg, Heitz, p. 200 ff. — Korrespondenzbl. d. Ver. für Siebenbürg. Landeskunde, 1890 p. 45 ff.

Herrmann, J o h a n n, Maler, 1803 Direktor der Hauptschule zu Pardubicz in Böhmen, malte meist Bildnisse in Pastell. Dlabacž kannte das „vortreffliche Porträt" des Tobias Adametz, Chorherren des Stiftes Strahow.

D l a b a c ž, Kstlerlex. f. Böhmen, 1815 p. 615.

Hermann, J o h a n n , Maler, geb. 10. 4. 1794 in Wien, † ebenda 5. 2. 1880, wenn man den Angaben Bodensteins trauen darf, der ihn mit Johann M. von Hermann verwechselt. Vermutlich ist es H., der 1822 als Historien- u. Porträtmaler in Wien nachweisbar ist und „Zu Mariahilf No 316" wohnt. In den Ausst. der Akad. in Wien zeigt er 1824—43 nicht weniger als 26 Bildnisse (Freih. v. Stipicz, Frau Therese Richter u. a.), 1830 eine Kreuztragung. Im Besitz der Pensionsgesellschaft bild. Kstler ein Bildnis des ital. Malers Federico Moja (von 1864), ebenda ein Bildnis des Bildh. J. M. Fischer. — Im Wiener Kunsthandel befand sich ein Selbstbildnis, bez. u. 1822 dat.; in der Kirche in Maierhöfen ein Altarbild „Der hl. Nikolaus", bez. „Johann Hermann pinxit. Viennae 1840".

B ö c k h , Wiens lebende Schriftsteller, Künstler . . ., 1822 p. 539. — C. v. W u r z b a c h , Biogr. Lex. Kaisert. Oesterreich, VIII (1862) p. 390 No 8. — B o d e n s t e i n , 100 Jahre Kstgesch. Wiens, 1888 p. 84 (Joh. B. H.). — Österr. Ksttopogr., III (1909), Bez. Melk, p. 145. — Jahrb. d. Bilder- u. Kstblätterpreise, II (1912).

Hermann, J o h a n n M. v o n , Zeichner, Miniaturmaler, Kupferstich-Restaurator u. Ksthändler, geb. 1793 in Wien, † 7. 5. 1855 in München, wurde 1805 Schüler der Wiener Akad. unter Joh. Hagenauer, um Maler u. Kupferstecher zu werden. Durch den Verfall des väterl. Vermögens in den unglücklichen Jahren 1809 u. 11 wurde er zu eigenem Erwerb genötigt und fertigte kleinere Zeichnungen u. Miniaturbildnisse. Daneben behielt er das Interesse für den Kupferstich, begann alte Kupferstiche zu sammeln und beschäftigte sich schließlich mit dem Restaurieren beschädigter Blätter, worin er es nach dem Zeugnis von Bartsch (6. 8. 1816) zu außergewöhnlicher Fertigkeit gebracht hat, so daß man von „hermanisieren" sprach. 1821 kam er nach München, wo er sich bald danach niederließ und die Hermansche Ksthandlung begründete. 1824 ist er Konservator des Münchener Kst-Vereins, in dessen Mitgliederlisten er noch in den 40 er Jahren erscheint. In seinem Verlage sind eine Anzahl Lithographien erschienen: Quadrilles parées costumées exécutées à la cour de S. M. le roi de Bavière le 3 févr. 1835 . . ., 51 Bl. koloriert, 1835; Kirchweihtanz i. d. Umgeb. v. Tegernsee, kol.; Domplatz in Salzburg; Ansicht mit Ruhmeshalle (getönt) 1854. H. übernahm auch den Vertrieb des Kupferstiches von C. E. Ch. Heß nach d. Anbetg d. Könige von Gerard David (ersch. 1825). H.s Bildnis 1838 von Dragendorff lith. — H. wird von Bodenstein mit Joh. Hermann (1794—1880) verwechselt.

Kunstblatt, 1821 p. 294 ff.; 1823 p. 28; 1824 p. 329; 1825 p. 218. — N a g l e r , Kstlerlex., VI. — C. v. W u r z b a c h , Biogr. Lex. Oesterr., VIII (1862) 386. — B o d e n s t e i n , 100 Jahre Kstgesch. Wiens, 1888 p. 84. — M a i l l i n g e r ,

Bilderchronik d. St. München, IV (1886). — Bibl. Bavarica (Lagerkatalog Lentner München), 1911, No 3371, 11 420, 11 790; 13 447. — Bayerland, XXXII (1921) 409.

Hermann, J o s e p h I (Dominikus J.), Bildhauer, geb. (nach seinem Grabsteine 21. 1., nach Haymann 28. 2.) 1772 in Dresden, † 25. 10. 1818 ebenda, Schüler des Thaddäus Wiskottschill in Dresden, arbeitete seit etwa 1798 selbständig und fertigte (laut Dresdner Adreßbuch) „Figuren und Zierrathen". Schwierigkeiten, die ihm beim Umbau seiner Werkhütte vor dem Wilsdruffer Tore gemacht wurden, bewogen ihn, Dresden zu verlassen und in Wildenfels i. Sa. in die Dienste des Grafen v. Solms zu treten. 1800 wurde er dort herrschaftl. Verwalter der Marmorbrüche. Ende 1800 übertrug ihm der sächs. Kurfürst die Vollendung des von Joh. Gottl. Gäbert begonnenen Denkmals in der Fürstenkap. in Altenzella, die sich bis zum 27. 6. 1802 hinzog. Später kehrte H. nach Dresden zurück. Sein Andenken sichert das „Hermanndenkmal" in Loschwitz von der Hand seines Sohnes Joseph II: Relief in karrar. Marmor, den Künstler darstellend, wie er am 24. 2. 1799 unter Lebensgefahr zwei Schiffer aus dem Eisgang der Elbe rettete.

Akten des Dresdn. Ratsarch. — Dresdn. Adreßb. 1799 u. 1809—17. — Nationalzeit. d. Dtschen, 18. 4. 1799 (16. Stück) 352. — H a y m a n n , Dresdens Schriftst. u. Kstler, 1809 p. 401. — L i n d n e r , Taschenb. f. Kst u. Liter. im Kgr. Sachsen, II (1828) 19. — Zeitschr. f. bild. Kst, XX (1885) 219. — Neues Arch. f. sächs. Gesch., XVII (1896) 63—66. — G u r l i t t , Zisterz.-Kloster Altenzella (Ergänzgs-Heft d. Bau- u. Kstdenkm. Sachsen), 1922 p. 17, 44 f.   *Ernst Sigismund.*

Hermann (Herrmann), J o s e p h II (J. Karl Gottlieb), Bildhauer, Sohn des Joseph I, geb. 12. 3. 1800 zu Dresden, † 7. 11. 1869 in Loschwitz. Wurde April 1815 in die Dresdner Akad. aufgenommen und lieferte schon 1816 zwei Kinderköpfe in Gips, den griech. Arzt Hippokrates, „in Thon bossiert, dann geformt und in Gips gegossen", und einen Akt nach der Natur als Basrelief, 1817 einen Mars „im Runden". 1819 war er Schüler von Chr. Gottl. Kühn. 1820 ging er mit Unterstützung des sächs. Königs nach Rom, wo er mit Jul. Schnorr, Carl Vogel, Ludw. Richter und anderen Dresdner Künstlern in freundschaftl. Verkehr lebte. Sein Skizzenbuch vom J. 1822 im Dresdner Stadtmus. H. war Mitglied d. Dtsch. Biblioth. in Rom, zu deren Begründern (Febr. 1821) er gehörte. Etwa 10 Jahre arbeitete H. nun im röm. Atelier Thorvaldsens, der ihn unter seine begabtesten Schüler zählte. Nach Thorvaldsens Skizze arbeitete er z. B. 1823 die Statue des Apostels Andreas in der Reihe der 12 Apostel (Kopenhagen, Frauenkirche). Für das Giebelfeld der Frauenkirche lieferte er den (links) gebeugt sitzenden greisen Schriftgelehrten. 1823 fertigte er eine Marmorbüste Washingtons, 1824 zwei Basreliefs nach eigener Erfindung (Theseus findet das Schwert seines Vaters unter dem Felsblock, und: Medea weist Jason den Weg zum gold. Vließ), 1825 im Auftrag des Kronprinzen v. Bayern eine Büste des Joh. von Dalberg, Bischofs von Worms († 1503) für die Walhalla. 1828 leitete H. die Abformung antiker Ornamente für die Dresdner Akad. Thorvaldsen empfahl ihn dem sächs. Hofe zur Lieferung eines Brustbildes des Königs für die Aula der Tharandter Forstakad. 3 Büsten, die sächs. Könige Friedr. August den Gerechten u. Anton und den Prinzen Friedrich (den späteren Friedr. Aug. II.) darstellend (1828/29, Marmor), in der Skulpturensamml. zu Dresden (Sept. 1829 in Dresden ausgestellt; vgl. Berliner Kstblatt, 1829 p. 240). Auf der Allgem. Deutschen Kunstausstell. (Okt. 1828, Rom, Pal. Caffarelli) war H. mit Bildnisbüsten vertreten (vgl. Berl. Kstblatt, 1829 p. 32). 1831 kehrte er nach Dresden zurück. Damals entstand das Relief der sitzenden Saxonia für den Vordergiebel der Altstädter Hauptwache, 1834 restaurierte H. die Corradinischen Vasen am Eingang zum Großen Garten. Kurz darauf ging er nach St. Petersburg, wo er seit 1835 nachweisbar ist, und zeigte auf dortigen Ausstell. mehrfach Skulpturen. 1836 erteilte ihm die Petersb. Kstakad. für die Statue einer Nymphe das Künstlerdiplom (N. Kondakoff, Jubil. Handbuch d. Petersb. Kstakad. 1764—1914, II 249). Für die Petersburger Trauerfeier zum Tode Friedr. Wilh. III. von Preußen (11. 6. 1840) lieferte er nach dem Entwurf des Archit. A. P. Brüloff 7 symbol. Kolossalfig. in Alabastergips. 1844 reichte er bei einer Konkurrenz für Portalreliefs der Isaakskathedrale 3 Entwürfe ein (Verkündigung, Bethleh. Kindermord, Grablegung), doch blieb Brüloff Sieger. Von H. 24 Engel an der Kuppel der Isaakskathedrale. Auch die Basreliefs am Sockel der von Montferrand errichteten Alexandersäule in Petersburg sind nach den Zeichnungen Montferrand's z. T. von H. geschaffen (W. Kurbatoff, Petersburg, 1913, II 400). 1850 stellt er in Petersburg eine Büste seiner Gattin aus, ferner „Wölfe fallen einen Stier an" und „Schafe" (Reliefs?). Erwähnt wird noch eine Medaille auf die Entdeckung von Erzlagern in der Kirgisensteppe, bez.: „Inv. Herman Fec. Kakowin". Erst Anfang 1852 kehrte er, in Rußland wohlhabend geworden, in die Heimat zurück und machte sich in Loschwitz ansässig. Von hier aus reiste er noch 3 Mal nach Italien (1855/57, 1862—64 und 1868/69). Sein schönes Besitztum und 22 000 Taler vermachte er der Dresdner Künstlerschaft. H.s Bildnis zeichnete Carl Vogel v. V. am 18. 6. 1820 in Rom (Kupferstichkab. Dresden); ein anderes von G. A. Hennig (Rom 1823, Bleistiftzeichn.) in Leipziger Privatbes.; ein Bronzerelief (Kopf, modell. 1880 von C. Schlüter) an H.s Grabmal auf dem alten kathol. Friedhofe zu Dresden.

Akten der Dresdn. Kstakad. u. des Sächs. Kstvereins. — Arch. d. dtsch. Kstler-Ver. u. Dtsche Bibl., Rom. — Katal. akad. Kstausst. Dresden 1816; 17; 19; 26; 33. — K e l l e r, Elenco di pittori, 1824. — J. M. T h i e l e, Thorvaldsens Leben, 1852—56. — Kstblatt 1825 p. 17, 74, 200. — L i n d n e r, Taschenb. f. Kst u. Liter. im Kgr. Sachsen, II (1828) 19. — N a g l e r, Kstlerlex., VI (fälschl. Jos. Christian). — P e t r o f f, Akad.-Akten (russ.), II (1865) 403, 409 f.; III 20, 57. — S e r a f, Isaaks-Kathedrale (russ.), p. 35, 42 Anm. — I w e r s e n, Lex. russ. Graveure (russ.), 1874 p. 40. — Arch. f. sächs. Gesch., I (1863) 156; X (1872) 232. — Dresdner Journal vom 11. 11. 1869. — Kstchronik, XIV (1879) 188. — Zeitschr. f. bild. Kst, XX (1885) 219 f. — Dresdner Geschichtsbl., I (1895) 200; V (1910) 101. — Bau- u. Kstdenkm. Kgr. Sachsen, XXII 484. — S p o n s e l, Fürstenbildn. a. d. Hause Wettin, 1906, Nr 174, 181, 193. — N o a c k, Dtsches Leben in Rom 1700—1900, 1907 p. 438 (fälschl. Jos. Christian). — Kat. Bildniszeichn. Kupferstichkab. Dresden, 1911 p. 37. — Kat. Ausst. Leipziger Bildnismalerei 1700—1850 (Leipz. 1912) p. 48. — L u d w. R i c h t e r, Lebenserinn. eines dtschen Malers (Volksausg. des Dürerbundes [2]) p. 194. — Sächs. Heimat, V (1922) 184. — Notizen von Fr. Noack u. P. Ettinger (Moskau). *Ernst Sigismund.*

Hermann (Hörmann), J o s e f M a r c u s, geb. 7. 10. 1732 zu Freiburg i. Br., † ebenda 14. 2. 1811. Ursprünglich zum Studium bestimmt (an der Freiburger Universität immatrikuliert 12. 12. 1754, verließ sie bereits Ostern 1755, begann 1756 nochmals), wandte er sich bald der Malerei zu. Zur Ausbildung an Kunstschulen oder zu Studienreisen fehlten die Mittel; so dienten ihm in Freiburg erreichbare alte Gemälde (Dürer, Holbein, Baldung, Grünewald, ferner Niederländer, Flamen und Italiener) zum Vorbild, die er bald täuschend nachzuahmen verstand, so daß wohl noch manche seiner Werke alten Meistern zugesprochen werden. Wie diese brachte er gern sein Monogramm, ein gotisches h, auf Täfelchen oder einem Quaderstein an. Die Blütezeit seines Schaffens fällt in die 70er und 80er Jahre; seine Stoffe wählte er aus dem Alten und Neuen Testament, aber auch Genreszenen (besonders Kneipbilder), Porträts, Stilleben und Tierstücke sind erhalten. Viele seiner zahlreichen, meist kleineren Gemälde sind in Privatbesitz; einige in der städt. Samml. in Freiburg („Begrüßung der Apostelfürsten Petrus und Paulus" [1782], „Versuchung Christi" [1798] usw.). Die Universität besitzt von seiner Hand 3 große Fürstenbilder (die Stifter, Erzherzog Albrecht u. seine Gemahlin Mechtild, und Kaiser Franz II.) und mehrere kleine Professorenporträts. Zum besten gehören eine hl. Katharina und eine hl. Barbara im Kathol. Institut in Freiburg. — Im Mus. in Nantes (Cat. 1913) ein bezeichn. Stilleben, in der Gal. Schleißheim eine „Schmerzhafte Mutter Gottes" im Stil an Grünewald u. Baldung sich anschließend (Kat. 1914).

H. S c h w e i t z e r, Jos. M. Hermann, in „Schauinsland", XXX (1902) 133—144. — P. P. A l b e r t, 800 Jahre Freiburg im Br. 1120—1920, p. 105, Abb. *Schaub.*

Hermann, J u l i u s, Architekt, geb. in Wien 2. 5. 1848, † ebenda 1. 3. 1908, Schüler der Akad. in Wien; 1870—75 unter dem Dombaum. Fr. v. Schmidt Bauführer beim Bau der Pfarrkirche in Fünfhaus, 1873—91 Leiter der Dombauhütte von St. Stefan. Erbaute den neuen Turm der Pfarrkirche in Steyr und wurde nach Schmidts Tode († 25. 1. 1891) Dombaumeister; als solcher hat er mit Vorsicht u. Zurückhaltung die Wiederherstellungsarbeiten an St. Stefan geleitet. Arbeiten ähnlicher Art beschäftigten ihn 1876—80 im Stift Klosterneuburg. H. war Mitglied der Central-Comm. u. Konservator der Stadt Wien. Die Orgel der Votivkirche ist nach H.s Entwürfen gefertigt. — In der Jubil.-Ausst. im Kstlerhaus 1898 und in der Pariser Weltausst. 1900 von H. Zeichnungen von St. Stefan, meist nach Schmidts Rekonstruktionsentwürfen.

E i s e n b e r g, Das geistige Wien, 1893. — Dtsche Bauzeitg, XLII (1908) 128. — Cat. gén. Paris Exp. univ. 1900, II Oeuvres d'art p. 305.

Herrmann, K a r l (Joh. K. Ph. D.), Maler u. Radierer, geb. 1813 in Koblenz, † 23. 8. 1881 in Mainz, gebildet seit 1836 an der Akad. in Düsseldorf unter Schadow u. Sohn, ging 1841 nach Frankfurt a. M. u. schloß sich dort Ph. Veit an. Seit 1848 in Mainz lebend. 1838 zeigte H. in der Akad.-Ausst. in Berlin „Jakobs Traum", im Kst-Ver. Leipzig 1839 „Des Sängers Fluch". Von 1837 ist eine Mad. mit dem Kinde u. Engeln in der kath. Kirche in Wald bei Solingen. H. war mit 10 Bildern vertreten auf der Ausst. aus Mainzer Priv.-Bes. im Mai u. Juni 1887 (aus dem Bes. der Familie), und zwar mit religiösen Bildern „Madonna" (1872), „Hl. Elisabeth" (1843), Landschaften, Genrebildern u. Bildnissen („Fürstin v. Wied", 1847). An der Ausmalung des Domes in Mainz (1859—64) war H. beteiligt (Arkaden d. Mittelschiffs u. Westkuppel; Leben Jesu, Altes Testament, nach Entwürfen von Ph. Veit). — Zu den „Liedern eines Malers mit Randzeichnungen seiner Freunde" (v. Rob. Reinick), Düsseldorf 1838, radierte H. das Blatt zu „Wanderers Nachtlieder".

v. B ö t t i c h e r, Malerwerke d. 19. Jahrh., I 2 (1895). — W i e g m a n n, Kst-Akad. Düsseldorf, 1856 p. 182. — Kunstchronik, XVI (1881) 760, Nekrolog. — W e i z s ä c k e r - D e s s o f f, Kst u. Kstler in Frankf. a. M., II (1909). — N a g l e r, Monogr., III. — K l e i n, Mainz u. Umgeb., ² 1868 p. 35 ff., 38. — Kat. Akad.-Ausst. Berlin, 1838; Leipzig, Kst-Ver., 1839; Ausst. f. christl. Kst, Mainz, 1892.

Herrmann, K a r l, s. auch *Herrmann*, Carl.

Herman, L a m b e r t, Bildhauer, geb. 1837 in Lüttich, † 1884 in Uccle, in Paris Schüler von E. Delaplanche, sandte 1877 aus Rom in den Pariser Salon eine Statue der Nacht; 1879 zeigte er ebenda die Büste einer Römerin. Im Mus. in Lüttich (Cat. 1914) eine Diana als Jägerin.

Journal d. B.-Arts, Brüssel 1877 p. 72; 1879 p. 81; 1884 p. 101.

Hermann v o n L e m g o, Glockengießer des 13. Jahrh.; in der Patrokluskirche in Soest eine Glocke mit der Inschrift: op' magistri hermanni de lemego.

W a l t e r, Glockenkunde, 1913 p. 769. — Bau- u. Kstdenkm. Westf., Kr. Soest, 1905 p. 110.

Herrmann, L é o, Maler, geb. in Paris 12. 7. 1853, zeigte im Salon 1875—77 kleine Genrebilder, besonders aus dem Leben der Geistlichen, Mönche u. Soldaten, womit er sich in England u. Amerika viele Freunde erwarb. Er wird häufig mit Ch. Herrmann-Léon verwechselt. Im Brooklyn Inst. of Arts and Sciences (Cat. 1910): „Ein Kardinal beim Tee" (Aquarell), in der Sammlg Thomas B. Walker in Minneapolis (Cat. 1913): „Eine famose Geschichte".

M o n t r o s i e r, Artistes mod., I (1881) 125 f. — G r a v e s, Loan Exhib., IV.

Hermann van L e t z e r, Glockengießer; von ihm 2 Glocken von 1404 in der Pfarrkirche zu Höningen (Kr. Grevenbroich).

Kstdenkm. der Rheinprov., III (1894) 645.

Herman, L i p ó t (Leopold), ung. Maler, geb. in Nagyszentmiklós (Com. Torontál) 24. 4. 1884, lebt in Budapest. Besuchte 1901 die Kunstakad. zu Budapest, wo er bis 1905 Schüler des Ed. Balló war. In ärmlichen Verhältnissen lebend, mußte er früh sein Brot durch Karikaturenzeichnungen erwerben. Doch schon als Schüler trat er hervor, so mit dem Bildnis seiner Mutter (1903, Mus. d. bild. Kste, Budapest) und mit Genrebildern (Mütterchen bei Tische, 1905). Einige Zeit in München bei Azbé und seit 1909 auf Studienreisen, zog es ihn zumeist zu Rembrandt u. Rubens, und er fing an, sich in Budapest mit figurenreichen Aktkompositionen zu beschäftigen, malte eine Reihe solcher Bilder im Stil des Barock in der 1912 gegründeten Künstlerkolonie zu Kecskemét, stellte diese 1913 in Budapest aus und errang bedeutenden Erfolg, der ihm auch außer Porträtbestellungen größere dekor. Aufgaben brachte (dekor. Gemälde in der Villa Schiffer, Budapest). Nach dem Ende des Weltkrieges, welchen er als Kriegszeichner mitmachte (Zeichnungen im Regimentsmus. Prag), widmete er sich wieder Aktkompositionen („Schäferspiel" 1918). Unter der Schreckensherrschaft der Kommune in Budapest trat H. für die Interessen der Künstler ein. — Als Mitbegründer der Künstlergesellschaft „Szinyei Merse Pál Társaság" nahm er an deren 1. Ausst. in Budapest (1922) mit Aktkompositionen u. Landschaften teil. Eine Reihe seiner Zeichnungen erschien als Album 1921 in Budapest.

Borovszky, Magyarország vármegyéi és városai. Torontálvármegye monogr. (o. J.) p. 275. — Révai Nagy Lexikona (o. J.), IX 791. — Müvészet, XIV (1915) 46 ff. (B. Lázár); XVII (1918) 59. — Mitteil. des Künstlers. *K. Lyka.*

Hermann, L u d w i g, Maler, geb. in Greifswald April 1812, † in Berlin 29. 12. 1881, in Anklam aufgewachsen, Schüler der Akad. in Berlin unter G. Schadow, 1837/38 in Paris Schüler von Isabey u. E. M. E. Lepoittevin, dann wieder in Berlin, 1842/43 in Italien, tätig in Berlin. Seit 1836 zeigt er dort in den Akad.-Ausst. Marinen und Architekturbilder aus Seestädten, Motive aus der Normandie, Pommern, Rügen, seit 1844 auch venezian. Motive, später solche aus Holland u. Belgien, ferner 1837, 39, 41, 43 Bilder im Leipz. Kst-Verein, u. 1850, 52 im Lübecker Kst-Ver., in Bremen, Rotterdam (1862) usw. 1862—73 stellte er mehrmals in London aus, wo er sich auch aufgehalten hat. — In öffentl. Besitz: *Danzig*, Stadtmus., Venezian. Ansicht mit Sta Maria della Salute; Scheldelandschaft (1840). *Gotha*, Schloß Friedenstein, Motive aus Salò. *Hamburg*, Kunsthalle, Küste v. Rügen (1840), Stadt am Scheldeufer (1846), Kat. 1910. *Mülhausen* i. Els., Mus., Stadt am Scheldeufer, Cat. 1907 p. 64. *Prag*, Rudolphinum, Erinnerung an Rotterdam (Flußhafen) 1851, Cat. 1889.

v. B ö t t i c h e r, Malerwerke d. 19. Jahrh., I 2 (1895). — Dioskuren, 1860; 62. — Unser Pommerland, I 305. — Kat. Akad.-Ausst. Berlin, 1836—70. — G r a v e s, Dict. of Art., 1895; d e r s., Roy. Acad., IV. — Notiz F. Noack.

Hermann, L u d w i g, s. a. unter *Hermann, Franz Anton Chr.,* u. *Hermann,* Familie.

Hermann, M a r t i n, siehe *Hoermann,* M.

Herman, M i c h e l J o s e p h, Bildhauer, geb. 27. 12. 1766 in Goé, † 23. 4. 1819 in Lüttich, erwähnt mit Arbeiten dekorativer Natur, vielfach in Holz (besonders Blumen u. Früchte) für Kirchen und Schlösser Lüttichs und Umgebung. — Sein Sohn J e a n, ebenfalls Bildhauer, war Lehrer an der Acad. d. B.-Arts ebenda, zeigte in der Lütticher Ausst. von 1881 dekorative Holzskulptur (Rahmen, Uhrhalter usw.) mit Blumen, Früchten, Vögeln.

J. H e l b i g, La Sculpt. au pays de Liége, ²1890. — M a r c h a l, La Sculpt. etc., belges, 1895. — Expos. de l'Art anc. au Pays de Liége, Cat. off., 1881, 5e Sect. p. 13.

Hermann t o r M o l e n, Werkmeister, erbaute 1471 die Sakristei an der Kirche zu Ollendorf bei Melle (Inschrift).

M i t h o f f, Mittelalt. Künstler etc. Niedersachs. . ., ²1885 p. 232.

Herman v o n M ü n c h e n, Architekt, Nachfolger des Hans von Türckheim als Werkmeister an St. Georg in Schlettstadt, wo er Bürger wurde. 1459 erscheint er als Herman von Schlettstadt auf der Tagung in Regensburg.

H e i d e l o f f, Bauhütte d. Mittelalters, 1844 p. 42. — G é r a r d, Artistes de l'Alsace., 1873.

Herman v o n M ü n s t e r, Glasmaler aus Münster i. W., † 25. 3. 1392 in Metz; seine Grabschrift im Dom erhalten (Westende neben dem Lourdes-Altar). Maler der großen Rose der Westfront, wie aus der Grabschrift hervorgeht. Die Rose hat 16 Medaillons (8 Dreipässe u. 8 Vierpässe) mit 16 Halbfig. von Engeln mit Evangelienbüchern, unten 4 Medaillons mit 4 Engeln, die Musikinstrumente halten; sie ist „eine der schönsten deutschen Arbeiten" (Dehio). Die Malereien der oberen und unteren Galerie dieses Westfensters sind schwächer und werden von Kraus dem H. abgesprochen, dem man sie wegen des darauf vorkommenden Monogramms H hat zuschreiben wollen. — Der ihm von Bégin gegebene Beiname Philipp beruht auf irrtümlicher Auflösung eines Monogramms.

E. A. B é g i n, Hist. et Descript. pittor. de la Cath. de Metz, 1842, I 160, 165; Abb. — S c h n e e-g a n s, Meister H., ein dtscher Glasmaler, in Anzeiger f. Kde d. dtschen Vorzeit, N. F. V (1858) 73 ff. — A b e l, L'Oeuvre du peintre-verrier H., in Mém. Mos., VI (1864) 195 ff. — K r a u s, Kst u. Altert. in Elsaß-Lothr., III (1889) 544 f., 598. — D e h i o, Handb. d. dtsch. Kstdenkm., IV 266.

Herman v o n M ü n s t e r, Bau- u. Werkmeister in Wismar, 1437 am Bau von St. Nicolai, 1442—49 am Bau von St. Jürgen leitend tätig; sein aus dem Siegel einer Urkunde vom 8. 5. 1442 bekanntes Werkzeichen an der mittl. nördl. Arkade des Mittelschiffes. Aus einer Urkunde vom 17. 2. 1449 geht hervor, daß Conrad Böddeker, der Bruder des Bischofs Nicolaus Böddeker, Vertrag macht mit H. über den Bau einer Kapelle auf der Nordseite beim Turm der neuen Kirche; sie war aber 1465 noch nicht geweiht.

Kst- u. Gesch.-Denkm. Mecklenb.-Schwerin, II ² (1899) 75, 131.

Hermann, N i k o l a u s, Holzbildhauer, geb. 25. 3. 1605 in Beromünster, 1633 für das dort. Stift tätig, erhält u. a. Auftrag für eine Mutter Gottes „in einem Gewölk sitzend, mit dem Kindlein auf dem Arm", die der Maler Kaspar Beutler zu fassen hatte. Gemeinsam mit diesem arbeitete er 1636 od. 37 für das Stift den neuen Choraltar von Hägglingen. H. wird unter den Tischlern u. Bildschnitzern genannt, die in der nach einem Brande neugebauten und neuausgestatteten (1633—39) Kirche St. Leodegar im Hof zu Luzern arbeiteten. 1641 Mitglied der Lukasbruderschaft ebenda. — H.s Sohn J o s t F r a n z, ebenfalls Bildhauer, geb. 21. 1. 1629 in Beromünster, † um 1688 im Elsaß.

B r u n, Schweiz. Kstlerlex., II (1908). — Anzeiger f. schweiz. Altertumskde, N. F. III (1901) 101.

Hermann, O t t o, s. *Hermann,* Hans Otto.

Hermann, P a u l, Zinngießer von Schneeberg, erwirbt 1587 das Bürgerrecht in Zwickau, wird 27. 2. 1596 begraben. Soll als Geselle unter St. Lichtenhain am Taufbecken der Nikolaikirche in Berlin (1563) mitgearbeitet haben. Von ihm Lavabo in Form einer zweitürmigen gotischen Kirchenarchit. im König-Albert-Mus. Zwickau.

E. Hintze, Sächs. Zinngießer, 1921. — Borrmann, Bau- u. Kstdenkm. v. Berlin, 1893.

Hermann, P a u l , Bildh. 17./18. Jahrh., falsch für *Heermann,* Paul.

Herrmann, P a u l , Maler und Graphiker geb. 4. 2. 1864 in München, wo er im Paul Heyse-Kreis — er war Neffe des Dichters — aufwuchs. Auf Heyses Anregung hin sollte er Architektur unter Thiersch studieren, doch vernachlässigte er das und nahm heimlich Malstunden. Infolge der hieraus entstehenden Unstimmigkeiten mußte er mit 19 Jahren seine Geschicke in die eigene Hand nehmen. H. besuchte die Malschule Max Ebersbergers und war zwei Jahre lang Schüler F. Barths, malte dann Panoramen und erneuerte in Bayern u. Schwaben Fresken. In Süddeutschland traf er mit einem Herausgeber des New Yorker Witzblattes „Puck" zusammen und begab sich auf dessen Empfehlung nach den Vereinigten Staaten. Hier malte er dekorative Arbeiten in New York und Chicago (Weltausstellung 1893) sowie zahlreiche Bildnisse. 1895 siedelte er nach Paris über, wo er, auf Anraten Arsène Alexandre's, um die Verwechslung mit dem Elsässer-Pariser Herman Paul zu vermeiden, den Namen *Henri Héran* annahm. Elf wechselvolle Jahre verbrachte er in Paris, z. T. in der Nähe von Munch, Strindberg und Oscar Wilde. Als es ihm sehr schlecht ging, fand er Unterschlupf bei einem befreundeten Arzt, in dessen Irrenanstalt er Studien machte. Dann ließ H. sich in Berlin nieder. Als Maler hat er eine Vorliebe für die gediegene, sorgfältige Technik der älteren Pariser Schule. Er schuf hauptsächlich dekorative Wand- und Deckenbilder, in Lodz, Berlin (Hotel Adlon, Eden-Hotel) usw. Mit der Graphik begann er 1896 und hatte bis 1914 bereits 183 Graphiken geschaffen, worüber ein Oeuvre-Katalog erschien. H. hat sich früher in den verschiedensten Techniken versucht, darunter viel Sandgebläse, Schabkunst auf Zink und Vernis mou, auch einmal ein Blatt mit einem Hufnagel auf ein Stück altes Dachzink radiert. Für „Le Centaure" und den „Pan" schuf er Kombinationsdrucke (Holzschnitt mit Steindruck). Später waren Kaltnadel und Schabkunst auf Nickelzinn fast die alleinigen Techniken; er hat Vorliebe für große Formate und für Zyklenform („Phantasieen", „Legende vom Garten Eden").

H. W. S i n g e r , Das graphische Werk des Maler-Radierers P. H., Berlin 1914. — Die Kunst, XXXIX 429 ff. (G. J. W o l f); XXXXV 36 ff. (d e r s.) — Die Graph. Künste, XLIV (1921) Beibl. p. 18. — Studio, Spec. Nr 1919 p. 82.
H. W. S.

Herrmann, P a u l E r n s t , Maler, geb. in Dresden 16. 9. 1870, seit 1885 Schüler der Akad. ebenda, 1890—96 unter Th. Grosse u. H. Preller; lebt in Dresden. Die früheste Ar-

beit (1894) ein Fresco im Schloß Baruth bei Bautzen, ferner Jakobi-Kirche in Dresden: Wandgemälde „Der Zug zum Kreuze", 1901 (zus. mit Fr. Ph. Schmidt); in der Lukas-Kirche in Chemnitz: „Das große Abendmahl", 1904; in der Kirche in Ablaß bei Oschatz: „Bergpredigt", 1907; in der Kirche zu Lausa: Bilder in den Füllungen der Emporenbrüstungen, 1912. Ferner Wandgemälde in den Kirchen zu Meerane (1913), Zinnwald i. Erzgeb. (1914), Weinböhla u. Ponickau (1916). H. malte auch Genrebilder, Historien, Landschaften u. Porträts.

Dressler's Kunsthandbuch, 1921. — Bau- u. Kstdenkm. Kgr. Sachsen, XXXIV (1910). — Kataloge: Berlin, Gr. Kstausst., 1901, 1904; Dresden, (Internat. 1897 u. 1901; Dtsche 1899; Sächs. 1903 m. Abb. u. 1906; III. dtsche Kstgewerbe 1906 p. 123); Chemnitz (Kunsthütte 1909). — Dibelius, Kreuzkirche in Dresden, 1900 p. 47. — G ö h l e r , Jakobikirche zu Dresden, 1901 p. 14 u. Taf. — Handb. der Kirchen-Statistik f. d. Kgr. Sachsen, N. F. XXIII (1917) 56, 171, 260, 309. *E. Sigismund.*

Herrmann, P h i l i p p L u d w i g , Maler u. Kupferstecher, geb. in Eschau bei Aschaffenburg 15. 2. 1841, † in Frankfurt a. M. 3. 6. 1894, lernte seit 1855 in München bei J. G. F. Poppel in Kupfer stechen, arbeitete 1860/61 für Sepps Werk über Palästina; 1866—71 Offizier, dann pensioniert. Darauf Schüler des Malers Rich. Zimmermann in München, lebte 1877/78 in Wiesbaden, dann bis 1890 in München, darauf in Frankfurt. Malte vorzugsweise Landschaften aus der oberbayrischen Hochebene, betätigte sich auch als Radierer. In der Zeitschrift f. bild. Kst, XXIV (1889) 180, eine Originalrad. nach s. Gemälde „An der Bernauer Ache". Versteigerung seines Nachlasses 1895 bei R. Bangel in Frankfurt, Kat. No 379 u. 381. — Im Münchener Glaspal. zeigte H. 1889 u. 90 Landschaften, 1880 in der Dresdner akad. Kst-Ausst. „Motiv aus d. Unterinntal".

v. B ö t t i c h e r , Malerwerke d. 19. Jahrh., I 2 (1895). — W e i z s ä c k e r - D e s s o f f , Kst u. Kstler in Frankf. a. M., II (1909). — Ausst.-Kataloge.

Herman (Hermen) v o n R e n d s b u r g , Maler, 1502 u. 1510 tätig für die Kirche in Gettorf bei Kiel, vielleicht auch als Holzschnitzer.

M a t t h a e i , Holzplastik in Schleswig-Holstein bis 1530, 1908 p. 216, 234, 238.

Herman, S a i n t , falsch für *Seman,* Claus.

Herman, S i m o n , Fayencemaler, 1711 in der Hanauer Fabrik urkundlich nachweisbar. Auf ihn bezieht sich wohl die Malermarke H. auf Erzeugnissen der Fabrik (Mus. d. Hanauer Gesch.-Ver.; Kstgew.-Mus. Leipzig).

E. Z e h , Hanauer Fayencen, 1913 p. 32, 57, 102.

Herman, S t e p h a n , Goldschmied, Kupferstecher und Verleger, nachweisbar 1568/96 in Ansbach, soll Schüler von J. Amman gewesen sein und zeitweise in Kulmbach gearbeitet haben.

Goldschmiedewerke seiner Hand nicht bekannt. Dagegen besitzen wir ein reiches Oeuvre an Ornamentstichen, die er teils selbst entworfen und gestochen, teils nur verlegt hat: „Thier Bueclein . . ." von M. Beutler, Ansb. 1582. — „Allerley gebuntznierte Fisirvngen . . .", Ansbach 1584 (Neuaufl. des 1581 ersch. Hauptwerkes des Bernh. Zan). — 12 Bl. Ornamentstiche (verschied. Goldschmiedsmuster), „Stephanus Herman Avrifaber . . Fecit Excussit", Ansbach 1586. — „Vilerley Vogel . . ." Ansbach 1586 (nur Titelbl. bekannt). — „Nev Thier Bvechlein" . . . von M. Pleginck, 1594. 12 Bl. einer Wappenfolge, 1596. — H. zeichnet als Verleger auf zahlreichen Werken von J. Amman, radierte nach dessen Zeichn. eine Folge (18 Bl.) von Tieren in Landschaft, auch einzelne Bl. einer Folge (8 Bl.) von Jagden, und stach die Rahmen in Amman's Folge (6 Bl.) der Sinne, 1568. Möglicherweise rühren einige der unter Amman's Namen gehenden Arbeiten von H. her, doch ist seine Manier trockener. Heinecken kannte ein bez. Bl. von 1582 mit Darstell. der Apokalypse, das Andresen nicht aufführt. Nach Stillfried, Kloster Heilsbronn (Berlin 1877 p. 175), soll „der Kulmbacher Kupferätzer Stephan H." 1591 den Zinnsarg der Markgräfin Aemilia in Kloster Heilsbronn und ca 1603 den des Markg. Georg Friedrich von Brandenburg ebenda mit reicher gravierter Dekoration versehen haben. Von H. existiert auch ein Kupferstich, der den letztgen. Markgrafen im Sarge liegend darstellt. — Sein Sohn G e o r g, Goldschmied u. Kupferstecher, geb. in Ansbach 1579, ist nachweisbar dort bis 1603. Goldschmiedearbeiten nicht bekannt. Von ihm zahlreiche Ornamentstiche, in denen er auf der Tradition s. Vaters, ferner des Paul Flindt, des B. Zan und in letzter Linie des J. Amman fußt: 8 Bl. Tiere, entnommen der von seinem Vater nach J. Amman gest. Folge, das Titelbl. bez. „Georgius Herman Stephani filius anno aetatis suae 15 faciebat Onoltzbachij excudebat 1594"; 8 Bl. Landschaften mit Tieren in Kartuschen, das Titelbl. mit Ansicht v. Ansbach, bez. u. 1595 dat.; 8 Bl. Vögel u. Insekten (Goldschmiede-Verzierungen), Titelbl. bez. u. dat. 1596; 12 Bl. Wappen, Titelbl. bez. u. dat. 1596, Verlagswerk seines Vaters; 12 Bl. Geharnischte Ritter u. Könige, bez. „H." und „G. Hermann fecit Nürnberg 1597"; Mißgeburten zweier Hirschkälber, bez. „G. H. sculp.", Verlagswerk seines Vaters, 1603.

H e i n e c k e n, Dict. d. art. etc., 1778 ff. (Ms. u. Suppl. im Kupferstichkab. Dresden). — v. S c h a d, Versuch einer brandenb. Pinacothek, 1793 p. 12, 175. — B r u l l i o t, Dict. d. Monogr. etc., I (1834). — N a g l e r, Monogr., II u. III. — A n d r e s e n, Deutscher Peintre - Graveur, III (1866) 263/75. — G u i l m a r d, Maitres Ornem., 1881. — P l o n, Benvenuto Cellini, 1883. — Jahrbuch d. Preuß. Kstsamml., XIII (1892) 94, 97, 101, 104. — Katal. d. Ornamentstichslg Berlin, 1894. — Fr. H. H o f m a n n, Kst am Hofe d. Markgr. v. Brandenb. (Stud. z. dtschen

Kstgesch., Heft 32), Straßburg 1901. — R i t t e r, Wiener Ornamentstichslg, 1919. *W. Fries.*

Hermann, T h e r e s i a, s. unter *Hermann,* Familie.

Herman, W., Maler, vermutlich tätig in Kapstadt (Afrika). In der South African Art Gall. ebenda 4 südafrikan. Landschaften von ihm, in der „Ausst. neuerer Gemälde u. Zeichn. aus Hamb. Privatbesitz in der Kunsthalle Hamburg" (1879) ein Aquarell „Kapstadt" (Kat. p. 105); vielleicht identisch mit dem von Nagler erwähnten Genremaler W i l h e l m H. aus Dresden, der 1830 an der Dresdner Akad. lernte.

N a g l e r, Monogr., III. — Cat. South African Art Gall., Cape Town, 1903, No 4, 34, 80, 107.

Hermann, W o l d e m a r (Hanns W.), Architekt u. Maler in Dresden. Besuchte seit 1821 die sogen. Industrie- und die unter Leitung C. A. B. Siegels stehende Bauschule an der Dresdner Kunstakad. 1829/30 in Rom, wo der Plan zum Leipziger „Römischen Hause" entstand, 1834 wieder in Rom, 1840—79 als Architekt in Dresden, wo er dem Freundeskreise Ludw. Richters angehörte. Doch arbeitete er auch viel in Leipzig. Sein Hauptwerk war das „Römische Haus" daselbst, das er 1832—34 für den Verlagsbuchhändler Härtel erbaute, und das Friedr. Preller d. ä. mit seinen Odysseelandschaften in Tempera schmückte (1904 abgebrochen, Aufnahmen im Stadtgesch. Mus. zu Leipzig). Ludw. Richter bediente sich 1847 bei der geplanten Ausschmückung eines Hauses für den Verlagsbuchhändler Wigand ebenda des Rates und der Hilfe H.s. Auch einige Architektur- und Genrebilder H.s sind bekannt (Dom zu Siena, Erntetanz in der röm. Campagna u. a.); eine „Ansicht auf Rom", hat C. G. Hammer 1834 für den Sächs. Kunstverein gestochen.

Akten des Ratsarch. u. des Sächs. Kstvereins in Dresden. — Katal. akad. Kstausst. Dresden 1821—50; Tiedge-Ausst., 1842 p. 5 u. 15. — Dresdn. Adreßb. 1840—79. — A. T h a e t e r, Jul. Thaeter, II (1887) 28. — v. B o e t t i c h e r, Malerwerke des 19. Jahrh., I 2 (1895) 506. — E b e, Der Dtsche Cicerone, II (1898) 284. — K a l k s c h m i d t, Ludw. Richter an Georg Wigand, 1903 p. 39 f., 43. — L u d w. R i c h t e r, Lebenserinn. ein dtschen Malers (Volksausg. des Dürerbundes), ² 1909 p. 324, 345, 355, 715. — Führer Stadtgeschichtl. Mus. Leipzig, I (1911) 17. — F r i e d r. S c h u l z e, Leipz. Mus.-Führer Stadtgesch. Mus., 1922 p. 34. *Ernst Sigismund.*

Hermann (Herrmann), siehe auch *Harmen, Harmens, Harmensz.* und *Hermen.*

Herrmann-Léon, C h a r l e s, Maler, geb. in Le Havre 22. 7. 1838, † in Paris 1. 1. 1908 (vom Auto überfahren), Schüler von Ph. Rousseau u. Fromentin, begann mit Stilleben u. Landschaften, wurde später einer der gesuchtesten Hundemaler. Malte Hundeporträts und Jagdszenen, in denen immer die Meute die erste Rolle spielt. Im Pariser Salon zeigte er seine Bilder 1861—1907, 1879 in München, 1894 im

Künstlerhaus in Wien. In l'Art LV (1893) Taf. gegen p. 104 Radierung nach dem Bilde „Relai de chiens". 1897 erhielt er die Ehrenlegion. H. wird häufig mit Léo Herrmann verwechselt. In öffentl. Besitz: *Amiens* (Cat. 1911), „Chienne de Vendée". *Le Havre*, „Au Loup". *New York*, Metrop. Mus. (Cat. 1900), „The Hunter" (1877). *Périgueux,* „La Messe de St. Hubert" (Salon 1876). *Rouen* (Cat. 1911), „Chiens couplés venant boire".

Bellier-Auvray, Dict. gén., I (1882). — Letalle, Peint. à l'Expos. intern. de Liège 1905, Paris 1907 p. 103. — Chron. des arts, 1908 p. 6. — Ausst.-Kataloge.

Hermannes, Carl, Maler in Hamburg, geb. 1. 10. 1874 in Hamburg, besuchte 1898 bis 1904 die Münchner Akad. unter Carl Marr. Ein Selbstbildnis (dat. 1919) in der Hamb. Ksthalle.

Rump, Lex. bild. Kstler Hambgs, 1912. — Hambg. Nachr. v. 17. 11. 1909. — Kat. Kunsthalle Hamburg, 1922.— Kat. Ausst. Hambg. Kstler, Hamburg (Commeter), 1912. *D.*

Hermanns, Heinrich, Maler u. Lithograph in Düsseldorf, geb. ebenda 19. 5. 1862, Schüler der dort. Akad. unter E. Dücker (1883/92), bevorzugte anfänglich Bilder mit holl. Landschaftsmotiven, später konzentrierte er sich mehr und mehr auf das Architekturbild. Seine Landschaften sind meist reich mit Figuren staffiert, denen bisweilen eine solche Rolle zugemessen ist, daß die Landschaftsschilderungen zu Genreschilderungen werden. Mit Vorliebe schildert er das Leben und Treiben auf den Grachten, den Fisch- u. Blumenmärkten Amsterdams. Längere Studienreisen durch Italien (besonders Neapel u. Sizilien), Frankreich, Spanien u. die Niederlande führten ihn dann auf die Architekturmalerei, wobei er sich meist des Aquarells bedient. In seinen Kircheninterieurdarstell. kommt es ihm weniger auf exakte Wiedergabe aller architekt. Details an, als auf die Beobachtung der Lichtverhältnisse, des geheimnisvollen Halbdunkels, aus dem der Glanz der Mosaiken, der Schein der Lampen und Lichter wie farbige Edelsteine herausblitzen. Ausgezeichnet beobachtet sind auch seine Straßenbilder u. Stadtveduten, deren malerischer Hauptreiz wieder in der Beobachtung der atmosphär. Erscheinung liegt. Auch hat H. einige höchst reizvolle farbige Orig.-Lithogr. gezeichnet. Werke von ihm in der Städt. Gemäldesamml. in Düsseldorf (Inneres der Abteikirche Amorbach, Birkenlandschaft in Märzstimmung), in d. Gal. in Wiesbaden (Dom zu Toledo), in den Museen Elberfeld (Hochaltar im Dom zu Toledo), Posen (Abend auf der Maas), Weimar (Winterabend in Amsterdam), Aachen (Inneres von St. Lorenz in Nürnberg), Bautzen (Abteikirche Amorbach), Essen, Bonn, Freiburg i. Br. u. in d. Ksthalle Karlsruhe. H. beschickt seit 1889 die Ausst. im Münchner Glaspalast, seit 1893 auch die Gr. Berl. Kstausst., die Ausst. in Düsseldorf, Köln, Dresden, Cassel usw. Im Kunstverein für die Rheinlande u. Westfalen, Düsseldorf, und bei Walter Westfeld, Elberfeld, zeigte H. im Herbst 1922 eine Sonderausst., die einen guten Überblick über das Schaffen des 60jährigen gab.

Schaarschmidt, Zur Gesch. d. Düsseld. Kst, 1902 p. 351 ff. — Jansa, Deutsche bild. Kstler in Wort u. Bild, 1912. — Rheinlande, I 1 (1900/01) Januar-H. p. 45 (Abb.); Febr.-H. p. 22 (Abb.) u. Taf. gegen p. 8; II 2 (1902), Juni-H., Taf. gegen p. 8 (farb. Orig.-Lith.), 69 (Abb.); III 264 (Abb.); IV 322. — Katal. d. gen. Museen u. Ausst. (z. T. mit Abb.). *H. V.*

Hermanns, Rudolf, Maler, geb. in Celle 17. 4. 1860, lebt in Hannover. Zuerst Schauspieler, wandte sich H. später der bild. Kunst zu und lieferte zunächst, in bedrängten Verhältnissen lebend, für die Firma A. W. Faber in Berlin 9 Jahre lang Menükarten mit Zeichnungen und kleinen Aquarellen. Autodidakt, bewunderte er besonders die Aquarelle Ed. Hildebrandts. H. v. Bartels zog ihn dann für mehrere Jahre nach München; ohne in ein Schülerverhältnis zu Bartels zu treten, bildete sich H. hier selbständig weiter. Dann wieder kurze Zeit in Celle, um sich schließlich in Hannover dauernd niederzulassen. Mit dem Ankauf zweier Bilder durch den Herzog von Cumberland begann die Besserung seiner wirtschaftl. Lage. Längere Aufenthalte in Paris und Reisen nach Italien vervollständigten H.s Ausbildung, der, nach eigener Aussage, sich vor allem als Zeichner fühlt. Mit dem Bleistift hat er in einer soliden, wenn auch trockenen Art seine künstler. Erlebnisse festgehalten, Motive aus der Lüneburger Heide, malerische Stadtbilder, z. B. aus Paris und Hannover. (Zeichnungen im Besitz der Stadt Hannover.) Daneben entstanden zahlreiche Aquarelle, in denen er sich freier bewegt und mehr flächig arbeitet. Zur Ölmalerei ist H. verhältnismäßig spät gekommen. Als reiner Landschafter malt er dann um die Jahrhundertwende Nordseemotive. In den großen Ausstellungen erscheint er nur selten (1906, Berlin, Gr. Kstausst.; 1907 Düsseldorf; 1912 Hannover). 1898/99 zeigte die Gal. Schulte in Berlin, Cöln u. Düsseldorf eine größere Kollektion seiner Arbeiten. Im Provinzial-Ständehaus malte H. (neben W. Feldmann) Wandbilder, auch im Kreishaus in Hoya. Gemälde H.s im Prov.-Mus. u. im Kestner-Mus. u. im Vaterländ. Mus. in Hannover.

F. Goebel in Westermanns Monatshefte, LXII. Jahrg., Bd 124, II. Teil, 1918 p. 417 ff., mit zahlr. Abb. nach Zeichn. u. einer autobiogr. Skizze H.s. — Ausstellungskataloge. — Hannoverscher Courier v. 10. 7. 1898 u. 16. 11. 1911.

Hermannus, Wilhelm, Hofarchitekt des Markgrafen Georg Friedrich von Baden-Durlach (geb. 1573, † 1638), 1616 erwähnt als Leiter des „Aufzuges" des Markgrafen bei dessen Besuch in Stuttgart.

R o t t, Kst u. Kstler am Baden-Durlacher Hof, 1917 p. 70.

Hermannus, siehe auch *Hermann.*

Hermanowska, M a r t i n, Glasmaler in Troyes, gemeinsam tätig mit seinem Sohn. Glasgemälde in der Josefskap. von St Martinès-Vignes zu Troyes, Szenen aus dem Leben des hl. Josef und Heilige, einmal die Marke Martin HK (Josef hält das Christkind), in der Vermählung des hl. Josef mit Maria im Buche des Hohenpriesters die Signatur: Martin HK père et fils ... 1857. — H. stellte aus 1851 in London, 1855 in Paris.

L é v y, Hist. de la Peint. sur verre, 1860 p. 248. — Inv. gén. d. Rich. d'Art de la France, Prov., Mon. rel., III (1901). — S o u l l i é, Ventes de Tableaux, 1896. — E. B e r t r a n d, Not. sur les travaux de M. Vincent-Larcher et rapport sur les vitraux peints de M. V.-L. et Martin H., Troyes 1845 (nicht benutzt).

Hermans, B e u k e l, Glasmaler in Brügge, wird im August 1506 Meister in der Malergilde, 1514/15 „Vinder" (Geschworener), meldet 1517, 18 u. 1523 Lehrlinge an, vermutlich nicht lange danach †. Für St. Basile in Brügge hatte er 1521 ein Fenster mit der Himmelfahrt Christi gemalt (nicht erhalten).

W e a l e, Bruges et ses environs, 1884 p. 163. — Ch. v. d. H a u t e, Corporation des Peintres de Bruges [o. J.].

Hermans, C a e c i l i a, Kalligraphin und Buchmalerin, Augustinernonne im Kloster vom Berge Tabor bei Mecheln. Von ihr ein Breviarium Romanum (Haag, Kgl. Bibliothek No 57) mit Initialen und nur einer gemalten Umrahmung, vollendet laut Subscriptio am 26. 3. 1507; ferner ein Horenbuch mit Umrahmungen (Streublumen, Insekten, Vögel) in der Kgl. Bibliothek in Brüssel (No 134), vollendet 26. 5. 1512.

J u b i n a l, Lettres à M. le Comte de Salvandy sur quelques-uns des Ms. de la Bibl. Roy. de la Haye, Paris 1846. — Cat. Expos. d'art Malinois.., 1911 No 682. — B r a d l e y, Dict. of Miniat., II (1888).

Hermans, C h a r l e s, Maler, geb. 17. 8. 1839 in Brüssel, 1858—61 an der École d. B.-Arts in Paris und bei Gleyre, 1862—66 in Italien, dann wieder in Brüssel, malte anfangs Genrebilder kleinen Formats (Klosterszenen) und erregte 1875 mit dem großen Bilde „L'Aube" in Brüssel und später besonders auch in Deutschland Aufsehen (Brüssel, Mus. Mod. de Peint., Cat. 1908). „Auf der einen Seite der Wüstling, der angetrunken, im Frack, den Hut schief auf dem Kopf, mit seinen zwei Dirnen aus dem Lichterglanz des Kaffeehauses in das Grau der Morgendämmerung tritt. Auf der anderen Seite die Arbeiter, die ernst, pflichtbewußt an ihr Tagewerk gehen" (Muther). Die Figuren fast lebensgroß. „Das erste Bild, mit dem das Pleinair sein Début in Belgien feierte." Obwohl es hier der Realismus des Alltags ist, der im Riesenformat auftritt, bleibt es im Grunde bei dem alten

Rezept der Historienmalerei. Mehr die Anekdote als die im ganzen vortreffliche Malerei begründete den Erfolg des Bildes. Es blieb ein Schlager; ein ähnlicher Erfolg war den anderen verwandten Arbeiten H.s wie „Les Conscrits" (1878), „Bal masqué" (1880) nicht beschieden; er erreicht hier auch im Malerischen das erste Bild nicht. Das Haschen nach einem zweifelhaften Effekt steckt auch in dem Bilde „Circe" (Brüssel, Salon 1881), das 1908 in der belg. Kst-Ausst. in Berlin (Sezession) zu sehen war. 1882 zeigte er in der Intern. Kst-Ausst. in Wien „Besuch im Kinderhospital" (Mus. Termonde). Noch in dem Bilde „Le jour de repos" (Paris, Salon Soc. Nat., 1902) spielt H. mit der billigen Antithese. Porträts hat er nur wenig gemalt, häufiger finden sich Akte (z. B. Brüssel, Salon 1881 „Le repos"; Paris, Salon 1883 „Baigneuse"), in späterer Zeit vielfach Landschaften in Aquarell u. Gouache: Motive von der Riviera, aus Spanien usw. (z. B. Cat. 53e Exp. Soc. roy. belge des Aquarellistes, Brüssel, 1912; Cat. „La libre Esthétique", Exp. 1913, „Interprétations du Midi"). Außer in Brüssel zeigte er seine Bilder in Paris (Salon Soc. Art. Français, 1880, 1883 usw.), im Glaspalast München (1879, 1913), Sezession (1896), in d. Akad.-Ausst. in Berlin (1879), mehrfach auch in Wien (1875, 1882) u. in Venedig (1911). Außer den genannten Bildern sind in öffentl. Besitz: *Budapest,* „Jeune fille à l'éventail". *Namur,* „Le repos". *Philadelphia,* „Bal masqué".

Gaz. d. B.-Arts, 1875 II 352ff. — Journal d. B.-Arts, 1881 p. 130; 1883 p. 49, 109; 1886 p. 21. — Zeitschr. f. bild. Kst, I (1866) 270; XV 319; XVII 373; Kunstchronik, IV 199; XI 162, 336; XIII 830; XV 734. — S o l v a y, L'art et la liberté, 1881. — v. B ö t t i c h e r, Malerwerke d. 19. Jahrh., I 2 (1895). — M u t h e r, Belg. Malerei im 19. Jahrh., 1904 p. 78 (Abb.), 87. — H y m a n s, Belg. Kst d. 19. Jahrh., 1906 p. 165, 168f., 170 (Abb.). — L a m b o t t e, Les Peintres de Portraits, 1913 p. 99f., 124. — G. v. Z y p e in „Le Home", 1912 Okt.-Heft. — L e m o n n i e r, École Belge, 1906 p. 135f. — P i c a, L'Arte mond. a Roma 1911 (Bergamo 1913) p. 328, nur Abb. — H a u s e n s t e i n, Die bild. Kst der Gegenwart, 1914. — Ausst.- u. Mus.-Kataloge.

Hermans, F r a n ç o i s, s. unter *Hermans,* Louis.

Hermans, H e r m a n, Glasmaler, seit 1580 in Gent nachweisbar, liefert 1584 anläßlich der Vorbereitungen für den Einzug des Prinzen von Parma mehrere Glasfenster für städtische Gebäude in Gent.

E d. d e B u s s c h e r, Rech. sur les Peintres et Sculpt. à Gand, XVIe siècle, 1866.

Hermans, J o h a n n, fläm. Maler, 1659 in Rom nachweisbar; vielleicht von ihm das Bildnis des Dominicus Ottomanus, eines Sohnes des Sultans Ibrahim, das in Stichen von A. Clouwet u. A. G. Wolfgang erhalten ist. Vielleicht ist H. identisch mit dem Maler H e r m a n n, der am 16. 1. 1658 von der fläm. Bruderschaft S. Giuliano in Rom bezahlt wird für das Gemälde eines hl. Julian zum Schmuck der Kirchentür an Festtagen.

Arch. S. Giuliano dei Fiamminghi, Rom. — Bertolotti, Artisti Belgi ed Olandesi a Roma, 1880 p. 149. — Duplessis, Cat. Portr. Bibl. Nat. Paris, 1896 ff., III 12986/6, 12. — Notiz Fr. Noack.

Hermans, Louis, Maler, geb. in Maastricht 16. 10. 1750, † ebenda 16. 7. 1835, arbeitete zusammen mit seinem älteren Bruder François, der Historienmaler und Schüler Marattas genannt wird und in Italien war, mehrere religiöse Allegorien für U. L. Fr. Kerk in Maastricht, wo sie 1857 noch vorhanden waren. Louis, Blumen- u. Fruchtmaler, malte darin das Pflanzlich-Ornamentale. — Beider Neffe ist der Maler u. Architekt Mathieu, geb. 8. 9. 1789 in Maastricht, † ebenda 1842, lieferte für C. Leemanns' Werk über die Thermen in Maastricht Pläne und Zeichnungen. Er baute die große Brücke mit dem steinernen Bogen ebenda (vollendet 1828).

Schaepkens in Annales de l'Acad. d'archéol. de Belg., 1857. — Kramm, Levens en Werken, III (1859).

Hermans, Mathieu, s. u. *Hermans,* Louis.

Hermansdorfer, Ambros, s. *Hörmanstorffer,* A.

Hermansen, Olaf August, Maler, geb. 30. 7. 1849 in Kopenhagen, † 25. 11. 1897 ebenda, anfangs Porzellanmalerlehrling bei Bing & Grøndahl, 1872—76 Schüler der Kunstakademie, zeigte seit 1874 in Charlottenborg meist Blumenbilder.

S. Müller, Nyere Dansk Malerkunst, 1884 p. 163. — Reitzel, Fortegn. over Danske Kunstneres Arb., 1883. — Weilbach, Nyt Dansk Kunstnerlex., I (1896).

Hermansson, Gustaf (Per Frans G.), Architekt, geb. in Stockholm 9. 10. 1864, Schüler der dort. Techn. Hochschule u. Akad. (1882/88), Stadtarchitekt in Sundsvall 1896, wo er mehrere Schulen u. eine Kirche baute. Intendant am kgl. Bauamt 1918. Hat zahlreiche öffentl. u. private Bauten ausgeführt, darunter das Haus der Vereinsbank in Stockholm, Rathaus in Örnsköldsvik, Oskarkirche (1903) und Sofiakirche (1906) in Stockholm.

Nordisk. Familjebok, ² XI (1909). *M. Olsson.*

Hermansson, Herman, Goldschmied in Gotenburg, Meister 1702, † 1745. Unter seinen Arbeiten zu erwähnen zahlreiche Kelche für Kirchen in Vestergötland u. Bohuslän.

Fataburen (Stockholm),1912 p. 79, 82. *G. Upmark.*

Hermansz., siehe *Harmansz.*

Hermant, Achille Pierre Antoine, Architekt, geb. in Paris 6. 12. 1823, † ebenda Anfang Mai 1903, Schüler von Blouet, 1842 in die École d. B.-Arts aufgenommen, 1880 Architekt der Stadt Paris. Schuf zahlreiche Nutzbauten, darunter die Kaserne der Garde Républicaine in Paris 1887 (Place Monge) und das Departementsgefängnis in Nanterre. Mehr-

fach ausgezeichnet; auch schriftstellerisch tätig: „Abel Blouet", 1857, „De l'influence des arts du dessin sur l'industrie", 1857.

Bellier-Auvray, Dict. gén., I (1882). — Vapereau, Dict. des Contemp. ⁶, 1893. — Curinier, Dict. Nat. d. contemp., II (1906) 11. — Delaire, Les Archit. Élèves, 1907. — Chron. d. arts, 1903 p. 147 (Nekrolog).

Hermant, Barthélemy Dominique, Bildhauer, geb. in St. Omer um 1730, † ebenda 1777, wurde am 5. 5. 1758 in die Acad. de St. Luc in Paris aufgenommen, 1767 eröffnete er in seiner Vaterstadt eine Schule für Zeichnen und Bildhauerei. Sein von Dominique Doncre gemaltes Bildnis, dat. 1769, im Mus. in St. Omer.

Lami, Dict. d. sculpt. 18ᵉ siècle, I (1910). — Arch. de l'art franç., 1915 p. 322.

Hermant, Jacques (René J.), Architekt, Sohn des Achille, geb. in Paris 7. 5. 1855, Schüler der École d. B.-Arts unter Vaudremer, erhielt 1880 den 1. second grand prix. Regierungs-Architekt für die Weltausstell. (Paris 1889, 1900; Chicago 1893; Brüssel 1897), Architekt der Stadt Paris. Zahlreiche Nutzbauten, Kasernen, Privathäuser, Kaufhäuser, Landsitze usw.

Nouv. Arch. de l'art franç., VIII (1880/81) 481. — Bellier-Auvray, Dict. gén., Suppl. — Delaire, Les Archit. Élèves, 1907. — L'Art décor., 1906 I 33 ff., Abb. — L'Architecte, II (1907) 26, Taf. 13 u. 14; IV (1909) 95 ff., Taf. 71 u. 72. — Arch. biogr. contemp., VI (1913) 401. — Qui Êtes-Vous ?, 1909/10.

Hermant, René, Bildhauer, geb. in Châlons-s.-M., † 1896 in Paris, erschien zuerst im Salon 1884 mit einer Statue, 1886 mit einer Statue Raffaels als Kind, usw. In der Faculté de médecine in Paris eine Marmorbüste des Chirurgen Jean Méry (1645—1722) von 1889.

Lami, Dict. d. sculpt., 19ᵉ siècle, III (1919).

Hermanus, Paul François, Maler in Brüssel, geb. 19. 2. 1859 ebenda, † 1911 ebenda, Schüler seines Vaters, des Archit. und Malers Alexandre H.; vielfach mit Dekorationsmalerei beschäftigt, Mitglied der Soc. des Aquarellistes und des Cercle des Hydrophiles, zeigte Landschaften und Marinen (Öl und Aquarell) in Brüssel, Antwerpen, Gent und Paris. Werke in den Mus. zu Brüssel (Cat. Mus. Mod., 1908) und Ostende.

Journal d. B.-Arts, 1886 p. 44. — Letalle, Peint. à l'Expos. internat., Liège 1905 p. 116. — J. du Jardin, L'art flamand, Bd VI p. 130. — Kataloge: Salon Soc. d. Art. Franç., Paris 1904; Salon Triennal, Brüssel 1914. *L. Hissette.*

Hermany, Porzellanmaler, 1780 in Frankenthal nachweisbar; als von ihm bemalt werden genannt: Friseurgruppe mit 3 Fig., Blumenvase mit 2 Chinesen, Uhrgehäuse mit 2 Chinesen, Frühlingsgruppe (3 Fig. mit Schaf), Venus u. Adonis mit Kind, Bergère des Alpes, etc.

Heuser, Porzellanwerke von Frankenthal, 1909 p. 66 f.

Hermbler (Härmbler, Härmler, Hermele, Hörmbler), L o r e n z , Bildhauer in Salzburg, 1743—1782 nachweisbar, arbeitet in Holz u. Stein, neben Figürlichem auch Ornamentales wie Kapitele, Kartuschen, Rocaille-Werk usw., muß jedoch auch eine tüchtige architektonische Schulung gehabt haben, wie der nach seinem Modell gearbeitete Hochaltar der Stiftskirche St. Peter beweist. Erscheint zuerst 1743 mit untergeordnetem Auftrag für St. Johann am Imberg in Salzburg; umfangreicher ist seine Tätigkeit für den Kreuzweg an der Stiege zum Kapuzinerberg, 1745 lieferte er dafür 6 Statuen, 1760 eine hl. Magdalena, 1773 ein „Bildnus S. Magdalenae auf dem Calvariberg" und Ausbesserungen einiger Bilder „am Cappucinerberg". 1748 schnitzt H. für die Nikolauskirche in Holzhausen (Bez. Salzburg) einen guten Kruzifixus, an den 4 Endigungen des Kreuzes Engelsköpfe (erhalten). 1751/52 ist er beteiligt an der Innenausstattung der Sebastianskirche (1818 durch Brand zerstört). 1760 liefert er für die Sigismundkirche in Strobl am Wolfgang-See das Bildhauerische am Hochaltar (Holz) und den vortrefflichen Kruzifixus am Triumphbogen (Engelsköpfe auf den dreipaßförmigen Kreuzesendigungen) mit Maria u. Johannes, 1769 für den Benediktaltar (No 5) der Stiftskirche auf dem Nonnberg das Bildhauerische (die Fig. der Hl. Andreas u. Bartolomäus verloren), 1770 für die Stadtpfarrkirche zum hl. Erhard (Nonnthal). 1767—76 bei den Arbeiten für die Michaeliskirche erwähnt. 1780 liefert er Wappen für die Orgel U. L. Fr. in Mülln. Seine Hauptbeschäftigung fand H. von 1760/82 bei der Neuausstattung der Stiftskirche St. Peter in Salzburg. 1761/64 erscheint H. in den Rechnungen für die Altäre Mariä Säul u. Vitalis (No 2 u. 3; Nord- bzw. Südabschlußwand der Querschiffarme), dieser über dem „Grab" des hl. Vitalis; von H. Figuren, Kapitele, Rocaille-Werk. 1765 arbeitet H. die schönen Türflügel des Hauptportals der Stiftskirche mit 4 in reichstem Rocaille geschnitzten Füllungen, 1762/63 den bildhauer. Schmuck der Orgel, Holz (grün) mit vergoldetem Muschelwerk und farbig gefaßten Figuren (Petrus, Rupert, Vitalis). 1774/75 das Bildhauer. am Skapulier- u. am Apostel-Altar (No 8 u. 9), Ornamentales u. Putten (im Aufsatz). 1774 überarbeitet er den Altar in der St. Veitskapelle (nordöstl. der Stiftskirche). 1777 wird H. bezahlt für das „mühsame Model zu den Hochaltar", 1778 für die Modelle der 4 großen Statuen Rupert, Virgil, Vitalis u. Amandus am Hochaltar; aus rotem u. grauem Marmor mit reicher Vergoldung (1780 vollendet). 1780/82 arbeitet H. an den beiden Altären (No 4 u. 5) des Querschiffes, die den Hl. Johannes d. T. und Vitalis geweiht sind. Nach dem Ausweis der Rechnungen hat H. den weitaus größeren Teil des bildhauer.

Schmuckes geliefert; am Vitalis-Altar arbeitete Hitzl nur die Figuren, während die am Johannes-Altar, die Hl. Georg, Martin und (am Aufsatz) Magdalena und Margarethe von H. stammen; das Modell zum hl. Martin ist im Kämmerei-Stiftsmus. erhalten. Auch für die Arbeiten in der Abtei ist H. 1762 u. 64 beschäftigt worden. Die Rechnungen nennen seinen Namen noch in Zusammenhang mit anderen Arbeiten, die entweder nicht erhalten oder noch nicht als H. gehörig erkannt sind.

Oesterr. Kunsttopogr., VII (1911); IX (1912); X (1913); XII (1913), mit zahlreichen Abb.

Herme, E b e r h a r d , Maler, geb. 1759 in Gunsleben, † 1828 in Berlin, Schüler von B. Rode u. D. Chodowiecki, bekannt durch ein Familien-Bildnis (dat. 1798) der Königin Luise mit Friedr. Wilh. III. und 2 Kindern (Verbleib unbekannt).

Mitt. d. Ver. f. d. Gesch. Berlins, XVIII (1901) 135.

Hermel, J e a n , Architekt, 1493 Werkmeister an der Kathedrale in St. Omer, erneuert 1506 Gewölbe dieser Kirche und ist bis 1515 noch nachweisbar. — Sein Sohn G u i l l a u m e erhält um 1511 vom Kapitel Auftrag für das Portal nach den Plänen des Van der Poele, er folgte seinem Vater als Werkmeister 1514/15.

B a u c h a l , Dict. des archit. franç., 1887.

Hermelin, O l o f , Freiherr, schwed. Landschaftsmaler, geb. 8. 2. 1827 in Säby (Jönköping), † 1913, Schüler der Akad. in Stockholm und (1848) von L. T. Billing, studierte auch im Ausland, besonders in Paris (1870, 73, 75). Ein sehr fruchtbarer Künstler, der mit Vorliebe Motive Mittelschwedens behandelte. Im Nat.-Mus. Stockholm von ihm eine Frühlingslandschaft (Motiv aus Dalekarlien), im Mus. zu Gotenburg 3 Bilder, darunter Allee bei Strömsholm, 1885 (cf. Katal. 1909 p. 18). In Österby ansässig, beschickte er von hier aus auch wiederholt Ausstell. in Deutschland (Jubil.-Ausst. München 1888, Glaspal. 1892, Internat. Berlin 1896, Gr. Berl. K.-A. 1899 u. 1900). — Sein Sohn T r y g g v e , geb. 1856 in Rekarne (Södermanland), ist Aquarellmaler u. Radierer.

Nordisk Familjebok. — Förteckning Tafvelsaml. Nat.-Mus. Stockh., 1897. — H o f b e r g , Svenskt Biogr. Handlex., ² (1906). — H. W. S i n g e r , Kstlerlex., II (1896). — N o r d e n s v a n , Svensk Konst och Svenska Konstnärer, 1892; d e r s. in Dagens Nyheter, Stockh., v. 19. 3. 1909. — Svenskt Porträtgall., XX. — Katal. d. angef. Ausstell. — M i r e u r , Dict. d. Ventes d'art, III (1911). *K. Asplund.*

Hermeling, W e r n e r , Goldschmied, geb. in Cöln 31. 10. 1803, † ebenda 12. 5. 1873, begründete 1827 die noch unter dem Namen seines Sohnes G a b r i e l bestehende Firma. Von Werner wird erwähnt ein silbervergoldetes Ziborium (1840) und eine gotische Monstranz, die er 1847 für die Kirche in Merheim arbeitete.

Als er 1864 von der Leitung der Werkstatt zurücktrat, übernahm sie Gabriel, † in Cöln 24. 11. 1904, der mehrere Jahre in Paris gelernt und im väterl. Geschäft seine Lehrzeit durchgemacht hatte. Gabriel hat das Arbeiten in der Technik und dem Stil der alten Goldschmiede zu großer Vollkommenheit gebracht, besonders sein Interesse dem Zellenschmelz und der Emailmalerei (auch Emails à jour) zugewendet, und ist den alten Arbeiten dabei so nahe gekommen, daß Emails von H. als alte Stücke in die Museen kamen (vgl. Burl. Mag., XXXII [1918] 71). Bei aller Vollendung im Technischen, blieb er doch nur reproduktiv. Auch als Restaurator alter Stücke wurde er herangezogen (Monstranz v. 1639, Quirinus-Kirche in Neuß; 7 armiger Leuchter im Dom zu Braunschweig, die neuen Emails daran von H., 1898). Von H. ist die Ausführung des Baldachins (nach dem Entwurf von Essenwein) über dem Hochaltar von Sta Maria im Capitol in Cöln (1878—92). Von seinen übrigen Arbeiten seien genannt: Reliquienbüste für das Haupt des hl. Paulinus in St. Paulinus in Trier (1892), silbervergold. Vortragskreuz im Cölner Dom (1896), Dreikönigenreliquiar zum goldenen Priesterjubiläum Pius' X., Cölner Ratssilber (Einband z. gold. Buch 1897), Elberfelder Ratssilber, silbervergold. mit Emails u. farb. Steinen gezierter Pokal (Stil: Nürnberg, 16. Jahrh.) als Hochzeitsgeschenk für Prinz Wilhelm von Preußen u. Auguste Viktoria (1881).

M e r l o , Köln. Kstler, Ausg. 1895. — Zeitschrift f. christl. Kst, V (1892) 33, 275; VI 21; IX 165, 299; X 161, 257; XI 50; XII 257; mehrfach Abb. — Kstgewerbebl., N. F. VI (1895) 191, Abb. — Bl. f. Archit. u. Ksthandw., IV (1891) Taf. 59. — Kunstchronik, XVI (1881) 583. — Kstdenkm. d. Rheinprov., III 196; VII 1. Abt., p. 196, 227. — Kat. Ausst. Christl. Kst Mainz 1892, p. 22. — Kat. Sonderausst. f. christl. Kst Aachen 1907, I. Abt. No 585 ff. — Mitt. d. Familie.

Hermen, J e a n , Holzbildhauer fläm. Herkunft in Rouen, 1467 am Chorgestühl der Kathedrale und am Stuhl des Erzbischofs beschäftigt (Entwurf Laurent Adam).

L a m i , Dict. d. sculpt., moyen âge, 1898. — Bull. d. Amis des mon. Rouennais, 1911 p. 141 ff.

Hermen, siehe auch *Harmen* u. *Hermann.*

Hermenjat (Hermanjat), A b r a h a m (Jacques Élie A.), Maler, geb. in Genf 29. 9. 1862, Schüler von A. Baud-Bovy an der École municip. d'art in Genf, 1882—86 an der École d. B.-Arts ebenda unter Barth. Menn, 1886—88 in Algier, wo er mit Unterbrechungen bis 1895 malte. Darauf arbeitete er wieder in der Schweiz, anfangs in den Ormont-Tälern des Kantons Waadt und ließ sich später endgültig in Aubonne nieder. — Zeigte 1885 und 86 in Genf Landschaften (Repas champêtre) und brachte aus Nordafrika Motive aus dem dortigen Volksleben. wie „Campement arabe à Biskra", „Tente de Si Mohamed ben Abnar"

(Bern 1892); das letzte Bild erregte 1893 in Genf Aufsehen, es wurde von der Stadt angekauft, was ihm die Rückkehr nach Afrika ermöglichte. 1894 malte er den „Marchand d'oranges" und den „Fumeur de Kif" (Paris, Salon Soc. Art Franç., vom franz. Staat erworben), 1896 zeigte er „Café arabe", „Grand canal de Bizerte", usw. Nach seiner Rückkehr in die Heimat wandte er sich wieder ganz schweiz. Motiven zu, pflegte die Gebirgslandschaft und bevorzugte dabei die schneebedeckten Berge, später die sonnige Landschaft, die er auch mit Figuren staffiert. Neben der Öltechnik bedient er sich der Tempera und einer eigenen Freskotechnik auf Kreidegrund. Mit breiter und frischer Malweise verbindet er Tiefe und Pracht der Farbe. Werke in den Museen zu Basel, Bukarest, Genf (Musée Rath), Lausanne, Neuenburg, Vevey, Zürich (Kunsthaus). In Paris erschien er 1905 u. 09 im Salon d. Art. Indép., regelmäßig in den Ausstell. der Züricher Kstgesell. (1905, 09, 10, 13, 15), wo er 1916 eine Kollektiv-Ausst. veranstaltete, 1917 in der 13. schweizer. Kstausst. in Zürich, ferner in Berlin 1910 (Sezession), 1911 (Gr. Kst-Ausst.), Düsseldorf 1904, München 1909 u. 13 (Glaspalast), Stuttgart 1914, Amsterdam 1912, Budapest 1910, Venedig 1920.

B r u n , Schweizer. Kstlerlex., II (1908) 47; IV (1917) 536. — Schweizer. Zeitgenossenlex., 1921. — G r a b e r , Schweizer Maler, 1913 p. II, VII, Taf. 28, 29. — „Kunsthaus", 1916, Heft 3/4. — Schweiz, 1909 p. 256, Abb.; 1910 p. 434. — Art moderne Genève, 1896 Lief. 2. — Etrennes helvét., 1914 p. 9, Abb. — Kst u. Kstler, VII (1909) 566, Abb. — Dtsche Kst u. Dekor., XXXII (1913) 405. — Kstwanderer, II (1920/21) 118. — Mus.- u. Ausst.-Kataloge.

Herment, V i c t o r , Maler, geb. 1801 in Vitry le François (Marne), † 1858, zeigte im Pariser Salon seit 1836 Landschaften und Tierbilder. Im Mus. in Leipzig (Kat. 1917) „Wütender Stier", bez. V. Herment, 1838.

B e l l i e r - A u v r a y , Dict. génér., I (1882). — Cat. Expos. Cent. de l'Art Franç. de 1800 à 1889 (Expos. Univ.), 1900 p. 206.

Hermès, E r i c h , Maler, Bildhauer, Radierer, geb. in Ludwigshafen a. Rh. 18. 1. 1881, seit 1901 in der Schweiz naturalisiert, gebildet an der École des B.-Arts in Genf unter Léon Gaud, Ed. Ravel, H. Bovy. Reisen nach Italien, München u. Paris, tätig in Genf, pflegt hauptsächlich das dekorative Figurenbild, z. B. in Genf: Kinderfries im Kinderkrankenhaus (1909), Ausmalung der Salle d'Onex (1910), plastischer u. malerischer Schmuck der Nouvelle Comédie (1912); daneben zeigte er in den Ausstell. Ölgemälde, z. B.: Der Auslader, Sandarbeiter, Beim Baden (Zürich, Ksthaus, Sept. 1913), Vater u. Sohn (Ksthaus, XIII. Schweizer. Kstausst. 1917). 1918 veranstaltete er im Grand Salon d'Art in Genf eine Koll.-Ausst. Schuf auch zahlreiche Radierungen. Erschien ferner auf den Ausstell. in Zürich (X. Nat. Kst-Ausst.,

Ksthaus, 1910; ebenda März 1915), in Budapest (1910, Nemzeti Szalon) usw. Im Mus. Elberfeld ein Gemälde „Réveil".

Brun, Schweizer. Kstlerlex., IV (1917) Suppl. p. 213. — Pages d'Art, 1917 p. 57 ff., Abb.; 1920 p. 97 ff., Abb. — Das Werk, 1914, Heft 6 (Comédie Nouv.), Abb.; 1916 p. 33, Abb. — Schweiz, 1908 p. 474. — Kstwanderer, II (1920/21) 366; III (1921/22) 378. — Ausst.-Kataloge.

Hermes Flavius de Bonis, s. *Bonis, Hermes Flavius de.*

Hermes, Johannes, Maler, geb. 28. 5. 1842 in Berlin, † 17. 6. 1901 in Wiesbaden, gebildet an der Berliner Akad. unter Max Schmidt, von 1865—70 an der Akad. Düsseldorf unter Osw. Achenbach, ging 1871 nach Weimar, von dort 1874 nach Holland. Seit 1875 in Berlin ansässig, 1877 vermählt mit der Tochter des Landschaftsmalers Aug. Schröder. Zeigt seine meist gut gesehenen und ausgeschnittenen Landschaften 1868—1901 in Berlin (bis 1892 in der Akad.-Ausst., seit 1893 in der Gr. Kunstausst.), im Glaspalast München (1879, 83, 88, 89, 91, 98), in Düsseldorf, Weimar, Breslau 1879, Lübeck 1878, 94, 96 usw. H. bevorzugt die märkische Havel-Landschaft, daneben finden sich Motive von der Ostsee (Schloensee bei Heringsdorf), aus Mecklenburg, Baden, vereinzelt auch holländ. Landschaften. Im Mus. in Budapest (Samml. Pálffy) eine Landschaft mit See von 1870.

v. Boetticher, Malerwerke d. 19. Jahrh., I 2 (1895), Bilderliste. — Das geist. Deutschland, I, 1898. — Mannstaedt's Kstfreund, 1874 p. 145, 236. — Kunstchronik, IV (1869) 94; VII 373; XXII 298; N. F. V 515; XII 487. — Die Kunst, III (1901) 532 (Hernes!). — Ausst.-Kataloge.

Hermes, Joh. Oswald, falsch für *Harms, J. O.*

Hermes, Isaac, Maler; von ihm die Gemälde (1587) am Bogen der Cap. del Sagramento der Kathedrale in Tarragona. Schätzt 1582 in Barcelona die Malerei des Galindo an der Eulalia-Fahne und die Statuen des Petrus u. d. Madonna des Bildh. G. Huguet.

Cean Bermudez, Dicc. Hist., II (1800). — Viñaza, Adiciones.., II (1889). — Piferrer-Pi Margall, Cataluña (España), II (1884) 534, 536.

Hermessant, Henri François, Emaille-Maler, geb. in Morges 14. 10. 1803, † in Bougy-St. Martin an der Aubonne Januar 1887, gebildet in Genf, Schüler von A. Constantin, von 1829—40 in Paris, wo er 1833 und 1851 im Salon ausstellte, seit 1840 in Bougy-St. Martin ansässig. Arbeitete für England und für den Sultan in Konstantinopel zahlreiche Emails für Tabaksdosen. — Genannt werden Kopien nach alten Meistern und Porträts.

Guyot de Fère, Annuaire statist., Paris 1836. — Bellier-Auvray, Dict. gén., I (1882). — Brun, Schweizer. Kstlerlex., II (1908).

Hermippos, Sohn des Diomenes, aus Sunion, attischer Bildhauer vom Anfang des 2. Jahrh.

v. Chr. Seine Signatur auf 2 in Athen gefundenen Basen erhalten.

Löwy, Inschr. griech. Bildhauer, Nr 129, 130. — Inscriptiones Graecae, II 3, Nr 1628, 1629. — Kirchner, Prosopographia Attica, Nr 5117. — Pauly-Wissowa, Realencyclop., VIII 857 (Pfuhl).

Hermitiais, siehe *L'Hermitiais.*

Hermitte (Hermite), siehe *L'Hermitte.*

Hermkes, C., Baumeister; von ihm der klassizist. Umbau (Ende 18. Jahrh.) der Fassade des 1634/38 erbauten Rathauses in Neuß.

Kstdenkm. d. Rheinprov., III (1894) 405. — Klapheck, Baukunst am Nieder-Rhein, II (1919) 233.

Hermodoros von Salamis, griech. Architekt, tätig 2. Hälfte des 2. Jahrh. v. Chr. in Rom. Gesichertes Werk: Marstempel am Circus Flaminius, nach 138 v. Chr. Mit Wahrscheinlichkeit werden ihm zugeschrieben: in derselben Gegend die Tempel des Juppiter Stator und der Juno Regina (die ersten Marmortempel Roms) mit anschließender Säulenhalle, nach 146 v. Chr.; ferner Schiffshäuser am Marsfelde. Über die von ihm angewendeten Kunstformen haben wir keine Vorstellung, da sie bei späteren Umbauten zugrunde gegangen sind.

Brunn, Gesch. der griech. Künstler, II 357 f. — Jordan, Topogr. der Stadt Rom im Altert., I 1 437, I 3 (Hülsen) 486, 490, 539, Anm. 87. — Richter, Topogr. der Stadt Rom, p. 216, 218. — Pauly-Wissowa, Realencycl., VIII 861 No 8 (Fabricius). — Delbrück, Hellenist. Bauten in Latium, II 58, 125. *S.*

Hermogenes von Kythera, Bildhauer unbestimmter Zeit. Eine Aphrodite von seiner Hand sah Pausanias (II 2, 8) auf dem Markt von Korinth.

Hitzig-Blümner, Pausanias, I p. 195. — Pauly-Wissowa, Realencyclop., VIII 878 (Pfuhl).

Hermogenes, attischer Vasenfabrikant aus der 2. Hälfte des 6. Jhdts v. Chr. Von seiner Hand sind 18 Gefäße erhalten, bis auf einen Skyphos (Tasse) lauter Schalen der sog. Kleinmeistergattung. Eine Anzahl der Schalen enthält nur die Künstlersignatur, andere kleine Darstellungen von Läufern, Viergespannen u. dgl., noch wieder andere in Umriß gezeichnete Frauenköpfe, ein beliebter Schmuck dieser Gattung von Gefäßen.

Pauly-Wissowa, Real-Encyclop., VIII 878 fg. — Pfuhl, Malerei u. Zeichnung d. Griechen, I 276 f. *Pernice.*

Hermogenes, einer der bedeutendsten griech. Architekten, derjenige, von dessen Wirksamkeit wir die deutlichste Vorstellung haben.

1. *Heimat* und *Zeit.* Eine in Priene gefundene, jetzt im Berl. Mus. befindliche Inschrift (Inschriften von Priene Nr 207, Dittenberger Sylloge³, III 1156) meldet, daß „Hermogenes, Sohn des Harpalos, einen Grundriß des [Tempels] geweiht hat, dessen Ausführung er auch übernommen hat". (Vgl. dazu Kern, Hermes XXXVI [1901] 496; Fabricius, Bonner Studien für Kekulé, p. 60; Benndorf, Österr.

Jahresh. V 1902, 183.) Dieser Architekt stammte, da seinem Namen ein Ethnikon nicht beigefügt ist, also vermutlich aus Priene. Die Zeit der Inschrift ist etwa das 1. Drittel des 2. Jahrh. v. Chr.; denn die Schriftformen, die in diesem Falle freilich nur gefühlsmäßig abgeschätzt werden können, scheinen wenig, aber doch merklich jünger als die Rhodier- schiedsspruch, Inschr. v. Priene No 37. — Dieser Hermogenes ist nun wahrscheinlich derselbe wie der von Vitruv (ed. Rose u. Müller-Strübing), III 2, 6 p. 70, 1; III 3, 8 p. 72, 16; III 3, 9 p. 73, 6; IV 3, 1, p. 90, 23; VII praef. 12, p. 159, erwähnte Baumeister gleichen Namens, als dessen Hauptwerke der Artemis- tempel in Magnesia am Mäander und der Dionysostempel in Teos genannt werden. Von beiden Bauwerken haben wir wahrscheinliche Daten. Das erste ist wohl 220—206 v. Chr. entstanden (Kern, Inschriften von Magnesia No 16 p. 13, Hermes XXXVI [1901] 496 f.), das zweite kurz vor 193 v. Chr. (C I G 3045 ff., Dittenberger, Sylloge, ³ II No 601; G. Hirsch- feld, Archäolog. Ztg, 1875, 29; Fabricius bei Pauly-Wissowa, VIII 880, zu Altertümer von Pergamon VIII 1 No 103 D 9 ff.). Somit wird H. in den letzten Jahrzehnten des 3. Jahrh. und in den ersten Jahrzehnten des 2. Jahrh. gewirkt haben.

2. *Literarische Tätigkeit.* H. hat, einer verbreiteten Gewohnheit griech. Baumeister folgend, seine künstler. Grundsätze schriftlich niedergelegt, und zwar nach Vitruv VII praef. 12 p. 159 in einer Schrift über die Tempel in Magnesia und Teos. Das 3. Buch Vitruvs, das den ionischen Baustil behandelt, scheint in allem Wesentlichen auf H. zurückzugehen (Puchstein, Das ionische Kapitell p. 40; Noack, Philologus 58, 1899 p. 16 ff.; Birnbaum, Vitruvius und die griech. Architektur). Hierin werden ausdrücklich (III 3, 8, p. 72) als geistiges Eigen- tum des H. zwei Tempelformen vorgehoben, der Pseudodipteros und der Eustylos, je nach- dem es auf die Stellung der Säulen zur Cella oder auf das Verhältnis der Säulen zueinander und zum Aufbau ankommt. Der Pseudodip- teros soll an den Schmalseiten 8, an den Lang- seiten 15 Säulen haben, die allseitig um zwei Zwischenweiten von der Cella entfernt sind; Beispiele seien des H. Artemistempel in Ma- gnesia und des Menesthes Apollotempel in Alabanda (Vitruv III 2,6 p. 69 f.). Diese Tempelart habe H. erfunden, und zwar habe er dabei aus dem Gefüge eines Dipteros die 38 Säulen (die Ecksäulen doppelt gezählt) der inneren Peristase herausgenommen; es bleibe somit der großartige Eindruck des Bauwerkes gewahrt, andererseits werde Weiträumigkeit des Umgangs geschaffen (Vitruv III 3, 8 p. 72 f.). Man sieht, was ja schon aus der Bezeichnung Pseudodipteros hervorgeht, daß es sich hier weniger um eine Neuerfindung, als um die Weiterentwicklung der alten heimischen Formen handelt. Der Dipteros, der typische Monumen- taltempel Ioniens seit archaischer Zeit, wird im Sinne des Hellenismus, der die Raumprobleme als überwiegend wichtig empfindet, umgewandelt (Dörpfeld, Athen. Mitt. XI 1891, 265; v. Salis, Kunst der Griechen 210). Übrigens gab es schon vor H. pseudodipterische Grundrisse, denn älter als er sind im ionischen Kunstkreise z. B. der Tempel von Sardes und vielleicht der von Messa (Koldewey, Antike Baureste der Insel Lesbos, Taf. 12, 2; Schede, Antikes Traufleistenornament, p. 72 f.), in Großgriechen- land eine Reihe archaisch - dorischer Tempel (Koldewey-Puchstein, Griech. Tempel in Unter- italien und Sicilien, p. 202). Eher handelt es sich bei der eustylen Tempelform (Vitruv III 2, 6 ff. p. 71 f.) vielleicht um eine von H. neu ersonnene Konstruktion. Die Maßeinheit ist der untere Säulendurchmesser, der sich seiner- seits aus einer, je nach der Säulenzahl ver- schiedenen Teilung der Tempelbreitseite ergibt. Im Grundriß kennzeichnet sich der Eustylos dadurch, daß die Säulen im allgemeinen um $2^1/_4$ Einheiten auseinander stehen, die mittleren Säulen der Schmalseiten aber um 3 Einheiten. Die Säulenhöhe beträgt $9^1/_2$ Einheiten. Als Beispiel wird der Tempel des Dionysos in Teos genannt. Pseudodipteros und Eustylos schließen sich natürlich nicht gegenseitig aus, vielmehr bilden sie erst in ihrer Kombination einen Idealtypus (Birnbaum a. a. O.). Auch die Vorschriften Vitruvs über den weiteren Aufbau des ionischen Tempels sind wohl, bis auf einzelne Abweichungen, hermogenisches Gut; indessen ist zu berücksichtigen, daß gerade die charakteristischen Bildungen, der geradlinige untere Abschluß des Kanals am Kapitell und der Fries, im griech. Mutterlande längst vorhanden waren und nur erst in Klein- asien durch H. neu Eingang fanden (Birnbaum p. 61; v. Gerkan, Athen. Mitt. XLIII, 1918, p. 176; Studniczka, Tropaeum Trajani p. 43 A. 80; Thiersch, Österr. Jahresh., XI, 1908, 47 ff.). Die Schrift des H. war gewiß durchaus theoretischer Art und z. T. polemischen Charakters (Birn- baum p. 24); er wandte sich, wie schon sein großer ionischer Vorgänger Pytheos, gegen den dorischen Baustil (Vitruv IV, 3, 1 p. 80). Wir dürfen von vornherein nicht erwarten, an seinen erhaltenen Werken alle Grundsätze verwirklicht zu finden, schon deshalb nicht, weil zu allen Zeiten kein großes Bauwerk genau plangemäß ausgeführt wird. Daß der Meister des Ent- wurfes auch der Bauleiter war, erschien außer- dem d. Altertum so wenig selbstverständlich, daß es, wenn es der Fall war, besonders er- wähnt wurde (vgl. Vitruv VII praef. 12, p. 159 über Arcesius, V 1, 6, p. 106 über die eigene Basilika in Fanum, und die anfangs genannte Inschrift des Hermogenes von Priene Nr 207).

3. *Bauwerke.* a) Das Artemision und der

Markt von Magnesia a. M. sind nach früheren, hauptsächlich französ. Untersuchungen von den Berliner Museen 1891—93 ausgegraben und 1904 in leider etwas zu summarischer Art, ohne volle Ausnutzung aller Aufnahmen, veröffentlicht worden (Humann, Kohte, Watzinger, Magnesia a. M. 1904). Die wichtigsten Stücke befinden sich in den Museen von Berlin, Konstantinopel (Mendel, Catal. des Sculpt. I 363 No 146—197) und im Louvre (Catal. somm. des marbres antiques, 1922 p. 162 f. Taf. LX). Der Tempel selbst, nach Westen orientiert (Nissen, Orientation 240, 248), 41×67 m groß, ruht auf hohem Stufenbau. Er ist, wie auch bei Vitruv steht, ein Pseudodipteros von 8×15 Säulen; er ist eustyl, insofern die mittleren Säulen der Schmalseiten weiter gestellt sind als die übrigen Säulen, die hier indessen weniger als 2 untere Schaftdurchmesser voneinander entfernt sind. An den Stirnseiten des Pronaos wie des Opisthodomos standen je 2 Säulen zwischen den Anten; die seitlichen Zwischenweiten waren hier durch hohe Steinschranken abgesperrt, die mittlere durch eine Tür verschließbar. In dem so zum Innensaal gewordenen Pronaos (vgl. die älteren Anlagen in Priene und Didyma!), der 4 Interkolumnien tief ist, aber nur 2 Innensäulen hat, die von der West- und Ostseite um je 2 Interkolumnien entfernt sind, ist mit den an der Peristase angewendeten Mitteln eine bedeutende Raumwirkung erzielt worden. Die Cella hat rechts und links je 3 Säulen in den gewöhnlichen Abständen der Peristase, zwischen den 4 östl. stand das Kultbild, für das eine günstige Ansicht von außen her und ein unbeengter Zugang dadurch geschaffen war, daß der weitere Abstand der mittleren Frontsäulen von Westen nach Osten durchgeführt war. Der Opisthodom war nur halb so tief wie der Pronaos und ohne Stützen. Die Säulenbasis hat, wohl zum ersten Male in Kleinasien, attische Form, indes mit Plinthe. Die Schafthöhe ist unbekannt. An den Kapitellen ist auffällig, daß der Kanal ohne unteren Saum auf dem Kymation ruht und daß die Zwickelpalmetten sehr stark entwickelt sind. Das Gebälk besteht aus Architrav, Fries und Zahnschnittgesims, während dem klassisch-ionischen Stil Kleinasiens der Fries fehlt. Die Reliefs des Frieses (Herkenrath, Fries des Artemisions von Magnesia, 1902; Klein, Gesch. d. griech. Kunst, III 147 ff.; Mendel a. a. O.) zeigen Amazonenkämpfe, meist in sorgloser, ja stümperhafter Technik; nur die der Westfront sind besser gearbeitet (eine Platte in Berlin). Die beiden Giebel waren von je 3 rechteckigen Fenstern durchbrochen, einem großen in der Mitte und 2 kleinen nahe den Ecken; sie dienten wohl zur Beleuchtung des Dachraumes. Diese Kunstperiode wußte mit den Giebelfeldern nichts mehr anzufangen. Die Ornamentik von Magnesia ist derben, aber wirkungsvollen Charakters (Schede, Antikes Traufleistenornament p. 96 ff.); sie weist einige neue Formen auf, die für die Folgezeit von Bedeutung werden. An der Sima ist dies besonders deutlich: die jahrhundertelange Unterscheidung von Trauf- und Giebelornament, von Ranke und Blütenreihe wird aufgegeben; die Hauptelemente beginnen sich zu isolieren, ihre Verbindungsglieder verkümmern. Der Aufbau des Tempels stimmt mit den bei Vitruv erhaltenen Vorschriften in den Formen vollkommen überein, dagegen ergeben sich allerhand Abweichungen in der Proportionierung, worüber im einzelnen Birnbaum a. a. O. p. 18 ff. Der Tempel war zweifellos ein außerordentlich wirkungsvolles und feindurchdachtes Kunstwerk; als solches schien er der Nachwelt die älteren und größeren Tempel Joniens zu übertreffen (Strabo XIV 647). — Die Bauten in der Umgebung des Artemisions, nämlich der Altar, die Hallen des Bezirks, der anschließende Markt und auf ihm der kleine Tempel des Zeus Sosipolis sind von so geschlossener Einheit und Eigenart und in den Formen dem Tempel so ähnlich, daß sie, wenn auch kein Zeugnis darüber vorliegt, als hermogenisch im engeren oder weiteren Sinne gelten dürfen. Der ganze Komplex ist annähernd gleichzeitig entstanden und mit einer gewissen Hast zu Ende geführt worden.

b) Der Dionysostempel von Teos ist zweimal von engl. Archäologen untersucht worden: 1764 durch Revett (Jonian Antiquities, 1769, Ch. I pl. II—VI; Antiquities of Jonia 1821 I, Ch. I pl. I—III) und 1862 durch Pullan, Antiquities of Jonia IV, pl. XXII—XXV, p. 35 ff. Der letzten Aufnahme ging eine kurze, ganz unzureichende Grabung voraus. Der Tempel hat 6 Säulen an den Schmalseiten, 11 an den Langseiten. Er ist eustyl, insofern die Zwischenweiten etwa 2¹/₄ untere Durchmesser betragen, doch sind die mittleren Säulen der Schmalfront nicht weiter gestellt. Im übrigen ist sein Plan dem des Athenatempels von Priene sehr ähnlich. Für die Beurteilung des Aufbaus reicht das vorliegende Material nicht aus. Es steht auch nicht fest, ob und wieweit der Tempel in römischer Zeit Veränderungen erfahren hat; die Sima scheint hermogenischen Stils (Schede a. a. O. 98 f.). Der Fries mit dionysischen Szenen entspricht in der Ausführung dem von Magnesia (2 Platten in London Brit. Mus. 2570, Catal. of Greek sculpt. III 416 f., das übrige in Smyrna, Arndt-Amelung, E. V. 1345—48; Jahresh. österr. arch. Inst. XXI/XXII, 1922, Beibl., 234. Vgl. Bieber, Das Dresdener Schauspielerrelief p. 84 Anm. 264).

c) Bei Vitruv IV 3, 1 p. 90 wird als Beweis für die Gegnerschaft des H. gegen den dorischen Stil erzählt, er habe für einen Dionysostempel die bereits fertiggestellten dorischen Werkstücke in ionische umarbeiten lassen.

Im oberen Gymnasion von Pergamon fand sich ein kleiner Tempel aus der Königszeit, an dessen Baugliedern eine solche Umwandlung noch deutlich erkennbar ist; Dörpfeld hat die Möglichkeit ausgesprochen, daß dies der Bau des H. sein könnte (Athen. Mitt. 33, 1908, 355).

4. *Wirkungskreis.* Hierüber fehlen noch zusammenhängende Forschungen. Vereinzeltes sei hier erwähnt. Ein Tempel in Alabanda, welcher der von Vitruv III, 2, 5 p. 70 als Beispiel eines Pseudodipteros genannte Apollotempel des Menesthes sein könnte (Edhem Beï, C. R. de l'Acad. des inscr. 1906, 410 ff.) hat Kapitell- und Ornamentformen, die denen von Magnesia auffallend gleichen. Menesthes würde also, wie schon aus der Vitruvstelle zu entnehmen, zum engeren hermogenischen Kreise gehören. Der Hekatetempel von Lagina, dessen Fries in Konstantinopel ist (Mendel Catal. I, 428 ff.) gehört wohl auch in die Zeit des H. Sein Plan ist pseudodipterisch, Stücke des Aufbaus fehlen bisher fast ganz. Noch der vermutlich hadrianische Tempel von Aizanoi (Lebas, Voyage archéol. Architect. pl. XXI; A. Körte, Festschrift für Benndorf 209 ff.) ist als eustyler Pseudodipteros in enger Anlehnung an hermogenische Vorschriften gebaut. In Priene, seiner Heimat, sind die Simaornamente des Athenatempels denen von Magnesia in mehrfacher Hinsicht auffallend ähnlich, so daß mit der Möglichkeit gerechnet werden muß, daß diese Teile erst unter Leitung des H. gearbeitet sind (Schede, Antikes Traufleistenornament 79; Weigand, Athen. Mitt. 39, 1914 Anm. 1). In Milet gleichen die Akanthusformen des Propylons vom Rathause (erbaut vor 164 v. Chr., Milet Heft II Taf. 12) genau denen vom Kapitell des Tempels von Magnesia (Magnesia Abb. 38). — Auf Rom hat H. unmittelbar und nachhaltig gewirkt (Delbrück, Die drei Tempel am Forum holitorium in Rom, p. 51 ff., Hellenist. Bauten in Latium II. 161 f.; Birnbaum a. a. O. p. 60 f.). Durchaus maßgebend ist er für Vitruv.

Brunn, Gesch. der griech. Künstler, II 358 ff. (überholt). — Pauly-Wissowa, Realencycl., VIII 879, No 29 (Fabricius). — Birnbaum, Vitruvius und die griech. Architektur, Denkschr. Wiener Akad., philos.-hist. Kl. LVII, 4, Wien 1914. *Schede.*

Hermogenes, Maler des 2. Jhdts n. Chr., uns allein durch eine Streitschrift des Kirchenvaters Tertullian bekannt, die sich gegen seine stoischen Schriften richtet, wobei seine malerischen Vorwürfe „illicita" genannt werden, und seine Neigung zum weiblichen Geschlecht in schärfster Weise gegeißelt wird.

Brunn, Gesch. d. gr. Kstlr, II 309. — Pfuhl, Malerei u. Zeichnung d. Griechen, II 830 f. *Pernice.*

Hermokles von Rhodos, Bildhauer, 4./3. Jahrh. v. Chr., fertigte nach Lukian (De dea Syria 26) im Auftrage des Seleukos Nikator eine Bronzestatue des Kombabos für den Tempel der Hera in Hierapolis. Kombabos war wie eine Frau gebildet, trug aber männliche Kleidung.

Pauly-Wissowa, Realencyclop., VIII 883 (Pfuhl).

Hermokrates, siehe *Deinokrates.*

Hermokreon, griech. Architekt, erbaute in Parion (an der Südküste des Marmarameeres unweit des Dardanelleneingangs) einen Riesenaltar in der Länge von 1 Stadion (Strabon X 487 A, XIII 588 B). Zeit wahrscheinlich hellenistisch. Der auf den Münzen von Parion wiedergegebene Volutenaltar gibt dieses Bauwerk wohl nicht wieder.

Jahrb. d. archäol. Inst., XI (1896) 56 (Puchstein); XXVI (1911) 92 f. (Studniczka). — Brunn, Gesch. der griech. Künstler, I 523. — Pauly-Wissowa, Realencycl., VIII 890 No 4 (Fabricius). *S.*

Hermolaos, Bildhauer augusteischer Zeit. Nach Plinius, Naturalis hist. XXXVI 38, schmückte H. zusammen mit Polydeukes die domus Caesarum auf dem Palatin mit Marmorwerken, „probatissimis signis".

Pauly-Wissowa, Realencyclop., VIII 891 (Pfuhl).

Hermolaos, Bildhauer des 2. Jahrh. n. Chr. Seine Signatur mit der Pluralform ἐποίουν auf einem kleinen, profilierten Marmorstück merkwürdiger Form (Büstenfuß?) aus Salamis auf Cypern.

Löwy, Inschr. griech. Bildhauer, Nr 362. — Pauly-Wissowa, Realencyclop., VIII 891 (Pfuhl).

Hermon, griech. Architekt (?). Das Schatzhaus von Epidamnos (heute Durazzo) in Olympia war nach Pausanias VI 19, 8 von Pyrrhos und seinen Söhnen Lakrates und Hermon „gemacht"; sie waren wohl eher die Bauherren als die Baumeister. Von dem Gebäude sind nur Grundmauern erhalten und auch diese unvollständig; doch ist der Schluß gestattet, daß das Haus aus Cella und Pronaos bestand und 6 Säulen in der Front hatte. Über die Zeit wissen wir nichts Sicheres. Der Thesauros wäre archaisch, wenn der aus einem Giebelrelief stammende Pferdevorderteil (Olympia III, Taf. IV 3 Text p. 16 ff.) zugehörig wäre.

Olympia, Tafelband I Taf. 32; Textband II p. 46 f. — Hitzig-Blümner, Pausanias II 2, 632 zu p. 504, 15. — Brunn, Gesch. der griech. Künstler, II 360. — Pauly-Wissowa, Realencycl., VIII 894 No 12 (Fabricius). *S.*

Hermon von Troizen, Bildhauer, 6. Jahrh. v. Chr., fertigte nach Pausanias II 31,6 im uralten Tempel des Apollon Thearios zu Troizen das Kultbild und Statuen (Xoana) der Dioskuren. Letztere erkennt man mit hoher Wahrscheinlichkeit auf einer schlecht erhaltenen Kupfermünze des Commodus (Imhoof-Blumer u. P. Gardner, Numismatic Commentary on Pausanias, p. 48 Nr 5 Taf. M VII), die 2 schlanke Figuren im archaischen „Apollo"typus zeigt.

Hitzig-Blümner, Pausanias I 632. — Pauly-Wissowa, Realencyclop., VIII 894 (Pfuhl).

Hermonax, attischer Vasenmaler um 460 v. Chr. Von ihm sind 6 signierte Gefäße auf uns gekommen, zumeist Stamnoi; mehrere andere unsignierte sind ihm mit größerer oder geringerer Wahrscheinlichkeit zugeschrieben. Seine Zeichnungen sind sorgfältig, aber nicht gerade geistreich, die Gesamtkomposition durchweg langweilig.

Pauly-Wissowa, Realencyklop., VIII 900 fg. — Hoppin, Handbook of attic redfigured vases, II 20 fg. — Pfuhl, Malerei u. Zeichnung d. Griechen, II 542. *Pernice.*

Hermosilla, Bartolomé de, Goldschmied in Granada, † 1532, wird 1510 Meister. Von ihm Monstranz mit Wappen in S. José in Granada und der Fuß eines Tabernakels (Diego de Valladolid) in der Stiftskirche Santa Fé ebenda.

Moreno, Orfebreria Granadina, in „Historia y Arte", 1895, I 107.

Hermosilla y Sandoval, José de, Architekt, geb. in Llerena, † in Madrid 21. 7. 1776. Zum geistl. Beruf bestimmt, studierte er in Sevilla Philosophie und Theologie, trat aber nach dem Tode seiner Eltern, mathematischen Neigungen folgend, in das Ingenieur-Korps in Madrid, wo er sich der Militär-Architektur widmete. Schied jedoch bald aus dem Korps aus und zeichnete unter dem Archit. G. B. Sacchetti in der Obra del palacio nuevo (Escorial). Vom Minister J. Carvajal nach Rom gesandt zum Studium der Architektur. Unter dem Eindruck der antiken Bauwerke entstand seine Übersetzung des Vitruv ins Spanische, die er mit einem Kommentar versah. Für die vorbereitende Kommission zur Gründung der Acad. von S. Fernando (13. 7. 1744 die 1. Sitzung der Junta preparatoria) schrieb er in Rom auf Veranlassung des Ministers einen Traktat über Geometrie und bautechnische Maschinen. In den römischen Guiden wird H. mit dem Bau von Sta Trinità dei Spagnuoli (Via Condotti) in Verbindung gebracht, als Baudatum wird dort 1741 angegeben. Der Bau selbst stamme von einem Portugiesen Em. Rodriguez; bald heißt es, H. habe den Bau vollendet, bald, die Fassade sei sein Werk, bald werden ihm Stukkaturen des Inneren zugeschrieben. (Vielleicht ist der Architekt der mit H. befreundete Spanier Ventura Rodriguez, der 1747 für den Entwurf zu einem templo magnifico Mitglied der Accad. di S. Luca in Rom wird; vgl. Llaguno, IV 238). Nach seiner Rückkehr wurde H. bei der Gründung der Acad. S. Fernando (1752) Lehrer für Architektur und Direktor der Acad. (neben Ventura Rodriguez) und teniente principal del arquitecto mayor de palacio de Madrid, legte jedoch sein Lehramt 1756 nieder und trat als teniente capitain in das Ingenieur-Korps zu-

rück. Auf königl. Beschluß vom 17. 9. 1766 ging H. mit Juan de Villanueva u. Pedro Arnal nach Granada, um die zeichnerischen u. malerischen Aufnahmen der Alhambra, die der Maler D. S. Sarabia seit 1764 auf Veranlassung H.s im Auftrag der Acad. gemacht hatte, auf das Architektonische hin richtigzustellen und zu vervollständigen, später auch nach Córdoba. 1767 nahm er am Feldzug gegen Portugal teil und saß in der Grenzfestsetzungskommission. Von H. stammen die Entwürfe zum Hospital general in Madrid; für den Paseo del Prado wurden H.s Pläne selbst denen des V. Rodriguez vorgezogen. Für das Retablo der Sakristei der Trinitarios calzados in Madrid schuf er den Entwurf. Von H. ferner der Umbau des Colegio mayor de S. Bartolomé in Salamanca (1760); gerühmt werden daran der Portikus mit 4 großen ionischen Kompositsäulen, der Hof mit dorischen Säulenarkaden und die Treppenanlage.

Llaguno, Not. de los arquit. y arquitect. de España, IV (1829) 264 ff. — Caveda, Mem. para la Hist. de la R. Acad. de San Fernando, I (1867) 35, 101, 113, 191 ff., 280 ff. — Vasi-Nibby, Itinerario Roma, ', 1861 p. 14. — Pistolesi, Descriz. di Roma, 1841 p. 75. — A. E. Brinckmann, Baukst d. 17. u. 18. Jahrh. (Burgers Handb. d. Kstgesch.), o. J. [1915]. — Schubert, Gesch. d. Barock in Spanien, 1908 p. 318 ff., 384. — Not. Fr. Noack.

Hermoso, Diego, s. u. *Hermoso,* Pedro.

Hermoso Martínez, Eugenio, Maler, geb. in Fregenal de la Sierra (Badajoz), Schüler der Escuela de Bellas Artes in Sevilla, später in Madrid tätig, auch in Fregenal; zuerst 1904 auf der Esp. general in Madrid durch eine Medaille ausgezeichnet, zeigt gut aufgebaute Bilder (meist großen Formats) aus dem span. Volksleben, in denen er besonders die Jugend in einer gemüt- u. humorvollen Art darzustellen liebt. Mehrfach ausgestellt war: „La Juma, la Rifa y sus amigas" (Madrid 1906, Rom 1911), halbwüchsige Mädchen ziehen unter Scherzen, die großen, bauchigen Tonkrüge auf der Hüfte, die Landstraße entlang. Ferner in Madrid 1910 „Jugando á la soga" (Spiel am Ringtau), Barcelona 1915 „Rosa", Madrid 1917 „A la fiesta del pueblo", 1920 (Herbstsalon) „En la huerta", Barcelona 1922 „El huerto de los peros" u. a. m. Erschien 1906 auch im Münchener Glaspalast, 1912 in der Intern. Tentoonstell. van Hedendaagsche Kunst in Amsterdam (Stedelijk Mus.), Venedig 1914 usw.

Museum (Barcelona), I (1911) 178, 180; IV (1915), 333, 336 (Abb.); V (1916/19) 235 (Abb.), 249 f.; VI (1920) 144 f. (Abb.). — Westermann's Monatsh., Jahrg. LX, Bd CXIX (1915) 193. — Die Kunst, XLV (1922) 297 (Abb.), 300. — Pica, L'arte mondiale a Roma, 1911 (Bergamo 1913), p. XXXVIII, p. 127 (Abb.). — Kataloge mit Abb.: Madrid, Espos. Nac. de Pint., 1906, 10, 12, 15; Barcelona, Expos. d'Art, 1922; Cat. Padiglione Spagnuolo Espos. intern., Rom 1911.

Hermoso, P e d r o Antonio, Bildhauer, geb. 19. 4. 1763 (nach eigener Angabe in Granada, nach den Akten der akad. Preisverteilungen in Jaén), † in Madrid 15. 1. 1830. Schüler der Acad. S. Fernando, von der er 1784 für eine Kopie des „Apoll von Medici" einen 3., 1787 für ein Relief „Moses zerbricht die Gesetzestafeln" einen 2., 1790 für eine Tonskizze einer hl. Leocadia den 1. Preis erhielt. Für S. Juan de Dios in Madrid arbeitete H. die Retablos (Szenen der Leidensgeschichte) und Figuren; sie fanden solche Anerkennung, daß er zum Mitglied der Acad. ernannt wurde. 13. 10. 1814 wurde er Teniente director, dann Director, escultor honorario de Cámara und nach dem Tode des José Alvarez (1828) von Ferdinand VII. zum escultor efectivo de Cámara ernannt. — In der Samml. der Acad. sind die beiden zuerst genannten Preisarbeiten noch erhalten; von den Arbeiten in S. Juan werden die Geißelung, das Ecce homo und der Cristo del Perdón besonders gerühmt. Ferner seien genannt in Madrid: Santo Tomás, Die Muttergottes de la Consolacion; S. Ginés, Cap. mayor, 4 Engel; S. Justo y Pastor, 2 Engel über dem Altarbild der Cap. mayor; Museo del Prado, das Modell für die Gruppe im Portikus. 4 Reliefs für die Casa del labrador in Aranjuez, Statuen für das Tabernakel des Domes in Sevilla, u. a. m. 1829 lieferte er die Statuen der 4 Kardinaltugenden für die Feier der Exequien der Königin Maria Josepha Amalia von Sachsen. 1920 wurden auf der Ausstellung „El Arte en la Tauromaquia" in Madrid kleine Bronzegruppen (aus der Samml. Medinaceli) gezeigt und farbige kleine Tonfiguren H.s (Szenen aus Stiergefechten). — H.s Sohn D i e g o, ebenfalls Bildhauer, geb. 1800 (1804 nach den Akten d. Acad.) in Madrid, † ebenda 15. 5. 1849, Schüler seines Vaters an der Acad. S. Fernando, erhielt 1832 einen 2. Preis (Saul u. David, Relief). Von Arbeiten werden genannt: Skulpturen für das Teatro de Liceo artistico in Madrid, seine Mitarbeit am Monumento del Dos de Mayo (1840) auf der Plaza de la Lealtad, die Büste der Herzogin v. Alba an ihrem Grabmal auf dem Friedhof S. Isidro, das Mausoleum der Condes de Teba auf dem Friedhof von S. Nicolás u. a.

O s s o r i o y B e r n a r d, Artistas Españ. del S. XIX, 1883 p. 327. — V i ñ a z a, Adiciones al Diccion. Histór. de Cean Bermudez, II (1889). — Boll. de la Soc. españ. de Excurs., XVIII (1910) 188, 286 ff.; XIX (1911) 63f. (Diego). — Museum (Barcelona), VI (1920) 39, Abb.; 40.

Herms, G e r h a r d, siehe unter *Veil, Th.*

Herms, L u d w i g, Maler, geb. 23. 5. 1884 in Hamburg. Lernte bei Schurth in Karlsruhe, dann in Stuttgart bei Poetzelberger und Igler. 1907—09 in Norwegen im Hochgebirge von Vaage, 1910—11 in München. In Hamburg gehörte er zum Kreise um Fritz Lissmann. Lebt in Bundhorst bei Ascheberg

(Holst.). — Veranstaltete 1910 in Hamburg eine Atelierausst. Anfangs Landschafter (vorwiegend nordische Motive), kam er über das Stilleben (Blumen, tote Tiere) zur Figurenmalerei (Akt), schließlich zum Bildnis. Besonders Trübner hat nachhaltigen Eindruck auf H. geübt.

R u m p, Lex. bild. Kstler Hamburgs, 1912. — Hambg. Fremdenblatt, 1910, No 79 v. 6. 4. — München: Kat. Frühj.- Ausst. Secess., 1910; Glaspal., 1912. — Berlin: Gr. Kst.-Ausst., 1912. — Hamburg: Ausst. Hambg. Kstler (Commeter), 1912. — Mitt. d. Künstlers.   *D.*

Hermsdorf, F r i e d r i c h, falsch f. *Helmsdorf,* Fr.

Hermsdorf (Hermsdörfer), S t e p h a n, Bildhauer und Bildschnitzer, erhält 1516 in Leipzig das Bürgerrecht, und zwar „propter excellentiam artis suae" ohne Gebühren. 1543 ist er in Freiberg ansässig und arbeitete in diesem Jahre auf Kosten von Hans Unruh ein steinernes Kruzifix für den Margarethenkirchhof in Zwickau, dessen Torso im dort. Museum erhalten ist (daselbst auch eine Zeichnung nach dem unzerstörten Werke). Mit gutem Grunde lassen sich H. die Statuen der Maria und des Laurentius am Rathaus zu Dippoldiswalde zuweisen, die um 1530 entstanden sind. Als einer der wenigen Meister, die die Reformation überdauerten, ist H. nicht ohne Interesse; die genannten Werke zeigen einen Meister, der die ihm gemäßen Formen der Spätgotik mit Glück weiterzubilden versucht.

W u s t m a n n, Beitr. zur Gesch. der Leipz. Malerei, 1879 p. 35. — Annalen des Peter Schumann (Zwickau, Ratsschulbibliothek, Ms.) p. 38 b.
Walter Hentschel.

Hermundt, Stecher in Wien, Anfang 18. Jahrh.; von ihm das einer Folge angehörende Blatt: „3. Facciada der Neuen Kürchen am St. Peters Freytthoff alhier in Wienn. — Hoffmann et Hermundt sculps."; auch Porträts werden von H. genannt.

I l g, Die Fischer v. Erlach, I (1895). — Index of Art., Brit. Mus. London, I 221.

Hern, C h a r l e s E., Aquarellmaler, geb. 1848, † in London 1894, zeigte in der Roy. Acad. 1884, 87, 93 Landschaften, lebte viele Jahre in Neu-Süd-Wales, war Lehrer im Aquarellmalen der Töchter König Eduards VII. v. England. — In der Nat. Art Gall. in Sydney (Cat. 1906) 3 Landschaftsaquarelle.

G r a v e s, Dict. of Art., 1895; d e r s., Roy. Acad., IV; Loan Exhib. IV (Herne!).

Hernádi-Herzl, K o r n é l, ung. Maler, geb. in Budapest 4. 7. 1858, † in Paris 6. 8. 1910. Studierte 1876—86 in München, bei Benczur und Liezen-Mayer, übersiedelte 1886 nach Paris, wo er seine Studien bei Roll, Robert-Fleury u. Lefebvre fortsetzte. Schon 1883 beschickte er die Budap. Kunstausst. mit dem Gemälde „Seitenwehr", dem 1885 sein populärstes Bild: „Der Mollinary-Baka hat seinesgleichen nicht!" folgte, beide lustige Vorwürfe aus dem Soldatenleben behandelnd. Hierher gehört auch sein für das kgl. Schloß in Budapest angekauftes Gemälde „Honvéd". Außer Landschaften aus der Bretagne malte er viele Typen u. Genre-Szenen aus dem ungar. u. franz. Volksleben. Mehr romantisch empfunden ist: Edgar Poe schreibt sein Gedicht „Der Rabe". Die meisten seiner Bilder wurden für Familienblätter vervielfältigt. Von seinen Bildnissen sei jenes des Radierers Gaston Rodriguez erwähnt (ausgest. Budapest 1896).

K. Széchy, Benyomások és emlékek, 1897 p. 99 f. — Vasárnapi Ujság, 1885 p. 520. — Ezredéves országos kiállitás 1896. A Képzőművészeti csoport képes tárgymutatója, 1896 p. 60, 85, 92, 112, Tafel XCVIII. — Művészet, IX (1910) 350; XI (1912) 182 (unter Herzl). — v. Krücken u. Parlagi, Das geist. Ungarn, 1918 I (Herzl). — F. v. Bötticher, Malerwerke des 19. Jahrh., I 2 (1895). — Gaz. des B.-Arts, 1885 II 263. — Kstchronik, XXI (1886) 380. — Kat. Glaspal.-Ausst. München, 1892 p. 37; 1894 p. 18; 1898 p. 45. — Cat. Salon Soc. des Art. franç. Paris, 1892, 96 f., 99. *K. Lyka*

Hernand, Sancho Manuel, Silberschmied in Burgos, verpflichtet sich am 12. 5. 1417 ein silbernes Tabernakel für San Millán de Balvas zu liefern, wie er ein gleiches für Sta María la Blanca bereits geliefert hatte.

Viñaza, Adiciones al Dicc. di Cean Bermudez, I (1889) 78.

Hernandez, Daniel, Maler, geb. 1. 8. 1856 in Huancavelica (Peru), kam 1873 nach Italien und wurde Schüler von Lorenzo Vallès in Rom, seit 1885 in Paris, wo er noch lebt. Anfangs Aquarellist, malte er später Genrebilder im Gewande der Zeit der Régence oder des Empire, daneben Porträts u. besonders weibliche Akte, von denen z. B. das auf dem Bauch liegende Mädchen (gegen Gelb) unerfreuliche Popularität erlangt hat. Stellte aus im Münchener Glaspalast (1883, 89, 95, 99, 1904), im Pariser Salon Soc. Art. Franç. (1893 bis 96, 99), im Salon Soc. Nat. (1910), in der Expos. univ. von 1900 (Cat. Exp. décennale) u. auch in Spanien. Auch als Illustrator tätig, z. B. für „La vie d'Adrien d'Epinay", für Romane Balzac's usw. Mitbegründer der Soc. d. Artistes Espagn. à Paris. Charles Giroux (Cat. Mus. Nizza, 1906 p. 165) hat nach zahlreichen Bildern H.s radiert. Vertreten in den Museen zu Barcelona, Buenos Aires, Compiègne (Mus. Vivenel) u. Glasgow (Cat. 1911).

Ossorio y Bernard, Art. españ. del S. XIX, 1883/84. — Curinier, Dict. nat. d. contemp., III (1906) 147. — Arch. biogr. contemp., 1900 ff., III. — Kunst f. Alle, V (1890). — Chron. d. arts, 1902 p. 123. — Kunst unserer Zeit, 1902 II, Abb. — Ausstell.-Kataloge.

Hernández Tomé, Francisco, Maler, geb. in Madrid, Schüler der Acad. S. Fernando, unter Eugenio Lucini und Juan Ribera, zeigte 1860 u. 64 in den Madrider Ausst. 2 Architekturinterieurs aus S. Isidro el Real in Madrid und aus der Kathedrale in Toledo (dieses heute im Mus. Mod. in Madrid, Cat. 1899).

Zuletzt stellte er 1876 in Madrid aus (Inneres d. Iglesia de las Calatravas). H. lieferte zahlreiche dekorative Arbeiten: einen Zyklus aus der Semana Santa in der Pfarrkirche S. Luis, das Ornamentale an der Decke des Teatro de la Zarzuela, den Vorhang im Konservatorium für Musik u. a., und war auch als Illustrator tätig für das Semanario Pint., La Ilustracion, El Siglo Pintoresco u. a.

Ossorio y Bernard, Art. Espań. d. S. XIX., 1883 p. 331.

Hernández Amores, Germán, Maler, geb. 10. 6. 1823 in Murcia, † 16. 5. 1894 ebenda, ging nach Madrid und erhielt sich anfangs mit dem Malen von Transparenten, dann mit Illustrieren von Büchern des Verlegers Mellado („El Judío errante", „Mil y una noches", „El asno muerto") und verdiente sich so sein Studium an der Acad. S. Fernando. 1849 erschien er in der Ausst. der Acad. mit 2 Bildern: Der zerbrochene Krug u. Verzweiflung des Judas; diese brachten ihm einen Auftrag vom Conde de S. Luis für ein Gemälde „Die hl. Justa u. Rufina" und ein Stipendium für Paris, wo er Schüler von Gleyre wurde, sich mit Bouguereau befreundete und starke Eindrücke von Ingres empfing. Nach 1 Jahr kehrte er nach Madrid zurück, um an der Konkurrenz für den Rompreis teilzunehmen, den er auch erhielt (1853). In Rom blieb er 4 Jahre. Als Frucht seines röm. Aufenthaltes zeigte er 1858 in der Akademieausstell. das große Bild: „Sokrates tadelt den Alcibiades", wohl das Hauptstück des spanischen Klassizismus (Madrid, Museo Mod.). 1860 zeigte H. zwei Porträts, 1861 Maria u. Joh. auf der Reise nach Ephesus (Mus. Prov. Murcia), 1864 eine Grablegung (Madrid, S. Francisco el Grande). Dann Lehrer an der Acad., 1890 Académico an S. Fernando. Als letzte größere Arbeit sei noch genannt die Kreuzigung in der Cap. del Sepulcro in S. Francisco el Grande. Kurz vor seinem Tode kehrte er nach Murcia zurück. — H. hat seine Motive auch der Dichtung (Hamlet u. Ophelia, Romeo u. Julia, Faust u. Gretchen, Mephisto) entnommen, aber sein eigentliches Feld in der klassischen Antike gefunden. An seinen Bildern wird besonders die Sorgfalt des Aktstudiums gerühmt (Pompejanerin im Bade, Verkauf einer Sklavin, Psyche, der gefesselte Prometheus usw.). Auch hat er das Porträt gepflegt. Obwohl H. in späterer Zeit eine freiere Technik anwendet, ist er doch in erster Linie Zeichner und gesteht der Farbe nur eine zweite Rolle zu. Für das Museo de Reproducciónes lieferte er dekorative Entwürfe (12 Arbeiten des Herkules), die jedoch nicht ausgeführt wurden, im Cason del Retiro (Buenretiro) restaurierte er das Deckenfresko des Luca Giordano (Allegorie der Stiftung des Ordens vom gold. Vließ), wobei ihn sein Bruder Victor unterstützte. Außer in Madrid zeigte er seine Bilder auch in Wien (1873), München (1883, 89) u. a. O. Bilder im Mus. Mod. in Madrid, im Mus. Prov. in Murcia, im Rathaus ebenda usw. Baquero Almansa gibt eine Bilderliste und veröffentlicht zugleich einige Bruchstücke der ästhetischen Aufzeichnungen H.s. — Sein jüngerer Bruder

Victor, ebenfalls Maler, geb. 1827 in Murcia, † in Madrid März 1901, Schüler der Acad. S. Fernando und von Gleyre in Paris, erschien zuerst auf der Madrider Ausst. 1849 mit einem Bilde „Der Levit Ephraim" und hat auf den späteren Ausst., unter dem Einfluß seines Bruders Germán stehend, außer Porträts, Bilder mit religiösen, dichterischen u. klassischen Vorwürfen gezeigt [Magdalena am Grabe des Herrn (1850), Die verlassene Psyche (62), Faust u. Mephisto in Gretchens Gefängnis (85)]. 1848 wurde er Auxiliar an der Escuela de Artes y oficios in Madrid. Für das Werk „Estado Mayor del Ejército español" lieferte er einige Lithographien, betätigte sich auch als Kunstsammler und Restaurator. Im Mus. in Murcia ein Bildnis Alfons' XII.

Ossorio y Bernard, Art. Españ. d. S. XIX, 1883 p. 328 ff. — T e m p l e, Modern Span. Paint., 1908 p. 63 (Abb.). — B a q u e r o A l m a n s a, Art. Murcianos, 1913 p. 399 ff., 418 ff., 488 ff., 492 ff. — Cat. Museo de Arte Mod. Madrid, 1899 p. 32.

Hernández, J u l i á n, Holzbildhauer in Murcia, Ende 18. Jahrh.; von ihm zahlreiche sorgfältig ausgeführte, in Sepia lavierte Entwürfe für Altäre in einem Skizzenbuch im Besitz der Comisión de Monumentos in Murcia. Nicht wenige dieser Entwürfe müssen auch ausgeführt worden sein.

B a q u e r o A l m a n a s, Art. Murcianos, 1913.

Hernández, M a t e o, span. Bildhauer und Maler in Paris, geb. 1888 in Béjar (León), begann ohne Vorbildung mit Herstellung von Kruzifixen in Stein und Holz, die er ohne Zwischenmodell unmittelbar aus dem Material herausarbeitete. Ging 1909 an die Akad. in Madrid, die er bald verließ, da seine Lehrer von ihm die Herstellung eines Tonmodells verlangten, bevor er sich der eigentlich bildhauerischen Arbeit zuwende. In Madrid lieferte er einige Bildnisbüsten und ging dann nach Paris. Gelegentlich malte er auch Bildnisse (Salon Soc. Nat. 1921), sein eigentliches Gebiet aber ist die Bildhauerei. Er bevorzugt das härteste und sprödeste Material, schwarzen Granit, Basalt, Diorit, auch Eichenholz und Mahagoni, aus dem er unmittelbar nach der Natur seine Figuren herausschlägt, meist in kleinem Format. Der Jardin des plantes lieferte ihm die Modelle, Löwen, Tiger, Panther, Robben, Raubvögel, Kronenkraniche, Marabus u. dgl. Er gibt nicht wie Barye Tierbildnisse, sondern sucht mit einem sicheren Gefühl für das Plastische das Wesen der Rasse in dem einzelnen Tier darzustellen und vermag bei

aller Vereinfachung seinen Figuren den Eindruck gesteigerten Lebens mitzugeben, wobei er das Humorvoll-Groteske in der Gestalt mancher dieser Tiere zu wahren weiß. Dieses unmittelbare Verfahren wendet er ebenso auf Bildnisse an, auch auf Aktfiguren, stets in hartem Material, wobei er schwere Formen bevorzugt und den kraftvollen Ausdruck vegetativen Daseins in eine fast monumentale Form bringt. Im Salon d'Automne stellt er seit 1910 aus, auch im Salon der Soc. Nat.

Gaz. d. B.-Arts, 1919 p. 422, 424 (Abb.); 1922 I 284 (Abb.), 287. — Les Arts, 1920 Nr 188 p. 14 (Abb.). — The New York Times Magazine, 4. 3. 1923 p. 13, mit Abb. — Ausst.-Kataloge (Soc. Nat. 1922 mit Abb.).

Hernández Nájera, M i g u e l, Maler in Madrid, geb. ebenda im April 1864, Schüler von Al. Ferrant u. Em. Sala, zeigt seit 1890 in Madrider Ausst. Landschaften und Szenen aus dem span. Volksleben, ferner im Pariser Salon, im Münchener Glaspalast (1901, 09, 13), in Düsseldorf (1904), in Rom (1911), Amsterdam 1912 (Intern. Tentoonst. Stedelijk Mus.), usw.; im Mus. Prov. in Sevilla „Beim Schafhirten" von 1892 (Cat. 1912).

T e m p l e, Mod. Span. Paint., 1908 p. 131. — Kataloge mit Abb.: Espos. Nacion. de Pint., Madrid 1910, 1912; Padiglione Spagn. Esp. intern., Rom 1911.

Hernández y Couquet, V i c e n t e L u i s, Bildhauer, geb. 1837 in Valencia, † 9. 9. 1868 in Sevilla, gebildet an der Acad. in Valencia, am 17. 3. 1854 zum Professor an der Kunstschule in Sevilla ernannt, zeigte 1860 in Madrid eine Statue der Immaculata (Holz), 1868 in Cadiz Modelle zweier Heiligen (Ton). Von H. die Kolossalgruppe an der Fassade des Teatro Principal in Valencia, 2 Heiligenfig. (Petrus u. Paulus) in der Iglesia del Sagrario in Sevilla.

Ossorio y Bernard, Art. Españ. d. S. XIX, 1883 p. 331 f.

Hernández Amores, V i c t o r, siehe unter *Hernández* Amores, Germán.

Hernández, siehe auch Fernández.

Hernberger, M a t h i a s, Bildhauer aus Genghofen, fertigte 1735 die Figur des hl. Leonhard (Holz) am südl. Seitenaltar der Pfarrkirche in Binabiburg.

Kstdenkm. Bayern, IV, Heft 5 (1921) p. 41, 318.

Herncisz, E m a n u e l, poln. Maler, geb. 1858 in Oświęcim, † 1889 in Krakau, wo er die Kunstschule unter Łuszczkiewicz, Löffler u. Matejko besuchte. Von seinen Bildern sind zu nennen: „Johannisfeuer in Galizien" (ausgest. im Münchner Glaspalast 1883), „Veit Stoss" (ausgest. in Lemberg 1894), „Taufe Lithauens" (Nat.-Mus. Krakau), „Geisselbrüderschaft" (Nat.-Mus. Krakau), „Austreibung der Hexe" (ausgest. in Zachęta, Warschau). Seine Bilder zeigen die Merkmale der Matejko'schen Richtung und eine Vorliebe für Helldunkel-Wirkungen.

Kat. der Ausstell. poln. Kunst in Lemberg 1894, Nr 1524. — Kat. der Glaspal.-Ausst. München 1883 p. 172 Nr 845. — M y c i e l s k i , Sto lat dziejów malarstwa pol., 1897 p. 704. — Ś w i e y - k o w s k i , Pamiętnik Tow. Sztuk pięknych w Krakowie, 1905 p. 56, 345. — Sprawozdanie Dyrekcji Muz. Nar. w Krakowie za r. 1901—1902, p. 26. — A. W a ś k o w s k i , Impresjonizm w mal. pol. (Ms.). *A. Waśkowski.*

Herne, G i l e t , Holzbildhauer, 14. Jahrh., vollendet das Chorgestühl der Kap. des Collège de Dormans-Beauvais in Paris, begonnen 1387 von J e a n H a v e t .

C h a m p e a u x - G a u c h e r y , Travaux d'art exécutés pour Jean de France, 1894 p. 112.

Herneisen (Herneißen, Herneyßen, Horneiser und ähnlich), A n d r e a s (Endres), Maler in Nürnberg, geb. ebenda 28. 7. 1538, † ebenda 13. 4. 1610, Meister gegen 1562. Weitere Erwähnungen: 27. 6. 1562 (Freiheitsstrafe wegen eines „schmehelich gemeldts"); August u. Sept. 1562 Arbeit an der Triumphpforte für Kaiser Maximilian II.; ca 1567/68 Arbeit an den Fresken des Chors der Kirche in Aldersbach, B.-A. Vilshofen; 1575 Aufenthalt in Stuttgart (Dekorationsarbeiten für ein Turnier); 1578 Übersiedelung nach Würzburg, Aufnahme in die dortige Maler-, Glaser- u. Bildschnitzerzunft; 1579 Aufgabe d. Nürnberg. Bürgerrechts, Arbeiten in der Juliusspitalkirche, Würzburg; 1586 Arbeiten in der Juliusuniversität, Würzburg; 1587 Neubemalung und Vergoldung des Schönen Brunnens in Nürnberg, wo er wiederum das Bürgerrecht erhielt; 1590/92 Aufenthalt in Stuttgart, dort Malereien (Jagdbilder) an der Decke des ehem. Lusthauses und weitere Arbeiten (u. a. Porträts) für den Herzog Ludwig v. Württemberg; 1593 „Tafel von allerley Calvinisten", an der der Rat von Nürnb. Anstoß nahm; 1608 Ausmalung (Blumen usw.) der Gewölbe des Chors und der Vierung im Dom zu Würzburg; 1609 ebenda Vergoldung einer (von G. Neidhart restaur.) Christusfigur zwischen Engeln; 1596—1610 bildete er 4 Lehrjungen aus. Sein Freund Hans Sachs dichtete auf ihn ein überschwängliches Lobgedicht, in welchem er ihn Dürer gleichstellt (Stuttgarter Lit. Ver., Hans Sachs XXIII. Bd, ed. E. Götze p. 318). — Erhaltene Werke: Doppelbildnis, Hans Sachs (schreibend am Pult sitzend) wird von H. porträtiert, gereimte Aufschriften, bez. u. 1574 dat., in Wolfenbüttel, Bibliothek (Bau- u. Kunstdenkm. d. Herzogt. Braunschweig III 1 (1906) p. 159 mit weit. Lit.); Porträt des Hans Sachs, ohne Bez. u. Datum (Replik des Wolfenbütteler Bildes), Privatbes. London, (Exhib. of early german art, Burl. Fine Arts Club London 1906 p. 109); bez. Brustbild d. Hans Sachs 1576 (rad. von J. Amman), Nürnberg, Germ. Nat.-Mus. (ehemals Samml. Weber-Hamburg; vgl. Auktionskatal. Berlin, Lepke 1912 p. 28 mit weit. Lit.); 14 mit dem Monogramm bez. Porträts der Nürnb. Schützenmeister (aus einer Reihe von 42 Porträts, von denen vielleicht

noch mehrere von H.s Hand) mit Daten zwischen 1565 u. 1582, Nürnberg, Hauptschützengesellsch. (Abb. Mitt. a. d. Germ. Nat.-Mus. 1900 p. 4 u. 5). Über einige nicht gesicherte Arbeiten s. Nagler, Monogr. I. In der ält. Lit. wird ihm irrtümlich die Restaurierung des Hochaltars in S. Sebald zu Nürnberg (1613) zugeschrieben. — H.s Sohn V a l t i n , Maler, wird 1610/14 als Schüler von W. Eisenmann in Nürnberg genannt. — Ein Maler G e o r g H. wird 1600/02 ebenda erwähnt.

Nürnb. Stadtarchiv, Libri litt. *l.* 122 p. 201. — K l e m m , Über die Nachfolger des fürstl. Baumeisters Tretsch usw., in Württemb. Vierteljahrshefte, 1889 p. 103. — Mitt. a. d. German. Nat.-Mus., 1890 p. 27 Anm. 36; 1899 p. 131, 134 f.; 1900 p. 1/26; 1911 p. 118; Anzeiger d. Germ. Nat.-Mus., 1912 p. 5, 8 (Abb.) — Mitteil. d. Ver. f. Gesch. d. Stadt Nürnb., IX 238; XII 348. — O h n e s o r g e , Wendel Dietterlin, Straßburger Diss., 1893 p. 17. — H a m p e , Nürnb. Ratsverlässe, in Quellenschr. z. Kstgesch., N. F. XIII (1904). — Katal. Histor. Ausstell. Nürnb. 1906 p. 85. — Kstdenkm. Bayern, III Heft 12 (1915). — B r u h n s , Würzburger Bildhauer d. Renaiss., 1923 p. 518, 549. — Notizen von G. H. Lockner u. L. Bruhns in Würzburg. *W. Fries.*

Herneissen, J o h a n n , Edelsteinschneider, 1637 für den Dresdner Hof mit Schneiden des kurfürstl. Wappens in Edelstein beschäftigt.

Neues Arch. f. sächs. Gesch. u. Altert.-Kde, XIII (1892) 137.

Herneyßen, A n d r e a s , s. *Herneisen,* A.

Hernie, S e b a s t i a n , Fälschung des Namens Sebastian Fernández (Hernández), Klingenschmied in Toledo, s. Bd XI 424.

L a k i n g , Cat. of the European Armour, Wallace Coll., 1901 p. 147.

Hernlund, K a r l F e r d i n a n d , schwed. Landschaftsmaler, geb. 17. 8. 1837 in Eksjö, † 18. 6. 1902 in Medevi, Schüler von P. D. Holm in Stockholm, studierte auch in Düsseldorf (1864/5) und Paris (1883). Mitglied der Stockh. Akad. 1887. Arbeitete in Öl u. Pastell und behandelte meist schwed. Motive. In der Sammlg des Königs im Stockh. Schloß von ihm das Bild: Blick auf Schloß Kalmar und Schloßruine Borgholm. H. war auch als Illustrator tätig.

Nordisk Familjebok, ² XI (1909). — N o r d e n s v a n , Svensk Konst och Svenska Konstnärer, 1892. — Guide . . Château Roy. de Stockholm 1911. *G. M. S—e.*

Hernot, I v e s , Bildhauer in Lannion (Bretagne); von ihm das Erinnerungsmal (an die Gefallenen von 1870/71) „Croix de Villours" in Terminier (Eure et Loir), eingeweiht 1872, der „Sühnekalvarienberg" für „den Gottesleugner E. Renan" in Tréguier (Bretagne), dem Geburtsort Renans, errichtet 1903, in Pluzunet (Bretagne) „Monum. à la dernière Cigale Bretonne" (1910).

Inv. gén. Rich. d'art, Prov., Mon. civ., IV (1900). — Kirchenschmuck, XXXV (1904) 136. — Annuaire de la Curiosité, 1911 p. 20.

Hero, siehe *Hérault.*

Herodoros, Sohn des Sthennis, von Athen. Bildhauer 3. Jahrh. v. Chr. Seine Signatur erhalten auf einer Inschrift aus Oropos (Löwy, Inschr. griech. Bildhauer Nr 112a p. 384; Inscriptiones Graecae, VII 315), und danach ergänzt auf einer aus H. Theodoros bei Theben (Holleaux in Bull. de corresp. hellén., XVI [1892] 471 f.). Er war der Sohn des Bildhauers Sthennis (s. d.).

Pauly-Wissowa, Realencyclop., VIII 988 (Pfuhl). — Kirchner, Prosopographia Attica, Nr 6528.

Herodoros, Bildhauer, tätig in Athen im 1. Jahrh. v. Chr. Seine Signatur auf einer wiederverwendeten Basis von der Akropolis erhalten.

Löwy, Inschr. griech. Bildhauer, Nr 232. — Inscriptiones Graecae, II 3 Nr 1373. — Pauly-Wissowa, Realencyclop., VIII 989 (Pfuhl).

Herodotos von Olynth, Bildhauer, fertigte nach Tatian ad Graecos 53, 54 Bildnisse der Hetären Phryne und Glykera und der Sängerin Argeia. Da der Vater des aus Olynth stammenden Bildhauers Sthennis Herodoros hieß, hat man mit hoher Wahrscheinlichkeit vermutet, daß bei Tatian statt Herodotos Herodoros zu lesen sei.

Kirchner, Prosopographia Attica, Nr 6527. *R.*

Herold (Heroldt, Herolt, Hörold, Höroldt, Hyrold), seit dem 16. Jahrh. in Nürnberg nachweisbare Familie von Glocken-, Stück-, Büchsen-, Kunst-Gießern und Rotschmieden; schon früh wanderten einzelne Familienmitglieder aus, so nach Augsburg, Stuttgart, Dresden, Wien u. a. O. Der verwandtschaftliche Zusammenhang bedürfte der Untersuchung, Archivforschungen fehlen. Die bedeutenderen Mitglieder sind in zeitlicher Folge unten einzeln aufgeführt. Die Glocken wurden, soweit sie aus der Lit. zu ermitteln waren, nach dem Stande vor dem Weltkriege gegeben. Die weniger bedeutenden Mitglieder, die als Leuchter-, Bügeleisen-, Zapfenmacher, dem Rotschmiedehandwerk angehörten, haben für die Herstellung des häuslichen Messinggerätes, das mehr oder weniger kunstvoll geschmückt wurde, und einen bedeutenden Nürnberger Ausfuhrartikel bildete, ihre Wichtigkeit. Einzelne ihrer Arbeiten sind durch die Marken, die sie bei der Zunft aufschlagen mußten, bekannt. Sie werden hier mit ihren Marken und dem Jahre, in dem sie sie aufschlugen, angeführt. — **Hans Wolf,** Bügeleisenmacher, 1667, Marke: Hirsch. **Wolf I,** Zapfenmacher, 1667, Posthorn über Schwan. **Wolf II,** 1675, Mann mit Zepter (Herold). **Hans Leonhard,** Stück- u. Glockengießer, 1686, Stern. **Erasmus,** Zapfenmacher, 1693, Hirsch. **Wolf III,** Zapfenmacher, 1698, Posthorn über Schwan. **Ernst,** Leuchtermacher, 1825, desgl. **Carl Ludwig,** Bügeleisenmacher, 1828, Reichsapfel. Den Marken sind meistens die Namensinitialen beigesetzt, oft auch der volle Familienname, mit oder ohne Initialen des Vornamens.

Stengel, Merkzeichen der Nürnberger Rotschmiede, in Mitt. a. d. Germ. Nat.-Mus. (Festschrift f. G. v. Bezold), 1918/19 No 67, 116, 150, 154, 185; ders. in Kunst u. Kunsthandwerk (Wien), XXI (1918) 256 f.

Christoph, Bronzegießer u. Rotschmied, 1603 Geschworener des Rotschmiedehandwerkes in Nürnberg; seine mutmaßliche Marke, „Posthorn über Schwan", „zweimal eingeschlagen am oberen Rande der gegossenen Geldbüchse des Rotschmiedehandwerkes", an der neben anderen Namen von Geschworenen auch der seine mit dem Jahreszahl 1603 eingraviert ist. Von H. die beiden vorzüglichen, 1605 u. 1607 in Messing gegossenen, auf die Stiftung der Kapelle bezüglichen, mit Rollwerkumrahmung, Putten und Wappen geschmückten Gedenktafeln in der Gabrielskap. auf dem Sebastiansfriedhof in Salzburg.

W. Stengel, l. c. p. 142. — Oesterr. Kunsttopogr., IX (1912) 139, Abb.

Balthasar I, Glocken- u. Büchsengießer, in Nürnberg 1612/1615 nachweisbar. Erbittet 1612 vom Rat der Stadt Abschrift der Glockeninschriften auf den Glocken der Pfarrkirchen Nürnbergs, und zwar für den Deutschmeister. 1615 soll er für den Rat Glockengut probieren. Von H. im Artill.-Arsenal in Wien ein Dreipfünder von 1615. Noch zu Lebzeiten stiftete er 1629 für sich und seine Frau ein Grab auf dem Werder-Friedhof.

Hampe, Nürnberger Ratsverlässe (Quellenschr. f. Kunstgesch. N. F. XI), II (1904) 2454 f., 2698. — Ilg-Boeheim, Schloß Ambras in Tirol, Beschreibung, 1882 p. 53.

Georg, Bronzegießer in Nürnberg, † 1632 laut Doppelmayr; Vater der Balthasar II, Hans Georg, Andreas, Johannes, Wolff Hieronymus u. **Achatius.** Mit vollem Namen bezeichnete Glocken von: 1624 in der Prot. Pfarrkirche in Pyrbaum (B.-A. Neumarkt), 1630 in der Pfarrkirche in Ober-Neuern (Böhmen), 1631 in der Bartholomäuskirche in Béschin (Böhmen). Von ihm der Guß des Grabdenkmals des Markgrafen Joachim Ernst v. Hohenzollern († 1625) in der Klosterkirche zu Heilsbronn. Das Modell von Abraham Graß (Vertrag 6. 5. 1625); für den Guß erhielt Georg 500 Reichstaler. Im Januar 1634 war das Denkmal bis auf wenige Stücke in Heilsbronn angelangt; die Aufstellung erfolgte erst 1711/26, wobei der Bildhauer Fr. Maucker Marmoreinfassungen und Inschrifttafeln (1712 in Nürnberg v. J. G. Romsteck gegossen) hinzufügte.

Doppelmayr, Hist. Nachr. v. d. Nürnberg. Mathem. u. Kstlern, 1730 p. 301. — Kstdenkm. Bayern, II Heft 17 (1909) 245, 305. — Topogr. v. Böhmen, VII (1905), Bez. Klattau. — Boeheim, Meister der Waffenschmiedekst, 1897 p. 85. — F. H. Hofmann, Kst am Hofe d. Markgr. v. Brandenburg (Stud. z. deutsch. Kstgesch. Heft 32), 1901 p. 83 f. — Mitt. d. Vereins f. Gesch. d. Dtschen in Böhmen, LVI (1918) 21.

Balthasar II, Glocken-, Stück- u. Kunstgießer, geb. 1621 in Nürnberg, † 11. 8. 1683 in Wien, lernte, nach dem Tode seines Vaters Georg, in dessen Werkstatt, die H.s Stiefvater Leonhard Löwens übernommen hatte. H. ging nach beendigter Lehrzeit mit seinem Bruder Andreas nach Warschau, wo er im Dienste des Joh. Casimir II. bei dem Kgl. Stückgießer arbeitete. 1646 war H. bei der Einnahme von Krems u. Klosterneuburg tätig, später in Preßburg. Die frühste datierte Arbeit ist eine Glocke in Egyházas-Gellye (Com. Preßburg), voll bezeichnet, mit dem Zusatz „in Pressburg Anno 1648". Im Nat.-Mus. in Budapest von H. für das Schloß Bodok (Com. Nyitra) des Grafen Berényi gegossene Kanonen sind 1650 datiert, „in Presb.", und tragen ungarische Aufschriften. Die letzte aus Preßburg datierte Arbeit ist eine Glocke in Zajngrócs (Trenčíner Com.) von 1653 (mit dem Wappen der Familie Zaj). In diesem Jahre muß H. nach Wien übergesiedelt sein, doch hat seine Tätigkeit für Ungarn deshalb nicht aufgehört, wie Glocken von 1656, 1668 u. 1669 beweisen. 1675 goß er für den Dom in Preßburg 2 Glocken, die eine trägt in Relief ein Kreuz u. Maria mit dem Kinde, die andere die Figuren der hl. Stephan und Martin, 1679 eine größere Glocke für die St. Michaelikirche ebenda. — Bereits 1654 wurde er vom Kaiser Ferdinand III. in den „Reichs- u. erbländischen Adelsstand" erhoben, zugleich mit seinen Brüdern Hans Georg, Andreas, Johannes, Wolf Hieronymus u. Achatius, die im Kriege als Büchsenmeister tätig gewesen waren. 1657 wurde er kaiserl. Stückgießer. H.s erste Arbeit in Wien war wohl der Guß von 5 Glocken für die Hofkirche St. Augustin in Wien (1653 oder Anfang 1654 bestellt, 1659 bezahlt). In seiner Wiener Werkstatt wurden z. B. folgende Glocken gegossen: 1657, für Eggern. 1658 für die Pfarrkirche Maria Schnee in Plankenstein (Bez. Melk), mit Reliefs (Barbara, Sebastian); für die Kirche in Hürm (Bez. Melk), mit Reliefs (Maria, Hippolyt). 1659, für Annaberg. 1669, Schloßkapelle zu Viehofen bei St. Pölten; für den Grafen Nádasdi 3 Glocken, die sich 1675 im Augustiner-Kloster zu Lockenhaus-Léka (Com. Eisenburg bei Güns) befanden. 1673, Brunn im Felde (Bez. Krems), mit Reliefs (Kreuz, Maria). 1675, für Fladnitz. 1679, die zweitgrößte Glocke der Stiftskirche in Klosterneuburg. 1681, die sog. „neue Glocke" auf einem der Heidentürme von St. Stephan in Wien; für die Stiftskirche in Klosterneuburg eine kl. Glocke (lt Rechnung v. 5. 11. 1682). 1682, für Hafnerbach, u. a. m. — H.s Geschütze werden wegen ihres schönen Schmuckes gerühmt. Auf der Festung Belgrad eine Kanone von 1657, im Schloß Feistritz (Niederösterreich) ein Halbfalkonet von 1662 mit Wappen und Namen d. Grafen Peter Zrinyi (hingerichtet in Wiener-Neustadt 28. 4. 1671).

Im Artill.-Arsenal in Wien eine Halbkartaune von 1657 mit dem Reichsadler u. d. Wappen des Grafen Ernst v. Abensberg-Traun, ehemals in der Festung Zwornik (Bosnien), mit der No 17; eine Serpentille von 1663 ebenda (aus Schloß Forchtenstein) trägt die No 2430, offenbar die Werknummer, woraus man den Umfang seiner Tätigkeit abschätzen kann. Boeheim erwähnt noch ein Falkonet von 1658 mit Namen und Wappen des Grafen Joh. v. Ipolykér u. eine 3pfündige Schlange mit Reichsadler, Wappen und Namen des Grafen C. L. v. Hofkirchen, des obersten Zeugmeisters (im Wiener Arsenal nicht mehr nachweisbar). — Auch als Kunstgießer hat H. Zeugnisse seines hervorragenden Könnens hinterlassen. Nach dem Entwurf des L. O. Burnacini goß er die bronzene Mariensäule (nach dem Muster der älteren auf dem Marienplatz in München), auf dem Platz „Am Hof" in Wien. 1665 Bezahlung für die Marienfigur und in Abschlag für die Engel, 1667 Restzahlung „samt aller Zuegehör vnd anderer in die K. Schatzkammer gelieferten Metallkunststückh" (Weihe am 8. 12. 1667). 1672/74 weitere Zahlungen „wegen nach Hof verkaufter und verfertigter Arbeit". 1676/77 goß er die Grabplatte der Kaiserin Claudia Felicitas, 2. Gem. Leopolds I., mit einer vom Kaiser selbst verfertigten Grabschrift, in der Dominikanerkirche Maria Rotunda in Wien (rechtes Querschiff, vor dem Altar). — In den Sammlgen der kunstindustr. Gegenstände in Wien eine Nachbildung der Mariensäule aus „getriebenem, vergoldeten Silber, überreich mit Emailornamenten, Edelsteinen und Platten von Maleremail verziert", Arbeit d. 17. Jahrh. (Führer 1891 p. 28).

D o p p e l m a y r, l. c. p. 301. — S c h l a - g e r, Material. z. oesterr. Kstgesch., 1850 p. 731. — B o e h e i m, Meister d. Waffenschmiedekst, 1897 p. 85 f. — E i t e l b e r g e r, Kst u. Kstler Wiens, 1879, I. — Mitt. d. K. K. Central-Comm., N. F. IV p. XLII; V 60; X 21, 23, 26; XXIII 230; 3. Folge XV (1916) 76. — Jahrb. d. Ksthist. Sammlg. d. allerh. Kaiserh., XXVIII (1910/11) 2. Teil p. I—III. — W o l f s - g r u b e r, Hofkirche zu St. Augustin in Wien, 1888 p. 14. — D r e x e l, Stift Klosterneuburg, 1894 p. 56. — Oester. Ksttopogr., I (1907) 78; III (1909) 74, 388. — Berichte d. Altert.-Ver. Wien, XXIII (1886) 144; L (1918) 32. — E. W. B r a u n, Die dtsch. Plaketten d. Sammlg Walcher v. Molthein, 1917 p. 73. — G u g l i a, Wien, 1908. — H. T i e t z e, Wien (Ber. Kststätten 67), 1918. — P. v. B a l l u s, Preßburg u. s. Umgebg, 1823 p. 310. — Arch. Ertesitö, 1908 p. 92 f. — Müvészet, IV (1905) 346. — D i m i e r, Hôtel des Invalides (Pet. Monogr. d. Grands Edif. de la France), o. J. p. 24. — Mit Not. v. K. Lyka u. J. Polák.

H a n s G e o r g, Glocken- und Stückgießer in Stuttgart, wohl Sohn des Georg u. Bruder des Balthasar II usw. 1657 beschwert er sich bei Herzog Eberhard III. v. Württemberg wegen Beeinträchtigung durch fremde Gießer.

An Arbeiten sind bekannt: große Glocke von 1658 in Meßstetten (Schwarzwaldkreis), mittlere Glocke in Thieringen (Schwarzwaldkr.) und eine für Breslau 1671 gegossene Viertelkartaune im Zeughaus Berlin.

Kat. Zeugh. Berlin 1907 p. 122; 1914 p. 200. — Kst und Altert.-Denkm. Württemb., Schwarzwaldkr., I (1897) 31. — Archiv f. christl. Kunst, XXIV (1906) p. 5, 43. *St.*

A n d r e a s , Glocken-, Stück- u. Kunstgießer, vielleicht identisch mit dem Sohne des Georg, der 1654 von Ferdinand III. in den Adelsstand erhoben wurde und als kaiserl. Büchsenmeister tätig war, geb. 16. 3. 1623 in Nürnberg, † 16. 9. 1696 in Dresden. Kam früh nach Sachsen (mit Balthasar II auf der Reise nach Polen?) und wurde hier am 4. 7. 1649 vom Kurf. Johann Georg I. als Stückgießer an Hans Wilh. Hilligers Stelle verpflichtet. 1652 erhielt er das Privilegium zum Glockengießen in den kursächs. Landen „cum iure prohibendi", das ihm 1659 auch von Johann Georg II. bestätigt wurde. Die Zahl der Glocken, die H. in den Kurländern Sachsen und Brandenburg gegossen hat (s. Bau- u. Kunstdenkm.), ist sehr groß, doch sind viele der Zeit zum Opfer gefallen. Sie zeigten meist die ausgeprägten Renaissanceformen und waren z. T. schön verziert mit Rankenwerk, Wappen, Masken u. dgl. H.s Zeichen ist ein quadrierter Schild, der auf 2 Feldern übereck ein H. mit Glocke, in den beiden andern den Pelikan enthält; am Helm pflegt H. einen Mann mit Tasterzirkel u. Kugel abzubilden. Das große Glockenspiel, das H. nach niederl. Muster für den Dresdner Schloßturm schuf, wurde nicht aufgestellt. Der Kruzifixus, den er 1670 nach einem etwa 50 Jahre älteren Modell Hilligers für die Brücke daselbst goß, stürzte 1846 in die Elbe. 4 Kanonen von H. (1678) wurden um das 1868 von dem Nürnberger Georg Herold gegossene Denkmal Karls XII. auf „Karl den Tolftes Torg" in Stockholm aufgestellt. — H.s Bildnis stach M. Bodenehr (vgl. Heinecken, Dict. des Art., III [1789] 74).

Akten des Hauptstaats- u. des Ratsarchivs zu Dresden. — W e c k , Haupt-Vestung Dresden Beschreib. u. Vorstell. 1680 p. 88, 201. — M i c h a e l i s , Dreßdn. Inscriptiones, 1714 p. 51, 415, 548. — I c c a n d e r , Das Königl. Dreßden, ³, 1726 p. 125 f. — Curios. Saxon., 1734 p. 168, 280 f.; 1736 p. 283. — Arch. f. sächs. Gesch., III (1865) 87. — Bau- u. Kstdenkm.: Kgr. Sachsen, I—VI; VIII; XX; XXIII—XXVII; XXX; XXXIII—XXXVII; XXXIX; Prov. Sachsen, XXII. — G u s t . O. M ü l l e r , Vergess. Dresdn. Kstler, 1895. — C. v. M e t z s c h - R e i c h e n b a c h , Die interessant. alt. Schlösser Sachsens, 1902 p. 96. — Neues Lausitz. Mag., LXXXII (1906). — D i b e l i u s - H a u c k , Beitr. z. sächs. Kirchengesch., XXX (1918) 148. — Dresdn. Geschichtsbl. II (1897) 41; VI (1913) 50. — W a l t e r , Glockenkunde, 1913. — W o l f f , Glocken d. Prov. Brandenb., 1920.
Ernst Sigismund.

J o h a n n e s , Glocken- u. Kunstgießer aus Nürnberg, vielleicht Sohn des Georg u. Bruder des Balthasar II usw., ansässig in Augsburg, modellierte u. goß 1638 den Neptunbrunnen in Augsburg, der seit 1745 auf dem Fischmarkt steht (die gußeiserne Säule von 1840), und ursprünglich für einen Privatgarten außerhalb der Stadt bestimmt war. Folgende mit der Jahreszahl und „Johannes Herold in Augsburg" bezeichnete Glocken: 1650, Gansheim, Pfarrkirche; Taiting, Pfarrk.; Roßhaupten bei Füssen, Pfarrk. 1651, Seeg bei Füssen; Wallfahrtskirche Allerheiligen bei Scheppach (mit Wappen). 1654, Stillnau bei Donauwörth, Pfarrk. 1656, Glött, Pfarrk. (mit Relief).

Ztschrift f. bild. Kst, XVII (1882) 43, Gerold! (T h . R o g g e). — L ü e r - C r e u t z , Gesch. d. Metallkst, 1904, I 489 („Gerold"). — S t e i c h e l e , Bisthum Augsburg, II (1864); III (1872); IV (1883); V (1895).

W o l f f H i e r o n y m u s , Glocken-, Stück- u. Kunstgießer, geb. in Nürnberg 28. 9. 1627, † ebenda 1. 5. 1693, Bruder des Balthasar II, Sohn des Georg, in dessen Werkstatt, die H.s Stiefvater Leonhard Löwens übernommen hatte, H. seine Lehrzeit begann. Laut Doppelmayr wäre er 16 jährig auf die Wanderschaft nach Wien gegangen und sei 1653 nach Nürnberg zurückgekehrt, wo er offenbar die väterliche Werkstatt übernahm. Vor dem Weltkriege waren zahlreiche Glocken von H. erhalten, die meisten im Bereich der bayr. Bez.-Ämter Neumarkt u. Beilngries, vereinzelt in Sulzbach, Gerolzhofen, Königshofen, doch auch in Sachsen u. a. O.; sie sind häufig mit Reliefs geschmückt, u. mit vollem Namen nebst Ort u. Jahreszahl signiert (in Neumarkt u. Brünnau dagegen nur „Hieronymus"): 1655, Großbardorf; Klingenthal, Kr. Auerbach (Sachsen), 1861 umgegossen. 1665, Freystadt, Rathaus. 1666, Neumarkt, Stadtpfarrkirche. 1667, Deinschwang, St. Martin. 1674, Fürnried, St. Willibald; Mülhausen (Neumarkt), St. Martin (Wappen). 1676, Rohr, St. Martin (hl. Martin). 1684, Stöckelsberg, St. Simon u. Judas. 1685, Unnerstadt bei Heldburg (Kr. Hildburghausen). 1686, Raitenbuch, St. Nicolaus; Rohr, St. Martin. 1688, Rudertshofen, St. Wunibald, Herkheim bei Nördlingen; Brünnau. 1689, Raitenbuch, St. Nicolaus; Kevenhüll, St. Ulrich. 1693, Rudertshofen, St. Wunibald. — Neben dieser Tätigkeit als Glockengießer gingen Arbeiten für den Kunstguß einher. 1660 lieferte er einen Kostenvoranschlag für den Neptunbrunnen, während G. Schweigger u. Chr. Ritter ebenfalls einen solchen einreichten. Nach Schweiggers Modell übernahm dann H. den Guß. 1668 war der Brunnen vollendet, wurde aber nicht aufgestellt. 1702 wurden die Gußstücke in ein besonders dafür erbautes Haus auf der Peunt gebracht. 1797 wurde der Brunnen an Zar Paul I. verkauft, der ihn im Park des Schlosses Peterhof bei

St. Petersburg aufstellen ließ. Seit 1902 steht auf dem Hauptmarkt zu Nürnberg ein Nachguß. 1683 goß H. in Nürnberg die Statue des hl. Nepomuk für die Karlsbrücke über die Moldau in Prag. Der Entwurf stammte von M. Rauchmüller, das Modell, das nach Nürnberg gesandt wurde, von Joh. Brokoff. Die Statue ist vorbildlich geworden für die große Zahl von Figuren dieses Hl., die besonders nach seiner Kanonisation (1726) ihm errichtet wurden. 1685 datiert ist der Kruzifixus auf dem Hochaltar der Castorkirche in Coblenz, von H. nach dem Modell des G. Schweigger gegossen. Von Geschützen H.s sei genannt eine vortrefflich verzierte Kanone von 1684 auf der Veste Coburg (Bären-Bastei). — Stengel gibt seine Marke (No 185), die H. 1667 aufgeschlagen hat: Stern mit d. Initialen W H H.

Doppelmayr, l. c. p. 303. — Boeheim, Meister der Waffenschmiedekst, 1897 p. 87. — Mummenhoff, Neptunbrunnen zu Nürnberg, 1902. — Kugler, Kl. Schriften, II (1854) 282. — Trésors d'art en Russie, p. 205, Taf. 87. — Mitt. d. Ver. f. Gesch. der Deutschen in Böhmen, LVI (1918) 21. — Tietze-Conrat, Oesterr. Barockplastik, 1920 p. 7, 135. — Walter, Glockenkunde, 1913. — Kstdenkm. Bayern, II Heft 12 (1908) 100, 144, 167; Heft 17 (1909) 34, 86, 104, 252, 275, 305; Heft 19 (1910) 31; III Heft 8 (1913) 43; Heft 13 (1915) 39. — Bau.-Kstdenkm. Kgr. Sachsen, IX (1888). — Steichele, Bisthum Augsburg, III (1872) 1072. — W. Stengel, l. c. p. 150.

Johann Balthasar, Glocken- u. Stückgießer, vermutlich ein Sohn des Wolff Hieronymus; seine Marke in der Liste der Meisterzeichen der Nürnberger Rotschmiede gibt Stengel (No 185), ein Stern mit den Initialen J B H, die H. 1694 aufgeschlagen hat; er wurde 1693 Meister. Von H.s Glocken in den bayrischen Bez.-Ämtern Neumarkt, Beilngries, ebenso in Württemberg u. a. O. erhalten: 1694, ehemals in der St. Joh. Kap. auf dem Stephansberge in Bamberg. 1697, Großthundorf, St. Willibald. 1707, Sulzkirchen Pfarrkirche, 2 Glocken. 1711, Brettheim, Pfarrkirche (O. A. Gerabronn); Sondersfeld, St. Katharina. 1716, Schirnitz (Kr. Sonneberg). 1718, Mistlau (O. A. Gerabronn). 1721, Schirnitz. 1722, Heiligenbronn (O. A. Gerabronn), Pfarrkirche. 1726, Pyrbaum, St. Georg, 2 Glocken. — Als Stückgießer ist H. nachweisbar im Artill.-Arsenal in Wien mit 12 schönen, mit den Monaten bezeichn. Geschützen von 1708 (ziseliert von G. Romsteck) und Wappen der Nürnberger Patrizier Tucher, Harsdörfer, Volkamer u. Schlüsselfelder, im Schloß Ambras mit 2 zehnpfündigen Mörsern von 1721 mit dem Wappen von Nürnberg und denen der Nürnb. Geschlechter Tetzel von Kirchen-Sittenbach, Geuder von Heroldsberg u. der Paumgärtner, numeriert mit 2 u. 4, also 2 Stücke einer Batterie, No 3 dazu gehörend im Artill.-Arsenal in Wien, No 1 im Arsenal in Pola (alle 4 aus dem Zeughaus in Nürnberg).

Boeheim, Meister d. Waffenschmiedekunst, 1897 p. 87 f.; ders. in Mitt. d. K. K. Central-Comm., N. F. XII (1867) 46, 53, 64. — Archiv f. christl. Kunst, VI (1888) 5. — Ilg-Boeheim, Schloß Ambras, Beschreib., 1882 p. 53/54. — Kstdenkm. Bayern, II, Heft 12 (1908) 151, 167; Heft 17 (1909) 121, 245 f., 274, 305. — Kst- u. Altert.-Denkm., Württemb., Jagstkr., I (1907) 250, 254, 326. — Mitt. d. Ver. f. Gesch. d. St. Nürnb., VI (1886) 265.

Christian Victor, Glocken- u. Kunstgießer in Nürnberg, mit zahlreichen Glocken von 1730 bis 1773 nachweisbar, stets mit vollem Namen bezeichnet (dagegen in Großberghausen nur „Victor"), vornehmlich in den Kirchen der bayr. Bez.-Ämter Neumarkt u. Beilngries: 1730, Mülhausen, St. Martin. 1736, Sulzbürg, Marktkirche. 1745, Großthundorf. 1746, Großberghausen. 1752, Klein-Ansbach. 1753, Rohr, St. Martin. 1754, Freystadt, Wallf. Kirche Maria-Hilf. 1757, Alfeld, Prot. Pfarrk.; Pommersfelden, Prot. Kirche. 1758, Rocksdorf, Prot. Pfarrk. 1762, Burggriesbach, St. Gangolph. 1763, Klein Ansbach. 1768, Tauernfeld, St. Nikolaus. 1769, Erasbach, Kath. Kirche. 1773, Oning, St. Nikolaus. — Auf der historischen Ausst. in Nürnberg 1906 (Kat. No 777) war aus Schloß Eschenbach ausgestellt das Reliefmedaillon-Bildnis des Reichsschultheißen Hieron. Ebner v. Eschenbach († 1725), bez.: „A. Vestner figuravit. C. V. Heroldt fudit. P. P. Werner perposivit. A. 1741". — Nach Stengel hätte es um die gleiche Zeit zwei Familien-Mitglieder des Namens Christian Victor gegeben.

Kstdenkm. Bayern, II, Heft 12 (1908) 61, 63, 68, 111, 167; Heft 17 (1909) 121, 219, 251 f., 274, 277, 281, 305; Heft 19 (1910) 16. — Arch. f. christl. Kst, VI (1888) 4, 5. — Stengel in Kunst u. Ksthandwerk (Wien), XXI (1918) 257. — Mitt. d. Ver. f. Gesch. d. St. Nürnberg, VI (1886) 265.
R.

Herold, Andreas, s. u. *Herold*, Familie.

Herold, Anton, Bildhauer, † in Prag, 34 jährig, Sept. 1867, wohl Nachkomme des Wolff Hieronymus in Nürnberg, Schüler v. Em. Max in Prag, weitergebildet in München, Wien u. Paris, zeigte 1858 in München Figuren „Lorelei" u. „Madonna", arbeitete 1860 in Prag eine Büste des Wenzeslaus Hanka.

C. v. Wurzbach, Biogr. Lex. Kaiserth. Oesterreich, VIII (1862). — Naumann's Archiv, XIV (1868) 70. — Ilg-Boeheim, Schloß Ambras, Beschreibung, 1882 p. 54.

Herold, Arno Max Robert, Architekt, geb. 17. 12. 1871 in Leipzig, gebildet an den Techn. Hochschulen in Karlsruhe und Braunschweig, an den Universitäten in Leipzig und München, erhielt ein Stipendium nach Italien, in Leipzig tätig, gemeinsam mit seinem Bruder Felix, geb. in Leipzig 2. 1. 1873, gebildet an den Techn. Hochschulen in Karlsruhe u. München. Von ihren Arbeiten, die sie unter gemeinsamer Firma ausführten, seien genannt: Miethäuser und Villen in Leipzig (Wohnhaus, Kaiser-Wilhelmstr. 84, Kaiserin Augustastr., Häusergruppe in der Kolonie Marienbrunn, Villa Röhrig,

Jacobstr. 17/19), Grabmäler auf Friedhöfen Leipzigs u. Umgebung, das Eingangs- u. Verwaltungsgebäude der Intern. Baufachausst. Leipzig 1913, der Raum der Stadt Leipzig (als Sitzungszimmer gedacht) im Sächs. Hause der deutschen Werkbundausstell. Cöln 1914.

Kstgewerbeblatt, N. F. XVII (1906) 157; XXVI (1914) 147. — Die Kunst, XXVIII (1913) 442, 448. — Profanbau, 1912 p. 177 ff.; 1913 p. 521, 576. — Mod. Bauformen, XIII (1914). — Neudeutsche Bauzeitg, IX (1913). — Mitt. d. Künstlers.

Herold, B a l t h a s a r, Büchsenmacher, wird 1576 Bürger in Dresden. Schön gearbeitete Gewehre und Pistolen in der Gewehr-Gal. Dresden, im Zeughaus Berlin, Zeugh. Kopenhagen, in der Rüstkammer Emden.

Führer d. d. K. Gewehr-Gal. Dresden, 1900 p. 101. — B o e h e i m, Waffenkunde, 1890 p. 648. — P o t i e r, Rüstkammer Emden, 1903 p. 65. *St.*

Herold, B a l t h a s a r, siehe auch unter *Herold*, Familie.

Herold, C h r i s t i a n, Büchsenmacher, Ätzer u. Ziseleur in Dresden, 1666—81 urkundlich genannt (wohl Mitglied der Nürnberger Gießerfamilie). Von ihm die Ätzarbeit auf Ringkragen (von 1666 u. 69) und einem Fußturnierharnisch (von 1666) im Hist. Mus. Dresden, 2 Paar Pistolen (um 1660) ebenda u. 2 Radschloßbüchsen (von 1669) in der Gew.-Gal. Dresden.

Führer d. d. Gew.-Gal. Dresden, 1900 p. 101. — Führer d. d. hist. Mus. Dresden, 1899 p. 15, 47, 50 f., 137f. — Neues Archiv f. sächs. Gesch., XXIII (1902) 271. — W. v. S e i d l i t z, Kunst in Dresden, IV (1922) 484 (Abb.), 488 f., 558.

Herold (Heroldt, Höroldt), C h r i s t i a n F r i e d r., Porzellanmaler in Meißen, vielleicht Vetter d. Joh. Gregor H., geb. in Berlin 1700, † in Meißen 1779. Kam 1725 als Maler für „feine Japp. Figuren und Landschaften" an die Meißner Porzellanmanuf., wo er bis zu seinem Tode tätig gewesen zu sein scheint. Hat viel mit Farben und Goldverzierungen Versuche gemacht. Erhält 1740 eine Vergütung „zu einer emaillir probe bey Verferttigung einiger mit Gold auf porcellaine geschlagene Figuren". 1750 wird gerühmt, daß er „Figuren von massiv geschlagenem Golde dauerhaft" auf Porzellan und Glas befestigen kann. Eine zierliche, reich mit farbigen Chinoiserien bemalte, unmontierte Dose (Porzellansamml. Dresden) hat er mit „C. F. Heroldt Fecit" bezeichnet. Eine Schale, die sich in England befindet, soll „C. F. Herold invt. et fecit a meissē 1750 d. 12te Sept." bezeichnet sein. In der Samml. Goldschmidt-Rothschild in Berlin befindet sich ein brauner Krug mit Goldchinesen, bez. „Christian Friedrich Höröld Meissen, d. 8te April 1732". Seine Versuche scheinen ihn auch dazu geführt zu haben, Dosen aus Kupferemail herzustellen. Ein solcher Dosendeckel in der Samml. H. Ball sen.-Dresden, der neben Frucht- u. Blumenkörben, Vögeln, Blumen farbig emailliert,

2 Karnevalfiguren und einen Papagei in stark aufgetragenem Golde zeigt, ist rückseitig „C. F. Heroldt fec." bezeichnet, wobei das e verwischt ist. Wahrscheinlich von ihm auch der mit Darstell. einer Flußlandschaft emaillierte Dosendeckel im Grünen Gewölbe in Dresden („Herold fecit"). Im Landesgewerbemus. zu Stuttgart befindet sich ein unbezeichneter Dosendeckel, auf dem in kräftiger Goldkartusche farbige Chinoiserien emailliert sind, ein Werk, das man dort ebenfalls H. zuschreibt.

Einen Maler J o h. F r i e d r. H. hat es in der Meißner Fabrik nicht gegeben. In dem Personenverzeichnis von 1731 (Bl. IX „Derer zur Mahlerey gehörigen Personen") ist unter 5. Joh. Fried. H. aufgeführt. Es dürfte dies indessen auf eine Ungenauigkeit in den Akten zurückzuführen sein; sicher ist Christian Friedr. H. gemeint, der sonst in dieser Liste ausgelassen wäre, obwohl er damals in Meißen tätig war.

B e r l i n g, Das Meißner Porzellan, Lpzg 1900. — R o b e r t S c h m i d t, Das Glas (Handbücher der Berliner Museen). — G e o r g W i l h e l m S c h u l z in den Mitteilg. d. städt. Kunstgewerbemus. Leipzig, 1922 p. 132. — S p o n s e l, Führer d. d. Grüne Gewölbe Dresden, 1915 p. 216. *Berling.*

Herold, C h r i s t i a n F r i e d r i c h, Goldschmied in Königsberg i. Pr., 1752—69 nachweisbar; von ihm Taufschüssel u. Kanne von 1752 in der kath. Kirche in Königsberg (Sackheim).

Bau- u. Kstdenkm. Ostpreußen, VII (1897) 163 f., Abb. — C z i h a k, Edelschmiedekst in Preußen, I (1903) 45, 62; Taf. 25. — M. R o s e n b e r g, Goldschmiede Merkzeichen, [2] 1911 p. 401.

Herold, C h r i s t i a n V i c t o r u. Christoph, siehe unter *Herold*, Familie.

Herold, D., Maler in Berlin, zeigt 1816—32 in den dort. Akad.-Ausst. meist Bildnisse in Öl, 1820 ein Porträt des Anatomen Joh. Gottlieb Walter († 1818 in Berlin), 1832 auch eine Kopie nach einer Madonna Raffaels. Laut Nagler hätte H. auch historische Bilder gemalt.

N a g l e r, Kstlerlex., VI. — Kataloge der Berliner Akad.-Ausst.

Herold, E d u a r d, Maler, Schüler der Akad. in Prag, dann tätig für den Grafen Chotek, zeigte in den Ausst. der Gesellsch. patriot. Kunstfreunde in Prag 1855—58 Landschaften: „Felsendorf Widim in Böhmen", „Burghof in Eltz a. d. M.", „Partie bei Rottach in Baiern", „Schloß Heidelberg" u. a. H. war auch schriftstellerisch tätig, lieferte die Zeichnungen zu seinem Aufsatz in „Světozor", VI (1872) und dem Artikel in „Květy", VI (1871).

C. v. W u r z b a c h, Biogr. Lex. Kaiserth. Oesterreich, VIII (1862). — F. v. B ö t t i c h e r, Malerwerke d. 19. Jahrh., I 2 (1895). — Topogr. v. Böhmen, XXXV (1912); XXXVII (1916).

Herold, F e l i x, siehe unter *Herold*, Arno.

Herold (Heroldt), G e o r g, Bossierer in der Wiener Porzellanmanuf., in deren Personalstatus von 1784 er mit dem Buchstaben L erscheint. Ein so bezeichn. Stück, unbemalter Harlekin, in der Samml. Karl Mayer in Wien. F o l n e s i c s - B r a u n , Gesch. d. Wiener Porz.-Manuf., 1907. — F o l n e s i c s , Wiener Porzellan-Sammlg K. Mayer, 1914 p. 51.

Herold, G e o r g , Bronzegießer in Nürnberg, † in Stockholm 28. 7. 1871 an den Folgen eines Unfalls beim Gießen der Figuren für J. P. Molins Brunnen (Ägirs Töchter mit allegor. Fig.) auf dem Kungsträdgården in Stockholm. 1868 hatte H., ebenfalls nach Molin's Modell, das Denkmal Karls XII. gegossen auf „Karl den Tolftes Torg" in Stockholm. Die 4 Kanonen, die um das Denkmal aufgestellt wurden, sind Arbeiten von H.s Ahnherrn, Andreas Herold (1678 in Dresden gegossen, 1701 bei Danzig von den Schweden erbeutet). H. war Mitinhaber der Gießerei seines Halbbruders Christof Lenz in Nürnberg. Kunstchronik, IV (1869) 52; VI 174. — L ü e r - C r e u t z , Gesch. d. Metallkst, I (1904) 606.

Herold, G e o r g , siehe auch unter *Herold,* Familie.

Herold, G u s t a v Karl Martin, Bildhauer, geb. 23. 2. 1839 in Liestal (Basel-Land), erlernte seit 1854 in Darmstadt die Elfenbeinschnitzerei, trat jedoch 1858 als Schüler Zwergers in die Bildhauerklasse des Städelschen Instituts in Frankfurt a. M. ein, ging 1862 von Frankfurt an die Akad. in Wien zu Tilgner (bis 1866), lebte dann abwechselnd in München (als Schüler Wagmüllers) und Frankfurt, um sich 1872 endgültig in Frankfurt niederzulassen; von dort aus mehrmalige Besuche in London u. Paris, auch in Oberitalien. — In München lieferte H. Elfenbeinschnitzereien für Ludwig II., in Frankfurt zahlreiche dekorative Skulpturen für öffentl. Gebäude, so: am Opernhaus die Statuen Goethes u. Mozarts, die Figuren „Tragödie", „Komödie", „Tanz", „Musik", „Recha", „Braut von Messina", im Treppenhaus „Zorn" u. „Mäßigung", für das Proszenium „Genius mit Posaune" (1875); an der neuen Börse 2 Kindergruppen „Elektrizität" u. „Telephon" (1878); an der Wöhlerschule 2 Gruppen „Das Lehramt" (1879); für das Haus Bavaria die Figur der Bavaria (Zinkguß) mit 4 Löwen (1883); Krönungsgruppe der Eingangshalle des Hauptbahnhofes „Atlas" (1885); 2 Gruppen am Gebäude der Germania, Roßmarkt (1886); für die Stadtbibliothek (Ostseite) die Statuen J. F. Böhmers u. Ed. Rüppells (1893); für das neue Schauspielhaus die Figur der Francofurtia auf der Kuppel (1900); für das Rathaus die Figuren „Kellermeister", „Winzer", „Hellebardier" (1902); dekorative Fig. für Privatgebäude in Frankfurt, Kreuznach usw., Grabdenkmäler (Turninspektor Danneberg in Frankf.), ferner zahlreiche Bildnisbüsten: Friedrich Stoltze, Lazarus Geiger, Karl Vogt, Ernst Haeckel (auch eine Bronzestatuette), der Maler Rudolf Gudden (1888),

Sultan von Jahore, Sultan von Siak auf Sumatra, Frau Claar-Delia, Freifräulein Luise von Rothschild (Rothschild-Bibliothek). H. war an mehreren Denkmalkonkurrenzen beteiligt (Kriegerdenkmal Frankfurt [1873], Kaiserdenkmal Braunschweig, Kriegerdenkmal Darmstadt), ohne jedoch die Ausführung zu erhalten. In den großen Ausstellgen vor selten vertreten, so 1869 im Münchener Glaspalast (Lorelei), 1880 u. 81 im Pariser Salon Soc. Art. Franç. Kunst f. Alle, I (1886); III; IV. — Kunstchronik, X (1875) 240; XXIV 508. — B r u n , Schweizer. Kstlerlex., II (1908). — W e i z - s ä c k e r - D e s s o f f , Kst u. Kstler in Frankf. a. M., II (1909).

Herold, H a n s , Glasmaler, 1548—60 in Biel tätig, lieferte zahlreiche Wappenscheiben für die Stadt, zeichnete 1549 das Stadtwappen für einen Wappenstein an das Pasquarttor; später mehrfach als Faßmaler erwähnt. B r u n , Schweizer. Kstlerlex., II (1908).

Herold, H a n s G e o r g , s. unter *Herold,* Familie.

Herold, J a k o b , Glasmaler, 1561—81 in Biel nachweisbar, Sohn des Hans, lieferte zahlreiche Wappenscheiben für die Stadt, zeichnete 1565 die Visierung für den Wappenstein am Obertor, malte 1575 ein Wappen an d. Nidautor. B r u n , Schweizer. Kstlerlex., II (1908).

Herold, J o h a n n B a l t h a s a r , s. unter *Herold,* Familie.

Herold, J o h a n n F r i e d r i c h , siehe im 1. Art. *Herold,* Christian Fr.

Herold, J o h . G e o r g , Büchsenmacher, um 1670 in Dresden. Gewehre in der Gewehr-Gal. Dresden (Führer, 1900 p. 20). *St.*

Herold (Heroldt, Höroldt), J o h a n n G r e - g o r , Porzellanmaler in Meißen. Geb. 6. 8. 1696 als jüngster Sohn des Schneidermeisters Joh. Wilh. H. in Jena, † 26. 1. 1775 in Meißen. 1719 als Maler bei der 1 Jahr zuvor gegründeten Porzellanfabrik in Wien tätig, kam Anfang 1720 an die Manuf. von Meißen, wo er, zu immer höherem Einfluß und Ansehen emporsteigend, bis 1765 tätig war. Wurde 1723 Hofmaler, 1731 Hofkommissar, 1749 Bergrat, 1765 pensioniert. Einige von ihm aus Wien mitgebrachte Probestücke wurden dem König mit den Worten überreicht, „daß er nicht nur die blaue, sondern auch rothe und anderen Farben auf dem Porzellain dergestalt zu tractiren vermag, daß darbey die Glätte conserviret, jede Figur kunstgemäß gezeichnet und im Feuer nachmahls beybehalten werden könne". Nach einer solchen Kraft hatte man sich in Meißen schon lange gesehnt. Denn was man dort bis dahin an Malerei geschaffen hatte, war über mehr oder weniger mißglückte Versuche nicht hinausgekommen. Nur die Goldmalerei hatte man bis zu einer gewissen Vervollkommnung gebracht. Sie war vom Goldarbeiter Funcke zur Zufriedenheit besorgt worden, bis 1726 Herold auch diesen Zweig der Malerei übernahm, den er reicher, feiner und künstlerischer auszugestalten verstand. Als H. 1720 nach Meißen kam, war dort überhaupt kein Maler tätig. Und wenn er nun auch zunächst mit seinen Farben experimentieren mußte, so war ihm doch erstaunlich schnell der Erfolg beschieden, so daß er sich eine Hilfskraft nach der andern ausbilden mußte, um den ihm gestellten Forderungen gerecht zu werden. Während er im ersten Jahre nur 2 Jungen angenommen hatte, arbeitete er 1731 mit 25 Gesellen und 11 Jungen. Über dieses Malerpersonal schaltete er völlig frei. Er konnte anstellen und entlassen, wen er wollte, und bezahlte seine Maler im Wochenlohn allein nach seinem Ermessen. Als aber 1731 der König selbst die Leitung der Fabrik übernahm, änderte sich das. Nunmehr bekam H. ein festes Gehalt, wofür er die Aufsicht über die Maler, die Bereitung des Goldes und der Farben und — soweit dies seine Zeit noch zuließ — die Bemalung besonders feinen Geschirres selbst zu besorgen hatte. Zunächst hat H.s Hauptverdienst darin bestanden, daß er die Meißner Fabrik in chem. technischer Beziehung weiterbrachte, d. h. daß er ihr die Anwendung einer Menge wirkungsvoller Farben ermöglichte. Es waren dies Schmelzfarben, und zwar Blau, Meergrün, Eisenrot, Zitronengelb, Purpur und Violett. Auch den eigenartigen Perlmutterlüster lernte man damals anwenden. Dazu kamen die Fondfarben. Schon 1725 wurde ein gelber Fond erwähnt. 1726 u. 27 waren besonders reich an Erfindungen gewesen. 1731 kannte man in Meißen Dunkel- und Hellblau, Pfirsichblüten, Stahlgrün, Meergrün, Grau (hell und dunkel), Purpur u. Rot als Fondfarben. 1733 hat H. „eine lieblich anstehende gelbe Glasur" erfunden und 1734 ein Mittel, „bunte Blumen und Figuren auf die bunten Glasuren und auf Gold aufzubringen". Nach vielen vergeblichen Versuchen war auch das Unterglasurblau fehlerlos herzustellen, vom Obermeister Köhler erreicht worden. Als dieser 1723 starb, hatte er die Wissenschaft von dessen Bereitung mit ins Grab genommen. H. war es nun, der auch hier die Fabrik wieder zu positiven Ergebnissen führte, wenn auch die tadellose Anwendung erst 1739 gelang. Daß aber H. es war, dem man in der Hauptsache diese vielen und für den Aufschwung der Fabrik maßgebenden farbtechnischen Neuerungen verdankte, geht daraus hervor, daß der König 1731, in der Befürchtung, mit dem Tode oder Weggange H.s könnte die Fabrik alles wieder verlieren, ihm befahl, daß er, „da er der einzige Besitzer von der Kunst Farbe zu verfertigen und aufzutragen ist", sein Wissen hierüber schriftlich festlegen solle. Gleichzeitig wurde er zu dem eigentlichen Geheimnis der Fabrik, zum arcanum, zugelassen. — Wie sich H. bei diesen technischen Farbenversuchen

an China und Japan angelehnt hatte, so tat er das bei ihrer künstler. Verwendung, in der Formgebung, Zeichnung und Farbenstimmung in noch erhöhtem Grade. Er bevorzugte einfache Formen, die der Malerei möglichst große Flächen boten, und bemalte diese mit mehr oder weniger genauen Kopien der chinesisch-japanischen Porzellane, wie sie durch die Liebhaberei des Königs in großen Massen nach Sachsen gekommen waren. So entstanden die stilisierten „indischen Blumen", bei denen Päonien, Astern, Chrysanthemen vorherrschten, die Muster mit den Kornähren, Rebhühnern, Schmetterlingen, Schwarzdorn, Drachen, Löwen, Tigern und Fabeltieren, die man in Meißen bald den Vorbildern zum Verwechseln ähnlich zu gestalten verstand. Dazu kamen die sog. Chinoiserien, die besonders H.s Ruhm begründet haben. Darunter versteht man chinesische Figuren, Geräte, Landschaften usw., die nicht in möglichst getreuer Nachbildung, sondern bewußt in europäischer Auffassung wiedergegeben wurden. Diese malte man, in kleine Szenen zusammengefaßt, entweder frei auf die weiße Fläche oder in die bei Fondporzellanen ausgesparten Felder oder umgab sie mit zumeist reichen Kartuschen in Gold oder Eisenrot. — Die Ungleichheit in der Güte dieser Malereien läßt darauf schließen, daß sie von verschiedenen Händen herrühren. Und in der Tat wissen wir, daß in Meißen z. B. 1731 außer H. 6 Maler damit beschäftigt worden sind. Man darf aber wohl annehmen, daß H. doch der eigentliche Urheber war, daß bei den meisten Stücken Erfindung, Zeichnung und Farbenstimmung von ihm herrührten. So melden uns die Akten, daß H. verschiedene solcher Porzellane nur dafür angefertigt habe, daß sie als „modelle und curiöse Stücke" bei der Fabrik bleiben sollten! Sicher ist auch, daß H. in dieser Zeit die besten Stücke, vor allem diejenigen, die für besondere Zwecke bestellt wurden, selbst gemalt hat. So möchte ich als von ihm herrührend bezeichnen: die beiden hohen Vasen im Dresdner Schloß mit Chinoiserien, die Bildnisse Augusts des Starken zeigen, die Tintenschale, die wahrscheinlich August III. dem Könige Christian VI. von Dänemark 1735 zum Geburtstage schenkte, die Terrine, auf deren einem ausgesparten Felde 2 Chinesen einen Schirm mit dem Namenszuge der Preußenkönigin S(ophie) D(orothea) tragen, das Frühstücksservice mit farbigen und goldenen Chinesen, dem Monogramm Augusts III. u. dem sächs.-polnischen Wappen (die beiden letzten im Besitze v. Frau Feist), das Frühstücksservice mit farbigen Chinesen und mit zerrissenem Solawechsel (Carl Hoth, Berlin) u. a. m. Wie alle Meißner Künstler, so hat wohl auch H. die von ihm bemalten Porzellane nicht mit seinem Namen bezeichnen dürfen. Wenigstens ist es mir bis jetzt nicht gelungen, mehr als eine Ausnahme hiervon zu finden, und dabei hat es sich wohl um die besonders erfreuliche Erfindung eines lange gesuchten Fonds oder ähnlichem gehandelt. Ich meine hier die von mir 1899 im Dresdner Schloß aufgefundene große Bechervase mit gelbem Fond und Chinoiserien, die in roter Farbe die Inschrift trägt: „Johañ Gregorius Höroldt, inven: Meissen d. 22.ⁿ Janu. año 1727". Die große Beliebtheit, der sich diese Werke H.s bald allgemein zu erfreuen hatten, und der Wunsch, seinen Malern viele leicht handliche Vorlagen zu geben, dürfte ihn dazu veranlaßt haben, daß er 1726 sechs kleine Blätter mit Chinoiserien radierte, von denen sich 2 Abzüge in der Ornamentstichsamml. des Berliner Kunstgewerbemus. (eines abgeb. Brüning, Porzellan, II 65), 5 in der Graph. Samml. der N. Pinak. in München, 4 im Braunschweiger Landesmus. und 1 im Flensburger Kunstgewerbemus. befinden (abgeb. G. W. Schulz, Mitt. d. städt. Kstgew.-Mus., Leipzig, 1922 p. 108/13). Weiter haben sich 105 Skizzen mit Chinesendarstellungen erhalten, von denen ihr Besitzer (G. W. Schulz, Leipzig) die meisten H. zuschreibt, und von denen er 3 abbildet (a. a. O. Fig. 103/4 u. 106). Auch in der Wiener Fabrik sollen sie viel benutzt worden sein. — Mit H.s Eintritt in die Meißner Fabrik hatte deren eigentliche Blütezeit begonnen. Von Jahr zu Jahr war ihr Erfolg und damit die Berühmtheit und das Ansehen H.s gestiegen. Dazu kam, daß er nach zeitgenössischer Schilderung ein guter Verwaltungsbeamter und liebenswürdiger Mensch war, kein Wunder, daß er bald neben der Leitung über die Maler auch die über die ganze Fabrik in die Hand bekam, ein Amt, daß er mit Verständnis und Geschick so lange geführt hat, bis er einer jüngeren Kraft u. einer anderen Geschmacksrichtung weichen mußte. Daß es H. bei solch raschem Aufstieg nicht an Neidern fehlte, ist begreiflich. Der Pariser Kaufmann Lemaire, dem er nicht traute und dessen weitgehende Forderungen er nicht befriedigen zu dürfen glaubte, hätte ihn 1731 durch Verleumdung beinahe zu Fall gebracht. Ihn rettete allein der damals eintretende Umschwung in der sächs. Politik. Mit seinem Protektor Graf Hoym fiel auch Lemaire in Ungnade, und H. stand völlig gerechtfertigt da. Dann hat der auch sonst als intrigant geschilderte Inspektor Reinhard H. zu schaden versucht. So hat er den Bildh. Kaendler aufgehetzt und mit ihm zusammen eine Anklageschrift gegen H. eingereicht. Auch aus der hierauf erfolgten Untersuchung ging H. unantastbar hervor. Reinhard wurde mit Gefängnis bestraft, Kaendler verwarnt.

Mit der Zeit hatte sich in der Geschmacksrichtung insofern eine Wandlung vollzogen, als sich die Meißner Kunden an dem Chinesentum sattgesehen hatten und nach Neuem verlangten. Die Goldbordüren und Kartuschen wurden nun noch reicher ausgebildet und zeigten in ihren spiralförmigen Ranken, im Laub- und Bandelwerk stärkere Anlehnungen an französ. Kunst. Statt der Chinoiserien begann man nun in Meißen Schäferszenen im Sinne von Watteau und Boucher, niederländ. Strandlandschaften, Schlachtenbilder nach Rugendas und ähnliches zu bevorzugen. Wieweit hierbei sich H. selbst aktiv beteiligt hat, läßt sich schwer entscheiden. Mir will scheinen, daß er sich damals mehr und mehr auf die Aufsicht und das Technische in der Malerei zu beschränken begann. In künstler. Beziehung scheint Kaendler sein schärfster Gegner gewesen zu sein. Er mit seinem jugendlichen Schaffensdrang mochte sich oft genug durch den in alten Gleisen fahrenden H. gehemmt gefühlt haben. Noch 1738 hatte H. die Bildhauer, Former und Dreher unter sich, ein Zustand, den Kaendler, der von H. behauptete, daß er nichts davon verstände, unerträglich fand. Erst 1740 wurde Kaendler hier der Leiter. Aber die Oberaufsicht über ihn und seine Leute blieb nach wie vor bei H. Aus den Anklageschriften Kaendlers erfahren wir manche Einzelheit. So schrieb er 1739, daß unter H. „keine neuen Inventiones auf die Tassen kommen", es sei immer „die alte Leier", und 1751 sprach er sich direkt dahin aus, daß H. der Malerabteilung nicht gewachsen sei; deren Leiter müsse in den verschiedensten Kunstgebieten selbst schaffen können, also „mehr verstehen als eine Japan. Figur zeichnen und zu malen, worauf er sich applicirt". Die Franzosen klagen, „es werde fast alles nach den in Frankreich herausgekommenen Kupfern, nichts aber in neuer Erfindung gemacht". Wahrscheinlich hat Kaendler hierbei ein wenig zu strenge geurteilt, denn in Meißen war die Malerei auch noch in den 40er und 50er Jahren vorzüglich. Wohl war sie nicht mehr die Hauptsache, sie verstand es aber, durch leichte farbige Höhung oder bescheiden angebrachte Verzierung sehr gut die Form zu verstärken oder erst eigentlich zur Geltung zu bringen. Aber es herrschten zwischen den beiden größten Künstlern Meißens unüberbrückbare Gegensätze, und Kaendler blieb Sieger, er hob H. aus dem Sattel. Das plastische Prinzip kam nunmehr in Meißen zur eigentlichen Geltung, Kaendler wurde in künstler. Beziehung das, was H. bis dahin gewesen war, die Seele des Ganzen. Im siebenjährigen Kriege hat die Malerei unter dem alternden H. in den gewohnten Gleisen weitergearbeitet. 1764 mußten sich H. u. Kaendler in künstler. Dingen dem Hofmaler Dietrich unterordnen. Okt. 1765 trat H. nach 45 jähriger Tätigkeit in der Fabrik in Pension.

Berling, D. Meißner Porzellan, Lpzg 1900; ders., Meißen, Festschrift 1910, p. 9 fg., 15 fg.,

20 fg., 48, 52, 61. — N a g l e r , Künstlerlex., VI 220. — L o o s e , Lebensläufe Meißner Künstler, 1888 p. 40 f. — Neues Archiv f. sächs. Geschichte, 1889 p. 64 f. — J. B r i n c k m a n n , D. Hamburg. Mus. f. Kst u. Gew., 1894. — B r ü n i n g , Porzellanausstellung Berlin 1904, p. XII, XIII, XVII. — Dresdner Jahrbuch, 1905 p. 77 f. (E. Z i m m e r m a n n). — F o l n e s i c s u. B r a u n , Wiener Porzellan, 1907 p. 10, 18 u. 71. — Mitteil. aus d. sächs. Kunstsammlungen, 1912 p. 71 ff. (E. Z i m m e r m a n n). — F o l n e s i c s , D. Wiener Porzellansammlg Karl Mayer, 1914 p. 4. — J e s s e n , Der Ornamentstich, 1920 p. 287. — G e o r g W i l h . S c h u l z in den Mitteil. d. städt. Kstgew.-Mus. Leipzig, 1922 p. 129 ff. *Berling.*

Herold, J o h a n n a H e l e n a , siehe unter *Merian,* Maria Sibylla.

Herold, J o h a n n e s , siehe unter *Herold,* Familie.

Herold, R i c h a r d E m i l , Maler, geb. 22. 5. 1862 in Mellrichstadt (Unterfranken), tätig in München, malt Landschaften, Tierstücke u. Porträts.

Das geist. Deutschland, I, 1908. — J a n s a , Deutsche bild. Kstler in Wort u. Bild, 1912.

Herold, V i l h e l m Kristoffer, Opernsänger u. Bildhauer, geb. 19. 3. 1865 in Hasle, lyrischer Tenor an der Kgl. Oper in Kopenhagen, zog sich 1915 endgültig von der Bühne zurück. Stellte zuerst 1906 aus: Büste des Schauspielers Otto Zinck (Statens Museum).

D a h l - E n g e l s t o f t , Dansk biogr. Haandleks., II (1921).

Herold, W o l f f H i e r o n y m u s , s. unter *Herold,* Familie.

Herold, Z a c h a r i a s , Büchsenmacher, 1588 bis 1616 in Dresden. Lieferte schön gearbeitete Büchsen und Faustrohre für den Hof und 1588 und 1590 einfachere in die Rüstkammer und in das Zeughaus Dresden. Zahlreiche Arbeiten im Histor. Mus. und in der Gewehr-Gal. Dresden (dat. 1591, 1598, 1599), sowie im Zeughaus Berlin, in der Leibrüstkammer Stockholm (dat. 1616), in der Ermitage St. Petersburg, im Musée de l'armée in Paris und in der Rüstkammer Emden.

Zeitschr. f. histor. Waffenkunde, VIII (1918/20) 186 ff. — Katal. der gen. Sammlungen. *Stöcklein.*

Herolt, L e v i n , Glasmaler in Dresden, liefert 2. 6. 1563 Arbeiten für den kurfürstl. Haushalt. Gurlitt möchte die drei Glasgemälde im südl. Chorfenster der Pfarrkirche in Glashütte H. zuschreiben, da eines davon mit dem Monogramm LH bezeichnet ist (dat. 1539), Wappen des Bischofs Joh. VIII. v. Meißen; das 2. gleich große zeigt das große, herzogl. sächs. Wappen, das 3. (mittlere, kleinere) den Kruzifixus zwischen Maria u. Joh. Ev.

C. G u r l i t t im Kstgewerbeblatt, I (1885) 56. — Bau- u. Kstdenkm. Kgr. Sachsen, II (1883) 36, Abb.

Heron, aus Libyen, einer der Architekten, die der Alexanderroman (Pseudo-Kallisthenes I 31) bei der Gründung von Alexandreia (Pauly-Wissowa I 1382) beteiligt sein läßt. Ausfeld, Rh. Museum 55, 1900, 374, nimmt an, daß hier

der berühmte Ingenieur und Mathematiker Heron von Alexandreia, der Verfasser zahlreicher technischer Schriften, der im 2. Jahrh. n. Chr. lebte (Pauly-Wissowa VIII 992 ff. No 6; Diels, Antike Technik ² 1920, passim), willkürlich in die Zeit der Gründung seiner Vaterstadt zurückversetzt sei. Über den Quellenwert des mit den topograph. Verhältnissen Alexandreias genau bekannten Alexanderromans vgl. Ausfeld, Der griech. Alexanderroman, und Christ, Gesch. d. griech. Lit., II, 2 ⁵, 645 ff.

B r u n n , Gesch. der griech. Künstler, II 360. *S.*

Héron, Glasmaler, 16. Jahrh., lieferte Glasgemälde für die Kirche St. Merry in Paris.

L e v i e i l , L'art de la peint. sur verre, 1774 p. 50 b; 64 b.

Héron, J e h a n , Goldschmied aus Tours, lieferte 1468 silbernes, teilvergold. Geschirr, zum Geschenk bestimmt für Tristan (Halbbruder des Herzogs Galeazzo Maria Sforza von Mailand), der anläßlich der Hochzeit der Bona von Savoyen (Schwester der Königin von Frankreich) mit Galeazzo nach Paris als Gesandter gekommen war.

G r a n d m a i s o n , Doc. inéd. sur les arts en Touraine, 1870 p. 266.

Héron, J e a n P i e r r e , Maler, geb. in Bordeaux, tätig ebenda, zeigte im Salon Soc. Art. Franç. 1889—92, 97, 98 Genrebilder u. Landschaften. (Vgl. Kataloge.)

Héron, P i e r r e , Maler, † 6. 11. 1771 in Paris, 12. 6. 1750 auf Grund einer Landschaft in die Lukasakad. aufgenommen; nach seinem Nachlaßinventar hauptsächlich Tapetenmaler.

Nouv. Arch. de l'art franç., XII (1885); Arch. de l'art franç., 1915 p. 322. — B e l l i e r - A u v r a y , Dict. gén., I (1882).

Hérondelle, J e a n , siehe unter *Erondelle,* Guillaume.

Herophilos, Sohn des Dioskurides (s. d.), Steinschneider der ersten Kaiserzeit. Eine Vorstellung seiner Kunst erhalten wir aus einer in türkisfarbenem Glas gearbeiteten Paste (aus dem Kloster Echternach in das Wiener Staatsmus. gelangt), einer antiken Kopie nach einer seiner Kameen. Sie stellt den Kaiser Tiberius dar und erweckt eine hohe Achtung vor dem Künstler, der freilich die Höhe seines Vaters nicht erreichte und namentlich durch eine gewisse Trockenheit und Leere hinter ihm zurückstand.

Jahrb. d. D. arch. Inst., III (1888) 305 fg. (mit Abb.). *Pernice.*

Herophon, des Anaxagoras Sohn aus Makedonien, Bildhauer, dessen Signatur auf der Basis einer von den Eleiern in Olympia geweihten Kolossalstatue der Roma erhalten ist. Die Schriftformen weisen ins Ende des 2. oder Anfang des 1. Jahrh. v. Chr.

L ö w y , Inschr. griech. Bildhauer, Nr 280. — P a u l y - W i s s o w a , Realencyclop., VIII 1111 (P f u h l).

Hérouard, P i e r r e J o s e p h , Architekt, geb. 1. 2. 1596 in Le Havre, hob 1638 das

Portal von Notre Dame in Havre, das sich um mehr als einen halben Meter gesenkt hatte, mit Erfolg; baute 1672 den Turm von St. Etienne des Tonneliers in Rouen.

B a u c h a l , Dict. d. Archit. franç., 1887.

Héroult, A n t o i n e D é s i r é , Maler, geb. 1802 in Pont-l'Évêque (Calvados), † in Paris 11. 1. 1853, zeigte im Pariser Salon 1837—52 Landschaften und besonders Marinen (vielfach in Aquarell), Bilder von den Küsten Frankreichs (Bretagne, Normandie usw.) u. Flußlandschaften (Seine, Garonne, Themse usw.).

B e l l i e r - A u v r a y , Dict. gén., I (1882), Bilderliste. — S o u l l i é , Ventes de Tableaux, 1896.

Heroux, Kunsttischler in Paris, Anfang d. 18. Jahrh., berühmt durch die von ihm gefertigten Rohrstühle u. -sessel.

V i a l , M a r c e l , G i r o d i e , Art. décor. du bois., I (1912).

Héroux, B r u n o , Graphiker in Leipzig, geb. ebenda als Sohn eines Graveurs 20. 12. 1868, Abkömmling franzö. Refugiés. Schüler der Leipz. Akad. für graph. Künste, an der er seit 1903 als Lehrer wirkt. Begann, nach längerer Tätigkeit als Modeblattzeichner und Illustrator für humoristische Blätter niederen Ranges, mit technisch außerordentlich exakt gezeichneten Illustrationen für einen von Prof. Spalteholz herausg., bei Hirzel in Leipzig erschien. anatomischen Atlas (ca 600—700 Vorlagen), ein Auftrag, der ihn volle 8 Jahre in Anspruch nahm. Eine zweite ähnliche, umfangreiche Arbeit waren die Tafeln für einen von Prof. Schmaltz in Berlin herausg. Atlas der Anatomie des Pferdes. Wandte sich dann von dieser mehr wissenschaftlichen Zwecken dienenden Graphik ausgesprochen künstler. Zielen zu, unter gleichmäßiger Anwendung von Lithographie, Radierung und Holzschnitt. Die radierten Blätter überwiegen in seinem Werk, und zwar arbeitet H. in allen Techniken: Kaltnadel, Strichradierung, Aquatinta, Schabkunst, Weichgrundrad. und Arbeit nach dem Herkomer-Verfahren, häufig diese Techniken in sehr wirkungsvoller Weise miteinander kombinierend. Ein großer Teil seines graph. Werkes gehört der sog. Gebrauchsgraphik an: Einladungskarten, Besuchskarten, Tischkarten, Gedenk- und Festblätter, Flugblätter aller Art, Neujahrskarten, Trauerkarten, und vor allem Exlibris. H.s Exlibris tragen fast durchweg ausgesprochen bildmäßigen Charakter, gehen in dieser Hinsicht oft sogar entschieden zu weit, wirken aber durch ihre liebevolle zeichnerische Durchführung und ihre phantasievolle Ausspinnung immer wieder neuer Ideen meist sehr reizvoll. Die freie Graphik H.s behandelt, über stoffliche Ungebundenheit gebietend, Porträts (Selbstbildnis mit männlichem Akt), Akte, Kinderszenen, oft genremäßigen Charakters, landschaftl. Motive, Interieurs, Architekturstudien aus Leipzig, gelegentlich auch reine

Phantasiethemen, wie die hübsche lithographierte Serie: Elfen mit Tieren (Tauben, Eichhorn, Schlange usw.), die das Zusammenwirken der Naturkräfte symbolisiert, oder der unter Klinger'schem Einfluß geschaffene rad. Zyklus: „Vae Solis" (8 Bl.), der in seiner virtuosen Behandlung der Strichradierung technisch zu den hervorragendsten Leistungen H.s, durch die dramatische Formung seines Gedankengehaltes stofflich zu seinen anspruchsvollsten, wenn auch durchaus nicht besten Arbeiten zählt. Doch hat gerade hier die souveräne Beherrschung der Nadel zu einer gewissen Trockenheit des graphischen Vortrages geführt, dessen sauber ausziselierter, fast statuarisch wirkender Stil die beabsichtigte dramatische Stimmung der Blätter abschwächt. Dagegen entwickelt diese eminent sorgfältig detaillierende Radiertechnik H.s im kleinen Format und in idyllischem Stoffzusammenhang, speziell in den Exlibris mit Akten vor lichten. Hintergründen, oft ausgezeichnete Wirkungen von intimem Stimmungsgehalt. Ganz andere Stilabsichten, dem veränderten Wesen des Materials entsprechend, verfolgt H. in seinen Lithographien, die wie seine „Reisebilder aus Ober-Italien" (Mappe, 36 Bl., Selbstverlag) und die „Reisebilder aus Rußland" (Mappe, 44 Bl., vgl. Lit.), eine weiche Haltung u. höchst malerische Wirkung zeigen und, an Ort und Stelle auf lithogr. Papier gezeichnet, die Frische des ersten Eindrucks bewahren. Die Graph. Sammlung des Mus. d. bild. Kste in Leipzig besitzt fast vollständig das graph. Werk H.s; zahlreiche Blätter auch im Dresdner Kupferstichkab.

Die Kunst, VII (1903) 201/5 (J. V o g e l); XXXIV (1916) 188 (R. Braungart). — Illustr. Ztg, Lpzg, 1910 No 3504 (R. B r a u n - g a r t). — B. H., Verz. d. graph. Arbeiten von 1900—1910 (200 Nummern), neu bearbeitet von Liebsch in Leipzig, Selbstverlag d. Kstlers. — Der Kunsthandel, IX. Jahrg., No 6, Juni 1917, p. 132/39 (L. W e b e r , mit chronolog. geordnetem Verz. d. graph. Werkes H.s von 1900 bis 1917 [403 Nummern]); dazu reich illustr. Beilage „Original-Graphik von Br. H.". — „101 Exlibris von Br. H.", Katalog von Liebsch, Text von R. B r a u n g a r t , mit 100 Abbildgn u. 1 Orig.-Rad., im Selbstverlag 1917. — Zeitschr. f. bild. Kst, N. F. XII (1901), 272, mit farb. Orig.-Lith. („Demi-vierge"); XIII 22 f., mit Orig.-Rad. („Almêh") gegen p. 1; XV 70, mit farb. Orig. Holzschnitt; XVII, Orig.-Rad. gegen p. 160; XVIII 108, m. Orig.-Lith. („Arena zu Verona"); XXIII (1912) 156, mit 2 Orig.-Lith. (Reisebilder aus Rußland). — Ex-Libris, XX (1910) 9—21, m. Abb.; XXV (1915) 91; XXVI 30, 49—57 („Neuere Gebrauchsgraphik von B. H."), 59; XVII 27 (Kriegsgraphik). — L. W e b e r , H.s Reisebilder aus Rußland, im Archiv f. Buchgew. 1912, April-H., p. 115/27, mit 2 Abb.; vgl. ebenda XLVII (1910) 1/5 (E. D e l p y) und LIV (1917) 139/42 (V. R. A r n o l d , Ein Exlibriswerk von B. H.). — R. B r a u n g a r t , Die Exlibris von B. H., in Österr. Exlibris-Gesellschaft, XV (1917). — E. D e l p y in „Reclams Universum", 1917, Heft 48. — B r . H é r o u x ,

Maler. Eindrücke einer Reise durch Rußland, 44 Taf., nebst Erläuter., Lpzg, Selbstverlag, o. J. [1912]; d e r s., Maler. Eindrücke einer Reise von Leipzig nach Ober-Italien, 36 Skizzen eines deutsch. Steinzeichners, o. J. [1908]. — Br. H. Sein graph. Werk bis Opus 501. Einführ. Text von E. D e l p y, Verzeichn. von L i e b s c h. R. Bong Berlin o. J. [1922]. *H. Vollmer.*

Herp, G e e r a r d v a n, falsch für *Herp,* Willem (Guilliam) van.

Herp (Erpe), H e n d r i k I v a n, fläm. Maler, † 1616, wohl Bruder des Nicolaes, 1602 Lehrling des Hendrik van Balen in Antwerpen.
R o m b o u t s - L e r i u s, Liggeren, I. *Z. v. M.*

Herp (Erp), H e n d r i k II v a n, Maler, geb. zu Antwerpen 1619 (getauft 20. 5.), † daselbst 1667, vermutlich Sohn des Nicolaes. 1626/27 Lehrling des Adam van Noort, 1636/37 Meister der Lukasgilde; er selbst meldete 1656/57 J. B. van den Heuvel u. F. Cabes als Lehrlinge an. Seit 2. 3. 1642 mit Joanna Liebert verheiratet, von der er 5 Töchter u. 3 Söhne hatte. Malte religiöse Bilder; derartige Stücke wie „Hl. Rochus als Patron der Pestkranken", „Urteil des Kambyses" (nach Rubens) sind im Besitz der Verwaltung der Krankenhäuser zu Antwerpen.
R o m b o u t s - L e r i u s, Liggeren, I u. II. — J. v. d. B r a n d e n, Gesch. der Antw. Schilderschool, 1883. *Z. v. M.*

Herp, H e n d r i k III v a n, Maler, geb. zu Antwerpen 1635 (get. 23. 2.), wurde 1651/52 Lehrling des Thomas Apshoven. V. d. Branden sah ein Bildnis in der Slg Moons und ein Genrebild in der Slg Lerius zu Antwerpen, die H. zugeschrieben wurden.
R o m b o u t s - L e r i u s, Liggeren, II. — J. v. d. B r a n d e n, Gesch. der Antwerpsche Schilderschool, 1883. *Z. v. M.*

Herp (Erp), N i c o l a e s v a n, Maler, wurde 1602 Lehrling des Hendrik van Balen u. 1606 Meister in der Antwerpener Lukasgilde; vermutlich Bruder des Hendrik I u. Vater des Hendrik II. Heiratete 29. 7. 1618. Seine Tätigkeit scheint sich auf Kunsthandel u. Teppichindustrie beschränkt zu haben.
R o m b o u t s - L e r i u s, Liggeren, I. — J. v. d. B r a n d e n, Gesch. der Antwerpsche Schilderschool, 1883. — Boek gehouden door Jan Moretus II, ed. Rooses (Maatschappij der Antw. Bibliophilen 1), 1878. *Z. v. M.*

Herp, N o r b e r t u s v a n, Maler, geb. zu Antwerpen 1644 (getauft 6. 5.) als vorehelicher Sohn des Willem. Wurde 1665/66 Meister der Antwerpener Lukasgilde und meldete 1671/72 drei Lehrlinge an.
R o m b o u t s - L e r i u s, Liggeren, II. — J. v. d. B r a n d e n, Gesch. der Antw. Schilderschool, 1883. *Z. v. M.*

Herp, W i l l e m I (G u i l l i a m) v a n, Maler, geb. zu Antwerpen 1614, † daselbst 1677 (beerdigt 23. 6.). Wurde 1625/26 Lehrling des Damian Wortelmans, 1628/29 Lehrling des Hans Biermans u. 1637/38 Meister der Lukasgilde; er selbst meldete 1644/45 u. 1653/54 Lehrlinge an. Von seiner Frau Maria, Tochter

des Malers Artus Wolffordt, hatte er 2 Töchter und 2 Söhne, Norbertus u. Willem, die beide Maler wurden. Über das Werk H.s herrschte bis vor kurzem eine verwirrende Unklarheit. Man kann ihm aber mit größter Wahrscheinlichkeit eine Anzahl G. V. Herp bez. Bilder zuschreiben, die einen sicheren Ausgangspunkt bilden. Es sind meist kleinfigurige Genrebilder, Gelage, Stallbilder u. dgl., sowie eine Darstellung der Fabel vom Bauer und Satyr. Einflüsse verschiedener Art lassen sich an ihnen erkennen; Rubens sowohl als Jordaens haben auf H. gewirkt, aber auch die Bauernmaler aus der Nachfolge Brouwer's, bes. David Teniers; jedoch hat sich H. durchaus einen eigenen Stil geschaffen. Wir nennen als sichere oder mit großer Wahrscheinlichkeit zu bestimmende Arbeiten H.s folgende: *Bamberg,* städt. Gal.: Stallinneres; *Berlin,* Kaiser-Friedrich-Mus.: Satyr und Bauer, bez.; *Brüssel,* Gal. Arenberg: Bauernfamilie vor der Mahlzeit; *Dessau,* Residenzschloß: Musizierende Gesellschaft; *Forsmark,* Slg Ugglas: Frau beim Advokaten; *Konstanz,* Haus Wessenberg: Musikalische Unterhaltung; *Kopenhagen,* Slg Moltke: Wirtshausszene; *Kremsier,* fürstl. Schloß: Schmausende Gesellschaft, bez.; *London,* Nat. Gall.: Brotverteilung an der Klosterpforte, bez.; Earl of Bute: Zwei Gelage, eines bez.; *Malmö,* Graf de la Gardie: Der Geburtstag des Großvaters, bez.; *Nostall-Priory:* Kuhstall; *Pirna,* Slg von Thümmel; *Schloß Sommerau* bei Spital: Schmausende Gesellschaft (Wiederholung des Bildes in Kremsier); *Wien,* Gal. Harrach: Überfall eines Bauernhauses durch Soldaten, bez. u. dat. 1664; Slg Kuranda: Geschlachteter Ochse. Ob ihm auch Bilder gehören wie die Schafhirten an der Quelle in der College-Gall. zu *Dulwich* und die ihm sehr nahe stehenden im Prado zu *Madrid,* mit Bauern im Freien (No 2021 u. 2027), erscheint zweifelhaft. Ferner hat H. mehrfach Bilder anderer Maler mit Figuren staffiert, so 2 Landschaften von Spierinx in der Augustinerkirche zu *Antwerpen* (Bekehrung u. Taufe des hl. Augustin), eine Landschaft von Jacques d'Artois in der Slg Lampe zu *Brüssel* (Vision des hl. Dominikus), ein Kircheninneres von Dirck van Delen, das sich 1884 beim Grafen Caledon in *London* befand. Durch Bezeichnungen gesicherte Bilder befanden sich in den ehem. Slgn Menke (verst. Brüssel 1. 6. 04) u. Zschille (verst. Köln 27. 5. 1889). Was ihm sonst in verschiedenen öffentl. Slgn wie Dünkirchen, Gotha, Hermannstadt, London (Bridgewater - Gall.), Madrid, Montpellier u. a., sowie in zahlreichen Privatsamml. an kleinfig. religiösen oder profanen Darstellungen zugeschrieben wird, bedarf noch der Nachprüfung. Mit Entschiedenheit abzulehnen ist dagegen eine Gruppe von Großfigurenbildern, die auf Grund eines Bildes in der Schweriner Gal. (Christus bei Martha u. Maria), mit schwer deutbarer, früher als Herp gelesener Signatur auf der Rückseite, H. zugeschrieben wurden; Bilder dieser Art u. a. noch in den Gal. zu Cassel, Darmstadt, Mannheim u. München; man wird ihren Urheber am besten vorläufig als Pseudo-Herp bezeichnen. Ob er etwa mit dem von Houbraken (III 53) ohne Vornamen erwähnten Herp oder einem der anderen Künstler des Namens identisch ist, läßt sich nicht feststellen. Alle genannten Bilder wurden früher unter dem Namen Geerard oder Geritz van H. geführt; doch ist dieser durch nichts zu belegende Name nur durch falsche Deutung des G. auf den bez. Bildern entstanden.

Urkunden, Zusammenfassendes: R o m b o u t s - L e r i u s , Liggeren, I u. II. — N a g l e r , Monogr. II, III, IV. — M. R o o s e s , Gesch. der Antw. Schilderschool, 1879. — A. v. W u r z b a c h , Niederl. Kstlerlex., I (1906), m. ält. Lit. — R. O l d e n b o u r g , Die fläm. Malerei, 1918. *Über einzelne Bilder:* D e s c a m p s , Voyage pitt. de la Flandre etc., éd. 1838 p. 167. — W a a g e n , Treas. of Art in Great Britain, 1854 I—III; d e r s., Gall. etc. in Gr. Brit., 1857. — W. B u r g e r , Galerie d'Arenberg, 1859 p. 89 f., 168. — P a r t h e y , Deutscher Bildersaal, I (1863). — R. G o w e r , Die Schätze der Gemälde-Gall. Englands, 1884 I. — O. G r a n b e r g , Les Coll. de tableaux privées de Suède, 1886 p. 106; Trésors d'Art en Suède, I (1911). — T h. v. F r i m m e l , Kl. Gal.-Stud., I (1892); III (1898). — Oesterr. Ksttopogr., II (1908). — Inv. archéol. de Gand, 1887—1912, Blatt 434. — Jahrb. der preuß. Kunstsamml., XI (1890) 220; XXXVIII (1916) 319. — Die graph. Künste, XIII (1890) 94. — Zeitschr. f. bild. Kst, N. F. VI (1895) 15. — Thodes Kstfreund, 1885. — Kstchronik, XX (1885) 504; XXIV (1889) 572; N. F. VII (1896) 4 f.; XXIV (1912) 186. — Repert. f. Kstwiss., I (1876) 256; III (1880) 316, 318; VI (1883) 404; XIX (1896) 114. — Blätter f. Gemäldekunde, VII (1912) 132. — Kat. der gen. Slgn. *K. Zoege von Manteuffel.*

Herp, W i l l e m II v a n , Maler, geb. zu Antwerpen 1657 (getauft 4. 2.), † nach dem 1. 8. 1729. Er muß eine umfangreiche Werkstatt in Antwerpen gehabt haben, denn zwischen 1680/81 und 1705/06 meldete er nicht weniger als 15 Lehrlinge an.

R o m b o u t s - L e r i u s , Liggeren, II. — J. v. d. B r a n d e n , Gesch. der Antw. Schilderschool, 1883. *Z. v. M*

Herpe, J o h a n n e s (fälschlich Hieronymus) v a n , siehe *Erpe,* Joh. van.

Herpel, C o n r a d , Goldschmied deutscher Abkunft, lieferte 1492 ein Kreuz für S. Salvatore in Venedig.

U r b a n i d e G h e l t o f , Le arti industriali a Venezia.

Herpel, F r a n z C a r l , Maler, geb. 28. 1. 1850 in Woronesch (Rußland), Schüler der Akad. in Königsberg i. Pr. unter Rosenberg, tätig ebenda, alljährlich Studienreisen zur See nach Dänemark, Frankreich, England, Holland, Belgien. Zeigte in den Akad.-Ausst. in Berlin 1878—90, in der Gr. Kstausst. 1911—14 Marinen, Bilder von Kriegsschiffen auf hoher

See u. ähnliches. Für den Sultan in Konstantinopel malte er im Auftrag der Schichau-Werft: „Türkische Torpedoboote im Kampf gegen Panzerschiffe".

v. B ö t t i c h e r , Malerwerke d. 19. Jahrh., I 2 (1895). — Das geist. Deutschland, I, 1898. — Ausst.-Kataloge; mit Abb.: Berlin, Akad.-Ausst. 1889, 1890.

Herpfer, C a r l , Maler, geb. 30. 11. 1836 in Dinkelsbühl, † 18. 6. 1897 in München, gebildet seit 1854 an der Akad. in München unter Schraudolph, Ph. Foltz, Piloty u. Ramberg, zeigte seit 1869 im Münchener Glaspalast (auch in Lübeck 1878, Berlin Gr. Kstausst. 1894, 95, Dresden, usw.) Genrebilder, besonders aus der Rokoko- u. Empire-Zeit. In der Hamburger Kunsthalle befand sich (Kat. 1910) ein Bild: „Die unterbrochene Verlobung" (seitdem verkauft). Im König-Albert-Mus. in Chemnitz „Morgengruß".

v. B ö t t i c h e r , Malerwerke d. 19. Jahrh., I 2 (1895). — Das geist. Deutschland, I, 1898. — Bericht Kstver. München 1897, p. 71 f. (Nekrolog). — Allgem. dtsche Biogr., L (1905) 233 f. — L'Art, II (1875) 355. — Kat. Ausst. Münchener Malerei 1850—1880 (Gal. Heinemann), 1922.

Herpfer, J o a c h i m , Architekt, nachweisbar 1757—71, erbaute die Kirche in Berg i. Gau (B.-A. Schrobenhausen) u. erneuerte die Klosterkirche in Scheyern.

H a r t i g , Bayerns Klöster u. ihre Kstschätze, I, Heft 1 (1913) p. XVI.

Herpich, V i c t o r F r é d é r i c , Bildhauer, geb. 22. 12. 1843 in Paris, † ebenda 1872, Schüler der École d. B.-Arts unter A. Dumont, zeigte im Salon 1864—70 Porträtbüsten.

L a m i , Dict. d. sculpt. 19e siècle, III (1919).

Herpin, Bildhauer in Besançon, liefert 1736 für die Fontaine de la Vicomté eine Gruppe von Delphinen in Bronze.

B r u n e , Dict. d. Art. de la Franche-Comté, 1912.

Herpin (Haerpin, Harpin, Hoerpin), Kupferstecher, geb. in Nancy, verschwindet nach kurzer künstler. Tätigkeit (1790—92) noch jung in den Wirren der Revolution. Er stach meist kleinere Blätter, so 1790 eine Folge von Ansichten von 13 Kirchen der Stadt Nancy (10,8 : 16 cm) „Civitatis Nanceiana monumenta sacra. Haerpin inv.", „Logements militaires de Nancy, 1790. Haerpin inv.", 1792 „Almanach de Nancy", gravé par Haerpin, und andere Blätter, die Noël anführt.

N o ë l , Cat. d. Collect. Lorraines, 1850/51 p. 705 f. — B e a u p r é , Not. sur quelques grav. Nancéiens du 18e siècle, 1862. — Réun. d. Soc. d. B.-Arts, XIII (1889) 524; XXXIII (1909) 270. — Cat. Mus. Lorrain Nancy, 1912 p. 57, 59.

Herpin, D e n i s , Bildhauer, geb. 1654 in Paris, Mitarbeiter von Ant. Vassé in Paris, Dijon u. Lyon, seit 1679 in Toulon, wo er 1685 heiratete. Seine Tochter hatte den Maler Pascal de la Rose zum Paten.

Nouv. Arch. de l'art franç., 1886 p. 121. — L a m i , Dict. d. sculpt. Louis XIV, 1906. — V i a l , M a r c e l , G i r o d i e , Artistes décor. du bois, I (1912).

Herpin, J a c q u e s , siehe *Herpin,* Louis Jacques.

Herpin, L é o n Pierre, Maler, geb. 12. 10. 1841 in Granville, † 25. 10. 1880 in Paris, Schüler von J. André, Ch. Busson u. Ch. Fr. Daubigny, erschien zuerst im Salon von 1868 mit einer Ansicht des Seine-Ufers bei Sèvres und einem Motiv aus dem Walde von Fontainebleau, zeigte dann Landschaften aus der Umgebung von Paris, die er gern in Morgen- oder Abendstimmung darstellte, und erreichte den 1. Erfolg mit dem umfangreichen Stück „Paris vu du Pont Saints Pères" (Abendstimmung bei aufgehendem Mond, Salon 1878; Mus. Luxembourg, Cat. 1898). Im Salon 1879 hatte er wiederum ein großes (1,68 : 3 m.) Bild „Paris vu du Pont Neuf, en 1878", das von der Stadt Paris angekauft wurde (heute im Cabinet du Président du Conseil général, Hôtel de Ville). H.s früher Tod unterbrach einen Aufstieg, an den die Zeitgenossen große Erwartungen knüpften. — Im Mus. in Lüttich zwei kleinere Landschaften (Kat. 1914), ebenso im Mus. in Rochefort (Cat. 1905). — Außer im Salon erschien H. posthum im Münchener Glaspalast (1883); in der Ausst. franz. Kunst 1789—1889 (Paris, Expos. univ. 1889) war H. mit 2 Landschaften vertreten.

B e l l i e r - A u v r a y , Dict. gén., I (1882) u. Suppl. — L'Art, XXIII (1880) 168, Nekrolog. — Chron. d. Arts, 1880 p. 232, Nekrol. — L a v i g n e , Etat-civil, 1881. — G l a e s e r , Biogr. nat. des Contemp., 1879. — Gaz. d. B.-Arts, 1876 II 33; 1877 I 573; 1878 II 186, 439; 1880 I 281; 1881 II 184. — Inv. génér. Rich. d'Art, Paris, Mon. civ., III (1902). — Ausst.-Kataloge.

Herpin (Harpin), L o u i s J a c q u e s , Maler u. Holzbildhauer, † in Paris Mai 1748, Prof. an der Lukasakad. in Paris, Sculpteur du Roi, Schüler von Toro u. wahrscheinlich auch von A. Vassé, 1684—94 im Arsenal in Toulon als Maler tätig, in den Räumen des Marineintendanten, in der Maison Royale, auch für die Staatsschiffe. Vermutlich folgte er Toro u. Vassé nach Paris. 1709—14 arbeitete er als Holzbildhauer an den Vertäfelungen des Hôtel de Mayenne, das G. Boffrand für den Prinzen von Vaudemont umbaute. Zwischen 1710 bis 1730 arbeitete er nach Boffrands Entwürfen Vertäfelungen im Hôtel Soubise, die z. T. im Mus. des Arch. Nat. erhalten sind (gestochen nach H.s Zeichn. von Mariette u. a., auch von Blondel in dessen Livre d'Architecture, vgl. Guilmard, Maîtres Ornem., 1881). Von 1710—40 war er mit ähnlichen Arbeiten im Louvre, in Versailles u. Marly beschäftigt. — Lami spaltet ihn irrtümlich in einen Jacques und einen Louis Jacques.

L a m i , Dict. d. sculpt., 18ᵉ siècle, I (1910); d e r s ., Dict. d. sculpt. Louis XIV (1906). — G u i f f r e y , Comptes d. Bâtiments, II; III; IV; V. — Gaz. d. B.-Arts, 1891 II 423 (Harpin). — Inv. génér. Rich. d'Art, Paris, Mon. civ. I. — C a z e s , Château de Versailles, 1910 p. 109. —

V i a l , M a r c e l , G i r o d i e , Artistes décor. du bois, I (1912) mit weiterer Lit. — Arch. de l'art franç. Doc., VI (1858/60) 165, 175; Arch. de l'art franç., 1915 p. 323. — La Renaiss. de l'Art franç., II (1919) 46 f.

Herpin-Masseras, M a r g u e r i t e , geb. *Masseras,* geb. in Boston (U. S. A.), † 9. 11. 1888 in Paris, zeigte im Salon 1874—85 (anfangs unter ihrem Mädchennamen) Blumenstücke, Stilleben u. Bildnisse.

B e l l i e r - A u v r a y , Dict. gén., II (1885), unter Masseras. — Chron. d. Arts, 1888 p. 271. — Salonkatal.

Herport, A l b r e c h t , Landschaftsmaler aus Bern, geb. 1641, † 6. 1. 1730, vermutlich Schüler von A. Kauw in Bern, ging 1659 als holländ. Soldat nach Ostindien, kehrte 9 Jahre später nach Bern zurück und gab 1669 „Eine kurze ostindianische Reisebeschreibung" heraus mit 9, nach eigenen Zeichn. gefertigten Kupfern.

B r u n , Schweizer. Kstlerlex., II (1908).

Herport, B e a t , Glasmaler u. Glaser, geb. 13. 10. 1629 in Bern als Sohn des Glasers H a n s W i l h . H ., † 1690/91; von ihm 3 Scheiben in der Kirche von Ringgenberg (1671), 2 Scheiben in der Kirche zu Gsteig bei Interlaken (1673), 7 in der Kirche v. Beatenberg (1673). In der Sammlg des Lord Sudeley in Toddington Castle (Auktionskat. Gal. Helbing, München 1911 p. 57; vgl. Cicerone, 1911 p. 814 f.) befand sich von ihm eine Wappenscheibe von 1658.

B r u n , Schweizer. Kstlerlex., IV, Suppl., 1917.

Herport (Herbott, Herpott), N i k l a u s , Maler u. Glasmaler, vielleicht aus Luzern stammend, erwähnt 1480 als Maler, 1508 als Glaser, 1520 als Glasmaler, malte Kirchenfenster für Gersau, die Wappenscheibe des Domherrn Peter v. Hertenstein u. a. 1510 erscheint er vor Gericht in Bern u. klagt gegen den Glasmaler M a r t i n B o p h a r t .

H. L e h m a n n , Z. Gesch. d. Glasmal. in d. Schweiz, 1906/12 p. 122. — B r u n , Schweiz. Kstlerlex., II (1908); IV (1917) 213.

Herpp, A d o l f i n e , Malerin, geb. 1843, lebt in Karlsruhe, nur bekannt durch das Porträt des Advokaten Leo Weber (1873) im Mus. in Solothurn (Kat. 1915).

Herr (Heer), Porzellanmaler-Familie, tätig für die Wiener Manufaktur. Mitglieder in chronolog. Folge:

F r a n z , lernte das Malen in der Fabrik, für die er seit 1749 und wohl noch 1767 beschäftigt war. Auf Schloß Dux ein bezeichn. Schreibzeug.

F o l n e s i c s - B r a u n , Gesch. der Wiener Porz.-Manuf., 1907. — P a z a u r e k in Mitt. d. Ver. f. Gesch. d. Dtschen in Böhmen, XLV (1907) 111.

J o h a n n , Buntmaler, † in Wien 30. 4. 1792, Vater des Claudius und des Laurenz, seit 1757 für die Fabrik tätig, „ein guter aber keineswegs fleißiger Arbeiter", der schließlich der Trunksucht verfiel. Im österr. Mus. f. Kst u. Industrie eine Kaffee-Tasse, Bacchanalien, in Grau gemalt auf orangefarb. Grund, die Ränder mit Goldornamenten auf Kobaltblau, von ca. 1788, u. a.

Folnesics-Braun, l. c. — Kat. Ausst. Alt-Wiener Porz., Wien 1904 p. 174.

Claudius (Joh. Cl.), auch Miniaturmaler, Sohn des Johann, geb. 1775 in Wien, wurde als 10jähriger von der Fabrik in Erziehung genommen und erhielt ebenda vorbereitenden Zeichenunterricht, sodaß er bereits 1791 als Lehrling der Figurenmalerei angestellt werden konnte. Seit 1793 war er Schüler der Akad. und erhielt 1795 den 2. Gundel-Preis im Figuren-Zeichnen. Gehörte bald zu den besten Malern der Fabrik und war bereits 1801 in der 1. Klasse der Figurenmaler. Bis 1806 malt er hauptsächlich kleinere Stücke, Déjeuners, Oliobecher, Wermutkrügel, Vasen, Dosendeckel, Kaffeebecher, Pomadenbüchsen, Tabakspfeifen, seit 1806 bes. Teller, deren ganzer Spiegel mit einem Bild geschmückt ist (häufig mytholog. Darstell.), seit 1816 Servierplatten und vor allem Bilder auf Porzellantafeln nach Gemälden alter Meister, Tizian, C. Maratta, Th. v. Thulden, Fr. Tamm usw.; er hat fast alle beliebten Bilder der Wiener Galerie in dieser Art kopiert. 1818/19 war er mit der Arbeit an dem großen Wellington-Service beschäftigt, die ihn bis zum Okt. 1819 in Anspruch nahm. Kaiser Franz verwendete mit besonderer Vorliebe H.s Arbeiten zu Geschenkzwecken; viele Stücke gingen nach England. Er war zum Nachfolger des Obermalers Weichselbaum ausersehen, erhielt die Stellung jedoch nicht. Die getäuschte Hoffnung hat vermutlich seine Arbeitsfreude gelähmt, 1831 arbeitete er nur noch wenig u. erhielt kaum mehr größere Aufträge, die kleineren überließ er zumeist seinem Bruder Laurenz. Von seinen letzten großen Arbeiten werden genannt: 1828, Madonna nach A. del Sarto; 1829, hl. Familie nach einem Gemälde der Schule Raffaels, ferner eine Bauern-Szene nach Teniers. Diese Stücke im österr. Mus. 1832 erhielt er den Auftrag, Morettos hl. Justina zu kopieren, die Arbeit blieb vermutlich unvollendet. Bis 1838 gehörte er der Wiener Manuf. an. 1822 wohnte er in der Alservorstadt No 61. — Bezeichnete Stücke finden sich in öffentl. und auch in Privatsamml., z. B. im Kaiser-Franz-Jos.-Mus. in Troppau eine zylindrische Henkeltasse mit mytholog. Szene. Im österr. Mus. ein Porträt des Grafen Mittrovsky (Führer 1914 p. 169); in der Wiener Porzellanausst. 1904 war ein Bildnis des Kaisers Ferdinand I. von 1834 (Kat. p. 260 u. 273), auch eine hl. Katharina von 1817; in der Berliner Miniaturenausst. 1906 (Friedmann & Weber, Kat. No 218) ein Bildnis der Kaiserin Maria Anna, der Gemahlin Ferdinands I., von 1837; in der Wiener Spitzen- u. Porträt-Ausst. 1906 (Kat. p. 114) ein Bildnis derselben Kaiserin (Aquarell) aus dem Besitz der k. k. Fidei-

kommißbibliothek; in der Erzh. Carl-Ausst. in Wien 1909 (Kat. p. 278) eine Vase mit Doppelhenkel auf Postament, hellblau mit Goldrändern und Goldornamenten mit dem Bildnis des Erzherz. Carl, von 1836.

Böckh, Wiens leb. Schriftst., Kstler etc., 1822 p. 257. — Folnesics-Braun, l. c. — Braun, Kaiser-Franz-Josef-Mus. in Troppau, 1908 p. 24, Taf. XVIII No 35. — Mitt. Erzherz.-Rainer-Mus., 1918 p. 59 f., 79. — Kst u. Handwerk, Wien, VII (1904) 283, Abb.; XII (1909) 373, 381, Abb.; XXIII (1920/21) 235.

Laurenz, auch Miniaturmaler u. Lithograph, Bruder des Claudius, geb. in Wien 1787, kam 12jährig an die Akad., nach 4 Vorbereitungsjahren in die Schule Hubert Maurers; bei ihm arbeitete er 5 Jahre und erhielt 3 Gundel-Preise. Schon 1804 wurde er in der Porz.-Manuf. angestellt, wo er sehr bald neben s. Bruder Claudius einen 1. Platz als Maler einnahm. Das Einschreibebuch der Fabrik enthält sehr hohe Preise für seine Arbeiten, die nur durch die Höhe der für Arbeiten des Claudius gezahlten Preise übertroffen werden. Bis 1810 malte er meist kleinere Stücke in der üblichen antikisierenden Art: 1810 eine Déjeunerplatte mit Aristagoras u. Kleomenes, 1811 ein Tableau mit Nessus u. Dejanira, ferner eines mit Achill u. Chiron (1200 fl.!). Seit 1812 werden diese Tafelbilder seltener, er dekoriert besonders Déjeunerplatten, Teller u. kleinere Stücke mit figürl. Darstell. Später wendet er sich dem Bildnis zu, malt die Kaiserin Marie-Luise, die Familie des Lord Gordon, während der Kongreßzeit die europäischen Monarchen, Prinzen, Prinzessinnen, Generäle u. Staatsmänner. Seit 1820 in vielen Wiederholungen den Kaiser Franz, die Kaiserin Karoline, den Herzog von Reichstadt. Zwischen 1820/30 auf mittelgroßen Porzellantafeln zahlreiche Regentenbilder aus dem Hause Habsburg (Rudolf v. H., Albrecht I., Maximilian I., Mathias usw.). Ferner den Kronprinzen Ferdinand und zahlreiche Bildnisse von Privatpersonen nach Kriehuber. Seit Mitte der 1820 er Jahre finden sich häufig religiöse Darstell., Kopien nach Carracci, C. Dolci u. Raffael. — Eine Spezialität H.s waren Malereien als Nachahmung antiker Onyxkameen, nach den Originalen des kaiserl. Antiken-Kabinetts. Viele davon hat er kopiert, so Apotheose des Augustus und die Gemme mit Alexander u. Olympias (H.s Kopie von 1814 auf Beinglas im österr. Mus.). Im Einschreibebuch erscheinen seine Arbeiten von 1806 bis 1831, dann nur noch 1833 für 2 Monate. 1830 zeigte H. in der Akad. in Berlin (Kat. p. 24) ein Bildnis der Kaiserin nach Ender, 1850 in der Akad.-Ausst. in Wien ein Bildnis des Fürsten Adam zu Schwarzenberg, 1852 ebenda ein Aquarellbildnis desselben Fürsten. — Bereits 1819 oder 20 begründete H. in Wien eine eigene lithograph. Anstalt, die bis gegen

1835 bestand und besonders Bildnislithogr. herausbrachte. Als Lithograph war H. Schüler von A. Kunike. Blätter von H.s Hand, der sicher auch selbst lithographiert hat, konnten bisher nicht nachgewiesen werden; seine Mitarbeiter waren Th. Ender, Joh. Schindler, B. v. Schrötter u. K. Mahnke. H. war wohl der Lehrer des Lithogr. Faustin H. (s. dort). Er wohnte 1822 in der Alservorstadt No 203. — 1845 überreichte H. dem Kaiser ein Aquarell mit einer Bittschrift, die eine bewegliche Klage über seine wirtschaftliche Not enthielt. Im österr. Mus. u. a. eine Tasse mit dem Bildnis des Kaisers Franz von 1814; Arbeiten H.s häufig auch in Privatsamml. In der Wiener Miniaturen-Ausst. 1905 „die Madonna vom Zeughaus am Hof" auf Pergament (Kat. No. 919), in der Congreß-Ausst. 1896 (Kat. No. 239) ein Bildnis der Kaiserin Karoline von 1829, in der Samml. K. Mayer in Wien eine Tasse von 1801, im österr. Mus. f. Kst u. Ind. mehrere vortreffliche, auf Porzellan gemalte Bildnisse.

Folnesics-Braun, l. c. — Ed. Leisching, Bildnisminiatur in Oesterreich 1750 bis 1850, 1907. — Vaterländ. Blätter, Wien 1820 p. 284. — Böckh, Wiens leb. Schriftst., Kstler etc., 1822 p. 258 u. 414. — A. Redl, Handlungs-Gremien u. Fabriken-Adressen-Buch, 1821. — St. v. Kees u. W. C. W. Blumenbach, System. Darstellg der neuesten Fortschritte etc., I, Wien 1829. — Erzherzog-Carl-Werk, Wien 1913 p. 185. — Folnesics, Wiener Porz.-Samml. K. Mayer, 1914. — Heinrich Schwarz, Anfänge der Lithographie in Wien (in Vorbereitg). — Die graph. Kste, XXX (1907) Beilage p. 67. — Mitt. Erzh.-Rainer-Mus. in Brünn, 1918 p. 59. — Kataloge: Hist. Ausst. Breslau, 1913; Akad.-Ausst. Wien, 1824 No. 188; Jahrb. d. Bilder- u. Kstblätterpreise, I (1910); II (1912). — Mit Not. v. Heinrich Schwarz, Wien.

Herr, Claudius, s. vorhergeh. Artikel.

Herr, Edouard, Maler in Genf 1823 bis 46; von ihm im Mus. Rath (Cat. 1906) ein Porträt des Zeichenlehrers A. Lissignol.

Herr (Heer), Faustin (Faust), Lithograph in Wien, vermutlich Schüler des Laurenz Herr in Wien, wo er 1834, 1840 u. 1849 (Katal. d. Akad.-Ausstell. No 5/7, 11/13, 20, 25) ausstellte; ging später nach München. Von ihm die Porträts der Wiener Schauspieler K. Quandt (1835), W. Scholz (1837) und A. Hasenhut; ferner zahlreiche Blätter u. a. nach F. v. Amerling („Die Verwaisten"), H. Bürkel („Bauernrauferei"), F. J. Danhauser („Brautschau", „Konvenienzehe", Hundebild), Dietrich (Beethoven), J. Ender (Fürst Metternich, Franz Graf Kolowrat), P. Fendi („Naschkatze", „Milchmädchen", „Unentschlossene", „Morgenandacht", „Witwe"), F. Gauermann („Ackersmann"), L. Kupelwieser (Jos. Freih. v. Spaun), A. Riedel („Taubenpaar"), H. Ritter („Schusterwerkstatt"), L. Robert („Räuberfamilie"), J. Schnorr v. Carolsfeld („Faust im Studierzimmer"), J. F. Tremmel („Dorfrichter"), J. Tun-

ner („Madonna"), H. Vernet u. J. P. Jazet („Rebekka am Brunnen").

C. v. Wurzbach, Biogr. Lex. Österr., 1856 ff., VIII, im Artikel Rustenus Heer, p. 198. — Weigel's Kstcatal., Leipzig 1838/66, V (Reg.). — Ber. u. Mitteil. d. Altert.-Ver. Wien, XXXIII (1898) 51. — Kataloge: Histor. K.-Ausst. Wien, 1877 p. 148; Graph. Ausst. Wien, 1883 p. 14; Histor. Mus. Wien, 1888 p. 204; Theater-Ausst. Stadt Wien, 1892 Nr 117, 242, 320; Congress-Ausst. Wien, 1896; Meister der Wiener Porträtlithogr. (Lagerkat. Gilhofer u. Ranschburg), Wien 1906 p. 9; Führer Schubert-Mus. Wien, 1912 p. 27.

Herr, Franz u. Johann, siehe unter Herr, Familie.

Herr, Joseph, siehe Hör, J.

Herr, Laurenz, s. unter Herr 1, Familie.

Herr (Heer), Michael, Maler u. Kupferstecher, geb. nach Doppelmayr 13. 12. 1591 zu Menzingen in Württemberg, † in Nürnberg 21. 1. 1661, wo er schon früh seine Ausbildung begonnen hatte. Ging dann nach Italien, hielt sich besonders in Rom und Venedig auf und war nach 1620 wieder in Nürnberg. Dort lieferte er 1622 ein Probestück „die 7 freien Künste mit Mars u. Justitia". Sandrart erwähnt von H. ein Epitaph von 1646 für Joh. Schlitter, den in der Nähe von Nürnberg ermordeten Sohn eines Lübecker Kaufmanns, auf dem Johannes-Friedhof. H. hatte unten die Mordtat, im oberen Teil das jüngste Gericht gemalt. Murr nennt in der Spitalkirche zum Heiligengeist ein dort noch vorhandenes Gemälde von 1625: Ein Engel zeigt einem Kranken die Erscheinung des Herrn. Dazu gehörten noch 2 andere: Gotteslohn für Krankenpflege von 1626, Teich Bethesda von 1627, von Joh. Pfann d. Ält. gestochen unter dem Titel: „Aigentlicher Abriss der Neuen im Spital aufgehengten Tafeln". Von den Bildern, die Meidinger auf der Burg erwähnt, scheint nichts erhalten („Entführung Europas", „Gerechtigkeit, Kunst u. Krieg", „die durch Jonas' Bußpredigt gerührten Niniviten", „das Feuerwerk wegen dem westfälischen Friedensschluß" [vermutlich erhalten in dem Stich von P. Troschel, Nagler No 14], „Zween Philosophen"). Im German. Mus. 2 Bilder: Porträt eines Unbekannten, dat. 1639, mit Monogr., und „Nürnberg z. Z. der Belagerung im 30jähr. Kriege". Von den zahlreichen Bildnissen, die H. gemalt hat, sind mehrere in Stichen erhalten, so: Thomas Tucher, Schabblatt von A. P. Multz; Ratsherr Wolf Christ. Scharmann, M. Heer pinx. 1655. G. Venizer sc. 1688; S. Th. Staden, Sandrart sc.; P. Pilgram, ders.; L. Fr. Beham, Waldreich sc.; Barbara Seyfferhelt, 2. Gattin d. Georg Füssel, Sandrart sc.; Susanne Schön, 1. Gattin d. vor., P. Troschel sc.; Selbstbildnis H.s, P. Troschel sc., und andere Bildnisse, gest. v. J. A. Böner, M. Hafner u. J. F. Fleischberger. Nagler gibt die verschiedenen Monogramme, die H. benützte, der auch für den Kupferstich viele Vorzeichnungen geliefert hat, so für: „Geistliche Anatomia eines waren Christi, Nürnberg 1630", Stich von G. Köler; „Sacra Emblemata. Das ist Sechs und sibentzig geistliche Figürlein. Inventirt u. geprediget durch Joh. Mannich, Nürnberg, 1624", Stiche v. P. Isselburg (Abb. bei Kutschmann) u. and. Vermutlich von H. selbst radiert sind 2 Blätter, Hexenfest auf dem Blocksberg, mit Versen von J. Klaj, u. toter Christus von einem Engel beweint, mit H.s Monogramm. Im Berl. Kupferstichkab. 9 Zeichnungen von H. (meist Feder u. Tusche), Allegorisches, Religiöses, Mythologisches, andere Blätter im Braunschweiger Mus. Der künstlerische Wert der Arbeiten H.s ist gering. P. A. Cordüer war 1632—35 sein Schüler.

S a n d r a r t, Teutsche Acad., 1675, II 339. — D o p p e l m a y r, Nachr. von den Nürnberg. Mathem. u. Kstlern, 1730 p. 223 u. 228. — C h r. G. v. M u r r, Beschreib. etc. v. Nürnberg, 1778 p. 150. — M e i d i n g e r, Beschreibg versch. Städte u. Märkte etc., 1790 p. 209, 210, 212, 215. — N a g l e r, Kstlerlex., VI; XI 206; d e r s., Monogr., IV. — H e i n e c k e n, Dict. d. artistes, 1778 ff. u. Suppl. (Ms. Kupferstichkab. Dresden). — K u t s c h m a n n, Gesch. d. deutsch. Illustration, 1899. — M. J. F r i e d l ä n d e r, Zeichnungen alter Meister im Kupferstichkab. Berlin 1921 ff., E. B o c k, Die deutschen Meister, I 186f. — Bibl. Bavarica (Lagerkatal. Lentner, München), 1911 No 4743 (9353). — Weigel's Kstcatal., Leipzig 1838/66, I 4411 (Zeichnung).

Herr, P e t e r, Miniaturmaler in Wien, wird 1759 bezahlt „vor in das Paulanerbruderschaftsbuch verfertigtes Porträt" des reg. Fürsten Jos. Adam zu Schwarzenberg. 1760 liefert er 6 andere Bildnisse des Fürsten u. 2 kleine auf Kupfer gemalte Bildnisse der K. K. Familie (also Ölminiaturen).

L e i s c h i n g, Bildnisminiatur in Oesterreich 1750/1850, 1907.

Herrad v o n L a n d s b e r g, Miniaturmalerin, Äbtissin des Klosters Hohenburg (St. Odilien) im Elsaß, aus adligem Geschlecht, geb. auf Schloß Landsberg (nach mittelalt. Tradition), † in Hohenburg 25. 7. 1195. Seit 1167 Äbtissin in Hohenburg, führte sie das unter ihrer Vorgängerin Relindis begonnene Reformwerk weiter und brachte die Abtei zur höchsten Blüte. Ihr Hortus deliciarum (nicht erhalten) legte Zeugnis ab für ihre umfassende Bildung; sie beherrschte das Lateinische und hat auch Gedichte geschrieben, zu denen sie wohl selbst die Noten setzte, da sie im Kloster die Musik besonders pflegte. Den Inhalt des Hortus gibt sie selbst so an: „Hunc librum qui intitulatur hortus deliciarum ex diversis sacrae et philosophicae scripturae floribus, quasi apicula, Deo inspirante comportavi"; er war gedacht als ein Lehrbuch für die Nonnen, in dem H. zum besseren Verständnis hin und wieder deutsche Interlinearversionen angebracht hatte. Die im Hortus angeführten Daten 1159 und 1174 bedeuteten nicht Anfang und Ende

der Arbeit, vielmehr hat H. ihre Muße wohl bis in ihr Alter dem Werk gewidmet. Die enge Verbindung zwischen dem Text und den Malereien macht es sicher, daß sie den umfangreichen Band nicht nur selbst geschrieben, sondern auch ausgemalt hatte. Die Miniaturen waren mit der Feder gezeichnet, bei den meisten dann die Umrisse mit tiefen Farben ausgefüllt worden, daneben kamen Blätter in Deckfarbenmalerei (u. Blattgold) darin vor. Obgleich von abendländ. und byzantin. ikonographischen Vorbildern zugleich abhängig, bewies H. doch eine bemerkenswerte Selbständigkeit und hat zahlreiche Einzelzüge aus dem Leben ihrer Zeit originell festzuhalten verstanden. Der Cod. (Großfolio) enthielt, als er in der Nacht vom 24./25. 8. 1870 beim Bombardement von Straßburg in der dort. Stadtbibliothek verbrannte, 324 Pergament-Blätter; nach einer Notiz des 14. Jahrh. besaß er jedoch 342. Bis 1521 wurde er in Hohenburg sorgsam gehütet, befand sich im 17. Jahrh. im Kloster Molsheim, und gelangte nach der Revolution aus dem Besitz des Kanonikus Rumpler in die Stadtbibliothek. Die 1695 in Molsheim geschriebene, unvollständige Kopie des Textes verbrannte ebenfalls. Das Interesse für dies bedeutendste Denkmal oberrhein. Buchmalerei des 12. Jahrh. hat etwa die Hälfte der Miniaturen in Durchzeichnungen bewahrt (in Lichtdruckwiedergaben von Straub und Keller veröffentlicht), so daß der Cod. für die Forschung nicht ganz verloren ist. — Das Schlußblatt enthielt eine Darstellung der Stiftung von St. Odilien, mit den Bildnissen der Relindis, der H. und der damals im Kloster lebenden Nonnen (Straub - Keller, Taf. 79/80). Ein Relief (12. Jahrh.) im Kreuzgang von St. Odilien zeigt zu Füßen der thron. Maria laut Beischriften (als Äbtissinnen bezeichnet) links Relindis, rechts Herrad, beide in Halbfig., zwischen sich ein Buch haltend.

H u g u e s P e l t r e, La vie de Ste Odilie, 1699 p. 169 ff. — D e n i s A l b r e c h t, History von Hohenburg etc., 1751 p. 277 ff. — M. E n g e l h a r d t, H. v. L. u. ihr Werk, 1818, mit 12 Kupfern. — A. d e B a s t a r d, Peint. et ornem. des manuscr., 1835 ff. — W a a g e n, Kstwerke u. Künstler in Deutschland, II (1845) 358 ff. — S c h n a a s e, Gesch. d. bild. Kste, [2] V (1872). — F. P i p e r, Martyrologium u. d. computus d. H. v. L., 1862. — F r. X. K r a u s, Kst u. Altert. in Elsaß-Lothr., I (1876) 236. — Rep. f. Kstw., III (1880) 161, 272; VII 361, 398. — R. d e L a s t e y r i e, Quelques miniat. inéd. de l'Hortus Delic., in Gaz. archéol. IX (1886) u. X. — S t r a u b u. K e l l e r, H. de L. Hortus D., publié aux frais de la Soc. pour la conserv. des Mon. hist. en Alsace, 1879—99. — C h. S c h m i d t, Herrade de L., [2] 1896, mit Lit.

Herrada, B a r t o l o m é d e, Architekt, vollendete 1627 zusammen mit Pedro Diaz de Palacios (vgl. Bd IX 211 u. Nachtrag) die schöne dreigeschossige, säulengeschmückte Seitenfassade der Pfarrkirche in Gumiel de Izan.

Llaguno y Amirola, Not. de los Arquit. de España, 1829, I 202; III 187. — S c h u b e r t, Gesch. d. Barock in Spanien, 1908 p. 99.

Herrández, siehe *Fernández.*

Herrant, C r i s p i n, Maler, † im Herbst 1549 in Königsberg i. Pr., Schüler Dürers in Nürnberg, nach dessen Tode sich H. beim Herzog Albrecht v. Preußen um eine Anstellung bewarb, die in einem Brief des Herzogs v. 28. 2. 1529 gewährt wurde; bereits im Mai 1529 war H. in Königsberg u. zum Hofmaler ernannt (aber erst 1544 mit festem Gehalt angestellt). Juli 1534 überbrachte H. ein Bildnis des Herzogs dem Johannes Dantiscus, Bischof v. Kulm, im Auftrage seines Herrn, der ihn auch zur Anfertigung von Kopien nach Bildern der Porträtsammlung des Dantiscus an diesen nach Löbau sandte. Der Bischof fand Gefallen an H.s Arbeiten und gab ihm mehrere Aufträge, z. B. 1535 ein Porträt des Bischofs Moritz v. Ermland. Hauptsächlich hatte H. für den Herzog Bildnisse der herzogl. Familie, die als Geschenke nach auswärts gingen, zu malen; daneben wurde er vom Hof auch kunstgewerblich beschäftigt, so 1545 bei der Verzierung eines kostbaren Rennzeuges. Ähnliche Arbeiten lieferte er auch für Private; so klagte er 1540 beim Herzog gegen den Krugwirt zum Einsiedel bei Braunsberg, für den er „etliche Schild u. Wappen" gemalt, von ihm aber keine Bezahlung erhalten hatte. H.s Beziehungen zu Nürnberg hörten trotz des Aufenthaltes in dem abgelegenen Osten nicht auf; von Nürnberg bezog er noch seine Farben, und im Sept. 1543 verehrte der Rat zu Nürnberg Porträts des Herzogs u. seiner Gemahlin, wofür er als Gegengabe 12 Taler erhielt. — H. heiratete eine Königsbergerin und hatte mit ihr zahlreiche Kinder; so kam er in Schulden, zumal er sich noch ein eigenes Haus baute. Der Herzog nahm sich jedoch seiner an und erhielt dafür von H. das Versprechen, ihm ein „Verzeichnuß" mit den Grenzen aller Ämter, d. h. eine Art Landkarte des Herzogtums zu malen. — Von H.s Tätigkeit ist nur wenig erhalten, ein Bild aus H.s Todesjahr (Königsberg, Univ.-Bibl.) zeigt hinter einer hohen, schweren Balustrade die Brustbilder Luthers u. Melanchthons, zwischen beiden ein Ausblick auf Wittenberg. Die Beischriften (auf schwarzen Tafeln in der Brüstung) erklären in lateinischen Distichen, daß H. Luthers vom Alter verzehrtes Antlitz, Melanchthon nach dem Leben gemalt habe; die von Hagen übersehene Jahreszahl 1549 hat Ehrenberg links oben an dem roten Pfeileransatz gefunden. Der obere Teil des Bildes ist verloren; es ist wohl nur Teil einer größeren Dekoration, womit der unglückliche Eindruck des Erhaltenen erklärt würde. Künstlerisch wirkt es schwach, z. T. fehlerhaft. Besser ist eine Predella mit dem hl. Abend-

mahl in der Pfarrkirche in St. Lorenz (Samland), deren Signatur „... pinus 1540" offenbar richtig auf H. gedeutet wird (der Altaraufsatz späteren Datums). In dem Streben nach scharfer Charakterisierung der einzelnen Apostel ist H. glücklicher, als in dem nach der Darstellg schwieriger Verkürzungen, die ihm meist wenig gelingen. Weitaus das Beste ist das eindrucksvolle Bildnis des Mathematikers u. Astrologen Joh. Cario (schon 1522 Hofmathematikus des Kurfürsten Joachim I. in Berlin; † 1538 ebenda), bez. mit dem Monogramm C H (in Ligatur), dat. 1533, im Besitz von M. Friedeberg in Berlin, links oben am Bildrand ein Distichon mit der Angabe von Namen u. Alter des Dargestellten. Hinter dem Brustbild des durch seine Körpergröße und seinen Leibesumfang berühmten Cario sieht man links den Kopf eines jungen Mannes, der, im Maßstabe kleiner, wohl das Massive der Erscheinung Carios hervorheben soll. Ehrenberg schreibt H. noch zu: die ältesten Wappenmalereien in der Königsberger Universitäts-Matrikel und 2 Entwürfe für Goldschmiedearbeiten, die 1544 vom Herzog zur Ausführung nach Nürnberg gesandt wurden (Königsberg, Staatsarchiv). — Nach H.s Tode bot der Herzog die erledigte Stelle als Hofmaler dem Schwager H.s, Hans Heffner, an.

G e b s e r u. H a g e n, Dom zu Königsberg, II (1833) 155. — H a g e n in Altpreuß. Monatsschrift, IV (1867). — Bau- u. Kstdenkm. Ostpreußen, I (1893) 97; VII (1897) 155; VIII (1898) 107. — E h r e n b e r g, Kst am Hof d. Herzöge v. Preußen, 1899. — H a m p e, Nürnberger Ratsverlässe (Quellenschr. z. Kstgesch. N. F. XII u. XIII). — F r i e d e b e r g in Zeitschr. f. bild. Kst, N. F. XXX (1918/19) 309 ff., Abb. — Zeitschr. f. Gesch. u. Altert.-Kde Ermlands, XX (1919) 544, Abb.

Herranz, F r a n c i s c o, Glasmaler, malte um 1680 für die Kathedrale in Segovia 54 Fenster und schrieb einen Traktat über Glasmalerei zusammen mit Juan Danis (Ms. Arch. Kathedr. Segovia).

C e a n B e r m u d e z, Dicc. Histor., II (1800).

Herrard, G é r a r d L é o n a r d, s. *Hérard,* G. L.

Herreboudt (Eerbout, Herbout), C o r n e l i s, Maler in Brügge, zwischen 1453 u. 56 Meister in der Zunft, 1459/60 und 1476/77 Vinder.

V a n d e n H a u t e, Corpor. des Peintres de Bruges, [o. J.].

Herregosse (Argosse, Hargos, Hergosse), G u i l l a u m e, Maler, geb. Juni 1640, † 26. 1. 1711 in Amiens, wo er, aus Antwerpen gekommen, am 29. 10. 1663 Meister wurde. Heiratete am 9. 5. 1665 in Amiens (Pfarrei St. Firmin le Confesseur) Louise Dupontreué und hatte mit ihr 6 Kinder, von denen es Charles zu angesehener Stellung in Amiens brachte. 1683 nimmt H. einen Lehrling an und wird später noch mehrfach urkundlich erwähnt (1689, 92, 95, 1706). — Von H.s

Arbeiten ist nur erhalten ein hl. Rochus in St. Pierre in Montdidier, ein schwaches Bild, bez. „G. Hergosse fesit". In Amiens befanden sich: in der Kap. des Hôtel de Ville „Der Einzug des hl. Firmin in Amiens", in St. Leu ein Paradiesbild mit lebensgroßen Figuren von 1689, das vermutlich bei der Wiederherstellung des Hochaltars 1775/79 beseitigt wurde, in der Kirche der Cordeliers auf dem Hochaltar eine Geburt Christi in überlebensgroßen Fig., in der Kapuziner-Kirche auf dem Hochaltar eine Herabkunft des hl. Geistes (überlebensgr. Fig.), in der Margarethen-Kap. der Kathedrale ein Bild d. hl. Margarethe (lebensgr.).

R. Guerlin in Réunion d. Soc. d. B.-Arts, XX (1896) 558 ff., mit Abb.

Herregouts, David, Maler, geb. zu Mecheln 1603 (getauft 13. 7.), † zu Roermond nach dem 6. 6. 1662, Vater des Hendrik; wurde 1615 Schüler des Josse Salmier, 1616 des Jan van Avont, 1624 Meister der Mechelner Malergilde, nahm selbst 5. 6. 1627 Frans Stevaerts als Lehrling an. Heiratete 13. 1. 1628 in Mecheln Cecilia Genits. Später in Roermond, wo er angeblich 1647 Meister wurde. In St. Cristoffel in Roermond: „Der hl. Honoratus teilt Brot aus". Seine „Erscheinung des Engels bei Joseph", ehemals in der Katharinenkirche zu Mecheln, ist verschollen.

Immerzeel, Levens en Werken, II (1843). — Journal des B.-Arts, V (1863) 103. — E. Neeffs, Hist. de la Peint. et Sculpt. à Malines, I (1876) 371 ff., 482. — Bull. van den Oudheidk. Bond, 2. Serie, XIII (1920) 114. *Z. v. M.*

Herregouts, Hendrik, Maler, geb. zu Mecheln 1633 (getauft 1. 4.), † zu Antwerpen vor dem 3. 3. 1704, Sohn und Schüler des David. Ging nach Beendigung der Lehrzeit nach Italien und Deutschland, wo er sich um 1660 längere Zeit in Köln aufgehalten haben muß; heiratete dort Anna Dorothea Cremers. Dann in Antwerpen, wo er 1664/65 Meister wurde; 1666 auch in Mecheln Meister. Darauf soll er nochmals nach Italien und Deutschland gegangen sein. 1679 war er wieder in Antwerpen, wo er 1682 Catharina Godyn heiratete. Meldete zwischen 1679 u. 1700 in dieser Stadt zahlreiche Lehrlinge an. Seinen langen Italienreisen verdankte er den Beinamen „Romein". H. war ein vielbeschäftigter Kirchenmaler, doch soll er auch ein guter Bildnismaler gewesen sein und ferner nach Weyerman kleine Bilder mit Nymphen gemalt haben. Nachweisbar sind heute nur noch Kirchenbilder in mehreren belg. Städten und in Köln, wo auch die Samml. Wallraf reich an Werken seiner Hand gewesen sein soll. Manches, was in der älteren Literatur erwähnt wird, ist aber seitdem verschwunden. Bilder von H. werden u. a. in folgenden Kirchen erwähnt: *Antwerpen*, St. Paul (Steinigung des hl. Matthäus); *Brügge*, St. Anna (Jüngstes Gericht), Basiliuskirche (Martyrium des hl. Basilius), Frauenkirche (hl. Dominicus), Magda-

lenenkirche (Himmelfahrt Mariä), Kirche der beschuhten Karmeliter, Kirche der unbeschuhten Karmeliter (Hochaltar, Maria m. d. Kinde, der hl. Therese und dem hl. Johannes v. Kreuz, 1698), Johanneshospital (Verzückung des hl. Augustinus); *Köln*, Ursulakirche (Maria mit dem Leichnam Christi; Die Seelen im Fegefeuer), Wallraf-Richartz-Mus. 3 Bildnisse (vgl. Kat. d. Ausst. „Das Bildnis in Köln v. 15.—18. Jahrh.", Juli bis Oktober 1921, p. 18); *Mecheln*, St. Peter und Paul (Triumph des Kreuzes). — Nach Zeichnungen von H. stach P. van Lisebetten das Titelblatt zu „Coelum empyreum in festa et gesta sanctorum" von Henricus Engelgrave (Köln, Johannes Busaeus 1666); in P. Hazarts „Kerklyke Geschiedenes van de geheele Wereld" (Antwerpen 1668) befindet sich ein Stich nach H., darstellend die Geschichte des Königs Franciscus von Bungo.

Rombouts-Lerius, Liggeren, II. — J. C. Weyerman, Levens-Beschryv., III (1729) 337 ff. — Merlo, Köln. Künstler, 1850 p. 175. — Chr. Kramm, Levens en Werken, III (1859). — Journal des B.-Arts, 1863 p. 103 f. — E. Neeffs, Hist. de la peint. etc. à Malines, I (1876) 373 ff. — J. van den Branden, Gesch. der Antwerpsche Schilderschool, 1883 p. 947 f. — Über *einzelne Bilder*: Descamps, Voyage pittor. (éd. Roehn 1838) p. 120, 122, 137, 276 f., 282, 285, 295. — Couvez, Invent. d'obj. d'art.. de la Flandre occid., 1852 p. 86 ff., 259 f., 286, 322, 328, 337, 367, 382, 395, 415, 449, 548, 594. — Parthey, Deutscher Bildersaal, I (1863). — Weale, Bruges et ses environs, 1884 p. 158, 200. — Kintschots, Anvers et ses Faubourgs.., o. J. p. 184. — Malines, Guide, 1909 p. 104. — Duclos, Bruges, 1910 p. 547, 588. *Z. v. M.*

Herregouts, Jan Baptist, fläm. Maler u. Radierer, geb. zu Termonde (?) um 1640, † zu Brügge am 25. 11. 1721, Sohn des David, Bruder des Hendrik, soll in seiner Jugend Italien besucht haben. 1677/78 in Antwerpen Meister der Lukasgilde. Dann, vermutlich seit 1682, in Brügge, wo er am 31. 7. 1684 Meister wurde, 1689, 1690, 1694, 1702 Lehrlinge anmeldete und verschiedene Ämter in der Malergilde bekleidete (1687—89 vinder, 1689/90 Gouverneur, 1694 Dekan, 1695/96 vinder (?), 1698 bis 99 und 1704/05 vinder). H. war in Brügge ein gesuchter Kirchen- und Bildnismaler. Nachweisbar sind dort noch: Annenkirche, Beschneidung Christi und Himmelfahrt Mariä; Frauenkirche, Taufkapelle, Martyrium Petri und Ekstase des hl. Dominicus, im Südschiff Ekstase des hl. Druon von 1712; Abtei Ste Godeliève, Krönung Mariae; Kirche der unbeschuhten Karmeliter, Darstellg im Tempel von 1703; Slg des Johannesklosters, 2 Bildnisse von 1699 und 1709; Akad.-Samml., ein angebl. Bildnis des David H. und ein Selbstbildnis. Ferner im Stadthaus zu Ostende 3 Bilder mit den geistlichen Tugenden. H. hat auch radiert (5 Blatt bekannt); diese Arbeiten stehen in ihrer flüchtigen und unsicheren Strichführung nicht sehr hoch.

Rombouts-Lerius, Liggeren, II 459. — Ch. van den Haute, Corporation des peintres de Bruges, o. J. — Nagler, Künstlerlex., VI. — Immerzeel, Levens en Werken, II (1843). — J. van den Branden, Gesch. der Antwerpsche Schilderschool, 1883 p. 948 f. — *Gemälde:* Weale, Bruges et ses environs, 1884 p. 114, 129. — Duclos, Bruges, 1910 p. 378 f., 475, 479, 487, 509, 547. — *Stiche:* Ph. van der Kellen, Catal.... de Ridder, 1874 p. 73 f. — Wessely in Repert. f. Kunstwiss., IV (1881) 237. — A. v. Wurzbach, Niederl. Künstlerlex., I (1906). *Z. v. M.*

Herregouts, Maximilian, fläm. Maler, von dem eine bez. und 1674 dat. „Pfannkuchenbäckerin" erwähnt wird.

Immerzeel, Levens en Werken, II (1843).

Herrenburg (eigentlich *von Herrenburger*), Johann Andreas, Landschafts- und Architekturmaler, geb. 6. 2. 1824 in Berlin, † 14. 6. 1906 ebenda. Nach einer Studienzeit in Berlin (Schüler des Landschafters Ed. Biermann) und München unternahm er mehrjähr. Reisen ins Ausland: 1845 nach Griechenland, 1846 mit einer türkischen wissenschaftl. Expedition nach Kleinasien, Syrien, Persien und Zypern, wo er die erste vollständige Karte der Insel aufnahm, 1847 nach Ägypten, Nubien und Abessinien. Kehrte über Italien, Paris, wo er zu Eug. Isabey in nähere Beziehungen trat, und England 1848 nach Berlin zurück. Auf Veranlassung A. v. Humboldts malte er hier u. a. „Luxor", „Blick auf Sidon" im Auftrag von König Friedrich Wilh. IV. Während eines Aufenthalts in München pflegte er regen Verkehr mit Schwind und Genelli und führte mehrere Gemälde (Motive aus Bayern) gemeinsam mit F. J. Voltz aus. 1855 siedelte er nach Dresden über und hat dort mit Unterbrechung durch längere Reisen nach Norwegen, Schweden und Italien bis zu seinem Tode gelebt. — Seine Architektur- und Landschaftsgemälde von flottem, dekorativem Charakter in effektvoller Beleuchtung sind die Früchte der Studien und Skizzen, die H. auf seinen zahlreichen Reisen gemalt hat: Straße in Bagdad, Tempel von Ägina, Akropolis von Athen, Küste von Paphos auf Zypern, Straße in Kairo, Motiv vom weißen Nil, Ebene von Theben, Koloß des Memnon, Tempel der Isis auf Philae, Pyramiden von Gizeh, Marinebilder aus Norwegen u. Schweden. Im Danziger Museum (handschr. Verzeichnis, 1902) „Obersee" (Bayern). 1866—67 entstand eine Reihe von klassischen Architekturbildern für einen Saal im ehemaligen römischen Hause zu Leipzig. H. zeigte seine Arbeiten häufig in Berlin (Katal. Akad.-Ausstell. 1856, 60, 62, 68, 70, 74, 76, 78, 80, 81, 83), Dresden und München (vgl. Bilderliste bei Boetticher).

Dioskuren, 1862. — Zeitschr. f. bild. Kst, VIII (1873) 183; Kstchronik, XIII (1878) 716; XVI 685. — H. A. Müller, Biogr. Kstlerlex. d. Gegenwart, 1884. — F. v. Boetticher, Malerwerke 19. Jahrh., I 2 (1895). — Das geistige

Deutschland, I (1898). — Mitteil. des Schwiegersohnes J. Praeger, Dresden. *Posse.*

Herrens, Daniel, siehe *Herreyns,* D. (im Art. Herreyns, Familie).

Herrer, Cesar (de), Genremaler, geb. in Luanco (Spanien) 23. 12. 1868, † in Budapest Juli 1919. Lernte in Madrid, Paris, München u. Nagybánya (Ungarn), wo er, seit 1898 ansässig, das ung. Staatsbürgerrecht 1904 erwarb. Seine Genrebilder u. (meist venez.) Ansichten stellte er in Madrid, Amsterdam, Chicago u. Budapest aus, wohin er später übersiedelte. Hier erhielt er für sein Gemälde „In der Loge" den Preis d. Leopoldstädter Casino. Sein Gemälde „Vor dem Stierkampf" wurde für das kgl. Schloß in Budapest angekauft, „Vor dem Spiegel" kam ins Mus. d. Bild. Künste ebenda.

A Nemzeti Szalon Almanachja, Budapest, 1912 p. 172. — v. Krücken u. Parlagi, Das geist. Ungarn, 1918 I. — Művészet, 1918 p. 8. — Országos Magy. Szépművészeti Múzeum. A modern képtár katalógusa, Budapest, 1913 p. 19. *K. Lyka.*

Herrer y Rodriguez, Joaquin Maria, Maler, geb. in Madrid, Schüler an der Akad. unter C. Mugica y Péres, erhielt ein Stipendium nach Paris, wo er an der École d. B.-Arts unter Gleyre studierte, später auch in Rom, zeigte zuerst 1862 in Madrid ein Historienbild: „Begegnung Karls V. mit dem hl. Franz v. Borgia", in den folgenden Jahren z. B. „Die letzten Stunden Karls V.", nach 1881: „Karl V. empfängt die letzte Ölung"; daneben Genrebilder „Der letzte Ausgang der Novizen", „Damenbesuch im Atelier", usw. H. war 1915 auf der Panama-Pacific Expos. vertreten. Im Mus. Mod. in Madrid (Cat. 1899) 2 Bilder.

Ossorio y Bernard, Art. Españ. d. S. XIX, 1883/84. — Cat. de Luxe, Panama-Pacific Expos. S. Francisco, 1915, II p. 244.

Herrera, gen. *el Rubio,* Maler, ältester Sohn u. Schüler des Franc. H. d. ä., tätig in Sevilla 1. Hälfte 17. Jahrh. Soll Figürchen in Callot's Manier gemalt haben.

Cean Bermudez, Dicc. Hist., 1800, II 272.

Herrera, Alonso de, Maler, seit 1579 in Segovia nachweisbar; malte 1596 für den Sockel der beiden Seitenaltäre der Kirche von Villacastin kleine Figuren der Kirchenväter u. anderer Heiliger (sign. auf Retablo d. Evang.-Seite). 4 Gemälde am Ret. Mayor von S. Andrés in Segovia sind 1617 datiert: Berufung u. Marter des hl. Andreas, Himmelfahrt Christi u. Ausgießung des hl. Geistes.

Cean Bermudez, Diccion. Hist., 1800, II 273. — Viñaza, Adiciones, II (1889) 264. — Marti y Monsó, Estudios relat. á Valladolid, 1898 ff.

Herrera, Antonio de, Fray, Architekt, Laienbruder der Eremitanos calzados von St Augustin in Madrid, vielleicht Sohn des Juan de Herrera, des berühmten Architekten am Escorial. Baute um 1599 das Augustinerkloster in Manila.

Llaguno y Amirola, Not. de los Arquit. de España, 1829, II 147.

Herrera, Antonio de, Fray, Architekt, geb. im 1. Drittel des 18. Jahrh. in Córdoba, Laienbruder im Kloster San Rafael ebenda, baute den Bibliothekssaal des Klosters, entwarf auch die Einrichtung dafür und lieferte Entwürfe verwandter Art, z. B. Orgelgehäuse, Sakristeischränke, Seitenaltäre in der Cap. de la Virgen de Belén seines Klosters usw.
Viñaza, Adiciones al Dicc. di Cean Bermudez, IV (1894) 121.

Herrera Barnuevo, Antonio de, siehe unter *Herrera,* Sebastián de.

Herrera, Bartolomé de, Bildnismaler, angebl. Bruder des Fr. Herrera d. ä., tätig um 1639? (doch ist die Notiz bei P. Aranda nicht völlig glaubwürdig).
Cean Bermudez, Dicc. Hist., 1800, II 273.

Herrera, Cristóbal de, Maler u. Vergolder, aus Burgos, tätig um 1524 in Palencia, wo er Tafeln für versch. Kirchen malte u. das Gitter der Capilla Mayor der Kathedrale gegenüber der Sakristei vergoldete.
Cean Bermudez, Dicc. Hist., 1800, II 34.

Herrera, Francisco, gen. *el Viejo* (d. ältere), Maler, Kupferstecher u. Medailleur, geb. in Sevilla 1576, † in Madrid 1656, Vater des H., gen. el Rubio, und des Francisco H. d. j. (s. dort), angeblich Bruder des Bartolomé. Nach Palomino Schüler des Pacheco, nach Bermudez Pachecos Mitschüler bei Luis Fernandez. Gebildet vornehmlich unter dem Einfluß des Ruelas. Seine Geschicklichkeit als Kupferstecher benutzte er in jüngeren Jahren zur Falschmünzerei. 1609 stach er den Titelkupfer zu den „Constituciones del Arzobispado de Sevilla". Nach 1612 schuf er die sicher vor 17. 8. 1618 vollendeten (verschollenen) 12 Gemälde für die Heiligkreuzkapelle des Conv. S. Francisco. 1616 wurde die „Purísima Concepcion" an der Nordfassade der Sevillaner Kathedrale aufgestellt. 1617 datiert ist die Ausgießung des hl. Geistes (früher Sevilla, Samml. Lopez Cepero, jetzt Toledo, Greco-Museum). Vor 1624 vollendete er für den Hochaltar des Jesuitenkollegs S. Hermenegildo die Apotheose des hl. Hermengild (jetzt Sevilla, Mus. Prov.). 1625 stach er den Titelkupfer für den „Comentario sobre So Tomás", 1627 ein großes Blatt mit den Hl. Justa u. Rufina, König Philipp IV. u. Gemahlin, Conde-Duque Olivares und Gattin, anspielend auf das Patronat des Trinitarierordens. 1629 führte er zusammen mit Zurbaran einen Gemäldezyklus für das Franziskanerkolleg S. Bonaventura aus. H.s Bilder stellen dar: die wunderbare Genesung des kleinen hl. Bonaventura, die Einkleidung und das Hostienwunder. Ein 4. Bild ist verschollen (die erhaltenen früher bei Lord Clarendon, die Einkleidung jetzt in Madrid, Prado, die beiden anderen in Tours, Samml. Dr. Carvalho). 4. 5. 1633 bezahlte ihm die Sevillaner Stadtverwaltung 200 rs. für die „Iluminacion" des Stiches, worauf er den hl. Ferdinand dargestellt hatte. Von 1642 ist die Federzeichn. „hl. Andreas" (Bibl. Nac. in Madrid) datiert, 1643 der hl. Joseph mit dem Christkind (Budapest, Galerie), wovon die Samml. Lázaro-Madrid eine Variante a. d. J. 1648 besitzt. 1647 führte er für den Salon des erzbischöfl. Palastes in Sevilla vier große, heute verschollene Gemälde aus: Mannalese, Wunder Mosis am Felsenquell, Hochzeit zu Cana, Brot- u. Fischwunder. 1650 siedelte er als 74 jähriger nach Madrid über. Dort ist in S. Ginés seine Grabstätte. — H.s früheste Arbeiten, die Gemälde des Hochaltars in S. Martin (Sevilla), sind sehr gedunkelt. Der Frühzeit H.s ist das Jüngste Gericht in S. Bernardo (Sevilla) zuzuweisen. Aus seiner besten Zeit stammen die Basiliusvision im Sevill. Museum, die Glorie des hl. Basilius im Louvre; „Christus in Emmaus", früher Sammlung Cepero-Sevilla, Sir John Stirling-Maxwell in London u. Museum-Murcia; der büßende Hieronymus, Rouen (Museum). Das Halbfigurenbild des Londoner Nat. Gall., 12 jähr. Jesus im Tempel, dort dem jüng. H. zugeschrieben, ist doch wohl eine Arbeit des älteren H. Die Bilder der Hauptzeit zeichnen sich durch breiten, freien Vortrag, frischen Naturalismus (bes. in dem hl. Petrus der Sakristei d. Sevill. Kathedr.), kräftiges Helldunkel u. monumentalen Zug aus. Nach 1640 wird H. weicher; während seiner letzten Madrider Zeit ließ er die venezianischen Werke bes. auf sich wirken, namentl. in der Kreuztragung der Madrider Universität. — H., gefeiert als der erste Hauptmeister eines kühnen Vortrags mit derben, unverschmolzenen Pinselstrichen, hat in seiner naturalist. Einstellung sich als Genremaler besonders berühmt gemacht. Stets lebensgr. ganze oder halbe Figuren: „Der blinde Musikant" (Wien, Samml. Czernin); der „Idiot" (Avignon, Mus.); „Der Trinker" (Frankfurt a. M., Samml. P. Bottenwieser). Noch immer gelten viele fläm. und oberital. Werke des späten 17. u. frühen 18. Jahrh., namentl. solche von Todeschini gen. Cipper, als Schöpfungen H.s. — Von Zeichnungen sind gesichert die 1642 dat. Apostelstudien in Madrid, Bibl. Nac. u. London, Brit. Mus., u. eine Kirchenväter (?)-Studie in der Hamburger Kunsthalle.

Palomino y Velasco, Museo pictorico, ed. 1797, III 467 f. — Cean Bermudez, Diccion. Histor., 1800 II. — Viñaza, Adicion., II (1889) 264 ff. — Stirling-Maxwell, Annals of the Art of Spain, 1891. — A. L. Mayer, Sevillaner Malerschule, 1911; ders., Gesch. d. span. Malerei, ² 1922, II, Abb. — Gestoso y Pérez, Artif. Sevillanos, 1899, II 50. — Dieulafoy, Gesch. d. Kst in Spanien u. Portugal, 1913. — Gaz. d. B.-Arts, III (1859) 167 ff. (P. Mantz). — Zahns Jahrb. f. Kstwiss., II (1869), Waagen. — Jahrb. d. preuß. Kstsamml., IV (1883) 152 f. (C. Justi). — Zeitschr. f. bild. Kst, N. F. XXV (1914) 70, A. L. Mayer; N. F. XXIX (1918) 110 f. (Abb.), ders.; Kunstchronik, N. F. XXXIII (1921/2) 364. — Art in America, III (1914/15) 313 (Abb.),

Herrera

315; nicht von H., sondern von Cipper. — Archiv f. Kstgesch., I (1913/14) Taf. 55—57. — Paseo hist. art. por Cadiz, 1853 p. 171. — Gestoso y Pérez, Guía art. de Sevilla, 1886 p. 41, 65, 118. — Kataloge: *Amiens,* Mus. de Picardie, 1911 p. 43; *Hannover,* Prov.-Mus., 1905 p. 60; *London,* Nat. Gall. 1913 No 1676 (Franc. H. d. J.); *Nantes,* 1913; *Paris,* Louvre, Seymour de Ricci, Descript. d. Peint., I (1913) No 1706; *Rouen,* 1911 p. 80; *Sevilla.* — Altspan. Ausst. *München,* 1911; Exhib. Span. Old Masters, *London,* 1913/14 p. 169. *August L. Mayer.*

Herrera (auch Herrera Hinestrosa), **Francisco,** gen. *el Mozo* (d. jüngere), Maler u. Architekt, geb. in Sevilla 1622, † in Madrid 25. 8. 1685, Schüler seines Vaters Franc. d. ä., entzog sich jedoch früh der väterl. Aufsicht u. ging nach Rom, wo er bis nach des Vaters Tod († 1656) gelebt haben soll. In Rom nannte man ihn lo Spagnuolo degli pesci wegen seiner Fischdarstellungen. Arbeiten dieser Art sind der Fischverkäufer (Berlin, Samml. Block; Wiederhol. 1922 im römischen Kunsthandel), der dort „Murillo" gen. Bursch mit Fisch im Städelschen Institut (Frankfurt a. M.) und die Kinderszene, früher Samml. v. Gans in Frankfurt a. M. Nach seiner Rückkehr malte er in Sevilla 1656 den „Triumph des allerheiligsten Sakraments" (Sevilla, Kathedr., Cap. Sacramental; zwei Vorstudien in der Sakram. Kap. von S. Juan de la Palma [Sevilla] u. Samml. Stirling-Maxwell [London]), 1657 die Himmelfahrt d. hl. Franz v. Assisi in dessen Kap. in d. Sevill. Kathedr. Er wurde bei der Gründung der Sevillaner Akad. 1660 Subdirektor; im gleichen Jahr machten 10 span. Künstler in Rom eine Eingabe an den König wegen Gründung einer römischen Akad., als deren Präsidenten sie H. vorschlugen. H. siedelte bald darauf nach Madrid über, wo das große Altarbild mit dem Triumph des hl. Hermengild (für die unbeschuhten Karmeliter gemalt, jetzt Prado) sein erstes bedeutendes Werk war. Der sehr ehrgeizige Künstler wurde Zeichenlehrer Karls II. und Nov. 1672 Pintor del Rey, Juli 1677 Maestro Mayor de las Obras del Palacio. Sein letzter großer Erfolg war der Auftrag, die Pläne für die Pilarkathedrale in Zaragoza zu entwerfen. 5. 4. 1680 erhielt er königl. Urlaub nach Zaragoza. In Madrid hat sich H. besonders als Freskomaler betätigt (S. Felipe el Real, Atocha-Kirche, Conv. Recoletos, doch sind seine Arbeiten teils zerstört, teils schlecht erhalten). — H. war als Mensch u. Künstler typischer Andalusier, bei dem jedoch die Schwächen des Charakters mehr als die Vorzüge in Erscheinung traten: ehrgeizig bis zur Unerträglichkeit einerseits und häufige Vernachlässigung der Zeichnung andererseits. Das beste an seinen Werken ist das Kolorit (wobei H. zuweilen in das Extrem der Betonung eines kühlen Grau in Bildern wie bei dem stigmatisierten hl. Franz, Richmond, Samml. Cook verfällt). Dieses glühende Kolorit, das Sente-

nach „orientalisch" genannt hat, gemahnt mitunter an die großen Venezianer, bes. bei dem Ecce homo u. der Kreuzschleppung der Samml. Cerralbo-Madrid, ebenso bei dem „hl. Papst Leo" im Prado. Das Halbfigurenbild der Londoner Nat. Gall. „Christus unter den Schriftgelehrten", dort dem jüng. H. zugeschrieben, gehört doch wohl dem älteren H. — In der Wiener Albertina eine Zeichnung zu dem Kreuzigungsbild in S. Isidro el Real in Madrid, weitere Blätter im Louvre, Bibl. Nac. in Madrid u. Uffizien, Florenz. — Als Architekt hat H. in Nª. Sª. del Pilar zu Zaragoza die erste bedeutende Barockkathedrale in Spanien geschaffen, wenn wirklich die Ausführung des Baues auf H.s Pläne zurückgeht. Kleriker- und Wallfahrtskirche zugleich, dem Praktischen wie dem Symbolischen trefflich gerecht werdend, in fast genialer Weise Motive aus der alten Moscheearchitektur aufgreifend, läßt das Werk bedauern, daß uns nicht weitere Schöpfungen des Architekten H. bekannt sind.

Palomino y Velasco, Mus. Pict., ed. 1797, III 610 ff. — Cean Bermudez, Dicc. Histor., 1800, II. — Viñaza, Adiciones, II (1889) 271. — Llaguno y Amirola, Not. de los Arquit. de España, 1829, IV 78 ff. — Schubert, Gesch. d. Barock in Spanien, 1908 p. 157 ff., m. Abb. — Sentenach, La pintura en Madrid, 1907 p. 158 ff. — A. L. Mayer, Sevillaner Malerschule, 1911; ders., Gesch. d. span. Mal., ² 1922 p. 307 ff., m. Abb.; ders., 150 Handzeichnungen span. Meister, 1920; ders. in Zeitschr. f. bild. Kunst, N. F. XXV (1914) 70. — Bol. de la Soc. Españ. de Excurs., XXII (1914) 246 Anm. 2; XXIII (1915) 140 f. — *Katal.:* Berlin, K. Fr.-M.; Madrid, Prado; London, Nat. Gall.; Sevilla, Mus. Prov. — London, Exhib. Span. Old Masters (Grafton Gall.), 1913/14 p. 169; München, Altspan. Malerei (Heinemann), 1911. *A. L. Mayer.*

Herrera, **Francisco I,** Architekt u. Bildhauer, Vater des Gregorio, verbrachte seine Jugend in Rom, von wo er um 1680 oder 1690 nach Menorca (Baleares) kam. Damals erhielt er den Auftrag zur Wiederherstellung des Hauptportals der Klosterkirche S. Francisco in Palma (Mallorca), das er in einer Mischung aus barockem u. beginnendem platereskem Stil neu errichtete, in Nischen des Gewändes Freifig. (z. B. der hl. Franz), im Tympanon die Immaculata in der Engelglorie, über dem Scheitel des Portalbogens die Reiterfig. des hl. Georg. H. blieb in Palma ansässig und lieferte den Entwurf für die Cap. de San Nicolás de Tolentino in der Kirche Nª Sª Socorro (achteckige Kuppel, mit Kolossal-Büsten und schwerem Laubwerk geschmückt), auch für den schlanken, achteckigen Glockenturm dieser Kirche. Von H. sind ferner in der Kathedrale von Palma die Kapellen der Hl. Antonius, Martin u. Bernhard mit reichem plastischen Schmuck, so in der Martinskap. die Reiterfig. des Hl. im Retablo und in der Attika S. Pedro Alcántara, in der 3. Kap. die Figur des hl.

Bernhard, dem Maria die Brust reicht, auf dem Altar ein Basrelief: Besuch des hl. Bernhard beim hl. Wilhelm. In der Pfarrkirche S. Miguel das Retablo des Hochaltars, an dem besonders die Fig. der Erzengel in den Interkolumnien des 1. Geschosses gerühmt werden. In Sta Catalina der Hochaltar. Für die Pfarrkirche in Sta María (nordöstl. v. Palma) lieferte H. 1719 eine Figur des hl. Isidor.

Furió, Dicc. de B.-Artes en Mallorca, Palma 1839 p. 71 ff. — Viñaza, Adiciones al Dicc. di Cean Bermudez, II (1889) 278 ff. — Piferrer-Quadrado, Islas Baleares (España), 1888 p. 714, 796, 811.

Herrera, Francisco II, Maler in Mallorca, Sohn des Gregorio, Enkel des Francisco I, gebildet anfangs bei seinem Vater als Bildhauer, wandte sich dann ganz der Malerei zu, tätig 1. Hälfte des 18. Jahrh. In der Kirche in Muro (bei La Puebla) die Altarbilder in den Kap. S. Miguel Arcángel und der Asuncion de la Virgen.

Furió, Diccion. de B. Artes en Mallorca, Palma 1839 p. 77. — Viñaza, Adicion. al Diccion. di Cean Bermudez, II (1889) 280 f.

Herrera, Gregorio, Bildhauer und Maler in Mallorca, 1. Drittel 18. Jahrh., Sohn und Schüler des Francisco I, Vater des Francisco II, arbeitete wenig in Palma, hauptsächlich an anderen Orten der Insel, so für Sineu, Pfarrkirche, die Figuren der Madonna u. der Erzengel, 1717 für die Pfarrkirche in Felanitx die Fig. des Sel. Raimundus Lullus und des hl. Antonius.

Furió, Dicc. de B. Artes en Mallorca, Palma 1839 p. 76. — Viñaza, Adic. al Diccion. di Cean Bermudez, II (1889) 281.

Herrera, Juan de, Architekt, geb. 1500 in San Martín de Gajano (Santander), † 1575 in Santiago de Compostela, wo er am 9. 11. 1575 sein Testament gemacht hatte. Taucht erst 1560 in Santiago auf und wohnt im eigenen Hause in der Rua del Villar. 1561 ist er beschäftigt mit Wiederherstellungsarbeiten an der Brücke in Orense, ferner leitete er solche Arbeiten an der Kathedrale ebenda und lieferte dafür den Entwurf zur Puerta del Paraíso. 1570 folgte er dem Baltasar Fernández als Maestro de obras der Stadt Santiago (Vertrag vom 23. 1., 600 Maravedis jährlich). H. lieferte den Entwurf und hatte die Leitung bei der Wiederherstellung der Cap. de la Azucena (oder del Magistral) der Kathedrale in Santiago. Er war bereits seit dem 27. 3. 1573 deren maestro mayor de obras, als er den südl. Teil des Kreuzganges der Kathedrale zum Abschluß brachte. Zugleich lieferte er den Entwurf für das Retablo der Cap. des Colegio de Fonseca (heute medizinische Fakultät). Ferner war er tätig: bei den Arbeiten am Kreuzgang des Klosters in Monfero, beim Umbau der Klöster von Sobrado u. Celanova, bei der Wiederherstellung der Brücken in Betanzos u. Ledesma,

wie er in seinem Testament erklärt, wo er auch seine Helfer aufführt: Juan de Cercedo (Brücke in Orense), Juan de Náveda (Betanzos), García de Velasco, Lopè Afonso und Juan Enjuto (diese 3 in Monfero u. Sobrado). Seine Witwe Catalina Ruiz de Durana heiratete den Maler u. Bronzegießer Juan Baut. Celma.

Santiago: Arch. munic., Libro de consistorios de 1568 á 75, fol. 83; Arch. de la Universidad, Libro 1º de claustros, fol. 94; Arch. notar., Protoc. de los escribanos Domingo Cabaleiro (Anno 1575, fol. 296—309), Bartolomé Guiralder (1572/73), u. Greg. Varquer (1576). — Lopez Ferreiro, Hist. de la Sta Iglesia de Santiago, VIII p. 178.
Pérez Constanti.

Herrera, Juan de, Architekt in Sevilla, 1512—24 Werkmeister (aparejador) an der Kathedrale.

Llaguno y Amirola, Not. de los Arquit. de España, 1829, I 147.

Herrera, Juan de, Architekt, geb. zu Mobellan (Asturien) um 1530, † in Madrid 15. 1. 1597. Stammte aus vornehmem Geschlecht, studierte bis 1548 in Valladolid Latein u. Philosophie, kam im Gefolge des Kronprinzen Philipp nach Brüssel, wo er 3 Jahre Architektur studierte, kehrte 1551 nach Spanien zurück, folgte dem Prinzen 1553 als Soldat nach Italien und wurde wegen seiner Tapferkeit und Klugheit zur Leibwache Karls V. befohlen, bei dem er bis zu dessen Tode in Yuste verblieb. 1559 wandte er sich als Schüler des aus Italien nach Madrid berufenen Juan Baut. de Toledo wiederum der Architektur zu. Seine geometrischen Zeichnungen für ein 1562 von der Universität Alcalá de Henares herausgegebenes Buch erregten Aufsehen. Am 18. 2. 1563 berief ihn Philipp II. auf Vorschlag Toledos zu dessen Gehilfen beim Escorial mit 100 Dukaten Jahresgehalt, der aber 14. 3. 1567 auf 150 gesteigert wurde und ab 1. 1. 1568 250 Dukaten betragen sollte. Nach Toledos Tode (19. 3. 67) übernahm H. die Bauleitung ohne Titel u. weitere Aufbesserung. Er erwarb sich das unbeschränkte Vertrauen des Königs u. wurde dessen Hofarchitekt, richtiger Bautenminister, da er nicht nur alle königl. Bauten entwarf oder die Pläne prüfte und verbesserte, sondern alle bedeutenden Bauten im Lande mit Ausnahme der Kirchen seiner Beurteilung unterbreitet wurden. Erst 18. 2. 1577 erhielt er einen höheren Gehalt (400 für die Arbeiten am Madrider Schloß, 400 für die des Escorial), später das ehrenvolle Hofamt eines aposentador de palacio und am 1. 1. 1587 1000 Dukaten Jahresgehalt auf Lebenszeit aus den Salinen von Cuenca. Nach dem Tod seiner 1. reichen Gattin heiratete der 51 jährige Ende 1581 eine blutjunge, arme Verwandte. Der ehemalige Soldat scheint seit ca 1560 körperlich nicht sehr kräftig gewesen zu sein. Die Bauten konnte er nicht persönlich leiten, nur selten erschien er an den Baustellen. Während er sämtliche Pläne für den Escorial selbst arbeitete, mußte er später die Zeichnungen mehr und mehr Schülern überlassen, vor allem Francisco de Mora, der unter H.s Leitung 1587 alle Zeichnungen für den Alcázar in Segovia, seit 1589 für den Escorial, seit 1591 für den Alcázar in Madrid anfertigte. 1593 übergab ihm H. die gesamten Arbeiten für den Escorial. — H. veränderte die ursprüngl. Pläne Toledos für den Escorial vollkommen. Die Revisionszeichnungen nach der Vollendung des Baues hat Pedro Peret 1587 gestochen. Dieses Hauptwerk, das Schloß, Kloster und Kirche umfaßt mit bedeutenden Nebengebäuden, war 23. 4. 1563 begonnen; der Bau der Kirche dauerte 1574—80; Schlußsteinlegung des Klosters Sept. 1584. H. ließ als erster die Werkstücke in den Brüchen u. nicht erst auf der Baustelle bearbeiten. — Als Gehilfe Toledos baute H. das Schloß von Simancas um, entwarf 1571 die Südfassade des Alcázar in Toledo und die 8 eckige korinth. Kapelle (durch Brände und Umbauten von H.s Ideen wenig mehr zu erkennen), erhielt im gleichen Jahr Auftrag für neue Pläne zum Schloß von Aranjuez (unter H. bis 1586 neue Südfassade vollendet, sowie ein Drittel der O.- u. W.-Fassade u. das Atrium), begann 1584 die Casa de oficios in Aranjuez (wie der Hauptbau aus Granit und Ziegeln), mit dem Schloß durch Korbbogenarkaden aus Granit verbunden, lieferte 1582 die Zeichnungen für den neuen Börsenbau in Sevilla, wobei er das Motiv des Evangelistenhofes im Escorial zugrunde legte. Der Bau, 14. 8. 1598 vollendet, zeigt durch die Schuld des ausführenden Architekten Juan de Minjares nicht alle Feinheiten des H.schen Entwurfs (vgl. Schubert a. a. O. p. 64, 65). 1585 entwarf er die Kathedrale von Valladolid, die aber nur teilweise zur Ausführung gelangte (Originalpläne u. Holzmodell noch in Vall. vorhanden). 31. 12. 1589 befahl der König die Errichtung von Herbergen in Torrelodones nach H.s Plänen. Nach 1596 begann man in Toledo mit dem Umbau des Zocodover, d. h. der den Platz umsäumenden Gebäude nach einem älteren Plan H.s, doch wurde nur auf der Ostseite ein Bruchteil umgebaut. — In Madrid baute er die sog. Segovianer Brücke über den Manzanares, die anscheinend in den 80er Jahren ausgeführt wurde, ferner bei Madrid die Brücke zwischen Galapagar und Torrelodones über den Guadarrama. H.s Anteil am Umbau des alten Schlosses in Madrid ist heute nicht mehr festzustellen. — Auf Wunsch des Domkapitels von Salamanca vom 31. 8. und 17. 12. 1588 prüfte er die neuen Pläne des dortigen Kathedralbaues. (Über versch., H. wohl zu Unrecht früher zugeschr. Bauten vgl. Schubert a. a. O. p. 69.)

H. ist Spaniens größter Architekt. Sein Hauptwerk, der Escorial, aber auch seine anderen Schöpfungen bilden den diametralen Gegensatz zum Stil u. Geist der Alhambra. Von jedem Spanier werden Alhambra u. Escorial als die Pole span. Kunst u. span. Empfindung betrachtet. Genial hat H. nicht nur künstlerisch formiert, was Philipp II. als Idealstil vorschwebte, sondern er hat mit seinen Schöpfungen den stolzen, ernsten, asketischen Charakter des Kastiliers u. Nordspaniers in Architekur umgesetzt. Kein Wunder daher, daß die Börse in Sevilla sich nicht in den Charakter der andalusischen Bauten restlos einfügt. Entwicklungsgeschichtlich bedeutet H.s Stil innerhalb der span. Architektur die stärkste Reaktion gegenüber dem bisherigen ornamentreichen Renaissancestil, der selbst noch unter Karl V. den plateresken Charakter nicht ganz verloren hatte. Aber H.s „estilo desornamentado" betonte doch ein Moment spanischer Art zu stark, als daß sich bei dem dualistischen Charakter der span. Kunst und dem Bedürfnis des Spaniers nach jenem maurischen, bzw. gotisch-barocken Einschlag H.s Stil sehr lange halten oder gar weiterentwickeln konnte. Allgemein entwicklungsgeschichtl. betrachtet, bedeutet H.s Kunst die monumentalste und edelste Um- und Weiterbildung italien. Renaissancearchitektur außerhalb Italiens. — Stets vornehm und großzügig, stark und männlich (selbst der dorische Stil schien ihm noch vereinfachungsbedürftig), in Proportionierung und Linienführung von edelstem Geschmack, konnte H. auf allen Schmuck verzichten. Eine leichte Verschiebung seiner meisterlichen Massengruppierung vergrößerte naturgemäß die Wirkung der noblen Silhouetten, was die Änderungen an der Sevillaner Börse beweisen. Mit der Escorialkirche, die nicht nur im Grundriß mit Sta Maria di Carignano in Genua gewisse Ähnlichkeit besitzt, hat H. die Grundform der Hofkirche geschaffen (Empore [mit Chor] dem Seitenaltarumgang entsprechend, sich um die Kirche ziehend). Nicht minder monumental ist die Anlage der Kathedrale in Valladolid, wo er den Typus der Prozessionskathedrale geschaffen hat. — Die äußere Physiognomie H.s ist uns durch eine Plakette a. d. J. 1578 und einen Stich des Otto van Veen überliefert.

Milizia, Memorie degli Archit., ed. 1785, I 254. — Llaguno y Amirola, Not. de los Arquit. de España, 1829, II 117—150 u. Reg. p. 393 f. — Pérez Pastor, Noticias y doc., II (1914). — O. Schubert, Gesch. d. Barock in Spanien, 1908. — J. Braun, S. J., Spaniens alte Jesuitenkirchen, 1913. — Martí y Monsó, Estud. rel. á Valladolid, 1898 ff. — Cean Bermudez, Ocios . . sobre bellas artes, 1870 (enthält: „Vida de J. d. H." . . . „Tres dialogos entre J. d. H. . . y Battista Antonelli"). — Jahrb. d. Kstsamml. d. Allerh. Kaiserh., XII 2. T. — C. Justi, Miscell. . . span. Kstlebens, 1908. — Quadrado, Valladolid (España), 1885 p. 149 ff.; ders., Salamanca (España), 1884 p. 73, 651. — Quadrado y V. de la Fuente, Castilla la Nueva (España), 1885 I 90. — Romera, Cuba etc. (España), 1887 p. 856 ff. — Díaz y Pérez,

Extremadura (España), 1887 p.822. — M a d r a z o , Sevilla y Cádiz (España), 1884 p. 610, 713 f. ; d e r s . , Navarra y Logroño (España), 1886 III 701. — G e s t o s o y P é r e z , Guía art. de Sevilla, 1886 p. 138, 158. — Arte Españ., I (1912) 49 f.

August L. Mayer.

Herrera Montanés, J u a n , Buchmaler, 1562 erwähnt, von Philipp II. beschäftigt.

V i ñ a z a , Adic. al Dicc. di Cean Bermudez, II (1889).

Herrera, J u a n d e , Architekt in Madrid, † 31. 9. 1627 ebenda, seit 1609 mehrfach erwähnt, Werkmeister (aparejador) an den Obras del Palacio, nicht zu verwechseln mit dem gleichnam. Architekten des Escorial.

L l a g u n o y A m i r o l a , Not. de los Arquitectos de España, 1829 III 113, 146.

Herrera, J u a n d e , Maler in Sevilla, lieferte 1627 die Vorlage für das Titelblatt zu Flavio Lucio Dextro (komm. von Rodrigo Caro), gestochen von Juan Mendez.

C e a n B e r m u d e z , Dicc. Histor., 1800 II.

Herrera, J u a n B a u t i s t a , Goldschmied in Murcia, lieferte 1628 das silberne Tabernakel und die dazugehörige Bahre, Geschenke der Stadtverwaltung an die Virgen de la Arrixaca, die Patronin von Murcia, für Feste u. Prozessionen. 1631 arbeitete er ein Paar Silberleuchter für die Kathedrale.

B a q u e r o A l m a n s a , Artistas Murcianos, 1913 p. 77.

Herrera y Lonzano, M a n u e l , Maler, geb. 1830 in Sanlúcar de Barrameda (Cádiz), kam 1846 nach Sevilla und wurde Schüler des Joaq. Domínguez Becquer, 1852 an der Acad. prov. d. B. Artes ebenda, siedelte 1862 nach Madrid über. Malte religiöse Bilder, Stilleben, Architektur-Interieurs (im Rathaus in Sevilla: Inneres der Kathedrale, der Patio de las doncellas), Landschaften, Bildnisse (Alfons XII. im Rathaus in Cazalla), zahlreiche Kopien, besonders nach Murillo, Porträtminiaturen und heraldische Arbeiten, so z. B. das Wappen des Marqués de Alcañices, Duque de Sexto (1876 in Madrid ausgestellt).

O s s o r i o y B e r n a r d , Art. Espñn. d. S. XIX, 1883 p. 333.

Herrera, M i g u e l d e , Fray, Maler, Augustinermönch, 1742—78 nachweisbar, tätig in Mexico; in der Samml. Lamborn befand sich ein Gemälde: Jesus heilt ein Kind.

L a m b o r n , Mexican Paint., 1891 p. 63, 68.

Herrera Barnuevo, S e b a s t i á n d e , Maler, Bildhauer u. Architekt, geb. in Madrid 1619, † ebenda 1671, Sohn u. Schüler eines Bildhauers A n t o n i o , der, aus Alcalá de Henares stammend, sich in Madrid niedergelassen und unter Crescenzi die Statuen der Engel und Tugenden an der Fassade des Hofgefängnisses ebenda (voll. 1643, heute Staatsministerium) gefertigt hatte. Später wurde H. Schüler des Al. Cano auf allen 3 Kunstgebieten, dann Zeichner an der kgl. Bauverwaltung. Für den Einzug der Königin Maria Anna (1649)

entwarf er Dekoration u. Figuren des auf dem Paseo del Prado errichteten Parnass. Damit gewann er das Lob Philipps IV., der ihn bald darauf zum maestro mayor de las obras de palacio ernannte. Es folgte die Bestallung zum maestro mayor der Stadt Madrid, des Schlosses Buenretiro,. zum Hofmaler und 1670 zum conserge des Escorial. — H. war Nachahmer des A. Cano, ohne doch dessen Qualitäten zu erreichen. Bermudez führt von Gemälden H.s an: Geburt Christi in S. Gerónimo, Bilder der Hochaltäre in der Iglesia de Recoletos Agustinos und in der Cap. de Jesús, María y José in S. Isidro el Real; ebenda in der Cap. N. Señora del Buen Consejo Fresken. Für die 1. u. 3. Kap. hat er die Architektur der Retablos entworfen und Figuren geliefert. Als Architekt war H. wesentlich beteiligt am Bau der Cap. S. Isidro an San Andrés, da er nach dem Tode des José de Villareal (die Kapelle war erst bis zum Sockel gediehen) die Oberleitung übernahm. Wieweit H. die Pläne der Vorgänger oder seine eigenen ausführte, ist ungewiß, sicher aber ist, „daß die ganze barocke Festdekoration, die auf Untersichten berechneten Gesimse und Detaillierungen, sowie der äußere und innere Aufriß dieses schönen Kuppelbaues auf einen sehr geschickten Barockmeister schließen lassen" (Schubert). 1657 Grundsteinlegung, 1669 Übertragung der Gebeine des Hl., 1671 arbeitete Carlus Blondei laut Inschrift an der reichen Dekoration des Inneren. In Sto Tomás ein Kruzifixus u. eine schmerzensreiche Maria in deutlicher Abhängigkeit von Cano. Im Monasterio des Escorial mehrere Gemälde.

P a l o m i n o , El Museo Pictorico, 1795 ff., III 557 ff. — C e a n B e r m u d e z , Diccion. Hist., 1800 II 286. — V i ñ a z a , Adicion. al Cean Bermudez, II (1889) 281. — L l a g u n o y A m i r o l a , Not. de los Arquit., 1829, IV 58 ff. — Z a r c o d e l V a l l e , Docum. ined. etc., 1870 p. 432 ff. — S c h u b e r t , Gesch. d. Barock in Spanien, 1908, Abb. — S e n t e n a c h , Pintura en Madrid, 1907 p. 135. — Bolet. de Soc. espñn. de Excurs., XVII (1909) 222 f., Abb.; XXIII (1915) 138 f. — P o l e r o , Cat. del real Monast. de S. Lorenzo (Escorial) 1857, No 126, 182, 397, 449.

Herrera Hinestrosa, F r a n c i s c o , siehe 2. Art. *Herrera*, Fr., gen. el Mozo.

Herreras, R o d r i g o d e , Glasmaler, schließt 1551 Vertrag über Wiederherstellung alter und Lieferung neuer Glasfenster für die Kathedrale in León, die ohne Zweifel in denen der Chorkapellen wiederzuerkennen sind, so in einer Geburt Christi, einer Anbetung der Könige und einer hl. Familie (dat. 1565).

Q u a d r a d o , Asturias y León (España), 1885 p. 446. — B r a v o , León (Guía), 1913 p. 105.

Herrero, J o s é , Architekt aus Valencia, lieferte 1736 die Pläne für die damals begonnene (1766 voll.) Kirche in Alcalá de Chisbert (nordöstl. von Valencia am Meer).

L l o r e n t e , Valencia (España), I (1887) 214.

Herrero, J u a n , Zeichner, lieferte 1679 neben Domingo de Guergo und Juan de Arroyo die Entwürfe für die Ornamente des Abschlußgitters der Cap. Mayor der Kathedrale in Burgos.

P. L a f o n d in L'Art décoratif, XXIX (1913) 25.

Herrero y Pérez, Z e n o n , Maler aus Soto- bañado (Palencia), Schüler von Domingo Val- divieso y Henarejos in Madrid, zeigte 1876 in der Ausst. in Madrid Genrebilder, auch in früheren Ausst. in Valladolid.

O s s o r i o y B e r n a r d , Art. Españ. d. S. XIX, 1883 p. 333.

Herreros, L l o r e n t e , Kunstschmied in Valladolid, geb. um 1516, erscheint 1548 als Zeuge in dem Prozeß zwischen Juan de Juni u. Francisco Giralte, konkurriert 1555 um das Abschlußgitter des Chors der Kathedrale in Palencia, wobei jedoch Gaspar Rodriguez Sieger blieb und die Ausführung erhielt.

Z a r c o d e l V a l l e , Docum. ined., 1870 p. 164. — P. L a f o n d in L'Art décoratif, XXVII (1912) 306. — O r d u ñ a y V i g u e r a , Rejeros españ., 1915. — M a r t í y M o n s ó , Estud. relat. á Valladolid, 1898—1901.

Herreros y Manzanas, P e d r o , Gold- schmied, schätzte 1524 die silberne Custodia, die Enrique de Arfe für die Kathedrale in Toledo in Auftrag hatte.

C e a n B e r m u d e z , Diccion., 1800 II.

Herreyns, flämische, vornehmlich in Ant- werpen tätige Künstlerfamilie, deren Mitglieder in zeitlicher Ordnung folgen. (Stammbaum s. u.)

D a n i e l , erwähnt 1643 bei der Taufe seines Sohnes Jacob I, als Trauzeuge bei dessen Vermählung 1677, Taufpate seines Enkels Daniel I 1678. Daß er Künstler gewesen sei, wird nicht angegeben, doch pflegt man ihm 5 Radierungen der 1. Hälfte des 17. Jahrh., die D. Herreyns und Herrens bezeichnet, aber nicht datiert sind, zuzuschreiben, laut Katalog der Samml. de Ridder (danach Wurzbach).

Cat. Musée d'Anvers, 1857 p. 386 (danach R o m b o u t s - L e r i u s , Liggeren, II 409 Anm. 7). — P h. v. d. K e l l e n , Cat. rais. d'est. de feu M. de Ridder, Rotterdam, 1874 No 461/65. — A. v. W u r z b a c h , Niederl. Kstlerlex., I (1906). — M i r e u r , Dict. d. Ventes d'art, III (1911) 438 (unter Herrens).

J a c o b I, Maler u. Radierer, geb. zu Antwerpen 1643 (getauft 23. 12.) † ebenda 1. 1. 1732, wurde 1671/72 Schüler des Norbert van Herp und 1676/77 Meister der Antwerpener Lukasgilde; er selbst meldete 1695/96 zwei und 1700/01 einen Lehrling an. Verheiratete

sich 1677 (13. 12.) mit Maria Katherina Smout; von seinen 10 Kindern wurden Daniel I und Jacob II ebenfalls Maler. Er war Münzmeister von Brabant. Gemalt hat er vornehmlich Kirchenbilder; ein „Gottvater in den Wolken" im Antwerpener Mus.; einen „Christus und die Jünger in Emmaus" sah v. d. Branden 1883 in der Slg Moons. Ferner soll er Teppich- entwürfe gezeichnet haben. 3 Radierungen von ihm, „Abschied des Adonis von Venus", „Tod des Adonis" und „Fußwaschung Christi" (bez. dat. 1712), sind im Kat. de Ridder be- schrieben.

R o m b o u t s - L e r i u s , Liggeren, II. — C h r. K r a m m , Levens en Werken, II (1859) u. Aanh. (1864). — A. M i c h i e l s , Hist. de la Peint. flam., ² X (1876) 498. — J. v a n d e n B r a n d e n , Gesch. d. Antwerpsche Schilder- school, 1883 p. 1255. — Catal. du Musée d'Anvers, 1857 p. 386. — Catal. rais. d'est. . . de feu M. de Ridder par P h. v a n d e r K e l l e n , Rotter- dam, 1874 p. 76 f.

D a n i e l , I, Maler, geb. in Antwerpen 1678 (getauft 25. 9.), nach van den Branden taub- stumm. Linnig nennt von ihm eine Radie- rung (?) „Dame de condition avec son enfant et un petit chien abrité sous un parasol".

Catal. Musée d'Anvers, 1857 p. 386 (danach R o m b o u t s - L e r i u s , Liggeren, II 409 Anm. 7). — L i n n i g , Gravure en Belg., 1911.

J a c o b II, Maler, geb. zu Antwerpen 1687 (getauft 25. 8.), † 1732, 1715/16 als Meisters- sohn in die Antwerp. Lukasgilde aufgenommen.

R o m b o u t s - L e r i u s , Liggeren, II 409 Anm. 7, 696, 699, 764.

D a n i e l II, Bildhauer, tätig in Antwerpen, wo er 1751 Meister wurde und bis 1772 zahl- reiche Lehrlinge anmeldete; fertigte die Figur der Riesin für den Antwerpener „Ommegank". Erhalten haben sich 6 Supraporten in 3 ver- schiedenen Räumen des Museums Plantin-More- tus in Antwerpen, alleg. Fig. in Hochrelief darstellend (1781).

R o m b o u t s - L e r i u s Liggeren, II. — F ü ß l i , Künstlerlex., 1779. — J. v a n d e n B r a n d e n , Gesch. der Antwerpsche Schilder- school, 1883 p. 1256. — E. M a r c h a l , Sculpt. etc. belges, 1895 p. 606. — Catal. du Musée Plan- tin-Moretus, 1887.

J a c o b III, Maler, meldet 1758/59 einen Lehrling an; vermählt mit Catharina Praet.

R o m b o u t s - L e r i u s , Liggeren, II 810.

W i l l e m Jacob, Maler, geb. zu Antwerpen 1743 (getauft 10. 6.). † ebenda 10. 8. 1827, be- suchte die dort. Akad. mit Auszeichnung und lehrte schon seit 1765 an ihr. 1767 ging er auf Reisen. Am 27. 6. 1771 verheiratete sich mit Dorothea Lallemand, mit der er nach Mecheln zog. Hier gründete er 1772 die Kunstakad., an der er lehrte, bis er (1798?) als Professor der Akad. nach Antwerpen übersiedelte. H. vertritt gegenüber der französ.-klassizist. Strömung in der niederländ. Malerei seiner Zeit eine mehr heimatliche Richtung, die sich an die Kunst des 17. Jahrh., insbesondere an Rubens anlehnt. Eine unverkennbare Be-

Stammbaum der Herreyns:

```
            Daniel
               |
            Jacob I
     ┌─────────────────┐
  Daniel I          Jacob II
     └─────────────────┘
  Daniel II         Jacob III
                        |
                   Willem Jacob
```

gabung für großen Bildaufbau und reiche Formengestaltung läßt ihn als den besten der späten Rubens - Nachahmer erscheinen. Er malte religiöse u. histor. Darstell. und Bildnisse. Im Mus. in Antwerpen „Christus am Kreuz", im Mus. Brüssel „Anbetung der Könige", in der Nikolauskirche in Brüssel ein Abendmahl, in der Pfarrkirche zu Deurne „Reinigung Mariä", Kirche der Abtei Parc in Löwen „Himmelfahrt Mariä" (1787), Frauenkirche in Antwerpen „Jünger von Emmaus", Romualdskirche in Mecheln eine Reihe Bilder aus dem Leben des hl. Romuald, Johanneskirche ebenda „Franz v. Assisi im Gebet", „Joh. d. T. in der Wüste" (1813), „Gott-Vater" (1792), „Jünger von Emmaus" (1793), in der Kapelle des erzbischöfl. Seminars ebenda das „hl. Herz Jesu", im Sprechzimmer d. Seminars „Christus am Kreuz", im Refektorium der Celliten „Jünger von Emmaus", im Fitzwilliam-Mus. in Cambridge „Anbetung der Könige" und „Anbetung der Hirten". Bildnisse im Kgl. Mus. und im Mus. Plantin-Moretus in Antwerpen, im Mus. zu Mecheln, im Wallraf-Richartz-Mus. zu Köln und in St. Katharina zu Mecheln (Bildnis des Ch. van Pyperseel an dessen Grabmal [† 1778]). An histor. Darstell. schuf H. um 1767 eine Reihe von Zeichnungen aus der niederländ. Geschichte für den Rat von Mecheln, 1780 eine Bilderfolge aus dem Leben Gustav Wasas für Gustav III. von Schweden, die jedoch unvollendet blieb. Erhalten haben sich im Mechelner Mus. seine Entwürfe von Festwagen und Allegorien, für das Jahrtausendfest des Hl. Romuald 1775. Eine ähnliche Aufgabe übernahm er 1791 in Mecheln zur Feier der Thronbesteigung Josephs II. Nach ihm stachen: Glauber die Festlichkeiten zur Jahrtausendfeier des Hl. Romuald, Dandeleu ein Bildnis Joh. Heinrich von Frankenbergs, Antoine Cardon die Bildnisse Josephs II. und Emanuel Marie Cocks. Sein Bildnis lithographierte J. B. Tétar van Elvens (1826).

F ü ß l i, Künstlerlex., 2. Teil, 1806 ff. — v a n E y n d e n u. v. d. W i l l i g e n, Gesch. d. vaderl. Schilderkunst, III (1820). — N a g l e r, Künstlerlex., VI. — R a c z y n s k i, Gesch. der neueren deutsch. Kst, III (1841). — I m m e r z e e l, Levens en Werken, II (1843). — La Renaissance, V (1843/44) 51 ff. — K r a m m, Levens en Werken, Aanh., 1864. — Kermisfeesten van Antwerpen, 1864 p. 204 ff., 222 ff., 227 f., 230, 233, 239. — E. N e e f f s, Hist. de la Peint. etc. à Malines, I (1876) ; d e r s., Tabl. sculpt. et objets d'art .. de Malines, 1891. — v. E v e n, Louvain Monum., 1860. — P o r t a l i s, Dessinat. d'Illustr., 1877. — J. v a n d e n B r a n d e n, Gesch. d. Antwerpsche Schilderschool, 1883. — G é n a r d, Anvers à travers les Ages, II (1888). — J. F. v a n S o m e r e n, Beschryv. Catal. van gegrav. Portr., III 766. — E. M a r c h a l, Sculpt. etc. belges, 1895 p. 549, 550. — D u p l e s s i s, Catal. des Portraits de la Bibl. Nat., 1896 ff., IV 16530/3, 23626/65. — Kat. der gen. Samml. — Cat. Expos. d'Archit. Bruxelles, 1883 p. 47, 52, 58, 69. *Z. v. M.*

Herreyns, K a r e l, Maler in Antwerpen, stellt 1813 in Antwerpen einen „Johannes in der Wüste" aus. Wird noch 1815 als Akademieschüler genannt.

v a n d e n B r a n d e n, Geschied. d. Antwerpsche Schilderschool, 1883.

Herrfurth, O s k a r, Maler, geb. 5. 2. 1862 in Merseburg, gebildet an der Kunstschule in Weimar, wo er bis 1910 lebte, seitdem in Hamburg; malt Genrebilder, später Märchenbilder; auch als Illustrator tätig. Stellt seit 1891 in der Gr. Kst.-Ausst. in Berlin aus, 1907 u. 08 auch im Münchener Glaspalast.

Ausst.-Kataloge, mit Abb.: Berlin, Gr. Kstausst. 1901.

Herrgott (eigentl. *Beyer*), L e o n h a r d (Lienhart), Maler und Schnitzer, erwirbt 1505 in Zwickau ein Haus neben dem Kloster und ist bis etwa 1540 nachweisbar. Malte 1510 das Beinhaus an der Marienkirche aus, wobei er einen Gesellen beschäftigte. Aus der großen Zahl seiner weiteren Arbeiten für die genannte Kirche sei die Renovierung eines Vesperbildes (1514) und die Anfertigung eines „Heiligen Geistes" (1518) hervorgehoben. 1520 erhielt H. von der Zunft der Schuhmacher einen Auftrag für Anfertigung eines Geprenges für einen Altar im Kloster, doch kam die Arbeit nicht zur Ablieferung. Erscheint H. hier als Schnitzer, so läßt der Umstand, daß ihm 1523 ein Gemälde des Jüngsten Gerichtes für den Altar der Rathaus-Kapelle verdingt wurde, darauf schließen, daß er auch als Maler tätig war. H. wohnte mit dem Maler Dionysius zusammen, hatte mit ihm also vermutlich zuim gemeinsame Werkstatt. In seinen späteren Jahren erscheint er häufig mit Schulden belastet; zuletzt mußte er vom Rate Armenunterstützung beziehen. — Erhaltene Werke bisher nicht nachgewiesen.

Kirchenrechnungen und Stadtbücher der Stadt Zwickau 1500—1540 (m. Reg.). *Walter Hentschel.*

Herrich, K a r l J o s e p h E m m a n u e l v o n, Maler u. Zeichenlehrer, geb. 5. 9. 1786 in Ravensburg, † 4. 11. 1856 ebenda, malte in seiner Jugend Ölgemälde auf Leinwand u. Holz: Porträts, Familienstücke, Landschaften; als Maler unbedeutend. Brachte eine umfangreiche Samml. von Gemälden u. Skulpturen, besonders des deutschen 15. Jahrh. zusammen, die nach seinem Tode zerstreut wurde.

E b e n, Gesch. d. St. Ravensburg, I 332; II 480. — Archiv f. christl. Kst, VII (1889) 57. — Diözesan-Archiv v. Schwaben, XXI (1903) 103.

Herrick, W i l l i a m S a l t e r, Bildnis- und Genremaler, tätig in London, wo er 1852—80 die Ausstell. der Royal Acad. und Brit. Instit. hauptsächlich mit Darstell. von Szenen und Frauengestalten aus Shakespeare beschickte. Die Shakespeare-Gedenkhalle in Stratford-on-Avon besitzt H.s 1886 gem. Ölbild „Rosalinde" als Geschenk des Künstlers (1888). W. H. Mote hat nach ihm das Bildnis der Countess of Kintore (R. Acad. 1855) für Bogue's Court Album punktiert.

Graves, Dict. of Artists, 1895; R. Acad., IV (1906); Brit. Inst., 1908; Cent. of Loan Exhib., 1913 f. II. — Illustr. Cat. of pictures . . Shakespeare Memorial at Stratford-on-Avon, 1896 p. 57, m. Abb. — Cat. of engr. Brit. Portr. Brit. Mus., II (1910) 703.

Herricx, Guillaume, Maler aus Antwerpen, nur bekannt durch ein 1738 gemaltes Bild der hl. Anna Selbdritt mit Joachim u. Joseph, das sich ehemals in der Annenkap. der Michaelskirche in Gent befand.

Kervyn de Volkaersbeke, Les églises de Gand, II (1858) 80.

Herring, James, Maler, geb. 1796 in London, † 1867 in Paris, kam als 10 jähriger nach New York, war anfangs als Kartenmaler ebenda u. in Philadelphia tätig, wo er ein gesuchter Porträtmaler wurde. Mit J. B. Longacre gab er 1834—39 in Philadelphia „The National Portrait Gallery of distinguished Americans" heraus, eine Folge von Porträtstichen (meist nach fremden, aber auch eigenen Vorlagen), die in Lieferungen erschien.

Dunlap, Hist. of the Arts of Design in U. States, II (1834) 296 ff. — Bryan, Dict. of paint., ³ 1903 ff., III.

Herring, John Frederick I, engl. Tier- und Genremaler, geb. in Surrey 1795, † in Meopham Park bei Tunbridge Wells 23. 9. 1865. Zuerst bei seinem Vater, einem amer. Handelsmann holländ. Abkunft, in London als Schilder- und Kutschenmaler tätig. Mit 18 Jahren kam er nach Yorkshire, wo er 1814 als Pferdeliebhaber das St. Leger-Rennen in Doncaster besuchte. Er fuhr dann 2 Jahre die Postkutsche zwischen Wakefield und Lincoln, darauf zwischen Doncaster und Halifax und zuletzt 4 Jahre zwischen York und London, in seiner freien Zeit sich der Malerei widmend und — zunächst mit geringem Erfolg — Pferde malend. Auf den Rat seiner Freunde gab er seinen bisherigen Beruf auf und ließ sich in Doncaster nieder, nachdem er kurze Zeit den Unterricht des Pferdemalers A. Cooper genossen hatte. Sein Ruf als Pferdemaler wuchs rasch und verschaffte ihm zahlreiche Aufträge seitens des Landadels. So malte er 33 Jahre hindurch alljährlich die Sieger des St. Leger-Rennens in Doncaster. Von dort verlegte er 1830 seinen Wohnsitz nach Newmarket und 3 Jahre später nach London, wo er hinfort ansässig war. Er stellte 1818—46 regelmäßig in der Londoner Royal Acad. aus und beschickte daneben häufig die Ausstell. der Brit. Instit. und der Soc. of Brit. Art., der er 1841—52 als Mitglied angehörte. Vordem ausschließlich Pferdemaler, erweiterte er in London, wo seine besten Werke entstanden, sein Stoffgebiet durch Darstellungen von Pferdeställen, Jagd- und Rennszenen, Gutshöfen, Märkten u. dgl. H.s Arbeiten waren seiner Zeit in England und Amerika, wo sie durch Stichreproduktionen und Sportzeitschriften weite Verbreitung fanden, ungemein populär. Zu den bekanntesten gehören: Rückkehr vom Derby in Epsom; Markttag; Pferdemarkt, u. a. Er veröffentlichte auch eine Bilderfolge „The Horse" (12 Bl.). H. erhielt viele Aufträge von Hof und den Titel eines Hofmalers der Herzogin von Kent. — Werke in öffentl. Slgn: London, Tate Gall.: Ein frugales Mahl (gestochen von J. Burnet u. E. Hacker; Replik in der Gal. zu Leeds); Guildhall: Pferde am Brunnen. Dublin: Rappe am Trog. Glasgow: Pirschgänger; Entengruppe; Jagdgesellschaft. Leicester: „The Halt". Reading: 2 Bilder, Gutshöfe darstellend. Melbourne (Austr.): Pferde und Schweine. New York, Public Library Gall.: Abschiedstrunk, Zeit Karls I. — Eine Tuschzeichn. H.s befindet sich im Brit. Mus. (Printroom). Ein Bildnis H.s, s. Lit. — H.s Gattin Kate, geb. Rolfe, Genremalerin, stellte 1866 in der Soc. of Brit. Artists aus. — Seine Söhne Benjamin († 1871), Charles († 1856) und John Frederick II (s. folg. Art.) folgten dem väterl. Beruf.

Memoir of J. F. Herring, Sheffield 1848 (mit Bildnis nach W. Betham von J. B. Hunt gest.). — Redgrave, Dict. of Artists, 1878. — Bryan, Dict. of Painters etc., ed. Williamson, 1903 ff. III, mit Taf. — Dict. Nat. Biogr., XXVI (1891) 258 f. — Art Journal, 1865 p. 172 (m. Tafel), 328 (Nekrol.). — Graves, Dict. of Artists, 1895; R. Acad., IV (1906); cf. VIII 420; Brit. Inst., 1908; Cent. of Loan Exhib., 1913 f. II; IV 1964 f.; V 2257. — Poynter, Nat. Gall. etc., 1900 I. — Kat. der gen. Slgn. — Cat. of Drawings by Brit. Artists, Brit. Mus. II (1900).

Herring, John Frederick II, Maler, † 6. 3. 1907 in London 92 jährig, Sohn des John Frederick I (s. d.), Pferde- u. Sportmaler, zeigte seine Bilder 1863—73 in der Roy. Acad., Brit. Instit. u. in Suffolk Street.

The Art Journal, 1907 p. 160, 251, 360. — Graves, Dict. of Art., 1895; ders., Roy. Acad., IV (1906); Brit. Instit., 1908.

Herrle, Karl, Maler aus München, 1870 bis 72 am Stadttheater in Riga als Dekorationsmaler tätig, stellte wiederholt in Riga Landschaften aus; malte Ansichten aus dem alten Riga und aus Treyden. — Vielleicht identisch mit dem von Nagler erwähnten gleichnamigen Ingenieur, der seit 1850 an der bayr. Staatsbahn beschäftigt war und Ansichten von Bahnstrecken mit Stationsgebäuden, Brücken u. a. in Aquarell malte.

Neumann, Lex. balt. Kstler, 1908. — Nagler, Monogr., IV 794.

Herrlein (Herlein), Andreas, Maler, † 1817 in Laibach. Sakcinski erwähnt von ihm eine Reihe Bilder: 1. Die hl. drei Könige, Altarbild, Laibach, Franziskanerkirche. 2. Hl. Rosalie, Laibach, Florianskirche. 3. Der sterbende Joseph, Altarbild zu Rann (Brežce), Steiermark, bez. Herlein p. 1780. 4. Bildnis eines marokkanischen Gesandten von 1780, Bildnis des Barons A. v. Erberg, beide im

Schloß Lustthal bei Laibach. 5. Wandgemälde der Leidensgeschichte Christi in der Pfarrkirche zu St. Peter bei Wendel an der Gurk. 6. Mehrere Bildnisse von Mitgliedern der Familie von Auersperg in Lebensgröße, nach alten Bildern auf Schloß Auersperg. 7. Bildnisse: Sigm. Anton u. Georg Jacob, Grafen von Hohenwart, Sigm. Freiherr von Zois, Herbert Graf Barbo, Stadtpfarrer Carl Edler v. Peer, Domherr Joh. Jac. Schilling, sämtlich im Lesesaal der Lyceal-Bibl. in Laibach. — In der Erzherzog-Carl-Ausst. zeigte die Stadt Laibach ein Gemälde mit den Bildnissen „von 3 Offizieren und einem Unterjäger des Laibacher bürgerl. Jägerkorps", bez. Andreas Herrlein, dat. Laybach 1. 5. 1811; aus dem Besitz des Mus. Rudolfinum in Laibach ein Ölbild „Truppenparade", bez. und 1798 datiert. — Ebenda war ausgestellt aus dem Besitz des Nat.-Mus. in Agram ein Bildnis des Adam Franz, Baron Burich de Pournay, bez.: „J. B. H e r l e i n pinx".

Mitt. d. histor. Vereins für Krain, 1848 p. 75; 1853 p. 92; 1855 p. 28; 1857 p. 63. — K u k u l j e v i ć - S a k c i n s k i , Leben südslav. Kstler. 1868 II 3 f. (Übers. aus desselb. Verf. Slovnik umjetnikah jugoslavenskih, Agram 1858). — C. v. W u r z b a c h , Biogr. Lex. Kaiserth. Oesterr., VIII (1862). — Cat. Erzherz.-Carl-Ausst., Wien 1909 p. 248, 310, 383.

Herrlein (Herlein), J o h a n n A n d r e a s , Maler, geb. angeblich 1720 zu Würzburg, † 1796 zu Fulda. Genauere biogr. Nachrichten fehlen; auch Gwinner, der sich am ausführlichsten über ihn geäußert, scheint keinerlei Archivalien benutzt zu haben. Der Würzburger Lokalforschung ist er unbekannt. Jugendwerke von ihm aus d. J. 1746 sind das Deckengemälde der Himmelfahrt Mariae und das Hochaltarbild der Geburt Christi (beide bez. u. dat.) in der Kirche zu Eltingshausen (Bez.-A. Kissingen). Hielt sich später in Fulda auf, wo er 6. 2. 1747 heiratete (Mitt. Josten) u. den Bischöfen Heinrich v. Bibra und Adalbert von Harstall als Hofmaler, auch mit zahlreichen Gelegenheitsarbeiten, diente, daneben in Frankfurt a. M., wo er zu jener, besonders durch Goethes „Wahrheit und Dichtung" bekannten Lokalschule der Schütz, Juncker, Seekatz usw. gerechnet wird, die den niederländ. Kabinettmalern des 17. Jahrh. nacheiferten. H.s Vorbild war besonders Teniers d. J., in dessen Geschmack er in kleinem Format zahlreiche Genrebilder gemalt hat, besonders Bauernszenen, aber auch Landschaften mit Staffage, Jagden, biblische Gegenstände, Architekturstücke, Stilleben usw. In vielen öffentl. und Privatsamml. besonders Westdeutschlands ist er anzutreffen, meist mit Bilderpaaren, die als Gegenstücke gedacht sind, so in Schloß Bamberg, in Basel, Darmstadt, Amalienstiftung zu Dessau (6 Werke), im Histor. Mus. und Städelschen Institut zu Frankfurt a. M., in

Hanau (Mus. des Gesch.-Vereins), Kassel, Mainz, Nürnberg, Prag. Aus Darmstädter Privatbesitz (Frhr v. Leonhardi) brachte die Darmst. Jahrh.-Ausstell. 1914 zwei Landschaften. Aus älteren Frankfurter Samml. zählt Gwinner verschiedenes auf. Einige dieser Werke, besonders späte aus den 80er oder 90er Jahren, sind bez. mit Initialen oder Monogramm oder auch mit vollem Namen. Bei vielen sollen, nach Gwinner, seine Söhne mitgeholfen haben. Interessanter als die sauberen, aber recht trockenen Gemälde sind ein paar lavierte Federzeichnungen (Landschaften mit Reisenden) im Städelschen Instit. Als Freskomaler hat er sich in seinen späteren Jahren in der Fuldaer Pfarrkirche betätigt. Auch in der Kirche des Klosters Frauenberg zu Fulda sind Gemälde von ihm. — Ein L e o n h a r d H., wohl Nachkomme des Joh. A., Maler u. Restaurator, kommt aus Fulda nach Wien, malt 1779 in einem Hause der Sternwartgasse in Wien ein Stiegenhaus al fresco mit Darstell. der Landwirtschaft aus, restauriert 1786/87 die Gemälde der Schottenkirche in Wien (Mitt. d. k. k. Central-Comm., N. F. XXII [1896] 108).

G w i n n e r , Kunst und Künstler in Frankf. a. M., 1862 p. 290 f. — N a g l e r , Monogr., I, III. — P a r t h e y , Dtscher Bildersaal, I (1863). — H. G r o t e f e n d in Mitteil. d. Ver. f. Gesch. u. Altertumskde in Frankf. a. M., VI (1881) 261. — W o l t m a n n - W o e r m a n n , Gesch. d. Malerei, 1879 ff. — G. B i e r m a n n , Deutsches Barock u. Rokoko, 1914 II (Katalog d. Darmstädter Jahrhundert-Ausst. 1914). — Hessenland, XXIX (1915) 203. — Kstdenkm. Bayerns, III, Heft 10 (1914) 94 (m. Abb.). — Museumskatal.: Schloßgal. Bamberg, 1901 Nr 33—50; Basel, 1908 Nr 281, 282; Darmstadt, 1914 Nr 364; Amalienstiftung Dessau, 1913 Nr 532, 543, 545, 549, 551, 557; Städelsches Institut Frankf. a. M., 1900 Nr 376, 377; Kassel, 1913 Nr 682, 683; Mainz, 1911 Nr 351; Nürnberg, Germ. Mus., 1909 Nr 478; Prag, Rudolfinum, 1913 p. 27. _L. Bruhns._

Herrlein (Hörlein), J o h a n n P e t e r , Kirchenmaler; in der Rechnung für ein 1766 bestelltes, jetzt untergegangenes Deckengemälde in Egenhausen als „Peter Hörlein von Kleineibstadt" (Dorf im Bez.-A. Königshofen, Unterfr.), erwähnt; sonst bis jetzt nur aus seinen Werken bekannt, von denen sich eine stattliche Anzahl im nördl. Unterfranken, besonders im Grabfeldgau, erhalten hat. Nach den häufig vorkommenden Jahreszahlen auf seinen Bildern hat sich seine Tätigkeit durch die ganze 2. Hälfte des 18. Jahrhunderts erstreckt; 1750 erhält er schon Bezahlung für Malereien in Schnackenwerth, B.-A. Schweinfurt, 1753 ist ein Deckengemälde in Reuchelheim (B.-A. Karlstadt) datiert, andre in der Wallfahrtskirche zu Saal (B.-A. Königshofen) dagegen sind durch das darin vorkommende Wappen des Fürstbischofs Georg Carl v. Fechenbach auf die Zeit zwischen 1795 und 1803 festgelegt. Außer diesen Arbeiten hat er noch folgende mit vollem Namen signiert: die

Deckengemälde in Althausen, B.-A. Königshofen (50 er Jahre), Zeil, B.-A. Haßfurt (1761), Rödelmaier, B.-A. Neustadt a. S. (1763), Sondheim v. d. Rhön, Thüringen (1775), Großwenkheim, B.-A. Kissingen, Merkershausen u. Oberessfeld, beide im B.-A. Königshofen (beide 1777), Kleinbardorf, ebenda (1781), Sulzdorf, B.-A. Hofheim (1783); Altarbilder in Ipthausen, B.-A. Königshofen (nach 1755), und Ostheim, B.-A. Hofheim (1774). Zugeschrieben werden ihm die besonders guten und umfangreichen Deckenbilder in Geldersheim, B.-A. Schweinfurt, ferner Altarblätter in Großwenkheim und Eyershausen, B.-A. Königshofen. In seinen Deckengemälden sind durchweg die Lieblingsthemen der Zeit — Himmelfahrten, Anbetungen der Dreieinigkeit, Triumphe der Kirche — in einem meist kleinfigurigen, relativ zeichnerischen, aber sehr bewegten Stil dargestellt. Reiches Rocaillewerk (aus Stuck oder gemalt), bildet in der Regel die Umrahmung; den Hauptbildern schließen sich gern in den Ecken kleinere der Kirchenväter an. Dem Rokoko bleibt dieser tüchtige, aber von den großen Zentren entfernt lebende Lokalmeister auch in den letzten Jahrzehnten des Jahrhunderts treu. Die Herkunft seiner Kunst dürfte eher in Augsburg als in Würzburg zu suchen sein, denn vieles darin erinnert an Bergmüller, so gut wie nichts dagegen an Tiepolo.

Bau- und Kunstdenkm. Thüringens, XXXVII (Sachsen-Weimar-Eisenach, Bd IV), 1911 p. 290 mit Abb. — Kstdenkm. Bayern, III Heft 4 (1912) 186 (Abb.), 187; Hft 5 (1912) 82, 92; Hft 6 (1912) 156; Hft 10 (1914) 109, 110; Hft 13 (1915) 18, 33, 49 (mit Abb.), 69, 112, 114, 121, 132; Hft 17 (1917) 108, 136 (mit Abb.), 244; Heft 22 (1922) 150. *L. Bruhns.*

Herrlein, L e o n h a r d , s. unter *Herrlein,* Joh. Andreas.

Herrliberger, D a v i d , Kupferstecher und Verleger, geb. 1697 in Zürich, † ebenda 1777, Sohn des Joh., lernte bei J. M. Füßli und dem Mathematiker J. J. Fäsi, war 1719—22 in Augsburg in der Werkstatt des J. D. Herz, 1722 bis 27 in Amsterdam bei dem Stecher Bernard Picard, dessen Art er vorzugsweise annahm. 1727 in London, 1728/29 in Paris, ließ sich 1729 in Zürich nieder, wo er mit zahlreichen Gesellen eine Werkstatt unterhielt, deren Erzeugnisse H. in einer eigenen Kunsthandlung vertrieb. — H.s Blätter sind glatt u. sauber in der Weise des Picard gestochen, den er auch nachgestochen hat, z. B. in dem Werk: „Inventionen großer Männer ...", welche aus dem Werk des B. Picart mit dem Titel: Unschuldiger Betrug nachgestochen u. verlegt wurden durch D. H.", Zürich 1741 ff. — Meist arbeitete er nach fremden Vorlagen. Seine Bedeutung liegt weniger im Künstlerischen, als in seiner Verleger-Tätigkeit, da er mit den von ihm verlegten Werken wichtige Beiträge zur schweizer. Kulturgeschichte geliefert hat, z. B. Religionsge-

bräuche der Reformierten in der Schweiz (angehängt dem Werk „Heil. Ceremonien u. Gottesdienste der Völker der Welt", Zürich 1748), Trachtenbilder (vgl. „Schweiz" 1908 p. 433, Abb.), Ausrufbilder (vgl. 4. Jahresber. d. Schweizer. Landesmus. in Zürich, 1895 p. 32) usw. Sein Hauptwerk ist die „Helvet. Topographie", 1754—73 (meist nach Zeichn. des Em. Büchel), die noch heute durch die getreue Wiedergabe historisch u. landschaftlich interessanter schweizer. Örtlichkeiten wichtig ist. H. lieferte auch zahlreiche Porträtstiche, von denen Heinecken u. Le Blanc unvollständige Verzeichnisse geben.

Joh. Casp. Füßli, Gesch. u. Abbild. d. besten Mahler in der Schweiz, 1769—79, IV 117 ff. — Heinecken, Dict. des artistes, 1778 ff. (Ms. Kupferstichkab. Dresden). — Le Blanc, Manuel, II. — Duplessis, Cat. Port. Bibl. Nat. Paris, 1896 ff., I 1736, 37, 38; II 7981/10; III 14687; IV 16788, 18060, 20246/22, 20926, 20928; V 21820, 21930, 21957/13, 22335, 22532, 22535; VI 26517. — Nagler, Monogr. II; Kstlerlex. VI. — D. Burckhardt in Brun's Schweizer. Künstlerlex., II (1908) 49f. u. 709. — „Schweiz", 1908 p. 59 ff. Abb.; 1911 p. 379 Abb. — Heimatschutz, 1918 p. 20 ff. Abb. — Bl. f. bern. Gesch., XVII (1921) 186, Abb.

Herrliberger, J o h a n n , Kunstdrechsler in Zürich, 17./18. Jahrh., Vater des David, nach Füßli Autodidakt, der vortrefflich in Gold, Silber u. Elfenbein gedrechselt habe. Füßli nennt einen Springbrunnen mit wasserspeienden Vögeln, Früchten, Blumen u. anderen Zieraten und einen Pfau, der sich in natürlichen Wendungen bewegen und ein Rad schlagen konnte.

Joh. Casp. Füßli, Gesch. u. Abbild. d. besten Mahler i. d. Schweiz, 1769—79, IV 117.

Herrlich, P h i l i p p (Joh. Ph.), Maler, geb. 25. 9. 1818 zu Solms-Laubach im Vogelsberg, † in Havana 17. 9. 1868, anfangs Handwerker, kam nach Frankfurt und war 1837—47 Schüler des Städelschen Instit. unter H. F. G. Rustige, seit 1842 unter Jak. Becker, vorübergehend (1839) auch von Sohn in Düsseldorf. 1848 kämpfte er auf den Barrikaden, wurde gefangen, führte seitdem ein unstetes Leben; nach einem Attentatsversuch auf den Bürgermeister von Frankfurt (20. 10. 1851) hatte er eine längere Freiheitsstrafe zu verbüßen, lebte dann in Frankreich, schließlich in Amerika als Retuschierer von Photographien. — Während seiner Zeit am Städel ernährte er sich durch die Anfertigung von Miniatur- u. Aquarellbildnissen und von Genrebildern. In der Berliner Akad.-Ausst. 1839 zeigte er ein Bild „Mönch mit Kindern". Einige seiner Genrebilder sind im „Rheinischen Taschenbuch" reproduziert, so das genannte, „Das genesene Kind", „Die Amme", „Das Grab des Kindes" u. a. Im Städelschen Inst. „Schauspieler Julius Weidner mit seinem Hund" (Aquarell), im Städt. Hist. Mus. „Eisenbahnunfall auf der neuen Mainbrücke 16. 8. 1856". Auch Landschaften H.s werden erwähnt.

Weizsäcker-Dessoff, Kst u. Kstler i. Frankf. a. M., II (1909).

Herrmann (Herrman), unter *Hermann* eingeordnet.

Herrmannsdorfer, Joseph Martin, Maler, geb. 24. 8. 1867 in München, anfangs als Illustrator für die „Fliegenden Blätter" (Glaspalast 1899) tätig, zeigt seit 1913 Stilleben und Landschaften (Ammer-See, Amper, Motive v. Garda-See) im Münchener Glaspalast.

Singer, Kstlerlex., Nachtrag, 1906. — Ausst.-Kataloge.

Herrmanstörfer, Josef, Maler, geb. in Nürnberg 2. 2. 1817, † in München 22. 10. 1901, gebildet an der Kunstschule in Nürnberg unter Reindel, seit 1842 Schüler der Akad. in München, tätig ebenda; zeigte in den Ausstell. (München, Glaspalast 1876, Lübeck 1878, Bremen 1880 u. 90, auch in London, z. B. 1874) Pferde- u. Jagdbilder, auch Landschaften mit Pferden. In der Maillinger-Samml. (Stadtmus. München) 1 Aquarell, Graf Egloffstein im Jagdkostüm (1848) und 8 Bl. Studien zu einem Jagdbild.

v. Bötticher, Malerwerke des 19. Jahrh., I 2 (1895). — Die Kunst, V (1902). — Kstdenkm. Bayerns, II Heft 17 p. 249. — Maillinger, Bilderchronik v. München, II (1876) 4518 f.

Herrneisen, Andreas, s. *Herneisen*, A.

Herrschaft, Peter, irrtümlich als Name eines Steinmetzen gedeutete Inschrift des Auftraggebers am Ziehbrunnen in Kreuzwertheim, 1568. H. war ebenda Schultheiß.

Kstdenkm. Bayern, III Heft 7 (1913) p. 78, Abb. — Kstdenkm. Baden, IV Kr. Mosbach, 1896 p. 219. — Bl. f. Architektur u. Ksthandw., XIV (1906) 43 f., Taf. 56.

Herry, Antoon, Maler in Antwerpen, zeigte 1789 in der Sept.-Ausst. ebenda Historienbilder (Alexanders Zug nach Cilicien, Agrippina weint an der Asche des Germanikus, eine opfernde griech. Priesterin) u. Porträts. — Offenbar identisch mit dem von Fiorillo gen. Herry, von dem dieser ein Bild, „Schwur des Hannibal", nennt; vielleicht auch mit dem von Immerzeel erwähnten gleichnamigen Kunstsammler. — Eine Jonkvrouw Herry zeigte in Antwerpen 1789 zwei Landschaftszeichn. mit Tierstaffage.

v. d. Branden, Geschied. Antwerp. Schilderschool, 1883. — Fiorillo, Gesch. d. zeichn. Kste in Deutschl. u. Niederl., 1815—20, III 412. — Immerzeel, Levens en Werken, I (1843) 36. — Kramm, Levens en Werken, III (1859).

Herry, Rudolf, Maler aus Basel, 1487 in die Zunft zum Himmel aufgenommen, bis Anfang des 16. Jahrh. nachweisbar, malte 1500 für das Rathaus in Solothurn ein Gemälde der Schlacht bei Dornach, das wohl in einem großen, von mehreren Platten gedruckten Holzschnitt erhalten ist. — Wohl identisch mit dem 1495 in Basel gen. Glasmaler Herry.

Neujahrsbl. d. Soloth. Kstver., 1859 p. 14. — Brun, Schweizer. Kstlerlex., II (1908); IV (1917) Suppl. 214. — M. Wackernagel, Basel (Ber. Kststätten No 57), 1912.

Herry, siehe auch *Hoey*, Jan de.

Hersbach (Hertzbach), Hans, Maler u. Zeichner für den Formschnitt in Cöln, Schwiegersohn des Anton Woensam von Worms, wird 1558 in das Bürgerbuch eingeschrieben, urkundlich 1561—65 erwähnt. 1596 war er wohl schon längere Zeit tot, da seine Frau, inzwischen wieder vermählt, Testament macht. Nagler schreibt ihm die Vorlagen zu für einen Teil der Holzschnitte in: Postilla Catholica Euangeliorum de Sanctis totius Anni .... Durch Jacobum Feuchtium .. Gedruckt zu Cöln durch Gervinum Calenium, 1580.

Merlo, Köln. Kstler, Ausg. Firmenich-Richartz, 1895 („Herspach"). — Nagler, Monogr. III No 1064. — Ritter, Ornamentstichsamml. Wien (Erwerbgen seit d. J. 1871), 1889.

Herscap, Guillaume, Architekt u. Steinmetz in Tournai, macht 9. 6. 1711 Testament, baut seit 1673 zahlreiche Häuser, deren Pläne z. T. erhalten sind in der Samml. der „Commis aux bâtiments" im Stadtarchiv in Tournai. 1674 erbaute er das Kloster der Grauen Schwestern. Nach Grange ist als bedeutendste Arbeit H.s erhalten das ehemalige Portal der Abtei St. Médard, dat. 1697, am Vieux Marché à la Paille.

Grange et Cloquet, L'Art à Tournai, 1889 p. 46 f.

Hersche, Johann Sebastian, Maler u. Vergolder in St. Fiden, geb. 1619 in Appenzell, soll bei Christian Schorer in Mailand gelernt, 1652 in Appenzell geheiratet haben, 1660 Hofmaler im Kloster St. Gallen geworden sein; lebte in St. Fiden. Ihm soll sein gleichnamiger Sohn im Amt gefolgt sein. In den Rechnungsbüchern der Abtei St. Gallen sind für die Jahre 1673—85 mehrere Rechnungen von H. oder dem „Maler von St. Fiden" erhalten, doch lassen sich Vater u. Sohn nicht scheiden. Bei Brun werden nach den Rechnungen mehrere Altäre genannt (v. 1673, 76, 77, 85).

T. Schiess in Brun, Schweizer. Kstlerlex., IV (Suppl.) 1917 p. 214.

Herschel, Otto, Maler, geb. 31. 12. 1871 in Teplitz-Schönau, gebildet an der Wiener Kstgew.-Schule unter Matsch und an der Akad. in München unter C. Marr, tätig in Wien; malt Altwiener Studien, Stadtbilder, Biedermeier-Interieurs, auch Motive aus Italien, Holland usw. Zeigte seine Bilder im Wiener Künstlerhaus (auch 1900 im Münchener Glaspalast, 1912 in Venedig, 1914 in Berlin, Gr. Kst-Ausst.). Veranstaltete 1919 in Wien eine Sonderausst. Im Mus. der Stadt Wien: „Der letzte Harfner", im Jüdischen Museum in Wien: „Ghetto di Venezia", in der Mod. Gal. in Prag: „Die japanische Decke".

Jansa, Dtsche bild. Kstler, 1912. — Studio, LV (1912) 67, Abb. — Kst u. Ksthandwerk, XXII (1919) 180. — Ausst.-Kataloge; mit Abb.: Künstlerh. Wien, 1913.

Herschend, O s c a r , Maler, geb. 6. 1. 1853 auf dem väterlichen Landsitz „Herschendsgave" bei Skanderborg, † 26. 1. 1891 ebenda, seit 1870 an der Akad. in Kopenhagen als Architekturschüler, wandte sich später der Landschaftsmalerei zu und stellte seit 1880 in Charlottenborg aus, meist Motive aus den Dünen der jütländ. Küste.

W e i l b a c h , Nyt Dansk Kunstnerlex., I (1896). — R e i t z e l , Fortegnelse over Danske Kunstneres Arb., 1883.

Herscher, E r n e s t Marie, Architekt, Radierer, Innendekorateur, geb. 1870 in Paris, gebildet als Architekturschüler der École d. B.-Arts unter Pascal seit 1891; Inspecteur des bâtiments civils. Neben seiner architekton. Tätigkeit (z. B. Entwürfe für die Salle aux Tuileries, zusammen mit L. A. Feine; Salon Soc. Nat. 1910) vorzugsweise Radierer, der seine Motive meist den malerischen Straßen und Plätzen des alten Paris entnimmt. Seit 1894 stellt H. im Salon Soc. Nat., seit 1906 vorwiegend im Salon d'Automne aus, meist Radierungen, aber auch Zeichn., seltener architekt. Entwürfe, z. B. 1911 für die Dekoration des Vestibuls im Salon d'Automne. Einen Teil seiner Radierungen aus Alt-Paris faßte er zusammen in „Souvenirs du Paris d'hier", 25 Bl., 1911/12.

D e l a i r e , Les Archit. élèves, 1907. — Revue de l'Art anc. et mod., XIX (1906) 264, mit Orig.-Rad.; XXXII (1912) 48/9, Orig.-Rad. — Art et Décoration, XVI (1904), Abb. — Annuaire de la Grav. franç., 1911 p. 95. — Salonkataloge.

Herschi, F r a n z , Maler aus der Schweiz, malte in der Kirche in Crostwitz (Lausitz) im Auftrag des 1706 † Pfarrers G. F. Sende eine Apostelfolge. (Die Kirche ist in ihrer heutigen Gestalt ein 1769 begonnener Neubau, voll. 1772.)

Neues Lausitzisches Mag., LXXVIII (1902) 183.

Herschop, H e n d r i c k , s. *Heerschop,* H.

Hersecke (Eersecke, Hersicke, Hersele), v a n , Malerfamilie in Gent, deren verwandtschaftl. Beziehungen nicht sicher sind. Der Älteste, Joannes Baptist, wird urkundlich 1662—84 als Mitglied der Genter Malergilde genannt, ist 1663, 64, 66 Geschworener, heißt lantschapschilder. Von ihm waren die Landschaften in den Bildern aus dem Leben des hl. Bernhard des Jan III van Cleve, die Descamps (der ihn fälschlich Cirseecke nennt) in der Abteikirche de Baudeloo in Gent erwähnt. Descamps führt ferner in am Saal der Antoniusbrüderschaft eine Versuchung des hl. Antonius von 1684, worin H. wiederum den landschaftl. Hintergrund gemalt habe. — Ein F r a n s , fijnschilder, wird als Mitglied der Gilde 1687 bis 1717 erwähnt und war 1707—10 Geschworener, ein P i e t - J o a n n i s , fijnschilder, 1714 u. 1729.

D e s c a m p s , Voyage pittor. de la Flandre, 1769 p. 249, 256. — v a n d e r H a e g h e n , Corporation des Peintres etc. de Gand, 1906.

Herselles, J e h a n d e , siehe *Heylem,* J. de.

Hersent, E t i e n n e (François E.), Maler, geb. in Paris 9. 4. 1823, † in Fontaines-Plain-Pied bei Bourges 1880, Neffe des Louis, Schüler von Couture, zeigte 1857—68 im Salon Schlachten- u. Soldatenbilder; im Mus. in Versailles: Le 3e régiment de zouaves et le 50e de ligne . . devant Sébastopol.

Gaz. d. B.-Arts, X (1861) 325. — Chron. d. Arts, 1880 p. 305, Nekrolog. — B e l l i e r - A u v r a y , Dict. génér., I (1882).

Hersent, L o u i s , Maler u. Lithograph, geb. 10. 3. 1777 in Paris, † ebenda 2. 10. 1860, trat sehr jung in die Werkstatt Regnault's ein und erhielt schon 1797 den 2. grand prix der École d. B.-Arts für ein Gemälde „Der Tod Catos von Utica". Mit seinem 1. Bilde im Salon, „Achill übergibt die Brisëis den Abgesandten Agamemnons", schien er David folgen zu wollen, doch schon 1806 zeigte er ein ausgesprochen romantisches Thema: Atala, die sich in den Armen ihres Geliebten Chactas vergiftet. Indem er das Motiv dem 1801 erschienenen, allbeliebten Roman Chateaubriands entnahm, kam er dem Geschmack des Publikums entgegen, was seine schnellen Erfolge begründete. Anpassungsfähig, stellte er 1810 den Übergang bei Landshut aus (21. 4. 1809; Mus. Versailles) und 1814 die rührende Szene, wie eine Indianerin dem kranken Las Casas in der Wildnis ihre Brust reicht. Die Restauration förderte H.s raschen Aufstieg, denn er gewann die besten Beziehungen zum Hof der Bourbonen. So zeigte er 1817 jene Szene, wie Ludwig XVI. im harten Winter 1788 seine Gaben an die Armen verteilt (Mus. Versailles), und in dems. Salon die Szene, wie in der Grotte Daphnis der Chloë einen Dorn aus dem Fuß zieht, nach dem beliebten Hirtenroman des Longus, im Motiv anknüpfend an den antiken Dornauszieher. — Schon 1822 wurde H. Mitglied des Institut, 1824 Offizier der Ehrenlegion und 1825 Professor an der École d. B.-Arts. 1826 hatte er in der Akad.-Ausst. in Berlin ein Bildnis Spontinis, auf Grund dessen er 1827 zum auswärtigen Mitglied d. Akad. erwählt wurde. 1819 zeigte er sein damals vielbewundertes Hauptwerk: „Gustav Wasa dankt zugunsten seiner Söhne ab"; das Bild kam in den Besitz des Herzogs von Orléans und wurde 1848 bei dem Sturm auf das Palais Royal vernichtet, blieb aber in dem vortrefflichen Stich von Henriquel Dupont und der Lithographie von A. J. Weber erhalten. Großen Erfolg brachte ihm dann 1822 das Bild „Ruth u. Boas" (vom König erworben). Auch „Die Mönche vom St. Gotthard" (Salon 1824) — ein nacktes junges Weib, das Kind an der Brust, liegt, von Räubern ausgeplündert, auf dem Schnee, Mönche bemühen sich um sie — gingen in den Besitz des Hofes über. Wie Gérard wurde auch H. ein vielbeschäftigter Porträtmaler. Während der folgenden Jahre zeigte er fast nur Porträts. Nach der Julirevolution war 1831 im Salon ein Bildnis Louis Philippe's, wofür H. durch Vermittlung seines Freundes Casimir Périer Auftrag erhalten hatte. Vielleicht war es wirklich die vernichtende Kritik G. Planche's: „Le portrait du roi me paraît signaler, d'une façon éclatante, la nullité de l'artiste", die H. aus dem Salon vertrieb, wo er nur 1855 noch einmal erschien. Seine offiziellen Bildnisse sind auch heute schwer genießbar, wie etwa jenes der Königin Marie-Amélie mit ihren jungen Söhnen, den Herzögen von Aumale und von Montpensier, von 1833 (Mus. Versailles, Salle de la Monarchie dé Juillet). In diesen Jahren war seine künstlerische Laufbahn eigentlich abgeschlossen, doch blieb er als Porträtmaler bis zuletzt beliebt. Sein Grabmal auf dem Père Lachaise von F. Lanno (errichtet 1863) trägt in Reliefs (nach H.s Gemälden) „Ruth u. Boas" u. „Die Krankheit des Las Casas". Von seinen Bildnissen seien noch genannt: Casimir Périer, Delphine Gay, die spätere Gattin des Schriftstellers Émile de Girardin (Mus. Versailles), Abbé de Frayssinous, Abbé Feutrier, Kardinal de Clermont-Tonnerre, der Herzog von Bordeaux in der Wiege mit seiner Schwester (Mus. Versailles), das Bildnis des Herzogs von Angoulême im Augenblick des Angriffes auf das Fort Trocadéro (31. 8. 1823), ehemals im Rathaus zu Tarascon (wurde 1830 durch Messerstiche vernichtet), und aus später Zeit (1851) etwa das Bildnis seines Schülers, des Tiermalers J. R. Brascassat (Mus. Versailles). Erfreulich wirken die Bildnisse, in denen er, ohne die Sucht, sich emporzusteigern, nur den Dargestellten wie er war, wiederzugeben sucht; so sind ihm auch tüchtige Kinderbildnisse gelungen. Ein Selbstporträt H.s in den Samml. der École d. B.-Arts; sein Bildnis auch in Fr. J. Heim's Schilderung, wie Karl X. am Schluß des Salons von 1824 Auszeichnungen an die Künstler verteilt (Luxembourg; gest. v. Jazet). — Als Lithograph war H. beteiligt an den Veröffentlichungen, die Fr. S. Delpech seit 1818 herausgab, so für eine Folge von Szenen aus den Fabeln La Fontaines, in denen H.s zeichnerische Fähigkeiten glücklich zur Geltung kommen. Ferner lithographierte H. Tafeln für des Grafen Forbin „Voyage dans le Lévant", Paris 1819, und nach eigenen Gemälden (z. B. Les Baigneuses, Bildnisse); bei Béraldi ein Verzeichnis der Lithographien. — Die Gemälde H.s sind vielfach gestochen worden, so von Laugier (Daphnis u. Chloë), P. A. Tardieu (Ruth u. Boas), P. Adam (Gustav Wasa, Las Casas usw.), M. A. Delvaux (Delphine Gay), J. M. Leroux (Graf Lacépède), A. F. Gelée (Daphnis u. Chloë), Z. Prévost u. a., lithographiert von H. Grevedon (Graf Andréossi, Mélanie Amélie de Conflans, Fürstin von Ligne), L. Noël (Romain de Bourges

[1846], Königin Marie Amélie [1842]), P. E. Aubert (Abbé Frayssinous), P. R. Vigneron (P. L. Courier), N. E. Maurin u. a. — In öffentl. Besitz befinden sich außer den genannten Bildern: *Angers,* Mus., Graf Turpin (zugeschrieben); *Arras,* Narziss (Salon 1802); *Chantilly,* Königin Marie Amélie (Brustbild); *Dieppe,* Louis Philippe; *Malmaison,* Fénelon bringt einem Bauern seine Kuh (Salon 1810); *Mülhausen* (Kat. 1907), Bildnis; *Paris,* Faculté de Médecine, Tod des Arztes Xavier Bichat (Salon 1817); *Sens* (Cat. 1891), Diana u. Endymion, Die Grazien erscheinen Daphnis im Traum; *Versailles* (Trianon, Cat. 1878), Heinrich IV. v. Frankreich (Salon 1827).

G i l b e r t , Institut Impérial de France. Funérailles de M. Hersent. Discours prononcé le 5 oct. 1860, Paris 1860. — L a v i g n e , État-civil d. artistes franç., 1881. — H e r l u i s o n , Actes d'état-civil, 1873. — G a b e t , Dict. des art., 1831. — G u y o t d e F è r e , Statist. d. B.-Arts, 1835 u. 36. — B e l l i e r - A u v r a y , Dict. génér., I (1882). — Kunstblatt, 1820 p. 240; 1821 p. 54; 1822 p. 215, 328; 1823 p. 12; 1824 p. 101, 156, 243, 290; 1825 p. 19, 59, 113, 117; 1826 p. 362, 412; 1827 p. 122; 1828 p. 100, 110; 1830 p. 176, 248; 1831 p. 23. — S o u b i e s , Membres de l'Acad. d. B.-Arts, II (1909) 19 ff. — D e l a b o r d e , L'Acad. d. B.-Arts, 1891 p. 190, 305, 361. — M ü n t z , École Nat. d. B.-Arts, 1889. — Gaz. d. B.-Arts, X (1861) 31, 244; XIV (1863) 219, 220; XVII (1864) 108; XVIII (1865) 69, 279; XXII (1867) 50, 51; XXIII (1867) 354 f.; 1914 I 366 f. — V a p e r e a u . Dictionn. des Contemp., ² 1861. — C h . B l a n c , Hist. des peintres, Éc. franç. III (1835), App. p. 41 ff. — J u l . M e y e r , Gesch. d. mod. franz. Kunst, 1867 p. 174 f. — R o s e n t h a l , Du Romantisme au Réalisme, 1914. — Les Arts, 1907 No 62 p. 13, Abb. p. 17. — Rev. de l'Art anc. et mod., XXVIII (1910) 55, Abb. — Illustr. Elsäss. Rundschau, XII (1910) p. 136, 140, Abb. — D e v i l l e , Index du Mercure de France, 1910 p. 111. — Nouv. Arch. de l'art. franç., 1872 p. 149; 1897; Arch. de l'art franç. 1910 p. 208. — Rich. d'Art, Paris, Mon. civ., III; Prov., II; III; V. — G r u y e r , Not. des Tabl. Mus. Condé, Chantilly, 1898 p. 394. — L e g r a n d - L a n d o u z y , Collect. artist. de la Faculté de Méd. de Paris, 1911 p. 129, Abb. — Z a n o t t o , Guida di Venezia, 1856. — L e s c u r e , Château de la Malmaison, 1867 p. 279. — Cat. Gal. hist. Versailles, 1842 No 574, 1014. — N o l h a c - P é r a t é , Musée de Versailles, 1896. — Cat. Expos. univ. Paris 1889 (B.-Arts 1789—1889), 13. — Kat. Ausst. Elsäss. Kst- u. Altert.-Gegenstände, Straßburg 1893 No 53. — Kat. Akad.-Ausst. Berlin 1826 p. 39; 1828 p. IV. — S o u l l i é , Ventes de Tableaux, 1896.

Graphik: B é r a l d i , Grav. du 19ᵉ siècle, VIII. — G. H é d i a r d , Les Maitres de la Lithogr.: L. Hersent, Paris 1902. — Cat. Planches grav. Chalcographie, Louvre, 1881. — Cat. Expos. Centen. de la Lithogr., Paris, 1795—1895. — Cat. Gravures, Bibl. Nat. Paris, 1900 f. — D u p l e s s i s , Cat. Portr. Bibl. Nat. Paris, 1896 ff., I 1111/10; II 6035, 8994/189, 9901; III 10 994/7; IV 16 626/2, 12, 13, 18 321; V 25 042; VI 26 757, 27 673; VII 29 749, 31, 41, 45, 46, 55, 29 903/23.

Hersent, L o u i s e Marie Jeanne, geb. *Mauduit,* Malerin, geb. in Paris 7. 3. 1784, † ebenda 7. 1. 1862, Gattin des Louis H., Schülerin v.

Meynier, zeigte im Salon 1810—1824 (unter ihrem Mädchennamen bis 1819) Historienbilder, Genreszenen und Porträts. P. A. Tardieu stach nach ihrem Bilde „Ludwig XIII. erfährt von Sully den Tod seines Vaters". Ihr Bildnis auf dem im Artikel Louis H. genannten Gemälde Heim's. Sie stand künstlerisch ganz unter dem Einfluß ihres Gatten, gewann wie er unter der Restauration gute Beziehungen zum Hof und schloß ihre Laufbahn ebenso mit der Juli-Revolution. In öffentl. Besitz: *Angers,* Mus., Elias erweckt den Sohn der Witwe von Sarepta (Salon 1819); *Dieppe,* La bonne Mère; *Versailles,* Ludwig XV. besucht Peter den Großen (Cat. 1842 No 470).

G a b e t , Dict. des artistes. 1831. — G u y o t d e F è r e , Statist. d. B.-Arts, 1835 u. 36. — B e l l i e r - A u v r a y , Dict. génér., I (1882). — V a p e r e a u , Dict. d. Contemp., ² 1861. — Inv. génér. Rich. d'Art, Paris, Mon. civ., III; Prov. Mon. civ., II; III. — Kunstblatt, 1825 p. 40, 264. — Gaz. d. B.-Arts, XIV (1863) 219 f. — Cat. Planches grav. Chalcographie Louvre, 1881. — S c h i d l o f , Bildnisminiatur in Frankreich, 1911.

Herson, É m i l e Antoine François, Maler u. Lithograph, geb. 1805 in Paris, Architekturschüler an der École d. B.-Arts unter Chatillon seit 1829, dann Maler und Schüler von Diaz, zeigte seit 1836 im Salon Architekturbilder und Kirchen-Interieurs, vielfach in Aquarell, auch Lithographien. Die Motive entnahm er der Normandie, den Pyrenäen und der Bretagne, später besonders Paris u. Umgebung und dem Walde von Fontainebleau. Erscheint 1872 zum letzten Male im Salon. Im Mus. Wicar in Lille (Cat. 1889) eine Landschaft (Aquarell).

B e l l i e r - A u v r a y , Dict. génér., I (1882). — D e l a i r e , Les Archit. Élèves, 1907. — M i r e u r , Dict. d. Ventes d'Art, III (1911). — Gaz. d. B.-Arts, X (1861) 320. — Salonkataloge.

Herspach, H a n s , siehe *Hersbach,* H.

Herst, A u g u s t e Clément Joseph, Maler, geb. 18. 8. 1825 in Rocroy, zeigte im Pariser Salon von 1861—88 meist Landschaftsaquarelle und Marinen, deren Motive er entnahm: der Bretagne, der Normandie, der französ. Küste des Mittelmeeres (Marseille), den Pyrenäen, aus Savoyen, aus der Umgebung von Paris, aus Holland, der Schweiz und Nordafrika (Algier). H. ist vertreten im Mus. in Chartres, im Luxembourg-Museum (Cat. 1898 p. 105) mit 2 Aquarellen (Solitude, Effet de brouillard), in La Rochelle (Cat. 1900 p. 47) mit 2 Landschaftsaquarellen (Le Printemps, L'Automne). H. erschien 1851 auch auf der Ausst. in Brüssel, 1869 im Münchener Glaspalast.

B e l l i e r - A u v r a y , Dict. génér., I (1882). — Artistes Ardennais contemp., Sedan 1888 p. 19 ff. (nur Katalogauszüge). — Ausst.- u. Salon-Kataloge.

Herstalle, B a l d u i n d e , Kupferstecher, 18. Jahrh., bezeichnete das Pilgerblatt von Andenne (Namur) in Belgien.

E. v a n H e u r c k , Les drapelets de pèlerinage en Belg. etc., Antw. 1922. *L. Hissette.*

Herstatt, I s a a k P e t e r , s. *Heerstadt,* I. P.

Herstein, A d o l f E d u a r d , Maler u. Radierer, geb. 1869 in Warschau, lebt in Berlin, zeigt seit 1910 in der Berl. Sezession vorwiegend Tierbilder (hauptsächlich Ziegen auf der Weide, im Stall usw.), daneben Landschaften u. anderes. In seinen Radierungen die gleichen Motive. Sein Bildnis (zusammen mit Pottner) malte L. Corinth 1915. H. erschien auch in den Ausstell. in Dresden (1912), Düsseldorf (1911, 13), Mannheim (1913), München (1913, 14, 17), Stuttgart (1913) usw.

Ausst.-Kataloge. — Kat. mit Abb.: Berlin, Sezession, 1915, 1916; München, Sezession, 1914.

Herstel, Kunsttischler in Paris, wird 1740 Meister, lebt noch 1785; lieferte furnierte Tische mit eingelegtem Tric-Trac.

V i a l , M a r c e l , G i r o d i e , Art. décor. du bois, I (1912).

Herstiller, H a n s , siehe *Hensailer,* H.

Herstl, A n d r e a s , Tischler in Krakau, verfertigte 1624, gemeinsam mit Kristóf K o l m i t z , das schöne Orgelgehäuse u. die Chorschranken in der St. Jakobi-Kirche zu Löcse (Leutschau), Ungarn.

Szepesvármegye müvészeti emlékei, III (Budapest, 1907) p. 47. — Kirchenschmuck, XXXIII (Graz 1902) 183. *K. Lyka.*

Hert, J a n d e , siehe *Herdt,* J. de.

Herte, H e i n r i c h , Architekt u. Steinmetz, begann 1415 Sakristei u. Chor der Stadtkirche in Lichtenau (bei Cassel), verließ aber schon im Frühjahr 1416 seine Arbeit und ging nach Witzenhausen, von wo er der Stadt Göttingen seine Dienste anbot für den Bau des Kaufhauses, das mit dem alten Rathaus verbunden werden sollte. Im Sommer 1416 nahm er seine Tätigkeit dort auf; die Beschwerde Lichtenaus durch den „Amptman zu Richinbach Herting von Hornsperg" an den Rat zu Göttingen blieb unberücksichtigt. Auch in Göttingen erfüllte H. seine übernommenen Verpflichtungen nur mit Unterbrechungen, ließ die Arbeit z. T. allein durch seinen Gehilfen Conrad ausführen, arbeitete jedoch im April 1418 wieder fleißig in Göttingen, um Anfang Mai endgültig Göttingen zu verlassen. 1438 wieder in Cassel, um im Elisabeth-Hospital.

L. A r m b r u s t in Ztschr. d. Ver. f. hess. Gesch. u. Landeskde, XLIX (1916) 38—45.

Hertel (Haertl, Hartl, Hertl), Kunsttischlerfamilie in Augsburg: H a n s , „aus dem Land zu Meychsen" stammend, geb. um 1550, heiratete 1580, wird in den Haushaltungsbüchern des Reichspfennigmeisters Zacharias Geizkofler mehrmals mit Zahlungen genannt, so 1600 für 2 Schreibtische aus Ebenholz, ein kleines Trühlein, und einen Rahmen aus Ebenholz zu einem Porträt Geizkoflers, 1601 für ein Spielbrett aus Ebenholz, 1603 für einen Hofmeisterstab. In diesem Jahre lieferte er auch einen Schreibkasten aus Ebenholz, der mit Goldblech beschlagen war, für den kaiserl. Hof. — Sein

Sohn Hans Georg, geb. 1580, arbeitete 1618 für Kaiser Matthias einen Ebenholzkasten für ein von dem Goldschmied Paulus Paulmann verfertigtes „fürnemes Werk". Zeichnete den Aufriß des Gymnasiums bei St. Anna, den L. Kilian stach. Sein Name findet sich, zus. mit dem des L. Kilian u. der Jahrzahl 1626, auf der in Florentiner Mosaik gearbeiteten Platte eines Prachttisches von Ebenholz in der Münchner Residenz. Später erscheint er in Hamburg, wo er um 1640 die Tischlerarbeit zu einem kostbaren Altar aus Ebenholz, Elfenbein u. Silber herstellte, der sich in der Storkyrka zu Stockholm befindet. — Auch ein Melchior, geb. um 1550, † vor 1615, wird 1601 in des Geizkoflers Haushaltungsbüchern genannt.

P. v. Stetten, Kst- etc. Gesch. Augsburgs, 1779 (Härtel). — A. Sitte, Ksthist. Regesten aus den Haushaltungsbüchern etc. der Geizkofler (Stud. z. dtsch. Kstgesch. 101), Straßburg 1908 p. 26, 27, 28, 29, 32. — E. v. Schauß, Cat. d. Bayr. Schatzkammer in München, 1879 p. 438. — E. Rump, Lex. d. bild. Kstler Hamburgs, 1912. — A. L. Romdahl u. J. Roosval, Svensk Konsthist., 1913 p. 276.

Hertel, Maler in Torgau; von ihm in der Kirche in Belzig das Gemälde im Hochaltar, Kreuzigung, 1661.

Bergau, Bau- u. Kstdenkm. d. Prov. Brandenburg, 1885 p. 161.

Hertel, Augsburger Kupferstecherfamilie des 18. Jahrh., deren Stammvater Johann Georg I, um 1760 noch am Leben, in seiner Jugend Gipsformer, später, nachdem er einen Teil des J. Wolfschen Verlages erworben hatte, selbst einen Verlag gründete. — Sein ältester Sohn Georg Leopold stach außer einigen Porträts (Kaiserin Maria Theresia zu Pferde, Friedrich der Große zu Pferde, beide nach Baronius) Köpfe nach J. B. Castiglione u. D. Maggiotto (nach letzterem auch 2 Blatt: Alchimist u. Schlafendes Mädchen, von Männern umgeben), „Die schönen Künste" nach F. Boucher (6 Bl.), Landschaften nach dems., 2 Marinen nach J. Verbruggen, Blätter nach Rembrandt, usw. Seine Hauptbedeutung aber hat er als Ornamentzeichner u. -Stecher. Er schuf hat mehrere Folgen zu je 4 Bl. von Ranken- u. Muschelwerkmotiven, Standuhren, Spiegeln, ländlichen Gebäuden u. Ruinen gezeichnet u. gestochen u. im Verlage seines Vaters herausgegeben. Nur als Stecher ist er beteiligt an F. X. Habermanns Ornamentenfolgen (im Verlag seines Vaters erschienen) u. der „Samml. aller Denkmale des Westphälischen Friedens". — Sein zweiter Sohn, Johann Georg II, stach vor allem nach Rembrandt, J. B. Oudry, N. M. Ozanne, F. Zuccarelli u. a. und war beteiligt am Stich der im Verlage seines Vaters erschienenen Ornamentenfolgen des E. Eichel u. F. X. Habermann. — Ein dritter Sohn, Johann Jacob, war gleichfalls Stecher.

P. v. Stetten, Erläut. der gest. Vorst. d.

Reichsstadt Augsburg, 1765; ders., Kst- etc. Gesch. Augsburgs, 1779 u. Nachtr. 1788. — Nagler, Kstlerlex., VI; VIII 183; XX 85; ders., Monogr., III. — Le Blanc, Manuel de l'Amateur d'Est., II. — Kat. der Ornamentstichsamml. des Kstgew.- Mus. Berlin, 1894. — Mireur, Dict. des Ventes d'Art, III (1911). — Duplessis, Cat. Portraits Bibl. Nat. Paris, 1896 ff., IV 16649/124. — Hofstede de Groot, Beschr. Verz. d. Werke holländ. Maler, VI (1915) 127 No 234; 135 No 258; 146 No 288; 182 No 377 A; 251 No 582; 347 No 841.

Hertel, Albert, Maler, geb. in Berlin 19. 4. 1843, † ebenda 19. 2. 1912. Trat sehr jung in die Berl. Akad. ein als Schüler von Magnus, Ed. Meyerheim u. Ed. Holbein. In der Absicht Historienmaler zu werden, trat er auch zu Cornelius in Beziehung. Ein Lungenleiden veranlaßte einen Landaufenthalt in Schlesien, wo er mit Leidenschaft in der freien Natur malte; damals entstanden auch eine Kreuzigung für die Kirche in Kammerswaldau (östl. Hirschberg) und eine Auferstehung für die Kirche in Alt-Jannowitz. Die erhoffte Besserung blieb aus; so ging er, um Heilung im Süden zu finden, Sept. 1863 nach Rom u. wurde Schüler von Franz Dreber, der den unbefangenen Naturbeobachter zum Maler heroischer Landschaften erzog. Daß auch Feuerbach starken Eindruck auf H. machte, beweist sein Bild „Odysseus u. die Sirenen" (1865/66), das man heute wieder mit neuer Teilnahme betrachtet; übrigens malte er damals eine vortreffliche Studie nach Feuerbachs Modell Nanna. 1864 hielt er sich in Olevano auf (sein Bildnis im Fremdenbuch der Casa Baldi; auch einige Zeichnungen). Sorgfältig komponierte größere Bilder, wie z. B. der „Abend in Ariccia" (1867, Hamburg, Kunsthalle, Kat. 1922), begründeten seinen Ruf. Daneben malte er fleißig Studien und Bilder vor der Natur, die uns heute wertvoller sind, als die stilisierten, gesteigerten Kompositionen, weil sich in ihnen ein echtes künstlerisches Verhältnis zur Natur — ungehemmt von akademischen Regeln — ausspricht; es sind einfache römische Landschaften, Motive aus der Campagna mit weitem Fernblick, aus Olevano, vom Tiber usw. Dieser erste röm. Aufenthalt war bestimmend für H.s Schaffen, denn die stilisierte ital. Landschaft ist in größeren Aufgaben stets sein eigentlicher Vorwurf geblieben, in dem man die Nachwirkung Drebers, Prellers, auch Feuerbachs in einer sonderbaren Ungeklärtheit spürt. Auch während der späteren ital. Besuche (1875, 1887 usw., zuletzt 1911) entstanden neben jenen mehr akademischen Bildern zahlreiche solcher vortrefflichen Naturstudien. Als H. im Juni 1867 — gesundheitlich wiederhergestellt — Rom verließ, wandte er sich auf Anregung Drebers nach Düsseldorf zu O. Achenbach, unter dessen Eindruck eine neue Note in H.s Bilder kam. Ein kurzer Aufenthalt in Paris fällt 1869; die Maler von Fontainebleau, Rousseau, Corot, Daubigny, Dupré usw., zogen ihn in ihren Bann, u. H. hielt manche ihrer Bilder „auf bunten, leicht gesprenkelten Pappen in wenigen Minuten" wie zu Notizen für sich selbst fest. — Nach einer vorübergehenden Rast in Hamburg, ließ er sich endgültig in Berlin nieder. Dort trat er sehr bald in Beziehung zu Menzel, mit dem er in dauernder Freundschaft verbunden blieb. Auf Menzels „Abreise König Wilhelms zur Armee" (1871) sieht man H. (Menzels Porträtskizze ist erhalten) mit seiner Braut auf dem hinteren Balkon stehen. Beide Künstler hatte die gemeinsame Liebe zur klassischen Musik zusammengeführt (H. war der Sohn des Komponisten P. L. Hertel und war im Hause s. Großvaters, des Cellisten C. Fr. Schmidt aufgewachsen). Menzel lobte besonders H.s Aquarelle u. Zeichnungen, da er in ihnen den vortrefflichen Naturbeobachter erkannte. Daß Menzel auf H. nicht ohne Wirkung blieb, sieht man in manchen seiner Landschaften, in Studien wie etwa dem „Souper bei Friedländer-Fuld", der „Galavorstellung im Opernhaus" (farb. Abb. in Kunstwelt). Außer den mehrfachen Fahrten nach Italien unternahm H. Studienreisen nach Holland (1874, 1875), an die Ostsee (1896), in das Gasteiner Tal (1885, 1886, 1892), nach Rothenburg (1900), auch wieder nach Paris (1885), nach der Provence (1881), nach dem Genfer See (1877), wo er in Vevey sich mit Courbet befreundete. Im Hause des Kronprinzen Friedrich war er gern gesehen und unterrichtete die Kronprinzessin im Aquarellmalen. Wilhelm II. hat mehrere Bilder H.s erworben (Skizzen zu den Dombildern, Villa Falconieri usw.); H. gehörte zu den ersten, die in der Villa Falconieri, nachdem sie Besitz des Kaisers geworden war, arbeiten konnten. — 1875 wurde H. zur Leitung der Landschaftsklasse der akad. Hochschule berufen, mußte jedoch 1878 das Amt niederlegen, da sein Augenlicht ernstlich bedroht war, eine Gefahr, die ihm noch ein 2. Mal nahekam. 1901 erhielt H. die Stellung von neuem u. behielt sie bis zum Tode. — Außer Landschaften malte H. Bildnisse, Stilleben, entwarf Dekorationen für Opern und klassische Dramen, nebenher stets mit unermüdlichem Fleiß Zeichnung u. Aquarell übend. Auch größere dekorative Aufgaben wurden ihm zuteil; 1883 malte er 3 Panoramabilder von Gastein für die Hygieneausst. in Berlin (die großen Studien dazu im Physiol. Inst. d. Univ. Berlin), 1885 für den Nebenraum der Aula im Wilhelmsgymnasium Wandbilder mit Szenen aus Sophokles' Antigone u. Oedipus auf Kolonos, 1894 für das Stadtverordnetenzimmer im Rathaus 7 ideale Landschaften (Staffage: die 7 Werke der Barmherzigkeit), für die Tauf- u. Trauungskirche im neuen Berliner Dom (voll. 1905), eine Folge „Das Leben Christi", wo die hl. Ge-

schichten wiederum als Staffage idealen Landschaften eingefügt sind, doch hat H. versucht, durch die Landschaftsstimmung eine höhere Einheit zu erreichen (Versuchung Christi); daneben Arbeiten mehr dekorativer Art für Privathäuser (Villa Siemens). In der Gedächtnisausstellg (1913) der Berl. Akad., die 130 Arbeiten aus allen Schaffensperioden H.s vereinigte, und seine Vielseitigkeit in Vorwurf und Technik zeigte, waren nicht wenige Bilder, die ihm einen guten Platz in der Geschichte der deutschen Malerei sichern, so z. B. Rheinufer bei Düsseldorf (1868), Ein Sommertag (1869), Happy valley bei Cannes (1879), Riva (1884), Mainebene von Schloß Banz (1901), Park der Villa Falconieri (1911) u. a. m. Daß man solche Bilder in allen Zeiten seines Schaffens findet, beweist, wie echtes Künstlertum in ihm bis zuletzt lebendig blieb. Ausgestellt hat H. regelmäßig in Berlin, 1868—92 in der Akad.-Ausst., dann bis zu seinem Tode in der Gr. Kstausst. (Kataloge mehrfach mit Abb.), vereinzelt in Düsseldorf, München, Dresden, Wien, auch in Paris 1878, 1900 usw. 1897 erschien in Farbendrucken eine Folge von 12 Aquarellen „Die alte Kaiserstadt Goslar" mit Text von M. Jordan u. Prolog v. E. v. Wildenbruch. — Außer den genannten Bildern befinden sich in öffentl. Besitz: *Berlin,* Nat.-Gal. (Kat. 1916), Küste bei Genua (1878), Mädchen auf Capri (1871), Hof in Scheveningen (1874), 53 Aquarelle u. Zeichnungen (Kat. 1902); Hohenzollern-Mus., Beisetzung d. alten Kaisers (Farbenskizze, 1888), 200-Jahrfeier d. Akad. d. Wissenschaften im weißen Saal (1900). — *Breslau,* Mus., Ruhe auf d. Flucht (1881). — *Donaueschingen,* Allegorie auf den 10 jähr. Hochzeitstag d. Fürstin Dorothea zu Fürstenberg, 1891 (Kat. 1921). — *Mainz,* Städt. Gal. (Kat. 1911 p. 53), Landschaft (1868). — C. Ebbinghaus arbeitete eine Bronzebüste H.s. Ein reicher Nachlaß im Besitz der Witwe.

v. B ö t t i c h e r , Malerwerke d. 19. Jahrh., I 2 (1895). — H. B e c k e r , Deutsche Maler, 1888 p. 468 f. — A. R o s e n b e r g , Gesch. d. mod. Kunst, III (1894). — Jahrb. d. preuß. Kunstsamml., IV (1883) p. XXXIII; V (1884) p. IX; VI (1885) p. XVII f., XXXI. — Zeitschrift f. bild. Kst, XIV (1879) 155; XVIII (1883) 406; XIX 64, p. 40 Radier. „Nordische Strandszene" nach H.; N. F. X (1898/99) 78 f.; XXXI (1919/20) 277 ff., mit Abb. (ausführl. Art. v. G. J. K e r n). — Kunstchronik, VIII (1873) 183; XVIII 556; N. F. XXIII (1912) 290, Nekrolog; XXIV 238. — Die Kunstwelt, II. Jahrg. (1912/13) Bd I 135—44, ausführl. mit Abb. — Cicerone, V (1913) 106, 766. — Leipziger Illustr. Zeitg, 1912 p. 455 ff., ausführl. mit Abb. — Die Jahrhundertausst. Berlin 1906, Bd I u. II (Abb.). — Kat. Gedächtnisausst. Akad. Berlin, 1913, Abb. — Ausst.-Kataloge. — Notiz Fr. Noack. *Red.*

Hertel, C a r l Konrad Julius, Maler, geb. in Breslau 17. 10. 1837, † in Düsseldorf 10. 10. 1895, Schüler der Düsseld. Akad. unter Wilh.

Sohn, machte Studienreisen in Deutschland, Holland u. Belgien, tätig in Düsseldorf. Malte Genrebilder, deren Motive er gern dem Kinderleben entnahm. Zeigte seine Bilder außer in Düsseldorf in den Akad.-Ausst. in Berlin (1866, 68, 70, 74, 79, 81, 86, 88, 94), auch in Dresden, Hannover, Lübeck u. Wien, nur einmal (Berlin 88, Dresden 89) ein Bildnis („Alfred Krupp"). H. ist bekannt durch sein Bild „Jung-Deutschland" (1874) in der Berl. Nat.-Gal. (Kat. 1916, Replik im Mus. Leipzig), das, ohne in der Anekdote aufdringlich zu sein, durch die Vortrefflichkeit der Malerei, Frische der Farbe und die Kraft u. Originalität im Räumlichen beachtenswert ist. Ferner im Mus. in Leipzig (Kat. 1917) „Der Genesende".

v. B ö t t i c h e r , Malerwerke d. 19. Jahrh., I 2 (1895). — Kunstchronik, N. F. VI 295, Todesnotiz. — Seemann's „Meister d. Farbe", XVI (1919), Heft 2. — Ausst.-Kataloge.

Hertel, G e o r g L e o p . , s. im 3. Art. *Hertel.*

Hertel, H a n s und H a n s G e o r g , siehe im 1. Artikel *Hertel.*

Hertel, J. J., Kupferstecher u. Radierer (Dilettant), bayr. Hauptmann, nur bekannt durch einige landschaftl. Blätter: 1. Ruinen von Schloß Neudeck, Rad., 1815. 2. Ansicht von St. Willibaldsburg, Rad., 1818. 3. Ansicht von Geilenreuth, Stich, 1819. 4. Ansicht von Rabeneck, Stich, 1819.

Bibl. Bavarica (Lagerkatalog Lentner, München), 1911, No 7590, 8012, 9034, 9902.

Hertel, J o h a n n C h r i s t i a n , Architekt, zeichnete 1739 Grund- u. Aufrisse des 1723 erbauten, 1744 abgebrochenen „Gräflichen Lusthauses" im Schloßpark in Wernigerode, die in der fürstl. Bibliothek erhalten sind. Vielleicht identisch mit dem Architekten H e r t e l in Wien, der 1726 den Entwurf für das Gebäude der Ritter-Akademie in Liegnitz lieferte.

Bau- u. Kstdenkm. Prov. Sachsen, Heft 32 (1913) p. 262, Abb. — L u t s c h , Kstdenkm. Schlesiens, III 248.

Hertel, J o h a n n G e o r g , s. im 3. Art. *Hertel.*

Hertel, K a r l , Glasmaler, geb. in Cöln 12. 8. 1843, gründete mit seinem Jugendfreunde Lersch die Glasmalerwerkstatt Hertel u. Lersch in Düsseldorf; noch in späteren Jahren Schüler von Janssen an d. Akad. ebenda, lieferte zahlreiche Glasfenster für Kirchen in Deutschland, im Ausland, auch Amerika, Afrika u. Asien. In der Ausst. für christl. Kunst in Mainz 1892 (Kat. p. 23) zeigte er Teile eines Fensters für die Minoritenkirche in Cöln u. a.

Köln. Volkszeitg 1913 No 696 v. 12. 8.

Hertenstein (Hertnstain, Herttenstain usw.), G e o r g , Maler in Nürnberg, nachweisbar 1519—1539; wird Bürger 16. Juli 1519 und erscheint 1539 in einer Urkunde als Vormund eines Kindes Peter Flötners.

T h o d e , Malersch. v. Nürnberg, 1891. — Repert. f. Kstw., XXX 39. — Jahrb. d. preuß. Kstsamml., XVII 172. *W. Fries.*

Herter, A l b e r t , Maler, geb. 2. 3. 1871 in New York, tätig in Santa Barbara in Californien, Schüler der Art Students' League in New York und von Laurens u. Cormon in Paris, wo er zuerst 1890 im Salon Soc. Art. Franç., dann 1895—1905 im Salon Soc. Nat. meist figürliche Bilder zeigte. Auch als Aquarellist geschätzt, ist er in Amerika, außer durch Entwürfe für Wand-Teppiche u. Textilien, besonders durch große dekorative Wandgemälde bekannt geworden, so „Annahme der Grundgesetze" für das Obergerichtsgebäude in Hartford, Conn., eine Folge von Dekorationen im St. Francis Hotel in S. Francisco (Abb. daraus „Europa" bei E. H. Blashfield, Mural Painting in America, 1914, Taf. gegen p. 140) u. a. m. Im Metrop. Mus. in New York Doppelbildnis der Söhne des Künstlers (Bull. Metrop. Mus., VIII [1913] 23), im Brooklyn Inst. Mus. „Hour of Despondency". — Seine Gattin A d e l e , geb. in New York, Malerin, war Schülerin von Courtois, Bouguereau u. Robert-Fleury in Paris.

I s h a m , Amer. Painting, 1905 p. 483 f. — Amer. Art Annual, XVIII (1921) 450. — Kunst u. Kunsthandw., XVII (1914) 143. — Art and Progress, V (1914) 130 ff. — Internat. Studio, LII (1914) 37 ff.; LVII (1915) 44 ff. — Ausst.-Kataloge. — Mit Notizen von Fiske Kimball.

Herter, C h r i s t i a n , Architekt u. Kunstgewerbler, geb. 1840 in Stuttgart, † in New York Ende 1883, kam Anfang der 1860 er Jahre nach New York, und trat bei seinem ältern Bruder ein, der eine Bildhauer-Werkstatt unterhielt (Herter Brothers). Dieser sandte ihn zu längerer Ausbildung nach Paris, von wo er 1870 zurückkehrte und das Geschäft des Bruders selbständig übernahm. H. lieferte u. a. die Pläne für den Palast Vanderbilts in der 5. Avenue, leitete den Bau und die Innenausstattung (1880—81). Seine befähigtsten Mitarbeiter dabei waren Ch. B. Atwood u. A. Sandier, der spätere Direktor der Porzellanmanuf. in Sèvres. Nach Vollendung des Baus zog er sich vom Geschäft zurück und ging nach Paris, um sich als Schüler von J. P. Laurens der Malerei zu widmen.

W. B a u m g a r t e n im Sonntagsblatt d. New Yorker Staatszeitg v. 20. 2. 1898.

Herter, E r n s t , Bildhauer, geb. 14. 5. 1846 in Berlin, † 21. 12. 1917 ebenda, seit 1865 Schüler der Berl. Akad. unter G. Bläser, A. Fischer u. A. Wolff. 1866 erlaubte ihm ein akad. Preis eine Studienfahrt nach Kopenhagen, zum Studium Thorwaldsens. 1869 nahm er sich eine kleine Werkstatt vor dem Schönhauser Tor, um selbständig seinen Entwurf zur „Antigone am Grabe des Bruders" zu fördern. Von dem strengen Vater, dem Architekten und Admiralitätsrat H., allzu kurz gehalten — die schöne u. feinsinnige Mutter Elise, geb. v. Reinhard, die dem Knaben schon früh die Bekanntschaft mit den Dichtungen Homers vermittelt hatte, verlor er bereits 1855 — mußte er Brotarbeit suchen und gewann des Vaters volles Verständnis erst, als die Antigone (Akad.-Ausst. 1874) von Kaiser Wilhelm I. zur Ausführung in Marmor bestellt wurde. 1875 konnte er Italien bereisen und hielt sich 4 Monate in Rom auf, der ruhende Alexander (Bronze, 1878; Nat.-Gal.) und der sterbende Achill (Marmor, 1886; Nat.-Gal. u. Korfu, Achilleion) sind die Ergebnisse. H., der Klassizist im Sinne der Rauchschule war, lernte von R. Begas, den Weg von der Antike zum Barock zu finden. Die Ausgaben für den Bau einer großen Werkstatt, die er mit seinem Freunde Reusch bezog, nötigten zu dekorativer Erwerbsarbeit (an Haupttelegraphenamt, Hauptpostamt und Landgericht in Potsdam). Mit der Anerkennung, die der sterbende Achill (Gipsmodell Akad.-Ausst. 1881), dessen Ausführung in Marmor Kaiserin Elisabeth von Österreich 1883 bestellte, und die ruhende Aspasia brachten, war H.s Erfolg entschieden. Doch erst seit ca 1890 erhielt er jene zahlreichen großen Aufträge, die den fruchtbaren und leicht schaffenden Künstler bekannt gemacht haben. 1885 wurde er Mitglied der Berl. Akad., 1895 Leiter des Bildhaueraktsaales an der Hochschule für bild. Künste. Die Ausstell. seiner Arbeiten (seit 1869 regelmäßig in der Berl. Akad.-Kstausst., seit 1892 in der Gr. Kstausst., auch in Dresden, Düsseldorf, Wien, Melbourne, Paris, Antwerpen, Chicago) brachten ihm zahlreiche Auszeichnungen. — H. pflegte in der Regel nur das Modell (in kleinem Maßstab) selbst auszuführen und die Übertragung ins Große und dessen Ausarbeitung anderen zu überlassen, um höchstens im Übergehen die letzte Hand anzulegen. Geschickt und formensicher, erschöpft er sich in einer leeren und glatten Formenbehandlung, ohne irgendwo den Weg zu einem persönlichen Stil und eigener Erfindung betreten zu können, was am deutlichsten in seinen Denkmälern hervortritt. Es gibt kein Gebiet der plastischen Betätigung, auf dem er nicht gleich fruchtbar gewesen wäre. Medaillen, Plaketten, Porträtbüsten u. Medaillons, Kunstgewerbliches (Leuchter, Humpen, Tafelaufsätze), Genreplastik, Freifigur, Reliefs, dekorative Friese, Grabmäler bis zum mittleren und größeren Monument. Von seinen Arbeiten seien noch genannt: *Berlin,* Helmholtz (Universität), Ludwig d. Ält. (Siegesallee), Max Eyth (Landwirtschaftsgesellsch.), Krupp (Techn. Hochschule), Die Künste huldigen d. Technik (ebenda), Minister v. Motz (Provinzialsteuergebäude), Herzog Albrecht v. Preußen (Pfeilerfigur, Kaiser-Wilhelm-Gedächtniskirche), Dom (Westfront, Paulus, Jacobus d. Ält.), Orpheus (Hochschule f. bild. Kste), Schiffahrt (Rathaus), Nixen u. Tritonen (von der Heydt-Brücke), Seltener Fang (Viktoriapark), Grabmal Dotti (Kath. Friedhof), Warthmüller (Friedhof Schöneberg), Relieffriese

(Villa Herter). *Breslau,* Friedrich d. Große (Regierungsgebäude). *Brüssel,* Denkmal für die 1870/71 in Belgien gestorbenen deutschen Soldaten (Friedhof). *Holtenau,* Wilhelm I.; Reliefs (Dreikaiserhalle). *Lainz* bei Wien, Hermes als Wächter. *New York,* Loreleibrunnen (Bronx-Park; als Heinedenkmal). *Potsdam,* Wilhelm I.; Lange Brücke, Skulpturenschmuck, Fahnenmasten. *Swinemünde,* Kaiser Friedrich III. *Thorn,* Wilhelm I. *Wiesbaden,* Bismarck; Grabmäler Bartling, Schlaffhorst.

G. M a l k o w s k y , E. H., Beitr. z. Gesch. d. Berl. Bildhauerschule, 1906 (Monographie mit zahlr. Abb.). — Kunstchronik, I (1866) 117; XVIII 12, 557; XXII 414; XXIII 548; N. F. I (1890) 6; II 365; IV 228, 241, 462; V 522; VI 456; VIII 214, 298; IX 376; XXIX 139 (Nekrolog). — Chronik d. Berliner Akad., 1904/05 p. 43. — J a n s a , Dtsche bild. Kstler, 1912. — Mitt. Ver. f. Gesch. Berlins, 1915 p. 103. — Berliner Münzblätter, 1915 p. 419; 1918 p. 203. — Bl. f. Münzfreunde, L (1915) 592; LVI (1921) 139. — Ausstell.-Katal., besonders Berlin 1869—1917, vielfach mit Abb. *Red.*

Herter, W i l h e l m F r i e d r i c h , Maler, geb. in New York 25. 11. 1865, † in München 8. 11. 1888, Schüler der Stuttgarter Kunstschule unter Grünenwald u. der Akad. in München unter W. Diez. 1907 erwarb die Neue Pinak. ein Bild H.s „Mädchen in grauem Kleid" (Kat. 1914). In der Ausst. Württemb. Kst 1891—1916 in Stuttgart, Winter 1916/17 (Kat. p. 18), waren 2 Porträts u. ein Bild „Der Schuster", in der Ausst. Münchener Malerei 1850—1880, Gal. Heinemann, München 1922 (Kat. p. 24), 2 Bildnisse ausgestellt.

Herterich, H e i n r i c h J o a c h i m , Maler, Radierer, Lithograph, getauft 7. 6. 1772 in Hamburg, † 20. 3. 1852 ebenda, Schüler seines Vaters Joh. Andreas, unternahm 1804 eine Studienreise nach Paris. Malte Porträts in Öl, Pastell u. Miniatur, auch Landschaften im Stil des Claude Lorrain. Ging 1817 zur Erlernung der Lithographie zu Mettenleiter nach München und gründete 1818 mit Joh. Mich. Speckter die erste Steindruckerei in Hamburg, wohin er Februar 1818 mit 3 Lithographen aus München zurückgekehrt war. Schon 1817 werden die ersten eigenen Lithogr. in Hamburg vorgelegt. Eine Kopie nach einem Melanchthon v. Cranach in der Strixnerschen Art ist bez.: H. J. Herterich, fec. München 1817. Durch H.s Propaganda wandten sich die meisten Hamb. Künstler dem neuen Verfahren zu. Er selber, der lieber Porträts u. Landschaften malte, hat verhältnismäßig wenig auf Stein gezeichnet: neben Bildnissen u. a. einen Christuskopf nach Carlo Dolci (1820), die 1819 gefällte Eiche bei Poppenbüttel (1821), ein Viehstück Potters (1819), eine Waldlandschaft Ruisdaels (1825). H. gehörte zu den geschicktesten Künstlern seines Faches in Hamburg. 1825 soll er zur Reorganisation der lithogr. Anstalt in Berlin dorthin berufen worden sein. Von ihm auch

mehrere, nicht sehr bedeutende Landschafts-
radierungen in holländ. Manier u. Porträts. H.
lebte bis zu seinem Tode in der Speckterschen
Familie und war der Lehrer Runges und der
Speckterschen Söhne. — In der Kunsthalle Ham-
burg 2 Bildniszeichngn, die eine dat. 1812. Ein
H. darstellendes Bildnis von Erwin Speckter in der
Kunsthalle (Öl, Kat. 1922, No 1219; Abb. in
Jahrh.-Ausst. Berlin 1906, I 58), ein anderes
in einer Zeichnung E. Speckters „Die Familie
Speckter am Kaffeetisch" 1824 (Abb. Licht-
wark, Bildnis in Hbg, II 132, ebenda p. 226
Daguerreotypie nach H. als Greis, 1840er Jahre).
[E c k h a r d t], Hamburg. Kstlernachr., 1794. —
N a g l e r , Monogr., III Nr 1126. — Kunstblatt,
1820 p. 68, 300, 411; 1825 p. 152. — B r u l l i o t ,
Dict. d. Monogr., II (1834) 152. — Hamburg.
Kstlerlex., 1854. — R u m p , Lex. d. bild. Kstler
Hambgs, 1912. — L i c h t w a r k , Herm. Kauff-
mann, 1893 p. 43; d e r s., Bildnis in Hamburg,
1898 II. — E. Z i m m e r m a n n , Gesch. d.
Lithogr. in Hambg, 1896 p. 16 ff., 33 ff. — v. L ü t-
g e n d o r f f , C. J. Milde (Lübeck o. J.), p. 1 ff.
Dirksen.

Herterich, H e r m a n n , Maler, geb. 27. 10.
1874 in Frankfurt a. M., tätig ebenda, 1892/94
Schüler Hasselhorsts am Städelschen Kunstinst.,
dann von E. Klimsch u. W. Trübner, malt
Landschaften, Interieurs u. Stilleben, die er in
den Frankf. Jahresausst. zeigt, auch in Berlin,
Gr. Kstausst. 1902, München, Glaspalast
1911 usw.
W e i z s ä c k e r - D e s s o f f , Kst u. Kstler
in Frankf. a. M., II (1909). — Ausst.-Kataloge.

Herterich, J o h a n n A n d r e a s , Maler,
geb. 1725 in Bayreuth, † 1794 in Hamburg,
Vater des Heinrich Joachim. Autodidakt; ließ
sich 1769 in Hamburg nieder, wo er, viel be-
schäftigt, vor allem Bildnisse, auch Miniaturen
lieferte. In der Sakristei der Petrikirche in
Hamburg die Bildnisse der Pastoren Sturm
und Behrmann. Bildnisse des J. G. Misler,
Sekretärs d. Oberalten, und seiner Gattin,
Madame Misler, geb. Schramm, sind durch
Stiche von A. Stötterup bekannt.
[E c k h a r d t] , Hamburg. Künstlernachr., 1794.
— Hamburg. Kstlerlex., 1854. — R u m p , Lex.
d. bild. Kstler Hambgs, 1912. *D.*

Herterich, J o h a n n Caspar, Historien- u.
Genremaler, geb. in Ansbach 23. 4. 1843, † in
München 26. 10. 1905. Bruder des Ludwig.
Die ersten künstler. Anregungen vermittelte
ihm das Atelier s. Vaters F r a n z (s. unter Ludwig). Noch als Schüler von Ph. Foltz malte H.
das gegenständlich noch ganz vom Lehrer abhängige Bild „Ingeborgs Klage" (Fridthiof-
sage). Unter dem Einfluß Pilotys, dessen Schüler
H. Ende der 60er Jahre wird, entsteht 1868
das Bild: Abschied der Landgräfin Margarethe
v. Thüringen von ihren Kindern („Friedrich
mit der gebissenen Wange"), das in den Besitz des Herzogs v. Coburg kam. Bald darauf
geht er nach Rom, wo er Szenen im Kostüm
des Mittelalters und der Renaissancezeit malt.
Mit eines seiner bekanntesten Bilder ist: Dr.

Guillotin demonstriert vor dem Konvent das
Modell seiner Guillotine. In den 80er Jahren
geht H. mehr zum Genre über; dieser Periode
entstammen: „Mutterglück", „Verbotene Lek-
türe" u. a. Das Gemälde „Himmlisches Wiedersehen" 1899 (München, N. Pinak.) hat er
1905 wiederholt. Das künstlerisch Wertvollste
sind seine Skizzen und landschaftl. Studien, in
denen sein malerisches Temperament, das
Genialische seiner Veranlagung am reinsten zum
Ausdruck kommt. Als Persönlichkeit hat H.
in diesem Sinne sehr fruchtbar und anregend
gewirkt, vor allem auch in seiner Eigenschaft
als Hilfslehrer (1882, Nachfolger von Benczur),
und seit 1884 Professor an der Münchner Akad.
— Seine Brüder O s k a r und A u g u s t haben
sich kunstgewerblich und als Kleinplastiker
betätigt (vgl. St. Georgsstatuette, Kunstgew.-
Vereins-Festschrift 1889, Taf. 15).
F. v. B ö t t i c h e r , Malerwerke d. 19. Jahrh.,
I 2 (1895). — Das geist. Deutschland, I, 1898.
— B e t t e l h e i m , Biogr. Jahrbuch, X (1905)
180 f. (H. H o l l a n d). — Bericht d. Kstvereins
München für 1905, p. XVII (Nekrolog). — Kunst
f. Alle, II (1887); VI (1891); Die Kunst, XI;
XIII (Nekrol.) — Velhagen u. Klasings Monats-
hefte, XXXV Bd I (Sept. 1920) p. 85. — *Ausst.-
Katal.:* Glaspal. München 1888, 1892, 1897, 1899,
1900, 1901; Gr. K.-A. Berlin 1905; Dresden 1901;
Düsseldf 1904. — Cat. Syracuse, Mus. of fine
Arts, 1914 p. 30 f., mit Abb. — M a i l l i n g e r ,
Bilderchronik d. St. München (Stadtmus.) III
(1876); IV (1886). — Kat. d. Ausst. Münchner
Malerei 1850—1880, Gal. Heinemann München,
1922. *Hgl.*

Herterich, L u d w i g , Figuren-, Porträt- u.
Monumentalmaler in München, geb. in Ansbach 13. 10. 1856. Bruder des Johann Caspar.
Im Atelier des Vaters, F r a n z H. (geb. 1798,
† 1876), der als Bildhauer und Vergolder viel
altertümliche Dinge unter die Hand bekam,
erwarb H. große technische Geschicklichkeit
im Malen und Modellieren. Bei seinem Bruder Johann genoß er den ersten Unterricht
(seit 1872 in München). Nach kurzem Studium
in der Zeichenschule der Akad. kam er in das
Atelier von Wilh. v. Diez. Sein hauptsäch-
licher Berater wurde der Diezschüler Wilh.
Dürr. Von der malerischen Auffassung der
Diezschule, ihren vielfach nur handwerklichen
Rezepten befreite H. ein Zufall: H. stellte
einen Schimmel, den er erst im Zimmer malen
wollte, ins Freie und entdeckte so für sich das
„Freilicht". 1883 machte H. eine Italienreise,
auf der ihn vor allem die Fresken Mantegnas
und Raffaels anregten. Die Verbindung realistischer Naturanschauung mit einfacher, monumentaler Formbehandlung blieb seitdem H.s
eigentliches künstler. Ziel. Ein stark romantischer Zug, eine glückliche Mischung von
Frohsinn und Ernst bestimmen die Bildthemen.
In der „Johanna Stegen" (1887, Staatsgal.
München) zeigen sich noch die Reste der Diezschule: tonige, subtile, allerdings wesentlich
aufgehellte Malerei, sein „Hl. Georg" (1891,

ebenda), breiter im Strich, ist schon stark monumental gefaßt. Im „Hutten" (1900, Gal. Dresden) und „Ein Ritter" (1898, Staatsgal. München) gewinnt H. die für die späteren Werke charakteristische großzügige Einfachheit und barocke Kraft. Die ausgesprochen dekorative Begabung konnte H. manchenorts betätigen: Hauptrestaurant im Ausstellungsgebäude in München, Festsaal des Rathauses Bremen, Rathaussäle in Neumarkt, Wasserburg und Kaufbeuren, Hausfresken in Murnau u. a. H. war 1888—96 Hilfslehrer a. d. Münchner Akad., lehrte 1896—98 an der Stuttgarter Kunstschule und ist seit 1898 Professor der Münchner Akad. 1908 wurde ihm der Maximiliansorden mit dem persönl. Adel verliehen. Samberger hat ihn gezeichnet (Graph. Slg München). — H. beschickt seit 1883 die Ausstell. des Münchner Glaspal., seit 1893 häufig auch die Gr. Berl. K.-A., die Münchner Sezession (1893 ff.) usw. Bilder von ihm in folg. öffentl. Sammlgn: Dresden, Lübeck, München (N. Staatsgal. u. Nat.-Mus.), Wien (Mod. Gal.). April—Mai 1920 veranstaltete er die erste Kollektivausstell. in der Gal. Heinemann in München, die etwa 50 Bilder aus den verschiedensten Zeiten vereinigte (vgl. Katalog).

Selbstbiographie in Kunst u. Künstler, VII (1908/9) 239/49 (mit zahlr. Abb.) u. in Velhagen u. Klasings Monatsheften, XXXI, Bd I (1916) 193—201; vgl. ebenda p. 202/6 (reich illustr. Aufsatz von G. J. W o l f). — Die Kunst, XXXXIII (1921) 1—16 (G. J. W o l f); cf. ebenda XIII (1906); XVII (1908); XVIII (1908); XXIX (1914) 68 ff. (F r. B u r g e r über die H.sche „Pietà"); XXXVII (1918), vgl. Verz. d. Bilder. — Die bild. Künste, IV (Wien 1921) 78 (mit Abb.). — The Studio, XXXVII (1906) 41/48 (A. S. C o v e y). — Münchner Neueste Nachr. vom 27. 4. 1920 (H. U h d e - B e r n a y s). — München-Augsburger Abendzeitung vom 27. 4. 1920 (G. J. W o l f). — Katal. der angef. Ausstell. (häufig mit Abb.) u. Galerien. *Hgl.*

Hertervig (Hertervik), L a r s , norweg. Landschaftsmaler, geb. in Tysvær bei Stavanger 10. 3. 1830, † in Stavanger 6. 1. 1902. Während er mit 10 oder 12 Jahren zu einem Stubenmaler in Stavanger in die Lehre kam, erwachte sein Kunstsinn unter dem Eindruck von Knut Baade's Bildern. Er begann frühzeitig mit Landschaftsmalen und Naturstudium und arbeitete, nachdem er einigen privaten Zeichenunterricht genossen hatte, meist auf eigene Hand. Konsul Sundt in Stavanger schickte ihn auf seine Kosten nach Kristiania, wo er wahrscheinlich bei Hans Gude, der 1848—50 seinen Wohnsitz von Düsseldorf nach Kristiania verlegt hatte, arbeitete. Seit 1850 war H. Gude's Schüler an der Düsseldorfer Akad. Hier geschah es nicht selten, daß die Mitschüler ihre Heiterkeit an dem naiven, schwermütigen Bauernjungen ausließen. Andauernd verschüchtert und nervenschwach, wurde er immer verschlossener und schließlich gemütskrank. Er kehrte in die Heimat zurück, wo sich die ver-

mutlich angeborene Anlage zu einer Geisteskrankheit rasch bei ihm entwickelte. Man schickte ihn ein halbes Jahr auf eine Seereise ins Mittelmeer und nach Konstantinopel, ohne daß sich sein Zustand besserte. Bis 1856 lebte H. einige Jahre in seinem Geburtsort Tysvær, 1856—58 im Irrenhaus Gaustad bei Kristiania, von wo er als unheilbar entlassen wurde. Darauf verbrachte er mehrere Jahre auf einem Bauernhof in Tysvær, wo er als Stubenmaler arbeitete. In diese Jahre fällt aber auch der Hauptteil seines künstlerischen Schaffens. Zu Beginn der 1860er Jahre scheint er sich trotz seiner Geisteskrankheit etwa 10 Jahre hindurch eine immer kraftvollere Eigenart gebildet zu haben, so daß er um 1866 den konventionellen und gefühlvollen Düsseldorfer Naturalismus überwunden hatte, den seine früheren Arbeiten zur Schau tragen. Er schuf eine Reihe großartiger Landschaftsvisionen in einem eigentümlichen bläulichen Grundton, die ihn als einen durchaus selbständigen Künstler erscheinen lassen. Die Motive entnimmt H. meistens den Fjorden, Gebirgen und Kiefernheiden von Söndhordland, unter stark dramatischer Behandlung der Luftregion. Aber auch eigenartige, offenbar aus den Eindrücken auf seinen Mittelmeerfahrten entstandene Phantasien von fernen Ländern hat er geträumt. H.s phantasievolle farbenreiche Bilder sind aus einem intensiven Gefühlsleben hervorgegangen. Eine neue, eigenartige Auffassung von Erde und Himmel, ein feierlich religiöser Ernst verleihen diesen Landschaften einen ungemein fesselnden Reiz. Er wanderte auf der Schattenseite des Lebens durch das Dasein, unglücklich, geisteskrank und unbeachtet, aber die Werke die er hinterlassen hat, sichern ihm einen unvergänglichen Namen in der norweg. Kunst. Außer der rein lokalen Anerkennung in Stavanger, wo namhafte Persönlichkeiten, wie der Dichter Alexander Kielland für ihn eintraten und seine Bilder kauften, blieb er so gut wie unbekannt, bis die große Jahrhundert-Ausstell. norweg. Kunst 1914 seine künstler. Bedeutung offenbarte. Eine Anzahl seiner Bilder gelangte in das Kunstmuseum Kristiania, Zeichnungen in das dortige Kupferstichkab. Weitere Bilder H.s sind im Kunstverein zu Stavanger und in der Meyer'schen Samml. in Bergen. — Die letzten 25—30 Jahre seines Lebens verbrachte H. meistens in Stavanger, wo er in geistiger Umnachtung 1902 starb. Ein Denkmal wurde 1915 auf seinem Grabe errichtet.

Dagbladet (Kristiania) v. 7. 6. 1893. — Kunst og Kultur, V (1914—15) 42 ff. — H a n s Ø d e - g a a r d , Norske malere. Matthias Stoltenberg og Lars Hertervig, Kristiania 1919. — Stavanger Aftenblad v. 9.—15. 1. 1915; 21. 9. 1917; 21. 9., 25. 10., 28. 10. u. 1. 11. 1919. — Stavangeren v. 4. 4. 1917. — Kat. norweg. Jubil.-Ausst. Kristiania 1914, m. 4 Abb. *C. W. Schnitler.*

Herting, G e o r g , Bildhauer, geb. 28. 9. 1872

in Linden (Hannover), Schüler der Akad. in München unter W. von Rümann, seit 1896 in Hannover als selbständiger Bildhauer tätig, seit 1911 Lehrer für Ornament- u. Figuren-Modellieren an der Techn. Hochschule in Braunschweig. Begann in Hannover mit dem Figurenfries am Provinzial - Museum (mittlerer Teil); ferner von ihm figürl. Reliefs im Standeshaussaal, das Trip-Denkmal im Maschpark, die Plastik für die Bauten der Keksfabrik H. Bahlsen (z. B. deren bronzenes Firmenzeichen, der Majolikafries, beides am Außenbau), der Duvebrunnen mit 4 Reliefs am Sockel des Beckens und der puttenumgebenen Figur eines Sämanns (Bronze), Bronzereliefs im großen Festsaal des neuen Rathauses, ferner Grabdenkmäler: Schmitz-Jérôme, mit der stehenden Figur einer trauernden Frau; Wrede, mit 2 klagenden Rückenfiguren. Die Steinfiguren „Kunst" u. „Handwerk" im Lichthof des Provinzial-Mus. in Münster i. W., das Figürliche am Portal der städt. Friedhofskap. in Minden (Relief), Grabmal Leonhardi ebenda. Schließlich auch kunstgewerbl. Entwürfe, wie Amtskette des Stadtdirektors von Hannover.

J a n s a , Dtsche bild. Kstler, 1912. — Die Kunst, XXI (1909/10) 181, Abb. 183 u. 187; XXX (1914) 218, Abb.; XXXII (1915) 210, 214. — Dtsche Kst u. Dekoration, XXIX (1911/12) 106; XXXIX (1916/17) 190 ff. Abb. — Die Plastik, II (1912) Taf. 97, 98; III (1913) Taf. 10, 69; X (1920) 21 f., Taf. 30 ff.

Herting, G u s t a v , Maler in Hamburg, stammte aus Hannover, 1854 Schüler Schirmers an der Kunstschule in Karlsruhe. 1855 kaufte der Hambg. Kunstver. eine Landschaft, 1861 eine „Frühlingslandschaft bei Regenwetter". 1867 zeigte H. im Lübecker Kstverein (Kat. No 110) eine Waldlandschaft. In der Hamb. Kunsthalle eine Kreidezeichng: Kirchdorf unter Bäumen.

v. O e c h e l h a e u s e r , Gesch. d. Akad. d. bild. Kste Karlsruhe, 1904 p. 14, 162. — R u m p , Lex. d. bild. Kstler Hambgs, 1912. *D.*

Hertl, A d e l i n a M a r g ., siehe unter *Hertl,* Paul Ant.

Hertl, G., Porzellanmaler an der Nymphenburger Manufaktur, um 1780. Von ihm Untertasse mit Landschaft, bez. „G. Hertl fecit", im Bayr. Nat.-Mus. München.

H o f m a n n , Europ. Porzellan des Bayr. Nat.-Mus., 1908 p. 234.

Hertl, P a u l Antoine, Maler in Paris, geb. 9. 6. 1826 in Sedan, Schüler von H. Lecoq de Boisbaudron und J. Coignet, stellte 1861—70 im Pariser Salon Landschaften aus. — Seine Schwester A d e l i n a M a r g a r i t a , Pastellmalerin, geb. 24. 5. 1832 in Sedan, † 1872 in Ems, Schülerin von Coignet, war 1857—70 im Salon mit Blumenstücken u. Stilleben vertreten.

Art. Ardennais Contemp., Sedan 1888. — B e l l i e r - A u v r a y , Dict. gén., I (1882).

Hertl, siehe auch *Hertel.*

Hertleiff (Hertlieff), H e i n r i c h I, Gold-

schmied in Münster i. W., wurde 15. 2. 1660 bischöfl. Hofgoldschmied, † zwischen Januar 1679 und 16. 5. 1681. Von ihm möglicherweise die unbezeichnete, prachtvolle Monstranz, die Fürstbischof Christoph Bernhard von Galen dem Dom zu Münster schenkte. — Sein Sohn, H e i n r i c h II, Goldschmied, † 1738, trat 1684 bei Chr. Poppe in die Lehre (1690 beendet). 1700 wurde er Meister, 1725, 34, 37 war er Gildemeister. Von ihm (Marke HH in herzförmigem Schildchen) Beschlag eines Meßbuches, silberne Krone u. Versehkreuz von 1716 im Landesmus. Münster; Kelch in der Lambertikirche Münster; Meßbucheinband in der Pfarrkirche zu Wiedenbrück (Abb. in Bau- u. Kstdenkm. Westfalen, Kr. Wiedenbrück, 1901 p. 83); 2 silb. Masken, 6 silb. Leuchter von 1721, Schale für Meßkännchen, Kruzifix, in St. Mauritz in Münster; Kruzifix von 1723 in St. Martini in Münster.

Ztschr. f. vaterl. Gesch. u. Altertumskde, LXXII 1. Abt. (1914) 263, 291, 314.

Hertling. L é o n , Architekt in Freiburg (Schweiz), geb. 20. 11. 1867 ebenda, bildete sich am Technikum in Winterthur 1884—85 u. am Polytechnikum in Zürich 1885—89. Er baute die Staatsbank, die Volksbank u. die Kantonsbank in Freiburg, Mädchenschule in Gambach, die Kantonsbibliothek ebenda (zusammen mit Bracher u. Widmer), ferner Wohnhäuser u. Villen in Gambach u. Pérolles.

B r u n , Schweiz. Kstlerlex., IV (1917). — Schweiz. Zeitgenossenlex., 1921.

Hertling, W i l h e l m J a k o b , Maler, geb. 16. 12. 1849 in Katzenelnbogen (Nassau), 1873 bis 74 Schüler Steinles am Städelschen Institut in Frankfurt a. M., dann A. Burgers in Cronberg (bei Frankfurt), Wengleins in München (1882) und Gudes in Berlin. Seit ca 1884 in München ansässig. Seine Landschaften aus dem Taunus, der fränkischen Schweiz u. dem Isargebiet, die ihn in den Bahnen der intimen Münchner Landschaftsmalerei zeigen, waren besonders im Münch. Glaspalast (seit 1899), in der Gr. Berl. K.-A. (1903—14) u. in der Sammelausst. der Münchner Kstlergenossenschaft, 1919, zu sehen.

W e i z s ä c k e r - D e s s o f f , Kst u. Kstler in Frankf. a. M., 1909 II. — Die Kunst, XIII (1906). — Münchner Neueste Nachr. No 120 vom 14. 3. 1919. — Ausst.-Katal.

Hertochs (Hertocks), A., holl. Kupferstecher, tätig in England 1626—72. Arbeitete für Verleger. Seine fast ausschließlich als Titelkupfer erschienenen Bildnisstiche sind selten. Dargestellt sind u. a.: W. Austin, 1666; Alexander Brome, Dichter, 1661; W. Chamberlayne, 1659; Hugh Crompton, Dichter; Oliver Cromwell; Gideon Harvey; Sir Edward Nicholas, Staatssekretär, nach Hanneman (das 1654 gem. Original verschollen); Karl I., für die „Ikon Basilike", mit einer Dornenkrone, für die „Works of Charles the Martyr" 1662, für

Evelyn's Sculptura, und öfters; Karl II. als Prinz von Wales; ders., thronend; Henri Rolle, Rechtsgelehrter, 1668; Lawrence Rawdon, Alderman von York 1626; Rob. Rawdon, 1644; Edward Sparke, Titelkupfer zu s. „Scintilla Altaris", 1663; Sam. Sturmy, 1669, bez. A. H.; Edward Waterhouse; Sir Francis Wortley, 1652; Thomas Wortley als Gefangener im Londoner Tower. Außerdem 4 Bl. zu John Evelyn's „The French Gardiner", 3. Ed. London 1672, u. a. Im Katalog der Londoner Miniaturen-Ausst. 1865 (South Kensington Mus.) wird ihm eine Miniatur (Mrs. Cromwell, Mutter des Protektors) zugeschrieben (bez. A. H.).

Walpole, Anecdotes of Paint., ed. Wornum, 1862 III 898. — A. v. Wurzbach, Niederl. Kstlerlex., I (1906), mit Lit. (Hertocks). — Cat. of engr. Brit. Portr. Brit. Mus., I (1908) 94, 375, 390, 394, 402, 523; II (1910) 458; III (1912) 332, 605; IV 156, 216, 412, 545. — Mit Notizen von H. M. Hake.

Hertoghe (Hertoog), Gilles de, fläm. Bildhauer, 1538 in Antwerpen Meister, nimmt 1547 einen Lehrling in Dienst. Errichtete 1560 ein reiches Alabaster-Grabmal im Minoritenkonvent in Brüssel für den Kanonikus François Sarre.

J. Houdoy, Hist. art. de la Cath. de Cambrai, 1880 p. 127. — Rombouts-Lerius, Liggeren. 1. — Marchal, Sculpt. etc. belges, ² 1895 p. 337.

Hertrich, Michel, Miniaturmaler in Colmar, geb. 15. 10. 1811 in Türkheim (Elsaß), † 1880 in Colmar, im Pariser Salon 1844—48 mit Miniaturporträts vertreten. Werke im Mus. in Colmar (Selbstporträt, Porträts des Curé Maimbourg u. des Politikers Gruffa).

Bellier-Auvray, Dict. gén., I (1882). — Expos. Alsac. de Portr. anc. à Strasbourg, 1910 No 108—110, 232, 563—64. — Wystawa Miniatur i Sylwetek we Lwowie, 1912 No 902. — Reiber, Iconogr. Alsat., 1896.

Hertsberg, Halfdan, s. Hertzberg, H.

Hertsem, Jean de, Bildhauer in Ath (Belgien), arbeitete 1615 den mit Figuren u. Reliefs geschmückten Lettner der Kirche Saint-Pierre in Lessines. Ihm schreibt Marchal auch den ähnlichen Lettner in Saint-Vincent zu Soignies zu.

Marchal, La Sculpt. etc. Belges, 1895 p. 396 f. — Hedicke, Corn. Floris, 1913 I 209.

Hertsnabel, Jean, Maler und Kanonicus der Kollegiatkirche zu Hagenau i. E., als Maler in Avignon tätig, bekannt aus einem Vertrag vom 6. 4. 1377, wonach er für Catharine, die Witwe des Pierre Moyne, ein 5 teiliges Retabel mit Darstell. der Maria mit dem Kinde, verschiedener Heiliger u. den Stifterbildnissen zu malen hatte.

Réun. des Soc. des B.-Arts, XIII (1889) 122. — R. v. Marle, Simone Martini, 1920.

Hertwig, Hans, Baumeister u. Steinmetz in Bergzabern, erbaute, wie urkundlich festgestellt, 1471/88 die Pfarrkirche in Lautenbach (Kr. Offenburg, Baden), die von Kloster Aller-

heiligen als Kapelle eines dem Kloster gehörigen Hospizes errichtet wurde: einschiffiger, netzgewölbter Bau von 4 Jochen, mit stark eingezogenem Chor (durch modernen Anbau erweitert). Auch Lettner u. Gnadenkap. im Innern der Kirche sehr wahrscheinlich von H. „Der Geist der Spätgotik ist in diesem feinen Bau der Straßburger Schule mustergültig verkörpert. Eine einfache ruhige Architektur, aus der sich einzelne Stellen — Portal, Lettner, Gnadenkap. — mit schmuckreichen Akzenten herausheben" (Dehio).

Kunstdenkm. d. Großherzogt. Baden, VII (1908) 184 ff., 189 f., 210, 213. — Dehio, Handbuch d. deutschen Kunstdenkm., IV (1911) 206.

Hertz, Giovanni da, s. Herdt, Jan de.

Hertz, Gustav, Porträtmaler in Berlin, war 1839—40 Schüler von K. Begas, zeigte 1839/60 häufig Porträts auf der Berliner Akad.-Ausst. Von ihm ein Porträt des Astronomen Ideler im Berl. Hohenzollernmus. (Führer, 1906 p. 28).

A. Rosenberg, Berl. Malerschule, 1879. — Katal. d. Akad.-Ausst. Berlin, 1839 p. 22; 1840 p. 20; 1842 p. 25; 1844 p. 158; 1846 p. 27; 1848 p. 29; 1856 p. 27, 151; 1860 p. 131, 147.

Hertz, Hans Jacob, kaiserl. Kammertischler in Wien, 1647/65 nachweisbar. Von ihm war der 1658 bei der Rückkehr Kaiser Leopolds I. von der Krönung „a collegio mercatorum extraneorum" errichtete Triumphbogen (gestochen von Ger. Bouttats). Lieferte (auch als Kunsthändler) verschiedene Kunstwerke für den Fürsten Karl Eusebius von Liechtenstein, darunter einen Silberaltar zu Ehren des hl. Antonius, der 1668 in die St. Johanneskirche der Franziskaner nach Brünn übergeführt wurde.

Quellen z. Gesch. der Stadt Wien, 1. Abt. Bd VI. — Die Graph. Kste, 1900 Mitteil. p. 10, 12. — Fleischer, Fürst Karl Eus. v. Liechtenstein, 1910. — Jahrb. d. ksthistor. Instit. d. Zentral-Komm., VIII (1914), Beibl. Sp. 39. H. Tietze.

Hertz, Martin, Bildschnitzer. Von ihm die Reliefs eines geschnitzten Flügelaltars (handwerkliche Arbeit) in der Kirche zu Obersdorf (Kr. Lebus, Brandenburg), bez. „Martin Hertz 1605".

Dehio, Handbuch der deutschen Kstdenkm., ² II (1922); vgl. Abb. in Kstdenkm. Prov. Brandenbg, VI 1 p. 228.

Hertz, Semmi, Lithograph, † 25. 6. 1862 in Wandsbeck bei Hamburg, gründete 1845 eine lith. Anstalt in Hamburg; vorher Teilhaber der Firma Wieter und Hertz. Lieferte vor allem Karikaturen und politische Flugblätter (1848/49) ohne künstler. Wert. Ein satirischer „Bürgereid" erregte großes Aufsehen (vgl. dazu, Borcherdt, Hambg. Abende des Senioren-Konvents p. 90 ff.). Zu H.s frühen Lithogr. gehört ein 1825 dat. Blatt nach Tournière, einen Künstler darstellend, der bei Kerzenlicht eine weibl. Büste betrachtet.

Zimmermann, Gesch. d. Lithogr. in Hamburg, 1896 p. 58, 73. — Rump, Lex. d.

bild. Kstler Hambgs, 1912. — Verst.-Kat. Slg Dr. Predöhl (F. Dörling), Hambg 1922, Nr 497.

Hertz, siehe auch *Herz.*

Hertzberg, A x e l G u s t a f, schwed. Maler, geb. 27. 8. 1832 in Jämtland, † 2. 9. 1878 in Düsseldorf. Beschäftigte sich anfänglich mit der Porträtlithographie, dann Schüler der Akad. in Stockholm (1849/60), weitergebildet in Paris; ließ sich 1869 in Düsseldorf nieder. Anfänglich behandelte er mit Vorliebe nordische Motive; seine spätere sparsame Produktion umfaßt hauptsächl. Genrescenen aus dem Milieu des 17. Jahrh. oder zeitgenöss. Genre. Im Nat.-Mus. in Stockholm von ihm: ,,Konfirmand" und ,,Der letzte Tropfen", im Mus. zu Gotenburg: Lautenspielende Dame (Kat. 1909), im Athenäum zu Helsingfors: Marquis Alfonso d'Avalos, allegorisch verherrlicht, Kopie nach dem Louvrebilde Tizians (Kat. 1912).

Nordisk Familjebok, ² XI (1909). — N o r -d e n s v a n, Svensk Konst och Svenska Konstnärer, 1892; d e r s., Schwed. Kst d. 19. Jahrh. (Gesch. d. mod. Kst, Bd 5), Lpzg 1904. — Forteckning Tafvelsaml. Nat.-Mus. Stockholm, 1897.
G. M. S-e.

Hertzberg, H a l f d a n, norweg. Bildhauer, geb. 7. 2. 1857 in Kristiania, † 5. 7. 1890 in Nærstrand bei Stavanger. Studierte zuerst Medizin u. praktizierte als Arzt. Seine Kunstliebe u. sein Talent machten sich aber immer stärker geltend; er dachte eine Zeitlang daran, Maler zu werden, und brachte viele Entwürfe zu Papier. Schließlich entschied er sich für die Bildhauerkunst. Er modellierte auf eigene Hand und erregte durch ein Relief ,,Christus und die Ehebrecherin", das er in der Kunstvereinigung zu Kristiania ausstellte, allgemeine Aufmerksamkeit. Unternahm dann Studienreisen nach Rom, Paris und Kopenhagen und stellte in den nächsten Jahren einige vielversprechende Arbeiten aus, von denen der ,,Pfeifende Knabe" wegen seines liebenswürdigen und frischen Ausdrucks besonders populär wurde. (Kunstmus. Kristiania.)

Salmonsens Konversationslex. — T h i i s, Norske malere og billedhuggere, III (1905) 32. — Kat. Norweg. Jub.-Ausst. Kristiania 1914 (hier ,,Hertsberg").
C. W. Schnitler.

Hertzberg, R u d o l f Reinhold, Maler in Berlin, geb. 1811 ebenda, † 24. 6. 1888 zu Schloß Langenberg bei Weißenburg. Schüler der Berl. Akad. unter dem Kupferstecher L. Buchhorn, bereiste Dänemark u. Schweden, ging dann auf 5 Jahre nach Paris, wo er Schüler P. Delaroches war. Nach einer Italienreise ließ er sich 1846 in Berlin nieder, war Zeichenlehrer an der Ritterakad. u. 1865 bis 78 Inspektor der Berl. Akad. 1828—34 war er mit Zeichnungen auf der Berl. Akad.-Ausst. vertreten. — Ob er mit R. H e r t z -b e r g identisch ist, der 1836 ebendort Landschaften u. Genrebilder ausstellte, ist unsicher.

Ausst.-Katal. — Mitt. d. Akad. d. Kste, Berlin.

Hertzhoff, H e l m e r, schwed. Landschafts-

maler, geb. 1873 in Ångermanland, bekannt als kraftvoller Schilderer der Natur seiner Heimat (Öl u. Kohlezeichn.). Im Mus. zu Gotenburg von ihm: Nordlicht (Katal., Nachtr. 1913).

R o o s v a l in Konst och Konstnärer, 1911 p. 84 (mit Abb.). — R o m d a h l - R o o s v a l, Svensk Konsthist., 1913.
G. M. S-e.

Hertzich v a n B e i n, s. *Hertzog* von Brin.

Hertzinger, A n t o n, siehe *Herzinger,* A.

Hertzler, J o h a n n P e t e r, Baumeister aus Oehringen, † 1717. Wird 1672 herrschaftl. Palier, 1685 ,,weltlicher fürstlicher Werkmeister" in Stuttgart. Von ihm und dem Baumeister Matthias Weiß stammen Plan u. Bauordnung für den Wiederaufbau der Stadt Kirchheim nach dem Brande von 1690.

K l e m m, Württemb. Baum. u. Bildh., 1882. — Kst- u. Altertumsdenkm. in Württemb., Neckarkreis, I (1889) 566; Donaukr., O. A. Kirchheim, 1821 p. 10, 18.

Hertzog (Herdtzig) von Brin oder Prinn (= Brünn?), kaiserl. Goldschmied in Wien, 1606 urkundlich genannt. Von ihm wohl die Ornamentstiche in der Art des Th. de Bry (Vorlagen für Goldschmiede u. Juweliere, schwarz auf weißem Grund; Blätter mit Tieren, Trophäen, Arabesken; Blättchen mit Vögeln, Schmetterlingen u. Schnecken), auf welchen sich mehrmals die Signatur H. V. B. oder der Name H e r t z i c h v a n B e i n (wohl verlesen statt Brin) u. die Jahreszahlen 1589, 1592 oder 1604 finden.

Jahrb. d. ksthist. Samml. d. allerh. Kaiserhauses, XIX 2. Teil No 16 624, 16 649. — N a g l e r, Monogr. III No 1620. — G u i l m a r d, Maitres orneman., 1881 p. 512 (,,Henrich" verlesen aus Hertzich, und falsche Jahrhundertangabe). — Kat. d. Ornamentstichsamml. d. Kstgewerbemus. Berlin, 1894 No 580.

Hertzog, A n d r e a s, Goldschmied, in Löcse (Leutschau, Ungarn) tätig. Von ihm die 1699 dat. Monstranz der Pfarrkirche in Podolin (Pudlein); vielleicht auch das große silb. Ziborium der Gymnasialkirche in Löcse mit 4 Heiligen in Gußmedaille u. Cherubköpfen.

K. D i v a l d, Szepesvármegye művészeti emlékei, III (Budapest 1907) p. 77 (Abb.), 78.
K. Lyka.

Hertzog, A n t o n, Maler, geb. 1692 zu Hiltenfingen in Schwaben, † 17. 3. 1740 in Wien, wo er seit 1717 nachweisbar ist. Von ihm ein Altarbild (Joh. v. Nepomuk) von 1721 in der Augustinerkirche in Wien; für die Katharinenkap. ders. Kirche malte er 1725 im Auftrage der ,,Cammer Fourierin" der Kaiserin Eleonora ein Bild der hl. Wilgefortis und 1727 ein Altarbild der hl. Barbara; an 4 Pfeilern der Wiener Leopoldskirche je 1 Bild mit der Figur eines Kirchenlehrers; Altarbild der Xaveriuskap. in der ehemal. Jesuitenkirche zu Passau: hl. Xaver vor Maria betend, bez. ,,Anton Hertzog inv. et pinx. Ao 1730. Wiennae"; Johannes d. T. von 1735 (bis 1834 auf dem Hochaltar, nach Indorsalinschrift v.

1871 von Skreta) in der Pfarrkirche von Rečic-Kardaš in Böhmen; ein Hochaltarbild (hl. Andreas) in Groß-Stelzendorf bei Göllersdorf (Nieder-Öst.) von 1738.

Quellen z. Gesch. d. St.Wien, 1. Abt., VI. Band. — Wolfsgruber, Hofkirche St. Augustin, 1888 p. 9, 11, 23. — Topogr. v. Böhmen, X (1904). — Kstdenkm. Bayern, IV Heft III (1919). — Frimmel, Stud. u. Skizzen zur Gemäldekde, VI (1921/2) 5 („Fr. Anton"), 37 („Vincenz").
H. Tietze.

Hertzog (Herzog), **Daniel**, Maler in Augsburg (wohl der als Maler des Bischofs v. Eichstätt genannte Meister), für Hainhofer tätig. Für dessen großes Stammbuch malte er vor 1610 ein Blatt, für den von Hainhofer besorgten silbernen Nähkorb der Gemahlin Philipps II. von Pommern 1610 ein Kartenspiel und für den Herzog selbst 1610—15 Blumen, Vögel u. anderes Getier in Miniatur auf Pergament. Die Blätter sollten zu Büchern vereinigt werden. 4 andere Bücher nach G. Hoefnagels Blumenbüchern, Jugendarbeiten H.s, erwarb Hainhofer 1612 für Herzog Philipp.

O. Doering, Ph. Hainhofers Corresp. (Quellenschr. f. Kstgesch etc., N. F. VI), 1894; ders., Ph. Hainhofers Reisen (Quellenschr. f. Kstgesch. etc., N. F. X), 1901 p. 281. — Jahrb. d. preuß. Kstsamml., V (1884) 48, 53.

Hertzog, **Frederik Gottlieb**, Bildhauer, geb. in Kopenhagen 6. 1. 1821, † ebenda 13. 3. 1892 (Holmens Kirkegaard). Anfangs im Postdienst in Roskilde, kam er später zu dem Holzschnitzer Wille in Kopenhagen in die Lehre, seit 1842 Schüler der dort. Akad., gewann 1845 die gr. silberne, 1851 die kl. goldene (Thetis bittet Vulcan um Waffen für Achill), 1855 die gr. gold. Medaille (Moses schützt die Töchter Jethros), 1856 das große Reisestipendium für 3 Jahre. H. verbrachte diese in Italien u. Griechenland und erhielt bei seiner Rückkehr 1862 den Auftrag zur Restaurierung des Sarkophages der Königin Margarethe († 1412) im Dom zu Roskilde, die H. bei seiner großen Sorgfalt in den vorbereitenden Studien (großer Maßstab) sein ganzes Leben in Anspruch nahm und seine eigene bildhauerische Produktion schließlich verhinderte, doch gibt „eine Menge vortrefflicher kleiner Zeichnungen" einen Begriff von seiner künstler. Begabung. — H., der ganz unter dem Eindruck des Stiles von Thorvaldsen und Bissen stand, arbeitete schon 1840 in Bissens Werkstatt den „Apoll" für die Universität; in der Ny Carlsberg Glyptothek (Kat. 1913, No 371) von H. „Knabe, der Terre spielt" (Gips, 1847), in der Sammlg Hirschsprung (Kat. 1911 No 783) Christus im Tempel (Zeichnung). In Charlottenborg stellte er 1843—59 aus. H. wurde 1866 Mitglied der Akad., 1887 des Rates der Akad. In der Bildnissammlg auf Schloß Frederiksborg (Kat. 1919 p. 218) Porträts H.s von H. Olrik (Gemälde, 1887) u. von J. Roed (Zeichnung).

Weilbach, Nyt Dansk Kunstnerlex., I (1896). — Reitzel, Fortegnelse over Danske Kunstneres Arb., 1883. — Dahl-Engelstoft, Dansk biogr. Haandleks., II, 1921 (Andrup). — Hannover, Dänische Kst d. 19. Jahrh., 1907. — Trap, Danmark, 1898—1906, I/II.

Hertzog, **Heinrich Wilh.**, siehe unter *Herzog,* Christoph.

Hertzog, **Johann**, Freskenmaler in Augsburg, erneuerte laut Inschrift 1600 die Malereien des Peter Kaltnhoff (1457) an Holzdecke u. Wandbekleidung der ehemal. Amtsstube des Weberhauses in Augsburg (jetzt im bayr. Nationalmus. München). Eine Federzeichnung von ihm, musiz. u. würfelnde Männer, um eine brennende Kerze versammelt, bez. „Hans Hertzog der Eltere in Augsburg fecit", im Kupferstichkab. Berlin.

P. v. Stetten, Kst- etc. Gesch. Augsburgs, 1779. — Führer durch das bayr. Nat.-Mus. München, [8] 1908 p. 77. — Friedländer, Zeichn. alter Meister im Kupferstichkab. [Berlin], 1921 ff., E. Bock, Die deutschen Meister, I 189.

Hertzog, **Johann Christian**, Bildhauer in Zittau um 1767, schuf die Verzierung an den Fenstern der Johanniskirche ebenda.

Bau- und Kunstdenkm. Königr. Sachsen, Heft XXX (1907) 8. *Georg Müller.*

Hertzog, **Johann Georg**, Maler, geb. um 1710 in Kopenhagen, † in Sorø 30. 1. 1770, lernte das Malerhandwerk, bildete sich aber später zum Porträtmaler aus, wahrscheinlich bei J. S. Wahl. 1744 heiratete er in Kopenhagen, 1749 wohnte er auf Kristianshavn als Porträtmaler, noch vor 1753 wurde er Zeichenmeister an der Ritterakad. in Sorø, wo er (schlechtbesoldet) auch einfache Malerarbeit in den Gebäuden der Akademie übernahm.

Weilbach, Nyt Dansk Kunstnerlex., I (1896).

Hertzog, **Siegmund**, Bildhauer, geb. in Leutersdorf in der sächs. Oberlausitz, † in Zittau am 7. 5. 1773, wo er um 1750 als Bildhauer erscheint.

Chr. Ad. Pescheck, Handb. der Gesch. von Zittau, II 340. — Mitt. von Th. Gärtner in Zittau aus dort. Kirchenbuch. *Georg Müller.*

Hertzog, siehe auch *Herzog.*

Hertzsprung, **Carl Frederik Emil**, Porzellanmaler, geb. in Potsdam 11. 5. 1804, † in Kopenhagen 8. 9. 1867, kam als Kind mit seinen Eltern nach Kopenhagen, besuchte die dort. Kunstakad., an der er 1827 die kl., 1833 die gr. Silbermedaille gewann. Anfangs Porträtist, wandte er sich dann der Porzellanmalerei zu und stellte schon 1827 in Charlottenborg „zwei Köpfe", en camaieu gemalt, aus, 1831 „Hödur bei den Walküren" auf Porzellan, Kopie des Aufnahmestückes von Ch. G. Stub (Kratzenstein-Stub). Bald nach 1834 trat er in die Beamtenlaufbahn über; er starb als Kammerrat.

Weilbach, Nyt Dansk Kunstnerlex., I (1896). — Reitzel, Fortegnelse over Danske

Kunstneres Arb., 1883. — L e m b e r g e r , Bild-nisminiatur in Skandinavien, 1912.

Hervé, Name mehrerer Miniaturmaler u. -Malerinnen in London (wohl alle untereinan-der verwandt), die in der 1. Hälfte des 19. Jahrh. häufig in der Royal Acad. mit Miniaturporträts vertreten waren: P e t e r , † 6. 6. 1827, stellte 1802—20 in der Royal Acad. aus. Er ist der Gründer der Nat. Benevolent Instit. in London u. schrieb: „How to Enjoy Paris" (1816) und „A Chronological Account of the Hist. of France" (2. Aufl. 1818). — Sein Bruder C. stellte 1803—16 in der Royal Acad. aus. Ein Porträt von ihm, s. Bruder Peter darstellend, in der Nat. Benev. Instit. — Die gleiche Lon-doner Adresse wie C. hatten F., der 1818—40 ausstellte, und H e n r y , der 1813—16 in der Roy. Acad. ausstellte. Sie waren vermutlich Brüder des Peter, dessen Porträt sie beide ge-malt haben. Henry war auch Porträtsilhouettist u. ist wohl identisch mit den bei Nevill Jack-son genannten „Henve" u. „Hervé". Von ihm ein Porträt des P. Hervé in der Nat. Benev. Instit. — Ein Neffe des Peter war C. S. H e r v é , der 1835—58 die Royal Acad. be-schickte. Von ihm vermutlich ein Miniatur-porträt des Peter Hervé in der Nat. Benev. Instit. Er war auch als Lithogr. tätig (Por-träts Sir James Eyre u. Alex. Mackay). — Von C h a r l e s , geb. 1833 oder 34, 2 Miniaturpor-träts leihweise im Victoria and Albert-Mus. — Eine Mrs. M a r g a r e t stellte 1783 in der Soc. of Artists aus, eine C. M a r g a r e t (die gleiche?) 1800 in der Royal Acad. Von ihr viel-leicht ein Porträt der Miss Jackson, dat. 1793, auf Elfenbein (Cat. Exhib. of Portrait-Miniat., London 1865).

G r a v e s , Royal Acad., IV (1906); d e r s ., Soc. of Art., 1907; Dict. of Art., 1895. — N e v i l l J a c k s o n , Hist. of Silhouettes, 1911. — D. C o k e , Art of Silhouette, 1913. — The Examiner, 1812—13. — Cat. of Engr. Brit. Portr., Brit. Mus., II 184, 377; III 74, 125. — Mitt. H. C. Laneille. *B. S. L.*

Hervé, A b e l Louis, Landschaftsmaler in Nantes, geb. 22. 1. 1858 in Vieillevigne (Loire-Inf.), Schüler von L. Morice, stellte zwischen 1906—14 öfters im Pariser Salon (Soc. des Art. franç.) aus. Eine Landschaft von ihm im Mus. Munic. Nantes (Catal., 1913 p. 395). Salonkatal.

Hervé, G a b r i e l , Porträt- u. Figuren-maler in Paris, 1898—1912 im Salon (Soc. des Art. franç.) vertreten.

B é n é z i t , Dict. des Peintres etc., II (1913). — Salonkatal. (1912 mit Abb.).

Hervé, I s a b e l l e , geb. *Hallinbourg,* Mi-niaturmalerin, geb in Paris, Schülerin Cl. Dessarts, zeigte gelegentlich im Salon Porträt-miniaturen, so 1878, 80 im Salon der Soc. des Art. franç., 1893, 94 im Salon der Soc. Nat.

B e l l i e r - A u v r a y , Dict. gén., I (1882). — Salonkatal.

Hervé, L é o n a r d , Glockengießer aus

Saumur, wohl in Nantes ansässig. Von ihm ein Taufbecken, bez. u. 1659 dat., in Saint-Seurin in Bordeaux, eine Glocke von 1667 in Pleyben (Finistère). Von einem g l e i c h n a m i g e n Gießer eine Glocke von 1661 in Oud-Loosdrecht (Utrecht).

Nouv., Arch. de l'Art Franç., XIV (1898) 269. — Voorloop. Lijst der Nederl. Monum., I (1908) 39.

Hervé-Mathé, J u l e s A l f r e d , Porträt-maler in Le Mans, geb. in Saint-Calais (Sarthe), Schüler von A. Maignan u. M. A. Baschet, seit 1903 im Pariser Salon der Soc. des Art. franç. mit Porträts und Landschaften vertreten.

B é n é z i t , Dict. des Peintres etc., II (1913). — Salonkatal.

Hervier, A d o l p h e (Louis Henri Victor Jules François Ad.), Maler, Radierer u. Litho-graph, geb. 1818 in Paris, † ebenda 18. 1. 1879, Schüler seines Vaters Marie Antoine, dann von L. Cogniet, Al. Decamps u. E. Isabey. 20jährig begann er seine Wanderungen (Normandie, Bretagne, Beauce, Südfrankreich usw.); ein-sam und menschenscheu, führte er ein Nomadenleben, vor der Natur aquarellierend und zeichnend. 1844 finden wir ihn in Dover. Sein Stoffgebiet ist die Landschaft, das See-stück, das Milieu der Dörfer, und er zeigt sich auch darin als ein unermüdlicher und sicherer Beobachter, wie er das Landvolk, die Fischer, die Kinder, in ihrem kleinen Leben des Alltags in ihrer Umgebung auftreten läßt. In der Stadt liebt er die alten Quartiere mit ihren schiefen und überhängenden Häusern, er hat die Leidenschaft für das „Malerische", in manchem ein letzter Nachfahr der Vertreter der romantischen Landschaft. 23 mal zurück-gewiesen, wurde er erst 1849 im Salon zugelassen. 1852 traten die Brüder Goncourt mit Wärme für ihn ein. Die wenigen Male, die er im Salon ausstellte (1850, 52, 55, 64, 65, 66, 70), haben ihm äußeren Erfolg nicht ge-bracht. Auch die 7 Auktionen seiner Arbeiten, die er 1856 bis 78 im Hôtel Drouot veranstaltete, wären ein völliger Mißerfolg gewesen, wenn nicht der Maler Boulard für ihn eingetreten wäre (die Auktion Boulard [Drouot 9./10. 4. 1900] brachte 20 Aquarelle H.s). Bei seinem Tode war H., den Th. Gautier (Moniteur univ. v. 11. 2. 1856) zwischen Troyon u. Rousseau stellte, nahezu vergessen. Die öffentl. Sammlungen haben sich erst sehr viel später seiner an-genommen (1908 erwarb der Louvre einige Zeichnungen). — H. malte (stets im kleinen For-mat) in Öl und Aquarell, zeichnete in Kohle u. Bleistift. Als Graphiker verwendet er die Strichradierung, die er auch mit Aquatinta und Roulette kombiniert, und die Lithographie (in Strich- oder Pinselzeichnung). Béraldi's Verzeichnis bringt 94 Nummern. Von den Folgen seien genannt, *Radier.:* Croquis de voyage de 1843 (8. Bl.); Album Hervier, 43 Bl., aus den Jahren 1840 bis 60 (erschienen 1888 bei L. Joly), hauptsächlich Motive von der Küste, Szenen aus dem Leben der Fischer, Volkstypen usw. *Lithogr.*: Lithogr. artist. comp. et dess. par A. H., 12 Bl.; Paysages, Marines, Baraques, 12 Bl. 1852. — In öffentl. Besitz: *Paris,* Louvre, 4 Aquarelle; Mus. d. Arts décor., 1 Aquar., 1 Zeichnung. *Montpellier,* Mus. Fabre (Cat. 1910 p. 89), Lisière de bois, 1849, Öl. *Bagnères de Bigorre* (Cat. 1877), Vue d'un Village en Normandie (schöne Landschaft, Öl; Abb. Les Arts, 1907, No 71 p. 27). *Haag,* Mus. Mesdag (Cat. No 147), Landschaft. — Bellier spaltet ihn in 3 (auch fälschlich Herviet), Bénézit in 2 Künstler.

R. B o u y e r in Gaz. d. B.-Arts, 1896, II 61 ff., Abb. — R o g e r M a r x, Maitres d'hier et d'aujourd'hui, [1914] 125 ff. — L'Art, IV (1876) 213 (B u r t y), 268 f. Abb.; XVI (1879) 256, Nekrol. — Fine Arts quarterly Review, II (1864) 83 f., 102. — Studio, XL (1909) 320 f., farb. Abb. — Oude Kunst, I (1916) 62. — B é r a l d i, Graveurs du 19me siècle, VIII (1888). — G u i f f r e y et M a r c e l, Invent. d. Dessins du Louvre etc., 1906 ff., VI. — Bull. de l'art anc. et mod., 1908 p. 318. — B e l l i e r - A u v r a y, Dict. gén., I (1882). — B é n é z i t, Dict. des peintres etc., 1911 ff., II. — S o u l l i é, Ventes de tableaux etc., 1896. — M i r e u r, Dict. des Ventes d'art, III (1911). — *Kataloge:* Expos. univ. Paris 1889, B.-Arts 1789—1889 p. 69; Expos. Centen. de la Lithogr., 1795—1895; Expos. univ. 1900; Exp. centen. 1800—1889; Expos. d. B.-Arts, Bruxelles 1869 p. 69.

Hervier, A u b i n, Maler, geb. 11. 1. 1851 in Saint-Chamond (Dep. Loire), † 1905, Schüler der Ecole d. B.-Arts in Lyon (1872—78) u. J. P. Laurens'. Im Salon von Lyon 1876 u. 77, im Salon der Pariser Soc. des Art. franç. 1879—86 häufig vertreten, anfangs mit Landschaften, dann mit Historien. Fresken in einer Kapelle in Saint-Galmier (Loire).

B é n é z i t, Dict. des Peintres etc., II (1913). — Salonkatal. (1882 u. 86 mit Abb.).

Hervier, M a r i e A n t o i n e, Maler in Paris, Vater des Adolphe, Schüler von David u. Aubry, zeigte im Salon 1810, 12, 14, 17, Aktstudien (z. T. gestochen von R. Girard) und Bildnisse, u. a. Selbstbildnis im Atelier, das Waldhorn blasend, Bildnis des Schauspielers Clozel, Junges Mädchen mit Taube; 1817 Miniaturen: Bildnisse von sich selbst und seiner Gattin „dans l'état naturel et de somnambulisme". Eine Miniatur, Selbstbildnis von 1818, in der Sammlg Bernhard Franck in Paris (ausgestellt in der Expos. David, 1913; Cat. No. 375).

B e l l i e r - A u v r a y, Dict. gén., I (1882) 765 (ohne Vornamen). — R. B o u y e r in Gaz. d. B.-Arts, 1896 II 61. — G i l l e t, Nomenclat... de Paris, 1911. — S c h i d l o f, Bildnisminiatur in Frankreich, 1911.

Hervieu, A u g u s t, Historien-, Genre-, Bildnismaler u. Lithograph in London. Stellte 1819—58 auf Londoner Ausstell. (bes. Royal Acad. und Old Water-Colour Soc., wiederholt Brit. Inst.) aus. 1825 nennt er sich Mitglied der Société des beaux-arts in Lille; 1837 war

er in Wien tätig. Arbeiten: Sappho; Schlacht bei den Thermopylen, Skizze; Apotheose Byrons; Venusopfer; Fischerwitwe; Prinzeß Melanie Metternich, 1837 in Wien gem. (R. Acad. 1838); Selbstbildnis; Bildnis der Schriftstellerin Agnes Strickland; D. Holme, Phrenologe; Byrons Grab, Lith. (Vignette), u. a.

G r a v e s, Dict. of Artists, 1895; R. Acad., IV (1906); Brit. Inst., 1908; Loan Exhib., 1913 f., II. — Cat. engr. Brit. Portr. Brit. Mus., I (1908) 318.

Hervieu, L o u i s B a r t h é l e m y, Gießer u. Ziseleur in Paris, 18. Jahrh.; ziselierte die von Cl. Th. Duplessis entworfenen Bronzezieraten an dem berühmten Bureau Ludwigs XV. im Louvre (1760 von J. F. Oeben begonnen, 1769 von Riesener vollendet), ferner die vergoldeten Bronzeornamente in der Marienkapelle der Kirche Saint-Sulpice in Paris (um 1777). — Von einem Goldschmied H e r v i e u in Paris (Verwandter des Louis Barth. oder dieser selbst?) stammt die im 18. Jahrh. beschaffte Ausstattung des Hochaltars von Saint-Etienne in Caen (Leuchter, Tabernakel, Kreuz usw.).

Nouv. Archives de l'Art français, 1899. — M o l i n i e r, Mobilier français (Musée du Louvre), p. 38, Tafel 28—30. — D r e y f u s, Musée du Louvre, Mobilier, 1922 No 56. — Inv. gén. des Oeuvres d'Art, Ville de Paris, Ed. rel., II (1881). — Gaz. des B.-Arts, XI (1861) 351. — H. P r e n t o u t, Caen et Bayeux (Villes d'art cél.), 1909 p. 25.

Hervilly, M é l a n i e M a r i e d' (verehel. *Hahnemann*), Malerin, geb. in Brüssel, Schülerin von G. G. Lethière, stellte 1822 u. 24 im Pariser Salon, 1825 in Douai u. Lille, 1826 in der Galerie Lebrun Porträts u. Genrebilder aus. 1835 heiratete sie Chr. Fr. S. Hahnemann, den Begründer der Homöopathie, dessen Porträt sie auch malte. Auch als Porträtlithographin hat sie sich betätigt.

G a b e t, Dict. des Art., 1831. — B e l l i e r - A u v r a y, Dict. gén., I (1882). — Leipz. populäre Ztschr. f. Homöopathie, LIII (1922) 3. — Catal. Portraits, Bibl. Nat. Paris, 1896 ff. IV 18 613.

Hervy, G e o r g e s, Maler in Paris, Schüler von Ch. Houry u. H. Lehmann, zeigte im Salon 1876/89 Porzellanmalereien, Porträts u. Genreszenen.

B e l l i e r - A u v r a y, Dict. gén., I (1882). — Salonkatal. (1887 u. 89 mit Abb.). — Inv. gén. des Oeuvres d'Art, Ville de Paris, Ed. civ., II (1889).

Hervy (Derwy, Dhervy), J e h a n I de, Maler in Brügge, aus Valenciennes stammend, Gehilfe von Pierre Coustain in Brüssel, wird dort 1472 Meister, erscheint bis 1507 häufig als „Vynder" oder „Gouvernere" der Lukasgilde. 1501 erhält er von Philipp dem Schönen von Burgund Bezahlung für den Entwurf eines (nicht erhaltenen) Gitters am Grabmal der Maria von Burgund in der Liebfrauenkirche in Brügge. — Sein Sohn, J e h a n II, wird 1511 in Brügge Meister, bis 1532 urkundl. gen.

K r a m m , Levens en Werken etc., III (1859). — Beffroi, I (1863); II (1864). — C h. v. d. H a u t e , Corpor. des Peintres de Bruges, o. J.

Herwarth, P e t r u s , wurde als Augsburger Goldschmied u. Meister eines Ostensoriums von 1492 im Domschatz zu Augsburg bezeichnet, nach der Inschrift auf dem Ostensorium, die aber nach Rosenbergs Berichtigung im Cicerone eine falschgelesene Stifterinschrift ist.

A. W e r n e r , Augsburger Goldschmiede, 1913 p. IX u. 2. — M. R o s e n b e r g , Goldschmiede Merkzeichen, ² 1911; d e r s. im Cicerone, VII (1915) 126.

Herwarth, W i l h e l m , Maler in Berlin, geb. ebenda 26. 7. 1853, † Dez. 1916, Schüler Chr. Wilbergs, Lehrer an der Akad. Berlin, seit 1878 auf den Berl. Akad.-Ausst. u. den Gr. Berl. Kstausst. mit Architekturstücken in Öl u. Aquarell vertreten.

F. v. B o e t t i c h e r , Malerwerke d. 19. Jahrh., I/2 (1895). — F r i m m e l , Studien u. Skizzen zur Gem.-Kde, III (1917/18) 67. — Ausst.-Katal.

Herwarthel, K a s p a r (Johann K.), Baumeister, geb. in Mainz 1676, † in Mannheim 1720 (beerdigt am 5. 11.). Kommt 1698 als Geselle der Steinmetzzunft, 1704 erstmals als Bürger von Mainz vor, wo er sich in seinem Handwerk allmählich zum kurfürstl. Bau- und Werkmeister emporarbeitet, unter der Direktion von M. von Welsch, der ihn beeinflußt. Übernimmt Bauten nach fertigen Rissen, wirkt aber auch als planlegender Architekt. Von 1707 ab führt er den Dalberger Hof in Mainz auf, dessen wildbewegte, oft unausgeglichene Formen am besten seine Art erkennen lassen. Auch sonst erscheint er bei zahlreichen bürgerlichen Wohnbauten der Stadt, und auch das ehemalige, besonders reich dekorierte Löhr'sche Haus zeigt seine Bauweise. Das Schloß Johannisberg im Rheingau errichtete er anscheinend nach Rissen von Andrea Gallasini für den Fürstabt von Fulda. Bei der Orangerieanlage in Fulda kommt er als begutachtender Werkmeister vor; nach seinen Plänen werden von 1709 ab die Gartenanlagen des gräflich Kesselstadtischen Schlosses Föhren bei Trier angelegt. Seine Schloßpläne blieben hier unausgeführt. 1720 beginnt er den großen Mannheimer Residenzbau, als dessen erster, urkundlich bezeugter, ausführender Baumeister er so erscheint.

Gräfl. Kesselstadtisches Archiv (Deposit im Staatsarchiv Coblenz), Plansammlung. — W e i g m a n n , Eine Bamberger Baumeisterfam., die Dientzenhofer (Stud. z. Dtsch. Kstgesch. No 84), Straßburg 1902, p. 112, 151. — V o g t s , Das Mainzer Wohnhaus etc., 1910 p. 64. — L o h m e y e r , Die Briefe B. Neumanns von seiner Pariser Studienreise, Düsseldorf 1911; d e r s.; Fr. Stengel, Düsseldorf 1911; Joh. Seiz, Heidelberg 1914 p. 13; d e r s., Die Briefe B. Neumanns an Fr. K. von Schönborn, Saarbrücken 1921. — S c h r o h e , Aufs. u. Nachw. zur Mainzer Kstgesch., 1912. — Buchonia, III, Bd. 2 p. 30. — Mannheimer Geschichtsbl., XIII (1912/13) 257. — Mainzer Zeitschrift, XI (1916) 2.
K. Lohmeyer.

Herweg (Herwegk), C h r i s t i a n , Goldschmied d. 18. Jahrh. in Neustadt a. S. (U.-Fr.), dem die Meistermarke CH zugeschrieben wird. Danach von ihm mehrere kirchl. Geräte in Kirchen der Bezirksämter Neustadt a. S. und Mellrichstadt (aus den Jahren 1730—80), von denen genannt seien: silbervergold. Monstranz mit Muschelwerk, getriebenen Reliefs u. Engeln in Hohenroth, silbernes Kruzifix in Sondheim (um 1750), silbervergold. Kelch mit getriebenem Rokokowerk u. Putten an Fuß u. Überfang in der Pfarrkirche zu Neustadt a. S. (um 1760), ebendort silbervergold., sehr reicher Kelch mit Blumen, Girlanden, farbigen Ovalemailles (Kreuzigung, St. Petrus, St. Paulus) am Fuß, Kränzchen, Früchtebündeln u. spätestem Muschelwerk am Überfang (um 1780).

Kstdenkm. Bayern, III Heft 21 (1921) p. 120, 127, 139, 170; Heft 22 (1922) p. 79, 103, 104, 105 (Abb.), 132, 214, 226.

Herweg, S t e p h a n , Maler, geb. in Elberfeld (Rheinprov.) 11. 3. 1855, † in Rapperswil (Schweiz) August 1914, Schüler der Kstgew.-Schule in München, dann von N. Mathes u. Rudolf Seitz ebenda. Zuerst in München ansässig, seit 1898 in Rapperswil. Von ihm die Deckengemälde in St. Martin in Weesen, die Fresken an der Fassade des Fluhhauses in Rapperswil, die Malereien in der Pfarrkirche ebenda, die „Schlacht bei Grandson" im Großen Haus in Schaffhausen, u. a. War auch als Porträtmaler tätig.

B r u n , Schweizer. Kstlerlex., IV 215 u. 536.

Herwegen, P e t e r , Maler, Zeichner u. Lithograph, geb. 15. 2. 1814 in Köln a. Rh., † 28. 12. 1893 in München, 1826—30 Schüler E. Mengelbergs, seit 1837 in München, wo er als Nachahmer Eugen Neureuthers galt. Er lieferte zahlreiche Entwürfe für kunstgew. Arbeiten im neugotischen Stil (Zeichnungen zum Schrein für das Album König Ludwigs I. u. [mit Creling] zu den Beschlägen der Deckel dieses Albums; von H. auch in Lithogr. veröffentlicht), schuf zierliche Gedenkblätter (Aquarell auf Pergament), so das zur 6. Säkularfeier der Grundsteinlegung des Kölner Domes 1868, zum „Cannstatter Volksfest", zum 700jähr. Jubiläum der Stadt München u. a., und gab sie in Lithographien heraus. Für das Album Ludwigs I. malte er auf Pergament den Festzug der Münchner Künstler u. Gewerke bei der Enthüllung der Bavaria (auch als Gedenkblatt in Lith. von ihm vorhanden). In Lithographien u. Farbendrucken liegen ferner vor: Einladungskarten zu Künstlerfesten, Diplome, Ansichten Münchner Gebäude (Propyläen, Glaspalast, Stiegenhaus der Staatsbibl., Ludwigskirche, Abb. der Glasgem. der Kirche in der Vorstadt Au, 1849 [mit andern]), „Schätze mittelalt. Kst aus Salzburg u. Umgebung" 1832, Porträtlith. u. Reproduktionen nach Werken von J. v. Schraudolph,

Rauch, Schwanthaler u. a. Zeichnungen u. Lithogr. von ihm im Stadtmus. München (Maillingersamml.).

Merlo, Köln. Kstler, Ausg. Firmenich-Richartz, 1895. — Nagler, Monogr., III. — Bericht des Kstvereins München, 1893, p. 77 f. (Nekrolog). — F. v. Bötticher, Malerwerke d. 19. Jahrh., I/2 (1895) 514, 975. — Allg. deutsche Biogr., L (1905). — Maillinger, Bilderchronik Münchens (Stadtmus.), III (1876), IV (1886). — Bibl. Bavarica (Lagerkatalog Lentner, München), 1911 ff. No 8689, 8700, 10 784, 11 575, 12 313—23. — L. v. Kobell, König Ludwig II. v. Bayern u. die Kst, 1900 p. 453, 456. — Lehnert, Ill. Gesch. d. Kstgew., II. — Deutsches Kstblatt, I (1850) 377, 386; VI (1855) 359.

Herwegen-Manini, Veronika Maria, Architekturmalerin, Tochter des Peter H. (s. d.), geb. 30. 11. 1851 in München, Schülerin W. v. Lindenschmits, tätig in München u. Italien (Malcesine am Gardasee). Zeigte Architekturstudien in Öl u. Aquarell, meist Ansichten aus Italien, im Glaspal. München 1879—97 u. der Akad.-Ausst. Berlin 1886, 88, 89, 96.

F. v. Bötticher, Malerwerke d. 19. Jahrh., I/2 (1895). — Pecht, Gesch. d. Münchner Kst im 19. Jahrh., 1888. — Allg. deutsche Biogr., L (1905). — Ausst.-Katal. Münchner Malerei von 1850—80, Gal. Heinemann München, 1922.

Herwig, Ferdinand, Maler in Stuttgart, Mitglied der Kstlervereinigung der Schwaben, geb. in Homburg v. d. H. am 26. 8. 1884, wuchs in König im Odenwald auf, seit 1898 in Stuttgart. 1901 bis 1911 Studium an der Akad. zu Stuttgart unter Chr. Landenberger, C. Grethe und Rob. v. Haug. Neben Komposition, Landschaft und Stilleben widmet sich H. vor allem dem Porträt. Beschickt 1912 den Münchener Glaspalast, seit 1913 die Ausst. der Münchener Sezession, des Deutsch. Künstlerbundes, die Gr. Berliner K.-A., die Ausst. in Stuttgart, Düsseldorf usw.

Baum, Die Stuttgarter Kunst der Gegenwart, 1913 p. 99, 297. — Stuttgarter Kunstführer, No 23, v. 6. 8. 1921. — Kataloge der gen. Ausstell.

Völter.

Herwith, Ignaz, Bildhauer zu Karlsstadt (Unterfranken), lieferte um 1779 den St. Nepomukaltar in der Wallfahrtskirche zu Walldürn (Baden).

Kstdenkmäler Badens, IV/3 (1901) 131.

Herwijck (Harwijck, Hertwijck), Steven Cornelisz. van, holländ. Bildhauer und Medailleur, geb. in Utrecht um 1530, † in London (?) um 1565—67. Über die Persönlichkeit H.s, der sich bis vor kurzem hinter den rätselhaften Signaturen STE., STE. H., STE. H. F. und STE. H. FEC. verbarg und der von Vertue *Steven Hollandus*, von späteren Autoren *Hollandicus* genannt, von Walpole mit dem Maler Richard Stevens identifiziert wurde, haben erst die Forschungen von Hill, Tourneur und Muller einiges Licht verbreitet. Man kennt von H. eine ganze Reihe schöner, 1558—64 datierter Bildnismedaillen,

z. T. Unika, von denen die ältesten nach Utrecht gehören. 1559—61 arbeitete H. für Antwerpner Auftraggeber und wurde 1. 12. 1559 Mitglied der dortigen Lukasgilde. 1561/62 scheint er am Hofe des Königs von Polen, 1562 in England und 1564 wieder in Utrecht tätig gewesen zu sein. In dems. Jahre finden wir ihn wieder in Antwerpen, wo er 29. 4. auswärtiger Bürger wird und die vorgeschriebene Abgabe entrichtet. Aus 2 Bittgesuchen, die er in dieser Angelegenheit an den Magistrat richtete, geht hervor, daß er die Stadt 1559 verlassen hatte und mit seiner Familie nach London übergesiedelt war, um für die Königin größere Arbeiten, die ihn voraussichtlich 3 Jahre beschäftigen würden, zu vollenden. Die Ausführung dieser Arbeiten, über die nichts näheres verlautet, scheint H.s frühzeitiger Tod vereitelt zu haben. Bereits Ostern 1567 wird in den Londoner Urkunden zum 1. Male seine Witwe, eine Antwerpnerin, mit ihren beiden, noch im Knabenalter stehenden Söhnen erwähnt; 1573 heiratet sie wieder. Hauptsächlich aus stilistischen Gründen nehmen einige Forscher einen vor 1558 fallenden Aufenthalt H.s in Italien an, doch sind die bisher dafür angeführten Gründe vorläufig nicht stichhaltig. Die Angabe, daß H. in Rom kinderlos (!) gestorben sei (Oud Holland 1922 p. 27), beruht zudem offenbar auf einer Verwechslung mit seinem gleichnamigen Sohn, wie sich aus dem Briefe seiner Verwandten vom 13. 7. 1604 (l. c.) u. E. unzweideutig ergibt. Sehr wahrscheinlich ist dagegen Tourneur's Hypothese, daß H., der zuerst in Utrechter Prälatenkreisen und später in Antwerpner Protestantenkreisen verkehrte, sich zum neuen Glauben bekannt und am Hofe des Königs von Polen vor den Ketzerverfolgungen eine Zuflucht gefunden habe. In London gehört die Familie dann in der Tat zur niederländ. reformierten Gemeinde. — *Signierte und datierte Medaillen* (Kabinette Brüssel, Haag, London [Brit. Mus.], Wien u. and. Slgn): 1558, Medaillen auf George van Egmond, Bischof von Utrecht (2), Cornelis van Myrop, Wouter van Byler und Engelken Tols. 1559, Med. auf Floris Allewyn, Cecilia Veselaer, Jacob Fabius (Jacob Bonaert?), Hans van den Broeck (Rückseite: Caritas) und den Augsburger Kaufmann Bernhard Walter. 1560, Med. auf den Maler A. van Blocklandt (Rückseite nicht zugehörig); Rückseite einer unbekannten Medaille mit allegor. Darstell.: die göttliche Gnade befreit die von den Banden der Lust, des Todes und des Bösen umstrickte Menschheit. 1561, Med. auf Charles Cockiel; Thomas Therlaen; Thomas de Montrichier (unbekannt); Sigismund August, König von Polen, und Katharina von Österreich, Königin von Polen (einseitig); nach E. Raczynski Rückseite der vor.). 1652, Med. auf Sigismund August von Polen, Richard

Martin und seine Gattin Dorcas Eglestone (Rückseite der vor.); Michael de Castelnau, William Parr, Marquis von Northampton; Elizabeth, Marquise von Northampton (Rückseite: der Glaube); William, Graf von Pembroke (Rückseite: Allegorie der Tugend), und Anna Poines (nur durch Vertue's Zeichnung bekannt). 1564, Med. auf Hildegoent van Alenderp. *Undatierte Stücke (signiert):* Bona Sforza, Königin von Polen (lebte seit 1556 in Italien, † 1558); Edmund Withipol; Thomas Stanley; Maria Newce; die Garnwicklerin (sogen. Penelope als Allegorie der Geduld), Rückseite einer anonymen Med. auf den Maler Antonis Mor; Amor; Jeton der Utrechter (?) Gold- oder Waffenschmiedezunft (Vorderseite: Figur des hl. Eligius, Rückseite: der Heilige in der Werkstatt; nach Muller H.s früheste Arbeit); Brustbild Christi, rechteckige Plakette; Bacchus. *Zuschreibungen:* Ceres; Edmund Withipol (1562); Cassiano del Pozzo, piemont. Rechtsgelehrter und Diplomat (1557, Wachsmodell, Brüssel, Cab. des Med.); Kaminfries im Utrechter Museum (Muller). — Von Beruf Bildhauer, wie er sich selbst zweimal 1558 und 1559 nennt, erscheint H. in den Antwerpner Urkunden auch als Medailleur ("conterfeyterende medalyeur") und in einer Londoner Urkunde als Steinschneider. Nach Vertue (Ms. British Mus.) soll er auch Wachsmodelle für Grabdenkmäler u. a. geliefert haben, während Hill geneigt ist, ihn auch für einen Bildnismaler zu erklären. Die medaillonartig gearbeiteten Brustbilder der Medaillen-Vorderseiten sind Meisterwerke in der Sauberkeit des Schnitts und der Zartheit der Modellierung. Während die älteren Stücke reine en face-Brustbilder aufweisen, geht H. später, offenbar unter ital. Einfluß, den man auch sonst bei ihm zu bemerken glaubt, zur Profilmedaille über. In den großzügigen Einzelfiguren und Allegorien der Rückseiten verrät sich der Gedankenreichtum und die malerisch-statuarische Kompositionsweise H.s. Für weitere, von der künftigen Forschung zu erhoffende Funde kommen nicht nur der ausgeprägte Figurenstil, sondern auch die gleichartige Behandlung der Schrift, der Umrandung (Perlkreis) und andere Äußerlichkeiten in Frage. Vielleicht sind H.s Arbeiten auch unter den anonymen deutschen Medaillen des 16. Jahrh. zu suchen. Habich (s. Lit.) glaubt z. B. H.s Einfluß bei Valentin Maler wahrzunehmen.

R o m b o u t s - L e r i u s, Liggeren, I 146. — W a l p o l e, Anecdotes of Painting in England, ed. Wornum, 1862 I 187. — G. F. H i l l in The Burlington Mag., XII (1908) 355—63; XXXIII (1918) 45/9. — D e r s., Medals of the Renaiss., 1920 p. 132/4. — V. T o u r n e u r in The Numismatic Chronicle, 1922 Parts I, II. 5 th Series Nos. 5, 6. London 1922 p. 91—132 (auch einzeln), m. weit. Lit. (Hauptarbeit). — S. M u l l e r Fz. in Oud Holland, XL (1922) 24—31 m. Taf. — E. P i c q u é in Roddaz, L'Art anc. à l'Expos. Nat. belge, 1882 p. 115 ff. — J. Z i e l i n s k i in Wiadom numizm.-archeol., 1905 Nr 61. — F o r r e r, Dict. of Medall., II (1904) 530/2 (Hollandicus); V (1912) 674—82, m. Abb. u. Bibliogr. — G. H a b i c h, Die dtschen Med. des 16. Jahrh., 1916 p. 197. *B. C. K.*

Héry, C l a u d e d e, Goldschmied u. Münzgraveur in Paris, geb. um 1525, † Anfang 1582. 1557 zum „graveur gén. des monnaies de France" ernannt als Nachfolger M. Béchots, aber erst 1. 6. 1558 installiert. 1559 schuf er die Medaillen auf die Weihe Franz' II. Einige verwandte, sehr mittelmäßige Medaillen mit dem Bildnis Franz' II. u. der Katharina von Medici weist ihm Mazerolle zu. 1572 wird ihm Germain Pilon als „contrôleur général des effigies" an die Seite gestellt, nach dessen Wachsmodellen er seine Münzstöcke gravieren muß. Unter Pilons Einfluß dürften 1579 das Siegel und Gegensiegel des neugegründeten Ordens „du Saint - Esprit" entstanden sein u. nach Mazerolle wohl auch 2 Med. auf die Gründung dieses Ordens. — Sein Sohn M a r t i n, Maler in Paris, läßt zwischen 1611 u. 23 fünf Kinder taufen und wird 1630 noch urkundlich genannt. Wohl identisch mit dem Maler d e H e r y, der 1609/10 an einer Konkurrenz zur Erlangung der Stelle eines „peintre pour les tapisseries du roi" teilnahm. Vielleicht stammt von ihm auch die große Darstellung des Jüngsten Gerichtes, die sich 1790 noch in der Kap. Saint-Nicaise in Notre-Dame, Paris, befand.

J a l, Dict. crit., ² 1872. — M a z e r o l l e, Médaill. Franç., 1902; d e r s. in L'Art, L (1891) 116 ff. — R o n d o t, Les Médaill. etc. en France, 1904. — Nouv. Arch. de l'Art franç., 1890. — G u i f f r e y, Hist. de la Tapiss., 1886 p. 287.

Herz, B e n e d i k t, Bildhauer, Holz- und Elfenbeinschnitzer; geb. 28. 8. 1594, † 21. 10. 1635 in Nürnberg, wo er vorzugsweise tätig war. Sohn des Georg u. Bruder des Johann (s. d.). Lernte bei Fr. Hörld und E. Schweigger. Am 13. 2. 1616 schloß er (zusammen mit Hans Schall von Bremen) einen Vertrag mit Valentin Echter von Mespelbrunn über einen alabasternen Altar für die Kirche zu Gaibach in Unterfranken (nicht erhalten). War dann lange auf Reisen in Holland, England, Frankreich und Italien, lebte seit 1625 wieder in Nürnberg. Geschätzt wurden besonders seine Kruzifixe aus Elfenbein und aus Holz. G. Fennitzer stach H.s Bildnis in Schabmanier.

D o p p e l m a y r, Hist. Nachrichten von d. Nürnberg. Künstlern, 1730 p. 221. — H e i n e c k e n, Dict. d. artistes, 1778 ff. (Ms. Kupferstichkab. Dresden). — C h r. S c h e r e r, Elfenbeinplastik seit d. Renaiss. (Monogr. d. Kstgew. VIII) p. 53. — B r u h n s, Würzb. Bildh. d. Renaiss. u. d. werdenden Barock, 1923 p. 479, 561. *Chr. Scherer.*

Herz, E m i l W., Maler in Berlin, geb. 3. 12. 1877 in Frankfurt a. M., ausgebildet in Paris, stellt Porträts u. Tierbilder (Darstell. von Hunden) seit 1903 aus.

Dreßler's, Ksthandbuch, 1921. — Deutsche Kst u. Dekoration, XXXIV (1914). — Velhagen u. Klasings Almanach, 1922, Abb. bei p. 88. — Ausst.-Katal.: Berlin, Große K.-A. 1903, 05, 06, 08—20; München, Sezess. 1910; Glaspal., 1914, 16, 21.

Herz (Hertz), G e o r g, Maler in Nürnberg u. Danzig, † lt Heinecken 1648 in Danzig, nur bekannt aus den ihn darstell., von G. Fennitzer u. J. F. Leonart gestoch. Bildnissen.

Heinecken, Dict. des Artistes etc., 1778 ff. (Ms. Kupferstichkab. Dresden). — Drugulin, Porträtkatal., 1859 No 8937.

Herz, G e o r g, s. auch im Art. *Herz, Joh.*

Herz, G o t t l i e b, Maler, geb. 5. 2. 1810 in Hildesheim, † 7. 11. 1897 in Frankfurt a. M., Schüler der Düsseldorfer Akad., begann mit religiösen Darstell.; später in Frankfurt meist als Porträtist tätig.

R. Wiegmann, Kstakad. zu Düsseldorf, 1856 p. 183. — Weizsäcker-Dessoff, Kst u. Kstler in Frankf. a. M., II 1909 p. 58 u. 176. — Kat. Berliner Akad.-Ausst., 1839 p. 97.

Herz, J a c o b, Maler in München, † 6. 10. 1753 ebendort, aus Schwaben stammend. Lernte in Ottobeuren und zeigte 2. 2. 1731 der Münchner Zunft „sein Stuck". Er erwarb die „Albrechtische Gerechtigkeit". Von ihm im Nationalmus. München 2 Ölbilder: Belagerung von München 1742 u. Plünderung des Lehels in München 1742 (letzteres bez.).

Wappenbuch d. Münchner Malerzunft (Ms. Nationalmus. München). — Kat. Gem. d. Bayr. Nationalmus. München, 1908.

Herz (Hertz), J o h a n n, Maler, geb. 18. 11. 1599 in Nürnberg, † ebenda 28. 10. 1635 an der Pest. Schüler seines Vaters G e o r g (nur bekannt aus seinem von G. Fennitzer gestoch. Bildnis, laut dessen Aufschrift er 1632 an der Pest starb), Bruder des Benedikt. Wurde 1627 Meister. Sein Probestück, Johannes der Täufer in der Höhle beim Lampenschein, wird im Germ. Mus. bewahrt. Seine Hauptstärke soll die Miniaturmalerei (Historien u. Landschaften in Gummifarben auf Pergament) gewesen sein. Sein Bildnis stellt wohl ein Schabstich G. Fennitzers dar, auf dem als Vorname Hans, als Todesjahr 1639 (!) angegeben wird.

Doppelmayr, Hist. Nachr. v. d. Nürnb. Kstlern, 1730 p. 222. — Murr, Beschreib. d. vornehmsten . . Merkwürdigk., 1778 p. 386. — Nagler, Kstlerlex., VI. — Andresen, Nürnb. Kstler, Ms. Bibl. U. Thieme, Leipzig, fol. 292. — Kat. Gem.-Slg Germ. Nat.-Mus., Nürnb. 1909 No 434.

Herz (Hertz), J o h a n n D a n i e l, d. Ä., Zeichner, Kupferstecher u. Verleger in Augsburg, geb. 1693, † 1754, Sohn eines Schreiners D a n i e l, der außer Möbeln auch kleinere Arbeiten aus Schildpatt, Perlmutter usw. fertigte. Eine Zusammenstellung der sehr zahlreichen Stiche Joh. Daniels ist bisher nicht vorgenommen; sie wird dadurch erschwert, daß eine Scheidung der eigenhändigen Stiche von den in seinem Verlag erschienenen nicht immer möglich ist. Er stach an verschiedenen Werken mit, darunter Deckers „Architectura civilis", Augsburg 1711—16, P. M. Hansiz' „Quinquennium primum imperii . . Caroli VI.", Graz 1717, „Mappa geogr. regni Bohemiae" des Kartenstechers M. Kauffer, Pest 1720 (H. stach die Figuren u. Erläuterungen), J. F. Wilhelms „Annus politicus", München 1731, „Recueil des Marbres antiques, qui se trouvent dans la Galerie à Dresde", 1733, „Neue Reitkunst, in Kupferstichen inventiert u. gezeichnet von J. E. Ridinger". Genannt seien besonders seine Blätter großen Formats, wie „Falconieri erbaut die Kirche Sta Annunziata in Florenz" nach V. Salimbene, „Der hl. Maneto erhält die Bestätigung für die Kirche Sta Annunziata" nach dems., 9 Bl. nach P. da Cortonas Fresken mit Darstell. d. Taten des Aeneas im Palazzo Pamfili in Rom, Kreuztragung Christi nach J. Löscher, Prospekt von Jerusalem mit der Kreuzigung Christi, anscheinend nach eigenem Entwurf. Als Erfinder u. Stecher nennt er sich in einem Zeichenbuch in 3 Teilen, 1723 erschienen (Mitstecher J. G. Thelot). Für den Ornamentstich war er tätig durch die Vorzeichnungen zu 4 Bl. Altäre (gest. v. J. G. Thelot) u. 12 Bl. Pfeilerornamente (gest. v. T. Lobeck, gegenseitige Kopien nach G. Audran). Von seinen, z. T. sehr schönen Porträtstichen seien hervorgehoben die des Augsburger Verlegers Wolff, 1717 (bez. nur: J. D. Hertz), des Pfarrers G. Lomer nach C. Mannlich, 1720, des Pfarrers Chr. M. Pfaff nach G. Eichler, des Abtes Joseph Hold von Ursperg nach F. M. Khun, des Passauer Generalvikars Gellenberg; einige Fürstenporträts tragen nur seine Verlegeradresse, ohne Angabe eines Maler- oder Stechernamens. H.s Porträt stachen (Moritz?) Bodenehr nach J. Löscher (1740), J. J. Haid nach G. Eichler d. Ä. (1747) u. G. C. Kilian nach einer Büste J. Verelsts. Eine Zeichnung von ihm, allegor. Inhalts, aus einem Stammbuch, wurde 1911 bei Henrici, Berlin, versteigert (Abb. im Cicerone, III [1911] 849). Über der Ausführung seiner Pläne zur Errichtung einer neuen Akad. in Augsburg, der er seinen Verlag überlassen wollte, starb er. — Sein Sohn J o h a n n D a n i e l, d. J., Kupferstecher, Verleger u. Schriftsteller, geb. 1720, † 1793, erhielt den Reichsadel mit dem Beinamen *von Herzberg*, den Titel eines kaiserl. Rats, Hofkupferstechers u. Pfalzgrafen; ein recht mittelmäßiger Stecher, aber ein „Projektemacher u. Windreißer ärgster Sorte". Die Pläne seines Vaters aufnehmend, gründete er 1755 neben der Augsburger Stadtakad. die „Kaiserlich Franziszische Akad.", mit der er den vom Vater ererbten Verlag vereinigte, so daß seine Akad. zugleich Verlag, Lehranstalt u. schöngeistige Gesellschaft mit eigener Zeitschrift war, der namhafte Künstler, Gelehrte u. Staatsmänner (R. Mengs, J. J. Winckelmann) als Ehrenmitglieder beitraten. Seine phantastischen Pläne hinsichtl. d. Akad.

aŭzuführen, gelang ihm aber nicht, vielmehr ging der Betrieb unter seiner Leitung immer mehr in äußerlichem Formelkram auf. H. stach für das Werk „Tägl. Erbauung eines Christen in Betrachtung seiner Heiligen", Wien 1753, J. B. Musculi Encomia Christi etc., Oetters Wappenbelustigungen, Augsburg 1764. Von ihm auch eine Anzahl allegor. Darstell. auf deutsche Fürsten mit deren Porträts, bez. „Author inven. Joh. Dan. van Hertz sculp. A. V." Sein Porträt stach M. Schnell nach M. F. Reifstein. — Ein 2. Sohn Joh. Dan. d. Ä., Matthäus, Kupferstecher, geb. um 1727, † 1746, stach nach J. Holzer, J. W. Baumgartner u. C. Cignani. Sein Porträt hat A. Scheller gezeichnet u. gestochen.

P. v. Stetten, Erläut. d. gest. Vorst. Augsburgs, 1765; ders., Kst- etc. Gesch. Augsburgs, 1779. — Füßli, Kstlerlex., 1779; 2. Teil, 1806 ff. — Heinecken, Dict. des Art. etc., 1778 ff. (Ms. Kupferstichkab. Dresden). — Meusel, Teutsches Kstlerlex., III ² (1814). — Nagler, Kstlerlex., VI; ders., Monogr., III. — Le Blanc, Manuel de l'Amateur d'Est., II. — P. Dirr, Augsburg (Stätten der Kultur, Bd 20), p. 248. — Ztschr. d. hist. Ver. für Schwaben u. Neuburg, XXIII (1896) 99. — Kat. d. Ornamentstichsamml. d. Kstgew.-Mus. Berlin, 1894. — Ritter, Kat. d. Wiener Ornamentstichsamml. (Erwerb. seit 1889), 1919. — Der Kirchenschmuck, XXX (1899) 2. — Bibl. Bavar. (Lagerkatal. Lentner, München), 1911 No 4534, 4875, 5154. — Jahrb. d. Bilder- u. Kstblätterpr., Wien 1911 ff., III. — Duplessis, Cat. Portraits, Bibl. Nat. Paris, 1896 ff., I 3318, 3381; IV 17389, 17909/41; V 21961, 23628, 24503; VI 28091; VII 29791/43. — Kat. d. bayr. Nat.-Mus., XI (Wittelsbacensia), 1909. — Österr. Ksttopogr., V (1911) 180.

Herz, Johann Jacob, Bildhauer in Nürnberg, † 1634, nur bekannt durch sein anonym gestoch. zeitgenöss. Bildnis.

Füßli, Kstlerlex., 2. Teil, 1806 ff. — Fr. Muller, Catal. rais. de Portraits etc., Amsterdam 1877.

Herz, Matthäus, s. unter *Herz*, Joh. Dan.

Herz, Miksa (Maximilian), ung. Architekt u. Archäolog, geb. in Temesvár, † Mai 1919 in Zürich, 63 jährig. Nachdem er seine architekt. Studien beendet, fing er an sich mit oriental. Baukunst zu beschäftigen u. ging nach Ägypten, wo er Schüler, später Nachfolger des Franz Pascha wurde, und verfolgte in dieser Eigenschaft das Studium, die Konservierung u. Restaurierung der arabischen Baudenkmäler. Außerdem baute H. auch für Private. Sein größter und prunkvollster Bau ist das Palais Zogheb, eine Sehenswürdigkeit Kairos. Beim Ausbruch des Weltkrieges mußte er Ägypten verlassen, zog nach Mailand, dann nach Zürich, wo er noch einige Zeit der Aufarbeitung der Resultate seiner Forschungen widmen konnte. Er wirkte auch literarisch; verfaßte den „Catalogue rais. des monuments exposés dans le Musée nat. arabe" (1895, 2. Aufl. 1906), ferner „La Mosquée du Sultan Hassan au Caire" (1899) und „La Mosquée

el-Rifaī au Caire" (1911). H. war Mitglied der Akad. d. Wissenschaften in Budapest.

J. Goldziher, Herz Miksa, in Budapesti Szemle, 1919, No 512—513, p. 228—33. *K. Lyka*.

Herz, Peter, Kunsttischler in München. Von ihm ein Entwurf einer Kanzel von 1655 in den Akten der Pfarregistratur St. Peter in München. Philipp Hainhofer besuchte bei seinem Aufenthalt in München 1612 H.s Werkstätte.

Kstdenkmäler Bayerns, I/2 (1902) 1060. — Ztschr. d. hist. Ver. f. Schwaben u. Neuburg, VIII (1881) 165.

Herz, Tobias, Maler in Nürnberg, † 1620, nur bekannt durch sein von G. Fennitzer gestoch. Bildnis.

Heinecken, Dict. des art. etc., 1778 ff. (Ms. im Kupferstichkab. Dresden).

Herz, siehe auch *Hertz*.

Herzberg, Joh. Daniel von, siehe *Herz*, J. D., d. J.

Herzberg, Robert, Maler u. Lithograph, geb. in Leipzig um 1824, † um 1847, erwarb auf der Dresdner Akad. den Rompreis, starb, ehe er die Italienreise antreten konnte. Porträtzeichnungen von ihm in Leipz. Privatbesitz. Lithographierte nach V. Meyer das Porträt des späteren sächs. Ministers A. C. Braun.

Katal. Ausst. „Leipz. Bildnismal. von 1700 bis 1850", Leipzig 1912. — W. E. Drugulin, Porträtkatal., 1859 p. 83.

Herzberg, siehe auch *Hertzberg*.

Herzebick, Joseph Tobias, Goldschmied in Augsburg, † 1780, seit ca 1750 mit Arbeiten nachweisbar, fertigte vor allem Kelche, Monstranzen u. anderes kirchl. Gerät. Den bei Rosenberg genannten Arbeiten sind noch beizufügen: ein kleines Reliquiar in Kreuzform in der Augustinerkirche zu Würzburg, eine Monstranz (1757/59) in der kath. Pfarrkirche zu Alt-Laube (Posen) u. Kelche (meist sehr gute Arbeiten mit reichen Muschelwerkverzierungen) in der Pfarrkirche zu Munderkingen, Württemb.; in Großgmain (1760) u. Strobl (um 1760) bei Salzburg; in der Schatzkammer zu Altötting (1755—57); in Mitterteich, Berngau (1767), Pelchenhofen (1770) u. Illkofen (1763/65) in der Oberpfalz; in der Pfarrkirche St. Agatha u. in der Jesuitenkirche in Aschaffenburg (1759/61), in der Stadtpfarrkirche zu Ochsenfurt (1759/61), in Tückelhausen (1759/61), Hafenlohr (um 1750) u. Ebenhausen (1761/63) in Unterfranken; in Thyrnau (1761/63) u. Neukirchen b. Hl. Blut in Niederbayern.

M. Rosenberg, Goldschmiede Merkzeichen, ² 1911. — A. Werner, Augsburger Goldschmiede, 1913. — Kstdenkm. Badens, VII (1908) 398. — Kst- u. Altertumsdenkm. Württemb., Donaukr., I (1914). — Österr. Ksttopogr., X (1913) 29; XI (1916) 146. — Kstdenkm. Bayerns, I Heft 3 (1905) 2378; II Heft 14 (1908) 54; Heft 17 (1909) 84, 225; Heft 21 (1910) 89; III Heft 1 (1911) 151, 266; Heft 7 (1913) 29; Heft 10 (1914) 92; Heft 12 (1915) 139; Heft 19 (1918) 333; IV

Heft 4 (1920) 222; Heft 9 (1922) 95. — Kstdenkm. d. Prov. Posen, 1898 I 139; III 207.

Herzer, K a r l , Porzellanmaler in Wien, † 1849, trat 1790 als Blumenmaler in die dortige Porzellanmanuf. ein und ging 1793 zur Golddekoration über. 1806—15 erhielt er zahlreiche Prämien, hauptsächlich für Erfindung neuer Muster u. gute Farbenauswahl. In der Wiener Samml. Karl Mayer eine von ihm dekorierte Untertasse.

F o l n e s i c s u. B r a u n , Gesch. d. Wiener Porzellanmanuf., 1907. — F o l n e s i c s , Wiener Porzellansamml. Karl Mayer, 1914 p. 38, 96.

Herzig, A u g u s t Albert Theodor, Bildhauer, geb. 3. 8. 1846 in Hamburg, † 11. 7. 1919 in Dresden. Besuchte seit 1872 die Dresdner Akad. unter E. J. Hähnel und (1875) Joh. Schilling. 1878/79 in Rom, wiederum 1883/85; seit März 1884 bezieht er mehrfach Unterstützungen aus der Kstler-Hilfskasse des Dtsch. Kstler-Vereins. Sein Hauptwerk ist das Hessische Landeskriegerdenkmal für 1870/71 vor dem Landesmus. in Darmstadt (1879), mit der Bronzegruppe eines sterbenden und eines siegreichen Kriegers, denen die Siegesgöttin Kränze reicht. 1892/93 arbeitete er für den Schmuck des Hamburger Rathauses eine der Kaiserstatuen (Bronze). Ferner sind von H. bekannt: Bildnisse, Marmorbüste „Frühling" (1888), Bronzestatuette „Hebe" (1894) u. a. Zum Schmucke des Dresdner Akad.-Gebäudes steuerte er 2 Putten bei, die die Renaissance und den röm. Stil verkörpern.

Akten der Dresdn. Kstakad. — Katal. akad. Kstausst. Dresden 1875—94, passim. — J. G r o s s e , E. J. Hähnels Literar. Reliquien, 1893 p. 42 Anm. — L ü e r - C r e u t z , Gesch. d. Metallkst, I (1904) 567, 570. — Not. Friedr. Noack. *Ernst Sigismund.*

Herzig, G o t t f r i e d , Maler, geb. 17. 5. 1870 in Obersteckholz bei Lotzwil (Kt. Bern), Schüler der Kstgew.-Schule u. der Akad. in München unter Raupp u. W. v. Diez. 1897/98 Schüler von B. Constant u. J. B. Laurens an der Acad. Julian in Paris. Seit 1898 in Basel, ist er mit Landschaften, Porträts u. Genrebildern auf Schweizer Ausst. vertreten.

B r u n , Schweizer. Kstlerlex., II (1908); IV (1917) 536. — Schweizer Zeitgenossenlex., 1921. — Ztschr. „Schweiz", 1905 p. 340 ff., 357; 1907 p. 40 ff.; 1908 p. 291 ff., 297; 1910 p. 17; 1911 p. 286. — Die Kunst, VII (1903).

Herzinger, A n t o n , Maler u. Kupferstecher, geb. 18. 11. 1763 zu Fallbach in Nieder-Österreich unter der Enns, † 12. 12. 1826 (in Wien?); Schüler der Wiener Akad., arbeitete (nach Dlabacž) 1802 in Prag am Clementinum „in Aquatinta mit Vorzug", wo er nach Meusel auch 1805 noch nachweisbar ist; 1807 stellt er in Dresden ein Aquatintablatt aus, „Denkmal auf Klopstock" (die Architektur nach Vorlage von Klinsky, die Landschaft nach Mechau). Nach Haymann war er 1809 angeblich wieder in Wien. H. lieferte Radierungen nach J. H. Roos, A. v. d. Velde, C. Dujardin, Ruisdael, W. Romeyn, Rubens u. a.;

er gab heraus „Zeichenstudien in Crayon-Manier", 2 Hefte zu je 6 Blatt, im 1. Baumpartien, im 2. Tierstücke nach Roos u. v. d. Velde. Ferner stach H. eine Reihe Landschaften nach fremder Vorlage, meist Motive aus Böhmen, z. B. „Ober-Berschkowitz" nach Puchema, 1807, „Humpoletz" nach A. Parzizek, 1807, u. a. Dann gibt es auch Landschaftsrad. H.s nach eigener Erfindung (Große Landsch. mit Schafen u. Ziegen, Hirtenknabe mit ruhenden Schafen, Stier bei einer Hütte, u. a.). Mit Pfeifer zusammen stach er nach Füger in Aquatinta: „Erzherzog Karl empfängt von Rudolph von Habsburg die Heldenkrone". Verzeichnisse seiner Blätter bei Dlabacž, C. v. Wurzbach u. Nagler. Im Rudolfinum in Prag (Kat. 1913) 2 Aquarelle.

D l a b a c ž , Kstlerlex. f. Böhmen, 1815. — M e u s e l , Archiv f. Kstler, I (1805) 2. Stück p. 165; II 3. Stück p. 12; d e r s., Teutsches Kstlerlex. I (1808). — H a y m a n n , Dresdens Kstler u. Schriftsteller, 1809. — C. v. W u r z b a c h , Biogr. Lex. Österreich, VIII (1862). — N a g l e r , Monogr., I; Kstlerlex., VI. — L e B l a n c , Manuel. II. — B o d e n s t e i n , 100 Jahre Kstgesch. Wiens, 1888 p. 85. — J i ř i k , Entwickl. d. tschechisch. Malerei im 19. Jahrh., 1903 (tschechisch). — B u r g , Der Bildh. Fr. Ant. Zauner, 1915 p. 17.

Herzl, K o r n e l , siehe *Hernádi-Herzl,* K.

Herzog, C h r i s t o p h , Goldschmied in Erfurt, 1688 Meister. Von ihm schöne, silberne Monstranz von 1709 (Meistermarke C. H.) im Ursulinerinnenkloster zu Erfurt. — H e i n - r i c h W i l h e l m H e r t z o g , Goldschmied, 1716 Meister in Erfurt, firmiert mit seinem Meisterzeichen H W H eine Brautkrone in der dort. Predigerkirche.

O v e r m a n n , Die älteren Kstdenkm. . . der St. Erfurt, 1911 p. LI, 366 (mit Abb.), 368.

Herzog, F r ., Maler; von ihm ein Porträt des Magisters G. V. H. Niehenck, bez. u. 1770 dat., in der Nikolaikirche zu Rostock. Ein Porträt des J. Chr. Kesler hat J. C. G. Fritzsch 1776 nach ihm gestochen. — Ein G. F r i e d - r i c h H e r t z o g nennt sich 1739 auf der Rückseite eines Schnitzaltars in Laerz (Mecklenb.) als Maler desselben; offenbar nur Faßmaler.

Kst- u. Gesch.-Denkm. v. Mecklenb.-Schwerin, ² I (1898) 166; ² V (1902) 582. — D u p l e s s i s , Catal. Portraits, Bibl. Nat. Paris 1896 ff., V 24128.

Herzog, F ü l ö p F e r e n c (Philipp Franz), Baumeister, geb. in Wien 1860, lernte 1878 bis 84 bei Ferstl am Wiener Polytechn., arbeitete dann bei Fellner u. Helmer bis 1889. Sein erstes selbständiges Werk ist die Villa Wrhovsky in Wien-Grinzing. Für Ungarn erbaute er den Hauptaltar der Kirche in Rimaszombat u., gemeinsam mit Albert Schickedanz, 1895 die neue Kunsthalle im Stadtwäldchen, Budapest.

Ezredéves orsz. kiállitás 1896, A képzőmű-vészeti csoport tárgymutatója, Bud. 1896 p. 56, Tafel 338. — K r ü c k e n u. P a r l a g i , Geist. Ungarn, I (1918) 491. *K. Lyka.*

Herzog, G e o r g , Bildhauer in Wien,

stellte 1828/50 in den Ausst. des Wiener Kstvereins vor allem religiöse Figuren aus. Von
ihm 2 große Engelsfig. für Sta Maria Rotunda
in Gran (Ungarn) u. die Reliefs unter der
Figur des hl. Stephan im Dom ebenda.

C. v. W u r z b a c h , Biogr. Lex. Oesterr.,
VIII (1862). — Vasárnapi Ujság, 1856 p. 283,
304 (Herczog).

Herzog, H a n s , Goldschmied in Landshut.
liefert 1475 zur Hochzeit des Herzogs Georg
des Reichen 61 Ringe, 1482 ein „Heftlein" für
des Herzogs Gemahlin, 1484 ein „vergult agnus
dei" an Erzherzog Sigismund in Innsbruck. —
Vielleicht identisch mit dem g l e i c h n a m i g e n
Goldschmied, der 1501 an den Kämmerer der
Stadt Wien einen Beitrag bezahlt, ohne das
Bürgerrecht gewonnen zu haben.

Oberbayr. Archiv f. vaterländ. Gesch., LIX
(1915) 117. — Jahrb. d. Kstsamml. d. allerh.
Kaiserh., XVII 2. Teil; XXI 2. Teil.

Herzog, H e r m a n n , Landschaftsmaler,
geb. 15. 11. 1832 in Bremen, seit 1849 an der
Akad. in Düsseldorf Schüler J. W. Schirmers,
Lessings, A. Achenbachs u. H. Gudes. 1869
ging er nach Amerika und ließ sich in Philadelphia nieder. Die Motive zu seinen Gebirgslandschaften, die zwischen 1858 u. 77
häufig auf deutschen Ausst. erschienen, sammelte er auf vielfachen Reisen nach Norwegen,
Schweiz, Italien, den Pyrenäen, Kalifornien.
Auch Genrebilder, wie „Das Schwingfest in
Unspunnen in der Schweiz", schuf er. Werke
von ihm in New York, Pict. Gall. of the
Publ. Libr. (Catal. 1912); Cincinnati, Mus.
(Catal. 1913); Gotha, ehem. Herzogl. Mus. (Katal.
1883 No 596); Mülhausen i E., Musée des
B.-Arts (Catal. 1907 p. 64).

H. A. M ü l l e r , Kstlerlex. d. Gegenw., 1884.
— F. v. B o e t t i c h e r , Malerwerke d. 19. Jahrh.,
I/2 (1895). — Jahrbuch d. Bilder- u. Kstblätter-
preise, Wien 1911 ff., I—IV.

Herzog, J a k o b , Maler, geb. 28. 5. 1867
in Truttikon (Kt. Zürich), studierte 1889/92
am Technikum zu Winterthur, dann an der
Münchner Akad. unter Gysis, unternahm Reisen
nach Italien (Riviera, Capri), hielt sich in
Mülhausen in E. und in Paris auf, lebte in
München, zeitweise in Florenz, seit 1910 in
Veltheim bei Winterthur. Malt vorwiegend
Landschaften (Motive aus der Schweiz u.
Italien) und zeigte solche bes. in Züricher
Ausstell. Das Kunsthaus zu Zürich besitzt
ein Ölbild H.s: „Ansicht von Bremgarten",
die Gemäldesamml. im Neuen Mus. zu Winter-
thur (Kat. 1917) 3 Bilder: Herrenporträt (1897)
Landschaft (Kistenpaß, 1908) und „Hundekopf"
(1908), die Gemäldesamml. zu Glarus: „Früh-
lingsregen"

Schweiz, 1905 p. 171 ff. (Abb.); 1908 p. 475;
1910 p. 188; 1911 p. 82, 322 (Abb.), 331. —
B r u n , Schweizer. Kstlerlex., II (1908);
IV Suppl. (1917) 468 ff. — Das Kunsthaus, I
(1911) Heft 12 p. 3. — R e i n h a r t u. F i n k ,
Selbstbildnisse Schweizer Kstler der Gegenwart,
1918 p. 90. — Ausst.-Kat. Zürich: X. Nat. Kst.-A.

Ksthaus 1910, Ksthaus 7. 3.—11. 4. 1915 p. 14
und 5. 4.—2. 5. 1917 p. 4, XIII. Schweiz. Kst- A.
1917; München, Ver. Schweizer bild. Kstler,
März/April 1911; Budapest, Nemzeti Szalon
Almanachja, 1912 p. 173.

Herzog (Herczog), J o h a n n , Goldschmied,
verfertigte nach nicht ganz sicheren Quellen
zwischen 1496 und 1506 den silbernen Sarg
des Hl. Leopold für Klosterneuburg. Der
Sarg wurde schon 1529 eingeschmolzen, doch
ist eine Abbild. von ihm in H. J. Fuggers
Ehrenspiegel (Ms. von 1555 in der Hofbibl.
Wien) erhalten. Die Künstlerinschrift auf dem
Sarg soll gelautet haben: sculptor Dux Joannes
erat.

Jahrb. d. K. u. K. Central-Comm., II (1857) 188 f.
— D r e x l e r , Stift Klosterneuburg, 1894 p. 63.

Herzog, J o h a n n , Maler in Pilsen; von
ihm 2 Altarbilder von 1858 in der Pfarrkirche
zu Dolan (Bez. Klattau), Deckenmalereien von
1854 in der Pfarrkirche zu Gesna (Bez. Mies),
mehrere Gemälde (Geburt Christi, Abendmahl
u. a.) von 1860 in der Pfarrkirche zu Pernharz
(Bez. Mies).

Topogr. d. hist. u. Kstdenkm. Böhmens, VII
(1905); XXX (1911).

Herzog, J o h a n n J a k o b , Goldschmied
in Basel, † 1795, wurde 1745 zünftig, heiratete
1746 und 1756. Werke von ihm (bez. mit
dem Familiennamen): silb. Zuckerschale, silb.
Löffel u. Gabeln in Baseler Privatbes.

B r u n , Schweiz. Kstlerlex., II (1908); IV
(1917).

Herzog, L e o n h a r d , Bildhauer in Nürnberg, geb. 2. 4. 1863 in Schweinau (Mittelfranken), Schüler d. Kstgew.-Schule in Nürnberg. Von ihm das Schützenbrünnlein auf der
Hallerwiese in Nürnberg u. das dekorative
Bildwerk des Faber-Castellschen Schlosses in
Stein bei Nürnberg. Bei der Wiederherstellung
des Schönen Brunnens (1903 vollend.) war er
mit dem Ersatz der alten ruinösen Teile des
plast. Schmuckes durch Kopien betraut.

P. J. R é e , Nürnberg (Seemanns Ber. Kststätten No 5), ⁵1922. — D r e s s l e r ' s Ksthandbuch, 1921 II.

Herzog, L u d w i g Eduard, Landschafts-
u. Genremaler, geb. 15. 10. 1871 zu Luden-
berg (Rheinprovinz), 1888 Schüler Herm. Herzogs in Philadelphia, kam 1892 nach Düsseldorf zu E. G. Dücker, dann nach München.
Seit ca 1897 wieder in Philadelphia, jetzt in
New York. Stellte 1893/99 in der Gr. Kstausst. Berlin u. im Glaspalast München aus.
1893 erwarb die Berl. Nat.-Gal.: „Schiffe vom
Eise zerschellt", 1894 die Neue Pinak. München
„Mittagsglut", beide bez. „Louis Herzog".

Das Geist. Deutschland, I 1898. — Amer. Art
Annual, 1921 (abweichendes Geburtsdatum:
15. 10. 1868). — Mus.- u. Ausst.-Katal.

Herzog, M i c h a e l A n d r e a s , Wappen-
maler, um 1710 als „Hofheraldikmaler" in
Berlin tätig. Als Beispiel seiner „schönen, der
Miniatur gleichen" Wappenmalereien erwähnt
Nicolai „ein Buch von allen zum Königl.

Wapen gehörigen einzelnen Wapen, vortreflich gemalt, im K. Archiv".

N i c o l a i , Nachr. v. Baumeistern usw. in Berlin, 1786. *C. F. Foerster.*

Herzog, N i k o l a u s , Maler, um 1680 in Berlin als „Contrafayeur" tätig. Schwiegersohn des Berliner Bildnismalers Andr. Ganz.

N i c o l a i , Nachr. v. Baumeistern usw. in Berlin, 1786. *C. F. Foerster.*

Herzog, P e t e r , Maler u. Offizier der päpstl. Schweizergarde, geb. 5. 5. 1794 in Rom, † 13. 10. 1864 ebenda, wurde 6. 2. 1841 Mitglied der Congreg. Virtuosi, malte um 1830 einen Kain, 1832 eine Vermählung des Herakles mit Hebe, ferner sehr geschätzte Kopien alter Meister. 1889 war von ihm in Luzern ausgestellt: „Trojanerin".

B r u n , Schweizer. Kstlerlex., II (1908). — Mitt. Fr. Noack.

Herzog, siehe auch *Hertzog.*

Hes, C h r i s t o f , Zinngießer, fertigte 1653 eine Gedächtnistafel mit in Zinn gravierter Kreuzigungsdarstell. in der Kirche zu Friedland in Ostpr., jetzt an der Ostwand des linken Seitenschiffes.

Bau- u. Kstdenkm. d. Prov. Ostpreußen, II (1898) 93, mit Abb.

Heschler (Helscher?), D a v i d , Bildhauer (Kleinplastiker), vielleicht auch Maler, tätig hauptsächlich 1. Hälfte des 17. Jahrh. in Ulm, Sohn u. Schüler des Memminger Bildhauers S i e g m u n d H. (dem fälschlich die von H. Wörtz geschnitzte Kanzel der Dreifaltigkeitskirche in Ulm zugeschrieben wurde), 1640 Bürger in Ulm, verkaufte 1651 ein „Kunststück" in Elfenbein, eine Kreuzabnahme, für 500 fl., und war wohl auch Maler; doch steht über seine doppelte künstlerische Tätigkeit nur Weniges fest. Als Bildhauer soll er kleine Figuren und Gruppen in Holz und in Elfenbein sauber und fein gearbeitet haben, die sich großer Beliebtheit erfreuten. Vielleicht gehört ihm eine Elfenbeingruppe (Landesmus. Cassel), Herkules im Kampfe mit Antäus, bez. D. H. B. 1635 (Pelka, Elfenbein, Abb. 166). Auch wird ihm eine Federzeichnung im Berliner Kupferstichkab. zuzuschreiben sein: „Herkules stehend mit Keule und Siegeskranz", bez. Dauidt Heschler Bildhawer Jung. 1628. Neben seiner künstler. Tätigkeit scheint H. auch einen gewissen Ruf als Lehrmeister gehabt zu haben, da nach der Überlieferung nicht nur der Dresdner Bildh. Melchior Barthel, sondern auch Joh. Ulrich Hurter aus Schaffhausen zu seinen Schülern zählten.

S a n d r a r t , Teutsche Acad., II (1675) 353. — W e y e r m a n n , Nachr. v. Gelehrten u. Kstlern aus Ulm, 1798. — L i p o w s k y , Baier. Kstlerlex., I (1810) 120. — Württemb. Jahrbücher, 1822 p. 365. — M ü l l e r , Vergessene Dresd. Künstler, 1895 p. 3. — S c h e r e r , Elfenbeinplastik seit d. Renaiss. (Monogr. d. Kstgew. VIII) p. 70. — R o t t , Kst u. Kstler am Baden-Durlacher Hof, 1917. — Cicerone, XIII (1921) 719, nur Abb. — M. J. F r i e d l ä n d e r , Zeichn. alter

Meister im Kupferstichkab. [Berlin], 1921 ff., E. B o c k , Die deutsch. Meister, I 189. *Chr. Scherer.*

Heschler, H a n s , Bildhauer, um 1651 unter J. J. Arhardt an der Einrichtung u. Verschönerung des Schlosses Karlsburg beteiligt (72 fl. Jahresgehalt als „Bildschnitzler").

R o t t , Kst u. Kstler am Baden - Durlacher Hof, 1917.

Hesdin, J a c q u e m a r t d e , französ. Buchmaler, Ende 14. Jhrh., im Dienste des Herzogs von Berry. R. de Lasteyrie hat seine Persönlichkeit 1896 zuerst scharf umrissen. H. darf seitdem als eine der bedeutendsten unter den französ. Malern und Miniaturisten der Zeit, deren Namen und Werke in großer Zahl überliefert sind, gelten. Ausgenommen Paul von Limburg, der der folgenden Generation angehört, ist H. wohl der wichtigste unter den Vorläufern des Realismus in der Malerei. Die Sicherheit über die von ihm herrührenden Werke wird nicht heutzutage — völlig unberechtigt — von verschiedenen Seiten angezweifelt, da nur sehr wenige die Originale gesehen und geprüft haben. — Außer einigen Daten, die seinen Werken zu entnehmen sind, ist wenig bekannt. 1384 ist er zuerst im Dienste des Herzogs nachweisbar. Er wohnte damals in Bourges und hat wohl schon um 1380 den Buchmaler Jean le Noir des Herzogs ersetzt. 1398 war er in einen blutigen Streit in Poitiers verwickelt, als er auf seines Herrn Schloß in Poitiers arbeitete. Nur die Fürsprache des Herzogs, so scheint es, behütete ihn vor Strafe. 1399 ist er wieder in Bourges nachweisbar. Er muß noch im Anfang des 15. Jahrh. gelebt haben, denn die für ihn beglaubigten „grandes heures" (s. u.) enthalten eine Eintragung, wonach das Buch 1409 vollendet worden sei. Wahrscheinlich um diese Zeit †, denn in den Jahren 1410/11 lösen Paul von Limburg und seine Brüder, die vorher im Dienste des burgund. Herzogs Johann ohne Furcht gestanden hatten, H. beim Herzog von Berry ab. — Um 1440 ließ sich ein J a c q u e m a r t de Hesdin in Valencia nieder. Er war Hofmaler Alphons' VI. von Aragonien und soll der Sohn des Obigen gewesen sein. — Zwei der berühmtesten Miniaturenbücher des Herzogs von Berry sind für H. durch die Inventare der Bibliothek des Herzogs beglaubigt: die „très belles heures" (Brüssel ms. 11 060, Invent. von 1401) und die „grandes heures" (Paris, Bibl. Nat., ms. lat. 919, Invent. von 1413, aber schon 1409 nach einer Eintragung im Buche selbst vollendet). Zwei andere Bücher des Herzogs, die nicht minder kostbar sind, lassen sich ihm wenigstens teilweise sicher zuschreiben: die „petites heures" (Paris, ms. fr. 18014, Invent. von 1402) und der „psautier" (ebenda, ms. fr. 13091, Invent. von 1402). In den „très belles heures" hat H. nur die beiden großen Grisaillen der Madonna mit dem Herzog gemalt, der Rest des Buches ist von dem Meister des Marschalls Boucicaut (vgl. Durrieu in Revue de l'art chrétien, 1913 p. 308). In den „grandes" und „petites heures" ist beide Male vor allem der Kalender (und zwar der des ersten später als jener der „petites heures"), sowie der größte Teil der Miniaturen von H. gemalt worden. Die Meinungen von Lasteyrie und Durrieu, die die Handschriften am eingehendsten untersucht haben, weichen hier ein wenig voneinander ab, doch nicht so weit, daß die Widersprüche unvereinbar wären. Gegen Ende der Bände macht sich Gehilfenarbeit stark bemerkbar wie in vielen spätmittelalterl. Handschriften. Die Miniatur am Schlusse der „petites heures", die den Herzog beim Aufbruch zur Pilgerfahrt zeigt, ist von Durrieu den Brüdern Limburg zugeschrieben worden. In den „grandes heures", einer ganz außergewöhnlich großen Handschrift, sind unter anderem auch 3 Bilder vom Boucicaut-Meister. Der „psautier" enthält am Anfang 24 Grisaillen, die beglaubigte Werke des A. Beauneveu sind, die einzigen bekannten Buchmalereien seiner Hand; etwa neun der folgenden Bilder rühren von H. her. Diese Handschrift war bis 1896 die Quelle aller Mißverständnisse über Beauneveu und Hesdin, die behoben zu haben das Verdienst Lasteyrie's ist.

H. ist wohl das größte dekorative Genie der französ. Buchmalerei nach ihrer Blüte in der Hochgotik. Am bewundernswertesten ist neben der dekorativen Ausgestaltung der einzelnen Blattseite, für die jedes der 3 Gebetbücher für den Herzog blendende Beispiele birgt, die im kleinsten Maßstabe sich bewährende Kraft und Eleganz, mit der die Füllungen der Gründe, häufig minutiöses Rankenwerk, in dem Menschen und Tiere kriechen, gezeichnet sind. Obgleich die Neigung zu ornamentaler Gestaltung auch der Figur, so in der Führung der Umrisse, in der rhythmischen Wiederholung oder Symmetrie gleichlaufender Bewegungen, überall deutlich wird, und obgleich seine Abhängigkeit von sienesischen Werken, z. B. in den 2 Heiligen des Brüsseler Gebetbuches, außer Frage steht, ist er gleichzeitig einer der ersten Realisten, der sich besonders darin gefällt, die giotteske Architektur, die überall im Abendlande verbreitet war, mit realistischen Einzelheiten zu durchsetzen. — In den letzten Jahrzehnten sind deshalb wiederholt Versuche unternommen worden, das „Werk" H.s durch stilkritische Zuschreibungen zu erweitern. Sie sind ausnahmslos fehlgeschlagen, da man im allgemeinen nicht in den Handschriften gesucht hat, sondern andere Werke, wie die 6 Tafeln eines Modellbuchs (New York, Morgan), die große Tafel mit Richard II. der Westminster Abtei vor allem herangezogen hat. Das Modellbuch steht unter allen erhaltenen

(z. B. in Berlin, Braunschweig und Wien) H. wohl am nächsten, ist aber ebenso wie die anderen schwerlich das Werk eines bekannten Malers. Die um 1390 ausgemalte Bibel des Herzogs von Berry in 2 Bänden (Rom, Vat. Bibl., cod. Urb. lat. 50, 51) wird für die von H. und seiner Werkstatt ausgeführten, weniger prunkvollen Handschriften ein charakteristisches Beispiel sein. — Die Herkunft H.s wird durch die engen Beziehungen zwischen den „grandes" und „petites heures" einerseits und den Arbeiten des Jean Pucelle andererseits hell beleuchtet. H. setzt die in Pucelle's Arbeiten ausgebildete Tradition fort. Dessen „Belleville-Breviar", das sich zu H.s Zeiten im Besitz des Herzogs von Berry fand, bot das Vorbild für den Kalender der „grandes" und „petites heures", wie sich überhaupt zahlreiche Anklänge an Pucelle feststellen lassen (vgl. dessen Cod. lat. Urb. 603 der vatik. Bibl. in Rom). In den großen Grisaillen des Brüsseler Gebetbuches werden sienesische Einflüsse sehr deutlich. Daneben besteht ein noch nicht geklärter Zusammenhang mit dem wohl älteren Meister des „Parement de Narbonne" (vor 1377, Paris, Louvre). Ihm gehört nach der zutreffenden Beobachtung von G. Hulin de Loo der um 1390 entstandene Anfang jenes berühmten Gebetbuches des Herzogs von Berry in Turin (1904 verbrannt), Mailand (Fürst Trivulzio) und Paris (M. de Rothschild), das um 1416 von den van Eyck mit Illustrationen geschmückt wurde. Da der weitaus größte Teil der hier in Betracht kommenden Miniaturen, der schon frühzeitig von dem Hauptteil getrennt wurde, d. h. der heute in Paris befindliche, noch unveröffentlicht ist, muß die Frage nach dem Verhältnis der beiden Maler zueinander noch offen bleiben. Als Bildnismaler — jeder der beiden Meister hat den Herzog von Berry dargestellt — ist der „Meister des Parement" ihm überlegen.

Abb. d. „très belles heures" liegen in häufigen, aber wenig befriedigenden Publikationen (z. B. im „Musée d'enluminure", herausg. v. Pol de Mont), der Turin-Mailänder Miniaturen in der Lichtdruckveröffentlich. von Durrieu, bezw. Hulin de Loo „les Heures de Turin", Paris 1902 u. „les Heures de Milan", Brüssel 1911, ausreichend vor. Aus den 3 andern Büchern des Herzogs von Berry hat Lasteyrie Proben seinem Aufsatz beigegeben. Der größte Teil des Materials ist noch heute unerschlossen. Die folgende Zusammenstellung ergänzt deshalb Lasteyrie's Abb. — *Grandes heures*, Aufnahmen einer ganzen Seite: Marcel, Bouchot u. a., La Bibl. Nat. 1907 p. 82 u. J. Vogelstein, Von französ. Buchmalerei. Außerdem: Revue de l'art anc. et mod., XXXVII (1920) 87 u. 90. — *Petites heures*, Gazette d. B.-Arts, XXXI (1904) 13 ff. (Bouchot); Taufe u. Heimsuchung in: Durrieu, Confér. faite à Gand au 23e congrès de la fédérat. archéol. et hist. de Belg. (août 1913), Gent 1914. — *Rothschild-fragment*, Verkündig.: in Revue archéol., 1910 Taf. 18; Ecce homo bei Mâle, L'art relig..., 1904 p. 95. Außerdem vgl. Bastard, Peint. et ornem., des manuscr., 1835 Taf. 254. — *Bibel in Rom :* Revue de l'art anc. et mod., XXVII (1910) 1. — *Skizzenbuch bei Morgan :* am besten in „Illustr. Cat. of early engl. portraiture", Ausst. Burl. Fine Arts Cl., 1909, Taf. 37/38, ferner Burl. Mag., X (1906/07) 31. — Außerdem in Les Arts, 1905 No 37 eine Auswahl von Miniaturen des Kreises. A. d e L a s t e y r i e in Monum. et mémoires (Fond. Eug. Piot), 1896 III; vgl. ebenda D u r - r i e u in Bd I. — C h a m p e a u x - G a u c h é r y, Travaux d'arts ... pour Jean de France, duc de Berry, 1894. — Arch. hist. du Poitou, XXIV (1893) 299. — M. P o ë t e, Les primitifs Parisiens, 1904 p. 56 f. — Burl. Magazine, X (1906/07) 31; XV 73 (R o g e r F r y). — M. C o n v a y, The van Eycks and their followers, 1921 p. 23. — Eigene Notizen. *Winkler.*

Hesekiel, G e o r g C h r i s t o p h, Anhalt-Dessauischer Oberbaudirektor, geb. 1732 zu Saatzke (Osthavelland), † 12. 7. 1818 zu Dessau. In einem auf der Hofkammer zu Dessau befindl. Aktenstücke „Die verteilten Trinkgelder betreffend" ist H. 1782 als Kammerdiener verzeichnet, in der folgenden Liste von 1786 als Baudirektor, aber mit dem Zusatz „noch als Kammerdiener, fällt künftig fort". H. stand dem Herzog Franz von Anhalt-Dessau bei dessen neugotischen Bauten zur Seite (Got. Haus Wörlitz, die Kirchen zu Wörlitz [1804 bis 09], Riesigk [1800], Vockerode [1812] usw.). Eine direkte Beteiligung an den einzelnen Bauten ist nicht nachweisbar.

R e i l, Leopold Friedrich Franz nach seinem Wirken und Wesen, Dessau 1845 p. 29. — R i e s e n f e l d, Friedr. Wilh. Frhr von Erdmannsdorff, 1913 p. 23, 132. — v o n B a s e d o w, Schloß- u. Stadtkirche zu St. Marien in Dessau, Hallenser Diss. 1923. — Anhalts Bau- u. Kstdenkm., 1892 p. 392, 403, 406. *van Kempen.*

Heseltine, J o h n P o s t l e, engl. Radierer, geb. 1843 in London. Lebt daselbst. Von Beruf Geldmakler, kam er als Sammler zur Kunst und bildete sich autodidaktisch in der Radierung. Seine ersten Versuche in dieser Technik fallen in die Jahre 1862 u. 63. Stellte 1869—1916 häufig in der Royal Acad. aus. H. hat eine lange Reihe Landschaftsradier. mit Motiven aus England, Frankreich und Italien geschaffen. Er liebt Weiträumigkeit und Wasserflächen und schildert gerne anspruchslose Motive, Flußufer, einsame Gehöfte, Kirchhofsmauern u. dgl. Die Technik ist gewandt, aber etwas trocken. Von seinen z. T. in Zeitschriften ersch. Blättern seien genannt: Venice from the Lido; Ramsgate Harbour; Witley Churchyard; Salisbury; Fontainebleau; Lymington. H. ist auch Besitzer einer bedeutenden Kunstsammlung. (Graphiken neuerdings verkauft).

Who's who 1923. — B é r a l d i, Graveurs 19e siècle, VIII (1889). — The Portfolio, 1871 p. 28; 1872 p. 49. — The Art Journal, 1881 p. 320 (Orig.-Rad., ohne Text). — Gaz. des B.-Arts, 1897 I 259. — G r a v e s, R. Acad., IV (1906). — Cat. R. Acad. Exhib. London, 1906, 12, 16.

Heseltine, W., Maler und Kupferstecher, stellte 1799—1805 in der Londoner Royal Acad.

Genrebilder und Bildnisse aus. Man kennt von ihm einen Stich in Punktiermanier: „Pleasure" nach Cipriani, auf dem er sich als Schüler von M. Bovi bezeichnet (1801).

G r a v e s, R. Acad., IV (1906). — R i t t e r, Kat. Wiener Ornamentstichslg, 1919 p. 52. — Notiz H. M. Hake.

Heseman (Heeseman), P i e t e r J a n s z., Maler in Amsterdam, macht 21. 7. 1624 sein Testament (2. 12. d. J. nicht mehr am Leben). Seine Witwe Catharina Bischops heiratet 5. 11. 1626 den Stecher Ph. Serwouters. In der Wiener Akad. befindet sich von H. ein kleines Bild auf Eichenholz: Allegorie des Todes und der Auferstehung (Genius der Zeit und der auf seinem Grabe sitzende Heiland mit Attributen in Landschaft), bez. P. Heseman fe. (Kat. 1889).

B r e d i u s, Kstler-Inventare, VII, Nachträge (Quellenstud. z. holl. Kstgesch., hrsg. von C. Hofstede de Groot XIII), 1921 p. 108.

Hesemann, H e i n r i c h (Christian Heinr.), Bildhauer, geb. 27. 6. 1814 in Hannover, † 29. 5. 1856 ebenda, Schüler von Rauch in Berlin, bereiste 1845 Italien, war 1838 u. 40 auf der Berliner Akad.-Ausst. vertreten. Später Lehrer am Polytechn. in Hannover. Unter Rauch schuf er die Engel am Sarkophag der Königin Friederike im Mausoleum bei Herrenhausen bei Hannover. Ferner von ihm die Statuen des Sophokles, Terenz, Ovid, Horaz auf dem Portikus des Theaters in Hannover, Gaußbüste u. -Medaillon in der Universität Göttingen, Büsten u. Marmormedaillons der Könige Ernst August u. Georg V. von Hannover, der Königin Marie, der Königin Viktoria v. England u. a. Im Provinzialmus. Hannover befinden sich außer einigen Gipsabgüssen: Bronzestatuette Leibniz', Büste der Fürstin Pauline Borghese u. 2 Kopien von Canovas Marmorstatue der Fürstin Pauline Borghese in der Gal. Borghese zu Rom, Entwurf zu einem Denkmal König Ernst Augusts von Hannover, an dessen Ausführung H. durch den Tod verhindert wurde.

Dioskuren, 1856 p. 67. — Kat. Akad.-Ausst Berlin, 1838 p. 74, 1840 p. 66. — Kat. d. Provinzialmus. Hannover, 1905 p. 240. — Kat. d. Sonderausst. Gußeisen im Kstgew.-Mus. Berlin, 1916 p. 21. — Mitt. Dr. Hesemann, Schleswig.

Hesius, W i l l e m, Jesuitenpater u. Architekt, geb. 11. 6. 1601 zu Antwerpen, † 4. 3. 1690 ebenda, trat 22. 4. 1617 in den Jesuitenorden ein, wurde 19. 4. 1631 zum Priester geweiht. Als Professor der Philosophie, Prediger und Rektor war er nacheinander tätig in Löwen, Alost, Mecheln, Brüssel, Gent, Rom u. Antwerpen. Mit Architektur beschäftigte er sich nur nebenher, erwarb sich jedoch gründliche Kenntnisse und war (nach Braun) ein tüchtiger Zeichner von großem Kompositionstalent. Braun nennt folgende Arbeiten: Kolleg in Mecheln; Zeichnung zum Hochaltar der Kathedrale St. Rombaut ebenda (Ausführung von L. Faydherbe, 1665 vollendet); Gymnasium in Gent; Umbau der gotischen, von Hoeimaker erbauten, 1798 zerstörten Kollegskirche ebenda im Geschmacke des belg. Barock; Pläne, die auf eine Bautätigkeit in Antwerpen weisen, im Archiv von St. Charles ebenda. Sein Hauptwerk ist die prachtvolle Jesuiten (Michaels)-Kirche in Löwen. Die ersten Pläne dazu (bezeichnet; im Promptuarium pictorum der Bollandisten) fertigte H. 1650 an; 1666 wurde der Bau vollendet; zur Behebung von Konstruktionsfehlern scheint man um 1660 L. Faydherbe herangezogen zu haben, dem von Gurlitt der Bau fälschlich zugeschrieben wird. (Beschreibung, Ansichten u. Pläne bei Braun.)

Biogr. Nat. de Belg., IX (1887). — J. Braun, S. J., Die belg. Jesuitenkirchen, 1907. — H. Rousseau, La Sculpt. aux XVIIe et XVIIIe Siècles, 1911. — M. Wackernagel, Baukunst des 17. u. 18. Jahrh. in den Germ. Ländern (Burgers Handbuch der Kstwiss.), 1915. — Gurlitt, Gesch. d. Barockstiles etc. in Belgien, Holland . . ., 1888 p. 26 f.

Heski, Jósef, poln. Maler, tätig in der 2. Hälfte d. 18. Jahrh. in Nieświez, auf dem Landgut Radziwiłłów und im dort. Dominikanerkloster, † in Nieświez, etwa 70 Jahre alt, Anfang 19. Jahrh. Auf Schloß Nieświez von ihm ein Bildnis des Königs Stanislaus August und sein Selbstporträt, in der Jesuitenkirche in Nieświez das Hochaltarbild, Abendmahl. In der Dominikanerkirche in Stolbzy (Litauen) sollen sich einige Bilder H.s befinden, darunter eine Almosenverteilung durch den hl. Antonius u. den Bischof Julian.

Rastawiecki, Słownik Mal. Polskich, 1850 ff., III 230.

Hesling, O., Miniaturmaler, von dem ein so bezeichn. u. 1801 dat. Porträt eines Mädchens auf der Miniaturenausstell. Wien 1905 (Katal. No 1565) sich befand.

Leisching, Bildnis-Miniatur in Österreich 1750—1850, p. 230.

Hess, Glas- u. Steinschneiderfamilie in Frankfurt a. M. Stammvater: Johann, flüchtete (nach Hüsgen) während des 30jähr. Krieges aus Böhmen nach Frankfurt a. M., wo er wegen seiner Geschicklichkeit im Glasschneiden das Bürgerrecht erhielt. Er starb 84jährig, unbekannt wann. Hüsgen nennt von ihm ein Glas, das er „mit Landschaften und Malerey meisterhaft geschnitten hat". — Sein Sohn Johann Benedikt I, † 1674 (?), 38 Jahre alt, fertigte nach einem von Hüsgen mitgeteilten Auszug aus seinen (Ende 18. Jahrh. noch vorhandenen) Geschäftsbüchern der Jahre 1669/74 u. a.: Glas mit Darstell. Alexanders vor Diogenes, einen Krug „darauf die Historie vom Jonas, die Auferstehung Christi, das Jüngste Gericht", Glas mit Hirschjagd, Glas „mit Jungfern u. Junggesellen, die sich lustig machen", Glas, „worauf ein Philosoph durch ein Perspektiv nach der Fortuna sieht, die auf dem Meere gegen ihn zufährt", einen Sardonyx

mit dem Ritter St. Georg. Von ihm könnte nach Schmidt ein Pokal mit dem Wappen der Familie Drach u. der Figur des Mucius Scaevola (Mus. Cassel) und ein Glas im Berliner Kstgew.-Mus. mit Krösus, Solon u. Cyrus sein. Ein vollbez. Glas nennt Pazaurek (Kunstwanderer, I p. 290). — Seine Söhne Sebastian, † 2. 5. 1731, und Johann Benedikt II, geb. 26. 3. 1672, † 16. 10. 1736, schnitten nach Hüsgens Auszug aus den Büchern des Joh. Benedikt II gemeinsam Wappen in venezian. Scheiben für den Prälaten des Klosters Seligenstadt. Joh. Bened. lieferte 1699 ein „Becherlein mit Wappen, Zierraten u. Blumen" an die Landgräfin von Hessen-Butzbach, 1717 Scheiben mit geschnittenen Wappen für den Prälaten des Klosters Eberbach. Von ihm auch ein (1730 zugrunde gegangener) Pokal des Rats von Frankfurt mit dem Prospekt der Stadt. Seit ca 1718 nur noch als Steinschneider tätig. Genannt werden: Brustbild Alexanders d. Gr. aus Sardonyx auf einem Adler aus Achat ruhend, 1712; Statuette Cäsars zu Pferde, 1716; Brustbilder röm. Kaiser; Ritter St. Georg auf einem Sardonyx erhaben geschnitten, u. a. — Sein Sohn Peter, Steinschneider, geb. 5. 12. 1709 in Frankfurt, † 1782 in Cassel, lernte u. arbeitete bei seinem Vater bis zu dessen Tode. 1746 wurde er nach Cassel an den Hof des Landgrafen Friedrichs II. von Hessen berufen. Er verfertigte dort sog. „Florentinische Arbeit" (Einlegearbeiten aus edlen Steinen), darunter „recht antike Blumenstücke". Ihm wurde auch die Fortführung der Arbeit an einem schon unter Landgraf Karl begonnenen Prachttisch (Mus. Fridericianum, Cassel) übertragen, der in Einlegearbeit aus farbigen Edelsteinen einen Prospekt der Feste Rheinfels u. der Stadt St. Goar in reicher Umrahmung zeigt.

Hüsgen, Artist. Magazin, 1790. — Gwinner, Kst u. Kstler in Frankfurt a. M., 1862. — Hoffmeister-Prior, Kstler u. Ksthandwerker in Hessen, 1885 (unter Hess u. Hesse). — R. Schmidt, Das Glas (Handbücher d. Berliner Museen). 1912. — Kstgewerbeblatt, IV (1888) 27.

Hess, Maler in Gotha, malte 1747 die Kuppel des Gothaer Orangeriebaus aus. Er ist vermutlich derselbe, der 1751/52 an der Ausmalung der Kirche zu Mihla beteiligt war.

K. Lohmeyer, Fr. J. Stengel, 1911 p. 9 Anm. — Bau- u. Kstdenkm. Thüringens, III (1915) 511.

Heß, Büchsenmacher u. Eisenschneider, Mitte 18. Jahrh. in Zweibrücken. Arbeitete als Hofbüchsenmacher für den Hof des Pfalzgrafen von Zweibrücken zahlreiche schöne Gewehre und Pistolen, von denen viele im Nat.-Mus. und Armee-Mus. München erhalten sind. Andere Arbeiten in Schloß Arolsen (dat. 1744), Darmstadt, Slg Clemens-München (dat. 1752) usw.

Kat. d. Ksthist. Ausst. Düsseldorf, 1902 No 2634. — Zeitschr. f. hist. Waffenkunde, IV 130; V 411.
Stöcklein.

Heß *le Fils*, Büchsenmacher, Ende 18. Jahrh. in Zweibrücken. War Hofbüchsenmacher am Hofe des Pfalzgrafen v. Zweibrücken. Arbeiten im Nat.-Mus. München sind bezeichnet: Hess le Fils à Deuxponts. — Vielleicht identisch mit **Philipp H.**, der auf dem von den Franzosen zerstörten Schloß Carlsberg bei Zweibrücken arbeitete.
Zeitschr. f. histor. Waffenkunde, V 411 f. *St.*

Hess, A n d r e a s (Enderlein), Bau- und Zeugmeister; vor 1548 als Zeugmeister des Kurfürsten von Sachsen nachweisbar, als welcher er sich um die Befestigung des Schlosses Grimmenstein bei Gotha, damals eine der stärksten Festen in Mitteldeutschland, Verdienste erwarb. Durch Befestigungswerke aller Art an Stadt und Schloß war er dort mehrere Jahre in Anspruch genommen. Wahrscheinlich 1548 ist er außer Landes gegangen und taucht April 1548 in Danzig auf, um, anscheinend mit Empfehlung des Kurfürsten von Sachsen, hier Beschäftigung zu suchen. Da man zur selben Zeit einen Anschlag des Deutschmeisters mit Unterstützung des Kaisers auf das ehemalige Ordensland vermutete, wird H. in Danzig eingestellt und ist mit tätig bei Anlage der neuen Wallbefestigung der Altstadt. Doch gelingt es dem Herzog Albrecht von Preußen, den begehrten Festungsbaumeister noch im selben Jahre für hohen Gehalt an sich zu fesseln. 1549 finden wir H. als Zeugmeister des Herzogs Albrecht von Preußen beschäftigt. Sommer 1549 ist er vorübergehend in Posen, um bald darauf wieder nach Gotha zu gehen (Schloßbau). Trotz ernster Vorhaltungen des Herzogs von Preußen tritt er 1554 endgültig in sächs. Dienste, doch blieb Herzog Albrecht auch später noch in Verbindung und Verhandlung mit ihm über militärische Angelegenheiten.
V o i g t , Neue Preuß. Prov. Bll., 3. F., Bd IV (1859) p. 26 ff. — E h r e n b e r g , Kunst am Hofe der Herzöge von Preußen, 1899. — C u n y , Danzigs Kunst und Kultur im 16. u. 17. Jahrh., 1910 p. 12. — P r o k o p , Markgrafschaft Mähren in kunstgesch. Beziehung, 1908, III 674. — S i m s o n , Gesch. der St. Danzig, II (1918) 165. — Mitteil. d. Stadtmus. Danzig.

Hess, A n t o n Heinrich, Bildhauer, geb. 20. 8. 1838 in München, Sohn des Heinrich M. v. Hess, † 11. 4. 1909 ebenda, Schüler von K. Zumbusch in München, 1866—68 auf Reisen in Italien weitergebildet. Von ihm die 4 kolossalen Balkonfiguren („Bürgertugenden") am neuen Rathaus in München, die Minervagruppe u. die Figuren Ciceros u. Sophokles' am Wilhelmsgymnasium ebenda (1876), das Schmellerdenkmal in Tirschenreuth (Oberpfalz), die „Fakultäten" an der Universität in Erlangen, die Madonna an der Hl. Geistkirche u. die Statuen des Hl. Franziskus u. Fidelis v. Sigmaringen an der Kapuzinerkirche St. Anton in

München, die Evangelistenfig. am Hochaltar von St. Benno ebenda, Grabdenkmäler (Knorr-Monument, Grabdenkmal für Peter v. Hess auf dem alten südl. Friedhof in München), Büsten (König Ludwig I. in der Ruhmeshalle München; weitere Büsten im Hist. Mus. der Stadt München) u. kstgew. Arbeiten. Seit 1875 war H. Professor an der Münchner Kstgew.-Schule, seit 1900 an der Münchner Techn. Hochschule. H. war auch als Sammler bekannt (Verst.-Kat. Helbing d. Samml. A. H., München, 1911).
H. A. M ü l l e r , Biogr. Kstlerlex. d. Gegenw., 1884. — F. P e c h t , Gesch. d. Münchner Kst, 1888. — Kunst f. Alle, II (1887); III (1888); VI (1891); VIII (1893); Die Kunst, XIX (1909); XXI (1910). — Kunst, IV (1907/08) Beilage p. 109. — Bericht des Kstvereins München, 1909 p. 14—16 (Nekr.). — B e t t e l h e i m , Biogr. Jahrbuch, XIV (1909) 167—71. — Kst u. Handwerk, 1911 p. 343 ff. — Lit. Jahrb., II (1892) 30 f. — Ausst.-Katal.: Glaspal. München 1869, 71, 79, 83, 88, 90, 1910.

Hess, A u g u s t , Historienmaler, geb. 14. 2. 1834 in München als 2. Sohn des Heinrich M. v. Hess, † ebenda 20. 10. 1893, Schüler seines Vaters, mit dem er bis zu dessen Tod (1863) zusammenarbeitete. Von ihm zahlreiche Tafel- u. Altargemälde in bayr. Kirchen, so die Altarbilder in der Herz-Jesukirche der Niederbronner Schwestern in München und das Herz-Jesu-Altarbild in der dort. Frauenkirche; eine „Hl. Theresia" in der Neuen Pinak. München (Katal. 1914).
Festgabe d. Ver. f. christl. Kst in München, 1910. — Bericht d. Kstvereins München, 1893 p. 73.

Hess, B e n e d i k t F r a n z , siehe unter *Hess,* Joh. Franz Adam.

Hess, C a r l , Maler, Radierer u. Lithograph, geb. 1801 in Düsseldorf, jüngster Sohn des Carl Ernst Christoph H., Bruder des Heinrich Maria u. Peter v. H., † 10. 11. 1874 in Reichenhall. Bildete sich zuerst unter seinem Vater als Kupferstecher aus, wandte sich aber seit 1822 unter seinem Bruder Peter und M. J. Wagenbauer der Malerei zu. Tierbilder, Genreszenen u. Alpenlandschaften von ihm waren ausgestellt im Münchner Kstverein (1835 u. 36) u. der Berliner Akad.-Ausst. (1830). 2 Werke, „Tiroler Landschaft" u. „Viehweide", beide von 1822, gelangten in die Nat.-Gal. Berlin (zuletzt im Katalog 1902; jetzt Depot). Zeichnungen u. Radier. von ihm in der Maillingersamml. München.
S ö l t l , Bild. Kunst in München, 1842 p. 271 f. — F. v. B ö t t i c h e r , Malerwerke d. 19. Jahrh., I 2 (1895). — Allg. deutsche Biogr., XII (1880). — N a g l e r , Monogr., II. — H e l l e r - A n d r e s e n , Handb. f. Kupferstichsammler, I (1870). — M a i l l i n g e r , Bilderchronik Münchens (Stadtmus.), III (1876); IV (1886). — W e i g e l ' s Kstkatalog, Leipzig 1838—66, V (Reg.).

Heß, C a r l Adolph Heinrich, Pferde- und Schlachtenmaler, geb. 1769 in Dresden, † 3. 7. 1849 in Wilhelmsdorf b. Wien. An der Dresdner Akad. Schüler des Kupferstechers Ephr. Gottl. Krüger, im Zeichnen bei Carl Chr. Klaß; widmete sich zunächst der Historienmalerei und stellte 1790 bei der Akad. ein vielbewundertes Blatt aus: Herkules tötet den Cacus, der ihm seine Rinder stahl (Pastell, nach Vergil). Bald darauf entschied er sich für das Studium des Pferdes. Er zeichnete nach den Vorbildern der Dresdner Samml. und begann derartige Darstellungen in Öl zu malen. Schon sein erstes größeres Bild, das Einfangen der Remontepferde in Moritzburg (mit zahlreichen Porträts, 1793) lenkte die Aufmerksamkeit auf ihn, noch mehr sein „Angriff sächs. Dragoner auf französ. Infanterie" (1796), vom sächs. Kurfürsten erworben, und vor allem der bekannte „Durchmarsch der Uralischen Kosaken durch Böhmen" (1799). Dieses Bild, das H. von Chr. Fr. Stölzel im Umriß radieren ließ und selbst in vielen Exemplaren mit Deckoder Tuschfarben ausmalte, brachte ihm neben anderen Auszeichnungen (z. B. der preuß. Goldenen Verdienstmedaille) 1800 die Ehrenmitgliedschaft der Berliner Akad. 1800 gab H. seine „Reitschule, oder Darstellung des natürlichen und künstlichen Ganges des Campagnepferdes" (12 Kupferstiche mit Erläut.) heraus. Es folgten 4 Bl. Radierungen nach eigenen Zeichnungen: „Kleine Studienblätter für Pferdeliebhaber" und das groß angelegte Bilderwerk „Abbildung der k. sächs. Truppen in ihren Uniformen etc.", von dem während der Jahre 1805—1807 acht Bl. in Dresden herauskamen. Die Fortsetzung dieses Werkes wurde durch den Wegzug H.'s nach Wien unterbrochen, wo er als Mitglied der Akad. angestellt wurde. Die kriegerischen Ereignisse der nächsten Jahre boten ihm mannigfachen Stoff für seine Bilder. Später bereiste er Ungarn, Rußland, die Türkei und (1829) England, überall die verschiedenen Pferderassen studierend. 1817 bis Sommer 1818 weilte er in Rom, wo Carl Vogel v. V. sein Bildnis zeichnete (Brustbild im Hut, Blei; Kupferstichkab. Dresden. Ein Brief aus Rom vom 25. 7. 1818 an Maler Heideck im Besitz des Unterzeichneten). Als Frucht dieser Studien ließ er 1825 in Wien Pferdeköpfe in natürlicher Größe in Steindruck erscheinen. In seinen letzten Lebensjahren zog er sich nach dem Dorfe Wilhelmsdorf nahe Schönbrunn zurück. H. war einer der vorzüglichsten Pferdemaler der neueren Zeit. Als Zeichner wurde er schon von seinen Zeitgenossen gerühmt. Stölzel, K. A. Senff und Darnstedt haben nach ihm gearbeitet. Das Dresdner Kupferstichkab. bewahrt (außer dem obengenannten Bildnis) von H. ein „Reitergefecht" (1793, Sepia und Deckweiß, auf hellbraunem Papier); Reitergefecht im Kab. des Städelschen Inst. in Frankfurt (in Rom für die Schneidersche Samml. ebenda gezeichnet); in der Gemäldesamml. d. Freih. von Geymüller auf Schloß Hollenburg

(Niederösterreich) ein Ölgemälde: Türken bei einem Reiterspiel, bez. C. Hess 1831; im Stadtmus. Dresden 2 Bl. nach H. (Offizier der Garde du Corps; Kosak zu Pferde, 1813).

Akten der Dresdn. Kstakad. — H a s c h e , Magazin d. sächs. Gesch., VII (1790) 254. — Neue Dresdn. Merkwürdigk., 1792 p. 109 f. — M e u s e l , Neues Mus., II. Stück (1794) 235; III. Stück (1794) 269; d e r s., Neue Miscellan., XIII. Stück (1802) 604; Archiv f. Kstler u. Kstfreunde, I 3 (1804) p. 98 ff.; II 3 (1808) p.113—115; Teutsches Kstlerlex., I ² (1808). — K l ä b e , Neuestes gelehrtes Dresden, 1796 p. 61, 194. — Dresdn. Adreßb., 1797 p. 51; 1799 p. 169. — Allgem. Literar. Anzeiger, 1799 Sp. 644 f. — Katal. Kstausst. Dresden, 1800 p. 5. — Dtsche Kstblätter, Heft 3/4 (Pirna 1801) 21 f. — Journal des Luxus u. der Moden, XV (1800), Int. p. 138; XVI (1801) 376 u. Anm.; Int. p. 90 f. — H a y m a n n , Dresdens Kstler u. Schriftsteller, 1809 p. 191, 381, 389, 472. — N a g l e r , Kstlerlex., VI. — Katal. Tiedge-Ausst. Dresden, 1842 p. 23. — Neuer Nekrolog der Dtschen, XXVII (1849) p. 1256, No 1290. — M ü l l e r - K l u n z i n g e r , Kstler aller Zeiten u. Völker, II (1860) 374. — C. v. W u r z b a c h , Biogr. Lex. des Kaisert. Oesterreich, VIII (1862). — H e l l e r - A n d r e s e n , Handb. f. Kupferstichsammler, I (1870). — Mittheil. des K. Sächs. Altert.-Ver., XXV (1875) 43. — Allgem. Dtsche Biogr., XII (1880) 296. — v. B o e t t i c h e r , Malerwerke des 19. Jahrh., I 2 (1895) 519. — H. W. S i n g e r , Katal. Bildniszeichn. Kupferstichkab. Dresden, 1911 p. 37. — Oester. Kunsttopographie, I (1907).
Ernst Sigismund.

Hess, C a r l E r n s t C h r i s t o p h , Kupferstecher, geb. 22. 1. 1755 in Darmstadt, † 25. 7. 1828 in München, Vater der Peter, Heinrich Maria und Carl. Früh verwaist, war er zuerst Waffenschmiedslehrling u. erlernte dann die Kunst des Ziselierens bei seinem Schwager Hohleisen in Mannheim. Der Galerie- u. Akad.-Direktor L. Krahe ermutigte ihn, zur Kupferstecherkunst überzugehen. 1776 befand er sich zu seiner Ausbildung in Augsburg bei C. A. Großmann. Dort entstanden der Stich „Gerechtigkeit" nach J. Fratrel u. 2 Gebirgslandschaften nach Ferd. Kobell. 1777 wurde er von Krahe (dessen Tochter er 1791 heiratete) nach Düsseldorf berufen, um am Düsseldorfer Galeriewerk mitzuarbeiten. Seine in dieser Publikation erschienenen Stiche nach Rembrandt (Anbetung der Hirten, Aufrichtung des Kreuzes, Kreuzabnahme, Grablegung, Auferstehung, Himmelfahrt, jetzt in der Pinakothek München) machten ihn bekannt. 1782 wurde er Hofkupferstecher u. Professor der Düsseld. Akad. 1783 ging er nach München, 1787 nach Rom, 1789 wieder nach Düsseldorf zur Fortsetzung des Galeriewerks. In Punktiermanier stach er die Blätter: Himmelfahrt Mariä nach G. Reni, Wunderdoktor nach G. Dou und Selbstporträt des Rubens mit seiner 1. Frau. Etwas später entstanden die Bl.: Hl. Familie nach Raffael u. Jüngstes Gericht nach Rubens (vollendet erst gegen 1820). Als 1806 Galerie u. Akad. von Düsseldorf nach München verlegt wurden, folgte H. dorthin. In München stach er die

Bl.: Hl. Hieronymus nach Palma Vecchio, Madonna nach C. Dolci, Christus im Tempel nach Honthorst u. a. In spätem Alter (1823) schuf er die große Platte: Anbetung der Könige nach G. David (damals J. van Eyck genannt) u. Max Joseph I. v. Bayern im Krönungsornat nach J. Stieler. Zu dem Stichverzeichnis bei Nagler, Kstlerlex. VI, kann nachgetragen werden: Karl V. nach Tizian, Früchtekranz nach Rubens, Buchenhain nach Ruisdael, Anbetung der Hirten nach Mengs, die Vehmburg nach J. Chr. Klengel, Stiche in Aschenbergs Taschenbuch für die Gegenden am Niederrhein, 1801, Brustbilder König Maximilian Josephs I. von Bayern u. seiner Gemahlin Friederike Wilhelmine Caroline nach Stieler, die Porträts J. A. Sambugas, J. N. Trivas, des Grafen u. der Gräfin Montgelas, alle nach J. Hauber, des Herzogs Carl Theodor von Bayern nach J. Fratrel. — H.s Porträt wurde gestochen von seinem Schüler Ludwig Grimm.

P. v. S t e t t e n , Kst-Gew.- u. Handw.-Gesch. Augsburgs, 1779. — M e u s e l , Teutsches Kstlerlex., ² 1808/14, I. — L i p o w s k y , Baier. Kstlerlex., 1810. — N a g l e r , Kstlerlex., VI. — Allg. deutsche Biogr., XII. — Biogr. univ. anc. et mod. (Paris, Michaud), LXVII (1840). — H e l l e r - A n d r e s e n , Handb. f. Kupferstichs., I (1870). — E. v. S t i e l e r , Kgl. Akad. d. bild. Kste München, I (1909). — P e c h t , Gesch. d. Münchner Kst, 1888. — S c h o r n s Kunstblatt, 1820 p. 345 f.; 1824 p. 197 f.; 1828 p. 361 ff. (Nekr.). — L. E. G r i m m , Lebenserinnerungen, Lpzg 1911. — M a i l l i n g e r , Bilderchronik Münchens (Stadtmus.), III (1876); IV (1886). — D u p l e s s i s , Cat. Portraits . . . Bibl. Nat. Paris, 1896 ff. I 3334/13; IV 16638/22; VI 28 374/12.

Hess, C h r i s t i a n C a r l L u d w i g , Kupferstecher in Jena, geb. 8. 1. 1776 in Weißenfels, † 1853 in Jena. Stach viele kleine Kupferstiche für Studentenstammbücher, auch größere Blätter landschaftlichen Inhaltes, hauptsächlich aus Jena u. Umgegend. Einiges von ihm im gothaischen Hofkalender. Seine Arbeiten wohl vollzählig im Jenaer Stadtmuseum vertreten. — Ein Sohn, C h r i s t i a n F r i e d r. G e o r g R u d o l p h H., geb. 1834 in Jena, war Lithograph in Linz.

P. W e b e r , Städt. Museum Jena, Bericht über die Jahre 1911—13, Jena 1914. *Weber.*

Hess, D a v i d , Zeichner, Aquarellmaler, Radierer (Dilettant) und Schriftsteller in Zürich, geb. ebenda 29. 11. 1770, † 11. 4. 1843, früh für die militär. Laufbahn bestimmt (1787 im Schweizerregiment in Holland, 1793 Teilnehmer am Feldzug in Holland), bildete sich nebenher in Musik, Poesie und Zeichnen (Schüler von H. Freudweiler) und zeichnete humorist. Szenen und Karikaturen, lebte nach kurzem Pariser Aufenthalt seit 1796 als Besitzer seines väterl. Landgutes, des Beckenhofs, in Zürich. 1796 erschien in London „Hollandia Regenerata", 20 Bl. Karikaturen auf die holländ. Revolution, gestochen nach H.s Zeichnung von W. Humphreys. Neben

seiner literar. Tätigkeit (Gedichte, Erzählungen, Satiren, Biographie des „Landvogts von Greifensee" S. Landolt [1820], für die sich auch Goethe interessierte), zeichnete und aquarellierte H. vor allem polit. Karikaturen (z. T. anonym durch Lithogr. veröffentl.), zeichnete für sein 1818 in Zürich ersch. Buch „Die Badenfahrt" einige der von F. Hegi gestoch. Illustrationen (Einsiedelei bei Baden; Nikolauskapelle) und radierte mit „feiner Zeichnung der Typen und witziger Schärfe" folgende Karikaturen: „Der Scharringelhof, oder Regeln der guten Lebensart beim Abschiednehmen", auch „Die Positionen" gen., 6 Bl. (1801, unter dem Pseudonym *Daniel Hildebrandt); „*Einquartierung auf dem Lande und in der Stadt", 2 Bl.; „Die politische Schaukel = The political See-Saw, drawn by Gielray jun." (Satire auf Napoleon); „Kranoskopische Handgriffe" (Satire auf Galls Schädellehre). H.s künstler. Nachlaß wird z. T. in der Stadtbibliothek und in der Sammlung der Kunstgesellsch. Zürich (hier 26 Aquarelle und Zeichnungen) aufbewahrt. — Sein Sohn L u d w i g A d o l f , geb. in Zürich 31. 8. 1800, † 16. 5. 1826, zeichnete Landschaften und Figuren, auch Karikaturen, u. lieferte für die „Badenfahrt" (s. oben) seines Vaters 2 Zeichnungen. Die Sammlg der Zürcher Kunstgesellsch. besitzt 1 Bleistiftzeichn., „Schloß Putbus auf Rügen", und 1 Aquarell, „Holländ. Rekrutentransport".

E. E s c h m a n n , David Hess, s. Leben u. s. Werke (m. Abb.), Aarau 1911 (nicht benutzt). — B r u n , Schweizer. Kstlerlex., II (1908); IV (1917) 216. — N a g l e r , Monogr., II. — H e l l e r - A n d r e s e n , Handbuch f. Kupferstichsammler, I (1870). — Allg. dtsche Biogr., XII (M e y e r v o n K n o n a u). — Zeitschr. f. Bücherfreunde, 4. Jahrg. II (1900/01) 237, mit Abb. — H e e r , Malerei d. 19. Jahrh. (Neuj.-Bl. d. Kstver. Glarus 1906) 38 (nicht benutzt). — Schweiz, 1906 p. 65 ff. — W a h l , Briefwechsel Carl Augusts mit Goethe, III (1918), Reg. — H e i n e m a n n , Schweiz. Kstschätze, Lausanne 1920 p. 33, mit Abb.

Hess, E u g e n , Genremaler u. Radierer, geb. 25. 6. 1824 in München, † 21. 11. 1862 ebenda, ältester Sohn des Peter v. H., Schüler seines Vaters u. der Münchner Akad. 1839 begleitete er seinen Vater nach Rußland, 1849—50 besuchte er zu seiner weiteren Ausbildung Antwerpen u. Paris. Er half bei den Werken seines Vaters mit. Seine eigenen Bilder, Jagd- u. Kriegsszenen, häufig im Gewande des 16. oder 17. Jahrh., zeigte er in den Kstvereinsausst. in München (1846, 50, 53, 57) u. Prag (1848, 50, 62). Von Radier. sind 4 Blatt bekannt: Rückkehr von der Jagd, Labetrunk der Jäger, Pferdemarkt, Rehkopf. Für das Album Ludwigs I. v. Bayern malte er das Bild Gemüsemarkt zu Antwerpen (Lith. von J. Wölffle); in der N. Pinak. München sind 2 Gemälde: Ein Ritter bei Dominikanern zu Gast (Brüssel, 1850) und General Wrangel auf der Jagd vom

Hess (und Heß)

Feinde überrascht, 1854 (beide von J. Wölffle lith.). Sein letztes Werk, Washington zwingt General Cornwallis zur Übergabe von Yorktown, im Auftrage Ludwigs I. geschaffen, ist im Maximilianeum München (Skizze dazu im Bayr. Nat.-Mus.). Aquarelle u. Zeichn. von ihm in der Maillinger-Samml. (Stadtmus. München).

A. Andresen, D. deutschen Maler-Radirer d. 19. Jahrh., III (1878). — F. v. Boetticher, Malerwerke d. 19. Jahrh., I 2 (1895). — Allg. Deutsche Biogr., XII. — Bericht d. Kstver. München, 1862 p. 52 f. (Nekr.). — Pecht, Gesch. d. Münchner Kst, 1888. — Katal.: Neue Pinak. München, 1914; Gem. des Bayr. Nat.-Mus. München, 1908; Gem. u. Statuen im Maximilianeum, 1888 p. 10; Glaspalast-Ausst. München, 1888 p. XIV; Ausst. Münchner Malerei unter Ludwig I., Gal. Heinemann, München, 1921; Samml. G. Pniower-Breslau, 1900 No 86. — Maillinger, Bilderchronik Münchens, III (1876); IV (1886).

Heß, Franz Joachim, Fayence- und Porzellan-Bossierer, nicht in Fulda geboren. Sohn des Georg Friedrich, und zwar wohl einer der beiden Söhne, die 1748 neben ihrem Vater in der Höchster Fabrik arbeiteten. 1751 vielleicht vorübergehend in Fulda, da sein Wandergenosse Johann Andreas Kuntze dort Schulden hinterließ. 1752 jedenfalls mit diesem in Fürstenberg an der Porzellanfabrik, wo er, als Bossierer beschäftigt, gleich diesem wegen Schlägereien entlassen wurde. Darauf soll er nach Braunschweig, Hannover, Bremen und schließlich nach Wien gereist sein. Am 13. 9. 1766 wird er bei der Casseler Manufaktur mit 15 Talern Monatslohn als Bossierer angestellt; dabei weist er eine voraufgegangene, 6 Monate währende Tätigkeit an der sonst nicht bekannten Preußischen Fayencefabrik zu Hagen in der Grafschaft Mark nach. Sept. 1767 wieder verabschiedet, blieb H. gleichwohl in Cassel. Ob er dann für die dortige Porzellanfabrik weiter arbeitete oder später in das Steitzsche Unternehmen eintrat, ist unbekannt. Eine mit den eingeritzten Initialen J. H. bezeichnete Leopardengruppe in Casseler Porzellan, die auch in Steitzschem Steingut vorkommt, befindet sich in der Slg Hrch. Moritz-Frankfurt a. M.

A. v. Drach, Fayence- und Porzellanfabriken in Altkassel, in: Hessenland 1891 p. 129. — H. Stegmann, Die Fürstl. Braunschw. Porzellanfabrik zu Fürstenberg, 1893 p. 24. — J. Brinckmann, Führer d. d. Hamb. Mus. 1894. — W. Stieda, Fayence- u. Porzellan-Fabriken des 18. Jh. in Hessen-Nassauischem Gebiete, in: Annalen d. Vereins für nassauische Altertumskunde, XXIV (1904) 118. — R. Schmidt, Eine Tiergruppe aus Casseler Porzellan, in: Cicerone XII (1920) 549. — O. Riesebieter, Die deutschen Fayencen des 17. u. 18. Jh., 1921. *Josten.*

Hess, Franz Leonhard, Fresko- u. Miniaturmaler in Preßburg, geb. 1777 in Pest; lt Meusel Schüler seines Vaters, eines Deutschen; malte u. a. den Primatialsaal in Preßburg. — Vermutlich identisch mit dem Maler Hess, der 1830/36 die Sommerzeit im Stift St. Gotthardt in Ungarn verbrachte und dort ein noch im Refektorium des Stiftsgebäudes befindl. Tafelbild, hl. Familie, malte.

Meusel, Teutsches Kstlerlex., I (1808). — Kirchenschmuck, IX (Graz 1878) 110.

Hess, Franz Leonhard, s. auch unter *Hess,* Joh. Franz Adam.

Hess, Frederik van, Fayencemaler in Delft, 1719 urkundl. genannt. Die ihm von Havard zugeschrieb. Fayenceplatte der Samml. J. F. Loudon (Amsterdam, Reichsmus.) ist von Georg Fr. Hess (s. d.) bemalt.

Havard, Hist. des Faïences de Delft, 1909 I 142; II 245. — Oude Kunst, II (1916—17) 8.

Hess, Friedrich Wilhelm, Architekt, geb. 1822, † 23. 5. 1877 in Riga, Schüler H. Bosses in St. Petersburg, seit 1852 in Riga beim Bau der Börse u. des Stadttheaters beschäftigt. 1857/60 erbaute er Schloß Kalpen in Livland.

W. Neumann, Lex. Balt. Kstler, Riga 1908.

Hess, Georg, Bildhauer, geb. in Pfungstadt (hess. Prov. Starkenburg) 28. 9. 1832. Wanderte 1850 als Klempnergeselle nach den Vereinigten Staaten aus, wo er Holzbildhauer wurde, studierte unter Widnmann an der Münchner Akad. und kehrte nach 4 Jahren (um 1863) nach New York zurück. Infolge Familienunglücks und Armut geriet er oft an den Rand der Verzweiflung und kehrte schließlich als gebrochener Mann nach Deutschland zurück, wo er wieder Steinmetz wurde und Grabsteine anfertigte. Zuletzt in Heidelberg ansässig. Seine bedeutendsten Bildnisarbeiten sind die bronzene Sitzfigur des Stifters James Suydam vor dem theolog. Seminar der reformierten Kirche in New Brunswick (New Jersey) und die Modell gebliebene Statue (Idealfig.) des jugendl. Goethe, deren Ausführung in Bronze für den New Yorker Central Park wegen der ungünstigen Zeitverhältnisse unterblieb. H. hat außerdem eine Anzahl Bildnisbüsten geschaffen, von denen diejenige der Schauspielerin Janauschek am meisten Beifall fand, sowie eine Reihe weichlich-gefühlvoller Idealbüsten u. Figuren, darunter die überlebensgroße Büste „Wasserlilie", die Figuren „Echo" und „Lorelei", „Das unterbrochene Gebet" (Kinderfig. in Marmorrelief) und die Bronzefig. des „Puck" aus „Sommernachtstraum", Preisaufgabe der Lotterie in Baden-Baden, die H. selbst als sein bestes Werk bezeichnete (Marmorausführung war in seinem Besitz). Eine Marmorbüste des Staatsrechtslehrers Bluntschli († 1881) i. Besitz s. Sohnes, Prof. A. F. Bluntschli in Zürich.

Das geistige Deutschland, 1898. — Zeitschr. f. bild. Kst, IX (1874) 357—65, mit Abb. — Dreßler, Kstjahrb., 1906, 1908 f. — Kat. Glaspal.-Ausst. München, 1883.

Heß, Georg Friedrich, Fayence-Buntmaler und -Bossierer, geb. 23. 12. 1697 zu

Fulda, † 5. 3. 1782 daselbst. Vater der Franz Joachim, Ignaz (u. Joh. Lorenz?). Da seine Familie anscheinend aus Tegernsee stammt, ergibt vielleicht die bisher vernachlässigte Durchsicht der Akten der süddeutschen Fabriken Anhaltspunkte für die Herkunft der keramischen Kenntnisse des H., die nach den Höchster Akten Adam Friedrich Löwenfinck bereits während seines Fuldaer Aufenthalts 1741/1744 zugute kamen. Die Rentkammerrechnungen des Fuldaer Hofes lassen H., für den sie in den Gründungsjahren der Fuldaer Fayencefabrik 1740/1741 nur einfache Malerarbeiten nichtkeramischer Art nachweisen, erst 1746 als Fayence-Buntmaler erkennen, da er damals Zahlungen für ein paar Lavoirs mit Vögeln und Blumen, sowie für gemalte Plättlein erhält. Ein solches Plättlein von ihm, voll bezeichnet, ist die Bildplatte der Slg Loudon des Reichsmus. zu Amsterdam mit einer holländ. Flußlandschaft in farbiger, freilich verbrannter Malerei, die Havard irrtümlich als Werk eines Plateelschilders Frederik van Hess (s. d.) aufführt. Andere, mit den Initialen F. H. bezeichnete Arbeiten aus dieser ersten oder der späteren Fuldaer Zeit des H. sind erhalten in den beiden Kürbisvasen des Hamburger Kstgewerbemus. und des Münchener Nationalmus. Vor dem 17. 10. 1746 ist H. auf Veranlassung Löwenfincks in die damals von diesem ins Leben gerufene Höchster Fabrik übergesiedelt, von wo ihn der Fuldaer Hof alsbald, aber vergeblich, zurückzuerlangen versuchte. In Höchst wird H. in den ersten Jahren wechselnd als Arkanist, Farbenlaborant, Bossierer und Buntmaler bezeichnet, 1749 aber zwecks Beschränkung der Rechte Löwenfincks zum Inspektor der Fabrik ernannt, in der neben ihm, sicher nachweisbar 1748, zwei seiner Söhne arbeiteten, Ignaz und ein zweiter, in dem man den Bossierer Franz Joachim sehen dürfen. Die Höchster Fabrikmarke neben den schon genannten Initialen F. H. als Malermarke tragen eine Schüssel mit Ährenkranz im Straßburger Mus., eine Birkhuhn-Deckelschüssel der ehemal. Slg Schöller und eine Zwergfigur der Slg Ad. Beckhardt-Frankfurt a. M. Seit 1. 4. 1751 ist H. wieder in Fulda an der Fayencefabrik angestellt, wo ihm mit einem Sohne, offenbar Ignaz, ein gemeinsames Jahrgehalt von 200 fl. gewährt wird, das infolge der Kriegswirren 1757 letztmals zu einem Viertel gezahlt wird. 1761 erhält H., der inzwischen in der Fabrik wohnte, als gewesener Verwalter des zum Stillstand gekommenen Betriebs noch eine Abfindung von 500 fl. Eine Tätigkeit des H. in der 1766 an Stelle der Fayencefabrik gegründeten Fuldaer Porzellanfabrik ist nicht nachzuweisen, wenngleich die Kirchenbücher der Stadt ihn, wie vorher mit der Berufsbezeichnung Maler, bis zu seinem Tode immer wieder nennen.

E. Z a i s , Die Kurmainz. Porzellanmanuf. zu Höchst, 1887 p. 6, 8, 9, 133. — H. S t e g m a n n , Die Fürstl. Braunschw. Porzellanfabrik zu Fürstenberg, 1893 p. 154 u. 161. — J. B r i n c k - m a n n , Führer d. d. Hamb. Mus., 1894 p. 349 u. 423. — K a r t e l s , Rats- u. Bürgerlisten der Stadt Fulda, 1904 p. 188. — W. S t i e d a , Fayence- u. Porzellanfabriken des 18. Jh. in Hessen-Nassauischem Gebiete, in: Annalen des Vereins für nass. Altertumskunde, XXIV (1904) 115. — H. H a v a r d , La céramique holland., 1909, I 141; II 245. — E. W. B r a u n , Die beiden Höchster Fayencemaler Friedrich Heß und Ignaz Heß, in: Cicerone V (1913) 284 ff. — A. S t o e h r , Deutsche Fayencen und deutsches Steingut, 1920. — Kunstchronik, N. F. XXXI (1920) 412. — O. R i e s e b i e t e r , Die deutschen Fayencen des 17. u. 18. Jh., 1921. *Josten.*

Heß, H a n s C h r i s t o p h , Maler (und Architekt?), nach Scharold aus Mainz gebürtig, um 1620 in Würzburg, 1626 als „Bauunternehmer" (Architekt, Planzeichner oder Rechnungsführer?) bei der Erweiterung der Kirche zu Walldürn (Baden, Kr. Mosbach), wovon sich der nördl. Querschiffsflügel im heutigen Bau des 18. Jahrh. erhalten hat.

B r u h n s , Würzb. Bildhauer d. Renaiss. etc., 1923 p. 338. — Kstdenkm. d. Großherzogt. Baden, IV Teil 3 p. 107, 122. — A. N i e d e r m a y e r , Kstgesch. d. St. Wirzburg, ² 1864 p. 269. — S c h a r o l d , Würzburg u. s. Umgebungen, 1836 p. 174. *L. Bruhns.*

Hess, H e i n r i c h , Historiker u. Kunstdilettant, geb. 9. 4. 1739 in Zürich, † 17. 4. 1835 ebenda; ursprünglich Uhrmacher, widmete er sich unter J. J. Bodmer histor. Studien und wurde dessen Nachfolger als Professor der vaterländ. Geschichte u. Politik. Von ihm einige radierte Porträts (so J. K. Lavaters) u. Ex-Libris; Landschaftsrad. in den „Helvetischen Almanachen".

B r u n , Schweiz. Kstlerlex., II (1908). — N a g l e r , Monogr., III. — Schweizer Blätter f. Ex-Libris Sammler, II No 5 p. 90 ff.

Hess, H e i n r i c h K a r l G o t t f r i e d , Porträt- u. Genremaler, geb. 7. 8. 1860 in Frankfurt a. M., 1878/80 Schüler H. Hasselhorsts am Städelschen Institut, 1880/82 unter A. Gabl u. A. R. Seitz an der Münchner Akad. Lebte 1882—85 in Hartford (Conn., Ver. St.), seitdem in Frankfurt.

W e i z s ä c k e r - D e s s o f f , Kst u. Kstler in Frankfurt a. M., 1909 II.

Hess, H e i n r i c h M a r i a v o n , Maler und Lithograph, geb. 19. 4. 1798 in Düsseldorf, † 29. 3. 1863 in München, Sohn d. C. E. Chr. Hess, Vater der Anton und August Hess. Kam 1806 mit seinen Eltern nach München und war zuerst Schüler seines Vaters. 1813 trat er in die Münchner Akad. ein, die damals unter dem strengen Klassizisten J. P. Langer stand. Da aber die von dem Schüler in seinen Frühwerken eingeschlagene nazarenische Richtung (die H. übrigens fand, ehe er noch mit dem Nazarenerkreis in Berührung gekommen war) den lebhaftesten Unwillen Langers erregte, kam es zum Bruche, und H. verließ 1817 die Akad., um selbständig weiterzuarbeiten. Aus dieser Frühzeit H.s sind bekannt: Porträt eines Fräuleins von Hahn, 1814 (Maillingersamml. [Stadtmus.] München), Porträt seines Bruders Peter, 1814 (Privatbes. München?), hl. Familie, 1816 (von Königin Karoline erworben), Grablegung Christi, 1817 (Seitenkap. der Theatinerkirche in München), Glaube, Hoffnung, Liebe, mit ihren Symbolen unter einem Palmbaume sitzend, 1817 (Gal. Leuchtenberg, St. Petersburg; aus Lithographien H.s selbst u. anderer bekannt), Christnacht (angeblich für Baron Eichthal in München gemalt; von H. selbst lithogr.), lebensgr. Caritas (ursprüngl. im Bes. der Königin Karoline), Kindersegnung (gemalt für die Freih. von Loë'sche Familie), Madonna mit betenden Engeln (Städel'sches Inst. in Frankfurt), Lukas, die Madonna malend, 1821 (ehemals im Prinzessinnenpalais Berlin), hl. Cäcilie mit singenden Engeln, 1821 (für die Leuchtenberg'sche Schloßkap. in Eichstätt), sowie das Porträt der Frau Zeiß (N. Pinak. München). 2 Porträts des Vaters u. der Mutter des Künstlers (im Besitz der Nachkommen) gehören ebenfalls der Frühzeit an. 1820/21 führte H. das Fresko Apollo und Daphne in der Glyptothek in München nach einem Karton von Cornelius aus. — Eine dem Vater H.s zur weiteren künstler. Ausbild. seines Sohnes gewährte Unterstützung aus staatlichen Mitteln ermöglichte H. den längst ersehnten Aufenthalt in Rom, wo er am 16. 11. 1821 eintraf. Er studierte eifrig Giotto, die Quattrocentisten und Raffael. Die ersten Arbeiten, die in Rom entstanden, waren das kleine Bild: „Pilger, Rom erblickend", 1822 (N. Pinak., München), Porträt Thorwaldsens, 1823 (ebenda), Porträt der durch ihre Schönheit berühmten Vittoria von Albano, das Mädchen von Albano genannt, 1823 (Mus. Lübeck), und die Landschaften „Ponte Nomentano" und „Campagna-Landschaft" (Kunsthalle Hamburg). Enge Freundschaft verband H. während seines Aufenthalts in Rom mit seinem Reisebegleiter C. H. Remy und mit Karl Begas d. Ä. Auch verkehrte ·er mit Thorwaldsen, Canova, Wagner, Eberhard und Schnorr von Carolsfeld, weniger, trotz gegenseitiger Schätzung, mit Overbeck. In Rom gewann H. auch die Gunst des damals dort weilenden Kronprinzen Ludwig v. Bayern, für welchen er das Porträt der von diesem schwärmerisch verehrten Marchesa Florenzi, vollendet 1824, (N. Pinak. München) ausführte. Den Empfehlungen des Kronprinzen, sowie den Bemühungen der Königin Karoline verdankte H. auch die Bestellung eines größeren Bildes durch König Max I., Anfang 1823. Als Gegenstand hierfür wählte H. zunächst den Einzug Christi in Jerusalem und führte auch eine Zeichnung hierzu aus. Dem Wunsche des Königs nach etwas Mythologischem entsprechend, wählte H.

aber dann das Thema Apollo unter den Musen (N. Pinak. München), das nach seiner Vollendung im Sommer 1826 bei den Künstlern in Rom allgemeine Bewunderung erregte. Daneben entstanden kleinere Sachen, wie das Blatt der Heimsuchung Mariä für das Hochzeitsalbum des Kronprinzen Friedr. Wilh. von Preußen, 1824. — Im Februar 1826 wurde H. auf Cornelius' Vorschlag von König Ludwig I. als Professor an die Münchner Akad. berufen, und erhielt gleichzeitig durch Klenze den Auftrag Ludwigs I. zur Ausschmückung der neu zu erbauenden Hofkapelle der Residenz. H. verließ daher am 16. 11. 1826 Rom und kehrte nach München zurück. Am 15. 1. 1827 wurde er als Akademieprofessor verpflichtet und ihm die Leitung der Malklasse und zugleich die Leitung der kgl. Anstalt für Glasmalerei übertragen. Es beginnt für H. die Zeit der Monumentalarbeiten. Nach 1827 bekam H. von Ludwig I. den Auftrag zur Fertigung der Kartons zu mehreren Fenstern für den Dom in Regensburg, welche bereits 1828 ausgeführt wurden. Die Kartons für die Ausmalung der Allerheiligen-Hofkapelle in München zeigte H. 1829 auf der Münchner Ausst. (einzelne Kartons im ehem. Kaiser-Friedrich-Mus. Posen, Kunsthalle Karlsruhe, Kunstsamml. Basel, Mus. der bild. Künste Leipzig, Kabinett der Handzeichn. Dresden, Maillinger-Samml. [Stadtmus.] München, die Skizze zur Apsis in der Graph. Sammlung München). Sämtliche Darstell. wurden v. G. Schreiner lithographiert und 1837 bei F. Gypen, München, herausgegeben. Die Fresken selbst wurden 1830—37 von H. mit Hilfe von Schülern (J. v. Schraudolph, C. Koch, J. B. Müller, A. M. Seitz) ausgeführt, die dekorativen Malereien von J. Schwarzmann, z. T. nach Entwürfen von H. Nach Wunsch des Königs waren die Fresken auf Goldgrund in der Art der ältesten Mosaiken auszuführen, auf welche Vorschrift H. sich nur ungern einließ. Dargestellt sind die Repräsentanten kirchl. Kunst und die allegor. Gestalten der 4 Haupttugenden in der Vorhalle, Gestalten und Begebenheiten aus dem Alten u. Neuen Testament in den Kuppeln des Schiffes und den anschließenden Teilen, der heil. Geist mit seinen 7 Gaben u. die 7 Sakramente im Bogen u. Gewölbe vor der Apsis, endlich Christus in der Glorie, darunter Maria auf dem Throne zwischen Propheten u. Aposteln in dem großen Mittelbild der Concha. — Noch im Jahre der Fertigstellung dieser Malereien, 1837, begann H., beraten von Döllinger, mit den Vorarbeiten zur Ausmalung der Bonifaziusbasilika in München, welche ihm bereits mit Kontrakt vom 6. 6. 1834 übertragen worden war. Die Darstell. schildern in 12 großen und 10 kleinen Bildern an den Wänden des Mittelschiffes das Leben des hl. Bonifazius, darüber in einer zweiten Reihe von

36 Bildern die Geschichte der Verbreitung des Christentums in Deutschland; die Zwickel der Archivolten enthalten 34 Medaillonbildnisse von Päpsten; die Malereien der Chornische stellen Christus in der Glorie zwischen Maria und Johannes, darunter zwischen Palmen die Verkünder des Evangeliums in Deutschland mit dem hl. Benediktus dar; endlich die Fresken über den Seitenaltären: Steinigung des hl. Stephanus (rechts) und Maria mit Heiligen (links). H. entwarf die Skizzen (Vorstudien und Skizzen in der Graph. Samml. München); bei der Ausführung ließ er jedoch seinen Mitarbeitern (J. und C. Schraudolph, C. Koch, V. E. Janssen, U. Halbreiter, J. B. Müller, J. u. D. Sutter, J. Kasper u. a.) große Selbständigkeit; schon die Kartons sind zum großen Teil von ihnen gezeichnet (22 Kartons, zum Teil von den Schülern, in der Kunstsamml. Basel, die beiden Kartons zu den Fresken über den Seitenaltären im Besitz der Nachkommen H.s). Von H. selbst komponiert, gezeichnet und ausgeführt sind nur die Bilder in der Apsis, das Bild über dem linken Seitenaltar und das 1., 2., 10. u. 11. Hauptbild aus dem Leben des hl. Bonifazius. Die dekorativen Malereien besorgte auch hier J. Schwarzmann. Die Hauptbilder wurden unter Thäters Leitung von Burger, Barfuß, Walde und Zimmermann gestochen und 1862 bei F. Gypen, München, herausgegeben. 1844 waren die Fresken der Basilika vollendet; bereits 1846 vollendete H. ein weiteres großes Freskogemälde: „Abendmahl" im Speisesaal des Benediktinerstiftes St. Bonifaz in München (gest. von Kreutle; Karton in der Nationalgal. in Berlin; Farbenskizze im Bes. der Nachkommen H.s), womit H. seine Tätigkeit als Freskomaler abschloß. Noch neben und dann nach diesen umfangreichen Arbeiten war H. unablässig tätig an der ihm unterstellten Anstalt für Glasmalerei, aus welcher neben den schon früher erwähnten Fenstern für den Dom in Regensburg auch die Glasgemälde für die Mariahilfkirche in der Au, München, und die von Ludwig I. geschenkten Fenster für den Kölner Dom hervorgingen, zu welchen die Kartons unter der Leitung und nach Ideen H.s von Fischer, Schraudolph u. a. gezeichnet wurden. Ferner lieferte H. Entwürfe für Darstell. im Schlafzimmer des Königs in der Residenz und übte gewissenhaft seine Lehrtätigkeit an der Akad. aus, deren Neuorganisation 1847 nach seinen Anträgen und Vorschlägen durchgeführt wurde. Zu Staffeleibildern blieb ihm daneben nur wenig Muße. Es sind aus dieser Zeit zu bekannt: Besuch Mariä bei Elisabeth, bez. 1829 (Samml. Speck von Sternburg, Lützschena bei Leipzig), Porträt Thorwaldsens, dat. 1834 oder 1836 (Schackgalerie München), Porträt der Gattin des Künstlers, Antoinette von Langlois, als Braut, 1830 oder 1831 (Bes. der

Nachkommen H.s), Aquarellbildnis seines ältesten Sohnes als Knabe (Bes. der Nachkommen H.s). 1847—1849 hatte H. interimistisch die Leitung der Münchner Akad., legte aber, als nach der Thronentsagung Ludwigs I. Kaulbach ihm vorgezogen und Direktor der Akad. geworden war, 1849 sein Amt auch als Lehrer der Akad. nieder und wurde zum Direktor der Vereinigten Sammlungen des Staates ernannt. Aus der Spätzeit H.s sind nur wenige Arbeiten bekannt: Flucht nach Ägypten für das König-Ludwig-Album, Jesus bei Maria und Martha, für den Grafen Belvaise gemalt (jetzt in Frankreich; Abb. im Kalender f. bayr. u. schwäb. Kunst 1905), das große Bild: Thron. Madonna mit den 4 Kirchenvätern und den Patronen der von König Ludwig I. in München erbauten Kirchen, 1853 (N. Pinak. München; von König Max II. bestellt, der H. daraufhin den persönl. Adel verlieh), Porträt des Abtes Paulus Birker, 1854, im Kloster St. Bonifaz in München. An der Vollendung eines 1862 für König Ludwig I. begonnenen Abendmahles hinderte ihn der Tod. Zeichnungen H.s befinden sich in der Nationalgal. Berlin, im Mus. zu Weimar, in der Maillingersamml. München und im Besitz der Nachkommen H.s; ebendort auch ein kleines Skizzenbuch aus Italien. — Das Gesamtwerk H.s zeigt einen Künstler von einer erstaunlichen Vielseitigkeit. Seine frühen Arbeiten sind von großer Frische und weisen Originalität und schlichte Größe auf. Ungemein reizvoll sind seine hellen und luftigen Landschaftsbilder und vortrefflich seine Bildnisse, die durch Innigkeit u. Tiefe des Ausdrucks, durch Einfachheit des bildhaften Aufbaues u. malerische Feinheit zu den besten romantischen Porträts gehören. Die kleinen religiösen Bildchen zeigen bei großer Schlichtheit und Innigkeit der Auffassung das reiche Können H.s; auch das große, das Studium und den Einfluß Raffaels aufweisende Bild: Apollo unter den Musen, fesselt heute noch durch Komposition und blühendes Kolorit. Mit diesen Frühwerken gehört er zu den Besten des Nazarenerkreises, an Vielseitigkeit u. malerischen Fähigkeiten den meisten überlegen. Den Monumentalwerken H.s stehen wir heute nicht mehr mit der gleichen vorbehaltlosen Bewunderung, wie seine Zeitgenossen, aber auch nicht mit der überheblichen Voreingenommenheit der nachfolgenden Generation gegenüber. Es scheint, als ob die weiche, lyrische Natur H.s seinem Willen zu monumentaler Gestaltung nicht ganz zu folgen vermochte oder daß, wie neuerdings gesagt ist, zwar Begabung zu kräftiger Gestaltung genug vorhanden war, seine Zeit sie aber nicht wollte. Die Malereien der Allerheiligen-Hofkapelle zeigen, nicht zum wenigsten durch den vom König gewünschten Archaismus, auf den H. nur ungern einging, einen gewissen

Widerspruch zwischen der Strenge der Komposition und der Weichheit der Formgebung im einzelnen. Durch die Wirkung des dem Goldgrund und der düstern Beleuchtung der Kapelle vorzüglich angepaßten Kolorits wird aber jedes störende Moment beseitigt, so daß der Raum doch eine harmonische Gesamtstimmung aufweist, und selbst in den einzelnen Bildern, vor allem denjenigen, in welchen das lyrische Element vorherrscht, vermag die Zartheit und Lieblichkeit der Auffassung den Widerspruch vergessen machen. Viel lauter macht sich in den Fresken der Basilika ein Mangel an Monumentalität und Kraft der Form- und Farbengebung bemerklich. Die Schule H.s endete in Verflachung.

Allg. Deutsche Biogr., XII. — F. v. B o e t t i c h e r, Malerwerke des 19. Jahrh., I 2 (1895). — N a g l e r, Monogr., III. — R e b e r, Gesch. d. neueren deutschen Kunst, 1876. — F. P e c h t, Gesch. d. Münchner Kunst im 19. Jahrh., 1888 (mit Abb.). — H. R e i d e l b a c h, König Ludwig I. v. Bayern u. s. Kunstschöpfungen, 1888 (mit Abb.). — F r. N o a c k, Deutsches Leben in Rom, 1907. — S t i e l e r, Akad. d. bild. Künste zu München, I (1909) 72 f., 82—84, 118 (mit Abb.). — Festgabe d. Vereins f. christl. Kunst in München, 1910 (mit Abb.). — L. E. G r i m m, Lebenserinnerungen, Lpzg 1911. — P. F. S c h m i d t, Biedermeiermalerei, 1922 (mit Abb.). — R. O l d e n b o u r g, Münchner Malerei im 19. Jahrh., I (1922) mit Abb. — G. H. v. S c h r ö t e r, Die Freskomalereien d. Allerheiligenkap. München, 1836. — R. L e c k e, Basilika St. Bonifaz und ihr Bilderepos, 1850. — S t u b e n v o l l, Basilika, München, 1875. — *Zeitschriften:* S c h o r n s Kstblatt, 1820, 1821, 1825, 1827—29, 1836, 1840. — Bericht des Kunstvereins München, 1863 p. 50 f. (Nekrol.). — Hist.-polit. Blätter, CXXI (1898) 593 ff., 662 ff. — Baierland, IX (1898) 329, 341 (mit Abb.). — Jahrb. d. Vereins f. christl. Kunst, I (1912) 68 f. — Die Kunst, XLV (1922) 227 ff. (mit Abb.). — *Kataloge:* N. Pinak. München, 9. u. 15. Aufl.; Nat.-Gal. Berlin, 1907 u. 1916; Kunstsamml. Basel, 1889 p. 86; Samml. Speck v. Sternburg, Lützschena bei Leipzig, 1889 p. 104; Ausst. Glaspalast München, 1906 p. 29 f. (m. Abb.); Ausst. Münchner Malerei unter Ludwig I., Gal. Heinemann München 1921 (m. Abb.). — M a i l l i n g e r, Bilderchronik Münchens (Stadtmus.), III (1876); IV (1886). — Ausführliche Mitt. von H. Justizrat Heß, Cham i. B. *J. M.*

Hess, H i e r o n y m u s, Maler und Graphiker in Basel, geb. ebenda 1799, † ebenda 8. 6. 1850, Schüler von M. Neustück in Basel (aus dieser Zeit Aquarellbildnisse, u. a. eine Gruppe von Künstlern im Atelier Neustücks, und die Mitglieder der Basler Künstlergenossenschaft 1818, auch kleine Historien- u. Genrebilder, Nachahmungen M. Wochers, i. Bes. des Basler Kunstvereins und der Kunstsammlg ebenda), hielt sich 1819/23 in Italien (Neapel, Rom) auf, wo er Schüler von J. A. Koch, (beteiligt an der Abfassung von dessen „Moderne Kunstchronik") war und mit Overbeck, Veit u. a. verkehrte. Nach einem auf Empfehlung von Thorvaldsen ermöglichten Studienaufenthalt in Nürnberg (1825/26) ansässig in

Basel, hier zeitweise Lehrer an der Zeichenschule. Von den Nazarenern und von Koch beeinflußt zeigt sich H. in seinen wenig zahlreichen, künstlerisch, namentlich koloristisch unerfreulichen religiösen und Historienbildern. Hervorragend war seine Begabung auf dem Gebiet der gesellschaftl. Karikatur, als deren Meister in der Schweiz er gilt; entscheidende Anregungen scheint er in Nürnberg durch zeitgenöss. Flugblätter empfangen zu haben. Seine mehr gutmütig als scharf satirischen, genrehaft ausgeführten, meist aquarellierten Karikaturen erlangten eine große Popularität und wurden z. T. graphisch vervielfältigt. Mehrfach war H. auch für das Kunsthandwerk tätig: Entwürfe für Glasgemälde (für die Glasmaler Helmle; Glasgemälde der Basler Lesegesellsch., Kartons in der Kstsammlg. Basel); Entwürfe für kleine, handkolorierte Terrakotta-Statuetten und -Gruppen, 1827/33 von dem Basler Töpfer Brenner gefertigt (Schweizer Landesmus. Zürich und Histor. Mus. Basel). Kupferstiche H.s sind aus seiner italien. Zeit bekannt: 14 in Neapel entstand., zur Kolorier. bestimmte Umrißstiche (Szenen aus dem neapolit. Volksleben) und einige Einzelblätter, darunter das satirische „Einst und Jetzt" (Begegnung des hl. Hieronymus mit einem modernen Kardinal). Von H.s Lithographien zu nennen „Die Proposition" (1830), „Morgenstreich in Basel" (1843), „Lucerna" (Kulturkampfblatt). — H. fertigte auch reproduktive Arbeiten, so 1817 die für die Forschung wichtigen, wenn auch wenig getreuen („in unerträglicher Weise verroht und verflacht") Kopien der Überreste von Holbeins Basler Rathausbildern (Tod des Charondas, Blendung des Zaleukos, Curius Dentatus) i. Bes. der Kstsammlg Basel; ebenda sein Aquarell des Münstertaufsteins von 1818 und Kopien des Holbein'schen Bauerntanzes und des Totentanzes an der Predigerkirche (G. Hasler gab einen Totentanz in 40 Lithogr. von H. Dantzer nach Zeichnungen H.s heraus); 8 Federzeichn. der Passion nach Holbeins Basler Altarflügeln (lithogr. von H. J. Oeri u. a. für den Verlag Birmann); 1834 Zeichn. nach der Holbein'schen Kreuzabnahme aus der Luzerner Barfüßerkirche (dieses Bild damals i. Bes. des Malers M. Wocher, heute verschollen). — Von H.s Werken (Verzeichnis bei Im Hof, vgl. die Ergänzungen bei Brun) besitzt die Kunstsammlg Basel (Katal. 1910) außer einer reichen Sammlung von Ölskizzen, Aquarellen und Zeichn. 2 Aquarelle: „Judenpredigt in Rom" (1829, Vorzeichn. im Dresdner Kupferstichkab.) und „Gant auf der Schmiedenzunft" (1838; dazu Ölskizze; lav. Bleistiftstudie im Mus. Solothurn) und 2 Ölbilder: „Schlacht bei St. Jakob an der Birs" (1838; nebst Federstudie dazu) und „Ermordung König Albrechts", das Mus. zu Solothurn (Katal. 1915 p. 75) die Federzeichn.: „Schützenfest in Basel", das Zürcher Kunsthaus 11 Bl. Karikaturen, die Wiener Akad. eine aquarell. Miniatur, das Dresdner Kupferstichkab. zahlreiche Zeichn. (aus der Sammlg. Cichorius, Skizzenbuch mit 66 Karikaturen, Skizzen zum „Totentanz" u. a., ferner gez. Porträts der Maler H. Disteli, J. A. Koch [Karikatur] und des Stechers P. Vischer). In den Künstlerbüchern des Basler Kunstvereins ist H. mit 6 Bl. vertreten; mit Aquarellen und Zeichn., u. a. 2 Porträts von Koch, im Merian-Album des Kunstvereins. Füßli sah im Basler Schützenhaus ein Aquarell, „Tells Schuß". — Nach H. lithographierten u. a. H. Dantzer (Totentanz s. oben; „Päpstliche Kapelle"), K. Guise („Judenschule", „Judenbekehrung"), J. F. Hasler („Schlacht bei St. Jakob", „Hasens Bußpredigt" für Distelis „Reineke Fuchs", „Deutsche Republik auf der Schusterinsel", 1848). S. Amsler stach Zeichnungen H.s nach Thorvaldsens „Alexanderzug". — H.s Bildnis, Aquarell von J. F. Dietler (1846), in der Kunstsammlg Basel; sein Ölbildnis und eine 1843 von L. F. Schlöth modellierte Statuette im Bes. des Basler Kunstvereins; 2, von F. A. Krüger und Emilie Linden gezeichnete Porträts im Dresdner Kupferstichkab. (Katal. d. Bildniszeichn., 1911 No 362/3; vgl. auch No 166, 448, 979).

Im Hof, Der Historienmaler H. H. von Basel, 1887; reich illustr. (nicht benutzt). — B r u n , Schweiz. Kstlerlex., II (1908); IV (1917) 537 f. — Kstblatt, 1824; 1828; 1830. — F ü ß l i , Zürich u. die wichtigsten Städte a. Rhein, 1842 p. 281, 362. — N a g l e r , Kstlerlex., VI; d e r s . , Monogr., III. — W e i g e l ' s Kstcatal., Leipzig 1838/66, II 11577; IV 20255. — F. v. B o e t t i c h e r , Malerwerke d. 19. Jahrh., I 2 (1895). — Jahrbuch d. preuß. Kstslgn, XVII (1896) 77 ff. — Jahresber. Schweiz. Landesmus., VII (1898) 56. — H e e r , Schweiz. Malerei d. 19. Jahrh., in N.-Bl. d. Kstver. Glarus, 1906 p. 38 f. — Mitt. a. d. sächs. Kstslgn, I (1910) 104. — Kat. d. Mittelalt. Slg Basel, 1890 p. 99. — Mitteil. v. Fr. Noack nach: Akten d. dtsch. Bibl. Rom; A. L. R i c h t e r , Lebenserinnerungen, 1890 p. 141 f.

Heß, I g n a z , Fayence- und Porzellan-Blau- und Buntmaler, Sohn des Georg Friedrich, † 27. 4. 1784 zu Fulda, wo er jedoch nicht geboren ist. Zuerst nachweisbar an der Höchster Manufaktur 1748. Aus dieser Arbeitszeit stammen die vollbezeichnete Deckelvase des Troppauer Museums mit bunten deutschen Blumen, sowie sicherlich auch die nur mit den Initialen I. H. signierten, ähnlich bemalten beiden Terrinen und eine blaugemalte Schüssel mit Allianzwappen im Städt. Hist. Museum zu Frankfurt a. M. Von 1751 bis 1757 ist er wohl mit seinem Vater an der Fayencefabrik zu Fulda beschäftigt; sein fernerer Aufenthalt bis 1764 ist jedoch bisher nicht zu ermitteln. In letzterem Jahre sucht er um Anstellung bei der damals eben in der Gründung begriffenen Fuldaer Porzellanfabrik nach, die ihm gewährt

wird. Zwischen 1772 und dem Todesjahr verschwindet sein Name wieder aus den Fuldaer Kirchenregistern. Wahrscheinlich weilte er in der Zwischenzeit erneut in Höchst, dessen Fabrikakten 1774 wieder einen Maler H. ohne Angabe des Vornamens aufführen. Dafür sprechen auffallende Übereinstimmungen der Malerei von Schlachtendarstellungen auf Höchster und Fuldaer Porzellanserviceteilen.

E. Z a i s , Die Kurmainz. Porzellanfabrik zu Höchst, 1887 p. 139. — E. W. B r a u n , Die beiden Höchster Fayencemaler Friedrich Heß und Ignaz Heß, in: Cicerone, V (1913) 284 ff. — A. S t o e h r , Deutsche Fayencen und deutsches Steinzeug, 1920. — O. R i e s e b i e t e r , Die dtsch. Fayencen des 17. u. 18. Jh., 1921. *Josten.*

Hess, J o h a n n u. J o h a n n B e n e d i k t , siehe 1. Artikel *Hess*.

Hess, J o h a n n F r a n z A d a m , Stecher u. Kachelmaler aus Fulda, geb. ebenda um 1740, † in Genf 25. 2. 1814. Hielt sich 1765/70 in Bern auf, kam 1783 nach Genf. Von ihm sind einige Stiche bekannt: Rast auf der Jagd, Rückkehr von der Jagd, Ansichten der Genfer Häfen La Fusterie u. Le Molard u. der Vorstadt Les Pâquis. — Seine Söhne: F r a n z J a k o b , geb. um 1773, † 1. 3. 1846 in Satigny, und J o h a n n F r a n z , geb. 21. 4. 1770, † in Rußland, waren Emailmaler. Letzterer wurde besonders durch seine Kopien nach Jean Petitot bekannt. War auch als Landschaftsmaler tätig. Als Stecher erscheint er mit einer Ansicht der Porte de Cornavin, einer Ansicht von Les Pâquis u. einer Ansicht von Genf. — Ein 3. Sohn, M o s e s L u d w i g , geb. 16. 2. 1778 in Genf, † 27. 4. 1851 ebenda, war Blumen- u. Früchtemaler; stellte 1833 u. 38 in Zürich, 1837, 43, 45, 49, 51 in Genf aus. — Söhne des Franz Jakob sind die Emailmaler: P e t e r M a r k u s , geb. 15. 5. 1800 in Genf, † 5. 8. 1841 in Carouge; J u l i u s M a r k u s , geb. 18. 4. 1802 in Genf, † 26. 12. 1841 (beide Brüder arbeiteten zusammen); L e o n h a r d H e i n r i c h , geb. 24. 8. 1805 in Genf, † Jan. 1875 in Paris, Schüler von F. S. Reverdin an der École de dessin in Genf, erhielt dort 1822 u. 23 Preise, wandte sich dann der Emailmalerei zu. Schuf meist Porträts nach fremden Vorbildern. 1854 ließ er sich in Paris nieder. Arbeiten von ihm im Musée des Arts décor. — Sohn des Moses Ludwig ist B e n e d i k t F r a n z , geb. 23. 6. 1817 in Paris, Landschaftsmaler, Schüler von Ch. L. Guigon in Genf. Zeigte Landschaften auf den Genfer Ausstell. 1837 u. 39 u. der Zürcher Aust. 1838. — Das Museum Rath in Genf (Katal. 1906) besitzt 4 Emailbilder (3 Porträts, Venus nach Tizian) von einem Miniaturmaler F r a n z L e o n h a r d H. (als Vermächtnis desselben), der nach den Angaben des Katalogs u. Schidlofs (Bildnisminiatur in Frankreich, 1911) 1772 in Fulda geb., 1875 (?) in Rußland †, 1794 in Genf Bürger geworden sein soll. Ob etwa identisch mit Johann Franz Hess (s. oben)?

B r u n , Schweiz. Kstlerlex., II (1908) 54 u. 701; IV (1917) 216. — Neujahrsbl. d. Zürcher Kstlerges., 1842 p. 9 f.

Hess, J o h a n n F r i e d r i c h , gen. (nach Füssli) *von Hessitz,* Maler, † in Prag 1693, wo er sich vor 1650 niedergelassen hatte und 1666 Hofmaler war, als er zur Restaurierung von Bildern der Kunstkammer herangezogen wurde, so auch 1670. H. malte besonders Altarbilder. Dlabacž nennt ein solches „Errichtung des Dominikanerordens" in der Ägidienkirche in der Altstadt Prag, ferner einen hl. Thomas nach Screta, hl. Benedict, hl. Wenzel und eine schmerzhafte Muttergottes, alle 4 für die Benediktinerkirche St. Nikolaus ebenda. Der hl. Benedict befindet sich heute in der Kirche in Lužec (Bez. Melnik) und wird nach Komposition und Farbengebung gelobt. Nach Ambros ist das obere Hochaltarbild im Dom zu Prag ebenfalls von H. Er lieferte auch Vorzeichnungen für Thesenblätter: Kruzifixus, gest. v. Ph. Kilian, „Universa Philosophia" gest. v. dems., Thesenblatt für W. Zbaraslauwsky de Sualtowa, gest. v. dems., für Joh. Fr. Wendlinger, gest. v. B. Kilian.

[H e i n e c k e n], Dict. d. artistes etc. 1778 ff. (Ms. Kupferstichkab. Dresden). — D l a b a c ž , Kstlerlex. f. Böhmen, 1815. — F ü s s l i , Kstlerlex., 2. Teil, 1806/21. — N a g l e r , Kstlerlex., VI. — C. v. W u r z b a c h , Biogr. Lex. Kaiserth. Oesterreich, VIII (1862) 425. — A m b r o s , Dom zu Prag, 1858 p. 272. — v. E n g e r t h , Beschr. Verz. d. Gemälde d. Ksthist. Sammlgn d. allerh. Kaiserh., III (1886) 265 f. — T o p o g r. v. Böhmen, VI (1901). — Mitt. d. Ver. für Gesch. d. Deutschen in Böhmen, LIV (1915) 121.

Heß, J o h. F r i e d r i c h C h r i s t., siehe unter *Heß,* Joh. Georg Chr.

Hess, J o h a n n G e o r g , Baumeister, aus Tirol. Baute die 1712 durch Feuersbrunst vernichtete Dekanalkirche zum Hl. Johannes Bapt. in Manetin (Bez. Kralowitz, Böhmen) 1712—17 wieder auf. Das Porträt eines Ingenieurs in Prunktracht, mit Meßinstrumenten, im Schloß zu Manetin, stellt vielleicht H. dar.

Topogr. d. hist. u. Kstdenkm. Böhmens, XXXVII (1916).

Heß, J o h a n n G e o r g C h r i s t i a n , Architekt, geb. 27. 2. 1756 in Zweibrücken, † 26. 1. 1816 in Frankfurt a. M., bildete sich 1774—76 in Paris. Zuerst Bauamtsakzessist in Zweibrücken, wurde 1780 von Fürst Karl zu Nassau zum Bauinspektor in Kirchheim ernannt, trat 1784 als Baudirektor in Dienste des Fürsten v. Salm-Kirburg, 1787 als Stadtbaumeister in Dienste der Stadt Frankf. in Nachfolge F. A. Liebhardts. Erhielt 1811 Titel eines Baurats. Von ihm der Generalplan zur Bebauung des Brückhofs u. Wollgrabens (gest. v. J. M. Zell) u. der Bau der Paulskirche (1789 beg., 1792 Rohbau unter Dach, Vollendung zwischen 1814 u. 1833) nach den Plänen Lieb-

hardts. Während seiner Amtsführung wurden auch mehrere Torbauten errichtet. Sein Nachfolger wurde sein Sohn

J o h a n n F r i e d r i c h C h r i s t i a n , geb. 6. 3. 1785 in Kirn, † 21. 8. 1845 in Frankfurt a. M., bezog noch jung das Polytechnikum in Paris, bereiste Italien, hielt sich besonders in Rom auf (1804/05), wo er auch die Landschaftsmalerei pflegte u. mit Fr. v. Gärtner u. Cl. W. Coudray verkehrte. Nach kurzem Aufenthalt in der Heimat ging er nochmals nach Italien, bis ihn die Kränklichkeit des Vaters zur Heimkehr nötigte. Er wurde dessen Adjunkt u. (1816) Nachfolger. 1820 wurde er Baurat, 1843 trat er in den Ruhestand. Von ihm viele Privatbauten (bes. in der Neuen Mainzerstraße u. den andern Wallstraßen), das ehem. Mus. d. Senckenberg. Naturforschenden Gesellschaft (1820), die Stadtbibl. (1820—25), das ehem. Städelsche Institut (Neue Mainzerstr.), ehemal. Stadtgerichtsgeb. (Paulsplatz), Zollgebäude am Main, Wiederherstellung des Äußeren der Nikolaikirche, Turm und innerer Ausbau der Paulskirche, mehrere Pfarr- und Schulhäuser.

F r. G w i n n e r , Kst u. Kstler in Frankfurt a M., 1862. — G. W e i z s ä c k e r u. A. D e s s o f f , Kst u. Kstler in Frankf. a. M., II (1909). — K. J e l k m a n n , St. Paulskirche in Frankf. a. M., Dissert. 1913 p. 21—70 (passim). — Not. Fr. Noack.

Hess, J o h a n n H e i n r i c h , Kupferstecher, geb. 1746 in Zweibrücken. Von ihm ein Blatt Amor u. Psyche, in Rötelmanier, Blätter nach Rembrandt, u. a. Er ist wohl jener „junge Mann aus Zweibrücken, Namens Hess", den J. G. Wille, der auch dessen Vater (wohl ebenfalls einen Stecher) gekannt hat, 1765 als Schüler annahm, später dann seinem Schwager J. Chevillet anvertraute u. an den Herzog von Zweibrücken empfahl.

H e i n e c k e n , Dict. des Artistes etc. 1778 ff. (Ms. Kupferstichkab. Dresden) u. Suppl. (ebenda). — P o r t a l i s et B é r a l d i , Graveurs du XVIIIme S., III (1882) 737.

Heß, J o h a n n L o r e n z , Fayencemaler, angeblich derjenige mit Vornamen nicht genannte Sohn des Georg Friedrich H., der mit dem Vater zwischen 1751 und 1757 bei der Fuldaer Manufaktur Gehalt bezog, jedoch weder in den Fuldaer Fabrikakten noch überhaupt in den Quellen zur Geschichte der Keramik nachweisbar. Wahrscheinlich Verwechslung mit Ignaz H.

H. S t e g m a n n , Die Fürstl. Braunschw. Porzellanfabrik zu Fürstenberg, 1893 p. 162. — J. B r i n c k m a n n , Führer d. d. Hamb. Mus., 1894 p. 349. — O. R i e s e b i e t e r , Die deutschen Fayencen des 17. u. 18. Jh., 1921. *Josten.*

Heß, J o h a n n M i c h a e l , siehe *Hesz,* János Mihály.

Hess (russ. Гессъ), J o h a n n S a m u e l , Miniaturporträtist, geb. 1770 in Bern (Schweiz), wurde 1791 Schüler der Pariser Ecole des B.-

Arts. Eine von ihm sign. u. 1821 dat. Miniatur (Frau Gurjewa) befand sich im Bes. des Großfürsten Nikolai Michajlowitsch, St. Petersburg.

N. W r a n g e l l in Staryje Gody, 1909 p. 530 u. 561. — D e n i s R o c h e ebenda, 1910 Nov. p. 31.   *P. E.*

Hess, J o s e f A n t o n , Dekorationsmaler u. Silhouettenzeichner in Köln, † 28. 7. 1818 ebenda, 75 Jahre alt. Auf dem Totenzettel „Künstler u. Hoflackierer vom Stift Fulda" genannt (laut Merlo). Von ihm wohl das voll bezeichn. und 1798 dat. Silhouettenbildnis des Franziskanerpaters Gyoni aus Düsseldorf, Küchenmeisters der Abtei Altenberg bei Köln (Besitzer: Dr. Westendorp in München). Von der gleichen Hand sind vermutlich in Würzburg, in den öffentl. Samml. wie in Privatbesitz, häufig vorkommende Figurensilhouetten (seltener weltliche Herren u. Damen), in der Regel den Bischof von Würzburg und Bamberg, Franz Ludwig von Erthal (1730—1795) in ganzer Figur darstellend. Die Auffassung ist fast stets die gleiche. Eine im Besitz von Amtsrichter Dr. Lippert in Würzburg befindliche Darstellung zeigt den Bischof in ganzer Figur, den Vortrag seines vor ihm stehenden Ministers entgegennehmend; die gleiche Darstellung bei Dr. Bechtold in München. Sehr selten sind die Blätter bezeichnet; in der Würzburger Überlieferung galten sie als Arbeiten des Januarius Zick, was sicher falsch ist. Die Auffassung und Ausführung verrät keine Künstlerhand, sondern die eines Dilettanten. — Als Meister dieser Würzburger Silhouetten könnte auch ein g l e i c h n a m i g e r Würzburger Kalligraph in Betracht kommen, der, aus Zweibrücken stammend, seit 1796 Schreibmeister des Würzburger Schullehrerseminars war u. durch seine Lehrbücher u. geschmackvollen Vorlagen, wie seine „Anleitung zur Schönschreibkunst", Würzburg 1798, sich bekannt machte.

J. J. M e r l o , Köln. Kstler, 1850. — Kat. Jahrh.-Ausst. dtscher Kst in Darmstadt, 1914 p. 385. — Archiv d. hist. Ver. f. Unterfranken, XXXV (1892) 239. — Kat. d. Ornamentstichsamml. d. Kstgew.-Mus. Berlin, 1894. *A. Bechtold.*

Hess, J u l i u s , Maler in München, geb. 16. 4. 1878 in Stuttgart, besuchte 1896—98 die Kunstgew.-Schule in Stuttgart, dann die Münchner Akad. als Schüler M. Weinholds u. L. Herterichs. Mehr verdankt er aber seinen Freunden R. Breyer, H. Lichtenberger, mit dem er Reisen nach Frankreich u. Spanien unternahm, u. Ph. Klein, mit dem er in Florenz weilte. 1906 debütierte er in der Frühjahrsausst. der Münchner Sezession mit einer ganz im Stile Slevogts gemalten „Spanierin", zeigte dann auf den Münchner u. Berliner Sezessionsausstell. Porträts, Landschaften u. Stilleben von ganz selbständigem Kolorismus. Besonders werden seine Stilleben gerühmt. Werke in der Gal. Stuttgart u. der Neuen Staatsgal. München (Stilleben).

F. v. O s t i n i im Katal. d. Kollektivausst. J. H., in der Gal. Thannhauser München, 1911. — J. B a u m , Stuttgarter Kst der Gegenwart, 1913 p. 180, 297, Abb. bei p. 176. — A. L. M a y e r in E. A. Seemann's „Meister der Farbe", 1917 IV 942. — Die Kunst, XIII (1906); XVII (1908); XXV (1912); XXIX (1914); XXXV (1917); XXXIX (1919); XLIII (1921). — Deutsche Kunst u. Dekoration, XXXIII (1913/14); XXXIV (1914); XXXV (1914/15; K. M i t t e n z w e y); XXXVIII (1916); XLV (1919/20); XLVII (1920/21). — Katal. der mod. Gal. Thannhauser München, 1916 Taf. 122—26; Nachtragwerk, I (1916) p. 65; II (1917) p. 101, 102; III (1918) 114; Sonderausst. 1923. — Kat. d. Neuen Staatsgal. München, 1921.

Hess, K a r l G o t t h a r d , Lithograph, geb. 1818, † 1867 in Riga, lebte anfangs in Petersburg, seit 1859 in Riga. Von ihm 2 Ansichten von Riga; die eine, von 1863, ist umgeben von 26 kleinen Ansichten der bedeutendsten Gebäude Rigas.

W. N e u m a n n , Lex. Balt. Kstler, Riga 1908.

Hess, L e o n h a r d H e i n r i c h , siehe unter *Hess,* Joh. Franz Adam.

Heß, L u d w i g , Maler u. Kupferstecher, geb. 16. 10. 1760 in Zürich, † 13. 4. 1800 ebenda. Sollte erst Kaufmann werden, mußte dann in das väterliche Geschäft, eine Metzgerei, eintreten. Nebenbei zeichnete er auf eigene Faust nach der Natur u. nach Vorlagen u. versuchte sich auch, ohne rechten Erfolg, im Ölmalen. H. Wuest gab ihm darin dann erste Anleitung und machte ihn auch mit H. Freudweiler u. Sal. Geßner bekannt. Seine Landschaften (ital. u. schweizer. Motive) in Öl, Gouache u. Pastell fanden bald Käufer, und H. konnte sich nun ganz der Kunst widmen. Bodmer u. Lavater nahmen sich seiner an. Besonders wurden seine Darstell. des Hochgebirges gesucht. 1790 heiratete er, 1794 ging er nach Rom. Als die Revolution 1798 ihm das Reisen erschwerte u. den Bilder-Verkauf hinderte, begann er in Aquatinta u. mit der Radiernadel zu arbeiten. An 80 Platten hat er geschaffen (Verz. bei Nagler, Kstlerlex. VI). Das Kunsthaus Zürich bewahrt als Legat des Sohnes zahlreiche Ölgem. u. Gouachen H.s (Katal. I, 1910 p. 42 ff.), ferner 8 Bde Zeichn., 60 Kupferplatten u. das vollständige Kupferstichwerk. Auch im Kupferstichkab. des eidgen. Polytechnikums ist H. mit Gouachen, Zeichn., Stichen gut vertreten. In der Akad. d. bild. Kste in Wien 2 Ansichten vom Vierwaldstädtersee (Katal. 1889). Auf der Jahrhundert-Ausst. deutscher Kst in Darmstadt 1914 sah man aus Basler u. Züricher Privatbes. 4 Bildchen von H.: „Des Malers Lust", „Römische Ruine", „Schreyenbach bei Linttal" u. „Dangio im Bleniotal", letzteres im Bes. d. Kstgesellsch. Zürich. Seine sorgfältig gemalten, durch Studien wohl vorbereiteten u. trefflich komponierten Landschaften zeigen ihn unter Einfluß Sal. Geßners u. wirken wie eine Vorahnung der Romantik.

Füßli, Kstlerlex., 2. Teil 1806 ff. — M e y e r v. K n o n a u , L. H., der 1. schweiz. Landschaftsmaler d. Hochgebirgs, Jahrbuch d. Schweiz. Alpenklubs, 1881 (auch als Sonderdruck). — B r u n , Schweizer. Kstlerlex., II (1908). — Allg. dtsche Biogr., XII 298. — Schweiz, 1904 p. 501 (Abb.). — Neujahrsbl. des Kstver. Glarus, 1906 p. 35. — G. B i e r m a n n , Deutsches Barock u. Rokoko, herausgeg. im Anschl. an die Jahrh.-Ausst. deutscher Kst in Darmstadt, 1914 I p. XLII; II p. XXI (mit Abb.). — Monatshefte f. Kstwissensch., XI (1918) 315.

Hess, L u d w i g A d o l f , s. u. *Hess,* David.

Hess, M a r t i n , siehe *Kaldenbach,* M.

Hess, M a x , Historienmaler, geb. 15. 10. 1825 in München, † 19. 7. 1868 in Bad Lippspringe (Westfalen), jüngster Sohn des Peter von H. Schüler seines Vaters, ging dann, da er die Strenge des Vaters nicht ertragen konnte, nach Paris und Düsseldorf, wo er sich niederließ. Er schuf dort dekorative Arbeiten, wie den Alexanderzug nach Thorvaldsen als Grisaille-Fries im Kunstsalon Ed. Schulte u. den von Ph. Grotjohann vollendeten Bühnenvorhang für den Saal des „Malkasten". Von seinen Historien- u. Genrebildern sind zu nennen: „Brandschatzung eines Klosters" für das Album Ludwigs I. v. Bayern (lith. v. F. Seitz); „Puritaner auf der Wache" von 1850 (1906 auf der Ausst. Bayrischer Kst von 1800—1850; 1910 bei Helbing, München, versteigert); „Fackelzug der Bürger Düsseldorfs zur Vermählung der Prinzessin Stephanie von Hohenzollern mit dem König von Portugal, 1857", von O. Achenbach vollendet. Ein Gruppenporträt von 3 jungen Männern von 1846 (darunter der Kstler selbst) war ebenfalls 1906 auf der Ausst. Bayr. Kunst. Sein Porträt des Sängers A. Kindermann wurde von O. Merseburger lithographiert. Zeichnungen in der Maillingersamml. München (Stadtmus.).

Allg. deutsche Biogr., XII. — F. v. B o e t t i c h e r , Malerwerke des 19. Jahrh., I 2 (1895). — P e c h t , Gesch. d. Münchner Kst im 19. Jahrh., 1888. — Kat. Glaspalastausst. München 1906, Abt.: Bayr. Kst 1800—1850. — Kat. Ausst. Münchner Malerei unter Ludwig I., Gal. Heinemann München, 1921. — M a i l l i n g e r , Bilderchronik Münchens, III (1876); IV (1886). — Jahrb. der Bilder- u. Kstblätterpreise, I (Wien 1910).

Hess, M i c h a e l , Hofglasschneider in Stuttgart, † 12. 4. 1739 in Stuttgart, fast 40 Jahre alt. Aus Gotha zugezogen, in Stuttgart 6. 5. 1732 erstmals urkundlich genannt. Von ihm ein „M. Hes fe" bezeichnetes Glas von 1732 mit allegorisch-emblematischen Darstell. von Glaube und Liebe bei Tag u. Nacht, Friedenstaube usw. (im Österr. Mus. für Kunst u. Industrie Wien).

Der Kunstwanderer, I (1919) 290 ff.

Hess, M o s e s L u d w i g , siehe unter *Hess,* Joh. Franz Adam.

Hess, P a u l J o h . , s. unter *Hess,* Sebastian.

Hess, P e t e r v o n , Maler, geb. 29. 7. 1792 in Düsseldorf, † 4. 4. 1871 in München, ältester Sohn des C. E. Chr. Hess, Vater der Eugen und Max Hess. Kam 1806 mit seinen Eltern nach München. Zuerst Schüler seines Vaters, radierte er schon mit 10 Jahren vorzügliche Tierstücke. 16 jährig wurde er Schüler der Münchner Akad., die er aber bald wieder verließ, um unbeengt von den Methoden einer klassizist. Lehrweise seine eigenen Wege, die des Naturalismus, wie man ihn damals verstand, zu gehen. Keck griff er zu Darstellungen aus den reich bewegten Ereignissen seiner Zeit u. zu Schilderungen von Land u. Leuten seiner Umgebung. Werke wie: „Vor einer italien. Locanda" 1810 (N. Pinak. München), „Gefecht zwischen französ. Jägern u. Kosaken" 1812 (Samml. Lotzbeck, München) illustrieren seine früheste Zeit. Seine Darstell. militärischer Szenen verschafften ihm die Erlaubnis, an den Kämpfen gegen Frankreich (1813—15) im Gefolge des Fürsten Wrede teilzunehmen. Die beiden Bilder der Schlacht von Arcis-sur-Aube, rechter u. linker Flügel, die noch an Kobells Schlachtenbilder erinnern (das eine 1817, das andere [1821 begonnen] 1826 im Münchner Kunstverein ausgestellt), beide im Schlachtensaal der Münchner Residenz, sind neben den zahllosen Darstellungen von Lager- u. Kampfszenen, die sich durch seine ganze Tätigkeit hinziehen, die Frucht dieser Kriegserlebnisse. Häufiger Aufenthalt im Gebirge u. eine Italienreise (1818) werden Anlaß, auch der Landschaft u. dem Genre (Motive aus Italien u. den Alpen) sich zuzuwenden. So zeigte er im Münchner Kstverein 1820 neben Schlachtenszenen, wie: „Verteidigung der Kinzigbrücke bei Hanau", „Gefecht zwischen französ. Dragonern u. österreich. Husaren", „Don'sche Kosaken mit gefangenen französ. Bauern", das Bild „Abruzzische Bauern vor einer römischen Schenke" und das bekannte, „als Landschaft wie als Tierstück gleich ausgezeichnete Bild" der Galerie Leuchtenberg in St. Petersburg: Morgen in Partenkirchen. Als Landschafter zeigen ihn ferner die aus dieser Zeit stammenden Bilder: Gegend an der Loire, 1818 (Samml. Lotzbeck, München) u. Chiemseelandschaft in Schloß Nymphenburg, ein Bild, „das die ganze Feinheit des frühromantischen Naturalismus in sich schließt". Die zwanziger Jahre waren äußerst ertragreich; 1820 entstanden: „Plündernde Kosaken" (Nat.-Gal. Berlin, zuletzt im Katal. 1902, jetzt Depot), „Italien. Bauernfamilie zu Tivoli" (N. Pinak. München); 1821: „Französ. Dragoner durch österreich. Ulanen überrumpelt" (ehemals im Prinzessinnenpalais, Berlin); 1822: „Österreich. Lager", „Wallachischer Pferdefang" (beide vormals bei Graf Berchem, München), Ansicht von San Marino (N. Pinak.); 1823: „Grundsteinlegung zur Constitutionssäule" (Schloß Gaibach, Unterfranken); 1825: St. Leonhardsfest am Schliersee (Nationalgal. Berlin), Marketenderszene (ebenda; jetzt Depot); 1828: Schlacht bei Bodenbühl (Schlachtensaal der Münchner Residenz); 1829: „Überfall eines franz. Packwagens durch österr. Ulanen" u. „Palikaren bei Athen" (Nationalgal. Berlin; jetzt Depot), Wallachischer Pferdefang (N. Pinak. München; Variante des älteren Bildes); 1830: Jagdgesellschaft (Abb. im Katal. d. Ausst. Bayr. Kunst 1800—50, München 1906); 1831: Räuber Barbone gegen Soldaten sich verteidigend (N. Pinak. München); 1833: Schlacht bei Wörgl in Tirol (Schlachtensaal der Münchner Residenz), ein Bild, das ungewöhnliches Aufsehen in München erregte, u. mit dem H. sich (nach Oldenbourgs Urteil) als der mit Abstand überragende Schlachtenmaler seiner Zeit ausweist, der selbst den Vergleich mit H. Vernet nicht zu scheuen braucht. Anfang 1833 begleitete H. den König Otto nach Griechenland u. kehrte am 26. 9. nach 9 monatigem Aufenthalt nach München zurück. Er schilderte die Ereignisse dieser Reise in den 2 großen Repräsentationsbildern der N. Pinakothek, die, lebendig in Einzelheiten, natürlich in der Gliederung der Massen u. interessant durch die vielen, sorgfältig gezeichneten Porträts bayrischer u. griechischer Persönlichkeiten der Zeit, ihn auf dem Höhepunkt seines Schaffens zeigen: Einzug in Nauplia (1835) u. Empfang in Athen (1839; Skizzen zu beiden Bildern in der Nat.-Gal. Berlin; 23 Porträtskizzen König Ottos u. seines Gefolges befanden sich in der N. Pinak.) u. in dem kleineren Bilde: Abschied Ottos von der kgl. Familie in der Residenz zu München (N. Pinak.). Genrebildchen, wie Rückkehr einer athenischen Familie aus den Befreiungskämpfen (vormals bei E. Lotter, München), Zug griechischer Landleute am Strande des Meeres, 1838 (N. Pinak.), Griechische Bäuerinnen am Brunnen, 1839 (Privatbes. Leipzig) u. die 1839 entstandenen Entwürfe (40 Ölskizzen in der N. Pinakothek; die Kartons in der Maillinger - Samml. München) zu den 1841—44 von C. F. Nilson in den Arkaden des Hofgartens München al fresco ausgeführten Szenen aus dem griech. Befreiungskampf entsprangen den Anregungen der griechischen Reise. Frühjahr 1839 erhielt H. vom russischen Kaiser eine Einladung nach St. Petersburg u. ging mit Klenze, begleitet von seinem Sohn Eugen, dahin. Er erhielt den Auftrag, in einer Reihe von Bildern den russischen Feldzug von 1812 zu schildern. Auf der Rückreise besuchte er die Schlachtfelder. Bei seinem Aufenthalt in Leipzig entstand, auf Bestellung gemalt, das Bild „Kriegsszene bei Lützschena" (Samml. Speck v. Sternburg, Lützschena bei Leipzig). Nov. 1839 war H. wieder in München u. arbeitete nun 15 Jahre an der Ausführung des russ. Auftrages. In 8 großen Bildern schilderte er die Schlachten

von Borodino, Smolensk, Polock, Viaz'ma, Valutino Krasnoe, Kljasticy u. den Übergang über die Beresina; in 4 kleineren: General Neverovskij bei Krasnoe, Schlachten bei Malo Jaroslavec, bei Tarutino, bei Malo Jaroslavec, am Flüßchen Losmina. Der Übergang über die Beresina wird als sein stimmungsvollstes Schlachtenbild gerühmt. Damit scheint sich seine Kraft erschöpft zu haben. Alternd u. vereinsamt hat er nicht mehr viel geschaffen. Von kleineren Bildchen ist eine ital. Landschaft von 1857 (ehemals Privatbesitz Regensburg), der Gemsjäger von 1862 (N. Pinak.) und Entenjagd im Moor (Mus. Leipzig) zu nennen. Seine spätesten Schlachtenbilder, die Schlacht bei Leipzig 1813 (vollendet 1853 oder 54; Maximilianeum München) u. Schlacht bei Austerlitz (bez. 1860; N. Pinak.), reichen in Erfindung u. Ausführung an die früheren nicht heran. — Außer in den genannten Museen befinden sich noch Werke H.s im Mus. in Darmstadt u. der Kunsthalle Mannheim, Zeichnungen in den Kupferstichkab. Dresden u. Kiel, in der Nationalgal. Berlin, Graph. Samml. u. Armeemuseum München, Schloß Rötha bei Leipzig, vor allem aber in der Maillingersamml. (Stadtmus.) München (hier besonders viele Porträtzeichn.). Seine Originallithographien u. Radierungen sind bei Nagler (Monogr. II) zusammengestellt (dazu Katal. d. Maillingersamml.). Genannt seien nur die 2 Radier.: Pferderennen auf der Theresienwiese bei Vermählung des Kronprinzenpaares 1810 und: Die Maler auf der Alpe (H. u. Prof. Gärtner in einer Sennhütte). Zahlreiche Werke H.s wurden lithographiert, besonders von Fr. Hohe. — H. ist mit A. Adam der Begründer der neuen Münchner Genremalerei. Das Schlachtenbild hat er über Kobell hinaus weiter entwickelt. Durch die auf der kühlen Objektivität seiner außerordentlich scharfen Beobachtungsgabe beruhende Sachlichkeit u. Treue der Darstellung u. die Frische u. Anschaulichkeit der Schilderung (besonders in seiner frühen Zeit) ist er das Haupt eines zukunftsreichen, neben der offiziellen Idealmalerei kräftig erblühenden Naturalismus geworden. In der Farbe ist er über die kalte Buntheit seiner Zeitgenossen nicht hinausgekommen.

Allg. deutsche Biogr., XII. — F. Pecht, Deutsche Kstler d. 19. Jahrh., IV (1895); ders., Gesch. d. Münchner Kunst im 19. Jahrh., 1888 (mit Abb.). — F. v. Bötticher, Malerw. d. 19. Jahrh., I 2 (1895). — Reidelbach, König Ludwig I. v. Bayern u. die Kunst, 1888 (mit Abb.). — Lemberger, Bildnisminiatur in Deutschland, 1909 (vgl. Kat. d. Miniaturen-Ausst. Wien, 1905 No 2608). — P. F. Schmidt, Biedermeiermalerei, 1922. — R. Oldenbourg, Münchner Malerei im 19. Jahrh., I (1922). — L. E. Grimm, Lebenserinnerungen, Lpzg 1911. — Schorns Kstblatt, 1820; 21; 23—31; 34; 36; 40. — Dioskuren, 1860. — Oberbayr. Archiv, XXXI

(1871) 212—17. — Ztschr. f. bild. Kst, N. F. XXVII (1916) 17, 18 (Abb.), 19. — Die Kunst, XLIII (1921) 99 (Abb.). — Kat. d. N. Pinak. München, 10. bis 15. Aufl. — M a i l l i n g e r , Bilderchronik Münchens, III (1876); IV (1886). — Verz. d. Gem. u. Statuen im Maximilianeum München, 1888 p. 10. — Führer d. d. Bayr. Armeemus. München, 1913 p. 126. — Gemäldekatal. d. Bayr. Nat.-Mus., 1908. — Kat. d. Samml. Lotzbeck München, 1907 No 78, 79. — A u f l e g e r - S c h m i d , Führer d. d. Residenz München, 1897 p. 48. — Katal. d. Nationalgal. Berlin, 1907 u. 1916. — Katal. d. Handzeichn. etc. d. Nationalgal. Berlin, 1902. — Verz. d. Speck v. Sternburg'schen Samml. Lützschena bei Leipzig, 1889 p. 103. — *Ausst.-Katal.*: Bayr. Kunst 1800/50, Glaspal. München, 1906 p. 31 (mit Abb.); Ausst. deutscher Kunst 1775—1875 in der Nationalgal. Berlin, 1906; Ausst. z. Jahrhundertfeier d. vaterl. Krieges 1812, Riga 1913; Führer d. d. Völkerschlachtsausst. Leipzig 1913 p. 9, 11; Ausst. deutscher Kunst im 19. Jahrh., Leipzig 1915 p. 21; Ausst. Münchner Malerei 1860—80, Gal. Heinemann München 1915; Münchner Malerei um 1800, ebenda 1920; Münchner Malerei unter Ludwig I., ebenda 1921; Ausst. aus Mannheimer Privatbesitz, Ksthalle Mannheim, 1916/17 p. 35. — Kstdenkm. Bayerns, III/8 (1913) 96. — Jahrb. der Bilder- u. Kunstblätterpreise, Wien 1910 ff., I; III; IV. *J. M.*

Hess, P e t e r , siehe auch 1. Art. *Hess.*

Heß, P h i l i p p , siehe unter *Heß* le Fils.

Hess, S e b a s t i a n und P a u l J o h a n n, Brüder, Verfertiger von mikrotechnischen Elfenbeinarbeiten, stammten aus Bamberg, wo Sebastian 1733, Paul 1744 geboren wurde, tätig in Brüssel (besonders für Herzog Karl von Lothringen) und seit etwa 1780 in Wien, wo Paul 1798 in der Donau ertrank. — Ihre Elfenbeinarbeiten, wahrscheinlich Vorbilder für gewisse Wachsarbeiten aus der Zeit um 1800, bestanden in Armbändern, Ringen und Dosendeckeln mit kleinen, reich staffierten Landschaften; auch Namenszüge und Devisen gehörten zu ihren Spezialitäten. Meist arbeiteten sie mit dem Vergrößerungsglas ihre überaus zierlichen und feinen Bäumchen und Figürchen, indem sie alle einzeln bildeten und dann mit Leim einzapften. Dabei war der Hintergrund, um alle Einzelheiten besser zur Geltung zu bringen, gewöhnlich in zartem Hellblau gefärbt, während im Vordergrund ihrer Landschaften gerne Brücken und Ruinen angebracht waren. Bezeichnete Arbeiten Sebastians befinden sich im Wiener Staatsmuseum, darunter die mit größter Feinheit geschnittenen Monogramme Kaiser Franz' I. und seiner Gemahlin sowie zwei goldene Ringe, in deren Platten Landschaften in feinster Elfenbeinschnitzerei eingefügt sind. Eine gemeinsame Arbeit beider Brüder, eine ovale Platte (wohl Dosendeckel) mit reich staffierter Flußlandschaft, besitzt die Galerie der Kostbarkeiten in Petersburg.

M e u s e l , Misc. artist. Inh., Heft 13 (1782) p. 40. — J ä c k , Künstler Bambergs, I (1821). — B o d e n s t e i n , 100 Jahre Kunstgesch. Wiens, 1888 p. 85. — I l g , Führer durch die Samml. d. kstindustr. Gegenstände Wien, 1891 p. 167. —

C h r. S c h e r e r , Elfenbeinplastik seit d. Renaiss. (Monogr. d. Kstgew. VIII) p. 80. — Kunst u. Kunsthandwerk, XVIII (1915) 502 f. (Abb.). *Chr. Scherer.*

Hess, S e b a s t i a n , s. auch 1. Art. *Hess.*

Hess, S o p h i e , geb. *von Wyss,* Radiererin in Zürich, geb. 3. 12. 1874 in Letten-Zürich, ausgebildet in der Zürcher Kunstschule von L. Stadler unter H. Gattiker, zeigte 1904, 1906, 07, 1912/14 im Zürcher Kunsthaus hauptsächlich Landschaftsradier. (Motive aus der Schweiz, Italien, Ägypten), stellte auch auf den Turnus-Ausst. d. Schweizer. Kunstvereins und auf den Ausstell. des Vereins graph. Künstler in der Schweiz „Die Walze" aus.

Schweiz, 1901 p. 50ff. (Abb.); 1903 p. 12f., 104 (Abb.); 1908 p. 417f. — B r u n , Schweizer. Kstlerlex., II (1908); IV (1917). — Katal. Ausstell. Ksthaus Zürich, 5.—29. 7. 1914 p. 12, 15.

Hesse, Goldschmied in Dresden, Ende 17. Jahrh. Von ihm außer anderem ein vergoldeter, mit bunten Landsteinen u. Glasflüssen besetzter Schild, 1687 für den Kurfürsten Johann Georg III. gefertigt, im Hist. Mus. Dresden.

Führer durch das Hist. Mus. Dresden, 1899 p. 195, 200, 267.

Hesse, A l e x a n d r e J e a n - B a p t., Historien- u. Porträtmaler, geb. 30. 9. 1806 in Paris, † 10. 8. 1879 ebenda. Schüler seines Vaters Henri Joseph, V. Bertin's u. Gros', trat 1821 in die École des B.-Arts ein u. besuchte 1830 Italien, wo er sich vor allem in Venedig aufhielt. 1833 debütierte er im Salon mit dem Historienstück „Begräbnisfeier für Tizian", das großes Aufsehen erregte u. ihm eine Medaille 1. Klasse eintrug (kam in die Samml. Delessert, Marseille, nach deren Auflösung nach Amerika). Von seinen weiteren Salonbildern sind zu nennen: 1836, Leonardo da Vinci gibt Vögeln die Freiheit; 1837, Heinrich IV. auf dem Paradebette im Louvre (Grand Trianon); 1840, Tod des Präsidenten Brisson (Schloß zu Chevry, Seine-et-Marne); 1842, Adoption Gottfrieds von Bouillon durch Kaiser Alexius Komnenus (Salle des Croisades in Versailles), ein „durch Kolorit u. Gruppierung ausgezeichnetes" Bild. 1844, 45, 46 besuchte er wieder Italien. 1847 zeigte er im Salon den Triumph Pisanis, der ins Luxembourg-Mus. u. von da ins Mus. in Amiens (Catal., 1911 p. 43) kam. Die Belagerung von Beirût durch die Kreuzfahrer (Salon 1848), für das Mus. in Versailles bestimmt, gelangte nicht dorthin. Die Salonbilder von 1850: Prozession und Flucht nach Ägypten kamen in die Kathedrale von Avranches. Seit dem Beginne der 50er Jahre widmete sich H. vor allem der kirchl. Wandmalerei. In Saint-Séverin, Paris, malte er 1852 die Kap. Ste-Geneviève mit Szenen aus dem Leben dieser Heiligen aus, in Saint-Sulpice, Paris, malte er Szenen aus dem Leben des Hl. Franz von Sales, in Saint Gervais 1863—67

Szenen aus dem Leben der Hl. Gervasius u. Protasius, die zu seinen besten Leistungen gerechnet werden. Von ihm auch die Ausmalung der Kirche zu Chevry. Von den ihm übertragenen Fresken in der Kirche St.-Germain des Prés konnte er nur noch das Jüngste Gericht vollenden. Für das Palais du Luxembourg schuf er 1854 das Gemälde „Ludwig XIV. unterzeichnet die konstituierenden Verordnungen für die Marine", für die Börse zu Lyon ein Deckengemälde (vollendet 1870). Nach seinem Porträt G. Pilons wurde der Gobelin in der Galerie d'Apollon im Louvre ausgeführt. Ferner noch Werke in folgenden Museen: *Pontoise,* Auferweckung der Tochter des Jairus; *Narbonne,* Porträt; *Périgueux,* Ruhe auf der Flucht; *Mülhausen i. E.,* Porträt (Catal., 1907); *Nantes,* Schnitterin, 1837; Mädchen mit Früchten, 1838; venezian. Konzert, Landschaft u. mehrere Zeichnungen, alle aus dem Besitze des Herzogs von Feltre, des Gönners H.s (Catal. 1913 p. 396 f. u. 529 f.). 1867 wurde H. Mitglied der Acad. d. B.-Arts. „Er gehört jener 2. von Davids Schule ausgehenden Generation an, welche Gleyre, H. Flandrin, Delaroche usw. umfaßt. Die Korrektheit der Zeichnung, die Reinheit der Linien u. die edle Haltung der Gestalten, welche die Schule Davids bis in ihre Ausläufer kennzeichnet, waren H. in hohem Grade eigen, aber er besaß daneben etwas von der Wärme Delacroix' u. dem ernsten religiösen Sinn H. Flandrins" (Kunstchronik, XV [1880] 29 ff.).

Delaunay, Notice sur la vie et les travaux de Alex. H., Paris 1885. — P. Nicard, A. H., sa vie et ses ouvrages, Paris 1883. — Bellier-Auvray, Dict. gén., I (1882) u Suppl., 1887. — Bénézit, Dict. des Peintres etc., II (1913). — J. Meyer, Gesch. d. mod. franz. Malerei, 1867. — Gaz. des B.-Arts, 1869 I 217. — H. Delaborde in Revue des deux mondes, 1880 p. 333—55. — Inv. gén. des Rich. d'Art, Paris, Mon. rel., I (1876); III (1901). — Inv. gén. des Oeuvres d'Art, Ville de Paris, Ed. rel., IV (1886); Ed. civ., II (1889). *J. M.*

Hesse, A l i c e , Malerin in Paris, Schülerin von A. Cesbron u. J. Adler, stellte Blumenstilleben u. Landschaftsimpressionen (mehrmals Motive aus Venedig) im Salon des Art. Indép. 1907 u. 1909/14, im Salon der Soc. des Art. franç. 1911/14 und wieder seit 1920 aus.

Bénézit, Dict. des Peintres etc., II (1913). — Salonkataloge.

Hesse, A u g u s t (Johann A.), Maler, Bildhauer u. Lithograph um 1840 in Posen, wo mit Kreide oder Feder gezeichn. Porträts von ihm häufig vorkommen. Auch als Bildhauer (Porträtbüsten) tätig. Von seinen Landschafts- u. Architekturbildern sind viele lithographiert worden, so seine „Ansicht von Posen mit der großen Schleuse", 1830 (Mus. Wielkopolskie, Posen).

Hist. Monatsbl. Posen, XXI (1921) No 2 p. 1f.

Hesse, A u g u s t e , s. *Hesse,* Nic. Aug.

Hesse, C e s a r Hartwig, Maler und Graphiker, geb. 1. 5. 1822 Altona, † 30. 9. 1856 Paris. Begann seine künstler. Ausbildung erst 1850 in München, seit 1852 in Genf bei Calame. Von ihm bekannt 2 Folgen Landschaften, jede zu 12 Bl., von H. Terry nach H.s Bildern u. Zeichn. auf Stein gezeichnet. Essais de compositions par C. Hesse. Publié par Goupil & Co. Paris. *D.*

Hesse, D a n i e l , Porzellanmaler, geb. 1768 in Dresden, erlernte in der Porzellanfabrik zu Meißen die Schmelzmalerei, wurde 1804 Leiter einer Privatmanufaktur und ließ sich schließlich in Bamberg nieder. Neben Ansichten auf Porzellangefäßen malte er einige Miniaturbildnisse in Schmelzfarben. Als sein Schüler wird Carl Chr. Kanz genannt.

Jäck, Kstler Bambergs, I (1821). — Lemberger, Bildnisminiatur in Dtschland, 1909 p. 55 u. 180. *Ernst Sigismund.*

Hesse, E d u a r d , Porträt- u. Landschaftsmaler u. Lithograph in Posen um 1855—68. Von ihm reizvolle kleine lithogr. Ansichten von Posen (auch in farbig getönten Drucken).

Hist. Monatsbl. Posen, XXI (1921) No 2 p. 2.

Hesse, E r n s t , Zeichner, geb. 23. 10. 1858 in Penig, lebt in Dresden. Widmete sich seit 1878 an der Dresdner Akad. der Malerei und war ein Jahr (1883/84) Atelierschüler Theod. Grosses. Er lieferte meist Tusch- und Schabzeichnungen („Ein Märchen" u. „Frühling", Genrebilder, 1884; „Satyr, von Nymphen geneckt", 1892, u. a.), illustrierte Volksmärchen (z. B. „Rübezahl" nach Musäus) und zeichnete Studienköpfe.

Akten der Dresdn. Kstakad. — Katal. Kstausst. Dresden (Akad., 1879—83; 1884; III. Internat. Aquar. 1892; Sächs. 1903; Große 1904). *Ernst Sigismund.*

Hesse, G e o r g (Hans G.), Landschaftsmaler, geb. in Berlin 24. 9. 1845, † in Karlsruhe 26. 3. 1920, Schüler von H. Eschke an der Berl. Akad., dann (1867/71) von H. Gude an der Akad. zu Karlsruhe, wo ihn auch C. F. Lessing beeinflußte, lebte 1871/78 in Berlin, später dauernd in Karlsruhe, machte Studienreisen, hauptsächlich in Deutschland, auch nach der Schweiz und Oberitalien, zeigte vorwiegend Gebirgs- und Waldlandschaften in den Berl. Akad.-Ausst. (Katal. 1866 p. 29, 1870 p. 85, 1874, 76/78, 89), der Gr. K.-Ausstell. ebenda (Kat. 1901 p. 34, 1904, 1906 p. 38 u. retrosp. Abt. p. 29) und im Münchner Glaspalast (Kat. 1871, 83, 88, 1900, 1904, 1907/8). In öffentl. Besitz: Berlin, Nationalgal. (Kat. 1907): „Rhön-Landschaft" (1875); Karlsruhe, Gem.-Gal. in d. Ksthalle (Kat. 1910): „Harzlandschaft"; ebenda, Empfangssaal des Bahnhofsgebäudes: „Heidelberg" (Wandgemälde); ebenda, neue Aula d. Techn. Hochschule: „Heidelberger Schloß". — H.s Gattin (seit 1880) M a r i e , geb. *Koch,* geb. in Erfurt 21. 11. 1844, † in Karlsruhe 23. 5. 1911, Schülerin von C. Hummel in Weimar 1873/75, malte anfangs Landschaften, später Blumen- und Früchtestilleben, die sie u. a. in der Berl. Akad. (Kat. 1876 p. 66), im Münchner Glaspalast (Kat. 1898, 1907, 08) und in der Dresdner Kunstausst. 1899 ausstellte; war Zeichenlehrerin am Großherz. Institut (Victoria-Pens.) in Karlsruhe; malte für das Großherzogliche Palais ebenda 4 Supraporten; gab eine „Studienfolge für Blumenmalerei in Aquarellfarben zum Schul- und Hausgebrauch" heraus (Verlag Veith, Karlsruhe).

F. v. B o e t t i c h e r, Malerwerke 19. Jahrh., I 2 (1895). — Das Geistige Dtschland, I (Bild. Kstler) 1898. — Dtsche Kst u. Dekor., VI (Apr./Sept. 1900) Abb. — O e c h e l h a e u s e r, Gesch. d. Akad. Karlsruhe, 1904 p. 162. — Kstchronik, XVII (1881) 560; N. F. IV (1893) 411; Die Kst, XLII (1919/20) Beibl. zu Heft 11 p. IX. *D. St.*

Hesse, H a n n a, Malerin in Königsberg i. Pr., geb. 1862 in Kauernick (Westpr.), Schülerin von A. Männchen; von ihr Landschaften, Tapeten- u. Plakatentwürfe.

D r e s s l e r's Ksthandbuch, 1921 II. — Dtsche Kst u. Dekor., XIII (1903/4) 203; XV 271. — Die Kst, VII (1903).

Hesse, H a n s, Bildhauer in Braunschweig, tätig am 1393—96 erbauten Nordflügel des Altstadtrathauses in Braunschweig (Madonna, wohl die des Ostgiebels). — Ein g l e i c h - n a m i g e r Bildhauer, wohl Nachkomme des vor., arbeitete sämtliche Laubenfiguren an dem 1447—58 erfolgten Umbau des gleichen Flügels.

M i t h o f f, Mittelalt. Kstler u. Werkm. Niedersachs., 1885. — P. J. M e i e r u. K. S t e i n - a c k e r, Bau- u. Kstdenkm. d. St. Braunschw., 1906 p. 65.

Hesse (Hess), H a n s, Architekt um 1430 bis 50, Werkmeister am Passauer Dom unter Bischof Leonhard von Layming, 1437 urkundlich genannt. Von ihm die Hochführung des Chorbaus u. die Anlage für dessen Einwölbung.

Niederbayr. Monatsschrift, IX (1920) 108, 111, 112. — Kstdenkm. Bayerns, III/3 (1919) p. 26.

Hesse, H a n s, Bildschnitzer zu Lübeck, lieferte zwischen 1455 u. 1459 einen noch vorhandenen Altarschrein („Birgitta-Altar") für die Kirche des Klosters zu Vadstena in Schweden. In Lübeck hat H. sich bisher urkundlich nicht nachweisen lassen. Möglicherweise ist der Altarschrein aus der Kirche zu Tramm (Mus. f. Kst- u. Kulturgesch. Lübeck) ein Werk seiner Hand.

H e n r i k C o r n e l l, Några nya dokument till 1400-talets Konsthandel, in Konsthist. sällskapets publikation, Stockh. 1916. — A n - d r e a s L i n d b l o m, Till Kännedomen om Lübecks 1400 — Talsskulptur, II. Ett okänt verk av Joh. Stenradh, in Konsthist. sällskapets publik., Stockh. 1918; d e r s., Den heliga Birgitta bildverk i skulptur och måleri från Sveriges medeltid, Stockh. 1918. — R. H a u p t in Cicerone, XII (1920) 887. *R. Struck.*

Hesse, H a n s, Maler in Zwickau u. Annaberg, nachweisbar 1497—1521, erhält 1500 oder 1501 11 fl. für die Bemalung u. Vergoldung von 6 Figuren, die Peter Breuer für die Marienkirche zu Zwickau geschnitzt hatte. 1509 dürfte er nach Annaberg übergesiedelt sein, wo er durch seinen Schwager Hans Schmelzer ein Haus erwirbt; dazu kaufte er 1511 eine Hofstatt. 1510 hat H. einen Goldschmied Hans Seyfert erschlagen; über eine Bestrafung verlautet nichts. Zuletzt wird H. 1521 als Vormund der Erben eines Gabriel Habermehl erwähnt. Er ist identisch mit dem Maler H a n s H a s s e, der 1519 die Gewölbe der Alten Sakristei der Annaberger Kirche bemalt hat. Er ist ferner zu identifizieren mit einem Anonymus, dessen Werke E. Flechsig zusammengestellt hat, und zwar aus folgenden Gründen: 1. sind H. und der unbekannte Maler die einzigen Künstler, die sowohl in Zwickau wie in Annaberg nachweisbar sind; 2. tritt H. in Zwickau in Zusammenarbeit mit Peter Breuer auf; ebendas trifft auch für den Flechsigschen Meister zu, der zweimal die Flügel Breuerscher Altäre (des Hochaltars der Nikolaikirche in Zwickau und des Altars der Johanniskirche in Chemnitz) gemalt hat; 3. von den verschiedenen Zeichen, die auf den in Frage kommenden Gemälden vorkommen, sind die beiden einzigen, welche als Künstlerzeichen gelten können, H. H. zu lesen; das trifft wieder auf H., sonst aber auf keinen der im Erzgebirge tätigen Meister zu. — Den von Flechsig zusammengestellten Werken lassen sich noch weitere anreihen. Als frühstes Werk H.s hat der Altar in Dittmannsdorf bei Chemnitz zu gelten (bez. 1497). Es folgen 2 1498 dat. Glasgemälde in Neumark (m. Stifterbildnissen), bez. H. H. Gänzlich übermalt ist das Epitaphbild des Stephan Gülden († 1503) in der Marienkirche zu Zwickau, bez. (ursprünglich?) 1500. Die Flügel des Altars der Johanniskirche in Chemnitz, jetzt in der Samml. des Chemnitzer Geschichtsvereins, dürften in die gleiche Zeit gehören (erst neuerdings von vollständiger Übermalung befreit). Der Zwickauer Altar, eine Stiftung des Magisters Stephan Gülden, der sich jetzt im Kunstgewerbemus. in Leipzig befindet, ist mit ziemlicher Sicherheit auf 1508 datierbar; von den wohl ganz eigenhändigen Gemälden H.s ist nur noch ein Flügelpaar vorhanden, dazu die Predella. Mit der Ecce Homo-Darstellung auf dem Epitaph des Balthasar Teufel (1509) in der Sakristei der Marienkirche zu Zwickau schließt die Reihe der in Zwickau entstandenen Gemälde. Die folgenden, in Annaberg gemalten Bilder zeigen einen beträchtlichen Aufschwung der Kunst H.s. Neben der zunehmenden Aufnahme von Renaissanceornamenten macht sich eine gewähltere Farbgebung, größere Räumlichkeit und feinere Ausarbeitung, besonders der landschaftl. Hintergründe bemerkbar. Letzteres trifft vor allem für den Altar in der Begräbniskapelle in Buchholz zu, der im Mittelteil neben der Figur des hl. Wolfgang eine lebendige Darstellung der Sage von der Entstehung des Annaberger Bergbaues enthält. 2 Tafeln in Annaberg selbst, Maria und Katharina darstellend (auf der letzteren das Monogramm H. H.), wurden von Waagen H. Holbein d. J. zugeschrieben, sind aber sichere und besonders durch sehr freie farbige Haltung hervorragende Werke H.s. Etwas früher als sie, ca 1512, ist das große Gemälde mit Maria und Magdalena zu datieren, früher bei Weber-Hamburg, jetzt im Leipz. Kunstgewerbemus. H.s letztes sichere Werk ist der große, 6 flügelige Hochaltar des Annaberger Franziskanerklosters, jetzt in der Kirche zu Buchholz. Sehr nahe stehen ihm die Malereien auf der Rückseite des Bergaltars in Annaberg (1521), die den Betrieb des Bergbaues schildern. — Eine Werkstatt größeren Umfanges scheint H. nicht gehabt zu haben; sein Schaffen ist ohne weitere Wirkung geblieben. Er gehört zu den zahlreichen tüchtigen Malern, die vor und zum Teil neben Cranach im Erzgebirge tätig waren, ohne daß es möglich wäre, sie als „Sächsische Schule" zusammenzufassen. Ob der Name auf eine Herkunft aus Hessen gedeutet werden kann, erscheint fraglich. Vielmehr dürfte H. in einer der zahlreichen sächs.-thüring. Werkstätten gelernt haben, denn seine früheren Werke lassen nach ihrer unsicheren Haltung und der weitgehenden Benutzung graphischer Vorbilder nicht auf eine bedeutende Schulung schließen. Allenfalls ist eine flüchtige Kenntnis Wolgemuts anzunehmen. — Mit dem Frankfurter Maler gleichen Namens (s. Kaldenbach) hat H. nichts zu tun.

Waagen, Kunstwerke und Künstler im Erzgebirge und in Franken, I (1839). — Richter, Chronika der Bergstadt St. Annaberg, I (1746). — Flechsig in Zeitschrift f. bild. Kst, N. F. XX (1909) 234; ders., Sächs. Bildnerei u. Malerei, 1912, III 7 ff., Taf. 18—37. — Berichte d. Kgl. Sächs. Kommission z. Erhaltung d. Kunstdenkm., 1909, II 44, 155. — Rechnungen der Marienkirche in Zwickau, 1500/1504. Annaberg, Ratsarchiv, Lehnbuch 3, Erbteilbuch 1, Bewilligungsbuch I. *Walter Hentschel.*

Hesse, Hans, s. auch *Kaldenbach, Hans.*

Hesse, Henri Joseph, Porträtmaler u. Lithograph, geb. 31. 10. 1781 in Paris, † 14. 8. 1849 ebenda, älterer Bruder des Nicolas Auguste u. Vater des Alexandre J.-B. (s. d.), nach Lemberger deutscher Abstammung. Schüler von J. L. David und J.-B. Isabey, mit dem er eng befreundet war. In der Art Isabeys schuf er Ölporträts und Miniaturen in Sepia, Gouache, Aquarell, die sehr gerühmt werden. 1808, 10, 14, 19, 24 u. 33 stellte er im Pariser Salon aus und erhielt 1810 u. 1833 Medaillen. Um 1815 soll er sich in Deutschland (Berlin) auf-

gehalten haben, wo wohl die 2 „Hesse 1815" bez. Miniatüren, den Arzt W. Fleischer darstellend (Hohenzollernmus. Berlin), entstanden. Von ihm ein Miniaturporträt der Herzogin von Berry (gestochen von J. M. Gudin; 1913 aus Wiener Privatbes. auf der Hist. Ausst. Breslau [Katal. p. 448 No 43] gezeigt) und ein Ölporträt derselben (1819 im Salon, gest. von P. Audouin). Im Louvre das Miniaturporträt eines kleinen Mädchens und 2 Miniaturzeichn. (Sepia) einer jungen Frau u. eines Knaben, beide von 1811; im Nordböhm. Gewerbemus. Reichenberg ein Mädchenbildnis (Miniatüre); in Basler Privatbes. das Miniaturporträt einer Basler Dame (Gouache auf Elfenbein; Kat. der Ksthist. Ausst. Basel, 1912 No 735). Ein schönes weibl. Aquarellporträt wurde nach Schidlof mit der Samml. Brouillon 1910 in Marseille versteigert. Von den Porträtlithogr. H.s seien genannt sein Selbstporträt 1821 und die Porträts des Dauphin u. Talleyrands.

Bellier-Auvray, Dict. gén., I (1882). — Lemberger, Bildnisminiatur in Deutschland, 1909. — Schidlof, Bildnisminiatur in Frankreich, 1911. — Gaz. d. B.-Arts, 1894 II 478 ff. (mit Abb.). — Béraldi, Grav. du XIXme Siècle, VII (1888). — Mireur, Dict. des Ventes d'Art, III (1911). — Guiffrey et Marcel, Inv. des Dessins du Louvre, 1906 ff. VI (mit Abb.). — Mitt. d. Nordböhm. Gewerbemus., XXI (1903) 59. — Duplessis, Catal. Portraits, Bibl. Nat. Paris, 1896 ff. I--VII passim.

Hesse, Hermann, Thüring. Bildschnitzer, dessen Name „hermā. hesse." mit dem Datum 1494 sich auf einem Schnitzaltar im Pfarrhaus zu Borxleben (bei Frankenhausen) findet. Der Altar enthält im Mittelschrein die Figuren der Maria mit dem Kind zwischen den Hl. Laurentius u. Katharina, im rechten Flügel (Innenseite) Petrus u. Paulus u. auf der Außenseite das Gemälde der Verkündigung. (Der linke Flügel fehlt.)

Bau- u. Kstdenkm. Thüringens, Schwarzburg Rudolstadt, II (1889) 5.

Hesse, Hermann, Schriftsteller (Roman und Novelle) und Malerdilettant in Bern, jetzt in Montagnola bei Lugano, geb. 2. 7. 1877 in Calw (Württembg). Freundliche, aber dilettantische Aquarelle zeigen eine gewisse heimatkünstlerisch-expressionist. Stilisierung. Es erschienen: Wanderungen, Aufzeichnungen von H. H. mit 14 farb. Bildern vom Verf., Berlin 1920. Ferner: Elf Aquarelle aus dem Tessin. Wielandmappe I, München 1921, und Zwölf Gedichte, von H. illustr., 13 Doppelbl. mit je 1 Federzeichn., Montagnola 1919.

Kunst u. Künstler, XIX (1920/21) 336. — Kunstchronik, N. F. XXXII (1920/1) 55, 294. — Schweiz, 1920 p. 511 ff. *H. Kiener.*

Hesse, J., Kupferstecher in Brünn, stach 1820 eine Ansicht von Brünn u. viele Blätter für Jurendes „Vaterländischen Pilger".

W. Schram, Verz. Mähr. Kupferstecher, 1894.

Hesse, Jean-Bapt., s. *Hesse,* Alex. J.-B.

Hesse, J o h a n n e s , Maler, Jesuit, geb.
28. 12. 1720 in Prag, † 1745 in Breslau,
lieferte vermutlich einige Bilder zur Ausschmückung des Flures im 1. Stock der Universität Breslau.

L. B u r g e m e i s t e r , Jesuitenkunst in Breslau, 1901 p. 46 (Breslauer Dissert.). — P a t z a k ,
Breslauer Jesuitenbauten (Stud. z. dtsch. Kstgesch. No 204), 1918.

Hesse, J o h a n n F r i e d r i c h , Maler u.
Lithograph, geb. 24. 11. 1792 in Magdeburg,
Schüler der Dresdner Akad. unter J. D. Schu-
bert, Kügelgen u. Retzsch. Zuerst Porträtist
in Magdeburg, siedelte er 1818 nach Hamburg,
1838 nach Berlin über. Studienreisen nach
Holland, Österreich und Ungarn. Vornehmlich
Bildnismaler, aber auch in anderen Fächern
tätig. Eine Ansicht von Wien wurde von
Friedr. Wilh. III. für Schloß Charlottenbg an-
gekauft. Früher in der Hamburger Ksthalle:
Faust und Gretchen (dat. 1848). Einige Bild-
nisse in Hamburger Privatbesitz. Lithogr.:
Bildnisse Ludw. Devrient (1819) und Freih. v.
Maltitz. Unterhielt in Berlin vielleicht eine
lithogr. Anstalt, da im Hamb. Staatsarchiv
folgendes Blatt sich findet: Pepita de Oliva,
Tänzerin, gez. u. lith. v. Bartsch, Berlin 1853,
Druck von J. Hesse, Berlin.

Hamburg. Kstlerlex., 1854. — R u m p , Lex.
d. bild. Kstler Hambgs, 1912. — E. Z i m m e r -
m a n n , Gesch. d. Lithogr. in Hambg, 1896 p. 31.
— L e m b e r g e r , Bildnisminiatur in Deutschland, 1909. — Führer d. d. Ausst. v. Kstwerken
aus Altonaisch. Privatbes., 1912, Nr 548. — Ausst.
älter. Bildnisse aus Hambger Privatbes., Kunstver.
1912, Nr 87—89.   *D.*

Hesse, L u d w i g F e r d i n a n d , Baumeister u. Maler in Berlin, geb. 23. 1. 1795 in
Belgard (Pommern), † 8. 5. 1876 in Berlin.
1819 bezog er die Berl. Kunst- u. Bauakad.,
1825 machte er sein Baumeister-Examen, 1826
oder 27 machte er Studienreisen nach Österreich, Süddeutschland u. an den Rhein, 1834
bis 35 u. 1838—39 nach Italien u. Sizilien;
dazwischen fällt eine Reise nach Rußland u.
den nordischen Ländern. Architektur-Skizzen
von diesen Reisen zeigte er in den Berl. Akad.-
Ausstell., wo er auch mehrm. Landschaften u.
Studienköpfe in Öl ausstellte. 1831 wurde er
Hofbauinspektor. Unter Schinkels Leitung
führte er den Bau der Werderschen Kirche in
Berlin zu Ende (1828). Der Ausbau von
Wohnräumen im Mittelbau des Schlosses von
Charlottenburg u. der großen Säle im neuen
Flügel desselben, der Umbau des Schlosses zu
Schwedt sind seine nächsten Arbeiten. 1839/40
erbaute er die Tierarzneischule in Berlin, 1841
erweiterte er das Mausoleum in Charlottenburg
durch Querflügel u. Apsis. Seine Haupttätig-
keit entfaltete er in Potsdam als einer der
Architekten Friedrich Wilhelms IV. 1844 baute
er mit Persius die Flügel des Marmorpalais
aus u. vollendete nach dessen Plänen die
Friedenskirche (1848 geweiht). Zur Wieder-

inangriffnahme der Fontänenanlagen Friedrichs II. im Park von Sanssouci arbeitete er
die Entwürfe aus. 1847—52 schuf er die
architekt. Anlagen auf dem Pfingstberge (nach
Ideen des Königs u. mit Benutzung eines Vor-
entwurfs von Persius), 1851—57 die Orangerie
nebst Terrassen (nach Ideen des Königs u.
Stülers). Von kleineren Bauten errichtete er
im Park von Sanssouci: das Winzerhäuschen
1847; das Triumphtor am Mühlenberg 1852
(aus Terrakotten nach dem Vorbild des Bogens
der Goldschmiede in Rom); neben dem Triumphtor Sitzplätze u. Brunnen nach seinem Entwurf;
das Dreikönigstor in der Obeliskenstraße (Eingang zum Friedensgarten) 1852. Nach Albert D.
Schadows Pensionierung übernahm er die Berliner Schloßbauten u. wurde bald darauf mit
der Direktion des Hofbauamts betraut. Neben
den ständigen Erneuerungsarbeiten am Schloß
stammt aus dieser Zeit das Elisabeth-Kranken-
haus (1865/67). Wichtig für die Kenntnis
seiner Werke sind seine Publikationen: ,,Sans-
souci u. seine Architekturen unter Friedrich
Wilhelm IV.'', Berlin 1854; ,,Ausgeführte ländliche Wohngebäude'', 1854; ,,Ausgeführte städt.
Wohngebäude in Berlin'', 1855.

N a g l e r , Kstlerlex., VI. — Bau- u. Kstdenkm.
d. Prov. Brandenburg, 1885 p. 661—64, 668, 686.
— Berlin u. seine Bauten, 1896. — H. K a n i a ,
Potsdamer Baukunst, 1915. — Kat. Akad.-Ausst.
Berlin, 1822 p. 87; 1826 p. 39; 1828 p. 27; 1830
p. 87, 126; 1832 p. 21; 1836 p. 119; 1839 p. 22;
1840 p. 20; 1842 p. 107; 1844 p. 121; 1868 p. 69,
86; 1876 p. IX f. (Nekr.). — W e i g e l s Kstkatalog, Leipzig 1838—66, II 10107; IV 20246. —
Katal. d. Sonderausst. Gußeisen im Kstgew.-Mus.
Berlin, 1916 p. 10, 13, 18.

Hesse, M a r i e , siehe unter *Hesse,* Georg.

Hesse, N i c o l a s A u g u s t e , Historienmaler, geb. 28. 8. 1795 in Paris, † 14. 6. 1869
ebenda. Schüler seines Bruders Henri Joseph
und des Baron Gros. 1811 trat er in die
Ecole des B.-Arts ein u. erhielt 1818 mit dem
Bilde ,,Philemon u. Baucis empfangen Jupiter
u. Merkur'' den Rompreis. Als Pensionär der
Ecole de Rome sandte er mehrere Bilder mit
Darstell. aus der griech. Mythologie ein.
1824 debütierte er im Salon. Sein Salonbild
von 1827, Gründung der Sorbonne, kam in
die Kirche der Sorbonne. Im gleichen Jahr
schuf er für den 1. Saal des Conseil d'Etat im
Louvre die Allegorien der Geschichte u. Theologie. Wandte sich dann immer mehr der
religiösen Malerei zu u. schmückte zahlreiche
Pariser Kirchen mit Werken, die eklektisch
und unpersönlich, doch nicht ohne religiöse
Innerlichkeit sind. 1835 entstanden Wandmalereien in Notre-Dame de Lorette (Anbetung
d. Hirten, 2 Szenen aus dem Leben des Hl.
Hippolyt), 1843 Wandmalereien in Saint-Pierre
de Chaillot, 1842 u. 45 die Kartons zu den
Glasgemälden im Chor derselben Kirche,
1840/48 Ölbilder der Verkündigung, Heimsuchung, Heiliger in Notre-Dame de Bonne

Nouvelle, 1860/68 Wandmalereien (Szenen aus dem Leben des Hl. Laurentius, vollendet von H.s Schüler P. Nanteuil) in Saint-Gervais. H. war ferner beteiligt an der Ausmalung der Kirche Notre-Dame des Blancs Manteaux. Glasgemälde nach seinen Kartons in Saint-Eustache, Notre-Dame de la Recouvrance u. vor allem in Sainte-Clotilde. Für weltliche Bauten war er selten tätig: für das 1871 abgebrannte Pariser Rathaus hatte er dekorat. Malereien u. Kartons zu den Glasgemälden im Treppenhaus geschaffen, für das Palais du Luxembourg (Galerie du Sénat): „Die Veröffentlichung des Konkordats". Für den Gobelin mit dem Bildnis Girardons in der Galerie d'Apollon im Louvre lieferte er den Entwurf (ein Porträt Girardons von H. auch im Mus. zu Troyes, Catal. 1907 p. 54). Daneben stellte er gelegentlich im Salon aus, so 1838: Mirabeau in der Sitzung der Reichsstände 1789 (Mus. Amiens, Catal. 1911 p. 43) und Christus im Grab (Kathedrale Périgueux); 1845: Tod Mariae (Luxembourg-Mus.); 1851: Jakobs Kampf mit dem Engel (Kathedrale Avranches); 1852: Bergpredigt (Eglise de Sainte-Elisabeth, Paris); 1853: Sterbende Klytia (Mus. Amiens, Catal. 1911 p. 43); 1868: Erbsünde (Mus. Dijon, Catal. 1883 p. 98 f.). Weitere Werke in den Museen zu Pontoise (Hl. Barbara, Kopf eines Alten), Lisieux (alleg. Figur der Republik, 1848), Nantes (Porträt einer jungen Frau von 1818 u. Studie zu einer Hl. Genoveva, 1854; Catal. 1913 p. 530).

V a p e r e a u, Dict. des Contemp., ² 1861. — B e l l i e r - A u v r a y, Dict. gén., I (1882). — A. S o u b i e s, Les Membres de l'Acad. des B.-Arts, III (1911) 32 ff. — L. R o s e n t h a l, Du Romantisme au Réalisme, 1914. — Archives de l'art franç., Doc., V (1857—58) 316. — Nouv. Arch. de l'Art franç., 1893. — M ü n t z, Ecole Nat. des B.-Arts (Guide), 1889 p. 257. — Inv. gén. des Richesses d'Art, Paris, Mon. rel., I (1876), II (1888), III (1901); Prov., Mon. civ., V (1891), VI (1892). — Inv. gén. des oeuvres d'art, Ville de Paris, Ed. civ., II (1889); Ed. rel., IV (1886).   *J. M.*

Hesse, R i c h a r d Herrmann, Maler, geb. 13. 3. 1864 in Dresden, † 8. 8. 1910 ebenda. Seit 1879 Schüler der Dresdner Akad. unter L. Pohle u. P. Mohn, 1884—87 im Atelier Ferd. Pauwels'. Hier erhielt er 1885 und 1886 zweimal die kleine silb. Medaille. Seit 1889 lebte er einige Jahre zu Diessen am Ammersee, sonst in Dresden. H. schuf mehrere treffliche Bildnisse in Öl, Pastell und Federzeichn., z. B. Apotheker Dr. Caro (1887), General Senfft v. Pilsach (1901), vor allem aber Genrebilder („Sonntagmorgen", 1885; „Italien. Fruchthändlerin", 1886; „Der kleine Corporal", 1889; „Der kleine Rekrut", 1892; „Aalnetzreinigen", 1887 u. v. a.), gelegentlich auch Landschaften.

Matrikel der Dresdn. Kstakad. — Katal. Kstausst. Berlin (Akad. 1888—90, 1892—93; Internat. 1891 u. 1896); Dresden (Akad., 1880—95;

Aquar. 1890 u. 1892; Internat. 1897 u. 1901; Große 1904); München (Glaspal. 1889, 1890, 1892, 1900) mit vielen Abb. — v. B o e t t i c h e r, Malerwerke des 19. Jahrh., I 2 (1895) p. 523. — Dresdn. Anzeiger, 1910 Nr 218 (9. 8.) p. 17.
                                             Ernst Sigismund.

Hesse, R u d o l f, Maler, Zeichner und Radierer in München, geb. 13. 7. 1871 zu Saarlouis, Schüler der Münchner Akad. unter Nic. Gysis. Reisen in Holland und Frankreich. — Sein Hauptfeld ist die Karikatur, die er sehr geistvoll behandelt. „Wirkt auch als Zeichner malerisch und besitzt reifen Sinn für Licht und Raumwirkung" . . . „Stets mündet seine Linie nach prompter aber höchst discreter Erfüllung ihres nächsten realistisch kennzeichnenden Zweckes in eine bestimmte, aus der Durchschnittsproduktion heraus erkennbare Ornamentik heiter-phantastischen Gepräges . . . vielleicht unbewußt von Busch beeinflußt". — Zahlreiche Zeichnungen für die „Jugend" und die „Fliegenden Blätter"; Albumpublikation „Spaß muß sein" (München 1912). Zeichn. u. Radier. von ihm in den Kupferstichkab. Darmstadt, München, Basel, Frankfurt a. M., Stuttgart und Breslau. Exlibris Emil Hesse, Heinrich Graf u. a. Daneben schuf er auf dem sicheren Grund beherrschter impressionist. Technik bis zur Wiedergabe des Wesenhaften vertiefte Porträts (Münchner Glaspalast 1916, 1918) u. Genrebilder (Bauerntanz, Konzert usw.).

H. E s s w e i n in Zeitschr. für bild. Kunst, N. F., XXIV 216 ff. — Die Kunst, XXXVII (1917/18), m. Abb. p. 412 (G. J. Wolf). — Ex-Libris, XXV (1915), Taf. nach p. 128, 131; XXVIII (1918) 45.   *Hans Kiener.*

Hesse, S y s i n g u s, Werkmeister aus Braunschweig, erbaute 1502—15 in Lübeck das St. Annenkloster nach eigenem Plan in einfachsten spätgotischen Formen. Dieses später als Werk- und Zuchthaus benutzt, seit 1915 Mus. für Kunst- u Kulturgesch.

D e h i o, Handb. d. deutsch. Kstdenkm., ² II (1922). — Jahrb. d. Mus. f. Kst- u. Kulturgesch., I, Lübeck 1913, p. 46 (m. Lit.). — F r. B r u h n s in Zeitschr. d. Ver. f. Lübeck. Gesch., XVII.

Hessel, E h r e n f r i e d, Architekt in Berlin, gefallen 17. 6. 1915 auf der Lorettohöhe bei Lens. Von ihm die 1912 vollendete, großzügige, in einfachen, an das Romanische sich anschließenden Stilformen gehaltene Synagoge in Berlin, Fasanenstraße.

Die Kunstwelt, II (1912) Bd I p. 25—48. — Deutsche Bauzeitung, XLVII (1913) 293 ff., 306; XLIX (1915) 328 (Nekr.). — Kstchronik, N. F. XXVI (1915) 526 (Nekr.).

Hessel, J., falsch für *Gerritsz.,* Hessel.

Hessel, L e o n h a r d Heinrich, falsch für *Hessell,* L. H.

Hesselbach, S i g m u n d, Maler, Zeichner und Lithograph, tätig in Würzburg, malte Landschaften und lieferte Tuschzeichnungen. Von Lithographien H.s sind bekannt: „Königl. Residenz Würzburg, Sodi del., S. Hesselbach in Lap. del. 1825", Ansicht vom Kgl. Schloß in

Schönbusch bei Aschaffenburg, Ansicht vom Bade Brückenau.

Nagler, Kstlerlex., VI; Monogr., III. — Bibliot. Bavarica (Lagerkatalog Lentner, München), 1911, No 11130a, 11986, 11992, 14910, 15132, 16789.

Hesselbom, Otto (Johan O.), schwed. Landschaftsmaler, geb. 13. 7. 1848 in Ånimskogs (Dalsland), † 1913. Nachdem er sich bereits 1866—73 Malstudien gewidmet hatte, trat er in die Dienste der evang. Vaterlandsstiftung als Reiseprediger in Norrland (1876/79), verließ dann aber diese Stellung, um sich aufs neue der Malerei zuzuwenden. 1888/95 Schüler der Akad. in Stockholm. Seine dekorativ stilisierten, stimmungsvollen Wald- u. Gebirgslandschaften sind auch über die Grenzen Schwedens hinaus bekannt geworden, sehr geschätzt als Ausdruck großartiger nordischer Naturauffassung. Sein Hauptwerk, das große Panorama seiner Heimat, das er „Unser Land" betitelte, wurde 1910 vom Nat.-Mus. Stockholm erworben. In Stockholm, später in Säffle ansässig, beschickte er von hier aus auch wiederholt die internat. Ausstell. in Deutschland (Gr. Berl. K.-A. 1900, 12; Münchner Glaspal. 1901, 09, 13, Sezession 1908), Paris (Exp. décen. 1900, Salon d'automne 1906), Venedig (Internat. 1901, 03), Rom (1913), S. Francisco (Panama-Pacific Exp. 1915) usw. Die Staatsgal. in Wien bewahrt von ihm: Blick über den Aerransee, die Gall. d'arte mod. in Venedig eine schwed. Landschaft (Abb. im Katal. 1913).

Nordisk Familjebok, ² XI (1909). — Romdahl-Roosval, Svensk Konsthist., 1913. — Svenska Dagbladet, 1907 No 259 (Orig.-Artikel H.s: Antikstudiet vid svenska Konstakad.). — Konst och Konstnärer, 1910 p. 85 f. (m. Abb.). — The Studio, XXXI 110; XXXVII 80 f.; XLIX 329 (Abb.). — L'Art et les Artistes, XI (1910) 89. — Pica, L'Arte Mondiale alla IV. Espos. di Venezia 1901 p. 58; alla V. Esp. 1903 p. 255; ders., L'Arte Mondiale a Roma 1911, Bergamo 1913 (Abb.). — Emporium, XXX (1911) 181 ff. (V. Pica). — Nuova Antologia, 1908/09 p. 385. — Cicerone, IV (1912) 587 (Abb. des Wiener Bildes). — Die Kunst, XV (1906/7) 430 (m. Abb.). — Kataloge: Berlin, Gr. Kst-Ausst. 1900, 1912; Amsterdam, Int. Tentoonst. Stedelijk Mus., 1912; München, Glaspal. 1901, 1909, 1913; Sezess., 1908; Panama-Pacific Exp. S. Francisco 1915, Cat. de Luxe, II 246 Nr 142/45. — Balt. Utställ. Malmö 1914, Konstavdel. p. 72 (Abb. p. 42). *G. M. S—e.*

Hesselink, Abraham, Bildhauer in Amsterdam, geb. 19. 7. 1862 in Paterwolde (Gemeinde Eelde, Holland), Schüler der Reichsakad. Amsterdam u. der Acad. des B.-Arts in Brüssel, seit 1891 auf verschiedenen Ausstell. mit Figuren u. Gruppen vertreten, so im Salon der Soc. des Art. franç. Paris 1891, im Künstlerhaus Wien 1894, im Glaspalast München 1894 u. 1913, auf der Internat. Kunstausst. Berlin 1896, auf der Internat. Ausst. im Stedelijk Mus. Amsterdam 1912 (Cat. p. 97 mit Abb.), auf der Panama-Pacific Exp. San Francisco 1915 (Cat.

de Luxe, II p. 259 No 181/2), auf der internat. Kstausst. in Venedig 1920. Von ihm eine Statue auf dem Gebäude des Stedelijk Mus. Amsterdam (Modell dazu im Mus.; Catalogus etc., 1903 p. 21).

De Kunst (holl. Ztschr.), 1915 p. 442—45. — Studio, XXXIII (1905) 326 (Abb.). — Ausst.-Katal.

Hesselius, Gustaf, d. Ä., schwed. Maler, geb. 1682 in Folkärna (Dalekarlien), übersiedelte 1711 nach Amerika (zuerst nach Wilmington [Delaware], dann Philadelphia), † 25. 5. 1755 in Philadelphia. Vater des Johan. Er war einer der ersten bedeutenderen Maler, die in den Vereinigten Staaten tätig waren, und dort Spuren tieferen Einflusses hinterlassen haben. 1721 (5. 9.) erhielt er den ersten in Amerika vergebenen Staatsauftrag, die Ausführung einer Abendmahlsdarstellung für St. Barnabas'Church in Queen Anne Parish, Maryland. Das Gemälde kam neuerdings wieder zum Vorschein und war 1917 auf der Ausst. frühamer. Malerei im Mus. zu Boston; ebendort befindet sich von ihm ein Bildnis des Edward Duffield. Das New Yorker Metrop. Mus. erwarb jüngst das angeblich 1721 gem. Bildnis einer 89jähr. Quäkerin. — Ein gleichnam. Verwandter, Gustaf, d. J., geb. 1727 in Gagnef (Dalekarlien), † Sept. 1775 in Stockholm, war Ornamentmaler. In jungen Jahren an dem Bau des Stockholmer Schlosses beschäftigt, arbeitete er dort unter Leitung von Joh. Pasch an dekorativen Aufgaben. 1757—64 hielt er sich als Staatsstipendiat in Paris auf, um sich zum Geschichtsmaler auszubilden. Nach seiner Rückkehr nach Stockholm soll er ausschließlich als Ornamentmaler tätig gewesen sein, u. a. im Stockh. Schloß.

E. E. Areen, Gustavianska Konstnärsbref, Stockh. 1916. — Hofberg, Svensk Biogr. Handlex., 2. Aufl., 1906. — Looström, Svenska Konstakad., Stockh. 1887. — Nordisk Familjebok, ² XI (1909). — Gustav Hesselius, the earliest Painter and Organ-Builder in America, in Pennsylvania Magazine, 1905 No 114 (nicht benutzt). — American Art Annual, 1898 p. 10. — Mus. of Fine Arts Bulletin, Boston, XIX (1921) 39. — Bull. de la Soc. de l'Hist. de l'Art franç., 1911 p. 106 f. — Bull. of the Metrop. Mus. New York, XVIII (1923) 46 f., m. Abb. — Amer. Art News, XXI, New York 1922—3 Nr 21 p. 3, m. Abb.; Nr 24 p. 5. *G. M. S—e.*

Hesselius, Johan, schwed. Porträtmaler, geb. 1728 in Philadelphia als Sohn von Gustav H. d. Ä., † 1778, Schüler seines Vaters, tätig in Amerika, wo sich in Philadelphia u. Maryland zahlreiche Arbeiten von ihm erhalten haben. Er war um 1763 der erste Lehrer von Charles Wilson Peale, und war damals in Annapolis ansässig. Dessen Sohn Rembrandt bezeichnet den H. in dem Nekrolog seines Vaters (Encyclopedia Americana) als „a portrait painter from the school of Sir Godfrey Kneller".

Nordisk Familjebok, ² XI (1909). — Amer. Art Annual, 1898 p. 10. — Dunlap, Hist. of the . . Arts of design in the Unit. States, I

(1834) 131. — E. E. A r e e n, Gustavianska Konstnärsbref, Stockh. 1916. — W i l l i a m s o n, Hist. of Portr. Miniat., II (1904) 118.

Hessell, L e o n h a r d H e i n r i c h, Miniaturporträtmaler, Kupferstecher (auch Verleger) und Musikinstrumentenbauer, geb. 1757 in St. Petersburg, seit 1779 in Nürnberg tätig, wo er noch 1816 arbeitete; † 1830 (?). Seine Tochter heiratete 1834 den balt. Kupferstecher F. B. Dörbeck. H. erfand eine Maschine, um bei Tageslicht Silhouetten abzunehmen, genannt „der Hessell'sche Treffer". Von seinen (in Pastell, Gouache u. Öl gemalten, gezeichneten und gestoch.) Bildnissen ist das früheste bekannte, das der Maria Cath. v. Schmidt, geb. Hoermann, Nürnberg 1779, nach H.s Entwurf von L. Schlemmer gestochen. 1787 setzt dann eine reichere Produktion ein, die bis ungefähr 1795 anhält. Seine Stecher sind in dieser Periode L. Schlemmer (arbeitet für ihn 1779—1804), C. W. Bock (für ihn 1787/91 tätig), Küffner (1788), P. W. Schwarz (1790/91), u. J. S. Walwert (ab 1790). H. entwarf Bildnisse des Nürnberger Patriziats u. der gelehrten u. Kaufmanns-Welt daselbst, ferner erhielt er (1789 u. 1792) Aufträge für teils von ihm selbst, teils von C. W. Bock und J. E. Haid gestoch. Porträts in Neustadt an der Aisch und in Altdorf (Professorenbildnisse). Eine zweite arbeitsreiche Periode fällt in die Jahre 1798—1804. Vielleicht hat er die Jahre vor u. nach derselben (1796/7 u. 1805/6) auswärts zugebracht. „Gezeichnet nach dem Leben" steht auf dem von ihm in Schwarzkunst gestoch. Bildnis Wielands von 1805. Aus dems. Jahre stammt ein Damen-Profilbild i. Bes. des Fürsten A. Rohan, Sichrow (Abb. in Mitteil. des Nordböhm. Gewerbemus., Reichenberg 1903 Nr. 51; vgl. p. 59). Von selbstgestoch. Porträts noch zu nennen: 1806 Dresdner Theologe F. V. Reinhard; Schauspielerin Henriette Hendel-Schütz; preuß. Generalmajor C. P. v. Unruh. Nach ihm stachen H. Guttenberg (bis 1798), Tob. Falke (1800/1804), J. P. Dietrich (1801) u. J. Nussbiegel (1802). In der dritten Periode, die von 1807—1813 reicht (wozu noch ein Porträt a. d. J. 1816 kommt, das Kinderbildnis des G. A. v. Scheurl, ein Gouachebild), beschäftigt er wenig fremde Stecher, sondern sticht seine Bildnisse meist selbst. Mehr denn bisher zog ihn in dieser Zeit das Nürnberger Patriziat in seine Dienste (Bildnis J. S. Haller v. Hallerstein u. s. Gemahlin 1811; J. W. Scheurl 1811; G. W. F. v. Löffelholz 1812 u. a.). — Sehr selten stach H. nach fremden Entwürfen, so das Bildnis P. J. G. v. Merz nach A. L. Möglich u. das Bildnis Fr. J. Bodmann nach P. Kiefer (1813). Seine Stärke war das Pastellporträt. Seine liebevoll und technisch sauber gemalten, auf absolute Ähnlichkeit angelegten Bildnisse sind noch zahlreich in

Nürnb. Privatbesitz anzutreffen. Das Berl. Kupferstichkab. besitzt eine Zeichnung (Rötel auf Pergament), Porträt der Königin Friederike Louise von Preußen (Gem. Friedr. Wilh. II.).

M e u s e l, Mus. f. Kstler, 1787 II 87; d e r s., Archiv f. Kstler, 1803 ff., I 3 p. 154 passim, 158 passim; II 2 p. 151; d e r s., Teutsches Kstlerlex., I (1808). — P a n z e r, Verzeichn. v. Nürnb. Portraiten, 1790; 1. Fortsetz. d. Verzeichn. 1801; C. G. M ü l l e r, 2. Fortsetz. d. vorhin von G. W. P a n z e r gelief. Verzeichn. Nürnb. Portr. v. J. 1801 bis 1820 einschl., 1821. — v. S c h a d, Versuch einer Brandenburg. Pinacothek, 1793 p. 80, 87, 175, 227, 234, 252. — H e l l e r, Handb. f. Kupferstichsamml., 1850. — N a u m a n n, Archiv f. d. zeichn. Kste, X (1864) 122. — D u p l e s s i s, Catal. Portr. Bibl. Nat., Paris 1896 ff., I 1681, 2556. 4633; II 6464, 9994, 9996; III 12036, 14120, 14161, 14324, 15262, 15482; IV 17775, 20104, 20260, 20263, 20868; V 21452. 22091, 23785, 24194; VI 28022; VII 29061, 29147. — Anz. d. Germ. Nat.-Mus., 1915 p. 32. — F. T. S c h u l z, Nürnbergs Bürgerhäuser usw., 1909 ff. p. 190. — Kstchronik, N. F., XXIII (1912) 362. — S c h r o h e, Aufsätze u. Nachw. z. Mainzer Kstgesch. (Beitr. z. Gesch. d. St. Mainz 2), 1912. — Zeitschr. d. Ver. f. Hamb. Gesch., XXII (1918) 198. — M. J. F r i e d l ä n d e r, Zeichn. alter Meister im Berl. Kupferstichkab., I: B o c k, die dtschen Mstr, 1921. — Katal. Histor. Ausstell. Nürnberg, 1906 Nr 252, 253 (Hessel, Heinrich). — Mit Notizen von W. Fries.

Hessellund, H a n s A n d r e a s e n, Maler, geb. in Dyngby bei Odder (Amt Aarhus) 15. 10. 1851, † 29. 7. 1907, anfangs Landwirt, seit Sommer 1875 Schüler von O. A. Hermansen in Kopenhagen, 1876—87 an der dort. Akad.; stellte seit 1882 Genrebilder aus, so 1892 „Besuch beim Laienpriester". 1888 reiste er in Deutschland. Später lebte er auf Samsø.

W e i l b a c h, Nyt Dansk Kunstnerlex., I (1896).

Hessels, J., falsch für *Gerritsz.,* Hessel.

Hessels, W i l l e m, Bildhauer in Löwen, † kurz vor dem 26. 10. 1531. War verheiratet mit Marthe s'Conincx, wohnte in der Schrynstrate u. hatte 3 Söhne. Seine Witwe heiratete 1533 zum zweitenmal. Mit Lancelot van Vorspoele arbeitete er 1523 an einem Altar, den die Steinmetzenzunft in ihrer Kap. in Saint-Pierre in Löwen errichtete. 10. 1. 1524 bekommt er von der Schützengilde St. Christoph einen Altar für eine Kap. der gleichen Kirche in Auftrag. Einen Altar der Hl. Wilgefortis lieferte er wiederum für Saint-Pierre. Für die Kirche der Abtei Maagdendale in Oplinter (bei Tirlemont) hatte er 17. 8. 1525 einen Altar fertiggestellt, so daß er Jan van den Berghe zum Bemalen übergeben werden konnte. Dieser Altar wird von van Even mit dem sog. Altar „von Oplinter" identifiziert, der 1783 von der Abtei Maagdendale in die Kirche Ste Geneviève in Oplinter übergeführt wurde u. sich jetzt im Kunstgewerbemus. in Brüssel befindet. Da aber dieser Altar Antwerpener Marken trägt, also aus einem Antwerpener Atelier stammt (vgl. J. de Bosschère), auch seine Darstellungen

u. ihre Anordnung mit dem im Vertrag mit van den Berghe beschriebenen Altar H.s nicht genau übereinstimmen, so wird die Identifikation van Even's hinfällig.

E. van Even, L'anc. École de Peint. de Louvain, 1870 p. 242 ff. — Marchal, La Sculpt. etc. belges, 1895. — J. de Bosschère, Sculpt. anversoise etc., 1909 p. 113 ff. (mit Abb.). — M. Rooses, Gesch. d. Kunst in Flandern, Stuttgart 1914 p. 34.

Hessemer, Friedrich Maximilian August Wilhelm, Architekt, geb. 24. 2. 1800 zu Darmstadt, † 1. 12. 1860 zu Frankfurt a. M., studierte zuerst Naturwissenschaften u. Philosophie in Gießen, war dann Schüler seines Oheims, des Oberbaudirektors Georg Moller in Darmstadt, wirkte 1822—27 als Distriktsbaumeister in Oberhessen. 1827—30 Studienaufenthalt in Rom, Sizilien, Ägypten. War beteiligt an der deutschen Ausst. in Rom Okt. 1828 u. an der Gründung des röm. Kstvereins. 1830 kam er als Professor der Baukunst an das Städelsche Institut in Frankfurt a. M., 1838 u. 49 besuchte er nochmals Italien. Von lebhafter und mitteilsamer Geistesart, hat er mehr als anregender Lehrer, denn durch praktische Tätigkeit gewirkt. Von ihm Erweiterung u. Ausbau des alten Baues des Städelschen Instituts in der Neuen Mainzer Straße (1833) u. die Grabkap. für die Gräfin Reichenbach auf dem Frankf. Friedhof (1842). Nicht ausgeführt wurden seine Entwürfe zu einer Börse in Frankfurt u. zum Ausbau des Pfarrturms (beide im Städelschen Institut). Architektonische Zeichnungen von ihm aus Italien u. Ägypten im Städelschen Institut (501 Blatt) u. Kestnermus. Hannover; hier auch sein von Aug. Kestner gezeichnetes Bildnis. Er gab auch architektonische Werke heraus, wie: Arabische u. altital. Bauverzierungen, Berlin 1836/42 (2. Ausg. 1852/53) und Neue Arabesken, Mainz 1854.

Allg. Deutsche Biogr., L. — Weizsäcker-Dessoff, Kst u. Kstler in Frankfurt a. M., 1909 II 58 u. 176.

Hessemer, Fritz, Architekt in München, geb. 5. 11. 1868 in Frankfurt a. M., gebildet an den techn. Hochschulen Berlin u. München. Machte sich zusammen mit Johannes Schmidt in München selbständig (Firma: Hessemer u. Schmidt). Die Entwürfe der beiden wurden häufig preisgekrönt (Entwurf für das König Albert-Mus. Chemnitz, für das Kaiser Friedrich-Mus. Magdeburg, für das neue Polizeigebäude in München). Von ausgeführten Bauten sind zu nennen: Gastwirtschaftsgeb. auf dem Pöstlingberge bei Linz a. D., 1897, Sanatorium in Kirchseeon (bei München), Sparkassengebäude in Kaufbeuren (Schwaben), Schloß Riedhof bei Kaufering, Landhäuser in Solln bei München, architekt. Teil des Einheitsdenkmals in Frankfurt a. M.

Dressler's Kunsthandbuch, 1921 II. — Deutsche Kst u. Dekor., XIII (1903/04). — Archit.

Rundschau, XX (1904) Taf. 60, 61, 91; XXI (1905) Taf. 69; XXII (1906) Taf. 63. — Deutsche Konkurrenzen, XI Heft 1; XXIV Heft 2. — Blätter f. Archit. u. Ksthandwerk, XIV (1901) Taf. 41. — Kstchronik, N. F. IX 538. — Neue Bauzeitung, IX (1913). — Ausst.-Kat. Glaspal. München, 1901, 06, 07, 08, 11, 13.

Hesser, Johann, Schreiner in Kürrenberg (Rheinprovinz), lieferte 1787 hübsche Kirchenbänke für die Kirche St. Johann in Mayen.

Ztschr. d. rhein. Ver. f. Denkmalpflege, XV (1922) 96, Anm. 20.

Hessey, Thomas, Goldschmied in London, lieferte 1366 an König Eduard III. Silbergeschirr, das von diesem zu Geschenken an den Konnetabel von Flandern u. andere verwendet wurde.

W. Chaffers, Gilda Aurifabrorum, 1883 p. 31. — W. J. Cripps, Old Engl. Plate, 1894 p. 26, 185.

Hesshaimer, Ludwig, Graphiker, geb. 10. 3. 1872 in Kronstadt (Siebenbürgen), von deutschen Eltern; in Triest und Wien aufgewachsen, nach Absolvierung der Kadettenschule in Budapest seit 1891 Offizier, seit 1901 hauptsächlich als Zeichenlehrer an den Militärschulen in St. Pölten, Kaschau, Serajewo und Preßburg, während des Weltkrieges u. a. auch als Kriegsmaler (Rußland, Mazedonien) tätig. Seit dem Umsturz lebte H. in Wien. Er ist als Graphiker Autodidakt, war nur kurze Zeit Schüler der Wiener Akad. und der graph. Lehr- und Versuchsanstalt. Ölbilder hat er nur wenig gemalt und sich ganz der Zeichnung und Radierung gewidmet, in welcher er neben der Stimmungslandschaft hauptsächlich novellistische Stoffe lyrischen oder märchenhaften Inhalts bevorzugt. 1912 stellte er das erste Mal 2 Radierungen (Motive aus Bosnien) im Wiener Künstlerhaus aus. 170 Blatt Zeichn., hauptsächl. Kriegsstudien, wurden 1917 von der Albertina erworben. Von seinen Arbeiten sind noch zu nennen: Cypressenmoschee; „Der Totentanz — eine Dichtung in Radierungen", 21 Blatt mit von ihm selbst verfaßten Versen, sein Hauptwerk, das in philosophisch-gedanklicher Richtung den Weltkrieg behandelt und ihm 1921 in Salzburg die silb. Medaille einbrachte; „Herzelinde's Augentrost und das Silberglöckchen" (Märchenzyklus mit Text) und etwa 50 Exlibris.

Donauland, I (1917) 839—44 (A. Rößler); IV/I (1920) 80. — Frimmel's Studien u. Skizzen zur Gem.-Kde, II 155—57, IV 128 f., V 168. — Kst u. Ksthandwerk, XVIII (1915) 310; XIX (1916) 388. — Kat. Kriegsbilderausst. Wien, 1915. *H. Leporini.*

Hessichti, Dionistus, Uhrmacher, von dem eine bezeichn. u. 1627 dat. Uhr in Buchform in der ehem. Sammlung Bernal sich befand.

F. J. Britten, Old clocks, 1904.

Hessing, Bernhard, Goldschmied in Freiberg i. S., † 1586 oder kurz vorher. War

1554—59 Lehrling bei Hans Bachmann d. Ä., wurde 1565 Meister, 1566 Bürger. 1584 kaufte er sich ein Haus in der Burggasse. Von ihm vergoldeter Kelch mit Meistermarke u. Beschauzeichen in der Hospitalkirche St. Johannis in Freiberg. Seine Witwe führte das Geschäft weiter. — Seine Söhne C o r n e - l i u s u. V a l e r i u s waren ebenfalls Goldschmiede. Cornelius, geb. 1573, mußte aus Freiberg fliehen u. blieb verschollen. Valerius, geb. 1575, † 25. 12. 1643 in Freiberg, lernte 1588—95 in der Werkstätte seiner Mutter (Geselle war Dittrich Schirmer), ging 1596 auf die Wanderschaft, arbeitete in Marienberg (in Sachsen) u. Nürnberg. Zurückgekehrt, wurde er Meister und 1603 Bürger. Er verwaltete mehrmals bürgerliche Ehrenämter und war 1622—28 Zunftvorsteher. Von ihm die silbervergoldete Fassung eines Straußeneis mit figuralem Griff (gemarkt) im Grünen Gewölbe Dresden u. ein vergoldeter Kelch mit Patene in der Kirche zu Gränitz.

K. K n e b e l , Freiberger Goldschmiedeinnung, in Mitteil. d. Freib. Altertumsver., XXXI (1894) 112. — H a m p e , Nürnberger Ratsverlässe (Quellenschr. f. Kstgesch. etc. N. F. XIII), 1904. — M. R o s e n b e r g , Goldschmiede Merkzeichen, ²1911.

Hessius, W i l l e m , siehe *Hesius*, W.

Hessl, G u s t a v A u g u s t , Genremaler, geb. 28. 5. 1849 zu Wien, 1867—77 Schüler der Wiener Akad. unter Engerth. Beschickte die Wiener Ausst. (hist. K.-A. 1877, Jubil.-Ausst. Kstlerhaus 1898, Jahresausst. des Kstlerhauses 1913, 14, Frühjahrsausst. d. Kstlerhauses 1915, 18), den Münchner Glaspalast (1883, 88, 96, 1908, 09), die Gr. Berliner K.-A. (1896, 99, 1904, 06), die Pariser Expos. décennale 1900, die Ausst. in St. Louis 1904. Die Ksthütte zu Chemnitz i. S. besitzt von ihm „Ländl. Idylle in der Wachau bei Wien". Mehrere Werke, wie „Zwei Schmarotzer", „In treuer Hut" u. a., befanden sich im Besitze des österr. Kaisers, „Im Ziegenstall" gehörte der Privatgal. des Prinzreg. Luitpold v. Bayern an.

F. v. B o e t t i c h e r , Malerw. d. 19. Jahrh., I/2 (1895). — A. M a r t i n e z , Wiener Ateliers, IX. Folge (1907) 13 ff. — D r e ß l e r ' s Ksthandbuch, 1921. — Kat. Ausst. d. Privatgal. d. Prinzreg. Luitpold v. Bayern, 1913. — Ausst.-Katal. *H. Leporini.*

Hessler, J. C., Zeichner (Dilettant) in Leipzig, 1. Hälfte 19. Jahrh. Von ihm im Stadtgesch. Mus. Leipzig (Führer 1913 p. 17: J. H. Hessler) 13 aquar. Federzeichnungen, Darstell. der Leipziger Universitätsbauten (Dominikanerkloster) aus der Zeit 1812/39.

Mitteil. von Fr. Schulze, Lpzg.

Hessler, H i e r o n y m u s , Zinngießer in Frankfurt a. M., lieferte 1637 der dort. Freischützengesellsch. Zinngeschirre, vermutlich auch die schöne gravierte Kanne (1646) ders. Gesellsch., jetzt im Städt. Mus. Streitigkeiten mit seinen neidischen Mitmeistern, die erst 1649

durch seine Anerkennung als Meister beendet wurden, veranlaßten H., sich 1640 in Nürnberg erneut zum Meister erklären zu lassen.

Festschr. d. Hist. Mus. Frankf. a. M., 1903 p. 160.

Hessler, M e l c h i o r , Stadtingenieur in Frankfurt a. M., leitender und wohl auch entwerfender Architekt der 1678—80 erbauten dort. Katharinenkirche: in Mischformen der Gotik u. Renaiss. errichteter kreuzgewölbter Saalbau, von weiträumigen, schönen Verhältnissen, bei guter Einfügung der Emporen; bemerkenswerte Leistung aus den Anfängen des protestant. Kirchenbaus. Die Dreifaltigkeitskirchen in Speier (1707/17) u. Worms (1709/25) sind in Anlehnung an sie gebaut.

Baudenkmäler in Frankf. a. M., II (1896) 233 (mit Abb.). — G. v. B e z o l d , Baukunst d. Renaiss. in Deutschland, ²1908 p. 143. — Mitt. d. Vereins f. Gesch. u. Altertumskde in Frankf. a. M., VI (1881) 273. — [F r i t s c h,] Kirchenbau des Protestantismus, 1893.

Heßler, O t t o R u d o l f , Maler in Leipzig, geb. 23. 11. 1858 ebenda, bildete sich an den Akad. zu Leipzig u. Karlsruhe, wo er besonders Schüler Ferd. Kellers war, ging dann nach München u. Paris u. bereiste Italien. Seine Genrebilder u. Landschaften, die er nur gelegentlich auf Ausst. zeigte, sind meist in engl. u. amerik. Privatbesitz.

F. v. B ö t t i c h e r , Malerwerke des 19. Jahrh., I 2 (1895). — S i n g e r , Kstlerlex., II (1896). — Mitt. d. Kstlers.

Hessler, T o b i a s , Zinngießer in Schneeberg, Sohn des Zinngießers G e o r g H. in Breslau, lernt ebenda 1659—63, wird 1669 in Schneeberg Meister, † ebenda 1699 (16. 4. begraben). Von ihm ein reichgegliederter Willkommpokal von 1698 in Privatbesitz in Pischkowitz bei Glatz.

E. H i n t z e , Sächs. Zinngießer, 1921.

Hessloehl, W i l h e l m , Kupferstecher in Karlsruhe, geb. in Offenburg 13. 2. 1810, Schüler von F. J. Oberthür in Strassburg i. E., von C. L. Frommel in Karlsruhe und von W. u. E. Finden in London; stach folg. Blätter: „Vermählung d. Markgr. Rudolf I. von Baden 1250" nach A. Gräfle (Bad. Kunstvereinsbl. 1839); „Engelskopf" und „Das fromme Kind" nach M. Ellenrieder; Passion Christi nach H. Holbein d. j.; „Hagar u. Ismael" nach E. Jacobs; mit H. R. Denzler „Schnitter in den pontinischen Sümpfen" nach L. Robert (Kopie des Linienstichs P. Mercury's für das Neujahrsbl. der Zürcher Künstlergesellsch. v. 1841); nach J. J. F. Klein mit C. Schuler u. a. Blätter für „Bilder-Cyclus für kathol. Christen" (27 Stahlstiche), Augsburg 1843; nach dems. mit G. A. Müller und H. Pinhas „Religiöse Darstellungen" (7 Stahlstiche); ferner die Porträts: Wilhelm Ludw. Aug., Markgraf v. Baden (nach F. X. Winterhalter); Leopold Karl Friedr., Großherz. v. Baden; Charles, 2. Earl of Grey (1764—1845); Zarin Alex. Feodorowna; Großfürst Michael Pawlowitsch.

Nagler, Kstlerlex., VI p. 220 („Hoessel-
öhl"). — Weigel's Kstcatal., Leipzig 1838/66,
V (Reg.). — Heller-Andresen, Handbuch für Kupferstichsamml., I (1870). — Rowinsky, Russ. Portr.-Lex. (russ.), 1886 ff. IV
646; cf. Staryje Gody, 1910 Okt. p. 54 Nr 205
IV. — Reiber, Iconogr. alsat., 1896. — Duplessis, Catal. Portr. Bibl. Nat. Paris, 1896 ff.
I 2401, 2405/4; IV 19286/9.

Heßmert, Karl, Landschaftsmaler in Berlin,
geb. 31. 3. 1869 in Fürstenberg (an der Oder),
1892—99 Schüler der Berl. Akad., besonders
Eugen Brachts, zeigt seit 1896 auf der Gr.
Berl. Kunstausst., gelegentlich auch in der
Sezession Münchens (1902) oder im Glaspalast
(1907, 08), Landschaften mit Motiven aus der
Nordmark u. von der pommerschen Küste,
besonders in Winter- oder Vorfrühlings-
stimmung.

F. Jansa, Deutsche bild. Künstler in Wort
u. Bild, 1912. — Die Kunst, V (1902); XIII
(1906). — Ausstell.-Katal. (Gr. K.-A. Berlin 1910
u. 14 mit Abb.).

Hesteaux, Louis, Maler u. Kunstgewerbler, geb. 1857 in Metz, † Juni 1919 in Nancy,
wo er sich nach dem Kriege 1870/71 niedergelassen hatte. Einer der hauptsächlichsten
Mitarbeiter E. Gallé's. Seine Entwürfe für
Möbel usw. waren im Pariser Salon der Soc.
Nat. 1895—1914 häufig zu sehen. Im Mus.
zu Nancy von ihm ein Panneau (Catal. 1909
p. 314).

Chron. des Arts, 1917—19 p. 229 (Nekr.). —
Art et Décoration, 1898 II 21 (Abb.); 1901 II
40 (Abb.); 1903 I 130 (Abb.). — Revue de l'Art
anc. et mod., XII (1902) 342. — Revue lorraine
ill., III (1908) 30 f. — Salonkatal.

Hester, Edward Gilbert, Stecher in
London, † 3. 7. 1903 in St. Albans, 60 jährig.
Fertigte Radierungen u. Mezzotintostiche nach
Lawrence, Millais, Noël, Paton, E. Long, Marcus
Stone u. a. 1882 bis 1902 stellte er in der Royal
Acad. aus. — Ein Robert Wallace H.,
Stecher, geb. 1866, zeigte auf der Royal Acad.
1897—1904 Stiche nach Lawrence u. S. Lewin.

The Art Journal, 1903 p. 255 (Nekr.). — C.
Davenport, Mezzotints, 1904 p. 195. —
Graves, Royal Acad., IV (1906).

Hesz (Hess), János Mihály (Joh. Mich.),
ung. Maler u. Kupferstecher, geb. in Eger
(Ungarn) 18. 9. 1768, † in Wien nach 1833.
Schon mit 15 Jahren im Öl- und Fresko-
malen geübt, kam er 1789 auf die Akad. in
Wien zu Hubert Maurer, wo er bis 1794 verblieb. In diesem Jahre gewann H. den 1. Preis
mit seinem Gemälde: Priamus bittet Achilles
um die Leiche Hektors (Akad.-Gal., Wien)
und wurde zum Professor an der K. K. Ingenieur-Akad. in Wien ernannt. Am 10. 4.
1820 überreichte er dem ung. Palatin Erzherzog Joseph einen Plan zur Errichtung
einer Kunst-Akad. in Pest, wobei er sich bereit erklärt, die Akad. zu organisieren. Da
dieser Plan scheiterte, fuhr H. fort, in Wien
Porträts u. bes. Altarblätter zu malen. Sein

Atelier wurde zum Versammlungsort der
jungen ungar. Künstler, von welchen ihm
Pál Balkay, S. Nagy, E. Marcinkey, S. Kis, M.
Vándza (Wandza) am nächsten standen. Einiges
Aufsehen erregte in den 20er Jahren die Entstehung seines größten Werkes, des Altar-
bildes für den Dom zu Esztergom (Gran), die
Taufe des hl. Stefan, mit 8 Fuß hohen Gestalten, 6,5 Ellen breit, wofür die Riesen-
leinwand auf eigens hierzu binnen 11 Wochen
erbautem Riesenwebstuhl verfertigt wurde.

Gemälde: 4 Altarblätter für die Hauptkirche
in Szamosujvár (Ungarn), Jugendarbeiten. Hl.
Stefan, Mariä Himmelfahrt, Johannes d. T., hl.
Johannes Nep., für Baron István Fischer, Erzbischof von Eger (Ungarn). Hl. Familie (nach
d. Raffael-Stich von Mechetti), 1818, für denselben. Taufe d. hl. Stefan, für den Hochaltar
des Domes in Esztergom, bestellt vom Bischof
Király. Hl. Anna, Altarblatt für S. Maria Rotunda
in Esztergom. Hl. Anna mit Maria u. Joachim,
Altarblatt der Kirche in Agárd, Com. Fehér
(Ungarn), für Miksa Ürményi. 5 Altarblätter
für die Gruftkapelle des Grafen Ferenc Széchenyi in Nagycenk: Christi Auferstehung, Geburt Mariä, Kruzifixus, Mariä Himmelfahrt, Hl.
Nikolaus. Martyrium des hl. Andreas, für Gräfin
Julie Festetich-Széchenyi. Patrona Hungariae,
für den Grafen Keglevich. Hl. Joseph mit d.
Jesuskinde für d. Gräfin Károlyi. Hl. Stefan f.
d. Grafen Zichy. Hl. Kaspar u. hl. Nikolaus
a Longobardis, Altarblätter für die Wien-Wie-
dener H. Schutzengel-Kirche. Christus am Kreuz
mit Maria, Johannes u. Magdalena für die Pfarrkirche Laimgrube, Wien. Altarbild Hl. Joh. v.
Nepomuk f. d. Kap. d. Schlosses Mirabell in
Salzburg (bez.: Michael Hess 1830).

Porträts: Graf József Károlyi (gestochen v.
Czetter). Márton Sturmann de Ózd und Frau
(1795). Tondichter Johann Fusz († 1819), gemalt 1819 (Hist. Gal. Budapest).

Stiche: Christi Geburt nach Mengs, Hl. Magdalena, Tod d. Virginia, Venus u. Amor, alle
von 1812; Ecce homo u. Grablegung Christi nach
eigenem Entwurf, in Punktiermanier, 1816; Die
Palikaren, erschienen als Beilage im ung. Almanach Aurora 1834 (Pest); Porträt des Grafen
Campomanes nach Mengs; Folge von Darst. aus
d. röm. Gesch.

Kazinczy Ferenc utazásai [1831], Budapest 1885 p. 51 f. — C. v. Szepesházy u.
J. C. Thiele, Merkwürdigkeiten des Königr.
Ungern, I (1825) p. 76 f. — J. C. v. Thiele, Das
Königr. Ungarn, V (1833) 76 f. — Memoria Basilicae
Strigoniensis, Pest, 1856 p. 15. — Vasárnapi Ujság,
1856 p. 283, 302. — C. v. Wurzbach, Biogr.
Lex. Österr., VIII 424. — Heller-Andresen, Handb. f. Kupferstichs. I (1870). — Századok, 1874 p. 85. — T. Szana, A magyar
művészet századunkban, Budapest 1890 p. 11. —
L. Ernszt, Hesz János Mihály tervezte 1820-
ban magyar képzőművészeti akad. felállitása
iránt, Budapest 1898. — T. Szana, Száz év a
magyar művészet történetéből, Budapest, 1901 p.
8—10. — J. Pásztor, Gyöngyössolymos. Gy-
öngyösi főgimm értesitője, Gyöngyös 1913 p. 13.
— Művészet, I (1902) 76, 215; V (1906) 135; VII
(1908) 131, 132. — K. Lyka, A táblabíró-világ
művészete 1800—1850, 1921 I 138; II 27—29,
38—42, 44, 47, 53; III 27, 112 f.; IV 27, 40. —
A Történelmi Képcsarnok műtárgyainak leíró
lajstroma, Budapest 1907 p. 103. — Österr. Ksttopogr., XIII (1914) 191, 199. — Th. v. Frim-

m e l, Lex. d. Wiener Gem.-Samml., I (1913) 210. — Magyar Biedermeier-Művészet, Budapest 1913 p. 29. *K. Lyka.*

Hetherington, J v y s t a n, Maler in London, zeigte seit 1875 auf zahlreichen Londoner Ausst. (besonders Royal Acad.) seine Landschaften. 1894 war er auch im Glaspalast München, 1904 im Pariser Salon der Soc. des Art. franç. vertreten.

G r a v e s, Dict. of Art., 1895; d e r s., Royal Acad., IV (1906); d e r s., Loan Exhib., IV (1914).

Hetsch, C h r i s t i a n F r e d e r i k, Architekturmaler u. Architekt, geb. in Kopenhagen 24. 9. 1830, † ebenda 15. 3. 1903, Sohn des Gustav Friedrich, aus dessen 2. Ehe mit der Tochter des Archit. C. F. Hansen. Schüler der dort. Akad., gewann 1850 die kl. Silbermedaille in der Dekorationsklasse und wurde 1852 auch Schüler der Modellklasse. 1855/56 Auslandsreise; einige Zeit Theatermaler, gewann er den Neuhausen-Preis für eine Aufgabe in diesem Fach. Später als Architekt, Architekturmaler und Innendekorateur tätig, jahrelang auch als Lehrer am techn. Institut. Beteiligt an den künstler. Arbeiten der Kgl. Porzellanmanufaktur und der Terrakotta-Fabrik von Ipsen. Auch Restaurator älterer Bauwerke. In der Charlottenborg-Ausst. zeigte er seit 1851 Zeichnungen und Aquarelle, meist Architekturmotive aus Dänemark, Deutschland, Italien u. Frankreich.

W e i l b a c h, Nyt Dansk Kunstnerlex., I (1896). — R e i t z e l, Fortegnelse over Danske Kunstneres Arb., 1883.

Hetsch, G u s t a v F r i e d r i c h, Architekt, geb. 28. 9. 1788 in Stuttgart, † 7. 9. 1864 in Kopenhagen, Sohn des Philipp Friedrich, Vater des Christian Frederik. Studierte anfangs Mathematik an der Universität Tübingen, wandte sich dann aber der Architektur zu und wurde in Stuttgart Schüler des Baurates Eberh. v. Etzel. 1808 ging er mit seinem Vater nach Paris und arbeitete, seit 1809 Schüler der École des B.-Arts, unter Ch. Percier u. L. H. Le Bas; später unter J. B. Rondelet als Bauleiter an den Wiederherstellungsarbeiten von Ste Geneviève (Pantheon). 1812 kehrte er nach Stuttgart zurück; da der Krieg aber die Bautätigkeit verhinderte, ging er nach Italien. In Rom machte er die Bekanntschaft des dänischen Architekten P. Malling, an den er sich anschloß, und der ihn in den Kreis der dänischen Künstler um Thorvaldsen, Eckersberg u. a. einführte. Mit Malling kam er dann nach Dänemark (Okt. 1815), wo er bald darauf Lehrer an der neuerrichteten Ornamentschule für Architekten wurde; seine dort für den Unterricht benützte Sammlg von Zeichnungen kaufte der Staat (1818). Zu C. F. Hansen, dem bedeutendsten dän. Architekten der Zeit, war er sogleich in gute Beziehungen getreten, die immer enger wurden. Er heiratete 1823 dessen Tochter Annette († 1827) und 1829

deren Schwester Caroline Amalie Augusta († 1874). Hansen übertrug ihm die dekorative Ausschmückung des nach dem Brande von 1794 nach Hansens Plänen wieder aufgebauten (1826) Schlosses Christiansborg, was zu glücklicher gemeinsamer Arbeit führte, so daß auch der jüngere nicht ohne günstigen Einfluß auf den älteren blieb. Schon 1820 war H. Mitglied der Akad. geworden; 1822 naturalisiert, erhielt er in dems. Jahre im Wettbewerb mit dem Maler Hans Hansen die Professur für Perspektive. 1828—57 war H. Leiter der Kgl. Porzellanmanufaktur u. spielte auch eine Rolle bei der Errichtung der Terrakottafabrik von Ipsen, der Zinkgießerei von L. Rasmussen usw. 1829 wurde er außerordentl., 1835 ordentl. Prof. für Architektur, 1844—57 auch Direktor der techn. Schule. Seine Erfahrung hat er in mehreren Lehrbüchern niedergelegt, z. B. „Om tegneundervisning" 1834, „Fortegninger for haandvaerkere" 1847, u. a., die auch ins Deutsche u. Englische übersetzt wurden. H., vielfach ausgezeichnet, war Mitglied d. Akad. in München u. Stockholm u. auch des Inst. of Brit. Archit. in London. — H.s bedeutendste Bauwerke in Kopenhagen sind: die vortreffliche Synagoge (1833) in der Krystalgade u. die kathol. Kirche in der Bredgade (1842). Seine Projekte für die Vollendung der Marmorkirche und die Bebauung des Stadtteiles Gammelholm blieben unausgeführt. 1834/35 restaurierte er die Trinitatiskirche in Kopenhagen, 1845 die Marienkirche in Haderslehen. Von H. entworfene Grabmäler werden mehrfach erwähnt. Sehr groß ist die Zahl seiner kunstgewerbl. Entwürfe für dekorative Malereien, Möbel, Silbergerät, Gebrauchsgegenstände aller Art, stets unter Verwendung des klassizist. Ornamentes, besonders der Palmette. Einseitig bis zur Starrheit, von geringer Phantasie, nicht stark in der Erfindung, hat er dennoch auf Generationen hinaus nachgewirkt, nicht zum wenigsten durch seine Bemühungen um die Hebung des allgemeinen künstler. Verständnisses und die Schaffung eines gesunden und geschmackvollen Kunsthandwerkes. „H. wurde nie ein Architekt von Bedeutung, aber er gewann als Vertreter des Empirestils und als eifriger Befürworter des Anschlusses der Kunst an das Handwerk einen durchgreifenden Einfluß auf den Geschmack der Zeit" (Hannover). Sein Denkmal (Kolossalbüste von E. H. Bentzen, 1902) vor dem Kunstindustriemus. — Im Mus. in Frederiksborg 3 Armstühle nach H.s Entwurf; dort ein Reliefmedaillon mit seinem Profilkopf, sein Bildnis (gemalt von D. Monies, 1843), und zwei Bildniszeichnungen (V. Gertner, 1845; H. Olrik, 1856). Im Kupferstichkab. zu Dresden eine Porträtzeichng v. Vogel von Vogelstein (Kat. 1911). Im Bronzezimmer auf Schloß Rosenborg eine Tischdekoration in Bronze, nach H.s Entwurf in

Paris gearbeitet (Kat. 1912 p. 15); in den Charlottenborg - Ausst. zeigte er 1816—55 Architekturzeichnungen, perspektivische Entwürfe, architektonische Kompositionen und Pläne.

Weilbach, Nyt Dansk Kunstnerlex., I (1896). — Reitzel, Fortegnelse over Danske Kunstneres Arb., 1883. — Dahl-Engelstoft, Dansk biogr. Haandleks., II (1921), mit Lit. (Andrup). — J. G. Schadow, Kunstwerke u. Kunstansichten, 1849 p. 141. — Kunstmuseets Aarsskrift, V (1918.) — Trap, Danmark, 1898—1906, I/III. — Univ. Cat. of Books on Art, South Kens. Mus., I (1870). — Weigel's Kstcatalog, Leipzig 1838/66, V Reg. — Delaire, Les archit. élèves, 1907. — Wintterlin, Württemb. Kstler, 1895. — Allg. Dtsche Biogr., XII 321. — Hannover, Dänische Kst d. 19. Jahrh., 1907. — Kat. Portr. etc. paa Frederiksborg, 1919 (Andrup).

Hetsch, Michael Christian I, Goldschmied in Königsberg, † 25. 12. 1721 ebenda, 1695 Meister, heiratete 1698, 1706 Ältermann. Lieferte vorzügliche Treibarbeiten, wie die weißsilberne Abendmahlskanne (Jahresbuchstabe 1697) mit den Reliefs des letzten Abendmahls u. der Hochzeit zu Kana im Dom zu Königsberg. Von ihm außerdem aus den Jahren 1702—16: Krankenkelch mit Patene in Lichtenhagen, Ostpreußen; getriebene Altarleuchter in der Pfarrkirche in Bartenstein; Münzkanne, ehemals in Privatbesitz St. Petersburg; Kelch mit Patene im Dom zu Königsberg; Krankenkelch im Dom zu Königsberg. Für die Wallfahrtskirche Heiligelinde lieferte er eine silbergetriebene Relieftafel mit Darstell. der Dreifaltigkeit. — Sein Sohn Michael Christian II, Goldschmied u. Kupferstecher, † 1736, lernte seit 1709 bei seinem Vater, wurde 1731 Meister. Von ihm ein Stich, Ansicht des Königsberger Doms, in: Lilienthal, Hist. Beschreibung . . . . . der Cathedralkirche . . . Königsberg, 1716.

Czihak, Edelschmiedekunst früherer Zeiten in Preußen, I (1903); II (1908). — M. Rosenberg, Goldschmiede Merkzeichen, ²1911. — R. Dethlefsen, Domkirche in Königsberg, 1912 p. 49.

Hetsch, Philipp Friedrich von, Historien- u. Porträtmaler, geb. in Stuttgart 10. 9. 1758 als Sohn des württemb. Hofmusikus Christian Heinr. H., † ebenda 31. 12. 1838. Vater des Archit. Gustav Friedrich H. Ging ohne Wissen seiner Eltern, die ihn zum Musiker erziehen wollten, als 13 jähriger Gymnasialschüler auf die Solitüde, um sich unter die Kunstzöglinge der herzogl. Militärakademie aufnehmen zu lassen, wo Nic. Guibal und A. F. Harper s. Lehrer wurden. Schloß sich hier bes. an Dannecker und Schiller an, mit denen er befreundet blieb. Anfangs der Landschaftsmalerei zuneigend, wurde er von Guibal zu dekorativen Arbeiten dieser Art herangezogen (Deckengem. im Vestibül des Schlosses Monrepos bei Eglosheim, im Mittelsaal des Stuttg. Schlosses usw.), ging aber noch während seines Aufenthaltes auf der Karlsakad. zur Historienmalerei über.

Mit dem Titel eines Hofmalers trat er Dez. 1780 aus der Akad. aus und wurde zur Weiterbildung zunächst nach Karlsruhe, dann nach Paris geschickt, wo er bei J. M. Vien studierte. 1782 wieder in Stuttgart. 1783 ging er nochmals nach Paris. Neben Vien und Cl. Jos. Vernet übte J. L. David, mit dem er dann 1785 in Rom wieder zusammen traf, den größten Einfluß auf ihn aus. Von Paris aus schickte H. seinem herzogl. Gönner 2 Gemälde ein: „Die Freigebigkeit belohnt das Genie" und „Tullia, über den Leichnam ihres Vaters wegfahrend" (Stuttgarter Schloß). 1784 kehrte er nach Stuttgart zurück, um 1785 seine Italienreise anzutreten (in Rom 1785/87), von der er mit dem Diplom als Ehrenmitglied der Akad. von Bologna 1787 heimkehrte. Zum Professor an der Karlsschule ernannt, wirkte er als solcher bis zu deren Aufhebung im Jahre 1794, ging dann (1795), diesmal mit Gattin und Söhnchen, wieder nach Rom (1795/6), wo das große Reiterbildnis des Herzogs Ludwig Eugen von Württemberg entstand (Stuttgarter Schloß). Nach dem Rücktritt Harpers (1797) wurde er 1798 Direktor der damals in Ludwigsburger Schlosse untergebrachten herzogl. Gemäldegalerie, 1801 auch auswärtiges ordentl. Mitglied der Berliner Akad. der Künste. 1802 ging er zum 3. Male nach Rom (Sommer 1802—21. 5. 1803), wo er viel mit seinem ehemal. Stuttgarter Schüler G. Schick verkehrte, damals übrigens schon menschenscheu und verdüsterter Gemütsstimmung. 1808 wurde er durch Verleihung des persönlichen Adels ausgezeichnet. Ein Zerwürfnis mit dem Hof, wo sein Bildnis der Königin Katharina nicht den erwarteten Beifall fand, und die über seinen Kopf hinweg erfolgte Ernennung Danneckers zum Galerieinspektor veranlaßten ihn 1816, sein Amt als Hofmaler niederzulegen. Nach Rückkehr von einer Reise nach Norddeutschland verbrachte er seine letzten Lebensjahre einsiedlerisch und trübsinnig, dazu künstlerisch völlig untätig, in Stuttgart. — Die Stuttgarter Gal. besitzt in ihrem 1794 dat., von Goethe gelobten Bilde: „Cornelia, die Mutter der Gracchen" ein charakteristisches Beispiel der von David sich herleitenden Kunst H.s, deren zeichnerische Korrektheit und malerische Glätte die Zeitgenossen ebenso entzückte, wie sie die späteren Generationen zur Kritik herausforderte. Außerdem bewahrt die Stuttg. Gal. ein reichlich van Dyckisch arrangiertes, lebensgr. Selbstbildnis aus jüngeren Jahren (Halbfig., Abb. im Katal. 1907) und ein Bildnis der Freifrau Dorothea v. Kahlden. Die meisten seiner Bilder befinden sich im Besitz des württemb. Staates: Zürnender Achill, Amor u. Psyche im Kahn, Abschied des Brutus von Porcia, Daniel in der Löwengrube, Joseph im Gefängnis (sämtlich im Stuttg. Schloß); Marius auf den Trümmern Karthagos (Schloß Monrepos); Archimedes (Schloß

Solitüde). Eine Szene aus der röm. Geschichte, Ermordung des Senators Papirius, im Germ. Nat.-Mus. in Nürnberg (Kat. 1909 No 911; Stich von Leybold). Sein Bestes, hat, wie sein Vorbild David, auch H. als Porträtist geleistet; Goethe, der bei seinen Besuch in Stuttgart 1797 das Atelier H.s aufsuchte, spricht besonders H.s in Rom gemaltem Familienbild „viel Verdienst" zu und lobt seine Bildnisse als „sehr gut und lebhaft", bespöttelt aber als „erzdeutschen Einfall" die unglückliche Wahl eines Gegenstandes aus der Messiade. Ein ausgezeichnetes Bildnis des Kunstfreundes Heinr. Rapp, mit dem H. 1783 in Paris Freundschaft schloß, war auf der Berl. Jahrh.-Ausst. 1906 aus Stuttg. Privatbes. ausgestellt (Abb. im ill. Katal. d. Gemälde, Bd II). Auf der Darmstädter Ausst. 1914 sah man die Bildnisse des Reichsgrafen August Christ. v. Degenfeld-Schonburg u. seiner Gattin (Abbn bei Biermann, Deutsches Barock u. Rokoko, Bd II). Im Germ. Nat.-Mus. in Nürnberg das Bildnis eines jungen Mädchens (Kat. 1909 No 606). Von Pfeiffer wird das große Familienbild des württ. Hofarchit. Reinh. Ferd. Heinrich Fischer, den H. nebst Frau auch einzeln porträtiert hat, besonders hervorgehoben. Mehrere Bilder in Biberach bei Buchhändler Hetsch („Amor u. Psyche") u. bei Bankier Graner („Lasset die Kindlein zu mir kommen"). Im Schloß zu Ludwigsburg (Gesellschaftszimmer) Bildnisse König Friedrichs als Kurfürst und der Königin Mathilde.

Nagler, Kstlerlex., VI. — Neuer Nekrolog d. Deutschen, 17. Jahrg., 1839, 1. Teil, No 27; wieder abgedr. in Schorn's Kunstblatt, 1839 p. 189 ff., 193 ff. — Wintterlin, Württemb. Kstler, 1895 p. 90 ff. u. 486 (Reg.). — Parthey, Deutscher Bildersaal, I (1863). — Schwäb. Kronik, 1908 No 421 p. 5 ff. („Zu H.s 150. Geburtstag"). — Kst- u. Altert.-Denkm. Württemberg, Donaukr., I (1914) 144 (80). — K. Simon, Gottl. Schick, Lpzg 1914. — Herzog Karl Eugen v. Württemb. u. s. Zeit, Eßlingen 1907, Bd I, 8. Abschnitt, B. Pfeiffer, Die bild. Künste, p. 666, 670, 691, 724, 727, 728, 741 ff. (Abb.), 758; ders. im Marbacher Schillerbuch, 1905 p. 224, 322 (Abb.), 380. — Belschner, Führer d. Ludwigsburg, 1912 p. 38, 41, 45, 63. — Dehio, Handb. d. deutsch. Kstdenkm., ² III, 1920. *H. Vollmer.*

Hettich, Eugen, Landschafts- und Porträtmaler, geb. 18. 7. 1848 in Besigheim (Württemberg), † 29. 3. 1888 in Stuttgart. Zuerst bei einem Dekorationsmaler in der Lehre, besuchte dann Kunstschule u. Polytechnikum in Stuttgart u. bildete sich unter A. Eisenmenger in Wien weiter aus. Ließ sich hierauf in München nieder, wo er 1874—77 im Kstverein Landschaften mit Motiven aus Tirol u. aus der Dachauer Gegend zeigte. Die 1878 entstandene große Landschaft „Sturm", ein pastos gemaltes Stück, das seinerzeit Aufsehen erregte, befindet sich in Privatbesitz Bayreuth (Stadtbaurat H. Schmitz). 1879—81 lebte H.

in Florenz, weilte dann häufig in Tirol (das große Bild „Schloß Tirol" wurde vom Kstverein München angekauft) u. siedelte 1885 nach Stuttgart über, wo er eine Malschule gründete. Studien seiner Hand im Besitz der Familie Hettich (Ismaning bei München).

Kstchronik, IX (1874) 803; X (1875) 476; XII (1877) 75, 260, 549, 608; XVII (1882) 491. — Mitt. des H. Stadtbaurats H. Schmitz-Bayreuth.

Hettinger (Höttinger), Malerfamilie des 17. und 18. Jahrh., anscheinend in Schwaz heimisch, im 18. Jahrh. auch nach Graz, Salzburg u. Rosenheim verzweigt. Georg u. sein Sohn Andreas (dieser schon 1645 urk. als Maler in Schwaz erwähnt) erneuern 1652 die Fresken des Kreuzganges des dort. Franziskanerklosters; Andreas und sein Sohn Johann Georg wiederholen 1687 diese Renovierung (Übermalung). Andreas wird auch 1684, Johann Georg 1699 u. 1709 als Maler in Schwaz genannt; neben ihnen Lorenz 1679 und Franz 1684. Johann Georg malt 1729/30 als Gehilfe des Franz Mich. Hueber mit an den (1905 heruntergeschlagenen) Fresken der Pfarrkirche in Schwaz, 1745 das Deckenbild (hl. Sixtus) der Kirche in Niederau, ferner Fresken (Abendmahl, Engelsturz) in der Pfarrkirche zu Ellmau; von ihm auch ein Tafelbild „Taufe der Königin Christine von Schweden" 1723 (Kloster Wilten) und Kreuzwegbilder in Absam (1734) und Ampaß (1741). Ein Sohn Johann Georgs, „gewesten Malers in Schwaz", Dominik, Maler, heiratet 1704 in Graz. Daneben taucht ein Johann Christof auf, der 1708 in Emsburg handwerkl. Arbeiten ausführt und . 1728 für die Stadtpfarrkirche z. hl. Erhart (Nonntal) in Salzburg eine geschnitzte Christusfigur „auf Steinart" bemalt. Johann (ansässig in Rosenheim) malte um 1760 vier Altarblätter für die Pfarr- (ehemal. Stifts)-Kirche zu Rott a. Inn, hl. Leonhard, hl. Franz Xaver, hl. Benedikt u. hl. Magdalena (die beiden letzten durch Bilder von Henricus Karth ersetzt) und 6 Ölbilder (nach Stichen von K. G. v. Amling aus der Geschichte der Wittelsbacher) im Schlosse (ehem. Kloster) Tegernsee, eins davon bez. „Jo: Höttinger in Rosenhaimb". Von Joseph Anton (ebenfalls in Rosenheim) in der Wallfahrtskirche zu Kleinhöhenkirchen (Bez.-Amt Miesbach, Bayern) Deckengemälde im Chor (Heimsuchung) und im Schiff (Lobpreisung d. Gnadenbildes, bez. „Jos. Antony Höttinger in Rosenhaimb. 1773" [die letzte Ziffer undeutlich u. fraglich]). 1750 begegnet auch ein Goldschmied Johann Höttinger in Schwaz.

Archivberichte aus Tirol, III 22. — Mitteil. d. k. k. Zentralkomm., 1863 p. 108 ff.; 1881 p. CXXII; Jahrbuch d. k. k. Zentralkomm., 1908 Beibl. p. 147.— Katal. tirol.-vorarlb. Kstausstell. 1879 p. 24. — Andreas Hofer, 1880 p. 26. — Jahrbuch d. kgl. Preuß. Kstslgn, VI (1885) 91. — Mitteil. d.

histor. Ver. f. Steiermark, Heft 37 (1889) 82. — Bote f. Tirol, 1899 p. 1389. — Kstdenkm. Bayern, I 2 (1902) p. 1432, 1468, 1517, 1550, 2035, 2039. — Kstfreund, 1906 p. 47; 1909 Heft 5/6 p. 14; 1911 p. 57, 64, 66; 1914 Heft 8/9 p. 17. — H a m m e r, Deckenmalerei in Tirol, 1912. — Österr. Ksttopogr., IX (1912); XI (1916). *H. Hammer.*

Hettler, C a r l, Bildhauer u. Wachsmodelleur, um 1820 in Breslau tätig, später in Berlin. Scheint sich vom Handwerker (1818 wird er im Berl. Akad.-Katal. als Gürtlermeister, Bronzeur u. Ziseleur bezeichnet) zum Bildhauer emporgearbeitet zu haben. 1822 stellt er in Breslau ein Wachsbild aus; Köpfe u. Porträts in Wachs u. Gips auch auf den Berl. Akad.-Ausst. 1839, 40, 44. Im Katal. der letzteren wird er als beinahe erblindet angegeben. Im Mus. Weimar (Kat. 1894 No 106) Bronzebüste des Joh. Falck, 1826.

N a g l e r, Kstlerlex., VI. — S c h o r n ' s Kstblatt, 1822. — Katal. d. Berl. Akad.-Ausst., 1818 p. 37; 1839 p. 70; 1840 p. 97; 1844 p. 110.

Hettner, O t t o (Hermann O.), Maler, Graphiker und Bildhauer in Dresden, geb. 27. 1. 1875 ebenda, Sohn des berühmten Literarhistorikers Hermann H. Schüler der Karlsruher Kunstschule unter Pötzelberger (1893—95) und der Acad. Julian zu Paris (1895—96), lebte bis 1903 vorzugsweise in Paris, 1904—11 in Florenz, dann in Charlottenburg, seit 1917 in Dresden als Leiter des Aktsaales, seit 1919 als Professor der Malerei an der Akad. In Paris war H., von Rodin und Bartholomé gelegentlich unterwiesen, als Plastiker tätig — sein bekanntestes bildhauer. Werk ist der „Bogenschütze" von 1902 —, lernte aber dort vor allem den malerischen Neoimpressionismus Seurats, van Rysselberghes u. a. kennen. Mit diesen französ. Einflüssen verbanden sich bald italien., wie die 1. große Sonderausstellung zeigte, die H. Febr. 1907 in Dresden (Richters Kunstsalon) veranstaltete. Sie enthielt über 40 Gemälde und Pastelle und 4 Skulpturen aus dem Jahrzehnt 1896—1906. Hier erschien H. noch als ein Ringender, der sich namentlich um die Modellierung der menschlichen Gestalt und um das Erfassen der südlichen Landschaft im Wechsel des Lichtes bemühte. Weit ausgereifter waren die Werke, die er 1911 bei Thannhauser in München u. in der Herbstausstell. des Hagenbundes in Wien zeigte und die durch die Leuchtkraft ihrer Farben Bewunderung erregten. Seitdem wandte sich H. mehr und mehr der Monumentalkunst zu. Seinen „Niobiden" (1912, Gemäldegal. Dresden; ältere größere Fassung, 3/4 m, beim Künstler), bei denen das Gewaltsame der Handlung in Farbe, Linienführung und Beleuchtung gleichsam widerklingt, folgte das 6 m hohe Freskogemälde der „Sintflut" (1915/16) für den Kuppelsaal des Mus. Stettin, u. endlich 1917—19 das gegen 7 m hohe Wandbild des „Parnaß" mit 30 lebensgroßen Figuren (Stettin) — Werke

von starker, farbig-decorativer Wirkung, die den Einfluß Puvis' und Marées' offenbaren. Mit einigen bibl. Darstell. („Hiob", 1919, Nationalgal. Berlin, „Gethsemane" u. a.) griff dann H. in das ihm wesensfremde Gebiet des Expressionismus über. In öffentl. Samml. befinden sich außer den schon genannten Arbeiten: „Picknick", 1906 (Mod. Gal. Wien); „Barke" (Kahnfahrt, 1910) und Kinderporträt im Stadtmus. Dresden; „Landschaft" (Loschwitz, 1918) und „Felsentor" im Mus. Stettin. Zeichnungen und Aquarelle hat H. häufig ausgestellt. Als Lithograph schuf er Schrift und Illustrationen zu H. v. Kleists „Erdbeben in Chile" (Berl. 1914), Cervantes' „Galatea" (Wien 1922), H. Hofmannsthals „Florindo" u. a.; ferner Gedenkblätter (z. B. für Ludwig Frankh) und Akte (Eine Mappe bei Dehne-Leipzig). Zeichnungen und Steindrucke von ihm bewahren die Kabinette in Dresden, Düsseldorf, Leipzig, Mannheim, München, Stettin. H. gehört seit Jahren der Dresdner Künstlervereinigung an, die ihm wiederholt (1917, 1918, 1922) Gelegenheit zu Sonderausstell. gab.

D r e ß l e r, Ksthandb., VIII 2 (1921). — Katal. Kstausst. Chemnitz (Privatbes. 1918; XV. Dtscher Kstlerbund 1920; Dresden (Große 1904, 1908, 1912; Gr. Aqua. 1911; Dresdn. Kstlervereinig. 1910—22); Berlin (Ausst. dtscher Kst, 1906, Zeichn. p. 57), Sez. 1906 ff. — Kunst u. Kstler, XII 303; XIII, Tafel gegen p. 147 (Lith.). — Deutsche Kst u. Dekoration, XXVI 231 (Abb.); XXVII 103/8 (P. F e c h t e r); XXXIII 11 (Abb.); XLIV 298 f. (Abb.). — P. S c h u m a n n in E. A. Seemann's „Meister der Farbe", 1918, Heft XII No 8041. — Wieland, I (1916/17) Heft 12 p. 8 ff. — Cicerone, VIII (1916) 192, 241. — Die Kunst, XI (1905) 517 u. Abb. 524; XIII 433; XV 414; XVII 414; XXIII 215, 464; XXVII 40, 466 u. Abb. 472; XXIX 473; XXXVIII 51 u. Abb. 52; XLI (1920) 46. — Jahrb. d. bild. Kst, VI (1907/08) 25. — Kstchronik, N. F. XXVII (1915/16) 87—89, 228, 282. — W. v. S e i d l i t z, Monumentalmalerei, 1912 p. 57 u. Abb. 62. — Dresdn. Kalender 1913 p. 49; 1919 p. 92, 96, 98; 1920 p. 115. — H a m a n n, Dtsche Malerei im 19. Jahrh., 1914 p. 358. — W a e t z o l d t, Dtsche Malerei seit 1870, (1919) p. 33. — Handzeichn. dtscher Meister (Gal. Arnold-Dresden), 1919 p. 15; 1921 p. 22. — H a r t l a u b, Neue dtsche Graphik, 1920 p. 72. — G r a u t o f f, Neue Kunst, 1921 p. 153. *Ernst Sigismund.*

Hetz, K a r l (Johann K.), Landschafts- u. Genremaler, geb. 11. 11. 1828 in Kulmbach, † 5. 8. 1899 in München, zuerst Lehrer, kam 1858 an das Polytechnikum in München, dann an der dort. Akad. als Schüler A. v. Rambergs. Auf seinen Reisen durch Tirol, Dalmatien, Bosnien, die Herzegowina schuf er zahlreiche Aquarellveduten, sonst meist kleine Genrebilder.

F. v. B ö t t i c h e r, Malerwerke d. 19. Jahrh., I 2 (1895). — Allg. Deutsche Biogr., L (1905). — Ausst.-Kat. Glaspal. München, 1871; 1888.

Hetze, P a u l (Bruno P.), Maler, geb. 11. 9. 1866 in Chemnitz, † 27. 4. 1901 in München, Schüler von J. C. Herterich u. W. v. Diez in München, mit romantisch empfundenen Landschaften seit 1895 auf verschiedenen deutschen

Ausst. vertreten (München, Sezession 1895, 96, 99, 1900, Winter 1901/02 [Gedächtnisausstell.]; Glaspalast 1897, 1901; Berlin, Sez. 1900, Gr. Kunstausst. 1896, 97; Dresden 1899, 1901). In der Neuen Pinak. München: „Einsam" (im Walde wandernder Klosterbruder).

Kunst für Alle, XII (1897) 318; Die Kunst, I (1900) 356; III (1901) 410 (Nekr.); V (1902) 190 (Gedächtnisausst.). — G. Hirth, 3000 Kunstblätter der Münchner „Jugend". — Bettelheim, Biogr. Jahrbuch, VI 46.

Hetzel, George, Maler, geb. im Elsaß 1826, tätig in Pittsburgh. Stellte 1896 ebenda eine Landschaft aus. In der Gal. der Public Library, New York, von ihm ein Fruchtstilleben.

Cat. First Annual Exhib. Carnegie Art Gall., Pittsburgh 1896/7. — The New York Public Library, Cat. of Paint. etc. 1912.

Hetzel, Heinrich, Stadtmaurer zu Danzig, machte sich vor allem durch Vollendung und Wölbung der Marienkirche verdient. „Am Tag nach Bartholomäi" 1496 schließt der Rat der Stadt mit ihm einen Vertrag, der ihn zunächst verpflichtet, die Südseite der Kirche aufzurichten. Seit 1493 war man daran gegangen, die alte, 1443 erbaute Kirche zu erweitern, wobei die Wände des Mittelschiffes in Pfeiler aufgelöst wurden. 1495 war das nördl. Seitenschiff fertig geworden. Nach Abbruch der alten Südseite errichtet H. die neuen Mauern und Kapellen und wölbt sie ein. Danach geht er an die Einwölbung der ganzen Kirche mit reichem Stern- und Netzgewölbe, z. T. auf eigene Kosten (Vierung). Juli 1502 ist der Bau vollendet. 1506/09 erhöhte er den Stockturm um 2 Stockwerke. Daß H. auch außerberuflich hohes Ansehen genoß, geht daraus hervor, daß er 1502 Mitglied der Reinholdsbank im Artushof wurde. Später ist er noch Spittler am Heil. Geist-Hospital gewesen und als solcher zuletzt 1517 nachweisbar.

Hirsch, Oberpfarrkirche von St. Marien zu Danzig, I (1843) 64 f. — Danzig u. seine Bauten, herausg. v. Westpr. Archit.- u. Ing.-Verein zu Danzig, 1908 p. 70. — Gurlitt, Danzig, Histor. Städtebilder, Ser. 3 H. 1, 1910 p. 6. — Simson, Gesch. d. St. Danzig, I (1913). — Dehio, Handb. d. Dtsch. Kstdenkm., II (1922). — Mitteil. d. Stadtmus. Danzig.

Hetzel, Johann August, Glocken- u. Geschützgießer in Riga, lernte in Dresden, wurde nach mehreren Wanderjahren in Berlin Meister und bei der königlichen Geschützgießerei angestellt. 1763 erfolgte seine Bestallung beim Rigaschen Rat. Von ihm die ehem. Ratsglocke von 1764 (jetzt Dommus.) u. die Glocke der Kirche zu Wesenburg in Estland von 1798.

Aus handschriftl. Notizen W. Neumanns (†).

Hetzel, Johann Christian, Goldschmied in Frankfurt a. M., 1793 Meister. Von ihm wohl eine weißsilberne Lampe mit 9 Flammen, bezeichnet mit Marke: „Hetzel", 1883 in Münchner Privatbes.

M. Rosenberg, Goldschmiede Merkzeichen, ² 1911.

Hetzelsdörfer, Friedrich, Maler in Nürnberg um 1597, nur bekannt durch sein im 17. Jahrh. anonym gestoch. Bildnis mit seinem Monogramm und 1597.

Panzer, Verz. v. Nürnb. Portraiten, 1790 p. 103 (nach Heyden!). — Brulliot, Dict. des Monogr., II (1833). — Nagler, Monogr., I.
W. Fries.

Hetzendorfer, s. *Hötzendorfer.*

Hetzer, Johann Christof, Maler („Konterfetter") in Nürnberg, geb. ebenda 1640, † in Venedig 12. 9. 1665. Sein Selbstbildnis stach N. Häublin 1669.

Nürnberger Totenbuch 1665/68 Bl. 141. — Doppelmayr, Nachr. v. Nürnb. Mathem. u. Kstlern, 1830 (handschr. erg. Exemplar i. Germ. Mus. Nbg Bl. 12). — Nagler, Kstlerlex., VI (Druckfehler: 1565). — Andresen, Nürnb. Kstler (Ms. Bibl. U. Thieme, Leipzig) fol. 295. — Muller, Cat. rais. de Portr. etc., Amsterd. 1877 (Nr 5). *W. Fries.*

Hetzer, siehe auch *Hoetzer.*

Heu, Maler, Bildhauer u. Schreiner im Niederbayrischen (Landshut?), fertigte (laut Inschrift auf der Rückseite) 1754 den Hochaltar in der Kirche St. Veit in Thal (Niederbayern).

Kstdenkm. Bayerns, IV Heft 2 (1914) 204.

Heu, Edouard, Elfenbeinschnitzer, geb. 1809, † 1869 in Dieppe, Schüler von Meugniot, arbeitete längere Zeit bei J. N. Blard ebenda und machte sich 1854 in Dieppe selbständig. Genannt werden ein Ecce homo („nach Michelangelo"!), 2 Handspiegel (geschnitten von Saillot), die er 1855 in Paris (Expos. univ.) ausstellte, und eine Pendule in Elfenbein, die lange in seiner Werkstatt stand u. gelobt wird. Für die Kunstindustrie lieferte er mehrere Modelle. Sein Geschäft wurde bis 1902 von der Witwe weitergeführt.

Chennevières, Notes d'un compilateur sur .. les sculpt. en ivoire, 1857 p. 16, 88. — Blondel, Hist. d. éventails, 1875. — Scherer, Elfenbeinplastik s. d. Renaiss. (Monogr. d. Kstgew. VIII). — A. Milet in L'Art, LXIV (1905) 466 f. *Chr. Scherer.*

Heu, Joseph, Bildhauer und Maler in Wien, geb. 21. 2. 1876 in Marburg a. d. Drau als Sohn deutscher Eltern; wurde zum Lehrer bestimmt, wandte sich jedoch bald der Kunst zu, besuchte die Gewerbeschule in Graz und kam 1893 als Schüler an die Wiener Akad., wo er 5 Jahre bei Hellmer und 1 Jahr bei Zumbusch arbeitete. Als Schüler Zumbuschs erhielt er den Rompreis, der ihm für ein Jahr den Aufenthalt in Italien ermöglichte. Dort entstand sein erstes monumentales Werk, „Befreiung der Quelle" (Titanen wälzen einen Fels, der die Quelle geschlossen hat, fort), das er nach seiner Rückkehr 1903 im „Hagenbund" ausstellte. Die Gruppe wurde von der Gemeinde Wien erworben und im Stadtpark in Verbindung mit lebendem Wasser aufgestellt. In dems. Jahre schmückte H. das Haus der

Kaufmannschaft mit den Gruppen auf der Attika. 1904 entstand ein überlebensgroßer Christus, der in Marienbad aufgestellt wurde, in weiterer Folge eine gleichfalls überlebensgroße Pietà für das gräfl. Lambergsche Mausoleum auf der Pirk (bei Steinach-Irdning, Steiermark), ein Knabe in Bronze, als Brunnenfigur für eine Villa in Ischl bestimmt, ein Werk, das auf der Ausstell. in Graz die gold. Staatsmedaille erhielt, ferner das Bildnis der Mutter des Künstlers mit dem Gebetbuch in der Hand, eine auf schärfste Charakteristik angelegte, in Salzburger Marmor ausgeführte Arbeit, die H. auch als Porträtisten einen Namen gemacht und ihm zahlreiche Bildnisaufträge zugeführt hat; schließlich ein Brunnen für das Kaiser Franz Josefspital (1913). Der Wettbewerb für den plast. Schmuck eines der hinteren Giebel des österr. Parlamentsgebäudes brachte H. den 1. Preis und den Auftrag zur Ausführung des Werkes, die allerdings der Kriegsausbruch verhindert hat. Das Modell, Finanz, Handel und Verkehr in einer, dem gräzisierenden Bau angepaßten Ausdrucksform symbolisch darstellend, im Besitz des Künstlers. Während des Krieges hat H. sich auf zeichner. und malerischem Gebiete betätigt. Kriegsbilder von ihm auf der Kriegsbilderausstell. in Berlin 1916. Als Maler beschäftigt sich H. vorzugsweise mit der Lösung kompositioneller Aufgaben, doch haben auch seine plast. Arbeiten einen dekorativen Zug, ja H. hat sich vielfach mit rein dekorativen Skulpturen beschäftigt, so mit Holzschnitzereien für Innendekoration (1921 Preis für Kleinplastik). Von seinen monumentalen Skulpturen wären noch anzuführen: Kruzifixus in Holz, Evangelist in der Kirche des Wiener Zentralfriedhofes, ein Engel in der Kapelle des Lainzer Versorgungshauses und ein in der Ausführung begriffenes Grabmonument für den Döblinger Friedhof, „Sterbende Kraft", mit der überlebensgroßen Gestalt eines sterbenden Mannes.

Die Kunst, VII (1903) 438; XXXI (1915) 140 (Abb.). — G u g l i a , Wien, 1908. — Studio, XLI (1907) 148 (Abb.), 150. — Art revival in Austria (Studio Spec.-Nr) 1906 p. B VI u. B 14 (Abb.). — *Katal.:* Jahresausst. Künstlerhaus Wien, 1913 (Abb.); Hagenbund Wien (Erdgeist IV) 1909 (mit Abb.), 1913; Berlin, Große K.-A. 1911 (Abb.), 1916; Deutsche Kriegsbilder, Akad. Berlin, 1917; Venedig, Esp. intern., 1907; Dresden, Gr. K.-A., 1908, 1912, Gr. Aquarell-Ausst., 1909. *R. A.*

Heubach, M a t t h i a s , „Schreiner oder Discher" aus Gera, wurde am 15. 4. 1643 nebst einem ungenannten Sohn verpflichtet, die „dischlerarbeit" am Neubau des gräfl. Hauses zu Rastede (bei Oldenburg) auszuführen. Da die Akten keinen neben ihm dort beschäftigten Bildschnitzer nennen, wird ihm die Anfertigung des Portals am großen Saal ebenda zuzuweisen sein, welches nach Schloßinventar von 1744 in einem „gedoppelten Fronton" unten „die alte Passage vom Löwenstreit" [Gründungssage Kloster Rastedes, Graf Friedrichs Zweikampf mit dem Löwen] und darüber „von der Bergjungfer mit dem Horn [gräfl. Haussage vom „Wunderhorn"] in Holz ausgehauen" enthielt. Das Schnitzwerk ist nach 1744 verschwunden, wahrscheinlich bei dem Umbau des gräfl. Hauses durch den neuen Eigentümer, Justizrat Friedr. Christ. v. Römer, der es 1755 erworben hatte. — Am 7. 10. 1651 wurde H. an Stelle des pensionierten Meisters Albrecht zum gräflichen „Hofschnitzker" ernannt.

R ü t h n i n g , Oldenb. Gesch., 1911 I 588 (fälschlich Heimbach). *G. Sello.*

Heubach, W a l t e r , Maler in München, geb. 15. 2. 1865 in Leicester, besuchte die Kstgewerbeschule in München, war dann 11 Jahre im Atelier des Historienmalers F. Wagner ebenda. Seit 1911 stellt er im Glaspalast aus, vor allem Tierstudien.

J a n s a , Deutsche bild. Kstler in Wort u. Bild, 1912. — Ausstell.-Katal.

BIOGRAPHY